# 総目次

●印は今年版で改正があった条例等で、★印は新収録である。

## 第一類 都政一般

### 【第一章 総則】



### 【第二章 選挙】



### 【第三章 議会】



### 【第四章 行政管理】

**【第五章　文　書】**



**【第六章　都政情報】**

## 第八類 安全

# 条例・規則・訓令等（五十音索引）

★題名の初めに、「東京都」、「東京」、「東京における」、「東京都の」及び「東京の」がくる場合は、これらを省略した。

【例】
●東京都組織条例 ――→ 組織条例
●東京都立病院条例 ――→ 都立病院条例
●東京における自然の保護と回復に関する条例 ――→ 自然の保護と回復に関する条例

【て】



【と】

令和７年版

# 都政六法

学陽書房編集部 編

学陽書房

# 推薦のことば

社会が急速に変化する中、各自治体は、地域の実情を踏まえた特色ある政策を大胆かつ迅速に展開していくことが求められています。こうした中、政策を具体的に実現するための礎となる、条例・規則など各種の法規が果たす役割は、ますます重要性を増しています。

東京都では、令和六年一月に『「未来の東京」戦略 version up 2024』を策定し、『「未来の東京」戦略』に掲げた様々な政策のバージョンアップを図りました。十月には、誰もが等しく豊かな消費生活を営み、働く全ての人が力を存分に発揮できる社会の実現に向け、全国初となるカスタマー・ハラスメント防止条例を制定するなど、自治立法権を生かした具体的な政策の実現を着実に進めています。

本書は、昭和三十年に、東京都の監修の下、条例等のうち重要であるものあるいは利用度の高いものを選択編集し、発刊されました。以来、厳選された内容で、都政関係者にとっての基本的な例規集として長い歴史を刻んでおり、広く支持を得てきております。

激動する社会情勢を的確に捉えながら、法規を正しく理解・運用し、諸課題を解決していく能力が求められている今日、都職員をはじめ、地方自治を支える多くの方々に、日常の業務執行はもとより各種研修など様々な場面において活用できる、身近なパートナーとして本書を推薦いたします。

令和六年十一月

東京都総務局総務部長　保家　力

# 編集にあたって

——令和七年版によせて——

ここに「都政六法」令和六年版をお届けします。

本書は、昭和三十年の発刊以来、都政関係者必携の例規集として毎年版を新たにしてきましたが、今年もまた関係各位のご協力のもと、最新の条例改正等を踏まえ、新版を刊行させていただく運びとなりました。

この新版においては、令和六年十一月一日現在において公布されている東京都の条例・規則・訓令などのうちから主要なものを選択し、都政一般、人事、財務、都民生活、教育文化・青少年、都市整備、公営企業、安全の八類に分類し編集いたしました。

昨年版刊行後、この一年の間にもまた多くの条例制定・改正が行われております。

カスタマー・ハラスメントの防止に関し、都、顧客等、就業者及び事業者の責務を明らかにするとともに、施策の基本的な事項を定めた「東京都カスタマー・ハラスメント防止条例」が制定されました。また、刑法等の一部を改正する法律等の施行に伴い、関係する条例の改正が行われました。

これらの新たな内容を盛り込み令和七年版として発刊することとなりました。

引き続き多くの都政関係者の皆様にご活用いただければ幸いです。

令和六年十一月

学陽書房編集部

# 凡　例

**【本書の目的】**

本書は、都政及び区政に携わる人々のために必要な条例・規則・訓令・告示・通達等を収録して、簡便で日常の事務処理に役立つとともに、研修等にも利用できるように編集した。

**【内容現在】**

本書の内容は、令和五年十一月一日までに公布され、施行期日が令和六年九月三十日までのものである。未施行となるものについては一部改正の形式で各例規の末尾に収録した。

**【収　録　数】**

本書には、常時必要とされる条例・規則・訓令・告示・通達等につき計二七一件を厳選収録した。

**【分　　類】**

本書は、それぞれの部門に従って、次のとおり八類に分類し、さらに類を章に分けた。

**第一類　都政一般**
（総則・選挙・議会・行政管理・文書・都政情報・監査・区市町村）

**第二類　人　　事**
（人事・勤務時間等・給与）

**第三類　財　　務**
（予算等・収入支出・契約・財産・土地収用）

**第四類　都民生活**
（福祉・衛生・労働経済・市場・消費生活・市民活動等）

**第五類　教育文化・青少年**
（教育行政・学校教育・生涯学習・文化・青少年）

**第六類　都市整備**
（都市計画・建築・環境・住宅・建設・港湾）

**第七類　公営企業**
（通則・交通・水道・下水道）

**第八類　安　　全**
（警察・消防・防災）

**【検索方法】**

検索は、冒頭の「総目次」及び「五十音索引」によられたい。

**【公布年月日・改正年月日】**

公布年月日及び条例番号等は、各条例名等の下に示し、改正年月日は、最終改正として、直近の改正年月日を掲げることにした。

**【総目次における略号】**

一　規則等の略号は、次の用例による。

**人委規則**　人事委員会規則
**教委規則**　教育委員会規則
**教委訓令**　教育委員会訓令
**水管規程**　水道局管理規程
**下水管規程**　下水道局管理規程
**交局規程**　交通局規程

二　所管の組織の名称を文書記号に用いる略号等により表示した。

# 第一類

# 都政一般

# 第一章　総　則

## ○東京都庁の位置を定める条例

昭六〇・一〇・一
条　例　七　一

地方自治法（昭和二十二年法律第六十七号）第四条第一項の規定に基づき、東京都庁の位置を次のとおり定める。

東京都新宿区西新宿二丁目

附　則

この条例は、東京都規則で定める日（平三・四・一）から施行する。

## ○東京都の休日に関する条例

平元・三・一七
条　例　一　〇

改正　平四・六・二四条例一二三

（東京都の休日）

**第一条**　次に掲げる日は、東京都の休日とし、東京都の機関の執務は、原則として行わないものとする。

一　日曜日及び土曜日

二　国民の祝日に関する法律（昭和二十三年法律第百七十八号）に規定する休日

三　十二月二十九日から翌年の一月三日までの日（前号に掲げる日を除く。）

2　前項の規定は、東京都の休日に東京都の機関がその所掌事務を遂行することを妨げるものではない。

（期限の特例）

**第二条**　東京都の行政庁に対する申請、届出その他の行為の期限で条例又は規則で規定する期間（時をもって定める期間を除く。）をもって定めるものが東京都の休日に当たるときは、東京都の休日の翌日をもってその期限とみなす。ただし、条例又は規則に別段の定めがある場合は、この限りでない。

附　則

この条例は、平成元年四月一日から施行する。

附　則（平四・六・二四条例一二三）

この条例は、平成四年七月一日から施行する。

## ○東京都の執務時間に関する規則

平元・三・一七
規　則　二　五

改正　平四・六・二五規則一三七

（東京都の執務時間）

**第一条**　東京都の執務時間は、東京都の休日に関する条例（平成元年東京都条例第十号）第一条に規定する休日を除き、午前八時三十分から午後五時までとする。

（執務時間外の業務の遂行）

**第二条**　前条の規定は、執務時間外に業務を遂行することを妨げるものではない。

附　則

この規則は、平成元年四月一日から施行する。

附　則（平四・六・二五規則一三七）

この規則は、平成四年七月一日から施行する。

## ○東京都紋章

昭一八・一一・二
告示四六四

東京都紋章左ノ通定ム

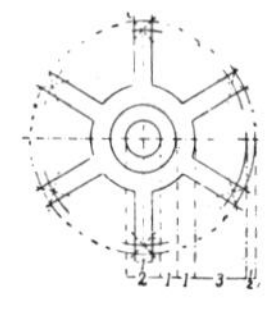

## ○東京都紋章制定ニ関スル件

昭一八・一一・八
次長通牒官文発五七四

昭和十八年十一月東京都告示第四百六十四号ヲ以テ東京都紋章制定相成候処本紋章ハ皇都東京ヲ象徴セルモノニシテ其ノ使用ニ当リテハ必ス正規ノモノヲ用ヒ苟旦ニモ其ノ権威ヲ失墜スルカ如キモノニ使用セサル様慎重御考慮相成度候也

追而従来東京府ノ紋章又ハ東京市ノ徽章ヲ使用セルモノハ支障ヲ生セサル限リ変更セサルモ差支無之為念申添候

（参考）

紋章ノ意義

本紋章ノ表現スル意義ハ「日本東京」ニシテ、意匠ハ日輪ヲ中心トシテ光芒六方ニ放射ス、即チ六合ニ光被スル皇都東京ノ雄渾ナル都風ヲ明快ニ象徴セルモノナリ

## ○東京都旗の制定

昭三九・一〇・一
告示一〇四二

東京都旗を次のように定める。

規　格

1　地色を江戸紫とし、白色の紋章を中央に配す。

2　紋章は、昭和十八年十一月二日東京都告示第四百六十四号をもつて定めるものを使用する。

3　旗の寸法（比率）は、縦二　横三の割合とし、紋章の縦の長さは、旗の縦の長さの六分の四とする。

## ○東京都のシンボルマーク

平元・六・一
告示五七七

東京都のシンボルマークを次のように定める。

底辺部は、点Cを通り、直線ABに平行な直線とする。

〔シンボルマークの意味するもの〕
東京のアルファベットの頭文字「T」を中央に秘め、三つの同じ円弧で構成したものであり、色彩は鮮やかな緑色を基本とする。
これからの東京都の躍動・繁栄・潤い・安らぎを表現したものである。

## ○東京都シンボル旗の制定

平元・九・三〇
告示九七八

東京都シンボル旗を次のように定める。

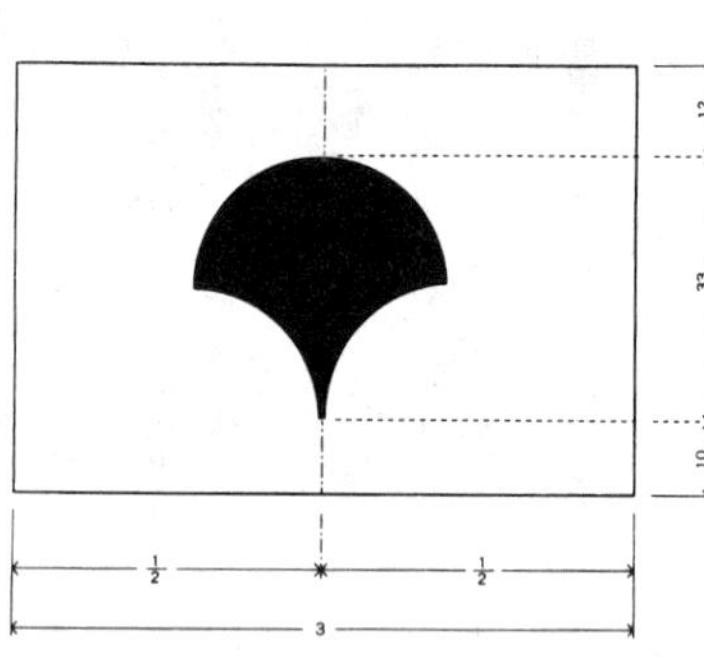


規格
一　地色を白とし、鮮やかな緑色のシンボルマークを中央に配する。
二　シンボルマークは、平成元年東京都告示第五百七十七号をもって定めるものを使用する。
三　旗の寸法（比率）は、縦二　横三の割合とし、シンボルマークの縦の長さは、旗の縦の長さの五十五分の三十三とする。

## ○都民の日条例

昭二七・九・二七
条例七五

**第一条**　東京都民がこぞつて一日の慰楽をともにすることにより、その自治意識を昂揚し、東京都の発展と都民の福祉増進を図るために、都民の日を設ける。

**第二条**　都民の日は、十月一日とする。

**第三条**　都民の日には、東京都庁及び所属公庁は、都政の普及と理解に資するため諸施設を公開し、各種の記念行事を行うものとする。

**第四条**　都民の日には、都の営造物及び諸施設の使用料、手数料及び入場料その他の料金で別に知事が指定するものに限り、当該条例の規定にかかわらず特にこれを減免することができる。

**第五条**　この条例の施行に関して必要な事項は、知事が定める。

**附　則**

この条例は、昭和二十七年十月一日から施行する。

# ○東京都平和の日条例

平二・七・二〇
条例九〇

東京は、今や、世界の経済社会の発展を支える大都市としての地位を占めるに至った。これは、東京の地に住み、働いてきた人々の努力の賜物である。

しかし、東京の歴史には、幾多の惨禍が刻まれている。特に、多数の都民が犠牲となった第二次世界大戦の悲惨を我々は忘れることができない。

平和は、都民すべての願いである。

東京都は、平和国家日本の首都として、世界の都市と連携し、文化交流等の推進に努め、人々の相互理解に立脚した国際秩序の形成と恒久平和の実現に貢献する責務を深く認識し、戦争の惨禍を再び繰り返さないことを誓い、ここに、東京都平和の日を定める。

（平和の日）

**第一条**　東京都平和の日は、三月十日とする。

（記念行事）

**第二条**　東京都は、東京都平和の日に、平和の意義を確認し、平和意識の高揚を図るため、記念行事を実施する。

（委任）

**第三条**　この条例の施行について必要な事項は、規則で定める。

附　則

この条例は、公布の日から施行する。

# ○東京都男女平等参画基本条例

平一二・三・三一
条例二五

改正　令四・六・二二条例八八

男性と女性は、人として平等な存在である。男女は、互いの違いを認めつつ、個人の人権を尊重しなければならない。

東京都は、男女平等施策について、国際社会や国内の動向と協調しつつ、積極的に推進してきた。長年の取組により男女平等は前進してきているものの、今なお一方の性に偏った影響を及ぼす制度や慣行などが存在している。

本格的な少子高齢社会を迎え、東京が今後も活力ある都市として発展するためには、家庭生活においても、社会生活においても、男女を問わず一人一人に、その個性と能力を十分に発揮する機会が確保されていることが重要である。男女が社会の対等な構成員として社会のあらゆる分野の活動に共に参画することにより、真に調和のとれた豊かな社会が形成されるのである。

すべての都民が、性別にかかわりなく個人として尊重され、男女が対等な立場であらゆる活動に共に参画し、責任を分かち合う男女平等参画社会の実現を目指し、ここに、この条例を制定する。

## 第一章　総則

（目的）

**第一条**　この条例は、男女平等参画の促進に関し、基本理念並びに東京都（以下「都」という。）、都民及び事業者の責務を明らかにするとともに、都の施策の基本的事項を定めることにより、男女平等参画の促進に関する施策（積極的改善措置を含む。以下「男女平等参画施策」という。）を総合的かつ効果的に推進し、もって男女平等参画社会を実現することを目的とする。

（定義）

**第二条**　この条例において、次の各号に掲げる用語の意義は、それぞれ当該各号に定めるところによる。

一　男女平等参画　男女が、性別にかかわりなく個人として尊重され、及び一人一人にその個性と能力を発揮する機会が確保されることにより対等な立場で社会のあらゆる分野における活動に共に参画し、責任を分かち合うことをいう。

二　積極的改善措置　社会のあらゆる分野における活動に参画する機会についての男女間の格差を改善するため、必要な範囲において、男女のいずれか一方に対し、当該機会を積極的に提供することをいう。

三　セクシュアル・ハラスメント　性的な言動により当該言動を受けた個人の生活の環境を害すること又は性的な言動を受けた個人の対応により当該個人に不利益を与えることをいう。

（基本理念）

**第三条**　男女平等参画は、次に掲げる男女平等参画社会を基本理念として促進されなければならない。

一　男女が、性別により差別されることなく、その人権が尊重される社会

二　男女一人一人が、自立した個人としてその能力を十分に発揮し、固定的な役割を強制されることなく、自己の意思と責任により多様な生き方を選択することができる社会

三　男女が、子の養育、家族の介護その他の家庭生活

ち合う社会

活における活動及び政治、経済、地域その他の社会生活における活動に対等な立場で参画し、責任を分かち合う社会

（都の責務）

**第四条**　都は、総合的な男女平等参画施策を策定し、及び実施する責務を有する。

2　都は、男女平等参画施策を推進するに当たり、都民、事業者、国及び区市町村（特別区及び市町村をいう。以下同じ。）と相互に連携と協力を図ることができるよう努めるものとする。

（都民の責務）

**第五条**　都民は、男女平等参画社会について理解を深め、男女平等参画の促進に努めなければならない。

2　都民は、都が行う男女平等参画施策に協力するよう努めなければならない。

（事業者の責務）

**第六条**　事業者は、その事業活動に関し、男女平等参画の促進に努めなければならない。

2　事業者は、都が行う男女平等参画施策に協力するよう努めなければならない。

（都民等の申出）

**第七条**　都民及び事業者は、男女平等参画を阻害すると認められること又は男女平等参画に必要と認められることがあるときは、知事に申し出ることができる。

2　知事は、前項の申出を受けたときは、男女平等参画に資するよう適切に対応するものとする。

## 第二章　基本的施策

（行動計画）

**第八条**　知事は、男女平等参画の促進に関する都の施策並びに都民及び事業者の取組を総合的かつ計画的に推進するための行動計画（以下「行動計画」という。）を策定するものとする。

2　知事は、行動計画を策定するに当たっては、都民及び事業者の意見を反映することができるよう、適切な措置をとるものとする。

3　知事は、行動計画を策定するに当たっては、あらかじめ東京都男女平等参画審議会及び区市町村の長の意見を聴かなければならない。

4　知事は、行動計画を策定したときは、これを公表しなければならない。

5　前三項の規定は、行動計画の変更について準用する。

（情報の収集及び分析）

**第九条**　都は、男女平等参画施策を効果的に推進していくため、男女平等参画に関する情報の収集及び分析を行うものとする。

（普及広報）

**第十条**　都は、都民及び事業者の男女平等参画社会についての理解を促進するために必要な普及広報活動に努めるものとする。

（年次報告）

**第十一条**　知事は、男女平等参画施策の総合的な推進に資するため、男女平等参画の状況、男女平等参画施策の実施状況等について、年次報告を作成し、公表するものとする。

## 第三章　男女平等参画の促進

（決定過程への参画の促進に向けた支援）

**第十二条**　都は、国若しくは地方公共団体における政策又は民間の団体における方針の決定過程への男女平等参画を促進するための活動に対して、情報の提供その他必要な支援を行うよう努めるものとする。

（都の附属機関等における委員構成）

**第十二条の二**　都の政策の決定過程に多様な価値観や発想を反映させるため、都の附属機関及びこれに類似する機関（以下「都の附属機関等」という。）の委員を選任するに当たっては、知事が別に定めるものを除き、男女いずれの性も委員総数の四十パーセント以上となるよう努めなければならない。

2　都の附属機関等は、一つの性の委員のみで組織しないものとする。

（雇用の分野における男女平等参画の促進）

**第十三条**　事業者は、雇用の分野において、男女平等参画を促進する責務を有する。

2　知事は、男女平等参画の促進に必要と認める場合、事業者に対し、雇用の分野における男女の参画状況について報告を求めることができる。

3　知事は、前項の報告により把握した男女の参画状況について公表するものとする。

4　知事は、第二項の報告に基づき、事業者に対し、助言等を行うことができる。

## 第四章　性別による権利侵害の禁止

**第十四条**　何人も、あらゆる場において、性別による差別的取扱いをしてはならない。

2　何人も、あらゆる場において、セクシュアル・ハラスメントを行ってはならない。

3　家庭内等において、配偶者等に対する身体的又は精神的な苦痛を著しく与える暴力的行為は、これを行ってはならない。

## 第五章　東京都男女平等参画審議会

（設置）
**第十五条**　行動計画その他男女平等参画に関する重要事項を調査審議するため、知事の附属機関として東京都男女平等参画審議会（以下「審議会」という。）を置く。

（組織）
**第十六条**　審議会は、知事が任命する委員二十五人以内をもって組織する。
2　委員は、男女いずれの性も委員総数の四十パーセント以上となるように選任しなければならない。

（専門委員）
**第十七条**　専門の事項を調査するため必要があるときは、審議会に専門委員を置くことができる。

（委員の任期）
**第十八条**　委員の任期は二年とし、補欠の委員の任期は、前任者の残任期間とする。ただし、再任を妨げない。
2　専門委員の任期は、専門の事項に関する調査が終了するまでとする。

（運営事項の委任）
**第十九条**　この章に規定するもののほか、審議会の組織及び運営に関し必要な事項は、知事が定める。

附　則

この条例は、平成十二年四月一日から施行する。

附　則（令四・六・二二条例八八）

1　この条例は、公布の日から施行する。
2　この条例による改正後の東京都男女平等参画基本条例第十二条の二の規定は、この条例の施行後に選任される都の附属機関及びこれに類似する機関の委員について適用する。

# ○東京都オリンピック憲章にうたわれる人権尊重の理念の実現を目指す条例

平三〇・一〇・一五
条　例　九　三

改正　令四・六・二二条例八五

東京は、首都として日本を牽引するとともに、国の内外から多くの人々が集まる国際都市として日々発展を続けている。また、一人一人に着目し、誰もが明日に夢をもって活躍できる都市、多様性が尊重され、温かく、優しさにあふれる都市の実現を目指し、不断の努力を積み重ねてきた。

東京都は、人権尊重に関して、日本国憲法その他の法令等を遵守し、これまでも東京都人権施策推進指針に基づき、総合的に施策を実施してきた。今後さらに、国内外の趨勢を見据えることはもとより、東京二〇二〇オリンピック・パラリンピック競技大会の開催を契機として、いかなる種類の差別も許されないというオリンピック憲章にうたわれる理念が、広く都民に浸透した都市を実現しなければならない。

東京に集う多様な人々の人権が、誰一人取り残されることなく尊重され、東京が、持続可能なより良い未来のために人権尊重の理念が実現した都市であり続けることは、都民全ての願いである。

東京都は、このような認識の下、誰もが認め合う共生社会を実現し、多様性を尊重する都市をつくりあげるとともに、様々な人権に関する不当な差別を許さないことを改めてここに明らかにする。そして、人権が尊重された都市であることを世界に向けて発信していくことを決意し、この条例を制定する。

## 第一章　オリンピック憲章にうたわれる人権尊重の理念の実現

（目的）
**第一条**　この条例は、東京都（以下「都」という。）が、啓発、教育等（以下「啓発等」という。）の施策を総合的に実施していくことにより、いかなる種類の差別も許されないという、オリンピック憲章にうたわれる人権尊重の理念が広く都民等に一層浸透した都市となることを目的とする。

（都の責務等）
**第二条**　都は、人権尊重の理念を東京の隅々にまで浸透させ、多様性を尊重する都市をつくりあげていくため、必要な取組を推進するものとする。
2　都は、国及び区市町村（特別区及び市町村をいう。以下同じ。）が実施する人権尊重のための取組について協力するものとする。
3　都民は、人権尊重の理念について理解を深めるとともに、都がこの条例に基づき実施する人権尊重のための取組の推進に協力するよう努めるものとする。
4　事業者は、人権尊重の理念について理解を深め、その事業活動に関し、人権尊重のための取組を推進するとともに、都がこの条例に基づき実施する人権尊重のための取組の推進に協力するよう努めるものとする。

## 第二章　多様な性の理解の推進

（趣旨）
**第三条**　都は、性自認（自己の性別についての認識のことをいう。以下同じ。）及び性的指向（自己の恋愛又は性愛の対象となる性別についての指向のことをいう。以下同じ。）を理由とする不当な差別の解消（以下「差別解消」という。）並びに性自認及び性的指向に関する啓発等の推進を図るものとする。

（定義）

**第三条の二**　この章において、次の各号に掲げる用語の意義は、それぞれ当該各号に定めるところによる。

一　性的マイノリティ　性自認が出生時に判定された性と一致しない者又は性的指向が異性に限らない者をいう。

二　パートナーシップ関係　双方又はいずれか一方が性的マイノリティであり、互いを人生のパートナーとして、相互の人権を尊重し、日常の生活において継続的に協力し合うことを約した二者間の関係をいう。

**（性自認及び性的指向を理由とする不当な差別的取扱いの禁止）**

**第四条**　都、都民及び事業者は、性自認及び性的指向を理由とする不当な差別的取扱いをしてはならない。

（都の責務）

**第五条**　都は、第三条に規定する差別解消並びに性自認及び性的指向に関する啓発等の推進を図るため、基本計画を定めるとともに、必要な取組を推進するものとする。

2　都は、前項の基本計画を定めるに当たっては、都民等から意見を聴くものとする。

3　都は、国及び区市町村が実施する差別解消並びに性自認及び性的指向に関する啓発等の取組について協力するものとする。

（都民の責務）

**第六条**　都民は、都がこの条例に基づき実施する差別解消の取組の推進に協力するよう努めるものとする。

（事業者の責務）

**第七条**　事業者は、その事業活動に関し、差別解消の取組を推進するとともに、都がこの条例に基づき実施する差別解消の取組の推進に協力するよう努めるものとする。

（東京都パートナーシップ宣誓制度）

**第七条の二**　都は、多様な性に関する都民の理解を推進するとともに、パートナーシップ関係に係る生活上の不便の軽減など、当事者が暮らしやすい環境づくりにつなげるため、東京都パートナーシップ宣誓制度を実施するものとする。

2　前項の東京都パートナーシップ宣誓制度は、知事がパートナーシップ関係にある者（双方又はいずれか一方が都の区域内において居住し、就業し、又は就学している場合に限る。）からの宣誓に係る届出を受理したことを証明する制度をいう。

3　都は、都が実施する施策等において、第一項の東京都パートナーシップ宣誓制度の趣旨を十分に尊重し、適切に対応するものとする。ただし、法令等の規定により実施する施策等においては、この限りでない。

4　前三項に定めるもののほか、東京都パートナーシップ宣誓制度に関し必要な事項は、東京都規則で定める。

## 第三章　本邦外出身者に対する不当な差別的言動の解消に向けた取組の推進

（趣旨）

**第八条**　都は、本邦外出身者に対する不当な差別的言動の解消に向けた取組の推進に関する法律（平成二十八年法律第六十八号。以下「法」という。）第四条第二項に基づき、都の実情に応じた施策を講ずることにより、不当な差別的言動（法第二条に規定するものをいう。以下同じ。）の解消を図るものとする。

（定義）

**第九条**　この章において、次の各号に掲げる用語の意義は、それぞれ当該各号に定めるところによる。

一　公の施設　地方自治法（昭和二十二年法律第六十七号）第二百四十四条の二の規定に基づき、都条例で設置する施設をいう。

二　表現活動　集団行進及び集団示威運動並びにインターネットによる方法その他手段により行う表現行為をいう。

（啓発等の推進）

**第十条**　都は、不当な差別的言動を解消するための啓発等を推進するものとする。

（公の施設の利用制限）

**第十一条**　知事は、公の施設において不当な差別的言動が行われることを防止するため、公の施設の利用制限について基準を定めるものとする。

（拡散防止措置及び公表）

**第十二条**　知事は、次に掲げる表現活動が不当な差別的言動に該当すると認めるときは、事案の内容に即して当該表現活動に係る表現の内容の拡散を防止するために必要な措置を講ずるとともに、当該表現活動の概要等を公表するものとする。ただし、公表することにより第八条の趣旨を阻害すると認められるときその他特別の理由があると認められるときは、公表しないことができる。

一　都の区域内で行われた表現活動

二　都の区域外で行われた表現活動（都の区域内で行われたことが明らかでないものを含む。）で次のいずれかに該当するもの

ア　都民等に関する表現活動

イ　アに掲げる表現活動以外のものであって、都の区域内で行われた表現活動に係る表現の内容を都の区域内に拡散するもの

2　前項の規定による措置及び公表は、都民等の申出又は職権により行うものとする。

3　知事は、第一項の規定による公表を行うに当たっては、当該不当な差別的言動の内容が拡散することのないよう十分に留意しなければならない。

4　第一項の規定による公表は、インターネットを利用する方法その他知事が認める方法により行うものとする。

**（審査会の意見聴取）**

**第十三条**　知事は、前条第一項各号に定める表現活動が不当な差別的言動に該当するおそれがあると認めるとき又は同条第二項の規定による申出があったときは、次に掲げる事項について、審査会の意見を聴かなければならない。ただし、同項の規定による申出があった場合において、当該申出に係る表現活動が同条第一項各号のいずれにも該当しないと明らかに認められるときは、この限りでない。

一　当該表現活動が前条第一項各号のいずれかに該当するものであること。

二　当該表現活動が不当な差別的言動に該当するものであること。

2　知事は、前項ただし書の場合には、速やかに審査会に報告しなければならない。この場合において、審査会は知事に対し、当該報告に係る事項について意見を述べることができる。

3　知事は、前条第一項の規定による措置又は公表を行おうとするときは、あらかじめ審査会の意見を聴かなければならない。

**（審査会の設置）**

**第十四条**　前条各項の規定によりその権限に属するものとされた事項について調査審議し、又は報告に対して意見を述べさせるため、知事の附属機関として、審査会を置く。

2　審査会は、前項に定めるもののほか、この章の施行に関する重要な事項について調査審議するとともに、知事に意見を述べることができる。

**（審査会の組織）**

**第十五条**　審査会は、委員五人以内で組織する。

2　審査会の委員は、知事が、学識経験者その他適当と認める者のうちから委嘱する。

3　委員の任期は二年とし、補欠の委員の任期は前任者の残任期間とする。ただし、再任を妨げない。

**（審査会の調査審議手続）**

**第十六条**　審査会は、知事又は第十三条第一項若しくは第三項の規定により調査審議の対象となっている表現活動に係る第十二条第二項の規定による申出を行った都民等に意見書又は資料の提出を求めること、適当と認める者にその知っている事実を述べさせることその他必要な調査を行うことができる。

2　審査会は、前項の表現活動を行った者に対し、相当の期間を定めて、書面により意見を述べる機会を与えることができる。

3　審査会は、必要があると認めるときは、その指名する委員に第一項の規定による調査を行わせることができる。

**（審査会の規定に関する委任）**

**第十七条**　前三条に定めるもののほか、審査会の組織及び運営並びに調査審議の手続に関し必要な事項は、知事が別に定める。

**（表現の自由等への配慮）**

**第十八条**　この章の規定の適用に当たっては、表現の自由その他の日本国憲法の保障する国民の自由と権利を不当に侵害しないように留意しなければならない。

**附　則**

1　この条例は、公布の日から施行する。ただし、第十一条から第十三条まで及び第十六条の規定は、平成三十一年四月一日から施行する。

2　第十一条から第十三条まで及び第十六条の規定は、前項ただし書に規定する日以後に行われた表現活動について適用する。

**附　則**（令四・六・二二条例八五）

1　この条例は、令和四年十一月一日から施行する。ただし、次項の規定は、同年十月十一日から施行する。

2　この条例による改正後の東京都オリンピック憲章にうたわれる人権尊重の理念の実現を目指す条例第七条の二第二項の規定による届出及び受理は、この条例の施行の日前においても行うことができる。

# ○東京都パートナーシップ宣誓制度に関する規則

令四・六・二二
規則一五三

改正　令六・三・二二規則二三

（趣旨）

**第一条**　この規則は、東京都オリンピック憲章にうたわれる人権尊重の理念の実現を目指す条例（平成三十年東京都条例第九十三号。以下「条例」という。）第七条の二第四項の規定に基づき、東京都パートナーシップ宣誓制度について必要な事項を定めるものとする。

（定義）

**第二条**　この規則において使用する用語は、条例において使用する用語の例による。

（届出者の要件）

**第三条**　条例第七条の二第二項に規定する届出をすることができる者（以下「届出者」という。）は、次に掲げる要件を備えている者とする。

一　届出者の双方がともに成年に達していること。

二　届出者の双方がともに婚姻（届出をしていないが事実上婚姻関係と同様の事情にある場合を含む。）をしていないこと。

三　届出者の双方が当該届出に係るパートナーシップ関係の相手方以外の者とパートナーシップ関係にないこと。

四　届出者のパートナーシップ関係の相手方が民法（明治二十九年法律第八十九号）第七百三十四条第一項本文に規定する直系血族又は三親等内の傍系血族又は同法第七百三十五条に規定する直系姻族でないこと。ただし、パートナーシップ関係に基づく養子縁組による場合を除く。

五　次のいずれかに該当すること。

ア　届出者の双方又はいずれか一方が都の区域内（以下「都内」という。）において居住していること。

イ　届出者の双方又はいずれか一方が届出の日から三か月以内に都内への転入を予定していること。

ウ　届出者の双方又はいずれか一方が都内において就業し、又は就学していること。

（届出）

**第四条**　前条の届出は、双方から、東京都パートナーシップ宣誓制度に係る宣誓・届出書（別記第一号様式）に総務局長が別に定める書類を添えて知事に提出しなければならない。

（受理証明書の交付）

**第五条**　知事は、前条の規定による届出を受理したときは、東京都パートナーシップ宣誓制度受理証明書（別記第二号様式及び第二号の二様式。以下「受理証明書」という。）を交付するものとする。

（通称名及び子に関する記載）

**第六条**　知事は、届出者から次の各号に掲げる事項の届出があったときは、当該各号に定める事項を受理証明書の特記事項欄に記載することができる。

一　日常的に使用している通称名　当該通称名

二　届出者と生計を一にする未成年の子　当該子の氏名及び生年月日

（変更等の届出）

**第七条**　第五条の規定により受理証明書の交付を受けた者は、次の各号のいずれかに該当する場合は、東京都パートナーシップ宣誓制度に係る変更届（別記第三号様式）に総務局長が別に定める書類（第一号又は第二号に該当する場合を除く。）を添えて知事に提出しなければならない。

一　パートナーシップ関係が解消されたとき。

二　第三条の要件を満たさなくなったとき。

三　パートナーシップ関係にある者のうち、いずれか一方が死亡したとき。

四　第四条の規定により届け出た内容に変更が生じたとき。

（再交付）

**第八条**　受理証明書の再交付を希望する者は、東京都パートナーシップ宣誓制度受理証明書再交付依頼書（別記第四号様式。以下「再交付依頼書」という。）を知事に提出するものとする。

2　前項の場合において、知事が必要と認める場合は、再交付依頼書に加えて、第三条の要件を備えていることを証明する書類を提出するものとする。

3　知事は、第一項の規定による再交付の依頼があった場合は、受理証明書を再交付することができる。

（不交付事由）

**第九条**　知事は、次の各号のいずれかに該当する場合は、受理証明書を交付しないことができる。

一　届出の内容に虚偽があったとき。

二　受理証明書を不正に改ざんしたとき。

（委任）

**第十条**　この規則に定めるもののほか、東京都パートナーシップ宣誓制度の実施に関し必要な事項は、総務局長が別に定める。

附　則

1　この規則は、令和四年十一月一日から施行する。ただし、次項の規定は、同年十月十一日から施行する。
2　第四条の規定による届出及び第五条の規定による受理は、この規則の施行の日前においても行うことができる。

附　則（令六・三・二二規則二二）

この規則は、令和六年四月一日から施行する。

別記〔略〕

# ○東京都犯罪被害者等支援条例

令二・三・三一
条例一七

## 第一章　総則

（目的）
**第一条**　この条例は、犯罪被害者等支援に関し、基本理念を定め、並びに東京都（以下「都」という。）、都民、事業者及び民間支援団体の責務等を明らかにするとともに、犯罪被害者等支援の基本となる事項を定めることにより、犯罪被害者等支援を総合的かつ計画的に推進し、もって犯罪被害者等が受けた被害の回復又は軽減及び犯罪被害者等の生活の再建を図ること並びに犯罪被害者等を社会全体で支え、世界に開かれた国際都市として誰もが安心して暮らすことができる社会の実現に寄与することを目的とする。

（定義）
**第二条**　この条例において、次の各号に掲げる用語の意義は、それぞれ当該各号に定めるところによる。
一　犯罪等　犯罪及びこれに準ずる心身に有害な影響を及ぼす行為をいう。
二　犯罪被害者等　犯罪等により被害を受けた者（以下「犯罪被害者」という。）及びその家族又は遺族をいう。
三　犯罪被害者等支援　犯罪被害者等が、その受けた被害を回復し、又は軽減し、安心して暮らすことができるようにするための取組をいう。
四　二次的被害　犯罪等による直接的な被害を受けた後に、周囲の者や犯罪被害者等に接する行政機関の職員その他関係者による偏見に基づいた、又は理解若しくは配慮に欠ける言動、インターネットを通じて行われる誹謗（ひぼう）中傷、報道機関による過剰な取材等により、犯罪被害者等が受ける精神的な苦痛、身体の不調、名誉の毀損、私生活の平穏の侵害、経済的な損失その他の被害をいう。
五　再被害　犯罪被害者が更なる犯罪等により受ける被害をいう。
六　民間支援団体　犯罪被害者等早期援助団体（犯罪被害者等給付金の支給等による犯罪被害者等の支援に関する法律（昭和五十五年法律第三十六号）第二十三条第一項の団体をいう。）その他犯罪被害者等支援を主たる目的として適切に行う民間の団体をいう。

（基本理念）
**第三条**　全て犯罪被害者等は、個人の尊厳が重んぜられ、その尊厳にふさわしい処遇を保障される権利を有する。
2　犯罪被害者等支援は、犯罪被害者が受けた被害の特性及び原因、二次的被害の有無等の犯罪被害者等が置かれている状況その他の事情に応じ、適切に行われるとともに、当該犯罪被害者等支援により二次的被害が生じることのないよう十分配慮して推進されなければならない。
3　犯罪被害者等支援は、犯罪被害者等が安心して暮らすことができるよう、必要な支援が途切れることなく提供されることを旨として行われなければならない。
4　犯罪被害者等支援は、国、都、区市町村（特別区及び市町村をいう。以下同じ。）、民間支援団体その他の犯罪被害者等支援に関係する者による相互の連携及び協力の下に推進されなければならない。

（**都の責務**）

**第四条**　都は、前条に規定する基本理念（以下「基本理念」という。）にのっとり、国、区市町村、民間支援団体その他の犯罪被害者等支援に関係する者との適切な役割分担を踏まえ、犯罪被害者等支援に関する施策を総合的かつ計画的に推進する責務を有する。

2　都は、区市町村が犯罪被害者等支援を総合的かつ計画的に推進することができるよう、必要な情報の提供及び助言その他の支援を行うものとする。

（**都民の役割**）

**第五条**　都民は、基本理念にのっとり、犯罪被害者等が置かれている状況及び犯罪被害者等支援の必要性についての理解を深め、二次的被害が生じることのないよう十分配慮するとともに、都が実施する犯罪被害者等支援に関する施策に協力するよう努めるものとする。

（**事業者の役割**）

**第六条**　事業者は、基本理念にのっとり、犯罪被害者等が置かれている状況及び犯罪被害者等支援の必要性についての理解を深め、その事業活動を行うに当たっては二次的被害が生じることのないよう十分配慮するとともに、犯罪被害者等である従業員に対して必要な支援を行い、及び都が実施する犯罪被害者等支援に関する施策に協力するよう努めるものとする。

（**民間支援団体の役割**）

**第七条**　民間支援団体は、基本理念にのっとり、犯罪被害者等支援に関する専門的な知識及び経験を活用し、犯罪被害者等支援を推進するとともに、都が実施する犯罪被害者等支援に関する施策に協力するよう努めるものとする。

（**支援計画**）

**第八条**　都は、犯罪被害者等支援に関する施策の総合的かつ計画的な推進を図るための計画（以下「支援計画」という。）を定めるものとする。

2　支援計画は、次に掲げる事項について定めるものとする。

一　犯罪被害者等支援に関する施策の基本的な考え方

二　犯罪被害者等支援に関する具体的な施策

三　前二号に掲げるもののほか、犯罪被害者等支援に関する施策を推進するために必要な事項

3　知事は、支援計画を定めようとするときは、あらかじめ都民等の意見を聴くものとする。

4　知事は、支援計画を定めたときは、遅滞なく、これを公表するものとする。

5　前二項の規定は、支援計画の変更（軽微な変更を除く。）について準用する。

（**総合的な支援体制の整備**）

**第九条**　都は、国、区市町村、民間支援団体その他の犯罪被害者等支援に関係する者と連携し、及び相互に協力して犯罪被害者等支援を推進するための総合的な支援体制を整備するよう努めるものとする。

（**財政上の措置**）

**第十条**　都は、犯罪被害者等支援に関する施策を総合的かつ計画的に推進するために必要な財政上の措置を講ずるよう努めるものとする。

## 第二章　基本的な施策

（**相談、情報の提供等**）

**第十一条**　都は、犯罪被害者等が日常生活又は社会生活を円滑に営むことができるようにするため、犯罪被害者等が直面している各般の問題について相談に応じ、必要な情報の提供及び助言を行い、犯罪被害者等支援に精通している者を紹介する等必要な施策を講ずるものとする。

（**心身に受けた影響からの回復**）

**第十二条**　都は、犯罪被害者等が心理的外傷その他の犯罪等により心身に受けた影響から早期に回復できるようにするため、その心身の状況等に応じた適切な保健医療サービス及び福祉サービスが提供されるよう必要な施策を講ずるものとする。

（**安全の確保**）

**第十三条**　都は、犯罪被害者等が再被害及び二次的被害を受けることを防止し、その安全を確保するため、施設への入所による保護、一時保護、防犯に係る指導、犯罪被害者等に係る個人情報の適切な取扱いの確保その他の必要な施策を講ずるものとする。

（**居住の安定等**）

**第十四条**　都は、犯罪等により従前の住居に居住することが困難となった犯罪被害者等の居住の安定を図り、並びに再被害及び二次的被害を防止するため、犯罪被害者等の一時的な利用のための住居の提供その他の必要な施策を講ずるものとする。

（**雇用の安定等**）

**第十五条**　都は、犯罪被害者等の雇用の安定を図り、並びに二次的被害を防止するため、事業者に対し、犯罪被害者等が置かれている状況及び犯罪被害者等支援の必要性についての理解を深める啓発を行う等必要な施策を講ずるものとする。

（**経済的負担の軽減**）

**第十六条**　都は、犯罪被害者等が受けた被害による経済的負担の軽減を図るため、経済的な助成に関する情報の提供及び助言その他の必要な施策を講ずるものとする。

（緊急支援の実施）

**第十七条**　都は、犯罪等により死傷者が多数に上る事案その他の重大な事案が都の区域内（以下「都内」という。）で発生した場合において、当該事案による犯罪被害者等に対し支援を行う必要があると認めるときは、民間支援団体その他関係機関と協力して、当該事案に対応するための支援の体制を整え、必要な緊急支援を実施するものとする。

（都内に住所を有しない者への支援）

**第十八条**　都は、都内に住所を有しない者が都内で発生した犯罪等により被害を受けた場合には、民間支援団体その他関係機関と連携し、当該犯罪等による犯罪被害者等が直面している各般の問題について相談に応じ、必要な情報の提供及び助言を行う等必要な施策を講ずるものとする。

（都民の理解の増進）

**第十九条**　都は、犯罪被害者等が置かれている状況、犯罪被害者等支援の必要性及び二次的被害が生じることのないよう配慮することの重要性について都民の理解を深めるため、広報、啓発その他の必要な施策を講ずるものとする。

（民間支援団体に対する支援）

**第二十条**　都は、民間支援団体が適切かつ効果的に犯罪被害者等支援を推進することができるよう、犯罪被害者等支援に関する情報の提供及び助言その他の必要な施策を講ずるものとする。

（人材の育成）

**第二十一条**　都は、犯罪被害者等支援の充実を図るため、犯罪被害者等支援を担う人材（以下「支援従事者」という。）を育成するための研修の実施その他の必要な施策を講ずるものとする。

（個人情報の適切な管理）

**第二十二条**　都は、犯罪被害者等支援における個人情報の重要性を認識し、犯罪被害者等及びその関係者の個人情報を適切に管理しなければならない。

2　都は、支援従事者に対し、前項の規定に準じて犯罪被害者等及びその関係者の個人情報を適切に管理するよう求めるものとする。

附　則

1　この条例は、令和二年四月一日から施行する。

2　この条例の施行の際現に存する支援計画は、第八条第一項の規定により定められたものとみなす。

# ○東京都庁内管理規則

昭四五・五・九
規　則　九　二

最終改正　令四・三・三一規則九二

（目的）

**第一条**　この規則は、庁内（庁舎及びその敷地をいう。以下同じ。）における秩序及び美観の保持並びに火災及び盗難の予防を図り、もつて公務の円滑な遂行を期するため、庁内管理上必要な事項を定めることを目的とする。

（運用の指針）

**第二条**　この規則の運用にあたつては、住民の庁内の適正な利用を不当に侵害しないよう努めなければならない。

（庁内管理者の設置）

**第三条**　第一条の目的を達成するため、別表に定めるところにより、庁内管理者を置く。

（庁内管理者の任務）

**第四条**　庁内管理者は、第八条に規定する場合を除くほか、上司の命を受け、巡視その他所属職員を指揮監督し、庁内管理の責に任ずるものとする。

2　庁内管理者が不在のときは、あらかじめ庁内管理者が指定する職員がその職務を行なう。

（禁止事項等）

**第五条**　何人も庁内においては、次の各号の一に該当する行為をしてはならない。

一　庁内において、拡声器の使用等によりけん騒な状態を作り出すこと。

二　集団により正常な通行を妨げるような状態で練り歩くこと。
三　前号に定めるもののほか、正常な通行を妨げること。
四　テント等を設置し、又は集団で座り込むこと。
五　清潔保持を妨げ、又は美観を損うこと。
六　凶器、爆発物その他の危険物を持ち込むこと。
七　庁舎その他の物件を損壊すること。
八　寄附金を募集し、又は物品の販売、保険の勧誘その他これらに類する行為をすること。
九　印刷物その他の文書を配布し、又は散布すること。
十　はり紙若しくは印刷物を掲示し、又は立札、立看板、幕、のぼり、旗等を掲出すること。
十一　陳情等の目的で、ゼッケン、腕章、鉢巻等を着用すること。
十二　面会を強要し、又は乱暴な言動をすること。
十三　前各号に定めるもののほか、庁内の秩序を乱し、公務の円滑な遂行を妨げること。

2　前項の規定にかかわらず、前項各号（第十一号から第十三号までを除く。）に掲げる行為について、庁内管理者が特別の事情があり、かつ、公務の円滑な遂行を妨げるおそれがないと認めて許可した場合は、当該許可に係る行為をすることができる。

3　前項の規定により許可を受けようとする者は、別記第一号様式による申請書を庁内管理者に提出しなければならない。

4　庁内管理者は、前項の規定による申請書が提出されたときは、許可の可否を決定し、別記第二号様式により申請者に通知する。

5　庁内管理者は、第二項の規定により許可するにあたって、必要な条件をつけることができる。

**（庁内の使用又は立入りの禁止）**

**第六条**　庁内を使用し、又は使用しようとする者が前条第二項の許可を受けずに同条第一項各号に掲げる行為を行つたとき若しくは行うおそれのあるとき又は同条第五項の許可の条件に反したとき若しくは反するおそれのあるときは、庁内管理者は、必要な指示、警告等の措置を講じ、設置されたテント等、掲示されたはり紙若しくは印刷物又は掲出された立札、立看板、幕、のぼり、旗等を撤去し、庁内の立入り若しくは使用を禁止し、又は庁内から退去を命ずることができる。

**（庁舎内の立入り手続等）**

**第六条の二**　庁内管理者は、庁舎内の秩序の維持又は事故の防止のため必要があると認めるときは、庁舎内に立ち入ろうとする者に対し、次の各号に定める事項を記載した書面（電磁的記録によるものを含む。）を提出させる等の必要な手続をさせるものとする。
一　立ち入る者の氏名及び連絡先
二　立入りの日時
三　立ち入る目的又は訪問先
四　前各号に定めるもののほか、庁内管理者が必要と認める事項

2　前項の手続を拒否した者又は偽つた申告をした者がある場合は、庁内管理者は、必要な指示、警告等の措置を講じ、庁舎内の立入りを禁止することができる。

3　職員及び庁内管理者が別に定める者は、第一項に規定する手続を省略することができる。

4　庁内管理者は、多数の者が陳情等の目的で庁舎内に立ち入ろうとする場合において、庁舎内の秩序の維持又は事故の防止のため必要があると認めるときは、立ち入ることができる人数、立入りの時間及び場所等の制限、立入りの禁止等の必要な措置を講ずるものとする。

5　庁内管理者は、庁舎内の危険を未然に防止するために必要があると認めるときは、第一項の手続に加え、庁舎内に立ち入ろうとする者に対し、車両検査、所持品検査等の必要な措置を講ずるものとする。

**（物品の搬入、搬出）**

**第七条**　庁内管理者は、必要があると認めたときは、機械、器具、備品、材料等の物品を庁内に搬入し、又は搬出する者に対して、納品書、主管課長の発行する持出証又はこれらに代るべき証拠の提示を求め、これを阻止し、又は関係部課長その他の関係者に照会して現品と照合するなど必要な措置を講ずることができる。

2　庁内管理者は、庁舎内の安全確保のために必要があると認めるときは、庁舎内に搬入する郵便物、宅配物等における貨物、機械、器具、備品、材料等の物品に対してエックス線の射影等により内容物を検査する等の必要な措置を講ずることができる。

3　庁内管理者は、前項の検査により庁舎内の安全が脅かされるおそれがあると認めるときは、立入禁止区域の設定、当該物品の一時隔離、避難指示等の必要な措置を講ずることができる。

**（室内管理者の設置及び任務）**

**第八条**　出納長並びに東京都組織規程（昭和二十七年東京都規則第百六十四号）第九条第一項に規定する局長、同条第三項に定める室長並びに住宅政策本部長、東京オリンピック・パラリンピック招致本部長及び中央卸売市場長（以下「局長等」という。）は、勤務時間内における所管する庁舎内各室（会議室、倉庫等を含む。以下同じ。）及び敷地内の管理の責めに任ずるものとし、あらかじめ定めた分担区分に従い、所属職

員のうちから特に命じた者（以下「室内管理者」という。）をしてこれに従事させなければならない。

２　室内管理者は、公務の円滑な遂行を確保するため上司の命を受け、次に掲げる事務に従事する。

一　秩序維持及び美観の保持に関すること。

二　火災及び盗難の防止に関すること。

３　室内管理者が不在のときは、あらかじめ室内管理者が指定する職員がこれを代行する。

**（職員の協力）**

**第九条**　職員は、庁内管理に必要な事項について、庁内管理者その他関係者に対し通報、連絡その他臨機の措置を講ずるほか、この規則の実施について上司の指示に従い、積極的に協力しなければならない。

**（門扉の開閉）**

**第十条**　庁内の門扉は、東京都の執務時間に関する規則（平成元年東京都規則第二十五号）第一条に規定する東京都の執務時間（以下「執務時間」という。）の開始の一時間前に開き、執務時間の終了の一時間後に閉鎖する。ただし、庁内管理者が特に必要があると認めるときは、その時間を変更することができる。

**（退出時の処理）**

**第十一条**　各室の最終退出職員は、室内の火気を始末し、異常の有無を点検し、戸締りを施し、消灯するとともに室内取締簿に所要事項を記入し、室内管理者又は巡視の確認を受けなければならない。

２　前項の規定にかかわらず、庁内管理者は、総務局長の承認を得て、各室の最終退出職員の退出時の処理について、別に定めることができる。

**（門扉閉鎖後等の出入り）**

**第十二条**　庁内管理者は、門扉閉鎖後又は東京都の休日に関する条例（平成元年東京都条例第十号）第一条に規定する東京都の休日に庁内に入ろうとする者があるときは、次に掲げる場合を除き、これを拒否することができる。

一　職員等については、用向き及び職員カード（東京都職員服務規程（昭和四十七年東京都訓令第百二十二号）第四条に規定する職員カードをいう。）又は身分を証する書類の提示がある場合

二　外来者については、庁内管理者が別に定める手続により事前に届け出た場合又は面会先の承諾がある場合

２　職員が臨時に登庁し、室の開扉を要するときは、巡視に通知し、その退出のときは、前条に定めるところに準じて処理しなければならない。

**（総務局長の権限）**

**第十三条**　総務局長は、局長等又は庁内管理者に対して、庁内管理に関し必要な報告を求め、又は指示することができる。

**附　則**

１　この規則は、昭和四十五年五月十五日から施行する。

２　この規則施行の際、現に東京都庁中取締規則（昭和三十一年東京都規則第四十四号）第四条第一項の規定に基づく庁内管理者の許可を受けている者は、当該許可に係る行為については、東京都庁内管理規則第五条第二項に基づく庁内管理者の許可を受けたものとみなす。

３　東京都公有財産規則（昭和三十九年東京都規則第九十三号）第二十九条の二の規定に基づき設置の許可を受けた掲示板にはり紙をはり、又は印刷物を掲示する行為（公職選挙法（昭和二十五年法律第百号）、地方公務員法（昭和二十五年法律第二百六十一号）その他の法令の規定に違反し、又は善良の風俗に反する場合を除く。）については、第五条第一項第十号の規定は適用しない。

**附　則**（令四・三・三一規則九三）

この規則は、令和四年四月一日から施行する。ただし、「、病院経営本部長」を削る部分は、同年七月一日から施行する。

**別表**（第三条関係）

| 庁舎及び敷地 | 庁内管理者 |
| --- | --- |
| 第一本庁舎、第二本庁舎、都議会議事堂及びこれらの建物に附属する建物並びにその敷地（都議会の用に供する部分を除く。） | 総務局総務部長 |
| 各局の分庁舎並びに東京都組織規程（昭和二十七年東京都規則第百六十四号）第五条及び第六条に規定する本庁行政機関及び地方行政機関の庁舎並びにその敷地 | それぞれの長。ただし、青梅合同庁舎、八王子合同庁舎、立川合同庁舎、府中合同庁舎、小平合同庁舎及び豊島合同庁舎にあつては総務局長が指定する者 |

**様式**〔略〕

# 第二章　選　挙

## ○東京都選挙管理委員会規程

昭四四・九・二九
（選）規　程　一

最終改正　平一二・五・一七（選）規程三

（目的）

**第一条**　この規程は、地方自治法（昭和二十二年法律第六十七号）第百九十四条の規定に基づき、東京都選挙管理委員会（以下「委員会」という。）に関し、必要な事項を定めることを目的とする。

（委員長の選挙）

**第二条**　東京都選挙管理委員会委員長（以下「委員長」という。）の選挙は、これを行なうべき理由の生じた日から十日以内に行なう。

2　前項の選挙は、単記無記名投票によるものとし、最多数を得た者をもつて当選者とする。ただし、得票数が同じであるときは、くじで当選者を定める。この場合において、くじを引く順序は、年長順にくじを引いて定める。

3　前項の選挙において、東京都選挙管理委員（以下「委員」という。）中に異議がないときは、指名推薦の方法を用いることができる。

4　委員長が選挙されたときは、委員会は、その住所・氏名を告示するものとする。

（委員長の任期）

**第三条**　委員長の任期は、委員の任期による。

（委員長の代理）

**第四条**　委員長は、あらかじめ委員長の職務を代理する委員を指定しなければならない。

2　委員長及び委員長の職務を代理する委員がともにいないときは、仮委員長が委員長の職務を行なう。

3　前項の仮委員長は、年長の委員をもつてこれにあてる。

（委員及び委員長の退職）

**第五条**　委員が退職しようとするときは、退職願を委員長に提出しなければならない。

2　委員長の退職願は、委員長の職務を代理する委員に提出しなければならない。

（委員の就任及び退職の告示）

**第六条**　委員の就任又は退職があつたときは、委員会は、その者の住所・氏名を告示するものとする。

（定例会及び臨時会）

**第七条**　委員会の会議は、定例会及び臨時会とする。

2　定例会は、水曜日に開催する。ただし、その日が東京都の休日に関する条例（平成元年東京都条例第十号）第一条第一項に規定する休日に当たるとき、又は特別の事情により、その日に会議を開くことができないときは、その日の前又は後三日以内において委員長の定める日に開催することができ、また、その日に会議に付すべき事項がないときは、定例会を開催しないことができる。

3　臨時会は、委員長が必要と認めたとき又は委員から請求があつたときに開催する。

4　委員長は、会議の開催にあたつては、あらかじめ会議の日時、場所及び会議に附すべき事項を各委員に通知するものとする。

5　会議は公開とする。ただし、委員の発議により出席委員の過半数で議決したときは、非公開とすることができる。

（委員長の宣告等）

**第七条の二**　開会及び閉会は、委員長がこれを宣告する。

2　委員長は、会議に付議すべき事項を宣告しなければならない。

3　委員長が必要と認めたときは、二以上の事項を一括して議題とすることができる。

（動議）

**第七条の三**　委員は、議案の修正及び議事の運営に関する動議を提出することができる。

2　議事運営に関する動議は、直ちに議題としなければならない。

3　議題となつた動議は、委員会の承認を得なければこれを修正し、又は撤回することができない。

（発言）

**第七条の四**　発言しようとする者は、委員長の許可を受けなければならない。

2　二人以上の者が発言を求めた場合、委員長は、先順位者と認める者一人を指名して発言を許可しなければならない。

3　発言は、すべて簡明にし、議題外にわたり、又はその範囲を超えてはならない。

4　委員長は、発言者が前項の規定に反すると認めたときは注意を促し、これに従わない場合は発言を制止することができる。

5　委員長は、討論又は質問の終結を宣告しなければならない。

（採決）
第七条の五　委員長は、採決しようとするときは、議題を宣告しなければならない。
２　前項の場合、出席の委員は、採決に加わらなければならない。
３　採決の順序は、修正案を先とし、原案を後とする。
４　二以上の修正案があるときはその趣旨が原案から遠いものから順次採決するものとし、その区分が明らかでないときは委員長が順序を定める。
５　前項の決定に異議があるときは、委員長は、会議に諮り、討論を行わないでこれを決めなければならない。
６　採決の方法は、挙手、記名投票及び無記名投票の三種とし、委員長が定める。
７　前項の決定に異議があるときは、委員長は、会議に諮り、討論を行わないで挙手により採決方法を決めなければならない。
（委員長の専決処分）
**第八条**　委員会の権限に属する軽易な事件で、その議決により特に指定したものは、委員長がこれを専決処分することができる。
（欠席の届出）
**第九条**　委員は、委員会に出席できないときは、その理由を付して、当日の開会時刻前に委員長にその旨を届け出なければならない。
（会議録の作成等）
**第十条**　委員長は、書記に会議録を作成させなければならない。
２　会議録には、次に掲げる事項を記載しなければならない。
一　開会及び閉会に関する事項
二　会議場所
三　出席委員の氏名
四　事務局長及び会議に出席した職員の氏名
五　議題及び議事の概要
３　非公開とした会議の会議録は、別に作成する。
４　前項の会議録は、開示しないことができる。
５　作成した議事録は、委員長の承認を受けるものとする。
（傍聴）
**第十一条**　傍聴の手続その他会議の傍聴に関し必要な事項は、別に定める。
（告示）
**第十二条**　委員会の告示は、東京都公報に登載してこれを行う。ただし、委員会は、特に必要と認めるときは、委員会の掲示場に掲示することにより、これを行うことができる。
（事務局の設置）
**第十三条**　委員会の権限に属する事務を処理するため、東京都選挙管理委員会事務局（以下「事務局」という。）をおく。
２　事務局に関する事項については、別に定める。
（補則）
**第十四条**　この規程に定めがあるものを除くほか、必要がある事項については、別に定める。

附　則

この規程は、公布の日から施行する。

附　則（平一二・五・一七（選）規程三）

この規程は、公布の日から施行する。

## ○東京都選挙管理委員会事務局処務規程

昭四四・九・二九
（選）訓令甲一
最終改正　令五・七・二四（選）訓令五

（目的）

**第一条**　この規程は、東京都選挙管理委員会（以下「委員会」という。）の権限に属する事務執行の能率的運営と、その責任の明確を図ることを目的とする。

（執務の原則）

**第二条**　職員は、都民全体の奉仕者として、公務を民主的かつ能率的に運営すべき責務を深く自覚し、誠実かつ公正に職務を執行しなければならない。

（組織）

**第三条**　東京都選挙管理委員会事務局（以下「事務局」という。）の組織は、次のとおりとする。

総務課
選挙課
（局、課等の長等）

**第四条**　事務局に事務局長及び広報啓発担当課長を、課に課長を置く。
２　課に課長代理を置く。
３　前二項に掲げる職員のほか、必要な職員を置く。
４　事務局の職員は、委員会がこれを任免する。
５　事務局長、課長（広報啓発担当課長を含む。以下同じ。）は、委員会が任命する。
６　課長代理は、事務局長が命ずる。
（職員の職名）

**第四条の二**　事務局職員の職名は、職層名及び職務名とする。

2　職層名は、理事、参事、副参事及び主事とする。

3　職務名は、一般事務とする。ただし、委員会が指定する職員の職務名については、委員会が指定する名称をもつて職務名に代えるものとする。

4　理事は事務局長の、副参事は課長の、主事はその他の職員の職層名とする。

（**職員の職責**）

**第五条**　事務局長は、委員長の命を受け、事務局の事務をつかさどり、職員を指揮監督する。

2　課長は、事務局長の命を受け、課の事務又は担任の事務をつかさどり、職員を指揮監督する。

3　課長代理は、課長の命を受け、担任の事務をつかさどり、当該事務に係る職員を指揮監督する。

4　課長代理は、課長を補佐する。

5　課長代理は、担任の事務の執行状況につき随時文書又は口頭をもつて課長に報告するものとする。

6　前各項の職員以外の職員は、上司の命を受け、事務に従事する。

（**各課の事務分掌**）

**第六条**　各課の事務分掌は、次のとおりとする。

総務課

一　委員会に関すること。

二　人事及び給与に関すること。

三　公印に関すること。

四　事務局事務事業に関する法規の調査及び解釈に関すること。

五　公文書類の収受、配布、発送、編集及び保存に関すること。

六　予算、決算及び会計に関すること。

七　財産及び物品の調達及び管理に関すること。

八　広報及び広聴に関すること。

九　情報公開に係る連絡調整等に関すること。

十　個人情報の保護に係る連絡調整等に関すること。

十一　事務局事務事業の管理改善及び行政評価の実施に関すること。

十二　事務局事務事業のデジタル関連施策の企画、調整及び推進に関すること。

十三　政治資金規正法（昭和二十三年法律第百九十四号）の施行に関すること。

十四　政党助成法（平成六年法律第五号）の施行に関すること。

十五　選挙制度の調査、企画及び立案に関すること。

十六　選挙表彰に関すること。

十七　都道府県選挙管理委員会連合会及び同会関東甲信越静支会に関すること。

十八　前各号のほか、事務局内他課に属しないこと。

選挙課

一　選挙及び住民投票等の事務の管理執行に関すること。

二　政党及び政治団体に関すること（総務課に属するものを除く。）。

三　直接請求に関すること。

四　区市町村選挙管理委員会の助言及び連絡調整に関すること。

五　選挙争訟に関すること。

六　東京都選挙執行規程（昭和三十年東京都選挙管理委員会告示第四号）に関すること。

七　選挙の啓発及び周知に関すること。

八　東京都明るい選挙推進協議会に関すること。

九　選挙及び住民投票等の統計に関すること。

（**事案決定の原則**）

**第七条**　事案の決定は、事務の権限及び当該決定の結果の重大性に応じ、委員会、事務局長、課長又は課長代理が行うものとする。ただし、第十条及び第十一条に定める場合はこの限りでない。

（**決定対象事案**）

**第八条**　前条の規定に基づき、委員会、事務局長、課長又は課長代理の決定すべき事案は、おおむね別表に定めるとおりとする。

（**実施細目**）

**第九条**　事務局長は、前二条の規定により委員会、事務局長、課長又は課長代理の決定の対象とされた事案の実施細目を定めなければならない。

（**事案の決定権の委譲**）

**第十条**　事務局長は、第八条の規定により自己の決定の対象とされた事案のうち、同一の態様で反復継続することが予想されるものについては、決定の基準を示して、事務局長の指定する課長に決定させることができる。

（**事案の決定の臨時代行**）

**第十一条**　第八条の規定により次の表の上欄に掲げる者の決定の対象とされた事案（前条の規定により課長の決定の対象とされた事案を除く。）について、至急に決定を行う必要がある場合において当該事案の決定を行う者が不在であるときは、同表下欄に掲げる者が決定するものとする。

| 事務局長 | 事務局長があらかじめ指定する課長 |
|---|---|
| 課長 | 課長があらかじめ指定する課長代理 |

2　第八条の規定により課長代理の決定の対象とされた事案について至急に決定を行う必要がある場合において当該課長代理が不在であるときは、課長が決定するものとする。

3　第十条の規定により課長の決定の対象とされた事案について至急に決定を行う必要がある場合において当該事案の決定を行う者が不在であるときは、事務局長が決定するものとする。

**（事案決定の例外措置）**

**第十二条**　次の表の上欄に掲げる者は、同表中欄に掲げる事案のうち、当該事案の決定の結果の重大性が自己の負いうる責任の範囲を超えると認めるものについては、その理由を明らかにして、同表下欄に掲げる者にその決定を求めることができる。

| 事務局長 | 第八条の規定により事務局長の決定の対象とされた事案 | 委員会 |
|---|---|---|
| 課長 | 第八条及び前条の規定により課長の決定の対象とされた事案 | 事務局長 |
| 課長代理 | 第八条の規定により課長代理の決定の対象とされた事案 | 課長 |
| | 前条の規定により課長代理の決定の対象とされた事案 | 事務局長 |

2　第八条、第十条、第十一条及び前項の規定により事案の決定を行う者を、事案の決定権者という。

**（事案決定への関与）**

**第十三条**　事務局長は、自己の決定する事案については、あらかじめ課長に審議を行わせるものとする。

2　前項に定める場合のほか、事案の決定権者は、次の表の上欄に掲げる事案については、同表中欄に掲げる者（その者の指定する者を含む。）に、同表下欄に掲げる審査、協議その他の当該事案の決定に対する関与を行わせるものとする。

| 委員会が決定する事案 | 総務課長 | 審査 |
|---|---|---|
| | 事務局長 | 審議 |
| 東京都公報に登載する事項に係る事案又は法規の解釈に関する事案 | 総務課長及び文書主任 | 審査 |
| 事務局長が決定する事案 | 文書主任 | 審査 |
| 課長が決定する事案 | 文書取扱主任 | 審査 |
| | 主管に係る課長代理 | 審議 |
| 決定の対象である事案を主管する課以外の事務局内の課の事務執行に直接影響を与える事案 | 事務執行に直接影響を受ける課の課長 | 協議 |
| 事務局以外の機関の事務執行に直接影響を与える事案 | 事務執行に直接影響を受ける事務局以外の機関の局長、部長、課長又は課長代理 | 協議 |
| 予算事務規則（昭和四十年東京都規則第八十三号）その他の事務執行に関する規程又は通達（以下「事務執行規程等」という。）により協議その他の当該事案決定に対する関与が必要とされる事案 | 事務執行規程等に定める者 | 事務執行規程等に定める協議その他の当該事案決定に対する関与 |

| 案 | | |
|---|---|---|
| 決定権者の特に指定する事案 | 決定権者の指定する者 | 審議 |

3　課長代理が決定する事案は、審議を行わないものとする。この場合において、当該事案を主管する課長代理以外の課長代理の主管し、又は担当する事務に直接影響を与えるものについては、自ら協議するものとする。

**第十四条**　前条に定めるもののほか、事案の決定に対する関与については、第十条及び第十一条の規定を準用する。

2　前条及び前項の規定により事案の決定に対する関与を行う者を当該事案の決定関与者という。

**（事案の決定方式等）**

**第十五条**　事案の決定は、電子起案方式による起案文書に、当該事案の決定権者が文書総合管理システムにより電磁的に表示し、記録する方式により行うものとする。

2　前項の規定にかかわらず、主務課長が事務処理の効率化等の観点から合理的であると認めるときは、起案文書に当該事案の決定権者が署名し、又は押印する方式により事案の決定を行うことができる。

3　前二項の決定案は、当該事案の決定権者が自ら起案し、又は自己の指揮監督する職員のうちから作成責任者（以下「起案者」という。）を指定し、その者に必要な指示を与えて起案させるものとする。

4　事案が決定されたときは、決定権者又は起案者は、当該事案に関係を有する者に供覧その他の適当な方法により通知するものとする。

**（決定関与の方式）**

**第十六条**　事案の決定に、当該事案の決定権者以外の者の審議、審査、協議その他の当該事案決定に対する関与が必要とされる場合には、当該事案の決定関与者に起案文書を回付して、文書総合管理システムにより決定関与した旨を電磁的に表示し、記録することを求める方式（以下「電子関与方式」という。）又は決定関与者の署名若しくは押印を求める方式（以下「書面関与方式」という。）により、事案の決定に対する関与を行わせるものとする。

**第十七条**　前条の規定にかかわらず、当該事案の決定権者が電子関与方式又は書面関与方式によることが適当でないと認めるときは、当該事案の決定関与者を招集して開催する会議の場において当該事案に係る決定案を示して発言を求める方式（以下「会議方式」という。）により、事案の決定に対する関与を行わせるものとする。

2　決定権者は、前項に定める会議方式により、決定に対する関与を行わせて事案の決定をする場合には、決定関与者の発言の全部若しくは一部を記録した文書若しくは電磁的記録を自ら作成し、又は決定案の起案者をして作成させ、当該事案に係る起案文書に添付しておくものとする。

**（文書主任及び文書取扱主任）**

**第十八条**　総務課に文書主任を、その他の課に文書取扱主任を置く。

2　文書主任及び文書取扱主任は、事務局長が任免する。

**（文書の管理等）**

**第十九条**　この規程に定めるもののほか、事案の決定及び文書の管理については、知事部局の例による。

**（服務心得）**

**第二十条**　職員の勤務時間、休憩時間等、健康管理及び服務については、別に定める場合を除き、知事部局の例による。

**（会計年度任用職員の任用）**

**第二十一条**　地方公務員法（昭和二十五年法律第二百六十一号）第二十二条の二第一項第一号に掲げる会計年度任用職員の任用等については、別に定める場合を除き、知事部局の例による。

**（臨時的任用職員の任用）**

**第二十二条**　地方公務員法第二十二条の三第一項、地方公務員の育児休業等に関する法律（平成三年法律第百十号）第六条第一項第二号又は職員の配偶者同行休業に関する条例（平成二十六年東京都条例第百四十八号）第九条の規定により臨時的に任用される職員の任用等については、別に定める場合を除き、知事部局の例による。

別表（第八条関係）

| 件名＼区分 | 委員会 | 事務局長 | 課長 | 課長代理 |
| --- | --- | --- | --- | --- |
| 一　選挙管理に関すること。 | 一　選挙管理に関する一般方針の確定に関すること。<br>二　事務局の事務事業に係る基本的な方針及び計画の設定、変更又は廃止に関すること。 | | | |
| 二　予算に関すること。 | | 一　成立した予算に係る事務局の事務事業についての執行計画の設定、変更又は廃止に関すること。 | | |
| 三　人事及び給与に関すること。 | 一　事務局長の給与及びこれに準ずる職以上の職に当たる者の任免、分限、懲戒及び表彰に関すること。<br>二　事務局長の出張及び服務に関すること。 | 一　課長及び課長代理その他職員（以下「一般職員」という。）の給与に関すること。<br>二　一般職員の任免その他の人事に関すること。<br>三　非常勤職員の任免に関すること。<br>四　課長等の出張、職務に専念する義務の免除、研修命令及び休暇に関すること。 | 一　課に所属する一般職員の事務分掌、出張、職務に専念する義務の免除、給与減額免除の承認、研修命令、休暇、超過勤務、休日勤務及び週休日の変更に関すること（課長代理の権限に属するものを除く。）。 | 一　課長代理が指揮監督する職員の出張（宿泊を伴う場合を除く。）、休暇（年次有給休暇に係る時季の変更並びに介護休暇、病気休暇及び超勤代休時間を除く。）及び事故欠勤に関すること。 |
| 四　請負又は委託による事業に関すること。 | | 一　予定価格が八百万円以上の請負又は委託により行う工事、修繕、通信及び運搬に係る役務の提供に関すること。 | 一　予定価格が八百万円未満の請負又は委託により行う工事、修繕、通信及び運搬に係る役務の提供に関すること。 | |
| 五　物件の買入れ等に関すること。 | | 一　予定価格が三百万円以上の物件の買入れ、売払い、借入れ及び貸付けに関すること。 | 一　予定価格が三百万円未満の物件の買入れ、売払い、借入れ及び貸付けに関すること。 | |
| 六　補助金等に関すること。 | | 一　四十万円以上の補助金、分担金及び負担金の交付並びに寄附金の贈与に関すること。 | 一　四十万円未満の補助金、分担金及び負担金の交付並びに寄附金の贈与に関すること。 | |

| | | | | |
|---|---|---|---|---|
| 七 規程等に関すること。 | 一 規程及び訓令に関すること。 | | | |
| 八 損害賠償及び和解に関すること。 | | 一 損害賠償額の決定及び和解に関すること。 | | |
| 九 行政処分等に関すること。 | | 一 撤去命令等行政処分に関すること。 | 一 諸証明に関すること。 | 一 諸証明に関すること（簡易なものに限る。）。 |
| 十 訴訟等に関すること。 | 一 特に重要な異議の申出、審査の申立て及び訴訟に関すること。 | 一 異議の申出、審査の申立て及び訴訟に関すること（特に重要なものを除く。）。 | | |
| 十一 報告、答申等に関すること。 | 一 特に重要な事項に関する報告、答申、進達及び副申に関すること。 | 一 重要な事項に関する報告、答申、進達及び副申に関すること。 | 一 報告、答申、進達及び副申に関すること（特に重要又は重要な事項に関するものを除く。）。 | 一 報告、答申、進達及び副申に関すること（簡易なものに限る。）。 |
| 十二 告示、公告等に関すること。 | 一 特に重要な告示、公告、公表、通達、申請、照会、回答、諮問、同意、協議及び通知に関すること。 | 一 重要な告示、公告、公表、通達、申請、照会、回答、諮問、同意、協議及び通知に関すること。 | 一 告示、公告、公表、通達、申請、照会、回答、諮問、同意、協議及び通知に関すること（特に重要又は重要なものを除く。）。 | 一 通達、申請、照会、回答、諮問及び通知に関すること（簡易なものに限る。）。 |
| 十三 広報及び広聴に関すること。 | 一 特に重要な広報及び広聴に関すること。 | 一 重要な広報及び広聴に関すること。 | 一 広報及び広聴に関すること（特に重要又は重要なものを除く。）。 | |
| 十四 情報公開に関すること。 | 一 特に重要な情報公開に関すること。 | 一 重要な情報公開に関すること。 | 一 情報公開に関すること（特に重要又は重要なものを除く。）。 | |
| 十五 保有個人情報の開示、訂正及び利用停止に関すること。 | 一 特に重要な保有個人情報の開示、訂正及び利用停止に関すること。 | 一 重要な保有個人情報の開示、訂正及び利用停止に関すること。 | 一 保有個人情報の開示、訂正及び利用停止に関すること（特に重要又は重要なものを除く。）。 | |

# ○東京都議会議員の定数並びに選挙区及び各選挙区における議員の数に関する条例

昭四四・三・三一
条例五五

最終改正　令二・七・二八条例八〇

（定数）

**第一条**　東京都議会議員の定数は、地方自治法（昭和二十二年法律第六十七号）第九十条第一項の規定に基づき、百二十七人とする。

（選挙区）

**第二条**　公職選挙法（昭和二十五年法律第百号。以下「法」という。）第十五条第一項の規定により、次項及び第三項の選挙区を除き、一の特別区及び市の区域を一選挙区とする。

2　法第十五条第三項の規定により、福生市、羽村市、あきる野市、瑞穂町、日の出町、檜原村及び奥多摩町の区域を合わせて一選挙区とし、これを西多摩選挙区といい、多摩市及び稲城市の区域を合わせて一選挙区とし、これを南多摩選挙区といい、東村山市、東大和市及び武蔵村山市の区域を合わせて一選挙区とし、これを北多摩第一選挙区といい、国分寺市及び国立市の区域を合わせて一選挙区とし、これを北多摩第二選挙区といい、調布市及び狛江市の区域を合わせて一選挙区とし、これを北多摩第三選挙区といい、清瀬市及び東久留米市の区域を合わせて一選挙区とし、これを北多摩第四選挙区という。

3　法第二百七十一条の規定により、大島町、利島村、新島村、神津島村、三宅村、御蔵島村、八丈町、青ヶ島村及び小笠原村の区域を合わせて一選挙区とし、これを島部選挙区という。

（各選挙区における議員の数）

**第三条**　法第十五条第八項及び第二百六十六条第二項の規定により、各選挙区において選挙する都議会議員の数は、次のとおりとする。

| 選挙区 | 区域 | 議員の数 |
|---|---|---|
| 千代田区選挙区 | 千代田区の区域 | 一人 |
| 中央区選挙区 | 中央区の区域 | 一人 |
| 港区選挙区 | 港区の区域 | 二人 |
| 新宿区選挙区 | 新宿区の区域 | 四人 |
| 文京区選挙区 | 文京区の区域 | 二人 |
| 台東区選挙区 | 台東区の区域 | 二人 |
| 墨田区選挙区 | 墨田区の区域 | 三人 |
| 江東区選挙区 | 江東区の区域 | 四人 |
| 品川区選挙区 | 品川区の区域 | 四人 |
| 目黒区選挙区 | 目黒区の区域 | 三人 |
| 大田区選挙区 | 大田区の区域 | 七人 |
| 世田谷区選挙区 | 世田谷区の区域 | 八人 |
| 渋谷区選挙区 | 渋谷区の区域 | 二人 |
| 中野区選挙区 | 中野区の区域 | 三人 |
| 杉並区選挙区 | 杉並区の区域 | 六人 |
| 豊島区選挙区 | 豊島区の区域 | 三人 |
| 北区選挙区 | 北区の区域 | 三人 |
| 荒川区選挙区 | 荒川区の区域 | 二人 |
| 板橋区選挙区 | 板橋区の区域 | 五人 |
| 練馬区選挙区 | 練馬区の区域 | 七人 |
| 足立区選挙区 | 足立区の区域 | 六人 |
| 葛飾区選挙区 | 葛飾区の区域 | 四人 |
| 江戸川区選挙区 | 江戸川区の区域 | 五人 |
| 八王子市選挙区 | 八王子市の区域 | 五人 |
| 立川市選挙区 | 立川市の区域 | 二人 |
| 武蔵野市選挙区 | 武蔵野市の区域 | 一人 |
| 三鷹市選挙区 | 三鷹市の区域 | 二人 |
| 青梅市選挙区 | 青梅市の区域 | 一人 |
| 府中市選挙区 | 府中市の区域 | 二人 |
| 昭島市選挙区 | 昭島市の区域 | 一人 |
| 町田市選挙区 | 町田市の区域 | 四人 |
| 小金井市選挙区 | 小金井市の区域 | 一人 |
| 小平市選挙区 | 小平市の区域 | 二人 |
| 日野市選挙区 | 日野市の区域 | 二人 |
| 西東京市選挙区 | 西東京市の区域 | 二人 |
| 西多摩選挙区 | 福生市、羽村市、あきる野市、瑞穂町、日の出町、檜原村及び奥多摩町の区域 | 二人 |
| 南多摩選挙区 | 多摩市及び稲城市の区域 | 二人 |
| 北多摩第一選挙区 | 東村山市、東大和市及び武蔵村山市の区域 | 三人 |
| 北多摩第二選挙区 | 国分寺市及び国立市の区域 | 二人 |
| 北多摩第三選挙区 | 調布市及び狛江市の区域 | 三人 |
| 北多摩第四選挙区 | 清瀬市及び東久留米市の区域 | 二人 |
| 島部選挙区 | 大島町、利島村、新島村、神津島村、三宅村、御蔵 | |

| 島村、八丈町、青ヶ島村及び小笠原村の区域 | 一人 |
|---|---|

**附　則**

この条例は、次の一般選挙から施行する。

**附　則**（令二・七・二八条例八〇）

この条例は、次の一般選挙から施行する。

# 第三章　議　会

## ○東京都議会定例会の回数に関する条例

昭三一・九・二九
条　例　六　二

東京都議会定例会の回数は、毎年四回とする。

付　則

この条例は、公布の日から施行する。

## ○東京都議会定例会の期月

平二二・一〇・七
告示　一二七六

東京都議会定例会の回数に関する条例（昭和三十一年東京都条例第六十二号）の定めるところにより、東京都議会定例会は、毎年二月、六月、九月及び十二月に招集する。ただし、特別の事情があるときは、招集を前月に繰り上げることができる。

附　則

昭和三十二年東京都告示第七十六号は、廃止する。

## ○地方自治法第九十六条第二項の規定による議会の議決すべき事項に関する条例

昭二四・八・一八
条　例　九　二

改正　昭二六・九・二二条例九九

地方自治法第九十六条第二項の規定による議会の議決すべき事項を次のように定める。

一　生業資金の貸付に関すること。

二　東京都人事委員会の審査に出頭する証人等の費用弁償に関すること。

附　則

この条例は、公布の日から施行し、第一号乃至第五号の規定は、昭和二十四年七月一日から適用する。

附　則（昭二六・九・二二条例九九）

この規則は、公布の日から施行する。

# 〇東京都議会会議規則

昭三一・九・二一 議 決
最終改正 平二九・一二・一五議決

## 第一章 総則

（参集）
**第一条** 議員は、招集の当日開会定刻前に議事堂に参集し、その旨を議長に通告しなければならない。

（宿所又は連絡所の届出）
**第一条の二** 議員は、別に宿所又は連絡所を定めたときは、議長に届け出なければならない。これを変更したときもまた同様とする。

（議席）
**第二条** 議員の議席は、一般選挙後最初の会議で議長が定める。
2 一般選挙後あらたに選挙された議員の議席は、議長が定める。
3 議長は、必要があると認めるときは、議席を変更することができる。
4 議席には、番号及び氏名標を付ける。

（会期）
**第三条** 会期は、おおむね次のとおりとし、毎会期の初めに議会の議決で定める。
一 通常予算を審議する定例会は六十日、その他の定例会は三十日
二 臨時会は十日
2 会期は、招集日から起算する。

（会期の延長）
**第四条** 会期は、議会の議決で延長することができる。

（議会の開閉）
**第五条** 議会の開会及び閉会は、議長が宣告する。

（会期中の閉会）
**第六条** 会議事件を全部議了したときは、議長は会議に諮つて、会期中でも閉会することができる。

（会議時間及び号鈴）
**第七条** 会議時間は、午後一時から午後五時までとする。
2 議長は、必要があると認めるときは、会議時間を変更することができる。但し、異議があるときは、討論を用いないで会議に諮つて決める。
3 会議の開始は、号鈴で報ずる。

（休会）
**第八条** 東京都の休日は、休会とする。
2 議事の都合その他必要があるときは、議会は議決で休会することができる。
3 議長が特に必要があると認めるときは、休会中でも会議を開くことができる。
4 地方自治法（昭和二十二年四月法律第六十七号）（以下「法」という。）第百十四条第一項の規定による請求があつた場合のほか、議会の議決があつたときは、議長は休会中でも会議を開かなければならない。

（会議の開閉等）
**第九条** 開議、散会、延会、中止及び休憩は、議長が宣告する。
2 議長が開議を宣告する前、散会、延会、中止又は休憩を宣告した後は、何人も議事について発言することができない。

（定足数に関する措置）
**第十条** 開議時刻後相当の時間を経ても、なお出席議員が定足数に達しないときは、議長は延会を宣告することができる。
2 会議中定足数を欠くに至るおそれがあると認めるときは、議長は議員の退席を制止し、又は議場外の議員に出席を求めることができる。
3 会議中定足数を欠くに至つたときは、議長は休憩又は延会を宣告する。

（出席催告）
**第十条の二** 法第百十三条の規定による出席催告の方法は、議事堂に現在する議員又は議員の住所（別に宿所又は連絡所の届出をした者については、当該届出の宿所又は連絡所）に、文書又は口頭をもつて行う。

（欠席の届出）
**第十一条** 議員が疾病、出産、家族の弔事、家族の看護又は介護、配偶者の出産補助その他の事故のため出席できないときは、その理由を付けて、当日の開議時刻前に、議長に届出なければならない。

## 第二章 議案の提出及び動議

（議案の提出）
**第十二条** 議員が議案を提出しようとするときは、その案をそなえ、理由を付け、法第百十二条第二項の規定によるものについては、所定の賛成者とともに連署して、あらかじめ議長に提出しなければならない。
2 委員会が議案を提出しようとするときは、その案をそなえ、理由を付け、委員長名をもつて、あらかじめ議長に提出しなければならない。

（修正の動議）
**第十三条** 修正の動議は、その案を備え、あらかじめ議長に提出しなければならない。ただし、法第百十五条

の三の規定による修正の動議には、発議者が連署しなければならない。

**（先決動議の表決順序）**

**第十四条**　他の事件に先立つて、表決に付さなければならない動議が競合したときは、議長がその表決の順序を決める。但し、異議があるときは、議長は討論を用いないで会議に諮つて決めなければならない。

**（事件及び動議の撤回等）**

**第十五条**　会議の議題となつた事件を撤回し、又は訂正しようとするとき及び会議の議題となつた動議を撤回しようとするときは、議会の承認を得なければならない。ただし、会議の議題となる前の事件の撤回又は訂正及び動議の撤回は、議長の許可を得てこれを行うことができる。

2　前項の規定による承認又は許可を求めようとするときは、提出者から請求しなければならない。

**（一事不再議）**

**第十六条**　議会で議決された事件は、同一会期中再び提出することができない。

## 第三章　議事日程

**（日程の作成及び配付）**

**第十七条**　議長は、開議の日時、会議に付する事件及びその順序等を記載した議事日程を定め、あらかじめ議員に配付する。但し、やむを得ないときは、議長がこれを報告して配付に代えることができる。

2　議事日程に定めた日に、その記載事件の議事を開くことができなかつたとき、又はその議事が終らなかつたときは、議長は更にその日程を定めなければならない。

**（議事日程のない会議の通知）**

**第十八条**　議長は、必要があると認めるときは、開議の日時だけを議員に通知して会議を開くことができる。

**（日程の順序変更及び追加）**

**第十九条**　議長は、必要があると認めるときは、議事日程の順序を変更し、又は他の事件を議事日程に追加することができる。

2　議員から日程の順序変更又は追加の動議が提出されたときは、議長は討論を用いないで会議に諮つて決める。

**（日程の終了及び延会）**

**第二十条**　議事日程に記載した事件の議事を終つたときは、議長は散会を宣告する。

2　議事日程に記載した事件の議事が終らない場合でも、議長が必要があると認めるとき、又は議員から動議が提出されたときは、議長は討論を用いないで会議に諮つて延会することができる。

## 第四章　選挙

**（選挙の宣告）**

**第二十一条**　議会で選挙を行うときは、議長はその旨を会議に宣告する。

**（不在議員）**

**第二十二条**　選挙を行う宣告の際、議場にいない議員は選挙に加わることができない。

**（議場の閉鎖）**

**第二十三条**　投票による選挙を行うときは、議長は第二十一条の規定による宣告の後、議場の出入口を閉鎖しなければならない。

**（投票用紙の配付及び投票箱の点検）**

**第二十四条**　投票を行うときは、議長は議員に、別表に定める投票用紙を配付した後、配付漏れの有無を確めなければならない。

2　議長は、投票箱の空虚であることを議員に示さなければならない。

**（投票）**

**第二十五条**　議員は、点呼に応じて順次備え付けの投票箱に投票を行う。

**（投票の終了）**

**第二十六条**　議長は、投票が終つたと認めるときは、議員に投票漏れの有無を確めたのち投票の終了を宣告する。その宣告後は投票することができない。

**（開票、立会人及び投票の効力）**

**第二十七条**　議長は、開票を宣告した後、二人以上の立会人の立会を求めて投票を点検し、計算する。

2　前項の立会人は、議長が議員の中から指名する。

3　投票の数が議場に現在する議員の数に超過したときは、更に投票を行わなければならない。但し、投票の結果に異動を及ぼさないときはこの限りでない。

4　投票の効力は、立会人の意見を聞いて議長が決定する。

**（選挙結果の報告及び通知）**

**第二十八条**　議長は、選挙の結果を直ちに議会に報告する。

2　議長は、当選人に当選の旨を通知しなければならない。

**（選挙の疑義）**

**第二十九条**　選挙に関する疑義は、議長が会議に諮つて決める。

## 第五章　議事

**（議題の宣告）**

**第三十条**　議長は、会議事件を議題とするときは、その旨を宣告する。

（事件の一括）

**第三十一条**　議長は、必要があると認めるときは、二件以上の事件を一括して議題とすることができる。但し、異議があるときは、討論を用いないで会議に諮つて決める。

（議案の委員会付託）

**第三十二条**　会議事件は、第八十七条に規定する場合を除き、会議においてまず提出者の説明を聞き、質疑があるときは質疑の後、議会の議決で委員会に付託する。

２　前項の規定にかかわらず、委員会が提出した議案は、委員会に付託しない。ただし、議会の議決で付託することができる。

３　提出者の説明及び委員会の付託は、議会の議決で省略することができる。

（付託事件の上程）

**第三十三条**　委員会に付託した事件は、その報告をまつて議題とする。

２　分割して付託した事件は、一括して議題とする。

（委員長及び少数意見者の報告）

**第三十四条**　委員会の審査又は調査した事件が議題となつたときは、委員長がその経過及び結果を報告する。

２　第六十七条第二項の規定による少数意見者は、前項の報告に次いで少数意見の報告をすることができる。この場合において、少数意見が二箇以上あるときの報告の順序は、議長が決める。

３　前二項の報告は、議会の議決により、又は議長において委員会の報告書もしくは少数意見報告書を配付し、又は朗読したときは省略することができる。

４　委員長の報告及び少数意見者の報告には、自己の意見を加えてはならない。

（修正案の説明）

**第三十五条**　委員長の報告及び少数意見書の報告が終つた後、又は委員会の付託を省略したときは、議長は修正案の説明を行わせる。

（討論及び表決）

**第三十六条**　議員の質疑が終つたときは、討論に付し、その終結の後、議長は事件を表決に付する。

（委員会の審査期限）

**第三十七条**　議会は、必要があると認めるときは、委員会に付託した事件の審査又は調査につき期限をつけることができる。

２　前項の期限内に審査又は調査を終ることができないときは、委員会は、期限の延期を議会に求めることができる。

（委員会の中間報告）

**第三十八条**　議会は、委員会の審査又は調査中の事件について、特に必要があると認めるときは、中間報告を求めることができる。

２　委員会は、その審査又は調査中の事件について、特に必要があると認めるときは、議会の承認を得て、中間報告をすることができる。

３　前二項の中間報告があつた事件について、議会が特に必要と認めるときは、会議において審議することができる。

（字句及び数字等の整理）

**第三十九条**　議会は、議決の結果生じた条項、字句、数字その他の整理を議長に委任することができる。

（再審査のための付託）

**第四十条**　議会は、委員会の審査又は調査を経て報告された事件で、なお審査又は調査の必要があると認めるときは、更にその事件を同一又は他の委員会に付託することができる。

（議事の継続）

**第四十一条**　延会、中止又は休憩のため事件の議事が中断された場合において、再びその事件が議題となつたときは、前の議事を継続する。

（説明員）

**第四十二条**　議長は法第百二十一条に規定する者（以下「執行機関等」という。）に対し、あらかじめ出席を要求しておくことができる。

## 第六章　発言

（発言の許可等）

**第四十三条**　発言は、すべて議長の許可を得た後、登壇してしなければならない。但し、議長の許可を得たときは、議席で発言することができる。

２　議長は、議席で発言する議員を登壇させることができる。

（発言の通告及び順序）

**第四十四条**　会議において発言しようとする者は、開議前、あらかじめ議長に発言通告書を提出しなければならない。但し、やむを得ないときは、この限りでない。

２　前項の通告書には、質疑についてはその要旨、討論については反対、賛成の別を記載しなければならない。

３　発言の順序は、議長が定める。

４　発言の通告をした者が欠席し、又はその順位に当つても発言しないとき、もしくは議場に現在しないときは、通告はその効力を失う。

（通告しない者の発言）

**第四十五条**　発言の通告をしない者は、通告した者がすべて発言を終つた後でなければ、発言を求めることができない。

2　通告しない者が発言しようとするときは、起立して「議長」と呼び、議席番号又は自己の氏名を告げて議長の許可を得なければならない。

3　二人以上起立して発言を求めたときは、議長は先に起立したと認める者を指名して発言させる。

（**討論の方法**）

**第四十六条**　討論については、議長は最初に反対者を発言させ、次に賛成者及び反対者をなるべく交互に指名して発言させなければならない。

（**議長の発言及び討論**）

**第四十七条**　議長が議員として発言しようとするときは、議席について発言し、発言を終つた後、議長席に復さなければならない。但し、討論をしたときは、その議題の表決が終るまでは議長席に復することができない。

（**発言の範囲**）

**第四十八条**　発言はすべて簡明にし、議題外にわたり、又はその範囲をこえてはならない。

2　議長は、発言が前項の規定に反すると認めるときは、注意をうながし、なお従わない場合は発言を禁止することができる。

3　議員は、質疑に当つては自己の意見を述べることができない。

（**質疑の回数**）

**第四十九条**　質疑は、同一議員につき、同一議題について二回をこえることができない。但し、特に議長の許可を得たときは、この限りでない。

（**発言時間の制限**）

**第五十条**　議長は、必要があると認めるときは、発言時間を制限することができる。

2　前項の時間制限に対して出席議員十人以上から異議があるときは、議長は討論を用いないで会議に諮つて決める。

（**議事進行の発言**）

**第五十一条**　議事進行の発言が、その趣旨に反すると認めるときは、議長は直ちにこれを制止しなければならない。

（**発言の継続**）

**第五十二条**　延会、中止又は休憩等のため、発言を終らなかつた議員は、更にその議事を始めたときに、前の発言を続けることができる。

（**質疑又は討論の終結**）

**第五十三条**　質疑又は討論が終つたときは、議長はその終結を宣告する。

2　質疑が続出して容易に終結しないときは、議員は質疑終結の動議を提出することができる。

3　賛否各々二人以上の発言があつた後、又は甲方が二人以上発言して乙方に発言の要求者がないときは、議員は討論終結の動議を提出することができる。

4　質疑又は討論終結の動議については、議長は討論を用いないで会議に諮つて決める。

（**選挙及び表決時の発言の制限**）

**第五十四条**　選挙及び表決を行う宣告の後は、何人も発言を求めることができない。但し、選挙及び表決の方法についての発言はこの限りでない。

（**発言の取消又は訂正**）

**第五十五条**　議員は、その会期中に限り、議会の許可を得て自己の発言を取り消し、又は議長の許可を得て発言の訂正をすることができる。ただし、発言の訂正は、字句に限るものとし、発言の趣旨を変更することはできない。

## 第七章　委員会

（**招集手続**）

**第五十六条**　委員会を招集しようとするときは、委員長はあらかじめ委員会の日時、場所、事件その他必要事項を記載した通知書を議長に提出しなければならない。

（**会議中の委員会禁止**）

**第五十七条**　委員会は、議会の会議中は開くことができない。

（**委員会の発言**）

**第五十八条**　委員は、議題について自由に質疑し、及び意見を述べることができる。但し、委員会において別に発言の方法を決めたときはこの限りでない。

（**証人の出頭及び記録の提出**）

**第五十九条**　委員会において、法第百条の規定による調査を付託された場合、調査のため証人の出頭又は記録の提出を求めようとするときは、議長に申し出なければならない。

（**委員の派遣**）

**第六十条**　委員会は、審査又は調査のため委員を派遣しようとするときは、その日時、場所、調査事項及び経費等を記載した派遣承認要求書を議長に提出し、あらかじめ承認を得なければならない。

（**分科会及び小委員会**）

**第六十一条**　委員会は、必要により分科会又は小委員会を設けることができる。

2　分科会及び小委員会に関する事項は、委員会が決める。

（連合審査会）
**第六十二条**　委員会は、審査又は調査のため必要があるときは、他の委員会と協議して連合審査会を開くことができる。

（委員外議員の発言）
**第六十三条**　委員会は、審査又は調査中の事件について必要があると認めるときは、委員でない議員に対し、その出席を求めて説明又は意見を聞くことができる。委員でない議員から発言の申出があつたときもまた同様とする。

（委員会報告書）
**第六十四条**　委員会が事件の審査又は調査を終つたときは、その結果を付した報告書を委員長から議長に提出しなければならない。

（修正、付帯決議及び希望）
**第六十五条**　委員は、付託された事件に対し修正を加え、又は付帯決議、もしくは希望を付けようとするときは、その案をあらかじめ委員長に提出しなければならない。

（閉会中の継続審査）
**第六十六条**　委員会が閉会中もなお審査又は調査を継続する必要があると認めるときは、その理由を付け、委員長から議長に申し出なければならない。

（少数意見の留保）
**第六十七条**　委員は、委員会において少数で廃棄された意見で、他に出席委員二人以上の賛成があるものは、少数意見として留保することができる。
2　前項の少数意見者は、少数意見の報告書を委員会の報告書が提出されるまでに、委員長を経て議長に提出しなければならない。

## 第八章　表決

（議題の宣告）
**第六十八条**　議長が表決を採ろうとするときは、その議題を会議に宣告する。

（不在議員）
**第六十九条**　表決宣告の際、議場にいない議員は表決に加わることができない。

（条件の禁止）
**第七十条**　表決には、条件を付けることができない。

（起立による表決）
**第七十一条**　議長が表決を採ろうとするときは、議題を可とする者を起立させ、起立者の多少を認定して可否の結果を宣告する。

（記名投票）
**第七十二条**　議長が必要と認めたとき、もしくは出席議員十人以上から要求があるとき、又は前条の規定による表決の際起立者の多少を認定し難いとき、もしくは議長の宣告に対し、出席議員十人以上から異議があるときは、議長は記名投票で表決を採らなければならない。

（無記名投票）
**第七十三条**　議長が特に必要と認めたとき、又は出席議員十人以上から特別の事由により要求があるときは、無記名投票で表決を採らなければならない。

（投票方法の競合）
**第七十四条**　記名投票の要求と無記名投票の要求が競合したときは、議長はいずれの方法によるかを記名投票で決める。

（投票の方法）
**第七十五条**　投票は、別表に定める用札又は投票用紙を用いて行う。
2　用札を用いる投票においては、問題を可とする者は白票を、否とする者は青票を投票する。
3　投票用紙を用いて投票を行う場合は、問題を可とする者は「賛成」、否とする者は「反対」と記入し、記名投票の場合は併せて氏名を記入しなければならない。
4　議長は、投票において用札又は投票用紙のいずれを用いるかを決める。但し、異議があるときは討論を用いないで会議に諮つて決める。

（選挙に関する規定の準用）
**第七十六条**　前条の規定により投票を行う場合は、第二十三条（議場の閉鎖）、第二十四条（投票用紙の配付及び投票箱の点検）、第二十五条（投票）、第二十六条（投票の終了）、第二十七条（開票立会人及び投票の効力）、第二十八条（選挙結果の報告及び通知）及び第二十九条（選挙の疑義）の規定を準用する。

（簡易表決）
**第七十七条**　議長は、議題について異議の有無を会議に諮ることができる。異議がないと認めたときは、直ちに可決の旨を宣告する。但し、議長の宣告に対し出席議員十人以上から異議があるときは、議長は起立の方法をもつて表決を採らなければならない。

（表決の更正）
**第七十八条**　議員は、自己の表決について更正を求めることはできない。

（表決の順序）
**第七十九条**　表決の順序は、まず議員から提出された修正案、次に委員会の修正案とし、原案を後とする。
2　同一の議題について、議員から数個の修正案が提出されたときは、原案に対してその趣旨の最も遠いものから順次表決に付する。その区別が判然としない場合は議長が決める。但し、異議があるときは、議長は討論を用いないで会議に諮つて決めなければならない。

3　修正案が否決されたときは、原案について表決を採る。

## 第九章　質問

**（一般質問）**

**第八十条**　議員は、都の一般事務に関し、議事に先立つて質問することができる。但し、その順序は議会の議決で変更することができる。

2　質問しようとする者は、その要旨を会議の日前二日目までに、議長に通告しなければならない。但し、やむを得ない場合はこの限りでない。

**（質問の回数及び終結）**

**第八十一条**　質問については、第四十三条（発言の許可等）、第四十四条（発言の通告及び順序）、第四十九条（質疑の回数）、第五十条（発言時間の制限）、第五十二条（発言の継続）及び第五十三条（質疑又は討論の終結）の規定を準用する。

**（答弁書の提出）**

**第八十二条**　執行機関等において、質問に対し直ちに答弁し難い事由があるときは、議長は期日を指定して答弁書の提出を要求することができる。

2　前項の答弁書を受理したときは、議長はすみやかに各議員に配付しなければならない。

**（緊急質問）**

**第八十三条**　質問が緊急を要するときは、議会の議決で質問することができる。

2　前項の質問がその趣旨に反すると認めるときは、議長は直ちに制止しなければならない。

**（文書質問）**

**第八十四条**　議員は、会期中執行機関等に対し文書で質問することができる。

2　前項の質問は、簡明な趣意書を議長に提出しなければならない。

3　質問趣意書は、議長が答弁書提出の期日を指定して執行機関等に送付する。

4　議長は、質問趣意書及び答弁書を各議員に配付する。

## 第十章　請願

**（請願の提出）**

**第八十五条**　請願は、邦文を用い、請願の主旨、提出年月日、請願者の住所（法人は、その所在地及び名称）を記載し、請願者（法人は、代表者）が署名又は記名押印の上、議員の紹介により議長に提出しなければならない。

2　請願を紹介する議員は、請願書の表紙に署名しなければならない。

3　請願書の提出は平穏にしなければならない。

**（請願文書表）**

**第八十六条**　議長は、請願書を受理したときは、請願者、請願の要旨、紹介議員及び受理年月日を記載した請願文書表を作成し、各議員に配付しなければならない。

2　請願者数人連署のものは、外何人、同一議員の紹介による数件の内容同一のものは、外何件と記載することができる。

**（請願の付託）**

**第八十七条**　請願は、文書表の配付と同時に議長がこれを適当の委員会に付託し、その旨を議員に通知しなければならない。

2　請願の内容が二以上の委員会の所管に属する場合は、二以上の請願が提出されたものとみなし、それぞれ適当の委員会に付託する。

**（紹介議員の委員会出席）**

**第八十八条**　請願の紹介議員は、委員会から要求があつたとき、又は紹介議員の申出を委員会が承認したときは、委員会に出席して説明を行う。

**（請願の審査報告）**

**第八十九条**　委員会は、請願について、審査の結果を左の区分により議長に報告しなければならない。

一　採択すべきもの

二　不採択とすべきもの

2　委員会は、必要があると認めるときは、請願の審査結果に意見を付けることができる。

3　採択すべきものと決定した請願で、執行機関等に送付することを適当と認めるもの及びその処理てんまつの報告を請求することを適当と認めるものについては、その旨を付記しなければならない。

**（請願の送付及び処理てんまつの報告の請求等）**

**第九十条**　議長は、議会の採択した請願で、執行機関等に送付することに決したものはこれを送付し、その処理てんまつの報告を請求することに決したものについては、これを請求しなければならない。

2　採択及び不採択の結果は、請願者に通知する。この場合において、前条第二項の規定により意見を付したときは、その旨を付記しなければならない。

**（陳情書の処理）**

**第九十一条**　陳情書の内容が請願に適合するものは、請願書の例により処理する。

## 第十一章　秘密会

（指定者以外の退場）
**第九十二条**　秘密会を開く議決があつたときは、議長は傍聴人及び議長の指定する以外の者を議場の外に退去させなければならない。

（秘密の保持）
**第九十三条**　秘密会の議事の記録は公表しない。
2　秘密会の議事は、何人も秘密性の継続する限り、他に漏らしてはならない。

## 第十二章　議員の辞職及び資格の決定

（辞表の提出）
**第九十四条**　議員が辞職しようとするときは、議長に辞表を提出しなければならない。

（辞職の許可）
**第九十五条**　議長は、辞表の提出があつたときは、その旨議会に報告し、討論を用いないで会議に諮つてその許否を決めなければならない。
2　議長は、閉会中に議員の辞職を許可したときは、その旨を次の会議に報告しなければならない。

（資格決定要求書の提出）
**第九十六条**　法第百二十七条第一項の規定により、議員の被選挙権の有無又は議員が法第九十二条の二の規定に該当するかどうかについて議会の決定を求めようとする議員（以下「要求議員」という。）は、要求の理由を記載した要求書（正副二通）に署名捺印して、証拠書類とともに議長に提出しなければならない。

（資格決定の審査）
**第九十七条**　前条の要求については、議会は第三十二条第三項の規定にかかわらず、委員会の付託を省略して決定することができない。

（被要求議員の答弁書）
**第九十八条**　議長が要求書を委員会に付託したときは、その副本を決定を求められている議員（以下「被要求議員」という。）に送付し、期日を定めて答弁書を提出させる。但し、期日までに提出することのできない事由を証して延期を求められたときは、議長は更に期日を指定することができる。

（答弁書の送付）
**第九十九条**　被要求議員から答弁書を提出したときは、議長は直ちに委員会に送付しなければならない。

（審査）
**第百条**　委員会は、要求書及び答弁書によつて審査する。但し、議長が定めた期日までに答弁書が提出されないときは、要求書だけで審査することができる。

（被要求議員の弁明）
**第百一条**　被要求議員は、委員会に出席して自己の資格に関し弁明することができる。

（要求議員及び被要求議員の出席説明）
**第百二条**　委員会は、審査のため必要があるときは、議長を経て要求議員及び被要求議員の説明並びに必要書類の提出を求めることができる。

（委員会決定書の提出）
**第百三条**　委員会は、審査を終つたときは、理由をつけた委員会決定書を報告書とともに議長に提出しなければならない。

（決定書の送付）
**第百四条**　議会において、議員の被選挙権の有無又は議員が法第九十二条の二の規定に該当するかどうかを決定したときは、議長は決定書の謄本を要求議員及び被要求議員に送付しなければならない。

## 第十三章　紀律

（秩序及び品位の尊重）
**第百五条**　議員は、議会の秩序及び品位を重んじなければならない。

（服装）
**第百六条**　議場に入る者は、服装を見苦しくないようにしなければならない。

（携帯品）
**第百七条**　議場に入る者は、帽子、外とう、えり巻、かさの類を着用し、又は携帯してはならない。ただし、病気その他やむを得ない事由により議長の許可を得たときは、この限りでない。

（議事妨害禁止）
**第百八条**　何人も会議中は、みだりに発言し、騒ぎその他議事の妨害となる言動をしてはならない。

（禁煙）
**第百九条**　何人も議場において喫煙してはならない。

（登壇の禁止）
**第百十条**　何人も議長の許可がなければ演壇に登つてはならない。

（議長の秩序保持権）
**第百十一条**　法又はこの規則に定めるもののほか、紀律に関する問題は議長が決める。ただし、議長が必要があると認めるときは、討論を用いないで会議に諮つて決めることができる。

## 第十四章　懲罰

（懲罰事犯及び発議権）
**第百十二条**　懲罰の動議は、文書をもつて所定の発議者が連署して議長に提出しなければならない。

2　前項の動議は、懲罰事犯があつた日から起算して三日以内に提出しなければならない。但し、第九十三条第二項の規定違反については、この限りではない。

（懲罰動議の会議）

**第百十三条**　懲罰の動議が提出されたときは、議長はすみやかに会議に付さなければならない。

（懲罰事犯の審査）

**第百十四条**　懲罰事犯の審査については、第九十七条の規定を準用する。

（一身上の弁明）

**第百十五条**　議員は、自己の懲罰事犯の会議及び委員会において、議会又は委員会の同意を得て、自ら弁明し、又は他の議員をして、代つて弁明させることができる。

（出席説明要求）

**第百十六条**　委員会は、議長を経由して、事犯者及び関係議員の出席説明を求めることができる。

（戒告、陳謝）

**第百十七条**　公開の議場で戒告し、又は陳謝させようとするときは、委員会は、案文を報告書とともに議長に提出しなければならない。

2　戒告又は陳謝は、議会の決める戒告又は陳謝文によつて、公開の議場で行わなければならない。

（出席停止）

**第百十八条**　出席停止は、七日以内とする。

2　出席停止を命ぜられた者が、その期間内に会議又は委員会に出席したときは、議長又は委員長は直ちに退去を命じなければならない。

**第百十九条**　削除

（懲罰の宣告）

**第百二十条**　議会が懲罰の議決をしたときは、議長は公開の議場で宣告する。

## 第十五章　会議録

（記載事項）

**第百二十一条**　会議録に記載する事項は、次のとおりとする。

一　開会、閉会に関する事項及びその年月日時
二　開議、散会、延会、中止及び休憩の日時
三　出席及び欠席議員の議席番号及び氏名
四　説明のため出席した者の職氏名
五　議事日程
六　議長の諸報告
七　議席の指定及び変更
八　委員会の報告書及び少数意見報告書
九　会議に付した事件及びその内容
十　議案の提出及び撤回に関する事項
十一　選挙のてんまつ
十二　議事のてんまつ
十三　質問及び答弁に関する事項
十四　その他議長又は議会において必要と認めた事項

（議事の記録）

**第百二十二条**　議事は、速記法その他議長が適当と認める方法によつて記録する。

（会議録の配布）

**第百二十二条の二**　会議録は、印刷して、議員及び関係者に配布する。

（会議録に掲載しない事項）

**第百二十三条**　前条の会議録には、秘密会の議事並びに議長が取り消させた発言及び第五十五条の規定により取り消した発言は、掲載しない。

（署名議員）

**第百二十四条**　会議録に署名する議員は二人とし、議長が会議において指名する。

（署名及び保存）

**第百二十五条**　会議録は、議長が前条に規定する署名議員とともに署名し、保存する。

## 第十六章　協議又は調整を行うための場

（協議又は調整を行うための場）

**第百二十六条**　法第百条第十二項の議案の審査又は議会の運営に関し協議又は調整を行うための場（以下「協議等の場」という。）を次のとおり設ける。

2　前項で定めるもののほか、東京都議会情報公開条例（平成十一年東京都条例第四号）第二十四条の東京都議会情報公開推進委員会を協議等の場として設ける。

3　前二項で定めるもののほか、協議等の場を臨時的に設ける必要があるときは、議会の議決でこれを決定する。ただし、緊急を要する場合又は閉会中においては、議長が設けることができる。

4　前項の規定により、協議等の場を設けるに当たつては、名称、目的、構成員及び招集権者を明らかにしなければならない。

5　第一項及び第三項で定める協議等の場の運営その他必要な事項は、議長が別に定める。

【注　第一二六条第一項の付表】

| 名称 | 目的 | 構成員 | 招集権者 |
|---|---|---|---|
| 各派世話人協議会 | 一般選挙後最初に行う臨時会の招集請求に関する事項並びに新たな議会の構成及び運営に当面必要な事項について協議を行う。 | 議長が別に定める基準に基づき各会派（所属議員が一人の場合を含む。）が所属議員のうちから選定した世話人 | 各派世話人協議会において選任した座長とし、座長がないときは議会局長とする。 |
| 各派代表者会 | 一般選挙後最初に行う臨時会の招集請求及び議事運営に関する事項並びに新たな議会の構成及び運営に必要な事項について協議を行う。 | 議長が別に定める基準に基づき各会派が所属議員のうちから選定した代表者 | 各派代表者会において互選した座長とし、座長がないときは議会局長とする。 |
| 常任・特別委員長会議 | 委員会運営上の共通事項及び課題について協議又は調整を行う。 | 議長、副議長、常任委員長及び特別委員長 | 議長 |

## 第十七章　議員の派遣

**（議員の派遣）**

**第百二十七条**　法第百条第十三項の規定により議員を派遣しようとするときは、議会の議決でこれを決定する。ただし、緊急を要する場合又は閉会中においては、議長が議員の派遣を決定することができる。

2　前項の規定により、議員の派遣を決定するに当たつては、派遣の目的、場所、期間その他必要な事項を明らかにしなければならない。

## 第十八章　専門的知見の活用

**（専門的知見の活用）**

**第百二十八条**　法第百条の二の規定により調査を行うときは、議会の議決でこれを決定する。ただし、閉会中においては、議長が決定することができる。

2　前項の規定により、調査を行うことを決定するに当たつては、調査事項、期間その他必要な事項を明らかにしなければならない。

## 第十九章　補則

**（規則の疑義）**

**第百二十九条**　この規則の疑義は、議長が決める。ただし、異議があるときは会議に諮つて決める。

**付　則**

この規則は、公布の日から施行する。

**附　則**（平二九・一二・一五議決）

この規則は、公布の日から施行する。

**別表**〔略〕

# ○東京都議会委員会条例

昭三一・九・二一
条　例　六　一

最終改正　令五・六・二八条例七三

（常任委員会の設置等）

**第一条**　都議会に常任委員会を置く。

2　議員は、それぞれ一の常任委員となるものとする。

（常任委員会の名称、委員定数及び所管）

**第二条**　常任委員会の名称、委員定数及び所管は、次のとおりとする。

一　総務委員会　十五人
　政策企画局、総務局、デジタルサービス局、人事委員会、選挙管理委員会及び監査委員に関する事項並びに他の常任委員会の所管に属しない事項

二　財政委員会　十四人
　財務局、主税局、会計管理局及び収用委員会に関する事項

三　文教委員会　十四人
　生活文化スポーツ局及び教育委員会に関する事項

四　都市整備委員会　十四人
　都市整備局に関する事項

五　厚生委員会　十四人
　福祉局及び保健医療局に関する事項

六　経済・港湾委員会　十四人
　産業労働局、港湾局及び労働委員会に関する事項

七　環境・建設委員会　十四人
　環境局及び建設局に関する事項

八　公営企業委員会　十四人
　交通局、水道局及び下水道局に関する事項

九　警察・消防委員会　十四人
　公安委員会及び消防庁に関する事項

（常任委員の任期）

**第三条**　常任委員の任期は、一年とする。ただし、後任者が選任されるまで在任する。

2　常任委員の任期は、選任の日から起算する。ただし、任期満了による選任が、任期満了の日前に行われたときは、後任の委員の任期は、前任の委員の任期満了の日の翌日から起算する。

3　所属変更後の常任委員及び補欠委員の任期は、前任者の残任期間とする。

（議会運営委員会の設置）

**第三条の二**　都議会に議会運営委員会を置く。

2　議会運営委員会の委員の定数は、二十三人とする。

3　議会運営委員は、議員の任期中在任する。

（特別委員会の設置）

**第四条**　特別委員会は、必要があるとき議会の議決で置く。

2　特別委員会の委員の定数は、議会の議決で定める。

3　特別委員は、委員会に付議された事件が議会において審議されている間在任する。

（委員の選任）

**第五条**　常任委員、議会運営委員及び特別委員（以下「委員」という。）は、議長が会議に諮つて指名する。

2　常任委員の任期満了に伴う前項の指名は、任期満了の日前三十日以内に行うことができる。

3　常任委員が委員会の所属を変更しようとするときは、議会の許可を得なければならない。ただし、議会閉会中においては、議長が許可することができる。

4　議会閉会中において、議長が委員の欠員を補充する必要があるときは、議長が委員を指名することができる。

5　第三項ただし書の規定により常任委員の所属変更を許可したとき及び前項の規定により委員を指名したときは、議長は、次の会議に報告する。

（委員長、副委員長及び理事並びに理事会）

**第六条**　常任委員会、議会運営委員会及び特別委員会（以下「委員会」という。）に委員長を置く。

2　委員会は、副委員長及び理事を置くことができる。

3　副委員長及び理事の数は、委員会がこれを定める。

4　委員会の運営に関し必要な事項を協議するため、委員会に理事会を置くことができる。

5　理事会は、委員長、副委員長及び理事で組織する。

6　委員長が必要と認めるときは、委員を理事会に出席させることができる。

（委員長、副委員長及び理事の互選）

**第七条**　委員長、副委員長及び理事は、委員会において互選する。

2　前項の互選は、地方自治法（昭和二十二年法律第六十七号）第百十八条の規定の例による。

（委員長、副委員長及び理事がともにないときの互選）

**第八条**　委員長、副委員長及び理事がともにないときは、議長が委員会を招集して互選を行わせる。

2　前項の互選のうち、委員長の互選に関する職務は、年長の委員が行う。

（委員長の開閉権等）

**第九条**　委員長は、委員会を開閉し、議事を整理し、秩序を保持する。

（委員長の職務代行）

**第十条**　委員長に事故があるとき、又は委員長が欠けたときは、副委員長が委員長の職務を行う。

2　委員長及び副委員長ともに事故があるときは、理事

が委員長の職務を行う。

3　委員長、副委員長及び理事ともに事故があるときは、年長の委員が委員長の職務を行う。

**（議会運営委員及び特別委員の辞任）**

**第十一条**　議会運営委員及び特別委員が辞任しようとするときは、議会の許可を得なければならない。ただし、議会閉会中においては、議長の許可を得て辞任することができる。

2　前項のただし書の規定により辞任を許可したときは、議長は、次の会議に報告する。

**（委員長、副委員長及び理事の辞任）**

**第十二条**　委員長、副委員長及び理事が辞任しようとするときは、委員会の許可を得なければならない。

**（招集）**

**第十三条**　委員会は、委員長が招集する。

2　委員の定数の半数以上の者から委員会において審査又は調査すべき事件を示して、招集の請求があつたときは、委員長は、委員会を招集しなければならない。

**（委員会の開会方法の特例）**

**第十三条の二**　委員長は、新型コロナウイルス感染症（感染症の予防及び感染症の患者に対する医療に関する法律（平成十年法律第百十四号）第六条第七項第三号に規定する新型コロナウイルス感染症をいう。）のまん延防止措置の観点から、委員会の招集場所への招集が困難と認める場合には、映像と音声の送受信により相手の状態を相互に認識しながら通話をすることができる方法（以下「オンライン」という。）を活用して委員会を開会することができる。

2　前項の場合において、オンラインにより委員会に出席することを希望する委員は、あらかじめ委員長の許可を得なければならない。

3　前項の許可を得て委員会に出席した委員は、次条、第十五条第一項、第十九条第二項及び第三十条第一項の出席委員とする。

4　オンラインを活用した委員会の開会方法その他必要な事項は、議長が別に定める。

**（定足数）**

**第十四条**　委員会は、委員の定数の半数以上の委員が出席しなければ会議を開くことができない。ただし、第十八条（委員の除斥）の規定による除斥のため半数に達しないときは、この限りでない。

**（表決）**

**第十五条**　委員会の議事は、出席委員の過半数で決し、可否同数のときは、委員長の決するところによる。

2　前項の場合においては、委員長は、委員として表決に加わることができない。

**（議事妨害及び離席の禁止）**

**第十六条**　何人も会議中はみだりに発言し、又は騒ぎ、その他議事の妨害となる言動をしてはならない。

2　委員は、会議中みだりに離席してはならない。

**（秩序保持に関する措置）**

**第十七条**　委員会において法律、東京都議会会議規則（昭和三十一年議決。以下「会議規則」という。）又はこの条例に違反し、その他委員会の秩序を乱す委員があるときは、委員長は、これを制止し、又は発言を取り消させることができる。

2　委員が前項の規定による命令に従わないときは、委員長は、当日の委員会が終わるまで発言を禁止し、又は退場させることができる。

3　委員長は、委員会が騒然として整理することが困難であると認めるときは、委員会を閉じ、又は中止することができる。

**（委員の除斥）**

**第十八条**　委員は、自己若しくは父母、祖父母、配偶者、子、孫若しくは兄弟姉妹の一身上に関する事件又は自己若しくはこれらの者の従事する業務に直接の利害関係のある事件については、その議事に参与することができない。ただし、委員会の同意があつたときは、その会議に出席して発言することができる。

**（委員会の公開及び秘密会）**

**第十九条**　委員会は、これを公開する。ただし、理事会は、非公開とする。ただし、第十三条の二第一項の規定によりオンラインを活用して開会する委員会は、秘密会とすることができない。

2　前項の規定にかかわらず、委員長又は委員二人以上の発議により出席委員の三分の二以上の多数で議決したときは、秘密会を開くことができる。

3　前項の規定による委員長又は委員の発議は、討論を行わないでその可否を決しなければならない。

4　委員会の傍聴に関し必要な事項は、議長が別に定める。

**（知事及び委員長等の出席説明の要求）**

**第二十条**　委員会は、審査又は調査のため知事、教育委員会の教育長、選挙管理委員会の委員長、人事委員会の委員長、公安委員会の委員長、労働委員会の委員及び監査委員その他法律に基づく委員会の代表者又は委員並びにその委任又は嘱託を受けた者に対し説明のため出席を求めようとするときは、議長を経てしなければならない。

**（外部監査人等の出席説明の要求）**

**第二十一条**　委員会は、審査又は調査のため外部監査人又は外部監査人であつた者に対し説明のため出席を求めようとするときは、議長を経てしなければならない。

**（公聴会開催の手続）**

**第二十二条**　委員会が公聴会を開こうとするときは、その日時、場所、案件等を定め、議長の承認を得なければならない。

２　委員会は、公聴会を開催するに当たり、意見を聴こうとする利害関係者又は学識経験者等（以下「公述人」という。）の範囲、人員その他必要と認める事項を定め、議長に報告しなければならない。

３　議長は、第一項の規定による承認をしたときは、公聴会の公示をし、前項の規定による報告を受けたときは公述人の招請等開会に必要な手続をしなければならない。

**（意見を述べようとする者の申出）**

**第二十三条**　公聴会に出席して意見を述べようとする者は、文書であらかじめその理由及び案件に対する賛否を、その委員会に申し出なければならない。

**（公述人の決定）**

**第二十四条**　公述人は、前条の規定によりあらかじめ申し出た者及びその他の者の中から、委員会において定め、議長を経て、本人にその旨を通知する。

２　前項に規定する者の中に、その案件に対して賛成者及び反対者があるときは、一方に偏らないように選ばなければならない。

**（公述人の発言）**

**第二十五条**　公述人が発言しようとするときは、委員長の許可を得なければならない。

２　前項の発言は、その意見を聴こうとする案件の範囲を超えてはならない。

３　公述人の発言がその範囲を超え、又は不穏当な言動があつたときは、委員長は、発言を制止し、又は退席させることができる。

**（公述人に対する質疑等）**

**第二十六条**　委員は、公述人の述べた意見に対して質疑をすることができる。

２　公述人は、委員に対して質疑をすることができない。

**（代理人又は文書による陳述）**

**第二十七条**　公述人は、代理人に意見を述べさせ、又は文書で意見を提出することができない。ただし、委員会が許可したときは、この限りでない。

**（入場の制限）**

**第二十八条**　委員長は、公聴会において必要があると認めるときは、一般参会者の入場を制限し、又は退場を命ずることができる。

**（参考人）**

**第二十八条の二**　委員会が、参考人に対し出席を求めようとするときは、議長を経てしなければならない。

２　前項の場合において、議長は、参考人に対しその日時、場所及び意見を聴こうとする案件その他必要な事項を通知しなければならない。

３　参考人については、第二十五条（公述人の発言）、第二十六条（公述人に対する質疑等）及び第二十七条（代理人又は文書による陳述）の規定を準用する。

**（書記の配属）**

**第二十九条**　委員会には書記を配属する。

２　書記は、委員長の指揮を受け、委員会の事務に従事する。

**（委員会速記録）**

**第三十条**　委員会（理事会を除く。）は、委員会速記録を作り、次の事項を記載する。

一　開会、休憩及び散会の年月日時刻
二　出席委員の氏名
三　出席説明員の氏名
四　会議に付した事件の件名
五　議　事
六　公聴会
七　その他必要な事項

２　委員会速記録は、印刷して、議員及び関係者に配布する。

**（会議規則との関係）**

**第三十一条**　この条例に定めるもののほか、委員会に関しては、会議規則の定めるところによる。

**付　則**

１　この条例は、公布の日から施行する。

２　この条例による常任委員の任期は、昭和三十一年に限り第三条本文の規定にかかわらず、同年九月第三回定例会において選任される日から起算し、八箇月間経過したときに満了する。

**附　則**（令五・六・二八条例七三）

この条例は、令和五年七月一日から施行する。

# ○東京都議会傍聴規則

昭四九・一二・二八
議会規則一

最終改正　平一九・一一・一議会規則一

（目的）

**第一条**　この規則は、地方自治法（昭和二十二年法律第六十七号）第百三十条第三項の規定に基づき、東京都議会の会議の傍聴に関し必要な事項について定めることを目的とする。

（傍聴席）

**第二条**　傍聴席は、これを一般席、報道関係者席及び特別席に分ける。

2　特別席は、東京都議会の賓客が会議を傍聴する場合に使用する。

（傍聴人）

**第三条**　会議を傍聴しようとする者は、傍聴券又は傍聴証若しくは傍聴腕章（以下「傍聴券等」という。）の交付を受け、これを所持又は着用しなければならない。

2　傍聴券等の交付を受け、会議を傍聴しようとする者を傍聴人という。

（傍聴券等の種類）

**第四条**　傍聴券の種類及び交付枚数は、次のとおりとする。ただし、議員に欠員を生じた場合又は特別の事情がある場合には、相互に振り替えて交付することができる。

一　議員紹介傍聴券（別記第一号様式）　議員一人につき一枚

二　一般傍聴券（別記第二号様式）　百八十六枚（車椅子利用者分を含む。）

三　特別傍聴券（別記第三号様式）　十枚

2　傍聴証の種類は、次の三種とし、議長が必要と認める枚数を交付する。

一　報道記者証（別記第四号様式）

二　公務員証（別記第五号様式）

三　会派連絡員証（別記第六号様式）

3　傍聴腕章は、次の二種とし、議長が必要と認める枚数を交付する。

一　報道腕章（別記第七号様式）

二　一般傍聴腕章（別記第八号様式）

（傍聴券等の交付）

**第五条**　議員紹介傍聴券は議員を通じて交付し、一般傍聴券は会議当日受付で先着順に一人一枚を交付し、特別傍聴券は、議長を通じて交付する。ただし、前日の傍聴券が有効の場合は、この限りでない。

2　報道記者証は報道関係者に、公務員証は東京都職員に、会派連絡員証は東京都議会各会派連絡員に、それぞれ交付する。

3　報道腕章及び一般傍聴腕章は、第十三条の規定により、あらかじめ議長の承認を受けた報道関係者及び報道関係者以外の者に、それぞれ交付する。

（傍聴券等の有効期間）

**第六条**　傍聴券及び傍聴腕章は、次に掲げる日に限り有効とする。ただし、議長は、会議の都合により必要と認めるときは、その翌日の正午まで通用させることができる。

一　傍聴券　傍聴券に記載された日

二　傍聴腕章　交付を受けた日

2　傍聴証の有効期間は、交付の日からその年の十二月二十一日までとする。

（傍聴券への記入）

**第七条**　傍聴券の交付を受けた者は、傍聴券に所要事項を記入しなければならない。

（傍聴人の入場）

**第八条**　傍聴人が入場しようとするときは、指定の入口で、傍聴券等を係員（議長が指定する職員。以下同じ。）に示し、その指示に従わなければならない。

（傍聴券等の提示）

**第九条**　傍聴人は、係員が求めたときは、傍聴券等を提示しなければならない。

（議場への入場禁止）

**第十条**　傍聴人は、議場に入ることができない。

（傍聴席に入ることができない者）

**第十一条**　次の各号の一に該当する者は、傍聴席に入ることができない。

一　銃器、棒その他人に危害を加え、又は迷惑を及ぼすおそれのある物を携帯している者

二　拡声器、無線機の類を携帯している者

三　張り紙、ビラ、プラカード、旗、のぼり、垂れ幕、かさの類を携帯している者

四　はち巻、腕章、たすき、ゼッケン、ヘルメットの類を着用又は携帯している者

五　録音機、写真機、撮影機の類を携帯している者（ただし、傍聴腕章を着用する者を除く。）

六　酒気を帯びている者

七　その他議事を妨害することを疑うに足りる顕著な事情が認められる者

2　議長は、必要と認めたときは、傍聴人に対し、係員をして前項第一号から第五号までに規定する物品を携帯しているか否かを質問させることができる。

3　議長は、前項に規定する質問を受けた者がこれに応じないときは、その者の入場を禁止することができる。

**（傍聴人の守るべき事項）**

**第十二条**　傍聴人は、傍聴席にあるときは、静粛を旨とし、次の事項を守らなければならない。

一　議場における言論に対して拍手その他の方法により可否を表明しないこと。

二　騒ぎ立てる等議事を妨害しないこと。

三　帽子、外とう、えり巻の類を着用しないこと（ただし、病気その他正当な理由がある場合は、この限りでない。）。

四　飲食又は喫煙をしないこと。

五　その他議場の秩序を乱し、又は議事の妨害となるような行為をしないこと。

**（撮影、録音等の許可）**

**第十三条**　傍聴人は、傍聴席において写真、映画等を撮影し、ラジオ・テレビ等の録音若しくは録画又は中継をしようとするときは、あらかじめ議長の承認を受けなければならない。

**（係員の指示）**

**第十四条**　傍聴人は、すべて係員の指示に従わなければならない。

**（傍聴人の退場）**

**第十五条**　傍聴人は、次の各号に掲げる場合には、速やかに退場しなければならない。

一　議長が、秘密会であることを宣告し、傍聴人の退場を命じたとき。

二　傍聴人がこの規則に違反し、議長が退場を命じたとき。

2　前項第二号の規定により退場を命ぜられた者は、当日再び傍聴席に入ることはできない。

**（その他）**

**第十六条**　この規則の施行に関し必要な事項は、議長が別に定める。

**附　則**

この規則は、公布の日から施行する。

**附　則**（平一九・一一・一議会規則一）

この規則は、公布の日から施行する。

**別記様式**〔略〕

## ○政治倫理の確立のための東京都議会の議員の資産等の公開に関する条例

平六・七・二〇
条　例　九　九

最終改正　平一九・七・四条例一〇七

政治倫理を確立し、もって公正な都政の推進を確保することは、都民からの負託を受け都政を運営する者にとって重要な責務である。

東京都においては、公正で能率的な都政を実現するため、多様なてだてを講じているところであるが、今般、公選の職にある者がその資産等を公開することにより、自ら襟を正すとともに、都民の前に職務執行に当たっての公正と公職者自身の高潔性について明らかにすることとした。

これによって、都政に対する都民の期待と信頼にこたえていくことができるよう決意をもって臨むものである。

**（目的）**

**第一条**　この条例は、都政が都民の厳粛な信託によるものであることを認識し、その担い手たる東京都議会の議員が、その職務執行の公正と高潔性を明らかにするため、自ら資産等を公開することにより、政治倫理の確立を期し、もって民主政治の健全な発展に資することを目的とする。

**（資産等報告書等の提出）**

**第二条**　東京都議会の議員は、その任期開始の日（再選挙又は補欠選挙により東京都議会の議員となった者にあってはその選挙の期日とし、更正決定又は繰上補充により当選人と定められた東京都議会の議員にあってはその当選の効力発生の日とする。次項において同じ。）において有する次の各号に掲げる資産等について、当該資産等の区分に応じ当該各号に掲げる事項を記載した資産等報告書を、同日から起算して百日を経過する日までに、東京都議会の議長に提出しなければならない。

一　土地（信託している土地（自己が帰属権利者であるものに限る。）を含む。）　所在、面積及び固定資産税の課税標準額並びに相続（被相続人からの遺贈を含む。以下同じ。）により取得した場合は、その旨

二　建物の所有を目的とする地上権又は土地の賃借権　当該権利の目的となっている土地の所在及び面積並びに相続により取得した場合は、その旨

三　建物　所在、床面積及び固定資産税の課税標準額並びに相続により取得した場合は、その旨

四　預金（当座預金及び普通預金を除く。）及び貯金（普通貯金を除く。）　預金及び貯金の額

五　有価証券（金融商品取引法（昭和二十三年法律第二十五号）第二条第一項及び第二項に規定する有価証券に限る。）　種類及び種類ごとの額面金額の総額（株券にあっては、株式の銘柄及び株数）

六　自動車、船舶、航空機及び美術工芸品（取得価格が百万円を超えるものに限る。）　種類及び数量

七　ゴルフ場の利用に関する権利（譲渡することができるものに限る。）　ゴルフ場の名称

八　貸付金（生計を一にする親族に対するものを除く。）　貸付金の額

九　借入金（生計を一にする親族からのものを除く。）　借入金の額

2　東京都議会の議員は、その任期開始の日後毎年新たに有することとなった前項各号に掲げる資産等であって十二月三十一日において有するもの及び同日までに有しないこととなった同項各号に掲げる資産等について、当該資産等の区分に応じ同項各号に掲げる事項を記載した資産等補充報告書を、その翌年の四月一日から同月三十日までの間に、東京都議会の議長に提出しなければならない。

**（所得等報告書の提出）**

**第三条**　東京都議会の議員（前年一年間を通じて東京都議会の議員であった者（任期満了又は東京都議会の解散による任期終了により東京都議会の議員でない期間がある者で当該任期満了又は東京都議会の解散による選挙により再び東京都議会の議員となったものにあっては、当該東京都議会の議員でない期間を除き前年一年間を通じて東京都議会の議員であった者）に限る。）は、次の各号に掲げる金額及び課税価格を記載した所得等報告書を、毎年、四月一日から同月三十日までの間（当該期間内に任期満了又は東京都議会の解散による任期終了により東京都議会の議員でない期間がある者で当該任期満了又は東京都議会の解散による選挙により再び東京都議会の議員となったものにあっては、同月一日から再び東京都議会の議員となった日から起算して三十日を経過する日までの間）に、東京都議会の議長に提出しなければならない。

一　前年分の所得について同年分の所得税が課される場合における当該所得に係る次に掲げる金額（当該金額が百万円を超える場合にあっては、当該金額及びその基因となった事実）

イ　総所得金額（所得税法（昭和四十年法律第三十三号）第二十二条第二項に規定する総所得金額をいう。）及び山林所得金額（同条第三項に規定する山林所得金額をいう。）に係る各種所得の金額（同法第二条第一項第二十二号に規定する各種所得の金額をいう。）

ロ　租税特別措置法（昭和三十二年法律第二十六号）の規定により、所得税法第二十二条の規定にかかわらず、他の所得と区分して計算された所得の金額であって東京都議会の議長が定めるもの

二　前年中において贈与により取得した財産について同年分の贈与税が課される場合における当該財産に係る贈与税の課税価格（相続税法（昭和二十五年法律第七十三号）第二十一条の二に規定する贈与税の課税価格をいう。）

**（関連会社等報告書の提出）**

**第四条**　東京都議会の議員は、毎年、四月一日において報酬を得て会社その他の法人（法人でない社団又は財団で代表者又は管理人の定めがあるものを含む。以下この条において同じ。）の役員、顧問その他の職に就いている場合には、当該会社その他の法人の名称及び住所並びに当該職名を記載した関連会社等報告書を、同月二日から同月三十日までの間（当該期間内に任期満了又は東京都議会の解散による任期終了により東京都議会の議員でない期間がある者で当該任期満了又は東京都議会の解散による選挙により再び東京都議会の議員となったものにあっては、同月二日から再び東京都議会の議員となった日から起算して三十日を経過する日までの間）に、東京都議会の議長に提出しなければならない。

**（資産等報告書等の保存及び閲覧）**

**第五条**　前三条の規定により提出された資産等報告書及び資産等補充報告書、所得等報告書並びに関連会社等報告書は、これらを受理した東京都議会の議長において、これらを提出すべき期間の末日の翌日から起算して五年を経過する日まで保存しなければならない。

2　何人も、東京都議会の議長に対し、前項の規定により保存されている資産等報告書及び資産等補充報告書、所得等報告書並びに関連会社等報告書の閲覧を請求することができる。

**（細則）**

**第六条**　この条例に定めるもののほか、東京都議会の議員の資産等の公開に関する規程は、東京都議会の議長が定める。

**附　則**

1　この条例は、東京都議会の議長が定める日（平七・一・一）から施行する。

2　この条例の施行の日において東京都議会の議員である者は、同日において有する第二条第一項各号に掲げる資産等について、当該資産等の区分に応じ当該各号に掲げる事項を記載した資産等報告書を、同日から起算して百日を経過する日までに、東京都議会の議長に提出しなければならない。

3　前項の規定により提出された資産等報告書については、第五条の規定を準用する。

**附　則**（平一九・七・四条例一〇七）

**（施行期日）**

1　この条例中第二条第一項第四号の改正規定は平成十九年十月一日（以下「施行日」という。）から、その他の改正規定は証券取引法等の一部を改正する法律（平成十八年法律第六十五号）第三条の施行の日から施行する。

**（経過措置）**

2　この条例による改正後の政治倫理の確立のための東京都議会の議員の資産等の公開に関する条例第二条第一項第四号の規定の適用については、施行日前に有していた郵便貯金（通常郵便貯金を除く。）及び郵政民営化法等の施行に伴う関係法律の整備等に関する法律（平成十七年法律第百二号）附則第三条第十号に規定する旧郵便貯金（通常郵便貯金を除く。）は、預金とみなす。

# ○東京都議会議会局条例

昭四六・七・二〇
条　例　八　六

最終改正　平一七・三・一六条例四

**（目的）**

**第一条**　この条例は、地方自治法（昭和二十二年法律第六十七号）第百三十八条に定めるものを除くほか、東京都議会の事務局に関し必要な事項を定めることを目的とする。

**（名称及び位置）**

**第二条**　東京都議会の事務局は、東京都議会議会局（以下「局」という。）といい、東京都新宿区西新宿二丁目八番一号に置く。

**（組織）**

**第三条**　局の事務を分掌させるため、次の部を置く。

管　理　部
議　事　部
調　査　部

**（委任）**

**第四条**　この条例の施行について必要な事項は、議長が定める。

**附　則**

この条例は、公布の日から施行する。

**附　則**（平一七・三・一六条例四）

この条例は、平成十七年四月一日から施行する。

# ○東京都議会議会局組織規程

昭五一・四・一
議会議長訓令一

最終改正　令五・九・一議会議長訓令四

（目的）
**第一条**　この規程は、東京都議会議会局（以下「局」という。）に属する事務を処理するため、必要な組織について定めることを目的とする。

（部の分課）
**第二条**　部の分課は、次のとおりとする。

管理部
　秘書課
　総務課
　経理課
　広報課
議事部
　議案法制課
　議事課
調査部
　管理課
　調査企画課

（局長の職）
**第三条**　局に局長を置く。
2　前項の職は、地方自治法（昭和二十二年法律第六十七号）第百三十八条第三項に規定する事務局長の職とする。

（部長等の職）
**第四条**　部に部長を置く。
2　局に担当部長を置くことができる。

（課長等の職）
**第五条**　課に課長を置く。
2　部に担当課長及び専門課長を置くことができる。

（課長代理等の職）
**第六条**　局長は、議長の承認を得て、課に課長代理を置く。
2　総務課に監視長及び副監視長を置くことができる。

（局長の職責）
**第七条**　局長は、議長の命を受け、局の事務をつかさどり、職員を指揮監督する。
2　局長は、局の事務の執行状況につき、随時、文書又は口頭をもつて議長に報告するものとする。

（部長等の職責）
**第八条**　部長（担当部長を含む。以下同じ。）は、局長の命を受け、部の事務又は担任の事務をつかさどり、所属職員を指揮監督する。
2　部長は、部の事務の執行状況につき、随時、文書又は口頭をもつて局長に報告するものとする。

（課長等の職責）
**第九条**　課長（担当課長を含む。以下同じ。）は、所属部長の命を受け、課の事務又は担任の事務をつかさどり、所属職員を指揮監督する。
2　課長は、課の事務又は担任の事務の執行状況につき、随時、文書又は口頭をもつて部長に報告するものとする。
3　専門課長は、部長の命を受け、専門分野につき担任の事務を処理する。

（課長代理等の職責）
**第十条**　課長代理は、課長の命を受け、担任の事務をつかさどり、当該事務に係る職員を指揮監督する。
2　課長代理は、課長を補佐する。
3　課長代理は、係の事務又は担任の事務の執行状況につき、随時、文書又は口頭をもつて課長に報告するものとする。
4　監視長及び副監視長の職責は、別に定める。

（その他の職員の職責）
**第十一条**　前四条に定める職員以外の職員は、上司の命を受け、担任の事務に従事する。

（分掌事務）
**第十二条**　各部及び課の分掌事務は、次のとおりとする。

管理部
　秘書課
一　議長及び副議長の秘書並びに交際に関すること。
　総務課
一　組織及び定数に関すること。
二　職員の任免、給与、服務、研修その他人事に関すること。
三　職員の福利厚生に関すること。
四　文書の審査に関すること。
五　局事務事業に関する法規の調査及び解釈に関すること。
六　公印に関すること。
七　公文書類の収受、配布、発送及び保存に関すること。
八　都議会の情報公開の推進に関すること。
九　情報公開に係る連絡調整等に関すること。
十　東京都議会情報公開推進委員会に関すること。
十一　事務の改善に関すること。

十二　議長会及び事務協議会に関すること。
十三　庁内管理に関すること。
十四　議員控室に関すること。
十五　議員の履歴等に関すること。
十六　議員報酬及び費用弁償に関すること。
十七　議員の福利厚生に関すること。
十八　議員の資産等の公開に関すること。
十九　永年在職議員等表彰に関すること。
二十　局内他の部及び課との連絡調整に関すること。
二十一　局内他の部及び課に属しないこと。

経理課

一　予算、決算及び会計に関すること。
二　政務活動費に関すること。
三　検査及び監査に関すること。
四　訴訟に関すること。
五　契約に関すること。
六　公有財産及び物品の管理に関すること。
七　庁有車の取得及び使用その他の管理に関すること。
八　自動車の雇上げ及び供給に関すること。
九　局事務事業の企画及び調整に関すること。

広報課

一　都議会の報道に関すること。
二　印刷物による広報活動に関すること。
三　テレビ・ラジオその他電波媒体による広報活動に関すること。
四　都議会の案内及び普及に関すること。
五　都議会ホームページその他電子媒体等に関すること。
六　その他広聴及び広報連絡に関すること。

議事部

議案法制課

一　請願・陳情の受理及び文書表の調製に関すること。
二　議員提出議案の立案及び審査に関すること。
三　議案の法的及び制度的検討に関すること。
四　本会議会議録、委員会速記録及び東京都議会情報公開推進委員会速記録の作成等に関すること。
五　議事の記録の委託に関すること。
六　都議会史に関すること。
七　部内他の課に属しないこと。

議事課

一　本会議に関すること。
二　委員会に関すること。
三　議会運営委員会及び各派幹事長会等に関すること。
四　議決結果の処理に関すること。

調査部

管理課

一　都政その他の政策等の調査の総括に関すること。
二　外国の制度及び都市事情の調査に関すること。
三　姉妹友好都市その他外国の都市との交流に関すること。
四　部内他の課に属しないこと。

調査企画課

一　都政その他の政策等の調査に関すること。
二　議案その他の専門的調査に関すること（議事部議案法制課に属するものを除く。）。
三　局事務事業のデジタル関連施策の企画、調整及び推進に関すること。
四　東京都議会図書館の事務に関すること。
五　特命事項の調査に関すること。

**附　則**

東京都議会議会局処務規程（昭和三十四年東京都議会議長訓令甲第一号）は、廃止する。

**附　則**（令五・九・一議会議長訓令四）

この訓令は、公布の日から施行する。

# 第四章　行政管理

## ○東京都副知事の定数条例

昭二二・六・三
条例四一

改正　平三・五・一〇条例四三

都に副知事四人を置く。

附　則

この条例は、公布の日から、これを施行する。

附　則（平三・五・一〇条例四三）

この条例は、平成三年五月十二日から施行する。

## ○東京都組織条例

昭三五・七・二
条例六六

最終改正　令五・三・三一条例一四

（設置）

**第一条**　地方自治法（昭和二十二年法律第六十七号）第百五十八条第一項の規定に基づき、知事の権限に属する事務を分掌させるため、東京都に次の局を置く。

政策企画局
総務局
財務局
デジタルサービス局
主税局
生活文化スポーツ局
都市整備局
環境局
福祉局
保健医療局
産業労働局
建設局
港湾局

（分掌事務）

**第二条**　局の分掌事務は、次のとおりとする。

政策企画局

一　都の行財政の基本的な計画及び総合調整に関すること。

二　知事の特命に係る重要な施策の企画及び立案に関すること。

三　都市外交、広報及び広聴並びに報道に関すること。

総務局

一　組織、定数その他行政一般の総合調整に関すること。

二　職員の進退及び身分に関すること。

三　特別区、市町村その他公共団体の行政一般に関すること。

四　統計、条例の立案その他他の局の主管に属しないこと。

財務局

一　予算その他の財務に関すること。

二　議会に関すること。

デジタルサービス局

一　情報通信技術を活用した行政の総合的な推進に関すること。

主税局

一　都税及び都税に係る税外収入に関すること。

二　地方譲与税に関すること。

生活文化スポーツ局

一　都民文化に関すること。

二　男女平等参画、青少年、私立学校及び消費生活その他都民生活に関すること。

三　スポーツに関すること。

都市整備局

一　都市整備の基本的事項に関すること。

二　都市計画に関すること。

三　住宅及び住環境整備に関すること。

四　市街地整備に関すること。

五　建築に関すること。

環境局

一　公害の防止、自然環境の保全、廃棄物対策その他の環境の保全に関すること。

福祉局

一　社会福祉及び社会保障に関すること。

保健医療局

一　保健衛生に関すること。

二　医療に関すること。

産業労働局

一　産業に関すること。

二　労働に関すること。

建設局

一　道路、河川及び公園緑地に関すること。

二　土木に関すること。

港湾局

一　港湾に関すること。

**付　則**

この条例は、公布の日から施行する。

**附　則**（令五・三・三一条例一四）（抄）

**（施行期日）**

1　この条例は、令和五年七月一日から施行する。

# ○東京都組織規程

昭二七・一一・一
規則一六四

最終改正　令六・八・三〇規則一三九

## 第一章　総則

**（この規程の目的）**

**第一条**　この規程は、知事及び会計管理者の権限に属する事務を処理するため必要な組織を定めることを目的とする。

**（機関の設置）**

**第二条**　前条の組織を構成する機関及びその所掌事務は、法令又は条例に定めるもののほか、この規則により定めるものとする。

**（機関の種別）**

**第三条**　前条の機関をわけて本庁、本庁行政機関、地方行政機関及び附属機関とする。

**（本庁）**

**第四条**　本庁とは、地方自治法（昭和二十二年法律第六十七号）第百五十八条等の規定に基づく長の直近下位の内部組織等をいう。

**（本庁行政機関）**

**第五条**　本庁行政機関とは、試験研究機関、事業所及び事務所等であつて、本庁、地方行政機関及び附属機関以外の機関をいう。

**（地方行政機関）**

**第六条**　地方行政機関とは、地方自治法第百五十五条及び第百五十六条の規定に基いて設けられた機関をいう。

**（附属機関）**

**第七条**　附属機関とは、地方自治法第百三十八条の四第三項の規定に基いて設けられた審議会等をいう。

## 第二章　本庁局、室及び分課

### 第一節　分課

**（本庁分課）**

**第八条**　本庁の局、室及び分課は、次のとおりとする。

政策企画局
- 総務部
  - 総務課
  - 企画経理課
  - 秘書課
  - 管理課
- 政策部
  - 政策調査課
  - 渉外課
- 戦略広報部
  - 企画調整課
  - 戦略広報課
  - 報道課
- 計画調整部
  - 計画調整課
  - プロジェクト推進課
- 外務部
  - 管理課
  - 企画課
  - 事業課

子供政策連携室
- 総合推進部

　　総務課
企画調整部
　　連携推進課
　　企画調整課
　　プロジェクト推進課
スタートアップ・国際金融都市戦略室
戦略推進部
　　戦略企画課
　　戦略事業推進課
イノベーション推進部
　　イノベーション戦略課
　　スタートアップ推進課

総務局
総務部
　　総務課
　　企画計理課
　　文書課
　　グループ経営戦略課
　　情報公開課
　　法務課
復興支援対策部
　　被災地支援課
　　都内避難者支援課
人事部
　　人事課
　　職員支援課
　　制度企画課
　　職員事務課
　　調査課
コンプライアンス推進部
　　コンプライアンス推進課

---

行政部
　　振興企画課
　　区政課
　　市町村課
総合防災部
　　防災管理課
　　防災戦略課
　　防災計画課
　　防災対策課
　　防災通信課
統計部
　　調整課
　　人口統計課
　　産業統計課
　　社会統計課
人権部
　　企画課
　　人権施策推進課

財務局
経理部
　　総務課
　　契約第一課
　　契約第二課
　　検収課
主計部
　　議案課
　　財政課
　　予算第一課
　　予算第二課
　　予算第三課
　　公債課

---

財産運用部
　　管理課
　　総合調整課
　　活用促進課
建築保全部
　　工務課
　　技術管理課
　　庁舎管理課
　　庁舎整備課
　　施設整備第一課
　　施設整備第二課

デジタルサービス局
総務部
　　総務課
　　デジタル人材戦略課
　　企画計理課
　　情報セキュリティ課
デジタル戦略部
　　デジタル戦略課
　　デジタル手続推進課
　　区市町村DX協働課
　　DX推進課
　　デジタル改革課
デジタルサービス推進部
　　デジタルサービス推進課
　　つながる東京推進課
デジタル基盤部
　　デジタル基盤課
　　デジタル基盤運用課

主税局
総務部

- 総務課
- 職員課
- 経理課
- 税制部
  - 税制課
  - 税制調査課
  - 歳入課
  - システム管理課
  - 評価審査課
- 課税部
  - 計画課
  - 税指導課
  - 法人課税指導課
  - 調査査察課
- 資産税部
  - 計画課
  - 固定資産税課
  - 固定資産評価課
- 徴収部
  - 計画課
  - 徴収指導課
  - 納税推進課
  - 個人都民税対策課
  - 機動整理課

生活文化スポーツ局

- 総務部
  - 総務課
  - 企画計理課
- 都民生活部
  - 管理法人課
  - 地域活動推進課
  - 男女平等参画課
  - 旅券課
- 都民安全推進部
  - 総合推進課
  - 都民安全課
  - 治安対策課
  - 若年支援課
- 消費生活部
  - 企画調整課
  - 取引指導課
  - 生活安全課
- 私学部
  - 私学振興課
  - 私学行政課
- 文化振興部
  - 企画調整課
  - 文化事業課
- スポーツ総合推進部
  - 企画調整課
  - スポーツレガシー活用促進課
  - スポーツ課
  - パラスポーツ課
- 国際スポーツ事業部
  - 国際大会課
  - 大会総合調整課
  - 大会事業推進課
  - 事業調整第一課
  - 事業調整第二課
- スポーツ施設部
  - 経営企画課
  - 施設整備課

都市整備局

- 総務部
  - 総務課
  - 経理課
  - 企画技術課
- 都市づくり政策部
  - 広域調整課
  - 都市計画課
  - 土地利用計画課
  - 開発企画課
  - 緑地景観課
- 都市基盤部
  - 調整課
  - 交通企画課
  - 街路計画課
- 市街地整備部
  - 管理課
  - 企画課
  - 防災都市づくり課
  - 区画整理課
  - 再開発課
- 市街地建築部
  - 調整課
  - 建築企画課
  - 建築指導課
  - 建設業課
- 多摩まちづくり政策部
  - 多摩まちづくり推進課
  - 多摩ニュータウン課
- 基地対策部

環境局

- 総務部
  - 総務課
  - 環境政策課
  - 経理課
- 気候変動対策部
  - 計画課
  - 総量削減課
  - 地域エネルギー課
  - 環境都市づくり課
  - 家庭エネルギー対策課
- 環境改善部
  - 計画課
  - 大気保全課
  - 化学物質対策課
  - 環境保安課
  - 自動車環境課
- 自然環境部
  - 計画課
  - 緑環境課
  - 水環境課
- 資源循環推進部
  - 計画課
  - 一般廃棄物対策課
  - 産業廃棄物対策課

福祉局

- 総務部
  - 総務課
  - 職員課
- 企画部
  - 企画政策課
  - 計理課

---

- 指導監査部
  - 指導調整課
  - 指導第一課
  - 指導第二課
- 生活福祉部
  - 企画課
  - 保護課
  - 地域福祉課
  - 医療助成課
- 子供・子育て支援部
  - 企画課
  - 家庭支援課
  - 育成支援課
  - 保育支援課
- 高齢者施策推進部
  - 企画課
  - 介護保険課
  - 在宅支援課
  - 施設支援課
- 障害者施策推進部
  - 企画課
  - 地域生活支援課
  - 施設サービス支援課
  - 精神保健医療課

保健医療局

- 総務部
  - 総務課
  - 職員課
- 企画部
  - 企画政策課
  - 健康危機管理調整課

---

  - 計理課
- 保健政策部
  - 保健政策課
  - 健康推進課
  - 疾病対策課
  - 国民健康保険課
- 医療政策部
  - 医療政策課
  - 救急災害医療課
  - 医療安全課
  - 医療人材課
- 都立病院支援部
  - 法人調整課
- 健康安全部
  - 健康安全課
  - 食品監視課
  - 薬務課
  - 環境保健衛生課
- 感染症対策部
  - 計画課
  - 調査・分析課
  - 防疫課
  - 医療体制整備第一課
  - 医療体制整備第二課

産業労働局

- 総務部
  - 総務課
  - 企画計理課
  - 経理課
  - 職員課
- 商工部

- 調整課
- 創業支援課
- 経営支援課
- 地域産業振興課

金融部
- 金融課
- 貸金業対策課

産業・エネルギー政策部
- 計画課
- 事業者エネルギー推進課
- 新エネルギー推進課

観光部
- 企画課
- 振興課
- 受入環境課

農林水産部
- 調整課
- 食料安全課
- 農業振興課
- 水産課
- 森林課

雇用就業部
- 調整課
- 就業推進課
- 労働環境課
- 能力開発課

## 建設局

総務部
- 総務課
- 企画課
- 計理課
- 技術管理課
- 職員課
- 用度課

用地部
- 管理課
- 用地課
- 調整課
- 機動取得推進課

道路管理部
- 管理課
- 路政課
- 監察指導課
- 保全課
- 安全施設課

道路建設部
- 管理課
- 計画課
- 鉄道関連事業課
- 街路課
- 道路橋梁課

三環状道路整備推進部
- 管理課
- 整備推進課

公園緑地部
- 管理課
- 計画課
- 公園課
- 公園建設課

河川部
- 管理課
- 指導調整課
- 計画課
- 改修課
- 防災課

## 港湾局

総務部
- 総務課
- 企画計理課
- 財務課

港湾経営部
- 経営課
- 振興課

臨海開発部
- 開発企画課
- 誘致促進課
- 開発整備課
- 海上公園課

港湾整備部
- 建設調整課
- 計画課
- 技術管理課
- 施設建設課

離島港湾部
- 管理課
- 計画課
- 建設課

## 会計管理局

管理部
- 総務課
- 公金管理課
- 会計企画課
- 出納課

警察・消防出納部
　警察出納課
　消防出納課

2　前項の子供政策連携室及びスタートアップ・国際金融都市戦略室は、政策企画局に置く。
3　第一項の分課に分室を置くことができる。
4　分室の分掌事務、職の設置、職員の職責等は、別に定める。

第二節　職

（局長等の職）
**第九条**　局に局長を置く。
2　会計管理局長は、会計管理者をもつてこれにあてる。
3　室に室長を置く。
4　局に担当局長、次長、技監及び理事を、政策企画局に戦略広報調整監及び外務長を、子供政策連携室及びスタートアップ・国際金融都市戦略室に理事を、総務局に危機管理監及び危機管理副監を、保健医療局に医監を、建設局に道路監を置くことができる。

（部長等の職）
**第十条**　部に部長を置く。
2　局及び室に、総務局長が別に定めるところにより、担当部長を置く。
3　総務局コンプライアンス推進部に主席監察員及び監察員を置く。

（課長等の職）
**第十一条**　課に課長を置く。
2　部に、総務局長が別に定めるところにより、担当課長を置く。
3　総務局コンプライアンス推進部に副監察員を置く。
4　局及び室の部に専門課長を置くことができる。
5　総務局に法務担当課長を置くことができる。

（課長代理の職）
**第十二条**　局長及び室長は、知事の承認を得て、第八条第一項の分課に課長代理を置く。

（その他の職）
**第十三条**　第九条から前条までの職のほか、必要な職を置く。

第三節　職責

（局長等の職責）
**第十四条**　局長は、知事及び副知事の命を受け（会計管理者が法令に基づいて有する権限に属する事務を除く。）、局の事務（以下「局務」という。）をつかさどり、所属職員を指揮監督する。
2　局長は、局務の執行状況につき随時文書又は口頭をもつて知事及び副知事に報告するものとする。
3　室長は、局長の命を受け、室の事務をつかさどり、所属職員を指揮監督する。
4　室長は、室の事務の執行状況につき随時文書又は口頭をもつて局長に報告するものとする。
5　担当局長は、局長の命を受け、担任の事務をつかさどり、所属職員を指揮監督する。
6　担当局長は、担任の事務の執行状況につき随時文書又は口頭をもつて局長に報告するものとする。
7　次長は、局長を補佐し、局務を整理する。
8　技監は、技術につき局長を補佐する。
9　次長又は技監が二人以上置かれた局においては、各次長及び技監の行う前二項の職務の範囲については、知事の承認を得て、局長が定める。
10　理事は、局長、室長又は担当局長を補佐する。
11　戦略広報調整監は、広報及び広聴並びに報道に関する事務につき、政策企画局長を補佐し、これらの事務を整理する。
12　外務長は、都市外交に関する事務につき、知事を補佐する。
13　危機管理監は、防災及び危機管理に関する事務につき、総務局長を補佐し、これらの事務を整理する。
14　危機管理副監は、危機管理監を補佐する。
15　医監は、健康危機管理に関する事務につき、保健医療局長を補佐する。
16　道路監は、道路の建設及び管理に関する事務につき、建設局長を補佐し、これらの事務を整理する。

（部長等の職責）
**第十五条**　部長（担当部長を含む。以下同じ。）は、局長、室長又は担当局長の命を受け、部の事務又は担任の事務をつかさどり、所属職員を指揮監督する。
2　部長は、部の事務又は担任の事務の執行状況につき随時文書又は口頭をもつて局長、室長又は担当局長に報告するものとする。
3　主席監察員は、総務局長の命を受け、監察事務を総括する。
4　監察員は、総務局長の命を受け、監察事務をつかさどる。

（課長等の職責）
**第十六条**　課長（担当課長を含む。以下同じ。）は、部長の命を受け、課の事務又は担任の事務をつかさどり、所属職員を指揮監督する。
2　課長は、課の事務又は担任の事務の執行状況につき随時文書又は口頭をもつて部長に報告するものとする。
3　副監察員は、主席監察員又は監察員の命を受け、監察事務にあたる。
4　法務担当課長は、総務局長又は総務局総務部長の命を受け、高度の専門知識を必要とする法務事務を処理する。

5　専門課長は、部長の命を受け、専門分野につき担任の事務を処理する。

（課長代理の職責）

**第十七条**　課長代理は、課長又は副監察員の命を受け、担任の事務をつかさどり、当該事務に係る職員を指揮監督する。

2　課長代理は、課長又は副監察員を補佐する。

3　課長代理は、担任の事務の執行状況につき随時文書又は口頭をもつて課長に報告するものとする。

（その他の職員の職責）

**第十八条**　第十四条から前条までに定める職員以外の職員は、上司の命を受け、事務に従事する。

第四節　分掌事務

（政策企画局各部課の分掌事務）

**第十九条**　政策企画局各部課の分掌事務は、次のとおりとする。

総務部

総務課

一　局の組織及び定数に関すること。

二　局所属職員の人事及び給与に関すること。

三　局所属職員の福利厚生に関すること。

四　局事務事業に関する法規の調査及び解釈に関すること。

五　局の公文書類の収受、配布、発送、編集及び保存に関すること。

六　局の情報公開に係る連絡調整等に関すること。

七　局の個人情報の保護に係る連絡調整等に関すること。

八　局事務事業の管理改善に関すること。

九　局事務事業の広報及び広聴に関すること。

十　局事務事業のデジタル関連施策の企画、調整及び推進に関すること（デジタルトランスフォーメーション推進に関するものを除く。）。

十一　局内他の部及び課に属しないこと。

企画計理課

一　局事務事業の総合的な企画及び調整に関すること。

二　局事務事業のデジタルトランスフォーメーション推進に関すること。

三　局事務事業の進行管理に関すること。

四　局事務事業の行政評価の実施に関すること。

五　局の予算、決算及び会計に関すること。

秘書課

一　知事及び副知事の秘書に関すること。

二　知事の資産等の公開に関すること。

三　皇室及び栄典に関すること。

四　知事表彰等に関すること。

五　前各号に掲げるもののほか、秘書事務に関すること。

管理課

一　都庁マネジメント本部及び庁議に関すること。

二　政策情報の収集、調査及び分析に関すること。

政策部

政策調査課

一　知事の特命に係る重要な施策の企画、立案及び調査に関すること。

二　知事の補佐業務に関すること。

三　顧問及び参与に関すること。

四　第三十二回オリンピック競技大会及び東京パラリンピック競技大会に係る調整に関すること（他の局に属するものを除く。）。

五　部内他の課に属しないこと。

渉外課

一　全国知事会、他県市、国等との連絡及び情報収集に関すること。

二　地方との連携推進に関すること。

三　地方分権の推進に関すること（他の局に属するものを除く。）。

報道課

一　都政報道及び報道機関との連絡に関すること。

戦略広報部

企画調整課

一　重要な施策の広報の総合的な企画及び実施に係る連絡調整に関すること。

二　広報に係る調査及び分析に関すること。

三　広聴に関すること（他の局に属するものを除く。）。

四　部内他の課に属しないこと。

戦略広報課

一　戦略的な広報の推進に関すること。

二　広報に係る情報の収集に関すること。

三　各種媒体を活用した広報活動に関すること。

四　シティホールテレビの管理及び運営に関すること（他の局に属するものを除く。）。

五　都政記録に関すること。

報道課

一　都政報道及び報道機関との連絡に関するこ

と。

計画調整部

計画調整課

一　重要な政策の総合調整に関すること。

二　基本的な構想、総合的な長期計画その他行財政の総合的な計画に関すること。

三　前号の計画に係る進行管理に関すること。

四　課題別長期計画及び重要な都市計画の調整に関すること。

五　都の政策及び制度に係る基本的調査に関すること。

六　子供政策連携室及びスタートアップ・国際金融都市戦略室との連絡に関すること。

プロジェクト推進課

一　総合的な長期計画等に掲げる基幹プロジェクトの推進に関すること。

外務部

管理課

一　外国語文書の作成及び翻訳に関すること。

二　部内他の課に属しないこと。

企画課

一　都市外交に係る企画、連絡調整、情報提供、調査等に関すること。

事業課

一　姉妹友好都市その他外国都市との交流及び協力の推進に関すること。

二　国際的儀礼及び外国要人に対する接遇に関すること。

三　外国諸機関との連絡交渉に関すること（他の局に属するものを除く。）。

四　多都市間の協力事業の調整に関すること。

**（子供政策連携室各部課の分掌事務）**

**第十九条の二**　子供政策連携室各部課の分掌事務は、次のとおりとする。

総合推進部

総務課

一　室の組織及び定数に関すること。

二　室所属職員の人事及び給与に関すること。

三　室所属職員の福利厚生に関すること。

四　室事務事業に関する法規の調査及び解釈に関すること。

五　室の公文書類の収受、配布、発送、編集及び保存に関すること。

六　室の情報公開に係る連絡調整等に関すること。

七　室の個人情報の保護に係る連絡調整等に関すること。

八　室事務事業の広報及び広聴に関すること。

九　室事務事業のデジタル関連施策の企画、調整及び推進に関すること。

十　室事務事業の総合的な企画及び調整に関すること。

十一　室事務事業の進行管理に関すること。

十二　室事務事業の管理改善及び行政評価の実施に関すること。

十三　室の予算、決算及び会計に関すること。

十四　子供政策関連経費の把握及び分析に関すること。

十五　政策企画局との連絡に関すること。

十六　室内他の課に属しないこと。

連携推進課

一　少子化対策等の企画、立案及び総合調整に関すること。

企画調整部

企画調整課

一　子供政策の企画、立案及び総合調整に関すること。

二　子供政策に係る情報の収集、調査、分析等に関すること。

三　こども未来会議に関すること。

四　部内他の課に属しないこと。

プロジェクト推進課

一　子供に係る重要な施策の企画、立案及び推進に関すること。

**（スタートアップ・国際金融都市戦略室各部課の分掌事務）**

**第十九条の三**　スタートアップ・国際金融都市戦略室各部課の分掌事務は、次のとおりとする。

戦略推進部

戦略企画課

一　室の組織及び定数に関すること。

二　室所属職員の人事及び給与に関すること。

三　室所属職員の福利厚生に関すること。

四　室事務事業に関する法規の調査及び解釈に関すること。

五　室の公文書類の収受、配布、発送、編集及び保存に関すること。

六　室の情報公開に係る連絡調整等に関すること。

七　室の個人情報の保護に係る連絡調整等に関すること。

八　室の予算、決算及び会計に関すること。

九　室事務事業の進行管理及び調整に関するこ

と。

十　室事務事業の管理改善及び行政評価の実施に関すること。

十一　室事務事業の広報及び広聴に関すること。

十二　室事務事業のデジタル関連施策の企画、調整及び推進に関すること。

十三　スタートアップ政策、国際金融都市・東京の実現に向けた施策等に係る総合調整に関すること。

十四　スタートアップ政策、国際金融都市・東京の実現に向けた施策等に係る国等との連絡調整、情報の収集、調査、分析等に関すること（他の部に属するものを除く。）。

十五　政策企画局との連絡に関すること。

十六　室内他の部及び課に属しないこと。

戦略事業推進課

一　国際金融都市・東京の実現に向けた施策の企画、調整及び推進に関すること。

二　外国企業誘致に係る施策の企画、調整及び推進に関すること。

三　国家戦略特別区域等に係る施策の企画、調整及び推進に関すること。

四　海外プロモーションに係る施策の企画、調整及び推進に関すること。

イノベーション推進部

イノベーション戦略課

一　スタートアップ政策その他のイノベーション創出に向けた各種政策（以下「スタートアップ政策等」という。）に係る施策の企画及び調整に関すること。

二　スタートアップ政策等に係る情報の収集、調査、分析等に関すること。

三　部内他の課に属しないこと。

スタートアップ推進課

一　スタートアップに係る施策の推進に関すること。

二　スタートアップ施策関連経費の把握及び分析に関すること。

**（総務局各部課の分掌事務）**

**第二十条**　総務局各部課の分掌事務は、次のとおりとする。

総　務　部

総　務　課

一　局部長会議その他都庁事務の連絡に関すること。

二　局の組織及び定数に関すること。

三　局所属職員の人事及び給与に関すること。

四　局所属職員の福利厚生に関すること。

五　局事務事業の管理改善に関すること。

六　局事務事業の広報及び広聴に関すること。

七　局事務事業のデジタル関連施策の企画、調整及び推進に関すること（デジタルトランスフォーメーション推進に関するものを除く。）。

八　庁内管理及び宿直に関すること。

九　東京都職員共済組合に関すること。

十　他の局、部及び課に属しないこと。

企画計理課

一　局事務事業の総合的な企画及び調整に関すること。

二　局事務事業のデジタルトランスフォーメーション推進に関すること。

三　局事務事業の進行管理に関すること。

四　局事務事業の行政評価の実施に関すること。

五　局の予算、決算及び会計に関すること。

六　東京都公立大学法人に関すること。

七　科学技術の振興に関すること。

八　試験研究機関における研究業務の調査に関すること。

文　書　課

一　条例及び特命による文書の立案に関すること。

二　文書の審査に関すること。

三　地方公共団体に関する法規の調査及び解釈に関すること。

四　法律の解釈に関すること。

五　政策課題についての法律的意見に関すること。

六　係争及び係争のおそれのある事件についての法律的意見に関すること。

七　損害賠償及び和解に関する地方自治法第百八十条の規定に基づく専決処分に関すること（都市整備局及び建設局に属するものを除く。）。

八　公報（特定調達公告版を除く。）及び例規類の編集発行に関すること。

九　官報報告に関すること。

十　公布式に関すること。

十一　公印に関すること。

十二　公文書類の収受及び配布並びに局の公文書類の発送、編集及び保存に関すること。

十三　文書に関する管理改善、調査及び指導に関すること。

十四　局の情報公開に係る連絡調整等に関すること。

十五　局の個人情報の保護に係る連絡調整等に関すること。
十六　公文書館に関すること。
十七　印刷物及び図書類の取扱いに関すること。
十八　東京都公文書管理委員会に関すること。

法務課

一　行政訴訟に関すること。
二　民事訴訟に関すること（住宅政策本部都営住宅経営部に属するものを除く。）。
三　民事調停、訴え提起前の和解、支払督促及び借地非訟事件の手続に関すること（住宅政策本部都営住宅経営部に属するものを除く。）。
四　仮差押え及び仮処分の命令手続に関すること（住宅政策本部都営住宅経営部に属するものを除く。）。
五　民事執行法に基づく民事執行に関すること（法律的手続（住宅政策本部都営住宅経営部に属するものを除く。）に限る。）。
六　審査請求（障害者の日常生活及び社会生活を総合的に支援するための法律第九十八条第一項の規定により東京都障害者介護給付費等不服審査会が取り扱うもの及び児童福祉法第五十六条の五の五第二項及び同項において準用する障害者の日常生活及び社会生活を総合的に支援するための法律第九十八条第一項の規定により東京都障害児通所給付費等不服審査会が取り扱うものを除く。）及び再審査請求に関すること。
七　地方自治法第百十八条第五項（同法第百二十七条第三項において準用する場合を含む。）の規定に基づく審査の申立て及び同法第二百五十五条の四の規定に基づく審決の申請に関すること。
八　東京都行政不服審査会に関すること。
九　資料の編さんに関すること。

グループ経営戦略課

一　東京都政策連携団体の指導、監督等に係る総合的な調整に関すること（他の局に属するものを除く。）。
二　行政管理に関すること（他の局及び部に属するものを除く。）。
三　外部監査に関すること。
四　監査委員との連絡に関すること。

情報公開課

一　情報公開の総合的な推進に関すること。
二　情報公開に係る連絡調整等に関すること。
三　東京都情報公開審査会に関すること。
四　個人情報の保護に係る連絡調整等に関すること。
五　東京都個人情報保護審査会に関すること。
六　東京都情報公開・個人情報保護審議会に関すること。
七　都民情報ルームの管理及び運営に関すること。

復興支援対策部

被災地支援課

一　東日本大震災に伴う被災地支援対策の推進に係る連絡調整等に関すること。
二　部内他の課に属しないこと。

都内避難者支援課

一　東日本大震災に伴う都内避難者支援対策の推進に係る連絡調整等に関すること。

人事部

人事課

一　職員の任免、分限、懲戒、服務その他人事に関すること（コンプライアンス推進部及び他の課に属するものを除く。）。
二　職員の人材育成に関すること。
三　地方自治法第二百四十三条の二の八の規定に基づく職員の賠償責任に関すること（コンプライアンス推進部に属するものを除く。）。
四　部内他課に属しないこと。

職員支援課

一　職員の労働環境の整備その他職員に対する必要な支援に係る企画及び調整に関すること。
二　職員の勤務時間、休日、休暇等に関すること。
三　職員の福利、教養、文化及び体育に関すること。
四　職員の安全管理及び衛生管理に関すること。
五　ハラスメントの防止に関すること。
六　職員の公務災害補償に関すること。
七　職員の表彰等に関すること。
八　職員住宅の管理に関すること。
九　被服の貸与に関すること。
十　定年前再任用短時間勤務職員及び非常勤職員の社会保険に関すること。
十一　東京都職員互助組合に関すること。

制度企画課

一　人事管理及び給与制度等に関する調査、企画及び立案に関すること（調査課に属するものを除く。）。
二　恩給及び退職手当に関すること。
三　職員団体及び職員の労働組合に関すること。

四　職員の給料、諸手当及び第二号に係る諸給与金の計理に関すること。
五　職員の給与の支給に関すること。
六　非常勤職員制度及び臨時的任用職員制度に関すること。

職員事務課
一　総務事務センターの運営に関すること。
二　オフィスサポートセンターの運営に関すること。
三　都における障害者雇用の促進に関すること（他の局及び課に属するものを除く。）。

調　査　課
一　都の組織及び機構に関すること。
二　職員の定数に関すること。

コンプライアンス推進部

コンプライアンス推進課
一　コンプライアンスの推進に関すること。
二　服務監察に関すること。
三　地方自治法第百五十条の規定に基づく内部統制に関すること。
四　地方自治法第二百四十三条の二の二の規定に基づく職員の賠償責任の調査に関すること。

行　政　部

振興企画課
一　区市町村行財政に係る総合的な企画及び調整に関すること。
二　多摩地域に係る調査及び企画に関すること。
三　多摩地域における都の事務事業の連絡調整に関すること。
四　山村振興法の施行に関すること。
五　島しょ地域に係る調査及び企画に関すること。
六　島しょ地域における都の事務事業の連絡調整に関すること。
七　離島振興法及び過疎地域の持続的発展の支援に関する特別措置法の施行に関すること。
八　小笠原諸島振興開発特別措置法の施行に関すること。
九　住民基本台帳法の施行に関すること。
十　行政書士法の施行に関すること。
十一　支庁に関すること。
十二　部内他の課に属しないこと。

区　政　課
一　特別区の行政及び財政に関すること。
二　特別区税に関すること。
三　特別区が加入する一部事務組合及び広域連合に関すること。
四　都区財政調整に関すること。
五　都区協議会に関すること。
六　特別区の土地開発公社の設立認可及び監督に関すること。

市町村課
一　市町村の行政及び財政に関すること。
二　市町村税に関すること。
三　市町村が加入する一部事務組合、広域連合及び財産区に関すること。
四　都有財産の所在市町村に対する交付金の交付に関すること。
五　国有提供施設等所在市町村助成交付金に関する法律の施行に関すること。
六　市町村の土地開発公社の設立認可及び監督に関すること。

総合防災部

防災管理課
一　防災対策及び危機管理に係る総合的な連絡及び調整に関すること。
二　震災復興の企画に関すること。
三　東京都震災復興本部の設置に関する条例の施行に関すること。
四　帰宅困難者対策に関すること。
五　災害救助法に関すること。
六　災害対策用職員住宅に関すること。
七　防災に係る普及啓発に関すること。
八　部内他の課に属しないこと。

防災戦略課
一　戦略的な災害対応の総合調整に関すること。
二　防災訓練に関すること（他の課に属するものを除く。）。
三　危機管理体制の検証等に関すること。
四　防災機関との連携に関すること（他の課に属するものを除く。）。
五　危機管理に係る情報の収集、調査、分析等に関すること（他の課に属するものを除く。）。
六　防災事業の推進に関すること（他の局及び課に属するものを除く。）。
七　消防及び消防訓練所に関すること。
八　防災設備に係る助成等に関すること。

防災計画課
一　防災対策及び危機管理に係る総合的な計画及び計画調整に関すること（他の課に属するものを除く。）。
二　災害予防対策の総合計画に関すること。
三　防災会議に関すること。

四　地域防災計画の策定に関すること。
五　東京都震災対策条例の施行に関すること。
六　震災対策事業計画の策定に関すること。
七　石油コンビナート等災害防止法の施行に関すること。

防災対策課

一　災害応急対策に関すること。
二　危機管理に係る情報の収集、調査、分析等に関すること。
三　災害対策本部に関すること。
四　東京都地震災害警戒本部条例の施行に関すること。
五　国民保護対策本部及び緊急対処事態対策本部に関すること。
六　国民保護協議会に関すること。
七　国民保護計画の策定に関すること。
八　新型インフルエンザ等対策本部に関すること。
九　新型インフルエンザ等対策行動計画の策定に関すること。
十　災害応急対策に従事する職員の技能習熟に関すること。
十一　首都圏の危機管理体制の構築に関する総合的な情報の収集、調査、分析等に関すること（他の課に属するものを除く。）。
十二　防災機関との連携に関すること。
十三　自衛隊への災害派遣要請に関すること。
十四　夜間防災連絡室に関すること。
十五　自衛官の募集に関すること。

防災通信課

一　発災時の情報提供に係る調査及び企画に関すること。
二　東京都防災センター及び区市町村等に設置する防災機器に関すること。
三　防災行政無線情報通信の運営及び整備計画に関すること。

統計部

調整課

一　統計調査員に関すること。
二　統計調査の総合調整及び国、道府県等との連絡調整に関すること。
三　統計調査の広報及び広聴に関すること。
四　統計資料の収集、整理及び保管に関すること。
五　統計に関する図書の編集及び刊行に関すること。
六　各種統計データの解析並びに解析方法の開発及び指導に関すること。
七　統計調査方法の研究、企画及び指導に関すること。
八　部内他の課に属しないこと。

人口統計課

一　国勢調査その他人口調査及び人口予測に関すること。
二　住宅・土地統計調査に関すること。
三　学事統計調査に関すること。
四　毎月勤労統計調査に関すること。

産業統計課

一　東京都工業指数に関すること。
二　経済センサスに関すること。
三　農林水産統計調査に関すること。

社会統計課

一　消費者価格その他物価調査に関すること。
二　家計調査及び生計分析に関すること。
三　労働力調査及び就業構造基本調査に関すること。

人権部

企画課

一　人権に係る施策の総合的な企画及び調整に関すること。
二　人権に係る会議等の運営に関すること。
三　関係機関及び関係団体との連絡調整に関すること。
四　同和問題に係る連絡調整に関すること。
五　東京都オリンピック憲章にうたわれる人権尊重の理念の実現を目指す条例の施行に関すること。
六　部内他の課に属しないこと。

人権施策推進課

一　人権意識の高揚に関すること。
二　人権問題に係る普及啓発及び研修に関すること。
三　人権問題に係る相談に関すること。
四　人権問題に係る普及啓発、研修及び相談事業の連絡調整に関すること。
五　人権問題に係る情報の収集及び管理に関すること。
六　犯罪被害者等支援の推進に関すること。
七　東京都犯罪被害者等支援条例の施行に関すること。
八　人権プラザに関すること。

**（財務局各部課の分掌事務）**

**第二十一条**　財務局各部課の分掌事務は、次のとおりとする。

経理部

総務課

一　局の予算、決算及び会計に関すること（他の課に属するものを除く。）。
二　局の組織及び定数に関すること。
三　局所属職員の人事及び給与に関すること。
四　局所属職員の福利厚生に関すること。
五　局事務事業に関する法規の調査及び解釈に関すること。
六　局の公文書類の収受、配布、発送、編集及び保存に関すること。
七　局の情報公開に係る連絡調整等に関すること。
八　局の個人情報の保護に係る連絡調整等に関すること。
九　局事務事業の進行管理に関すること。
十　局事務事業の管理改善及び行政評価の実施に関すること。
十一　局事務事業のデジタル関連施策の企画、調整及び推進に関すること。
十二　局事務事業の広報及び広聴に関すること。
十三　公報（特定調達公告版に限る。）の編集発行に関すること。
十四　契約についての制度の整備及びその運用に係る調査等に関すること。
十五　乗用車の取得、管理及び配車に関すること。
十六　庁有車の使用その他の管理の調整に関すること。
十七　自動車の雇上げ及び供給に関すること。
十八　局内他の部及び課に属しないこと。

契約第一課

一　土木工事、建築工事、設備工事等の請負契約に関すること（他の局、部、課に属するものを除く。）。
二　船舶の製造及び修繕の請負契約に関すること（他の局、部、課に属するものを除く。）。
三　地質調査、測量、設計等の委託契約に関すること（他の局、部、課に属するものを除く。）。

契約第二課

一　物品の買入契約に関すること（他の局、部、課に属するものを除く。）。
二　機械等の製造及び印刷その他の請負契約並びに委託契約に関すること（他の局、部、課に属するものを除く。）。

検収課

一　工事、製造等の請負契約及び委託契約に係る検査に関すること。
二　物品の買入契約に係る検査に関すること。

主計部

議案課

一　都議会及び議会局に関すること。
二　都議会議員に関すること。
三　部内他課に属しないこと。

財政課

一　予算の総括に関すること。
二　財政制度及び財政計画に関すること。
三　財政調査及び財政報告に関すること。
四　税外収入（都税に係るものを除く。）の調整に関すること。
五　地方交付税に関すること（他の局に属するものを除く。）。
六　都の財政状況の公表等に関すること。
七　政策評価、事業評価及びグループ連携事業評価の実施に関すること。

予算第一課

一　政策企画局、総務局、財務局、デジタルサービス局、生活文化スポーツ局、会計管理局、教育庁、警視庁、東京消防庁及び議会局の予算の調製、配当及び執行監督に関すること。

予算第二課

一　子供政策連携室、主税局、環境局、福祉局、保健医療局、中央卸売市場、選挙管理委員会事務局、人事委員会事務局及び監査事務局の予算の調製、配当及び執行監督に関すること。
二　交通局、水道局及び下水道局の予算の調製及び執行調整に関すること。

予算第三課

一　スタートアップ・国際金融都市戦略室、都市整備局、産業労働局、建設局、港湾局、住宅政策本部、労働委員会事務局及び収用委員会事務局の予算の調製、配当及び執行監督に関すること。

公債課

一　都債に関すること。
二　民間資金利用の調整に関すること。
三　宝くじの発行に関すること。

財産運用部

管理課

一　公有財産及び国有財産についての火災保険及び建物共済に関すること。
二　有価証券の管理及び処分に関すること（他の

局に属するものを除く。）。
三　土地収用に関すること。
四　事業用不動産の取得に関すること（他の局に属するものを除く。）。
五　普通財産の貸付料（権利金を含む。）、売払代金等の徴収に関すること（他の局に属するものを除く。）。
六　国有財産（国土交通省所管のものに限る。）の管理に関すること（他の局に属するものを除く。）。
七　国有財産（国土交通省所管のものに限る。）の譲与に関すること（他の局に属するものを除く。）。
八　評価算定事務についての調整に関すること。
九　地価公示に関すること。
十　国土利用計画法に基づく基準地の設定及び調査に関すること。
十一　土地、建物及び借地権等の評価に関すること（他の局及び課に属するものを除く。）。
十二　建物その他物件の移転除却に伴う補償料に関すること（他の局に属するものを除く。）。
十三　土地の測量に関すること（他の局に属するものを除く。）。
十四　前号の測量に係る公共用地等の境界確定に関すること。
十五　部内他の課に属しないこと。

総合調整課
一　公有財産の取得、管理及び処分についての総合調整に関すること。
二　公有財産についての制度の整備に関すること。
三　公有財産の運用に係る企画、調整及び総合計画に関すること。
四　公有財産の有効活用についての支援に関すること。
五　国有財産の譲受け、借受け等についての連絡調整に関すること。
六　行政財産等の実態調査に関すること。
七　実態調査の結果等に基づく適正管理及び有効活用の推進に関すること。
八　旧国立総合児童センターに関すること（他の局に属するものを除く。）。

活用促進課
一　普通財産の管理及び処分に関すること（他の局、部及び課に属するものを除く。）。
二　普通財産の管理の適正化及び処理の推進に関すること（他の局に属するものを除く。）。
三　用途指定処分財産等に係る調査に関すること。
四　都有地及び譲受予定国有地等に係る実態調査及びその結果に基づく措置に関すること。
五　売払い等利活用予定の普通財産の評価に関すること（他の局に属するものを除く。）。

建築保全部
工　務　課
一　建築物及び建築設備並びにこれらの附帯施設等（以下この条において「建築物等」という。）の工事（他の局が執行するものを除く。）に係る進行促進及び連絡調整に関すること。
二　建築物等の計画的保全に係る調整に関すること。
三　建築物等の保全に係る企画、調整、指導及び支援に関すること。
四　部内他の課に属しないこと。

技術管理課
一　工事の技術の標準化に係る総合調整に関すること。
二　建築物等の工事の技術に係る標準化及び調整に関すること。
三　建築物等の工事の技術に係る調査及び研究に関すること。
四　建築物等の工事についての資料の収集及び整備に関すること。
五　建築物等の工事に係るコスト管理に関すること。

庁舎管理課
一　本庁舎等の活用に係る総合的な企画及び調整に関すること。
二　本庁舎等の管理に関すること（他の局に属するものを除く。）。
三　電話交換業務及び電話による都政情報の提供に関すること。
四　庁内の案内及び見学に関すること。
五　展望室、都民広場、都民ホール等の利用管理、運営及びその総合的な調整に関すること。

庁舎整備課
一　本庁舎（附帯設備を含む。この項において同じ。）の運営及び保守に関すること（他の局及び課に属するものを除く。）。
二　本庁舎の保全計画に関すること。
三　本庁舎の増築、改築、修繕等に関すること（他の課に属するものを除く。）。

施設整備第一課

一　建築物等の工事（他の局が執行するものを除く。）に係る設計及び監督に関すること（他の課に属するものを除く。）。
二　建築物等の工事（他の局が執行するものに限る。）の施行に係る技術的支援に関すること（他の課に属するものを除く。）。
三　建築物等の整備計画等に係る調整に関すること（他の課に属するものを除く。）。

施設整備第二課

一　建築物等の工事（他の局が執行するものを除く。）に係る設計及び監督に関すること（他の課に属するものを除く。）。
二　建築物等の工事（他の局が執行するものに限る。）の施行に係る技術的支援に関すること（他の課に属するものを除く。）。
三　建築物等の整備計画等に係る調整に関すること（他の課に属するものを除く。）。

（デジタルサービス局各部課の分掌事務）

**第二十一条の二**　デジタルサービス局各部課の分掌事務は、次のとおりとする。

総　務　部

総　務　課

一　局の組織及び定数に関すること。
二　局所属職員の人事及び給与に関すること。
三　局所属職員の福利厚生に関すること。
四　局事務事業の管理改善に関すること。
五　局事務事業に関する法規の調査及び解釈に関すること。
六　局の公文書類の収受、配布、発送、編集及び保存に関すること。
七　局の情報公開に係る連絡調整等に関すること。
八　局の個人情報の保護に係る連絡調整等に関すること。
九　局の所管に係る政策連携団体の指導及び監督に関すること。
十　局内他の部及び課に属しないこと。

デジタル人材戦略課

一　都のデジタル人材の確保、育成及び総合調整に関すること（他の局及び部に属するものを除く。）。
二　職員のデジタルリテラシーの向上に関すること（他の局及び部に属するものを除く。）。
三　都内のデジタル人材の育成等に関すること（他の局及び部に属するものを除く。）。

企画計理課

一　局事務事業の総合的な企画及び調整に関すること。
二　局事務事業の進行管理に関すること。
三　局事務事業の行政評価の実施に関すること。
四　局の予算、決算及び会計に関すること。
五　局事務事業の広報及び広聴に関すること。
六　局事務事業のデジタル関連施策の企画、調整及び推進に関すること。

情報セキュリティ課

一　サイバーセキュリティを含む情報セキュリティに関すること。

デジタル戦略部

デジタル戦略課

一　デジタル関連施策に係る調査、総合的な企画及び戦略等の立案及び推進に関すること。
二　デジタル関連施策に係る国等との連絡調整及び情報収集に関すること。
三　部内他の課に属しないこと。

デジタル手続推進課

一　行政手続等に係るデジタル化の推進に関すること。
二　行政手続に係る企画及び指導に関すること。
三　前二号に掲げるものに係る国等との連絡調整及び情報収集に関すること。

区市町村ＤＸ協働課

一　区市町村のデジタル関連施策の推進に向けた協働に関すること（他の部に属するものを除く。）。

ＤＸ推進課

一　都のデジタルトランスフォーメーション推進全般に関すること。
二　デジタル関連経費の把握及び分析に関すること。
三　各局のデジタルサービスの品質確保・向上に係る指導・助言及び協働に関すること。

デジタル改革課

一　構造改革（デジタル技術を活用した行政の推進に関するものに限る。）に係る企画及び調整に関すること（他の局及び部に属するものを除く。）。
二　業務改革に係る企画及び指導に関すること。

デジタルサービス推進部

デジタルサービス推進課

一　データ連携基盤の運用及びデータ利活用の推進に関すること。
二　東京の成長に資する先端事業及び都市のスマート化の推進並びにスマートサービスの実装に

係る総合的な企画、立案及び総合調整に関すること。
三　スマート東京先行実施エリア（都心部・西新宿）に係る企画及び立案並びに関係機関との連絡調整に関すること。
四　デジタル共生社会の推進に関すること。
五　部内他の課に属しないこと。

つながる東京推進課
一　ＴＯＫＹＯ　Ｄａｔａ　Ｈｉｇｈｗａｙの構築の推進に関すること。
二　５Ｇアンテナ基地局、公衆無線ＬＡＮサービスの充実等つながる東京の推進に関すること。
三　島しょ地域の情報通信基盤の整備、保守及び運用に関すること。

デジタル基盤部

デジタル基盤課
一　共通基盤サービスの企画調整に関すること（他の部及び課に属するものを除く。）。
二　部内他の課に属しないこと。

デジタル基盤運用課
一　共通基盤サービスの運用、管理及び調整に関すること（他の部及び課に属するものを除く。）。
二　共通基盤サービスに係る共同調達の調整に関すること。
三　共通基盤サービスに係るネットワークの整備、運用及び管理に関すること（他の課に属するものを除く。）。

**（主税局各部課の分掌事務）**
**第二十二条**　主税局各部課の分掌事務は、次のとおりとする。

総務部

総務課
一　局所属職員（課長及びこれに準ずる職以上の職にある者に限る。）の人事に関すること。
二　局事務事業の企画及び調整に関すること。
三　局事務事業のデジタルトランスフォーメーション推進に関すること。
四　局事務事業の進行管理に関すること。
五　都税等（都税及び特別法人事業税及び特別法人事業譲与税に関する法律（平成三十一年法律第四号。以下「特別法人事業税法」という。）に規定する特別法人事業税（以下「特別法人事業税」という。）をいう。以下同じ。）に係る主要計画の調整に関すること。
六　局所属職員の福利厚生に関すること。
七　局所属職員の安全衛生に関すること。
八　局事務事業に関する法規の調査及び解釈に関すること。
九　局の公文書類の収受、配布、発送、編集及び保存に関すること。
十　局の情報公開に係る連絡調整等に関すること。
十一　局の個人情報の保護に係る連絡調整等に関すること。
十二　局事務事業の広報及び広聴に関すること。
十三　局事務事業の管理改善及び行政評価の実施に関すること。
十四　納税思想の普及及び税務相談に関すること。
十五　納税貯蓄組合に関すること。
十六　都税事務所及び都税総合事務センターとの連絡に関すること。
十七　関係団体等の連絡調整に関すること。
十八　局内他の部及び課に属しないこと。

職員課
一　局の組織及び定数に関すること。
二　局の所管に係る政策連携団体の指導及び監督に関すること。
三　局所属職員の人事（課長及びこれに準ずる職以上の職にある者に係るものを除く。）及び給与に関すること。
四　東京都職員研修規則第四条の規定に基づく研修に関すること。
五　特命による局、都税事務所及び都税総合事務センターの事務及び所属職員の監察に関すること。

経理課
一　局の予算、決算及び会計に関すること（他の部及び課に属するものを除く。）。
二　局の契約に関すること。
三　局の財産及び物品の管理に関すること。

税制部

税制課
一　都の税制の企画、立案及び調整に関すること。
二　税制の調査及び研究に関すること（他の課に属するものを除く。）。
三　部内他の課に属しないこと。

税制調査課
一　中長期的な税制度の基礎調査及び研究に関すること。
二　東京都税制調査会に関すること。

歳　入　課

一　都税、地方譲与税、国有資産等所在市町村交付金、国有提供施設等所在市町村助成交付金及び都税に係る税外収入の歳入予算に関すること。

二　都税等（都税に係る徴収金を含む。以下同じ。）の調定額及び収入額の管理に関すること。

三　税務統計に関すること。

システム管理課

一　局事務事業のデジタル関連施策の企画、調整及び推進に関すること（他の部に属するものを除く。）。

二　局の電子計算システムに係る企画、調整、運用及び管理に関すること。

評価審査課

一　東京都固定資産評価審査委員会に関すること。

課　税　部

計　画　課

一　都民税、事業税等（個人の事業税、法人の事業税及び特別法人事業税をいう。）、地方消費税、都たばこ税、ゴルフ場利用税、自動車税、鉱区税、狩猟税、軽油引取税、事業所税及び宿泊税に係る主要計画に関すること。

二　自動車税に係る課税事務の指導に関すること。

三　部内他の課に属しないこと。

課税指導課

一　個人の都民税、個人の事業税、利子割、配当割及び株式等譲渡所得割に係る都民税、都たばこ税、ゴルフ場利用税、鉱区税、狩猟税、軽油引取税並びに宿泊税の課税事務の指導に関すること。

二　地方消費税に関すること（他の課に属するものを除く。）。

三　個人の都民税の徴収取扱費等に関すること。

四　森林環境税に係る国への報告及び払込みに関すること。

法人課税指導課

一　法人の都民税、法人の事業税等（法人の事業税及び特別法人事業税をいう。以下同じ。）及び事業所税の課税事務の指導に関すること。

調査査察課

一　都たばこ税、軽油引取税及び宿泊税の調査に関すること。

二　法人の都民税及び法人の事業税等の調査に関すること。

三　都税等の犯則取締りに関すること。

資産税部

計　画　課

一　不動産取得税、固定資産税、特別土地保有税及び都市計画税に係る主要計画に関すること。

二　不動産取得税、固定資産税、特別土地保有税及び都市計画税の減免に関すること。

三　固定資産税の審査申出等に関すること。

四　部内他の課に属しないこと。

固定資産税課

一　不動産取得税、土地及び家屋に係る固定資産税、特別土地保有税並びに都市計画税の課税に関すること（他の課に属するものを除く。）。

二　国有資産等所在市町村交付金の交付請求に関すること。

三　国有提供施設等所在市町村助成交付金に関すること。

固定資産評価課

一　土地及び家屋の評価事務の指導に関すること。

二　土地に係る固定資産税の調査事務の指導に関すること（他の課に属するものを除く。）。

三　償却資産に係る固定資産税の課税事務（減免に係るものを除く。）及び償却資産の評価事務の指導に関すること。

四　一定規模以上の家屋の調査に関すること。

五　一定規模以上の事業者の償却資産の調査に関すること。

六　特定の家屋及び償却資産の評価に関すること。

徴　収　部

計　画　課

一　都税等の滞納整理に係る主要計画に関すること。

二　部内他の課に属しないこと。

徴収指導課

一　都税等に係る収入管理に関すること。

二　国有資産等所在市町村交付金の収入に関すること。

三　都税等に係る徴収事務の指導に関すること。

納税推進課

一　都税等に係る納税しようとする事務に関すること。

二　口座振替に関すること。

個人都民税対策課

一　個人の都民税等の徴収に係る区市町村への支

援に関すること。
二　地方税法に基づく徴収の引継ぎに係る個人の都民税の滞納整理に関すること。
機動整理課
一　都税等の滞納整理に関すること（他の課に属するものを除く。）。

**（生活文化スポーツ局各部課の分掌事務）**

**第二十三条**　生活文化スポーツ局各部課の分掌事務は、次のとおりとする。

総務部
総務課
一　局の組織及び定数に関すること。
二　局所属職員の人事及び給与に関すること。
三　局所属職員の福利厚生に関すること。
四　局事務事業に関する法規の調査及び解釈に関すること。
五　局の公文書類の収受、配布、発送、編集及び保存に関すること。
六　局の情報公開に係る連絡調整等に関すること。
七　局の個人情報保護に係る連絡調整等に関すること。
八　局事務事業の管理改善に関すること。
九　局の契約に関すること。
十　局の財産及び物品の管理に関すること。
十一　局事務事業の広報及び広聴に関すること。
十二　局事務事業のデジタル関連施策の企画、調整及び推進に関すること（デジタルトランスフォーメーション推進に関するものを除く。）。
十三　局の所管に係る政策連携団体の指導及び監督に関すること。
十四　局内の他の部及び課に属しないこと。
企画計理課
一　局事務事業の企画及び調整に関すること。
二　局事務事業のデジタルトランスフォーメーション推進に関すること。
三　局の予算、決算及び会計（他の課に属するものを除く。）に関すること。
四　局事務事業の進行管理に関すること。
五　局事務事業に係る基礎的調査研究に関すること。
六　局事務事業の行政評価の実施に関すること。
七　局長の特命に関すること。
都民生活部
管理法人課
一　公益社団法人及び公益財団法人の認定等に関する法律の施行に関すること。
二　一般社団法人及び一般財団法人に関する法律及び公益社団法人及び公益財団法人の認定等に関する法律の施行に伴う関係法律の整備等に関する法律に基づく移行法人の監督に関すること（公益目的支出計画の履行の確保の範囲内に限る。）。
三　東京都公益認定等審議会に関すること。
四　公益信託ニ関スル法律の施行に関すること。
五　宗教法人法の施行に関すること。
六　特定非営利活動促進法の施行に関すること。
七　部内他の課に属しないこと。
地域活動推進課
一　地域活動等の推進に係る総合的な企画及び調整に関すること。
二　多文化共生施策に係る企画、調整及び推進に関すること。
三　外国語による相談等に関すること（他の局及び部に属するものを除く。）。
男女平等参画課
一　男女平等参画施策に係る総合的な企画、調整及び推進に関すること。
二　東京都男女平等参画審議会に関すること。
三　男女平等参画に関する調査及び普及啓発に関すること。
四　配偶者等における暴力問題対策に関すること。
五　男女平等参画に係る国、区市町村その他関係機関との連絡に関すること。
六　東京ウィメンズプラザに関すること。
旅券課
一　海外渡航の相談に関すること。
二　旅券に関すること。
都民安全推進部
総合推進課
一　部所管事業に係る総合的な企画、調整及び推進に関すること。
二　交通安全に係る総合的施策の調査、企画、立案及び関係機関との連絡調整に関すること。
三　交通安全計画の策定及び推進に関すること。
四　東京都交通安全対策会議に関すること。
五　首都交通対策協議会に関すること。
六　自動車運転代行業の認定等に係る同意及び監督に関すること。
七　交通事故相談に関すること。
八　その他交通安全対策の推進に関すること。
九　部内他の課に属しないこと。

都民安全課
一　都民の安全安心に係る総合的施策の調査、企画、立案及び関係機関との連絡調整に関すること。
二　再犯防止計画に関すること。
三　外国人共生・滞在支援に関すること。
四　サイバー空間上の安全対策の推進に関すること。
五　東京都安全安心まちづくり条例の施行に関すること。

治安対策課
一　治安に係る総合的施策の調査、企画、立案及び関係機関との連絡調整に関すること。
二　治安対策の推進に関すること。

若年支援課
一　子供・若者の支援に係る総合的施策の調査、企画、立案及び関係機関との連絡調整に関すること。
二　東京都青少年問題協議会及び東京都青少年健全育成審議会に関すること。
三　子供・若者支援の推進並びに子供・若者支援関係団体及び関係業界の指導及び連絡に関すること。

消費生活部
企画調整課
一　消費生活行政の総合的な企画、調整及び推進に関すること。
二　東京都消費生活対策審議会に関すること。
三　消費生活情報の収集、管理及び提供に関すること。
四　国、他道府県及び区市町村の消費者行政との連絡調整に関すること（他の部及び課に属するものを除く。）。
五　消費生活行政における調査分析に関すること。
六　生活関連物資等の買占め及び売惜しみに対する緊急措置に関する法律の施行に関すること。
七　国民生活安定緊急措置法の施行に関すること。
八　消費生活総合センターに関すること。
九　計量検定所に関すること。
十　部内他の課に属しないこと。

取引指導課
一　不適正取引の防止対策に関すること。
二　割賦販売法の施行に関すること。
三　特定商取引に関する法律の施行に関すること。
四　消費者安全法（財産被害に関することに限る。）の施行に関すること。
五　ゴルフ場等に係る会員契約の適正化に関する法律の施行に関すること。
六　商品及びサービスの表示の適正化に関すること。
七　商品の包装の適正化に関すること。
八　不当景品類及び不当表示防止法の施行に関すること。
九　家庭用品品質表示法の施行に関すること。
十　消費生活協同組合法の施行に関すること。

生活安全課
一　商品及びサービスの危害の防止に関すること。
二　消費生活用製品安全法の施行に関すること。
三　生活関連商品等の流通に関すること。
四　商品及びサービスのテストの実施に関すること。
五　消費者安全法（危害防止に関することに限る。）の施行に関すること。
六　公設小売市場に関すること。
七　公衆浴場施設の確保対策に関すること。
八　公衆浴場入浴料金に関すること。
九　公衆浴場の経営安定に関すること。

私学部
私学振興課
一　私立学校助成金に関すること。
二　育英資金に関すること。
三　部内他の課に属しないこと。

私学行政課
一　学校法人の設立及び解散の認可、指導並びに監督に関すること。
二　私立学校（学校教育法に定める学校に限る。）の設置及び廃止の認可、指導並びに監督に関すること。

文化振興部
企画調整課
一　文化振興施策に係る総合的な企画、調整及び推進に関すること。
二　東京芸術文化評議会に関すること。
三　文化振興施策に係る国、区市町村その他関係機関との連絡調整に関すること。
四　文化振興に係る情報の収集及び提供に関すること。
五　都民の日に関すること。
六　東京都平和の日に関すること。

七　名誉都民に関すること。
八　文化振興に係る都民顕彰に関すること。
九　東京文化戦略二〇三〇に係る企画、調整及び推進に関すること。
十　部内他の課に属しないこと。

文化事業課
一　芸術文化の活動支援に関すること。
二　芸術創造活動の振興に関すること。
三　文化活動に係る施設開放の推進に関すること。
四　東京文化会館に関すること。
五　東京芸術劇場に関すること。
六　東京都江戸東京博物館に関すること。
七　東京都美術館に関すること。
八　東京都現代美術館に関すること。
九　東京都写真美術館に関すること。
十　東京都庭園美術館に関すること。
十一　文化施設の管理及び調整に関すること。
十二　東京文化戦略二〇三〇に係る各種文化事業の実施に関すること。

スポーツ総合推進部

企画調整課
一　スポーツ及びレクリエーション（以下この条において「スポーツ等」という。）の施策に係る総合的な企画、調整及び推進に関すること。
二　スポーツ等の施策に係る関係機関との連絡調整等に関すること。
三　部内他の課に属しないこと。

スポーツレガシー活用促進課
一　スポーツレガシーの活用促進に関すること。

スポーツ課
一　スポーツ等の施策の推進に関すること（他の課に属するものを除く。）。
二　スポーツ等の総合的な指導に関すること（他の課に属するものを除く。）。
三　スポーツ等に係る団体の育成に関すること（他の課に属するものを除く。）。
四　競技力向上に係る施策に関すること（他の課に属するものを除く。）。
五　スポーツ等に係る国際交流事業に関すること。

パラスポーツ課
一　障害者のスポーツ等の施策の推進に関すること（他の課に属するものを除く。）。
二　障害者のスポーツ等の総合的な指導に関すること。
三　障害者のスポーツ等に係る団体の育成に関すること。
四　障害者のスポーツの競技力向上に係る施策に関すること。

国際スポーツ事業部

国際大会課
一　国際スポーツ大会の誘致・開催支援等に関すること（他の部及び課に属するものを除く。）。
二　マラソン祭り等に関すること。
三　自転車競技関連事業に関すること。
四　部内他の課に属しないこと。

大会総合調整課
一　東京二〇二五世界陸上競技選手権大会、第二十五回夏季デフリンピック競技大会東京二〇二五（以下この条において「両大会」という。）その他国際スポーツ大会の開催支援等に係る総合調整に関すること（他の課に属するものを除く。）。

大会事業推進課
一　両大会の開催気運醸成等の関連事業に関すること（他の課に属するものを除く。）。
二　両大会の開催支援等に係る区市町村等との連絡調整に関すること（他の課に属するものを除く。）。
三　ユニバーサルコミュニケーションの促進に関すること（他の局に属するものを除く。）。

事業調整第一課
一　東京二〇二五世界陸上競技選手権大会の開催支援等に関すること（他の課に属するものを除く。）。

事業調整第二課
一　第二十五回夏季デフリンピック競技大会東京二〇二五の開催支援等に関すること（他の課に属するものを除く。）。

スポーツ施設部

経営企画課
一　スポーツ施設等の管理及び開設準備に関すること（他の局に属するものを除く。）。
二　部内他の課に属しないこと。

施設整備課
一　スポーツ施設等の整備及び改修に関すること（他の局に属するものを除く。）。

**（都市整備局各部課の分掌事務）**

**第二十四条**　都市整備局各部課の分掌事務は、次のとおりとする。

総　務　部

総　務　課

一　局の組織及び定数に関すること。
二　局所属職員の人事及び給与に関すること。
三　局所属職員の福利厚生に関すること。
四　東京都職員研修規則第四条の規定に基づく研修に関すること。
五　局事務事業に関する法規の調査及び解釈に関すること。
六　局の公文書類の収受、配布、発送、編集及び保存に関すること。
七　局の情報公開に係る連絡調整等に関すること。
八　局の個人情報の保護に係る連絡調整等に関すること。
九　局事務事業の管理改善に関すること。
十　局事務事業のデジタル関連施策の企画、調整及び推進に関すること（デジタルトランスフォーメーション推進に関するものを除く。）。
十一　局事務事業の広報及び広聴に関すること。
十二　住宅政策本部との連絡に関すること。
十三　局内他の部及び課に属しないこと。

経　理　課
一　局の予算、決算及び会計に関すること。
二　局の公有財産、物品及び債権の管理に係る総合調整に関すること。
三　局の契約に関すること。
四　局事務事業に係る工事の施行に伴う損害賠償及び和解に関する地方自治法第百八十条の規定に基づく専決処分に関すること（軽易な物的損害に係るものに限る。）。

企画技術課
一　局事務事業の総合的な企画及び調整に関すること。
二　局事務事業のデジタルトランスフォーメーション推進に関すること。
三　局事務事業の進行管理に関すること。
四　局事務事業の行政評価に関すること。
五　局事務事業の技術管理に関すること。
六　局事務事業の技術に係る調査、研究、開発及び指導に関すること（他の部に属するものを除く。）。
七　局建設事業に係る技術の標準化及び調整に関すること。
八　局建設事業に係る新材料・新工法の導入及び施工管理等に関すること。
九　局建設事業等に係る建設コスト管理に関すること。
十　局建設事業に係る工事施行の適正化に関すること。
十一　局建設事業の契約に係る検査に関すること。

都市づくり政策部
広域調整課
一　都市づくり政策に係る企画、調査及び調整に関すること（他の局に属するものを除く。）。
二　広域的計画に関する連絡、調査及び調整に関すること（他の局に属するものを除く。）。
三　水資源開発及び水利用に関する企画、調査及び調整に関すること。
四　土地基本法の施行に関すること（他の局に属するものを除く。）。
五　国土利用計画に関すること。
六　東京都国土利用審議会に関すること。
七　都市計画区域の整備、開発及び保全の方針に関すること。
八　建設副産物対策に係る総合的な企画及び調整並びに再利用の促進に関すること。
九　建設工事に係る資材の再資源化等に関する法律の施行に関すること（他の局及び部に属するものを除く。）。
十　土地の調査に関すること（他の局に属するものを除く。）。
十一　部内他の課に属しないこと。

都市計画課
一　都市計画法の施行に関すること（他の局及び部に属するものを除く。）。
二　東京都都市計画審議会に関すること。
三　都市計画関係図書の管理及び縦覧に関すること。
四　都市整備に関する情報の管理に関すること。
五　都市計画に係る相談に関すること。
六　都市計画施設の境域確認及びこれに必要な測量に関すること。
七　国土利用計画法の施行に関すること（他の局及び課に属するものを除く。）。
八　東京都土地利用審査会に関すること。
九　国土利用計画法に基づく土地に関する権利の移転の届出及び遊休土地に係る措置に関すること。
十　公有地の拡大の推進に関する法律の施行に関すること。
十一　租税特別措置法に基づく適正価格の申出及び特定住宅用地の譲渡の認定に関すること。
十二　所有者不明土地の利用の円滑化等に関する

特別措置法の施行に関すること（他の局、部及び課に属するものを除く。）。

土地利用計画課

一　土地利用計画（国土利用計画法に基づく土地利用基本計画を含む。）に関すること。
二　地域地区の計画に関すること（他の部に属するものを除く。）。
三　地区計画の計画及び調整に関すること。
四　一団地の官公庁施設の計画に関すること。
五　一団地の住宅施設及び住宅地区改良の計画に関すること。
六　教育文化施設、医療施設及び社会福祉施設の計画に関すること。
七　地域冷暖房施設の計画に関すること。
八　新住宅市街地開発法の施行に関すること（他の部に属するものを除く。）。
九　遊休土地転換利用促進地区に係る指導及び調整に関すること。
十　国土調査に関すること。
十一　東京のしゃれた街並みづくり推進条例の施行に関すること（他の部に属するものを除く。）。
十二　都有地の活用等によるまちづくりプロジェクトの推進に関すること（他の局及び部に属するものを除く。）。
十三　地域整備に関する計画の企画、調査、調整及び都市計画に関すること（他の課に属するものを除く。）。

開発企画課

一　地域整備に関する計画の企画、調査及び調整に関すること（他の部に属するものを除く。）。
二　市街地の開発、整備及び保全に関する企画、調査及び調整に関すること（他の部に属するものを除く。）。
三　基地跡地、国の行政機関等の跡地等の利用計画に関すること（他の局及び部に属するものを除く。）。
四　東京港の区域及び隣接区域（臨海副都心及び関連地域を除く。）の開発利用に関する企画、調査及び調整に関すること。
五　都市再生特別措置法に基づく都市再生緊急整備地域指定への意見具申及び都市再生特別地区を定める特別の都市計画に関すること。

緑地景観課

一　公園及び空地等に関する計画の基本構想及び調整に関すること。
二　公園、緑地、広場、墓園その他の公共空地の計画及び調整に関すること。
三　風致地区、特別緑地保全地区、緑化地域及び生産緑地地区等の計画及び調整に関すること。
四　近郊緑地の保全に係る計画、調査及び調整に関すること。
五　民設公園等に関する計画及び調整に関すること。
六　区市町村の緑の基本計画等の指導及び調整に関すること。
七　区市町村施行の都市計画公園事業及び緑地事業の認可及び指導に関すること。
八　都市景観形成及び歴史的景観保全に係る企画、調整及び事業の推進に関すること（他の局に属するものを除く。）。
九　景観法及び東京都景観条例の施行に関すること。
十　景観地区の計画及び調整に関すること。
十一　東京のしゃれた街並みづくり推進条例に基づく街並み景観づくり制度に関すること。
十二　屋外広告物対策に係る企画、調査及び調整に関すること。
十三　屋外広告物法及び東京都屋外広告物条例の施行に関すること。

都市基盤部

調　整　課

一　都市高速鉄道事業の助成に関すること。
二　首都高速道路整備事業に対する出資等に関すること。
三　都市計画駐車場に係る建設資金の貸付け等に関すること。
四　バス事業の助成に関すること。
五　バス・トラック事業の整備改善事業の助成に関すること。
六　鉄道事業法、軌道法、道路運送法及び測量法の施行に関すること。
七　日本自動車ターミナル株式会社に関すること。
八　大深度地下の公共的使用に関する特別措置法の施行に関すること（他の課に属するものを除く。）。
九　河川及び上下水道等の施設計画に関すること。
十　流域別下水道整備総合計画の策定に関すること。
十一　総合治水対策に関すること。
十二　特定都市河川浸水被害対策法の施行に関す

ること。
十三　流通業務市街地の整備に関する法律の施行に関すること。
十四　市場、と畜場、ごみ焼却場等の施設計画に関すること。
十五　部内他の課に属しないこと。

交通企画課
一　都市交通政策に係る企画、調査及び調整に関すること。
二　鉄軌道、空港、駐車場等の計画及び調整に関すること。
三　経営主体又は整備主体として都が設立する第三セクターの行う鉄軌道整備事業に関すること。
四　鉄道と道路の立体交差化に関する計画及び調整に関すること。
五　都市計画駐車場事業の認可及び指導に関すること。
六　交通バリアフリー化に係る調査及び調整に関すること（他の局に属するものを除く。）。

街路計画課
一　都市計画道路の計画及び調整に関すること。
二　都市高速道路の計画及び調整に関すること。
三　都市計画道路の環境影響評価に関する企画、調査、計画及び調整に関すること。
四　幹線道路の沿道の整備に関する法律の施行に関すること（他の局及び部に属するものを除く。）。
五　区市町村施行の都市計画道路事業の認可及び指導に関すること。

市街地整備部

管理課
一　都施行の土地区画整理事業、市街地再開発事業、沿道一体整備型街路事業等（以下この条において「都施行整備事業」という。）に係る用地の管理に関すること（他の課に属するものを除く。）。
二　都施行整備事業に係る道路、橋りよう、公園及び建築物の管理及び処分に関すること（他の課に属するものを除く。）。
三　都施行整備事業に係る権利者の生活再建に関すること。
四　都施行整備事業の用地取得に係る調整に関すること（他の課に属するものを除く。）。
五　都施行整備事業に係る土地、建築物及び借地権の評価に関すること（他の課に属するものを除く。）。
六　都施行の土地区画整理事業に係る減価補償金の額の算定及び調整に関すること（他の課に属するものを除く。）。
七　都施行整備事業に係る移転の補償その他の損失補償の額の算定及び調整に関すること（他の課に属するものを除く。）。
八　都施行の市街地再開発事業に係る借家条件の裁定に関すること。
九　都施行の土地区画整理事業に係る減価補償金の交付並びに清算金の徴収及び交付に関すること（他の課に属するものを除く。）。
十　東京都開発審査会、土地区画整理審議会及び市街地再開発審査会に関すること。
十一　都市整備用地等の選定に関すること。
十二　都市開発資金の貸付けに関する法律の施行に関すること。
十三　市街地整備事務所に関すること。
十四　東京都都市づくり公社に関すること。
十五　部内他の課に属しないこと。

企画課
一　土地区画整理法及び都市再開発法の施行に関すること（他の課に属するものを除く。）。
二　部所管事業に係る総合調整に関すること。
三　土地区画整理事業、市街地再開発事業、沿道一体整備型街路事業及び局建設事業に関連する街路整備事業の企画、調査及び調整に関すること。
四　都施行整備事業の基本計画及び事業計画に関すること（他の課に属するものを除く。）。
五　再開発基本計画及び都市再開発方針に関すること。
六　都市の震災復興対策に関すること。
七　特定市街地の総合再開発計画に係る企画、調査及び調整に関すること（他の部に属するものを除く。）。
八　まちづくり相談に関すること。
九　都有地の活用によるまちづくりプロジェクトの推進に関すること（他の局及び部に属するものを除く。）。
十　東京都震災対策条例第十三条の規定により定められた防災都市づくり推進計画で指定された整備地域における都市計画道路の整備に関すること（他の局及び課に属するものを除く。）。
十一　局建設事業に関連する公園整備事業の企画、調査及び調整に関すること（他の局に属するものを除く。）。

防災都市づくり課

一　防災都市づくりに係る企画、調査及び調整に関すること。

二　木造住宅密集地域の不燃化プロジェクトに係る企画及び調整に関すること（他の局に属するものを除く。）。

三　地域防災計画及び震災対策計画の調整に関すること（他の局に属するものを除く。）。

四　地域危険度の測定並びに避難場所及び避難道路の指定及び安全化対策に関すること。

五　密集市街地における防災街区の整備の促進に関する法律の施行に関すること。

六　都市防災不燃化促進事業の指導及び監督に関すること。

七　防災街区整備事業の指導及び監督に関すること。

八　木造住宅密集地域整備事業その他の住環境整備に係る事業の指導及び監督に関すること。

九　住環境整備事業等に係る用地の管理及び用地取得に伴う損失補償に関すること。

十　沿道一体整備型街路事業の施行に関すること。

十一　東京都震災対策条例第十三条の規定により定められた防災都市づくり推進計画で指定された整備地域における都市計画道路の整備に関すること（他の局及び課に属するものを除く。）。

十二　沿道一体整備型街路事業及び東京都震災対策条例第十三条の規定により定められた防災都市づくり推進計画で指定された整備地域における都市計画道路の整備（他の局及び課に属するものを除く。）の施行に伴う工事の実施、調整及び工程に関すること。

区画整理課

一　都施行の土地区画整理事業に係る保留地の処分に関すること（他の部に属するものを除く。）。

二　都施行の土地区画整理事業に伴う権利調整に関すること（他の部に属するものを除く。）。

三　都施行の土地区画整理事業に係る換地設計、仮換地の指定、換地計画の決定及び換地処分に関すること。

四　都施行の土地区画整理事業に係る評価員に関すること。

五　都施行の土地区画整理事業に伴う建築物等の移転及び除去の実施、調整及び工程に関すること。

六　都施行の土地区画整理事業に係る土地区画整理法第七十六条の規定に基づく許可等に関すること。

七　前各号に掲げるもののほか、都施行の土地区画整理事業及び局建設事業に関連する街路整備事業の施行に関すること。

八　区市町村施行の土地区画整理事業の指導及び監督に関すること。

九　土地区画整理法第三条第四項の規定により定められた都、都知事及び区市町村施行以外の土地区画整理事業の都市計画、指導及び監督に関すること。

十　大都市地域における住宅及び住宅地の供給の促進に関する特別措置法に基づく住宅街区整備事業及び特定土地区画整理事業に関すること。

十一　都市計画法に基づく開発行為等の規制に関すること。

十二　租税特別措置法に基づく優良宅地の認定に関すること。

十三　宅地造成及び特定盛土等規制法の施行に関すること。

十四　土砂災害警戒区域等における土砂災害防止対策の推進に関する法律に基づく土砂災害特別警戒区域内における特定開発行為の制限に関すること。

十五　都施行の土地区画整理事業及びこれに関連する街路整備事業に伴う工事の実施、調整及び工程に関すること。

再開発課

一　都市再開発法第二条の二第四項の規定により定められた都及び区市町村施行以外の市街地再開発事業の都市計画、指導及び監督に関すること。

二　都施行の市街地再開発事業に係る保留床等の処分に関すること。

三　都施行の市街地再開発事業に伴う土地、物件等の調査並びに権利変換計画及び管理処分計画に関すること。

四　都施行の市街地再開発事業に係る建築行為の制限に関すること。

五　都市再開発法第九十六条の規定に基づく土地の明渡しに関すること。

六　都施行の市街地再開発事業の施行に伴う施設建築物の基本計画に関すること。

七　前各号に掲げるもののほか、都施行の市街地再開発事業の施行に関すること。

八　区市町村施行の市街地再開発事業の指導及び

監督に関すること。
九　晴海五丁目西地区に係るエネルギー事業、交通施設整備等に関すること。
十　都施行の市街地再開発事業に伴う工事の実施、調整及び工程に関すること。

市街地建築部

調整課

一　建築基準法及び関係法令の施行に関すること（他の部及び課に属するものを除く。）。
二　東京都建築審査会に関すること。
三　部所管事業の連絡及び調整に関すること。
四　租税特別措置法に基づく優良住宅の認定に関すること。
五　中高層建築物の建築に係る紛争の予防、調整及び相談に関すること。
六　東京都建築紛争調停委員会に関すること。
七　建設工事請負契約上の紛争相談に関すること。
八　東京都建設工事紛争審査会に関すること。
九　多摩建築指導事務所に関すること。
十　部内他の課に属しないこと。

建築企画課

一　建築行政に関する企画、調査及び調整に関すること。
二　建築基準法及び関係法令の調査及び研究に関すること。
三　建築動態統計その他建築統計に関すること。
四　建設工事に係る資材の再資源化等に関する法律に基づく建設工事の届出等に係る調査及び連絡に関すること。
五　建築基準法に基づく指定確認検査機関の指定等に関すること（他の課に属するものを除く。）。
六　建築基準法に基づく指定構造計算適合性判定機関の指定等に関すること（他の課に属するものを除く。）。
七　建築協定の認可及び推進に関すること。
八　高齢者、障害者等の移動等の円滑化の促進に関する法律及び高齢者、障害者等が利用しやすい建築物の整備に関する条例の施行に関すること（他の局、部及び課に属するものを除く。）。
九　東京都福祉のまちづくり条例に基づく建築物の整備の促進に関すること。
十　東京都駐車場条例に基づく建築物における駐車施設の附置及び管理に関すること（他の課に属するものを除く。）。
十一　建築技術の調査、研究及びこれに伴う技術指導に関すること。
十二　建築物のアスベスト対策の促進に関すること（他の局、部及び課に属するものを除く。）。
十三　建築物の防災に関すること（他の部に属するものを除く。）。
十四　特定建築物、防火設備、昇降機その他の建築設備等の定期報告に関すること。
十五　建築基準法に基づく災害危険区域の指定に関すること。
十六　建築士及び建築士事務所の登録、指導及び監督に関すること。
十七　建築基準法に基づく建築基準適合判定資格者の登録及び検定に関すること。
十八　建築物の耐震性の向上の推進に関すること。
十九　建築物の耐震診断及び耐震改修工事の助成等に関すること。
二十　建築物の耐震改修の促進に関する法律の施行に関すること。
二十一　都市の低炭素化の促進に関する法律に基づく低炭素建築物の認定に係る連絡調整に関すること。
二十二　建築物のエネルギー消費性能の向上等に関する法律の施行に関する連絡調整に関すること。
二十三　住宅宿泊事業法に基づく建築物の安全確保措置に関すること（他の局に属するものを除く。）。
二十四　社会資本整備総合交付金及び防災安全交付金に関すること。

建築指導課

一　建築の確認、許可及び認定に関すること（他の局及び部に属するものを除く。）。
二　建築の技術的指導に関すること。
三　違反建築物等の取締りに関すること。
四　建築基準法に基づく指定確認検査機関の指導に関すること。
五　建築構造の審査に関すること。
六　建築基準法に基づく指定構造計算適合性判定機関の指導及び連絡調整に関すること。
七　建築施工方法等の審査に関すること。
八　建築設備等の審査に関すること。
九　東京都駐車場条例に基づく建築物における駐車施設の附置及び管理に係る審査に関すること。
十　独立行政法人住宅金融支援機構の委託に係る

融資住宅等の審査に関すること。
十一　道路、壁面線等の指定等に関すること。
十二　建設工事に係る資材の再資源化等に関する法律に基づく建設工事の届出等の受理並びに助言、勧告及び命令に関すること。
十三　都市の低炭素化の促進に関する法律に基づく低炭素建築物の認定、助言、指導等に関すること。
十四　建築物のエネルギー消費性能の向上等に関する法律に基づく適合性判定、届出の受理、認定等に関すること。

建設業課
一　建設業者の許可、指導、監督及び経営事項審査に関すること。
二　浄化槽工事業者の登録に関すること。
三　解体工事業者の登録に関すること。
四　特定住宅瑕疵担保責任の履行の確保等に関する法律に基づく住宅建設瑕疵担保保証金の供託等の届出等に関すること。
五　建設工事従事者の安全及び健康の確保の推進に関する法律に基づく東京都計画に関すること。

多摩まちづくり政策部

多摩まちづくり推進課
一　多摩地域における市街地の開発、整備及び保全に関する企画、調査及び調整に関すること。
二　多摩地域における地域整備に関する計画の企画、調査及び調整に関すること。
三　多摩地域における基地跡地、政府機関移転跡地等の利用計画に関すること。
四　多摩ニュータウン地区のまちづくりに関する計画等の企画、調査及び調整に関すること。
五　多摩ニュータウン整備事務所に関すること。
六　部内他の課に属しないこと。

多摩ニュータウン課
一　多摩ニュータウン地区における宅地販売事業の推進及び新住宅市街地開発事業に係る調整に関すること。
二　坂浜平尾土地区画整理事業の調整に関すること。
三　課所管事業に係る事業用地及び保留地の処分、管理及び有効活用の促進に関すること。
四　課所管事業に係る事業用地及び保留地等の評価に関すること。
五　課所管事業に係る宅地整備等の計画及び実施に関すること。
六　課所管事業に係る公共施設の引継ぎに関すること。
七　課所管の土地区画整理事業に係る清算金の徴収及び交付に関すること。
八　多摩ニュータウン地区のまちづくりに関する計画等に基づく事業推進に関すること。

基地対策部
一　米軍基地対策の企画及び調整並びに関係機関との連絡調整に関すること（次号に掲げるものを除く。）。
二　横田基地共用化推進に係る企画及び調整並びに関係機関との連絡調整に関すること。

（環境局各部課の分掌事務）
**第二十五条**　環境局各部課の分掌事務は、次のとおりとする。

総　務　部

総　務　課
一　局の組織及び定数に関すること。
二　局所属職員の人事及び給与に関すること。
三　局所属職員の福利厚生に関すること。
四　局事務事業に関する法規の調査及び解釈に関すること。
五　局の公文書類の収受、配布、発送、編集及び保存に関すること。
六　局事務事業の管理改善に関すること。
七　東京都職員研修規則第四条の規定に基づく研修の実施に関すること。
八　区市町村が実施する環境保全に係る研修への支援に関すること。
九　環境事務所に関すること。
十　局事務事業のデジタル関連施策の企画、調整及び推進に関すること（デジタルトランスフォーメーション推進に関するものを除く。）。
十一　東京都環境保全推進委員会に関すること。
十二　局の情報公開に係る連絡調整等に関すること。
十三　局の個人情報保護に係る連絡調整等に関すること。
十四　公害に係る紛争の処理に関すること。
十五　東京都公害審査会に関すること。
十六　局事務事業の広報及び広聴に関すること。
十七　局内他の部及び課に属しないこと。

環境政策課
一　環境保全に係る施策の総合的な企画、調査、調整及び推進に関すること。
二　局事務事業のデジタルトランスフォーメーション推進に関すること。

三　環境保全に係る総合的な計画の策定及び調整に関すること。
四　環境保全関係予算の調整及び総括に関すること。
五　環境保全に係る都民等との連携推進に関すること。
六　局事務事業の事務事業評価の実施に関すること。
七　東京都環境審議会に関すること。
八　環境学習の推進に関すること。
九　環境保全に係る施策に関する国際協力及びその調整に関すること（他の部に属するものを除く。）。
十　局事務事業に係る国、道府県、区市町村その他関係機関との総合的な連絡調整に関すること。
十一　東京都環境影響評価条例に基づく環境影響評価の実施に関すること。
十二　東京都環境影響評価審議会に関すること。
十三　環境影響評価に係る技術的事項に関すること。

経理課

一　局の予算、決算及び会計に関すること。
二　局事務事業の進行管理に関すること。
三　局の契約に関すること。
四　局の財産及び物品の管理に関すること（他の部に属するものを除く。）。

気候変動対策部

計画課

一　都市と地球の持続可能性の確保に係る総合的な企画、調査及び調整に関すること（他の部に属するものを除く。）。
二　スマートエネルギー都市の実現及び省エネルギーの推進に係る総合的な企画、調査及び調整に関すること。
三　地球温暖化対策の推進に係る企画、調査及び調整に関すること。
四　都民の健康と安全を確保する環境に関する条例に基づくエネルギー供給事業における環境への負荷の低減に関すること。
五　部内他の課に属しないこと。

総量削減課

一　都民の健康と安全を確保する環境に関する条例に基づく大規模事業所からの温室効果ガス排出量の削減に関すること。
二　都民の健康と安全を確保する環境に関する条例に基づく中小規模事業所における地球温暖化対策の推進に関すること。

地域エネルギー課

一　地域エネルギーの推進に係る企画、調査及び調整に関すること。
二　都民の健康と安全を確保する環境に関する条例に基づく地域におけるエネルギーの有効利用に関すること。

環境都市づくり課

一　環境都市づくりに係る企画、調査及び調整に関すること。
二　ヒートアイランド対策の推進に係る企画、調査及び調整に関すること。
三　都民の健康と安全を確保する環境に関する条例に基づく建築物に係る環境配慮の措置に関すること。

家庭エネルギー対策課

一　家庭における省エネルギー、再生可能エネルギー等の対策に係る企画、調査及び調整に関すること。
二　都民の健康と安全を確保する環境に関する条例に基づく家庭用電気機器等に係る温室効果ガスの排出の削減に関すること。

環境改善部

計画課

一　大気汚染防止対策、悪臭防止対策、騒音防止対策、振動防止対策及び土壌汚染防止対策等の総合的な企画、調査及び調整に関すること。
二　公害防止管理者に関すること。
三　環境保全に係る助成に関すること（他の部に属するものを除く。）。
四　部内他の課に属しないこと。

大気保全課

一　大気汚染、悪臭、騒音及び振動の発生源規制に係る企画、調査及び調整に関すること（部内他の課に属するものを除く。）。
二　大気汚染、悪臭、騒音及び振動の防止に係る規制基準等の策定に関すること（部内他の課に属するものを除く。）。
三　大気汚染、悪臭、騒音及び振動の発生源に対する規制及び指導に関すること（部内他の課に属するものを除く。）。
四　大気汚染、悪臭、騒音及び振動の防止に係る技術的指導に関すること（部内他の課に属するものを除く。）。
五　大気汚染状況の監視測定に係る企画、調査及び調整に関すること。

六　大気汚染状況の常時監視に関すること（部内他の課に属するものを除く。）。
七　大気汚染に係る緊急時の措置に関すること。
八　大気汚染に係る監視測定施設に関すること。

化学物質対策課

一　化学物質対策の総合的な企画、調査及び調整に関すること。
二　化学物質の環境への排出量の把握等及び環境への影響の評価に関すること。
三　化学物質の管理の改善及び排出抑制に係る指導に関すること。
四　化学物質に係る知識の普及に関すること。
五　土壌汚染対策及び地下水の汚染対策に係る企画、調査及び調整に関すること。
六　土壌汚染及び地下水の汚染に係る規制及び指導に関すること（他の部に属するものを除く。）。
七　土壌汚染対策及び地下水の汚染対策に係る技術的指導に関すること。
八　地下水の水質汚濁状況及び土壌汚染状況の監視測定に係る企画、調査及び調整に関すること。
九　地下水の水質汚濁状況、土壌汚染状況及び有害大気汚染物質による大気汚染状況の常時監視に関すること。

環境保安課

一　高圧ガス等による災害防止対策の企画、調査及び調整に関すること。
二　高圧ガス等による災害防止に係る指導に関すること。
三　高圧ガス保安法及び液化石油ガスの保安の確保及び取引の適正化に関する法律の施行に関すること。
四　ガス事業法に基づくガス用品販売事業者の取締り及び指導に関すること。
五　火薬等による災害の防止対策の企画、調査及び調整に関すること。
六　火薬等による災害の防止に係る指導に関すること。
七　火薬類取締法、武器等製造法、電気用品安全法、電気工事士法及び電気工事業の業務の適正化に関する法律の施行に関すること。
八　フロン対策に関すること（他の部課に属するものを除く。）。

自動車環境課

一　自動車環境対策に係る総合的な企画、調査及び調整並びに普及啓発に関すること。
二　自動車排出ガスの低減対策に関すること。
三　自動車に起因する地球温暖化の対策に関すること（他の局及び部に属するものを除く。）。
四　局地汚染対策及び自動車騒音振動対策に関すること。
五　地域特性に応じた環境交通施策の企画、調整及び推進に関すること。
六　自動車排出ガス対策に係る指導、取締り及び行政処分並びに自動車に起因する地球温暖化の対策に係る指導及び助言に関すること。
七　自動車排出ガス対策及び自動車に起因する地球温暖化の対策に係る支援に関すること（他の局及び部に属するものを除く。）。

自然環境部

計画課

一　自然の保護と回復に関する施策の方針の作成に関すること。
二　自然の保護と回復に関する施策の総合的な企画、調整及び推進に関すること。
三　自然の保護と回復に関する知識の普及及び区市町村との連絡調整に関すること。
四　東京都自然環境保全審議会に関すること。
五　野生動植物の保護に関する施策の企画、調査及び推進に関すること。
六　鳥獣保護管理及び狩猟に関すること。
七　花と緑の東京募金に関する企画、調整及び推進に関すること。
八　校庭の芝生化の推進に関すること（他の局に属するものを除く。）。
九　部内他の課に属しないこと。

緑環境課

一　緑地保全制度に係る企画及び調整に関すること。
二　保全地域の指定及び保全計画の策定に関すること。
三　保全地域内における行為の規制及び保全事業の執行に関すること。
四　東京における自然の保護と回復に関する条例に基づく開発の規制に関すること。
五　森林法に基づく林地開発の許可に関すること。
六　森林病害虫の防除その他森林保護に関すること。
七　多摩の森林再生事業に関すること。
八　東京における自然の保護と回復に関する条例に基づく市街地等の緑化に関すること。

九　自然公園事業及び近郊緑地事業の総合的な計画及び計画調整に関すること。
十　自然公園事業及び近郊緑地事業に係る連絡及び調整に関すること。
十一　自然公園及び近郊緑地の区域内における行為の規制に関すること。
十二　自然公園事業及び近郊緑地事業の実施に関すること。

水環境課

一　水循環及び水辺環境に係る施策の総合的な企画、調査及び調整に関すること。
二　水質汚濁防止対策及び地盤沈下対策の総合的な企画、調査及び調整に関すること。
三　水質汚濁及び地下水揚水に係る規制基準等の策定に関すること。
四　水質汚濁の発生源規制及び地下水揚水規制に係る企画、調査及び調整に関すること。
五　水質汚濁及び地盤沈下の防止に係る技術的指導に関すること。
六　水質汚濁の発生源及び地下水揚水事業場に対する規制及び指導に関すること。
七　地下水保全に係る計画の策定及び推進に関すること。
八　公共用水域の水質汚濁状況の監視測定に係る企画、調査及び調整に関すること。
九　公共用水域の水質汚濁状況の常時監視に関すること。
十　公共用水域の水質汚濁に係る緊急時の措置に関すること。
十一　温泉法に基づく土地の掘削の許可及び増掘又は動力の装置の許可に関すること。

資源循環推進部

計画課

一　資源循環施策及び廃棄物対策に係る総合的な企画、調査及び調整に関すること。
二　資源循環施策及び廃棄物対策に係る事業者その他関係団体との調整及び支援に関すること。
三　廃棄物処理計画に関すること。
四　東京都廃棄物審議会に関すること。
五　清掃事業に係る特別区、東京二十三区清掃一部事務組合及び東京二十三区清掃協議会との連絡調整に関すること。
六　清掃事業に係る財産及び物品の管理に関すること。
七　部内他の課に属しないこと。

一般廃棄物対策課

一　廃棄物処理施設整備事業（区市町村廃棄物処理施設整備事業を含む。）に係る循環型社会形成推進交付金に関すること。
二　区市町村廃棄物処理施設の技術的及び財政的援助に関すること。
三　分別収集促進計画に関すること。
四　一般廃棄物処理施設の届出及び許可並びに指導に関すること。
五　廃棄物再生事業者の登録に関すること。
六　浄化槽の届出及び指導並びに浄化槽保守点検業者の登録及び指導に関すること。
七　浄化槽に係る水質検査業務を行うものの指定に関すること。
八　廃棄物の最終処分に関すること。
九　埋立処分場の施設整備計画及び維持施設等の運営計画に関すること。
十　廃棄物埋立管理事務所に関すること。

産業廃棄物対策課

一　産業廃棄物処理業の許可及び指導に関すること。
二　産業廃棄物処理施設の許可及び指導に関すること。
三　産業廃棄物の排出者への指導に関すること。
四　産業廃棄物の搬入承認に関すること。
五　ＰＣＢ廃棄物の処理対策の推進に関すること。
六　使用済自動車の再資源化等に関する法律に基づく許可、登録及び指導に関すること。

**（福祉局各部課の分掌事務）**

**第二十六条**　福祉局各部課の分掌事務は、次のとおりとする。

総務部

総務課

一　局所属職員（課長及びこれに準ずる職以上の職にある者に限る。）の人事に関すること。
二　局事務事業に関する法規の調査及び解釈に関すること。
三　局の公文書類の収受、配布、発送、編集及び保存に関すること。
四　局事務事業の管理改善に関すること。
五　局事務事業の広報及び広聴に関すること。
六　局の情報公開に係る連絡調整等に関すること。
七　局の個人情報の保護に係る連絡調整等に関すること。
八　局事務事業に係る調査及び統計に関すること。

九　社会福祉情報の収集及び管理に関すること。
十　局の契約に関すること。
十一　局の財産及び物品の管理並びに工事に関すること。
十二　監査及び検査の連絡調整に関すること。
十三　局内他の部及び課に属しないこと。

職員課

一　局の組織及び定数に関すること。
二　局所属職員の人事（課長及びこれに準ずる職以上の職にある者に係るものを除く。）及び給与に関すること。
三　局所属職員の福利厚生に関すること。
四　局所属職員の安全衛生に関すること。
五　東京都職員研修規則第四条の規定に基づく研修に関すること。
六　医療従事者等の教育訓練に関すること（他の局及び部に属するものを除く。）。

企画部

企画政策課

一　局事務事業の総合的な企画及び調整に関すること。
二　社会福祉の研究に関すること。
三　東京都社会福祉審議会に関すること。
四　局事務事業のデジタル関連施策の企画、調整及び推進に関すること。
五　社会福祉に係る区市町村との連絡及び調整に関すること。
六　局の所管に係る政策連携団体等の指導、監督等に関すること。

計理課

一　局の予算、決算及び会計（他の部に属するものを除く。）に関すること。
二　局事務事業の進行管理に関すること。
三　局事務事業の行政評価の実施に関すること。

指導監査部

指導調整課

一　部所管事業の総合的な企画及び調整に関すること。
二　社会福祉法人の認可に関すること。
三　局の所管に係る社会福祉法人等の指導検査及び運営指導の総合的な調整等に関すること。
四　福祉サービスの第三者評価に関すること。
五　部内他の課に属しないこと。

指導第一課

一　介護老人福祉施設、介護老人保健施設及び特定施設入居者生活介護を行う施設の指導検査に関すること。
二　介護老人福祉施設、介護老人保健施設及び特定施設入居者生活介護を行う施設を経営する事業者の指導検査に関すること。
三　指定居宅サービス事業者、指定居宅介護支援事業者及び介護医療院の指導検査に関すること。
四　指定介護機関の指導検査に関すること。
五　養護老人ホーム、軽費老人ホーム及び有料老人ホームの指導検査に関すること。
六　その他高齢者福祉サービスの指導検査に関すること。
七　指定障害者支援施設等及びこれらを経営する事業者の指導検査に関すること。
八　指定障害福祉サービス事業者等の指導検査に関すること。
九　生活保護法に基づく指定医療機関及び医療保護施設の指導検査に関すること。
十　保護施設及び宿泊所等の指導検査に関すること。
十一　保護施設及び宿泊所等を経営する社会福祉法人等の指導検査に関すること。

指導第二課

一　児童福祉施設及び女性自立支援施設等の指導検査に関すること（他の課に属するものを除く。）。
二　児童福祉施設及び女性自立支援施設等を経営する社会福祉法人等の指導検査に関すること（他の課に属するものを除く。）。
三　施設を経営しない社会福祉法人等の指導検査に関すること。
四　保育の業務を目的とする施設及び事業であって認可を受けていないもの（認可を取り消されたものを含む。）の指導監督に関すること。

生活福祉部

企画課

一　部所管事業の総合的な企画及び調整に関すること。
二　災害救助に関すること（他の局及び部に属するものを除く。）。
三　復員事務に関すること。
四　旧軍人、準軍人及び軍属の身上及び恩給に関すること。
五　戦傷病者戦没者遺族等に関すること。
六　戦没者の叙勲に関すること。
七　福祉のまちづくりに関すること。
八　東京都福祉のまちづくり推進協議会に関する

こと。
九 引揚者の援護に関すること。
十 未帰還者留守家族等援護法の施行に関すること。
十一 西多摩福祉事務所に関すること。
十二 部内他の課に属しないこと。

保護課
一 生活保護法の施行に関すること。
二 行旅病人及び行旅死亡人に関すること。
三 墓地、埋葬等に関する法律第九条の規定による埋葬又は火葬の費用の負担に関すること。
四 保護施設及び宿泊所の運営指導に関すること。
五 保護施設及び宿泊所を経営する社会福祉法人等の運営指導に関すること。
六 生活保護法に基づく援護及び措置の実施機関又は実施者の指導検査に関すること。
七 福祉事務所との連絡調整に関すること。
八 路上生活者対策に関すること。
九 山谷対策に関すること。
十 城北労働・福祉センターに関すること（他の局に属するものを除く。）。

地域福祉課
一 生活困窮者自立支援法の施行に関すること。
二 低所得者等の福祉に関すること。
三 多重債務者対策に関すること。
四 地域福祉活動の推進に関すること。
五 民間社会福祉事業の振興に関すること。
六 施設を経営しない社会福祉法人等に対する助成及び運営指導に関すること（他の部に属するものを除く。）。

七 福祉サービスの利用支援に関すること。
八 民生委員及び児童委員に関すること。
九 ひきこもり等支援施策に関すること。
十 福祉人材対策に関すること。
十一 社会福祉事業従事者の訓練に関すること。
十二 社会福祉主事の養成機関及び講習会並びに社会福祉士及び介護福祉士の養成施設の指定、監督等に関すること。
十三 介護員養成研修等の指定に関すること。

医療助成課
一 医療費の助成に関すること（他の局及び部に属するものを除く。）。

子供・子育て支援部
企画課
一 児童福祉施策の総合的な企画、立案及び調整に関すること。
二 東京都児童福祉審議会に関すること。
三 東京都子供・子育て会議に関すること。
四 次世代育成支援対策推進法による地域行動計画に関すること。
五 子ども・子育て支援法による子ども・子育て支援事業支援計画に関すること。
六 部内他の課に属しないこと。

家庭支援課
一 児童と子育て家庭の支援に関すること（他の局、部及び課に属するものを除く。）。
二 児童の健全育成及び児童厚生施設に関すること（他の局に属するものを除く。）。
三 児童相談所に関すること。
四 母子保健法の施行に関すること（他の部に属するものを除く。）。

五 児童福祉法による結核児の療養給付及び小児慢性特定疾病の医療給付に関すること。
六 障害者の日常生活及び社会生活を総合的に支援するための法律による自立支援医療（育成医療に限る。）に関すること（他の部に属するものを除く。）。
七 児童福祉法による助産施設への妊産婦の入所に関すること。
八 前号に掲げる施設の設置の認可に関すること。
九 児童福祉法による身体障害児の療育指導に関すること。
十 母体保護法の施行に関すること。

育成支援課
一 児童、ひとり親家庭及び女性の福祉に関すること。
二 要保護児童の育成に関すること。
三 母子及び父子福祉資金及び女性福祉資金の貸付けに関すること。
四 里親に関すること。
五 乳児院、母子生活支援施設、児童養護施設及び児童自立支援施設の運営指導に関すること。
六 乳児院、母子生活支援施設、児童養護施設及び児童自立支援施設の業務を目的とする施設であつて認可を受けていないもの（認可を取り消されたものを含む。）の指導監督に関すること。
七 乳児院、母子生活支援施設、児童養護施設及び児童自立支援施設を経営する社会福祉法人等の運営指導に関すること。
八 女性相談支援センター並びに東京都児童養護施設及び東京都児童自立支援施設に関するこ

と。
九　児童扶養手当及び児童手当に関すること。

保育支援課

一　保育対策に関すること。
二　保育所の運営指導に関すること。
三　保育士試験及び保育士養成施設に関すること。
四　保育の業務を目的とする施設及び事業であって認可を受けていないもの（認可を取り消されたものを含む。）の運営指導に関すること（他の部に属するものを除く。）。
五　保育所を経営する社会福祉法人等の運営指導に関すること。
六　認定こども園に関すること。

高齢者施策推進部

企　画　課

一　高齢者の保健、福祉等の施策の総合的な企画及び調整に関すること。
二　高齢者保健福祉計画（老人福祉計画及び介護保険事業支援計画）に関すること。
三　部内他の課に属しないこと。

介護保険課

一　介護保険法に規定する保険者の指導及び支援に関すること。
二　東京都介護保険財政安定化基金に関すること。
三　介護保険法に基づく東京都国民健康保険団体連合会の指導及び監督に関すること。
四　東京都介護保険審査会に関すること。
五　介護保険特別対策事業に関すること。
六　指定居宅サービス事業者の指定に関すること。
七　指定居宅サービス事業者の運営指導に関すること。
八　指定事業者管理台帳システムの運用及び指定事業者の情報提供に関すること。
九　介護人材対策事業に関すること（他の部に属するものを除く。）。

在宅支援課

一　高齢者の在宅福祉サービスに関すること。
二　認知症高齢者の支援等に関すること。

施設支援課

一　介護老人福祉施設、介護老人保健施設、介護医療院、特定施設入居者生活介護を行う施設、養護老人ホーム、軽費老人ホーム等（以下「介護老人福祉施設等」という。）の運営指導に関すること。
二　介護老人福祉施設等を経営する事業者の運営指導に関すること（他の部に属するものを除く。）。
三　介護老人福祉施設等の整備計画及び整備費補助に関すること。
四　介護老人福祉施設等の指定、開設許可、認可等に関すること。
五　板橋キャンパス及び東村山キャンパスの整備等に関すること。
六　地方独立行政法人東京都健康長寿医療センターに関すること。

障害者施策推進部

企　画　課

一　障害者（児）福祉施策の総合的な企画、立案及び調整に関すること。
二　東京都障害者施策推進協議会に関すること。
三　東京都障害者介護給付費等不服審査会及び東京都障害児通所給付費等不服審査会に関すること。
四　障害者虐待の防止、障害者の養護者に対する支援等に関する法律の施行に関すること（他の局、部及び課に属するものを除く。）。
五　障害を理由とする差別の解消の推進に関する法律の施行に関すること（他の局、部及び課に属するものを除く。）。
六　障害者の社会参加の推進に関すること。
七　東京都心身障害者扶養共済制度等に関すること。
八　障害者福祉会館に関すること。
九　部内他の課に属しないこと。

地域生活支援課

一　障害者の日常生活及び社会生活を総合的に支援するための法律の施行に関すること（他の部及び課に属するものを除く。）。
二　障害者（児）の在宅福祉に関すること。
三　障害福祉に係る研修に関すること（他の部及び課に属するものを除く。）。
四　共同生活援助等に関すること。
五　障害者の就労支援に関すること（他の局に属するものを除く。）。

施設サービス支援課

一　身体障害者福祉法、知的障害者福祉法及び児童福祉法（障害児に係る部分に限る。）の施行に関すること。
二　心身障害者福祉センターに関すること。
三　障害者の日常生活及び社会生活を総合的に支

援するための法律による自立支援医療（更生医療に限る。）に関すること（他の部及び課に属するものを除く。）。

四 障害者支援施設、障害児入所施設及び障害児通所支援事業を行う施設の運営指導に関すること。

五 前号の施設を経営する社会福祉法人等の運営指導に関すること。

六 障害児入所施設及び障害児通所支援事業を目的とする施設であつて認可を受けていないものの指導監督に関すること。

七 前号に掲げる施設の設置の認可に関すること。

八 障害者支援施設等の建設に関すること。

九 東京都障害者支援施設、障害福祉サービス事業を行う事業所（都が設置するものに限る。）、東京都福祉型障害児入所施設、療育医療センター及び療育センターに関すること。

十 重症心身障害児（者）施設入所等選考委員会に関すること。

十一 在宅心身障害児（者）に対する療育支援等に関すること。

精神保健医療課

一 精神保健及び精神障害者福祉に関する法律の施行に関すること。

二 東京都地方精神保健福祉審議会に関すること。

三 酒に酔つて公衆に迷惑をかける行為の防止等に関する法律の施行に関すること。

四 総合精神保健福祉センター及び精神保健福祉センターに関すること。

五 障害者の日常生活及び社会生活を総合的に支援するための法律による自立支援医療に関すること（他の部及び課に属するものを除く。）。

六 精神障害者社会復帰対策に関すること。

七 心神喪失等の状態で重大な他害行為を行った者の医療及び観察等に関する法律の施行に関すること。

八 発達障害者支援法の施行に関すること。

九 高次脳機能障害者の支援に関すること。

十 精神保健福祉士法の施行に関すること。

**（保健医療局各部課の分掌事務）**

**第二十六条の二** 保健医療局各部課の分掌事務は、次のとおりとする。

総務部

総務課

一 局所属職員（課長及びこれに準ずる職以上の職にある者に限る。）の人事に関すること。

二 局事務事業に関する法規の調査及び解釈に関すること。

三 局の公文書類の収受、配布、発送、編集及び保存に関すること。

四 局事務事業の管理改善に関すること。

五 局事務事業の広報及び広聴に関すること。

六 局の情報公開に係る連絡調整等に関すること。

七 局の個人情報の保護に係る連絡調整等に関すること。

八 局事務事業に係る調査及び統計に関すること。

九 保健医療情報の収集及び管理に関すること。

十 局の契約に関すること。

十一 局の財産及び物品の管理並びに工事に関すること。

十二 監査及び検査の連絡調整に関すること。

十三 局内他の部及び課に属しないこと。

職員課

一 局の組織及び定数に関すること。

二 局所属職員の人事（課長及びこれに準ずる職以上の職にある者に係るものを除く。）及び給与に関すること。

三 局所属職員の福利厚生に関すること。

四 局所属職員の安全衛生に関すること。

五 東京都職員研修規則第四条の規定に基づく研修に関すること。

六 医療従事者等の教育訓練に関すること（他の局及び部に属するものを除く。）。

企画部

企画政策課

一 局事務事業の総合的な企画及び調整に関すること（他の課に属するものを除く。）。

二 保健医療の研究に関すること。

三 局事務事業のデジタル関連施策の企画、調整及び推進に関すること。

四 保健医療に係る区市町村との連絡及び調整に関すること。

五 局の所管に係る政策連携団体等の指導、監督等に関すること。

健康危機管理調整課

一 健康危機管理に係る総合的な調整に関すること。

計理課

一 局の予算、決算及び会計（他の部に属するものを除く。）に関すること。
二　局事務事業の進行管理に関すること。
三　局事務事業の行政評価の実施に関すること。

保健政策部

保健政策課

一　保健施策の総合的な企画及び調整に関すること。
二　保健所事務事業の調整に関すること（他の局、部及び課に属するものを除く。）。
三　東京都保健所の設置、管理及び運営に関すること。
四　部内他の課に属しないこと。

健康推進課

一　健康づくり施策の計画、連絡調整及び実施に関すること。
二　健康増進法の施行に関すること（他の局及び部に属するものを除く。）。
三　栄養士法の施行に関すること。
四　成人保健対策の計画及び調整に関すること。
五　生活習慣病の予防に関すること。
六　がん予防及び早期発見に関すること。
七　自殺総合対策に関すること。

疾病対策課

一　難病対策に関すること。
二　原子爆弾被爆者に対する援護に関する法律の施行に関すること。
三　臓器の移植に関する法律の施行に関すること。
四　安全な血液製剤の安定供給の確保等に関する法律の施行に関すること（献血の推進及び血液製剤の適正使用に関するものに限る。）。

国民健康保険課

一　国民健康保険法の施行に関すること。
二　国民健康保険事業の計画及び調査に関すること。
三　東京都国民健康保険運営協議会及び東京都国民健康保険審査会に関すること。
四　国民健康保険事業の指導及び検査に関すること。
五　国民健康保険組合に関すること。
六　国民健康保険法に基づく東京都国民健康保険団体連合会に関すること。
七　後期高齢者医療制度に関すること。
八　医療費適正化計画に関すること。
九　国民健康保険の医療に関すること。
十　国民健康保険法による療養の給付に係る保険医療機関及び保険薬局並びに保険医及び保険薬剤師の指導、報告等に関すること。
十一　高齢者の医療の確保に関する法律による療養の給付に係る保険医療機関及び保険薬局並びに保険医及び保険薬剤師の指導、報告等に関すること。

医療政策部

医療政策課

一　医療施策の総合的な企画及び調整に関すること。
二　東京都医療審議会に関すること。
三　保健医療計画に関すること。
四　医療改革の推進に関すること。
五　医療機関の整備に関すること（他の局、部及び課に属するものを除く。）。
六　地域医療システムに関すること。
七　保健医療情報センターに関すること。
八　歯科衛生に関すること。
九　心身障害者口腔保健センターに関すること。
十　地域がん医療に係る計画及び調整に関すること。
十一　リハビリテーション医療に係る計画及び調整に関すること。
十二　東京都リハビリテーション病院に関すること。
十三　部内他の課に属しないこと。

救急災害医療課

一　救急医療に関すること（他の局、部及び課に属するものを除く。）。
二　小児医療に関すること（他の局及び課に属するものを除く。）。
三　周産期医療に関すること。
四　災害時の医療救護に関すること（他の局に属するものを除く。）。
五　島しよ等へき地の医療に関すること。

医療安全課

一　医療法の施行に関すること。
二　医療施設の監視及び指導に関すること。
三　死体解剖保存法の施行に関すること。
四　監察医務院に関すること。
五　その他医務に関すること。

医療人材課

一　医療従事者の育成施策に係る計画及び調整に関すること。
二　医師法、歯科医師法、歯科衛生士法及び歯科技工士法の施行に関すること。
三　あん摩マツサージ指圧師、はり師、きゆう師等に関する法律及び柔道整復師法の施行に関すること。
四　診療放射線技師法の施行に関すること。
五　臨床検査技師等に関する法律の施行に関すること。
六　理学療法士及び作業療法士法の施行に関すること。
七　視能訓練士法の施行に関すること。
八　臨床工学技士法の施行に関すること。
九　義肢装具士法の施行に関すること。
十　救急救命士法の施行に関すること。
十一　言語聴覚士法の施行に関すること。
十二　医療社会事業に関すること。
十三　保健師助産師看護師法の施行に関すること。
十四　東京都准看護師試験委員会に関すること。
十五　東京都看護師等修学資金選考委員会に関すること。
十六　保健師、助産師、看護師及び准看護師の技術指導に関すること。
十七　保健師、助産師、看護師及び准看護師の養成及び定着対策の援助に関すること。
十八　看護専門学校に関すること。

都立病院支援部

法人調整課

一　地方独立行政法人東京都立病院機構に関すること。

健康安全部

健康安全課

一　部所管事業の総合的な企画及び調整に関すること。
二　調理師法及び製菓衛生師法の施行に関すること。
三　東京都ふぐの取扱い規制条例に基づく試験及び免許に関すること。
四　理容師法（管理理容師の講習及び理容師養成施設に関することに限る。）、美容師法（管理美容師の講習及び美容師養成施設に関することに限る。）及びクリーニング業法（試験、免許、クリーニング師の研修及びクリーニング業務従事者の講習に関することに限る。）の施行に関すること。
五　食品衛生法（食品衛生管理者及び食品衛生監視員の養成施設並びに食品衛生管理者の資格認定講習に関することに限る。）の施行に関すること。
六　食鳥処理の事業の規制及び食鳥検査に関する法律（食鳥処理衛生管理者の養成施設及び資格認定講習に関することに限る。）の施行に関すること。
七　東京都健康安全研究センターに関すること（他の部に属するものを除く。）。
八　部内他の課に属しないこと。

食品監視課

一　食品衛生に係る計画及び調整に関すること。
二　食品衛生に係る規格及び基準に関すること。
三　食品衛生営業に係る許可及び監視指導並びに行政処分等に関すること。
四　食中毒の防止及び調査に関すること。
五　乳及び乳製品の成分規格等に関する命令の施行に関すること。
六　特別用途食品に関すること。
七　健康増進法に基づく誇大表示の監視、指導等に関すること。
八　健康食品対策に関すること（他の課に属するものを除く。）。
九　東京都食品安全条例の施行に関すること。
十　東京都食品安全審議会に関すること。
十一　東京都ふぐの取扱い規制条例の施行に関すること（他の課に属するものを除く。）。
十二　と畜場法の施行に関すること。
十三　牛海綿状脳症対策特別措置法の施行に関すること（他の局に属するものを除く。）。
十四　食鳥処理の事業の規制及び食鳥検査に関する法律の施行に関すること（他の課に属するものを除く。）。
十五　化製場等に関する法律の施行に関すること（他の課に属するものを除く。）。
十六　動物質原料の運搬等に関する条例の施行に関すること。
十七　食品表示法の施行に関すること。
十八　米穀等の取引等に係る情報の記録及び産地情報の伝達に関する法律の施行に関すること（他の局に属するものを除く。）。
十九　東京都消費生活条例における食品表示に関すること（他の局に属するものを除く。）。
二十　市場衛生検査所及び食肉衛生検査所に関すること。
二十一　農林水産物及び食品の輸出の促進に関する法律の施行に関すること（他の局に属するものを除く。）。
二十二　その他食品衛生関係法令の施行に関すること。

薬務課

一　医薬品、医療機器等の品質、有効性及び安全性の確保等に関する法律の施行に関すること。
二　薬剤師法の施行に関すること。
三　毒物及び劇物取締法の施行に関すること。
四　麻薬及び向精神薬取締法の施行に関すること。
五　大麻草の栽培の規制に関する法律の施行に関すること。
六　あへん法の施行に関すること。
七　覚醒剤取締法の施行に関すること。
八　安全な血液製剤の安定供給の確保等に関する法律の施行に関すること（献血の推進及び血液製剤の適正使用に関するものを除く。）。
九　有害物質を含有する家庭用品の規制に関する法律の施行に関すること。
十　東京都薬物の濫用防止に関する条例の施行に関すること。
十一　薬局等の行う医薬品の広告の適正化に関する条例の施行に関すること。
十二　東京都薬事審議会に関すること。
十三　医薬分業の質的向上に関すること。
十四　健康食品対策に関すること（他の課に属するものを除く。）。
十五　東京都麻薬中毒審査会に関すること。
十六　薬物乱用防止の普及啓発に関すること。
十七　その他薬事衛生に関すること。

環境保健衛生課

一　生活衛生関係営業の運営の適正化及び振興に関する法律の施行に関すること。
二　東京都生活衛生審議会に関すること。
三　環境に係る保健衛生対策の計画及び調整に関すること。
四　理容師法、美容師法及びクリーニング業法の施行に関すること（他の課に属するものを除く。）。
五　興行場法、旅館業法及び公衆浴場法の施行に関すること。
六　墓地、埋葬等に関する法律の施行に関すること（他の局に属するものを除く。）。
七　温泉法の施行に関すること（他の局に属するものを除く。）。
八　建築物における衛生的環境の確保に関する法律の施行に関すること。
九　住宅宿泊事業法の施行に関すること（他の局に属するものを除く。）。
十　プール等取締条例の施行に関すること。
十一　胞衣及び産汚物取締条例の施行に関すること。
十二　大気汚染に係る健康障害者に関すること。
十三　狂犬病予防法の施行に関すること。
十四　動物の愛護及び管理に関する法律の施行に関すること。
十五　東京都動物愛護管理審議会に関すること。
十六　感染症の予防及び感染症の患者に対する医療に関する法律の施行に関すること（動物由来感染症に関するものに限る。）。
十七　化製場等に関する法律の施行に関すること（政令で定める動物の飼養、収容施設に関するものに限る。）。
十八　動物愛護相談センターに関すること。
十九　愛玩動物看護師法に基づく愛玩動物看護師養成所の指定に関すること（他の局に属するものを除く。）。
二十　水道法の施行に関すること。
二十一　環境に係る健康影響調査に関すること。
二十二　室内環境保健対策に関すること。
二十三　アレルギー疾患に関すること（他の局及び部に属するものを除く。）。
二十四　その他環境に係る保健衛生対策及び環境衛生措置に関すること（他の局、部及び課に属するものを除く。）。

感染症対策部

計画課

一　部所管事業の総合的な企画及び調整に関すること。
二　感染症の予防のための施策の実施に関する計画に関すること。
三　東京都健康安全研究センターに関すること（感染症対策に関することに限る。）。
四　東京都感染症予防医療対策審議会に関すること。
五　部内他の課に属しないこと。

調査・分析課

一　東京感染症対策センター、東京都感染症医療体制戦略ボード及び感染症の予防及び感染症の患者に対する医療に関する法律に基づく都道府県連携協議会に関すること。
二　感染症に関する情報の収集、分析、公表等に関すること。

防疫課

一　感染症の予防及び感染症の患者に対する医療に関する法律の施行に関すること（他の部及び

課に属するものを除く。）。
二　疫学的調査に関すること。
三　予防接種法の施行に関すること。
四　結核対策に関すること（他の部に属するものを除く。）。
五　ハンセン病対策に関すること。
六　後天性免疫不全症候群対策の総合的な企画及び調整に関すること。

医療体制整備第一課

一　新型インフルエンザ等感染症の医療体制の整備に関すること（他の部及び課に属するものを除く。）。
二　その他感染症のまん延防止対策に関すること（他の局、部及び課に属するものを除く。）。

医療体制整備第二課

一　新型インフルエンザ等感染症の外来診療体制及び検査体制の整備に関すること（他の部及び課に属するものを除く。）。
二　感染症患者の自宅療養生活の支援に関すること。

（**産業労働局各部課の分掌事務**）

**第二十七条**　産業労働局各部課の分掌事務は、次のとおりとする。

総　務　部

総　務　課

一　局所属職員（課長及びこれに準ずる職以上の職にある者に限る。）の人事に関すること。
二　局事務事業の広報及び広聴に関すること。
三　局事務事業の管理改善に関すること。
四　局事務事業に関する法規の調査及び解釈に関すること。
五　局の公文書類の収受、配布、発送、編集及び保存に関すること。
六　局の情報公開に係る連絡調整等に関すること。
七　局の個人情報の保護に係る連絡調整等に関すること。
八　局事務事業のデジタル関連施策の企画、調整及び推進に関すること（デジタルトランスフォーメーション推進に関するものを除く。）。
九　局の財産及び物品の管理に関すること。
十　局の契約に関すること。
十一　中央卸売市場との連絡に関すること。
十二　局内他の部及び課に属しないこと。

企画調整課

一　産業政策及び雇用就業政策の総合的な企画及び調整に関すること。
二　局事務事業のデジタルトランスフォーメーション推進に関すること。
三　産業政策及び雇用就業政策に係る情報の収集、統計及び調査分析に関すること。
四　局事務事業の進行管理に関すること。
五　局事務事業の行政評価の実施に関すること。

計　理　課

一　局の予算、決算及び会計に関すること（他の課に属するものを除く。）。

職　員　課

一　局の組織及び定数に関すること。
二　局所属職員の人事（課長及びこれに準ずる職以上の職にある者に係るものを除く。）及び給与に関すること。
三　局所属職員の人材育成に関すること。
四　東京都職員研修規則第四条の規定に基づく研修に関すること。
五　局所属職員の福利厚生に関すること。

商　工　部

調　整　課

一　中小企業振興施策の計画及び調整に関すること。
二　東京国際展示場及び東京国際フォーラムの施設の整備に関すること。
三　中小企業団体及び商店街振興組合等に関すること。
四　東京都中小企業振興対策審議会に関すること。
五　東京都中小企業振興公社、株式会社東京ビッグサイト及び株式会社東京国際フォーラムに関すること。
六　企業経営に関する情報の収集、整備及び提供に関すること。
七　部内他の課に属しないこと。

創業支援課

一　中小企業の創業支援に関すること。
二　総合支援機構に関すること（他の課に属するものを除く。）。
三　中小企業の航空機産業参入支援に関すること。
四　中小企業等経営強化法第七条のエンジェル税制の確認事務に関すること。
五　ベンチャー企業の支援に関すること。
六　女性経営者の成長支援に関すること（他の局、部及び課に属するものを除く。）。
七　ものづくり技術の振興に関すること。

八　中小企業に関する情報の収集及び提供に関すること（他の部に属するものを除く。）。
九　皮革技術センターに関すること。
十　地方独立行政法人東京都立産業技術研究センターに関すること。

経営支援課

一　商工業及びサービス業の振興に関すること（他の課に属するものを除く。）。
二　中小企業等経営強化法の施行に関すること。
三　下請企業の振興に関すること。
四　中小企業における経営の承継の円滑化に関する法律に基づく事業承継の支援措置に係る認定等の事務に関すること。
五　伝統工芸品産業の振興に関すること。
六　中小企業の市場開拓に関すること。
七　産業貿易センターに関すること。
八　食品産業の振興に関すること（他の部に属するものを除く。）。

地域産業振興課

一　地域の産業振興に関すること。
二　工業立地に関する相談及び助成に関すること（他の局に属するものを除く。）。
三　中小企業の集団化に関すること。
四　江東再開発事業に係る中小企業対策に関すること。
五　工業の集積の活性化に関すること。
六　砂利採取法及び採石法の施行に関すること（他の局に属するものを除く。）。
七　商店街の振興に関すること。
八　大規模小売店舗立地法の施行に関すること。
九　小規模企業の経営支援に関すること。
十　商工会及び商工会議所に関すること。

金融部

金融課

一　中小企業金融施策の調整に関すること。
二　中小企業制度融資に関すること。
三　中小企業債券市場に関すること。
四　中小企業金融に係る出資団体に関すること（他の部に属するものを除く。）。
五　信用保証協会に関すること。
六　東京都と地域の金融機関とが連携して実施する金融支援に関すること。
七　小規模企業者等設備導入資金及び中小企業高度化資金に関すること。
八　中小企業施設改善資金及び中小企業設備近代化資金の回収に関すること。
九　東京における産業振興に関する包括連携協定に基づく金融機関との連携の推進に関すること。
十　部内他の課に属しないこと。

貸金業対策課

一　貸金業に関すること。

産業・エネルギー政策部

計画課

一　都内企業の持続的な成長に係る総合的な企画、調査及び調整に関すること（他の局及び部に属するものを除く。）。
二　エネルギーの確保・利用等に係る企画、調査及び調整に関すること。
三　部内他の課に属しないこと。

事業者エネルギー推進課

一　事業者における省エネルギー、再生可能エネルギー等の推進に係る企画、調査及び調整に関すること。
二　事業者におけるゼロエミッションビークル（水素エネルギー及び新エネルギーに係るものを除く。）の推進に係る企画、調査及び調整に関すること。

新エネルギー推進課

一　事業者における水素エネルギーの推進に係る企画、調査及び調整に関すること。
二　事業者における新エネルギーの推進に係る企画、調査、調整及び技術開発の支援に関すること。

観光部

企画課

一　観光に関する企画及び調整に関すること。
二　シティセールスに関すること。
三　国際会議等の誘致に関すること。
四　部内他の課に属しないこと。

振興課

一　観光の振興に関すること。
二　観光資源の活用及び発掘並びに観光基盤の整備推進に関すること。
三　通訳案内士法の施行に関すること。
四　旅行業法の施行に関すること。
五　住宅宿泊事業法の施行に関すること。

受入環境課

一　旅行者の受入環境整備に関すること。
二　観光に関する情報の収集及び提供に関すること。
三　国際観光ホテル整備法の施行に関すること。
四　ユースホステルに関すること。

農林水産部

調　整　課

一　農林漁業施策、農林漁業に係る自然保護施策及び食の安全安心に係る施策の計画及び調整に関すること（他の局及び課に属するものを除く。）。

二　農林水産業関係団体に関すること（他の課に属するものを除く。）。

三　農業協同組合、農業共済組合その他農業関係団体の検査に関すること。

四　水産業協同組合その他水産関係団体の検査に関すること。

五　森林組合の検査に関すること。

六　農林漁業の金融に関すること。

七　農業、畜産及び林業に係る試験研究に関すること。

八　島しよ農林水産総合センターに関すること。

九　部内他の課に属しないこと。

食料安全課

一　食の安全安心に係る施策の計画、調整及び推進に関すること（他の局に属するものを除く。）。

二　食育の推進に関すること。

三　東京産食材の地産地消の推進に関すること。

四　食品に関する情報提供及び食品産業の支援に関すること（他の部に属するものを除く。）。

五　農林水産業に係る環境対策に関すること（他の課に属するものを除く。）。

六　環境保全型農業等の推進に関すること。

七　病害虫の防除及び農薬に関すること。

八　農作物鳥獣害対策に関すること。

九　家畜伝染病予防に関すること。

十　動物用医薬品等に関すること。

十一　獣医師に関すること。

十二　飼料の安全に関すること。

十三　病害虫防除所及び家畜保健衛生所に関すること。

農業振興課

一　農業施策の計画及び調整に関すること。

二　農業委員会等に関する法律の施行に関すること。

三　協同農業普及事業等に関すること。

四　農地法の施行に関すること。

五　国有農地等に関すること。

六　農事調停に関すること。

七　農業協同組合、農業共済組合その他農業関係団体に関すること（他の課に属するものを除く。）。

八　農畜産物の生産及び流通に関すること。

九　農業構造改善に関すること。

十　都市農業の振興に関すること。

十一　山村島しよ地域の農業振興に関すること。

十二　緑化の推進に関すること（他の局及び課に属するものを除く。）。

十三　家畜の改良増殖及び飼料に関すること。

十四　種畜及び種鶏の系統維持及び配布に関すること。

十五　農畜産業の基盤整備及び環境対策に関すること。

十六　家畜人工授精師及び家畜商に関すること。

十七　土地改良法の施行に関すること。

十八　農地及び農業用施設の災害復旧に関すること。

十九　小笠原諸島の農業基盤整備に関すること。

二十　農業水利に関すること。

二十一　農業振興事務所に関すること。

水　産　課

一　漁業構造改善及び漁場整備その他水産業経営改善に関すること。

二　漁業の調整及び取締りに関すること。

三　漁獲管理制度に係る計画の策定及び実施に関すること。

四　水産業協同組合その他水産関係団体に関すること（他の課に属するものを除く。）。

五　漁船及び船籍票に関すること。

六　遊漁船業の登録等に関すること。

七　水産資源の保護育成及び漁場環境の保全に関すること。

八　その他水産に関すること。

森　林　課

一　森林計画に関すること。

二　森林整備及び林業種苗に関すること。

三　保安林、都有林及び都行造林に関すること。

四　林道及び治山事業に関すること。

五　木材の利用促進に関すること。

六　林業構造改善事業その他林業経営改善に関すること。

七　森林組合その他林業関係団体に関すること（他の課に属するものを除く。）。

八　林産物に関すること。

九　林業専門技術の調査研究及び指導に関すること。

十　林業被害の獣害対策に関すること。

十一　森林経営管理制度に関すること。
十二　森林事務所に関すること。
十三　その他林業に関すること。

雇用就業部

調　整　課

一　就業の推進、労使関係の改善、勤労者の福祉及び職業能力開発に係る施策の計画及び事業の調整に関すること。
二　労働相談情報センター、職業能力開発センター及び東京障害者職業能力開発校に関すること。
三　労働相談情報センター、職業能力開発センター及び東京障害者職業能力開発校の施設の整備に関すること。
四　労働者協同組合に関すること。
五　部内他の課に属しないこと。

就業推進課

一　就業対策事業の実施及び連絡調整に関すること。
二　高齢者の就業対策に関すること。
三　若年者の就業対策に関すること。
四　障害者の就業対策に関すること。
五　しごとセンターの運営に係る連絡調整に関すること。
六　東京しごと財団及び城北労働・福祉センターに関すること（他の局に属するものを除く。）。
七　人材確保の支援に関すること。
八　前各号に掲げるもののほか、就業対策に関すること。

労働環境課

一　労使関係の改善に係る事業の実施及び連絡調整に関すること。
二　労働情勢に関する調査並びに資料及び情報の提供に関すること。
三　労働組合法、労働関係調整法及び地方公営企業等の労働関係に関する法律の施行に関すること。
四　労働相談に関すること。
五　労使関係の自主的調整に対する援助に関すること。
六　公益通報者保護制度に係る連絡調整等に関すること。
七　勤労者福祉事業の実施及び連絡調整に関すること。
八　勤労者福祉事業を実施する団体等への支援に関すること。
九　雇用の平等に関すること。
十　雇用環境の整備の促進に関すること。
十一　雇用管理の改善促進に関すること。
十二　労働知識の普及啓発に関すること。
十三　家内労働対策に関すること。
十四　区市町村の内職行政に対する調整及び援助に関すること。

能力開発課

一　事業主等が行う職業能力の開発及び向上に対する支援に関すること。
二　職業訓練指導員試験及び免許に関すること。
三　事業主等が行う職業訓練の認定、指導及び援助に関すること。
四　職業能力検定に関すること。
五　職業能力開発に係る国際協力に関すること。
六　都の職業能力開発行政の調査に関すること。
七　技能の振興及び技能者の地位の向上に関すること。
八　公共職業訓練の実施に関すること。
九　職業能力開発事業の普及に関すること。
十　地域における職業能力開発の推進に関すること。
十一　地域の人材育成及び人材確保の支援に関すること。
十二　職業訓練の科目の開発及び民間委託に関すること。
十三　職業訓練の技術指導及び効果測定に関すること。
十四　職業訓練指導員等の研修に関すること。

**（建設局各部課の分掌事務）**

**第二十八条**　建設局各部課の分掌事務は、次のとおりとする。

総　務　部

総　務　課

一　局所属職員（課長及びこれに準ずる職以上の職にある者に限る。）の人事に関すること。
二　局事務事業に関する法規の調査及び解釈に関すること。
三　局の公文書類の収受、配布、発送、編集及び保存に関すること。
四　局の情報公開に係る連絡調整等に関すること。
五　局の個人情報の保護に係る連絡調整等に関すること。
六　局事務事業の広報及び広聴に関すること。
七　局事務事業の管理改善に関すること。
八　建設事務所との連絡に関すること。

九　局の災害対策本部に関すること。
十　局内他の部及び課に属しないこと。

企画課
一　局事務事業の企画及び調整に関すること。
二　局事務事業の進行管理に関すること。
三　局事務事業の行政評価の実施に関すること。
四　局の防災対策に係る企画及び調整に関すること。
五　局の所管に係る政策連携団体の指導及び監督に関すること。
六　局事務事業のデジタル関連施策の企画、調整及び推進に関すること。

計理課
一　局の予算、決算及び会計に関すること（他の課に属するものを除く。）。

技術管理課
一　局事務事業の技術管理に関すること。
二　土木技術支援・人材育成センターとの連絡に関すること。

職員課
一　局の組織及び定数に関すること。
二　局所属職員の人事（課長及びこれに準ずる職以上の職にある者に係るものを除く。）及び給与に関すること。
三　局所属職員の福利厚生に関すること。
四　東京都職員研修規則第四条の規定に基づく研修に関すること。

用度課
一　局の物品及び資材等の購買契約並びに工事、修繕その他の契約に関すること。
二　前号の契約に係る検査に関すること。
三　局の物品の管理に関すること。
四　資材及び車等の運用の調整に関すること。
五　局の公共事業及び任意就業事業の連絡調整に関すること。
六　建築工事統計調査に関すること。
七　建設機械抵当法に基づく記号の打刻及び検認に関すること。
八　局事務事業に係る公有財産及び国有財産の管理並びに処分に係る連絡、調整及び指導に関すること。
九　局事務事業に係る公有財産及び国有財産の管理適正化の促進に関すること。
十　局事務事業に係る公有財産の境界確認・確定に係る連絡、調整及び指導に関すること。
十一　国有財産（国土交通省所管のものに限る。）の境界確認・確定に係る連絡、調整及び指導に関すること（他の局に属するものを除く。）。
十二　局事業に係る事故等の指導及び調整に関すること。
十三　局事務事業に係る工事の施行に伴う損害賠償及び和解に関する地方自治法第百八十条の規定に基づく専決処分に関すること（軽易な物的損害に係るものに限る。）。

用地部

管理課
一　公共事業の施行に伴う移転資金貸付条例に基づく公共事業の施行に伴う移転資金の貸付け及び償還に関すること（他の局に属するものを除く。）。
二　局事業用代替地の取得及び処分に関すること。
三　部内他の課に属しないこと。

用地課
一　局事業用地取得事務の企画及び調整に関すること。
二　局事業用地の取得に関する計画の策定及び進行管理に関すること。
三　局事業区域内における国有地等の取得及び借入れ並びに都有地の所管換え等に関すること。

調整課
一　局事業用地取得事務の指導、調査及び統計に関すること。
二　局事業用地の取得に係る土地、借地権等の評価及び調整に関すること。
三　局事業用地の取得及び工事の施行に伴う物件の移転、除去その他の損失補償の額の調整に関すること。
四　局事業用代替地の評価に関すること。

機動取得推進課
一　局事業用地のうち特に重要な事業用地の取得及びこれに伴う物件の移転その他の損失補償に関すること（他の部に属するものを除く。）。
二　前号の事務に係る土地、借地権等の評価及び損失補償の額の算定に関すること。
三　局事業に係る土地の収用に関すること。

道路管理部

管理課
一　駐車場法に基づく路外駐車場の届出の受理及び業務の立入検査に関すること。
二　東京都道路整備保全公社に関すること。
三　財産管理の適正化に係る指導、調整に関すること（他の部に属するものを除く。）。

四　幹線道路の沿道の整備に関する法律の施行に関すること（他の局に属するものを除く。）。
五　部内他の課に属しないこと。

路　政　課

一　道路管理の企画調整に関すること。
二　区市町村の道路管理行政に対する助言に関すること。
三　路線の認定、変更及び廃止に関すること。
四　道路台帳の整備に係る指導及び調整に関すること。

監察指導課

一　道路監察の指導及び工事調整に関すること。
二　道路法に基づく道路の占用の指導及び調整に関すること。
三　道路の不法占用の処理に関すること。
四　鉄道、軌道、地下街、共同溝等に係る道路の占用に関すること。
五　道路情報に関すること。

保　全　課

一　道路の維持補修に関すること。

安全施設課

一　道路交通安全施設の設置に関すること（他の部に属するものを除く。）。

道路建設部

管　理　課

一　道路、街路及び橋りよう整備事業に係る連絡及び調整に関すること（他の局に属するものを除く。）。
二　事業用地の管理に係る指導及び調整に関すること。
三　部内他の課に属しないこと。

計　画　課

一　道路、街路及び橋りよう整備事業の企画及び調整に関すること（他の局及び部に属するものを除く。）。
二　新交通システム及び都市モノレール整備事業の企画及び調整に関すること（他の局に属するものを除く。）。
三　鉄道又は軌道と交差する道路及び街路整備事業の企画及び調整に関すること。

鉄道関連事業課

一　鉄道又は軌道と交差する道路及び街路整備事業の実施に関すること。
二　新交通システム及び都市モノレール整備事業の実施に関すること。

街　路　課

一　街路整備事業の実施に関すること（他の局に属するものを除く。）。

道路橋梁課

一　道路及び橋りよう整備事業の実施に関すること（他の局に属するものを除く。）。

三環状道路整備推進部

管　理　課

一　三環状道路整備事業及び関連する街路整備事業に係る連絡及び調整に関すること（他の部に属するものを除く。）。
二　三環状道路整備事業用地及び関連する街路整備事業用地の取得並びにこれに伴う物件の移転その他の損失補償に関すること（他の部に属するものを除く。）。
三　前号の事務に係る土地、借地権等の評価及び損失補償の額の算定に関すること。
四　前二号の事務に係る事業予定地の管理に関すること。
五　部内他の課に属さないこと。

整備推進課

一　三環状道路整備事業及び関連する街路整備事業に係る企画及び調整に関すること（他の部に属するものを除く。）。
二　三環状道路整備事業及び関連する街路整備事業に係る調査及び測量に関すること（他の部に属するものを除く。）。

公園緑地部

管　理　課

一　都立公園事業、霊園事業及び都市緑地保全事業に係る連絡及び調整に関すること。
二　公園緑地事務所に関すること。
三　東京都公園協会及び東京動物園協会に関すること。
四　部内他の課に属しないこと。

計　画　課

一　都立公園事業及び霊園事業の総合的な計画及び計画調整に関すること。
二　局所管に係る公共施設の緑化計画及び指導に関すること。
三　緑地保全地区の保全計画等に関すること。
四　道路緑化の計画及び事業実施に関すること。
五　緑化の推進及び普及啓発に関すること（他の局に属するものを除く。）。

公　園　課

一　都立公園の占用及び使用等に関すること。
二　緑地保全地区及び風致地区の区域内における行為の規制に関すること。

三　都立公園事業及び霊園事業用財産の取得、借入、管理及び処分等に関すること（他の部に属するものを除く。）。
四　霊園事業の企画及び運営に関すること。
五　霊園の占用及び使用並びに葬祭施設の使用に関すること。

公園建設課

一　都立公園事業、霊園事業及び都市緑地保全事業の実施に関すること。

河　川　部

管　理　課

一　部所管事業に係る連絡及び調整に関すること。
二　河川占用料の徴収に関すること。
三　江東治水事務所に関すること。
四　東京都公園協会に関すること（部所管事業に限る。）。
五　部内他の課に属しないこと。

指導調整課

一　河川管理（河川管理施設の管理を含む。）の調整に関すること。
二　二級河川の指定、変更及び廃止に関すること。
三　河川区域及び河川保全区域の指定、変更及び廃止に関すること。
四　河川の不適正利用の防止及び是正に関すること。
五　河川の占用等に関すること。
六　河川保全区域における行為の規制に関すること。
七　海岸保全区域の指定、変更及び廃止に関すること（他の局に属するものを除く。）。
八　海岸保全区域における占用及び行為の制限に関すること（他の局に属するものを除く。）。
九　公有水面の管理に関すること（他の局に属するものを除く。）。
十　公有水面の埋立免許に関すること（他の局に属するものを除く。）。
十一　急傾斜地崩壊危険区域、土砂災害警戒区域及び土砂災害特別警戒区域の指定、変更及び廃止に関すること。
十二　砂防指定地、地すべり防止区域及び急傾斜地崩壊危険区域における行為の規制に関すること（他の局に属するものを除く。）。

計　画　課

一　河川の治水及び利水並びに河川環境管理に係る計画及び調整に関すること。
二　砂防、地すべり防止、急傾斜地崩壊防止及び海岸保全事業の計画に関すること（他の局に属するものを除く。）。

改　修　課

一　河川の改修工事に関すること。
二　高潮防御施設工事に関すること。

防　災　課

一　水防に関すること。
二　海岸保全施設の改修工事並びに砂防、地すべり防止及び急傾斜地崩壊防止工事に関すること（他の局に属するものを除く。）。
三　河川の維持補修工事及び災害復旧工事に関すること。
四　海岸保全施設、砂防設備、地すべり防止施設及び急傾斜地崩壊防止施設の維持補修工事及び災害復旧工事に関すること（他の局に属するものを除く。）。
五　河川のしゅんせつに関すること。
六　河川管理施設の管理及び維持補修に係る技術的指導及び調整に関すること。
七　河川及び公有土地水面の占用並びに行為の制限に係る技術的審査に関すること。
八　砂防指定地の占用及び行為の制限並びに海岸保全区域、地すべり防止区域及び急傾斜地崩壊危険区域内における行為の制限の技術的審査に関すること（他の局に属するものを除く。）。
九　公有水面の埋立免許に係る技術的審査に関すること。

（港湾局各部課の分掌事務）

**第二十九条**　港湾局各部課の分掌事務は、次のとおりとする。

総　務　部

総　務　課

一　局の組織及び定数に関すること。
二　局所属職員の人事及び給与に関すること。
三　局所属職員の福利厚生に関すること。
四　局事務事業に関する法規の調査及び解釈に関すること。
五　局の公文書類の収受、配布、発送、編集及び保存に関すること。
六　局事務事業の管理改善に関すること。
七　局事務事業の広報及び広聴に関すること。
八　局の情報公開に係る連絡調整等に関すること。
九　局の個人情報の保護に係る連絡調整等に関すること。

十　局の所管に係る政策連携団体等の指導及び監督に関すること。
十一　局事務事業のデジタル関連施策の企画、調整及び推進に関すること（デジタルトランスフォーメーション推進に関するものを除く。）。
十二　局内他の部及び課に属しないこと。

企画計理課

一　局事務事業の企画及び調整に関すること。
二　局事務事業のデジタルトランスフォーメーション推進に関すること。
三　局の予算、決算及び会計に関すること（他の課に属するものを除く。）。
四　局の財政計画及び資金計画に関すること。
五　局の地方債及び借入金に関すること。
六　港湾行政に係る施策及び制度の基礎的調査に関すること。
七　局事務事業の進行管理に関すること。
八　局事務事業の行政評価の実施に関すること。

財　務　課

一　局の公有財産、物品及び債権の管理に関する総合調整に関すること。
二　臨海地域開発事業会計及び港湾事業会計に係る資産の取得、処分及び管理に伴う土地、建物及び借地権等の評価並びに損失補償の額の算定に関すること。
三　局の契約に関すること。
四　局の物品の管理に関すること。
五　臨海地域開発事業及び港湾事業に係る会計及び決算報告書その他財務諸表の作成に関すること。
六　臨海地域開発事業会計及び港湾事業会計に係る固定資産の管理に関する総合調整に関すること。

港湾経営部

経　営　課

一　港湾経営に係る総合的な企画及び調整に関すること。
二　港湾区域の設定に関すること。
三　港湾施設の整備計画に関すること（他の部に属するものを除く。）。
四　港湾の管理運営に係る諸制度の企画、調査、研究及び調整に関すること。
五　入港料及び港湾施設使用料の料率の設定並びに港湾経営収支分析に関すること。
六　局所管道路、橋りよう及び海底トンネルの管理の企画及び調整に関すること。
七　船員及び港湾労働者等の福利厚生及び福利厚生施設の管理運営の企画、調査及び調整に関すること。
八　港湾施設の設置に関すること。
九　港湾事業に係る不動産の取得に関すること。
十　国及び他の港湾管理者との連絡に関すること。
十一　臨港地区及び分区の設定並びに港湾隣接地域及び海岸保全区域の指定に関すること。
十二　港湾区域内における公有水面の埋立免許に関すること。
十三　臨港地区内分区の目的を阻害するおそれのある構築物の規制に関すること。
十四　港湾区域又は港湾隣接地域内における港湾の保全、開発、利用又は管理に支障を与えるおそれのある行為の規制に関すること。
十五　海岸保全区域内における海岸の保全又は管理に支障を与えるおそれのある行為及び構築物の規制に関すること。
十六　港湾区域内の水域の管理、汚染防止対策及び船舶の航行障害の防止に関すること。
十七　港湾における船舶の係留保管の適正化に関すること。
十八　海岸保全施設の管理に係る方針の策定及び調整に関すること。
十九　水域施設、外かく施設、貯木場、マリーナ等の管理に係る企画、調査及び調整に関すること。
二十　港湾環境整備負担金に関すること。
二十一　東京港の保安対策に関すること。
二十二　東京港管理事務所に関すること。
二十三　東京港埠頭株式会社に関すること。
二十四　部内他の課に属しないこと。

振　興　課

一　東京港の振興に関すること。
二　東京港の管理運営の企画、調査及び総合調整に関すること。
三　港湾施設の管理運営の企画、調査及び調整に関すること（他の課に属するものを除く。）。
四　港湾に係る広域的な物流施策の企画、調整及び推進に関すること（他の局に属するものを除く。）。
五　港湾に係る連携施策の企画、調整及び推進に関すること（他の課に属するものを除く。）。
六　港湾施設用地の長期貸付けに関すること。
七　ふ頭再開発の実施に係る調整に関すること。
八　姉妹港・友好港との交流事業に関すること。

九　港湾に係る統計調査に関すること。

臨海開発部

開発企画課

一　東京臨海地域の開発の総合的な企画及び調整に関すること（他の局に属するものを除く。）。

二　港湾における埋立地の開発計画及び経営企画に関すること（他の課に属するものを除く。）。

三　臨海副都心開発の企画及び調整に関すること（他の局に属するものを除く。）。

四　臨海副都心の開発事業の推進に関すること（他の局に属するものを除く。）。

五　臨海副都心開発に係る事業主体及び事業手法等に関すること（他の局に属するものを除く。）。

六　臨海副都心の関連地域の開発計画に関すること（他の局に属するものを除く。）。

七　埋立工事及び海上公園工事の実施計画及び管理に関すること。

八　部内他の課に属しないこと。

誘致促進課

一　東京臨海地域への事業者の誘致及び公募に関すること。

二　埋立地の造成及び開発事業の推進並びに調整に関すること。

三　埋立地（港湾施設用地の長期貸付けに係るものを除く。第四号から第六号までにおいて同じ。）の処分計画に関すること。

四　埋立地の処分（長期貸付け、交換、譲与、所管換え等を含む。以下同じ。）及び管理運用に関すること。

五　処分した埋立地に係る規制又は管理に関すること。

六　埋立地（未しゆん功埋立地を含む。）及び共同溝の管理の企画及び調整に関すること。

七　港湾区域内の公有水面の埋立権の管理に関すること。

八　埋立地の管理不適正財産の処理に関すること。

九　埋立地の嘱託登記、土地台帳及び地籍図に関すること。

十　臨海地域開発事業に係る不動産の取得に関すること。

開発整備課

一　港湾における埋立地の造成計画、開発計画及び整備計画に関すること（他の課に属するものを除く。）。

二　臨海副都心開発に係る基盤施設の整備の調整及び計画に関すること（他の局に属するものを除く。）。

三　臨海副都心開発に係る実施計画に関すること。

四　港湾区域内の公有水面の埋立免許申請に関すること。

五　処分した埋立地に係る施設設置計画の技術的審査に関すること。

六　廃棄物処分場の管理の企画及び調整に関すること。

七　港湾における建設発生土対策に関すること（他の部に属するものを除く。）。

八　埋立工事及び海上公園工事の審査及び検査に関すること。

九　埋立地護岸及び埋立地施設の建設に係る調査及び調整に関すること。

十　臨海副都心開発に係る建築施設の整備の調整及び計画に関すること（他の局に属するものを除く。）。

海上公園課

一　海上公園（他の局に属するものを除く。以下同じ。）の設置及び管理に関すること。

二　海上公園の整備計画に関すること。

三　海上公園の管理運営に係る企画及び調整に関すること。

四　海上公園の建設に係る調査及び調整に関すること。

五　局所管地及び処分した埋立地等の緑化指導に関すること。

港湾整備部

建設調整課

一　東京港に係る建設工事の実施計画、管理及び検査に関すること（他の部に属するものを除く。）。

二　東京港における局の工事の基本調整等に関すること。

三　局の工事に係る課題の調査に関すること。

四　しゆんせつ土砂の有効活用に関する計画の策定及び実施に係る調整に関すること。

五　東京港建設事務所に関すること。

六　部内他の課に属しないこと。

計画課

一　港湾の将来計画に関すること。

二　港湾、空港、海岸保全、廃棄物処理場及び公害対策の施設整備に係る基本計画及び事業計画に関すること（他の部に属するものを除く。）。

三　港湾における施設整備計画の総合調整及び推進並びに進行管理に関すること。
四　港湾における災害防止対策の企画、調査及び調整に関すること。
五　港湾における環境影響評価に関すること。
六　東京港における局施設の保全に関すること。

技術管理課
一　局事業の工事に係る技術の管理及び開発並びに技術的調査及び研究に関すること。
二　港湾における出願工事等の技術的審査に関すること（他の部に属するものを除く。）。

施設建設課
一　局事業に係る建築、機械及び電気施設の建設に関すること。

離島港湾部

管　理　課
一　離島の港湾区域、臨港地区及び臨港地区内分区の設定並びに港湾隣接地域の指定に関すること。
二　離島の港湾及び漁港に係る海岸保全区域の指定に関すること。
三　漁港の指定及び町村営漁港の監督に関すること。
四　離島の港湾、漁港及び空港並びに調布飛行場及び東京ヘリポート（以下「調布飛行場等」という。）の管理運営の企画、調査及び調整に関すること。
五　離島の港湾施設、漁港施設及び空港並びに調布飛行場等の設置に関すること。
六　離島の港湾、漁港及び空港並びに調布飛行場等の統計資料の作成に関すること。
七　離島の港湾、漁港及び空港並びに調布飛行場等の施設使用料等の料率の設定に関すること。
八　離島の港湾、漁港及び空港並びに調布飛行場の施設使用料等の徴収に関すること。
九　離島の港湾区域及び漁港区域内における公有水面の埋立免許に関すること。
十　離島の臨港地区内分区の目的を阻害するおそれのある構築物の規制に関すること。
十一　離島の港湾区域内又は港湾隣接地域内における港湾の保全、開発、利用又は管理に支障を与えるおそれのある行為の規制に関すること。
十二　離島の海岸保全区域内における海岸の保全又は管理に支障を与えるおそれのある行為及び構築物の規制に関すること。
十三　漁港区域内における漁港の保全、利用又は管理に支障を与えるおそれのある行為及び構築物の規制に関すること。
十四　離島の港湾、漁港、空港、海岸保全及び埋立工事並びに調布飛行場等の実施計画、調整及び検査に関すること。
十五　伊豆諸島航路及び航空路の補助に関すること。
十六　調布飛行場管理事務所に関すること。
十七　部内他の課に属しないこと。

計　画　課
一　離島の港湾、漁港、空港及び海岸保全施設並びに調布飛行場等の整備の基本計画及び事業計画に関すること。
二　離島の港湾区域及び漁港区域内の公有水面の埋立免許申請に関すること。
三　離島の港湾、漁港、空港及び海岸保全並びに調布飛行場等に関する技術的調査及び研究に関すること。
四　離島の港湾、漁港及び空港並びに調布飛行場等における災害防止対策の企画、調査及び調整に関すること。
五　離島の港湾、漁港及び空港並びに調布飛行場等における局施設の保全に関すること。
六　離島の空港及びヘリポート等並びに調布飛行場等の整備に係る企画、調査及び調整に関すること。
七　町村営漁港の整備計画に関すること。
八　町村営漁港の海岸保全施設の整備計画に関すること。

建　設　課
一　離島の港湾、漁港、空港、海岸保全及び埋立工事並びに調布飛行場の建設工事の設計に関すること。
二　離島の港湾、漁港、空港、海岸保全及び埋立工事並びに調布飛行場の建設工事の施行及び監督に関すること。
三　離島の港湾、漁港及び空港における出願工事等の技術的審査及び監督に関すること。

（会計管理局各部課の分掌事務）

**第三十条**　会計管理局各部課の分掌事務は、次のとおりとする。

管　理　部

総　務　課
一　局の予算、決算及び会計に関すること。
二　局の組織及び定数に関すること。
三　局所属職員の人事及び給与に関すること。
四　局所属職員の福利厚生に関すること。

五　局事務事業に関する法規の調査及び解釈に関すること。
六　局の公文書類の収受、配布、発送、編集及び保存に関すること。
七　局事務事業の広報及び広聴に関すること。
八　局の情報公開に係る連絡調整等に関すること。
九　局の個人情報の保護に係る連絡調整等に関すること。
十　局事務事業の進行管理に関すること。
十一　局内他の部及び課に属しないこと。

公金管理課

一　歳計現金、歳入歳出外現金及び定額の資金を運用するための基金に属する現金及び有価証券の保管に関すること。
二　基金（定額の資金を運用するための基金を除く。）に属する現金及び有価証券の出納保管及び運用に関すること。
三　公金管理に係る総合的な情報の収集、調査及び分析に関すること。
四　一時借入金その他支払資金に関すること。
五　指定金融機関、指定代理金融機関及び収納代理金融機関並びに出納取扱金融機関及び収納取扱金融機関に関すること（他の課に属するものを除く。）。
六　東京都地方公営企業の設置等に関する条例第一条第一項第八号から第十一号までに掲げる事業（以下「準公営企業」という。）に係る現金及び有価証券の保管及び運用に関すること（他の課に属するものを除く。）。

会計企画課

一　局事務事業の企画及び調整に関すること。
二　会計制度の企画、立案、調査及び調整に関すること。
三　局事務事業の管理改善及び行政評価の実施に関すること。
四　局事務事業のデジタル関連施策の企画、調整及び推進に関すること。
五　会計事務及び物品管理事務の指導統括に関すること。
六　会計事務及び物品管理事務の検査に関すること。
七　指定金融機関、指定代理金融機関及び収納代理金融機関並びに出納取扱金融機関及び収納取扱金融機関の検査に関すること。
八　歳入の徴収又は収納の事務及び支出の事務の受託者の検査に関すること。
九　重要な物品の記録管理に関すること。
十　決算の調製に関すること。
十一　決算の附属書類及び参考資料等の調製に関すること。
十二　財務会計システムの管理及び運用に関すること。
十三　用品に関すること。

出納課

一　収入支出命令の審査に関すること。
二　都公金の出納に関すること（他の課に属するものを除く。）。
三　送付現金及び保管有価証券の出納保管に関すること。
四　国の歳入徴収に関すること。
五　国の支出負担行為の確認に関すること。
六　国費の支払に関すること。
七　国の保管金の出納に関すること。
八　国の債権の管理に関すること。
九　国庫補助金等の受入れの促進に関すること。
十　準公営企業に係る公金の出納に関すること。
十一　その他国及び準公営企業の会計に関すること。

警察・消防出納部

警察出納課

一　警視庁の歳入及び歳出並びに雑部金に関する収入及び支出並びに定額の資金を運用するための基金に関する支出の命令の審査及びその支出命令に基づく支払に関すること。
二　警視庁の現金及び有価証券の出納保管に関すること。
三　前二号に掲げる事務に係る記録管理に関すること。
四　部内他の課に属しないこと。

消防出納課

一　東京消防庁の歳入及び歳出並びに雑部金に関する収入及び支出並びに定額の資金を運用するための基金に関する支出の命令の審査及びその支出命令に基づく支払に関すること。
二　東京消防庁の現金及び有価証券の出納保管に関すること。
三　前二号に掲げる事務に係る記録管理に関すること。

## 第三章　本庁行政機関

**（本庁行政機関の設置）**

**第三十一条**　本庁行政機関の名称、所在地及び所掌事務は別表三のとおりとする。

（本庁行政機関の長）

**第三十二条**　前条に規定する機関には、それぞれ長を置く。

2　前項の長は、上司の命を受け、所属職員を指揮監督し、所掌の事務をつかさどる。

（内部組織）

**第三十三条**　本庁行政機関の内部組織は、別に定める。

## 第四章　地方行政機関

（地方行政機関の設置）

**第三十四条**　地方行政機関の名称、所在地及び所掌事務は、別表四のとおりとする。

（地方行政機関の長）

**第三十五条**　前条に規定する機関には、それぞれ長を置く。

2　前項の長は、上司の命を受け、所属職員を指揮監督し、所掌の事務をつかさどる。

（内部組織）

**第三十六条**　地方行政機関の内部組織は、別に定める。

## 第五章　附属機関

（附属機関）

**第三十七条**　附属機関の名称、所掌事項及び組織等については、別の定めによる。

**附　則**

1　この規則は、昭和二十七年十一月一日から施行する。

2　庁中処務細則（昭和二十一年九月東京都訓令甲第百九十五号）及び各局部課事務分科（昭和二十一年九月東京都訓令甲第百九十六号）は、廃止する。

**附　則**（令六・一・三一規則三）

この規則は、令和六年二月一日から施行する。ただし、別表三　二の部の改正規定は、同年三月八日から施行する。

**附　則**（令六・三・二九規則四〇）

1　この規則は、令和六年四月一日から施行する。ただし、次の各号に掲げる規定は、当該各号に定める日から施行する。

一　第二十六条の二の表健康安全部の部薬務課の項第五号の改正規定　大麻取締法及び麻薬及び向精神薬取締法の一部を改正する法律（令和五年法律第八十四号）の施行の日〔令和五年一二月一三日から起算して一年を超えない範囲内において政令で定める日〕

二　別表三　八の部㈠の項の改正規定　令和六年五月七日

三　別表四同　多摩児童相談所の項の次に次のように加える改正規定　令和六年六月一日

2　地方公務員法の一部を改正する法律（令和三年法律第六十三号）附則第四条第一項若しくは第二項又は第六条第一項若しくは第二項の規定により採用された職員は、この規則による改正後の東京都組織規程第二十条に規定する定年前再任用短時間勤務職員とみなす。

**附　則**（令六・八・三〇規則一三九）

この規則は、令和六年九月一日から施行する。

**別表一及び別表二** 削除

**別表三**（第三十一条関係）

**一** 総務局所属

| | 機関の名称 | 所在地 | 所掌事務 |
|---|---|---|---|
| (一) | 東京都公文書館 | 国分寺市泉町二丁目二番二十一号 | 都の公文書類及び資史料の保存及び利用並びに都政史料の編さんに関する事務 |
| (二) | 東京都消防訓練所 | 渋谷区西原二丁目五十一番一号 | 消防職員及び消防団員の訓練 |

**二** 生活文化スポーツ局所属

| | 機関の名称 | 所在地 | 所掌事務 |
|---|---|---|---|
| (一) | 東京ウィメンズプラザ | 渋谷区神宮前五丁目五十三番六十七号 | ウィメンズプラザの施設の提供、男女平等参画推進に関する情報の提供及び相談等に関する事務 |
| (二) | 東京都消費生活総合センター | 新宿区神楽河岸一番一号 | 消費生活に関する情報の提供、学習の推進及び相談並びに商品及びサービスのテスト及び研究に関する事務 |
| | 東京都多摩消費生活センター | 立川市曙町二丁目二十二番十七号 | |

**三** 都市整備局所属

| | 機関の名称 | 所在地 | 所掌事務 |
|---|---|---|---|
| (一) | 市街地整備事務所 | | |
| | 東京都第一市街地整備事務所 | 中央区勝どき一丁目七番三号 | 次に掲げる土地区画整理事業及び市街地再開発事業の施行に関する事務、東京都震災対策条例第十三条の規定により定められた防災都市づくり推進計画で指定された整備地域における都市計画道路の整備に関する事務（他の局に属するものを除く。）、沿道一体整備型街路事業及び局建設事業に関連する街路整備事業の施行に関する事務<br>東京都市計画事業西瑞江駅付近土地区画整理事業<br>東京都市計画事業瑞江駅南部土地区画整理事業<br>東京都市計画事業瑞江駅西部土地区画整理事業<br>東京都市計画事業篠崎駅東部土地区画整理事業<br>東京都市計画事業新砂土地区画整理事業<br>東京都市計画事業豊洲土地区画整理事業<br>東京都市計画事業有明北土地区画整理事業<br>東京都市計画事業晴海四・五丁目土地区画整理事業<br>東京都市計画事業足立北部舎人町付近土地区画整理事業<br>東京都市計画事業花畑北部土地区画整理事業<br>東京都市計画事業秋葉原駅付近土地区画整理事業 |

| 機関の名称 | 所在地 | 所掌事務 |
|---|---|---|
| | | 東京都市計画事業六町四丁目付近土地区画整理事業<br>晴海五丁目西地区第一種市街地再開発事業 |
| 同　六町地区画整備事務所 | 足立区六町三丁目四番三十六号 | |
| 東京都第二市街地整備事務所 | 中野区中野一丁目二番五号 | 東京都市計画事業田端二丁目付近土地区画整理事業<br>東京都市計画事業汐留土地区画整理事業<br>東京都市計画事業新宿駅直近地区土地区画整理事業<br>東京都市計画事業亀戸・大島・小松川第二地区第一種市街地再開発事業<br>東京都市計画事業亀戸・大島・小松川第三地区第二種市街地再開発事業<br>東京都市計画事業亀戸・大島・小松川第四地区第二種市街地再開発事業<br>東京都市計画事業環状第二号線新橋・虎ノ門地区第二種市街地再開発事業<br>東京都市計画事業大橋地区第二種市街地再開発事業<br>東京都市計画事業泉岳寺駅地区第二種市街地再開発事業 |
| (二) 多摩ニュータウン整備事務所 | 多摩市愛宕四丁目五十三番地一 | 多摩ニュータウン事業（相原・小山土地区画整理事業を含む。）及び坂浜平尾土地区画整理事業等に関する事務 |
| (三) 東京都住宅政策本部 | 新宿区西新宿二丁目八番一号 | 東京都住宅基本条例、東京都営住宅条例等に基づく住宅及び住環境整備に係る総合的な施策の推進、都営住宅の設置及び管理等に関する事務 |
| 東京都東部住宅建設事務所 | 千代田区外神田一丁目一番六号 | 特別区（世田谷区、中野区、杉並区及び練馬区の区域を除く。）及び島しょの区域 |
| 東京都西部住宅建設事務所 | 立川市錦町三丁目十二番十一号 | 世田谷区、中野区、杉並区及び練馬区並びに市町村（島しょの区域を除く。）の区域 |

**四** 環境局所属

| 機関の名称 | 所在地 | 所掌事務 |
|---|---|---|
| (一) 東京都廃棄物埋立管理事務所 | 江東区海の森二丁目四番七十六号 | 埋立処理施設の管理及び運営並びに埋立処理作業等に係る管理及び調整に関すること。 |

**五** 福祉局所属

| 機関の名称 | 所在地 | 所掌事務 |
|---|---|---|
| (一) 児童自立支援施設 | | 不良行為をなし、又はなすおそれのある児童及び家庭環境その他の環境上の理由により生活指導等を要する児童の自立支援に関する事務 |
| 東京都立萩山実務学校 | 東村山市萩山町一丁目三十七番地一 | |
| 東京都立誠明学園 | 青梅市新町三丁目七十二番地の一 | |
| (二) 東京都女性相談支援センター | 新宿区市谷加賀町二丁目四番三十六号 | 困難な問題を抱える女性及びその同伴する家族の支援及び一時保護等並びに女性自立支援施設に関する事務 |
| 同多摩支所 | 立川市柴崎町四丁目十一番一六号 | |
| (三) 東京都心身障害者福祉センター | 新宿区神楽河岸一番一号 | 心身障害者（児）の総合相談、援助及び総合判定並びにこれらの相談、援助及び判定に伴う治療及び訓練に関する事務 |

| | | |
|---|---|---|
| 同多摩支所 | 国立市富士見台二丁目一番地の一 | |
| (四) 東京都障害者福祉会館 | 港区芝五丁目十八番二号 | 心身障害者の福祉の増進を図るための会館施設の利用公開等に関する事務 |
| (五) 療育医療センター | | 児童福祉法第二十四条の二第一項及び第二十七条第一項第三号の規定に基づく入所児童、入園児童及び通園児童の療育並びに心身障害児者の診療及び保健衛生相談に関する事務 |
| (六) 東京都立北療育医療センター | 北区十条台一丁目二番三号 | 一　児童福祉法に基づく障害児入所支援、医療型児童発達支援及び保育所等訪問支援に関する事務<br>二　障害者の日常生活及び社会生活を総合的に支援するための法律に基づく療養介護、生活介護及び短期入所に関する事務<br>三　心身障害児又は心身障害者の診療及び保健衛生相談に関する事務 |
| 同城南分園 | 大田区東雪谷四丁目五番十号 | |
| 同城北分園 | 足立区南花畑五丁目十番一号 | |
| 療育センター | | |
| 東京都立府中療育センター | 府中市武蔵台二丁目九番地の二 | |
| (七) 総合精神保健福祉センター | | 精神保健及び精神障害者福祉に関する知識の普及及び調査研究並びに相談及び指導（宿泊を伴うものは東京都立中部総合精神保健福祉センターに限る。）のうち複雑又は困難なもの並びに精神医療審査会並びに自立支援医療（精神通院医療に限る。）の公費負担及び精神障害者保健福祉手帳の交付の申請に対する決定に関する事務 |
| 東京都立中部総合精神保健福祉センター | 世田谷区上北沢二丁目一番七号 | |
| 東京都立多摩総合精神保健福祉センター | 多摩市中沢二丁目一番地三 | |
| (八) 東京都立精神保健福祉センター | 台東区下谷一丁目一番三号 | 精神保健及び精神障害者福祉に関する知識の普及及び調査研究並びに相談及び指導（宿泊を伴うものを除く。）のうち複雑又は困難なもの並びに精神医療審査会並びに自立支援医療（精神通院医療に限る。）の公費負担及び精神障害者保健福祉手帳の交付の申請に対する決定に関する事務 |

六　保健医療局所属

| 機関の名称 | 所在地 | 所掌事務 |
|---|---|---|
| (一) 東京都監察医務院 | 文京区大塚四丁目二十一番十八号 | 東京都監察医務院規程に規定する死体の検案、解剖その他死因の調査に関する事務並びに監察医の養成及び補習教育に関する事務 |
| (二) 看護専門学校 | | 保健師助産師看護師法に基づく看護師の養成に関する事務 |
| 東京都立広尾看護専門学校 | 渋谷区恵比寿二丁目三十四番十号 | |
| 東京都立荏原看護専門学校 | 大田区東雪谷四丁目五番二十八号 | |
| 東京都立府中看護 | 府中市武蔵台二丁目二十七番地 | |

| 機関の名称 | 所在地 | 所掌事務 |
|---|---|---|
| 専門学校 | の一 | |
| 東京都立北多摩看護専門学校 | 東大和市桜が丘三丁目四十四番地の十 | |
| 東京都立青梅看護専門学校 | 青梅市大門三丁目十四番地の一 | |
| 東京都立南多摩看護専門学校 | 多摩市山王下一丁目十八番地一 | |
| 東京都立板橋看護専門学校 | 板橋区栄町三十四番一号 | |
| (三) 東京都健康安全研究センター | 新宿区百人町三丁目二十四番一号 | 一　都における公衆衛生の向上及び増進に関する試験、研究、調査及び検査に関する事務<br>二　食品衛生法に基づく監視指導、収去、検査、調査等に関する事務（特別区の区域内に存する東京都中央卸売市場及び地方卸売市場に係るものを除く。）<br>三　医薬品等製造販売業・製造業、医療機器修理業、医薬品販売業（配置販売業及び卸売販売業に限る。）及び毒物劇物製造業・輸入業等に係る許可等及び監視指導等に関する事務<br>四　建築物における衛生的環境の確保に関する法律に基づく事業の登録、立入検査等及び指導に関する事務<br>五　生薬の品質検査及び薬用植物等の栽培、啓発等に関する事務 |
| (四) 東京都市場衛生検査所 | 江東区豊洲六丁目六番一号 | 特別区の区域内に存する東京都中央卸売市場（食肉市場を除く。）及び地方卸売市場（花き市場を除く。）内における食品衛生法に基づく監視指導、収去、検査及び調査に関する事務 |
| 同大田出張所 | 大田区東海三丁目二番一号 | |
| 同足立出張所 | 足立区千住橋戸町五十番地 | |
| (五) 食肉衛生検査所 | | 東京都内各と畜場及び東京都中央卸売市場食肉市場におけると畜場法に基づくと畜の検査、調査及び衛生並びに食品衛生法に基づく監視、指導及び検査に関する事務 |
| 東京都芝浦食肉衛生検査所 | 港区港南二丁目七番十九号 | |
| (六) 東京都動物愛護相談センター | 世田谷区八幡山二丁目九番十一号 | 犬等の捕獲、収容等に関する事務、動物取扱業に関する登録、監視、指導等に関する事務及び動物愛護精神の普及啓発に関する事務 |
| 同多摩支所 | 日野市石田一丁目百九十二番地の二十三 | |
| 同城南島出張所 | 大田区城南島三丁目二番一号 | |

**七　産業労働局所属**

| 機関の名称 | 所在地 | 所掌事務 |
|---|---|---|
| (一) 職業能力開発センター | | 職業能力開発に関する事務 |
| 東京都立中央・城北職業能力開発センター | 文京区後楽一丁目九番五号 | |
| 同しごとセンター校 | 千代田区飯田橋三丁目十番三号 | |
| 同高年齢者校 | 新宿区百人町三丁目二十五番一号 | |
| 同板橋校 | 板橋区舟渡二丁目二番一号 | |
| 同赤羽校 | 北区西が丘三丁目七番八号 | |

| | | | |
|---|---|---|---|
| | 東京都立城南職業能力開発センター | 品川区東品川三丁目三十一番十六号 | |
| | 同大田校 | 大田区羽田旭町十番十一号 | |
| | 東京都立城東職業能力開発センター | 足立区綾瀬五丁目六番一号 | |
| | 同江戸川校 | 江戸川区中央二丁目三十一番二十七号 | |
| | 同台東分校 | 台東区花川戸一丁目十四番十六号 | |
| | 東京都立多摩職業能力開発センター | 昭島市東町三丁目六番三十三号 | |
| | 同八王子校 | 八王子市台町一丁目十一番一号 | |
| | 同府中校 | 府中市南町四丁目三十七番地二 | |
| (二) | 東京障害者職業能力開発校 | 小平市小川西町二丁目三十四番一号 | 障害者の職業訓練に関する事務 |
| (三) | 東京都中央卸売市場 | 新宿区西新宿二丁目八番一号 | 東京都中央卸売市場条例（昭和四十六年東京都条例第百四十四号）に基づく中央卸売市場の管理運営及び生鮮食料品等の取引、同条例等に基づく東京都立芝浦屠場の管理運営並びに卸売市場法（昭和四十六年法律第三十五号）及び東京都地方卸売市場条例（昭和四十六年東京都条例第百五十四号）に基づく地方卸売市場の認定等に関する事務 |
| | 東京都中央卸売市場豊洲市場 | 江東区豊洲六丁目六番一号 | |
| | 東京都中央卸売市場食肉市場 | 港区港南二丁目七番十九号 | |
| | 東京都中央卸売市場大田市場 | 大田区東海三丁目二番一号 | |
| | 東京都中央卸売市場豊島市場 | 豊島区巣鴨五丁目一番五号 | |
| | 東京都中央卸売市場淀橋市場 | 新宿区北新宿四丁目二番一号 | |
| | 東京都中央卸売市場足立市場 | 足立区千住橋戸町五十番地 | |
| | 東京都中央卸売市場板橋市場 | 板橋区高島平六丁目一番五号 | |
| | 東京都中央卸売市場世田谷市場 | 世田谷区大蔵一丁目四番一号 | |
| | 東京都中央卸売市場北足立市場 | 足立区入谷六丁目三番一号 | |
| | 東京都中央卸売市場多摩ニュータウン市場 | 多摩市永山七丁目四番地 | |
| | 東京都中央卸売市場葛西市場 | 江戸川区臨海町三丁目四番一号 | |
| (四) | 東京都立皮革技術センター | 墨田区東墨田三丁目三番十四号 | 皮革工業技術の普及、指導及び相談並びに試験、研究及び調査等に関する事務 |
| | 東京都立皮革技術センター台東支所 | 台東区花川戸一丁目十四番十六号 | |
| (五) | 東京都島しょ農林水産総合センター | 港区海岸二丁目七番百四号 | 一　水産に関する試験、研究、調査及び普及指導（小笠原支庁に属するものを除く。）に関する事務<br>二　大島支庁、三宅支庁及び八丈支庁の区域における農業、畜産及び林業に関する試験、研究、調査及び指導並びに種畜及び種鶏の配布（三宅支庁の区域に限る。）に関する事務<br>三　大島支庁、三宅支庁及び八丈支庁の区域における農業改良助長法第七条第一項、第八条及び第十二条第二項に規定する協同農業普及事業等に関する事務 |
| | 東京都島しょ農林 | 大島町波浮港十八番地 | |

| | | |
|---|---|---|
| 水産総合センター大島事業所 | | |
| 東京都島しよ農林水産総合センター三宅事業所 | 三宅村坪田四千三百五十七番地 | |
| 東京都島しよ農林水産総合センター八丈事業所 | 八丈町三根四千二百二十二番地一 | |

八　建設局所属

(一)　建設事務所

| 機関の名称 | 所在地 | 所掌事務 |
|---|---|---|
| | | 次に掲げる区域（区域界にあつては、当該区域外で建設局長が定める区域を含む。）内における道路、橋りよう、広場、河川及び運河等の管理及び建設に関する事務 |
| 東京都第一建設事務所 | 中央区明石町二番四号 | 千代田区、中央区及び港区。ただし、機械力による河川しゆんせつ工事にあつては、特別区の存する区域 |
| 東京都第二建設事務所 | 品川区広町二丁目一番三十六号 | 品川区、目黒区、大田区、世田谷区及び渋谷区 |
| 東京都第三建設事務所 | 中野区中野四丁目十一番十九号 | 新宿区、中野区及び杉並区 |
| 東京都第四建設事務所 | 豊島区南大塚二丁目三十六番二号 | 豊島区、板橋区及び練馬区 |
| 東京都第五建設事務所 | 葛飾区東新小岩一丁目十四番十一号 | 墨田区、江東区、葛飾区及び江戸川区。ただし、橋りようの建設工事にあつては、当該区域のほか、築地大橋及び豊洲大橋に関する事務 |
| 東京都第六建設事務所 | 足立区千住東二丁目十番十号 | 文京区、台東区、北区、荒川区及び足立区 |
| 東京都西多摩建設事務所 | 青梅市東青梅三丁目二十番一 | 青梅市、福生市、羽村市、あきる野市及び西多摩郡の区域 |
| 同　奥多摩出張所 | 西多摩郡奥多摩町氷川九百五十一番地 | |
| 東京都南多摩東部建設事務所 | 町田市中町一丁目三十一番十二号 | 町田市、多摩市及び稲城市の区域 |
| 東京都南多摩西部建設事務所 | 八王子市明神町三丁目十九番二号 | 八王子市及び日野市の区域 |
| 東京都北多摩南部建設事務所 | 府中市緑町一丁目二十七番地一 | 武蔵野市、三鷹市、府中市、調布市、小金井市、狛江市及び西東京市の区域 |
| 東京都北多摩北部建設事務所 | 立川市柴崎町二丁目十五番十九号 | 立川市、昭島市、小平市、東村山市、国分寺市、国立市、東大和市、清瀬市、東久留米市及び武蔵村山市の区域 |

(二)　東京都土木技術支援・人材育成センター　江東区新砂一丁目九番十五号　土木技術に係る支援及び相談並びにこれらに必要な調査及び開発に関する事務

(三)　公園緑地事務所

| 機関の名称 | 所在地 | 所掌事務 |
|---|---|---|
| | | 次に掲げる区域（区域界にあつては、当該区域外で建設局長が定める区域を含む。）内における公会堂、葬祭場、都立公園、都市緑地、霊園、公園特殊施設及び名勝天然記念物保存施設に関する事務 |
| 東京都東部公園緑地事務所 | 台東区上野公園七番四十七号 | 千代田区、中央区、港区、新宿区、文京区、台東区、墨田区、江東区、品川区、目黒区、大田区、世田谷区、渋谷区、中野区、杉並区、豊島区、北区、荒川区、板橋区、練馬区、足立区、葛飾区、江戸川区、武蔵野市（自然文化園に限る。）、日野市（動物園に限る。）、松戸市 |
| 東京都西部公園緑地事務所 | 武蔵野市御殿山一丁目十七番五十九号 | 八王子市、立川市、武蔵野市（自然文化園を除く。）、三鷹市、青梅市、府中市、昭島市、調布市、町田市、小金井 |

| 機関の名称 | 所在地 | 所掌事務 |
|---|---|---|
| | | 市、小平市、日野市（動物園を除く。）、東村山市、国分寺市、国立市、福生市、狛江市、東大和市、清瀬市、東久留米市、武蔵村山市、多摩市、稲城市、羽村市、あきる野市、西東京市、西多摩郡 |
| (四) 東京都江東治水事務所 | 葛飾区東小岩一丁目十四番十一号 | 利根川水系及び荒川水系に係る高潮対策工事、江東内部河川工事並びに水門、閘門及び排水機場の管理及び整備に関する事務 |

九　港湾局所属

| 機関の名称 | 所在地 | 所掌事務 |
|---|---|---|
| (一) 東京都東京港管理事務所 | 港区港南三丁目九番五十六号 | 東京港における港湾施設、埋立地、共同溝及び廃棄物処理場並びに東京都東京ヘリポートの管理並びに海上公園（他の局に属するものを除く。）の管理及び整備に関する事務 |
| (二) 東京都東京港建設事務所 | 港区港南三丁目九番五十六号 | 東京港における港湾施設及び埋立地の整備、臨海副都心開発に係る基盤施設の整備に関する事務、廃棄物処理場の整備に関する特定の事務並びに海岸保全施設の整備及び管理に関する事務 |
| 同　高潮対策センター | 江東区辰巳一丁目一番三十三号 | |
| (三) 東京都調布飛行場管理事務所 | 調布市西町二百九十番三 | 調布飛行場の管理に関する事務 |

**別表四**（第三十四条関係）

一　支庁

| 機関の名称 | 所在地 | 所管区域 | 所掌事務 |
|---|---|---|---|
| 東京都大島支庁 | 大島町 | 大島町、利島村、新島村及び神津島村の区域 | 所管区域内における地方自治法第百五十五条第一項の規定に基き知事の権限に属する事務の一部を分掌する。 |
| 同　新島出張所 | 新島村本村六丁目四番二十四号 | | |
| 同　神津島出張所 | 神津島村千二百四番地 | | |
| 同　大島公園事務所 | 大島町泉津字福重二番 | | |
| 東京都三宅支庁 | 三宅村 | 三宅村及び御蔵島村の区域 | |
| 東京都八丈支庁 | 八丈町 | 八丈町及び青ケ島村の区域並びに鳥島、須美寿島及びベヨネイス列島 | |
| 東京都小笠原支庁 | 小笠原村 | 小笠原村の区域 | |
| 同　母島出張所 | 小笠原村母島字元地 | | |
| 同　小笠原亜熱帯農業センター | 小笠原村父島字小曲 | | |
| 同　小笠原水産センター | 小笠原村父島字清瀬 | | |

二　都税事務所

| 機関の名称 | 所在地 | 所掌事務 |
|---|---|---|
| 東京都千代田都税事務所 | 千代田区内神田二丁目一番十二号 | 都税等（都税等に係る税外収入を含む。）の賦課徴収に関する事務 |
| 東京都中央都税 | 中央区新富二丁目六番一号 | |

| 名称 | 所在地 |
|---|---|
| 事務所 | |
| 東京都港都税事務所 | 港区麻布台三丁目五番六号 |
| 東京都新宿都税事務所 | 新宿区西新宿七丁目五番八号 |
| 東京都文京都税事務所 | 文京区春日一丁目十六番二十一号 |
| 東京都台東都税事務所 | 台東区雷門一丁目六番一号 |
| 東京都墨田都税事務所 | 墨田区業平一丁目七番四号 |
| 東京都江東都税事務所 | 江東区大島三丁目一番三号 |
| 東京都品川都税事務所 | 品川区広町二丁目一番三十六号 |
| 東京都目黒都税事務所 | 目黒区上目黒二丁目十九番十五号 |
| 東京都大田都税事務所 | 大田区新蒲田一丁目十八番二十二号 |
| 東京都世田谷都税事務所 | 世田谷区若林四丁目二十二番十三号 |
| 東京都渋谷都税事務所 | 渋谷区千駄ケ谷四丁目三番十五号 |
| 東京都中野都税事務所 | 中野区中野四丁目六番十五号 |
| 東京都杉並都税事務所 | 杉並区成田東五丁目三十九番十一号 |
| 東京都豊島都税事務所 | 豊島区西池袋一丁目十七番一号 |
| 東京都北都税事務所 | 北区中十条一丁目七番八号 |
| 東京都荒川都税事務所 | 荒川区西日暮里二丁目二十五番一—六〇一号 |
| 東京都板橋都税事務所 | 板橋区大山東町四十四番八号 |
| 東京都練馬都税事務所 | 練馬区豊玉北六丁目十三番十号 |
| 東京都足立都税事務所 | 足立区西新井栄町二丁目八番十五号 |
| 東京都葛飾都税事務所 | 葛飾区立石五丁目十三番一号 |
| 東京都江戸川都税事務所 | 江戸川区中央四丁目二十四番十九号 |
| 東京都八王子都税事務所 | 八王子市明神町三丁目十九番二号 |
| 東京都青梅都税支所 | 青梅市河辺町六丁目四番地一 |
| 東京都町田都税支所 | 町田市中町一丁目三十一番十号 |
| 東京都立川都税事務所 | 立川市錦町四丁目六番三号 |
| 東京都府中都税支所 | 府中市宮西町一丁目二十六番地一 |
| 東京都小平都税支所 | 小平市花小金井一丁目六番二十号 |

三　都税総合事務センター

| 機関の名称 | 所在地 | 所掌事務 |
|---|---|---|
| 東京都都税総合事務センター | 練馬区豊玉北六丁目十三番十号 | 自動車税の賦課徴収に関する事務、自動車税に係る過料の徴収に関する事項及び過誤納金その他の徴収金の還付又は充当若しくは特別法人事業税法第十四条に規定する委託納付に関する事務 |

四　計量検定所

| 機関の名称 | 所在地 | 所掌事務 |
|---|---|---|
| 東京都計量検定所 | 江東区新砂三丁目三番四十一号 | 計量法（平成四年法律第五十一号）に基づく知事の権限に属する事務その他知事が必要 |

と認めた計量に関する事務

五　建築指導事務所

| 機関の名称 | 所在地 | 所掌事務 |
| --- | --- | --- |
| 東京都多摩建築指導事務所 | 立川市錦町四丁目六番三号 | 建築に関する事務、開発行為及び宅地造成等の規制に関する事務並びに屋外広告に関する事務 |

六　環境事務所

| 機関の名称 | 所在地 | 所掌事務 |
| --- | --- | --- |
| 東京都多摩環境事務所 | 立川市錦町四丁目六番三号 | 公害の防止、自然環境の保全、廃棄物対策その他の環境保全に関する事務 |

七　福祉事務所

| 機関の名称 | 所在地 | 所掌事務 |
| --- | --- | --- |
| 東京都西多摩福祉事務所 | 青梅市河辺町六丁目四番地一 | 生活保護法、児童福祉法、母子及び父子並びに寡婦福祉法、中国残留邦人等の円滑な帰国の促進並びに永住帰国した中国残留邦人等及び特定配偶者の自立の支援に関する法律及び生活困窮者自立支援法に基づく援護等に関する事務 |

八　児童相談所

| 機関の名称 | 所在地 | 所掌事務 |
| --- | --- | --- |
| 東京都児童相談センター | 新宿区北新宿四丁目六番一号 | 児童福祉法に基づく児童に関する相談、判定、指導、一時保護及び同法第二十七条の措置に関する事務 |
| 同　北児童相談所 | 北区王子六丁目一番十二号 | |
| 同　品川児童相談所 | 品川区北品川三丁目七番二十一号 | |
| 同　立川児童相談所 | 立川市柴崎町二丁目二十一番十九号 | |
| 同　杉並児童相談所 | 杉並区南荻窪四丁目二十三番六号 | |
| 同　江東児童相談所 | 江東区枝川三丁目六番九号 | |
| 同　小平児童相談所 | 小平市花小金井一丁目三十一番二十四号 | |
| 同　八王子児童相談所 | 八王子市台町三丁目十七番三十号 | |
| 同　足立児童相談所 | 足立区西新井本町三丁目八番四号 | |
| 同　多摩児童相談所 | 多摩市諏訪二丁目六番地 | |
| 同　練馬児童相談所 | 練馬区豊玉北五丁目二十八番三号 | |

九　保健所

| 機関の名称 | 所在地 | 所掌事務 |
| --- | --- | --- |
| 東京都西多摩保健所 | 青梅市東青梅一丁目百六十七番地の十五 | 地方自治法第百五十六条及び地域保健法に基づき知事の権限の一部を分掌する。 |
| 東京都南多摩保健所 | 多摩市永山二丁目一番地五 | |
| 東京都多摩立川保健所 | 立川市柴崎町二丁目二十一番十九号 | |
| 東京都多摩府中保健所 | 府中市宮西町一丁目二十六番地の一 | |
| 東京都多摩小平保健所 | 小平市花小金井一丁目三十一番二十四号 | |
| 東京都島しょ保健所 | 新宿区西新宿二丁目八番一号 | |
| 同　大島出張所 | 大島町元町字馬の背二百七十五 | |

番地四

| 機関の名称 | 所在地 | 所掌事務 |
|---|---|---|
| 同　大島出張所新島支所 | 新島村本村六丁目四番二十四号 | |
| 同　大島出張所神津島支所 | 神津島村千八十八番地 | |
| 同　三宅出張所 | 三宅村伊豆千四番地 | |
| 同　八丈出張所 | 八丈町三根千九百五十番地二 | |
| 同　小笠原出張所 | 小笠原村父島字清瀬 | |

十　農業振興事務所

| 機関の名称 | 所在地 | 所掌事務 |
|---|---|---|
| 東京都農業振興事務所 | 立川市錦町三丁目十二番十一号 | 農業及び畜産業の振興の指導、助成及び監督並びに農業改良助長法第七条第一項、第八条及び第十二条第二項に規定する協同農業普及事業等（本庁に属するもの又は東京都支庁の所管する区域に係るものを除く。）に関する事務 |
| 同　区部農業改良普及センター | 江戸川区鹿骨一丁目十五番二十二号 | |
| 同　西多摩農業改良普及センター | 青梅市新町六丁目七番地の一 | |
| 同　南多摩農業改良普及センター | 八王子市南大沢二丁目二番地 | |
| 同　北多摩農業改良普及センター | 小平市花小金井一丁目六番二十号 | |

十一　森林事務所

| 機関の名称 | 所在地 | 所掌事務 |
|---|---|---|
| 東京都森林事務所 | 青梅市河辺町六丁目四番地の一 | 多摩地域の森林の保全及び整備並びに多摩地域の林業及び木材産業の振興の指導、助成及び監督に関する事務 |

十二　病害虫防除所

| 機関の名称 | 所在地 | 所掌事務 |
|---|---|---|
| 東京都病害虫防除所 | 立川市富士見町三丁目八番一号 | 植物防疫法に基づく病害虫に関する事務 |

十三　家畜保健衛生所

| 機関の名称 | 所在地 | 所掌事務 |
|---|---|---|
| 東京都家畜保健衛生所 | 西多摩郡日の出町大字平井二千七百五十九番地 | 家畜保健衛生所法第三条の規定に基づく家畜伝染病予防、家畜の試験及び検査その他家畜衛生に関する事務並びに肥料及び飼料に関する事務 |
| 東京都家畜保健衛生所大島支所 | 大島町元町字小清水二百七十二番一 | |
| 東京都家畜保健衛生所三宅支所 | 三宅村坪田四千三百五十七番地 | |
| 東京都家畜保健衛生所八丈支所 | 八丈町大賀郷四千三百四十一番地ー一 | |

十四　労働相談情報センター

| 機関の名称 | 所在地 | 所掌事務 |
|---|---|---|
| 東京都労働相談情報センター | 千代田区飯田橋三丁目十番三号 | 所管区域内（東京都労働相談情報センター大崎事務所、同池袋事務所、同亀戸事務所及び同多摩事務所の管轄区域を除く。）における労働関係に関する相談、教育、調査及び福祉に関する事務 |
| 同　大崎事務所 | 品川区大崎一丁目十一番一号 | 港区、品川区、目黒区、大田区及び世田谷区における労働関係に関する相談、教育、調査及び福祉に関する事務 |
| 同　池袋事務所 | 豊島区東池袋四丁目二十三番九 | 文京区、豊島区、北区、荒川 |

号　区、板橋区及び練馬区における労働関係に関する相談、教育、調査及び福祉に関する事務

同　亀戸事務所　江東区亀戸二丁目十九番一号　台東区、墨田区、江東区、足立区、葛飾区及び江戸川区における労働関係に関する相談、教育、調査及び福祉に関する事務

同　多摩事務所　立川市柴崎町三丁目九番二号　八王子市、立川市、武蔵野市、三鷹市、青梅市、府中市、昭島市、調布市、町田市、小金井市、小平市、日野市、東村山市、国分寺市、国立市、福生市、狛江市、東大和市、清瀬市、東久留米市、武蔵村山市、多摩市、稲城市、羽村市、あきる野市、西東京市及び西多摩郡における労働関係に関する相談、教育、調査及び福祉に関する事務

同　青山事務所　渋谷区神宮前五丁目五十三番六十七号　女性の労働関係に関する相談及び教育に関する事務並びに働く女性の活躍に関する支援等に関する事務

# ○東京都支庁設置条例

昭三八・一〇・一〇
条　例　六　〇

最終改正　平四・三・三一条例六

東京都支庁の名称、位置及び所管区域を次の表のとおり定める。

| 名　称 | 位　置 | 所管区域 |
|---|---|---|
| 東京都大島支庁 | 東京都大島町 | 大島町、利島村、新島村及び神津島村の区域 |
| 東京都三宅支庁 | 東京都三宅村 | 三宅村及び御蔵島村の区域 |
| 東京都八丈支庁 | 東京都八丈町 | 八丈町及び青ケ島村の区域並びに鳥島、須美寿島及びベヨネイス列岩 |
| 東京都小笠原支庁 | 東京都小笠原村 | 小笠原村の区域 |

**付　則**

この条例は、公布の日から施行する。

**附　則**（平四・三・三一条例六）

この条例は、平成四年四月一日から施行する。

# ○東京都支庁長委任規則

昭四四・三・三一
規　則　三　二

最終改正　令六・三・二九規則九六

**第一条**　東京都支庁設置条例（昭和三十八年東京都条例第六十号）に定める支庁の所管区域に係る次の各号に掲げる事務は、当該支庁の長に委任する。ただし、第五十七号から第五十九号までに掲げる事務は、大島支庁、三宅支庁及び八丈支庁の長に限る。

一から五まで　削除

六　地方自治法（昭和二十二年法律第六十七号）第二百五十二条の十七の五の規定による助言若しくは勧告又は資料の提出の要求に関すること。

七　地方自治法第二百五十二条の十七の六第二項の規定による財務に関係のある事務の実地検査に関すること。

八及び九　削除

十　地方自治法施行令（昭和二十二年政令第十六号）第五条第一項の規定による事務の分界の決定又は承継すべき町村の指定に関すること。

十一　地方自治法施行令第六条の規定による事務の承継の決定に関すること。

十二及び十三　削除

十四　公職選挙法（昭和二十五年法律第百号）第百八条第一項第三号及び第四号の規定による当選等に関する報告の受理に関すること。

十五　住民基本台帳法（昭和四十二年法律第八十一号）第三十七条第一項の規定による資料の提供の要求に関すること。

十六　削除

十七　東京都区市町村振興基金条例施行規則（昭和四十四年東京都規則第二十二号）第十九条の規定による報告の要求又は関係書類等の調査に関すること。

十八　削除

十九　東京都母子及び父子福祉資金貸付条例（昭和三十九年東京都条例第百六十六号）及び東京都母子及び父子福祉資金貸付規則（昭和三十九年東京都規則第三百三十号。以下この号において「規則」という。）に基づく母子及び父子福祉資金の貸付け及び償還に関すること。ただし、次に掲げるものを除く。

(一)　規則第十四条の規定による貸付停止の決定

(二)　規則第十七条の規定による償還免除の決定

(三)　東京都の区域内に住所を有しなくなつた者に係る資金の償還

二十　母子及び父子並びに寡婦福祉法（昭和三十九年法律第百二十九号）第八条の規定による母子・父子自立支援員に関すること。ただし、任免に関することを除く。

二十一　困難な問題を抱える女性への支援に関する法律（令和四年法律第五十二号）第十一条の規定による女性相談支援員に関すること。ただし、任免に関することを除く。

二十一の二　東京都女性福祉資金貸付条例（昭和四十五年東京都条例第二十号）及び東京都女性福祉資金貸付条例施行規則（昭和四十五年東京都規則第五十号）による女性福祉資金の貸付け及び償還に関すること。

二十二　国民健康保険法施行規則（昭和三十三年厚生

省令第五十三号）第四十三条の規定による保険者の毎月の事業状況報告の受理に関すること。

二十二の二　生活保護法（昭和二十五年法律第百四十四号）第七十六条の二の規定による損害賠償の請求並びに同法第七十七条第一項、第七十七条の二第一項及び第七十八条の規定による費用徴収に関すること。

二十二の二の二　中国残留邦人等の円滑な帰国の促進並びに永住帰国した中国残留邦人等及び特定配偶者の自立の支援に関する法律（平成六年法律第三十号。以下この号において「法」という。）第十四条第四項の規定によりその例によるものとされた生活保護法第七十六条の二の規定による支援給付に係る損害賠償の請求並びに同法第七十七条第一項、第七十七条の二第一項及び第七十八条の規定による支援給付の費用徴収並びに法第十五条第三項において準用する法第十四条第四項の規定によりその例によるものとされた生活保護法第七十八条の規定による配偶者支援金の費用徴収に関すること。

二十二の三　東京都交通事故被災世帯生活つなぎ資金の貸付け及び償還に関すること。ただし、当該支庁の所管区域内に住所を有しなくなつた者に係る資金の償還（自動車損害賠償保障法（昭和三十年法律第九十七号）による損害賠償金の受領に関するものを除く。）に関するものを除く。

二十二の四　生活困窮者自立支援法（平成二十五年法律第百五号。以下この号において「法」という。）第五条第一項に規定する知事の生活困窮者自立相談支援事業の実施並びに法第六条第一項、第十八条第一項、第二十一条第一項及び第二十二条に規定する知事の生活困窮者住居確保給付金の支給及び徴収並びに法第七条第一項及び第二項並びに第二十二条第一項に規定する知事の生活困窮者就労準備支援事業等（都内全域を対象に行う事業を除く。）の実施並びに法第九条各項に規定する知事の支援会議の設置及び運営に関すること。

二十三　東京都住宅建設資金貸付条例施行規則（昭和四十一年東京都規則第四十八号）第二十条及び地震・こう水・暴風雨等による被災者に対する住宅の建設及び補修並びにがけの整備に要する資金の貸付に関する条例（昭和三十四年東京都条例第六十一号）第十二条の規定による資金の交付に必要な現場検査に関すること。

二十四　砂利採取法（昭和四十三年法律第七十四号）第十六条の規定による採取計画の認可及び同法第二十条第一項の規定による採取計画の変更認可並びに同法第三十六条第三項の規定による関係市町村長に対する通報及び東京都公安委員会に対する通報に関すること。

二十五　砂利採取法第二十条第二項及び第三項の規定による変更届の受理並びに同法第二十四条の規定による採取廃止届の受理に関すること。

二十六　砂利採取法第二十二条の規定による採取計画の変更命令、同法第二十三条の規定による措置命令等及び同法第二十六条の規定による採取計画の認可の取消し等に関すること。

二十七　砂利採取法第三十三条の規定による報告の徴収及び同法第三十四条第二項の規定による立入検査等に関すること。

二十八　砂利採取法第三十七条第一項の規定による市町村長からの要請の受理及び同条第二項の規定による調査に関すること。

二十九　砂利採取法第四十一条第一項の規定による砂利採取業者に対する指導等に関すること。

三十　砂利採取法第四十三条の規定による協議に関すること。

三十一　砂利の採取計画等に関する規則（昭和四十三年通商産業省建設省令第一号）第九条第一項及び第二項の規定による業務状況報告書の受理に関すること。

三十一の二　採石法（昭和二十五年法律第二百九十一号）第三十三条の規定による採取計画の認可及び同法第三十三条の五第一項の規定による採取計画の変更の認可並びに同法第三十三条の六の規定による関係市町村長の意見の聴取等に関すること。

三十一の三　採石法第三十三条の五第二項及び第四項の規定による変更届の受理並びに同法第三十三条の十の規定による採取の休止届及び廃止届の受理に関すること。

三十一の四　採石法第三十三条の九の規定による採取計画の変更命令、同法第三十三条の十二の規定による採取計画の認可の取消し等及び同法第三十三条の十三の規定による措置命令等に関すること。

三十一の五　採石法第三十三条の十四第一項の規定による市町村長からの要請の受理及び同条第二項の規定による調査等に関すること。

三十一の六　採石法第三十三条の十七の規定による採取を廃止した者に対する災害防止命令に関すること。

三十一の七　採石法第三十四条の六の規定による採石業者に対する指導及び助言に関すること。

三十一の八　採石法第四十二条の規定による報告の徴収及び立入検査に関すること。

三十一の九　採石法第四十二条の二の規定による協議に関すること。

三十二及び三十三　削除

三十三の二　東京都の中小企業制度融資の要項に基づく融資申込書の受理に関すること。

三十四から三十八まで　削除

三十九　東京都農業近代化資金利子補給規則（昭和三十七年東京都規則第七十一号）に基づく利子補給承認申請の受理に関すること。

四十から四十二まで　削除

四十三　東京都沿岸漁業改善資金貸付規則（昭和五十四年東京都規則第百四十五号）に基づく貸付申請、事業実施報告及び償還猶予申請の受理に関すること。

四十三の二　鳥獣の保護及び管理並びに狩猟の適正化に関する法律（平成十四年法律第八十八号）及び鳥獣の保護及び管理並びに狩猟の適正化に関する法律施行規則（平成十四年環境省令第二十八号）に基づく申請、届出、請求及び報告の受理に関すること。

四十四　森林組合法（昭和五十三年法律第三十六号）に基づく森林組合からの申請、届出及び報告の受理に関すること。

四十五　東京都産業労働局関係手数料条例（平成十二年東京都条例第八十八号）別表十七の二の項の規定による遊漁船業の適正化に関する法律（昭和六十三年法律第九十九号）に基づく事務に係る手数料の徴収及び減免に関すること。

四十六　削除

四十七　道路法（昭和二十七年法律第百八十号）第二十二条第一項の規定による工事施行命令及び同法第五十八条第一項の規定に基づく負担金の徴収に関すること。

四十七の二　道路法第二十四条の規定による承認に関すること。

四十八　道路法第三十二条（同法第九十一条第二項において準用する場合を含む。）の規定による許可、同法第三十五条（同法第九十一条第二項において準用する場合を含む。）及び第三十七条第二項の規定による協議、同法第三十九条（同法第九十一条第二項において準用する場合を含む。）及び東京都道路占用料等徴収条例（昭和二十七年東京都条例第百号）の規定による占用料の徴収及び免除並びに同法第四十条第二項（同法第九十一条第二項において準用する場合を含む。）の規定による原状回復に関すること。

四十八の二　道路法第四十三条の二、第四十四条第四項（同法第九十一条第二項において準用する場合を含む。）又は第四十七条の四第一項の規定による措置命令に関すること。

四十八の三　道路法第四十四条の二第一項（同法第九十一条第二項において準用する場合を含む。）の規定による違法放置物件に対する措置に関すること。

四十八の四　道路法第四十六条第一項又は第四十七条第三項の規定による道路の通行の禁止及び制限に関すること。

四十八の五　車両制限令（昭和三十六年政令第二百六十五号）第十二条の規定により特殊な車両を認定し、又は必要な条件を付すこと。

四十九　第四十七号から前号までの規定により支庁の長の権限に属するもの及び道路法第四十三条若しくは第四十四条第三項（同法第九十一条第二項において準用する場合を含む。）又は第四十七条第二項の規定に違反した者についての同法第七十一条（同法第九十一条第二項において準用する場合を含む。）の規定による監督処分に関すること。

四十九の二　東京都公有土地水面使用料等徴収条例（平成十二年東京都条例第九十六号）の規定による使用料等の徴収及び免除に関すること。

五十　東京都公有土地水面使用等規則（平成十二年東京都規則第百七十一号）の規定による許可及び承認（以下「許可等」という。）、許可等の取消し、現状回復及び返還の命令並びに届出及び報告の受理に関すること。

五十一　東京都砂防指定地等管理条例（平成十五年東京都条例第七十八号）に基づく許可、許可の取消し、届出及び報告の受理、占用料等の徴収及び減免、承認、命令並びに協議に関すること。

五十二　削除

五十三　統計法（平成十九年法律第五十三号）及び建設工事統計調査規則（昭和三十年建設省令第二十九号）に基づき行なう建設工事統計調査に関する事務のうち、次に掲げる事務に関すること。

㈠　建設工事統計調査に従事する統計調査員の指揮監督、調査票の配布、受理及び審査並びに関係書類の作成及び送付

㈡　建設工事統計調査に従事する統計調査員に対する報酬及び費用弁償の支払い

五十三の二　電線共同溝の整備等に関する特別措置法（平成七年法律第三十九号。以下この号において「法」という。）に基づく事務のうち、次に掲げる事務に関すること。

㈠　法第三条第二項の規定により、東京都公安委員会、区市町村、一般電気事業者又は特定電気事業

者及び認定電気通信事業者から意見を聴取すること。
(二)　法第四条第二項（法第八条第三項において準用する場合を含む。）の規定により申請を勧告すること。
(三)　法第四条第四項（法第八条第三項において準用する場合を含む。）の規定により申請を却下すること。
(四)　法第五条第二項（法第八条第三項において準用する場合を含む。）の規定により電線共同溝の占用予定者の意見を聴いて電線共同溝整備計画を定めること及び増設に係る電線共同溝の占用予定者の意見を聴いて電線共同溝増設計画を定めること。
(五)　法第六条第二項（法第八条第三項において準用する場合を含む。）又は第十四条第二項の規定による届出を受理すること。
(六)　法第七条第一項（法第八条第三項において準用する場合を含む。）の規定に基づく建設負担金を徴収すること。
(七)　法第十条、第十一条第一項又は第十二条第一項の規定による許可をすること。
(八)　法第十三条第一項の規定に基づく占用負担金を徴収すること。
(九)　法第十五条第一項の規定による承認をすること。
(十)　電線共同溝の整備等に関する特別措置法施行令（平成七年政令第二百五十六号）第七条第二項第一号の規定による届出を受理すること。
(十一)　法第十六条第二項の規定により同項に規定する措置を講ずべきことを命ずること。
(十二)　法第十八条の規定により電線共同溝を占用する者の意見を聴いて電線共同溝管理規程を定めること。
(十三)　法第十九条の規定に基づく管理負担金を徴収すること。
(十四)　法第二十条第二項の規定により必要な指示をすること。
(十五)　法第二十一条に規定する国との協議を行うこと。
(十六)　法第二十五条において準用する道路法第七十三条の規定により負担金の納付を督促し、並びに当該負担金並びに当該負担金に係る手数料及び延滞金を徴収すること。
(十七)　法第二十六条の規定により同条に規定する処分を行うこと。

五十四　海岸に漂着する廃油の状況の調査及びその処理に関すること。

五十五　削除

五十六　自然公園法（昭和三十二年法律第百六十一号。以下この号において「法」という。）に基づく申請及び届出の受理に関する事務（自然公園法施行令（昭和三十二年政令第二百九十八号）附則第二項前段の規定により知事が行うこととされた法に規定する環境大臣の権限に属する事務を含む。）のうち、次に掲げる事務に関すること。
(一)　法第二十条第三項第一号に掲げる行為のうち、その高さが八メートル以下であり、かつ、その水平投影面積が二百平方メートル以下である工作物の新築、改築又は増築（改築又は増築後において、その高さが八メートル又はその水平投影面積が二百平方メートルを超える工作物を除く。）を許可し、及び法第三十二条の規定により当該許可に必要な条件を付すること。
(二)　法第三十三条第一項第一号、第三号及び第六号に掲げる行為の届出を受理すること。ただし、第六号に掲げる行為にあつては、その面積が千平方メートル未満のものに限る。
(三)　(二)に係る法第三十三条第二項、第四項及び第六項の規定に基づき必要な措置をとること。
(四)　(一)及び(三)に係る法第三十四条の規定に基づき中止命令等を行うこと。

五十六の二　東京都自然公園条例（平成十四年東京都条例第九十五号。以下この号において「条例」という。）に基づく事務のうち、次に掲げる事務に関すること。
(一)　条例第四十四条第二項（同条第六項において準用する場合を含む。）の規定により自然公園施設の管理又は許可事項の変更を許可し、及び条例第六十条の規定により当該許可に必要な条件を付すること。
(二)　条例第四十七条第一項の規定により自然公園施設の管理又は附帯施設の設置若しくは管理の休止を許可すること。
(三)　条例第四十七条第二項の規定により自然公園施設の管理又は附帯施設の設置若しくは管理の廃止届を受理すること。
(四)　条例第四十八条第一項又は第二項の規定により条例第五十条第一項第一号に掲げるものに係る自然公園施設の占用又は許可事項の変更を許可し、及び条例第六十条の規定により当該許可に必要な条件を付すること。
(五)　条例第四十九条第一項又は第二項の規定により

自然公園施設の占用又は許可事項の変更を許可し、及び条例第六十条の規定により当該許可に必要な条件を付すること。

(六) 次に掲げる使用料、占用料及び予納金を徴収すること。ただし、滞納処分、強制執行及び訴訟により徴収する場合を除く。

ア 条例第四十六条第一項及び第五十三条の二第一項に規定する使用料並びに同条第三項に規定する予納金

イ 条例第五十一条に規定する占用料

ウ 地方自治法第二百三十八条の四第七項の規定により使用を許可した行政財産のうち公園の用途に供することが予定されているものに係る使用料

(七) 条例第五十二条において準用する条例第四十七条の規定により自然公園施設の占用の休止を許可し、又は占用の廃止届を受理すること。

(八) 条例第五十三条の規定により、有料施設又は有料用具（以下この号において「有料施設等」という。）の使用を承認すること。

(九) 条例第五十五条の規定により、支庁長の権限に属する使用料を減額し、又は無料で有料施設等を使用させること。

(十) 条例第五十八条ただし書の規定により同条第一号から第七号までに掲げる行為を許可すること。

(十一) 条例第五十九条の規定により自然公園施設の使用を制限すること。

(十二) 条例第六十二条ただし書の規定により、支庁長の権限に属する既納の使用料、占用料及び予納金の一部又は全部を還付すること。

(十三) 条例第六十三条第一項の規定により、支庁長の権限に属する使用料又は占用料を減額し、又は免除すること。

(十四) 条例第六十四条の規定により、支庁長の権限に属する事務について監督処分を行うこと。

五十七 大気汚染防止法（昭和四十三年法律第九十七号。以下この号において「法」という。）に基づく事務のうち、次に掲げる事務に関すること。

(一) 法第六条第一項及び第七条第一項の規定によるばい煙発生施設の設置等の届出の受理

(二) 法第八条第一項の規定によるばい煙発生施設の構造等の変更の届出の受理

(三) 法第十一条の規定による氏名の変更等の届出の受理

(四) 法第十二条第三項の規定による承継の届出の受理

(五) 法第十七条の五第一項及び第十七条の六第一項の規定による揮発性有機化合物排出施設の設置等の届出の受理

(六) 法第十七条の七第一項の規定による揮発性有機化合物排出施設の構造等の変更の届出の受理

(七) 法第十七条の十三第二項において準用する法第十一条及び第十二条第三項の規定による届出の受理

(八) 法第十八条第一項及び第三項並びに第十八条の二第一項の規定による一般粉じん発生施設の設置等の届出の受理

(九) 法第十八条の六第一項及び第三項並びに第十八条の七第一項の規定による特定粉じん発生施設の設置等の届出の受理

(十) 法第十八条の十三第二項において準用する法第十一条及び第十二条第三項の規定による届出の受理

(十一) 法第十八条の二十八第一項及び第十八条の二十九第一項の規定による水銀排出施設の設置等の届出の受理

(十二) 法第十八条の三十第一項の規定による水銀排出施設の構造等の変更の届出の受理

(十三) 法第十八条の三十六第二項において準用する法第十一条及び第十二条第三項の規定による届出の受理

五十七の二 ダイオキシン類対策特別措置法（平成十一年法律第百五号。以下この号において「法」という。）に基づく事務のうち、次に掲げる事務に関すること。

(一) 法第十二条第一項及び第十三条第一項の規定による特定施設の設置等の届出の受理

(二) 法第十四条第一項の規定による特定施設の構造等の変更の届出の受理

(三) 法第十八条の規定による氏名の変更等の届出の受理

(四) 法第十九条第三項の規定による承継の届出の受理

五十八 水質汚濁防止法（昭和四十五年法律第百三十八号。以下この号において「法」という。）に基づく事務のうち、次に掲げる事務に関すること。

(一) 法第五条及び第六条の規定による特定施設等の設置等の届出の受理

(二) 法第七条の規定による特定施設等の構造等の変更の届出の受理

(三) 法第十条の規定による氏名の変更等の届出の受理

(四) 法第十一条第三項の規定による承継の届出の受

理

五十九　都民の健康と安全を確保する環境に関する条例（平成十二年東京都条例第二百十五号。以下この号において「条例」という。）に基づく事務のうち、次に掲げる事務に関すること。

㈠　条例第八十一条第二項（条例第八十二条第二項において準用する場合を含む。）の規定による工場の認可の申請の受理

㈡　条例第八十三条第一項の規定による手数料の徴収

㈢　条例第八十四条第一項の規定による工事完成届の受理

㈣　条例第八十六条の規定による現況届の受理

㈤　条例第八十七条の規定による変更届等の受理

㈥　条例第八十八条第三項の規定による承継の届出の受理

㈦　条例第八十九条の規定による指定作業場の設置の届出の受理

㈧　条例第九十条の規定による指定作業場の変更の届出の受理

㈨　条例第九十三条において準用する条例第八十七条及び第八十八条の規定による届出の受理

㈩　条例第九十六条の規定による測定結果の報告の受理

⑪　条例第九十八条の規定による事故届等の受理

⑫　条例第九十九条の規定によるばい煙等の減少計画の受理

六十　急傾斜地の崩壊による災害の防止に関する法律（昭和四十四年法律第五十七号。以下この号において「法」という。）に基づく事務のうち、次に掲げる事務に関すること。

㈠　法第七条第一項の規定による許可、同条第三項の規定による届出の受理及び同条第四項の規定による協議

㈡　法第九条第三項の規定による勧告

㈢　法第十三条第一項の規定による届出及び同条第二項の規定による通知の受理

2　前項に定めるもののほか、東京都支庁設置条例に定める小笠原支庁の所管区域に係る次に掲げる事務を、小笠原支庁の長に委任する。

一　都市公園法（昭和三十一年法律第七十九号。以下「法」という。）に基づく事務のうち、次に掲げる事務に関すること。

㈠　法第五条第一項の規定により公園施設の設置又は管理を許可（期間の更新に係るものに限る。）し、及び法第八条の規定により当該許可に必要な条件を付すること。

㈡　法第六条第一項又は第三項の規定により次に掲げるものに係る占用を許可し、法第八条の規定により当該許可に必要な条件を付し、及び法第九条の規定による協議に応ずること。

ア　法第七条第一項第一号、第二号及び第四号から第六号までに掲げるもの

イ　都市公園法施行令（昭和三十一年政令第二百九十号。以下「令」という。）第十二条第二項第一号、第一号の二、第二号及び第五号から第八号までに掲げるもの

㈢　法第六条第一項の規定により次に掲げるものに係る占用を許可（期間の更新に係るものに限る。）し、法第八条の規定により当該許可に必要な条件を付し、及び法第九条の規定による協議に応ずること。

ア　法第七条第一項第三号に掲げるもの

イ　令第十二条第一項各号、同条第二項第一号の三、第二号の二から第四号まで及び第九号並びに同条第三項第一号から第五号までに掲げるもの

ウ　都市再生特別措置法施行令（平成十四年政令第百九十号）第十八条各号、第十九条及び第二十条各号に掲げるもの

㈣　㈠から㈢までの規定による許可を受けた者に対して、法第十条第二項の規定により原状回復又は原状に回復することが不適当な場合の措置について必要な指示をすること。

㈤　㈡の規定による許可を受けた者に対して、法第二十七条第一項又は第二項の規定による監督処分を行うこと。

二　東京都立公園条例（昭和三十一年東京都条例第百七号。以下「条例」という。）に基づく事務のうち、次に掲げる事務に関すること。

㈠　条例第十条第一項の規定により公園施設の設置又は管理の休止を許可すること。

㈡　条例第十条第二項の規定により公園施設の設置又は管理の廃止届を受理すること。

㈢　条例第十三条第一項の規定により占用を許可し、及び同条第二項の規定により当該許可に必要な条件を付すること。

㈣　条例第十六条ただし書の規定により同条第一号から第七号までに掲げる行為を許可すること。

㈤　条例第二十一条ただし書の規定により、支庁長の権限に属する許可に係る既納の使用料及び占用料の一部又は全部を還付すること。

㈥　条例第二十二条の規定により、支庁長の権限に

属する許可に係る使用料及び占用料の一部又は全部を免除すること。

(七) 条例第二十四条の規定により、支庁長の権限に属する事務について監督処分を行うこと。

三 法第三十三条第四項に規定する公園予定区域及び予定公園施設に係る前二号の事務を行うこと。

四 次に掲げる使用料及び占用料を徴収すること。ただし、滞納処分、強制執行及び訴訟により徴収する場合を除く。

(一) 条例第九条第一項(条例第二十六条第四項において準用する場合を含む。)、第四項及び第五項に規定する使用料

(二) 条例第十四条第一項(条例第二十九条において準用する場合を含む。)に規定する占用料

(三) 地方自治法第二百三十八条の四第七項の規定により使用を許可した行政財産のうち公園の用途に供することが予定されているものに係る使用料

**第二条** 知事は、前条第一項第六号、第七号、第十一号、第十五号及び第十七号に掲げる事務については、特に必要と認めるときは、同条の規定にかかわらず、自ら行うことができる。

**附 則**

1 この規則は、昭和四十四年四月一日から施行する。

2 この規則の規定にかかわらず、この規則又は改正前の東京都支庁長委任規則(昭和四十三年東京都規則第百三十二号)の規定に係る許可若しくは認可又は届出等の受理で、この規則の規定により従前と処理方法が異なることとなるもののうち、この規則の施行前に許可若しくは認可又は届出等の受理に係る申請のあつたものの処理については、なお従前の例による。

**附 則**(令六・三・二九規則九六)

この規則は、令和六年四月一日から施行する。

# 〇都庁マネジメント本部等の設置及び運営に関する規則

平一一・六・三
規則一六一

最終改正 令四・三・三一規則九一

## 第一章 総則

**(目的)**

**第一条** この規則は、都庁マネジメント本部及び庁議の設置及び運営手続について定め、もって都政の総合的かつ効率的な推進を図ることを目的とする。

**(設置等)**

**第二条** 東京都に都庁マネジメント本部及び庁議(以下「都庁マネジメント本部等」という。)を置く。

2 都庁マネジメント本部等の目的は、次のとおりとする。

一 都庁マネジメント本部は、東京都の行財政の最高方針、重要な施策及び課題等について、情報の共有を図り、審議策定する。

二 庁議は、都庁マネジメント本部において審議策定された行財政の最高方針等に基づく全庁的な事案等について、情報の共有を図り、審議調整する。

**(定義)**

**第三条** この規則において「局長」とは、東京都組織規程(昭和二十七年東京都規則第百六十四号。以下「組織規程」という。)第八条第一項及び東京都公営企業組織条例(昭和二十七年東京都条例第八十一号)第一条に定める局の長、組織規程第八条第一項に定める室の長並びに住宅政策本部長、中央卸売市場長、消防総監、警視総監、選挙管理委員会事務局長、監査事務局長、人事委員会事務局長、労働委員会事務局長及び収用委員会事務局長をいう。

2 この規則において「担当局長」とは、組織規程第九条第四項の規定により、組織規程第八条第一項に定める局に置く担当局長をいう。

## 第二章 都庁マネジメント本部

**(構成等)**

**第四条** 都庁マネジメント本部は、知事の主宰の下に、副知事及び教育長並びに東京都技監、政策企画局長、総務局長及び財務局長並びに当該事案に関係のある局長及び担当局長をもって構成する。

2 前項の規定にかかわらず、知事は、必要があると認めるときは、関係職員の出席を求めることができる。

3 知事は、必要があると認めるときは、学識経験を有する者から、意見又は説明を聴くことができる。

**(付議事案)**

**第五条** 都庁マネジメント本部に付議する事案は、次のとおりとする。ただし、法令若しくは条例の規定による会議等又は次条第四項の規定に該当する会議等に付議するものについては、この限りでない。

一 都政運営の基本方針

二 都政における基本的な構想及び計画

三 組織、人事、定数及び財政に関する基本事項

四 都政運営上重要な施策及び課題

五 その他知事が必要と認める事項

**(付議手続等)**

**第六条** 教育長又は局長は、所管事項のうち、都庁マネジメント本部に付議すべき事案があるときは、政策企

画局長に付議要求するものとする。

2 政策企画局長は、都庁マネジメント本部に付議すべき事案があると認めるときは、教育長（当該事案を所管する場合に限る。）又は当該事案を所管する局長に対し付議要求するよう求めるものとする。

3 政策企画局長は、都庁マネジメント本部への付議要求を受理したときは、速やかに都庁マネジメント本部に付議するものとする。

4 教育長又は局長は、前条各号に掲げる事案について情報の共有を図り、審議策定する会議等のうち、第四条第一項の規定に準じて構成するものとして政策企画局長の承認を得た会議等については、都庁マネジメント本部への付議を省略することができる。

5 前項の規定により政策企画局長の承認を得た会議等については、都庁マネジメント本部へ付議したものとみなす。

（開催）

**第七条** 都庁マネジメント本部は、必要に応じ開催するものとする。

2 知事が必要と認める場合は、都庁マネジメント本部を書面その他の方法により開催することができる。

## 第三章 庁議

（構成）

**第八条** 庁議は、知事の主宰の下に、副知事及び教育長並びに東京都技監、局長、担当局長及び政策企画局外務長をもって構成する。

（付議事案）

**第九条** 庁議に付議する事案は、次のとおりとする。

一 都庁マネジメント本部で審議策定された行財政の最高方針等に基づく施策に関する事項

二 全庁的な行政課題に係る施策に関する事項

三 その他知事が必要と認める事項

（付議手続）

**第十条** 政策企画局長は、都庁マネジメント本部において庁議に付議すべきものとされた事案を除き、教育長（庁議に付議すべき事案に関係のある場合に限る。）又は当該事案に関係のある局長と協議の上、庁議に事案を付議するものとする。

（開催）

**第十一条** 庁議は、必要に応じ開催するものとする。

2 知事が必要と認める場合は、庁議を書面その他の方法により開催することができる。

## 第四章 雑則

（政策企画局長の調査等）

**第十二条** 政策企画局長は、必要があると認めるときは、都庁マネジメント本部等の付議事案に関し、事前に調査し、及び教育長（当該事案に関係のある場合に限る。）又は当該事案に関係のある局長に対し資料の提出を求めることができる。

（都庁マネジメント本部等の庶務）

**第十三条** 都庁マネジメント本部等の庶務は、政策企画局において処理する。

（委任）

**第十四条** 都庁マネジメント本部等の運営その他この規則の実施に関し必要な事項は、政策企画局長が定める。

附 則

この規則は、公布の日から施行する。

附 則（令四・一・三一規則四）

この規則は、公布の日から施行する。

附 則（令四・三・三一規則九一）

この規則は、令和四年四月一日から施行する。ただし、第三条第一項の改正規定（「、病院経営本部長」を削る部分に限る。）は、同年七月一日から施行する。

# ○東京都事案決定規程

昭四七・三・一五
訓令甲一〇

最終改正 令五・三・三一訓令二

（目的）

**第一条** この規程は、知事及び会計管理者の権限に属する事務に係る決定権限の合理的配分と決定手続を定めることにより、事務執行における権限と責任の所在を明確にし、事案の決定の適正化に資することを目的とする。

（用語の定義）

**第二条** この規程において、次の各号に掲げる用語の意義は、それぞれ当該各号に定めるところによる。

一 局 東京都組織規程（昭和二十七年東京都規則第百六十四号。以下「組織規程」という。）第八条第一項に規定する本庁の局をいう。

二 室 組織規程第八条第一項に規定する子供政策連携室及びスタートアップ・国際金融都市戦略室をいう。

三 局長 組織規程第九条第一項に規定する局長をいう。

四 室長 組織規程第九条第三項に規定する室長をいう。

五 担当局長 組織規程第九条第四項に規定する担当局長をいう。

六 局長等 局長、室長又は担当局長をいう。

七 部長 組織規程第十条第一項に規定する部長、同条第二項に規定する担当部長及び同条第三項に規定する主席監察員をいう。

八 課長 組織規程第十一条第一項に規定する課長、同条第二項に規定する担当課長及び同条第三項に規定する副監察員のうち総務局長の指定するものをいう。

九 課長代理 組織規程第十二条に規定する課長代理をいう。

十 審議 東京都文書管理規則（平成十一年東京都規則第二百三十七号。以下「文書管理規則」という。）第二条に規定する審議をいう。

十一 審査 文書管理規則第二条に規定する審査をいう。

十二 協議 文書管理規則第二条に規定する協議をいう。

十三 起案 文書管理規則第二十条に規定する起案をいう。

十四 起案者 決定事案の作成責任者をいう。

（事案決定の原則）

**第三条** 事案の決定は、事務の権限及び当該決定の結果の重大性に応じ、知事又は局長等、部長、課長若しくは課長代理が行うものとする。

（決定対象事案）

**第四条** 前条の規定に基づき、知事又は局長等、部長、課長若しくは課長代理の決定すべき事案は、おおむね別表に定めるとおりとする。

2 局長は、前項の規定により知事又は局長等、部長若しくは課長の決定の対象とされた事案の実施細目を定め、総務局長に報告しなければならない。

（関連事案の決定）

**第五条** 知事又は局長等、部長若しくは課長は、自己が決定すべき事案と自己の指揮監督下にある者が決定すべき事案とが密接に関連するため、当該各事案を各別に決定することが不適当であると認めるときは、当該各事案をあわせて一つの事案として自ら決定するものとする。

（事案の決定権の委譲）

**第六条** 知事は、あらかじめ範囲を定めて、第四条の規定により自己の決定の対象と定めた事案（以下「知事決定対象事案」という。）の一部を副知事に決定させるものとする。

**第七条** 知事は、知事決定対象事案のうち特定のものについては、決定の方針を示して、局長に決定させることができる。

2 次の表の上欄に掲げる者は、第四条の規定により自己の決定の対象とされた事案のうち同一の態様で反復継続することが予想されるものについては、決定の基準を示して、同表下欄に掲げる者に決定させることができる。

| 上欄 | 下欄 |
|---|---|
| 局長等 | 局長等があらかじめ指定する部長 |
| 部長 | 部長があらかじめ指定する課長 |

（事案の決定の臨時代行等）

**第八条** 知事決定対象事案（第六条又は前条第一項の規定により副知事又は局長の決定の対象とされた事案を除く。）について至急に決定を行う必要がある場合において知事が出張又は休暇その他の理由により不在（以下「不在」という。）であるときは、あらかじめ知事の指定する副知事が決定するものとする。

2 第四条の規定により次の表の上欄に掲げる者の決定

の対象とされた事案（前条第二項の規定により部長又は課長の決定の対象とされた事案を除く。）について至急に決定を行う必要がある場合において当該事案の決定を行う者が不在であるときは、同表下欄に掲げる者が決定するものとする。

| | |
|---|---|
| 局長 | 次長、戦略広報調整監、危機管理監又は道路監を置く局にあつては、局長があらかじめ指定する次長、戦略広報調整監、危機管理監又は道路監次長、戦略広報調整監、危機管理監又は道路監を置かない局にあつては、局長があらかじめ指定する部長 |
| 室長 | 室長があらかじめ指定する部長 |
| 担当局長 | 担当局長があらかじめ指定する部長 |
| 部長 | 部長があらかじめ指定する課長 |
| 課長 | 課長があらかじめ指定する課長代理 |

3　第四条の規定により課長代理の決定の対象とされた事案について至急に決定を行う必要がある場合において当該課長代理が不在であるときは、課長が決定するものとする。

**第九条**　第六条又は第七条第一項の規定により副知事又は局長の決定の対象とされた事案について至急に決定を行う必要がある場合において当該事案の決定を行う者が不在であるときは、知事が決定するものとする。

2　第七条第二項の規定により次の表の上欄に掲げる者の決定の対象とされた事案について至急に決定を行う必要がある場合において当該事案の決定を行う者が不在であるときは、同表下欄に掲げる者が決定するものとする。

| | |
|---|---|
| 部長 | 局長等 |
| 課長 | 部長 |

**（事案決定の例外措置）**

**第十条**　次の表の上欄に掲げる者は、同表中欄に掲げる事案のうち当該事案の決定の結果の重大性が自己の負いうる責任の範囲を超えると認めるものについては、その理由を明らかにして、同表下欄に掲げる者にその決定を求めることができる。

| | | |
|---|---|---|
| 局長 | 第四条の規定により局長の決定の対象とされた事案 | 知事 |
| 室長 | 第四条の規定により室長の決定の対象とされた事案 | 局長 |
| 担当局長 | 第四条の規定により担当局長の決定の対象とされた事案 | 局長 |
| 次長、戦略広報調整監、危機管理監又は道路監 | 第八条第二項の規定により次長、戦略広報調整監、危機管理監又は道路監の決定の対象とされた事案 | 知事 |
| 部長 | 第四条の規定により部長の決定の対象とされた事案 | 局長等 |
| | 第八条第二項の規定により部長の決定の対象とされた事案 | 知事 |
| 課長 | 第四条の規定により課長の決定の対象とされた事案 | 部長 |
| | 第八条第二項の規定により課長の決定の対象とされた事案 | 局長等 |
| 課長代理 | 第四条の規定により課長代理の決定の対象とされた事案 | 課長 |
| | 第八条第二項の規定により課長代理の決定の対象とされた事案 | 部長 |

2　第三条、第六条から前条まで及び前項の規定により事案の決定を行う者を事案の決定権者という。

**（事案の決定への関与）**

**第十一条**　事案の決定権者は、次の表の上欄に掲げる事案については、同表下欄に掲げる者に審議を行わせるものとする。

| 知事が決定する事案 | 関連副知事並びに主管に係 |
|---|---|

| | |
|---|---|
| （第六条の規定により副知事が決定する事案を含む。） | る局長及び次長（事案の性質に応じ室長、担当局長、技監、戦略広報調整監、危機管理監又は道路監を含む。）。 |
| 局長が決定する事案 | 次長（事案の性質に応じ担当局長、技監、戦略広報調整監、危機管理監又は道路監を含む。）及び主管に係る部長 |
| 室長が決定する事案 | 主管に係る部長 |
| 担当局長が決定する事案 | 主管に係る部長 |
| 部長が決定する事案 | 主管に係る課長 |
| 課長が決定する事案 | 主管に係る課長代理 |

２　事案の決定権者は、事案の決定に当たり、文書管理規則第二十六条の規定により審査を行わせるものとする。

３　事案の決定権者は、次の表の上欄に掲げる事案であつて、当該事案を主管する局長等、部長若しくは課長以外の局長（外務長並びに室長、担当局長、次長、技監、戦略広報調整監、危機管理監及び道路監を含む。以下この項において同じ。）、部長若しくは課長（専門課長を含む。以下この項において同じ。）の主管し、又は担当する事務に直接影響を与えるものについては、第一項の規定により審議を行う者をしてその影響を受ける同表下欄に掲げる局長、部長、課長若しくは課長代理に協議を行わせ、又は自ら協議するものとする。

| | |
|---|---|
| 知事が決定する事案（第六条の規定により副知事が決定する事案を含む。） | 局長 |
| 局長が決定する事案 | 部長（当該事案により受ける直接の影響が局全般に及ぶ場合は局長） |
| 部長が決定する事案 | 課長（当該事案により受ける直接の影響が部全般に及ぶ場合は部長） |
| 課長が決定する事案 | 課長代理（当該事案により受ける直接の影響が課全般に及ぶ場合は課長） |

４　事案の決定権者は、予算事務規則（昭和四十年東京都規則第八十三号）その他の事務執行に関する規程又は通達（以下「事務執行規程等」という。）により協議が必要とされる事案については、事務執行規程等により協議を行なわせなければならない。

５　課長代理が決定する事案は、審議を行わないものとする。この場合において、当該事案を主管する課長代理以外の課長代理の主管し、又は担当する事務に直接影響を与えるものについては、自ら協議するものとする。

**（事案の決定に対する協議権の委譲）**

**第十二条**　次の表の上欄に掲げる者は、同表中欄に掲げる事案の決定に対する協議を、その基準を示して同表下欄に掲げる者に行わせることができる。

| | | |
|---|---|---|
| 局長等 | 反復継続が予想される事案 | 局長等があらかじめ指定する部長 |
| 部長 | 反復継続が予想される事案 | 部長があらかじめ指定する課長 |
| 課長 | 反復継続が予想される事案 | 課長があらかじめ指定する課長代理 |

**（事案の審議又は協議の臨時代行）**

**第十三条**　第十一条の規定により次の表の上欄に掲げる者の審議又は協議の対象とされた事案について至急に審議又は協議を行う必要がある場合において当該事案について、審議又は協議を行う者が不在であるときは、同表下欄に掲げる者が審議又は協議を行うものとする。

| | |
|---|---|
| 局長 | 次長、戦略広報調整監、危機管理監又は道路監を置く局にあつては、局長があらかじめ指定する次長、戦略広報調整監、危機管理監又は道路監<br>次長、戦略広報調整監、危機管理監又は道路監を置かない局にあつては、局長があらかじめ指定する部長 |

| | |
|---|---|
| 室長 | 室長があらかじめ指定する部長 |
| 担当局長 | 担当局長があらかじめ指定する部長 |
| 危機管理監 | 危機管理副監 |
| 部長 | 部長があらかじめ指定する課長 |
| 課長 | 課長があらかじめ指定する課長代理 |
| 課長代理 | 課長 |

（**審議又は協議の補助**）

**第十四条**　審議又は協議を行う者は、第十一条又は第十二条の規定により自己の審議又は協議の対象とされた事案について、自己の指揮監督する職員のうちから指定した者に審議又は協議の補助を行わせることができる。

（**起案**）

**第十五条**　起案は、事案の決定権者が、次の表の上欄に掲げる決定区分に従い、自己の指揮監督する職員のうち同表下欄に掲げる職位以上の職位にある者を起案者として指定し、その者に必要な指示を与えて行わせるものとする。ただし、決定権者自ら起案することができる。

| | |
|---|---|
| 知事（第六条の規定により決定する場合の副知事を含む。） | 課長（専門課長を含む。） |
| 局長等及び部長 | 課長代理 |
| 課長及び課長代理 | 係員 |

（**他の規程との関係**）

**第十六条**　起案の方法その他起案に関する文書の処理については、東京都公文規程（昭和四十二年東京都訓令甲第十号）及び文書管理規則の定めるところによる。

**附　則**

1　この訓令は、昭和四十七年四月一日から施行する。

2　東京都処務規程（昭和二十七年東京都訓令甲第八十九号。以下「旧規程」という。）は、廃止する。

3　旧規程に基づき各局長が定めた事案の実施細目は、この訓令に基づき定められた事案の実施細目とみなす。

別表（第四条関係）

| 件名＼区分 | 知事 | 局長等 | 部長 | 課長 | 課長代理 |
|---|---|---|---|---|---|
| 一　都行政の運営に関すること。 | 一　都行政の運営に関する一般方針の確定に関すること。<br>二　都が執行すべき事務事業に係る基本的な方針及び計画の設定、変更及び廃止に関すること。 | | | | |
| 二　予算に関すること。 | 一　予算の編成に関すること。<br>二　成立した予算に係る事務事業についての基本的執行方針の決定に関すること。 | 一　成立した予算に係る局及び室の事務事業についての執行計画の設定、変更及び廃止に関すること。 | | | |
| 三　都議会に関すること。 | 一　都議会の招集に関すること。<br>二　都議会に提出する議案に関すること。 | | | | |
| 四　人事及び給与に関すること。 | 一　局長等及びこれに準ずる職にある者の給与、課長及びこれに準ずる職以上の職に当たる者の任免、分限及び懲戒並びに部長及びこれに準ずる職にある者の給与（初任給の決定に限る。）に関すること。 | 一　局及び室に所属する、部長及びこれに準ずる職にある者並びに本庁行政機関及び地方行政機関においてこれらに相当する職にある者の給与（初任給の決定を除く。）並びに課長及びこれに準ずる職にある者並びに本庁行政機関及び地方行政機関においてこれらに相当す | 一　課長及びこれに準ずる職以上の職にある者並びに本庁行政機関及び地方行政機関においてこれらに相当する職にある者以外の職員（以下この表において「一般職員」という。）の給与に関すること。 | | |

| | |
|---|---|
| 五　行政機関の運営に | |
| | 二　議会の同意を得て選任する特別職である者、公営企業管理者、特別職である知事秘書その他知事の指定する特別職に当たる者の任免その他人事に関すること。<br>三　局長等及びこれに準ずる職にある者の出張及び服務に関すること。 |
| 一　局長等が指揮監督する | る職にある者の給与に関すること。<br>二　局及び室に所属する、課長代理並びに本庁行政機関及び地方行政機関においてこれらに相当する職に当たる者の命免に関すること。<br>三　附属機関の構成員（知事の指定するものを除く。）及び非常勤職員（知事の指定するものを除き、課長以上の職に相当するものに限る。）の任免に関すること。<br>四　局及び室に所属する、部長及びこれに準ずる職にある者並びに本庁行政機関及び地方行政機関においてこれらに相当する職にある者の出張及び服務に関すること。<br>五　局及び室に所属する、課長及びこれに準ずる職にある者並びに本庁行政機関及び地方行政機関においてこれらに相当する職にある者の職務上の秘密に属する事項の発表の許可に関すること。 |
| 一　部長が指揮監督する本 | 二　非常勤職員（課長以上の職に相当するものを除く。）の任免に関すること。<br>三　部に所属する、課長及びこれに準ずる職にある者並びに本庁行政機関及び地方行政機関においてこれらに相当する職にある者の出張、職務に専念する義務の免除、研修命令及び休暇に関すること。<br>四　部に所属する一般職員の職務上の秘密に属する事項の発表の許可に関すること。<br>五　部に所属する一般職員の部内課配置に関すること。 |
| 一　課長が指揮監督する本 | 一　課に所属する一般職員の事務分掌、出張、職務に専念する義務の免除、給与減額免除の承認、研修命令、休暇、超過勤務、休日勤務及び週休日の変更に関すること（課長代理の権限に属するものを除く。）。 |
| 一　課長が指揮監督する本 | 一　課長代理が指揮監督する職員の出張（宿泊を伴う場合を除く。）、休暇（年次有給休暇に係る時季の変更並びに介護休暇、病気休暇及び超勤代休時間を除く。）及び事故欠勤に関すること。 |

| 関すること。 | | 本庁行政機関及び地方行政機関の運営に関すること。 | 庁行政機関の運営に関すること。 | 庁行政機関の運営に関すること。 | 庁行政機関の運営に関すること（簡易なものに限る。）。 |
|---|---|---|---|---|---|
| 六　請負又は委託による事業に関すること。 | | 一　予定価格が三億五千万円以上（長期継続契約を締結することができる契約を定める条例（平成十八年東京都条例第二十二号）の規定に基づく長期継続契約（以下「長期継続契約」という。）にあつては、月額に十二を乗じて得た額又は年額が三億五千万円以上）の請負又は委託により行う工事、船舶の製造、修繕、通信及び運搬に係る役務の提供に関すること。 | 一　予定価格が八百万円以上三億五千万円未満（長期継続契約にあつては、月額に十二を乗じて得た額又は年額が八百万円以上三億五千万円未満）の請負又は委託により行う工事、船舶の製造、修繕、通信及び運搬に係る役務の提供に関すること。 | 一　予定価格が八百万円未満（長期継続契約にあつては、月額に十二を乗じて得た額又は年額が八百万円未満）の請負、委託又は役務の提供に関すること。 | |
| 七　物件の買入れ等に関すること。 | | 一　予定価格が六千万円以上（長期継続契約にあつては、月額に十二を乗じて得た額又は年額が六千万円以上）の物件の買入れ、売払い、借入れ及び貸付けに関すること。 | 一　予定価格が三百万円以上六千万円未満（長期継続契約にあつては、月額に十二を乗じて得た額又は年額が三百万円以上六千万円未満）の物件の買入れ、売払い、借入れ及び貸付けに関すること。 | 一　予定価格が三百万円未満（長期継続契約にあつては、月額に十二を乗じて得た額又は年額が三百万円未満）の物件の買入れ、売払い、借入れ及び貸付けに関すること。 | |
| 八　補助金等に関すること。 | | 一　百万円以上の補助金、分担金及び負担金（法令によりその交付が義務付けられているもの及び局長等が部長の決定によることが適当であると認めたものを除く。）の交付並びに寄付金の贈与に関 | 一　四十万円以上百万円未満の補助金、分担金及び負担金（法令によりその交付が義務付けられているもの及び局長等が部長の決定によることが適当であると認めたものに、あつては百万円以上のも | 一　四十万円未満の補助金、分担金及び負担金の交付並びに寄付金の贈与に関すること。 | |

| | | | | |
|---|---|---|---|---|
| | | すること。<br>のを含む。）の交付並びに寄附金の贈与に関すること。 | | |
| 九　条例等に関すること。 | 一　条例、規則及び訓令に関すること。 | | | |
| 十　損害賠償及び和解に関すること。 | | 一　損害賠償額の決定及び和解に関すること。 | | |
| 十一　行政処分等に関すること。 | 一　特に重要な許可、認可、免許、登録その他の行政処分に関すること。 | 一　重要な許可、認可、免許、登録その他の行政処分に関すること。 | 一　許可、認可、免許、登録その他の行政処分に関すること（特に重要又は重要なものを除く。）。<br>二　諸証明に関すること。 | 一　許可、認可、免許、登録その他の行政処分に関すること（簡易なものに限る。）。<br>二　諸証明に関すること（簡易なものに限る。）。 |
| 十二　審査請求等に関すること。 | 一　特に重要な審査請求及び訴訟に関すること。 | 一　審査請求及び訴訟に関すること（特に重要なものを除く。）。 | | |
| 十三　報告、答申等に関すること。 | 一　特に重要な事項に関する報告、答申、進達及び副申に関すること。 | 一　重要な事項に関する報告、答申、進達及び副申に関すること。 | 一　報告、答申、進達及び副申に関すること（特に重要又は重要な事項に関するものを除く。）。 | 一　報告、答申、進達及び副申に関すること（簡易なものに限る。）。 |
| 十四　告示、公告等に関すること。 | 一　特に重要な告示、公告、公表、通達、申請、照会、回答、諮問及び通知に関すること。 | 一　重要な告示、公告、公表、通達、申請、照会、回答、諮問及び通知に関すること。 | 一　告示、公告、公表、通達、申請、照会、回答、諮問及び通知に関すること（特に重要又は重要なものを除く。）。 | 一　通達、申請、照会、回答、諮問及び通知に関すること（簡易なものに限る。）。 |
| 十五　広報及び広聴に関すること。 | 一　特に重要な広報及び広聴に関すること。 | 一　重要な広報及び広聴に関すること。 | 一　広報及び広聴に関すること（特に重要又は重要なものを除く。）。 | |
| 十六　情報公開に関すること。 | 一　特に重要な情報公開に関すること。 | 一　重要な情報公開に関すること。 | 一　情報公開に関すること（特に重要又は重要なも | |

| | | | | |
|---|---|---|---|---|
| | | | のを除く。）。 | |
| 十七　特に重要な保有個人情報の開示、訂正及び利用停止に関すること。 | 一　保有個人情報の開示、訂正及び利用停止に関すること。 | 一　重要な保有個人情報の開示、訂正及び利用停止に関すること。 | 一　保有個人情報の開示、訂正及び利用停止に関すること（特に重要又は重要なものを除く。）。 | |

# ○東京都事案決定規程の制定について（依命通達）

昭四七・四・一
四七総総文発六〇

最終改正　令二・七・一〇総人調三六

昭和四十七年三月十五日東京都訓令甲第十号をもつて東京都事案決定規程が制定され、同年四月一日から施行された。

この規程は、従来東京都処務規程（昭和二十七年東京都訓令甲第八十九号）により規定されていた知事の権限に属する事務事業に関する事案の決定及びその方式に関する部分を、最近の事務執行の実態等を考慮しながら、より一層合理的に整備し、事務執行の適正化及び能率化を図る趣旨のもとに独立の規程として制定されたものである。

なお、この規程の制定に伴い東京都処務規程は廃止された。

ついては、貴職においては下記事項に留意するとともに、充分所属職員に周知せしめその運営に当たつては遺憾のないように取り計らわれたい。

この旨命によつて通達する。

おつて、東京都処務規程の一部改正について（昭和四十二年九月三十日四二総総文発第二百八十一号副知事依命通達）は廃止する。

記

**第一**　目的（第一条）

この規程は、法令、条例、規則等の規定上知事及び会計管理者の権限に属する事務に関する事案の決定権限の合理的配分を図るとともに、決定手続の整備を図ることにより事務執行における権限と責任の所在を明確にし、事案決定の適正化に資することを目的とすることを明確にしたものであること。

**第一の二**　用語の定義（第二条）

用語の定義については、第二条に具体的に規定するほか、東京都文書管理規則（平成十一年東京都規則第二百三十七号。以下「文書管理規則」という。）における用語の定義を引用しているものがあることから、文書管理規則の該当条項にも留意する必要があること。

なお、第二条第十二号で規定する起案者とは、決定案の内容について責任を有する者を意味するものであること。したがつて、必ずしも自らペンを執つて決定案を筆記する者と一致するものではなく、決定案を起案文書として調製する者が別に存在することを妨げるものではないこと。

**第二**　事案決定の原則（第三条）

事案の決定は、課長代理以上の執行職能を担当する者が、事務の権限及びその決定の結果の重大性に応じて行う旨の原則を定めたものであること。

**第三**　決定対象事案（第四条）

知事以下課長代理に至るまでの決定の対象となる事案は、別表に例示するとおりであること。

なお、別表は、事案決定の原則に従い、都の執行すべき事務事業に係る基本的方針及び計画等都の行政執行の基本となるべき事案の決定は知事に留保し、個々の執行事案の決定は局長以下に委せるという方向で決定権限の合理的配分を図つたものであるが、その運用に当たつては、特に次の諸点に留意する必要があること。

一　都が執行すべき事務事業に係る基本的な方針及び計画（別表一の項知事の欄第二号）

都が執行すべき事務事業に係る基本的な方針及び計画は、知事が決定すべき事案としたこと。

これに該当するものとしては、次に例示するような予算編成の前提となる諸計画があること。

(一)　東京都○○計画

(二)　○○事業○年計画

(三)　東京都重要事業計画策定要綱（昭和四十年六月十五日付四〇企計一発第九号知事決定）に基づく事務事業計画

(四)　(一)から(三)までに掲げるもののほか、庁議において審議策定することを要する事務事業計画

二　成立した予算に係る事務事業についての基本的執行方針（別表二の項知事の欄第二号）

成立した予算に係る事務事業についての基本的執行方針は、知事が決定すべき事案としたこと。

(一)　基本的執行方針のうち一般的なものは、毎年度当初に各局長に通達するものであること。

(二)　前記一に掲げる諸計画及びこれに準ずる重要な計画に係る個々の事務事業を所管する局長は、当該個々の事務事業の執行計画を設定するための前提としての基本的執行方針の決定を必要とする場合には、その方針の決定を受けること。

これに該当する場合を例示すれば、次のとおりであること。

ア　予備費の充当又は予算の流用によつて、事務事業内容を新設する場合（予備費充当額が二百万円以上又は予算流用額が二千万円以上である場合に限る。）

イ　予算に係る事務事業の内容をその同一性を失

う程度まで変更する場合
この場合の同一性を失う程度の変更であるかどうかの基準を示せば、おおむね次のとおりであること。
(ア) 予備費の充当をもつてする変更であつて、その充当額が二百万円を超えるもの
(イ) 予算の流用をもつてする変更であつて、その流用額が流用に関係する事務事業の予算総額の二割を超えるもの（流用額が二千万円以上のものに限る。）
(ウ) 確定している事業施行箇所又は規模の変更
ウ 予算上は、補助金又は事務事業費としての計上はなされているが、その交付基準又は事務事業が未確定である場合
エ アからウまでに掲げる場合のほか、庁議において審議策定することを要する場合
三 事務事業の執行計画（別表二の項局長等の欄第一号）
(一) 予算が成立した後の当該予算に係る事務事業の執行計画は、すべて局長が決定できる事案としたこと。ただし、この執行計画の内容は、次に掲げる要件を備えたものであること。
ア 予算に経費が計上されている事務事業の執行計画であること。したがつて、当該事務事業の内容変更については、前記二に定めるところによること。
イ 知事の定める事務事業の執行方針に従つたものであること。
(二) 事務事業の執行計画は、他の局に執行委任する事項を含めて決定しなければならないものであること。

四 人事及び給与に関すること（別表四の項課長代理の欄第一号）
別表四の項課長代理の欄第一号に掲げる権限については、原則として課長代理限りで決定できるものとし、それ以外の権限については課長に留保したこと。
五 請負又は委託による工事等及び物件の調達等（別表六の項及び七の項）
(一) 請負又は委託による工事等及び物件の調達等は、すべて局長等限りで決定できるものとしたこと。ただし、議会の議決を要する契約又は財産の処分に関する議案の提出は、知事が決定するものであること（別表三の項知事の欄第二号）。
なお、これらは、局長の定める事務事業の執行計画に従つて行わなければならないものであること。
(二) 「請負、委託又は役務の提供」については、工事、船舶の製造、修繕、通信及び運搬に係るもの（ただし、長期継続契約にあつては、長期継続契約を締結することができる契約を定める条例（平成十八年東京都条例第二十二号）第一条及び長期継続契約を締結することができる契約を定める条例施行規則（平成十八年規則第三十六号）各条に規定した契約）をいうものであること。
(三) 物件の借入れ及び貸付けの場合の「予定価格」とは、借入れ又は貸付けに要する金額ではなく、物件そのものの価格を意味するものであること。
六 補助金の交付等（別表八の項）
(一) 補助金の交付等は、すべて局長等限りで決定できるものとしたこと。
(二) 百万円以上の補助金の交付等に関する事案であっても、法令等によりその交付すべきことが義務付けられ、その交付についてほとんど裁量の余地がないもののほか、次のいずれかに該当するもののうち、局長等が部長の決定によることが適当であると認めたものには、部長限りで交付決定ができるものとしたこと。
ア 毎年度、交付対象、交付額又は補助内容が同じものであるなど同一態様で反復継続しているもの
イ 国、地方公共団体、東京都政策連携団体及び東京都が設立した地方独立行政法人が交付等の対象となるもの
ウ ア及びイに掲げる場合のほか、ほとんど裁量の余地のないもの
七 行政処分等（別表十一の項から十七の項まで）
(一) 別表十一の項から十七の項までに掲げる、事務事業の具体的実施に係る事案は、原則として課長が決定できるものとしたこと。ただし、事案の内容が特に重要又は重要であるもの、取扱上異例に属するもの等については、知事又は局長等若しくは部長に留保したこと。
(二) 法令等によりその内容が定められており、ほとんど裁量の余地のない処分等は、全て課長限りで決定できるものであるが、そのうち定例的若しくは手続が容易であり、対外的影響が少ない事案については、簡易なものとして、課長代理限りで決定できるものとしたこと。
(三) 別表には、局長等の決定する事案と部長の決定する事案との区分が規定されていないが、これは、局長は局事務事業の執行方針を定め、部長はその方針の下に局事務事業の進行管理、調整等を行い、ともに局事務事業執行上の総合調整を行う

職務を有しており、別表の概括的表現によりその区分を規定するになじまないことによるものである。ただし、個々の事案にはおのずと軽重の差があり、第四条第二項により局長が定める決定事案の細目において、事案決定の原則に従って決定権者を明記すべきものであること。

㈣　課長が事務事業の具体的実施に係る事案を決定するに当たり、方針の設定を受ける必要があるときは、部長の指示を受けるべきであること。

また、課長代理が事案を決定するに当たり、方針の設定を受ける必要があるときは、課長の指示を受けるべきであること。

なお、当該事案の決定の結果の重大性が自己の負い得る責任の範囲を超えると認めるときは、第十条第一項の規定により、課長は部長に、課長代理は課長にその決定を求めるべきこと。

㈤　事務事業の具体的実施に係る事案は、原則として課長が決定できるとしたことから、課長はその所掌事務又は分担事務につき、日ごろから上位の職に在る者に報告するよう留意すること。

また、課長代理はその所掌事務又は分掌事務につき、日ごろから課長に報告するとともに、課長は必要に応じて課長代理から報告を求めるなどして適切に課内事務を管理運営するよう留意すること。

八　決定事案の細目（第四条第二項）

別表により例示された事案のうちには、やむを得ず抽象的な表現をしているものもあり、また、例示以外の事案については、そのつど解釈により決定権者が変更され、事務執行に混乱を招くこともあり得るので、各局において執行している具体的事案のそれぞれについて決定権者を明確にしておく必要がある。このため、個別的決定事案の細目の制定を各局長に義務づけたものであること。

実施細目の制定については、各局間の決定対象事案に不均衡を生ずるのをさけるため、総務局長への報告を要するものとしたこと。

なお、別表にも実施細目にも例示されていない事案については、これらに例示されている事案を参照して事案決定の原則に従つて決定権者が定められるべきものであること。

**第四**　関連事案の決定（第五条）

事案の決定は、第三条の事案決定の原則に基づき各事案ごとに決定権者が単独で行なうものであるが、決定権者を異にする二以上の事案については常にそれぞれの決定権者が各別に決定の手続をとるべきものとすれば、事案手続が煩雑になり実務的でないので、当該二以上の事案を一事案として決定すべき場合を定めたものであること。

この場合の一事案として決定すべき関連事案は、当該決定権者が自ら決定すべき事案と当該決定権者の指揮監督下にある者が決定すべき事案に限るものであること。

また、「密接に関連するため、当該各事案を各別に決定することが不適当である」とは、例えば、一つの行政処分とそれに関する所要事項の通知等を同一時期に行なうべき場合等をいうものであること。

**第五**　決定権の委譲（第六条・第七条）

事案の決定権の配分は、事案決定の原則に基づき定められた別表及び実施細目によるが、具体的事案の内容及び事務量は様々であるので、事務執行をより合理的かつ実際的なものとするため、決定権の委譲できる場合として次の三つの場合を定めたものであること。

なお、課長の決定権については、同一の態様で反復継続することが予想されるものであつても、課長代理に委譲できないことに注意すること。

一　知事から副知事へ委譲する場合（第六条）

この場合は、知事と副知事の信頼関係にたつてそのつど臨機応変になさるべきものであるので、あらかじめ文書等により明示される決定事案のみに限られないものであること。

二　知事から局長へ委譲する場合（第七条第一項）

この場合は、文書により委譲するのが原則であるが、口頭でなされる場合もあること。

三　局長等又は部長から部長又は課長へ委譲する場合（第七条第二項）

この場合は、局長等又は部長から部長又は課長へ文書により委譲する旨を通知すべきものであること。

なお、この措置をとつた場合には、その旨を文書で総務局長に通知すること。

**第六**　事案の決定の臨時代行等（第八条・第九条）

事案の決定権者が不在の場合で至急に決定を要するときの決定の方式としては、事案の決定権が委譲によるものか否かにより次の区別があること。

一　臨時代行（第八条）

第六条又は第七条の規定により決定権の委譲された事案以外の事案については、第四条の規定により事案を決定すべき者によつてあらかじめ指定された者が臨時に事案の決定を行なうことができるものとしたこと。この場合、課長が決定する事案の臨時代行は、担任する事務の範囲内でそれぞれの課長代理が行うものであること。

また、課長代理が決定する事案の臨時代行は、当該課長代理を指揮監督する課長が行うものであること。

なお、この措置により事案を決定した場合には、当該決定に係る起案文書を回付すること等により必ず本来的に決定すべき者に報告することを要するものであること。

二　委譲した者による決定（第九条）

第六条又は第七条の規定により決定権の委譲された事案については、委譲した者が事案の決定を行なうものとしたこと。

**第七**　事案決定の例外措置（第十条）

第四条の規定により事案を決定すべき者又は第八条の規定により臨時に事案を決定すべき者が当該事案の決定の結果が決定時の周囲の情勢等を考慮した場合、自己の責任の範囲を超えると認めるときは、上位の職に在る者の決定を求め得るものとしたこと。

これに該当する場合を例示すれば、次のとおりであること。

一　都民の権利義務に重大な影響を与えるとき。

二　都の事務事業に重大な影響があり、又は重大な社会的影響があるとき。

三　重要な先例となるとき。

四　個別の判断に先立ち、方針の設定を受ける必要があるとき。

なお、決定を求められた者は、例外措置を求める理由が客観的に妥当性を有するものである限り、その決定をすることを拒否し得ないものであること。理由は、原則として起案文書に表示することとし、口頭で述べた場合は、その内容を記録した文書を起案文書に添付しておく必要があること。

**第八**　事案決定への関与（第十一条）

事案決定は、決定権者が単独で行うものであるが、知事の権限に属する事務の組織的統一性を必要最小限度確保し、事務の適正な執行を図るため、決定に対する関与を認め、その種別と範囲を明確にしたものであること。したがつて関与の範囲を不当に拡大すると責任の所在が不明確になるとともに、事案の能率的決定を阻害することになるので、特に次の諸点に留意し、関与の範囲は限定的に解すべきものであること。

一　第十一条第一項の「関連副知事」の審議は、次により行うものであること。

㈠　原則として、事案を主管する局長を置く局（以下「主管局」という。）を担任する副知事の審議で足りること。

㈡　事案が他の副知事の担任する課題に関連する場合（課題に係る基本方針を決定する場合及び課題に関連して他の局との重要な事業調整を要する場合に限る。）にあつては、主管局を担任する副知事及び当該課題を担任する副知事が審議を行うこと。

㈢　事案が他の副知事が担任する局（以下「関係局」という。）との重要な事業調整を要する場合にあつては、主管局を担任する副知事及び関係局を担任する副知事が審議を行うこと。

㈣　条例の制定及び改廃、予算の編成、長期計画の策定等特に都の行政執行の基本となるべき性質の事案は、副知事全員が審議を行うこと。

二　第十一条第一項において、課長が決定する事案について「主管に係る課長代理」に審議を行わせるとは、係員が起案者となつた場合、上司たる課長代理に審議を行わせるものであること。

三　第十一条第二項の規定は、事案の決定に対する関与には審議及び協議のほか、文書管理規則に定める審査の手続があることから、事案の決定権者は、事案の決定に当たり、文書管理規則に従い審査を行わせる必要があることとしたこと。

四　第十一条第三項の「事務に直接影響を与えるもの」とは、協議を行わなければ、事務執行にそごを来し、法令等に抵触し、又は予算に影響を与えることが予想される事案をいうものと解すべきものであること。

五　第十一条第四項の「事務執行規程等により、協議を行うべき者」が誰であるかは、具体的には当該事務執行規程等の解釈によつて定まるところであること。事務執行規程等が規則又は訓令の場合にはその施行に関する通達で具体的に協議すべき者が定められることがあり、その場合はその通達に定めるところによるべきものであること。また、通達が単独で協議について定めている場合は、特に別に解釈すべき根拠がない限りその定められた者が具体的に協議すべき者と考えるべきものであること。なお、この協議には、第十一条第三項に規定するように事案の決定に対する関与を意味する場合のほか、課長代理が自ら行う起案の際に課長代理と協議し起案文書の内容について調整する等の場合をも含む。

**第九**　協議権の委譲及び審議又は協議の臨時代行（第十二条・第十三条）

協議権の委譲及び審議又は協議の臨時代行を行うことができる場合及びその手続を定めたものであること。

なお、第十三条に規定する審議又は協議の臨時代行のうち、課長が審議又は協議する事案の臨時代行については、事案の決定の臨時代行の場合と同様、課長代理が行い、課長代理が審議又は協議する事案の臨時代行は課長が行うものであること。

また、審議又は協議を行う者の指定等の事務手続は決定権の委譲又は決定の臨時代行の場合の例によること。

**第十**　審議又は協議の補助（第十四条）

審議又は協議を行う者は、自己の審議又は協議を適正に行うため、部下に審議又は協議の補助を行わせることができるものとしたこと。したがつて、補助者の指定は事案の審議又は協議を行う者が審議又は協議を適正に行うに必要な最少限度の範囲に限つて行うべきものであること。

なお、この場合の審議又は協議は、補助者が当該事案の審議又は協議を行う者を補助しうる態勢にあるときのみ行わせ得るものであること。すなわち、補助者が不在である場合の臨時代行等はその性質上あり得ないものであること。

**第十一**　起案（第十五条）

起案は、事案の決定権者が自ら行う場合を除き、知事（第六条の規定により決定する場合の副知事を含む。）が決定する事案にあつては課長（専門課長を含む。）以上、局長等又は部長が決定する事案にあつては課長代理以上、課長、課長代理が決定する事案にあつては係員以上の職位にある者のうちから事案の決定権者が起案者を指定し、これに必要な指示を与えて行わせるものとしたこと。この指定及び指示は、事前に包括的になされても支障はないこと（知事又は第六条の規定により決定する場合の副知事が決定する事案にあつては、特に起案者を個別に指定した場合を除き、主管課長が起案すべきものとしたこと。）

# ○東京都行政手続条例

平六・一二・二二
条　例　一　四　二

最終改正　平二七・三・三一条例八

## 第一章　総則

**（目的等）**

**第一条**　この条例は、処分、行政指導及び届出に関する手続に関し、共通する事項を定めることによって、行政運営における公正の確保と透明性（行政上の意思決定について、その内容及び過程が都民にとって明らかであることをいう。）の向上を図り、もって都民の権利利益の保護に資することを目的とする。

2　処分、行政指導及び届出に関する手続に関しこの条例に規定する事項について、他の条例に特別の定めがある場合は、その定めるところによる。

**（定義）**

**第二条**　この条例において、次の各号に掲げる用語の意義は、当該各号に定めるところによる。

一　条例等　条例及び規則（地方自治法（昭和二十二年法律第六十七号）第百三十八条の四第二項に規定する規程を含む。以下同じ。）をいう。

二　処分　条例等に基づく行政庁の処分その他公権力の行使に当たる行為をいう。

三　申請　条例等に基づき、行政庁の許可、認可、免許その他の自己に対し何らかの利益を付与する処分（以下「許認可等」という。）を求める行為であって、当該行為に対して行政庁が諾否の応答をすべきこととされているものをいう。

四　不利益処分　行政庁が、条例等に基づき、特定の者を名あて人として、直接に、これに義務を課し、又はその権利を制限する処分をいう。ただし、次のいずれかに該当するものを除く。

イ　事実上の行為及び事実上の行為をするに当たりその範囲、時期等を明らかにするために必要とされている手続としての処分

ロ　申請により求められた許認可等を拒否する処分その他申請に基づき当該申請をした者を名あて人としてされる処分

ハ　名あて人となるべき者の同意の下にすることとされている処分

ニ　許認可等の効力を失わせる処分であって、当該許認可等の基礎となった事実が消滅した旨の届出があったことを理由としてされるもの

五　都の機関　地方自治法第七章に基づいて設置される東京都の執行機関、東京都公営企業組織条例（昭和二十七年東京都条例第八十一号）第一条に規定する局、警視庁（警察署を含む。）、東京消防庁（消防署を含む。）若しくはこれらに置かれる機関又はこれらの機関の職員であって法令若しくは条例等により独立に権限を行使することを認められた職員をいう。

六　行政指導　都の機関がその任務又は所掌事務の範囲内において一定の行政目的を実現するため特定の者に一定の作為又は不作為を求める指導、勧告、助言その他の行為であって行政庁の処分その他公権力の行使に当たる行為に該当しないものをいう。

七　届出　行政庁に対し一定の事項の通知をする行為（申請に該当するものを除く。）であって、条例等に

より直接に当該通知が義務付けられているもの（自己の期待する一定の条例等上の効果を発生させるためには当該通知をすべきこととされているものを含む。）をいう。

2　前項の規定にかかわらず、同項第二号に掲げる用語の意義は第三十二条において同号中「条例等に基づく行政庁」とあるのは「行政庁」と、同項第三号に掲げる用語の意義は第三十一条において同号中「条例等」とあるのは「法令又は条例等」とする。

**（適用除外）**

**第三条**　処分又は行政指導で行政手続法（平成五年法律第八十八号）第三条第一項各号に掲げるものについては、次章から第五章までの規定は、適用しない。

**（都の機関等に対する処分等の適用除外）**

**第四条**　国の機関、都の機関又は特別区、市町村その他の地方公共団体若しくはその機関に対する処分（これらの機関又は団体がその固有の資格において当該処分の名あて人となるものに限る。）及び行政指導並びにこれらの機関又は団体がする届出（これらの機関又は団体がその固有の資格においてすべきこととされているものに限る。）については、この条例の規定は、適用しない。

2　地方自治法第二百四十四条の二第三項の規定により指定管理者に公の施設の管理を行わせる場合において、当該指定管理者に対し当該公の施設の管理に関する条例に基づいて当該公の施設の管理に関し監督上される処分（当該条例の規定による指定を取り消す処分を除く。）については、次章及び第三章の規定は、適用しない。

## 第二章　申請に対する処分

**（審査基準）**

**第五条**　行政庁は、申請により求められた許認可等をするかどうかをその条例等の定めに従って判断するために必要とされる基準（以下「審査基準」という。）を定めるものとする。

2　行政庁は、審査基準を定めるに当たっては、当該許認可等の性質に照らしてできる限り具体的なものとしなければならない。

3　行政庁は、行政上特別の支障があるときを除き、条例等により当該申請の提出先とされている機関の事務所における備付けその他の適当な方法により審査基準を公にしておかなければならない。

**（標準処理期間）**

**第六条**　行政庁は、申請がその事務所に到達してから当該申請に対する処分をするまでに通常要すべき標準的な期間（条例等により当該行政庁と異なる機関が当該申請の提出先とされている場合は、併せて、当該申請が当該提出先とされている機関の事務所に到達してから当該行政庁の事務所に到達するまでに通常要すべき標準的な期間）を定めるよう努めるとともに、これを定めたときは、これらの当該申請の提出先とされている機関の事務所に備え付けるとともに公表しなければならない。

**（申請に対する審査及び応答）**

**第七条**　行政庁は、申請がその事務所に到達したときは遅滞なく当該申請の審査を開始しなければならず、かつ、申請書の記載事項に不備がないこと、申請書に必要な書類が添付されていること、申請をすることができる期間内にされたものであることその他の条例等に定められた申請の形式上の要件に適合しない申請については、速やかに、申請をした者（以下「申請者」という。）に対し相当の期間を定めて当該申請の補正を求め、又は当該申請により求められた許認可等を拒否しなければならない。

**（理由の提示）**

**第八条**　行政庁は、申請により求められた許認可等を拒否する処分をする場合は、申請者に対し、同時に、当該処分の理由を示さなければならない。ただし、条例等に定められた許認可等の要件又は公にされた審査基準が数量的指標その他の客観的指標により明確に定められている場合であって、当該申請がこれらに適合しないことが申請書の記載又は添付書類その他の申請の内容から明らかであるときは、申請者の求めがあったときにこれを示せば足りる。

2　前項本文に規定する処分を書面でするときは、同項の理由は、書面により示さなければならない。

**（情報の提供）**

**第九条**　行政庁は、申請者の求めに応じ、当該申請に係る審査の進行状況及び当該申請に対する処分の時期の見通しを示すよう努めなければならない。

2　行政庁は、申請をしようとする者又は申請者の求めに応じ、申請書の記載及び添付書類に関する事項その他の申請に必要な情報の提供に努めなければならない。

**（公聴会の開催等）**

**第十条**　行政庁は、申請に対する処分であって、申請者以外の者の利害を考慮すべきことが当該条例等において許認可等の要件とされているものを行う場合には、必要に応じ、公聴会の開催その他の適当な方法により当該申請者以外の者の意見を聴く機会を設けるよう努めなければならない。

**（複数の行政庁が関与する処分）**

**第十一条**　行政庁は、申請の処理をするに当たり、他の行政庁において同一の申請者からされた関連する申請が審査中であることをもって自らすべき許認可等をするかどうかについての審査又は判断を殊更に遅延させるようなことをしてはならない。

2　一の申請又は同一の申請者からされた相互に関連する複数の申請に対する処分について複数の行政庁が関与する場合においては、当該複数の行政庁は、必要に応じ、相互に連絡をとり、当該申請者からの説明の聴取を共同して行う等により審査の促進に努めるものとする。

## 第三章　不利益処分

### 第一節　通則

**（処分の基準）**

**第十二条**　行政庁は、不利益処分をするかどうか又はどのような不利益処分とするかについてその条例等の定めに従って判断するために必要とされる基準（次項において「処分基準」という。）を定め、かつ、これを公にしておくよう努めなければならない。

2　行政庁は、処分基準を定めるに当たっては、当該不利益処分の性質に照らしてできる限り具体的なものとしなければならない。

**（不利益処分をしようとする場合の手続）**

**第十三条**　行政庁は、不利益処分をしようとする場合には、次の各号の区分に従い、この章の定めるところにより、当該不利益処分の名あて人となるべき者について、当該各号に定める意見陳述のための手続を執らなければならない。

一　次のいずれかに該当するとき　聴聞

イ　許認可等を取り消す不利益処分をしようとするとき。

ロ　イに規定するもののほか、名あて人の資格又は地位を直接にはく奪する不利益処分をしようとするとき。

ハ　イ及びロに掲げる場合以外の場合であって行政庁が相当と認めるとき。

二　前号イからハまでのいずれにも該当しないとき　弁明の機会の付与

2　次の各号のいずれかに該当するときは、前項の規定は、適用しない。

一　公益上、緊急に不利益処分をする必要があるため、前項に規定する意見陳述のための手続を執ることができないとき。

二　条例等の規定上必要とされる資格がなかったこと又は失われるに至ったことが判明した場合に必ずすることとされている不利益処分であって、その資格の不存在又は喪失の事実が裁判所の判決書又は決定書、一定の職に就いたことを証する当該任命権者の書類その他の客観的な資料により直接証明されたものをしようとするとき。

三　施設若しくは設備の設置、維持若しくは管理又は物の製造、販売その他の取扱いについて遵守すべき事項が条例等において技術的な基準をもって明確にされている場合において、専ら当該基準が充足されていないことを理由として当該基準に従うべきことを命ずる不利益処分であってその不充足の事実が計測、実験その他客観的な認定方法によって確認されたものをしようとするとき。

四　納付すべき金銭の額を確定し、一定の額の金銭の納付を命じ、又は金銭の給付決定の取消しその他の金銭の給付を制限する不利益処分をしようとするとき。

五　当該不利益処分の性質上、それによって課される義務の内容が著しく軽微なものであるため名あて人となるべき者の意見をあらかじめ聴くことを要しないものとして規則で定める処分をしようとするとき。

**（不利益処分の理由の提示）**

**第十四条**　行政庁は、不利益処分をする場合には、その名あて人に対し、同時に、当該不利益処分の理由を示さなければならない。ただし、当該理由を示さないで処分をすべき差し迫った必要がある場合は、この限りでない。

2　行政庁は、前項ただし書の場合においては、当該名あて人の所在が判明しなくなったときその他処分後において理由を示すことが困難な事情があるときを除き、処分後相当の期間内に、同項の理由を示さなければならない。

3　不利益処分を書面でするときは、前二項の理由は、書面により示さなければならない。

### 第二節　聴聞

**（聴聞の通知の方式）**

**第十五条**　行政庁は、聴聞を行うに当たっては、聴聞を行うべき期日までに相当な期間をおいて、不利益処分の名あて人となるべき者に対し、次に掲げる事項を書面により通知しなければならない。

一　予定される不利益処分の内容及び根拠となる条例等の条項

二　不利益処分の原因となる事実

三　聴聞の期日及び場所

四　聴聞に関する事務を所掌する組織の名称及び所在地

2　前項の書面においては、次に掲げる事項を教示しなければならない。

一　聴聞の期日に出頭して意見を述べ、及び証拠書類又は証拠物（以下「証拠書類等」という。）を提出し、又は聴聞の期日への出頭に代えて陳述書及び証拠書類等を提出することができること。

二　聴聞が終結する時までの間、当該不利益処分の原因となる事実を証する資料の閲覧を求めることができること。

3　行政庁は、不利益処分の名あて人となるべき者の所在が判明しない場合においては、第一項の規定による通知を、その者の氏名、同項第三号及び第四号に掲げる事項並びに当該行政庁が同項各号に掲げる事項を記載した書面をいつでもその者に交付する旨を当該行政庁の事務所の掲示場に掲示することによって行うことができる。この場合においては、掲示を始めた日から二週間を経過したときに、当該通知がその者に到達したものとみなす。

**（代理人）**

**第十六条**　前条第一項の通知を受けた者（同条第三項後段の規定により当該通知が到達したものとみなされる者を含む。以下「当事者」という。）は、代理人を選任することができる。

2　代理人は、各自、当事者のために、聴聞に関する一切の行為をすることができる。

3　代理人の資格は、書面で証明しなければならない。

4　代理人がその資格を失ったときは、当該代理人を選任した当事者は、書面でその旨を行政庁に届け出なければならない。

**（参加人）**

**第十七条**　第十九条の規定により聴聞を主宰する者（以下「主宰者」という。）は、必要があると認めるときは、当事者以外の者であって当該不利益処分の根拠となる条例等に照らし当該不利益処分につき利害関係を有するものと認められる者（同条第二項第六号において「関係人」という。）に対し、当該聴聞に関する手続に参加することを求め、又は当該聴聞に関する手続に参加することを許可することができる。

2　前項の規定により当該聴聞に関する手続に参加する者（以下「参加人」という。）は、代理人を選任することができる。

3　前条第二項から第四項までの規定は、前項の代理人について準用する。この場合において、同条第二項及び第四項中「当事者」とあるのは、「参加人」と読み替えるものとする。

**（文書等の閲覧）**

**第十八条**　当事者及び当該不利益処分がされた場合に自己の利益を害されることとなる参加人（以下この条及び第二十四条第三項において「当事者等」という。）は、聴聞の通知があった時から聴聞が終結する時までの間、行政庁に対し、当該事案についてした調査の結果に係る調書その他の当該不利益処分の原因となる事実を証する資料の閲覧を求めることができる。この場合において、行政庁は、第三者の利益を害するおそれがあるときその他正当な理由があるときでなければ、その閲覧を拒むことができない。

2　前項の規定は、当事者等が聴聞の期日における審理の進行に応じて必要となった資料の閲覧を更に求めることを妨げない。

3　行政庁は、前二項の閲覧について日時及び場所を指定することができる。

**（聴聞の主宰）**

**第十九条**　聴聞は、行政庁が指名する職員その他規則で定める者が主宰する。

2　次の各号のいずれかに該当する者は、聴聞を主宰することができない。

一　当該聴聞の当事者又は参加人

二　前号に規定する者の配偶者、四親等内の親族又は同居の親族

三　第一号に規定する者の代理人又は次条第三項に規定する補佐人

四　前三号に規定する者であったことのある者

五　第一号に規定する者の後見人、後見監督人、保佐人、保佐監督人、補助人又は補助監督人

六　参加人以外の関係人

**（聴聞の期日における審理の方式）**

**第二十条**　主宰者は、最初の聴聞の期日の冒頭において、行政庁の職員に、予定される不利益処分の内容及び根拠となる条例等の条項並びにその原因となる事実を聴聞の期日に出頭した者に対し説明させなければならない。

2　当事者又は参加人は、聴聞の期日に出頭して、意見を述べ、及び証拠書類等を提出し、並びに主宰者の許可を得て行政庁の職員に対し質問を発することができる。

3　前項の場合において、当事者又は参加人は、主宰者の許可を得て、補佐人とともに出頭することができる。

4　主宰者は、聴聞の期日において必要があると認めるときは、当事者若しくは参加人に対し質問を発し、意見の陳述若しくは証拠書類等の提出を促し、又は行政庁の職員に対し説明を求めることができる。

5　主宰者は、当事者又は参加人の一部が出頭しないと

きであっても、聴聞の期日における審理を行うことができる。

6　聴聞の期日における審理は、行政庁が公開することを相当と認めるときを除き、公開しない。

（陳述書等の提出）

**第二十一条**　当事者又は参加人は、聴聞の期日への出頭に代えて、主宰者に対し、聴聞の期日までに陳述書及び証拠書類等を提出することができる。

2　主宰者は、聴聞の期日に出頭した者に対し、その求めに応じて、前項の陳述書及び証拠書類等を示すことができる。

（続行期日の指定）

**第二十二条**　主宰者は、聴聞の期日における審理の結果、なお聴聞を続行する必要があると認めるときは、さらに新たな期日を定めることができる。

2　前項の場合においては、当事者及び参加人に対し、あらかじめ、次回の聴聞の期日及び場所を書面により通知しなければならない。ただし、聴聞の期日に出頭した当事者及び参加人に対しては、当該聴聞の期日においてこれを告知すれば足りる。

3　第十五条第三項の規定は、前項本文の場合において、当事者又は参加人の所在が判明しないときにおける通知の方法について準用する。この場合において、同条第三項中「不利益処分の名あて人となるべき者」とあるのは「当事者又は参加人」と、「掲示を始めた日から二週間を経過したとき」とあるのは「掲示を始めた日から二週間を経過したとき（同一の当事者又は参加人に対する二回目以降の通知にあっては、掲示を始めた日の翌日）」と読み替えるものとする。

（当事者の不出頭等の場合における聴聞の終結）

**第二十三条**　主宰者は、当事者の全部若しくは一部が正当な理由なく聴聞の期日に出頭せず、かつ、第二十一条第一項に規定する陳述書若しくは証拠書類等を提出しない場合、又は参加人の全部若しくは一部が聴聞の期日に出頭しない場合には、これらの者に対し改めて意見を述べ、及び証拠書類等を提出する機会を与えることなく、聴聞を終結することができる。

2　主宰者は、前項に規定する場合のほか、当事者の全部又は一部が聴聞の期日に出頭せず、かつ、第二十一条第一項に規定する陳述書又は証拠書類等を提出しない場合において、これらの者の聴聞の期日への出頭が相当期間引き続き見込めないときは、これらの者に対し、期限を定めて陳述書及び証拠書類等の提出を求め、当該期限が到来したときに聴聞を終結することとすることができる。

（聴聞調書及び報告書）

**第二十四条**　主宰者は、聴聞の審理の経過を記載した調書を作成し、当該調書において、不利益処分の原因となる事実に対する当事者及び参加人の陳述の要旨を明らかにしておかなければならない。

2　前項の調書は、聴聞の期日における審理が行われた場合には各期日ごとに、当該審理が行われなかった場合には聴聞の終結後速やかに作成しなければならない。

3　主宰者は、聴聞の終結後速やかに、不利益処分の原因となる事実に対する当事者等の主張に理由があるかどうかについての意見を記載した報告書を作成し、第一項の調書とともに行政庁に提出しなければならない。

4　当事者又は参加人は、第一項の調書及び前項の報告書の閲覧を求めることができる。

（聴聞の再開）

**第二十五条**　行政庁は、聴聞の終結後に生じた事情にかんがみ必要があると認めるときは、主宰者に対し、前条第三項の規定により提出された報告書を返戻して聴聞の再開を命ずることができる。第二十二条第二項本文及び第三項の規定は、この場合について準用する。

（聴聞を経てされる不利益処分の決定）

**第二十六条**　行政庁は、不利益処分の決定をするときは、第二十四条第一項の調書の内容及び同条第三項の報告書に記載された主宰者の意見を十分に参酌してこれをしなければならない。

### 第三節　弁明の機会の付与

（弁明の機会の付与の方式）

**第二十七条**　弁明は、行政庁が口頭ですることを認めたときを除き、弁明を記載した書面（以下「弁明書」という。）を提出してするものとする。

2　弁明をするときは、証拠書類等を提出することができる。

（弁明の機会の付与の通知の方式）

**第二十八条**　行政庁は、弁明書の提出期限（口頭による弁明の機会の付与を行う場合には、その日時）までに相当な期間をおいて、不利益処分の名あて人となるべき者に対し、次に掲げる事項を書面により通知しなければならない。

一　予定される不利益処分の内容及び根拠となる条例等の条項

二　不利益処分の原因となる事実

三　弁明書の提出先及び提出期限（口頭による弁明の機会の付与を行う場合には、その旨並びに出頭すべき日時及び場所）

（聴聞に関する手続の準用）

**第二十九条**　第十五条第三項及び第十六条の規定は、弁明の機会の付与について準用する。この場合において、第十五条第三項中「第一項」とあるのは「第二十八条」と、「同項第三号及び第四号」とあるのは「同条第三号」と、第十六条第一項中「前条第一項」とあるのは「第二十八条」と、「同条第三項後段」とあるのは「第二十九条において準用する第十五条第三項後段」と読み替えるものとする。

## 第四章　行政指導

**（行政指導の一般原則）**

**第三十条**　行政指導にあっては、行政指導に携わる者は、いやしくも当該都の機関の任務又は所掌事務の範囲を逸脱してはならないこと及び行政指導の内容があくまでも相手方の任意の協力によってのみ実現されるものであることに留意しなければならない。

2　行政指導に携わる者は、その相手方が行政指導に従わなかったことを理由として、不利益な取扱いをしてはならない。

**（申請に関連する行政指導）**

**第三十一条**　申請の取下げ又は内容の変更を求める行政指導にあっては、行政指導に携わる者は、申請者が当該行政指導に従う意思がない旨を表明したにもかかわらず当該行政指導を継続すること等により当該申請者の権利の行使を妨げるようなことをしてはならない。

**（許認可等の権限に関連する行政指導）**

**第三十二条**　許認可等をする権限又は許認可等に基づく処分をする権限を有する都の機関が、当該権限を行使することができない場合、又は行使する意思がない場合においてする行政指導にあっては、行政指導に携わる者は、当該権限を行使し得る旨を殊更に示すことにより相手方に当該行政指導に従うことを余儀なくさせるようなことをしてはならない。

**（行政指導の方式）**

**第三十三条**　行政指導に携わる者は、その相手方に対して、当該行政指導の趣旨及び内容並びに責任者を明確に示さなければならない。

2　行政指導に携わる者は、当該行政指導をする際に、都の機関が許認可等をする権限又は許認可等に基づく処分をする権限を行使し得る旨を示すときは、その相手方に対して、次に掲げる事項を示さなければならない。

一　当該権限を行使し得る根拠となる法令又は条例等の条項

二　前号の条項に規定する要件

三　当該権限の行使が前号の要件に適合する理由

3　行政指導が口頭でされた場合において、その相手方から前二項に規定する事項を記載した書面の交付を求められたときは、当該行政指導に携わる者は、行政上特別の支障がない限り、これを交付しなければならない。

4　前項の規定は、次に掲げる行政指導については、適用しない。

一　相手方に対しその場において完了する行為を求めるもの

二　既に文書（前項の書面を含む。）又は電磁的記録（電子的方式、磁気的方式その他人の知覚によっては認識することができない方式で作られる記録であって、電子計算機による情報処理の用に供されるものをいう。）によりその相手方に通知されている事項と同一の内容を求めるもの

**（複数の者を対象とする行政指導）**

**第三十四条**　同一の行政目的を実現するため一定の条件に該当する複数の者に対し行政指導をしようとするときは、都の機関は、あらかじめ、事案に応じ、これらの行政指導に共通してその内容となるべき事項を定め、かつ、行政上特別の支障がない限り、これを公表しなければならない。

**（行政指導の中止等の求め）**

**第三十五条**　法令又は条例等に違反する行為の是正を求める行政指導（その根拠となる規定が法律又は条例に置かれているものに限る。）の相手方は、当該行政指導が当該法律又は条例に規定する要件に適合しないと思料するときは、当該行政指導をした都の機関に対し、その旨を申し出て、当該行政指導の中止その他必要な措置をとることを求めることができる。ただし、当該行政指導がその相手方について弁明その他意見陳述のための手続を経てされたものであるときは、この限りでない。

2　前項の申出は、次に掲げる事項を記載した申出書を提出してしなければならない。

一　申出をする者の氏名又は名称及び住所又は居所

二　当該行政指導の内容

三　当該行政指導がその根拠とする法律又は条例の条項

四　前号の条項に規定する要件

五　当該行政指導が前号の要件に適合しないと思料する理由

六　その他参考となる事項

3　当該都の機関は、第一項の規定による申出があったときは、必要な調査を行い、当該行政指導が当該法律又は条例に規定する要件に適合しないと認めるときは、当該行政指導の中止その他必要な措置をとらなければならない。

## 第五章　処分等の求め

（処分等の求め）

**第三十六条**　何人も、法令又は条例等に違反する事実がある場合において、その是正のためにされるべき処分（その根拠となる規定が条例等に置かれているものに限る。）又は行政指導（その根拠となる規定が法律又は条例に置かれているものに限る。）がされていないと思料するときは、当該処分をする権限を有する行政庁又は当該行政指導をする権限を有する都の機関に対し、その旨を申し出て、当該処分又は行政指導をすることを求めることができる。

2　前項の申出は、次に掲げる事項を記載した申出書を提出してしなければならない。

一　申出をする者の氏名又は名称及び住所又は居所
二　法令又は条例等に違反する事実の内容
三　当該処分又は行政指導の内容
四　当該処分又は行政指導の根拠となる法律又は条例等の条項
五　当該処分又は行政指導がされるべきであると思料する理由
六　その他参考となる事項

3　当該行政庁又は都の機関は、第一項の規定による申出があったときは、必要な調査を行い、その結果に基づき必要があると認めるときは、当該処分又は行政指導をしなければならない。

## 第六章　届出

（届出）

**第三十七条**　届出が届出書の記載事項に不備がないこと、届出書に必要な書類が添付されていることその他の条例等に定められた届出の形式上の要件に適合している場合は、当該届出が条例等により当該届出の提出先とされている機関の事務所に到達したときに、当該届出をすべき手続上の義務が履行されたものとする。

### 附　則

（施行期日）

1　この条例は、公布の日から起算して六月を超えない範囲内において東京都規則で定める日〔平七・四・一〕から施行する。

（経過措置）

2　この条例の施行前に第十五条第一項又は第二十八条の規定による通知に相当する行為がされた場合においては、当該通知に相当する行為に係る不利益処分の手続に関しては、第三章の規定にかかわらず、なお従前の例による。

3　この条例の施行前に、届出その他規則で定める行為（以下「届出等」という。）がされた後一定期間内に限りすることができるとされている不利益処分に係る当該届出等がされた場合においては、当該不利益処分に係る手続に関しては、第三章の規定にかかわらず、なお従前の例による。

4　前二項に定めるもののほか、この条例の施行に関して必要な経過措置は、規則で定める。

### 附　則（平二七・三・三一条例八）

この条例は、平成二十七年四月一日から施行する。

# ○聴聞及び弁明の機会の付与に関する規則

平六・九・三〇
規則一六九

最終改正　令二・一一・一三規則一八八

## 第一章　総則

（趣旨）

**第一条**　この規則は、行政手続法（平成五年法律第八十八号。以下「法」という。）第十三条第一項及び東京都行政手続条例（平成六年東京都条例第百四十二号）第十三条第一項の規定による聴聞及び弁明の機会の付与に係る法第三章第二節及び第三節並びに東京都行政手続条例第三章第二節及び第三節の手続に関し、必要な事項を定めるものとする。

（適用範囲）

**第二条**　知事及び知事の権限に属する事務を委任された者（地方自治法（昭和二十二年法律第六十七号）第二百四十四条の二第三項に規定する指定管理者を除く。以下これらを「行政庁」という。）が法第十三条第一項及び東京都行政手続条例第十三条第一項の規定により行う聴聞及び弁明の機会の付与に関する手続については、法令、条例、他の東京都規則又は地方公営企業法（昭和二十七年法律第二百九十二号）第十条に規定する企業管理規程に定めるもののほか、この規則の定めるところによる。

（定義）

**第三条**　この規則において、当事者とは、法第十五条第一項若しくは東京都行政手続条例（以下「条例」という。）第十五条第一項又は法第三十条若しくは条例第二十八条の通知を受けた者（法第十五条第三項後段及び条例第十五条第三項後段（法第三十一条及び条例第二十九条において準用する場合を含む。）の規定により当該通知が到達したものとみなされる者を含む。）をいう。

## 第二章　聴聞

### 第一節　主宰者の指名

**第四条**　法第十九条第一項又は条例第十九条第一項の規定による主宰者の指名は、法第十五条第一項又は条例第十五条第一項の通知をする時までに行うものとする。

2　主宰者は、聴聞を主宰するについて必要な知識を有すると認められる者のうちから指名する。

3　主宰者が法第十九条第二項各号又は条例第十九条第二項各号のいずれかに該当するに至ったときは、行政庁は、速やかに、その者以外の者を主宰者に指名しなければならない。

### 第二節　代理人、参加人及び補佐人

**（代理人の資格の証明）**

**第五条**　法第十六条第三項及び条例第十六条第三項（法第十七条第三項及び条例第十七条第三項において準用する場合を含む。）の規定による代理人の資格の証明は、聴聞の件名、代理人の氏名、住所及び当事者又は参加人との関係並びに当事者又は参加人が代理人に対して当事者又は参加人のために聴聞に関する一切の行為をすることを委任する旨を記載した書面を行政庁に提出することにより行うものとする。

**（参加人の許可等）**

**第六条**　法第十七条第一項及び条例第十七条第一項の規定による許可の申請は、聴聞の期日前四日までに、聴聞の件名、参加人となろうとする者の氏名及び住所並びに当該聴聞に係る不利益処分につき利害関係を有することの疎明を記載した書面を主宰者に提出することにより行うものとする。

2　主宰者は、法第十七条第一項又は条例第十七条第一項の規定により、関係人の参加を求めるときは、その旨を当該参加を求める関係人に対し書面により通知するものとする。

3　主宰者は、法第十七条第一項又は条例第十七条第一項の規定による許可をしたときは、聴聞の期日の前日までに、その旨を当該許可の申請を行った関係人に対し書面により通知するものとする。

**（補佐人の許可申請等）**

**第七条**　法第二十条第三項及び条例第二十条第三項の許可の申請は、聴聞の期日前四日までに、聴聞の件名、補佐人としようとする者の氏名、住所及び当事者又は参加人との関係並びに補佐する事項を記載した書面を主宰者に提出することにより行うものとする。

2　主宰者は、法第二十条第三項又は条例第二十条第三項の許可をしたときは、聴聞の期日の前日までに、その旨を当該許可の申請を行った当事者又は参加人に対し書面により通知するものとする。

3　補佐人は、聴聞の期日における審理において意見の陳述その他必要な補佐をすることができる。

4　補佐人の陳述は、当事者又は参加人が直ちにそれを取り消さないときは、当該当事者又は参加人が自ら陳述したものとみなす。

5　法第二十二条第二項又は条例第二十二条第二項（法第二十五条後段及び条例第二十五条後段において準用する場合を含む。）の規定により通知された聴聞の期日に出頭させようとする補佐人であって、既に受けた法第二十条第三項又は条例第二十条第三項の許可に係る事項につき補佐するものについては、新たにこれらの規定の許可を得ることを要しないものとする。

### 第三節　聴聞の進行

**（聴聞の通知の時期）**

**第八条**　行政庁は、聴聞を行おうとするときは、その期日の一週間前の日までに、法第十五条第一項又は条例第十五条第一項の通知をしなければならない。

**（聴聞の期日の変更）**

**第九条**　行政庁が法第十五条第一項又は条例第十五条第一項の通知をした場合において、当事者は、やむを得ない理由がある場合には、行政庁に対し聴聞の期日の変更を申し出ることができる。

2　行政庁は、前項の申出又は職権により、聴聞の期日の変更をすることができる。

3　行政庁は、前項の規定により聴聞の期日の変更をしたときは、速やかに、その旨を当事者及び参加人（当該変更をした時までに法第十七条第一項若しくは条例第十七条第一項の求めを受諾し、又はこれらの規定による許可を受けている者に限る。）に通知しなければならない。

**（文書等の閲覧の手続）**

**第十条**　法第十八条第一項及び条例第十八条第一項の規定による閲覧の求めは、当事者又は当該不利益処分がされた場合に自己の利益が害されることとなる参加人（以下この条において「当事者等」という。）の氏名及び住所並びに閲覧をしようとする資料の標目を記載した書面を行政庁に提出することにより行うものとする。ただし、法第十八条第一項及び条例第十八条第二

項の規定の閲覧の求めは、口頭によれば足りる。

2　行政庁は、法第十八条第一項若しくは第二項又は条例第十八条第一項若しくは第二項の閲覧をさせるときは、これらの規定の求めに応じ、当該求めのあった場所で直ちに閲覧させる場合を除き、速やかに、閲覧の日時及び場所を閲覧を求めた当事者等に通知しなければならない。この場合において、行政庁は、聴聞の審理における当事者等の意見陳述に必要な準備を妨げることがないよう配慮するものとする。

3　法第十八条第二項又は条例第十八条第二項の閲覧の求めが当事者等からあった場合において、行政庁が当該求めのあった聴聞の期日における審理において閲覧させることができないとき（法第十八条第一項後段又は条例第十八条第一項後段の規定に基づき拒否するときを除く。）は、主宰者は、法第二十二条第一項又は条例第二十二条第一項の規定に基づき、当該閲覧の日時以降の日時を新たな聴聞の期日として定めるものとする。

（**聴聞の期日における審理の公開**）

**第十一条**　行政庁は、法第二十条第六項又は条例第二十条第六項の規定により聴聞の期日における審理の公開を相当と認めたときは、聴聞の期日及び場所を公示するものとする。この場合において、当事者及び参加人（当該公示をした時までに法第十七条第一項若しくは条例第十七条第一項の求めを受諾し、又はこれらの規定による許可を受けている者に限る。）に対し、速やかに、その旨を通知するものとする。

（**聴聞の期日における議事の整理等**）

**第十二条**　主宰者は、聴聞の期日に出頭した者が当該聴聞の事案の範囲を超えて意見を述べるとき、その他議事を整理するためにやむを得ないと認めるときは、その者に対し、意見の陳述を制限することができる。

2　主宰者は、前項に規定する場合のほか、聴聞の審理の秩序を維持するため、聴聞の審理を妨害し、又はその秩序を乱す者に対し退場を命ずる等適当な措置をとることができる。

3　主宰者は、前条に規定する公開による審理を行う場合に、会場内の整理のため必要があると認めるときは、傍聴人の入場を制限することができる。

（**陳述書の提出の方法**）

**第十三条**　法第二十一条第一項及び条例第二十一条第一項の規定による陳述書の提出は、聴聞の件名、提出する者の氏名及び住所並びに当該聴聞に係る不利益処分の原因となる事実その他当該聴聞の事案についての意見を記載した書面により行うものとする。

## 第四節　聴聞調書等

（**聴聞調書**）

**第十四条**　法第二十四条第一項及び条例第二十四条第一項に規定する調書（以下「聴聞調書」という。）には、次に掲げる事項（聴聞の期日における審理が行われなかった場合においては、第四号に掲げる事項を除く。）を記載するものとする。

一　聴聞の件名
二　聴聞の期日及び場所
三　主宰者の職名及び氏名
四　聴聞の期日に出頭した当事者及び参加人並びにこれらの者の代理人及び補佐人の氏名及び住所
五　当事者又はその代理人が聴聞の期日に出頭しなかった場合は、その氏名及び住所並びに出頭しなかったことについての正当な理由の有無
六　説明を行った行政庁の職員の職名及び氏名
七　行政庁の職員の説明の要旨
八　当事者及び参加人並びにこれらの者の代理人及び補佐人の意見の陳述（法第二十一条第一項又は条例第二十一条第一項の規定により提出された陳述書における意見の陳述を含む。）の要旨
九　証拠書類等が提出されたときは、その標目
十　前各号に掲げる事項のほか参考となるべき事項

2　聴聞調書には、書面、図画、写真その他主宰者が適当と認めるものを添付してその一部とすることができる。

（**報告書**）

**第十五条**　法第二十四条第三項又は条例第二十四条第三項の報告書（以下単に「報告書」という。）には、次に掲げる事項を記載するものとする。

一　聴聞の件名
二　不利益処分の原因となる事実に対する当事者及び参加人の主張
三　前号の主張に理由があるかどうかについての主宰者の意見

（**聴聞調書及び報告書の閲覧の手続**）

**第十六条**　法第二十四条第四項及び条例第二十四条第四項の規定による閲覧の求めは、当事者又は参加人の氏名及び住所並びに閲覧をしようとする聴聞調書又は報告書の件名を記載した書面を、聴聞の終結前にあっては聴聞の主宰者に、聴聞の終結後にあっては行政庁に提出することにより行うものとする。

2　主宰者又は行政庁は、法第二十四条第四項又は条例第二十四条第四項の閲覧をさせるときは、これらの規定による求めに応じ、その求めのあった場所で直ちに閲覧させる場合を除き、速やかに、閲覧の日時及び場所を閲覧を求めた当事者又は参加人に通知しなければならない。

## 第三章　弁明の機会の付与

（**弁明の機会の付与の通知**）

**第十七条**　行政庁は、弁明の機会を付与しようとするときは、法第三十条又は条例第二十八条の提出期限の一週間前の日までに、これらの規定による通知をしなければならない。

（**口頭による弁明の聴取**）

**第十八条**　弁明を口頭ですることを認めたときは、行政庁の指名する職員は、弁明を録取しなければならない。

（**弁明調書**）

**第十九条**　前条の規定により弁明を録取する者（以下「弁明録取者」という。）は、当事者が口頭による弁明をしたときは、次に掲げる事項を記載した調書（以下「弁明調書」という。）を作成しなければならない。

一　弁明の件名
二　弁明の日時及び場所
三　弁明録取者の職名及び氏名
四　弁明の日時に出頭した当事者及びその代理人の氏名及び住所
五　当事者及びその代理人の弁明の要旨
六　証拠書類等が提出されたときは、その標目
七　前各号に掲げる事項のほか参考となるべき事項

2　第十四条第二項の規定は、弁明調書について準用する。

（**弁明調書の提出**）

**第二十条**　弁明録取者は、口頭による弁明の終結後速やかに、弁明調書を行政庁に提出しなければならない。

（**弁明書の不提出等**）

**第二十一条**　行政庁は、法第三十条又は条例第二十八条の提出期限までに法第二十九条第一項若しくは条例第二十七条第一項の弁明書が提出されない場合、又は法第三十条若しくは条例第二十八条の弁明の日時に当事者又はその代理人が出頭しない場合には、改めて弁明の機会の付与を行うことを要しない。

（**準用規定**）

**第二十二条**　第五条及び第十三条の規定は、弁明の機会の付与について準用する。この場合において、第五条中「法第十六条第三項及び条例第十六条第三項（法第十七条第三項及び条例第十七条第三項において準用する場合を含む。）」とあるのは「法第三十一条及び条例第二十九条において準用する法第十六条第三項及び条例第十六条第三項」と、「聴聞」とあるのは「弁明」と、「当事者又は参加人」とあるのは「当事者」と、第十三条中「法第二十一条第一項及び条例第二十一条第一項の規定による陳述書」とあるのは「法第二十九条第一項及び条例第二十七条第一項の規定による弁明書」と、「聴聞」とあるのは「弁明」と読み替えるものとする。

2　第九条の規定は、口頭による弁明の機会の付与について準用する。この場合において、「聴聞の期日」とあるのは、「弁明の日時」と読み替えるものとする。

**附　則**

この規則は、平成六年十月一日から施行する。

**附　則**（令二・一一・一三規則一八八）

この規則は、公布の日から施行する。

# ○行政不服審査法施行条例

平二七・一二・二四
条例一二六

最終改正　令六・一〇・一一条例一〇五

（**趣旨**）

**第一条**　この条例は、行政不服審査法（平成二十六年法律第六十八号。以下「法」という。）の施行に関し、必要な事項を定めるものとする。

（**審理員等が行う資料交付に係る手数料**）

**第二条**　法第三十八条第六項の規定により読み替えて適用される同条第四項（法第九条第三項の規定により読み替えて適用される法第三十八条第一項の規定により、審査庁が書面若しくは書類の写し又は電磁的記録に記録された事項を記載した書面の交付を行う場合（以下この条において「審査庁が資料交付を行う場合」という。）を含む。）に規定する条例で定める手数料は、別表のとおりとする。

2　法第三十八条第六項の規定により読み替えて適用される同条第五項（審査庁が資料交付を行う場合を含む。）の規定により、前項の手数料を減額し、又は免除することができる場合は、次に掲げるとおりとする。

一　審査請求人又は参加人（以下この条において「審査請求人等」という。）が生活保護法（昭和二十五年法律第百四十四号）第六条第一項に規定する現に同法の保護を受けている者であるとき。
二　審査請求人等が生活保護法第六条第二項に規定する同法の保護を必要とする状態にある者で、現にそ

の保護を受けていないものであるとき。

三　審査請求人等が災害等不時の事故によって生計困難になった者であるとき。

四　その他特別の理由があると認めるとき。

3　前項の規定により手数料の減額又は免除を受けようとする審査請求人等は、法第三十八条第一項（法第九条第三項の規定により読み替えて適用される場合を含む。）の規定による交付を求める際に、併せて当該減額又は免除を求める旨及びその理由を記載した書面を提出しなければならない。

4　前項の書面には、審査請求人等が第二項各号のいずれかに該当する事実を証明する書面を添付しなければならない。

5　第一項から前項までの規定にかかわらず、審査庁が資料交付を行う場合における第一項の手数料の額又はその減額若しくは免除について、他の条例に特別の定めがある場合は、その定めるところによる。

**（東京都行政不服審査会の設置）**

**第三条**　法第八十一条第一項の規定に基づき、知事の附属機関として、東京都行政不服審査会（以下「審査会」という。）を置く。

**（組織）**

**第四条**　審査会は、委員十五人以内をもって組織する。

**（委員）**

**第五条**　審査会の委員は、審査会の権限に属する事項に関し公正な判断をすることができ、かつ、法律又は行政に関して優れた識見を有する者のうちから、知事が任命する。

2　委員の任期は、二年とする。ただし、補欠の委員の任期は、前任者の残任期間とする。

3　委員は、再任されることができる。

4　委員の任期が満了したときは、当該委員は、後任者が任命されるまで引き続きその職務を行うものとする。

5　知事は、委員が心身の故障のために職務の執行ができないと認める場合又は委員に職務上の義務違反その他委員たるに適しない非行があると認める場合には、その委員を罷免することができる。

6　委員は、職務上知り得た秘密を漏らしてはならない。その職を退いた後も同様とする。

7　委員は、在任中、政党その他の政治的団体の役員となり、又は積極的に政治運動をしてはならない。

**（会長）**

**第六条**　審査会に、会長を置き、委員の互選により選任する。

2　会長は、会務を総理し、審査会を代表する。

3　会長に事故があるとき、又は会長が欠けたときは、会長があらかじめ指名する委員がその職務を代理する。

**（会議）**

**第七条**　審査会は、会長が招集する。

2　会長は、審査会の議長となる。

3　審査会の会議は、委員の過半数が出席しなければ、開くことができない。

4　審査会の議事は、出席委員の過半数をもって決し、可否同数のときは、議長の決するところによる。

**（専門委員）**

**第八条**　審査会に、専門の事項を調査させるため、専門委員を置くことができる。

2　専門委員は、学識経験のある者のうちから、知事が任命する。

3　第五条第二項から第七項までの規定は、専門委員に準用する。この場合において、これらの規定中「委員」とあるのは、「専門委員」と読み替えるものとする。

**（部会）**

**第九条**　審査会は、委員のうちから、審査会が指名する者三人をもって構成する部会で、審査請求に係る事件について調査審議する。

2　部会に、部会長を置き、当該部会に属する委員のうちから、会長が指名する。

3　部会は、部会長が招集する。

4　部会長は、部会の議長となる。

5　部会の会議は、当該部会に属する委員の過半数が出席しなければ、開くことができない。

6　部会の議事は、出席委員の過半数をもって決し、可否同数のときは、議長の決するところによる。

7　審査会は、その議決により、部会の議決をもって審査会の議決とすることができる。

**（審議手続の非公開）**

**第十条**　審査会及び前条第一項に規定する部会の行う審議の手続は、公開しない。

**（庶務）**

**第十一条**　審査会の庶務は、総務局において処理する。

**（会長への委任）**

**第十二条**　この条例に定めるもののほか、審査会の運営に関し必要な事項は、会長が審査会に諮って定める。

**（審査会における資料交付に係る手数料）**

**第十三条**　法第八十一条第三項の規定により読み替えて準用される法第七十八条第四項に規定する条例で定める手数料は、別表のとおりとする。

2　法第八十一条第三項の規定により読み替えて準用される法第七十八条第五項の規定により、前項の手数料を減額し、又は免除することができる場合は、第二条第二項各号に掲げるとおりとする。この場合においては、同条第三項及び第四項の規定を準用する。

（罰則）

**第十四条**　第五条第六項（第八条第三項において準用する場合を含む。）の規定に違反した者は、一年以下の拘禁刑又は五十万円以下の罰金に処する。

**附　則**

この条例は、法の施行の日〔平二八・四・一〕から施行する。

**附　則**（令六・一〇・一一条例一〇五）

1　この条例は、令和七年六月一日から施行する。

2　この条例の施行前にした行為に対する罰則の適用については、なお従前の例による。

**別表**（第二条、第十三条関係）

| 種類 | 金額 |
| --- | --- |
| 書面又は書類の写し（単色刷り） | 一枚につき十円 |
| 書面又は書類の写し（多色刷り） | 一枚につき二十円 |
| 電磁的記録に記録された事項を記載した書面を印刷物として出力したもの（単色刷り） | 印刷物として出力したもの一枚につき十円 |
| 電磁的記録に記録された事項を記載した書面を印刷物として出力したもの（多色刷り） | 印刷物として出力したもの一枚につき二十円 |

備考

一　この表において、両面に複写され、又は出力された用紙については、片面を一枚として手数料の額を算定する。

二　書面又は書類の写し（電磁的記録の場合においては、印刷物として出力したもの）を交付する場合は、原則として日本産業規格Ａ列三番までの用紙を用いるものとするが、これを超える規格の用紙を用いたときの写しの枚数は、日本産業規格Ａ列三番による用紙を用いた場合の枚数に換算して算定する。

## ○行政手続における特定の個人を識別するための番号の利用等に関する法律に基づく個人番号の利用並びに特定個人情報の利用及び提供に関する条例

平二七・一〇・一五
条　例　一　一　一

最終改正　令六・一〇・一一条例一一九

（趣旨）

**第一条**　この条例は、行政手続における特定の個人を識別するための番号の利用等に関する法律（平成二十五年法律第二十七号。以下「法」という。）第九条第二項に基づく個人番号及び特定個人情報の利用並びに法第十九条に基づく特定個人情報の提供に関し必要な事項を定めるものとする。

（定義）

**第二条**　この条例において、次の各号に掲げる用語の意義は、当該各号に定めるところによる。

一　個人情報　法第二条第三項に規定する個人情報のうち、東京都（以下「都」という。）の執行機関が保有するものをいう。

二　個人番号　法第二条第五項に規定する個人番号をいう。

三　特定個人情報　個人番号（個人番号に対応し、当該個人番号に代わって用いられる番号、記号その他の符号であって、住民基本台帳法（昭和四十二年法律第八十一号）第七条第十三号に規定する住民票コード以外のものを含む。以下同じ。）をその内容に含む個人情報をいう。

四　特定個人番号利用事務　法第十九条第八号に規定する特定個人番号利用事務をいう。

五　利用特定個人情報　法第十九条第八号に規定する利用特定個人情報をいう。

（都の責務）

**第三条**　都の執行機関は、個人番号の利用並びに特定個人情報の利用及び提供に関し、その適正な取扱いを確保するために必要な措置を講じるとともに、国及び他の地方公共団体との連携を図りながら、自主的かつ主体的に、都の特性に応じた施策を実施するものとする。

（個人番号及び特定個人情報の利用範囲）

**第四条**　法第九条第二項の条例で定める事務は、別表第一の上欄に掲げる都の執行機関が行う同表の下欄に掲げる事務及び特定個人番号利用事務のうち都の執行機関が行うものとする。

2　都の執行機関は、特定個人番号利用事務のうち当該都の執行機関が行うものを処理するために必要な限度で、利用特定個人情報であって当該都の執行機関が保有するものを利用することができる。

3　別表第二の第一欄に掲げる都の執行機関は、同表の第二欄に掲げる事務を処理するために必要な限度で、同表の第三欄に掲げる特定個人情報であって当該都の執行機関が保有するものを利用することができる。

4　前二項の規定による特定個人情報の利用があった場合において、他の条例等の規定により当該特定個人情報と同一の内容の情報を含む書面の提出が義務付けられているときは、当該書面の提出があったものとみなす。

**第五条**　削除

（委任）

**第六条**　この条例の施行に関し必要な事項は、規定で定める。

附　則

この条例は、平成二十八年一月一日から施行する。ただし、第四条第二項及び第三項の規定は、法別表第二の施行の日（公布の日〔平二五・五・三一〕から起算して四年を超えない範囲内において政令で定める日）から施行する。

附　則（令六・三・二九条例一六）

この条例は、行政手続における特定の個人を識別するための番号の利用等に関する法律等の一部を改正する法律（令和五年法律第四十八号）の施行の日（令六・五・二七）又はこの条例の公布の日のいずれか遅い日から施行する。

附　則（令六・一〇・一一条例一一九）

この条例は、令和七年三月一日から施行する。

**別表第一**（第四条関係）

| 執行機関 | 事務 |
|---|---|
| 一　知事 | 東京都難病患者等に係る医療費等の助成に関する規則（平成十二年東京都規則第九十四号。以下「都難病規則」という。）による難病等にり患した者に対する医療費等の助成に関する事務であって規則で定めるもの |
| 二　知事 | 都難病規則によるB型ウイルス肝炎又はC型ウイルス肝炎にり患した者に対する医療費の助成に関する事務であって規則で定めるもの |
| 三　知事 | 東京都重度心身障害者手当条例（昭和四十八年東京都条例第六十八号）による重度心身障害者手当の支給に関する事務であって規則で定めるもの |
| 四　知事 | 障害者の日常生活及び社会生活を総合的に支援するための法律施行細則（平成十八年東京都規則第十二号）による精神通院医療費の助成に関する事務であって規則で定めるもの |
| 五　知事 | 感染症の予防及び感染症の患者に対する医療に関する法律施行細則（平成十一年東京都規則第百十二号）による結核患者の医療費の助成に関する事務であって規則で定めるもの |
| 六　知事 | 生活に困窮する外国人に対して行われる生活保護法（昭和二十五年法律第百四十四号）による保護に準じた措置の実施に関する事務であって規則で定めるもの |

| | | |
|---|---|---|
| 七 | 知事 | 東京都原子爆弾被爆者等の援護に関する条例（昭和五十年東京都条例第八十八号）による被爆者の子に対する医療費の助成に関する事務であって規則で定めるもの |
| 八 | 知事 | 東京都立産業技術高等専門学校における奨学のための給付金の支給に関する事務であって規則で定めるもの |
| 九 | 知事 | 東京都内に設置されている私立高等学校等（高等学校等就学支援金の支給に関する法律（平成二十二年法律第十八号）第二条に規定する高等学校等のうち、国立及び公立のものを除いたものをいう。）（以下単に「私立高等学校等」という。）及び東京都立産業技術高等専門学校における学び直し支援金の支給に関する事務であって規則で定めるもの |
| 十 | 知事 | 東京都立産業技術高等専門学校における授業料負担の軽減及び選択的学習活動に係る経費の支援に関する事務であって規則で定めるもの |
| 十一 | 知事 | 東京都立大学及び東京都立産業技術高等専門学校における授業料の減免に必要な経費の支弁に関する事務であって規則で定めるもの |
| 十二 | 教育委員会 | 東京都立学校の授業料等徴収条例（昭和二十二年東京都条例第九十一号）による授業料及び通信教育受講料の減免に関する事務であって東京都教育委員会規則で定めるもの |
| 十三 | 教育委員会 | 高等学校等就学支援金の支給に関する法律第二条第一号、第二号及び第四号に規定する高等学校等（私立のもの及び東京都立産業技術高等専門学校を除く。以下「東京都国公立高等学校等」という。）における奨学のための給付金の支給に関する事務であって東京都教育委員会規則で定めるもの |
| 十四 | 教育委員会 | 東京都立高等学校等における学び直し支援金の支給に関する事務であって東京都教育委員会規則で定めるもの |
| 十五 | 教育委員会 | 東京都立高等学校等における給付型奨学金の支給に関する事務であって東京都教育委員会規則で定めるもの |
| 十六 | 教育委員会 | 東京都立特別支援学校への就学のため必要な経費の支弁に関する事務（特別支援学校への就学奨励に関する法律（昭和二十九年法律第百四十四号）によるものを除く。）であって東京都教育委員会規則で定めるもの |

## 別表第二（第四条関係）

| | 執行機関 | 事務 | 地方税関係情報及び住民票関係情報 |
|---|---|---|---|
| 一 | 知事 | 東京都立産業技術高等専門学校における奨学のための給付金の支給に関する事務であって規則で定めるもの | 地方税法（昭和二十五年法律第二百二十六号）その他の地方税に関する法律に基づく条例の規定により算定した税額又はその算定の基礎となる事項に関する情報であって規則で定めるもの（以下「地方税関係情報」という。）、住民基本台帳法第七条第四号に規定する事項（以下「住民票関係情報」という。）及び生活保護法による保護に関する情報であって規則で定めるもの（以下「生活保護関係情報」という。） |
| 二 | 知事 | 私立高等学校等及び東京都立産業技術高等専門学校における学び直し支援金の支給に関する事務であって規則で定めるもの | 地方税関係情報、住民票関係情報及び生活保護関係情報 |
| 三 | 知事 | 東京都立産業技術高等専門学校における授業料負担の軽減及び選択的学習活動に係る経費の支援に関する事務であって規則で定めるもの | 地方税関係情報、住民票関係情報及び生活保護関係情報 |
| 四 | 知事 | 東京都立大学及び東京都立産業技術高等専門学校における授業料の減免に必要な経費の支弁に関する事務で | 地方税関係情報及び住民票関係情報 |

| | | |
|---|---|---|
| | あって規則で定めるもの | |
| 五　教育委員会 | 東京都立学校の授業料等徴収条例による授業料及び通信教育受講料の減免に関する事務であって東京都教育委員会規則で定めるもの | 地方税関係情報、住民票関係情報及び生活保護関係情報 |
| 六　教育委員会 | 東京都国公立高等学校等における奨学のための給付金の支給に関する事務であって東京都教育委員会規則で定めるもの | 地方税関係情報、住民票関係情報及び生活保護関係情報 |
| 七　教育委員会 | 東京都立高等学校等における学び直し支援金の支給に関する事務であって東京都教育委員会規則で定めるもの | 地方税関係情報、住民票関係情報及び生活保護関係情報 |
| 八　教育委員会 | 東京都立高等学校等における給付型奨学金の支給に関する事務であって東京都教育委員会規則で定めるもの | 地方税関係情報、住民票関係情報及び生活保護関係情報 |
| 九　教育委員会 | 東京都立特別支援学校への就学のため必要な経費の支弁に関する事務（特別支援学校への就学奨励に関する法律によるものを除く。）であって東京都教育委員会規則で定めるもの | 地方税関係情報、住民票関係情報及び生活保護関係情報 |

## ○行政手続における特定の個人を識別するための番号の利用等に関する法律に基づく個人番号の利用並びに特定個人情報の利用及び提供に関する条例施行規則

平二七・一〇・一五
規　則　一　七　六

最終改正　令六・一〇・一一規則一五三

（趣旨）

**第一条**　この規則は、行政手続における特定の個人を識別するための番号の利用等に関する法律に基づく個人番号の利用並びに特定個人情報の利用及び提供に関する条例（平成二十七年東京都条例第百十一号。以下「条例」という。）の施行に関し必要な事項を定めるものとする。

**（個人番号及び特定個人情報の利用範囲）**

**第二条**　条例別表第一の一の項及び二の項に規定する規則で定める事務は、次のとおりとする。

一　東京都難病患者等に係る医療費等の助成に関する規則（平成十二年東京都規則第九十四号。以下この条において「規則」という。）第五条の規定による申請（同条第四号に規定する小児精神病患者（以下単に「小児精神病患者」という。）に係る申請を除く。）の受理、当該申請に係る審査又は当該申請に対する応答に関する事務

二　規則第十条の規定による申請（小児精神病患者に係る申請を除く。）の受理、当該申請に係る審査又は当該申請に対する応答に関する事務

三　規則第十二条の二の規定による申請の受理、当該申請に係る審査又は当該申請に対する応答に関する事務

四　規則第十三条の規定による届出（小児精神病患者に係る届出を除く。）の受理、当該届出に係る審査又は当該届出に対する応答に関する事務

**第三条**　条例別表第一の三の項に規定する規則で定める事務は、次のとおりとする。

一　東京都重度心身障害者手当条例（昭和四十八年東京都条例第六十八号。以下この条において「手当条例」という。）第四条の規定による申請の受理、当該申請に係る審査又は当該申請に対する応答に関する事務

二　手当条例第六条第二項の規定によりなされた申請の受理、当該申請に係る審査又は当該申請に対する応答に関する事務

三　手当条例第九条の規定による届出の受理、当該届出に係る審査又は当該届出に対する応答に関する事務

四　手当条例第十条に規定する状況調査を行う場合における東京都重度心身障害者手当条例施行規則（昭和四十八年東京都規則第百四十一号）第十四条の規定による届出の受理、当該届出に係る審査又は当該届出に対する応答に関する事務

五　手当条例第十一条の規定による申請又は届出の代行があった場合における申請若しくは届出の受理、当該申請若しくは届出に係る審査又は当該申請若しくは届出に対する応答に関する事務

**第四条**　条例別表第一の四の項に規定する規則で定める事務は、次のとおりとする。

一　障害者の日常生活及び社会生活を総合的に支援するための法律施行細則（平成十八年東京都規則第十二号。以下この条において「規則」という。）第十五条第一項の規定による申請の受理、当該申請に係る審査又は当該申請に対する応答に関する事務

二　規則第十八条の規定による届出の受理、当該届出に係る審査又は当該届出に対する応答に関する事務

三　規則第十九条第一項の規定による申請の受理、当該申請に係る審査又は当該申請に対する応答に関する事務

**第五条**　条例別表第一の五の項に規定する規則で定める事務は、感染症の予防及び感染症の患者に対する医療に関する法律施行細則（平成十一年東京都規則第百十二号）第十九条の規定による申請の受理、当該申請に係る審査又は当該申請に対する応答に関する事務とする。

**第六条**　条例別表第一の六の項に規定する規則で定める事務は、次のとおりとする。

一　生活保護法（昭和二十五年法律第百四十四号。以下この条において「法」という。）第十九条第一項の規定に準じて行う生活に困窮する外国人に対する保護（以下この条において単に「保護」という。）の実施に関する事務

二　法第二十四条第一項の規定に準じて行う保護の開始若しくは同条第九項の規定に準じて行う保護の変更の申請の受理、当該申請に係る事実についての審査又は当該申請に対する応答に関する事務

三　法第二十五条第一項の規定に準じて行う職権による保護の開始又は同条第二項の規定に準じて行う職権による保護の変更に関する事務

四　法第二十六条の規定に準じて行う保護の停止又は廃止に関する事務

五　法第二十九条第一項の規定に準じて行う生活に困窮する外国人に係る資料の提供等の求めに関する事務

六　法第五十五条の四第一項の規定に準じて行う生活に困窮する外国人に対する就労自立給付金の支給の申請の受理、当該申請に係る事実についての審査又は当該申請に対する応答に関する事務

七　法第五十五条の五第一項の規定に準じて行う生活に困窮する外国人に対する進学準備給付金の支給の申請の受理、当該申請に係る事実についての審査又は当該申請に対する応答に関する事務

八　法第五十五条の八第一項の規定に準じて行う生活に困窮する外国人に対する被保護者健康管理支援事業の実施に関する事務

九　法第六十三条の規定に準じて行う保護に要する費用の返還に関する事務

十　法第七十七条第一項又は第七十八条第一項から第三項までの規定に準じて行う保護に要する費用等に係る徴収金の徴収（法第七十八条の二第一項又は第二項の規定に準じて行う保護に要する費用等に係る徴収金の徴収を含む。）に関する事務

**第七条**　条例別表第一の七の項に規定する規則で定める事務は、次のとおりとする。

一　東京都原子爆弾被爆者等の援護に関する条例施行規則（昭和五十年東京都規則第二百三十一号。以下この条において「規則」という。）第二十二条の規定による申請の受理、当該申請に係る審査又は当該申請に対する応答に関する事務

二　規則第二十四条第一項及び第二項の規定による申請の受理、当該申請に係る審査又は当該申請に対する応答に関する事務

三　規則第二十八条第一項（同項第二号に該当する場合に限る。）の規定による届出の受理、当該届出に係る審査又は当該届出に対する応答に関する事務

**第八条**　条例別表第一の八の項に規定する規則で定める事務は、東京都立産業技術高等専門学校奨学のための給付金支給要綱（平成二十六年十一月二十日付二十六総首大第三百三十二号総務局長決定）第三条による東京都立産業技術高等専門学校奨学のための給付金の給付の申請の受理、当該申請に係る審査又は当該申請に対する応答に関する事務とする。

**第九条**　条例別表第一の九の項に規定する規則で定める事務は、次のとおりとする。

一　東京都私立高等学校等学び直し支援金交付要綱（平成二十九年三月三十一日付二十八生私振第千七百七十九号生活文化局長決定）による私立高等学校等学び直し支援金の受給資格の認定の申請の受理、当該申請に係る審査若しくは当該申請に対する応答に関する事務又は同要綱による私立高等学校等学び直し支援金に係る収入の状況の届出の受理、当該届出に係る審査若しくは当該届出に対する応答に関する事務

二　東京都立産業技術高等専門学校学び直し支援金交付要綱（平成二十八年三月三十一日付二十七総総企第八百九十二号総務局長決定）による東京都立産業技術高等専門学校学び直し支援金の受給資格の認定の申請の受理、当該申請に係る審査若しくは当該申請に対する応答に関する事務又は同要綱による東京都立産業技術高等専門学校学び直し支援金に係る収入の状況の届出の受理、当該届出に係る審査若しくは当該届出に対する応答に関する事務

**第十条**　条例別表第一の十の項に規定する規則で定める事務は、東京都立産業技術高等専門学校授業料軽減及び選択的学習活動支援制度実施要綱（平成三十年六月二十九日付三十総総企第二百六十二号総務局長決定）第五条による授業料負担の軽減及び選択的学習活動に係る経費の支援の対象資格の認定の申請の受理、当該申請に係る審査又は当該申請に対する応答に関する事務とする。

**第十一条**　条例別表第一の十一の項に規定する規則で定める事務は、東京都公立大学法人が実施する授業料減免に係る経費の交付に関する要綱（令和五年十月十日付五総総企第四百二号総務局長決定）による東京都立大学及び東京都立産業技術高等専門学校の授業料の減免に必要な経費の算定に必要な資料の受理、当該資料に係る審査又は当該資料に対する応答に関する事務とする。

（特定個人情報を利用する事務）

**第十二条**　条例別表第二の一の項に規定する規則で定める事務は、東京都立産業技術高等専門学校奨学のための給付金支給要綱第三条による東京都立産業技術高等専門学校奨学のための給付金の給付の申請に係る審査に関する事務とする。

**第十三条**　条例別表第二の二の項に規定する規則で定める事務は、次のとおりとする。

一　東京都私立高等学校等学び直し支援金交付要綱による私立高等学校等学び直し支援金の受給資格の認定の申請又は同要綱による私立高等学校等学び直し支援金に係る収入の状況の届出に係る審査に関する事務

二　東京都立産業技術高等専門学校学び直し支援金交付要綱による東京都立産業技術高等専門学校学び直し支援金の受給資格の認定の申請又は同要綱による東京都立産業技術高等専門学校学び直し支援金に係る収入の状況の届出に係る審査に関する事務

**第十四条**　条例別表第二の三の項に規定する規則で定める事務は、東京都立産業技術高等専門学校授業料軽減及び選択的学習活動支援制度実施要綱第五条による授業料負担の軽減及び選択的学習活動に係る経費の支援の対象資格の認定の申請に係る審査に関する事務とする。

**第十五条**　条例別表第二の四の項に規定する規則で定める事務は、東京都公立大学法人が実施する授業料減免に係る経費の交付に関する要綱による東京都立大学及び東京都立産業技術高等専門学校の授業料の減免に必要な経費の算定に必要な資料に係る審査に関する事務とする。

（利用することができる特定個人情報）

**第十六条**　条例別表第二の一の項に規定する規則で定めるもののうち地方税関係情報は、道府県民税（地方税法（昭和二十五年法律第二百二十六号）第四条第二項第一号に掲げる道府県民税（個人に係るものに限る。）をいい、東京都が同法第一条第二項の規定によって課する同法第四条第二項第一号に掲げる税を含む。）及び市町村民税（同法第五条第二項第一号に掲げる市町村民税（個人に係るものに限る。）をいい、特別区が同法第一条第二項の規定によって課する同法第五条第二項第一号に掲げる税を含む。）に関する情報とする。

2　条例別表第二の一の項に規定する規則で定めるもののうち生活保護関係情報は、生活保護法第十九条第一項の保護の実施、同法第二十四条第一項の保護の開始

若しくは同条第九項の保護の変更、同法第二十五条第一項の職権による保護の開始若しくは同条第二項の職権による保護の変更又は同法第二十六条の保護の停止若しくは廃止に関する情報とする。

附　則

この規則は、平成二十八年一月一日から施行する。

附　則（令六・一〇・一一規則一五三）

この規則は、令和七年三月一日から施行する。

# ○東京都地方独立行政法人評価委員会条例

平一六・六・二三
条例一一八

最終改正　令三・一〇・二〇条例八三

（設置）

**第一条**　地方独立行政法人法（平成十五年法律第百十八号。以下「法」という。）第十一条第一項の規定に基づき、東京都が設立する地方独立行政法人の業務の実績に関する評価等を行うため、知事の附属機関として、東京都地方独立行政法人評価委員会（以下「委員会」という。）を置く。

（所掌事務）

**第二条**　委員会は、法第十一条第二項に規定するもののほか、次に掲げる事務をつかさどる。

一　法第二十六条第一項に規定する中期計画の作成及び変更に係る認可について知事に意見を述べること。

二　法第二十八条第一項に規定する当該事業年度における業務の実績及び中期目標の期間における業務の実績に係る評価について知事に意見を述べること。

（組織）

**第三条**　委員会は、委員二十八人以内で組織する。

2　委員は、経営、教育研究、試験研究、医療又は高齢者研究に関し学識経験を有する者のうちから、知事が任命する。

3　委員会に、特別の事項を調査審議させるため必要があるときは、臨時委員若干人を置くことができる。

4　臨時委員は、当該特別の事項に関し学識経験を有する者のうちから、知事が任命する。

（委員の任期等）

**第四条**　委員の任期は、二年とし、委員が欠けた場合における補欠の委員の任期は、前任者の残任期間とする。ただし、再任を妨げない。

2　臨時委員の任期は、当該特別の事項に関する調査審議期間とする。

（委員長）

**第五条**　委員会に委員長を置き、委員の互選により選任する。

2　委員長は、委員会を代表し、会務を総理する。

3　委員長に事故があるときは、あらかじめ委員長の指名する委員がその職務を代理する。

（分科会）

**第六条**　委員会は、専門的事項を分掌させるため、分科会を置くことができる。

2　分科会に属すべき委員及び臨時委員は、知事が指名する。

3　分科会に分科会長を置き、分科会長は、当該分科会に属する委員の互選により選任する。

4　分科会長は、当該分科会の事務を掌理する。

5　分科会長に事故があるときは、当該分科会に属する委員のうちから分科会長があらかじめ指名する者が、その職務を代理する。

6　委員会は、その定めるところにより、分科会の議決をもって委員会の議決とすることができる。

（議事）

**第七条**　委員会は、知事が招集する。

2　委員長は、委員会の議長となる。

3　委員会は、委員及び議事に関係のある臨時委員の過半数が出席しなければ、会議を開くことができない。

4　委員会の議事は、委員及び議事に関係のある臨時委員で会議に出席したものの過半数で決し、可否同数のときは、議長の決するところによる。

5　前各項の規定は、分科会の議事に準用する。

（委任）

**第八条**　この条例に定めるもののほか、委員会の組織及び運営に関し必要な事項は、東京都規則で定める。

附　則

この条例は、公布の日から施行する。

附　則（令三・一〇・二〇条例八三）

この条例は、公布の日から施行する。

## 〇東京都地方独立行政法人評価委員会規則

平一七・一〇・一三
規　則　一　九　二

最終改正　令五・三・三一規則二九

（趣旨）

**第一条**　この規則は、東京都地方独立行政法人評価委員会条例（平成十六年東京都条例第百十八号。以下「条例」という。）第八条の規定に基づき、東京都地方独立行政法人評価委員会（以下「委員会」という。）の組織及び運営に関し必要な事項を定めるものとする。

（分科会）

**第二条**　条例第六条第一項の規定に基づき、委員会に、次の表の上欄に掲げる分科会を置き、これらの分科会の所掌事務は、地方独立行政法人法（平成十五年法律第百十八号）第十一条第二項の規定により委員会の権限に属させられた事項のうち、それぞれ同表の下欄に掲げる業務を行う地方独立行政法人に係るもの（委員長が別に定めるものに限る。）を処理することとする。

|  |  |
|---|---|
| 試験研究分科会 | 試験研究 |
| 公立大学分科会 | 大学及び高等専門学校の設置及び管理 |
| 高齢者医療・研究分科会 | 高齢者の医療及び研究 |
| 都立病院分科会 | 病院事業の経営 |

（書面による審議）

**第三条**　知事は、やむを得ない理由により、条例第七条の会議を開くことが困難であると認める場合には、議事に係る書面（電磁的記録によるものを含む。）を委員及び当該議事に関係のある臨時委員（次項において「臨時委員」という。）に送付することにより、委員会の議事について意見を求めることができる。

2　前項の場合において、委員及び臨時委員の過半数から委員長に対し、意見の提出があったときは、委員会の議事は、意見を提出したものの過半数で決し、可否同数のときは、委員長の決するところによる。

3　前二項の規定は、分科会の議事に準用する。

（庶務）

**第四条**　委員会の庶務は、総務局総務部グループ経営戦略課において総括し、及び処理する。ただし、試験研究分科会に係るものについては産業労働局商工部創業支援課において、公立大学分科会に係るものについては総務局総務部企画計理課において、高齢者医療・研究分科会に係るものについては福祉局高齢者施策推進部施設支援課において、都立病院分科会に係るものについては保健医療局都立病院支援部法人調整課において処理する。

（雑則）

**第五条**　この規則に定めるもののほか、委員会の運営に関し必要な事項は委員長が委員会に諮って定める。

附　則

1　この規則は、公布の日から施行する。

2　東京都公立大学法人評価委員会条例の一部を改正する条例（平成十七年東京都条例第百十七号）附則第二項の規定により委員会の委員となった者は、公立大学分科会に属すべき委員となるものとする。

附　則（令五・三・三一規則二九）

この規則は、令和五年七月一日から施行する。

# ○東京都公益認定等審議会条例

平一九・三・一六
条　例　三　一

（設置）

**第一条**　公益社団法人及び公益財団法人の認定等に関する法律（平成十八年法律第四十九号。以下「法」という。）第五十条第一項の規定に基づき、公益社団法人及び公益財団法人の公益認定に関する事項等を調査審議するため、知事の附属機関として東京都公益認定等審議会（以下「審議会」という。）を置く。

（組織）

**第二条**　審議会は、委員三人以上七人以内をもって組織する。

（委員の任命）

**第三条**　委員は、人格が高潔であって、審議会の権限に属する事項に関し公正な判断をすることができ、かつ、法律、会計又は公益法人に係る活動に関して優れた識見を有する者のうちから、知事が任命する。

（委員の任期）

**第四条**　委員の任期は、二年とし、補欠の委員の任期は、前任者の残任期間とする。ただし、再任されることを妨げない。

（職権の行使）

**第五条**　委員は、独立してその職権を行う。

（委員の身分保障）

**第六条**　委員は、審議会により、心身の故障のため職務の執行ができないと認められた場合又は職務上の義務違反その他委員たるに適しない非行があると認められた場合を除いては、在任中、その意に反して罷免されることがない。

（委員の服務）

**第七条**　委員は、職務上知ることのできた秘密を漏らしてはならない。その職を退いた後も同様とする。

2　委員は、在任中、政党その他の政治的団体の役員となり、又は積極的に政治運動をしてはならない。

（会長）

**第八条**　審議会に会長を置き、委員の互選によりこれを定める。

2　会長は、会務を総理し、審議会を代表する。

3　会長に事故があるときは、会長があらかじめ指名する委員が、その職務を代理する。

（専門委員）

**第九条**　審議会に、専門の事項を調査させるため必要があるときは、専門委員を置くことができる。

2　専門委員は、当該専門の事項に関し十分な知識又は経験を有する者のうちから、知事が任命する。

（部会）

**第十条**　審議会は、その定めるところにより、部会を置くことができる。

2　部会に属すべき委員及び専門委員は、会長が指名する。

3　部会に部会長を置き、当該部会に属する委員の互選により選任する。

4　部会長は、当該部会の事務を掌理する。

5　部会長に事故があるときは、当該部会に属する委員のうちから部会長があらかじめ指名する者が、その職務を代理する。

（議事）

**第十一条**　審議会は、会長が招集する。

２　審議会は、委員の過半数が出席しなければ、会議を開き、議決をすることができない。

３　審議会の議事は、出席した委員の過半数で決し、可否同数のときは、会長の決するところによる。

４　前三項の規定は、部会の議事について準用する。この場合において、第一項及び前項中「会長」とあるのは「部会長」と読み替えるものとする。

（委任）

**第十二条**　この条例の施行について必要な事項は、知事が定める。

附　則

この条例は、法附則第一項第二号に掲げる法第五十条第二項の規定の施行の日〔平一九・四・一〕から施行する。

# 第五章　文　書

## ○東京都公告式条例

昭二七・三・三一
条　例　一　〇

（この条例の目的）

**第一条**　地方自治法（昭和二十二年法律第六十七号）第十六条の規定に基く公告式は、この条例の定めるところによる。

（条例の公布）

**第二条**　条例を公布しようとするときは、公布の旨の前文及び年月日を記入してその末尾に知事が署名しなければならない。

2　条例の公布は、東京都公報に登載してこれを行う。但し、天災事変等により東京都公報に登載して公布することができないときは、都庁内の掲示場及び公衆の見易い場所に掲示してこれにかえることができる。

（施行期日の特例）

**第三条**　東京都条例は、条例に別段の定めあるものの外は、支庁所在の島地においては、その所轄支庁に到達した日から、その他の島地においては、所轄町村役場に到達した日から起算して十日を経過した日から施行する。

（規則に関する準用）

**第四条**　前二条の規定は、東京都規則に準用する。

（規程の公表）

**第五条**　東京都規則を除く外、知事の定める規程で公表を要するものは、前文、年月日及び知事名を記入して知事印をおさなければならない。

2　第二条及び第三条の規定は、前項の規定に準用する。

（その他の規則及び規程の公表）

**第六条**　前四条の規定は、知事を除く都の機関の定める規則及び規程で公表を要するものに準用する。但し、第二条中「知事」とあるは「当該機関」と、第五条中「知事名」とあるは「当該機関名」と、「知事印」とあるは「当該機関印」とそれぞれ読み替えるものとする。

附　則

この条例は、昭和二十七年四月一日から施行する。

## ○東京都告示式

昭二五・八・一七
告　示　六　五　〇

東京都告示式を次のように定め、昭和二十五年九月一日から施行する。

東京都告示式

東京都の告示は、東京都公報に登載して告示式とする。

## ○東京都訓令前行署名式及び令達式

昭二三・九・一一
訓令甲一四六

改正　昭四七・三・一五訓令甲一一

一　前行署名式

庁中一般（何々局、何々部、何々室）以下これにならう。地方事務所、支庁、事業所（何々事業所）以下これにならう。消防庁、区役所、市役所、町村役場、町村組合、水利組合、何々

（一）　署名中事業所とは、都の所属所、場、館、院、園、寮等を総括した名称とする。なお都の財務関係について発するときは、東京都会計事務規則第二条に定められたものを総称する。

（二）　局、部、室、事業所等一部のものについて発するときの署名は（　）内の記載例による。

二　令達式

東京都公報に登載するをもつて式とする。

## ○東京都公報発行規則

昭五一・一一・二九
規則一七七

最終改正　令四・三・三一規則一〇一

（趣旨）

**第一条**　東京都公報（以下「公報」という。）の発行については、別に定めるものを除くほか、この規則の定めるところによる。

（発行日）

**第二条**　公報は、次項各号に掲げる日を除き、毎日逐号発行する。

2　次に掲げる日は、公報の休刊日とする。

一　日曜日及び土曜日

二　国民の祝日に関する法律（昭和二十三年法律第百七十八号）に規定する休日

三　十二月二十九日から翌年の一月四日までの日（前号に掲げる休日を除く。）

四　登載すべき事項がない日その他総務局長が特に公報の発行が困難であると認める日

3　公報は、総務局長が特に必要があると認めるものについて適宜の期日に増刊を発行することができる。

（登載事項）

**第三条**　公報は、東京都公告式条例（昭和二十七年東京都条例第十号）、東京都告示式（昭和二十五年東京都告示第六百五十号）及び東京都訓令前行署名式及び令達式（昭和二十三年東京都訓令甲第百四十六号）により定められた事項のほか、重要な通達及び東京都の機関の公告式等により定められた事項を登載する。

2　東京都職員共済組合、地方職員共済組合及び地方公務員災害補償基金東京都支部が定めた事項で総務局長が必要と認めるものは、公報に登載することができる。

3　独立行政法人都市再生機構、東京都住宅供給公社、全国自治宝くじ事務協議会等が定めた事項のうち、その内容が東京都の事業と密接な関係を有し、かつ、総務局長が必要と認めるものは、公報に登載することができる。

（原稿の送付）

**第四条**　公報の登載原稿は、決定後遅滞なく、主管課の責任者において字画を鮮明に作成し、校合精査の上、登載原稿に係る電磁的記録（電子的方式、磁気的方式その他人の知覚によつては認識することができない方式で作られた記録をいう。以下同じ。）を総務局総務部文書課長（以下「文書課長」という。）に送信しなければならない。

2　知事の事務部局を除く東京都の機関等において公報に登載しようとする場合は、登載原稿に係る電磁的記録を送信して依頼するものとする。

（原稿の締切り）

**第五条**　公報の登載原稿の締切日時は、発行予定日の五日前の午後二時とする。この場合において、休刊日は一日に算入しない。

2　原稿の登載量又は原稿中に様式等が多い場合にあつては、前項の規定にかかわらず、事前に文書課長に協議し、その指示に従わなければならない。

3　年末、年度末等で公報に登載すべき事項が著しく多数となることが予想される場合は、総務局長は、第一項の規定にかかわらず、登載原稿の締切日時を別に定めることができる。

（配列順位）
第六条　公報に登載する事項の配列は、次のとおりとする。
一　条例
二　規則
三　訓令
四　告示
五　東京都の機関の公告式等により定められた事項
六　公告
七　通達
八　前各号以外の事項

（登載番号）
第七条　条例は別記第一号様式の条例原簿に、規則、訓令及び告示は別記第二号様式のそれぞれの原簿に登記し、毎年逐番号を付する。

（校正）
第八条　公報の校正は、総務局総務部文書課において行う。ただし、登載事項が特に複雑なもの、特に形式に注意が必要であるもの等総務局長が主管課において行うことが適当と認めるものは、当該主管課においてこれを行うものとする。

（閲覧）
第九条　公報は、都庁及び支庁に備え置いて一般の閲覧に供しなければならない。

（無償配布）
第十条　公報は、知事の事務部局、各地方公営企業局その他総務局長が必要があると認める箇所に無償で配布する。
2　前項の公報の配布部数は、総務局総務部長が定める。

（有償頒布）
第十一条　公報は、求めに応じ、有償で頒布することができる。
2　前項の頒布に係る価格その他必要な事項は、知事が定める。

（広告）
第十二条　公報には、広告を掲載することができる。
2　前項の広告に係る料金その他必要な事項は、知事が定める。

附　則
この規則は、昭和五十一年十二月一日から施行する。

附　則（令四・三・三一規則一〇一）
この規則は、令和四年四月一日から施行する。

別記様式〔略〕

# ○東京都公文規程

昭四二・三・三一
訓令甲一〇

最終改正　平二三・一二・二八訓令七七

（趣旨）
第一条　公文書の作成に用いる文（以下「公文」という。）の用語、用字、形式等に関しては、別に定めるものを除くほか、この規程の定めるところによる。

（公文の種類）
第二条　公文の種類は、次のとおりとする。
一　例規文　条例又は規則を制定又は改廃するための文書の作成に用いる文
二　議案文　議会に議案を提出するための文書の作成に用いる文
三　公布文　条例又は規則を公布するための文書の作成に用いる文
四　告示文　告示（公告を含む。）を発するための文書の作成に用いる文
五　訓令文　訓令を発するための文書の作成に用いる文
六　指令文　許可、認可等の行政上の処分、諮問又は補助金等の交付決定をするための文書の作成に用いる文
七　通知文　通達若しくは依命通達を発し、進達若しくは副申をし、又は申請、通知、照会、回答等をするための文書の作成に用いる文
八　表彰文　表彰状、賞状、褒状、感謝状その他これ

九　証明文　証明書、証書その他これらに類する文書の作成に用いる文
十　契約文　契約書、協定書その他これらに類する文書の作成に用いる文
十一　不定形文　前各号に掲げる文書以外の文書の作成に用いる文

（用語、用字等）

**第三条**　公文の文体は、口語体を用いるものとする。
2　公文の用語は、平易簡潔なものを用いるものとする。
3　公文の用字は、漢字、平仮名及びアラビア数字を用いるものとする。ただし、外国の人名及び地名その他特別の理由により必要があるものについては、片仮名又は外国文字を用いるものとする。

（使用漢字の範囲等）

**第四条**　公文に用いる漢字の範囲、漢字の音訓の範囲及び漢字の字体は、常用漢字表（平成二十二年内閣告示第二号）で定める字種、音訓及び字体（通用字体に限る。）によるものとする。ただし、人名、地名等の固有名詞及び専門用語等でこれにより難い特別の理由があると認められるものについては、この限りでない。
2　公文に用いる仮名遣いは、現代仮名遣い（昭和六十一年内閣告示第一号）の定めるところによるものとする。
3　公文に用いる送り仮名は、送り仮名の付け方（昭和四十八年内閣告示第二号）の定めるところによるものとする。ただし、総務局長が別に定める場合は、この限りでない。

（公文の形式）

**第五条**　第二条第一号から第十号までに掲げる種類の公文の形式は、それぞれの公文の種類に応じ、別記一から別記十までに定める例によるものとする。ただし、法令に形式の定めのあるものその他これにより難い特別の理由があると認められるものについては、この限りでない。

**附　則**

1　この訓令は、昭和四十二年四月一日から適用する。
2　東京都公文例（昭和二十六年訓令甲第二十六号）は、廃止する。

**附　則**（平一六・一二・二八訓令一二七）

この訓令は、平成十七年一月一日から施行する。

## 別記一 例規文の形式

### 第一 条例

一 新設する場合

(一) 一般的な場合

1

東京都条例第・・号
※
○○○・・・・・・・・・・・・・・・・○○○
○○○・・・・・・・条例
※※
目次
※※※
○第一章○・・・(第一条―第・・条)
第二章・・・
○○第一節○・・・・(第・・条―第・・条)
第二節・・・
○○○第一款○・・・・(第・・条・第・・条)
第二款・・・
○○○○第一目○・・・・(第・・条―第・・条)
第二目・・・・(第・・条―第・・条)
○附則
○○○第一章○総則
※※※※
(・・・)
第一条○・・・・・・・・
第二章・・・・
○○○○第一節○・・・・
(・・・・)
第・・条・・・・・・・・
第二節・・・・
○○○○○第一款○・・・・
(・・・)
第・・条・・・・
第二款・・・
○○○○○○第一目○・・・・
(・・・・)
第・・条・・・・・・・・・・・・・・・

(説明)

1※ 「○」は、一字空けることを示す(別記一から別記十までにおいて同じ。)。

1※※ 条文数の多い条例においては、章節等の区分を行い、目次を付ける。

1※※※ 括弧書の条文が三条以上の場合は、「―」でつなぎ、二条の場合は「・」でつなぐ。

1※※※※ 見出しは、連続する二条以上の条文が同じ範ちゅうの事項を規定している場合は、その一番初めの条文の前にだけつける。

○・・・・・
2○・・・・・・・・・・・・・・
○・・・・・・・・・・・・・・・
○一○・・・・・・・・・・・・・
○○・・・・・・・・・・・・・・
○○イ○・・・・・・・・・・・・
○○○・・・・・・・・・・・・・
ロ・・・・・・
○○○(1)○・・・・・・・・・・・・
○○○(2)○・・・・・・
※※※※※
○○○附○則
(・・・)
1○・・・・・・
(・・・)
2・・・・・・
別表(第○条、第△条、第×条関係)

| ・・・・ | ・・・・・・・・・ |
|---|---|

1※※※※※ 附則の形式は、次のとおりである。

一 附則における規定の順序
(一) 施行期日の規定
(二) 既存の条例等の廃止の規定
(三) 経過規定

二 施行期日の規定方法
(一) この条例は、公布の日〔・・年・・月・・日、東京都規則で定める日、公布の日から起算して・・日を経過した日〕から施行する。
(二) この条例は、・・年・・月・・日から施行し、・・年・・月・・日から適用する。

三 既存の条例等の廃止の規定方法

四 廃止する場合

(二)　本則が項だけからなる場合

イ　項が一項だけの場合

2

> 東京都条例第・・・号
> ○○○・・・・・・・条例
> ○・・・・・・・・・・・・・・・・
> ・・・・・・・・・・・・・・
> ○○○附○則
> ○・・・・・・・・・

ロ　項が二項以上の場合

3

> 東京都条例第・・・号
> ○○○・・・・・・・条例
> 1　○・・・・・・・・・・・・・・・・・・・
> ○・・・・・
> 2　・・・・・・・・
> ○○○附○則
> ○・・・・・・・

二　全部を改正する場合

4

> ※
> 東京都条例第・・・号
> ※※
> ○○○・・・・・・・・条例
> ○・・・・・・・条例（・・年東京都条例第・・・号）の全部を改正する。
> ※※※

の(二)附則で他の条例を廃止する場合の方式による。

四　経過規定の規定方法

・・・条例（・・・年東京都条例第・・・号）は、廃止する。ただし、・・・・・・については、なお従前の例による。〔なお効力を有する。〕

4※　全部改正の場合、条例番号は、新たなものとする。

4※※　条例名は、改正後の条例名を記載する。

4※※※　条文等につい

> （・・・・）
> 第一条　・・・・・・・・・・・・・・・・・・
> ・・・・・・・・・・・・・・

三　一部を改正する場合

(一)　改正文の方式

イ　本則で改正する場合

5

> 東京都条例第・・・号
> ○○○・・・・・・・条例の一部を改正する条例
> ○・・・・・・条例（・・・年東京都条例第・・・号）の一部を次のように改正する。
> ○・・・・・・・・・・・・・・・・・・・
> ・・・・・・・・・・・・・・
> ○・・・・・
> ○○○附○則
> ○・・・・・・・・・

ロ　附則で他の条例を改正する場合

6

> ○○○附○則
> 1　○・・・・・・
> （・・・・・条例の一部改正）
> 2　・・・・・・条例（・・・年東京都条例第・・・号）の一部を次のように改正する。
> ※
> ○○・・・・・・・・・・・・・・・・・・・
> ○・・・・・・

(二)　条、項、号等の改正の方式

イ　条文等を改める場合

(イ)　条の全部を改める場合

7

> ○第・・条を次のように改める。
> （・・・・）
> 第・・条　・・・・・・・

ては、一　新設する場合の(一)　一般的な場合の方式による。

6※　改正内容の字配りは、本則で改正する場合よりも一字ずつ下がる。

8

○第二条及び第三条を次のように改める。
（・・・）
第二条　・・・・・・
（・・・）
第三条　・・・・・・・・・

9

○第二条から第四条までを次のように改める。
（・・・）
第二条　・・・・・・・
（・・・）
第三条　・・・・・・・
（・・・）
第四条　・・・・・・

(ロ)　項の全部を改める場合

10

○第・・条第一項を次のように改める。
○○・・・・・・・・・・・・・
○・・・・・・・・

11

○第・・条第二項を次のように改める。
2○・・・・・・・・・・・・・・・
○・・・・・・・

連続する二項又は三項以上を改める場合は、条の全部を改める場合に準ずる。

(ハ)　号の全部を改める場合
条の全部を改める場合に準ずる。ただし、号の書き出しは、二字目からとする。

(ニ)　本文、ただし書、前段又は後段を改める場合

12

※
○第・・条（第・・条第・・項、第・・条第・・項第・・号）本文（ただし書、前段、後段）を次のように改める。
○○・・・・・・・・・
○・・・・・・

8　連続する二条を改める場合の方式である。

9　連続する三条以上を改める場合の方式である。

12※　「（　）」は、読替え又は説明書きを示す（別記一から別記十までにおいて同じ。）。

ただし、号の書き出しは、四字目からとする。

(ホ)　字句を改める場合

13

○第・・条（第・・条第・・項、第・・条第・・項第・・号、第・・条本文、第・・条ただし書、第・・条前段（後段）、第・・条各号列記以外の部分）中「・・・」を「・・・」に改める。

14

○第・・条、第・・条及び第・・条中「・・・」を「・・・」に改める。

15

○「・・・」を「・・・」に改める。

(ヘ)　題名、目次、章名、節名等を改める場合

16

○題名を次のように改める。
○○・・・・・・・・条例

17

○題名中「・・・」を「・・・」に改める。

18

○目次中「・・・」を「・・・」に改める。

19

○「第・・章　・・・・」を「第・・章　・・・・」に改める。

20

○第・・章中「第・・節　・・・・」を「第・・節　・・・・」に改める。

14　数条にわたり出てくる同一の字句を一様に改めようとする場合の方式である。

15　条例中多数箇所にわたり出てくる同一の字句を一様に改めようとする場合の方式である。

(ト) 見出しを改める場合

21 ○第・・条の見出しを「(・・・・)」に改める。

(チ) 表又は様式を改める場合

22 ○別表(別記様式)を次のように改める。

別表〔別記様式〕

[　　　　]

23 ○別表〔別記様式〕中「・・・・」を「・・・・」に、「[・・]」を「[・・][・・]」に改める。

24 ○別表・・・の部・・・の款・・・の項・・・の欄を次のように改める。

○ [・・・・・・・・]

25 ○別表・・の部・・の款・・の項・・の欄中「・・・・」を「・・・・」に改める。※

ロ 条文等を加える場合

24 表中の区分は、縦に部、款及び項として捉え、横に欄として捉える。ただし、縦の区分が少ない場合は、部及び項として又は項として捉える。

| | | | |
|---|---|---|---|
| ⋮(部) | | | ⋮ |
| ⋮ | ⋮(款) | | ⋮ |
| ⋮ | ⋮ | ⋮(項) | ⋮ |
| ⋯⋯ | ⋯⋯ | ⋯⋯ | ⋮(欄) |

25※ 「中」は、引用する範ちゅうの最後にだけ使うことを原則とする。

(イ) 条を加える場合

26 ○第十条の次に次の二条を加える。

(・・・・)

第十一条 ・・・・・・・・・・

(・・・・)

第十二条 ・・・・・・・・・・

27 ○第十条を第十二条とし、第九条を第十一条とし、第八条の次に次の二条を加える。

(・・・・)

第九条 ・・・・・・・・・・

(・・・・)

第十条 ・・・・・・・・・・

28 ○第十三条を第十五条とし、第八条から第十二条までを二条ずつ繰り下げ、第七条の次に次の二条を加える。

(・・・・)

第八条 ・・・・・・・・・・

(・・・・)

第九条 ・・・・・・・・・・

29 ○第九条の次に次の二条を加える。

(・・・・)

第九条の二 ・・・・・・・・・・

(・・・・)

第九条の三 ・・・・・・・・・・

(ロ) 項を加える場合

条を加える場合(26及び29に掲げる方式を除く。)に準ずる。

(ハ) 号を加える場合

条を加える場合(26に掲げる方式を除く。)に準ずる。ただし、号の書き出しは、二字目からとする。

(ニ) ただし書、後段等を加える場合

26 付け加えられる条が既存の条の一番後に付く場合の方式である。

27〜29 付け加えられる条が既存の条と条との間に入る場合の方式である。

29 既存の条と条との間に新たに条を加える場合で、既存の条名に影響を及ぼさない必要のあるときの方式である。

30
○第・・条〔第・・条第・・項、第・・条第・・項第・・号〕に次のただし書を〔後段として次のように〕加える。
○○・・・・・・・・・・・・・・・・
○・・・・・・・・

ただし、号の書き出しは、四字目からとする。

(ホ) 字句を加える場合

31
○第・・条〔第・・条第・・項、第・・条第・・項第・・号、第・・条ただし書、第・・条各号列記以外の部分〕中「・・・・」の下に「・・・・」を加える。

(ヘ) 章、節、表、様式等を加える場合
条を加える場合に準ずる。

ハ 条文等を削る場合

(イ) 条を削る場合

32
○第・・条を削る。

33
○第四条を削り、第五条を第四条とし、第六条から第十条までを一条ずつ繰り上げる。

34
○第四条を次のように改める。
第四条○削除

35
○第三条及び第四条を次のように改める。
第三条及び第四条○削除

36
○第三条から第五条までを次のように改める。
第三条から第五条まで○削除

32 削られる条が既存の条の一番後に付く場合の方式である。

33～36 削られる条が既存の条と条との間にある場合の方式である。

34～36 既存の条と条との間の条を削る場合で、既存の条名に影響を及ぼさない必要のあるときの方式である。

35 連続する二条を削る場合の方式である。

36 連続する三条以上を削る場合の方式である。

(ロ) 項を削る場合
条を削る場合に準ずる。ただし、34～36に掲げる「削除」の方式は用いない。

(ハ) 号を削る場合
条を削る場合に準ずる。ただし、号の書き出しは、二字目からとする。

(ニ) ただし書、後段等を削る場合

37
○第・・条〔第・・条第・・項、第・・条第・・項第・・号〕ただし書〔後段〕を削る。

(ホ) 字句を削る場合

38
○第・・条〔第・・条第・・項、第・・条第・・項第・・号、第・・条ただし書、第・・条各号列記以外の部分〕中「・・・・」を削る。

(ヘ) 章、節、表、様式等を削る場合
条を削る場合に準ずる。

四 廃止する場合

(一) 本則で廃止する場合

39
東京都条例第・・号
○○・・・・・条例を廃止する条例
○・・・・・条例（・・年東京都条例第・・号）は、廃止する。
○○○附○則
○・・・・・・

(二) 附則で他の条例を廃止する場合

40
○○○附○則
1 ○・・・・・・・
（・・・・・条例の廃止）
2 ・・・・・条例（・・年東京都条例第・・号）は、廃止する。

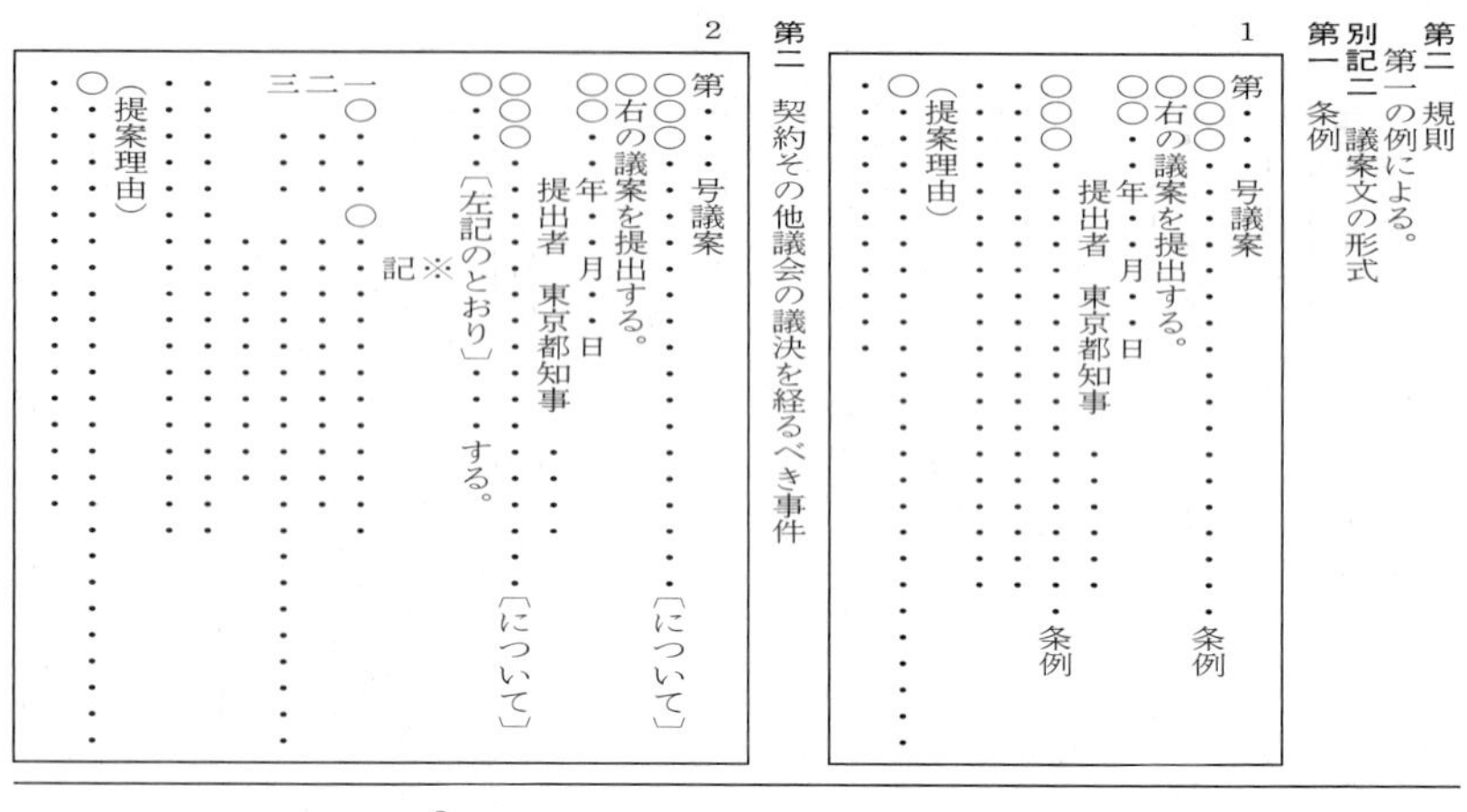

第二　規則
第一の例による。

別記二　議案文の形式

第一　条例

1

第・・号議案
○○○・・・・・・・・・・・・条例
○右の議案を提出する。
○○・・年・・月・・日
提出者　東京都知事　・・・・・
○○○・・・・・・・・・・・・条例
（提案理由）
・・・・・・・・・・・・

第二　契約その他議会の議決を経るべき事件

2

第・・号議案
○○○・・・・・・・・・・〔について〕
○右の議案を提出する。
○○・・年・・月・・日
提出者　東京都知事　・・・・
○○○・・・・・・・・・〔について〕
○・・〔左記のとおり〕・・する。
※
記
一　○・・・○・・・・・・・・・
二　・・・・・・・・・・・・・・
三　・・・・・・・・・・・・・・
・・・・・・・・・・・・・・・・
（提案理由）
○・・・・・・・・・・・・・・・

2※　「記」という文字は、中央よりやや上に記載する。

別記三　公布文

第一　条例

○・・・・・・・・・・・・・条例を公布する。
○○・・年・・月・・日
東京都知事　・・・・・
東京都条例第・・号
○○○・・・・・・・・・・・条例
・・・・・・・・・・・・・・・・

第二　規則
第一の例による。

別記四　告示文

第一　告示

一　新設する場合

(一)　規程形式を用いる場合

1

東京都告示第・・号
○・・・・・・・・・・・・規程を次のように定める。
○○・・年・・月・・日
東京都知事　・・・・・
○○○・・・・・・・・・・規程
※
（・・・・）
第一条○・・・・・・・・・・・
・・・・・・・・・・・
※※
○○○附○則
○・・・・・・・・・・・・・・

(二)　規程の形式を用いない場合

1※　条文等の方式は、例規文の方式に準ずる。

1※※　告示は、原則として、告示した日（公報登載日）から施行されるべきものであるから、効力の発生を告示した日以外の日とする場合のほかは、施行期日について規定しない。

2

東京都告示第・・号
○〔・・法（・・年法律第・・号）第・・条の規定により、〕・・・〔次のように〕・・・・する。〔した。〕
○○・・年・・月・・日
東京都知事 ・・・・・
・・・・・・・・・・・・・・
・・・・・・・・・・・・・・

二 全部を改正する場合
（規程形式を用いる場合）

3

東京都告示第・・号
○・・・・規程（・・年東京都告示第・・号）の全部を次のように改正する。
○○・・年・・月・・日
東京都知事 ・・・・・
○○○・・・・・・規程
※
（・・・・・）
第一条 ・・・・・・・・・・・
・・・・・・・・・・・・・・
・・・・・・・・・・・・・・
○○○附○則
○・・・・・・・・・・・・・・

三 一部を改正する場合
(一) 規程の形式を用いる場合

4

東京都告示第・・号
○・・・規程（・・年東京都告示第・・号）の一部を次のように改正する。
○○・・年・・月・・日
東京都知事 ・・・・・
※
・・・・・・・・・・・・・・
・・・・・・・・・・・・・・

3 ※ 条文等の方式は、例規文の方式に準ずる。

4 ※ 改正内容の記載方式は、例規文の方式に準ずる。

○○○附○則
○・・・・・・・・・・・・・・・・・・・・

(二) 規程の形式を用いない場合

5

東京都告示第・・号
○・・年東京都告示第・・号の一部を次のように改正する。
○○・・年・・月・・日
東京都知事 ・・・・・
・・・・・・・・・・・・・・
・・・・・・・・・・・・・・

四 廃止する場合
(一) 規程の形式を用いる場合

6

東京都告示第・・号
○・・・・規程（・・年東京都告示第・・号）は、廃止する。
○○・・年・・月・・日
東京都知事 ・・・・・

(二) 規程の形式を用いない場合

7

東京都告示第・・号
○・・年東京都告示第・・号は、廃止する。
○○・・年・・月・・日
東京都知事 ・・・・・

第二 公告

8

○○○・・・・・・について
○・・・・・・・・・・・・・・〔次のように〕・・する。〔した。〕
○○・・年・・月・・日
東京都知事 ・・・・・
・・・・・・・・・・・・・・
・・・・・・・・・・・・・・

**別記五**　訓令文

一　新設する場合

1

東京都訓令第・・号　　　　庁中一般

○・・・・規程を次のように定める。

○○・・年・・月・・日

東京都知事　・・・・

○○○・・・・・規程

※

（・・・・）

第一条○・・・・・・・・・・

・・・・・・・・・・

※※

○○○附○則

○・・・・・・・・・・・・・・

二　全部を改正する場合

2

東京都訓令第・・号　　　　庁中一般

○・・・・規程（・・年東京都訓令第・・号）の全部を次のように改正する。

○○・・年・・月・・日

東京都知事　・・・・

○○○・・・・・規程

※

---

1※　条文等の方式は、例規文の方式に準ずる。

1※※　訓令は、原則として、訓令を発した日（公報登載日）から施行されるべきものであるから、効力の発生を訓令を発した日以外とする場合のほかは、施行期日について規定しない。

2※　条文等の方式は、

---

（・・・・）

第一条・・・・・・・・・・

・・・・・・・・・・

○○○附○則

○・・・・・・・・・・・・・・

三　一部を改正する場合

3

東京都訓令第・・号　　　　庁中一般

○・・・・規程（・・年東京都訓令第・・号）の一部を次のように改正する。

○○・・年・・月・・日

東京都知事　・・・・

※

・・・・・・・・・・・・・・

・・・・・・・・・・・・・・

○○○附○則

○・・・・・・・・・・・・・・

四　廃止する場合

㈠　廃止のための訓令の新設による場合

4

東京都訓令第・・号　　　　庁中一般

○・・・・規程（・・年東京都訓令第・・号）は、廃止する。

○○・・年・・月・・日

東京都知事　・・・・

---

例規文の方式に準ずる。

3※　改正内容の記載方式は、例規文の方式に準ずる。

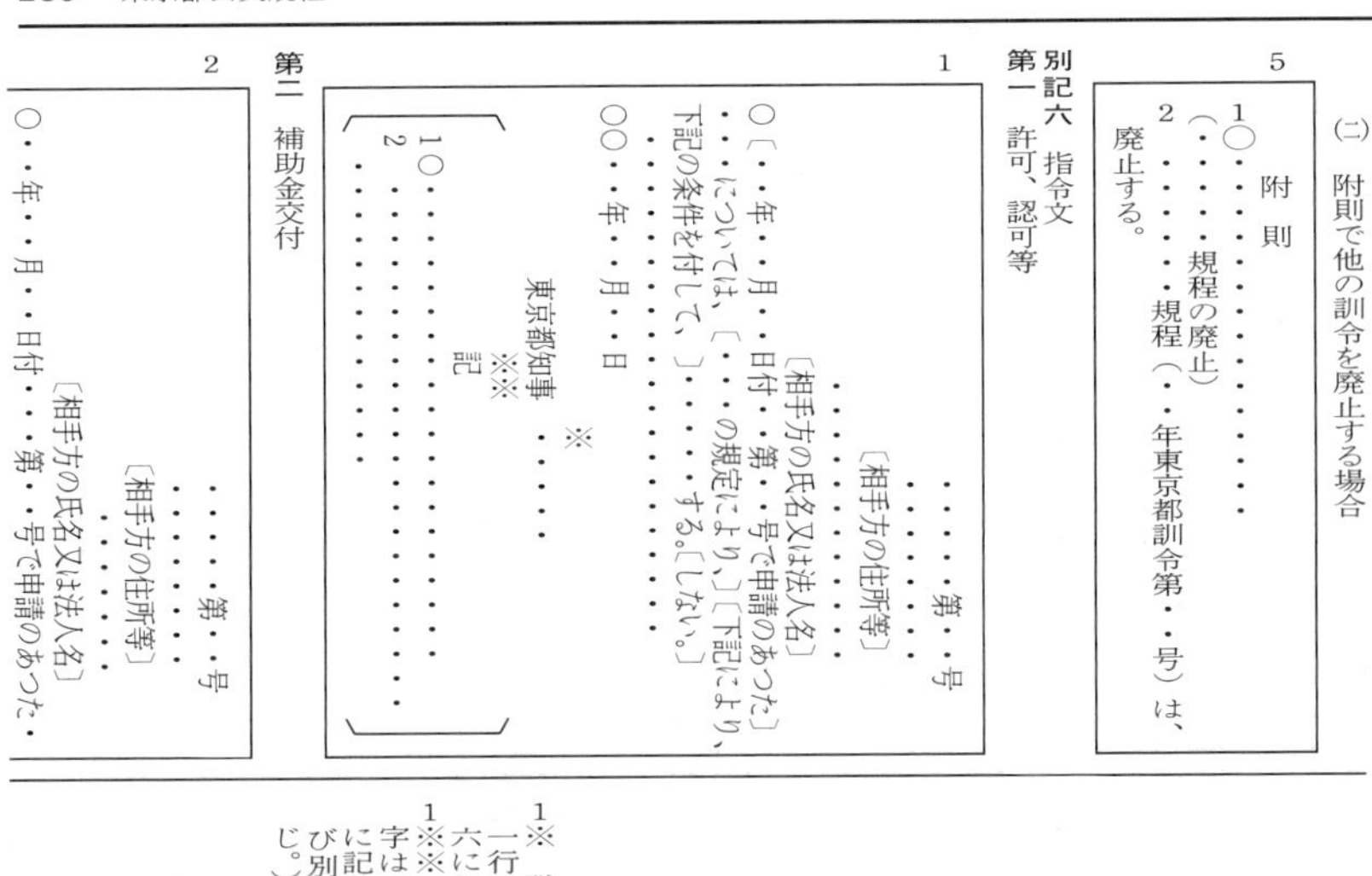

(二) 附則で他の訓令を廃止する場合

5

附　則

1 ○・・・・・・・・・・

(・・・・・規程の廃止)

2 ・・・・・規程（・・年東京都訓令第・・号）は、廃止する。

別記六　指令文

第一　許可、認可等

1

・・・・・第・・号

〔相手方の住所等〕

・・・・・・・・

〔相手方の氏名又は法人名〕

○〔・・年・・月・・日付・・第・・号で申請のあった〕・・・・・・・・・・・・・・・・・・・・・・・・・・については、〔・・・の規定により、〕〔下記により、〕〔下記の条件を付して、〕・・・・・・・・・・・・・・・・する。〔しない。〕

○○・・年・・月・・日

東京都知事　・・・・・・　※

記　※※

1 ○・・・・・・・・・・・・・・・・・・

2 ・・・・・・・・・・・・・・・・・・・

第二　補助金交付

2

・・・・・第・・号

〔相手方の住所等〕

・・・・・・・・

〔相手方の氏名又は法人名〕

○・・年・・月・・日付・・・第・・号で申請のあった・・

1※　職名及び氏名は、一行に記載する（別記六において同じ。）。

1※※　「記」という文字は、中央よりやや左に記載する（別記六及び別記七において同じ。）。

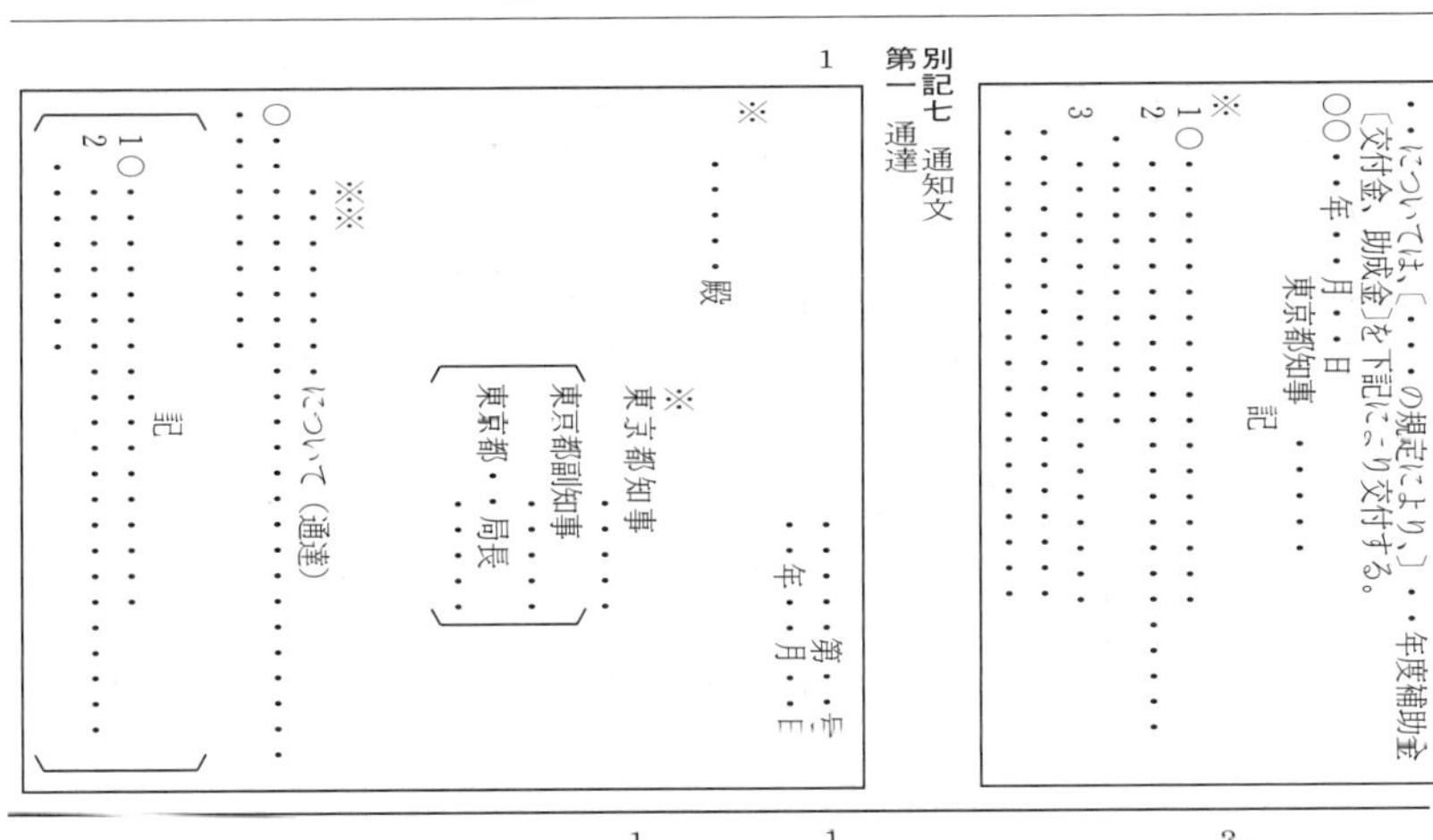

・・については、〔・・・の規定により、〕・・年度補助金〔交付金、助成金〕を下記により交付する。

○○・・年・・月・・日

東京都知事　・・・・・・

記

※

1 ○・・・・・・・・・・・・・・・・・

2 ・・・・・・・・・・・・・・・・・・

3 ・・・・・・・・・・・・・・・・・・

2※　一般的には、1には交付金額、2には補助対象事業、3には交付条件を記載するものとする。

別記七　通知文

第一　通達

1

・・・・・第・・号

・・年・・月・・日

※

・・・・・殿

※

東京都知事　・・・・・

〔東京都副知事　・・・・・〕

〔東京都・・局長　・・・・・〕

※※

・・・・・・・・・・・・・・・・について（通達）

○・・・・・・・・・・・・・・・・・

記

1 ○・・・・・・・・・・・・・・・・・

2 ・・・・・・・・・・・・・・・・・・

1※　宛先及び発信者名については、職名だけを用い、氏名を省略することができる（別記七において同じ。）。

1※※　件名はおおむね四字目から書き出し、二行以上にわたるときは、各行の初字をそろえて、全体が中央に収まるようにする。

件名の末尾には、括弧書で公文の内容を表す字句を記載する（別記七において同じ。）。

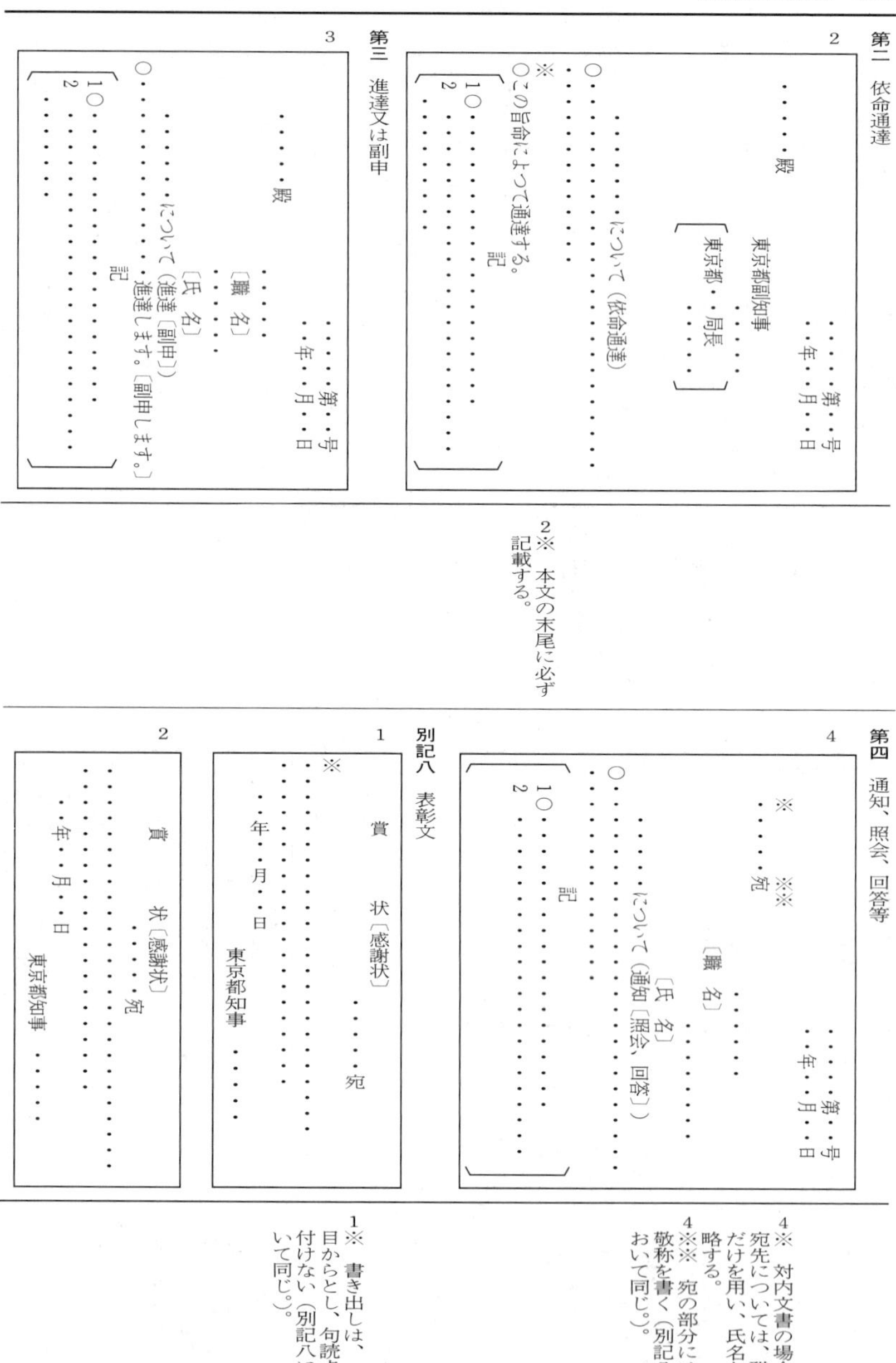

## 第二 依命通達

2

・・・第・・号
・・年・・月・・日

・・・・・殿

東京都副知事 ・・・・・
〔東京都・・局長 ・・・・・〕

○・・・・・・・・について（依命通達）
・・・・・・・・・・・・・・・・
※
○この旨命によって通達する。

記

〔
1○・・・・・・・・・・・・
2・・・・・・・・・・・・
〕

2※ 本文の末尾に必ず記載する。

## 第三 進達又は副申

3

・・・第・・号
・・年・・月・・日

・・・・・殿

〔職 名〕・・・・・
〔氏 名〕・・・・・

○・・・・・・・・について（進達〔副申〕）
進達します。〔副申します。〕

記

〔
1○・・・・・・・・・・・・
2・・・・・・・・・・・・
〕

## 第四 通知、照会、回答等

4

・・・第・・号
・・年・・月・・日

※
・・・・・宛 ※※

〔職 名〕・・・・・
〔氏 名〕・・・・・・・・

○・・・・・・・・について（通知〔照会、回答〕）
・・・・・・・・・・・・

記

〔
1○・・・・・・・・・・・・
2・・・・・・・・・・・・
〕

4※ 対内文書の場合、宛先については、職名だけを用い、氏名を省略する。

4※※ 宛の部分には、敬称を書く（別記八において同じ）。

## 別記八 表彰文

1

賞　状〔感謝状〕

・・・・・宛

※・・・・・・・・・・・・・・・
・・・・・・・・・・・・・・・

・・年・・月・・日

東京都知事 ・・・・・

2

賞　状〔感謝状〕

・・・・・宛

・・・・・・・・・・・・・・・
・・・・・・・・・・・・・・・

・・年・・月・・日

東京都知事 ・・・・・

1※ 書き出しは、一字目からとし、句読点を付けない（別記八において同じ）。

別記九　証明文

第一　一般の場合

1

・・・第・・号

・・・・・証書〔証明書〕

〔氏名等〕・・・・・

※・・・・・・・・・・・・・・・・・・・・・・・・

・・・・・・・・・・・・証します〔証明します。〕

・・年・・月・・日

〔職名〕・・・・　〔氏　名〕・・・・・

2

・・・第・・号

・・・・証書〔証明書〕

〔氏名等〕・・・・・

・・・・・・・・・・・・・・・・・・・・・・・

・・・・・・・・・・証します〔証明します。〕

・・年・・月・・日

〔職名〕・・・・　〔氏名〕・・・・・

第二　奥書証明の場合

3

・・・・・・・・・・・・・・・・・・・・

〔相手方の文〕

・・・第・・号

○右のとおり相違ないことを証明します。

・・年・・月・・日

〔職名〕・・・・　〔氏　名〕・・・・・

4

・・・・・・・・・・・・・・・・・・・・

〔相手方の文〕

・・・第・・号

○上記のとおり相違ないことを証明します。

・・年・・月・・日

〔職名〕・・・・　〔氏名〕・・・・・

1※　書き出しは、証書の場合は一字目から、証明書の場合は二字目からとし、証書の場合は、句読点を付けない（別記九において同じ）。

別記十　契約文

・・・第・・号

・・・・・・・・契約書

○・・・・を甲とし、・・・・を乙とし、甲乙間において、次の条項により、・・・・契約を締結する。

（・・・・）

第1条○・・・・・・・・・・・・・・・・・・・・・・・・・・・

○・・・・・

第2条　・・・・・・・・・・・・・・・・・・・・・・・・・・

・・・・・・・・・・・・・・・・・・・・・・・・・・・・・・

○甲と乙〔・・・・〕とは、本書を・・通作成し、それぞれ記名押印の上、その1通を保有する。

・・年・・月・・日

・・・・・・〔住　所〕・・・・・・

甲　・・・・・〔法人名、氏名〕・・・・

乙　・・・・・・・・・・・・・・・・

## ○東京都公文規程施行細目の制定について

平二二・一二・二八
二二総総文一二〇四

最終改正　令四・三・三一総総文一七〇三

平成二十二年十二月二十八日付けで東京都公文規程（昭和四十二年東京都訓令甲第十号）が一部改正され、同日に施行されることとなった。このことに伴い、その適切な運用を確保するため、東京都公文規程施行細目を別紙のとおり定めたので通知する。

公文書については、東京都公文規程及び東京都公文規程施行細目の定めるところに従い、適切に作成願いたい。

なお、東京都公文規程施行細目の制定について（昭和四十二年四月一日四二総総文発第一一二号総務局長通知）は、廃止する。

**別紙**

**東京都公文規程施行細目**

**第一**　総則的事項（第一条関係）

一　東京都公文規程の適用対象

東京都公文規程（以下「公文規程」という。）の適用対象となるのは、東京都組織規程（昭和二十七年東京都規則第百六十四号）第八条第一項に規定する本庁の局、室並びに住宅政策本部、病院経営本部、中央卸売市場、労働委員会事務局及び収用委員会事務局において用いられる公文全てである。

（注一）　公文は、全て日本語を用いて作成されるべきものである。公文規程は、この前提に立って制定されている。

（注二）　公文は、公文書の作成に用いる文の意義であり、公文書作成に用いる用紙、表記手段等に関する事項を含んでいない。

（注三）　公文中に引用する文には、引用という事柄の性質上公文規程に定める漢字、送り仮名、仮名遣いについての制限規定は適用がない。

二　公文書作成に用いる用紙、公文の表記手段等

公文規程は、その性質上公文に関する事項以外の事項については規定しなかったが、公文書（帳票類を除く。）作成に用いる用紙、表記手段等については、次に定めるところによる。

（一）　用紙

原則としてA四判の大きさの紙を縦長に用いる。

（二）　表記手段

原則として、黒色、赤色若しくは青色のインクを用いてのペン若しくはボールペンによる手書き、パーソナルコンピュータによる印字、印刷又は複写とする。

（注一）　摩擦に伴う温度変化等により消色するインクを用いたペン又はボールペンは、公文書の作成には用いない。

（注二）　次の表記手段は、長期間利用保存される公文書の作成には用いない。

ア　赤色インクのボールペン

イ　ジアゾ式複写機による複写

（三）　文書のとじ方

文書は、左とじとする。ただし、縦書文書のみをとじるときは右とじとする。

（注）　縦書文書と横書文書を一つにとじる場合の縦書文書は、左側に余白のあるものにあっては左側をとじ、左側に余白のないものにあっては裏返してとじることとなる。

三　公文書に関する他の規程

公文書に関する規程の主たるものとしては、公文規程以外に次のものがある。公文書作成については、公文規程のほかこれらの規程に従うこと。

（一）　東京都文書管理規則（平成十一年東京都規則第二百三十七号）

次の事項等を定めている。

ア　文書記号及び文書番号（第十二条）

イ　起案の方法（第二十条）

ウ　発信者名（第二十二条）

エ　事務担当者の表示（第二十三条）

オ　公印及び電子署名（第三十五条）

（二）　東京都工事施行規程（昭和四十六年東京都訓令甲第十五号）

次の事項等を定めている。

ア　工事設計及び起工に係る書類の構成（第八条及び第十一条）

イ　起工に係る起案文書の様式（第三十七条）

（三）　東京都の簿冊その他の公文書に使用すべきアラビヤ数字字体（昭和二十六年東京都訓令甲第三号）

公文の用字としてのアラビア数字の字体を定め

ている。

㈣　東京都公印規程（昭和二十八年東京都規則第百五十八号）

公印印影の刷り込みについて定めている。（第十一条の三）

㈤　東京都会計事務規則（昭和三十九年東京都規則第八十八号）

次の事項等を定めている。

ア　支出命令書等の首標金額の表示に用いる数字等（第十四条）

イ　支出命令書等の金額、数量等の訂正方法（第十六条）

**第二**　公文の種類（第二条関係）

公文書は、その性質、使用目的等に応じ、公文規程第二条各号に掲げられた種類の公文のいずれかを用いて作成すること。

---

（注）　公文の種類の分類基準としては、その公文を用いて作成される公文書の性質による場合等が考えられるが、公文規程においては現在頻繁に用いられている公文の形式を分類基準として公文の種類を定めている。

なお、公文の種類としては、辞令文、起案文等を独立の公文の種類として取り扱うことも考えられるが、これらについては特に形式を定める実益に乏しいこと、特定の形式を定め得ないこと等により、公文規程においては、一括して「不定形文」として分類している。

**第三**　公文の文体、用語等（第三条関係）

一　公文の作成の基本方針

㈠　正確であること。

㈡　平易であること。

㈢　簡潔であること。

二　公文の文体、表現等

㈠　文体

公文の文体は、原則として、例規文、議案文、公布文、告示文、訓令文、指令文、通知文（うち通達等）、契約文等の類は「である」体を用い、通知文（通達等を除く。）、表彰文、証明文等の類は「ます」体を用いる。

㈡　構成及び表現

ア　文語調の表現や堅苦しい表現はなるべくやめ、わかりやすい表現をする。

イ　文章はなるべく区切って短くし、接続詞や接続助詞などを用いて文章を長くすることを避ける。

ウ　文の飾り、曖昧な言葉、回りくどい表現は、なるべくやめて、簡潔で論理的な文章とする。

敬語についても、なるべく簡潔な表現とする。

エ　内容に応じ、なるべく箇条書きの方法を取り入れ、一読して理解しやすい文章とする。

㈢　文法

公文の文法は、義務教育課程において用いられる共通語（いわゆる標準語）についての文法に従う。

三　用語

㈠　用語についての基本的留意事項

ア　特殊な言葉を用いたり、堅苦しい言葉を用いたりすることをやめて、日常一般に使われている易しい言葉を用いる。

（例）　救援する→救う　懇請する→お願いする　一環として→一つとして　即応した→かなった

イ　使い方の古い言葉を使わず、日常使い慣れている言葉を用いる。

（例）　彩紋→模様・色模様

ウ　言いにくい言葉を使わず、口調の良い言葉を用いる。

（例）　遵守する→守る　しゅんじゅんする→ためらう

エ　音読する言葉はなるべく避け、耳で聞いて意味のすぐわかる言葉を用いる。

（例）　橋×梁→橋　×塵×埃→ほこり　眼×蓋→まぶた　充塡する→埋める・詰める　陳述する→述べる

（注）　×印は、常用漢字表（平成二十二年内閣告示第二号）にない漢字であることを示す（カにおいて同じ。）。

オ　音読する言葉で、意味の二様にとれるものは、なるべく避ける。

（例）　協調する（強調する）→歩調を合わせる

カ　「常用漢字表」にない漢字を用いて初めて意味の分かる言葉を仮名で置き替えることはなるべく避け、別の同意義の言葉を用いる。

（例）
欺罔×→だます（「ぎもう」と書かない。）

キ　公文全体を通じて統一のある表現とする。

㈡　特定の用語使用についての留意事項

ア　本来は文語体の用語であるが公文に使用して支障のない用語

(ア)「あり」「なし」「同じ」

簡単な注記や表の中などでは用いてよい。

（例）
所有の有無　あり
障害発生の見込み　なし
右に同じ

(イ)「たる」

「たる」の形のみを用い、「たり」「たれ」等の形は用いない。

（例）
東京都の代表者たる知事
調査権の発動たる説明要求

(ウ)「べき」

「べき」の形のみを用い、「べし」「べく」等の形は用いない。

（例）
提出すべき報告書
生きるべき道
論ずべき問題

イ　使用方法の紛らわしい助詞

(ア)「と」

並列を表す意味に用いるときは、なるべく最終の語句の後にも付ける。

（例）
東京と大阪との間
赤と青と黒とを用いる

(イ)「から」

時、所等について起点を示すときは、「から」を用い、比較を示すときだけ「より」を用いる。

（例）
三時から始める
東京駅から電車に乗る
局長から説明があった

(ウ)「の」

主語を示す場合に用いてよい。

（例）
条例の定めるところによる
用法の一定しない場合

(エ)「ば」

「ならば」の「ば」は略さないで用いる。

（例）
文書が到達したならば、直ちに回覧する

(オ)「な」

「な」の形のみを用い、「なる」の形は用いない。ただし、「いかなる」は用いてよい。

（例）
必要な書類
平等な扱い

ウ　使用方法の紛らわしい助動詞

(ア)「う」「よう」

「う」「よう」は意思を表す場合にのみ用いる。ただし、「であろう（でありましょう、でしょう）」と用いる場合は推量を表す意味で用いてよい。

（例）
回答しよう
回答するであろう（推量）

(イ)「ます」

「ます」の形のみを用い、「まする」「ますれば」「ませ」の形は用いない。

（例）
ありますが
ありますけれど

(ウ)「ぬ」

「ん」「ず」の形のみを用い、「ぬ」「ね」の形は用いない。

（例）
知りません
知らずに犯した罪

(エ)「まい」

用いない。

(オ)「だ」

「だ」「だろう」「だった」の形は用いないで「である」「であろう」「であった」を用いる。

㈢　用語についての留意事項

「法令における漢字使用等について」（平成二十二年十一月三十日内閣法制局総第二百八号）の定めるところに従い、分かり易い用語を使用するように留意する。

四　用字

㈠　漢字

第四の一、二及び三の項による。

㈡　仮名

ア　外来語又は外国（漢字が国語の表記に用いら

れる国を除く。）の地名及び人名は、片仮名で書く。この場合、その書き表し方は、外来語の表記（平成三年内閣告示第二号）の定めるところによるものとする。

イ　アの規定にかかわらず、「かるた」「たばこ」等のような外来語の意識の薄くなっているものは、平仮名で書いてもよい。

ウ　庁内外に文書を発信する場合においては、東京都公文規程及びこの施行細目を補完するものとして、東京都外来語言い換え基準（平成十七年四月十八日一七総総文第九七号）を用いるものとする。

㈢　数字

ア　縦書きの場合には一、二、三、十、百（特に必要がある場合には壱、弐、参、拾）等の漢字を用いる。ただし、条文形式をとる公文中で条文の項を表す場合等は、アラビア数字を用いる。

イ　横書きの場合には、アラビア数字を用いる。ただし、次の場合には、漢数字を用いる。

(ア)　固有名詞を表す場合

――（例）

丸の内三丁目　五島列島

(イ)　概数を表す場合

――（例）

数十日　四五日

(ウ)　数量的意味の薄い語を表す場合

――（例）

一般　一部分　四分五裂

(エ)　桁の大きい数を表す場合

――（例）

一、九〇〇億　一二〇万

(オ)　慣習的な言葉を表す場合

――（例）

一休み　二言目　四つ　五つ

㈣　外国文字

公文には、原則として外国文字を用いない。ただし、次のような場合には、例外的に外国文字を用いる。

ア　外国人をも対象とする申請書等の様式を定める場合で、その様式等に用いられた日本語の補足説明の用語として外国語を用いるとき。

イ　工事関係の起案文、設計図表等で計量の単位を簡略に表す必要がある場合に、その計量の単位の記号として計量単位規則（平成四年通商産業省令第八十号）の定める計量単位についての略語を用いるとき。

ウ　工事関係の設計図面等の説明文中に通常工事関係者間で用いられている外国文字で表す記号を用いるとき。

エ　文の項目を細別する場合で特に必要があるとき（六の㈡のイ参照）。

五　符号

㈠　通常用いる符号

公文に通常用いる符号は、次のとおりとする。

ア　「、」（点）

文の読点として用いる。

なお「、」は、縦書文で億、万、千、百等の数詞を用いずに数を表す場合の数の桁を示す符号としても用いる。

イ　「。」（丸）

文の句点として用いる。

ウ　「・」（中点）

事物の名称等を列挙する場合であって「、」又は「，」（横書文の読点として用いたときに限る。）を用いることが適当でないときは、それぞれの名称の間に用いる。

なお、「・」は、縦書文で億、万、千、百等の数詞を用いずに数を表す場合の単位を示す符号（小数点）として用いる。

エ　「，」（コンマ）

アラビア数字の桁を示す場合に用いる。

なお、横書文の読点として用いてもよい。

オ　「　」（かぎ括弧）

特に示す必要がある事物の名又は語句を明示する場合に用いる。

カ　（　）（丸括弧）

注記をする場合に用いる。

キ　「．」（ピリオド）

アラビア数字の単位を示す場合に用いる。

（注）　主として、横書形式の符号を掲げた（㈡において同じ。）。

㈡　通常用いない符号

次に例示するような符号は、これらを用いることにより、より良く公文の内容が理解できると認められる場合等特に必要がある場合に限って用いる。

ア　『　』（二重かぎ括弧）

イ　〔　〕（角型括弧）

ウ　〈　〉（くくり型括弧）

エ　「―」（ダッシュ）

オ　「～」（波型）

カ　「‐」（ハイフン）

キ　「↓」（矢印）

ク　「{」「}」（くくり）

ケ　「々」「〃」（繰り返し符号）

六　文の項目を細別する場合の順序

(一)　細別順序の原則

ア　横書きの場合は、次の順序による。

第1　1　(1)　ア　(ア)
第2　2　(2)　イ　(イ)

イ　縦書きの場合は、次の順序による。

第一　一　(一)　ア　(ア)
第二　二　(二)　イ　(イ)

(二)　細別順序の例外

ア　条文形式を用いる公文の場合は、公文規程別記一に定める例による。

イ　細別が多段階にわたる場合は、(一)のア及びイを交互に混用するほか、アルファベット、ローマ数字を用いてもよい。

ウ　細別が少段階である場合には、必ずしも「第一」又は「第1」から始める必要はない。

**第四**　使用漢字の範囲等（第四条関係）

一　常用漢字表使用上の注意事項

(一)　「常用漢字表」にある漢字で書き表せない言葉は、仮名書きにするか、又は別の言葉に換える。この書換え又は言換えの標準は、次のとおりとする。

ア　仮名書きにする。

（例）
溜×める→ためる
漏洩×→漏えい
佃×煮→つくだ煮
艀×→はしけ

（注）×印は、常用漢字表にない漢字であることを示す（(イ)、イ、ウ及びエにおいて同じ。）。

(ア)　仮名書きにする場合の基準一

漢語でも、漢字を外しても意味の通る使い慣れたものは、そのまま仮名書きにする。

（例）
あっせん　れんが　わいせつ

(イ)　仮名書きにする場合の基準二

他によい言換えがなく、又は言換えをしては不都合なものは、「常用漢字表」にない漢字だけを仮名書きにする。

（例）
口腔×→口こう
澱×粉→でん粉

イ　「常用漢字表」中の音が同じで、意味の似た漢字で書き換える。

（例）
繋×留→係留
車輛×→車両
煽×動→扇動
碇×泊→停泊
編輯×→編集
抛×棄→放棄
傭×人→用人
聯×合→連合

ウ　同じ意味の漢語を言い換える。

(ア)　意味の似ている、用い慣れた言葉を使う。

（例）
印顆×→印形
改悛×→改心

(イ)　新しい言葉を工夫して使う。

（例）
竣×功→完成
溢×水→出水
剪×除→切除

エ　漢字を易しい言葉で言い換える。

（例）
驚愕×する→驚く
庇×護する→かばう

(二)　「常用漢字表」にない漢字を用いた専門用語等であって、他に言い換える言葉がなく、しかも仮名で書くと理解することができないと認められるものについては、「常用漢字表」にない漢字をそのまま用いる。この場合、漢字には振り仮名をつける。

（例）
按（あん）分
砒（ひ）素

二　常用漢字表の音訓の使用上の注意事項

(一)　「常用漢字表」の音訓の使用については、次の事柄に留意すること。

ア　次のような代名詞は、漢字で書く。

（例）
俺　彼　誰　何　僕　私

我々

イ　次のような副詞及び連体詞は、漢字で書く。

（例）余り　至って　大いに　恐らく　概して　必ず　必ずしも　辛うじて　極めて　殊に　更に　実に　少なくとも　少し　既に　全て　切に　大して　絶えず　互いに　直ちに　例えば　次いで　努めて　常に　特に　突然　初めて　果たして　甚だ　再び　全く　無論　最も　専ら　僅か　割に　明くる　大きな　来る　去る　小さな　我が

（国）ただし、次のような副詞は、仮名で書く。

（例）かなり　ふと　やはり　よほど

ウ　次の接頭語は、その接頭語が付く語を漢字で書く場合は、原則として、漢字で書き、その接頭語が付く語を仮名で書く場合は、仮名で書く。

（例）御案内　御挨拶　ごもっとも

エ　次のような接尾語は、仮名で書く。

（例）げ（惜しげもなく）　ども（私ども）　ぶる（偉ぶる）　み（弱み）　め（少なめ）

オ　次のような接続詞は、仮名で書く。

（例）おって　かつ　したがって　ただし　ついては　ところが　ところで　また　ゆえに

ただし、次の四語は、原則として、漢字で書く。

及び　並びに　又は　若しくは

カ　助動詞及び助詞は、仮名で書く。

（例）ない（現地には、行かない。）　ようだ（それ以外に方法がないようだ。）　ぐらい（二十歳ぐらいの人）　だけ（調査しただけである。）　ほど（三日ほど経過した。）

キ　次のような語句を、（　）の中に示した例のように用いるときは、仮名で書く。

（例）ある（その点に問題がある。）　いる（ここに関係者がいる。）　こと（許可しないことがある。）　できる（誰でも利用ができる。）　とおり（次のとおりである。）　とき（事故のときは、連絡する。）　ところ（現在のところ差し支えない。）　とも（説明するとともに意見を聞く。）　ない（欠点がない。）　なる（合計すると一万円になる。）　ほか（特別の場合を除くほか…）　もの（正しいものと認める。）　ゆえ（一部の反対のゆえにはかどらない。）　わけ（賛成するわけにはいかない。）　……かもしれない（間違いかもしれない。）　……てあげる（図書を貸してあげる。）　……ていく（負担が増えていく。）　……ていただく（報告していただく。）　……ておく（通知しておく。）　……てください（問題点を話してください。）　……てくる（寒くなってくる。）　……てしまう（書いてしまう。）　……てみる（見てみる。）　……てよい（連絡してよい。）　……にすぎない（調査だけにすぎない。）　……について（これについて考慮する。）

㈡　「常用漢字表」の範囲内の音訓によっては、漢字で書き表せない言葉は、一の㈠に定める標準に準じて書換え又は言換えをする。

（例）称える→たたえる　質す→質問する

三　「常用漢字表」の字体の使用上の注意事項

「常用漢字表」の字体の使用については、「常用漢字表」に定める「字体についての解説」に従うこと。

四　送り仮名の付け方使用上の注意事項

㈠　単独の語

ア　活用のある語は、「送り仮名の付け方」（昭和四十八年内閣告示第二号）の本文の通則1の「本則」・「例外」及び通則2の「本則」の送り仮名の付け方による。

イ　活用のない語は、「送り仮名の付け方」の本文の通則3から通則5までの「本則」・「例外」の送り仮名の付け方による。

ウ　表に記入したり、記号的に用いたりする場合には、次の例に示すように、（　）の中の送り仮名を省く。

（例）

晴（れ）　曇（り）　問（い）　答（え）　終（わり）　生（まれ）

(二)　複合の語

ア　イに該当する語を除き、「送り仮名の付け方」の本文の通則6の「本則」の送り仮名の付け方による。ただし、活用のない語で、読み間違えるおそれのない語については、「送り仮名の付け方」の本文の通則6の「許容」の送り仮名の付け方により、次の例に示すように送り仮名を省く。

（例）

明渡し　預り金　編上げ　言渡し　入替え　植付け　受入れ　受持ち　受渡し　打合せ　打合せ会　打切り　内払　移替え　埋立て　売上げ　売惜しみ　売出し　売場　売払い　売渡し　売行き　縁組　追越し　置場　贈物　帯留　折詰　買上げ　買入れ　買受け　概算払　買占め　買取り　買物　書換え　格付　掛金　貸切り　貸金　貸越し　貸倒れ　貸出し　貸付け　借入れ　借受け　借換え　切上げ　切替え　切下げ　切捨て　切土　組合せ　組入れ　組替え　組立て　繰上げ　繰入れ　繰替え　繰越し　繰延べ　差押え　差止め　差引き　下請　締切り　仕分　捨場　座込み　備付け　染物　田植　立会い　立入り　立替え　立札　月掛　付添い　月払　積卸し　積込み　積出し　積立て　積付け　手続　問合せ　届出　取扱い　取卸し　取替え　取決め　取消し　取下げ　取締り　取調べ　取立て　取次ぎ　取付け　投売り　抜取り　飲物　乗換え　乗組み　話合い　払込み　払下げ　払出し　払渡し　貼付け　引上げ　引締め　引継ぎ　引渡し　日雇　歩留り　船着場　賦払　振出し　前払　見合せ　見積り　見習　未払　申合せ　申合せ事項　申入れ　申込み　申立て　申出　持込み　持分　元請　催物　盛土　焼付け　雇入れ　雇主　譲受け　譲渡し　呼出し　読替え　割当て　割増し

イ　活用のない語で慣用が固定していると認められる次の例に示すような語については、「送り仮名の付け方」の本文の通則7により、送り仮名を付けない。

（例）

合図　合間　植木　浮世絵　受入額　受入先　受入年月日　請負　受付　受取　埋立区域　埋立事業　埋立地　売上（高）　売出発行　売手　売主　売値　売渡価格　売渡先　絵巻物　置物　奥書　押売　（博多）織　折返線　織物　卸売　買上品　買受人　外貨建債権　買手　買主　買値　書付　書留　貸方　貸室　貸倒引当金　貸出票　貸付（金）　貸主　貸間　貸家　箇条書　肩書　借入（金）　借方　借主　缶詰　気付　切手　切符　切替組合員　切替日　くじ引　組合　倉敷料　繰上償還　繰入限度額　繰入率　繰替金　繰越（金）　繰延資産　消印　月賦払　検査済証　小売　小売（商）　木立　小包　子守　献立　先取特権　作付面積　座敷　差出人　差引簿　試合　仕上機械　仕入価格　仕掛花火　仕掛品　敷網　敷石　敷金　敷地　敷物　支出済額　下請工事　仕出屋　仕立屋　質入証券　支払　字引　事務取扱　事務引継　締切日　条件付採用　所得割　新株買付契約書　関取　備付品　（型絵）染　ただし書　立会演説　立入検査　立場　立替金　建物　徴収済額　月掛貯金　付添人　積立（金）　積荷　詰所　手当　出入口　出来高払　手引書　手回品　手持品　頭取　取扱（所）　取扱（注意）　取入口　取替品　取組　（麻薬）取締法　取締役　取立金　取次（店）　取付工事　取引　取引（所）　仲買　仲立業　投売品　並木　荷扱場　荷受人　荷造費　（春慶）塗　納付済期間　乗合旅客　乗換（駅）　乗組（員）　場合　羽織　発行済株式　葉巻　払込期日　払

込金　払込済出資額　払下品　払出金
　番組　番付　控室　引当金　引受
(時刻)　引受(人)　引換(券)
(代金)引換　引継事業　引継調書
引取税　船積貨物　引込線　瓶詰　歩
合　日付　踏切　振替　振込金　振出
(人)　不渡手形　分割払　(鎌倉)
彫　掘抜井戸　前受金　前貸金　巻紙
　巻尺　待合(室)　見返物資　見込
額　水引　見積(書)　見取図　見習
工　未払勘定　見舞品　名義書換　申
込(書)　持込禁止　(支払)元受高
　元売業者　物置　物語　物干場
(備前)焼　役割　屋敷　雇入契約
雇止手当　夕立　譲受人　呼出符号
読替規定　陸揚地　利付債券　両替
割合　割当額　割引　割増金

(三)　付表の語
　「送り仮名の付け方」の本文の付表の語（1のなお書きを除く。）の送り仮名の付け方による。

**第五**　公文の形式（第五条関係）

一　縦書き及び横書きの区分

(一)　不定形文以外の公文
　公文規程の別記一から別記十までに定めるところに従い、縦書き又は横書きとする。起案（案文を含む。）についても同様とする。

(二)　不定形文
　原則として横書きとする。

二　公文規程で定められた形式により難い公文
　公文規程で定められた形式により難い公文は、通知文、指令文、証明文等で、その形が法令等により定められているものとする。

三　公文規程で定められた形式以外の形式を定める場合及び公文規程に形式の定めのない公文について新たに形式を定める場合の手続
　その公文に係る事務執行を主管する課の課長が局の庶務主管課長を経由して文書課長と協議して定める。

四　教示文及び事務担当者氏名の表記位置

(一)　行政不服審査法（昭和三十七年法律第百六十号）第五十七条の規定に基づく審査庁の教示及び行政事件訴訟法（昭和三十七年法律第百三十九号）第四十六条の規定に基づく取消訴訟等の提起に関する事項の教示に関する文を記載する場合は、主たる公文の末尾に主たる公文から少し離して、主たる公文の形式に準じて書く（場合によって、裏面、別紙等に記載してもよい。）。

(二)　公文書に事務担当者の氏名等を記載する場合は、主たる公文の末尾に主たる公文から少し離して右側に書く。
　なお、主たる公文の末尾に(一)の記載がある場合は、(一)により記載した文の次に記載するものとする。

五　配字位置等

(一)　一般原則

ア　文の最初の行及び新たに起こした行の初めの一字分は、空白とする。ただし、表彰文及び証明文の一部（卒業証書等）については、空白としない。

イ　句読点を用いない文については、句読点を使うべき箇所を一字分空白とする。

ウ　文の項目を細別する記号の次には、読点又はピリオドを打たず、一字分を空白とする。

エ　「なお」「おって」「また」等を使って完結した前の文に対する独立した形の補足説明等をする文を続けるときは行を変える。

オ　「ただし」「この」「その」等を使って文を続けるときは、行を変えず、前の文に続ける。

(二)　その他
　公文規程の別記で、特に配字位置について指定のないものについては、公文書作成に用いる用紙の大きさ及び字の大きさとの均衡を考慮して、出来上がった公文書の体裁が良くなるよう適当な位置に収める。

(注)　句点については、一字分のスペースを配するのが原則であるが、完結する文の最終字が行の最後の位置を占めるときの句点は、次の行の最初の位置に配することをせず、当該完結する文の最終字に係る行の末尾に配するようにする。読点の配置についても、句点の場合に準ずる。

(例)

一・・・・・・通知する
二。・・・・・・　　否

一　・・・・・・・通知する。
二　・・・・・・・・・・・
良

一　・・・・・・・通知する。
二　・・・・・・・・・・・
良

六　公文に用いる敬称
　原則として「様」を用いるが、必要に応じて「殿」等を用いることができる。

**第六**　公文規程施行に伴う経過措置
㈠　用語関係
　既存の条例、規則、訓令等その存在の永続性があるものを改正する場合、新しい方式に従った結果、改正されない部分に用いられている用語と改正された部分に用いられているこれと同一の内容を表す用語とが書き表し方において異なることとなっても差し支えない（例えば、ある規則において「すべて」の用語が二箇所に用いられている場合にその一方の「すべて」を含む部分を改正するときは、必ずこれを「全て」としなければならないが、他方の「すべて」はそのままにしておいて差し支えない。）。
　なお、一部改正に当たり、上述のような書き表し方の差が生ずることを避ける特別の必要がある場合には、新しい方式により統一するものとする。
㈡　形式関係
　形式についても㈠に準じて扱うこと。

**第七**　その他
　平成二十二年十二月二十八日以後、公文書は、公文規程及びこの施行細目に定めるところにより作成されることとなる。
　なお、次に掲げる公文書の作成に関する通達等については廃止する。
一　文書の文体等に関する件（昭和二十一年四月二十二日官文発第二百八十号）
二　官庁用語の平易化について（昭和二十一年六月二十九日文発第四百五十四号）
三　起案の左横書きについて（昭和二十五年三月二十八日総文発第百七十九号）
四　起案の左横書きについて（昭和二十六年三月二十四日総文発第百五十四号）
五　法令用語改正例について（昭和二十九年十一月四日総総文発第百八十八号）

# ○行政不服審査法及び行政事件訴訟法の規定に基づく教示の文の標準を定める規則

平一六・一二・二八
規　則　三　四　五

改正　平二八・二・一〇規則五

（趣旨）
**第一条**　この規則は、知事又はその補助機関が処分をする場合に、行政不服審査法（平成二十六年法律第六十八号）第八十二条第一項並びに行政事件訴訟法（昭和三十七年法律第百三十九条）第四十六条第一項及び第二項の規定により当該処分の相手方に対して行う教示の文について、別に定めるものを除くほか、その標準を定めるものとする。

（標準）
**第二条**　前条の教示の文の標準は、別記のとおりとする。

**附　則**
この規則は、平成十七年四月一日から施行する。

**附　則**（平二八・二・一〇規則五）
この規則は、平成二十八年四月一日から施行する。

別記（第2条関係）

**第1**　処分に対して審査請求及び取消訴訟の提起の双方が認められている場合

1　この決定に不服がある場合には、この決定があったことを知った日の翌日から起算して3月以内に、東京都知事に対して審査請求をすることができます（なお、この決定があったことを知った日の翌日から起算して3月以内であっても、この決定の日の翌日から起算して1年を経過すると審査請求をすることができなくなります。）。

2　この決定については、この決定があったことを知った日の翌日から起算して6月以内に、東京都を被告として（訴訟において東京都を代表する者は東京都知事となります。）、処分の取消しの訴えを提起することができます（なお、この決定があったことを知った日の翌日から起算して6月以内であっても、この決定の日の翌日から起算して1年を経過すると処分の取消しの訴えを提起することができなくなります。）。ただし、上記1の審査請求をした場合には、当該審査請求に対する裁決があったことを知った日の翌日から起算して6月以内に、処分の取消しの訴えを提起することができます（なお、当該審査請求に対する裁決があったことを知った日の翌日から起算して6月以内であっても、当該裁決の日の翌日から起算して1年を経過すると処分の取消しの訴えを提起することができなくなります。）。

**第2**　法律に処分についての審査請求に対する裁決を経た後でなければ処分の取消しの訴えを提起することができない旨の定めがある場合

1　この決定に不服がある場合には、この決定があったことを知った日の翌日から起算して3月以内に、東京都知事に対して審査請求をすることができます（なお、この決定があったことを知った日の翌日から起算して3月以内であっても、この決定の日の翌日から起算して1年を経過すると審査請求をすることができなくなります。）。

2　上記1の審査請求に対する裁決を経た場合に限り、当該審査請求に対する裁決があったことを知った日の翌日から起算して6月以内に、東京都を被告として（訴訟において東京都を代表する者は東京都知事となります。）、処分の取消しの訴えを提起することができます（なお、当該審査請求に対する裁決があったことを知った日の翌日から起算して6月以内であっても、当該裁決の日の翌日から起算して1年を経過すると処分の取消しの訴えを提起することができなくなります。）。ただし、次の①から③までのいずれかに該当するときは、審査請求に対する裁決を経ないで処分の取消しの訴えを提起することができます。①審査請求があった日の翌日から起算して3月を経過しても裁決がないとき。②処分、処分の執行又は手続の続行により生ずる著しい損害を避けるため緊急の必要があるとき。③その他裁決を経ないことにつき正当な理由があるとき。

**第3**　法律に処分についての審査請求に対する裁決に対してのみ取消訴訟を提起することができる旨の定めがある場合

1　この決定に不服がある場合には、この決定があったことを知った日の翌日から起算して3月以内に、東京都知事に対して審査請求をすることができます（なお、この決定があったことを知った日の翌日から起算して3月以内であっても、この決定の日の翌日から起算して1年を経過すると審査請求をすることができなくなります。）。

2　この決定については、処分の取消しの訴えを提起できず、上記1の審査請求に対する裁決を経た場合に、当該裁決に対してのみ取消しの訴えを提起することができます。

備考　処分の形式又は内容に応じて、必要な修正を行うものとする。

# ○東京都公文書等の管理に関する条例

平二九・六・一四
条例三九

最終改正 令六・一〇・一一条例一〇四

## 第一章 総則

(目的)

**第一条** この条例は、東京都(以下「都」という。)の諸活動や歴史的事実の記録である公文書等が、都民による都政への参加を進めるために不可欠な都民共有の財産であることを明らかにするとともに、公文書等の適正な管理が情報公開の基盤であるとの認識の下、都民が主体的に公文書等を利用し得ることに鑑み、公文書等の管理に関する基本的な事項を定めることにより、適正な管理、歴史公文書等の適切な保存及び利用等を図り、もって都政の透明化を推進し、現在及び将来の都民に対する説明責任を果たすことを目的とする。

(定義)

**第二条** この条例において「実施機関」とは、知事、教育委員会、選挙管理委員会、人事委員会、監査委員、公安委員会、労働委員会、収用委員会、海区漁業調整委員会、内水面漁場管理委員会、固定資産評価審査委員会、公営企業管理者、警視総監及び消防総監並びに都が設立した地方独立行政法人(地方独立行政法人法(平成十五年法律第百十八号)第二条第一項に規定する地方独立行政法人をいう。次項において同じ。)をいう。

2 この条例において「公文書」とは、実施機関の職員(都が設立した地方独立行政法人の役員を含む。以下同じ。)が職務上作成し、又は取得した文書、図画、写真、フィルム及び電磁的記録(電子的方式、磁気的方式その他人の知覚によっては認識することができない方式で作られた記録をいう。以下同じ。)であって、当該実施機関の職員が組織的に用いるものとして、当該実施機関が保有しているものをいう。ただし、次に掲げるものを除く。

一 官報、公報、白書、新聞、雑誌、書籍その他不特定多数の者に販売することを目的として発行されるもの

二 特定歴史公文書等

三 東京都規則で定める都の機関等において、歴史的若しくは文化的な資料又は学術研究用の資料として特別の管理がされているもの

3 この条例において「歴史公文書等」とは、歴史資料として重要な公文書その他の文書をいう。

4 この条例において「特定歴史公文書等」とは、歴史公文書等のうち、次に掲げるものをいう。

一 第十条第一項又は第十一条第一項の規定により東京都公文書館(以下「公文書館」という。)に移管されたもの

二 法人その他の団体(実施機関を除く。以下「法人等」という。)又は個人から公文書館に寄贈され、又は寄託されたもの

5 この条例において「公文書等」とは、次に掲げるものをいう。

一 公文書

二 特定歴史公文書等

(実施機関の責務)

**第三条** 実施機関は、政策の形成過程及びその実施について、この条例に定めるところに従い、公文書を適正に作成し、及び管理しなければならない。

**第四条** 実施機関は、当該実施機関の職員に対し、公文書の管理を適正かつ効果的に行うために必要な知識及び技能を習得させ、及び向上させるために必要な研修を行わなければならない。

2 知事は、実施機関の職員に対し、歴史公文書等の適切な保存及び移管を確保するために必要な知識及び技能を習得させ、及び向上させるために必要な研修を行わなければならない。

(他の法令等との関係)

**第五条** 公文書等の管理については、法律若しくはこれに基づく命令又は他の条例に特別の定めがある場合を除くほか、この条例の定めるところによる。

## 第二章 公文書の管理

### 第一節 文書の作成

(文書の作成)

**第六条** 実施機関は、第三条に規定する責務を果たすため、事案を決定するに当たっては、極めて軽易な事案を除き、文書(電磁的記録を含む。以下この条において同じ。)によりこれを行わなければならない。

2 前項の規定にかかわらず、緊急の取扱いを要する事案については、文書を作成することなく事案の決定をすることができる。この場合においては、事案の決定後、速やかに当該決定に係る文書を作成しなければならない。

3 実施機関は、重要な事案の決定に当たっては、その

経過等を明らかにする文書を作成しなければならない。

### 第二節　公文書の整理等

**（整理）**

**第七条**　実施機関の職員が公文書を作成し、又は取得したときは、実施機関は当該公文書をその性質、内容等に応じて分類し、件名を付するとともに、当該公文書の効力、重要度、利用度、資料価値等を考慮して保存期間を設定しなければならない。

2　実施機関は、公文書について、保存期間（延長された場合にあっては、延長後の保存期間。第十条第二項を除き、以下同じ。）の満了前のできる限り早い時期に、保存期間が満了したときの措置として、歴史公文書等に該当するものにあっては公文書館への移管の措置を、それ以外のものにあっては廃棄の措置をとるべきことを定めなければならない。

3　実施機関は、公文書の分類に関する基準及び保存期間が満了したときの措置に関する基準を定めなければならない。この場合において、実施機関は、保存期間が満了したときの措置に関する基準については、次項により知事が別に定める指針を参酌して東京都規則その他の実施機関が定める規則、規程等（以下「都規則等」という。）により定めなければならない。

4　知事は、保存期間が満了したときの措置に関する指針を作成しなければならない。

**（保存）**

**第八条**　実施機関は、公文書について、当該公文書の保存期間が満了する日までの間、その内容、時の経過、利用の状況等に応じ、適切な保存及び利用を確保するために必要な場所において、適切な記録媒体により、識別を容易にするための措置を講じた上で保存しなければならない。

**（文書検索目録の作成）**

**第九条**　実施機関は、東京都情報公開条例（平成十一年東京都条例第五号。以下「情報公開条例」という。）第四十一条第一項の規定に基づき、公文書の検索に必要な文書目録を作成し、一般の利用に供しなければならない。

**（移管又は廃棄）**

**第十条**　実施機関は、公文書がその保存期間を満了したときは、第七条第二項の規定による定めに基づき、当該公文書を公文書館に移管し、又は廃棄しなければならない。

2　前項の規定にかかわらず、実施機関は、必要があると認めるときは、第七条第一項の規定により設定した保存期間を延長することができる。

3　実施機関は、第一項の規定により公文書館に移管する公文書について、第十九条第一項第一号に掲げる場合に該当するものとして公文書館において利用の制限を行うことが適切であると認める場合には、その旨の意見を付さなければならない。

4　実施機関は、第一項の規定により、保存期間が満了した公文書を廃棄しようとするときは、当該公文書の重要性に応じ、都規則等で定めるところにより、当該公文書を廃棄しなければならない。

**（移管等の求め）**

**第十一条**　実施機関は、知事から、第七条第二項の規定により保存期間が満了したときに廃棄の措置をとるべきことを定めた公文書のうち、公文書館において保存する必要があると認めるものの移管を求められたときは、特別の理由がある場合を除き、その求めに応じなければならない。

2　知事は、実施機関に対し、公文書の分類、件名、保存期間及び保存期間が満了したときの措置が記載された文書目録の提出を求めることができる。

**（管理状況の点検）**

**第十二条**　実施機関は、毎年度、公文書の管理状況を点検し、必要な措置を講じなければならない。

**（管理状況の公表）**

**第十三条**　知事以外の実施機関は、公文書の管理状況について、毎年度、知事に報告しなければならない。

2　知事は、実施機関における公文書の管理状況を取りまとめ、毎年度、その概要を公表しなければならない。

**（公文書の管理に関する定め）**

**第十四条**　実施機関は、公文書が第六条から前条までの規定に基づき適正に管理されるよう、都規則等により公文書の管理に関する定めを設けなければならない。

2　実施機関は、前項の都規則等を設けたときは、遅滞なく、これを公表しなければならない。これを変更したときも、同様とする。

**（知事の助言）**

**第十五条**　知事は、第十三条第一項の規定による報告を受けたときは、知事以外の実施機関に対し、必要な助言を行うことができる。

**（出資等法人の文書の管理）**

**第十六条**　都が出資その他財政支出等を行う法人であって、実施機関が定めるもの（以下「出資等法人」という。）は、この条例の趣旨にのっとり、文書の適正な管理を行うため必要な措置を講ずるよう努めるものとする。

2　実施機関は、出資等法人に対し、前項に規定する必要な措置を講ずるよう指導に努めなければならない。

（公の施設の指定管理者の文書の管理）
**第十七条**　都の公の施設を管理する指定管理者（地方自治法（昭和二十二年法律第六十七号）第二百四十四条の二第三項に規定する指定管理者をいう。以下同じ。）は、この条例の趣旨にのっとり、当該公の施設の管理に関する文書の適正な管理を行うため必要な措置を講ずるよう努めるものとする。
2　実施機関は、都の公の施設の指定管理者に対し、前項に規定する必要な措置を講ずるよう指導に努めなければならない。

## 第三章　特定歴史公文書等の保存、利用等

（特定歴史公文書等の保存等）
**第十八条**　知事は、特定歴史公文書等について、第二十六条の規定により廃棄されるに至る場合を除き、永久に保存しなければならない。
2　知事は、特定歴史公文書等について、その内容、保存状態、時の経過、利用の状況等に応じ、適切な保存及び利用を確保するために必要な場所において、適切な記録媒体により、識別を容易にするための措置を講じた上で保存しなければならない。
3　知事は、特定歴史公文書等に個人情報（生存する個人に関する情報であって、当該情報に含まれる氏名、生年月日その他の記述等により特定の個人を識別することができるもの（他の情報と容易に照合することができ、それにより特定の個人を識別することができることとなるものを含む。）をいう。）が記録されている場合には、当該個人情報の漏えいの防止のために必要な措置を講じなければならない。
4　知事は、東京都規則で定めるところにより、特定歴史公文書等の分類、名称、移管又は寄贈若しくは寄託をした者の名称又は氏名、移管又は寄贈若しくは寄託を受けた時期及び保存場所その他の特定歴史公文書等の適切な保存を行い、及び適切な利用に資するために必要な事項を記載した目録を作成し、公表しなければならない。

（特定歴史公文書等の利用請求及びその取扱い）
**第十九条**　知事は、特定歴史公文書等について前条第四項の目録の記載に従い利用の請求があった場合には、次に掲げる場合を除き、これを利用させなければならない。
一　当該特定歴史公文書等が実施機関から移管されたものであって、当該特定歴史公文書等に次に掲げる情報が記録されている場合
イ　情報公開条例第七条第二号に掲げる情報
ロ　情報公開条例第七条第一号、第三号、第六号イ若しくはホ又は第七号に掲げる情報
ハ　公にすることにより、犯罪の予防、鎮圧又は捜査、公訴の維持、刑の執行その他の公共の安全と秩序の維持に支障を及ぼすおそれがあると当該特定歴史公文書等を移管した実施機関が認めることにつき相当の理由がある情報
二　当該特定歴史公文書等がその全部又は一部を一定の期間公にしないことを条件に法人等又は個人から寄贈され、又は寄託されたものであって、当該期間が経過していない場合
三　当該特定歴史公文書等の原本を利用に供することにより当該原本の破損若しくはその汚損を生ずるおそれがある場合又は公文書館において当該原本が現に使用されている場合
2　知事は、前項に規定する利用の請求（以下「利用請求」という。）に係る特定歴史公文書等が同項第一号に該当するか否かについて判断するに当たっては、当該特定歴史公文書等が公文書として作成又は取得されてからの時の経過を考慮するとともに、当該特定歴史公文書等に第十条第三項の規定による意見が付されている場合には、当該意見を参酌しなければならない。
3　知事は、第一項第一号及び第二号に掲げる場合であっても、同項第一号イからハまでに掲げる情報又は同項第二号の条件に係る情報が記録されている部分を容易に区分して除くことができるときは、利用請求をした者（以下「利用請求者」という。）に対し、当該部分を除いた部分を利用させなければならない。ただし、当該部分を除いた部分に有意の情報が記録されていないと認められるときは、この限りでない。

（本人情報の取扱い）
**第二十条**　知事は、前条第一項第一号イの規定にかかわらず、この規定に掲げる情報により識別される特定の個人（以下この条において「本人」という。）から、当該情報が記録されている特定歴史公文書等について利用請求があった場合において、東京都規則で定めるところにより本人であることを示す書類の提示又は提出があったときは、本人の生命、健康、生活又は財産を害するおそれがある情報が記録されている場合を除き、当該特定歴史公文書等につきこの規定に掲げる情報が記録されている部分についても、利用させなければならない。

（第三者に対する意見書提出の機会の付与等）
**第二十一条**　利用請求に係る特定歴史公文書等に都、国、公文書等の管理に関する法律（平成二十一年法律第六十六号）第二条第二項に規定する独立行政法人等、他の地方公共団体、地方独立行政法人及び利用請

求者以外の者（以下「第三者」という。）に関する情報が記録されている場合には、知事は、当該特定歴史公文書等を利用させるか否かについての決定をするに当たって、当該情報に係る第三者に対し、利用請求に係る特定歴史公文書等の名称その他東京都規則で定める事項を通知して、意見書を提出する機会を与えることができる。

2　知事は、第三者に関する情報が記録されている特定歴史公文書等の利用をさせようとする場合であって、当該情報が情報公開条例第七条第二号ロ、第三号ただし書又は第七号ただし書に規定する情報に該当すると認めるときは、利用させる旨の決定に先立ち、当該第三者に対し、利用請求に係る特定歴史公文書等の名称その他東京都規則で定める事項を書面により通知して、意見書を提出する機会を与えなければならない。ただし、当該第三者の所在が判明しない場合は、この限りでない。

3　知事は、特定歴史公文書等であって第十九条第一項第一号ハに該当するものとして第十条第三項の規定により意見を付されたものを利用させる旨の決定をする場合には、あらかじめ、当該特定歴史公文書等を移管した実施機関に対し、利用請求に係る特定歴史公文書等の名称その他東京都規則で定める事項を書面により通知して、意見書を提出する機会を与えなければならない。

4　知事は、第一項又は第二項の規定により意見書を提出する機会を与えられた第三者が当該特定歴史公文書等を利用させることに反対の意思を表示した意見書を提出した場合において、当該特定歴史公文書等を利用させる旨の決定をするときは、その決定の日と利用させる日との間に少なくとも二週間を置かなければならない。この場合において、知事は、その決定後直ちに、当該意見書（以下「反対意見書」という。）を提出した第三者に対し、利用させる旨の決定をした旨及びその理由並びに利用させる日を書面により通知しなければならない。

**（利用の方法）**

**第二十二条**　知事が特定歴史公文書等を利用させる場合には、文書、図画又は写真については閲覧又は写しの交付の方法により、フィルムについては視聴又は写しの交付の方法により、電磁的記録については視聴、閲覧、写しの交付等でその種別、情報化の進展状況等を勘案して東京都規則で定める方法により行う。ただし、閲覧又は視聴の方法により特定歴史公文書等を利用させる場合にあっては、当該特定歴史公文書等の保存に支障を生ずるおそれがあると認めるときその他合理的な理由があるときに限り、その写しを閲覧又は視聴させる方法により、これを利用させることができる。

**（費用負担）**

**第二十三条**　写しの交付の方法により特定歴史公文書等を利用する者は、東京都規則で定めるところにより、当該写しの交付に要する費用を負担しなければならない。

**（利用の促進）**

**第二十四条**　知事は、特定歴史公文書等（第十九条の規定により利用させることができるものに限る。）について、展示その他の方法により積極的に一般の利用に供するよう努めなければならない。

**（移管元実施機関による利用の特例）**

**第二十五条**　特定歴史公文書等を移管した実施機関が知事に対してその所掌事務又は業務を遂行するために必要であるとして当該特定歴史公文書等について利用請求をした場合には、第十九条第一項第一号の規定は、適用しない。

**（特定歴史公文書等の廃棄）**

**第二十六条**　知事は、特定歴史公文書等として保存されている文書が歴史資料として重要でなくなったと認める場合には、当該文書を廃棄することができる。

**（保存及び利用の状況の公表）**

**第二十七条**　知事は、特定歴史公文書等の保存及び利用の状況について、毎年度、その概要を公表しなければならない。

**（利用等規則）**

**第二十八条**　知事は、特定歴史公文書等の保存、利用及び廃棄が第十八条から前条までの規定に基づき適切に行われることを確保するため、特定歴史公文書等の保存、利用及び廃棄に関する定めを設けなければならない。

**（審理員による審理手続に関する規定の適用除外）**

**第二十九条**　利用請求に対する処分又は利用請求に係る不作為についての審査請求は、行政不服審査法（平成二十六年法律第六十八号）第九条第一項本文の規定は、適用しない。

**（東京都公文書管理委員会への諮問）**

**第三十条**　利用請求に対する処分又は利用請求に係る不作為についての審査請求があったときは、知事は、次に掲げる場合を除き、東京都公文書管理委員会に諮問して、当該審査請求についての裁決を行わなければならない。

一　審査請求が不適法であり、却下する場合

二　利用請求に対する処分（利用請求に係る特定歴史公文書等の全部を利用させる旨の決定を除く。第三

十二条において同じ。）を取り消し、又は変更し、当該審査請求に係る特定歴史公文書等の全部を利用させる場合（当該特定歴史公文書等の利用について反対意見書が提出されているときを除く。）

2　前項の審査請求があった場合において、知事は、東京都公文書管理委員会に対し、速やかに諮問をするよう努めなければならない。

3　前二項の規定による諮問は、行政不服審査法第九条第三項において読み替えて適用する同法第二十九条第二項に規定する弁明書の写しを添えてしなければならない。

（諮問をした旨の通知）

**第三十一条**　前条の規定により諮問をした知事は、次に掲げる者に対し、諮問をした旨を通知しなければならない。

一　審査請求人及び参加人（行政不服審査法第十三条第四項に規定する参加人をいう。以下この章において同じ。）

二　利用請求者（利用請求者が審査請求人又は参加人である場合を除く。）

三　当該審査請求に係る利用請求に対する処分について反対意見書を提出した第三者（当該第三者が審査請求人又は参加人である場合を除く。）

（第三者からの審査請求を棄却する場合等における手続）

**第三十二条**　第二十一条第四項の規定は、次の各号のいずれかに該当する裁決をする場合について準用する。

一　利用させる旨の決定に対する第三者からの審査請求を却下し、又は棄却する裁決

二　審査請求に係る利用請求に対する処分を変更し、当該利用請求に係る特定歴史公文書等を利用させる旨の裁決（第三者である参加人が当該特定歴史公文書等の利用に反対の意思を表示している場合に限る。）

（東京都公文書管理委員会の調査権限）

**第三十三条**　東京都公文書管理委員会は、必要があると認めるときは、知事に対し、審査請求のあった利用請求に対する処分に係る特定歴史公文書等の提示を求めることができる。この場合においては、何人も、東京都公文書管理委員会に対し、その提示された特定歴史公文書等の開示を求めることができない。

2　知事は、東京都公文書管理委員会から前項の規定による求めがあったときは、これを拒んではならない。

3　東京都公文書管理委員会は、必要があると認めるときは、知事に対し、審査請求のあった利用請求に対する処分に係る特定歴史公文書等に記録されている情報の内容を東京都公文書管理委員会の指定する方法により分類し、又は整理した資料を作成し、東京都公文書管理委員会に提出するよう求めることができる。

4　第一項及び前項に定めるもののほか、東京都公文書管理委員会は、審査請求に係る事件に関し、審査請求人、参加人又は知事（以下「審査請求人等」という。）に意見書又は資料の提出を求めること、適当と認める者にその知っている事実を陳述させることその他必要な調査をすることができる。

（意見の陳述等）

**第三十四条**　東京都公文書管理委員会は、審査請求人等から申出があったときは、当該審査請求人等に、口頭で意見を述べる機会を与えることができる。

2　前項の場合においては、審査請求人又は参加人は、東京都公文書管理委員会の許可を得て、補佐人とともに出頭することができる。

3　東京都公文書管理委員会は、審査請求人等から申出があったときは、当該審査請求人等に、意見書又は資料の提出を認めることができる。この場合において、東京都公文書管理委員会が意見書又は資料を提出すべき相当の期間を定めたときは、その期間内にこれを提出しなければならない。

4　東京都公文書管理委員会は、審査請求人等から意見書又は資料が提出された場合、審査請求人等（当該意見書又は資料を提出した者を除く。）にその旨を通知するよう努めなければならない。

（提出資料の閲覧等）

**第三十五条**　審査請求人等は、東京都公文書管理委員会に対し、第三十三条第三項及び第四項並びに前条第三項の規定により東京都公文書管理委員会に提出された意見書又は資料の閲覧（電磁的記録にあっては、記録された事項を東京都公文書管理委員会が定める方法により表示したものの閲覧）又は写し（電磁的記録にあっては、記録された事項を記載した書面）の交付を求めることができる。この場合において、東京都公文書管理委員会は、第三者の利益を害するおそれがあると認めるときその他正当な理由があるときでなければ、その閲覧又は写しの交付を拒むことができない。

2　東京都公文書管理委員会は、前項の規定による閲覧をさせ、又は同項の規定による写しの交付をしようとするときは、当該閲覧又は写しの交付に係る意見書又は資料の提出人の意見を聴かなければならない。ただし、東京都公文書管理委員会が、その必要がないと認めるときは、この限りでない。

3　東京都公文書管理委員会は、第一項の規定による閲覧又は写しの交付について、その日時及び場所を指定することができる。

(審査請求の制限)

**第三十六条**　この条例の規定による東京都公文書管理委員会の処分又はその不作為については、審査請求をすることができない。

(答申書の送付)

**第三十七条**　東京都公文書管理委員会は、諮問に対する答申をしたときは、答申書の写しを審査請求人及び参加人に送付するとともに、当該答申の内容を公表しなければならない。

## 第四章　東京都公文書管理委員会

(東京都公文書管理委員会)

**第三十八条**　公文書等の管理に関する重要な事項について、実施機関の諮問を受けて審議し、又は実施機関に意見を述べるため、東京都公文書管理委員会(以下「委員会」という。)を置く。

2　委員会は、公文書等の管理に関して優れた識見を有する者のうちから、知事が任命する委員七人以内をもって組織する。

3　委員の任期は二年とし、補欠委員の任期は前任者の残任期間とする。ただし、再任を妨げない。

4　委員会は、第三十条に規定する事項にあってはその指名する委員三人以上をもって構成する部会に審議させることができる。

5　前項の規定により行う部会の審議の手続は、公開しないことができる。

6　委員は、前項の規定に基づき公開しないとされた部会の審議の手続において職務上知り得た秘密を漏らしてはならない。その職を退いた後も、同様とする。

7　前各項で定めるもののほか、委員会の組織及び運営に関し必要な事項は、東京都規則で定める。

(委員会への諮問及び報告)

**第三十九条**　知事は、次に掲げる場合には、委員会に諮問しなければならない。

一　第七条第四項の規定により、保存期間が満了したときの措置に関する指針の制定又は改正をしようとするとき。

二　第二十六条の規定により、特定歴史公文書等として保存されている文書を廃棄しようとするとき。

2　実施機関は、第七条第三項に規定する保存期間が満了したときの措置に関する基準の制定又は改正をしたときは、委員会に報告しなければならない。

## 第五章　雑則

(刑事訴訟に関する書類等の取扱い)

**第四十条**　刑事訴訟法(昭和二十三年法律第百三十一号)第五十三条の二第三項に規定する訴訟に関する書類については、第三条及び第四条並びに第二章及び第三章の規定は適用しない。

2　刑事訴訟法第五十三条の二第四項に規定する押収物については、この条例の規定は適用しない。

(委任)

**第四十一条**　この条例の施行について必要な事項は、都規則等で定める。

(罰則)

**第四十二条**　第三十八条第六項の規定に違反して秘密を漏らした者は、一年以下の拘禁刑又は五十万円以下の罰金に処する。

附　則

この条例は、平成二十九年七月一日から施行する。

附　則(令元・九・二六条例二三)(抄)

(施行期日)

1　この条例は、令和二年四月一日から施行する。ただし、目次の改正規定、第十七条を第四十一条とする改正規定、第十六条を第四十条とする改正規定、第三章を第五章とする改正規定並びに第十五条の次に二条及び二章を加える改正規定(第四章に係る部分に限る。)並びに次項の規定は、公布の日(以下「公布日」という。)から施行する。

(経過措置)

2　〔略〕

3　この条例の施行の際現に東京都公文書館が保存する改正後の条例第二条第三項に規定する歴史公文書等(同条第一項に規定する実施機関において保有することが望ましい歴史公文書等であって、東京都規則で定めるものを除く。)については、同条第四項に規定する特定歴史公文書等とみなす。

4　前項の規定により特定歴史公文書等とみなされた歴史公文書等における改正後の条例第十条第三項の規定の適用については、同項中「第一項の規定により公文書館に移管する公文書」とあるのは、「特定歴史公文書等」とする。

附　則(令六・一〇・一一条例一〇四)

1　この条例は、令和七年六月一日から施行する。

2　この条例の施行前にした行為に対する罰則の適用については、なお従前の例による。

# ○東京都文書管理規則

平一一・一二・三
規　則　二　三　七

最終改正　令六・二・二六規則五

## 第一章　総則

（通則）

**第一条**　東京都公文書等の管理に関する条例（平成二十九年東京都条例第三十九号。以下「条例」という。）第十四条第一項の規定に基づき、公文書の管理が適正に行われることを確保するため、東京都（以下「都」という。）の文書等の管理に関しては、別に定めがある場合を除くほか、この規則の定めるところによる。

（用語の定義）

**第二条**　この規則において、次の各号に掲げる用語の意義は、それぞれ当該各号に定めるところによる。

一　文書等　職務上作成し、又は取得した文書、図画、写真、フィルム及び電磁的記録（電子的方式、磁気的方式その他人の知覚によっては認識することができない方式で作られた記録をいう。以下同じ。）をいう。

一の二　公文書　文書等のうち、条例第二条第二項で定める公文書をいう。

二　文書　文字又はこれに代わるべき符号を用い、紙の上に永続すべき状態において職務に係る事案を記載したものをいう。

三　電子文書　電磁的記録のうち、第十八号の文書総合管理システムによる情報処理の用に供するため当該システムに記録されたものをいう。

四　局　東京都組織規程（昭和二十七年東京都規則第百六十四号。以下「組織規程」という。）第八条第一項に規定する本庁の局、室並びに住宅政策本部、中央卸売市場、労働委員会事務局及び収用委員会事務局をいう。

五　所　組織規程別表三に掲げる本庁行政機関及び組織規程別表四に掲げる地方行政機関で本庁の部に相当するものをいう。

六　課　局及び所の課（課に相当する室並びに組織規程別表三に掲げる本庁行政機関及び組織規程別表四に掲げる地方行政機関で本庁の課に相当するものを含む。）をいう。

七　庶務主管課　局又は所の庶務をつかさどる課（総務局にあっては、総務局総務部文書課（以下「文書課」という。））をいう。

七の二　主務課　当該文書等に係る事案を担当する課をいう。

八　局長　局の長をいう。

八の二　担当局長　組織規程第九条第四項に規定する担当局長をいう。

九　部長　局の部長及び担当部長並びに局に置かれるこれらに相当する職並びに所の長をいう。

十　課長　組織規程第十一条第一項に規定する課長、同条第二項に規定する担当課長及び同条第三項に規定する副監察員のうち総務局長の指定するもの並びに組織規程別表三に掲げる本庁行政機関及び組織規程別表四に掲げる地方行政機関においてこれらに相当する職をいう。

十の二　課長代理　組織規程第十二条に規定する課長代理並びに組織規程別表三に掲げる本庁行政機関及び組織規程別表四に掲げる地方行政機関においてこれらに相当する職をいう。

十一　庶務主管課長　庶務主管課の長をいう。

十一の二　主務課長　主務課の長をいう。

十二　審議　主管の系列に属する者がその職位との関連において、事案の決定のための案を記載した電子文書又は文書（以下「起案文書」という。）について調査及び検討をし、その内容及び形式に対する意見を決定権者に表明することをいう。

十三　審査　主として法令の適用関係の適正化を図る目的で起案文書について調査及び検討をし、その内容及び形式に対する意見を決定権者に表明することをいう。

十四　協議　主管の系列に属する者とそれ以外の者とが、それぞれ、その職位との関連において起案文書の内容及び形式についての意見の調整を図ることをいう。

十五　収受文書　第十二条の三及び第十二条の四（第十七条第一項において準用する場合を含む。）の規定により収受の処理をした電子文書又は第十三条から第十六条まで及び第十七条第二項の規定により収受の処理をした文書をいう。

十六　供覧文書　組織内において閲覧に供するため第三十条第一項の規定により回付する電子文書又は文書で意思決定を伴わないものをいう。

十七　資料文書　公文書のうち、次に掲げる公文書以外のものをいう。

イ　起案文書、供覧文書、帳票、図画、写真及びフィルム

ロ　第四十八条第一項の規定により主務課長が定め

た保存期間が一年以上の収受文書

十七の二　対内文書　この規則が適用される機関相互間の公文書をいう。

十八　文書総合管理システム　電子計算機（演算装置、制御装置、記憶装置及び入力装置からなる電子情報処理装置をいう。）を利用して文書等の収受、起案、決定、保存、移管、廃棄等の事務の処理及び公文書に係る情報の総合的な管理等を行う情報処理システムで総務局長が管理するものをいう。

（事案の決定の方式）

**第三条**　事案の決定は、第二十条第一項の電子起案方式による起案文書に当該事案の決定権者が文書総合管理システムにより電磁的に表示し、記録する方式（以下「電子決定方式」という。）により行うものとする。

2　前項の規定にかかわらず、主務課長（課長代理が決定する事案においては、当該課長代理）が次のいずれかに該当すると認めるときは、第二十条第二項の書面起案方式による起案文書に当該事案の決定権者が署名し、又は押印する方式（以下「書面決定方式」という。）により事案の決定を行うことができる。

一　起案文書を利用する職員を限定する必要があるとき（総務局長が別に定める場合を除く。）。

二　第二十条第一項の起案者、第二十五条第一項の決定関与者又は決定権者のいずれかが文書総合管理システムを容易に利用できる環境にないとき。

三　前二号のほか、電子決定方式によることが困難な特別の事情があるとき。

3　前二項の規定にかかわらず、緊急の取扱いを要する事案又は極めて軽易な事案については、起案文書によらないで事案の決定をすることができる。ただし、緊急の取扱いを要する事案の決定については、当該決定後にこの規則に規定する決定の手続を行わなければならない。

（文書等の取扱いの基本）

**第四条**　文書等は、正確、迅速、丁寧に取扱い、事務が適正かつ能率的に行われるように処理し、及び管理しなければならない。

（文書主任及び文書取扱主任の任免）

**第五条**　局の庶務主管課に文書主任を、その他の課に文書取扱主任を置く。ただし、局長が文書取扱主任を置く必要がないと認める課については、この限りでない。

2　文書主任及び文書取扱主任は、局長が任免する。

3　局の庶務主管課長は、文書主任の任免があったときは、速やかに総務局総務部文書課長（以下「文書課長」という。）に通知するものとする。

（文書主任及び文書取扱主任の職務）

**第六条**　文書主任及び文書取扱主任は、上司の命を受け、文書主任にあってはその所属する局及び課、文書取扱主任にあってはその所属する課における次の事務に従事する。

一　文書等の取得、配布及び処理の促進に関すること。

二　起案文書の審査に関すること。

三　法規の調査及び解釈に関すること。

四　公文書の整理、保存、利用及び廃棄に関すること。

五　東京都公文書館（以下「公文書館」という。）への公文書の移管に関すること。

六　文書等の管理に関する事務（以下「文書事務」という。）の指導及び改善に関すること。

七　文書総合管理システムの利用に係る調整等に関すること。

八　前各号に掲げるもののほか、文書事務に関し必要なこと。

（ファイル責任者等の設置）

**第七条**　課長（組織規程第十一条第二項に規定する担当課長並びに組織規程別表三に掲げる本庁行政機関及び組織規程別表四に掲げる地方行政機関においてこれに相当する職を除く。以下この条及び第二十六条第二項の表において同じ。）は、その所管する課（第五条第一項ただし書の規定により文書取扱主任を置かない課を除く。）の職員（文書主任及び文書取扱主任を除く。）のうちからファイル責任者を一人指名する。ただし、文書等の発生量が少ないため、ファイル責任者を置く必要がないと認められる場合には、課長は、局の庶務主管課長の承認を得て、ファイル責任者を置かないことができる。

2　課長は、必要があると認めるときは、ファイル責任者の補助者を置くことができる。

（ファイル責任者の職務）

**第八条**　ファイル責任者は、その所属する課の文書主任又は文書取扱主任の職務を補佐するとともに、次条第二項に規定する文書管理事項に係る文書総合管理システムへの記録並びに第九条の文書の収受に関する帳票及び第十条第一項の特例管理帳票による公文書の管理に係る記録の管理に関する事務に従事する。

2　前条第一項の規定によりファイル責任者を置かない場合におけるファイル責任者の職務は、文書取扱主任（第五条第一項ただし書の規定により文書取扱主任を置かない課にあっては、当該課の庶務主管課長等）が行う。

（公文書の管理）

**第八条の二**　別に定めのある場合を除き、公文書の管理は、文書総合管理システムにより行うものとする。

2　主務課長は、別に定めのある場合を除き、公文書のうち第四十八条第一項の規定により主務課長が定めた保存期間が一年以上であるものについては、その件名、第十二条第一項の文書記号、同条第四項の文書番号、第三十八条第一項の分類記号、第四十八条第一項の保存期間、条例第七条第二項に規定する保存期間満了後の措置その他の総務局長が定める公文書の管理上必要な事項（以下「文書管理事項」という。）を文書総合管理システムに記録するものとする。

**（文書収受帳票）**

**第九条**　文書の収受に関する帳票及びその使用の方法は、次に定めるとおりとする。

一　文書授受簿（別記第一号様式）　文書課長が第十三条第四項の表第二号から第四号まで及び同条第五項に掲げる文書を局の庶務主管課長に配布する場合、局若しくは所の庶務主管課長が第十四条第二項（第十五条において準用する場合を含む。）の表第一号から第四号まで及び同条第三項（第十五条において準用する場合を含む。）に掲げる文書を主務課長（同表第一号に掲げる文書にあっては、所の庶務主管課長及び名宛人の属する課の長を含む。）に配布する場合又は主務課長が第十六条第二項の表第一号に掲げる文書を名宛人に引き渡す場合に、その経過を記載する。

二　親展（秘）文書送付簿（別記第二号様式）　文書課長が第十三条第四項の表第一号に掲げる文書を政策企画局総務部長に配布する場合に、その経過を記載する。

**（特例管理帳票）**

**第十条**　第八条の二第一項の規定にかかわらず、同種の公文書を定例的に処理する場合であって、当該公文書を文書総合管理システムによる管理に代えて公文書を管理するための帳票（以下「特例管理帳票」という。）により一連の公文書として管理することが合理的と認められるときにおいては、主務課長は、局の庶務主管課長の承認を得て、特例管理帳票を使用して当該公文書の管理を行うことができる。

2　前項の規定により特例管理帳票を定めた場合においては、主務課長は、文書課長にその様式（第四項の方式による場合にあっては、当該帳票に記載すべき事項）を通知するものとする。

3　文書課長は、前項の規定による通知を受けた場合においては、当該通知に係る特例管理帳票について登録番号を付して登録し、当該通知をした主務課長にその登録番号を通知するものとする。

4　主務課長は、特例管理帳票を使用する場合において、記載すべき事項を電子計算機に入力し、記録する方式により当該帳票を調製することができる。

**第十一条**　削除

**（文書記号及び文書番号）**

**第十二条**　局の庶務主管課長は、次に掲げる公文書に付する記号として、当該局に属する課ごとに、当該公文書を取得し、又は作成した日の属する会計年度の数字と当該局、部及び課又は当該局の所及び課を表す原則として四以内の文字とを合わせた記号（以下「文書記号」という。）を定めるものとする。

一　起案文書

二　保存期間が一年以上の収受文書

三　供覧文書

四　第三十一条第一項の規定により文書総合管理システムに文書管理事項を記録する公文書

2　前項の規定にかかわらず、主務課長は、特例管理帳票に文書管理事項を記録する公文書について、局の庶務主管課長の承認を得て、前項の規定により定める当該主務課の文書記号に当該特例管理帳票に係る事案を表示する原則として一の文字を加えた記号をもって、その文書記号を定めるものとする。

3　前二項の規定にかかわらず、主務課長は、文書総合管理システムに文書管理事項を記録する公文書について、一括して管理する等の特別な事情があると認める場合には、局の庶務主管課長の承認を得て、第一項の規定により定める当該主務課の文書記号に原則として一の文字を加えた記号をもって、その文書記号を定めることができる。

4　主務課長は、第一項各号に掲げる公文書については、毎年四月一日以降第一号から一連番号による文書の番号（以下「文書番号」という。）を付し始め、翌年三月三十一日に止めるものとする。

5　前項の規定は、特例管理帳票に文書管理事項を記録する公文書について準用する。

6　前二項の規定にかかわらず、訴訟、工事、契約等に係る公文書でそれらの事案の発端となった公文書と一件態として管理する必要があるものを作成し、又は取得した場合において、特に枝番号を付することにより管理する必要があるときは、主務課長は、当該公文書について、局の庶務主管課長の承認を得て、その事案の発端となった公文書の文書番号の枝番号を用いることができる。

7　公文書（帳票を除く。）のうち、第一項各号に掲げるもの又は特例管理帳票に文書管理事項を記録するものについては、当該公文書に係る事案を担当する者

（以下「事務担当者」という。）は、当該公文書に文書記号及び文書番号を記録するものとする。

## 第二章　文書等の収受等

### 第一節　電子文書の収受及び配布

**（電磁的記録の受信等）**

**第十二条の二**　電磁的記録の受信は、通信回線に接続した情報処理システム（以下単に「情報処理システム」という。）を利用して行うものとする。ただし、当該電磁的記録が東京デジタルファースト条例（平成十六年東京都条例第百四十七号）第六条第一項に規定する方法により行われた申請等に係るものであるときは、同項に規定する電子情報処理組織を利用して行うものとする。

2　前項の規定にかかわらず、主務課長は、特別の事情があると認めるときは、光ディスク等の媒体により電磁的記録を受領することができる。

**（電子文書の収受の処理）**

**第十二条の三**　主務課長は、情報処理システムを利用して主務課に到達し、又は前条第二項の規定により受領した電磁的記録のうち収受の処理が必要と認めるものを文書総合管理システムに記録するものとする。

2　主務課長は、前項の規定により記録した電子文書（前条第二項に係るものを除く。）が他の課の所掌に係るものであるときは、速やかに文書総合管理システムにより当該電子文書を所掌する課へ転送するものとする。

3　第一項の場合において、情報処理システムに到達した電磁的記録が一定の様式の画面から入力する方法により到達したものであるときは、複数の記録をまとめて一件として文書総合管理システムに記録することができる。

**第十二条の四**　主務課長は、必要に応じ文書総合管理システムを利用して主務課に到達した電子文書又は前条第一項の規定により文書総合管理システムに記録した電子文書（以下この条においてこれらを「到達した電子文書」という。）を、当該到達した電子文書の事務担当者に配布するものとする。

2　到達した電子文書の事務担当者は、次の表に定めるところにより収受の処理を行うものとする。

| 号番 | 文書の種別 | 処理の方法 |
|---|---|---|
| 一 | 保存期間が一年以上の到達した電子文書 | 文書総合管理システムに文書管理事項を記録し、保存する。 |
| 二 | 保存期間が一年未満の到達した電子文書 | 文書総合管理システムにその件名、第三十八条第一項の分類記号、第四十八条第一項の保存期間その他所要事項を記録する。 |

### 第二節　文書の収受及び配布

**（本庁に到達した文書の取扱い）**

**第十三条**　組織規程第四条の本庁に到達した文書（局に直接到達した文書を除く。）は、文書課長が受領するものとする。

2　文書課長は、前項の規定により受領した文書のうち知事、副知事又は都宛ての文書（親展（秘）文書その他開封を不適当と認める文書を除く。）を開封するものとする。

3　文書課長は、第一項の規定により受領した文書（知事又は副知事宛ての親展（秘）文書その他開封を不適当と認める文書を除く。）を局の庶務主管課長に配布するものとする。ただし、重要又は異例な文書で緊急の取扱いを必要とすると認めるものは、その配布前に知事又は副知事の閲覧を受けるものとする。

4　文書課長は、第一項の規定により受領した文書を次の表に定めるところにより処理するものとする。

| 号番 | 文書の種別 | 処理方法 |
|---|---|---|
| 一 | 知事又は副知事宛ての親展（秘）文書その他開封を不適当と認める文書 | 封筒に別記第三号様式による東京都収受印（以下「都収受印」という。）を押し、親展（秘）文書送付簿に当該文書に係る所要事項を記載し、受領した職員名を記載させた上、政策企画局総務部長に配布する。 |
| 二 | 書留扱い（現金書留、引受時刻証明、配達証明、内容証明、代金引換及び特別送達の取扱いを含む。以下こ | イ　封筒（開封したものにあっては、文書の余白）に都収受印を押し、文書授受簿に当該文書に係る所要事項を記載し、受領した職員名を記載させた上、局の庶務主管課長に |

| | | |
|---|---|---|
| | の項において同じ。）又は民間事業者による信書の送達に関する法律（平成十四年法律第九十九号）第二条第六項に規定する一般信書便事業者若しくは同条第九項に規定する特定信書便事業者の提供する同条第二項に規定する信書便の役務のうち書留扱いに準ずるものとして知事が定めるものによる文書（以下「信書便」という。）の役務のうち書留扱いに準ずるものとして知事が定めるものによる文書（以下「書留扱い等による文書」という。） | 配布する。<br>ロ　開封した文書のうち、現金又は金券が添付されているものについては、イの処理をするほか、封筒の余白に金額（紙幣以外の金券にあっては、その種類及び数。以下同じ。）を記載して収受事務担当者名を記載させる。 |
| 三 | 開封した文書のうち、収受の日時が権利の得喪にかかわると認められるもの | イ　文書の余白に都収受印を押し、到達日時を明記して、収受事務担当者名を記載し、文書授受簿に当該文書に係る所要事項を記載し、受領した職員名を記載させた上、局の庶務主管課長に配布する。<br>ロ　差押通知書、債権譲渡通知書等（給与に係る文書を除く。）を局の庶務主管課長に配布する場合には、会計管理者を経由する。 |
| 四 | 開封した文書のうち、現金又は金券が添付されているもの（第二号に該当するものを除く。） | 文書の余白に都収受印を押し、金額を記載して収受事務担当者名を記載し、文書授受簿に当該文書に係る所要事項を記載し、受領した職員名を記載させた上、局の庶務主管課長に配布する。 |
| 五 | 開封した文書のうち、第二号から前号までに該当しないもの | 文書の余白に都収受印を押し、局の庶務主管課長に配布する。 |
| 六 | 知事、副知事又は都宛ての文書以外の文書（第二号に該当するものを除く。） | 開封しないでそのまま局の庶務主管課長に配布する。 |

5　二以上の局に関連する文書は、文書課長がその正本を最も関係の深い局の庶務主管課長に配布し、その写しをその他の局の庶務主管課長に配布するとともに、その旨をそれぞれの文書の余白及び文書授受簿に記載し、受領した職員名を文書授受簿に記載させるものとする。

**（局の庶務主管課における文書の取扱い）**

**第十四条**　局の庶務主管課長は、局に到達した局長宛て又は局宛ての文書（主務課に直接到達した文書及び親展（秘）文書その他開封を不適当と認める文書を除く。）を開封するものとする。

2　局の庶務主管課長は、局に到達した文書（主務課に直接到達した文書を除く。）を次の表に定めるところにより処理するものとする。ただし、局に到達した知事又は副知事宛ての親展（秘）文書その他開封を不適当と認める文書については、開封しないでそのまま文書課長に回付するものとする。

| 番号 | 文書の種別 | 処理方法 |
|---|---|---|
| 一 | 親展（秘）文書その他開封を不適当と認める文書 | 文書授受簿に当該文書に係る所要事項を記載し、受領した職員名を記載させた上、主務課長（所長（所長をいう。以下同じ。）宛ての文書については、当該所の庶務主管課長。以下この条において同じ。）又は名宛人の属する課の長に配布する。 |

| | | |
|---|---|---|
| 二 | 書留扱い等による文書 | イ　文書授受簿に当該文書に係る所要事項を記載し、受領した職員名を記載させた上、主務課長に配布する。<br>ロ　開封した文書（文書課から開封して配布された文書を含む。次号及び第四号において同じ。）のうち、現金又は金券が添付されているものについては、イの処理をするほか、封筒の余白に金額を記載して開封した職員名を記載させる。ただし、文書課から開封して配布されたものについては、金額及び開封した職員名の記載は必要としない。 |
| 三 | 開封した文書のうち、収受の日時が権利の得喪にかかわると認められるもの | イ　文書の余白に到達日時を明記して開封した職員名を記載し、文書授受簿に当該文書に係る所要事項を記載し、受領した職員名を記載させた上、主務課長に配布する。ただし、文書課から開封して配布された文書については、到達日時及び開封した職員名の記載は必要としない。<br>ロ　差押通知書、債権譲渡通知書等（文書課から開封して配布された文書を除く。）については、イの処理をするほか、その写しを会計管理者に送付する。 |
| 四 | 開封した文書のうち、現金又は金券が添付されているもの（第二号に該当するものを除く。） | 文書の余白に金額を記載して開封した職員名を記載し、文書授受簿に当該文書に係る所要事項を記載し、受領した職員名を記載させた上、主務課長に配布する。ただし、文書課から開封して配布された文書については、金額及び開封した職員名の記載は必要としない。 |
| 五 | 前各号に該当しない文書 | そのまま主務課長に配布する。 |

3　局の二以上の課に関連する文書は、局の庶務主管課長がその正本を最も関係の深い課の長に配布し、その写しをその他の課の長に配布するとともに、その旨をそれぞれの文書の余白及び文書授受簿に記載し、受領した職員名を文書授受簿に記載させるものとする。

（所に到達した文書の取扱い）

**第十五条**　所に到達した文書の取扱いについては、前条の規定を準用する。この場合において、同条中「局」とあるのは「所」と、「局長」とあるのは「所長」と、「文書課長」とあるのは「局の庶務主管課長」と、「文書課」とあるのは「文書課又は局の庶務主管課」と読み替えるものとする。

（主務課における文書の取扱い）

**第十六条**　主務課長は、主務課に到達した文書（親展（秘）文書その他開封を不適当と認める文書を除く。）を開封するものとする。

2　主務課長は、主務課に到達した文書を次の表に定めるところにより処理するものとする。

| 番号 | 文書の種別 | 処理方法 |
|---|---|---|
| 一 | 親展（秘）文書その他開封を不適当と認める文書 | 文書授受簿に当該文書に係る所要事項を記載し、名宛人に署名をさせた上、引き渡す。 |
| 二 | 第四十八条第一項の規定により定めた保存期間が一年以上の文書（名宛人の表示がないものを除く。） | 文書の余白に別記第四号様式による収受印を押し、文書総合管理システム又は特例管理帳票に当該文書に係る文書管理事項を記録して、当該文書の事務担当者に引き渡す。 |
| 三 | 第四十八条第一項の規定により定めた保存期間 | 文書の余白に別記第四号様式による収受印を押して、当該文書に係る事務担当者 |

| が一年未満の文書 | に引き渡す。 |
| --- | --- |

3　主務課長は、前項の表に定めるところにより処理する場合において、次の各号に掲げる場合に該当するときは、併せて当該各号に定める方法により処理するものとする。

一　収受の日時が権利の得喪にかかわると認められる文書（文書課又は局若しくは所の庶務主管課から開封して配布された文書を除く。）の場合　文書の余白に到達日時を明記して開封した職員名を記載させる。

二　差押通知書、債権譲渡通知書等（文書課又は局若しくは所の庶務主管課から開封して配布された文書（給与に係る文書を除く。）を除く。）の場合　前号に定める処理のほか、当該文書の写しを会計管理者に送付する。

三　現金又は金券が添付されている文書の場合　文書の余白に金額を記載し、開封した職員名を記載させる。ただし、文書課又は局若しくは所の庶務主管課から開封して配布された文書については、金額及び開封した職員名の記載は必要としない。

**（ファクシミリの利用による収受）**

**第十七条**　ファクシミリに着信した電磁的記録については、第十二条の三第一項及び第二項並びに第十二条の四の規定を準用する。この場合において、第十二条の三第一項中「情報処理システム」とあるのは、「ファクシミリ」と読み替えるものとする。

2　前項の規定により収受の処理を行うことが困難な特別の事情があるときは、当該電磁的記録の内容を速やかに出力し、紙に記録するものとする。この場合において、記録がなされた紙は、到達した文書とみなし、第十三条から前条までの規定により、収受の処理を行うものとする。

**（文書配布の方法）**

**第十八条**　文書主任又は文書取扱主任は、定時に、文書課又は庶務主管課において文書の配布を受けるものとする。

**（親展文書）**

**第十九条**　知事又は副知事宛ての親展（秘）文書その他開封を不適当と認める文書が知事又は副知事の閲覧後に引き渡されたときは、政策企画局総務部長は、遅滞なく文書課長に当該文書を回付するものとする。

2　文書課長は、前項の規定による文書の回付を受けたときは、第十三条第四項の表第二号から第五号まで及び同条第五項の規定の例により処理するものとする。

## 第三章　文書の作成等

**（起案の方法）**

**第二十条**　起案は、次項及び第二十一条に規定する場合並びに別に定めのある場合を除き、起案をする者（以下「起案者」という。）が、文書総合管理システムに事案の内容その他所要事項を入力し、起案した旨を電磁的に表示し、記録すること（以下「電子起案方式」という。）により行うものとする。

2　前項の規定にかかわらず、主務課長（課長代理が決定する事案においては、当該課長代理）が第三条第二項各号のいずれかに該当すると認めるときは、起案用紙（別記第五号様式）に事案の内容その他所要事項を記載し、その起案者欄に署名し、又は押印すること（以下「書面起案方式」という。）により起案を行うことができる。

3　前二項の規定にかかわらず、第十三条から第十六条まで及び第十七条第二項の規定により処理した文書に基づいて起案をする場合で、事案の内容が軽易であるときは、当該文書の余白を利用して起案を行うことができる。

**（起案文書等の作成）**

**第二十条の二**　起案文書には、事案の内容を公文書の作成に用いる文の用語、用字等について別に知事が定める基準に従い、平易かつ明確に記録し、又は記載するものとする。

2　起案文書には、必要に応じて、起案の理由及び事案の経過等を明らかにする資料（次項において「経過資料」という。）を添えるものとする。

3　前項の規定にかかわらず、重要な事案については、その経過資料を作成しなければならない。

4　電子起案方式による起案文書には、事案の性質により、「至急」、「公報登載」、「官報登載」、「令規集収録」、「公印省略」等の注意事項及び「秘密」、「時限秘」等の取扱方法を文書総合管理システムに記録するものとする。

5　書面起案方式による起案文書には、事案の性質により、「至急」、「公報登載」、「官報登載」、「令規集収録」、「公印省略」等の注意事項を起案用紙の回付・施行上の注意欄に、「秘密」、「時限秘」等の取扱方法を起案用紙の文書の取扱い欄に表示するものとする。

**（特例起案帳票）**

**第二十一条**　第二十条第一項及び第二項の規定にかかわらず、定例的に取り扱う事案に係る起案であって、起案用紙と異なる用紙（以下「特例起案帳票」という。）を用いて起案を行うことが合理的と認められるものについては、特例起案帳票を用いて行うことができる。

2　特例起案帳票は、次の各号に掲げる場合について、それぞれ当該各号に掲げる手続により定めるものとする。
一　主務課において使用する場合　局の庶務主管課長の承認を得て、主務課長が定める。
二　局において共通に使用する場合　局の庶務主管課長の承認を得て、当該特例起案帳票に係る事案を主管する課長が定める。
三　二以上の局において共通に使用する場合　当該特例起案帳票に係る事案を主管する局の庶務主管課長の承認を得て、当該事案を主管する課長が定める。
3　前項の規定により特例起案帳票を定めた場合において、主務課長又は当該特例起案帳票に係る事案を主管する課長は、文書課長にその様式を通知するものとする。
4　文書課長は、前項の規定による通知を受けた場合においては、当該通知に係る特例起案帳票について、登録番号を付して登録し、当該通知をした主務課長又は当該特例起案帳票に係る事案を主管する課長にその登録番号を通知するものとする。
5　第一項に規定するもののほか、定例的に取り扱う事案に係る起案であって、文書総合管理システムと異なる情報処理システムを用いて起案を行うことが合理的と認められるものについては、総務局長の承認を得て、当該情報処理システムを用いて行うことができる。この場合において、当該情報処理システムを用いた起案は、同項に規定する特例起案帳票を用いた起案とみなす。

**（発信者名）**

**第二十二条**　決定された事案を施行する場合において、庁外に発信する公文書（以下「庁外文書」という。）の発信者は、知事名を用いる。ただし、公文書の性質又は内容により特に必要がある場合又は軽易な事案で知事名を用いる必要がない場合は、この限りでない。
2　対内文書その他の公文書（庁外文書以外の文書に限る。以下「対内文書等」という。）の発信者は、その事案の軽重により局長名、担当局長名、部長名、所長名又は課長名を用いる。
3　前二項の規定にかかわらず、法令等に定めのあるとき、又は特に必要のあるときは、都名、局名、部名、課名又は所名を用いることができる。
4　第二項に規定する場合において、対内文書等の発信者は、職名のみを用い、その氏名を省略することができる。

**（事務担当者の表示）**

**第二十三条**　前条の規定により発信する公文書には、照会その他の便宜に資するため、必要に応じて当該公文書の末尾にその事務担当者の所属、職名、氏名、電話番号等を記載するものとする。

**（起案文書の登録等）**

**第二十四条**　起案文書を作成した場合、その事務担当者は、文書総合管理システム又は特例管理帳票に当該起案文書に係る文書管理事項を記録するものとする。
2　特例管理帳票に文書管理事項を記録した収受文書に基づいて起案をする場合には、当該収受文書の文書記号及び文書番号を起案文書に付する文書記号及び文書番号として用いることができる。

**（決定関与の方式）**

**第二十五条**　事案の決定に当たり、審議、審査又は協議（以下「決定関与」という。）を必要とする場合は、当該事案の決定関与をする者（以下「決定関与者」という。）に当該事案に係る起案文書を回付して、文書総合管理システムにより決定関与した旨を電磁的に表示し、記録することを求める方式（以下「電子関与方式」という。）又は決定関与者の署名若しくは押印を求める方式（以下「書面関与方式」という。）により行うものとする。
2　起案文書の回付に当たっては、審議は協議に先立って行い、審査は審査を行う者の上司（課長代理が決定する事案にあっては、当該事案の決定権者）が決定又は決定関与を行う前に行うものとする。ただし、知事が決定する事案における副知事の審議は知事の決定の直前に、局長が決定する事案における担当局長、次長、技監、戦略広報調整監、危機管理監又は道路監の審議は局長の決定の直前に行うものとする。
3　起案文書は、必要な決定関与その他の事案決定に対する関与の機会が失われないよう、必要な時間的余裕をもって回付するものとする。
4　第一項の規定にかかわらず、電子関与方式又は書面関与方式によることが適当でないときは、当該事案の決定関与者を招集して開催する会議の場において当該事案に係る決定案を示して発言を求める方式（以下「会議方式」という。）により決定関与を行うことができる。
5　会議方式により決定関与を行った上で事案の決定を行うときは、決定関与者の発言の全部又は一部を記載した文書又は電磁的記録を作成し、当該事案に係る起案文書に添付するものとする。

**（審査）**

**第二十六条**　次の表の上欄に掲げる事案（労働委員会事務局及び収用委員会事務局に係る事案を除く。）に係る起案文書の審査については、同表下欄に掲げる者が行うものとする。

| | |
|---|---|
| 知事が決定する事案（別に知事が定めるところにより、あらかじめ範囲を定めて、副知事に知事の決定権が委譲された事案を含む。） | 文書課長並びに主管に係る文書主任及び文書取扱主任 |
| 局長又は担当局長が決定する事案 | 文書主任及び主管に係る文書取扱主任 |
| 部長が決定する事案 | 主管に係る文書取扱主任（文書主任を置く課にあっては、文書主任） |
| 課長又は課長代理が決定する事案 | 文書取扱主任（文書主任を置く課にあっては、文書主任） |
| 東京都公報（特定調達公告版を除く。第三項において同じ。）に登載すべき事項に係る事案 | 文書課長及び文書主任（文書主任にあっては、事案の性質に応じ局長が特に必要と認めた場合に限る。） |
| 法規の解釈に関する事案 | 文書課長及び文書主任 |
| 東京都公報の特定調達公告版に登載すべき事項に係る事案 | 文書主任 |

2　前項の規定により、次の表の上欄に掲げる者の審査の対象とされた事案に係る起案文書について当該事案について至急に審査を行う必要がある場合において当該審査を行う者が不在であるときは、同表下欄に掲げる者が審査を行うものとする。

| | |
|---|---|
| 文書課長 | 文書課長があらかじめ指定する課長代理 |
| 文書主任及び文書取扱主任 | 課長が文書事務をつかさどる係員のうちからあらかじめ指定する者（文書課にあっては、文書課長があらかじめ指定する課長代理） |

3　文書課長は、東京都公報に登載すべき事項に係る定例的な事案に係る起案文書の審査を、文書課長があらかじめ指定する課長代理に行わせることができる。

4　文書課長は、前項の規定により課長代理に審査を行わせる起案文書のうち、定型的な事案として総務局長が指定したものの審査を、主管に係る文書主任に行わせることができる。

5　第一項及び前二項の規定により審査を行う者は、自己の審査の対象とされた事案に係る起案文書の審査について自己の指揮監督する職員のうちから指定した者に審査の補助を行わせることができる。

6　第一項の規定にかかわらず、課長代理が決定する事案において、文書主任又は文書取扱主任である課長代理自らが決定権者である場合は、当該事案の審査については、課長が文書事務をつかさどる係員のうちからあらかじめ指定する者（文書課にあっては、文書課長があらかじめ指定する課長代理）が行うものとする。

（回付）

**第二十七条**　電子起案方式による起案文書の回付は、電子回付方式（文書総合管理システムを利用した流れ方式による回付をいう。以下同じ。）による。

2　前項の規定にかかわらず、電子回付方式による協議については、協議を行う者に一斉に回付する方法で行うことができる。

3　書面起案方式による起案文書の回付は、流れ方式による。

4　前項の規定にかかわらず、特に緊急の取扱いを必要とし、又は秘密の取扱いを必要とする起案文書（書面起案方式によるものに限る。以下この項において同じ。）その他重要な起案文書は、その内容を説明することができる職員が持ち回りをすることができる。

5　第一項の規定にかかわらず、起案者は、電子回付方式により起案文書の回付を行っている場合において、主務課長が電子決定方式による決定又は電子関与方式による決定関与を書面決定方式による決定又は書面関与方式による決定関与に変更することが必要であると認めるときは、当該時点以降の起案文書について電子起案方式によるものから書面起案方式によるものに変更することができる。この場合において、電子起案方式による起案文書に係る事案の内容を文書総合管理システムを利用して紙に記録した文書は、当該事案に係る書面起案方式による起案文書とみなす。

（**起案文書の回付に係る事案の検討**）

**第二十八条**　決定関与者は、起案文書の回付を受けたときは、直ちに当該事案を検討し、決定案について異議があるときは、その旨を速やかに起案者に連絡するものとする。

（決定後の処理）

**第二十八条の二**　起案文書（特例管理帳票によるものを除く。）の事務担当者は、当該事案が決定したとき（書面決定方式による事案で、施行を伴うものを除く。）、及び施行が完了したときに、文書総合管理システムに文書管理事項を記録するものとする。

（廃案の通知等）

**第二十九条**　回付中の起案文書を廃し、又はその内容に重要な変更（以下「内容変更」という。）があったときは、起案者は、その旨を既に決定関与を終了した決定関与者に通知するものとする。この場合において、内容変更があったときは、当該起案文書を再度回付するものとする。

2　起案者は、回付中の起案文書を廃したときは、その旨を文書総合管理システム又は特例管理帳票に記録しておくものとする。

（供覧）

**第三十条**　供覧文書は、電子回付方式又はその宛先欄に「供覧」の表示をした起案用紙による書面回付方式により回付するものとする。ただし、軽易なもの（電子文書を除く。）については、当該供覧文書の余白等に「供覧」の表示をし、閲覧者の押印欄等を設けて回付することができる。

2　供覧文書の事務担当者は、当該供覧文書を回付する場合には、文書総合管理システム又は特例管理帳票に文書管理事項を記録するものとする。

3　特例管理帳票に文書管理事項を記録した収受文書を供覧する場合には、当該収受文書の文書記号及び文書番号を供覧文書に付する文書記号及び文書番号として用いることができる。

4　起案文書であって事案の決定後に周知を図る必要があるものについては、文書総合管理システム又は起案用紙の決定後供覧欄を用いて回付することができる。

5　第二十五条第三項及び第二十七条の規定は、第一項及び前項の場合について準用する。

6　供覧文書の事務担当者は、当該供覧文書の回付が終了した場合は、文書総合管理システムに文書管理事項のうち回付の終了に係る事項を記録するものとする。

（資料文書等の登録等）

**第三十一条**　主務課長は、資料文書で第四十八条第一項の規定により定めた保存期間が一年以上のもの、帳票、図画、写真又はフィルムを作成し、又は取得した場合においては、必要に応じて、文書総合管理システム又は特例管理帳票に当該公文書に係る文書管理事項を記録するものとする。

2　主務課長は、必要に応じて、資料文書（電子文書を除く。）、図画、写真及びフィルムについて、その余白等に第三十八条第一項の規定により定めた分類記号、作成し、又は取得した年月日、第四十八条第一項の規定により定めた保存期間及び条例第七条第二項の規定により定めた保存期間満了後の措置を記録するものとする。

（処理の促進）

**第三十二条**　ファイル責任者は、文書総合管理システム又は特例管理帳票によって、第四十二条第一項及び第二項の規定による引継ぎがされていない公文書の処理状況を把握し、その処理の促進を図らなければならない。

（処理状況の調査等）

**第三十三条**　庶務主管課長は、必要があると認めるときは、公文書の処理状況を調査し、又は主務課長から公文書の処理状況に係る報告を受け、それらに基づき主務課長に指示をすることができる。

（浄書及び照合）

**第三十四条**　電子決定方式により決定された事案を施行する場合（文書総合管理システム又は情報処理システムにより送信する場合を含む。）においては、当該施行に用いようとする公文書（以下この条において「施行文書」という。）を浄書（起案文書の浄書に係る事項の文書総合管理システムへの入力又は情報処理システムにより送信する原稿（以下「送信原稿」という。）の作成を含む。）し、当該施行文書と当該事案に係る起案文書とを照合（文書総合管理システムに入力した事項又は送信原稿と起案文書との確認を含む。）するものとする。この場合において、照合した者は、その旨を文書総合管理システムに記録するものとする。

2　書面決定方式により決定された事案を施行する場合（情報処理システムにより送信する場合を含む。）においては、当該施行文書を浄書（送信原稿の作成を含む。）し、当該施行文書と当該事案に係る起案文書とを照合（送信原稿と起案文書との確認を含む。）するものとする。この場合において、照合した者は、当該起案文書の浄書照合欄に署名し、又は押印するものとする。

（公印及び電子署名）

**第三十五条**　前条の規定による照合を終了した施行に用いる公文書（以下「施行文書」という。）（電磁的記録を除く。）には、東京都公印規程（昭和二十八年東京都規則第百五十八号）の定めるところにより、公印を押印しなければならない。ただし、総務局長が別に定める場合は、この限りでない。

2　施行文書（電磁的記録に限る。）には、東京都電子署名規則（令和四年東京都規則第二百十六号）の定めるところにより、電子署名（同規則第二条第一項に規定する電子署名をいう。）を付与しなければならない。ただし、同規則第三条第二項に規定する場合は、この限りでない。

3　前二項の規定にかかわらず、施行文書が次のいずれかに該当する場合（法令等の定めにより公印の押印又は電子署名の付与を要する場合を除く。）は、「（公印省略）」の記載をして、公印の押印又は電子署名の付与を省略することができる。

一　対内文書等

二　庁外文書のうち、都の機関等に対し発信する公文書

三　庁外文書のうち、国、地方公共団体、都が設立した地方独立行政法人（地方独立行政法人法（平成十五年法律第百十八号）第二条第一項に規定する地方独立行政法人をいう。）又は条例第十六条第一項に規定する出資等法人に対し発信する公文書（重要なものを除く。）

四　庁外文書（前二号に該当するものを除く。）のうち、軽易な公文書

**（発送）**

**第三十六条**　施行文書の発送は、文書総合管理システムによる送信、情報処理システムによる送信、使送、郵便による送付、信書便による送付、集配等に区分して行うものとする。

2　前項の規定にかかわらず、施行文書のうち総務局長が別に定めるものの発送については、文書総合管理システム及び情報処理システムによる送信の方法により行ってはならない。

3　施行文書のうち第五十七条第一項の秘密の取扱いを必要とするものを発送する場合には、封筒に入れて密封し、その旨を表示して発送するものとする。

4　第一項の規定により施行文書を発送した者は、電子決定方式によるものにあってはその旨を文書総合管理システムに記録し、書面決定方式のものにあっては当該施行文書に係る起案文書の発送欄に署名し、又は押印するものとする。

**第三十七条**　削除

## 第四章　公文書の整理及び保存

### 第一節　通則

**（分類の基準及び分類記号）**

**第三十八条**　主務課長は、公文書の整理に当たって、局の庶務主管課長の承認を得て、事務の性質、内容、第四十八条第一項の規定により定める保存期間、条例第七条第二項の規定により定める保存期間満了後の措置の種別等に応じた系統的な分類の基準及び当該基準の記号（以下「分類記号」という。）を定めるものとする。

2　前項の分類の基準は、原則として、大項目、小項目及び細項目から成る階層構造によるものとする。

3　分類記号は、前項の細項目ごとに定めるものとする。

4　第一項の場合において、同種の事務を取り扱う所又は課が多数あるときは、当該所又は課を所管する局の庶務主管課長は、それらの所又は課における共通の分類の基準及び分類記号を定めることができる。

**（電子文書の整理及び保存）**

**第三十八条の二**　電子文書は、文書総合管理システムにより整理し、及び保存するものとする。

**（公文書の整理）**

**第三十九条**　公文書（電子文書を除く。以下この条及び次条において同じ。）は、必要に応じて利用することができるように、分類記号別に、かつ、一件ごとに整理しておくものとする。

2　前項の規定にかかわらず、相互に極めて密接な関係がある二以上の公文書は、一群の公文書として整理することができる。この場合において、分類記号を異にするものについては主たる公文書の分類記号により整理するものとする。

3　ファイル責任者は、前項の規定により公文書を整理するときは、主たる公文書の分類記号により整理した旨を文書総合管理システム又は特例管理帳票に記録するものとする。

4　第二項の規定により公文書を整理する場合で、文書主任又は文書取扱主任が特に必要があると認めるときは、一群の公文書として編集、製本等をして整理することができる。

**（事務室内における保存）**

**第四十条**　主務課長は、公文書の保存に当たって、常に紛失、火災、盗難等の予防の措置を講ずるとともに、必要に応じて、非常災害に際し、いつでも持ち出せるようあらかじめ準備しておくものとする。

2　主務課長は、公文書の事務室内における保存について、書棚等の適切な用具に収納して行うものとする。

3　主務課長は、前項の規定により保存をするときは、あらかじめ、その用具の置き場所を定めておくものとする。

4　主務課長は、その所属する課の職員の数、公文書の発生量、事務室内の状況等により必要があると認める

ときは、他の課長と協議して、当該他の課と共同の用具に公文書を保存することができる。

**（公文書の常用）**

**第四十一条**　主務課長は、その所属する課で常時利用する必要があると認める公文書を指定することができる。

2　ファイル責任者は、前項の規定による指定があった公文書（以下「常用文書」という。）が電子文書である場合は、文書総合管理システムに文書管理事項を記録するものとする。

3　ファイル責任者は、常用文書が電子文書以外のものである場合は、当該常用文書に常用文書である旨の表示をするとともに、文書総合管理システム又は特例管理帳票に文書管理事項を記録するものとする。ただし、当該常用文書の形態等により、常用文書である旨の表示が困難なものについては、別に知事が定めるところによる。

### 第二節　公文書の引継ぎ等

**（引継ぎ等）**

**第四十二条**　ファイル責任者は、文書総合管理システムにより使用を終了した電子文書の引継ぎを行うものとする。

2　事務担当者は、使用を終了した公文書（電子文書を除く。以下この条から第四十四条までにおいて同じ。）をファイル責任者に引き継ぎ、自己の手元に置かないものとする。

3　ファイル責任者は、前項の規定による引継ぎを受けた公文書（第四十八条第一項の規定により定めた保存期間が一年未満であるものを除く。）に係る文書管理事項を文書総合管理システム又は特例管理帳票に記録し、第四十条第二項に規定する書棚等の適切な用具に収納して保存するものとする。

4　前項の規定による保存は、公文書を職務上作成し、又は取得した会計年度別に区分して行うものとする。

**（移換え等）**

**第四十三条**　前条第四項の場合において、公文書を職務上作成し、又は取得した会計年度においては利用しやすい場所に保存し、その翌会計年度においては場所の移換えをするなど、適切な措置を講ずるものとする。

2　常用文書（電子文書を除く。以下この項において同じ。）については、当該文書が常用文書である期間が終了するまで、保存している時点の会計年度の公文書と併せて保存するものとする。

3　会計年度の末に作成した起案文書（電子文書を除く。）で翌会計年度の会計事務に係るものは、当該起案文書を作成した翌会計年度に限り、第一項に規定する移換えを行わないものとする。

**（保存箱への保存等）**

**第四十四条**　主務課長は、事務室内において保存している公文書を、当該保存を開始した日の属する会計年度の翌々会計年度以降にあっては、分類記号別又は第四十八条第一項の保存期間ごとに保存箱へ収納し、書庫等に保存するものとする。

2　前項の規定にかかわらず、総務局長が適当と認めた公文書は、総務局長が一括して保存することができる。

3　第一項の場合において、第三十九条第四項の規定により編集、製本等をして保存している一群の公文書の中にその分類記号又は第四十八条第一項の保存期間が異なる公文書があるときは、当該一群の公文書の中で最も長期にわたって保存する公文書の分類記号及び第四十八条第一項の保存期間により保存するものとする。

**（公文書の一覧の管理等）**

**第四十五条**　総務局長は、文書総合管理システムに文書管理事項を記録した公文書の一覧を管理するものとする。

2　特例管理帳票は、主務課において保存し、整理しておくものとする。

### 第三節　公文書の保存期間

**（保存期間の種別）**

**第四十六条**　公文書の保存期間の種別は、次の六種とする。

三十年
十年
五年
三年
一年
一年未満

2　前項の規定にかかわらず、法令等に保存期間の定めのある公文書については当該法令等に定める期間により、時効が完成する間証拠として保存する必要がある公文書については当該時効の期間を考慮して、その保存期間の種別を定めるものとする。

3　局長は、公文書の保存期間が前二項の規定により難いと認めるときは、総務局長の承認を得て、その保存期間の種別を別に定めることができる。

**（文書保存期間・移管基準表の作成等）**

**第四十七条**　公文書の保存期間は、法令等の定め、当該公文書の効力、重要度、利用度、資料価値等を考慮して定めるものとする。

2　公文書の保存期間の基準は、前条第一項の保存期間の種別ごとに、別表第一のとおりとする。

3　公文書の保存期間満了時の措置の基準は、次の各号に掲げる区分に応じ、当該各号に掲げるとおりとする。

一　別表第二に掲げる公文書に該当するもので、重要な情報が記録されたもの　移管

二　その他の公文書　廃棄

4　局長は、前二項の基準に基づき、その所管する局の公文書に係る文書保存期間表（以下「文書保存期間・移管基準表」という。）を定めるものとする。

5　総務局長は、局の各課に共通する事務に関して、文書保存期間・移管基準表の作成に資する資料を作成し、局長に提供するものとする。

（保存期間及び保存期間満了後の措置の設定）

**第四十八条**　主務課長は、文書保存期間・移管基準表に従い、その所管する課の公文書の保存期間及び保存期間満了後の措置を適切に定めなければならない。

2　主務課長は、その所管する課の公文書を、前項の規定により定めた保存期間が満了する日までの間、適切に保存しなければならない。

3　前項の規定にかかわらず、主務課長は、文書保存期間・移管基準表に定める保存期間を超えて保存する必要があると認める公文書については、局の庶務主管課長（特別な事情があると認める場合には、局長があらかじめ指定する者）の承認を得て、その必要な期間当該公文書を保存することができる。

4　第二項の保存期間が満了する日は、次の各号に掲げる公文書について、それぞれ当該各号に掲げる日とする。

一　第二項の保存期間が一年未満の公文書　当該公文書を職務上作成し、又は取得した日から起算して一年未満の期間内において事務遂行上必要な期間の終了する日

二　第二項の保存期間が前号に掲げる保存期間以外の公文書　当該公文書を職務上作成し、又は取得した日の属する会計年度の翌会計年度の初めから起算して当該保存期間が表示する期間の終了する日

5　前項の規定にかかわらず、会計年度の末に作成した起案文書で翌会計年度の会計事務に係るものの第二項の保存期間が満了する日は、前項第二号に定める当該保存期間が表示する期間の終了する日から起算して一年を経過した日とする。

6　前二項の規定にかかわらず、常用文書の保存期間が満了する日は、その常時利用する必要がある期間が終了する日の属する会計年度の翌会計年度の初めから起算して当該保存期間が表示する期間の終了する日とする。

（公文書の公文書館への移管）

**第四十九条**　主務課長は、条例第七条第二項の規定により保存期間満了後の措置として公文書館に移管することが定められた公文書及び条例第十一条第一項の規定により公文書館への移管の求めに応じることとされた公文書を、保存期間が満了した年度の翌年度中に公文書館に移管するものとする。

2　主務課長は、前項の規定により公文書を移管しようとするときは、当該公文書の件名、条例第十条第三項の規定による利用の制限を行うことが適切である旨の意見（同項の規定により、当該制限を行うことが適切であると認める場合に限る。）その他の必要な事項を記載した起案文書によって当該移管する旨を決定するものとする。

第四節　公文書の利用

（電子文書の利用等）

**第四十九条の二**　主務課長は、職員の利用に供するため、文書総合管理システムに記録した公文書の公開件名その他総務局長が定める事項を当該システムを利用して職員に提供するものとする。

2　主務課長は、当該課の所掌に係る電子文書（第五十七条第一項の規定により秘密文書として指定したものを除く。）を当該課の職員が利用できるようにするものとする。

（事務室内の保存公文書の利用）

**第五十条**　主務課の職員は、事務室内において保存されている公文書（電子文書を除く。以下この条及び次条において同じ。）を利用するため第四十条第二項の書棚等の適切な用具から持ち出そうとするときは、ファイル責任者にその旨を申し出るものとする。

2　主務課の職員は、前項の規定により持ち出した公文書を、退庁時までに、ファイル責任者の指定する場所に返却するものとする。

（保存箱の公文書の利用）

**第五十一条**　主務課の職員は、第四十四条第一項の規定により保存箱に収納されている公文書を利用しようとするときは、ファイル責任者にその旨を申し出るものとする。

2　前項の規定による申出があったときは、ファイル責任者は、当該申出のあった公文書を利用させるものとする。

3　主務課の職員は、前項の規定により利用した公文書を、退庁時までに、ファイル責任者の指定する場所に返却するものとする。

（主務課の職員以外の職員の公文書の利用）

**第五十二条**　主務課の職員以外の職員が当該課の保存に係る公文書を利用しようとするときは、当該課のファ

イル責任者にその旨を申し出るものとする。

2　前項の規定による申出があったときは、ファイル責任者は、主務課長の承認を得て、当該申出のあった公文書を利用させるものとする。

3　ファイル責任者は、前項の規定により公文書を利用させるときは、その利用について必要な事項を記録するなど、当該公文書の利用状況が明らかになるようにしておくものとする。

### 第五節　公文書の廃棄

**（公文書の廃棄）**

**第五十三条**　主務課長は、公文書がその保存期間を満了したとき（第四十八条第三項に規定する必要な期間が終了したときを含む。）は、公文書館に移管する場合を除き、当該公文書を廃棄するものとする。ただし、重要な公文書については、局の庶務主管課長（特別な事情があると認める場合には、局長があらかじめ指定する者）の承認を得て、廃棄するものとする。

2　局の庶務主管課長は、前項ただし書に規定する廃棄の結果を、毎年度、文書課長に報告しなければならない。

3　主務課長は、保存期間が満了する日の前に公文書（保存期間が一年未満のものを除く。以下この条において同じ。）を廃棄しなければならない特別の必要が生じた場合において、局の庶務主管課長の承認を得なければ、当該公文書を廃棄してはならない。この場合において、当該廃棄に係る決定において、その特別の必要を明らかにするものとする。

4　主務課長は、第一項又は前項の規定により、公文書を廃棄しようとするときは、当該公文書の件名、廃棄する日、廃棄の方法等を記載した起案文書によって当該廃棄する旨を決定するものとする。

5　前項の場合において、主務課長は、文書総合管理システム又は特例管理帳票に廃棄する旨を記録し、廃棄する公文書の一覧を作成し、同項の起案文書に当該一覧を添付するものとする。

6　第一項又は第三項の規定により公文書を廃棄した場合における当該公文書に係る文書総合管理システム又は特例管理帳票に記録した文書管理事項は、第四項の起案文書を廃棄する際に、文書総合管理システム又は特例管理帳票から削除するものとする。

7　主務課長は、第三項の規定により公文書を廃棄しようとするときは、あらかじめその件名を公文書館の長に通知するものとする。ただし、第四十八条第一項の保存期間が一年の公文書の場合は、この限りでない。

**第五十四条**　削除

**（公文書の滅失等）**

**第五十五条**　主務課長は、公文書を滅失し、又はき損したときは、その旨を文書総合管理システム又は特例管理帳票に記録し、その年月日、当該公文書の分類記号、件数、原因その他必要な事項を局の庶務主管課長に通知するものとする。ただし、保存期間が一年及び一年未満の公文書については、この限りでない。

**（廃棄の方法）**

**第五十六条**　主務課長は、廃棄に当たり秘密の取扱いを特に必要とする公文書については、消去、焼却、細断等の方法により廃棄するなど当該公文書の内容に応じた方法により廃棄するものとする。この場合において、当該公文書に東京都情報公開条例（平成十一年東京都条例第五号。以下「情報公開条例」という。）第七条各号に規定する不開示情報又は個人情報の保護に関する法律（平成十五年法律第五十七号。以下「個人情報保護法」という。）第二条第一項に規定する個人情報が記録されているときは、当該情報が外部に漏れることのないように配慮するものとする。

## 第四章の二　公文書の管理に関する点検等

**（公文書の管理に関する点検等）**

**第五十六条の二**　局長は、公文書について、次の各号に掲げる事項を毎年度点検しなければならない。

一　局における公文書の管理の方法

二　次項に規定する必要な措置を行った場合には、その内容

三　その他別に定める公文書の管理に関する事項

2　局長は、前項の点検の結果に基づき、適切な公文書の管理を実現するために、公文書の管理に関する調査、指導その他の必要な措置をとらなければならない。

**（管理状況の報告）**

**第五十六条の三**　局の庶務主管課長は、前条第一項の規定に基づき実施した点検の結果その他総務局長が定める事項を文書課長に報告しなければならない。

## 第五章　秘密文書の処理

**（秘密文書の指定等）**

**第五十七条**　主務課長は、その所管する課の公文書について秘密の取扱いをする必要があると認める場合は、当該公文書を秘密の取扱いを必要とする公文書（以下「秘密文書」という。）として、指定するものとする。

2　主務課の職員は、その所属する課の公文書の秘密の取扱いの要否に疑義があるときは、直ちに当該要否について主務課長の指示を受けるものとする。

**（実施細目の制定）**

**第五十八条**　局長は、知事が別に定める基準に従い、秘密文書として指定すべき公文書の実施細目を定めるものとする。

**（秘密文書等の表示）**

**第五十九条**　秘密文書（電子文書に限る。）には、秘密の取扱いを必要とする時期を限らないものであること又は当該時期を限るもの（以下「時限秘の秘密文書」という。）であることを文書総合管理システムに記録するものとする。

2　秘密文書（電子文書を除く。以下この項において同じ。）で、秘密の取扱いを必要とする時期を限らないものにあっては「秘密」又は「秘」の表示を、時限秘の秘密文書にあっては「時限秘」又は「時秘」の表示を当該秘密文書に明記するものとし、文書総合管理システム又は特例管理帳票に当該秘密文書の指定等に係る事項を記録するものとする。ただし、秘密文書の形態等により、当該秘密文書への表示が困難なものについては、別に知事が定めるところによる。

3　前二項の場合において、時限秘の秘密文書には、秘密の取扱いを必要とする期限を文書総合管理システム又は特例管理帳票に記録し、及び当該秘密文書（電子文書を除く。）に明記するものとする。

**（秘密文書の指定の解除）**

**第六十条**　主務課長は、秘密文書について、秘密の取扱いを必要としなくなったとき、又は情報公開条例第七条若しくは第九条の規定に基づき当該秘密文書の開示の決定があったときは、第五十七条第一項の指定を解除するものとする。

2　前項の規定にかかわらず、時限秘の秘密文書にあっては、当該秘密文書に係る秘密の取扱いを必要とする期限の到来をもって、第五十七条第一項の指定が解除されたものとみなす。

3　主務課長は、秘密文書について、個人情報保護法第八十二条第一項の規定に基づき当該秘密文書に記録された保有個人情報を開示する旨の決定があったときは、当該決定に関する限りにおいて第五十七条第一項の指定を解除するものとする。

**（秘密文書の取扱い）**

**第六十一条**　秘密文書を取り扱うときは、当該秘密文書の記録内容が外部に漏れることのないように、細心の注意を払うものとする。

2　前条第一項の規定により指定を解除した公文書（同条第二項の規定により指定が解除されたものとみなされる公文書を含む。以下「指定解除文書」という。）のうち電子文書については、ファイル責任者は、第五十九条第一項に規定する文書総合管理システムの記録を削除するものとする。

3　指定解除文書（電子文書を除く。）については、第五十九条第二項に規定する表示を抹消するものとする。この場合（前条第二項の規定により指定が解除されたものとみなされる公文書の場合を除く。）において、ファイル責任者は、文書総合管理システム又は特例管理帳票に記録した当該秘密文書の指定等に係る記録を削除するものとする。

**（秘密文書の作成、配布等）**

**第六十二条**　秘密文書の作成及び配布に際しては、その作成部数及び配布先を明らかにしておくものとする。

2　秘密文書の全部又は一部を複写する場合は、主務課長の許可を得るものとする。

3　前項の規定により主務課長の許可を受けて秘密文書を複写した場合は、当該複写したものを当該秘密文書と同一の秘密文書とみなす。

**（秘密文書の保管）**

**第六十三条**　主務課長は、秘密文書が電子文書である場合には、文書総合管理システムにおけるその秘密の保持に努めるものとする。

2　主務課長は、秘密文書（電子文書を除く。以下この条において同じ。）を第四項に定めるところにより保管し、その秘密の保持に努めるものとする。

3　前条の規定により配布され、又は複写された公文書については、当該公文書を保管する課の長が保管し、その秘密の保持に努めるものとする。

4　秘密文書は、他の公文書と区別し、施錠のできる金庫、ロッカー等に厳重に保管するものとする。ただし、秘密文書の形状、利用の態様等から金庫、ロッカー等に保管しておくことが適当でないものにあっては、他の方法により保管することができる。

## 第六章　補則

**（特別の管理がされている資料の取扱い）**

**第六十四条**　条例第二条第二項第三号に規定する特別の管理がされている資料の取扱いに当たっては、条例及びこの規則の趣旨にのっとり、当該資料の適正な管理を行うため必要な措置を講ずるよう努めるものとする。

**（出資等法人）**

**第六十四条の二**　知事は、条例第十六条第一項の規定により出資等法人を定め、又は変更したときは、速やかに告示しなければならない。

**（課を置かない部等の特例）**

**第六十五条**　課を置かない局の部については、当該部は課と、当該部の庶務をつかさどる課長相当の職にある者は課長とみなす。

2 課を置かない所については、当該所は課と、当該所の庶務をつかさどる課長相当の職にある者は課長とみなす。

3 課でその長を置かないものにあっては、当該課の庶務をつかさどる課長相当の職にある者は、課長とみなす。

4 事務室は、所又は課とみなす。

**（委任）**

**第六十六条** この規則に規定するもののほか、この規則の施行について必要な事項は、別に知事が定める。

附 則

**（施行期日）**

1 この規則は、平成十二年一月一日（以下「施行日」という。）から施行する。

**（経過措置）**

2 施行日前に職務上作成し、又は収受し、東京都文書管理規程を廃止する規程（平成十一年東京都訓令第七十一号）による廃止前の東京都文書管理規程（昭和六十年東京都訓令第五号。以下「旧規程」という。）第八条第二項第三号又は第九条第一項の文書管理カード又は特例管理帳票に所要事項を記載した文書の管理（旧規程第十条第一項のパソコンによる文書管理を含む。第五項及び第十項において「文書管理カード等による文書管理」という。）については、この規則の規定にかかわらず、なお旧規程に定める方法による。

3 施行日以後平成十一年度内に職務上作成した起案文書の管理については、この規則の規定にかかわらず、なお旧規程に定める方法による。

4 前二項の規定にかかわらず、当該各項に規定する文書のうち平成十一年度内に職務上作成し、又は収受した文書について、主務課長は、局の庶務主管課長の承認を得て、この規則に規定する方法により管理することができる。この場合においては、当該各項に規定する文書の双方ともに、この規則に規定する方法により管理するものとする。

5 施行日前に文書管理カード等による文書管理をしていない文書等で、主務課長が施行日以後も保存する必要があると認めるものについては、施行日に作成し、又は取得したものとみなす。

6 第十二条第三項（同条第四項において準用する場合を含む。）の規定にかかわらず、施行日以後平成十一年度内の文書等（起案文書及び特例管理帳票に所要事項を記録する文書等を除く。）の文書番号は、第一万号から一連番号により付し始めるものとする。ただし、第四項及び次項の場合は、この限りでない。

7 第三項の場合のほか、この規則の文書管理台帳に係る規定にかかわらず、主務課長は、局の庶務主管課長の承認を得て、文書管理台帳への記録に代えて旧規程第八条第二項第三号の文書管理カード（旧規程第十条第一項の規定によるパソコンに入力し、記録する方法を含む。）により文書等の管理を記録することができる。

8 第三項及び前項の場合のほか、主務課長は、起案文書以外の文書等について、この規則の文書管理台帳、文書記号、文書番号、分類記号及び保存期間に係る規定にかかわらず、局の庶務主管課長の承認を得て、これらの事項による管理の方法に代わる方法として適当であると認められる特別の管理の方法によって管理をすることができる。

9 前二項の場合において、局の庶務主管課長は、承認をした旨を速やかに文書課長に通知するものとする。

10 施行日前に文書管理カード等による文書管理をしていない文書等で、施行日に現に旧規程第四十四条第二項の規定により総務局長が適当と認め、一括して保存しているものについては、この規則による管理の方法に係る規定にかかわらず、総務局長が定めた当該文書等の保存の方法によるものとする。

11 この規則の施行の際、旧規程別記第七号様式甲による用紙で、現に残存するものは、所要の修正を加え、この規則別記第五号様式甲による用紙に代えて、なお使用することができる。

附 則（平一五・三・二一規則一二五）

**（施行期日）**

1 この規則は、平成十五年四月一日（以下「施行日」という。）から施行する。

**（経過措置）**

2 施行日前に職務上作成し、又は収受し、この規則による改正前の東京都文書管理規則（以下「旧規則」という。）第十条第一項の特例管理帳票又は第十一条第三項の文書管理台帳に所要事項を記録した文書等（以下「改正前文書等」という。）に係る事案の決定、管理、収受、起案、決定関与、回付その他の文書等の取扱い（以下「文書管理等」という。）については、この規則による改正後の東京都文書管理規則（以下「新規則」という。）の規定にかかわらず、なお従前の例によることができる。

3 前項の規定にかかわらず、平成十三年度及び平成十四年度の改正前文書等のうち、旧規則第十一条第二項の規定により文書管理台帳データベースにより管理していた文書等で、かつ、文書管理台帳データベースに記録していた当該文書等に係る事項を新規則による文書総合管理システムに移行したものに係る次に掲げる文書管理等については、新規則の規定による。

一 新規則第二十九条第二項の規定による廃案の記録

二 新規則第三十二条の規定による処理の促進

三 新規則第三十九条第三項の規定による文書等の整理

四 新規則第四十一条第三項の規定による常用文書の指定の記録

五 新規則第四十二条第三項の規定による文書等の引継ぎ

六 新規則第四十五条第一項の規定による保存期間別一覧の作成

七 新規則第四十九条の二第一項の規定による文書等の公開件名等の職員への提供（平成十四年度の文書等に限る。）

八 新規則第五十三条第四項及び第五項の規定による文書等の廃棄の記録

九 新規則第五十五条の規定による文書等の滅失等の記録

十　新規則第五十九条第二項及び第三項並びに第六十一条第三項の規定による秘密文書の指定等に係る事項の記録及び削除

4　文書総合管理システムの利用に必要な東京都高度情報化推進システムに接続されたパーソナルコンピュータが配備されていない課にあっては、当該事由が解消されるまでの間、当該課における文書管理等は、新規則の規定にかかわらず、なお従前の例による。

5　文書総合管理システムの利用に必要な東京都高度情報化推進システムに接続されたパーソナルコンピュータの配備が十分でない等の事由により、主務課長が文書総合管理システムによる文書管理等が困難であると認める課にあっては、当該事由が解消されるまでの間、当該課における文書管理等（新規則第八条の二の規定による文書等の管理を除く。）は、新規則の規定にかかわらず、なお従前の例によることができる。

6　前四項の規定にかかわらず、主務課長は、起案文書以外の文書等について、新規則の文書総合管理システムによる文書等の管理、文書記号、文書番号、分類記号及び保存期間に係る規定にかかわらず、局の庶務主管課長の承認を得て、これらの事項による管理の方法に代わる方法として適当であると認められる特別の管理の方法によって管理をすることができる。この場合において、局の庶務主管課長は、承認をした旨を速やかに文書課長に通知するものとする。

**附　則**（令六・二・二六規則五）

この規則は、公布の日から施行する。

別表第一（第四十七条関係）

| 分類 | 区分 | 三十年 | 十年 | 五年 | 三年 | 一年 | 一年未満 |
|---|---|---|---|---|---|---|---|
| 起案文書及び収受文書（他の起案文書に添付するもの及び資料文書を除く。） | 都政の運営、都の施策又は企画に関するもの | 一 都政の運営に関する一般方針の確定に関するもの<br>二 都が執行すべき事務事業に係る基本的な方針又は計画の策定、変更又は廃止に関するもの | 局の重要な事務事業に係る方針又は計画の策定、変更又は廃止に関するもの | 局の事務事業（重要なものを除く。）に係る方針又は計画の策定、変更又は廃止に関するもの | | | |
| | 組織人事等に関するもの | 一 組織又は定数の管理、人事制度、給与制度等に関するもの<br>二 課長以上の職に当たる者の任免、知事の指定する特別職に当たる者の任免その他これらの者に係る人事に関するもの<br>三 職員の給与に関するもの（課長以上の職に当たる者の初任給の決定に関するものに限る。）<br>四 職員の分限又は懲戒に関するもの | | 一 非常勤職員（知事の指定する者を除く課長以上の職に相当する者に限る。）の任免に関するもの<br>二 職員の給与（各種手当等に関するものに限る。）又は休暇に関するもの<br>三 職員の職務に専念する義務の免除に関するもの<br>四 地方公務員法（昭和二十五年法律第二百六十一号）第二十二条の二第一項第一号に掲げる職員（以下「会計年度任用職員」という。）の兼業又は兼職に関する | 一 課長以上の職にある者以外の職員又は非常勤職員（課長以上の職に相当する者を除く。）の任免に関するもの<br>二 職員の給与（課長以上の職に当たる者の初任給の決定及び各種手当等に関するものを除く。）、超過勤務又は週休日の変更に関するもの<br>三 職員の出張に関するもの<br>四 職員の兼業又は兼職に関するもの（会計年度任用職員に係るものを除く。） | 一 課長以上の職にある者以外の職員の配置等に関するもの<br>二 職員の研修命令等に関するもの | |

| | | | | | | |
|---|---|---|---|---|---|---|
| | | | もの | | | |
| 都議会に関するもの | 一 都議会の招集に関するもの<br>二 都議会に提出する議案の決定に関するもの<br>三 予算に係る議案又は説明書の都議会への提出に関するもの | | 都議会からの照会に対する回答 | | | |
| 附属機関等に関するもの | 附属機関の設置根拠の制定又は改廃に関するもの | 特に重要な事項に関する議事、答申又は報告等に関するもの | 一 重要な事項に関する議事、答申又は報告等に関するもの<br>二 懇談会等の設置根拠の制定又は改廃に関するもの | 議事、答申又は報告等に関するもの（特に重要な事項、重要な事項及び軽易な事項に関するものを除く。） | 軽易な事項に関する議事、答申又は報告等に関するもの | |
| 条例、規則、訓令、要綱、要領等の例規に関するもの | 条例、規則、訓令、要綱、要領等の立案、制定又は改廃に関するもの | | 一 条例の立案依頼に関するもの<br>二 事業要領、実施細目等の制定又は改廃に関するもの | 上記以外のもの（軽易なものを除く。） | 上記以外のもの | |
| 行政処分等に関するもの | 十年を超える有効期間の許認可等の特に重要な行政処分等に関するもの | 五年を超え、十年以下の有効期間の許認可等の重要な行政処分等に関するもの | 三年を超え、五年以下の有効期間の許認可等の行政処分等に関するもの | 三年以下の有効期間の許認可等の行政処分等に関するもの | 諸証明等の軽易なもの | |
| 予算又は決算に関するもの | 一 成立した予算に係る事務事業についての基本的執行方針の決定に関するもの | | 一 局又は部の事務事業の予算要求に関するもの<br>二 成立した予算に係 | | | |

| | | | | | | | |
|---|---|---|---|---|---|---|---|
| | | 二　決算認定に関するもの | | る局又は部の事務事業についての執行計画に関するもの<br>三　局又は部の事務事業の決算に関するもの | | | |
| | 財産に関するもの | 公有財産の取得、管理又は処分に関するもの | | 公有財産の用途開始、変更又は廃止に関するもの | 一　公有財産の使用許可、貸付け等に関するもの<br>二　物品の出納、保管等に関するもの（所属換えを除く。） | 一　公有財産の引継ぎ等に関するもの<br>二　物品の所属換えに関するもの | |
| | 事務引継ぎに関するもの | | | | 事務引継書類（軽易なものを除く。） | 事務引継書類（軽易なものに限る。） | |
| | 争訟に関するもの | 一　将来の例証となる損害賠償額の決定又は和解に関するもの<br>二　特に重要な訴訟、審査請求等に関するもの | 重要な損害賠償額の決定又は和解に関するもの（将来の例証となるものを除く。） | 一　損害賠償額の決定又は和解に関するもの（将来の例証となるもの及び重要なものを除く。）<br>二　重要な訴訟、審査請求等に関するもの | 訴訟、審査請求等に関するもの（特に重要なもの及び重要なもの、軽易な諸手続等に関するものを除く。） | 訴訟、審査請求等に係る軽易な諸手続等に関するもの | |
| | 請願、陳情等に関するもの | | | 請願若しくは陳情又はそれらの対応に関するもの | | | |
| | 公文書の管理等に関するもの | | | 一　公文書の移管又は廃棄の意思決定に関するもの | | 特定の公文書の保存期間の延長に関するもの | |

| | | | | | | |
|---|---|---|---|---|---|---|
| | | | 二　保存期間経過前の公文書の廃棄に関するもの | | | |
| 広報又は広聴に関するもの | 都が執行すべき事務事業に係る基本的な方針又は計画の広報又は広聴に関するもの | | 局の事務事業に係る方針又は計画の広報又は広聴に関するもの | 局の事務事業に係る広報又は広聴の実施に関するもの（簡易なもの及び定例的なものを除く。） | 局の事務事業に係る簡易又は定例的な広報又は広聴の実施に関するもの | |
| 公文書の開示等に関するもの | 公文書の開示等に係る基本的な方針等に関するもの | | 重要な公文書の開示又は不開示の決定等に関するもの | 公文書の開示又は不開示の決定等に関するもの（重要、簡易及び定型的なものを除く。） | 公文書の簡易又は定型的な開示又は不開示の決定等に関するもの | |
| 保有個人情報の開示、訂正又は利用停止に関するもの | 保有個人情報の開示、訂正又は利用停止に係る基本的な方針等に関するもの | | 保有個人情報の目的外利用又は提供に関するもの | 保有個人情報の開示、不開示、訂正、不訂正、利用停止又は不利用停止の決定等に関するもの | | |
| 請負又は委託による事業に関するもの | | 予定価格が九億円以上の工事又は製造の請負に関するもの | 一　予定価格が三億五千万円以上の請負又は委託により行う工事、船舶の製造、修繕、通信又は運搬に係る役務の提供に関するもの（上記のものを除く。）<br>二　予定価格が六千万円以上（長期継続契約にあっては、月額に十二を乗じて得た | 一　予定価格が三億五千万円未満の請負又は委託により行う工事、船舶の製造、修繕、通信又は運搬に係る役務の提供に関するもの<br>二　予定価格が三百万円以上六千万円未満（長期継続契約にあっては、月額に十二を乗じて得た額又は | 予定価格が三百万円未満（長期継続契約にあっては、月額に十二を乗じて得た額又は年額が三百万円未満）の請負又は委託により行う工事、船舶の製造、修繕、通信及び運搬に係るものを除く役務の提供に関するもの | |

| | 物件の買入れ等に関するもの | 行政機関の運営に関するもの | 補助金等に関するもの | その他の事項に関するもの |
|---|---|---|---|---|
| | | | | 特に重要なその他の事項に関するもの（特に長期にわたって現用の公文書とすべきものに限る。） |
| | 予定価格が二億円以上の不動産若しくは動産の買入れ若しくは売払い（土地については、一件二万平方メートル以上のものに係るものに限る。）又は不動産の信託の受益権の買入れ若しくは売払いに関するもの | | 負担付きの寄附又は贈与に関するもの | 特に重要なその他の事項に関するもの（特に長期にわたって現用の公文書とすべきものを除く。） |
| 額又は年額が六千万円以上）の請負又は委託により行う役務（一を除く。）の提供に関するもの | 予定価格が六千万円以上（長期継続契約にあっては、月額に十二を乗じて得た額又は年額が六千万円以上）の物件の買入れ、売払い、借入れ又は貸付けに関するもの（上記のものを除く。） | 局長又は担当局長が指揮監督する本庁行政機関又は地方行政機関の運営に関するもの | 補助金、分担金若しくは負担金の交付又は寄附金の贈与に関するもの | 重要なその他の事項に関するもの |
| 年額が三百万円以上六千万円未満）の請負又は委託により行う役務（一を除く。）の提供に関するもの | 予定価格が三百万円以上六千万円未満（長期継続契約にあっては、月額に十二を乗じて得た額又は年額が三百万円以上六千万円未満）の物件の買入れ、売払い、借入れ又は貸付けに関するもの | 部長が指揮監督する本庁行政機関の運営に関するもの | | その他の事項に関するもの（特に重要なもの、重要なもの及び軽易なものを除く。） |
| | 予定価格が三百万円未満（長期継続契約にあっては、月額に十二を乗じて得た額又は年額が三百万円未満）の物件の買入れ、売払い、借入れ又は貸付けに関するもの | 課長が指揮監督する本庁行政機関の運営に関するもの | | 軽易なその他の事項に関するもの |
| | | | | |

| | | | | | |
|---|---|---|---|---|---|
| 供覧文書 | | | 内容に応じて一年を超えて保存する必要があると認められるもの | 上記以外のもの | |
| 帳票、図画、写真及びフィルム | 法令に定める期間によるほか、時効期間又は行政運営上の必要性を考慮して保存期間を定める。 | | | | |
| 資料文書 | 基本方針、計画等に関する特に重要なもので、他の起案文書に添付できないもの | 一　基本方針、計画等に関する重要なもので、他の起案文書に添付できないもの<br>二　随時発生するもののうち、特に重要なもの | 一　基本方針、計画等に関する上記以外のもので、他の起案文書に添付できないもの<br>二　随時発生するもののうち、重要なもの | 上記以外のもの（随時発生し、短期に廃棄する軽微なものを除く。） | 随時発生し、短期に廃棄する軽微なもの |

備考

一　監査、検査等に係る公文書については、当該監査、検査等の終わるまでの期間を考慮して保存期間を定めるものとする。

二　収支命令の根拠となる公文書は、保存期間の経過後も都議会の決算認定が終わるまで保存するものとする。

三　組織規程別表三に掲げる本庁行政機関及び組織規程別表四に掲げる地方行政機関で本庁の部又は課に相当するものにおいて処理する公文書でこの表の規定により難いものにあっては、行政運営上の必要性を考慮して保存期間を定めることができる。

別表第二（第四十七条関係）

| 単位 | 区分 | 事項 | 移管対象 |
|---|---|---|---|
| 業務単位 | 都政の運営、都の施策又は企画に関する公文書 | 一 都政の運営に関する一般方針の確定に関するもの | イ 都政全般に係る総合的な計画又は構想の策定に関するもので重要なもの<br>ロ 都における行財政の最高方針等に関する審議策定や調整を行う会議に関するもの |
| | | 二 都が執行すべき事務事業に係る基本的な方針又は計画の策定、変更又は廃止に関するもの | 行財政改革、都市計画、防災対策、大規模施設の建設、福祉、環境、教育等、都が執行すべき事務事業に係る基本的な方針又は計画に関するもので重要なもの |
| | | 三 局の事務事業に係る方針又は計画の策定、変更又は廃止に関するもの | 局における重要な施策の執行方針、事業計画又は執行状況に関するもの |
| | 行政制度の新設、変更、廃止等に関する公文書 | 地方自治制度、地方公務員制度、税制度、財政制度又は地方分権に関するもの | イ 地方自治法（昭和二十二年法律第六十七号）又は地方自治法施行令（昭和二十二年政令第十六号）の改正に伴う都の制度の新設、変更、廃止等に関するもの<br>ロ 地方公務員制度、税制度又は財政制度の改正に伴う都の制度の新設、変更、廃止等に関するもの<br>ハ 都と区市町村等との間で行われる事務又は権限の移譲、事務の委任等に関するもの<br>ニ 一部事務組合、広域連合等に係る設立、規約変更、解散等の重要な決定に関するもの<br>ホ 地方分権推進に関するもの<br>ヘ 特区制度に係る推進構想又は総合的な計画に関するもの<br>ト その他特に重要なもの |
| | 組織人事等に関する公文書 | 一 組織又は定数の管理、人事制度、給与制度等に関するもの | 次に掲げるもののうち、上記事項に係る制度主管課又は局の事務主管課が作成し、又は取得したもの<br>イ 組織管理、定数管理等に関する計画の策定に関するもの<br>ロ 組織の設置又は改廃に関するもの<br>ハ 人事、任用、給与制度等に関する計画の策定に関するもの |

| | | |
|---|---|---|
| | 二　職員の任免その他の人事に関するもの | 副知事その他の知事の指定する特別職に当たる者の任免に関するもの（局の事務主管課が作成した意見具申その他の軽微なものを除く。） |
| | 三　職員の分限及び懲戒に関するもの | 上記事項に係る制度主管課による分限処分又は懲戒処分の決定に関するもの（病気休職に係る意見具申、内申、決定等に関するものを除く。） |
| 都議会に関する公文書 | 一　都議会の招集に関するもの | 都議会の招集に関するもの |
| | 二　都議会に提出する議案の決定に関するもの | 上記事項に係る局の事務主管課が作成し、又は取得したもの |
| 附属機関等に関する公文書 | 一　附属機関、懇談会等の設置根拠の制定又は改廃に関するもの | 附属機関、懇談会等の設置根拠の制定又は改廃に関するもの |
| | 二　議事、答申、報告等に関するもの | 議事録、答申書、報告書等 |
| 条例、規則、訓令、要綱、要領等の例規に関する公文書 | 一　条例、規則、訓令、要綱、要領等の立案、制定又は改廃に関するもの | 条例、規則、訓令、要綱、要領等の立案、制定又は改廃に関するもの |
| | 二　条例の立案依頼に関するもの | 条例の立案依頼に関するもの |
| | 三　事務要領、実施細目等の制定又は改廃に関するもの | 事務要領、実施細目等の制定又は改廃に関するもののうち重要なもの |
| | 四　法令の運用解釈に関する通知、依命通達等に関するもの | 法令の運用解釈に関する通知、依命通達等に関するもの |
| 行政処分等に関する公文書 | 許認可等の行政処分等に関するもの | 特に重要な行政処分等又は重要な行政処分等に関するもの |
| 予算又は決算に関する公文書 | 成立した予算に係る事務事業についての基本的執行方針の決定に関するもの又は決算認定に関するもの | 上記事項に係る局の事務主管課が作成し、又は取得した予算説明資料又は決算調書 |
| 財産に関する公文書 | 公有財産の取得、管理又は処分に関するもの | イ　物件の買入れ、寄附受領、普通財産の交換、売払い、譲与、出資の目的等に関するもの |

| | | |
|---|---|---|
| | | ロ　公有財産の使用許可、貸付け等のうち東京都公有財産管理運用委員会規則（昭和三十九年東京都規則第九十四号）第一条に規定する東京都公有財産管理運用委員会への付議事案に係るもの |
| 事務引継ぎに関する公文書 | 事務引継書類 | イ　知事、副知事、局長等の事務引継書<br>ロ　廃止事業等に係る事務引継書類<br>ハ　その他特に重要なもの |
| 争訟に関する公文書 | 一　損害賠償額の決定又は和解に関するもの | 将来の例証となる損害賠償額の決定又は和解に関するもの（当該損害賠償に係る事業の主管課から上記事項に係る制度主管課に対して提出した依頼文書等を除く。） |
| | 二　訴訟、審査請求等に関するもの | 特に重要な訴訟、土地収用法（昭和二十六年法律第二百十九号）に基づく裁決の申請、行政不服審査法（平成二十六年法律第六十八号）に基づく審査請求等に関するもの（当該訴訟等に係る事業の主管課から上記事項に係る制度主管課に対して提出した依頼文書等を除く。） |
| 指導、検査等に関する公文書 | 一　法令等に基づく各種法人等への指導、検査等に関するもの | 次に掲げるもののうち、上記事項に係る制度主管課が作成し、又は取得したもの<br>イ　基本計画の制定等<br>ロ　法令等に基づく各種法人等への指導、検査等において、事業執行等に係る重要な問題があったもの |
| | 二　会計検査等に関するもの | 次に掲げるもののうち、上記事項に係る制度主管課が作成し、又は取得したもの<br>イ　基本計画の制定等<br>ロ　会計検査又は外部監査において、事業執行等に係る重要な問題があったもの |
| 請願、陳情等に関する公文書 | 請願若しくは陳情又はそれらの対応に関するもの | イ　議会で採択された請願又は陳情の処理経過又は結果に関するもの<br>ロ　その他特に重要なもの |
| 行政区画の変更又は廃置分 | 行政区画の変更又は区市町村の廃置分合に | イ　特別区又は市町村の廃置分合又は境界変更に関するもの |

| | | |
|---|---|---|
| 合に関する公文書 | 関するもの | ロ　公有水面埋立工事又は認可に関するもの<br>ハ　町名変更に関するもの<br>ニ　埋立地の帰属に関するもの<br>ホ　境界未定地に関するもの |
| 各種調査統計に関する公文書 | 重要な調査又は統計の実施方針又は成果に関するもの | 次に掲げるもの（庁内刊行物として刊行されているものを除く。）<br>イ　国又は都の統計調査で重要なものに関するもの<br>ロ　世論調査又は都政モニターの報告書に関するもの |
| 栄典又は表彰に関する公文書 | 叙位、叙勲又は褒章、名誉都民等に関するもの | 次に掲げるもの（各課等が作成し、又は取得した意見具申又は内申に関するものを除く。）<br>イ　叙位、叙勲又は褒章に係る国への上申の決定に関するもの<br>ロ　東京都名誉都民条例（昭和二十七年東京都条例第七十六号）に基づく名誉都民の選定又は顕彰に関するもの<br>ハ　東京都知事顕彰に関する規則（昭和六十一年東京都規則第八十五号）に基づく被顕彰者の選定に関するもの |
| 都の歴史、文化、学術等に関する公文書 | 都の歴史、文化、学術、事件等に関する重要な情報が記録されたもの | イ　国又は都における文化財の指定又は指定解除に関するもの<br>ロ　文化財の滅失、毀損等に関するもの<br>ハ　都政の重要事件に関する記録等<br>ニ　周年記念事業に関するもの<br>ホ　科学技術振興に関するもの<br>ヘ　特許に関するもの<br>ト　都史に関するもの |
| 国、他自治体等との連携等に関する公文書 | 国、他自治体等との連携等に関するもの | イ　国の施策又は予算に対する提案要求（事務主管課が要求することを決定した事項に関するものに限る。）<br>ロ　都区協議会に関するもので重要なもの<br>ハ　都及び他自治体で構成される会議（知事が参加するもの等の重要なものに限る。）に係る基本方針に関するもので重要なもの<br>ニ　海外都市との連絡調整（姉妹友好都市の提携を含む。）に関するもので重要なもの |

| | | | |
|---|---|---|---|
| | | | ホ　国際的又は大規模な競技大会の開催又は参加に関するもので重要なもの<br>へ　国際会議の招請又は参加に関するもので重要なもの<br>ト　その他特に重要なもの |
| | 公文書の管理等に関する公文書 | 公文書の廃棄に関するもの | 公文書廃棄の意思決定に関するもの |
| 政策単位 | 将来歴史的な価値を有することが見込まれる行事、事件等に関する公文書 | 全国的規模の行事、事件等に関するもの | イ　社会的事件への対応施策（感染症対策、テロ対策、大規模災害対策等）に関するもの<br>ロ　国際的又は大規模な競技大会に関するもの<br>ハ　国際会議に関するもの<br>ニ　外国及び外国の諸都市との交流事業に関するもの<br>ホ　皇室に係る行事に関するもの<br>へ　その他特に重要なもの |
| 年代単位 | 昭和二十七年度までに作成し、又は取得された公文書 | 東京都庁処務規程（昭和二十七年東京都訓令甲第八十九号）制定以前に作成し、又は取得されたもの | 各課が所管する事業に関して引き継がれてきた、東京府、東京市又は都において作成し、又は取得されたもの |

備考　この表中に掲げられていない公文書であって、次の一から四までのいずれかに該当するものを含む。

一　組織及びその機能並びに政策の検討過程、決定、実施及び実績に関する公文書

二　都民の権利及び義務に関する公文書

三　都民を取り巻く社会環境、自然環境等に関する公文書

四　都の歴史、文化、学術、事件等に関する公文書

別記〔略〕

## ○東京都文書管理規則の解釈及び運用について（依命通達）

平一一・一二・二一
一一総総文四四七
最終改正　令五・三・三一　四総総文一七〇九

平成十一年十二月三日、東京都文書管理規則（平成十一年東京都規則第二百三十七号。以下「規則」という。）が公布され、東京都文書管理規程（昭和六十年東京都訓令第五号。以下「旧規程」という。）及び東京都通信回線の利用に係る文書処理の特例に関する規程（平成三年東京都訓令第百二十四号）の廃止とともに、平成十二年一月一日から施行されることとなった。

この規則は、東京都情報公開条例（平成十一年東京都条例第五号。以下「情報公開条例」という。）の制定に伴い、情報公開条例第四十条の規定に基づき情報公開制度の適正かつ円滑な運用に資するとともに、文書等の管理のより一層の適正化及び効率化を図るため、制定されたものである。

また、平成二十九年六月十四日に東京都公文書等の管理に関する条例（平成二十九年東京都条例第三十九号。以下「公文書管理条例」という。）が公布され、情報公開制度の基礎である公文書について、これまで以上に適正な管理を図ることが求められることとなり、令和二年四月一日からは、東京都公文書館（以下「公文書館」という。）の移転に併せ、歴史公文書制度が導入されることとなった。

貴職においては、下記の事項に留意するとともに、所属職員に周知し、文書等の管理事務が適切に処理されるよう取り計らわれたい。

この旨命によって通達する。

おって、東京都文書管理規程の解釈及び運用について（昭和六十年四月一日付五十九総総文第四百五十一号副知事依命通達）及び東京都通信回線の利用に係る文書処理の特例に関する規程施行要領（平成十一年四月一日付十総総文第五百四十五号）は、廃止する。

記

**第一**　総則に関する事項（第一条から第十二条まで）

一　通則（第一条）

（一）　規則は、公文書管理条例第十四条第一項の規定に基づき、公文書の管理が適正に行われることを確保するため、別に定める場合を除くほか、東京都における文書等の管理に関する一般原則を定めたものであること。

（二）　行政委員会等において文書等の管理に関して別に定めがある場合は、その定めによること。

二　用語の定義（第二条）

（一）　「文書等」の定義を設けることにより、管理の対象の明確化を図ったこと。

（二）　公文書管理条例第二条第二項と同様の「公文書」の定義を設けることにより、情報公開の対象となる公文書の明確化を図ったこと。

また、「文書等」は「公文書」を含む概念であること。

（三）　「電磁的記録」について、文書事務において多用されている状況を考慮し、旧規程の一部においてはビデオテープ及び録音テープのみに限って対象としていた点を改め、「電磁的記録」の定義を明確にするとともに、「文書等」に含まれるものとして管理の対象に追加したこと。

（四）　「文書」と「電子文書」の定義を設けることにより、規則の適用対象の明確化を図ったこと。「電子文書」については、電磁的記録のうち、文書総合管理システムによる情報処理の用に供するため、当該システムに記録されたものとして定義した。

（五）　「電子文書」及び「文書」について、それぞれ収受、起案、決定、保存、廃棄等の処理を明確に規定したこと。

（六）　旧規程で文書管理の具体的な手続が定められていなかった文書等について、「資料文書」の定義を新たに設けることにより、具体的手続の対象とすることができるようにしたこと。これは、情報公開条例が開示請求の対象を「事案決定手続等が終了し、管理しているもの」から「組織的に用いるものとして、実施機関が保有しているもの」に拡大したことに対応するものであること。

収受文書で、保存期間が一年未満のものは、資料文書に含まれること。

（七）　「対内文書」には、職員に対して行う命令、許可等に係る文書等は、含まれないものであること。

（八）　「文書総合管理システム」について規定したこと。文書総合管理システムは、主に次の具体的機能を有すること。

ア　電子決裁機能

電子文書の収受、起案、回付、決定関与、決定等の事案の決定等に係る機能

イ　文書管理台帳機能

公文書の件名別での登録、登録した公文書の利用を円滑にするための検索、公文書の移管及び廃棄の管理、公文書の分類・整理等に係る機能

三　事案の決定の方式（第三条）

(一)　事案の決定は、当該事案に係る決定案を電子文書で表示し、その内容を確認して行う電子決定方式によることを原則とすることとし、次の例のように主務課長（課長代理が決定する事案においては、当該課長代理。以下(一)において同じ。）が、規則第三条第二項各号のいずれかに該当すると認める場合に限り、当該事案に係る決定案を文書で表示し、その内容を確認して行う書面決定方式によることができることとしたこと。

　このとき、主務課長が書面決定方式によることの当否について適切に判断できるよう、起案者又は事務担当者は、書面決定方式によることとする理由について起案文書に具体的に記載することが必要である。

　なお、事案の決定は、極めて軽易な事案を除き、上記の電子決定方式又は書面決定方式により行うものとされている。そのため、例えば、会議、幹部説明等が行われ、局事業の方針や計画が具体的に確定したと言えるような場合等においては、速やかに電子決定方式又は書面決定方式により事案の決定を行わなければならないこと。あわせて、当該決定に至った経緯が読み取れる文書を、当該決定に係る起案文書に確実に添付しなければならないこと。

(例)

ア　職員の人事に関する起案文書等、特に慎重な取扱いを要する情報を含むものであって、当該起案文書を利用する職員を限定する必要がある場合（規則第三条第二項第一号に該当）。ただし、総務局長が別に定める場合を除く。

イ　起案者、決定関与者又は決定権者のいずれかに東京都高度情報化推進システム（以下「TAIMS」という。）の個人端末が配備されていない場合（規則第三条第二項第二号に該当）

(二)　書面決定方式によることの当否を判断するに当たって、電子決定方式には、事務処理の効率化、公文書管理に係る情報の共有化及び一元化、意思決定過程の透明化等のほか、いわゆるテレワークの実現への寄与等も含む様々な意義があることから、これらを広く勘案する必要があること。

(三)　電子起案方式により回付を開始した起案文書を、回付の途中から書面起案方式に変更し、書面決定方式による決定とすることも可能であるが、合理的な理由がない限り電子決定方式で行うこと。

(四)　緊急の取扱いを要する事案又は極めて軽易な事案は、起案文書によらないで決定することができるものとしたこと。この場合の極めて軽易な事案とは、電話又は電子メールで照会のあった事項に対する回答、事務連絡、会議への出席者の決定等で、記録にとどめることを要しないものをいうこと。

　なお、緊急の取扱いを要する事案については、決定後に規則に規定する決定の手続を行わなければならないものとしたこと。

四　文書等の取扱いの基本（第四条）

文書等は、行政活動の基本的かつ不可欠の手段であるとともに、情報公開条例及び公文書管理条例に規定する公文書に該当する場合は開示請求権の対象ともなり、さらに、その一部は貴重な歴史的資料として後世に伝えられるべきものである。この条は、このような趣旨に基づき文書等の取扱いの基本を明らかにしたものであること。

五　文書主任及び文書取扱主任の任免（第五条）

(一)　文書主任及び文書取扱主任は、文書等の管理事務運営上中枢的役割を担う機関として位置付けられており、文書等の管理制度のかなめを成す者であること。よって、業務に精通している課長代理級の職員を任命することが望ましい。

(二)　第一項ただし書の規定により文書取扱主任を置かないことができる課は、所に属する課に限るべきものであること。

　なお、規則上の「所」は、東京都組織規程（昭和二十七年東京都規則第百六十四号。以下「組織規程」という。）別表三に掲げる本庁行政機関及び組織規程別表四に掲げる地方行政機関のうち本庁の部に相当するもののみをいい（第二条第五号）、組織規程別表三に掲げる本庁行政機関及び組織規程別表四に掲げる地方行政機関のうち、本庁の局に相当するものは「局」であり（第二条第四号）、本庁の課に相当するものは「課」であること（第二条第六号）。

六　文書主任及び文書取扱主任の職務（第六条）

「処理の促進」とは、例えば、起案文書にあっては起案から決定を経て施行に至る一連の事務が円滑に行われるように働き掛けることをいうものであること（第一号）。

七　ファイル責任者等の設置（第七条）

ファイル責任者の補助者を置く必要がある場合とは、文書等の発生量が特に多い場合、所及び課に相当しない行政機関がある場合、課の事務室が複数の場所に分かれている場合等であること。

八　ファイル責任者の職務（第八条）

ファイル責任者は、文書主任又は文書取扱主任の職務を補佐し、公文書の管理に関する実務を行うものであること。

九　公文書の管理等（第八条の二及び第九条）

(一)　職務上作成し、又は取得した公文書で保存期間が一年以上のものについて適切な管理のため、必要に応じて文書総合管理システムで公文書の管理を行うことを明らかにしたこと。また、主務課長は、必要に応じて公文書の管理上必要な文書管理事項を文書総合管理システムに記録するものであること。

(二)　文書管理事項として、事案の件名、文書記号（第十二条第一項）、文書番号（同条第四項）、分類記号（第三十八条第一項）、保存期間、保存期間満了後の措置等の別途総務局長が定める事項を文書総合管理システムに記録すること。

(三)　文書収受帳票は、文書授受簿及び親展（秘）文書送付簿の二種であり、また、文書授受簿は文書課、局又は所の庶務主管課及び主務課に、親展（秘）文書送付簿は文書課にそれぞれ備え置くものであること。

(四)　文書授受簿は、次の場合にそれぞれ用いる帳簿であること（第九条第一号）。

ア　文書課長が、次の文書を局の庶務主管課長に配布する場合（第十三条第四項の表第二号から第四号まで及び第五項）

(ア)　書留扱い等による文書

(イ)　開封した文書のうち、収受の日時が権利の得喪にかかわると認められるもの

(ウ)　開封した文書のうち、現金又は金券が添付されているもの

(エ)　複数の局に関連する文書

イ　局又は所の庶務主管課長（総務局にあっては文書課長。以下同じ。）が親展（秘）文書その他開封を不適当と認める文書を主務課長若しくは名宛人の属する課の長に配布する場合、アの(ア)から(ウ)までに掲げる文書を主務課長に配布する場合又は複数の課に関連する文書を当該関係課の長に配布する場合（第十四条第二項の表第一号から第四号まで及び第三項並びに第十五条）

ウ　主務課長が、親展（秘）文書を名宛人に引き渡す場合（第十六条第二項の表第一号）

(五)　ファイル責任者が文書授受簿（下図参照）に記載する方法は、次のとおりであること。

| 収受年月日 | 発信者名 | 書留番号等 | 配布先・受領者 |
|---|---|---|---|
| ① | ② | ③ | ④ |

ア　局又は所の庶務主管課における場合

①　文書の収受年月日（当該局又は所の庶務主管課で文書を受け取った年月日）を記載する。

②　文書の発信者名（住所、氏名等）を記載する。

③　文書の開封・未開封に応じて以下の記載を行う。

a　書留扱い等による文書で開封しないときは、当該文書の引受けの際に付された番号を記載する。

b　文書を開封したとき及び文書課又は局の庶務主管課から開封して配布された文書を扱うときは、以下のとおりとする。

i　書留扱い等による文書で現金又は金券が添付されていない場合にあっては、当該文書の引受けの際に付された番号及び件名を記載する。

ii　書留扱い等による文書で現金又は金券が添付されている場合にあっては、当該文書の引受けの際に付された番号、件名及び金額を記載する。

iii　権利の得喪にかかわる文書にあっては到達日時及び件名を記載する。

iv　書留扱い等によらない文書で現金又は金券が添付されている場合にあっては、件名及び金額を記載する。

④　文書の配布先を記載し、当該文書の引渡しの際に受領した職員名を記載させる。

イ　主務課における場合

①　文書の収受年月日（当該主務課で文書を受け取った年月日）を記載する。

②　文書の発信者名（住所、氏名等）を記載する。

③　特に記載を要しない。

④　当該文書の引渡しの際に受領した職員名を記載させる。

(六)　親展（秘）文書送付簿は、文書課長が、知事又

は副知事宛ての親展（秘）文書その他開封を不適当と認める文書を政策企画局総務部長に配布する場合に用いる帳票であること（第九条第二号及び第十三条第四項の表第一号）。

(七)　附属機関に係る公文書は、主務課の事務に属するものである限りにおいて、当該主務課の公文書として文書総合管理システムに記録し、文書記号及び文書番号も当該主務課のものを使用するものであること。この場合において、事務の便宜を図るため、併せて、独自の文書の記号及び番号を使用することを妨げるものではないこと。

　なお、特例管理帳票による登録もできるものであること。

十　特例管理帳票（第十条）

(一)　特例管理帳票には、文書記号、文書番号、分類記号、件名、事務担当者名、登録年月日、保存期間、保存期間満了後の措置その他の別途総務局長が定める文書管理事項を記録するものであること。

(二)　特例管理帳票により管理する起案文書は、書面決定方式によるものであることが前提になることから、特例管理帳票により管理することの合理性の判断に当たっては、三(二)に記載した電子決定方式の意義も勘案する必要があること。

(三)　特例管理帳票としては、次のようなものが考えられること。

ア　収受文書を登録する場合

　○○届収受簿、○○通知受付簿

イ　収受文書に基づいて起案し、決定し、及び施行する場合

　○○収発簿、○○請求書受付簿兼○○証発行決定簿

ウ　収受文書に基づかないで起案し、決定し、及び施行する場合

　○○報告書発議簿

(四)　同じ様式の特例管理帳票を使用する課が二以上あるときは、一の課の課長が代表して局の庶務主管課長の承認を求める方法をとっても差し支えないこと。この場合においては、承認を求める文書に当該特例管理帳票を使用するすべての課名を記載しておかなければならないものであること。

(五)　文書課長は、特例管理帳票を登録するための登録台帳を備え、所要事項を記載するとともに、登録番号（特例管理帳票登録第○○号）を定めるものであること。

(六)　主務課長は、特例管理帳票を使用する場合、文書課長が定めた登録番号を付記しなければならないこと。

(七)　特例管理帳票を廃するときは、主務課長は、廃止の理由、廃止年月日、登録番号等を記載した起案文書を作成するとともに、文書課長に廃止の旨を通知しなければならないものであること。

　また、当該特例管理帳票を廃した後に発生する公文書は、文書総合管理システムに文書管理事項を記録しなければならないものであること。

(八)　特例管理帳票を電子計算機に入力し、記録する場合は、次の点に留意すること。

ア　特例管理帳票（紙）との併用は認められないものであること。

イ　あらかじめ記録する項目を定め、登録番号を得た後に入力を行うものであること。

ウ　操作上の誤りなどにより記録された内容が消失してしまう場合に備えて、いわゆるバックアップなど内容の保全上必要な措置を講ずること。

十一　文書記号及び文書番号（第十二条）

(一)　文書記号は、局内で同一のものが生じないよう調整を図るため、局の庶務主管課長が定めるものであること。

(二)　会計年度の数字は、公文書を取得し、又は作成した日の直前の四月一日（公文書を取得し、又は作成した日が四月一日である場合は、当該日）が属する会計年度を表す数字とし、同日から翌年三月三十一日まで同一のものを使用すること。

(三)　特例管理帳票に係る文書記号を定めるときは、当該文書記号の案及び特例管理帳票の案をまとめて一の起案とし、局の庶務主管課長の承認を得なければならないものであること。

(四)　特例管理帳票に使用する文書記号と第十二条第三項の文書記号（以下「特例文書記号」という。）とは重複しないこと。ただし、特例管理帳票の廃止手続をした上で当該特例管理帳票で使用していた文書記号を特例文書記号として利用することは差し支えないこと。

　また、特例文書記号を使用することによって、特例管理帳票と同様の管理が可能なものについては、特例管理帳票に代えて文書総合管理システムでの管理を考慮すること。

(五)　文書番号は、起案文書に限らず、文書総合管理システムに文書管理事項を記録するすべての公文書に付するものとすること。

(六)　枝番号の使用は、訴訟、工事、契約など、一の事案を処理するために複数の公文書を作成する場

合で、かつ、それらの公文書を一件態として管理することが事務処理上適当である場合において、特に枝番号により管理する必要のあるときに認められるものであること。したがって、その使用は、第六項に例示している場合に限って、その必要性を検討すべきものであり、かつ、局の庶務主管課長の承認を必要とすること。

なお、局内の複数の課において、同種の事務を行っている場合、当該事務に関する公文書で統一的な処理を行う必要のあるものについては、局の庶務主管課長が、あらかじめ包括的に承認することができること。

(七)　枝番号を用いる場合には、次の事項に留意すべきこと。

ア　枝番号は、発端となった公文書の記号・番号が例えば「十一総総文第七十四号」であるとすれば、「十一総総文第七十四号の二」という形で付すること（「十一総総文第七十四号の一」という形は用いない。）。

イ　枝番号の管理は、文書番号の管理と同様に原則として文書総合管理システムで行うこと。ただし、発端となる公文書を特例管理帳票で管理したため当該公文書に係る文書管理事項が文書総合管理システムに記録されていないときなどは、枝番号を管理する帳票（以下「枝番管理帳票」という。）を作成して枝番号の管理を行うことができる。

ウ　枝番管理帳票の文書番号欄には、文書記号をも併せて記録すること（例―十一総総文第七十四号の二）。

エ　したがって、この場合には、枝番管理帳票の登録年月日欄に記録された日の属する年度の数字と異なる数字が記号の一部として番号欄に記載されることがあり得ること（例―登録年月日欄：平成十二年四月一日／番号欄：十一総総文第七十四号の二）。

**第二**　文書等の収受等（第十二条の二から第十九条まで）

一　電子文書の収受及び配布（第十二条の二から第十二条の四まで）

(一)　文書総合管理システムの稼働により、電磁的記録を同システムに記録し、電子文書として収受、起案、回付、決定、保存等をすることが可能になった。このような状況を踏まえて、第十二条の二から第十二条の四までの規定において、電子文書等の収受の処理を規定したものである。

(二)　情報処理システム（TAIMS等）で受信した電磁的記録は、主務課において原則として文書総合管理システムを利用して収受の手続をするものとする。これは、主として郵便物として到達する文書とは異なり、電磁的記録は、TAIMS等により直接主務課に到達することがほとんどであるため、文書課や局の庶務主管課が関与することは合理的でないことによる。

(三)　主務課に到達した電磁的記録とは、組織端末に到達したもののほか、個人端末に到達したものを含むものであること。

(四)　課に到達した電磁的記録が他の課の所掌に係るものの場合は、原則として受信した課において当該電磁的記録を文書総合管理システムに記録した上で、同システムを利用して主管課へ転送すること。これは、情報処理システムのサーバー等への到達日時を文書総合管理システムに記録するためには、システム上転送の際に文書総合管理システムを利用しなければならないためである。

なお、情報処理システムのサーバー等に到達した電磁的記録を文書総合管理システムに記録する場合、東京都のサーバー等への到達日時と文書総合管理システムで収受の処理を行った日時が異なることがある。このような場合の当該電子文書の到達時点は、法的には東京都のサーバー等への到達日時となるので注意すること。

(五)　第十二条の三第三項の規定により、複数のフォーム入力記録（情報処理システムに到達した電磁的記録が一定の様式の画面から入力する方法により到達したものをいう。以下同じ。）をまとめて一件として文書総合管理システムに記録する場合は、同一年度の記録をまとめて記録する。ただし、フォーム入力記録を記録する際には、当該記録の属する年度内に行うこと。

(六)　通信回線を利用して到達した電磁的記録で文書総合管理システムによる収受の処理をしたもの又は文書総合管理システムを利用して主務課に到達した電子文書のうち、保存期間が一年未満の電子文書については、分類記号等を記録し、文書総合管理システムで必要な期間、保存・管理すること。なお、ここでいう保存期間一年未満の電子収受文書の管理は、公文書を保存する際のフォルダに当たるものを文書総合管理システムの中で提供するに過ぎず、必要な保存期間が終了した場合、速やかに削除すること。

二　文書の収受及び配布（第十三条から第十七条まで）

この事項における収受及び配布の対象は文書であり、電磁的記録は、含まないものであること。

(一)　本庁に到達した文書の取扱い（第十三条）

ア　「本庁に到達した文書（局に直接到達した文書を除く。）」とは、文書課に郵便等により到達した文書及び文書課文書交換室において受け付けた文書をいうものであること。

イ　「局に直接到達した文書」とは、局の各課で直接受領した文書をいうものであること。

ウ　文書課で開封した文書であっても、次に掲げるものを除き、第九条第一号に定める文書授受簿に記載しないで、都収受印のみを押して局の庶務主管課長に配布するものであること。

(ア)　書留扱い等によるもの

(イ)　収受の日時が権利の得喪にかかわると認められるもの

(ウ)　現金又は金券が添付されているもの（(ア)に該当するものを除く。）

エ　金券とは、表示された金額に応ずる価値を法律上当然に持つものと認められる証券（郵便切手、収入印紙、紙幣等）をいう。

しかし、第四項の表、第十四条第二項の表及び第十六条第二項の表を適用する場合においては、金券に該当しない小切手等の有価証券についても、金券に準じて取り扱うべきものであること。

なお、第四項の表第二号及び第四号に「現金又は金券」という場合の金券とは、紙幣以外の金券をいうものであること。

オ　開封した文書で、国からの通知、住民からの陳情書、請願書等都の事務事業の運営の方針に係るものについては、適宜記録をして配布すること。

カ　第四項の表各号が競合する場合の各号の適用順位は、次のとおりであること。

(ア)　第一号と第二号とが競合する場合は、第一号による。

(イ)　第二号と第三号とが競合する場合（開封した場合に限る。）は、第三号による。

(二)　局の庶務主管課における文書の取扱い（第十四条）

ア　「局に到達した文書（主務課に直接到達した文書を除く。）」には、文書課長から配布された文書が含まれるものであること。

イ　局の庶務主管課長は、局長又は局宛ての文書（開封しなければ配布先がわからないもの）のみを開封するものであること。したがって、文書総合管理システムへの文書管理事項の記録に係る事務は、すべて主務課において処理するものであること。

ウ　局の庶務主管課で開封した文書であっても、次に掲げるものを除き、第九条第一号に定める文書授受簿に記録しないで、そのまま主務課長に配布するものであること。

(ア)　書留扱い等によるもの

(イ)　収受の日時が権利の得喪にかかわると認められるもの

(ウ)　現金又は金券が添付されているもの（(ア)に該当するものを除く。）

エ　金券については、第二の二(一)エを参照すること。

オ　第二項の表各号が競合する場合の各号の適用順位は、次のとおりであること。

(ア)　第一号と第二号とが競合する場合は、第一号による。

(イ)　第二号と第三号とが競合する場合（開封した場合に限る。）は、第三号による。

カ　文書を開封したときは、開封済みの封筒を当該文書に添付しておくものであること。これは、発信人の住所、氏名、その他封筒上に記載されている情報が実務上重要な資料となり得るものであることを考慮し、その取扱いについて慎重を期する趣旨であること。

(三)　所に到達した文書の取扱い（第十五条）

ア　「所に到達した文書」には、局の庶務主管課長から配布された文書が含まれるものであること。

イ　所に到達した文書（主務課に直接到達した文書を除く。）は、所の庶務主管課長が受領するものであること。

ウ　所の庶務主管課長は、受領した文書のうち所又は所長宛ての文書（開封しなければ配布先がわからない文書）のみを開封するものであること（第十四条第一項）。したがって、文書総合管理システムへの文書管理事項の記録に係る事務はすべて主務課において処理するものであること。

エ　所の庶務主管課で開封した文書であっても、次に掲げるものを除き、第九条第一号に定める文書授受簿に記載しないで、そのまま主務課長に配布するものであること（第十四条第二項の表第五号）。

(ア)　書留扱い等によるもの

第５号様式甲（第20条関係）

④

| 保存期間 | ①　年 | 保存期間満了後の措置 | ②　移管　廃棄 | 分類記号 | ③ | 引継ぎ |
|---|---|---|---|---|---|---|

| 文書記号・番号 | 第　⑤　号 | | | 処理経過 ⑧ | 施　　行 | 年　月　日 |
|---|---|---|---|---|---|---|
| 文書の取扱い | ⑥ | 回付・施行上の注意 | ⑦ | | 決　　定 | 年　月　日 |
| | | | | | 施行予定 | 年　月　日 |
| | | | | | 起　　案 | 年　月　日 |
| ⑨ 先方の文書 | 年　月　日　第　号 | | | | 収　　受 | 年　月　日 |

| 宛先 | ⑩ | 発信者名 | ⑪ | 浄書照合 ⑫ | 公印照合・押印 ⑬ | 発　送 ⑭ |
|---|---|---|---|---|---|---|

| 決定権者 | 知 | 局 | 部 | 課 | 課代 | 件名 | ⑯ |
|---|---|---|---|---|---|---|---|
| | ⑮ | | | | | | |

| ⑰ 起案 | ……局<br>……部（所）<br>課 | 起案者　事務担当者<br>電　話 | 審⑱査 | 文書課長 | 文書主任 | 文書取扱主任 |
|---|---|---|---|---|---|---|

| ⑱ 審議 | 副　知　事 | 主　管　局　長 | 主管部長 | 主管課長 | 主管課長代理 |
|---|---|---|---|---|---|

| ⑱ 協議　決定後供覧 | |
|---|---|

⑲

(イ)　収受の日時が権利の得喪にかかわると認められるもの

(ウ)　現金又は金券が添付されているもの（(ア)に該当するものを除く。）

オ　金券については、第二の二(一)エを参照すること。

カ　第十四条第二項の表を準用する場合における同表各号の適用順位については、第二の二(三)オを参照すること。

キ　文書を開封したときは、開封済みの封筒を当該文書に添付しておくものであること。これは、発信人の住所、氏名、その他封筒上に記載されている情報が実務上重要な資料となり得るものであることを考慮し、その取扱いについて慎重を期する趣旨であること。

(四)　主務課における文書の取扱い（第十六条）

ア　「主務課に到達した文書」には、局又は所の庶務主管課長から配布された文書が含まれるものであること。

イ　主務課長は、親展（秘）文書その他開封を不適当と認めるものを除き、すべての文書を開封するものであること。

ウ　第二項の表第二号において「(名宛人の表示がないものを除く。)」と規定している趣旨は、この号に規定する処理を要する文書は、名宛人の表示がある文書に限り、名宛人の表示のない文書で主務課長が取得した文書は、収受印の押印等の手続を要しないとするものであること。

この場合において、当該名宛人の表示のない文書の保存期間が一年以上であるときは、第三十一条第一項の規定により文書総合管理システム又は特例管理帳票に文書管理事項を記録する必要があるものであること。

(五)　ファクシミリの利用による収受（第十七条）

ファクシミリに着信した電磁的記録については、情報処理システムを利用して到達した場合の規定を準用して、電磁的記録の状態で収受の処理を行うことを原則とすること。

**第三**　文書の作成等に関する事項（第二十条から第三十七条まで）

一　起案（第二十条及び第二十条の二）

(一)　起案は、起案者が文書総合管理システムに事案の内容その他必要な事項を入力し、電子文書として起案した旨を表示し、記録して行う電子起案方式によることを原則とすることとし、主務課長（課長代理が決定する事案においては、当該課長代理）が、規則第三条第二項各号のいずれかに該当すると認める場合（具体的な例は、第一の三(一)を参照すること。）は、起案用紙に事案の内容その他必要な事項を記載し、その起案者欄に署名し、又は押印して行う書面起案方式によることができることとした。

(二)　起案用紙甲（表）の各欄の記載方法は、次のとおりであること。

〔起案用紙甲（表）は前頁参照〕

| 欄 | 記載時 | 記載方法 |
|---|---|---|
| ①　保存期間 | 起案時 | 局文書保存期間表（第六の二(三)参照）に従って、保存期間を記載する。記載方法は次のとおりとする。 |

| 文書の種類 | 記載方法 |
|---|---|
| (一)　規則第四十六条第一項に定める保存期間による文書 | 30年保存　-30（年）<br>10年保存　-10（年）<br>5年保存　-5（年）<br>3年保存　-3（年）<br>1年保存　-1（年） |
| (二)　法令等に保存期間の定めのある文書 | 法○（年） |
| (三)　時効が完成するまでの間、証拠として保存する必要がある文書 | 時○（年） |
| (四)　規則第四十六条第三項の規定に基づき定められた保存期間の文書 | 特○（年） |

| | | | |
|---|---|---|---|
| ② | 保存期間満了後の措置 | 起案時 | 保存期間満了後の措置が公文書館への移管である場合には「移管」の文字を、廃棄である場合には「廃棄」の文字を○印で囲む。 |
| ③ | 分類記号 | 起案時 | 分類記号を記載する。 |
| ④ | 引継ぎ | 引継ぎ時 | ファイル責任者が引継ぎを受けた文書の点検を行った後に「引継ぎ」の文字を○印で囲む。 |
| ⑤ | 文書記号・番号 | 起案時又は文書登録時 | (一) 収受文書によって起案した場合（特例管理帳票によって起案した場合を除く。）には、事務担当者が当該起案文書の記号・番号を記載する。<br>(二) 収受文書によって起案した場合（特例管理帳票によって起案した場合に限る。）には、事務担当者が当該起案文書又は収受文書の記号・番号を記載する。<br>(三) 収受文書によらないで起案した場合には、事務担当者が当該文書の記号・番号を記載する。 |
| ⑥ | 文書の取扱い | 起案時又は文書登録時 | 秘密文書として指定すべき公文書の実施細目により、秘密文書として指定された場合に、「秘密」若しくは「秘」又は「時限秘」若しくは「時秘」を明記する。<br>なお、「時限秘」については、その終期を明記する。 |
| ⑦ | 回付・施行上の注意 | 起案時 | 至急、公報登載、公印省略等文書の取扱い又は文書の施行について注意を要する事項を明記する。 |
| ⑧ | 処理経過 | 起案時、決定時及び文書の施行時 | 文書の起案から施行までの経過を明らかにするため、起案をした年月日及び文書の施行の予定年月日を起案時に、決定が行われた年月日を決定時に、施行した年月日を施行時に、それぞれ記載する。<br>なお、会計年度の末に翌年度の会計事務に係る起案文書を作成する場合においても、当該起案文書の処理経過欄には現実に起案し、決定され、及び施行された年月日を記載する。 |
| ⑨ | 先方の文書及び収受 | 起案時 | 収受文書によって起案した場合に、先方の文書の年月日及び記号・番号等並びに収受した年月日を記載する。 |
| ⑩ | 宛先 | 起案時 | 施行文書の名宛人の職名及び氏名を記載する。ただし、対内文書には、職名のみを記載し、氏名は省略することができる。 |
| ⑪ | 発信者名 | 起案時 | 施行文書発信者の職名（知事、副知事、局長等）を記載する。 |
| ⑫ | 浄書照合 | 浄書照合時 | 決定済みの起案文書と浄書された文書との読み合わせを行った者が署名し、又は押印する。 |
| ⑬ | 公印照合・押印 | 施行文書に公印を押印する場合は公印照合時及 | 施行文書に公印を押印する場合には、発送すべき文書と決定済みの起案文書とを照合し、公印を押印した者が署名し、又は押印する。照合する者と公印を押印する者とが異なる場合 |

| 番号 | 欄 | 記載時期 | 記載要領 |
|---|---|---|---|
| | | び押印時、施行文書に電子署名を付与する場合は電子署名照合時及び付与時 | は、両者が署名し、又は押印する。<br>施行文書に電子署名を付与する場合には、発送すべき文書と決定済みの起案文書とを照合し、電子署名を付与した者が記名する。照合する者と電子署名を付与する者とが異なる場合は、両者が記名する。 |
| ⑭ | 発送 | 発送時 | 文書を発送した者が署名し、又は押印する。 |
| ⑮ | 決定権者　決定区分 | 起案時 | 起案文書に記載された事案の決定権者が知事である場合には「知」を、局長である場合には「局」を、部長である場合には「部」を、課長である場合には「課」を、課長代理である場合には「課代」を○で囲む。 |
| | 決定権者　押印 | 決定時 | (一)　決定権者が署名し、又は押印する。<br>(二)　決定権者が不在で、かつ、当該事案について至急に決定を行う必要がある場合においてあらかじめ指定された者が決定権者となるときは、決定権者欄の右方上部に「代」の表示をして、署名し、又は押印する。 |
| ⑯ | 件名 | 起案時 | 起案文書の件名は、目的、内容等がすぐに分かるように要領よく簡潔に記載すること。<br>件名の末尾に、申請、許可、照会、回答等起案文書の性質による種類を括弧書きで表示する。 |
| ⑰ | 起案 | 起案時 | (一)　起案者の所属局部（所）課名及び電話番号を記載し、「起案者」の表示の下方に起案者が署名し、又は押印する。<br>(二)　起案者のほかに実際に当該起案文書を作成した者がいる場合又は当該起案文書の回付等についての連絡事務を担当する者がいる場合には、「事務担当者」の表示の下方にその者が署名し、又は押印する。 |
| ⑱ | 回付先 | 起案時及び決定関与時又は供覧時 | (一)　協議を行う者及び決定後起案文書を供覧する者の職名を協議及び決定後供覧欄に記載する。<br>協議と決定後供覧とは、その欄を一線をもって画し、どちらか一方が不要である場合にはその表示の不要な方を二本線で消す。<br>(二)　審査及び審議の各欄のうち、不要な欄（例—局長が決定権者である場合の「副知事」欄及び「局長」欄、主管課長が起案者である場合の「主管課長」欄等）は、中央に横線を引く。<br>(三)　副知事が複数の場合には、副知事欄をその数に応じて区分して、左から知事の職務代理の順位に従ってそれぞれの副知事の署名又は押印の位置とする。<br>(四)　担当局長、次長、技監、戦略広報調整監、危機管理監又は道路監が審議を行う場合には、主管局長欄を必要に応じて分割して使用する。 |

㈤　審査の欄は、例えば、文書取扱主任が起案者又は事務担当者である場合であっても、「起案」者欄又は「事務担当者」欄と審査の「文書取扱主任」欄の双方に署名し、又は押印する。

また、文書取扱主任である課長代理が決定権者である場合は、第二十六条第五項の規定によりあらかじめ指定された者が審査の「文書取扱主任」欄に署名し、又は押印する。

㈥　決定関与者が不在で、かつ、当該事案について至急に決定関与を行う必要がある場合においてあらかじめ指定された者が決定関与者となるときは、本来当該事案の決定に対する関与権を有している者が署名し、又は押印すべき位置に署名し、又は押印し、その右方上部に「代」の表示をする。

㈦　文書主任又は文書取扱主任である課長代理が決定権者である事案について、あらかじめ指定された審査者が不在で、かつ、当該事案について至急に審査を行う必要がある場合は、第二十六条第五項の規定により別の者を審査者として指定し、その審査者が審査の欄に署名し、又は押印する。

| ⑲ | 決定文 | 起案時 | 決定案文を記載する。この欄だけで完結しない場合には、裏面及び第五号様式乙に続ける。 |
|---|---|---|---|

㈢　第二十条第二項に規定する「起案用紙（別記第五号様式）」とは、「第五号様式に定める書式」によるという意味であって、文書総合管理システムから出力し、又は第五号様式に定める書式を電子計算機等を用いて作成したものを含む。

なお、第五号様式に定める書式を電子計算機等を用いて作成する際には、協議及び決定後供覧欄は、必要に応じて削除し、又は縮小し、その分、決定文欄を拡張して差し支えないこと。

㈣　縦書きの起案文を作成する場合には、Ａ４判の紙を縦長に用い、一枚当たり十二行、一行当たり二十六字を目安として配字すること。

一の二　意思決定過程の記録（第二十条の二第二項及び第三項）

㈠　事案の重要度等に照らし、必要と判断される場合には、起案文書に経過資料を添付しなければならないこと。

㈡　局長決定以上の案件で都又は局等の政策決定にかかわるものは、原則として、第二十条の二第三項の「重要な事案」として経過資料の作成を要すること。

なお、起案文書が作成されなかった場合であっても、次に例示する場合又は必要と判断される場合には、「重要な事案」に該当するものとして、必ず経過資料を作成しなければならないこと。

（例）

・局長以上の職にある者に対して説明を実施した場合（説明を行った際の議事要旨及び説明資料）

・会議で局事業の方針に係る重要な判断が行われた場合（会議の議事要旨及び会議資料）

・部長決定以下の案件に相当するものであっても、当該事業の状況や事案の性質に照らし、経過資料を作成することが適切であると判断されるもの（説明を行った際の議事要旨及び説明資料）

二　特例起案帳票（第二十一条）

㈠　特例起案帳票による起案文書は、書面決定方式によることが前提になることから、特例起案帳票を用いることの合理性の判断に当たっては、第一三㈡に記載した電子決定方式の意義も勘案する必要があること。

㈡　特例起案帳票を用いるときは、当該特例起案帳票に次のアからエまでに示す区分に応じた記載欄を設けなければならないものであること。

ア　収受文書により起案する場合で、施行を伴うものであるとき。

(ア) 保存期間

(イ) 保存期間満了後の措置

(ウ) 分類記号

(エ) 文書記号・文書番号

(オ) 起案年月日

(カ) 決定年月日

(キ) 件名

(ク) 決定権者の署名又は押印

(ケ) 起案者及び事務担当者の署名又は押印（課長決定及び課長代理決定事案に係る特例起案帳票においては、事務担当者の署名又は押印の欄を省略することができる。）

(コ) 審査及び審議（事案決定の区分に応じて必要な欄を設ける。）

(サ) 引継ぎ

(シ) 文書の取扱い

(ス) 施行年月日（決定年月日と施行年月日とが同日の場合は省略することができる。）

(セ) 公印照合・押印

(ソ) 発信者名

(タ) 宛先名

(チ) 先方の文書の収受年月日

(ツ) その他必要な事項（回付・施行上の注意、協議、決定後供覧、浄書、浄書照合、発送、先方の文書の発信年月日、先方の文書記号・文書番号等）

イ　収受文書により起案する場合で、施行を伴わないものであるとき。

アの(ア)から(シ)まで、(チ)及び(ツ)（施行に関する部分を除く。）

ウ　収受文書によらないで起案する場合で、施行を伴うものであるとき。

アの(ア)から(タ)まで及び(ツ)（先方の文書に関する部分を除く。）

エ　収受文書によらないで起案する場合で、施行を伴わないものであるとき。

アの(ア)から(シ)まで及び(ツ)（先方の文書及び施行に関する部分を除く。）

(三)　文書課長は、特例起案帳票を登録するための登録台帳を備え、所要事項を記載するとともに、登録番号を次により定めるものであること。

ア　課で使用する特例起案帳票

第十二条第一項に規定する文書記号に特例起案帳票登録番号を付する。

(例)　総総文特例起案帳票登録第○○号

イ　局内で共通に使用する特例起案帳票

局名に特例起案帳票登録番号を付する。

(例)　総務局特例起案帳票登録第○○号

ウ　複数の局で共通に使用する特例起案帳票

特例起案帳票登録第○○号

(四)　主務課長は、特例起案帳票を使用する場合、文書課長が定めた登録番号を付記しなければならないこと。

(五)　特例起案帳票を廃するときは、廃止の理由、廃止年月日、登録番号等を記載した起案文書を作成するとともに、文書課長に廃止の旨を通知するものであること。

(六)　文書管理の効率化を図る観点から、第二十一条第一項の規定に基づく特例起案帳票と第十条第一項の規定に基づく特例管理帳票とを併せ、一の様式として作成することも可能であること。この場合、それぞれの帳票の要件をすべて満たす様式を作成しなければならないものであること。

二　発信者名（第二十二条）

(一)　第二十二条第一項にいう「庁外に発信する公文書」とは、おおむね次に掲げる公文書をいう。

ア　東京都以外の機関又は者に対し発信する公文書

イ　東京都の機関のうち、東京都文書管理規則適用外である機関（議会局、行政委員会（収用委員会及び労働委員会を除く。）及び公営企業局）に発信する公文書

ウ　東京都、東京都知事等に対し発信する文書で、法令等の定めにより知事名を用いる必要のある公文書

エ　職員に対し発信する命令、許可等の公文書

(二)　庁外文書の発信者名は、公文書の性質又は内容により特に必要がある場合は副知事名、局長名、担当局長名、都名を用いることができること。また、事案の軽重により局長名、担当局長名、部長名、所長名を用い、特に軽易な事案に係る発信者名は、課長名を用いることができるものであること。

(三)　第二十二条第二項の規定により課長名を発信者に用いる場合は、特に軽易な事案に係るものであること。

(四)　庁外文書及び対内文書等の発信者名は、法令等に定めのある場合を除き、名宛人との均衡を失しないように配慮するものであること。

(五)　本条には規定がないが、行政処分等法令に定めのある行為を行うための文書の発信者名は、当該行為について権限を有する行政庁名であること。

四　起案文書の登録（第二十四条）

収受文書に基づいて起案をする場合であっても、当該起案文書の文書記号及び文書番号については、新たなものを付すこととし、収受文書の文書記号及び文書番号は使用しないこと。ただし、特例管理帳票に記録した収受文書に基づいて起案をする場合にあっては、当該収受文書の文書記号及び文書番号を使用することができる。

五　決定関与、回付の方式等（第二十五条から第二十八条の二まで）

(一)　決定関与は、原則として起案方式に合わせて電子関与方式又は書面関与方式により行うこととする。ただし、電子回付方式により回付している起案文書について、回付の途中で書面決定方式又は書面関与方式に変更して行う必要が生じた場合には、起案者は、主務課長（課長代理が決定する事案においては、当該課長代理）と協議の上、書面起案方式に変更することができる。この場合において、書面起案方式に変更した起案文書には、原則として文書総合管理システムを利用して記録した起案用紙、添付書類等を使用するとともに、当該用紙に職氏名が記録されている者（既に電子回付処理で承認した協議者等）以降の回付順のものから文書による回付を行うこと。

(二)　決定関与に当たっては、次の点に注意する必要があること。

ア　協議に応ずることができないときは、決定関与者は、その理由を明示すること。

イ　協議の結果決定案の内容を変更するときは、その変更の経過及び理由が起案文書上分かるようにしておくこと。

ウ　補助的に決定関与を行う者が不在である場合には、その者に文書を回付しないで決定関与を受けるべきものであること。ただし、決定関与者からの指示があり、決定すべき時期までに時間的余裕があるときは、決定権者に回付する前に再度補助的に決定関与を行う者に回付すること。

(三)　起案文書の回付の順序については、次の点に注意する必要があること。

ア　決定権者の決定は、決定関与者の関与が終了したことを確認してから行うこと。

イ　審議を行う者の職位が複数の場合には、下位の職位から審議を行うこと。

ウ　協議は、事案の内容に関係の深い者から順次行うこと。

エ　補助的決定関与を行う者が指定されている場合には、その者が先に決定関与の補助を行うこと。補助的決定関与を行うことを指定された者が複数である場合には、審議又は協議の場合に準じて決定関与の補助を行うこと。

オ　電子回付方式の場合は、アからエまでに掲げる事項に留意して、原則として事務担当者が起案文書の回付ルートを設定すること。また、同方式の場合で、各協議者に対し同時に協議を行っても支障がないと認められる場合には、当該協議者に一斉に回付することができること。

(四)　電子関与方式又は書面関与方式による決定関与が不適当であるときは、会議方式により決定関与を行わせ得るものであること。

なお、この運用については、次の諸点に注意する必要があること。

ア　会議が決定関与のためのものであることを会議開催に当たって明示すること。

イ　決定案は、文書にし、検討期間を考慮して事前に配布しておくこと。

ウ　会議出席者は、あらかじめ示された決定案について、賛否又は修正の意見を決めて出席すること。

エ　会議には、決定関与者として正式の資格を有する者が出席し得るよう配慮すること。

オ　会議終了に当たっては、会議全体としての結論及び個々の決定関与者の発言内容を確認すること。

カ　あらかじめ出席を承諾しなかった者及び出席しても発言のない者については、示された決定案に異議がないものとして処理することができること。

キ　会議は、事案の決定関与者の出席のみをもって成立するものであること。

ク　会議は、決定関与者全員を一度に招集して行うことを原則とするが、必要に応じて分割開催も可能であること。

(五)　決定関与者は、起案文書の回付を受けたときは、直ちに当該事案を検討し、決定案に異議があるときは、速やかに起案者に連絡すべきものであること。また、決定関与者が長期不在となるときなどの場合には、当該決定関与者は、起案文書の回付が滞らないよう、適切な措置を行い、決定処理が速やかに行われるように努めること。

なお、書面回付方式により回付する場合には一定の簿冊を備え置いて、回付された起案文書の文書記号、文書番号、回付年月日その他の所要事項を記録しておくことが望ましいものであること。

(六)　起案文書の事案決定後の処理は、次のとおりとする。

ア　電子起案方式による起案文書

事案が決定した後及び施行が完了した後に、速やかに文書総合管理システムにおいて必要な処理を行うこと。

イ　書面起案方式による起案文書

事案が決定した後（施行があるものについては、施行が完了した後）に、速やかに文書総合管理システムに事案決定後の処理に必要な文書管理事項を記録すること。

六　廃案の通知等（第二十九条）

回付中の起案文書、すなわちまだ決定に至らない起案文書に関する規定であること。したがって、決定済みの起案文書を廃し、又はその内容に変更を加えるときは、当該決定済みの起案文書を廃し、又はその内容に変更を加える旨を決定する起案文書を新たに作成しなければならないものであること。

なお、回付中の起案文書又は決定済みの起案文書を廃した場合で、主務課長が廃止された起案文書本体を保存する必要があると認める場合には、新たに当該文書を資料文書として保存することができる。この場合において、当該文書の保存期間が一年以上のものは、文書総合管理システムに文書管理事項を記録すること。なお、当該文書が電子文書の場合には、当該電子文書本体も記録すること。

七　供覧（第三十条）

(一)　供覧文書は、規則別表により保存期間が一年又は三年であり、文書総合管理システム又は特例管理帳票に当該公文書に係る文書管理事項を記録するものであること。

(二)　電子文書を供覧する場合には、原則として文書総合管理システムの供覧の機能を利用して回付すること。

なお、TAIMS等の電子メール機能を利用した供覧については、閲覧履歴が残らないため行わないこと。

(三)　起案用紙を用いて供覧する場合は、起案用紙の宛先欄に「供覧」の表示をするとともに、保存期間、保存期間満了後の措置、分類記号、文書記号・番号、件名その他起案用紙の各欄に所要事項を記載すべきものであること。

また、起案年月日欄には供覧開始年月日を、決定年月日欄には供覧終了年月日を、決定権者決定区分欄には最終的に供覧すべき者の区分を、審議欄及び協議欄には供覧する者の職名をそれぞれ記載するものであること。

(四)　軽易な内容の文書を供覧する場合には、その文書の表面の余白に、又は余白を利用し難い場合にあっては紙片等を添付して、下記様式の内容を満たす供覧欄等を設け、供覧すべきものであること。

| 供覧 | | | | | | |
|---|---|---|---|---|---|---|
| （部長　課長　課長代理等） | | | | 開始 | 年　月　日 | 引継ぎ |
| | | | | 終了 | 年　月　日 | |
| 記号番号 | 第　号 | 保存 | 年 | 保存期間満了後の措置 | | |
| 分類記号 | | | | | | |

(五)　決定後供覧の方法を利用することにより、決定前の単に供覧にとどまる意味の起案文書の回付を極力避けるよう留意する必要があること。

八　資料文書等の登録等（第三十一条）

(一)　対象

保存期間が一年以上の資料文書、帳票、図画、写真及びフィルムについて、文書総合管理システム又は特例管理帳票に必要に応じて文書管理事項を記録すること。

(二)　文書管理事項の記録時点

ア　資料文書は、その内容、性質等を勘案した上で、記録が必要と判断された場合には、主務課長がその内容を確認した時点で文書総合管理システム又は特例管理帳票に記録すること。

(ア)　電磁的記録にあっては、次の時点で記録すること。

①　光ディスク等の記憶媒体、ビデオテープ又は録音テープによるものは、主務課長が内容を確認した時点

②　業務システムによるものは、システム稼働時点。その後は毎年作成のものにあっては年度当初。臨時に作成するものは作成時

(イ)　主務課長は、包括的な指示により、内容の確認をすることができること。

(例)　担当課長等が置かれている場合、主務課長が当該担当課長が担任する事務について行う包括的な指示のこと。

(ウ)　次のようなものは、記録の必要はないこと。

①　課長代理級以下の職員のみの検討にとどまり、主務課長の検討に付されていないもの

② 主務課長の検討に付したが、内容が資料文書としての単位性を得るまでに至らないとされたもの

③ 第二十条の二第二項の規定に基づき、いずれ起案文書に添付して経過資料とすることを想定しているもの

(エ) 文書管理事項を記録した資料文書について、その後、上位の職位の者への検討が進む段階で内容が変化したときも、資料文書としての同一性が維持されていると主務課長が確認する限りにおいて、当該登録の件名の変更や新たな件名の登録は必要ないこと。

(オ) 部長以上の職位の者が作成し、又は取得した資料文書については、所管の主務課長に当該部長等から伝えた時点で記録をすること。

イ 帳票は、その様式を定めた際に記録し、かつ、その名称による細項目を設けること。また、規則等の根拠に基づき、帳票の使用が義務付けられている場合等においては、その名称による細項目を設けることをもって足り、記録を要しないこと。いずれの場合にあっても、当該帳票を用いて作成した個々の公文書については記録を要しないこと。

(例) 超過勤務命令簿、旅行命令簿

この場合に、備考欄に必要な事項を記録すること。

(例) 会計年度を超えて使用する帳票の場合、帳票を初めて作成し始めた会計年度を備考欄に記録すること。

ウ 図画、写真及びフィルムは、作成又は取得した時点で記録すること。なお、別に定めがあるものについては、当該定めにより管理するものとし、記録を要しない（東京都図書類取扱規程（平成元年東京都訓令第六号）、東京都印刷物取扱規程（昭和二十八年東京都訓令甲第五十五号）など。）。

また、契約の成果物として取得したもので、別の定めによる管理の対象とならないものについては、当該契約の起案文書と一体で管理するものとし、新たな記録を要しない。

九 処理の促進（第三十二条）

(一) ファイル責任者は、文書総合管理システム又は特例管理帳票に文書管理事項を記録した公文書が起案日等から相当の日時が経過してもなお引き継がれないときは、当該公文書に係る事務担当者に対し、その事務処理を促し、又は必要な助言を行うべきものであること。

(二) 決定権者は、処理件数が多い場合等、その必要に応じて、既決箱、未決箱等を備え、処理に支障のないように努めるべきものであること。

十 公印及び電子署名（第三十五条）

(一) 第三十五条第一項に規定する公印の押印は公印管理者により行われるものであり、公印の押印、事前押印及び公印印影の印刷は東京都公印規程（昭和二十八年東京都規則第百五十八号）の定めるところにより行われるものであること。

(二) 公印を押印した者は、起案文書の公印照合・押印欄に署名し、又は押印しなければならないものであること。ただし、起案文書が文書総合管理システムの電子決定方式で決定されたものである場合には、決定済みの内容を文書総合管理システムにより記録した用紙により公印照合を行うものとする。この場合において、当該用紙の公印照合・押印欄に署名し、又は押印しなければならないものであること。

なお、公印管理者等が特に必要と認める場合には、文書総合管理システムにより照合を行うことができる。この場合には、その旨を文書総合管理システムに記録するものとする。

(三) 第三十五条第二項の規定に基づく電子署名の付与については、東京都電子署名規則（令和四年東京都規則第二百十六号）の定めるところにより行われるものであること。

(四) 東京都電子署名規則第二条第五号に規定する当事者型電子署名を付与する際は、文書総合管理システムを使用して記録した起案文書の電磁的記録を用いて電子署名照合を行うものとする。この場合において、当事者型電子署名を付与した者は、起案文書の電磁的記録の公印照合・押印欄及び同規則第十条第一項に規定する電子署名使用簿に記名しなければならないものであること。

(五) 東京都電子署名規則第二条第六号に規定する立会人型電子署名を付与する際は、同規則第十一条第一項に規定する確認同意者又は同条第二項に規定する確認同意担当者（以下「確認同意者等」という。）は、同規則第二条第四号に規定する立会人型電子契約サービス上に送信された電磁的記録と決定済みの起案文書とを照合するものとする。この場合において、同規則第三条第一項第一号に規定する場合にあっては、確認同意者等は、立会人型電子署名を付与した電磁的記録に確認同意者等の氏名及び日付を記録しなければならないものであること、同項第二号に規定する場合にあって

は、確認同意者等は、決定済みの起案文書に確認同意をした日付を記載の上、署名し、又は押印しなければならないものであること。

(六) 第三十五条第三項第二号にいう「都の機関等に対し発信する公文書」とは、次に掲げる公文書をいうものであること。

ア 東京都の機関のうち、東京都文書管理規則適用外である機関（議会局、行政委員会（収用委員会及び労働委員会を除く。）及び公営企業局）に発信する公文書

イ 東京都、東京都知事等に対し発信する文書で、法令等の定めにより知事名を用いる必要のある公文書

ウ 職員に対し発信する命令、許可等の公文書のうち、個々の職員を名宛人としないもの

(七) 第三十五条第三項第三号に規定する場合について、行政機関又はこれに準ずる機関に対し発信する施行文書は、一般に東京都と受領者との関係において施行文書の真正性に疑義が生じるおそれが低いことから、重要なものを除き公印の押印を省略することができるものとすること。

なお、「重要なもの」とは、許可、認可等の処分に関する公文書等、行政機関又はこれに準ずる機関に対し発信する施行文書であっても、特に真正性の保証が求められるものをいうものであること。

(八) 第三十五条第三項第四号にいう「軽易な公文書」とは、おおむね単なる事実の通知、照会、回答等の公文書をいうものであること。

十一 発送（第三十六条）

(一) 電子決定方式で決定された起案文書に基づく施行文書を庁内に対し電子文書で発送する場合は、原則として文書総合管理システムの施行機能を利用して行うこととし、当該施行文書以外の電磁的記録の施行文書を発送する場合は、原則としてTAIMS等の情報処理システムを利用して行うこと。ただし、施行文書の中に秘密の事項が含まれるものなど総務局長が別に定める施行文書については、文書総合管理システム又は情報処理システムによる送信の方法により発送することはできないので注意すること。

(二) 書留扱い等による公文書を郵便又は信書便により送付した場合には、当該公文書の引受けの際に付された番号等を文書総合管理システム又は特例管理帳票に記録するものであること。

(三) 書留扱い等による文書の引受けに係る証書は、起案文書に添付しておくものであること。

## 第四 公文書の整理及び保存の通則に関する事項（第三十八条から第四十一条まで）

一 分類の基準及び分類記号（第三十八条）

(一) 課の文書管理基準表

ア 主務課長は、分類記号、保存期間、保存期間満了後の措置、事案決定区分等をまとめた、大項目・小項目・細項目の三段階の階層構造による文書管理基準表を作成し、当該基準表の内容を文書総合管理システムに登録すること。

イ 文書管理基準表の保存期間の欄及び保存期間満了後の措置の欄には第四十七条第四項に規定する局の文書保存期間・移管基準表に定められている保存期間及び保存期間満了後の措置を、文書管理基準表の決定区分の欄には東京都事案決定規程（昭和四十七年東京都訓令甲第十号）別表及び同規程第四条第二項に基づいて作成された事案の実施細目（以下「事案決定実施細目」という。）に定められた事案決定区分等を、それぞれ記録しておくものであること。

ウ なお、局の文書保存期間・移管基準表、東京都事案決定規程別表及び事案決定実施細目に定められている項目は、通常、文書管理基準表に用いる項目よりも包括的に定められている。したがって、これらに定められている保存期間、保存期間満了後の措置及び決定区分を文書管理基準表に記録するに当たっては、文書管理基準表の項目が局の文書保存期間・移管基準表、事案決定実施細目等のどの項目に該当するかを判断し、その該当する保存期間、保存期間満了後の措置及び決定区分をそれぞれ記録するものであること。また、第四十七条第五項の規定により、総務局長が定める共通事務に関する参考資料（第六の二(四)。以下「共通事案の文書保存期間・移管基準表（参考）」という。）を活用すること。

(二) 細項目

ア 細項目は、より的確に分類の内容を示し、円滑な管理に資するため、事務の内容としては同じものであっても保存期間又は保存期間満了後の措置が異なる場合は、保存期間及び保存期間満了後の措置の組合せごとに別の細項目とすること。このことによって、よりきめ細かな文書管理に資すること。

イ 細項目は、従来、小項目の内訳として、必要な場合にのみ設置している場合が多いが、今後は、管理の対象が資料文書等にも拡大し、より

的確な管理ができるよう充実を図ること。

ウ　各課共通の事務に係る大項目、小項目及び細項目の区分については、共通事案の文書保存期間・移管基準表（参考）を活用することも効果的であること。

(三)　分類記号

ア　「分類記号」は、的確な文書管理を行うため、細項目ごとに付するものとすること。

イ　細項目は、(二)アで記すように同じ内容の事務についても保存期間及び保存期間満了後の措置の組合せごとに付するものであることから、分類記号は保存期間及び保存期間満了後の措置の組合せごとに付することになるものであること。

ウ　文書総合管理システムによる公文書の管理を円滑に行い、また、今後の細項目の追加を考慮して分類記号を付するため、分類記号の設定に当たっては、旧規程によるものより桁数を増やしたり、設定方法を工夫するなどを行うこと。

二　電子文書の整理（第三十八条の二）

(一)　文書総合管理システムに記録し、処理した電子文書は、同システムにより整理し、保存するものとする。

(二)　電子起案方式による事案決定等の過程において、文書の資料を添付する場合、回付の途中で書面起案方式に変更する場合等、文書が介在した処理を行った場合には、次のように取り扱うこと。

ア　電子文書について、文書総合管理システムによる収受の処理（以下「電子収受」という。）、電子決定方式による事案の決定（以下「電子決定」という。）等の電子的な処理を行った場合には、当該電子文書を原本として取り扱うこと。また、文書による収受の処理（以下「文書収受」という。）、書面決定方式による事案の決定（以下「書面決定」という。）等、文書で処理した場合には、当該文書を原本として取り扱うこと。

イ　電子収受又は電子決定を行った電子文書を文書総合管理システムを利用して紙に記録した場合は、電子文書を原本とし、紙はその写しとして取り扱うこと。

ウ　文書収受をした文書について、スキャナ等を利用して文書総合管理システムに記録した場合は、当該文書を原本とし、電子化した電子文書はその写しとして取り扱うこと。なお、収受文書以外の文書をスキャナ等で電子化し、起案文書等の添付ファイルとして使用した場合は、電子文書を原本として取り扱うこと。

(例)

(ア)　電子収受した電子文書を文書総合管理システムで紙に記録し、書面決定等の処理を行った場合

収受文書としては、電子収受した電子文書が原本であり、記録がなされた紙（以下「出力用紙」という。）は、収受文書の写しとなる。この場合には、当該出力用紙を書面起案方式による起案文書とともに保存すること。なお、出力用紙の余白には、規則の定めるところにより、必要に応じて、当該収受文書の収受年月日、分類記号、保存期間及び保存期間満了後の措置を記載すること。

(イ)　公印を押印するため、電子決定した電子文書を文書総合管理システムで紙に記録し、公印照合処理を行った場合

公印押印前までの電子文書は原本として保存すること。第三の十(二)に規定するとおり、照合の処理に必要な電子文書を紙に出力して公印照合を行い公印を押印することとなるが、そのうち、公印照合・押印欄に署名又は押印した用紙及び割印を押した施行案文等の事務処理の記録が残る部分については、起案文書の一部として原本として取り扱い、保存すること。それ以外の出力した紙については、資料文書であり、保存期間が一年未満のものについては、事務遂行上、必要な期間が過ぎた時点で廃棄すること。したがって、この場合において、公印押印前までの電子文書の原本に加え、公印押印において生じた紙の公文書の事務処理の記録が残る部分が原本として存在することとなる。

(ウ)　電子起案方式で起案した電子文書を、回付の途中で書面起案方式に変更し、書面決定を行った場合

書面決定された起案文書を原本として保存すること。ただし、起案文書のうち回付の途中まで電子文書に決定関与した部分の記録については、その限りにおいて当該記録が原本となるので、適切に保存するものとする。

(エ)　電子起案方式の起案文書に、別途文書を添付して電子決定を行った場合

電子文書を原本として保存することとし、添付の文書については、文書総合管理システムから当該電子決定の経過を記録した紙を出

力した上で、当該紙を付加して保存すること。

(三) 東京都電子署名規則第二条第五号に規定する当事者型電子署名を付与する場合は、第三の十四に規定するとおり、文書総合管理システムを使用して記録した起案文書の電磁的記録を用いて電子署名照合を行い電子署名を付与することとなるが、そのうち、公印照合・押印欄に電子署名照合・付与した者が記名した起案文書の部分の電磁的記録は、起案文書の一部として原本として取り扱い、保存すること。したがって、この場合において、電子文書の原本に加え、電子署名付与において生じた起案文書の部分の電磁的記録が原本として存在することとなる。

(四) 東京都電子署名規則第二条第六号に規定する立会人型電子署名を付与する場合は、第三の十五に規定するとおり、決定済みの起案文書を用いて照合及び確認同意することとなるが、そのうち、同規則第三条第一項第二号に規定する場合にあっては、確認同意者等が日付等を記載した起案文書は、起案文書の一部として原本として取り扱い、保存すること。したがって、この場合において、電子文書の原本に加え、電子署名付与において生じた起案文書が原本として存在することとなる。

三 公文書の整理及び事務室内における保存（第三十九条及び第四十条）

公文書（電子文書を除く。以下三の中で同じ。）の整理に当たっては、公文書をいつでも容易に利用することができるように、所定の場所に組織的（分類記号別かつ一件ごと）に整理し、及び保存しておくものとすること。

(一) 一群の公文書としての公文書の編集及び製本は、公文書を一件ごとに整理したのでは公文書の利用目的を達成することに著しい不便を来す場合に限って認められるものであり、一件態として管理されている公文書群のすべてについて編集し、製本する必要があるとは限らないものであること。

さらに、当該公文書群中の一部の公文書を頻繁に利用する必要がある場合には、安易に当該公文書群を編集し、製本すべきではないこと。

(二) 一群の公文書として編集し、製本した公文書の表（表紙又は背表紙）には次の事項を必ず記載しなければならないこと。

ア 保存期間（公文書群中に異なった保存期間の公文書があるときは、最も長期にわたって保存する公文書の保存期間）

イ 保存期間満了後の措置（公文書群中に公文書館に移管すべき公文書及び廃棄すべき公文書がともに含まれるときは、公文書館に移管するものとする。）

ウ 分類記号（公文書群中に異なった分類記号の公文書があるときは、主たる公文書の分類記号）

エ 件名（公文書群中に異なった件名の公文書があるときは、主たる公文書の件名）

オ 公文書の記号・番号（文書番号については編集し、製本した公文書の内部に索引を設ける方法も認められる。）

(三) 公文書の整理の手法

公文書の整理の基本的な手法としては、従来からのファイリング・システムを標準とすること。

公文書をファイリング・システムにより整理するには、ファイリング・キャビネット（以下「キャビネット」という。）又はファイルボックスを用いることが最も基本的な方法であること。

ファイルボックスを使用して公文書の保存を行うときは、あらかじめ主務課長がファイルボックスの置き場所を指定しなければならないこと。

なお、公文書の形状、公文書の性質その他の理由によりキャビネット又はファイルボックスによる整理方法以外の方法によることが、公文書を保存する上で必要かつより効果的である場合は、その方法を用いることができるものであること。

(四) キャビネットによる公文書の保存は課ごとに行うのが原則であるが、職員の数が少ない場合、公文書の発生量が少ない場合、事務室が狭い場合その他の事情から必要があると認められる場合においては、主務課長は、他の課の長と協議して、その課と共同のキャビネットに公文書を保存することが認められるものであること（第四十条第四項）。ただし、共同で公文書を保存することができる場合は、キャビネットによる保存を行う場合に限られ、ファイルボックスにより保存を行う場合には認められないものであること。

なお、この場合においては、共同のキャビネットが他の課の事務室に置かれている場合であっても、第四十条第三項の解釈においては当該キャビネットはそれぞれそのキャビネットを利用する課の事務室に置かれているものと解して差し支えないものであること。

(五) 主務課等で管理する電磁的記録（業務システムによるもの及び電子文書を除く。）については、次のような方法で整理すること。

ア 光ディスク等

年度別及び分類記号別に光ディスク等を作成し、ファイルを保存すること。

光ディスク等の本体又はケースには、作成年度、分類記号等を記載して、課で定めた保存場所に整理して保存すること。

なお、一つのフォルダに保存する電磁的記録の件数が少ない場合は、複数の分類記号をまとめた光ディスク等を作成しても差し支えないこと。

イ　ハードディスク

ハードディスクに保存する場合は、ハードディスク上に、課の電磁的記録を保存する共有フォルダを定めること。

その共有フォルダ内に年度別のフォルダを作成し、その年度別フォルダ内に分類記号別のフォルダを作成すること。分類記号別のフォルダ内に個別のファイルを保存することとなる。

なお、一つのフォルダに保存する電磁的記録の件数が少ない場合は、光ディスクと同様の扱いとする。

ウ　バックアップ

操作上の誤りなどにより記録された内容が消失してしまう場合に備えて、いわゆるバックアップなど内容の保全上必要な措置を講ずること。

四　公文書の常用（第四十一条）

(一)　電子文書以外の常用文書は、常用期間（常用文書における常時利用する期間をいう。以下同じ。）中は原則として事務室内で管理するものとし、第四十四条第二項の規定により総務局長が一括して行う保存委託を行わないものとすること。

(二)　常用文書として指定されるべき公文書は、おおむね次に掲げるようなものである。

ア　行政処分に係る公文書であって、当該処分に関する事後の指導・監督上必要とされるもの

イ　契約に係る公文書であって、その履行が完了するまでの間常時利用する必要があるもの又は当該契約の履行に係る他の公文書と一件態として管理する必要があるもの

ウ　不服申立て、訴訟等に係る公文書であって、当該事件が完結するまでの間常時利用する必要があるもの又は当該事件の完結に係る公文書と一件態として管理する必要があるもの

エ　継続的に記録する帳票及び継続的に利用することが予定されているコンピュータシステム

オ　その他事務処理上常時参照する必要があるもの

(三)　常用文書の指定は、当該公文書を常用する必要が生じた時に随時行うことができること。したがって、主務課長が公文書を作成し、又は取得し、文書総合管理システム又は特例管理帳票に文書管理事項を記録する時点及び当該記録の日が属する年度中に限らず、保存期間中であればいつでも必要に応じ常用指定が可能であること。

なお、保存期間の途中で指定された常用文書を保存する場合は、第四十八条第六項の規定に基づき、常用期間の終了後改めて当該公文書の保存期間を保存すること。

(四)　常用文書の指定があったときは、ファイル責任者は、当該公文書の余白等（光ディスクの場合は本体又はケース）に次の様式による表示をし、常用期間があらかじめ明らかな場合はその年月日を上欄に記載し、常用期間が終了した場合はその年月日を下欄に記載すること。

なお、電磁的記録及び文書総合管理システムに記録されている電子文書で文書総合管理システムに文書管理事項を一式として記録されているもののうち、媒体の性質上第四十一条第二項に定める常用文書である旨の表示が困難なものについては、文書総合管理システム又は特例管理帳票に常用に係る記録をすれば足りるものとすること。

| 常用 | 年　月　日まで |
| --- | --- |
| | 年　月　日終了 |

(五)　常用文書については、第四十三条第二項（移換え等）及び第四十八条第六項（保存期間の設定）の規定が適用される。

なお、常用文書の指定は、主務課長が行うものであるが、その指定に当たってはその必要性を慎重に検討し、濫用することのないように留意しなければならないものであること。

## 第五　公文書の引継ぎ等に関する事項（第四十二条から第四十五条まで）

一　引継ぎ等（第四十二条）

(一)　ファイル責任者は、文書総合管理システムにより使用を終了した電子文書について、引継ぎ処理を行い登録事項が適正かどうか点検すること。

(二)　事務担当者は、公文書（電子文書を除く。以下一から三までにおいて同じ。）の使用を終了したときは、当該公文書（常用文書を含む。常用文書については、第四の四を参照すること。）を自己の手元に置くことなく、直ちにファイル責任者に

引き継ぐものとする。

㈢　ファイル責任者は、引継ぎを受けた公文書について文書管理上の要記載事項が適正に記載されているか否かを点検する必要がある。これは、当該公文書を適正に保存し、及び利用していくための出発点ともいうべき重要な職務であること。

㈣　公文書は、所定の場所に保存されるべきものであるので、ファイル責任者は、常に使用を終了した公文書の回収に努めなければならないものであること。

二　移換え等（第四十三条）

㈠　移換えは、公文書を会計年度ごとに区分して、公文書の適正な管理を図るために行うものであること。

㈡　廃棄すべき公文書については、第一項に規定する移換えを行わず、第五十三条に規定する廃棄手続を行うべきものであること。

なお、書棚等を利用して公文書を保存する場合又は三以上の会計年度の公文書を事務室に保存する場合においても、これに準じて処理すべきものであること。

㈢　会計年度の末に作成した起案文書で翌会計年度の会計事務に係るものは、当該翌会計年度には移換えを行わず、翌々会計年度に移換えをすること。

三　保存箱への保存等（第四十四条）

㈠　公文書を保存箱に収納して書庫等に保存する場合、その箱に文書検索のために必要な表示を行うなどしておくこと。

㈡　総務局長は、第二項の規定に基づき、民間倉庫への公文書の保存の委託に関し必要な事項を定めること。

## 第六　公文書の保存期間に関する事項（第四十六条から第四十九条まで）

一　保存期間の種別（第四十六条）

㈠　保存期間の種別は、第一項及び第二項に定めるところ（三十年、十年、五年、三年、一年及び一年未満、法令等に定める期間並びに時効期間を考慮して定める期間）であるが、これらにより難い事情があると認めるときは、局長は、総務局長の承認を得て、これら以外の保存期間の種別を新設することができるものであること。ただし、総務局長は、局長が三十年を超える保存期間の種別を新設しようとするときは、当該保存期間としなければならない特別の理由があると認められる場合に限って承認すること。

㈡　一年未満の種別は、資料文書を、文書管理の具体的な対象としたことに伴い、規定したものであること。

二　局の文書保存期間・移管基準表の作成等（第四十七条）

㈠　公文書の保存期間は、単に行政運営上の必要性だけでなく、都民の立場からみた利用価値、文化遺産としての保存の必要性等についても十分考慮して定められなければならないものであること。

㈡　保存期間の基準は、旧規程では総務局長が定めるものとしていたが、保存期間が情報公開条例による開示の請求を実質的に担保するものであることから、規則で原則的な基準を示すものとしたこと。

㈢　以下のアからエまでのいずれかに該当する公文書は、「歴史資料として重要な公文書」に当たり、保存期間満了後には公文書館に移管すること。

ア　組織及びその機能並びに政策の検討過程、決定、実施及び実績に関する重要な情報が記録された公文書

イ　都民の権利及び義務に関する重要な情報が記録された公文書

ウ　都民を取り巻く社会環境、自然環境等に関する重要な情報が記録された公文書

エ　都の歴史、文化、学術、事件等に関する重要な情報が記録された公文書

なお、個別の公文書について保存期間満了後の措置を判断するに当たっての具体的な基準は、規則第四十七条第三項によること。

㈣　局長は、規則第四十七条第二項及び別表第一に基づき、所管の局の文書保存期間・移管基準表を定める場合において、㈤の総務局長の作成する資料を参考にすること。当該資料は、その性質上概括的な形で一括的抽象的に定められることになるので、局の文書保存期間・移管基準表を作成するに当たっては、公文書の性質、内容等を十分に考慮して定めるものであること。

㈤　総務局長は、局の各課に共通する事務に関し、局の文書保存期間・移管基準表の作成に資する資料を作成し、局長に提供することによって、各局等の間で共通する事項の保存期間及び保存期間満了後の措置に大きな差異を生じることのないよう努めるものとすること。

㈥　資料文書の保存期間は、十年、五年、三年、一年又は一年未満とすること（規則別表第一）。

（例）　・作成した資料文書は、原則として一年保存とすること。

・会議等で配布され、取得した資料文書で、事務遂行上一年以上の保存の必要が認められないものは、一年未満の保存期間とすること。

(七)　起案文書の作成に使用した電磁的記録（電子起案方式による起案文書に添付するものを除く。）は、資料文書であり、その保存期間は、当該起案文書と同一の保存期間とする必要はないこと。

(八)　局の文書保存期間・移管基準表の改正を行った場合、改正後の保存期間及び保存期間満了後の措置は、特に必要がある場合を除き、改正前に局の文書保存期間・移管基準表に従い定めた課の公文書の保存期間及び保存期間満了後の措置には適用しないこととする。したがって、各局の文書保存期間・移管基準表を改正する際にその旨を記録しておくものとする。

三　保存期間及び保存期間満了後の措置の設定（第四十八条）

(一)　主務課長は、保存期間及び保存期間満了後の措置を定めるに当たっては、局の文書保存期間・移管基準表に従い、公文書ごとに適切に定めなければならないものであること。

(二)　主務課長は、第二条第一号に規定する公文書を保存期間が満了するまで適切に保存しなければならないこと。

なお、適切な保存の判断に当たっても、第四十七条第一項に定める事項について考慮すること。また、資料文書は、当該資料文書に係る事項について起案を実施する場合は、当該起案文書へ添付することを原則とすること。さらに、資料文書のその他の保存方法としては、共有フォルダ内への電磁的記録の保存、執務室内での保管、文書総合管理システムへの登録等が考えられること。

(三)　主務課長は、公文書を保存期間が満了する日までの間、保存するものであるが、保存期間を超えて保存する必要があると認める場合は、局の庶務主管課長の承認を得て、必要な期間当該公文書を保存することができること。

また、第四十八条第三項の「特別な事情があると認める場合」とは、公文書の性質等に照らし、必要と認められる場合を指し、この場合には、庶務主管課長の承認に代えて、又はこれに加えて局長の指定する者の承認を得るものとすることができること。この場合であっても、局長は、局の庶務主管課長と同等の第三者的関与ができる者（文書事務を主管する担当課長、所の庶務主管課長等）を指定しなければならないこと。

(四)　保存期間の満了の日

ア　一年未満の公文書は、作成し、又は取得した日から一年未満の期間内において事務遂行上必要な期間の終了する日であること。

この場合において、作成し、又は取得した日においては事務遂行上必要な期間は一年未満の予定であったが、実際に事務遂行をしたところ、必要な期間が一年以上となったときは、当該公文書の保存期間は、一年以上の保存期間とすること。したがって、保存期間の満了の日は、当該一年以上の保存期間の満了の日となり、事務遂行上必要な期間が終了した日ではないこと。

イ　保存期間が一年以上の公文書の保存期間の満了の日は、作成又は取得の日から一年、三年等を経過する日ではなく、作成又は取得の日の属する会計年度の翌会計年度の初めから起算して一年、三年等の期間の経過する日とすること。この点が、保存期間が一年未満の場合と異なること。

四　公文書の公文書館への移管（第四十九条）

(一)　移管しようとする公文書に、公文書管理条例第十九条第一項第一号イからハまでに掲げる情報（以下「利用制限情報」という。）が記録されており、公文書館において利用の制限を行うことが適切である旨の意見を付す場合は、主務課長は、その旨を記載した起案文書により移管の決定を行う必要があること。この場合において、当該起案文書には、利用制限情報を規定する条項（公文書管理条例第十九条第一項第一号イからハまで）のうち該当するもの及び必要に応じ当該情報の内容について記載すること。

(二)　主務課長は、第八条の二第二項の規定により、文書総合管理システムに公文書の文書管理事項を記録するに当たり、当該公文書が保存期間満了後に公文書館に移管すべきものであって、当該公文書に利用制限情報が記録されている場合は、併せて文書総合管理システムに公文書館において利用の制限を行うことが適切である旨の意見を記録すること。ただし、これは、公文書管理条例第十条第三項の規定により実施機関としての意見を付すためには、移管する公文書の内容を最もよく理解した起案者又は事務担当者が文書総合管理システムへの記録を行う時点で、その見解を記録しておくことが合理的であることから行うものであり、実施機関としての意見は、飽くまで当該意見を記載した起案文書による移管の決定をもって確定するものであること。

**第七**　文書等の利用に関する事項（第四十九条の二から第五十二条まで）

一　電子文書等の利用（第四十九条の二）

(一)　公開件名等の文書情報は、文書総合管理システムを利用する職員に提供されるとともに、東京都の情報公開用システムに送られ、インターネットを通じ都民に公開される。よって、公文書の件名に個人名等の情報公開条例第七条に規定する非開示情報が含まれているときは、非開示情報を含まないものを公開すること。また、当初より件名に非開示情報を含めないような工夫が望まれるものであること。

(二)　公開件名の確定及び公開指定に当たっては、主務課長の決定を得ること。なお、公開対象となる文書件名等には秘密文書に指定したものの件名等も含まれること。

(三)　文書総合管理システムに記録された起案文書等のうち、電子文書の内容は、事案の決定等の処理を行った後は、秘密指定の文書を除き、主務課の職員が利用することができるものとしたこと。

二　主務課の職員以外の職員の公文書の利用（第五十二条）

ファイル責任者は、保存されている公文書（電子文書を除く。）を利用させるために、保存場所から持ち出すときは、持ち出し先等について当該公文書の所在が常に明らかになるよう、持ち出し先、公文書の分類記号、件名、持ち出した日、返却した日その他の必要な事項を貸出カード（この依命通達の別記第三号様式の例による。）に記録しておくこと。

**第八**　公文書の廃棄に関する事項（第五十三条から第五十六条まで）

一　公文書の廃棄（第五十三条）

(一)　保存期間の満了前における廃棄は、当該公文書を廃棄しなければならない特別の理由がある場合を除いて、原則として認めないこと。これは、保存期間は、原則として公文書の保存の最低期間であることによること。

(二)　第五十三条第一項に規定する「重要な公文書」とは、決定権者が部長以上の職にあり、かつ、保存期間が五年以上のもの（特例管理帳票により管理されている文書を除く。）等をいうこと。

(三)　廃棄の際の承認は、原則として局の庶務主管課長が行うこと。

また、第五十三条第一項ただし書の「特別な事情があると認める場合」とは、公文書の性質、事務量等に照らし、必要と認められる場合を指し、この場合には、より適切な確認を行うために、庶務主管課長の承認に代えて、又はこれに加えて局長があらかじめ指定する者の承認を得るものとすることができること。この場合であっても、局長は、局の庶務主管課長と同等の第三者的関与ができる者（文書事務を主管する担当課長、所の庶務主管課長等）を指定しなければならないこと。

(四)　重要な公文書については、毎年度、廃棄の状況を文書課長へ報告しなければならないこと。

二　廃棄の方法（第五十六条）

公文書の廃棄に当たっては、情報公開条例に規定する非開示情報、東京都個人情報の保護に関する条例（平成二年東京都条例第百十三号。以下「個人情報保護条例」という。）に規定する個人情報及び東京都特定個人情報の保護に関する条例（平成二十七年東京都条例第百四十一号。以下「特定個人情報保護条例」という。）に規定する特定個人情報並びに第五十七条に規定する秘密文書の取扱いに細心の注意を払うこと。

なお、電磁的記録の廃棄方法として消去を追加したものであること。

**第八の二**　公文書の管理に関する点検等（第五十六条の二及び第五十六条の三）

一　公文書の管理に関する点検等（第五十六条の二）

(一)　公文書管理条例第十二条の規定に基づき、局長は、公文書について、毎年度点検し、場合によっては、適切な公文書管理に向けた措置を実施するべきこと。

(二)　局長が点検すべき項目は、次のとおりであること。

ア　文書保存の実施状況、キャビネットへの保管状況等、局における公文書の管理の方法（第五十六条の二第一項第一号）

イ　第五十六条の二第二項に基づき、必要な措置をとった場合には、その後の実施状況

ウ　特例管理帳票による公文書の管理状況その他の別に定める公文書の管理に関する事項

(三)　局長は、適切な公文書管理を実現するために、文書管理に関する調査、指導その他の必要な措置をとらなければならないこと。この権限は、公文書管理条例第十二条により認められたものであること。

二　管理状況の報告（第五十六条の三）

公文書管理条例第十三条第一項に基づき、局の庶

務主管課長は、公文書の管理に関する点検の結果その他総務局長が定める事項を文書課長に報告しなければならないこと。

**第九**　秘密文書の処理及び補足に関する事項（第五十七条から第六十七条まで）

一　秘密文書の指定等（第五十七条）

(一)　この規定は、秘密文書の適正な処理の確保を図るとともに、情報公開条例に基づく公文書開示制度、個人情報保護条例に基づく個人情報の保護制度及び特定個人情報保護条例に基づく特定個人情報の保護制度の円滑な運用に資するため規定されたものであること。

(二)　この規定は、職員が職務上知り得た秘密として漏らしてはならない情報が記載されている公文書の処理上の基準を定めたものであり、(一)の各条例とはその目的を異にするものであるが、この規定に基づき秘密文書として指定される公文書も、各条例に規定する都民の開示請求権の対象となるものであるので、いやしくも、この規定の運用を巡って、都民と都政との信頼関係を損なうことのないよう配慮するものであること。

(三)　第一項に規定する秘密の取扱いを必要とする公文書は、次の区分のいずれかに該当するものを指定するものであること。

ア　法令及び条例の定めるところにより又は知事等が法律上従う義務を有する国務大臣その他国の機関の指示により、秘密として取り扱うものとされている公文書

公開禁止規定（訴訟書類の非公開等）、守秘義務規定（秘密漏えいに対する罰則等）等の対象となる情報を記録した公文書

イ　個人及び法人（国、独立行政法人等、地方公共団体及び地方独立行政法人を除く。）その他の団体（以下「法人等」という。）の利益にかかわる公文書

(ア)　特定の個人を識別することができる情報又は特定の個人を識別することはできないが、漏らすことにより、なお個人の権利利益を害するおそれのある情報（公にされているもの、公にすることが予定されるもの、又は人の生命、健康生活又は財産を保護するため、公にすることが必要と認められるものを除く。）を記録した公文書

①　住民（都民以外の者を含む。）に関する情報で、生活歴、心身の状況、所得、財産状況等の情報を記録した公文書

②　職員に関する情報で、職員の任用、退職、給与、分限、懲戒、健康管理等に関する情報を記載した公文書

(イ)　法人等に関する情報又は事業を営む個人の当該事業に関する情報で、漏らすことにより、当該法人等又は事業を営む個人の競争上又は事業運営上の地位その他社会的な地位が損なわれると認められる情報を記録した公文書

ウ　都、国、独立行政法人等、他の地方公共団体及び地方独立行政法人の内部又は相互間における審議、検討又は協議に関する情報で、漏らすことにより、率直な意見の交換若しくは意思決定の中立性が不当に損なわれるおそれ、不当に都民の間に混乱を生じさせるおそれ又は特定の者に不当に利益を与え、若しくは不利益を及ぼすおそれがある情報を記録した公文書

エ　都、国、独立行政法人等、他の地方公共団体及び地方独立行政法人の事務事業に関する情報であって、漏らすことによって、その事務事業の性質上、事務事業の適正な遂行に支障を及ぼすおそれがある情報を記録した公文書

オ　第三者が漏らさないとの条件で任意に提供した情報であって、漏らすことにより、その信頼を不当に損なうことになると認められるものを記録した公文書

カ　漏らすことにより、人の生命、身体、財産又は社会的な地位の保護その他の公共の安全と秩序の維持に支障が生ずるおそれがある情報を記録した公文書

(四)　秘密文書として指定すべき公文書の実施細目（第五十八条）に示されていない公文書についても、主務課長は(三)に例示された公文書及び実施細目に示された公文書を参照して秘密文書の指定ができるものであること。

(五)　秘密文書の指定に当たっては、安易に公文書を秘密文書扱いにし、いたずらに都民が都政に対して不信感を抱くことのないように、十分配慮しなければならないものであること。

二　実施細目の制定（第五十八条）

実施細目は、局長が定めること。

三　秘密文書等の表示（第五十九条）

(一)　秘密の取扱いを要する公文書は、秘密文書と時限秘の秘密文書との二種類であり、秘密文書の指定をしたときは、文書総合管理システム又は特例管理帳票にその旨を記録すること。

(二)　秘密文書が起案文書（電子文書を除く。）及び

起案用紙を用いた供覧文書の場合には「文書の取扱い」欄（第三の一(二)）に秘密の表示をし、それ以外の公文書の場合には余白等（光ディスク等の場合は本体又はケース）に表示をすること。ただし、文書総合管理システムに電子文書として、業務システム等に電磁的記録として記録されている秘密文書については、この限りでない。

四　秘密文書の指定の解除（第六十条）
主務課長は、秘密文書の取扱いを要しなくなったときは、必ず指定の解除をしなければならないこと。

五　秘密文書の取扱い（第六十一条）
(一)　秘密文書の取扱いに当たっては、秘密文書の記録内容の漏えい防止に努めなければならないこと。
(二)　秘密文書の指定を解除したときは、文書総合管理システム又は特例管理帳票の当該記録を削除すること。

六　秘密文書の保管（第六十三条）
秘密文書の保管に当たっては、規定の定めるところにより、秘密保持の徹底を図らなければならないこと。

七　特別の管理がされている資料の取扱い（第六十四条）
規則第二条第一号の二が引用する公文書管理条例第二条第二項第三号の規定により、東京都規則で定める都の機関等において歴史的若しくは文化的な資料又は学術研究用の資料として特別の管理がされているものは、公文書から除かれるが、これらの資料についても公文書同様に適切な管理が行われるべきであることから、保存、利用、廃棄等の管理について必要な措置を講ずるよう努めるものとしたこと。

八　課を置かない部の特例（第六十五条）
組織規程第十一条第二項の担当課長を置く部において、事務の性質、規模等を考慮して、当該担当課長が担任する事務の範囲内において、当該担当課長を課長と同様の取扱いをすることができるものとすること。この場合においては、事前に庶務主管課長の承認を得ておくこと。

**第十**　制定に伴う経過措置に関する事項（附則第二項から第十一項）

一　施行日前に旧規程の文書管理カード又は特例管理帳票に所要事項を記載した文書の管理は、なお旧規程に定める方法によること。したがって、文書管理台帳に記録し直す必要はないものであること。（附則第二項）

二　起案文書については、施行日後も平成十一年度内に作成するものは、年度当初からの一連の文書番号で管理することが円滑な事務に資すると考慮されることなどから、この規則の規定にかかわらず、なお旧規程に定める方法によること。したがって、施行日以後平成十一年度内に作成する起案文書は、文書管理カードによる管理をすること。（附則第三項）

三　一及び二にかかわらず、局の庶務主管課長の承認を得て、規則に規定する方法により管理することができるものとすること。（附則第四項）

四　施行日前に作成し、又は取得した資料文書については、旧規程では文書管理カード等による文書管理をしていないが、施行日以後も保存する必要があると認められるものは、施行日に作成し、又は取得したものとみなすものであること。このことにより、施行日前に作成し、又は取得した資料文書は、施行日以後具体的な文書管理の手続の対象となること。

五　施行日以後平成十一年度内に作成し、又は取得する文書等で文書管理台帳に登録するものの文書番号は、平成十一年度当初から年度中を通じて使用する文書管理カードによる文書番号（附則第三項による。）との混同を避ける必要があるため、第一万号からの一連番号とすること。（附則第六項）

六　パソコンの設置状況、事務の性質等を考慮して、特例として旧規程による文書管理カードによって文書等の管理をすることができるものであること。（附則第七項）

七　文書等の管理を特別の管理の方法によって行っている場合、特例として、この規則による管理の方法によらないことができるものであること。（附則第八項）

八　施行日において、一括保存委託をしている資料文書については、文書管理台帳への記録に対する特例として、当該委託に係るリストによる管理などの方法によるものとすること。（附則第十項）

九　施行日前において旧規程により行われた文書主任、文書取扱主任又はファイル責任者の任免等、特例管理帳票の決定等、文書記号の決定等、枝番号の使用等、特例起案帳票の決定等及び保存期間を超えて保存する決定等で、規則に規定する行為に相当する行為は、当該規則に規定する行為とみなす。

**第十一**　規則の一部改正（令和元年東京都規則第八十二号）に伴う取扱い及び経過措置

一　特例管理帳票
東京都文書管理規則の一部を改正する規則（令和元年東京都規則第八十二号）の施行日（令和二年四月一日。以下「令和元年度改正の施行日」という。）

前において規則第十条第三項の登録がなされた特例管理帳票の様式については、令和元年度改正の施行日以後遅滞なく保存期間満了後の措置（第一　十㈠）を記録する欄を設けること。ただし、当該特例管理帳票の様式を容易に改正することができない事情がある場合にあっては、当分の間、令和元年度改正の施行日前に登録された様式を使用することができることとし、当該特例管理帳票の主務課長は、当該特例管理帳票の余白を利用して保存期間満了後の措置を記載するなどの措置をとること。なお、保存期間満了後の措置を記録する欄を設ける様式の改正に係る規則第十条第二項の通知は、省略することができる。

二　特例起案帳票

　令和元年度改正の施行日前において規則第二十一条第四項の登録がなされた特例起案帳票の様式については、令和元年度改正の施行日以後遅滞なく保存期間満了後の措置（第三　二㈡ア㈠）を記載する欄を設けること。ただし、当該特例起案帳票の様式を容易に改正することができない事情がある場合にあっては、当分の間、令和元年度改正の施行日前に登録された様式を使用することができることとし、当該特例起案帳票の主務課長又は事案を主管する課長は、当該特例起案帳票の決定文中に、又は余白を利用し保存期間満了後の措置を記載するなどの措置をとること。なお、保存期間満了後の措置を記録する欄を設ける様式の改正に係る規則第二十一条第三項の通知は、省略することができる。

**別記様式**〔略〕

# ○東京都公印規程

昭二八・八・二三
規則一五八

最終改正　令六・三・二九規則八九

**（通則）**

**第一条**　東京都（本庁、本庁行政機関、地方行政機関、附属機関及びこれらの長並びにこれらの長の補助機関を含む。）の公印の寸法、ひな型、管理方法その他公印に関し必要な事項は、別に定めがあるものを除き、この規程の定めるところによる。

**（公印の名称、寸法、ひな型等）**

**第二条**　公印の名称、番号、書体、寸法及び用途並びに公印管理者は、別表第一のとおりとし、そのひな型は、別表第二のとおりとする。

**（公印の調製者）**

**第三条**　公印の新調及び改刻は、総務局長がこれを行い、局長（東京都組織規程（昭和二十七年東京都規則第百六十四号）第九条第一項に規定する局長、同条第三項に規定する室長並びに住宅政策本部長、中央卸売市場長、警視総監及び消防総監をいう。以下同じ。）に交付する。

2　前項の規定にかかわらず総務局長が適当と認めた公印は、局長において新調し、又は改刻することができる。

**（旧印の引継ぎ、保存及び廃棄）**

**第四条**　局長は、公印を組織の改廃、改刻等のため使用しなくなつたときは、別記第一号様式による公印引継書によりその印章を総務局長に速やかに引き継がなければならない。

2　総務局長は、前項の規定により印章の引継ぎを受けたときは、特に保存する必要があるものを除き、裁断又は焼却の方法によりこれを廃棄しなければならない。

**（公印台帳）**

**第五条**　総務局総務部文書課長（以下「文書課長」という。）は、公印を新調し、又は改刻したときは、別記第二号様式による東京都公印台帳を作成し、整理しておかなければならない。

2　局長は、第三条第二項の規定に基づき公印を新調し、又は改刻したときは、別記第二号様式による東京都公印台帳を作成し、文書課長に引き継ぐものとする。

3　公印を使用しなくなつたときは、文書課長は、当該公印に係る東京都公印台帳に必要な事項を記載しなければならない。

**（新調又は改刻の申請）**

**第六条**　局長は、公印を新調し、又は改刻する必要があると認めたときは、別記第三号様式による公印新調・改刻申請書により総務局長に申請しなければならない。ただし、第三条第二項の規定に基づき公印を新調し、又は改刻する場合においては、この限りでない。

**（公印の事故届等）**

**第七条**　局長は、公印に盗難、紛失又は偽変造があつたときは、直ちに必要な措置を講じ、かつ、別記第四号様式による公印事故届により総務局長に届け出なければならない。

**（公印管理者の任務）**

**第八条**　公印管理者は、局長の命を受けて公印に関する事務をつかさどる。

（公印取扱主任の指名等）

**第九条**　公印管理者の下に公印取扱主任（以下「主任」という。）を置く。

2　主任は、公印管理者が自己の指揮監督する職員のうちから指名する。

3　主任は、公印管理者の命を受けて公印に関する事務に従事する。

4　公印管理者又は主任が不在であるときは、公印管理者があらかじめ指定した職員がその事務を代行する。

（公印の管理）

**第十条**　公印管理者は、公印を常に公印箱に収納することのほか、盗難、紛失及び不適正な使用を防止するために必要な措置を講じるとともに、勤務時間外にあつては、金庫等に保管し、施錠しておかなければならない。

（公印押印上の注意）

**第十一条**　公印の押印を求めようとする者は、別記第五号様式による公印使用簿に必要な事項を記入し、押印しようとする文書その他の物（以下「文書等」という。）に決定済みの起案文書（電子決定方式により決定済みの起案文書にあつては、当該起案文書に係る事案の内容を文書総合管理システムを利用して記録した紙のことをいう。以下同じ。）を添えて、公印管理者又は主任の照合（以下「公印照合」という。）を受けなければならない。

2　前項の規定にかかわらず、公印管理者又は主任が特に必要と認める場合には、決定済みの起案文書の添付に代えて、文書総合管理システムにより公印照合を受けることができる。この場合においては、公印使用簿への記入を要しないものとする。

3　前二項の規定により公印照合を行つた結果、公印の押印を適当と認めたときは、公印管理者又は主任は、当該文書等に明瞭かつ正確に公印を押印しなければならない。ただし、公印のうち別表第一に規定する東京都契印の押印に当たつては、総務局長が特に必要と認めたときは、別に定めるところにより、これに準ずる措置をとることができる。

4　前項の規定により公印を押印したときは、公印管理者又は主任は、決定済みの起案文書の公印照合・押印欄に署名し、若しくは押印し、又はその旨を文書総合管理システムに記録しなければならない。

5　勤務時間外にあつては、公印の使用は、禁止する。ただし、緊急やむを得ない場合は、この限りでない。

（公印の事前押印）

**第十一条の二**　定例的かつ定型的な文書等で、公印管理者が交付の日時、場所その他の事情を考慮して適当と認めたものについては、前条第一項の規定にかかわらず、公印照合を行う前に当該文書等に公印を押印すること（以下「事前押印」という。）ができる。

2　文書等の保管責任者（当該文書等に係る主務課長とする。以下同じ。）は、事前押印を求めようとするときは、あらかじめ別記第六号様式による公印事前押印・刷り込み申請書及び必要な事項を記入した別記第七号様式による公印事前押印・刷り込み文書等処理簿を公印管理者に提出しなければならない。

3　文書等の保管責任者は、事前押印をした文書等を施錠できる書庫等において適切に管理するとともに、公印事前押印・刷り込み文書等処理簿により、常に使用状況を明らかにし、公印管理者から調査の申入れがあつたときは、それに応じなければならない。

4　文書等の保管責任者は、事前押印をした文書等が、書き損じ、汚損、破損、様式の変更、人事異動等の理由により使用できなくなつたときは、事前押印をした文書等を速やかに公印管理者に引き渡さなければならない。

5　公印管理者は、前項の規定による引渡しを受けたときは、当該文書等を破棄し、又は印影を抹消しなければならない。

（公印の印影の刷り込み）

**第十一条の三**　定例的かつ定型的で一時に多数印刷する文書等のうち、公印を押印すべきものについて、公印管理者が適当と認めたときは、その公印の印影を当該文書等に刷り込むことにより公印の押印に代えることができる。

2　前条第二項から第五項までの規定は、前項の場合について準用する。この場合において、同条第二項から第四項までの規定中「事前押印を」とあるのは、「刷り込みを」と読み替えるものとする。

3　公印の印影の刷り込みについては、前二項に定めるもののほか、総務局長が別に定めるところによる。

（公印の使用状況の調査等）

**第十二条**　局長は、公印の管理及び使用状況等について適宜必要な事項を調査し、必要があると認めたときは、総務局長に報告しなければならない。

2　総務局長は、必要があると認めたときは、公印の管理及び使用状況等について局長に報告を求め、又は必要な書類の提出を求めることができる。

附　則

1　この規則は、昭和二十八年九月一日より施行する。

2　東京都公印規程（昭和二十三年十二月東京都告示第八百九十五号）は、廃止する。

3　昭和二十七年十一月東京都告示第千三号附則第二項は、この規則にかかわらず、なお、当分の間その効力を有する。

4　公印台帳用紙及び公印使用簿用紙は、従前の用紙の存する限り、なお、従前のものを使用することができる。

**附　則**（令六・三・二九規則八九）

この規則は、令和六年四月一日から施行する。

**別表・別記様式**〔略〕

# ○東京都印刷物取扱規程

昭二八・一一・二一
訓　令　甲　五　五

最終改正　令四・三・三一訓令二八

**（総則）**

**第一条**　印刷物の作成、配布、保管その他の取扱いについては、別に定めがあるものを除く外この規程の定めるところによる。

**（用語の意義）**

**第二条**　この規程において、次の各号に掲げる用語の意義は、当該各号に定めるところによる。

一　局　東京都組織規程（昭和二十七年東京都規則第百六十四号。以下「組織規程」という。）第八条第一項に規定する本庁の局、室並びに住宅政策本部及び中央卸売市場をいう。

二　所　組織規程別表三に掲げる本庁行政機関（前号に掲げるものを除く。）及び組織規程別表四に掲げる地方行政機関をいう。

三　印刷物　書籍、ポスター、リーフレット、写真、スライド、映画フィルム、ビデオテープ、シー・ディー・ロム等の電磁的方法による記録媒体（以下「電磁的記録媒体」という。）その他一切の印刷物をいう。

四　印刷内容　印刷物の名称、類別、規格、数量、内容、作成目的、配布先、配布方法、有償無償の別、使用期日又は期間、印刷予定価格及び支出科目をいう。

**（作成配布の方針）**

**第三条**　印刷物については、すべて適切な目的のもとに有効性、経済性及び妥当性を十分に考慮して作成配布しなければならない。

2　印刷物については、常にその内容、規格、数量、配布先等を検討し、必要に応じて整理統廃合を行うなど積極的に改善合理化を図るとともに社会経済の動向、都民の要望等に的確に対応するよう努力しなければならない。

**（作成手続）**

**第四条**　印刷物（知事が別に定める特に軽易な印刷物を除く。以下この条から第七条まで及び第九条において同じ。）を作成しようとするときは、印刷物作成の主管課長（課長に準ずる職を含む。以下同じ。）は、印刷内容に、別記第一号様式による仕様書又はこれに準じたもの及び原稿を添えて、軽易な印刷物（知事が別に定める重要な印刷物（以下単に「重要な印刷物」という。）を除いたものをいう。以下同じ。）については当該局又は所の庶務主管課長（総務局にあつては、総務局総務部文書課長（以下「文書課長」という。）。以下「庶務主管課長」という。）に、重要な印刷物については文書課長に協議しなければならない。

2　文書課長は、重要な印刷物のうち知事が別に定める特に重要な印刷物に係る協議を受けた場合において、特に必要があると認めるときは、総務局長が別に定める東京都印刷物委員会に付議することができる。

**（登録）**

**第五条**　文書課長は別記第二号様式による印刷物登録カードを、庶務主管課長は別記第三号様式による印刷物登録台帳を備えなければならない。

2　文書課長は、重要な印刷物について協議を受けた起案文書に、印刷物の類別、印刷番号及び主要刊行物の指定の有無を文書総合管理システムにより記録し、又は別記第四号様式により記載しなければならない。
3　庶務主管課長は、軽易な印刷物について協議を受けた起案文書に、登録番号、主要刊行物の指定の有無及び局名又は所名を文書総合管理システムにより記録し、又は別記第五号様式により記載しなければならない。
4　前二項の場合において、文書課長又は庶務主管課長は、主要な事業概要、調査研究報告書、広報誌等で文書課長が別に定める基準に該当するものについては、主要刊行物に指定しなければならない。
5　契約、支払等に関する起案文書には、印刷番号又は登録番号を文書総合管理システムにより記録し、又は記載しなければならない。ただし、第二項の印刷番号又は第三項の登録番号を記録し、又は記載した決定済みの起案文書を添付した場合は、この限りでない。
6　印刷物には、印刷番号又は登録番号を記載しなければならない。ただし、ポスター、リーフレット、写真、スライド、映画フィルム、ビデオテープ、電磁的記録媒体その他事務用紙類については、記載を省略することができる。

（**整理保管**）

**第六条**　印刷物作成の主管課長は、印刷物作成後直ちに一部を文書課長に送付しなければならない。
2　文書課長は、前項の規定により送付された印刷物を整理保管しなければならない。

（**配布**）

**第七条**　印刷物作成の主管課長は、主要刊行物の活用を促進するため、当該印刷物を次の機関へ配布しなければならない。ただし、公開を適当としないもの又は作成部数の少ないものについては、配布しないこと又は部数を減らして配布することができる。

| | |
|---|---|
| 総務局総務部情報公開課 | 三部 |
| 東京都立中央図書館 | 二部 |
| 東京都議会図書館 | 一部 |
| 総務局人事部人事課 | 一部 |
| 東京都立大学図書館本館 | 一部 |

2　印刷物作成の主管課長は、主要刊行物以外の印刷物で、都民に周知する目的をもつて作成したもの一部を、総務局総務部情報公開課へ配布しなければならない。ただし、スライド、映画フィルム、ビデオテープ及び電磁的記録媒体については、配布を省略することができる。
3　印刷物作成の主管課長は、印刷物の活用を促進するため、その内容、作成目的等を考慮した上で、作成した印刷物を第一項で定める機関及び各区市町村の中心的機能を有する図書館に、可能な限り配布することとする。

（**規格**）

**第八条**　印刷物の規格は、別表に掲げる基準によるものとする。

（**印刷物取扱状況の調査等**）

**第九条**　総務局総務部長（以下「総務部長」という。）は、印刷物の取扱状況について適宜必要な事項を調査しなければならない。
2　前項の規定により調査の際必要があると認めたときは、総務部長は、関係者に報告を求め、又は参考書類の提出を求めることができる。

**別表**（第八条関係）
東京都印刷物規格表

| 類別＼項目 | 内容 | | 基準 寸法 | 基準 活字 | 基準 用紙 | 基準 仕立て | 摘要 |
|---|---|---|---|---|---|---|---|
| 一類 | ページ物の印刷物 | 広報誌（パンフレットを含む。） | A四判 B五判 A五判 | 九ポイント 十ポイント 色刷り数は、四色までとする。 | 中質紙 上質紙 アート紙 グラビア用紙（本文） 上質紙 アート紙（表紙） | 切り付け 仮つづり くるみ表紙 | |
| 二類 | | 都政資料として、保管利用すべき印刷物 | A四判 B五判 A五判 | 九ポイント 十ポイント | ざら紙 中質紙 上質紙（本文） 上質紙 アート紙（表紙） | 切り付け 仮つづり くるみ表紙 | 例 事業概要、年報 調査研究等の結果報告 |
| 三類 | | 一類及び二類以外の印刷物 | A四判 B五判 A五判 A六判 | 八ポイント 九ポイント 十ポイント | ざら紙 中質紙 上質紙 | 切り付け 仮つづり くるみ表紙 加除式 | 例 通達、通知、規程類及び事務指針等 |
| 四類 | ページ物でない印刷物 | | A四判 A五判 B二判 B三判 タブロイド判 | 原稿によって適当に定める。色刷り数は、四色までとする。 | ざら紙 中質紙 上質紙 アート紙 グラビア用紙 | | 例 リーフレット、ポスター、局報等 |
| 五類 | 事務用紙類 | | 適当に定める。 | 適当に定める。 | ざら紙 中質紙 上質紙 | 仮つづり | |
| 六類 | 規格を定め難い印刷物 | | 適当に定める。 | 適当に定める。 | 適当に定める。 | 適当に定める。 | 例 ビデオテープ、シー・ディー・ロム等 |

付記　印刷物を作成するときは、次によること。

一　原則として古紙を再生利用した紙を使用すること。
二　できるだけ紙の使用面積を大きくすること。
三　両面刷りを原則とすること。
四　片面刷りの場合は、片面印刷に適した用紙を使用すること。
五　できるだけ背文字を印刷すること。
六　寸法の定め難いものは、経済的な寸法によって処理することができること。
七　原則として、左横書きとすること。
八　寸法は、日本産業規格（JIS）によること。
九　作成目的等に照らして、この表により難いものは、適当に定めることができること。

**様式**〔略〕

# 第六章　都政情報

## ○東京都情報公開条例

平一一・三・一九
条　例　五

最終改正　令六・一〇・一一条例一〇六

### 第一章　総則

（目的）

**第一条**　この条例は、日本国憲法の保障する地方自治の本旨に即し、公文書の開示を請求する都民の権利を明らかにするとともに情報公開の総合的な推進に関し必要な事項を定め、もって東京都（以下「都」という。）が都政に関し都民に説明する責務を全うするようにし、都民の理解と批判の下に公正で透明な行政を推進し、都民による都政への参加を進めるのに資することを目的とする。

（定義）

**第二条**　この条例において「実施機関」とは、知事、教育委員会、選挙管理委員会、人事委員会、監査委員、公安委員会、労働委員会、収用委員会、海区漁業調整委員会、内水面漁場管理委員会、固定資産評価審査委員会、公営企業管理者、警視総監及び消防総監並びに都が設立した地方独立行政法人（地方独立行政法人法（平成十五年法律第百十八号）第二条第一項に規定する地方独立行政法人をいう。以下同じ。）をいう。

2　この条例において「公文書」とは、実施機関の職員（都が設立した地方独立行政法人の役員を含む。以下同じ。）が職務上作成し、又は取得した文書、図画、写真、フィルム及び電磁的記録（電子的方式、磁気的方式その他人の知覚によっては認識することができない方式で作られた記録をいう。以下同じ。）であって、当該実施機関の職員が組織的に用いるものとして、当該実施機関が保有しているものをいう。ただし、次に掲げるものを除く。

一　官報、公報、白書、新聞、雑誌、書籍その他不特定多数の者に販売することを目的として発行されるもの

二　東京都公文書等の管理に関する条例（平成二十九年東京都条例第三十九号）第二条第四項に規定する特定歴史公文書等

三　東京都規則で定める都の機関等において、歴史的若しくは文化的な資料又は学術研究用の資料として特別の管理がされているもの

（適用除外）

**第二条の二**　法律の規定により、行政機関の保有する情報の公開に関する法律（平成十一年法律第四十二号）の規定を適用しないこととされている書類等については、この条例の規定は、適用しない。

（この条例の解釈及び運用）

**第三条**　実施機関は、この条例の解釈及び運用に当たっては、公文書の開示を請求する都民の権利を十分に尊重するものとする。この場合において、実施機関は、個人に関する情報がみだりに公にされることのないよう最大限の配慮をしなければならない。

（適正な請求及び使用）

**第四条**　この条例の定めるところにより公文書の開示を請求しようとするものは、この条例の目的に即し、適正な請求に努めるとともに、公文書の開示を受けたときは、これによって得た情報を適正に使用しなければならない。

### 第二章　公文書の開示

#### 第一節　公文書の開示

（公文書の開示を請求できるもの）

**第五条**　何人も、実施機関に対して公文書の開示を請求することができる。

（公文書の開示の請求方法）

**第六条**　前条の規定による開示の請求（以下「開示請求」という。）は、実施機関に対して、次の事項を明らかにして東京都規則その他の実施機関が定める規則、規程等（以下「都規則等」という。）で定める方法により行わなければならない。

一　氏名又は名称及び住所又は事務所若しくは事業所の所在地並びに法人その他の団体にあってはその代表者の氏名

二　開示請求に係る公文書を特定するために必要な事項

三　前二号に掲げるもののほか、実施機関が定める事項

2　実施機関は、前項の規定により行われた開示請求に形式上の不備があると認めるときは、開示請求をしたもの（以下「開示請求者」という。）に対し、相当の期間を定めて、その補正を求めることができる。この場合において、実施機関は、開示請求者に対し、補正の参考となる情報を提供するよう努めなければならない。

**（公文書の開示義務）**

**第七条**　実施機関は、開示請求があったときは、開示請求に係る公文書に次の各号のいずれかに該当する情報（以下「不開示情報」という。）が記録されている場合を除き、開示請求者に対し、当該公文書を開示しなければならない。

一　法令及び条例（以下「法令等」という。）の定めるところ又は実施機関が法律若しくはこれに基づく政令により従う義務を有する国の行政機関（内閣府設置法（平成十一年法律第八十九号）第四条第三項に規定する事務をつかさどる機関である内閣府、宮内庁、同法第四十九条第一項若しくは第二項に規定する機関、デジタル庁設置法（令和三年法律第三十六号）第四条第二項に規定する事務をつかさどる機関であるデジタル庁、国家行政組織法（昭和二十三年法律第百二十号）第三条第二項に規定する機関、法律の規定に基づき内閣の所轄の下に置かれる機関又はこれらに置かれる機関をいう。）の指示等により、公にすることができないと認められる情報

二　個人に関する情報（第八号及び第九号に関する情報並びに事業を営む個人の当該事業に関する情報を除く。）で特定の個人を識別することができるもの（他の情報と照合することにより、特定の個人を識別することができることとなるものを含む。）又は特定の個人を識別することはできないが、公にすることにより、なお個人の権利利益を害するおそれがあるもの。ただし、次に掲げる情報を除く。

イ　法令等の規定により又は慣行として公にされ、又は公にすることが予定されている情報

ロ　人の生命、健康、生活又は財産を保護するため、公にすることが必要であると認められる情報

ハ　当該個人が公務員等（国家公務員法（昭和二十二年法律第百二十号）第二条第一項に規定する国家公務員（独立行政法人通則法（平成十一年法律第百三号）第二条第四項に規定する行政執行法人の役員及び職員を除く。）、独立行政法人等（独立行政法人等の保有する情報の公開に関する法律（平成十三年法律第百四十号）第二条第一項に規定する独立行政法人等をいう。以下同じ。）の役員及び職員、地方公務員法（昭和二十五年法律第二百六十一号）第二条に規定する地方公務員並びに地方独立行政法人の役員及び職員をいう。）である場合において、当該情報がその職務の遂行に係る情報であるときは、当該情報のうち、当該公務員等の職及び当該職務遂行の内容に係る部分

三　法人（国、独立行政法人等、地方公共団体及び地方独立行政法人を除く。）その他の団体（以下「法人等」という。）に関する情報又は事業を営む個人の当該事業に関する情報であって、公にすることにより、当該法人等又は当該事業を営む個人の競争上又は事業運営上の地位その他社会的な地位が損なわれると認められるもの。ただし、次に掲げる情報を除く。

イ　事業活動によって生じ、又は生ずるおそれがある危害から人の生命又は健康を保護するために、公にすることが必要であると認められる情報

ロ　違法若しくは不当な事業活動によって生じ、又は生ずるおそれがある支障から人の生活を保護するために、公にすることが必要であると認められる情報

ハ　事業活動によって生じ、又は生ずるおそれがある侵害から消費生活その他都民の生活を保護するために、公にすることが必要であると認められる情報

四　公にすることにより、犯罪の予防、鎮圧又は捜査、公訴の維持、刑の執行その他の公共の安全と秩序の維持に支障を及ぼすおそれがあると実施機関が認めることにつき相当の理由がある情報

五　都の機関並びに国、独立行政法人等、他の地方公共団体及び地方独立行政法人の内部又は相互間における審議、検討又は協議に関する情報であって、公にすることにより、率直な意見の交換若しくは意思決定の中立性が不当に損なわれるおそれ、不当に都民の間に混乱を生じさせるおそれ又は特定の者に不当に利益を与え若しくは不利益を及ぼすおそれがあるもの

六　都の機関又は国、独立行政法人等、他の地方公共団体若しくは地方独立行政法人が行う事務又は事業に関する情報であって、公にすることにより、次に掲げるおそれその他当該事務又は事業の性質上、当該事務又は事業の適正な遂行に支障を及ぼすおそれがあるもの

イ　監査、検査、取締り、試験又は租税の賦課若しくは徴収に係る事務に関し、正確な事実の把握を困難にするおそれ又は違法若しくは不当な行為を容易にし、若しくはその発見を困難にするおそれ

ロ　契約、交渉又は争訟に係る事務に関し、国、独立行政法人等、地方公共団体又は地方独立行政法人の財産上の利益又は当事者としての地位を不当に害するおそれ

ハ　調査研究に係る事務に関し、その公正かつ能率的な遂行を不当に阻害するおそれ

ニ　人事管理に係る事務に関し、公正かつ円滑な人

事の確保に支障を及ぼすおそれ

ホ　独立行政法人等、地方公共団体が経営する企業又は地方独立行政法人に係る事業に関し、その企業経営上又は事業運営上の正当な利益を害するおそれ

ヘ　大学の管理又は運営に係る事務に関し、大学の教育又は研究の自由が損なわれるおそれ

七　都、国、独立行政法人等、他の地方公共団体、地方独立行政法人及び開示請求者以外のもの（以下「第三者」という。）が、実施機関の要請を受けて、公にしないとの条件で任意に提供した情報であって、第三者における通例として公にしないこととされているものその他の当該条件を付することが当該情報の性質、当時の状況等に照らして合理的であると認められるものその他当該情報が公にされないことに対する当該第三者の信頼が保護に値するものであり、これを公にすることにより、その信頼を不当に損なうことになると認められるもの。ただし、人の生命、健康、生活又は財産を保護するため、公にすることが必要であると認められるものを除く。

八　行政手続における特定の個人を識別するための番号の利用等に関する法律（平成二十五年法律第二十七号。以下「番号利用法」という。）第二条第九項に規定する特定個人情報

九　番号利用法第二条第五項に規定する個人番号のうち、死亡した者に係るもの

（**公文書の一部開示**）

**第八条**　実施機関は、開示請求に係る公文書の一部に不開示情報が記録されている場合において、不開示情報に係る部分を容易に区分して除くことができ、かつ、区分して除くことにより当該開示請求の趣旨が損なわれることがないと認められるときは、当該不開示情報に係る部分以外の部分を開示しなければならない。

2　開示請求に係る公文書に前条第二号の情報（特定の個人を識別することができるものに限る。）が記録されている場合において、当該情報のうち、特定の個人を識別することができることとなる記述等の部分を除くことにより、公にしても、個人の権利利益が害されるおそれがないと認められるときは、当該部分を除いた部分は、同号の情報に含まれないものとみなして、前項の規定を適用する。

（**公益上の理由による裁量的開示**）

**第九条**　実施機関は、開示請求に係る公文書に不開示情報（第七条第一号、第八号及び第九号に該当する情報を除く。）が記録されている場合であっても、公益上特に必要があると認めるときは、開示請求者に対し、当該公文書を開示することができる。

（**公文書の存否に関する情報**）

**第十条**　開示請求に対し、当該開示請求に係る公文書が存在しているか否かを答えるだけで、不開示情報を開示することとなるときは、実施機関は、当該公文書の存否を明らかにしないで、当該開示請求を拒否することができる。

（**開示請求に対する決定等**）

**第十一条**　実施機関は、開示請求に係る公文書の全部又は一部を開示するときは、その旨の決定をし、開示請求者に対し、その旨並びに開示をする日時及び場所を書面により通知しなければならない。

2　実施機関は、開示請求に係る公文書の全部を開示しないとき（前条の規定により開示請求を拒否するとき及び開示請求に係る公文書を保有していないときを含む。以下同じ。）は、開示しない旨の決定をし、開示請求者に対し、その旨を書面により通知しなければならない。

（**開示決定等の期限**）

**第十二条**　前条各項の決定（以下「開示決定等」という。）は、開示請求があった日から十四日以内にしなければならない。ただし、第六条第二項の規定により補正を求めた場合にあっては、当該補正に要した日数は、当該期間に算入しない。

2　実施機関は、やむを得ない理由により、前項に規定する期間内に開示決定等をすることができないときは、開示請求があった日から六十日を限度としてその期間を延長することができる。この場合において、実施機関は、開示請求者に対し、速やかに延長後の期間及び延長の理由を書面により通知しなければならない。

3　開示請求に係る公文書が著しく大量であるため、開示請求があった日から六十日以内にそのすべてについて開示決定等をすることにより事務の遂行に著しい支障が生ずるおそれがある場合には、前二項の規定にかかわらず、実施機関は、開示請求に係る公文書のうちの相当の部分につき当該期間内に開示決定等をし、残りの公文書については相当の期間内に開示決定等をすれば足りる。この場合において、実施機関は、第一項に規定する期間内に、開示請求者に対し、次に掲げる事項を書面により通知しなければならない。

一　本項を適用する旨及びその理由

二　残りの公文書について開示決定等をする期限

（**理由付記等**）

**第十三条**　実施機関は、第十一条各項の規定により開示請求に係る公文書の全部又は一部を開示しないときは、開示請求者に対し、当該各項に規定する書面によ

りその理由を示さなければならない。この場合において、当該理由の提示は、開示しないこととする根拠規定及び当該規定を適用する根拠が、当該書面の記載自体から理解され得るものでなければならない。

2 実施機関は、前項の場合において、開示請求に係る公文書が、当該公文書の全部又は一部を開示しない旨の決定の日から一年以内にその全部又は一部を開示することができるようになることが明らかであるときは、その旨を開示請求者に通知するものとする。

（事案の移送）

**第十四条** 実施機関は、開示請求に係る公文書が他の実施機関により作成されたものであるときその他他の実施機関において開示決定等をすることにつき正当な理由があるときは、当該他の実施機関と協議の上、当該他の実施機関に対し、事案を移送することができる。この場合において、移送をした実施機関は、開示請求者に対し、事案を移送した旨を書面により通知しなければならない。

2 前項の規定により事案が移送されたときは、移送を受けた実施機関において、当該開示請求についての開示決定等をしなければならない。この場合において、移送をした実施機関が移送前にした行為は、移送を受けた実施機関がしたものとみなす。

3 前項の場合において、移送を受けた実施機関が第十一条第一項の決定（以下「開示決定」という。）をしたときは、当該実施機関は、開示をしなければならない。この場合において、移送をした実施機関は、当該開示に必要な協力をしなければならない。

4 第一項の規定は、開示請求に係る公文書が東京都議会議会局の職員により作成されたものであるときその他東京都議会議長において開示の決定等をすることにつき正当な理由があるときについて準用する。この場合において、東京都議会議長に対し事案が移送されたときは、開示請求のあった日に、東京都議会議長に対し、東京都議会情報公開条例（平成十一年東京都条例第四号）の規定に基づく公文書の開示の請求があったものとみなす。

（第三者保護に関する手続）

**第十五条** 開示請求に係る公文書に都以外のもの（都が設立した地方独立行政法人を除く。以下同じ。）に関する情報が記録されているときは、実施機関は、開示決定等に先立ち、当該情報に係る都以外のものに対し、開示請求に係る公文書の表示その他実施機関が定める事項を通知して、意見書を提出する機会を与えることができる。

2 実施機関は、次の各号のいずれかに該当するときは、開示決定に先立ち、当該第三者に対し、開示請求に係る公文書の表示その他実施機関が定める事項を書面により通知して、意見書を提出する機会を与えなければならない。ただし、当該第三者の所在が判明しない場合は、この限りでない。

一 第三者に関する情報が記録されている公文書を開示しようとする場合であって、当該情報が第七条第二号ロ又は同条第三号ただし書に規定する情報に該当すると認められるとき。

二 第三者に関する情報が記録されている公文書を第九条の規定により開示しようとするとき。

3 実施機関は、前二項の規定により意見書の提出の機会を与えられた第三者が当該公文書の開示に反対の意思を表示した意見書を提出した場合において、開示決定をするときは、開示決定の日と開示をする日との間に少なくとも二週間を置かなければならない。この場合において、実施機関は、開示決定後直ちに当該意見書（第二十条及び第二十二条において「反対意見書」という。）を提出した第三者に対し、開示決定をした旨及びその理由並びに開示をする日を書面により通知しなければならない。

（公文書の開示の方法）

**第十六条** 公文書の開示は、文書、図画又は写真については閲覧又は写しの交付により、フィルムについては視聴又は写しの交付により、電磁的記録については視聴、閲覧、写しの交付等でその種別、情報化の進展状況等を勘案して都規則等で定める方法により行う。

2 前項の視聴又は閲覧の方法による公文書の開示にあっては、実施機関は、当該公文書の保存に支障を生ずるおそれがあると認めるときその他合理的な理由があるときは、当該公文書の写しによりこれを行うことができる。

（開示手数料）

**第十七条** 実施機関（都が設立した地方独立行政法人を除く。以下この条及び第二十条第一項において同じ。）が前条第一項の規定により公文書の開示を写しの交付の方法により行うときは、別表に定めるところにより開示手数料を徴収する。

2 実施機関が公文書の開示をするため、第十一条第一項に規定する書面により開示をする日時及び場所を指定したにもかかわらず、開示請求者が当該開示に応じない場合に、実施機関が再度、当初指定した日から十四日以上の期間を置いた開示をする日時及び場所を指定し、当該開示に応ずるよう催告をしても、開示請求者が正当な理由なくこれに応じないときは、開示をしたものとみなす。この場合において、開示請求者が公文書の開示を写しの交付の方法により行うことを求めていたときには、別表に定める開示手数料を徴収する。

3　知事及び公営企業管理者は、実施機関が開示決定に係る公文書を不特定多数の者が知り得る方法で実施機関が定めるものにより公にすることを予定し、又は公にするべきであると判断するときは、当該公文書の開示に係る開示手数料を免除する。

4　前項に規定する場合のほか、知事及び公営企業管理者は、特別の理由があると認めるときは、開示手数料を減額し、又は免除することができる。

5　既納の開示手数料は、還付しない。ただし、知事及び公営企業管理者は、特別の理由があると認めるときは、その全部又は一部を還付することができる。

**（都が設立した地方独立行政法人の開示手数料）**

**第十七条の二**　都が設立した地方独立行政法人が第十六条第一項の規定により公文書の開示を写しの交付の方法により行うときは、当該地方独立行政法人の定めるところにより、開示手数料を徴収する。

2　前項の開示手数料の額は、実費の範囲内において、かつ前条第一項の開示手数料の額を参酌して、都が設立した地方独立行政法人が定める。

3　都が設立した地方独立行政法人は、特別の理由があると認めるときは、第一項の開示手数料を減額し、免除し、又はその全部若しくは一部を還付することができる。

4　都が設立した地方独立行政法人は、第一項及び第二項の規定による定めを一般の閲覧に供しなければならない。

**（他の制度等との調整）**

**第十八条**　実施機関は、法令又は他の条例の規定による閲覧若しくは縦覧又は謄本、抄本その他の写しの交付の対象となる公文書（東京都事務手数料条例（昭和二十四年東京都条例第三十号）第二条第十一号に規定する謄本若しくは抄本の交付又は同条第十二号に規定する閲覧の対象となる公文書を含む。）については、公文書の開示をしないものとする。

2　実施機関は、都の図書館等図書、資料、刊行物等を閲覧に供し、若しくは貸し出すことを目的とする施設において管理されている公文書であって、一般に閲覧させ、又は貸し出すことができるとされているもの又はインターネットの利用その他実施機関の定める方法により公表若しくは提供を行っている情報（以下「インターネットによる公表情報等」という。）と同一の情報が記載された公文書については、当該公文書の開示をしないものとする。この場合において、実施機関は、当該公文書の開示を請求しようとするものに対して、当該公文書を閲覧し、若しくは貸出しを受け、又はインターネットによる公表情報等を閲覧するために必要となる情報を提供するものとする。

## 第二節　審査請求

**（審理員による審理手続に関する規定の適用除外）**

**第十九条**　開示決定等若しくは開示請求がこの条例に規定する要件を満たさない等の理由により開示請求を拒否する決定（第二条第二項各号又は第二条の二に規定する適用除外文書である場合又は前条各項に該当するため公文書の開示をしない場合を含む。以下「開示決定等若しくは開示請求拒否決定」という。）又は開示請求に係る不作為についての審査請求は、行政不服審査法（平成二十六年法律第六十八号）第九条第一項本文の規定は、適用しない。

**（審査会への諮問）**

**第二十条**　実施機関がした開示決定等若しくは開示請求拒否決定又は開示請求に係る不作為についての審査請求があった場合は、当該審査請求に係る審査庁は、次に掲げる場合を除き、東京都情報公開審査会に諮問して、当該審査請求についての裁決を行うものとする。

一　審査請求が不適法であり、却下する場合

二　開示決定等（開示請求に係る公文書の全部を開示する旨の決定を除く。以下この号及び第二十三条において同じ。）を取り消し、又は変更し、当該審査請求に係る公文書の全部を開示する場合（当該実施機関がした開示決定等について第三者から反対意見書が提出されているときを除く。）

2　前項の審査庁は、東京都情報公開審査会に対し、速やかに諮問をするよう努めなければならない。

3　前二項の規定による諮問は、行政不服審査法第九条第三項において読み替えて適用する同法第二十九条第二項に規定する弁明書の写しを添えてしなければならない。

**（都が設立した地方独立行政法人に対する審査請求）**

**第二十一条**　都が設立した地方独立行政法人がした開示決定等若しくは開示請求拒否決定又は当該地方独立行政法人に対する開示請求に係る不作為について不服がある者は、当該地方独立行政法人に対し、審査請求をすることができる。この場合においては、前二条の規定を準用する。

**（諮問をした旨の通知）**

**第二十二条**　第二十条（前条において準用する場合を含む。）の規定により諮問をした審査庁又は都が設立した地方独立行政法人（以下「諮問庁」という。）は、次に掲げるものに対し、諮問をした旨を通知しなければならない。

一　審査請求人及び参加人（行政不服審査法第十三条

第四項に規定する参加人をいう。以下この章において同じ。）

二　開示請求者（開示請求者が審査請求人又は参加人である場合を除く。）

三　当該審査請求に係る開示決定等について反対意見書を提出した第三者（当該第三者が審査請求人又は参加人である場合を除く。）

（第三者からの審査請求を棄却する場合等における手続）

**第二十三条**　第十五条第三項の規定は、次の各号のいずれかに該当する裁決をする場合について準用する。

一　開示決定に対する第三者からの審査請求を却下し、又は棄却する裁決

二　審査請求に係る開示決定等を変更し、当該開示決定等に係る公文書を開示する旨の裁決（第三者である参加人が当該公文書の開示に反対の意思を表示している場合に限る。）

（東京都情報公開審査会）

**第二十四条**　第二十条（第二十一条において準用する場合を含む。）に規定する諮問に応じて審議するため、東京都情報公開審査会（以下「審査会」という。）を置く。

2　審査会は、前項に規定する審議を通じて必要があると認めるときは、情報公開に関する事項について、実施機関に意見を述べることができる。

3　審査会は、知事が任命する委員十二人以内をもって組織する。

4　委員の任期は二年とし、補欠委員の任期は前任者の残任期間とする。ただし、再任を妨げない。

5　委員は、職務上知り得た秘密を漏らしてはならない。その職を退いた後も、同様とする。

6　委員は、在任中、政党その他の政治的団体の役員となり、又は積極的に政治運動をしてはならない。

（部会）

**第二十五条**　審査会は、その指名する委員三人以上をもって構成する部会に、審査請求に係る事件について審議させることができる。

（審査会の調査権限）

**第二十六条**　審査会（前条の規定により部会に審議させる場合にあっては部会。以下同じ。）は、必要があると認めるときは、諮問庁に対し、審査請求のあった開示決定等に係る公文書の提示を求めることができる。この場合においては、何人も、審査会に対し、その提示された公文書の開示を求めることができない。

2　諮問庁は、審査会から前項の規定による求めがあったときは、これを拒んではならない。

3　審査会は、必要があると認めるときは、諮問庁に対し、審査請求のあった開示決定等に係る公文書に記録されている情報の内容を審査会の指定する方法により分類し、又は整理した資料を作成し、審査会に提出するよう求めることができる。

4　第一項及び前項に定めるもののほか、審査会は、審査請求に係る事件に関し、審査請求人、参加人又は諮問庁（以下「審査請求人等」という。）に意見書又は資料の提出を求めること、適当と認める者にその知っている事実を陳述させることその他必要な調査をすることができる。

（意見の陳述等）

**第二十七条**　審査会は、審査請求人等から申出があったときは、当該審査請求人等に、口頭で意見を述べる機会を与えることができる。

2　前項の場合においては、審査請求人又は参加人は、審査会の許可を得て、補佐人とともに出頭することができる。

3　審査会は、審査請求人等から申出があったときは、当該審査請求人等に、意見書又は資料の提出を認めることができる。この場合において、審査請求人等は、審査会が意見書又は資料を提出すべき相当の期間を定めたときは、その期間内にこれを提出しなければならない。

4　審査会は、審査請求人等から意見書又は資料が提出された場合、審査請求人等（当該意見書又は資料を提出したものを除く。）にその旨を通知するよう努めるものとする。

（提出資料の閲覧等）

**第二十八条**　審査請求人等は、審査会に対し、第二十六条第三項及び第四項並びに前条第三項の規定により審査会に提出された意見書又は資料の閲覧（電磁的記録（電子的方式、磁気的方式その他人の知覚によっては認識することができない方式で作られる記録であって、電子計算機による情報処理の用に供されるものをいう。以下この項において同じ。）にあっては、記録された事項を審査会が定める方法により表示したものの閲覧）又は写し（電磁的記録にあっては、記録された事項を記載した書面）の交付を求めることができる。この場合において、審査会は、第三者の利益を害するおそれがあると認めるときその他正当な理由があるときでなければ、その閲覧又は写しの交付を拒むことができない。

2　審査会は、前項の規定による閲覧をさせ、又は同項の規定による写しの交付をしようとするときは、当該閲覧又は写しの交付に係る意見書又は資料の提出人の意見を聴かなければならない。ただし、審査会が、そ

の必要がないと認めるときは、この限りでない。

3　審査会は、第一項の規定による閲覧又は写しの交付について、その日時及び場所を指定することができる。

（**審査請求の制限**）

**第二十九条**　この条例の規定による審査会又は委員の処分又はその不作為については、審査請求をすることができない。

（**答申書の送付**）

**第三十条**　審査会は、諮問に対する答申をしたときは、答申書の写しを審査請求人及び参加人に送付するとともに、答申の内容を公表するものとする。

（**審議手続の非公開**）

**第三十一条**　審査会の行う審議の手続は、公開しない。

（**規則への委任**）

**第三十二条**　この条例に定めるもののほか、審査会の組織及び運営に関し必要な事項は、東京都規則で定める。

### 第三節　削除

**第三十三条**　削除

## 第三章　情報公開の総合的な推進

（**情報公開の総合的な推進に関する都等の責務**）

**第三十四条**　都は、前章に定める公文書の開示のほか、情報公表施策及び情報提供施策の拡充を図り、都政に関する正確で分かりやすい情報を都民が迅速かつ容易に得られるよう、情報公開の総合的な推進に努めるものとする。

2　都は、情報収集機能及び情報提供機能の強化並びにこれらの機能の有機的連携の確保並びに実施機関相互間における情報の有効活用等を図るため、総合的な情報管理体制の整備に努めるものとする。

3　都は、情報公開の効果的推進を図るため、特別区及び市町村との協力及び連携に努めるものとする。

4　都が設立した地方独立行政法人は、当該地方独立行政法人が行う事業に関する正確で分かりやすい情報を都民が迅速かつ容易に得られるよう、情報公開の推進に努めるものとする。

（**情報公表制度**）

**第三十五条**　実施機関は、次に掲げる事項に関する情報で当該実施機関が保有するものを公表しなければならない。ただし、当該情報の公表について法令等で別段の定めがあるとき、又は当該情報が第七条各号に規定する不開示情報に該当するときはこの限りでない。

一　都の長期計画その他都規則等で定める重要な基本計画

二　前号の計画のうち、実施機関が定めるものに係る中間段階の案

三　地方自治法（昭和二十二年法律第六十七号）第百三十八条の四第三項に規定する施行機関の附属機関又はこれに類するもので実施機関が定めるもの（以下「附属機関等」という。）の報告書及び議事録並びに当該附属機関等への提出資料

四　実施機関が定める都の主要事業の進行状況

五　その他実施機関が定める事項

2　実施機関は、同一の公文書につき複数回開示請求を受けてその都度開示をした場合等で、都民の利便及び行政運営の効率化に資すると認められるときは、当該公文書において開示した情報を積極的に公表するものとする。

3　前二項の公表の方法は、実施機関が定める。

（**情報提供施策の拡充**）

**第三十六条**　実施機関は、都民に対する自主的広報、都民の需要を踏まえた情報提供及び報道機関への情報提供の充実に努めるとともに、その管理する資料室等都政又は事業に関する情報を提供する施設を一層都民の利用しやすいものにする等情報提供施策の拡充に努めるものとする。

2　前項の情報提供施策の拡充に当たっては、その時々の都民生活における情報化の進展状況を勘案しつつ、情報通信の技術を積極的に活用するものとする。

3　実施機関は、効果的な情報提供を実施するため、広聴機能等情報収集機能を強化し、都民が必要とする情報を的確に把握するよう努めるものとする。

（**出資等法人の情報公開**）

**第三十七条**　都が出資その他財政支出等を行う法人であって、実施機関が定めるもの（以下「出資等法人」という。）は、この条例の趣旨にのっとり情報公開を行うため必要な措置を講ずるよう努めるものとする。

2　実施機関は、出資等法人に対し、前項に定める必要な措置を講ずるよう指導に努めるものとする。

（**公の施設の指定管理者の情報公開**）

**第三十八条**　都の公の施設を管理する指定管理者（地方自治法第二百四十四条の二第三項に規定する指定管理者をいう。以下同じ。）は、この条例の趣旨にのっとり、当該公の施設の管理に関する情報の公開を行うため必要な措置を講ずるよう努めるものとする。

2　実施機関は、都の公の施設の指定管理者に対し、前項に定める必要な措置を講ずるよう指導に努めるものとする。

## 第四章　東京都情報公開・個人情報保護審議会

**（東京都情報公開・個人情報保護審議会）**

**第三十九条**　情報公開制度その他情報公開に関する重要な事項について、実施機関の諮問を受けて審議し、又は実施機関に意見を述べるため、東京都情報公開・個人情報保護審議会（以下「審議会」という。）を置く。

2　審議会は、前項に規定する事項のほか、個人情報の保護に関する法律施行条例（令和四年東京都条例第百三十号）第八条に規定する事項について、都の機関（同条例第三条第一項に規定する都の機関をいう。）の諮問を受けて審議することができる。

3　審議会は、前二項に規定する事項のほか、住民基本台帳法（昭和四十二年法律第八十一号）第三十条の四十第二項（同法第三十条の四十四の十三において準用する場合を含む。）に規定する事項について、調査審議し、及び知事に建議することができる。

4　審議会は、前三項に規定する事項のほか、特定個人情報保護評価に関する規則（平成二十六年特定個人情報保護委員会規則第一号）第七条第四項に規定する事項について、実施機関の諮問を受けて審議することができる。

5　審議会は、知事が任命する委員八人以内をもって組織する。

6　委員の任期は二年とし、補欠委員の任期は前任者の残任期間とする。ただし、再任を妨げない。

7　第四項に規定する事項について調査審議するため特に必要があるときは、審議会に臨時委員を置くことができる。

8　臨時委員は、知事が任命する。

9　臨時委員の任期は、その者の任命に係る事項の調査審議期間とする。

10　審議会は、第三項に規定する事項にあってはその指名する委員三人以上をもって、第四項に規定する事項にあってはその指名する委員又は臨時委員三人以上をもって構成する部会に審議させることができる。

11　前項の規定により行う部会の審議の手続は、公開しないことができる。

12　委員及び臨時委員は、前項の規定に基づき公開しないとされた部会の審議の手続において職務上知り得た秘密を漏らしてはならない。その職を退いた後も、同様とする。

13　前各項で定めるもののほか、審議会の組織及び運営に関し必要な事項は、東京都規則で定める。

## 第五章　雑則

**（文書管理）**

**第四十条**　実施機関は、この条例の適正かつ円滑な運用に資するため、公文書を適正に管理するものとする。

**（文書検索目録等の作成等）**

**第四十一条**　実施機関は、公文書の検索に必要な文書目録を作成し、一般の利用に供するものとする。

2　実施機関は、一般に周知する目的をもって作成した刊行物等について、その目録を作成し、毎年公表するものとする。

**（実施状況の公表）**

**第四十二条**　知事は、毎年一回各実施機関の公文書の開示等についての実施状況をとりまとめ、公表しなければならない。

**（委任）**

**第四十三条**　この条例の施行に関し必要な事項は、都規則等で定める。

**（罰則）**

**第四十四条**　第二十四条第五項又は第三十九条第十二項の規定に違反して秘密を漏らした者は、一年以下の拘禁刑又は五十万円以下の罰金に処する。

### 附　則

**（施行期日）**

1　この条例は、公布の日から起算して一年を超えない範囲内において東京都規則で定める日〔平一二・一・一〕から施行する。

**（経過措置）**

2　この条例の施行の際、この条例による改正前の東京都公文書の開示等に関する条例（以下「旧条例」という。）第六条の規定により、現にされている公文書の開示の請求は、この条例第六条第一項の規定による開示請求とみなす。

3　前項に規定する公文書の開示の請求のうち、この条例第二条第一項の規定により新たに実施機関となる東京都規則で定める行政機関の長（以下「規則で定める長」という。）が保有する公文書の開示の請求については、当該規則で定める長に対してされている開示請求とみなす。

4　この条例の施行の際、現にされている旧条例第十二条に規定する行政不服審査法の規定に基づく不服申立ては、この条例第十九条第一項に規定する同法の規定に基づく不服申立てとみなす。

5　前三項に規定するもののほか、この条例の施行前に旧条例の規定によりした処分、手続その他の行為は、この条例中にこれに相当する規定がある場合には、この条例の相当規定によってしたものとみなす。

6　旧条例第十三条第一項の規定により置かれた東京都公文書開示審査会は、この条例第二十二条第一項の規定により置く審査会となり、同一性をもって存続するものとする。

7　この条例の施行の際、現に旧条例第十三条第三項の規定により東京都公文書開示審査会の委員に任命されている者は、この条例第二十二条第三項の規定により審査会の委員に任命されたものとみなし、その任期は、同条第四項の規定にかかわらず、平成十三年三月三十一日までとする。

8　この条例の施行の際、この条例第二十二条第三項の規定により新たに任命される審査会の委員の任期は、同条第四項の規定にかかわらず、平成十三年三月三十一日までとする。

9　この条例の施行の際、この条例第三十四条第三項の規定により任命される審議会の委員の任期は、同条第四項の規定にかかわらず、平成十三年三月三十一日までとする。

10　旧条例第九条第六号に規定する合議制機関等の議事運営規程又は議決によりその全部又は一部について開示しない旨を定めている情報であって、この条例の公布の日前に開催された当該合議制機関等の会議に係るものが記録されている公文書については、旧条例第九条第六号の規定は、この条例の施行の日以後も、なおその効力を有する。

11　実施機関は、前項に規定する情報が記録されている公文書について、可能な限り情報の公開が行われるよう、適切な措置を講ずることに努めるものとする。

**附　則**（平二九・六・一四条例四九）

**（施行期日）**

1　この条例は、平成二十九年七月一日から施行する。

**（経過措置）**

2　この条例の施行の際、この条例による改正前の東京都情報公開条例（以下「旧条例」という。）第五条の規定により現にされている公文書の開示の請求のうち、旧条例第十一条の規定による処分のなされていないものについては、この条例による改正後の東京都情報公開条例の規定を適用する。

**附　則**（令六・三・二九条例四）

1　この条例は、行政手続における特定の個人を識別するための番号の利用等に関する法律等の一部を改正する法律（令和五年法律第四十八号。以下「令和五年改正法」という。）の施行の日〔令六・五・二七〕又はこの条例の公布の日（以下「公布日」という。）のいずれか遅い日から施行する。ただし、次項の規定は、公布日から施行する。

2　令和五年改正法の施行の日が、情報通信技術の活用による行政手続等に係る関係者の利便性の向上並びに行政運営の簡素化及び効率化を図るための行政手続等における情報通信の技術の利用に関する法律等の一部を改正する法律（令和元年法律第十六号）附則第一条第十号に規定する日又は公布日のいずれか遅い日後となる場合には、同日から令和五年改正法の施行の日の前日までの間におけるこの条例による改正前の東京都情報公開条例第三十九条第三項の規定の適用については、同項中「第三十条の四十第二項」とあるのは、「第三十条の四十第二項（同法第三十条の四十四の十二において準用する場合を含む。）」とする。

**附　則**（令六・一〇・一一条例一〇六）

1　この条例は、令和七年六月一日から施行する。ただし、第七条第八号の改正規定は、情報通信技術の活用による行政手続等に係る関係者の利便性の向上並びに行政運営の簡素化及び効率化を図るためのデジタル社会形成基本法等の一部を改正する法律（令和六年法律第四十六号）附則第一条第二号に規定する日〔令和六年六月七日から起算して一年を超えない範囲内において政令で定める日〕から施行する。

2　この条例の施行前にした行為に対する罰則の適用については、なお従前の例による。

**別表**（第十七条関係）

| 公文書の種類 | | 開示手数料の金額 | 徴収時期 |
|---|---|---|---|
| 文書、図画及び写真 | | 写し（単色刷り）一枚につき　十円 | 写しの交付のとき。 |
| | | 写し（多色刷り）一枚につき　二十円 | 写しの交付のとき。 |
| | | スキャナにより読み取ってできた電磁的記録を複写した光ディスク（日本産業規格X〇六〇六及びX六二八一又はX六二四一に適合する直径百二十ミリメートルの光ディスクの再生装置で再生することが可能なものに限る。以下同じ。）一枚につき　百円 | 写しの交付のとき。 |
| フィルム | マイクロフィルム | 印刷物として出力したもの（単色刷り）一枚につき　十円 | 写しの交付のとき。 |
| | | 印刷物として出力したもの（多色刷り）一枚につき　二十円 | 写しの交付のとき。 |
| 電磁的記録 | ビデオテープ | 複写したビデオテープ一巻につき　二百九十円 | 写しの交付のとき。 |
| | 録音テープ | 複写した録音テープ一巻につき　百五十円 | 写しの交付の |

| | | とき。 |
|---|---|---|
| その他の電磁的記録（パーソナルコンピュータで作成されたものに限る。） | 印刷物として出力したもの（単色刷り）一枚につき　十円 | 写しの交付のとき。 |
| | 印刷物として出力したもの（多色刷り）一枚につき　二十円 | 写しの交付のとき。 |
| | 複写した光ディスク一枚につき　百円 | 写しの交付のとき。 |

備考

一　用紙の両面に印刷された文章、図画等については、片面を一枚として算定する。

二　公文書の写し（マイクロフィルム及び電磁的記録の場合においては、印刷物として出力したもの）を交付する場合は、原則として日本産業規格A列三番までの用紙を用いるものとするが、これを超える規格の用紙を用いたときの写しの枚数は、日本産業規格A列三番による用紙を用いた場合の枚数に換算して算定する。

三　フィルム（マイクロフィルムを除く。）の写しを交付する場合及び電磁的記録の写しの交付においてこの表に掲げる開示手数料の金額によりがたい場合には、東京都規則で定めるところにより写しの交付に係る費用を徴収する。

# ○個人情報の保護に関する法律施行条例

令四・一二・二三
条例一三〇

改正　令六・一〇・一一条例一〇七

（趣旨）

**第一条**　この条例は、個人情報の保護に関する法律（平成十五年法律第五十七号。以下「法」という。）の施行に関し、必要な事項を定めるものとする。

（用語の意義）

**第二条**　この条例で使用する用語の意義は、法で使用する用語の例による。

（登録簿）

**第三条**　東京都（以下「都」という。）の機関（議会を除く。以下同じ。）及び都が設立した地方独立行政法人をいう。以下同じ。）は、保有個人情報を取り扱う事務について、次に掲げる事項を記載した帳簿（以下「登録簿」という。）を備え付けなければならない。

一　保有個人情報を取り扱う事務の名称

二　保有個人情報を取り扱う組織の名称

三　保有個人情報を取り扱う事務の目的

四　保有個人情報の記録項目

五　保有個人情報の対象者の範囲

六　前各号に掲げるもののほか、東京都規則で定める事項

2　都の機関等は、前項に規定する事務を開始しようとするときは、あらかじめ、当該事務について前項各号に掲げる事項を登録簿に記載しなければならない。当該事務を変更しようとするときも、同様とする。

3　都の機関等は、登録簿を公表し、かつ、一般の閲覧に供しなければならない。

（開示請求書）

**第四条**　開示請求書には、法第七十七条第一項各号に掲げる事項のほか、東京都規則で定める事項を記載するものとする。

（不開示情報）

**第五条**　法第七十八条第二項の規定により読み替えて適用する同条第一項の不開示とする必要があるものとして条例で定めるものは、東京都情報公開条例（平成十一年東京都条例第五号。以下「情報公開条例」という。）第七条第七号から第九号までに掲げる情報とする。この場合において、同条第七号中「実施機関」とあるのは「都の機関等」と、「公に」とあるのは「開示」と、同条第八号中「特定個人情報」とあるのは「特定個人情報（他人（自己と同一の世帯に属する者以外の者をいう。）の特定個人情報に限る。）」とする。

（開示請求に係る手数料）

**第六条**　法第八十九条第二項の規定により納付しなければならない手数料の額は、零円とする。

2　前項の規定にかかわらず、都の機関が法第八十七条第一項の規定により保有個人情報の開示を写しの交付の方法により行うときは、情報公開条例第十七条第一項及び第四項の規定を準用する。この場合において、同条第一項中「実施機関（都が設立した地方独立行政法人を除く。以下この条及び第二十条第一項において同じ。）」とあるのは「法第八十七条第一項」と、「前条第一項」とあるのは「都の機関」と、「公文書」とあるのは「保有個人情報」と、「別表」とあるのは

「情報公開条例別表」と、同条第四項中「前項に規定する場合のほか、知事」とあるのは「知事」と読み替えるものとする。

（行政機関等匿名加工情報の利用に係る手数料）

**第七条**　法第百十九条第三項の規定により納付しなければならない手数料の額は、二万一千円に次に掲げる額の合計額を加算した額とする。

一　行政機関等匿名加工情報の作成に要する時間一時間までごとに三千九百五十円

二　行政機関等匿名加工情報の作成の委託を受けた者に対して支払う額（当該委託をする場合に限る。）

2　法第百十九条第四項の規定により納付しなければならない手数料の額は、次の各号に掲げる行政機関等匿名加工情報の利用に関する契約を締結する者の区分に応じ、それぞれ当該各号に定める額とする。

一　次号に掲げる者以外の者　前項に規定する手数料の額と同一の額

二　法第百十五条（法第百十八条第二項において準用する場合を含む。）の規定により当該行政機関等匿名加工情報の利用に関する契約を締結した者　一万二千六百円

（審議会への諮問）

**第八条**　都の機関は、法第三章第三節の施策を講ずる場合その他次の各号のいずれかに該当する場合において、個人情報の適正な取扱いを確保するため専門的な知見に基づく意見を聴くことが特に必要であると認めるときは、情報公開条例第三十九条第一項に規定する東京都情報公開・個人情報保護審議会に諮問することができる。

一　この条例を改正し、又は廃止しようとする場合

二　法第六十六条第一項の規定に基づき講ずる措置の基準を定めようとする場合

三　前二号に掲げる場合のほか、都の機関における個人情報の取扱いに関する運用上の細則を定めようとする場合

（委任）

**第九条**　この条例に定めるもののほか、法及びこの条例の施行について必要な事項は、東京都規則その他の都の機関等が定める規則、規程等で定める。

附　則（抄）

（施行期日）

**第一条**　この条例は、令和五年四月一日から施行する。

（経過措置）

**第三条**　この条例の施行の際現に前条の規定による廃止前の東京都個人情報の保護に関する条例（以下「旧個人情報保護条例」という。）第二条第一項に規定する実施機関（以下単に「実施機関」という。）の職員である者又はこの条例の施行の日（以下「施行日」という。）前に実施機関の職員であった者に係る旧個人情報保護条例第三条第二項の規定による職務上知り得た個人情報（旧個人情報保護条例第二条第二項に規定する個人情報をいう。次項において同じ。）をみだりに他人に知らせ、又は不当な目的に利用してはならない義務については、なお従前の例による。

2　この条例の施行の際現に旧個人情報保護条例第九条第二項に規定する受託事務に従事している者若しくは施行日前に当該事務に従事していた者又はこの条例の施行の際現に同項に規定する指定管理者に係る公の施設の管理事務に従事している者若しくは施行日前に当該事務に従事していた者に係る同項の規定によるその事務に関して知り得た個人情報をみだりに他人に知らせ、又は不当な目的に使用してはならない義務については、なお従前の例による。

3　施行日前に旧個人情報保護条例第十二条、第十八条若しくは第二十一条の三の規定による請求がされた場合における旧個人情報保護条例第五章及び第六章（第二十五条から第二十五条の九までを除く。）の規定又は前条の規定による廃止前の東京都特定個人情報の保護に関する条例（以下「旧特定個人情報保護条例」という。）第二十六条、第三十五条若しくは第四十一条の規定による請求がされた場合における旧特定個人情報保護条例第五章及び第六章の規定の適用については、なお従前の例による。この場合において、旧個人情報保護条例第二十四条の二第一項及び第二項（旧特定個人情報保護条例第四十七条において準用する場合を含む。）中「東京都個人情報保護審査会」とあるのは「行政不服審査法（平成二十六年法律第六十八号）第八十一条第一項の機関」と読み替えるものとする。

4　施行日前に旧個人情報保護条例第二十五条第一項に規定する東京都個人情報保護審査会の委員であった者に係る同条第四項の規定による職務上知り得た秘密を漏らしてはならない義務については、なお従前の例による。

5　次に掲げる者が、正当な理由がないのに、旧個人情報保護条例第二条第三項に規定する保有個人情報（施行日前に実施機関が保有していたものであって、個人の秘密に属する事項を含むものに限る。）を含む情報の集合物であって、一定の事務の目的を達成するために特定の同項に規定する保有個人情報を電子計算機を用いて検索することができるように体系的に構成したもの（その全部又は一部を複製し、又は加工したものを含む。）を施行日以後に提供したときは、二年以下の拘禁刑又は百万円以下の罰金に処する。

一　この条例の施行の際現に実施機関の職員である者又は施行日前に実施機関の職員であった者

二　第二項に掲げる者

6　前項各号に掲げる者が、その業務に関して知り得た旧個人情報保護条例第二条第三項に規定する保有個人情報（施行日前に実施機関が保有していたものに限る。）を施行日以後に自己若しくは第三者の不正な利益を図る目的で提供し、又は盗用したときは、一年以下の拘禁刑又は五十万円以下の罰金に処する。

7　第四項に規定する者が、その職務上知り得た秘密を施行日以後に漏らしたときは、一年以下の拘禁刑又は五十万円

以下の罰金に処する。

**第四条**　この条例の施行前にした行為に対する罰則の適用については、なお従前の例による。

**附　則**（令六・一〇・一一条例一〇七）

1　この条例は、令和七年六月一日から施行する。

2　この条例の施行前にした行為に対する罰則の適用については、なお従前の例による。

# ○東京都個人情報保護審査会条例

令四・一二・二二
条　例　一　三　一

改正　令六・一〇・一一条例一〇八

## 第一章　総則

（趣旨）

**第一条**　この条例は、東京都個人情報保護審査会の設置、組織、調査審議の手続等について定めるものとする。

## 第二章　設置及び組織

（設置等）

**第二条**　行政不服審査法（平成二十六年法律第六十八号）第八十一条第一項の規定に基づき、個人情報の保護に関する法律（平成十五年法律第五十七号。以下「法」という。）第百五条第三項において準用する同条第一項の規定による諮問に応じ審査請求について調査審議させるため、知事の附属機関として、東京都個人情報保護審査会（以下「審査会」という。）を置く。

2　東京都（以下「都」という。）の機関等（都の機関（議会を除く。以下同じ。）及び都が設立した地方独立行政法人をいう。以下同じ。）による前項の諮問は、審査会に対して行うものとし、行政不服審査法施行条例（平成二十七年東京都条例第百二十六号）の規定は、適用しない。

（組織）

**第三条**　審査会は、委員十二人以内をもって組織する。

（委員）

**第四条**　委員は、地方自治及び個人情報の保護に関して優れた識見を有する者のうちから、知事が任命する。

2　委員の任期は二年とし、補欠委員の任期は前任者の残任期間とする。

3　委員は、再任されることができる。

4　知事は、委員が心身の故障のため職務の執行ができないと認める場合又は委員に職務上の義務違反その他委員たるに適しない非行があると認める場合には、その委員を罷免することができる。

5　委員は、職務上知り得た秘密を漏らしてはならない。その職を退いた後も同様とする。

6　委員は、在任中、政党その他の政治的団体の役員となり、又は積極的に政治運動をしてはならない。

（会長）

**第五条**　審査会に会長を置き、委員の互選によりこれを定める。

2　会長は、審査会を代表し、会務を総理する。

3　会長に事故があるとき、又は会長が欠けたときは、会長があらかじめ指名する委員がその職務を代理する。

（部会）

**第六条**　審査会は、その指名する委員三人以上をもって構成する部会に、審査請求に係る事件について調査審議させることができる。

## 第三章　審査会の調査審議の手続

（定義）

**第七条**　この章において「諮問庁」とは、法第百五条第三項において準用する同条第一項の規定により審査会に諮問をした都の機関等をいう。

2　この章において「保有個人情報」とは、法第七十八条第一項第四号、第九十四条第一項又は第百二条第一項に規定する開示決定等、訂正決定等又は利用停止決定等に係る法第六十条第一項に規定する保有個人情報をいう。

（審査会の調査権限）

**第八条**　審査会（第六条の規定により部会に調査審議させる場合にあっては、部会。以下この章において同じ。）は、必要があると認めるときは、諮問庁に対し、保有個人情報の提示を求めることができる。この場合においては、何人も、審査会に対し、その提示された保有個人情報の開示を求めることができない。

2　諮問庁は、審査会から前項の規定による求めがあったときは、これを拒んではならない。

3　審査会は、必要があると認めるときは、諮問庁に対し、保有個人情報に含まれている情報の内容を審査会の指定する方法により分類し、又は整理した資料を作成し、審査会に提出するよう求めることができる。

（委員による調査手続）

**第九条**　審査会は、必要があると認めるときは、その指名する委員に、前条第一項の規定により提示された保有個人情報を閲覧させることができる。

（提出資料の写しの送付等）

**第十条**　審査会は、第八条第三項の規定による資料の提出又は法第百六条第二項の規定により読み替えて適用される行政不服審査法第八十一条第三項において準用する同法第七十四条若しくは同項において準用する同法第七十六条の規定による主張書面若しくは資料の提出があったときは、当該資料等の写し（電磁的記録（電子的方式、磁気的方式その他人の知覚によっては認識することができない方式で作られる記録であって、電子計算機による情報処理の用に供されるものをいう。以下同じ。）にあっては、当該電磁的記録に記録された事項を記載した書面）を当該資料等を提出した審査請求人等（審査請求人、参加人（同法第十三条第四項に規定する参加人をいう。）又は諮問庁をいう。以下同じ。）以外の審査請求人等に送付するものとする。ただし、第三者の利益を害するおそれがあると認められるとき、その他正当な理由があるときは、この限りでない。

2　審査会は、前項の規定による送付をしようとするときは、当該送付に係る資料等を提出した審査請求人等の意見を聴かなければならない。ただし、審査会が、その必要がないと認めるときは、この限りでない。

（調査審議手続の非公開）

**第十一条**　審査会の行う調査審議の手続は、公開しない。

## 第四章　雑則

（委任）

**第十二条**　この条例に定めるもののほか、審査会の運営に関し必要な事項は、会長が審査会に諮って定める。

（罰則）

**第十三条**　第四条第五項の規定に違反して秘密を漏らした者は、一年以下の拘禁刑又は五十万円以下の罰金に処する。

### 附　則

（施行期日）

**第一条**　この条例は、令和五年四月一日から施行する。

（経過措置）

**第二条**　この条例の施行の日前に個人情報の保護に関する法律施行条例（令和四年東京都条例第百三十号）附則第二条の規定による廃止前の東京都個人情報の保護に関する条例（平成二年東京都条例第百十三号。以下「旧条例」という。）第二十四条の二（旧条例第二十四条の三において準用する場合を含む。以下同じ。）の規定により旧条例第二十五条第一項に規定する東京都個人情報保護審査会にされた諮問については、審査会にされたものとみなし、この条例の規定を適用する。

2　個人情報の保護に関する法律施行条例附則第三条第三項に規定する請求に関する旧条例第二十四条の二の規定による諮問は、審査会に対して行うものとする。この場合において、当該諮問については、法第百五条第三項において準用する同条第一項の規定による諮問とみなし、この条例の規定を適用する。

### 附　則（令六・一〇・一一条例　〇八）

1　この条例は、令和七年六月一日から施行する。

2　この条例の施行前にした行為に対する罰則の適用については、なお従前の例による。

# ○政治倫理の確立のための東京都知事の資産等の公開に関する条例

平六・一〇・六
条例一〇八

最終改正　平二六・七・二条例九八

（目的）

**第一条**　この条例は、政治倫理の確立のための国会議員の資産等の公開等に関する法律（平成四年法律第百号）第七条の規定に基づき、東京都知事（以下「知事」という。）の資産等の公開に関し必要な事項を定めることを目的とする。

**（資産等報告書等の作成）**

**第二条**　知事は、その任期開始の日（再選挙により知事となった者にあってはその選挙の期日とし、公職選挙法（昭和二十五年法律第百号）第二百五十九条の二の規定の適用がある者にあっては当該者の退職の申立てがあったことにより告示された選挙の期日とし、更正決定又は繰上補充により当選人と定められた知事にあってはその当選の効力発生の日とする。次項において同じ。）において有する次の各号に掲げる資産等について、当該資産等の区分に応じ当該各号に掲げる事項を記載した資産等報告書を、同日から起算して百日を経過する日までに、作成しなければならない。

一　土地（信託している土地（自己が帰属権利者であるものに限る。）を含む。）　所在、面積及び固定資産税の課税標準額並びに相続（被相続人からの遺贈を含む。以下同じ。）により取得した場合は、その旨

二　建物の所有を目的とする地上権又は土地の賃借権　当該権利の目的となっている土地の所在及び面積並びに相続により取得した場合は、その旨

三　建物　所在、床面積及び固定資産税の課税標準額並びに相続により取得した場合は、その旨

四　預金（当座預金及び普通預金を除く。）及び貯金（普通貯金を除く。）　預金及び貯金の額

五　有価証券（金融商品取引法（昭和二十三年法律第二十五号）第二条第一項及び第二項に規定する有価証券に限る。）　種類及び種類ごとの額面金額の総額（株券にあっては、株式の銘柄及び株数）

六　自動車、船舶、航空機及び美術工芸品（取得価格が百万円を超えるものに限る。）　種類及び数量

七　ゴルフ場の利用に関する権利（譲渡することができるものに限る。）　ゴルフ場の名称

八　貸付金（生計を一にする親族に対するものを除く。）　貸付金の額

九　借入金（生計を一にする親族からのものを除く。）　借入金の額

2　知事は、その任期開始の日後毎年新たに有することとなった前項各号に掲げる資産等であって十二月三十一日において有するもの及び同日までに有しないこととなった同項各号に掲げる資産等について、当該資産等の区分に応じ同項各号に掲げる事項を記載した資産等補充報告書を、その翌年の四月一日から同月三十日までの間に、作成しなければならない。

**（所得等報告書の作成）**

**第三条**　知事（前年一年間を通じて知事であった者（任期満了により知事でない期間がある者で当該任期満了による選挙により再び知事となったものにあっては、当該知事でない期間を除き前年一年間を通じて知事であった者）に限る。）は、次の各号に掲げる金額及び課税価格を記載した所得等報告書を、毎年、四月一日から同月三十日までの間（当該期間内に任期満了により知事でない期間がある者で当該任期満了による選挙により再び知事となったものにあっては、同月一日から再び知事となった日から起算して三十日を経過する日までの間）に、作成しなければならない。

一　前年分の所得について同年分の所得税が課される場合における当該所得に係る次に掲げる金額（当該金額が百万円を超える場合にあっては、当該金額及びその基因となった事実）

イ　総所得金額（所得税法（昭和四十年法律第三十三号）第二十二条第二項に規定する総所得金額をいう。）及び山林所得金額（同条第三項に規定する山林所得金額をいう。）に係る各種所得の金額（同法第二条第一項第二十二号に規定する各種所得の金額をいう。）

ロ　租税特別措置法（昭和三十二年法律第二十六号）の規定により、所得税法第二十二条の規定にかかわらず、他の所得と区分して計算された所得の金額であって東京都規則（以下「規則」という。）で定めるもの

二　前年中において贈与により取得した財産について同年分の贈与税が課される場合における当該財産に係る贈与税の課税価格（相続税法（昭和二十五年法律第七十三号）第二十一条の二に規定する贈与税の課税価格をいう。）

**（関連会社等報告書の作成）**

**第四条**　知事は、毎年、四月一日において報酬を得て会

社その他の法人（法人でない社団又は財団で代表者又は管理人の定めがあるものを含む。以下この条において同じ。）の役員、顧問その他の職に就いている場合には、当該会社その他の法人の名称及び住所並びに当該職名を記載した関連会社等報告書を、同月二日から同月三十日までの間（当該期間内に任期満了による任期終了により知事でない期間がある者で当該任期満了による選挙により再び知事となったものにあっては、同月二日から再び知事となった日から起算して三十日を経過する日までの間）に、作成しなければならない。

**（資産等報告書等の保存及び閲覧）**

**第五条**　前三条の規定により作成された資産等報告書及び資産等補充報告書、所得等報告書並びに関連会社等報告書は、知事において、これらを作成すべき期間の末日の翌日から起算して五年を経過する日まで保存しなければならない。

2　何人も、知事に対し、前項の規定により保存されている資産等報告書及び資産等補充報告書、所得等報告書並びに関連会社等報告書の閲覧を請求することができる。

**（委任）**

**第六条**　この条例に規定するもののほか、知事の資産等の公開に関し必要な事項は、規則で定める。

**附　則**

1　この条例は、規則で定める日〔平七・一・一〕から施行する。

2　この条例の施行の日において知事である者は、同日において有する第二条第一項各号に掲げる資産等について、当該資産等の区分に応じ当該各号に掲げる事項を記載した資産等報告書を、同日から起算して百日を経過する日までに作成しなければならない。

3　前項の規定により作成された資産等報告書については、第五条の規定を準用する。

**附　則**（平一九・七・四条例八六）

**（施行期日）**

1　この条例は、証券取引法等の一部を改正する法律（平成十八年法律第六十五号）第三条の施行の日〔平一九・九・三〇〕から施行する。ただし、第二条第一項第四号の改正規定は、平成十九年十月一日（以下「一部施行日」という。）から施行する。

**（経過措置）**

2　この条例による改正後の政治倫理の確立のための東京都知事の資産等の公開に関する条例第二条第一項第四号の規定の適用については、一部施行日前に有していた郵便貯金（通常郵便貯金を除く。）及び郵政民営化法等の施行に伴う関係法律の整備等に関する法律（平成十七年法律第百二号）附則第三条に規定する旧郵便貯金（通常郵便貯金を除く。）は、預金とみなす。

**附　則**（平二六・七・二条例九八）

この条例は、公布の日から施行する。

# ○東京デジタルファースト条例

平六・一二・二四
条例一四七

改正　令二・一〇・一五条例八七

**（目的）**

**第一条**　この条例は、都民及び事業者があらゆる活動において先端的な技術をはじめとする情報通信技術の便益を享受できる社会が実現されるよう、デジタルファーストを旨とした情報通信技術を活用した行政の推進について、その基本原則及び情報システムの整備、情報通信技術の利用のための能力又は利用の機会における格差の是正その他の情報通信技術を利用する方法により手続等を行うために必要となる事項を定めることにより、手続等に係る関係者の利便性の向上、行政運営の簡素化及び効率化並びに社会経済活動の更なる円滑化を図り、もって都民生活の向上及び都民経済の健全な発展に寄与することを目的とする。

**（定義）**

**第二条**　この条例において、次の各号に掲げる用語の意義は、当該各号に定めるところによる。

一　条例等　条例並びに東京都規則、地方自治法（昭和二十二年法律第六十七号）第百三十八条の四第二項に規定する規程及び地方公営企業法（昭和二十七年法律第二百九十二号）第十条に規定する企業管理規程並びにその他の申請、届出その他の手続に係る都の機関等が定める根拠となる規定（次号ニに掲げる者にあっては、東京都（以下「都」という。）の公の施設の管理に関する手続に係るものに限る。）をいう。

二　都の機関等　次に掲げるものをいう。

イ　地方自治法第七章の規定に基づいて置かれる都の執行機関、東京都公営企業組織条例（昭和二十七年東京都条例第八十一号）第一条に規定する局、警視庁（警察署を含む。）、東京消防庁（消防署を含む。）又はこれらに置かれる機関

ロ　イに掲げる機関の職員であって法令又は条例等により独立に権限を行使することを認められたもの

ハ　都が設立した地方独立行政法人（地方独立行政法人法（平成十五年法律第百十八号）第二条第一項に規定する地方独立行政法人をいう。）

ニ　都の公の施設を管理する指定管理者（地方自治法第二百四十四条の二第三項に規定する指定管理者をいう。）

三　書面等　書面、書類、文書、謄本、抄本、正本、副本、複本その他文字、図形その他の人の知覚によって認識することができる情報が記載された紙その他の有体物をいう。

四　署名等　署名、記名、自署、連署、押印その他氏名又は名称を書面等に記載することをいう。

五　電磁的記録　電子的方式、磁気的方式その他人の知覚によっては認識することができない方式で作られる記録であって、電子計算機による情報処理の用に供されるものをいう。

六　申請等　申請、届出その他の法令又は条例等の規定に基づき都の機関等に対して行われる通知をいう。この場合において、経由機関（条例等の規定に基づき都の機関等以外の者を経由して行われる申請等における当該都の機関等以外の者をいう。以下この号において同じ。）があるときは、当該申請等については、当該申請等をする者から経由機関に対して行われるもの及び経由機関から他の経由機関又は当該申請等を受ける都の機関等に対して行われるもののごとに、それぞれ別の手続とみなして、この条例の規定を適用する。

七　処分通知等　処分（行政庁の処分その他公権力の行使に当たる行為をいう。）の通知その他の法令又は条例等の規定に基づき都の機関等が行う通知（不特定の者に対して行うものを除く。）をいう。この場合において、経由機関（条例等の規定に基づき都の機関等以外の者を経由して行う処分通知等における当該都の機関等以外の者をいう。以下この号において同じ。）があるときは、当該処分通知等については、当該処分通知等を行う都の機関等が経由機関に対して行うもの及び経由機関が他の経由機関又は当該処分通知等を受ける者に対して行うもののごとに、それぞれ別の手続とみなして、この条例の規定を適用する。

八　縦覧等　法令又は条例等の規定に基づき都の機関等が書面等又は電磁的記録に記録されている事項を縦覧又は閲覧に供することをいう。

九　作成等　法令又は条例等の規定に基づき都の機関等が書面等又は電磁的記録を作成し、又は保存することをいう。

十　手続等　申請等、処分通知等、縦覧等又は作成等をいう。

**（基本原則）**

**第三条**　情報通信技術を活用した行政の推進に当たっては、情報通信技術の利用のための能力又は知識経験が十分でない者に対する適正な配慮がされることを確保しつつ、手続等及びこれに関連する都の機関等の事務の処理に係る一連の行程が情報通信技術を利用して行われるようにすることとし、あわせて、手続等に係る関係者が相互に連携することにより、当該手続等に係る情報を共有して当該情報と同一の内容の情報の提供を要しないものとすること及び手続等を一括して行うことができるようにすることを基本原則とするデジタルファーストを旨として行われなければならない。

**（推進計画）**

**第四条**　知事は、情報通信技術を利用して行われる手続等に係る都の機関（第二条第二号イ及びロに掲げるものをいう。以下同じ。）の情報システム（次条第四項を除き、以下単に「情報システム」という。）の整備その他情報通信技術を活用した行政の推進を図るために必要な施策を総合的かつ計画的に実施するため、情報通信技術を活用した行政の推進に関する計画（以下「推進計画」という。）を定めなければならない。

2　推進計画は、次に掲げる事項について定めるものとする。

一　計画期間

二　情報通信技術を活用した行政の推進に関する基本的な方針

三　対象となる手続等の範囲

四　情報通信技術を活用した行政の推進に関する内容

3　知事は、推進計画を定めるに当たっては、都民及び事業者の意見を反映することができるよう必要な措置を講ずるものとする。

4　知事は、推進計画を定めたときは、遅滞なく、これを公表しなければならない。

5　前二項の規定は、推進計画の変更（軽微な変更を除

く。）について準用する。

**（都の機関等による情報システムの整備等）**

**第五条**　都の機関は、推進計画に従って情報システムの整備その他情報通信技術を活用した行政の推進を図るために必要な施策（第三項において「情報システムの整備等」という。）を実施しなければならない。

2　都の機関は、前項の規定による情報システムの整備に当たっては、当該情報システムの安全性及び信頼性を確保するために必要な措置を講じなければならない。

3　都の機関は、情報システムの整備等の実施に当たっては、これと併せて、当該情報システムの整備等に係る手続等及びこれに関連する都の機関等の事務の簡素化又は合理化その他の見直しを行うものとする。

4　第二条第二号ハ及びニに掲げる者は、前三項の規定に準じて、情報通信技術を利用して行われる手続等に係る当該者の情報システムの整備その他の情報通信技術を活用した行政の推進を図るために必要な施策を実施するよう努めるものとする。

**（電子情報処理組織による申請等）**

**第六条**　申請等のうち当該申請等に関する他の条例等の規定により書面等により行うことその他のその方法が規定されているものについては、当該条例等の規定にかかわらず、東京都規則で定めるところにより、東京都規則で定める電子情報処理組織（都の機関等の使用に係る電子計算機（入出力装置を含む。以下同じ。）とその手続等の相手方の使用に係る電子計算機とを電気通信回線で接続した電子情報処理組織をいう。第十四条を除き、以下同じ。）を使用する方法により行うことができる。

2　前項の電子情報処理組織を使用する方法により行われた申請等については、当該申請等に関する他の条例等の規定に規定する方法により行われたものとみなして、当該条例等その他の当該申請等に関する条例等の規定を適用する。

3　第一項の電子情報処理組織を使用する方法により行われた申請等は、当該申請等を受ける都の機関等の使用に係る電子計算機に備えられたファイルへの記録がされた時に当該都の機関等に到達したものとみなす。

4　申請等のうち当該申請等に関する他の条例等の規定により署名等をすることが規定されているものを第一項の電子情報処理組織を使用する方法により行う場合には、当該署名等については、当該条例等の規定にかかわらず、電子情報処理組織を使用した個人番号カード（行政手続における特定の個人を識別するための番号の利用等に関する法律（平成二十五年法律第二十七号）第二条第七項に規定する個人番号カードをいう。第十一条において同じ。）の利用その他の氏名又は名称を明らかにする措置であって東京都規則で定めるものをもって代えることができる。

5　申請等のうち当該申請等に関する他の条例等の規定により手数料の納付の方法が規定されているものを第一項の電子情報処理組織を使用する方法により行う場合には、当該手数料の納付については、当該条例等の規定にかかわらず、電子情報処理組織を使用する方法その他の情報通信技術を利用する方法であって東京都規則で定めるものをもってすることができる。

6　申請等をする者について対面により本人確認をするべき事情がある場合、申請等に係る書面等のうちにその原本を確認する必要があるものがある場合その他の当該申請等のうちに第一項の電子情報処理組織を使用する方法により行うことが困難又は著しく不適当と認められる部分がある場合として東京都規則で定める場合には、東京都規則で定めるところにより、当該申請等のうち当該部分以外の部分につき、前各項の規定を適用する。この場合において、第二項中「行われた申請等」とあるのは、「行われた申請等（第六項の規定により前項の規定を適用する部分に限る。以下この項から第五項までにおいて同じ。）」とする。

**（電子情報処理組織による処分通知等）**

**第七条**　処分通知等のうち当該処分通知等に関する他の条例等の規定により書面等により行うことその他のその方法が規定されているものについては、当該条例等の規定にかかわらず、東京都規則で定めるところにより、東京都規則で定める電子情報処理組織を使用する方法により行うことができる。ただし、当該処分通知等を受ける者が当該電子情報処理組織を使用する方法により受ける旨の東京都規則で定める方式による表示をする場合に限る。

2　前項の電子情報処理組織を使用する方法により行われた処分通知等については、当該処分通知等に関する他の条例等の規定に規定する方法により行われたものとみなして、当該条例等その他の当該処分通知等に関する条例等の規定を適用する。

3　第一項の電子情報処理組織を使用する方法により行われた処分通知等は、当該処分通知等を受ける者の使用に係る電子計算機に備えられたファイルへの記録がされた時に当該処分通知等を受ける者に到達したものとみなす。

4　処分通知等のうち当該処分通知等に関する他の条例等の規定により署名等をすることが規定されているものを第一項の電子情報処理組織を使用する方法により行う場合には、当該署名等については、当該条例等の規定にかかわらず、氏名又は名称を明らかにする措置であって東京都規則で定めるものをもって代えることができる。

５　処分通知等を受ける者について対面により本人確認をするべき事情がある場合、処分通知等に係る書面等のうちにその原本を交付する必要があるものがある場合その他の当該処分通知等のうちに第一項の電子情報処理組織を使用する方法により行うことが困難又は著しく不適当と認められる部分がある場合として東京都規則で定める場合には、東京都規則で定めるところにより、当該処分通知等のうち当該部分以外の部分につき、前各項の規定を適用する。この場合において、第二項中「行われた処分通知等」とあるのは、「行われた処分通知等（第五項の規定により前項の規定を適用する部分に限る。以下この項から第四項までにおいて同じ。）」とする。

**（電磁的記録による縦覧等）**

**第八条**　縦覧等のうち当該縦覧等に関する他の条例等の規定により書面等により行うことが規定されているもの（申請等に基づくものを除く。）については、当該条例等の規定にかかわらず、東京都規則で定めるところにより、当該書面等に係る電磁的記録に記録されている事項又は当該事項を記載した書類により行うことができる。

２　前項の電磁的記録に記録されている事項又は書類により行われた縦覧等については、当該縦覧等に関する他の条例等の規定により書面等により行われたものとみなして、当該条例等その他の当該縦覧等に関する条例等の規定を適用する。

**（電磁的記録による作成等）**

**第九条**　作成等のうち当該作成等に関する他の条例等の規定により書面等により行うことが規定されているものについては、当該条例等の規定にかかわらず、東京都規則で定めるところにより、当該書面等に係る電磁的記録により行うことができる。

２　前項の電磁的記録により行われた作成等については、当該作成等に関する他の条例等の規定により書面等により行われたものとみなして、当該条例等その他の当該作成等に関する条例等の規定を適用する。

３　作成等のうち当該作成等に関する他の条例等の規定により署名等をすることが規定されているものを第一項の電磁的記録により行う場合には、当該署名等については、当該条例等の規定にかかわらず、氏名又は名称を明らかにする措置であって東京都規則で定めるものをもって代えることができる。

**（適用除外）**

**第十条**　次に掲げる手続等については、第六条から前条までの規定は、適用しない。

一　手続等のうち、申請等に係る事項に虚偽がないかどうかを対面により確認する必要があること、許可証その他の処分通知等に係る書面等を事業所に備え付ける必要があることその他の事由により当該手続等を電子情報処理組織を使用する方法その他の情報通信技術を利用する方法により行うことが適当でないものとして東京都規則で定めるもの

二　手続等のうち当該手続等に関する他の条例等の規定において電子情報処理組織を使用する方法その他の情報通信技術を利用する方法により行うことが規定されているもの（第六条第一項、第七条第一項、第八条第一項又は前条第一項の規定に基づき行うことが規定されているものを除く。）

**（添付書面等の省略）**

**第十一条**　申請等をする者に係る住民票の写し、登記事項証明書その他の東京都規則で定める書面等であって当該申請等に関する他の条例等の規定において当該申請等に際し添付することが規定されているものについては、当該条例等の規定にかかわらず、都の機関等が、当該申請等をする者が行う電子情報処理組織を使用した個人番号カードの利用その他の措置であって当該書面等の区分に応じ東京都規則で定めるものにより、直接に、又は電子情報処理組織を使用して、当該書面等により確認すべき事項に係る情報を入手し、又は参照することができる場合には、添付することを要しない。

**（情報通信技術の利用のための能力等における格差の是正）**

**第十二条**　都は、情報通信技術を活用した行政の推進に当たっては、全ての者が情報通信技術の便益を享受できるよう、情報通信技術の利用のための能力又は知識経験が十分でない者が身近に相談、助言その他の援助を求めることができるようにするための施策、当該援助を行う者の確保及び資質の向上のための施策その他の年齢、身体的な条件、地理的な制約その他の要因に基づく情報通信技術の利用のための能力又は利用の機会における格差の是正を図るために必要な施策を講じなければならない。

**（区市町村との連携等）**

**第十三条**　都は、この条例の施行に当たって、特別区及び市町村（以下「区市町村」という。）との連携及び協力を図るとともに、区市町村が行う情報通信技術を活用した行政の推進を図るための施策に対し必要な支援を行うよう努めるものとする。

**（出資等法人による情報通信技術の利用）**

**第十四条**　都が出資その他財政支出等を行う法人であって、知事が定めるもの（以下「出資等法人」という。）は、この条例の趣旨にのっとり、出資等法人に係る申請、届出その他の手続に関し、電子情報処理組織（出資等法人の使用に係る電子計算機と当該手続の相手方の使用に係る電子計算機とを電気通信回線で接続した電子情報処理組織をいう。）を使用する方法その他の情報通信技術を利用する方法により行うことを推進するために必要な措置を講ずるよう努めるものとする。

2　都の機関は、出資等法人に対し、前項に定める必要な措置を講ずるよう指導に努めなければならない。

**（情報通信技術を活用した行政の推進に関する状況の公表）**

**第十五条**　知事は、電子情報処理組織を使用する方法により行うことができる都の機関に係る申請等及び処分通知等その他この条例の規定による情報通信技術を活用した行政の推進に関する状況について、インターネットの利用その他の方法により公表するものとする。

2　第二条第二号ハ及びニに掲げる者は、電子情報処理組織を使用する方法により行うことができる当該者に係る申請等及び処分通知等その他この条例の規定による情報通信技術を活用した行政の推進に関する状況について、インターネットの利用その他の方法により公表するものとする。

**（委任）**

**第十六条**　この条例に定めるもののほか、この条例の施行に関し必要な事項は、東京都規則で定める。

**附　則**

この条例は、平成十七年一月一日から施行する。

**附　則**（令二・一〇・一五条例八七）（抄）

**（施行期日）**

1　この条例は、令和三年四月一日（以下「施行日」という。）から施行する。

**（経過措置）**

2　この条例による改正後の東京デジタルファースト条例（以下「新条例」という。）第六条及び第七条の規定は、施行日以後に行われる申請等（新条例第二条第六号に規定する申請等をいう。）又は処分通知等（新条例第二条第七号に規定する処分通知等をいう。）について適用し、施行日前に行われた電子情報処理組織による申請等（この条例による改正前の東京都行政手続等における情報通信の技術の利用に関する条例（以下「旧条例」という。）第二条第六号に規定する申請等をいう。）又は処分通知等（旧条例第二条第七号に規定する処分通知等をいう。）については、なお従前の例による。

3　この条例の施行の際現に旧条例第五条又は第六条の規定により行われている縦覧等又は作成等については、新条例第八条又は第九条の規定により行われている縦覧等又は作成等とみなして、これらの規定を適用する。

# ○東京デジタルファースト条例施行規則

令二・一〇・一五
規　則　一　四　六

改正　令五・七・二四規則一二一

**（趣旨）**

**第一条**　この規則は、東京デジタルファースト条例（平成十六年東京都条例第百四十七号。以下「条例」という。）の施行について必要な事項を定めるものとする。

2　条例等に規定する手続等を、条例第六条から第九条までの規定に基づき、電子情報処理組織を使用する方法その他の情報通信技術を利用する方法により行う場合については、他の条例等に特段の定めのある場合を除くほか、この規則の定めるところによる。

3　条例等に規定する手続等（条例第六条から第九条までの規定を受けるものを除く。）を電子情報処理組織を使用する方法その他の情報通信技術を利用する方法により行う場合については、他の条例等に特段の定めのある場合を除くほか、条例及びこの規則の規定の例による。

**（定義）**

**第二条**　この規則において、次の各号に掲げる用語の意義は、当該各号に定めるところによる。

一　電子署名　電子署名及び認証業務に関する法律（平成十二年法律第百二号）第二条第一項に規定する電子署名をいう。

二　電子証明書　申請等をする者又は都の機関等が電子署名を行ったものであることを確認するために用

いられる事項がこれらの者に係るものであることを証明するために作成する電磁的記録をいう。

2　前項に規定するもののほか、この規則において使用する用語は、特段の定めがある場合を除くほか、条例において使用する用語の例による。

**（都の機関の統括体制）**

**第二条の二**　条例第五条第一項に規定する情報システムの整備等の実施に際し、全庁的な情報システムの整備等の企画及び推進を統括する者であって、中核的役割を担うものとして最高情報責任者を置く。

2　前項に規定する最高情報責任者は、庁内の連携及び情報の共有を図るため、都の機関を対象とする連絡会を主宰することができる。

3　全庁的な情報システムの整備等の企画及び推進を統括する職員であって、第一項に規定する最高情報責任者を総合的に補佐するものとして統括補佐官をデジタルサービス局に置く。

4　前項に規定する統括補佐官は、第一項に規定する最高情報責任者に事故があるとき又は欠けたときは、その職務を代理する。

5　都の機関における情報システムの整備等の企画及び推進を行う職員であって、第一項に規定する最高情報責任者を補佐するものとして補佐官を都の機関にそれぞれ置くことができる。

6　条例第五条第一項に規定する情報システムの整備等の実施に際し、デジタルサービス局長は、一般財団法人ＧｏｖＴｅｃｈ東京と協働して、全庁的な情報システムの整備等の開発過程に関する技術的指導、監督その他必要な措置を講ずるものとする。

**（申請等に係る電子情報処理組織）**

**第三条**　条例第六条第一項に規定する東京都規則で定める電子情報処理組織は、都の機関等の使用に係る電子計算機と、申請等をする者の使用に係る電子計算機であって当該都の機関等の使用に係る電子計算機と電気通信回線を通じて通信できる機能を備えたものとを電気通信回線で接続した電子情報処理組織とする。

**（電子情報処理組織による申請等）**

**第四条**　条例第六条第一項の規定により電子情報処理組織を使用する方法により申請等をする者は、都の機関等の定めるところにより、当該都の機関等の指定する電子計算機に備えられたファイルに記録すべき事項又は当該申請等を書面等により行うときに記載すべきこととされている事項その他都の機関等が必要と認める事項を、申請等をする者の使用に係る電子計算機から入力して、申請等を行わなければならない。

2　前項の申請等をする者は、入力する事項についての情報に電子署名を行い、当該電子署名に係る電子証明書（都の機関等の使用に係る電子計算機から認証できるものに限る。）であって次の各号のいずれかに該当するものと併せてこれを送信しなければならない。ただし、都の機関等の定める方法により当該申請等を行った者を確認するための措置を講ずるときは、この限りでない。

一　電子署名等に係る地方公共団体情報システム機構の認証業務に関する法律（平成十四年法律第百五十三号）第三条第一項に規定する署名用電子証明書

二　電子署名及び認証業務に関する法律第八条に規定する認定認証事業者が作成した電子証明書（電子署名及び認証業務に関する法律施行規則（平成十三年総務省・法務省・経済産業省令第二号）第四条第一号に規定する電子証明書をいう。）

三　商業登記法（昭和三十八年法律第百二十五号）第十二条の二第一項及び第三項の規定に基づき登記官が作成した電子証明書

四　前三号に掲げるもののほか、都の機関等が定める電子証明書

3　条例第六条第四項に規定する氏名又は名称を明らかにする措置であって東京都規則で定めるものは、申請等に係る情報に電子署名を行い、当該電子署名に係る電子証明書を当該申請等と併せて送信すること又は前項ただし書に規定する措置を行うことをいう。

4　条例等の規定により同一内容の書面等を複数必要とする申請等（副本又は写しを正本と併せ必要とするものを含む。）について、第一項の規定に基づき当該書面等のうち一通に記載すべき又は記載されている事項を入力した場合は、その他の同一内容の書面等に記載すべき事項又は記載されている事項の入力がなされたものとみなす。

**（情報通信技術による手数料の納付）**

**第五条**　条例第六条第五項に規定する情報通信技術を利用する方法であって東京都規則で定めるものは、前条第一項の規定により行われた申請等により得られた納付情報により納付する方法とする。

**（申請等のうちに電子情報処理組織を使用する方法により行うことが困難又は著しく不適当と認められる部分がある場合）**

**第六条**　条例第六条第六項に規定する東京都規則で定める場合は、次に掲げる場合とする。

一　申請等をする者について対面により本人確認をするべき事情があると都の機関等が認める場合

二　申請等に係る書面等のうちにその原本を確認する必要があるものがあると都の機関等が認める場合

**（処分通知等に係る電子情報処理組織）**

**第七条**　条例第七条第一項に規定する東京都規則で定める電子情報処理組織は、都の機関等の使用に係る電子計算機と、処分通知等を受ける者の使用に係る電子計算機であって当該都の機関等の使用に係る電子計算機と電気通信回線を通じて通信できる機能を備えたものとを電気通信回線で接続した電子情報処理組織とする。

**（電子情報処理組織による処分通知等）**

**第八条**　都の機関等は、条例第七条第一項の規定により電子情報処理組織を使用する方法により処分通知等を行うときは、当該処分通知等を書面等により行うときに記載すべきこととされている事項を、都の機関等の定めるところにより、都の機関等の使用に係る電子計算機に備えられたファイルに記録しなければならない。

2　条例第七条第四項に規定する氏名又は名称を明らかにする措置であって東京都規則で定めるものは、処分通知等に係る情報に電子署名を行い、当該電子署名に係る電子証明書を当該処分通知等と併せて都の機関等の使用に係る電子計算機に備えられたファイルに記録すること又は都の機関等の定める方法により当該処分通知等を行った都の機関等を確認するための措置を行うことをいう。

**（処分通知等を受ける旨の表示の方式）**

**第九条**　条例第七条第一項ただし書に規定する東京都規則で定める方式は、次の各号のいずれかの方式とする。

一　第七条の電子情報処理組織を使用して行う識別番号及び暗証番号の入力

二　電子情報処理組織を使用する方法により処分通知等を受けることを希望する旨の都の機関等の定めるところによる届出

**（処分通知等のうちに電子情報処理組織を使用する方法により行うことが困難又は著しく不適当と認められる部分がある場合）**

**第十条**　条例第七条第五項に規定する東京都規則で定める場合は、次に掲げる場合とする。

一　処分通知等を受ける者について対面により本人確認をする必要があると都の機関等が認める場合

二　処分通知等に係る書面等のうちにその原本を交付する必要があるものがあると都の機関等が認める場合

**（電磁的記録による縦覧等）**

**第十一条**　都の機関等は、条例第八条第一項の規定により電磁的記録に記録されている事項又は当該事項を記載した書類により縦覧等を行うときは、当該事項をインターネットを利用する方法、当該都の機関等の事務所に備え置く電子計算機の映像面に表示する方法又は電磁的記録に記録されている事項を記載した書類による方法により縦覧等を行うものとする。

**（電磁的記録による作成等）**

**第十二条**　都の機関等は、条例第九条第一項の規定により電磁的記録により作成等を行うときは、当該作成等を書面等により行うときに記載すべきこととされている事項を当該都の機関等の使用に係る電子計算機に備えられたファイルに記録する方法又は磁気ディスク（これに準ずる方法により一定の事項を確実に記録しておくことができる物を含む。）をもって調製する方法により作成等を行うものとする。

2　条例第九条第三項に規定する氏名又は名称を明らかにする措置であって東京都規則で定めるものは、作成等に係る情報に電子署名を行い、当該電子署名に係る電子証明書を添付すること又は都の機関等の定める方法により当該作成等を行った都の機関等を確認するための措置を行うことをいう。

**（適用除外）**

**第十三条**　条例第十条第一号に規定する東京都規則で定めるものは、次に掲げる手続等とする。

一　申請等に係る事項に虚偽がないかどうかを対面により確認する必要があると知事が認める手続等

二　許可証その他の処分通知等に係る書面等を事務所に備え付ける必要があると知事が認める手続等

三　不利益処分についての審査請求に関する規則（平成八年東京都人事委員会規則第八号）及び勤務条件についての措置の要求に関する規則（平成八年東京都人事委員会規則第七号）に規定する手続等（条例第十条第二号に規定する手続等を除く。）

四　前三号に掲げるもののほか、電子情報処理組織を使用する方法その他の情報通信技術を利用する方法により行うことが適当でないと知事が認める手続等

2　知事は、前項に規定する手続等について、あらかじめ根拠となる条例等の名称及び条項を告示するものとする。

**（添付書面等の省略）**

**第十四条**　条例第十一条に規定する東京都規則で定める書面等及び措置は、情報通信技術を活用した行政の推進等に関する法律施行令（平成十五年政令第二十七号）第五条に規定するもののほか、都の機関等が別に定めるものとする。

**（出資等法人）**

**第十五条**　知事は、条例第十四条第一項の規定により出資等法人を定め、又は変更したときは、速やかに告示しなければならない。

（委任）
**第十六条**　この規則に定めるもののほか、条例等に規定する手続等を、電子情報処理組織を使用する方法その他の情報通信技術を利用する方法により行う場合に必要な事項は、都の機関等が定める。

**附　則**

1　この規則は、令和三年四月一日（以下「施行日」という。）から施行する。ただし、次項の規定は、公布の日から施行する。
2　第十三条の規定による手続等の告示は、施行日前においても行うことができる。

**附　則**（令五・三・三一規則九一）
この規則は、令和五年四月一日から施行する。

**附　則**（令五・七・二四規則一二一）
この規則は、公布の日から施行する。

# ○東京都電子署名規則

令四・一一・三〇
規　則　二　一　六

最終改正　令六・九・六規則一四一

## 第一章　総則

（通則）
**第一条**　東京都（本庁、本庁行政機関、地方行政機関、附属機関及びこれらの長並びにこれらの長の補助機関を含む。）が行う電子署名に関し必要な事項は、別に定めがあるものを除き、この規則の定めるところによる。

（定義）
**第二条**　この規則において、次の各号に掲げる用語の意義は、当該各号に定めるところによる。
一　電子署名　電子署名及び認証業務に関する法律（平成十二年法律第百二号）第二条第一項に規定する電子署名をいう。
二　電子証明書　東京都が電子署名を行ったものであることを確認するために用いられる事項が当該者に係るものであることを証明するために作成する電磁的記録をいう。
三　電子署名記録媒体　署名符号（電子署名を行うために用いる符号をいう。）及び電子証明書を記録した電磁的記録に係る記録媒体をいう。
四　立会人型電子契約サービス　デジタルサービス局長又は財務局長が別に定める立会人型電子契約サービス提供事業者（以下「立会人型電子契約サービス提供事業者」という。）が、東京都及び契約、協定その他これらに類するもの（以下「契約等」という。）の相手方の指示に基づき、電磁的記録に電子署名を行うサービスをいう。
五　当事者型電子署名　電子署名のうち、電子署名記録媒体を用いて行う電子署名をいう。
六　立会人型電子署名　電子署名のうち、立会人型電子契約サービスを用いて行う電子署名をいう。
七　確認同意　立会人型電子契約サービスにより電子署名がされる電磁的記録が真正なものであると確認の上、立会人型電子契約サービス提供事業者が当該電磁的記録に電子署名を付与することに同意し、立会人型電子契約サービス提供事業者に電子署名の付与を指示することをいう。
八　局長　東京都組織規程（昭和二十七年東京都規則第百六十四号。以下「組織規程」という。）第九条第一項に規定する局長、同条第三項に規定する室長並びに住宅政策本部長、中央卸売市場長、教育委員会教育長、警視総監、選挙管理委員会事務局長、監査事務局長、人事委員会事務局長、労働委員会事務局長、収用委員会事務局長、消防総監及び議会局長をいう。
九　局　組織規程第八条第一項に規定する本庁の局、室並びに住宅政策本部、中央卸売市場、教育庁、警視庁、選挙管理委員会事務局、監査事務局、人事委員会事務局、労働委員会事務局、収用委員会事務局、東京消防庁及び議会局をいう。
十　部　局の部及びこれに相当する室等をいう。
十一　所　組織規程別表三に掲げる本庁行政機関（第九号に規定する局を除く。）、組織規程別表四に掲げる地方行政機関その他デジタルサービス局長又は財務局長が別に定めるものをいう。

十二　庶務主管課　局、部又は所の庶務をつかさどる課（総務局及び総務局総務部にあっては総務局総務部文書課、警視庁及び警視庁総務部にあっては警視庁総務部文書課）をいう。

十三　庶務主管課長　庶務主管課の長をいう。

（電子署名の取扱い及び適用除外）

**第三条**　東京都が行う電子署名は、当事者型電子署名によるものとする。ただし、次の各号のいずれかに該当するときは、立会人型電子署名によることができる。

一　東京都と契約等の相手方との合意内容を記録した電磁的記録を作成したとき（次号に掲げるときを除く。）。

二　東京都契約事務規則（昭和三十九年東京都規則第百二十五号）第三十六条第四項に規定する総務省令で定める措置として契約内容を記録した電磁的記録を作成したとき。

2　前項本文の規定にかかわらず、東京都が作成した電磁的記録であって、その真正性を確認できるものとしてデジタルサービス局長が別に定める電磁的記録については、電子署名を付与することを要しない。

## 第二章　当事者型電子署名の取扱い

（電子署名記録媒体の発行等）

**第四条**　電子署名記録媒体の発行及び更新は、デジタルサービス局長がこれを行い、局長に交付する。

2　前項の規定による電子署名記録媒体の発行及び更新は、別記第一号様式による電子署名記録媒体交付申請書により局長が申請することにより行うものとする。

（使用しなくなった電子署名記録媒体の引継ぎ）

**第五条**　局長は、電子署名記録媒体を組織の改廃、更新等のため使用しなくなったときは、別記第二号様式による電子署名記録媒体引継書によりその電子署名記録媒体をデジタルサービス局長に速やかに引き継がなければならない。

2　デジタルサービス局長は、前項の規定により電子署名記録媒体の引継ぎを受けたときは、当該電子署名記録媒体に記録された署名符号及び電子証明書に係る電磁的記録を抹消するための措置を講じなければならない。

（電子署名記録媒体管理簿）

**第六条**　デジタルサービス局デジタル戦略部デジタル手続推進課長（以下「デジタル手続推進課長」という。）は、電子署名記録媒体を発行し、又は更新したときは、別記第三号様式による東京都電子署名記録媒体管理簿を作成し、整理しておかなければならない。

2　電子署名記録媒体を使用しなくなったときは、デジタル手続推進課長は、当該電子署名記録媒体に係る東京都電子署名記録媒体管理簿に必要な事項を記載しなければならない。

（電子署名記録媒体管理者の設置等）

**第七条**　電子署名記録媒体を取り扱う局、部又は所に電子署名記録媒体管理者（以下「管理者」という。）を置き、庶務主管課長をもって充てる。

2　前項に掲げる者のほか、デジタルサービス局長は、必要があると認めたときは、デジタルサービス局長が別に定める者のうちから管理者を指定することができる。

3　管理者は、局長の命を受けて当事者型電子署名に関する事務をつかさどる。

（電子署名記録媒体取扱者の指名等）

**第八条**　管理者の下に電子署名記録媒体取扱者（以下「取扱者」という。）を置く。

2　取扱者は、管理者が自己の指揮監督する職員のうちから指名する。

3　取扱者は、管理者の命を受けて当事者型電子署名に関する事務を処理する。

4　管理者又は取扱者（以下「管理者等」という。）が不在であるときは、管理者があらかじめ指定した職員がその事務を代行する。

5　管理者は、取扱者を指名し、又は変更したときは、遅滞なく、デジタルサービス局長に報告しなければならない。

（電子署名記録媒体の保管）

**第九条**　管理者は、電子署名記録媒体を常に堅固な容器に収納することのほか、盗難、紛失及び不適正な使用を防止するために必要な措置を講じるとともに、勤務時間外にあっては、金庫等に保管し、施錠しておかなければならない。

2　管理者は、電子署名記録媒体のパスワードを当該電子署名記録媒体の取扱者以外の者に知られることのないようにしなければならない。

（当事者型電子署名の付与）

**第十条**　当事者型電子署名の付与を求めようとする者は、別記第四号様式による電子署名使用簿（以下「使用簿」という。）に必要な事項を入力し、当事者型電子署名を付与しようとする電磁的記録（次項において単に「電磁的記録」という。）に決定済みの起案文書（当該起案文書に係る事案の内容を文書総合管理システムその他事案の決定に用いたシステムを利用して記録した電磁的記録のことをいう。第三項において同じ。）を添え、管理者等の照合（以下「電子署名照合」という。）を受けなければならない。

2　前項の規定により電子署名照合を行った結果、当事者型電子署名の付与を適当と認めたときは、管理者等は、電磁的記録に当事者型電子署名を付与するものとする。

3　前項の規定により当事者型電子署名を付与したときは、管理者等は、決定済みの起案文書の公印照合・押印欄及び使用簿の付与者欄に記名しなければならない。

4　勤務時間外にあっては、電子署名記録媒体の使用は、禁止する。ただし、緊急やむを得ない場合は、この限りでない。

## 第三章　立会人型電子署名の取扱い

**（確認同意者の設置等）**

**第十一条**　確認同意を行う者として、局又は所に確認同意者を置き、庶務主管課長をもって充てる。ただし、第三条第一項第二号に規定する場合にあっては、庶務主管課長又は契約主管課長のうちから局長が任命する。

2　確認同意者は、自己の指揮監督する職員のうち、契約等締結事務を担当する者以外の者から確認同意を補佐する者として、確認同意担当者を指名する。

**（確認同意の方法）**

**第十二条**　確認同意者又は確認同意担当者（以下「確認同意者等」という。）は、立会人型電子契約サービス上に送信された電磁的記録と決定済みの起案文書とを照合し、確認同意を行う。

2　確認同意者等は、前項の確認同意を行ったときは、確認同意者等の氏名及び日付を記録しなければならない。ただし、第三条第一項第二号に規定する場合にあっては、決定済みの起案文書に確認同意をした日付を記載の上、署名し、又は押印しなければならない。

3　確認同意者等は、第一項の確認同意を行った後、立会人型電子署名が付与され、当該契約等が確定したことを速やかに確認するものとする。

**（立会人型電子契約サービスのパスワードの管理）**

**第十三条**　確認同意者は、立会人型電子契約サービスに接続するためのパスワードが当該立会人型電子契約サービスの確認同意者等以外の者に知られることのないようにしなければならない。

## 第四章　補則

**（電子署名の取扱いの事故報告）**

**第十四条**　局長は、当事者型電子署名の取扱いにおいて、次の各号のいずれかに該当するときは、直ちにデジタルサービス局長に別記第五号様式による電子署名記録媒体事故報告書を提出しなければならない。

一　電子署名記録媒体の破損、電子署名記録媒体に記録されているデータの毀損又はパスワードの忘失により電子署名記録媒体を使用できなくなったとき。

二　盗難、紛失、災害等により電子署名記録媒体の所在が不明になったとき。

三　電子署名記録媒体のパスワードが漏えいしたとき。

四　前三号に掲げるもののほか、電子署名記録媒体が不正に使用され、又は不正に使用され得る状態になったとき。

2　局長は、立会人型電子署名の取扱いにおいて、次の各号のいずれかに該当するときは、直ちにデジタルサービス局長（第三条第一項第二号に規定する場合にあっては、財務局長）に別記第六号様式による立会人型電子契約サービス事故報告書を提出しなければならない。

一　立会人型電子契約サービスに接続するためのアカウント情報及びパスワードが漏えいしたとき。

二　前号に掲げるもののほか、立会人型電子契約サービスが不正に使用され、又は不正に使用され得る状態になったとき。

**（電子署名の取扱いの調査等）**

**第十五条**　局長は、電子署名の取扱いについて適宜必要な事項を調査し、必要があると認めたときは、デジタルサービス局長（第三条第一項第二号に規定する場合にあっては、財務局長）に報告しなければならない。

2　デジタルサービス局長（第三条第一項第二号に規定する場合にあっては、財務局長）は、必要があると認めたときは、電子署名の取扱いについて局長に報告を求め、又は必要な書類の提出を求めることができる。

**（委任）**

**第十六条**　この規則に定めるもののほか、電子署名に関し必要な事項は、デジタルサービス局長（第三条第一項第二号に規定する場合にあっては、財務局長）が別に定める。

**附　則**

この規則は、令和四年十二月一日から施行する。

**附　則**（令五・一一・三〇規則一四九）

この規則は、公布の日から施行する。

**附　則**（令六・三・二九規則九八）

この規則は、令和六年四月一日から施行する。

**附　則**（令六・九・六規則一四一）

この規則は、公布の日から施行する。

**別記**

第１号様式(第４条関係)

電　子　署　名　記　録　媒　体　交　付　申　請　書

文書記号・番号

年　　月　　日

デジタルサービス局長　　　　殿

局長名＿＿＿＿＿＿＿＿＿＿＿

(公印省略)

次のとおり電子署名記録媒体の交付を申請します。

| 電子署名記録媒体管理者 | |
|---|---|
| 用　　　　途 | |
| 理　　　　由 | 組織の新設(変更)<br>その他(　　　　　　　　　　　　　　　　) |
| 備　　　　考 | |

(日本産業規格Ａ列４番)

第２号様式（第５条関係）

電　子　署　名　記　録　媒　体　引　継　書

文書記号・番号
年　　月　　日

デジタルサービス局長　　　　殿

局長名
（公印省略）

次のとおり電子署名記録媒体について引き継ぎます。

記

| シリアル番号 | |
|---|---|
| 管　理　番　号 | |
| 電子署名記録<br>媒体管理者 | |
| 廃　　止　　日 | 年　　　月　　　日 |
| 理　　　　由 | 組織の廃止（変更）<br>その他（　　　　　　　　　　　　　　） |

（日本産業規格Ａ列４番）

第３号様式（第６条関係）

東京都電子署名記録媒体管理簿

| レコード番号 | シリアル番号 | 管理番号 | 用途 | 電子署名記録媒体管理者 | 使用開始日 | 理由 | 廃止日 | 理由 | 備考 |
|---|---|---|---|---|---|---|---|---|---|
| | | | | | | | | | |
| | | | | | | | | | |
| | | | | | | | | | |
| | | | | | | | | | |
| | | | | | | | | | |
| | | | | | | | | | |

第４号様式（第10条関係）

電子署名使用簿

| レコード番号 | 電子署名記録媒体管理者 | 月日 | 文書番号 | 部数 | 部（所）課名 | 担当者 | 付与者 |
|---|---|---|---|---|---|---|---|
| | | | | | | | |
| | | | | | | | |
| | | | | | | | |
| | | | | | | | |
| | | | | | | | |
| | | | | | | | |

第５号様式(第14条関係)

電　子　署　名　記　録　媒　体　事　故　報　告　書

文書記号・番号

年　　月　　日

デジタルサービス局長　　　　殿

局長名

(公印省略)

次のとおり電子署名記録媒体に事故がありましたので届け出ます。

記

| 事故のあった電子署名記録媒体のシリアル番号 | |
|---|---|
| 管　理　番　号 | |
| 電子署名記録媒体管理者 | |
| 事　故　の　内　容 | |
| 事　故　後　の　処　理 | |
| そ　の　他 | |

(日本産業規格Ａ列４番)

第6号様式(第14条関係)

立会人型電子契約サービス事故報告書

文書記号・番号

年　月　日

殿

局長名

(公印省略)

次のとおり立会人型電子契約サービスに事故がありましたので届け出ます。

記

| 契約等の名称 | |
|---|---|
| 確認同意者 | |
| 事故の内容 | |
| 事故後の処理 | |
| その他 | |

(日本産業規格A列4番)

# ○東京都民間事業者等が行う書面等の保存等における情報通信の技術の利用に関する条例

平一八・三・三一
条例九

改正　令二・一〇・一五条例八七

（目的）

**第一条**　この条例は、条例等の規定により民間事業者等が行う書面等の保存等に関し、電子情報処理組織を使用する方法その他の情報通信の技術を利用する方法（以下「電磁的方法」という。）により行うことができるようにするための共通する事項を定めることにより、電磁的方法による情報処理の促進を図るとともに、書面等の保存等に係る負担の軽減等を通じて都民の利便性の向上を図り、もって都民生活の向上及び都民経済の健全な発展に寄与することを目的とする。

（定義）

**第二条**　この条例において、次の各号に掲げる用語の意義は、当該各号に定めるところによる。

一　民間事業者等　条例等の規定により書面等又は電磁的記録の保存等をしなければならないものとされている民間事業者その他の者をいう。ただし、次に掲げる者を除く。

イ　国の機関

ロ　地方公共団体及びその機関（ハに該当するものを除く。）

ハ　東京デジタルファースト条例（平成十六年東京都条例第百四十七号）第二条第二号に掲げるもの

二　条例等　条例並びに東京都規則、地方自治法（昭和二十二年法律第六十七号）第百三十八条の四第二項に規定する規程及び地方公営企業法（昭和二十七年法律第二百九十二号）第十条に規定する企業管理規程（以下「規則等」という。）をいう。

三　書面等　書面、書類、文書、謄本、抄本、正本、副本、複本その他文字、図形等人の知覚によって認識することができる情報が記載された紙その他の有体物をいう。

四　電磁的記録　電子的方式、磁気的方式その他人の知覚によっては認識することができない方式で作られる記録であって、電子計算機による情報処理の用に供されるものをいう。

五　保存　民間事業者等が書面等又は電磁的記録を保存し、保管し、管理し、備え、備え置き、備え付け、又は常備することをいう。

六　作成　民間事業者等が書面等又は電磁的記録を作成し、記載し、記録し、又は調製することをいう。

七　署名等　署名、記名、自署、連署、押印その他氏名又は名称を書面等に記載することをいう。

八　縦覧等　民間事業者等が書面等又は電磁的記録に記録されている事項を縦覧若しくは閲覧に供し、又は謄写をさせることをいう。

九　交付等　民間事業者等が書面等又は電磁的記録に記録されている事項を交付し、若しくは提出し、又は提供することをいう。ただし、東京デジタルファースト条例第二条第六号に掲げる申請等として行うものを除く。

十　保存等　保存、作成、縦覧等又は交付等をいう。

（電磁的記録による保存）

**第三条**　民間事業者等は、保存のうち当該保存に関する他の条例等の規定により書面等により行わなければならないとされているもの（規則等で定めるものに限る。）については、当該条例等の規定にかかわらず、規則等で定めるところにより、書面等の保存に代えて当該書面等に係る電磁的記録の保存を行うことができる。

2　前項の規定により行われた保存については、当該保存を書面等により行わなければならないとした保存に関する条例等の規定に規定する書面等により行われたものとみなして、当該保存に関する条例等の規定を適用する。

（電磁的記録による作成）

**第四条**　民間事業者等は、作成のうち当該作成に関する他の条例等の規定により書面等により行わなければならないとされているもの（当該作成に係る書面等又はその原本、謄本、抄本若しくは写しが条例等の規定により保存をしなければならないとされているものであって、規則等で定めるものに限る。）については、当該他の条例等の規定にかかわらず、規則等で定めるところにより、書面等の作成に代えて当該書面等に係る電磁的記録の作成を行うことができる。

2　前項の規定により行われた作成については、当該作成を書面等により行わなければならないとした作成に関する条例等の規定に規定する書面等により行われたものとみなして、当該作成に関する条例等の規定を適用する。

3　第一項の場合において、民間事業者等は、当該作成に関する他の条例等の規定により署名等をしなければならないとされているものについては、当該条例等の規定にかかわらず、氏名又は名称を明らかにする措置であって規則等で定めるものをもって当該署名等に代えることができる。

（電磁的記録による縦覧等）

**第五条**　民間事業者等は、縦覧等のうち当該縦覧等に関する他の条例等の規定により書面等により行わなければならないとされているもの（規則等で定めるものに限る。）については、当該条例等の規定にかかわらず、規則等で定めるところにより、書面等の縦覧等に代えて当該書面等に係る電磁的記録に記録されている事項又は当該事項を記載した書類の縦覧等を行うことができる。

２　前項の規定により行われた縦覧等については、当該縦覧等を書面等により行わなければならないとした縦覧等に関する条例等の規定に規定する書面等により行われたものとみなして、当該縦覧等に関する条例等の規定を適用する。

（電磁的記録による交付等）

**第六条**　民間事業者等は、交付等のうち当該交付等に関する他の条例等の規定により書面等により行わなければならないとされているもの（当該交付等に係る書面等又はその原本、謄本、抄本若しくは写しが条例等の規定により保存をしなければならないとされているものであって、規則等で定めるものに限る。）については、当該他の条例等の規定にかかわらず、規則等で定めるところにより、当該交付等の相手方の承諾を得て、書面等の交付等に代えて電磁的方法であって規則等で定めるものにより当該書面等に係る電磁的記録に記録されている事項の交付等を行うことができる。

２　前項の規定により行われた交付等については、当該交付等を書面等により行わなければならないとした交付等に関する条例等の規定に規定する書面等により行われたものとみなして、当該交付等に関する条例等の規定を適用する。

（委任）

**第七条**　この条例の施行に関し必要な事項は、規則等で定める。

附　則

この条例は、平成十八年四月一日から施行する。

附　則（令二・一〇・一五条例八七）（抄）

（施行期日）

１　この条例は、令和三年四月一日（以下「施行日」という。）から施行する。

# ○知事の所管する民間事業者等が行う書面等の保存等における情報通信の技術の利用に関する規則

平一八・三・三一
規　則　九　二

最終改正　令三・七・一三規則二八四

（趣旨）

**第一条**　民間事業者等が、条例等に基づく書面等の保存等を、東京都民間事業者等が行う書面等の保存等における情報通信の技術の利用に関する条例（平成十八年東京都条例第九号。以下「条例」という。）第三条から第六条までの規定に基づき、電磁的記録を使用して行う場合については、他の条例等に特別の定めのある場合を除くほか、この規則の定めるところによる。

（定義）

**第二条**　この規則において使用する用語は、特別の定めのある場合を除くほか、条例において使用する用語の例による。

（条例第三条第一項の規則等で定める保存）

**第三条**　条例第三条第　項の規則等で定める保存は、別表第一の上欄に掲げる条例等の同表下欄に掲げる規定に基づく書面等の保存とする。

（電磁的記録による保存）

**第四条**　民間事業者等が、条例第三条第一項の規定に基づき、別表第一の上欄に掲げる条例等の同表下欄に掲げる規定に基づく書面等の保存に代えて当該書面等に係る電磁的記録の保存を行う場合は、次に掲げる方法のいずれかにより行わなければならない。

一　作成された電磁的記録を民間事業者等の使用に係る電子計算機に備えられたファイル又は磁気ディスク、シー・ディー・ロムその他これらに準ずる方法により一定の事項を確実に記録しておくことができる物（以下「磁気ディスク等」という。）をもって調製するファイルにより保存する方法

二　書面等に記載されている事項をスキャナ（これに準ずる画像読取装置を含む。）により読み取ってできた電磁的記録を民間事業者等の使用に係る電子計算機に備えられたファイル又は磁気ディスク等をもって調製するファイルにより保存する方法

2　民間事業者等が、前項の規定に基づく電磁的記録の保存を行う場合は、必要に応じ電磁的記録に記録された事項を出力することにより、直ちに明瞭かつ整然とした形式でその使用に係る電子計算機その他の機器に表示及び書面等を作成することができるための措置を講じなければならない。

（条例第四条第一項の規則等で定める作成）

**第五条**　条例第四条第一項の規則等で定める作成は、別表第二の上欄に掲げる条例等の同表下欄に掲げる規定に基づく書面等の作成とする。

（電磁的記録による作成）

**第六条**　民間事業者等が、条例第四条第一項の規定に基づき、別表第二の上欄に掲げる条例等の同表下欄に掲げる規定に基づく書面等の作成に代えて当該書面等に係る電磁的記録の作成を行う場合は、民間事業者等の使用に係る電子計算機に備えられたファイルに記録する方法又は磁気ディスク等をもって調製する方法により作成を行わなければならない。

（作成において氏名等を明らかにする措置）

**第七条**　別表第二に掲げる規定に基づく作成において記載すべき事項とされた記名押印に代わるものであって、条例第四条第三項に規定する規則等で定めるものは、電子署名（電子署名及び認証業務に関する法律（平成十二年法律第百二号）第二条第一項の電子署名をいう。）とする。

（条例第五条第一項の規則等で定める縦覧等）

**第八条**　条例第五条第一項の規則等で定める縦覧等は、別表第三の上欄に掲げる条例等の同表下欄に掲げる規定に基づく書面等の縦覧等とする。

（電磁的記録による縦覧等）

**第九条**　民間事業者等が、条例第五条第一項の規定に基づき、別表第三の上欄に掲げる条例等の同表下欄に掲げる規定に基づく書面等の縦覧等に代えて当該書面等に係る電磁的記録に記録されている事項の縦覧等を行う場合は、当該事項を民間事業者等の事務所に備え置く電子計算機の映像面における表示又は当該事項を記載した書類により行わなければならない。

（条例第六条第一項の規則等で定める交付等）

**第十条**　条例第六条第一項の規則等で定める交付等は、別表第四の上欄に掲げる条例等の同表下欄に掲げる規定に基づく書面等の交付等とする。

（電磁的記録による交付等）

**第十一条**　民間事業者等が、条例第六条第一項の規定に基づき、別表第四の上欄に掲げる条例等の同表下欄に掲げる規定に基づく書面等の交付等に代えて当該書面等に係る電磁的記録に記録されている事項の交付等を行う場合は、次に掲げる方法により行わなければならない。

一　電子情報処理組織を使用する方法のうちイ又はロに掲げるもの

イ　民間事業者等の使用に係る電子計算機と交付等の相手方の使用に係る電子計算機とを接続する電気通信回線を通じて送信し、当該相手方の使用に係る電子計算機に備えられたファイルに記録する方法

ロ　民間事業者等の使用に係る電子計算機に備えられたファイルに記録された当該交付等に係る事項を電気通信回線を通じて交付等の相手方の閲覧に供し、当該相手方の使用に係る電子計算機に備えられたファイルに当該事項を記録する方法

二　磁気ディスク等をもって調製するファイルに当該交付等に係る事項を記録したものを交付する方法

2　前項に掲げる方法は、交付等の相手方がファイルへの記録を出力することによる書面等を作成することができるものでなければならない。

（電磁的方法による交付等の承諾等）

**第十二条**　民間事業者等は、条例第六条第一項の規定により同項に規定する事項の交付等を行おうとするときは、あらかじめ、当該交付等の相手方に対し、その用いる電磁的方法の種類及び内容を示し、書面等又は電磁的方法による承諾を得なければならない。

2　民間事業者等が前項の規定により示すべき方法の種類及び内容は、次に掲げる事項とする。

一　前条第一項に規定する方法のうち民間事業者等が使用するもの

二　ファイルへの記録方式

3　第一項の規定による承諾を得た民間事業者等は、同項の相手方から書面等又は電磁的方法により電磁的方法による交付等を受けない旨の申出があったときは、当該相手方に対し、条例第六条第一項に規定する事項

の交付等を電磁的方法によってしてはならない。ただし、当該相手方が再び第一項の規定による承諾をした場合は、この限りでない。

**附　則**

この規則は、平成十八年四月一日から施行する。

**附　則**（令三・三・三一規則二一三）

この規則は、令和三年六月一日から施行する。

**附　則**（令三・七・一二規則二八三）

この規則は、公布の日から施行する。

**附　則**（令三・七・一三規則二八四）

この規則は、令和三年八月一日から施行する。

**別表第一**（第三条、第四条関係）

| 条例等の名称 | 該当条項 |
| --- | --- |
| 知事の所管に属する公益信託に係る許可及び監督に関する規則（平成二十年東京都規則第二百二十号） | 第二十七条 |
| 都民の健康と安全を確保する環境に関する条例（平成十二年東京都条例第二百十五号） | 第八条の十八第一項、第四十七条 |
| 都民の健康と安全を確保する環境に関する条例施行規則（平成十三年東京都規則第三十四号） | 第五条第三項、第五条の二十第三項、第五条の二十五第三項、第八条の七第三項、第八条の十一第三項、第八条の十五第三項 |
| 東京都浄化槽保守点検業者の登録に関する条例（昭和六十年東京都条例第七十号） | 第十三条 |
| 東京都保護施設等の設備及び運営の基準に関する条例（平成二十四年東京都条例第百十三号） | 第九条 |
| 東京都保護施設等の設備及び運営の基準に関する条例施行規則（平成二十四年東京都規則第百三十六号） | 第六条第二号 |
| 東京都中小企業高度化資金貸付規則（昭和四十六年東京都規則第百三十四号） | 第二十三条 |
| 水産業協同組合法施行細則（昭和二十五年東京都規則第九十四号） | 第十六条第二項 |
| 火災予防条例施行規則（昭和三十七年東京都規則第百号） | 第四条の二、第十一条の四の十一第二項 |

**別表第二**（第五条―第七条関係）

| 条例等の名称 | 該当条項 |
| --- | --- |
| 東京都公債条例（昭和二十一年東京都条例第八十二号） | 第十八条第二項 |
| 都民の健康と安全を確保する環境に関する条例（平成十二年東京都条例第二百十五号） | 第八条の十八第一項 |
| 東京都浄化槽保守点検業者の登録に関する条例（昭和六十年東京都条例第七十号） | 第十三条 |
| 火災予防条例施行規則（昭和三十七年東京都規則第百号） | 第四条の二、第十一条の四の十一第一項 |

**別表第三**（第八条、第九条関係）

| 条例等の名称 | 該当条項 |
| --- | --- |
| 都民の健康と安全を確保する環境に関する条例（平成十二年東京都条例第二百十五号） | 第八条の十八第二項 |
| 都民の健康と安全を確保する環境に関する条例施行規則（平成十三年東京都規則第三十四号） | 第五条第三項、第五条の二十第三項、第五条の二十五第三項、第八条の七第三項、第八条の |

| | |
|---|---|
| | 十一第三項、第八条の十五第三項 |

**別表第四**（第十条、第十一条関係）

| 条例等の名称 | 該当条項 |
|---|---|
| 都民の健康と安全を確保する環境に関する条例（平成十二年東京都条例第二百十五号） | 第八条の十八第二項、第四十七条 |

# ○東京都デジタルサービス開発・運用規程

令五・三・三一
訓令三五

改正　令六・三・二九訓令三二

## 第一章　総則

（目的）

**第一条**　この規程は、デジタルサービスの推進体制及び開発管理、データ通信ネットワークの運用管理、電子計算機及び電子情報の管理等に関し基本的な事項を定めることにより、電子情報処理の適切かつ円滑な推進と効率的な運用を促進し、質の高いデジタルサービスの安定的な提供に資することを目的とする。

（用語の定義）

**第二条**　この規程において、次の各号に掲げる用語の意義は、それぞれ当該各号に定めるところによる。

一　局　東京都組織規程（昭和二十七年東京都規則第百六十四号。以下「組織規程」という。）第八条第一項に規定する本庁の局、室並びに住宅政策本部、中央卸売市場、収用委員会事務局及び労働委員会事務局をいう。

二　所　組織規程別表三に掲げる本庁行政機関（前号に規定する局を除く。）及び組織規程別表四に掲げる地方行政機関（係に相当する地方行政機関を除く。）をいう。

三　部　局の部及びこれに相当する室等をいう。

四　課　局及び所の課並びにこれに相当する室等並びにこれらに相当する所をいう。

五　デジタルサービス　電子情報処理を活用して提供するサービスをいう。

六　デジタル関連施策　デジタルサービスの開発（改良を含む。）、運用その他デジタル技術を活用して実施する事業をいう。

七　プロジェクト　デジタル関連施策について開発や調達の単位ごとに区切ったものをいう。

八　電子情報処理　情報処理システム及び情報通信技術を用いて、電子情報に関する処理をすることをいう。

九　情報処理システム　電子情報を電子計算機、端末装置、通信回線等により、一体的に処理する体系をいう。

十　システム評価　情報処理システムを総合的に点検し、評価することをいう。

十一　データ通信ネットワーク　第一本庁舎、第二本庁舎及びその他事業所相互間を接続するネットワークをいう。

十二　電子計算機　演算装置、制御装置、記憶装置及び入出力装置からなる電子情報処理装置をいう。

十三　中央コンピュータ室　情報処理システムの稼働に必要となる専用の電源設備、監視設備、空調設備、免震床設備等を有する区画をいう。

十四　共通基盤サービス　中央管理部門が管理するデジタルサービスのうち、複数の局が共通基盤として統一的に利用するものをいう。

十五　最高情報責任者　東京デジタルファースト条例施行規則（令和二年東京都規則第百四十六号。以下「規則」という。）第二条の二第一項で定める最高情報責任者をいう。

（電子情報処理の原則）

**第三条**　電子情報処理については、個人情報の保護に関する法律（平成十五年法律第五十七号）の定めるところにより、個人情報の保護に万全の措置を講ずるとともに、公正かつ効率的な行政運営が確保されるようにしなければならない。

（行政手続等における電子情報処理）

**第四条**　知事又はこれに置かれる機関の所管する手続等に関し、規則の施行については、特別の定めがあるものを除くほか、次に定めるところによる。

一　規則第四条第一項又は第八条第一項に規定する都の機関等の定めるところとは、局の長（以下「局長」という。）が定める様式、手順、方法等をいう。

二　規則第四条第二項ただし書に規定する都の機関等の定める方法は、次のいずれかを行うことをいう。

(一)　申請等をする者の識別番号及び暗証番号を入力すること。

(二)　都の機関等が記録している申請等をする者しか知り得ない事項その他の当該申請等をする者を特定するために必要な事項を入力すること。

(三)　都の機関等が申請等をする場合において、情報処理システムであって、行政手続等を電子情報処理するためのシステムを使用して行うこと。

三　規則第八条第二項に規定する都の機関等の定める方法は、都の機関等が行った処分通知等の真正性を確認できる措置であって、中央管理部門の長（以下「デジタルサービス局長」という。）が別に定める方法によること又は都の機関等に対して処分通知等を行う場合において、情報処理システムであって、行政手続等を電子情報処理するためのシステムを使用して行うことをいう。

四　規則第十二条第二項に規定する都の機関等の定める方法は、作成等を行う場合において、情報処理システムであって、行政手続等を電子情報処理するためのシステムを使用して行うことをいう。

五　前各号に定めるもののほか、規則において都の機関等が定めることとしているものは、局長が別に定めるものとする。

## 第二章　デジタルサービスの推進体制

（デジタルサービス推進の体制）

**第五条**　デジタルサービスの推進は、中央管理部門及び局が行う。

2　中央管理部門は、デジタルサービス局とする。

3　中央管理部門及び局は、相互に連絡を保ち、デジタルサービスの的確な開発及び運用を行うものとする。

（中央管理部門の処理事項）

**第六条**　中央管理部門の処理事項は、次のとおりとする。

一　デジタル関連施策に係る指針の策定に関すること。

二　デジタル関連予算の調整及びプロジェクト監理に関すること。

三　デジタルサービスの開発（リリース判定を含む。）及び維持に係る協議に関すること。

四　電子情報処理に係る総合調整に関すること。

五　情報処理システムに係る調査、企画及び基本的計画の立案に関すること。

六　中央コンピュータ室の運用及び管理に関すること。

七　データ通信ネットワークの運用及び管理に関すること。

八　共通基盤サービスの開発、調達、運用及び管理に関すること。

（局の処理事項）

**第七条**　局の処理事項は、次のとおりとする。

一　局のデジタル関連施策に係る計画の立案に関すること。

二　デジタルサービスの開発及び維持管理に関すること。

（中央管理部門及び局の共管事項）

**第八条**　中央管理部門及び局は、次の事項を処理する。

一　中央管理部門と局とが実施するプロジェクトの一元的な監理に関すること。

二　デジタルサービスの推進に関すること。

三　電子情報処理に従事する者の育成に関すること。

（DXアンバサダーの設置）

**第九条**　課にDXアンバサダーを置く。ただし、局長がDXアンバサダーを置く必要がないと認める課については、この限りでない。

2　DXアンバサダーは、局長が任免する。

（DXアンバサダーの職務）

**第十条**　DXアンバサダーは、局のDX推進主管課と連携し、その所属する課における次の事項を取り扱う。

一　デジタルサービスの普及啓発に関すること。

二　デジタルサービスの改善に関すること。

三　前二号に定めるもののほか、デジタルサービスの推進に関し必要なこと。

## 第三章　デジタルサービスの開発管理

### 第一節　デジタル関連施策の企画

（デジタル関連施策の企画）

**第十一条**　局長は、デジタル関連施策を企画しようとするときは、次の事項について検討しなければならない。

一　施策の目的とデジタルサービスが担う範囲

二　デジタルサービスの実現に向けた一又は複数のプロジェクトの推進体制の構築

三　プロジェクトの効果を測定する指標

### 第二節　プロジェクト監理

**（プロジェクト監理の目的）**

**第十二条**　プロジェクト監理は、前条各号に規定する検討項目を踏まえ、デジタルサービスの品質の確保及び向上を目的として行わなければならない。

**（プロジェクト監理の実施）**

**第十三条**　デジタルサービス局長及び局長は、デジタルサービスの開発（リリース判定を含む。）及び維持に係る協議を行わなければならない。

2　プロジェクト監理及び協議の方法については、デジタルサービス局長が、最高情報責任者に協議の上、別に定める。

### 第三節　情報処理システムの開発

**（情報処理システムの開発）**

**第十四条**　局長は、情報処理システムの開発（修正を含む。以下同じ。）をしようとするときは、次の事項について調査検討しなければならない。

一　経費の節減効果

二　事務処理の効率化及び簡素化

三　都民サービスの向上

四　既存の電子情報、ソフトウェア、ハードウェア及びネットワーク（以下「情報資産」という。）の活用

五　情報の保護等の安全策

六　システム化の対象範囲

七　システム化の実現方法

### 第四節　情報処理システムの評価

**（システム評価の目的）**

**第十五条**　システム評価は、前条各号に規定する調査検討項目を踏まえ、情報処理システムの有効性、効率性、信頼性、安全性等の確保及び向上を目的として行わなければならない。

**（システム評価の実施）**

**第十六条**　デジタルサービス局長及び局長は、情報処理システムについて、開発計画の立案、開発過程及び運用の各段階でシステムの評価を行わなければならない。

2　システム評価の実施方法については、デジタルサービス局長が、最高情報責任者に協議の上、別に定める。

## 第四章　データ通信ネットワークの運用管理

**（ネットワーク管理の基本）**

**第十七条**　デジタルサービス局長及び局長は、データ通信ネットワークの安全性及び信頼性の向上を図り、データ通信ネットワークの効率的かつ円滑な運用が確保されるように努めなければならない。

2　デジタルサービス局長及び局長は、データ通信ネットワークを利用して処理される機密を要する電子情報の保護に万全の措置を講じなければならない。

**（ネットワークの利用）**

**第十八条**　局長は、電子情報処理をオンラインで行う場合は、原則としてデータ通信ネットワークを利用しなければならない。

**第十九条**　局長は、新たにデータ通信ネットワークを利用し、データ通信ネットワークの利用方法を変更し、又はデータ通信ネットワークの利用を廃止するときは、デジタルサービス局長に協議しなければならない。

**（ネットワークの接続管理）**

**第二十条**　デジタルサービス局長は、情報処理システムをデータ通信ネットワークに安全かつ確実に接続させるため、データ通信ネットワークの接続管理を行わなければならない。

**（ネットワーク設備の管理）**

**第二十一条**　デジタルサービス局長及び局長は、データ通信ネットワークに係る設備の正常な稼働を確保するように努めなければならない。

## 第五章　電子計算機及び電子情報の管理

### 第一節　電子計算機の管理

**（電子計算機の設置及び管理）**

**第二十二条**　局長は、必要に応じて電子計算機を設置し、管理することができる。

**（電子計算機の買入れ等の協議）**

**第二十三条**　局長は、前条の規定により電子計算機を設置し、管理する場合において、電子計算機の買入れ又は借入れをしようとするときは、あらかじめデジタルサービス局長に協議しなければならない。ただし、デジタルサービス局長が別に定める場合は、この限りでない。

**（電子計算機に係る契約の報告）**

**第二十四条**　局長は、電子計算機の買入れ又は借入れの契約を締結したときは、速やかにデジタルサービス局長に報告しなければならない。ただし、デジタルサービス局長が別に定める場合は、この限りでない。

### 第二節　電子情報の管理

（データ相互利用の協議）
**第二十五条**　局長は、他の局長が管理するデータを利用しようとするときは、あらかじめ当該他の局長に協議するものとする。
２　前項の規定により協議を受けた局長は、当該利用の目的を検討の上、データの利用の適否及び取扱いについて、デジタルサービス局長及び協議を行った局長に通知するものとする。

### 第三節　サイバーセキュリティ対策

（セキュリティ対策の基本）
**第二十六条**　局長は、サイバーセキュリティ対策実施体制を整備し、サイバー攻撃等の脅威から情報資産を守り、高度な安全性の確保に努めなければならない。
２　前項の実施に当たっては、東京都サイバーセキュリティ基本方針及び東京都サイバーセキュリティ対策基準に基づくものとする。

## 第六章　委託処理

（委託処理）
**第二十七条**　局長は、委託により電子情報処理（以下「委託処理」という。）をすることができる。
（委託処理の留意事項）
**第二十八条**　局長は、委託処理の契約に当たっては、次に定める事項を特約しなければならない。
一　秘密の保持に関すること。
二　目的外使用の禁止に関すること。
三　委託処理により生じたものの権利の帰属に関すること。
四　電子情報処理の基本となる記録媒体及び記録物の保存方法及び保存期間に関すること。
五　処理条件に関すること。
２　前項に定めるもののほか、委託処理に係る必要事項は、デジタルサービス局長が別に定める。
（委託処理の協議）
**第二十九条**　局長は、委託処理をしようとするとき又は委託処理の内容を変更しようとするときは、あらかじめデジタルサービス局長に協議しなければならない。ただし、デジタルサービス局長が別に定める場合は、この限りでない。
（委託契約の報告）
**第三十条**　局長は、委託処理の契約を締結したときは、速やかにデジタルサービス局長に報告しなければならない。ただし、デジタルサービス局長が別に定める場合は、この限りでない。

## 第七章　雑則

（状況調査等）
**第三十一条**　デジタルサービス局長は、必要があると認めるときは、デジタルサービスの開発、運用等について調査し、又は局長に報告を求めることができる。
（委任）
**第三十二条**　この規程の施行に関し必要な事項は、デジタルサービス局長が別に定める。

附　則

この訓令は、令和五年四月一日から施行する。

附　則（令六・三・二九訓令三二）

この訓令は、令和六年四月一日から施行する。

# ○住民サービスの向上と行政事務の効率化を図るために住民基本台帳ネットワークシステムの都道府県知事保存本人確認情報を利用する事務等を定める条例

平一九・七・四
条　例　八　八

最終改正　令六・三・二九条例一二

（趣旨）
**第一条**　この条例は、住民サービスの向上と行政事務の効率化を図るため、住民基本台帳法（昭和四十二年法律第八十一号。以下「法」という。）の規定に基づき、都道府県知事保存本人確認情報（法第三十条の六第四項に規定する都道府県知事保存本人確認情報をいう。以下同じ。）及び都道府県知事保存附票本人確認情報（法第三十条の四十一第四項に規定する都道府県知事保存附票本人確認情報をいう。以下同じ。）の利用及び提供に関し必要な事項を定めるものとする。
（都道府県知事保存本人確認情報の利用に係る事務）
**第二条**　法第三十条の十五第一項第二号に規定する条例で定める事務のうち、知事が都道府県知事保存本人確認情報（個人番号（法第七条第八号の二に規定する個人番号をいう。以下同じ。）及び住民票コード（法第七条第十三号に規定する住民票コードをいう。以下同じ。）を除く。）を利用することができるものは、別表第一に掲げる事務とする。

2　法第三十条の十五第一項第二号に規定する条例で定める事務のうち、知事が都道府県知事保存本人確認情報（住民票コードを除く。）を利用することができるものは、行政手続における特定の個人を識別するための番号の利用等に関する法律に基づく個人番号の利用並びに特定個人情報の利用及び提供に関する条例（平成二十七年東京都条例第百十一号）第四条第一項に規定する事務のうち、知事が行うものとする。

（都道府県知事保存本人確認情報を提供する他の執行機関及び事務）

**第三条**　法第三十条の十五第二項第二号に規定する条例で定める知事以外の東京都の執行機関（以下「他の執行機関」という。）及び事務のうち、知事が都道府県知事保存本人確認情報（個人番号及び住民票コードを除く。）を提供することができるものは、別表第二のとおりとする。

2　法第三十条の十五第二項第二号に規定する条例で定める他の執行機関及び事務のうち、知事が都道府県知事保存本人確認情報（住民票コードを除く。）を提供することができるものは、別表第二の二のとおりとする。

（都道府県知事保存附票本人確認情報の利用に係る事務）

**第三条の二**　法第三十条の四十四の六第一項第二号に規定する条例で定める事務のうち、知事が都道府県知事保存附票本人確認情報（住民票コードを除く。）を利用することができるものは、次のとおりとする。

一　別表第一に掲げる事務

二　行政手続における特定の個人を識別するための番号の利用等に関する法律に基づく個人番号の利用並びに特定個人情報の利用及び提供に関する条例第四条第一項に規定する事務のうち、知事が行うもの

（都道府県知事保存附票本人確認情報を提供する他の執行機関及び事務）

**第三条の三**　法第三十条の四十四の六第二項第二号に規定する条例で定める他の執行機関及び事務のうち、知事が都道府県知事保存附票本人確認情報（住民票コードを除く。）を提供することができるものは、別表第二及び別表第二の二のとおりとする。

（他の執行機関への都道府県知事保存本人確認情報等の提供方法）

**第四条**　知事が行う法第三十条の十五第二項及び第三条の規定による都道府県知事保存本人確認情報の他の執行機関への提供並びに法第三十条の四十四の六第二項及び前条の規定による都道府県知事保存附票本人確認情報の他の執行機関への提供は、次のいずれかの方法により行うものとする。

一　東京都規則（以下「規則」という。）で定めるところにより、知事の使用に係る電子計算機から電気通信回線を通じて他の執行機関の使用に係る電子計算機に都道府県知事保存本人確認情報及び都道府県知事保存附票本人確認情報（以下「都道府県知事保存本人確認情報等」という。）を送信する方法

二　規則で定めるところにより、知事から都道府県知事保存本人確認情報等を記録した磁気ディスク（これに準ずる方法により一定の事項を確実に記録しておくことができる物を含む。）を他の執行機関に送付する方法

**第五条及び第六条**　削除

（都道府県知事保存本人確認情報等の利用及び提供の状況の公表）

**第七条**　知事は、毎年少なくとも一回、法第三十条の十五第一項第二号及び第二条の規定による都道府県知事保存本人確認情報の利用の状況、法第三十条の十五第二項第二号及び第三条の規定による都道府県知事保存本人確認情報の提供の状況、法第三十条の四十四の六第一項第二号及び第三条の二の規定による都道府県知事保存附票本人確認情報の利用の状況並びに法第三十条の四十四の六第二項第二号及び第三条の三の規定による都道府県知事保存附票本人確認情報の提供の状況について、規則で定めるところにより、これを公表するものとする。

（委任）

**第八条**　この条例に定めるもののほか、この条例の施行に関し必要な事項は、規則で定める。

附　則

（施行期日）

1　この条例は、平成十九年十月一日から施行する。

（準備行為）

2　知事及び別表第二上欄に掲げる提供を受ける他の執行機関は、この条例の施行の日前においても、この条例に規定する事務の実施に必要な準備行為をすることができる。

附　則（令六・三・二九条例一二）

（施行期日）

1　この条例は、情報通信技術の活用による行政手続等に係る関係者の利便性の向上並びに行政運営の簡素化及び効率化を図るための行政手続等における情報通信の技術の利用に関する法律等の一部を改正する法律（令和元年法律第十六号）附則第一条第十号に規定する日〔令六・五・二七〕又はこの条例の公布の日のいずれか遅い日から施行する。ただし、第三条の改正規定及び第七条の改正規定（「第三十条の十五第二項」を「第三十条の十五第二項第二号」に改める部分に限る。）は公布の日から、別表第一の改正規定（同表二十五の項の次に次のように加える部分に限る。）

は令和六年四月一日から施行する。

（準備行為）

２　知事並びに別表第二及び別表第二の二上欄に掲げる提供を受ける他の執行機関は、この条例の施行の日前においても、この条例による改正後の住民サービスの向上と行政事務の効率化を図るために住民基本台帳ネットワークシステムの都道府県知事保存本人確認情報を利用する事務等を定める条例（以下「改正後の条例」という。）の規定の例により、改正後の条例に規定する事務の実施に必要な準備行為をすることができる。

**別表第一**（第二条、第三条の二関係）

一　東京都恩給条例（昭和二十三年東京都条例第百一号）による年金である給付の支給に関する事務であって規則で定めるもの

二　雇傭員の退職年金及び退職一時金等に関する条例（昭和三十年東京都条例第一号）による年金である給付の支給に関する事務であって規則で定めるもの

三から五まで　削除

六　東京都育英資金条例（平成十七年東京都条例第三十一号）による改正前の東京都育英資金貸付条例（平成十二年東京都条例第十八号）又は同条例による改正前の東京都育英資金貸付条例（昭和二十九年東京都条例第十四号）による貸付けに係る債権の回収に関する事務であって規則で定めるもの

七　都民の健康と安全を確保する環境に関する条例（平成十二年東京都条例第二百十五号）による公害防止管理者となることができる者の登録に関する事務であって規則で定めるもの

八　東京都公害防止資金貸付け等に関する規則を廃止する規則（平成十六年東京都規則第百九十号）による廃止前の東京都公害防止資金貸付け等に関する規則（平成元年東京都規則第百二十号）による貸付けに係る債権の回収に関する事務であって別に規則で定めるもの

九　戦没者等の妻に対する特別給付金支給法（昭和三十八年法律第六十一号）による特別給付金の支給に関する事務であって規則で定めるもの

十　戦没者等の遺族に対する特別弔慰金支給法（昭和四十年法律第百号）による特別弔慰金の支給に関する事務であって規則で定めるもの

十一　戦傷病者等の妻に対する特別給付金支給法（昭和四十一年法律第百九号）による特別給付金の支給に関する事務であって規則で定めるもの

十二　戦没者の父母等に対する特別給付金支給法（昭和四十二年法律第五十七号）による特別給付金の支給に関する事務であって規則で定めるもの

十三　東京都介護福祉士等修学資金貸与条例を廃止する条例（平成二十五年東京都条例第六十八号）による廃止前の東京都介護福祉士等修学資金貸与条例（平成四年東京都条例第四十一号）による貸付けに係る債権の回収に関する事務であって規則で定めるもの

十四　東京都交通事故被災世帯生活つなぎ資金の貸付けに係る債権の回収に関する事務であって規則で定めるもの

十五　戦没者遺族等奨学資金貸付条例（昭和二十七年東京都条例第二十八号）による貸付けに係る債権の回収に関する事務であって規則で定めるもの

十六　東京都リハビリテーション病院条例（平成二年東京都条例第五十三号）による使用料及び手数料の徴収に関する事務であって規則で定めるもの

十七　東京都看護師等修学資金貸与条例（昭和三十七年東京都条例第百二十一号）による貸付けに関する事務であって規則で定めるもの

十八　東京都看護婦二年課程定時制学生生計資金の貸付けに係る債権の回収に関する事務であって規則で定めるもの

十九　児童扶養手当法（昭和三十六年法律第二百三十八号）による手当の返還金の徴収に関する事務であって規則で定めるもの

二十　東京都保育士修学資金貸付条例を廃止する条例（平成十三年東京都条例第四十九号）による廃止前の東京都保育士修学資金貸付条例（昭和六十年東京都条例第二十四号）による貸付けに係る債権の回収に関する事務であって規則で定めるもの

二十一　東京都中小企業施設改善資金貸付条例を廃止する条例（平成十年東京都条例第四十四号）による廃止前の東京都中小企業施設改善資金貸付条例（昭和三十一年東京都条例第三十四号）による貸付けに係る債権の回収に関する事務であって規則で定めるもの

二十二　東京都中小企業設備近代化資金貸付規則を廃止する規則（平成十八年東京都規則第百五十六号）による廃止前の東京都中小企業設備近代化資金貸付規則（昭和三

十七年東京都規則第百六十八号）による貸付けに係る債権の回収に関する事務であって別に規則で定めるもの

二十三　世界都市博覧会中止に伴う特別対策緊急融資あっせんにおいて都が取得した債権の回収に関する事務であって規則で定めるもの

二十四　東京都給水条例（昭和三十三年東京都条例第四十一号）による料金の徴収に関する事務であって規則で定めるもの

二十五　東京都下水道条例（昭和三十四年東京都条例第八十九号）による料金の徴収に関する事務であって規則で定めるもの

二十六　〇一八サポート給付金の支給に関する事務であって規則で定めるもの

**別表第二**（第三条、第三条の三関係）

| 提供を受ける他の執行機関 | 事　　務 |
|---|---|
| 一　教育委員会 | 東京都恩給条例による年金である給付の支給に関する事務であって規則で定めるもの |
| 二　公安委員会 | 道路交通法（昭和三十五年法律第百五号）による放置違反金の徴収に関する事務であって規則で定めるもの |

**別表第二の二**（第三条、第三条の三関係）

| 提供を受ける他の執行機関 | 事　　務 |
|---|---|
| 教育委員会 | 行政手続における特定の個人を識別するための番号の利用等に関する法律に基づく個人番号の利用並びに特定個人情報の利用及び提供に関する条例第四条第一項に規定する事務のうち、教育委員会が行うもの |

# ○東京都統計調査条例

昭三二・四・一
条　例　一　五

最終改正　令六・一〇・一一条例一一八

（目的）

**第一条**　この条例は、統計法（平成十九年法律第五十三号。以下「法」という。）及びこれに基づく命令に定めるもののほか、東京都（以下「都」という。）が行う統計調査の実施及び結果の利用に関し必要な事項を定めることにより、適切な行政運営を図り、もつて都民経済の健全な発展及び都民生活の向上に寄与することを目的とする。

（定義）

**第二条**　この条例において「都統計調査実施機関」とは、知事、教育委員会、選挙管理委員会、人事委員会、監査委員、公安委員会、労働委員会、収用委員会、海区漁業調整委員会、内水面漁場管理委員会、固定資産評価審査委員会、公営企業管理者及び消防総監をいう。

2　この条例において「都統計調査」とは、都統計調査実施機関が自ら統計の作成を目的として個人又は法人その他の団体に対し事実の報告を求めることにより行う調査をいう。ただし、次に掲げるものを除く。

一　都がその内部において行うもの

二　法及びこれに基づく命令以外の法律又は政令において、特別区及び市町村に対し、報告を求めることが規定されているもの

3　この条例において「都指定統計調査」とは、都統計

調査のうち、特に重要なものとして知事が東京都規則（第十条において「規則」という。）で指定したものをいう。

（都指定統計調査の告示）

**第三条**　都統計調査実施機関は、都指定統計調査を行おうとするときは、その名称及び目的、対象の範囲、調査事項、実施方法、調査時期その他必要な事項並びに調査票をあらかじめ告示しなければならない。

（報告義務）

**第四条**　都統計調査実施機関は、都指定統計調査を行う場合には、都指定統計調査のために必要な事項について、個人又は法人その他の団体に対し報告を求めることができる。

２　前項の規定により報告を求められた者は、これを拒み、又は虚偽の報告をしてはならない。

３　第一項の規定により報告を求められた者が、未成年者（営業に関し成年者と同一の行為能力を有する者を除く。）又は成年被後見人である場合においては、その法定代理人が本人に代わつて報告する義務を負う。

（統計調査員）

**第五条**　都統計調査実施機関は、都統計調査を行うために必要があるときは、統計調査員を置くことができる。

（立入検査等）

**第六条**　都統計調査実施機関は、都指定統計調査の正確な報告を求めるために必要があると認めるときは、当該都指定統計調査の報告を求められた者に対し、その報告に関し資料の提出を求め、又はその統計調査員その他の職員に、必要な場所に立ち入り、帳簿、書類その他の物件を検査させ、若しくは関係者に質問させることができる。

２　前項の規定により立入検査をする統計調査員その他の職員は、その身分を示す証明書を携帯し、関係者の請求があつたときは、これを提示しなければならない。

３　第一項の規定による権限は、犯罪捜査のために認められたものと解釈してはならない。

（都指定統計調査と誤認させる調査の禁止）

**第七条**　何人も、都指定統計調査の報告の求めであると人を誤認させるような表示又は説明をすることにより、当該求めに対する報告として、個人又は法人その他の団体の情報を取得してはならない。

（結果の公表）

**第八条**　都統計調査実施機関は、都統計調査の結果を、速やかに、インターネットの利用その他の方法により公表しなければならない。ただし、特別の事情があるときは、その全部又は一部を公表しないことができる。

（調査票情報の二次利用）

**第九条**　都統計調査実施機関は、次に掲げる場合には、都統計調査に係る調査票情報（都統計調査によつて集められた情報のうち、文書、図画又は電磁的記録（電子的方式、磁気的方式その他人の知覚によつては認識することができない方式で作られた記録をいう。）に記録されているものをいう。以下同じ。）を利用することができる。

一　統計の作成又は統計的研究（以下「統計の作成等」という。）を行う場合

二　統計を作成するための調査に係る名簿を作成する場合

（調査票情報の提供）

**第十条**　都統計調査実施機関は、次の各号に掲げる者が当該各号に定める行為を行う場合には、その行つた都統計調査に係る調査票情報を、これらの者に提供することができる。

一　国の行政機関、他の地方公共団体の長その他の執行機関その他これに準ずる者として規則で定める者　規則で定める統計の作成等又は規則で定める統計を作成するための調査に係る名簿の作成

二　前号に掲げる者以外の者で規則で定めるもの　同号に掲げる者が行う統計の作成等と同等の公益性を有する規則で定める統計の作成等

（調査票情報の適正な管理）

**第十一条**　都統計調査実施機関は、公安委員会の行つた都統計調査に係る調査票情報を適正に管理するために必要な措置を講じなければならない。

２　前項の規定は、都統計調査実施機関から同項に定める調査票情報の取扱いに関する業務の委託を受けた者その他の当該委託に係る業務を受託した者について準用する。

（調査票情報の利用制限）

**第十二条**　公安委員会は　この条例に特別の定めがある場合を除き、その行つた都統計調査の目的以外の目的のために、当該都統計調査に係る調査票情報を自ら利用し、又は提供してはならない。

（守秘義務）

**第十三条**　次の各号に掲げる者は、当該各号に定める業務に関して知り得た個人又は法人その他の団体の秘密を漏らしてはならない。

一　公安委員会の行つた都統計調査に係る調査票情報の取扱いに従事する都統計調査実施機関の職員又は職員であつた者　当該調査票情報を取り扱う業務

二　都統計調査実施機関から前号の調査票情報の取扱

いに関する業務の委託を受けた者その他の当該委託に係る業務に従事する者又は従事していた者　当該委託に係る業務

（調査票情報の提供を受けた者による適正な管理）

**第十四条**　第十条の規定により調査票情報の提供を受けた者は、当該調査票情報を適正に管理するために必要な措置を講じなければならない。

2　前項の規定は、第十条の規定により調査票情報の提供を受けた者から当該調査票情報の取扱いに関する業務の委託を受けた者その他の当該委託に係る業務を受託した者について準用する。

（調査票情報の提供を受けた者の守秘義務等）

**第十五条**　次の各号に掲げる者は、当該各号に定める業務に関して知り得た個人又は法人その他の団体の秘密を漏らしてはならない。

一　第十条の規定により調査票情報の提供を受けた者であって、当該調査票情報の取扱いに従事する者又は従事していた者　当該調査票情報を取り扱う業務

二　第十条の規定により調査票情報の提供を受けた者から当該調査票情報の取扱いに関する業務の委託を受けた者その他の当該委託に係る業務に従事する者又は従事していた者　当該委託に係る業務

2　第十条の規定により調査票情報の提供を受けた者又は同条の規定により調査票情報の提供を受けた者から当該調査票情報の取扱いに関する業務の委託を受けた者その他の当該委託に係る業務に従事する者若しくは従事していた者は、当該調査票情報をその提供を受けた目的以外の目的のために自ら利用し、又は提供してはならない。

（協力の要請）

**第十六条**　都統計調査実施機関は、都指定統計調査を円滑に行うため必要があると認めるときは、関係行政機関の長その他の関係者に対し、調査、報告その他の協力を求めることができる。

（罰則）

**第十七条**　次の各号のいずれかに該当する者は、二年以下の拘禁刑又は百万円以下の罰金に処する。

一　第七条の規定に違反して、都指定統計調査の報告の求めであると人を誤認させるような表示又は説明をすることにより、当該求めに対する報告として、個人又は法人その他の団体の情報を取得した者

二　第十三条の規定に違反して、その業務に関して知り得た個人又は法人その他の団体の秘密を漏らした者

三　第十五条第一項の規定に違反して、その業務に関して知り得た個人又は法人その他の団体の秘密を漏らした者

2　前項第一号の罪の未遂は、罰する。

**第十八条**　第十三条各号に掲げる者が、その取り扱う同条各号に規定する調査票情報を、自己又は第三者の不正な利益を図る目的で提供し、又は盗用したときは、一年以下の拘禁刑又は五十万円以下の罰金に処する。

2　第十五条第一項各号に掲げる者が、その取扱い又は利用に係る調査票情報を、自己又は第三者の不正な利益を図る目的で提供し、又は盗用したときも前項と同様とする。

**第十九条**　次の各号のいずれかに該当する者は、五十万円以下の罰金に処する。

一　第四条に規定する都指定統計調査の報告を求められた者の報告を妨げた者

二　都指定統計調査に関する業務に従事する者で当該都指定統計調査の結果をして真実に反するものたらしめる行為をした者

**第二十条**　次の各号のいずれかに該当する者は、二十万円以下の罰金に処する。

一　第四条の規定に違反して、都指定統計調査の報告を拒み、又は虚偽の報告をした者

二　第六条第一項の規定による資料の提出をせず、若しくは虚偽の資料を提出し、又は同項の規定による検査を拒み、妨げ、若しくは忌避し、若しくは同項の規定による質問に対して答弁をせず、若しくは虚偽の答弁をした者

（委任）

**第二十一条**　この条例の施行について必要な事項は、東京都規則その他の都統計調査実施機関が定める規則、規程等で定める。

**付　則**

1　この条例は、東京都規則で定める日から施行する。

2　次に掲げる条例は、廃止する。

東京都農林水産業調査条例（昭和二十五年　月東京都条例第一号）

東京都都民個人所得統計調査条例（昭和二十六年四月東京都条例第四十四号）

東京都商業動態統計調査条例（昭和二十九年三月東京都条例第十六号）

**附　則**（平二〇・一二・二五条例一二九）

（施行期日）

1　この条例は、平成二十一年四月一日から施行する。

（経過措置）

2　この条例の施行の際、現にこの条例による改正前の東京都統計調査条例第二条第三項の規定により指定を受けている都指定統計調査は、改正後の東京都統計調査条例第二条第三項の規定により指定を受けた都指定統計調査とみなす。

3　この条例の施行前にした行為に対する罰則の適用につい

ては、なお従前の例による。

附　則（令六・一〇・一一条例一一八）

1　この条例は、令和七年六月一日から施行する。

2　この条例の施行前にした行為に対する罰則の適用については、なお従前の例による。

# ○東京都統計調査調整規程

昭四七・二・一五
訓　令　甲　八

最終改正　令四・三・三一訓令四三

（目的）

**第一条**　この規程は、東京都の行う各種統計調査について必要な調整を行い、統計調査に伴う事務の合理的な処理及び統計の効率的利用を図ることを目的とする。

（定義）

**第二条**　この規程において統計調査とは、統計の作成を目的として個人又は法人その他の団体に対し事実の報告を求めることにより行う調査であつて、次の各号のいずれかに該当するものをいう。

一　統計法（平成十九年法律第五十三号。以下「法」という。）第二条第一項に規定する行政機関又は法第二条第二項に規定する独立行政法人等からの委託を受けて行う統計調査

二　東京都統計調査条例（昭和三十二年東京都条例第十五号。以下「条例」という。）第二条第二項に規定する都統計調査（以下「都統計調査」という。）

（統計調査実施計画）

**第三条**　東京都組織規程（昭和二十七年東京都規則第百六十四号）第九条第一項に規定する局長、同条第三項に規定する室長並びに住宅政策本部長及び中央卸売市場長（以下「局長」という。）は、毎年度の統計調査実施計画について、前年度の三月末日までに、調査の名称、調査の目的その他必要な事項を総務局長に提出しなければならない。

2　総務局長は、前項の規定による提出を受けたときは、速やかに全庁的な統計調査年度予定表を編成し、局長に通知するものとする。

（都指定統計調査の指定手続申請）

**第四条**　局長は、条例第二条第三項に規定する都指定統計調査（以下「都指定統計調査」という。）の指定を受けようとするときは、その実施の三月前までに都指定統計調査指定手続申請書（別記様式）により、総務局長に指定手続の申請をしなければならない。

2　総務局長は、前項の申請を受けたときは、東京都統計調査条例施行規則（平成二年東京都規則第二百十三号）第二条に定めるところによりその適否を審査し、指定に必要な手続をとらなければならない。

（都統計調査実施の協議）

**第五条**　局長は、都統計調査を実施しようとするときは、調査の名称、調査の目的その他必要な事項について事前に総務局長に協議しなければならない。これを変更し、又は中止しようとするときもまた同様とする。

2　総務局長は、前項の協議を受けたときは、次の事項について必要な助言又は勧告を行うことができる。

一　調査期間、調査事項等について他の統計調査との重複の有無

二　調査の方法の適否

三　その他統計技術上必要な事項

（統計法に基づく都統計調査の届出の取扱い）

**第六条**　局長は、都統計調査を実施しようとするときは、法第二十四条第一項の規定に基づく届出に必要な書類を添えて、当該都統計調査を実施する日の三十五日前までに、総務局長に当該届出の手続を依頼しなければならない。これを変更しようとするときも、同様

とする。

(統計調査実施状況の報告)

**第七条** 局長は、統計調査を完了したときは、統計調査実施状況を総務局長に報告しなければならない。

(統計調査実施状況の通知)

**第八条** 総務局長は、前条の規定による報告を受けたときは、全庁的な統計調査実施状況を取りまとめ局長に通知するものとする。

(都統計調査に係る調査票情報の管理)

**第九条** 局長は、条例第九条に規定する調査票情報(以下「調査票情報」という。)の管理について、総務局長が別に定める要綱に基づき、適正な管理をしなければならない。

(調査票情報の二次利用及び提供)

**第十条** 局長は、条例第九条により調査票情報を利用し、若しくは利用させ、又は条例第十条により調査票情報を提供する場合は、総務局長が別に定める要綱に基づき行うものとする。

(資料の整備)

**第十一条** 局長は、統計調査結果を公表したときは、速やかにその報告書一部を総務局長に送付するものとする。

2 総務局長は、前項の規定により送付を受けた統計調査資料を整備し、効率的な利用を図らなければならない。

**別記様式**〔略〕

# 第七章　監　査

## ○東京都監査委員条例

昭三九・三・三一
条　例　一一三

最終改正　令二・三・三一条例一八

（通則）

**第一条**　地方自治法（昭和二十二年法律第六十七号。以下「法」という。）及びこれに基づく政令に規定するもの並びに別に東京都条例で定めるものを除くほか、東京都監査委員（以下「監査委員」という。）に関し必要な事項は、この条例の定めるところによる。

（監査委員の定数）

**第一条の二**　法第百九十五条第二項ただし書の規定に基づき、監査委員の定数は、五人とする。

（議員のうちから選任する監査委員の数）

**第二条**　議員のうちから選任する監査委員の数は、二人とする。

（常勤の監査委員）

**第三条**　人格が高潔で、普通地方公共団体の財務管理、事業の経営管理その他行政運営に関し優れた識見を有する者のうちから選任される監査委員は、常勤とする。ただし、特別の理由があるときは、そのうち一人又は二人を非常勤とすることができる。

（監査委員が行う監査等の通知及び結果に関する公表等）

**第四条**　監査または検査を行うときは、監査委員は、期日を指定し、あらかじめ監査または検査の対象となる機関に通知するものとする。ただし、緊急に監査または検査を行う必要があると認められるときは、この限りでない。

2　住民監査請求の対象となつた行為（以下「対象行為」という。）について、当該対象行為を停止すべきことを勧告したときは、監査委員は、これを速やかに住民監査請求の請求人に通知し、及び公表するものとする。

3　監査又は検査の結果に関する報告、勧告、意見等を決定したときは、監査委員は、これを速やかに提出し、送付し、通知し、又は公表するものとする。

4　審査の意見を決定したときは、これを速やかに知事に提出するものとする。

5　第三項に規定する監査の結果に関する報告の提出を受けた機関から、当該監査の結果に基づき、又は当該監査の結果を参考として措置を講じた旨の通知を受けたときは、監査委員は、当該通知に係る事項を速やかに公表するものとする。

（外部監査人の監査の結果等に関する公表）

**第五条**　外部監査人（法第二百五十二条の二十七第一項に規定する外部監査契約を東京都と締結した者をいう。以下同じ。）から監査の結果に関する報告（住民監査請求に係るものを除く。以下この項において同じ。）があつたとき又は外部監査人の監査の結果に関する報告の提出を受けた機関から、当該監査の結果に基づき、若しくは当該監査の結果を参考として措置を講じた旨の通知を受けたときは、監査委員は、当該監査の結果又は当該通知に係る事項を速やかに公表するものとする。

2　外部監査人から提出された住民監査請求に係る監査の結果に関する報告に基づき、請求に理由があるかどうかの決定及び勧告についての決定を行つたとき又は当該勧告を受けた機関から当該勧告に基づき措置を講じた旨の通知を受けたときは、監査委員は、当該決定及び勧告並びに当該通知に係る事項を速やかに公表するものとする。

（公表の方法）

**第六条**　法第七十五条第二項、法第百九十八条の四第三項（同条第四項において準用する場合を含む。）及び法第二百五十二条の三十九第三項に規定する公表並びに第四条第二項、第三項及び第五項並びに前条に規定する公表は、東京都公報に登載して行うものとする。

（事務局の名称及び分課）

**第七条**　監査委員の事務局は、東京都監査事務局（以下「事務局」という。）と称する。

（庶務に関する事務）

**第八条**　文書、公印その他の庶務に関する事務の処理については、知事の事務部局において定められているものの例による。

（委任）

**第九条**　この条例の施行について必要な事項は、監査委員が定める。

### 付　則

1　この条例は、昭和三十九年四月　日から施行する。

2　この条例の施行の際現に改正前の東京都監査委員に関する条例（以下「旧条例」という。）の規定によりなされている監査または検査及びその手続は、この条例の相当規定によりなされているものとみなす。

3　旧条例の規定により設置された次の表の上欄に掲げる東

京都監査事務局の分課は、それぞれ当該下欄に掲げるこの条例の規定による事務局の分課となり、同一性をもつて存続するものとする。

| | |
|---|---|
| 庶務課 | 庶務課 |
| 第一課 | 第一課 |
| 第二課 | 第二課 |
| 第三課 | 第三課 |
| 第四課 | 第四課 |
| 第五課 | 第五課 |

**附　則**（令二・三・三一条例一八）

この条例は、令和二年四月一日から施行する。

# 〇東京都監査事務局処務規程

昭五六・四・一
監査委員訓令二

最終改正　令五・七・二四監査委員訓令六

**（趣旨）**

**第一条**　東京都監査委員条例（昭和三十九年東京都条例第百二十三号）第九条の規定に基づき、監査委員（以下「委員」という。）の権限に属する事務の執行に関しては、別に定めるものを除くほか、この規程の定めるところによる。

**（組織）**

**第二条**　東京都監査事務局（以下「事務局」という。）に、その事務を分掌させるため次の五課を置く。

総務課
監査第一課
監査第二課
監査第三課
技術監査課

**（職）**

**第三条**　事務局に局長、企画担当課長及び監査担当課長を、課に課長を置く。

2　事務局に担当部長、担当課長及び専門課長を置くことができる。

3　課に課長代理を置く。

4　前三項に定める職のほか、必要な職を置く。

**（職員の職名）**

**第四条**　事務局職員の職名は、職層名及び職務名とする。

2　職層名は、理事、参事、副参事、専門副参事及び主事とする。

3　職務名は、一般事務、土木技術、建築技術、機械技術及び電気技術とする。ただし、局長、課長（企画担当課長及び監査担当課長その他担当課長を含む。以下同じ。）、担当部長、専門課長又は課長代理の職にある職員の職務名は、前二条に定める組織及び職の名称を用いるものとする。

4　理事は局長の、参事は担当部長の、副参事は課長の、専門副参事は専門課長の、主事はその他の職員の職層名とする。

**（職員の資格及び任免）**

**第四条の二**　局長は、理事のうちから、代表監査委員が命ずる。

2　担当部長は、参事のうちから、代表監査委員が命ずる。

3　課長は、副参事のうちから、代表監査委員が命ずる。

4　専門課長は、専門副参事のうちから、代表監査委員が命ずる。

5　課長代理は、主事のうちから、局長が命ずる。

**（職員の職責）**

**第五条**　局長は、委員の命を受け、事務局の事務をつかさどり、職員を指揮監督する。

2　担当部長は、局長の命を受け、担任の事務をつかさどり、職員を指揮監督する。

3　課長は、局長又は局長の指定する担当部長の命を受け、課の事務又は担任の事務をつかさどり、職員を指揮監督する。

4　専門課長は、局長又は局長の指定する担当部長の命を受け、専門分野につき担任の事務を処理する。

5　課長代理は、課長の命を受け、担任の事務をつかさどり、当該事務に係る職員を指揮監督する。
6　課長代理は、課長を補佐する。
7　課長代理は、担任の事務の執行状況につき随時文書又は口頭をもつて課長に報告するものとする。
8　前各項の職員以外の職員は、上司の命を受け、事務に従事する。

**（事務局各課の事務分掌）**
**第六条**　事務局各課の事務分掌は、次のとおりとする。
総務課
一　委員及び監査専門委員に関すること。
二　事務局職員の人事、給与及び研修に関すること。
三　事務局の事業に関する法規の調査及び解釈に関すること。
四　公文書類の収受、配布、発送、編集及び保存に関すること。
五　公印に関すること。
六　委員の訓令、告示等の立案又は審査に関すること。
七　事務局の予算、決算及び会計に関すること。
八　事務局の財産及び物品の調達及び管理に関すること。
九　事務局の事業の進行管理に関すること。
十　事務局の事業のデジタル関連施策の企画、調整及び推進に関すること。
十一　事務局の事業の管理改善及び行政評価の実施に関すること。
十二　情報公開に係る連絡調整等に関すること。
十三　個人情報の保護に係る連絡調整等に関すること。
十四　広報及び広聴に関すること。
十五　監査、検査、審査等の計画の立案及び調整に関すること。
十六　監査諸資料の作成、収集及び整理保存に関すること。
十七　監査、検査、審査等の結果に関する報告等の提出、送付、通知及び公表並びに監査結果により講じた措置の知事等関係機関からの通知に係る事項の公表に関すること。
十八　随時監査の実施に関すること。
十九　都知事又は都議会の要求による監査の実施に関すること。
二十　一定数の選挙権を有する者の請求に基づく監査の実施に関すること。
二十一　住民の監査請求に基づく監査の実施に関すること。
二十二　出納職員等の賠償責任に関する監査又は審査の実施に関すること。
二十三　指定金融機関等の行う公金の収納又は支払事務についての監査の実施に関すること。
二十四　会計管理者が行う指定金融機関等の検査の結果の報告を求めること。
二十五　地方公営企業の管理者が行う出納取扱金融機関等の検査の結果の報告を求めること。
二十六　外部監査に関すること（地方自治法（昭和二十二年法律第六十七号）に規定する監査委員の職務権限に係るものに限る。）。
二十七　都議会から送付を受けた請願の処理に関すること。
二十八　国及び都知事その他の行政機関との連絡調整に関すること。
二十九　全都道府県監査委員協議会連合会、関東甲信越監査委員協議会及び特別区等の監査委員協議会に関すること。
三十　前各号のほか、局内他課に属しないこと。
監査第一課
一　政策企画局、子供政策連携室、総務局、デジタルサービス局、主税局、生活文化スポーツ局、中央卸売市場、交通局、教育庁及び島しよ所在の行政機関の定例監査、随時監査及び決算審査の実施並びに関係書類の整理保存に関すること。
二　基金運用状況審査の実施及び関係書類の整理保存に関すること。
三　中央卸売市場会計、交通事業会計、高速電車事業会計及び電気事業会計の例月出納検査の実施並びに関係書類の整理保存に関すること。
四　行政監査の実施及び関係書類の整理保存に関すること。
五　第一号に規定する局等が所管する補助金、交付金、負担金、貸付金、損失補償、利子補給その他の財政的援助を与えている団体、出資団体（都が資本金、基本金その他これに準ずるものの四分の一以上を出資している法人をいう。以下同じ。）、支払保証団体、信託の受託者及び公の施設の管理を行わせている者（以下これらを「財政援助団体等」という。）の監査の実施並びに関係書類の整理保存に関すること（特別区及び市町村に対する財政的援助に関するものを除く。）。
六　島しよに所在する財政援助団体等の監査の実施及び関係書類の整理保存に関すること。
七　と場会計、中央卸売市場会計、交通事業会計、高速電車事業会計及び電気事業会計の資金不足比

率の審査の実施並びに関係書類の整理保存に関すること。

八　内部統制評価報告書審査の実施及び関係書類の整理保存に関すること。

監査第二課

一　財務局、環境局、福祉保健局、会計管理局、水道局、警視庁、人事委員会事務局、監査事務局及び議会局の定例監査、随時監査、決算審査及び内部統制評価報告書審査の実施並びに関係書類の整理保存に関すること（島しよ所在の行政機関を除く。）。

二　基金運用状況審査の実施及び関係書類の整理保存に関すること。

三　各会計歳入歳出決算審査（各局別に実施する審査を除く。）の実施及び関係書類の整理保存に関すること。

四　会計管理者所属各会計、水道事業会計及び工業用水道事業会計の例月出納検査の実施並びに関係書類の整理保存に関すること。

五　行政監査の実施及び関係書類の整理保存に関すること。

六　第一号に規定する局等が所管する財政援助団体等（島しよ所在の団体並びに特別区及び市町村を除く。）の監査の実施及び関係書類の整理保存に関すること。

七　都が補助金、交付金、負担金、貸付金、損失補償、利子補給その他の財政的援助を与えている特別区及び市町村（島しよ所在の町村を除く。）の監査の実施並びに関係書類の整理保存に関すること。

八　健全化判断比率の審査の実施及び関係書類の整理保存に関すること。

九　水道事業会計及び工業用水道事業会計の資金不足比率の審査の実施並びに関係書類の整理保存に関すること。

監査第三課

一　都市整備局、住宅政策本部、産業労働局、建設局、港湾局、東京消防庁、下水道局、選挙管理委員会事務局、労働委員会事務局及び収用委員会事務局の定例監査、随時監査、決算審査及び内部統制評価報告書審査の実施並びに関係書類の整理保存に関すること（島しよ所在の行政機関を除く。）。

二　都市再開発事業会計、臨海地域開発事業会計、港湾事業会計及び下水道事業会計の例月出納検査の実施並びに関係書類の整理保存に関すること。

三　行政監査の実施及び関係書類の整理保存に関すること。

四　第一号に規定する局等が所管する財政援助団体等（島しよ所在の団体並びに特別区及び市町村を除く。）の監査の実施及び関係書類の整理保存に関すること。

五　都市再開発事業会計、臨海地域開発事業会計、港湾事業会計及び下水道事業会計の資金不足比率の審査の実施並びに関係書類の整理保存に関すること。

技術監査課

一　工事監査の実施及び関係書類の整理保存に関すること。

二　技術及びこれに関連する事項についての行政監査及び随時監査の実施並びに関係書類の整理保存に関すること。

三　財政援助団体等に対する技術及びこれに関連する事項についての監査の実施並びに関係書類の整理保存に関すること。

**（文書主任及び文書取扱主任）**

**第七条**　総務課に文書主任を、その他の課に文書取扱主任を置く。

2　文書主任及び文書取扱主任は、局長が任免する。

**（事案決定の原則）**

**第七条の二**　事案の決定は、当該決定の結果の重大性に応じ、委員又は代表監査委員、局長、担当部長、課長若しくは課長代理が行うものとする。

**（決定対象事案）**

**第八条**　委員の決定すべき事案は、おおむね別表第一に定めるとおりとし、代表監査委員、局長、担当部長、課長又は課長代理の決定すべき事案は、おおむね別表第二に定めるとおりとする。

**（実施細目）**

**第九条**　局長、担当部長は、前条の規定により委員又は代表監査委員、局長、担当部長、課長若しくは課長代理の決定の対象とされる事案の実施細目を定めるものとする。

**（事案の決定の臨時代行）**

**第十条**　前二条の規定により次の表の上欄に掲げる者の決定の対象とされた事案について、至急の決定を行う必要がある場合において、当該事案の決定を行う者が出張又は休暇その他の理由により不在であるときは、同表下欄に掲げる者が決定するものとする。

| 上欄 | 下欄 |
| --- | --- |
| 代表監査委員 | 代表監査委員代理 |
| 局長 | 局長があらかじめ指定する課長 |

| | |
|---|---|
| 担当部長 | 担当部長があらかじめ指定する課長 |
| 課長 | 課長があらかじめ指定する課長代理 |

2　第八条の規定により課長代理の決定の対象とされた事案について至急に決定を行う必要がある場合において当該課長代理が不在であるときは、課長が決定するものとする。

（事案決定の例外措置）

**第十一条**　次の表の上欄に掲げる者は、同表中欄に掲げる事案のうち当該事案の決定の結果の重大性が自己の負い得る責任の範囲を超えると認めるものについては、その理由を明らかにして、同表下欄に掲げる者にその決定を求めることができる。

| | | |
|---|---|---|
| 局長 | 第九条の規定により局長の決定の対象とされた事案 | 代表監査委員 |
| 担当部長 | 第九条の規定により担当部長の決定の対象とされた事案 | 局長 |
| 課長 | 第九条の規定により課長の決定の対象とされた事案 | 局長 |
| | 第十条の規定により課長の決定の対象とされた事案 | 代表監査委員 |
| 課長代理 | 第九条の規定により課長代理の決定の対象とされた事案 | 課長 |
| | 第十条の規定により課長代理の決定の対象とされた事案 | 局長 |

（事案の決定への関与）

**第十二条**　事案の決定権者は、次の表の上欄に掲げる事案については、同表中欄に掲げる者に同表下欄に掲げる審議又は審査を行わせるものとする。

| | | |
|---|---|---|
| 委員又は代表監査委員が決定する事案 | 局長 | 審議 |
| | 総務課長及び文書主任 | 審査 |
| 局長が決定する事案 | 主管に係る担当部長及び課長 | 審議 |
| | 文書主任及び文書取扱主任 | 審査 |
| 担当部長が決定する事案 | 主管に係る課長 | 審議 |
| | 文書主任及び文書取扱主任 | 審査 |
| 課長が決定する事案 | 主管に係る課長代理 | 審議 |
| | 文書取扱主任（総務課は文書主任） | 審査 |
| 東京都公報に登載すべき事項に係る事案 | 総務課長及び文書主任 | 審査 |
| 法規の解釈に関する事案 | 総務課長及び文書主任 | 審査 |

2　事案の決定権者は、次の表の上欄に掲げる事案であって、当該事案を主管する課長以外の担当部長又は課長（専門課長を含む。以下この項において同じ。）の主管し、又は担当する事務に直接影響を与えるものについては、前項の規定により審議を行う者をしてその影響を受ける同表下欄に掲げる担当部長、課長又は課長代理に協議を行わせ、又は自ら協議するものとする。

| | |
|---|---|
| 局長が決定する事案 | 担当部長及び課長 |
| 担当部長が決定する事案 | 課長 |
| 課長が決定する事案 | 課長代理（当該事案により受ける直接の影響が課全般に及ぶ場合は課長） |

3　事案の決定権者は、予算事務規則（昭和四十年東京都規則第八十三号）その他の事務執行に関する規程又は通達（以下「事務執行規程等」という。）により協議その他の当該事案の決定に対する関与が必要とされる事案については、事務執行規程等により決定に対する関与を行うべき者に協議その他の当該事案の決定に

対する関与を行わせなければならない。

4　課長代理が決定する事案は、審議を行わないものとする。この場合において、当該事案を主管する課長代理以外の課長代理の主管し、又は担当する事務に直接影響を与えるものについては、自ら協議するものとする。

（事案の決定関与の臨時代行）

**第十三条**　前条の規定により次の表の上欄に掲げる者の審議、審査又は協議（以下「決定関与」という。）の対象とされた事案について至急に決定関与を行う必要がある場合において当該事案について、決定関与を行う者が不在であるときは、同表下欄に掲げる者が決定関与を行うものとする。

| | |
|---|---|
| 局長 | 総務課長 |
| 担当部長 | 担当部長があらかじめ指定する課長 |
| 課長 | 課長があらかじめ指定する課長代理 |
| 課長代理 | 課長 |
| 文書主任及び文書取扱主任 | 課長があらかじめ指定する者 |

2　前条及び前項の規定により事案の決定に対する関与を行う者を当該事案の決定関与者という。

（補助的決定関与）

**第十四条**　決定関与者は、第十二条の規定により自己の決定関与の対象とされた事案について、自己の指揮監督する職員のうちから指定した者に決定関与の補助を行わせることができる。

（文書の管理等）

**第十五条**　この規程に定めるもののほか、事案の決定及び文書の管理については、知事部局の例による。

（情報公開等に関する事務の取扱い）

**第十六条**　情報公開及び個人情報の保護に関する事務処理については、別に定めるものを除き、知事部局の例による。

（勤務時間等）

**第十七条**　職員の勤務時間、休憩時間等、健康管理及び服務については、別に定めるものを除き、知事部局の例による。

（会計年度任用職員の任用）

**第十八条**　地方公務員法（昭和二十五年法律第二百六十一号）第二十二条の二第一項第一号に掲げる会計年度任用職員の任用等については、別に定めるものを除き、知事部局の例による。

**別表第一**（第八条関係）

一　監査、検査、審査等の基本的な方針に関すること。
二　監査、検査、審査等の実施計画の設定、変更及び廃止に関すること。
三　監査及び検査の実施通知並びに結果に関する報告、勧告、意見等の決定、提出、送付、通知及び公表並びに監査結果により講じた措置の知事等関係機関からの通知に係る事項の公表に関すること。
四　審査意見の決定及び送付に関すること。
五　会計管理者が行う指定金融機関等の検査の結果の報告を求めること。
六　地方公営企業の管理者が行う出納取扱金融機関等の検査の結果の報告を求めること。
七　事務の監査請求の要旨の公表に関すること。
八　包括外部監査契約及び個別外部監査契約の締結並びに外部監査人からの監査の結果に係る意見に関すること。
九　外部監査人との協議並びに外部監査人からの監査の結果及び当該監査結果により講じた措置の知事等関係機関からの通知に係る事項の公表に関すること。
十　都議会から送付された請願の処理に関すること。
十一　全都道府県監査委員協議会連合会、関東甲信越監査委員協議会及び特別区等の監査委員協議会に関すること。
十二　訓令等に関すること。
十三　特に重要な告示、公告、公表、通達、申請、照会、回答、諮問及び通知に関すること。
十四　特に重要な情報公開に関すること。
十五　特に重要な保有個人情報及び保有特定個人情報の開示、訂正及び利用停止に関すること。
十六　前各号のほか、特に重要な事項に関すること。

別表第二（第八条関係）

| 件名＼区分 | 代表監査委員 | 局長 | 担当部長 | 課長 | 課長代理 |
|---|---|---|---|---|---|
| 一　予算に関すること。 | | 一　成立した予算に係る事務局の事業についての執行計画の設定、変更及び廃止に関すること。 | | | |
| 二　人事及び給与に関すること。 | 一　監査委員の出張に関すること。<br>二　局長の給与、課長及びこれに準ずる職以上の職に当たる者の任免、分限及び懲戒に関すること。<br>三　局長の出張及び服務に関すること。 | 一　課長及びこれに準ずる職にある者の給与並びに課長及びこれに準ずる職以上の職にある者以外の職員（以下この表において「一般職員」という。）の給与に関すること。<br>二　一般職員の命免に関すること。<br>三　非常勤職員の任免に関すること。<br>四　課長及びこれに準ずる職にある者の出張、職務に専念する義務の免除、研修命令及び休暇に関すること。<br>五　課長及びこれに準ずる職にある者並びに一般職員の職務上の秘密に属する事項の発表の許可に関すること。<br>六　一般職員の事務局内配置に関すること。 | | 一　課に所属する一般職員の事務分掌、出張、職務に専念する義務の免除、給与減額免除の承認、研修命令、休暇、超過勤務、休日勤務及び週休日の変更に関すること（課長代理の権限に属するものを除く。）。 | 一　課長代理が指揮監督する所属職員の出張（宿泊を伴う場合を除く。）、休暇（年次有給休暇に係る時季の変更並びに介護休暇、病気休暇及び超勤代休時間を除く。）及び事故欠勤に関すること。 |
| 三　事務局の運営に関すること。 | 一　外部監査人からの求めによる事務局職員の協力に関すること。 | 一　事務局の運営に関すること。 | | 一　課の運営に関すること。 | 一　課の運営に関すること（簡易なものに限る。）。 |
| 四　請負又は委託による事業に関すること。 | | 一　予定価格が八百万円以上の請負又は委託により行う工事、修繕、通信及び運搬に係る役務の提供に | | 一　予定価格が八百万円未満の請負又は委託により行う工事、修繕、通信及び運搬に係る役務の提供に | |

| | | | | | |
|---|---|---|---|---|---|
| | | 関すること。 | | 関すること。 | |
| 五　物件の買入れ等に関すること。 | | 一　予定価格が三百万円以上の物件の買入れ、売払い、借入れ及び貸付けに関すること。 | | 一　予定価格が三百万円未満の物件の買入れ、売払い、借入れ及び貸付けに関すること。 | |
| 六　補助金等に関すること。 | | 一　四十万円以上の補助金、分担金及び負担金の交付並びに寄附金の贈与に関すること。 | | 一　四十万円未満の補助金、分担金及び負担金の交付並びに寄附金の贈与に関すること。 | |
| 七　損害賠償及び和解に関すること。 | | 一　損害賠償額の決定及び和解に関すること。 | | | |
| 八　諸証明に関すること。 | | | | 一　諸証明に関すること。 | 一　諸証明に関すること（簡易なものに限る。）。 |
| 九　審査請求等に関すること。 | 一　特に重要な審査請求及び訴訟に関すること。 | 一　審査請求及び訴訟に関すること（特に重要なものを除く。）。 | | | |
| 十　報告、答申等に関すること。 | 一　特に重要な事項に関する報告、答申、進達及び副申に関すること。 | 一　重要な事項に関する報告、答申、進達及び副申に関すること。 | | 一　報告、答申、進達及び副申に関すること（特に重要又は重要な事項に関するものを除く。）。 | 一　報告、答申、進達及び副申に関すること（簡易なものに限る。）。 |
| 十一　告示、公告等に関すること。 | | 一　重要な告示、公告、公表、答申、進達及び副申に関すること。 | | 一　告示、公告、公表、通達、申請、照会、回答、諮問、同意、協議及び通知に関すること（特に重要又は重要なものを除く。）。 | 一　通達、申請、照会、回答、諮問及び通知に関すること（簡易なものに限る。）。 |
| 十二　広報に関すること。 | 一　特に重要な広報及び広聴に関すること。 | 一　重要な広報及び広聴に関すること。 | | 一　広報及び広聴に関すること（特に重要又は重要なものを除く。）。 | |
| 十三　情報公開に関すること。 | | 一　重要な情報公開に関すること。 | | 一　情報公開に関すること（特に重要又は重要なものを除く。）。 | |
| 十四　保有個人情報及び保有特定個人情報の開示、訂正及 | | 一　重要な保有個人情報及び保有特定個人情報の開示、訂正及び利用停止に関すること。 | | 一　保有個人情報及び保有特定個人情報の開示、訂正及び利用停止に関すること（特に重要又は重要な | |

び利用停止に関すること。

十五　その他

一　前各号のほか、特に重要な庶務に関すること。

一　前各号のほか、重要な庶務に関すること。

一　局長が定める事務に関すること。

ものを除く。）。

# ○東京都外部監査契約に基づく監査に関する条例

平一一・三・一九
条例一八

改正 平一六・三・三一条例七

（趣旨）

**第一条** この条例は、地方自治法（昭和二十二年法律第六十七号。以下「法」という。）第二百五十二条の二十七第一項に規定する外部監査契約に基づく監査に関し必要な事項を定めるものとする。

（包括外部監査契約に基づく監査）

**第二条** 東京都（以下「都」という。）と法第二百五十二条の二十七第二項に規定する包括外部監査契約を締結した法第二百五十二条の二十九に規定する包括外部監査人は、必要があると認めるときは、次に掲げるものについて監査することができる。

一 都が法第百九十九条第七項に規定する財政的援助を与えているものの出納その他の事務の執行で当該財政的援助に係るもの

二 都が出資しているもので法第百九十九条第七項の政令で定めるものの出納その他の事務の執行で当該出資に係るもの

三 都が借入金の元金又は利子の支払を保証しているものの出納その他の事務の執行で当該保証に係るもの

四 都が受益権を有する信託で法第百九十九条第七項の政令で定めるものの受託者の出納その他の事務の執行で当該信託に係るもの

五 都が法第二百四十四条の二第三項の規定に基づき公の施設の管理を行わせているものの出納その他の事務の執行で当該管理の業務に係るもの

（個別外部監査契約に基づく監査）

**第三条** 都民のうち法第七十五条第一項の選挙権を有する者は、同項の請求をする場合において、併せて当該請求に係る監査について監査委員の監査に代えて法第二百五十二条の二十七第三項に規定する個別外部監査契約（以下「個別外部監査契約」という。）に基づく監査によることを求めることができる。

2 東京都議会は、法第九十八条第二項の請求をする場合において、併せて当該請求に係る監査について監査委員の監査に代えて個別外部監査契約に基づく監査によることを求めることができる。

3 東京都知事（以下「知事」という。）は、法第百九十九条第六項の要求をする場合において、併せて当該要求に係る監査について監査委員の監査に代えて個別外部監査契約に基づく監査によることを求めることができる。

4 知事は、次に掲げるものについての法第百九十九条第七項の要求をする場合において、併せて当該要求に係る監査について監査委員の監査に代えて個別外部監査契約に基づく監査によることを求めることができる。

一 都が法第百九十九条第七項に規定する財政的援助を与えているものの出納その他の事務の執行で当該財政的援助に係るもの

二 都が出資しているもので法第百九十九条第七項の政令で定めるものの出納その他の事務の執行で当該出資に係るもの

三 都が借入金の元金又は利子の支払を保証しているものの出納その他の事務の執行で当該保証に係るもの

四 都が受益権を有する信託で法第百九十九条第七項の政令で定めるものの受託者の出納その他の事務の執行で当該信託に係るもの

五 都が法第二百四十四条の二第三項の規定に基づき公の施設の管理を行わせているものの出納その他の事務の執行で当該管理の業務に係るもの

5 都民は法第二百四十二条第一項の請求をする場合において、併せて当該請求に係る監査について監査委員の監査に代えて個別外部監査契約に基づく監査によることを求めることができる。

**附　則**

この条例は、平成十一年四月一日から施行する。

**附　則**（平一六・三・三一条例七）

1 この条例は、公布の日から施行する。

2 この条例の施行の際、現に地方自治法の一部を改正する法律（平成十五年法律第八十一号）による改正前の地方自治法（昭和二十二年法律第六十七号）第二百四十四条の二第三項の規定に基づき公の施設の管理を委託しているものの出納その他の事務の執行で当該委託に係るものの外部監査契約に基づく監査については、なお従前の例による。

# 第八章　区市町村

## ○特別区における東京都の事務処理の特例に関する条例

平一一・一二・二四
条　例　一　〇　六

最終改正　令六・一〇・一一条例一一六

（趣旨）

**第一条**　この条例は、地方自治法（昭和二十二年法律第六十七号）第二百五十二条の十七の二第一項の規定に基づき、知事の権限に属する事務の一部を特別区が処理することとすることに関し必要な事項を定めるものとする。

（特別区が処理する事務の範囲等）

**第二条**　次の表の上欄に掲げる事務は、それぞれ同表の下欄に掲げる特別区が処理することとする。

| 事務 | 特別区 |
|---|---|
| 一　統計法（平成十九年法律第五十三号。以下この項において「法」という。）及び統計法施行令（平成二十年政令第三百三十四号。以下この項において「政令」という。）に基づく事務であって法第二条第四項に規定する基幹統計である建設工事統計に係る事務のうち、次に掲げるもの<br>イ　法第十四条の規定による統計調査員に対する指揮監督並びに当該統計調査員に対する報酬及び費用弁償の交付<br>ロ　政令別表第二　八の項下欄第二号の規定による調査票の配布に関する事務、同欄第三号の規定による調査票の取集に関する事務、同欄第四号の規定による調査票の審査に関する事務及び同欄第六号の規定による調査票への必要な事項の記入に関する事務 | 各特別区 |
| 二　学校教育法（昭和二十二年法律第二十六号。以下この項において「法」という。）、学校教育法施行令（昭和二十八年政令第三百四十号。以下この項において「政令」という。）、私立学校法（昭和二十四年法律第二百七十号）及び私立学校法の施行のための東京都規則（以下「規則」という。）に基づく事務のうち、次に掲げるもの（私立幼稚園、私立専修学校及び私立各種学校（これらのうち外国人を専ら対象とするものを除く。）に係るものに限る。）<br>イ　法第四条第一項（法第百三十四条第二項において準用する場合を含む。）の規定による設置廃止、設置者の変更及び収容定員に係る学則の変更の認可<br>ロ　法第十条（法第百三十三条第一項及び第百三十四条第二項において準用する場合を含む。）の規定による校長を定めた旨の届出の受理<br>ハ　法第十三条第一項（法第百三十三条第一項及び第百三十四条第二項において準用する場合を含む。）の規定による閉鎖命令<br>ニ　法第百三十条第一項の規定による専修学校の設置廃止、設置者の変更及び目的の変更の認可<br>ホ　法第百三十一条の規定による専修学校の名称、位置又は学則等の変更の届出の受理<br>ヘ　法第百三十六条第一項の規定による専修学校設置又は各種学校設置の認可を申請すべき旨の勧告<br>ト　法第百三十六条第二項の規定による教育の停止命令<br>チ　私立学校法第六条（私立学校法第六十四条第一項において準用する場合を含む。）の規定による報告書の提出の要求<br>リ　政令第二十七条の二第一項第一号、第五号及び第六号の規定による幼稚園の目的、名称、位置又は学則の変更、経費の見積り及び維 | 各特別区 |

| | |
|---|---|
| 持方法の変更並びに校地校舎等に関する権利の取得、処分等に係る届出の受理<br>ヌ　政令第二十七条の三第一号及び第三号の規定による各種学校の目的、名称、位置又は学則の変更及び校地校舎等に関する権利の取得、処分等に係る届出の受理<br>ル　イからヌまでに掲げるもののほか、私立学校法の施行に係る事務のうち規則に基づく事務であって別に規則で定めるもの | |
| 三から五まで　削除 | |
| 六　国土利用計画法（昭和四十九年法律第九十二号。以下この項において「法」という。）及び国土利用計画法施行規則（昭和四十九年総理府令第七十二号。以下この項において「府令」という。）に基づく事務のうち、次に掲げるもの<br>イ　法第二十八条第一項の規定による遊休土地の認定のための土地の実態調査<br>ロ　府令第二十一条第一項の規定による知事に提出すべき確認申請書の受理 | 各特別区 |
| 七　都市計画法（昭和四十三年法律第百号。以下この項において「法」という。）に基づく事務のうち、次に掲げるもの。ただし、開発行為等の規制に関する事務に限る。<br>イ　法第二十九条第一項及び第二項の規定による開発行為の許可<br>ロ　法第三十四条第十三号の規定による既存の権利者からの届出の受理<br>ハ　法第三十四条の二第一項（法第三十五条の二第四項において準用する場合を含む。）の規定による開発行為に係る当該国の機関又は都道府県等との協議<br>ニ　法第三十五条第二項（法第三十五条の二第四項において準用する場合を含む。）の規定による許可又は不許可の通知<br>ホ　法第三十五条の二第一項の規定による開発行為の変更の許可及び同条第三項の規定による軽微な変更の届出の受理<br>ヘ　法第三十六条第一項の規定による工事完了届の受理、同条第二項の規定による検査及び検査済証の交付並びに同条第三項の規定による工事完了の公告<br>ト　法第三十七条第一号の規定による工事完了公告前における建築物の建築又は特定工作物の建設の承認<br>チ　法第三十八条の規定による工事の廃止の届出の受理<br>リ　法第四十一条第一項（法第三十四条の二第二項（法第三十五条の二第四項において準用する場合を含む。）及び法第三十五条の二第四項において準用する場合を含む。）の規定による市街化調整区域内の開発許可に係る建築物の建築制限の指定<br>ヌ　法第四十一条第二項ただし書（法第三十四条の二第二項（法第三十五条の二第四項において準用する場合を含む。）及び法第三十五条の二第四項において準用する場合を含む。）の規定による建築の特例許可<br>ル　法第四十二条第一項ただし書の規定による工事完了公告後における予定建築物等以外の建築物又は特定工作物の新築等の許可<br>ヲ　法第四十二条第二項の規定による国又は都道府県等が行う行為に係る当該国の機関又は都道府県等との協議<br>ワ　法第四十三条第一項の規定による市街化調整区域のうち開発許可を受けた開発区域以外の区域内における建築物又は第一種特定工作 | 各特別区 |

物の新築等の許可

カ　法第四十三条第三項の規定による同条第一項本文の建築物又は第一種特定工作物の新築等に係る当該国の機関又は都道府県等との協議

ヨ　法第四十五条の規定による開発許可に基づく地位の承継の承認

タ　法第四十六条の規定による開発登録簿（以下この項において「登録簿」という。）の調製及び保管

レ　法第四十七条第一項（法第三十四条の二第二項（法第三十五条の二第四項において準用する場合を含む。）及び法第三十五条の二第四項において準用する場合を含む。）の規定による登録簿への登録、同条第二項及び第三項の規定による登録簿への附記、同条第四項の規定による登録簿の修正並びに同条第五項の規定による登録簿の閲覧及び写しの交付に関する事務

ソ　法第七十九条の規定による許可等における条件の付加

ツ　法第八十条第一項の規定による報告又は資料の提出の要求、勧告及び助言

ネ　法第八十一条の規定による監督処分等

ナ　法第八十二条第一項の規定による立入検査

| | |
|---|---|
| 八　宅地造成及び特定盛土等規制法（昭和三十六年法律第百九十一号。以下この項において「法」という。）、宅地造成及び特定盛土等規制法施行規則（昭和三十七年建設省令第三号。以下この項において「省令」という。）、宅地造成及び特定盛土等規制法施行条例（令和六年東京都条例第三十六号。以下この項において「条例」という。）及び法の施行のための規則に基づく事務のうち、次に掲げるもの | 各特別区 |

イ　法第十二条第一項の規定による宅地造成等に関する工事の許可、同条第三項の規定による条件の付加及び同条第四項の規定による宅地造成等に関する工事の許可に係る公表

ロ　法第十四条第二項の規定による許可証の交付又は不許可の通知

ハ　法第十五条第一項の規定による国又は都道府県が行う工事に係る国又は都道府県との協議

ニ　法第十六条第一項の規定による工事の計画の変更の許可、同条第二項の規定による軽微な変更の届出の受理並びに同条第三項において準用する法第十二条第三項の規定による条件の付加及び同条第四項の規定による工事の計画の変更の許可に係る公表

ホ　法第十六条第三項において準用する法第十四条第二項の規定による変更の許可証の交付又は不許可の通知

ヘ　法第十六条第三項において準用する法第十五条第一項の規定による工事の計画の変更に係る国又は都道府県との協議

ト　法第十七条第一項の規定による工事完了の検査、同条第二項の規定による検査済証の交付、同条第四項の規定による土石の除却の確認及び同条第五項の規定による確認済証の交付

チ　法第十八条第一項の規定による特定工程に係る工事完了の検査及び同条第二項の規定による中間検査合格証の交付

リ　法第十九条第一項の規定による知事に報告すべき定期の報告書の受理

ヌ　法第二十条第一項から第四項までの規定による監督処分

ル　法第二十一条第一項、第三項及び第四項の規定による工事等の届出の受理並びに同条第二項の規定

による工事の届出に係る公表

ヲ　法第二十二条第二項の規定による宅地造成等に伴う災害の防止のため必要な措置をとることの勧告

ワ　法第二十三条第一項及び第二項の規定による改善命令

カ　法第二十四条第一項の規定による立入検査

ヨ　法第二十五条の規定による工事状況の報告の徴取

タ　省令第八十八条の規定による証明書の発行及び交付

レ　条例第四条第二項の規定による特定工程の通知、同条第三項の規定による書面の受理、同条第四項の規定による特定工程の指定及び同条第五項の規定による特定工程の指定の通知

ソ　条例第五条第一項の規定による盛土規制法調書（以下この項において「調書」という。）の調製及び保管、同条第二項の規定による調書への登録並びに同条第三項の規定による調書の閲覧及び写しの交付に関する事務

ツ　イからソまでに掲げるもののほか、法の施行に係る事務のうち規則に基づく事務であって別に規則で定めるもの

| 事務 | 区 |
|---|---|
| 九　土地区画整理法（昭和二十九年法律第百十九号。以下この項において「法」という。）に基づく事務のうち、次に掲げるもの | 各特別区 |

イ　個人、土地区画整理組合（以下この項において「組合」という。）又は区画整理会社（以下この項において「会社」という。）の施行する土地区画整理事業（事業の規模が五ヘクタール以上のものを除く。）に関する事務のうち、次に掲げるもの。ただし、二以上の特別区の区域にわたる土地区画整理事業に係るものを除く。

(1)　法第四条第一項の規定による個人施行の土地区画整理事業の認可

(2)　(1)に掲げる認可に係る法第九条第三項の規定による公告及び図書の送付

(3)　法第十条第一項の規定による個人施行の規準若しくは規約又は事業計画の変更の認可並びに同条第三項において準用する法第九条第三項の規定による公告及び図書の送付

(4)　法第十一条第四項の規定による一人施行から共同施行になった場合における規約の認可、同条第七項の規定による施行者に変動が生じた場合における届出の受理及び同条第八項の規定による公告

(5)　法第十三条第一項の規定による個人施行者の土地区画整理事業の廃止又は終了の認可及び同条第四項において準用する法第九条第三項の規定による公告

(6)　法第十四条第一項及び第二項の規定による組合の設立の認可並びに同条第三項の規定による事業計画の認可

(7)　法第二十条第一項（法第三十九条第二項において準用する場合を含む。）の規定による事業計画の縦覧、法第二十条第二項（法第三十九条第二項において準用する場合を含む。）の規定による当該事業計画に対する意見書の受理、法第二十条第三項（法第三十九条第二項において準用する場合を含む。）の規定による当該意見書の処理並びに法第二十条第五項（法第三十九条第二項において準用する場合を含む。）の規定による当該事業計画の修正に係る申告の受理及び当該事業計画の修正部分に係る手続の執行

(8)　(6)に掲げる認可に係る法第二

十一条第三項及び第四項の規定による公告及び図書の送付

(9)　法第二十九条第一項の規定による組合の理事の氏名及び住所の届出の受理並びに同条第二項の規定による公告

(10)　法第三十九条第一項の規定による組合の定款又は事業計画若しくは事業基本方針の変更の認可並びに同条第四項の規定による公告及び図書の送付

(11)　法第四十五条第二項の規定による組合の解散の認可及び同条第五項の規定による組合の設立についての認可を取り消した場合又は組合の解散の認可をした場合の公告

(12)　法第四十九条の規定による決算報告書の承認

(13)　法第五十条第三項の規定による組合の合併に伴う組合設立認可の申請の受理及び同条第四項の規定による合併する組合の一方が合併後存続する場合の定款等の変更の認可

(14)　法第五十一条の二第一項の規定による会社施行の土地区画整理事業の認可

(15)　法第五十一条の八第一項（法第五十一条の十第二項において準用する場合を含む。）の規定による規準及び事業計画の縦覧、法第五十一条の八第二項（法第五十一条の十第二項において準用する場合を含む。）の規定による意見書の受理、法第五十一条の八第三項（法第五十一条の十第二項において準用する場合を含む。）の規定による当該意見書の処理並びに法第五十一条の八第五項（法第五十一条の十第二項において準用する場合を含む。）の規定による当該規準及び事業計画の修正に係る申告の受理並びに当該規準及び事業計画の修正部分に係る手続の執行

(16)　(14)に掲げる認可に係る法第五十一条の九第三項の規定による公告及び図書の送付

(17)　法第五十一条の十第一項の規定による会社が定めた規準又は事業計画の変更の認可並びに同条第二項において準用する法第五十一条の九第三項の規定による公告及び図書の送付

(18)　法第五十一条の十一第一項の規定による会社の合併若しくは分割又は会社が施行する土地区画整理事業の全部若しくは一部の譲渡及び譲受けの認可並びに同条第二項において準用する法第五十一条の九第三項の規定による公告及び図書の送付

(19)　法第五十一条の十三第一項の規定による会社が施行する土地区画整理事業の廃止又は終了の認可及び同条第四項において準用する法第五十一条の九第三項の規定による公告

(20)　法第八十六条第一項の規定による換地計画の認可

(21)　法第九十七条第一項の規定による換地計画の変更の認可

(22)　法第百三条第三項の規定による換地処分に係る届出の受理及び同条第四項の規定による公告

(23)　法第百二十四条第一項から第三項までの規定による個人施行者に対する監督等

(24)　法第百二十五条の規定による組合に対する監督等

(25)　法第百二十五条の二第一項から第五項までの規定による会社に対する監督等

(26)　法第百三十六条第一項の規定による農業委員会（農業委員会等に関する法律（昭和二十六年法律第八十八号）第二条第一項ただし書又は第五項の規定によ

| 事務 | 特別区 |
|---|---|
| り農業委員会を置かない特別区にあっては、区長）及び土地改良区からの意見の聴取<br>ロ　土地区画整理事業の施行地区内における建築行為等の制限に関する事務のうち、次に掲げるもの<br>(1)　法第七十六条第一項の規定による土地の形質の変更若しくは建築物その他の工作物の新築、改築若しくは増築（建築基準法施行令（昭和二十五年政令第三百三十八号）第百四十九条第一項第一号から第三号までに掲げる建築物その他の工作物（第二号に掲げる建築物その他の工作物にあっては、この条例の規定により同号に規定する処分に関する事務を特別区が処理することとした場合の当該建築物その他の工作物を除く。以下「都の建築主事等の確認対象となる建築物等」という。）に係るものを除く。）又は物件の設置若しくは堆積に係る許可。ただし、次に掲げる行為に係るものを除く。<br>(イ)　東京都（以下「都」という。）が施行する土地区画整理事業の施行地区内におけるもの（建築物その他の工作物の新築、改築又は増築にあっては、建築基準法（昭和二十五年法律第二百一号）に基づく建築主事又は建築副主事（以下「建築主事等」という。）の確認を要するものを除く。）<br>(ロ)　都以外の者が施行する土地区画整理事業の施行地区のうち都市計画施設（都市計画決定の予定されているものを含む。）の区域内における土地の形質の変更及び物件の設置又は堆積<br>(2)　(1)に掲げる許可に当たっての法第七十六条第二項の規定による施行者に対する意見の聴取<br>(3)　(1)に掲げる許可に係る法第七十六条第三項の規定による条件の付加<br>(4)　(1)の許可を受けずに行われた行為又は(3)の条件に違反した行為に係る法第七十六条第四項の規定による原状回復命令及び移転除却命令並びに同条第五項の規定による代執行及び公告 | |
| 十　都市再開発法（昭和四十四年法律第三十八号。以下この項において「法」という。）に基づく事務のうち、次に掲げるもの<br>イ　法第六十六条第一項の規定による土地の形質の変更若しくは建築物その他の工作物の新築、改築若しくは増築（都の建築主事等の確認対象となる建築物等に係るものを除く。）又は物件の設置若しくは堆積に係る許可。ただし、都が施行する第一種市街地再開発事業の施行地区内における建築物その他の工作物の新築、改築又は増築（建築基準法に基づく建築主事等の確認を要しないものに限る。）に係るものを除く。<br>ロ　イに掲げる許可に当たっての法第六十六条第二項の規定による施行者に対する意見の聴取<br>ハ　イに掲げる許可に係る法第六十六条第三項の規定による条件の付加<br>ニ　イの許可を受けずに行われた行為又はハの条件に違反した行為に係る法第六十六条第四項の規定による原状回復命令及び移転除却命令並びに同条第五項の規定による代執行及び公告 | 各特別区 |
| 十一　大都市地域における住宅及び住宅地の供給の促進に関する特別措置法（昭和五十年法律第六十七号。以 | 各特別区 |

下この項において「法」という。）に基づく事務のうち、次に掲げるもの。ただし、都、独立行政法人都市再生機構及び東京都住宅供給公社が施行する住宅街区整備事業に係るものを除く。

イ　法第三十三条第一項の規定による個人施行の住宅街区整備事業の認可

ロ　イに掲げる認可に係る法第三十六条において準用する土地区画整理法第九条第三項の規定による公告及び図書の送付

ハ　法第三十六条において準用する土地区画整理法第十条第一項の規定による個人施行の規準若しくは規約又は事業計画の変更の認可並びに同条第三項において準用する土地区画整理法第九条第三項の規定による公告及び図書の送付

ニ　法第三十六条において準用する土地区画整理法第十一条第四項の規定による一人施行から共同施行になった場合における規約の認可、同条第七項の規定による施行者に変動が生じた場合における届出の受理及び同条第八項の規定による公告

ホ　法第三十六条において準用する土地区画整理法第十三条第一項の規定による個人施行者の住宅街区整備事業の廃止又は終了の認可及び同条第四項において準用する土地区画整理法第九条第三項の規定による公告

ヘ　法第三十七条第一項の規定による住宅街区整備組合（以下この項において「組合」という。）の設立の認可

ト　法第五十一条において準用する土地区画整理法第二十条第一項（同法第三十九条第二項において準用する場合を含む。）の規定による事業計画の縦覧、同法第二十条第二項（同法第三十九条第二項において準用する場合を含む。）の規定による当該事業計画に対する意見書の受理、同法第二十条第三項（同法第三十九条第二項において準用する場合を含む。）の規定による当該意見書の処理並びに同法第二十条第五項（同法第三十九条第二項において準用する場合を含む。）の規定による当該事業計画の修正に係る申告の受理及び当該事業計画の修正部分に係る手続の執行

チ　へに掲げる認可に係る法第五十一条において準用する土地区画整理法第二十一条第三項の規定による公告及び図書の送付

リ　法第五十一条において準用する土地区画整理法第二十九条第一項の規定による組合の理事の氏名及び住所の届出の受理並びに同条第二項の規定による公告

ヌ　法第五十一条において準用する土地区画整理法第三十九条第一項の規定による組合の定款又は事業計画の変更の認可並びに同条第四項の規定による公告及び図書の送付

ル　法第五十一条において準用する土地区画整理法第四十五条第二項の規定による組合の解散の認可及び同条第五項の規定による組合の設立についての認可を取り消した場合又は組合の解散の認可をした場合の公告

ヲ　法第五十一条において準用する土地区画整理法第四十九条の規定による決算報告書の承認

ワ　法第五十一条において準用する土地区画整理法第五十条第三項の規定による組合の合併に伴う組合設立認可の申請の受理及び同条第四項の規定による合併する組合の一方が合併後存続する場合の定款等の変更の認可

カ　法第七十二条第一項の規定によ

る換地計画の認可

ヨ　法第八十一条第一項の規定による換地計画の変更の認可

タ　法第八十三条において準用する土地区画整理法第百三条第三項の規定による換地処分に係る届出の受理及び同条第四項の規定による公告

レ　法第八十七条第一項の規定による施設住宅の一部等の譲渡に係る届出の受理

ソ　法第八十七条第二項の規定による買取りの協議を行う者の決定及び当該決定に係る通知

ツ　法第八十七条第四項の規定による買取りを希望する地方公共団体等がない旨の通知

ネ　法第九十五条第三項の規定による住宅街区整備事業の施行の促進を図るため必要な措置の命令

ナ　法第九十六条において準用する土地区画整理法第百二十四条第一項から第三項までの規定による個人施行者に対する監督等

ラ　法第九十六条において準用する土地区画整理法第百二十五条の規定による組合に対する監督等

十二　密集市街地における防災街区の整備の促進に関する法律（平成九年法律第四十九号。以下この項において「法」という。）、密集市街地における防災街区の整備の促進に関する法律施行令（平成九年政令第三百二十四号。以下この項において「政令」という。）、密集市街地における防災街区の整備の促進に関する法律施行規則（平成九年建設省令第十五号。以下この項において「省令」という。）及び法の施行のための規則に基づく事務のうち、次に掲げるもの　　各特別区

イ　建築基準法施行令第百四十九条第一項第一号及び第二号に掲げる建築物（第二号に掲げる建築物にあっては、この条例の規定により同号に規定する処分に関する事務を特別区が処理することとした場合の当該建築物を除く。以下「都の建築主事等の確認対象となる建築物」という。）に係る事務のうち、次に掲げるもの（建築物の敷地が市（武蔵野市、三鷹市、調布市及び西東京市を除く。）の区域にまたがるものにあっては、当該敷地の管轄面積において当該市の管轄面積が最大となるものを除く。）

(1)　法第四条第一項の規定による知事に提出すべき建替計画の認定の申請書の受理

(2)　省令第三条第一項の規定により知事が発行した建替計画の認定の通知書の交付

ロ　防災街区計画整備組合（以下この項において「計画整備組合」という。）に係る事務のうち、次に掲げるもの

(1)　法第七十八条第二項の規定による定款及び事業基本方針の変更の認可

(2)　法第九十三条第一項の規定による計画整備組合の設立の認可の申請の受理及び同条第二項（法第七十八条第三項において準用する場合を含む。）の規定による計画整備組合の設立に関する報告書の提出要求

(3)　法第九十四条第一項（法第七十八条第三項において準用する場合を含む。）の規定による計画整備組合の設立の認可及び法第九十四条第二項（法第七十八条第三項において準用する場合を含む。）の規定による促進地区内防災街区整備地区計画の都市計画を定めた者の意見の聴取

(4)　法第九十七条第二項の規定による解散の決議の認可、同条第三項において準用する法第九十

三条第二項の規定による報告書の提出の要求及び法第九十七条第五項の規定による解散の届出の受理

(5) 法第九十八条第二項の規定による合併の認可の申請の受理並びに同条第三項において準用する法第九十三条第二項の規定による報告書の提出の要求、法第九十四条第一項の規定による合併の認可及び同条第二項の規定による意見の聴取

(6) 法第百五条の規定による必要な報告の要求及び資料の提出の命令

(7) 法第百六条第一項及び第二項の規定による計画整備組合の業務又は会計の状況の検査

(8) 法第百七条第一項の規定による必要な措置を講ずべき旨の命令及び同条第二項の規定による業務の停止又は役員の改選の命令

(9) 法第百八条の規定による計画整備組合の解散の命令

(10) 法第百九条第一項（同条第二項において準用する場合を含む。）の規定による議決又は選挙若しくは当選の取消し

ハ 防災街区整備事業に係る事務のうち、次に掲げるもの。ただし、都が施行する防災街区整備事業に係るものを除く。

(1) 法第百三十一条第一項の規定による知事に提出すべき個人施行者の審査委員の選任の承認に係る申請書の受理及び知事が発行した承認通知書の交付

(2) 法第百六十四条において準用する都市再開発法第四十九条の規定による知事に提出すべき事業組合の決算報告書の承認に係る申請書の受理及び知事が発行した承認通知書の交付

(3) 法第百七十七条第一項の規定による知事に提出すべき事業会社の審査委員の選任の承認に係る申請書の受理及び知事が発行した承認通知書の交付

(4) 法第二百四条第一項の規定による知事に提出すべき権利変換計画の認可に係る申請書の受理及び知事が発行した認可通知書の交付

(5) 法第二百四条第四項において準用する同条第一項の規定による知事に提出すべき権利変換計画の変更の認可に係る申請書の受理及び知事が発行した認可通知書の交付

(6) 法第二百三十六条第三項の規定による知事に提出すべき特定建築者の決定の承認に係る申請書の受理及び知事が発行した承認通知書の交付

(7) 法第二百四十一条第五項において準用する法第二百三十六条第三項の規定による知事に提出すべき特定建築者の決定の取消しの承認に係る申請書の受理及び知事が発行した承認通知書の交付

(8) 法第二百七十七条第一項の規定による知事に提出すべき管理規約の認可に係る申請書の受理及び知事が発行した認可通知書の交付

(9) 政令第二十六条第三項（政令第三十条において準用する場合を含む。）の規定による知事に提出すべき審査委員の解任の承認に係る申請書の受理及び知事が発行した承認通知書の交付

ニ イからハまでに掲げるもののほか、法の施行に係る事務のうち規則に基づく事務であって別に規則で定めるもの

| 十二の二 | 各特別区 | 租税特別措置法（昭和三十二年法律第二十六号。以下この項に |
|---|---|---|

| | |
|---|---|
| おいて「法」という。）に基づく事務のうち、次に掲げるもの<br>イ　法第二十八条の四第三項第五号イ、第三十一条の二第二項第十四号ハ、第六十二条の三第四項第十四号ハ及び第六十三条第三項第五号イの規定による宅地の造成が優良な宅地の供給に寄与するものであることについての認定<br>ロ　法第二十八条の四第三項第六号、第三十一条の二第二項第十五号ニ、第六十二条の三第四項第十五号ニ及び第六十三条第三項第六号の規定による住宅の新築又は建設が優良な住宅の供給に寄与するものであることについての認定 | |
| 十三　屋外広告物法（昭和二十四年法律第百八十九号。以下この項において「法」という。）、東京都屋外広告物条例（昭和二十四年東京都条例第百号。以下この項において「条例」という。）及び条例の施行のための規則に基づく事務のうち、次に掲げるもの<br>イ　法第七条第三項の規定による除却その他必要な措置及び費用の徴収<br>ロ　法第七条第四項の規定によるはり紙、はり札等、広告旗又は立看板等の除却<br>ハ　法第八条第六項の規定による除却、保管、売却、公示その他の措置に要した費用の請求<br>ニ　条例第八条、第十五条、第十六条及び第三十条の規定による広告物又はこれを掲出する物件（以下この項において「広告物等」という。）の表示又は設置に係る許可<br>ホ　条例第十二条第一項（同条第五項において準用する場合を含む。）の規定による知事に提出すべき広告協定地区（一の特別区の区域内におけるものに限る。）の指定等に係る申請書の受理<br>ヘ　条例第二十四条第一項（条例第二十七条第三項において準用する場合を含む。）の規定による許可の期間の設定及び条件の付加<br>ト　条例第二十七条第一項の規定による広告物の表示の内容の変更等の許可及び同条第二項の規定による広告物等の表示等の継続の許可<br>チ　条例第三十一条の規定による許可の取消し及び広告物等の改修、移転、除却その他必要な措置の命令<br>リ　条例第三十二条第一項の規定による違反広告物等に対する表示若しくは設置の停止、改修、移転、除却その他必要な措置の命令並びに同条第二項の規定による代執行及び公告<br>ヌ　条例第三十四条第一項の規定による広告物等の保管、同条第二項の規定による公告並びに同条第四項の規定による保管物件一覧表の備付け及び閲覧<br>ル　条例第三十五条第一項の規定による広告物等の売却及び売却代金の保管並びに同条第二項の規定による広告物等の廃棄<br>ヲ　条例第三十六条の規定による広告物等の価額の評価<br>ワ　条例第三十八条の規定による広告物等の返還<br>カ　条例第六十五条の規定による報告又は資料の徴取<br>ヨ　条例第六十六条第一項の規定による立入検査等<br>タ　条例第七十一条の規定による処分のうち同条第一号に係るもの<br>レ　イからタまでに掲げるもののほか、条例の施行に係る事務のうち規則に基づく事務であって別に規則で定めるもの | 各特別区 |
| 十四及び十五　削除 | |
| 十五の二　高齢者、障害者等が利用し | 各特別区 |

| | |
|---|---|
| やすい建築物の整備に関する条例（平成十五年東京都条例第百五十五号）第十四条の規定及び同条例の施行のための規則による特別特定建築物に係る制限の緩和に関する認定。ただし、都の建築主事等の確認対象となる建築物に係るものを除く。 | |
| 十六及び十七　削除 | |
| 十八　建築基準法第十五条第四項の規定及び同法の施行のための規則による知事に提出すべき建築統計の作成。ただし、都の建築主事等の確認対象となる建築物に係るものを除く。 | 各特別区 |
| 十九　東京都建築安全条例（昭和二十五年東京都条例第八十九号。以下この項において「条例」という。）に基づく事務のうち、次に掲げるもの。ただし、都の建築主事等の確認対象となる建築物に係るものを除く。<br>イ　条例第二条第三項の規定による角敷地の建築制限に関する特例の認定<br>ロ　条例第三条第一項ただし書の規定による路地状敷地の形態に関する特例の認定 | 各特別区 |

| | |
|---|---|
| ハ　条例第四条第三項の規定による建築物の敷地と道路との関係に関する特例の認定<br>ニ　条例第五条第三項の規定による長屋の主要な出入口と道路との関係等に関する特例の認定<br>ホ　条例第十条第四号の規定による路地状敷地の制限に関する特例の認定<br>ヘ　条例第十条の二第一項ただし書の規定による前面道路の幅員に関する特例の認定<br>ト　条例第十条の三第二項第二号の規定による道路に接する部分の長さに関する特例の認定<br>チ　条例第十七条第三号の規定による共同住宅等の主要な出入口と道路との関係に関する特例の認定<br>リ　条例第二十一条第二項の規定による寄宿舎又は下宿に係る制限の緩和に関する認定<br>ヌ　条例第二十二条ただし書の規定による物品販売業を営む店舗又は飲食店の用途に供する建築物の敷地と道路との関係に関する特例の認定<br>ル　条例第二十四条ただし書の規定による百貨店の屋上広場に関する特例の認定<br>ヲ　条例第三十二条ただし書の規定 | |

| | |
|---|---|
| による大規模の自動車車庫又は自動車駐車場の構造及び設備に関する特例の認定<br>ワ　条例第四十一条第一項ただし書の規定による興行場等の敷地と道路との関係に関する特例の認定<br>カ　条例第五十二条の規定による興行場等に係る制限の緩和に関する認定<br>ヨ　条例第七十三条の二十の規定による地下街等に係る制限の緩和に関する認定 | |
| 二十　東京における緊急輸送道路沿道建築物の耐震化を推進する条例（平成二十三年東京都条例第三十六号。以下この項において「条例」という。）及び条例の施行のための規則に基づく事務のうち、次に掲げるもので、延べ面積が一万平方メートル以下の建築物に係るもの<br>イ　条例第十条第二項及び第六項の規定による特定沿道建築物の所有者（所有者と管理者とが異なる場合においては、管理者）が知事に報告すべき報告書の受理<br>ロ　条例第十一条第一項の規定による沿道建築物の所有者等に対する耐震化に関する指導及び助言<br>ハ　条例第十一条第二項の規定によ | 各特別区（対象となる建築物の敷地が、二以上の行政区域にまたがる場合は、その敷地の所管面積が最大となる特別区） |

| | |
|---|---|
| る沿道建築物の所有者に対する耐震診断に関する指示<br>ニ　条例第十四条第一項の規定による特定沿道建築物の所有者に対する耐震改修等に関する指示<br>ホ　条例第十四条の二第一項の規定による沿道建築物の占有者に対する耐震化に関する助言<br>ヘ　条例第十四条の二第三項の規定による特定沿道建築物の占有者に対する耐震改修等の実現に向けた協力に関する指導及び助言<br>ト　条例第十五条第一項の規定による条例第十条第二項及び第六項、第十一条第二項並びに第十四条第一項の規定の施行に必要な限度における沿道建築物の所有者（所有者と管理者とが異なる場合においては、管理者（条例第十条第二項及び第六項に係る部分に限る。））への報告の要求及び立入検査<br>チ　条例第十五条第二項の規定による条例第十四条の二第三項の規定の施行に必要な限度における特定沿道建築物の占有者への報告の要求<br>リ　条例第二十一条の規定による条例第十条第二項又は条例第十五条第一項による報告を行わなかった者に対する過料の適用 | |
| 二十一　東京都文教地区建築条例（昭和二十五年東京都条例第八十八号）第三条ただし書及び第四条ただし書の規定による文教地区内における建築物の建築又は用途変更の特例の許可。ただし、都の建築主事等の確認対象となる建築物に係るものを除く。 | 各特別区 |
| 二十二　東京都駐車場条例（昭和三十三年東京都条例第七十七号。以下この項において「条例」という。）及び条例の施行のための規則に基づく事務のうち、次に掲げるもの。ただし、都の建築主事等の確認対象となる建築物に附置すべき駐車施設に係るものを除く。<br>イ　条例第十七条第一項第一号から第三号まで、第十七条の二第一項第一号から第四号まで、第十七条の三第一号から第三号まで、第十七条の四第一項第一号から第四号まで、第十七条の五第三項、第十八条第一項及び第二項並びに第十九条の二第一項第一号及び第二号の規定による駐車施設に係る認定<br>ロ　条例第十八条の二の規定による駐車施設の設置又は変更の届出の受理<br>ハ　条例第二十条第一項の規定によ | 各特別区 |
| る違反を是正するために必要な措置の命令及び同条第二項の規定による措置命令書の交付<br>ニ　条例第二十一条第一項の規定による報告の徴取又は資料の提出の要求及び立入検査等 | |
| 二十三　削除 | |
| 二十四　都民の健康と安全を確保する環境に関する条例（平成十二年東京都条例第二百十五号。以下この項において「条例」という。）及び条例の施行のための規則に基づく事務のうち、次に掲げるもの<br>イ　条例第二条第七号に規定する工場に係る事務及び同条第八号に規定する指定作業場に係る事務のうち、次に掲げるもの。ただし、(1)及び(2)の認可に係る審査、(3)の検査、(9)、(13)、(16)及び(19)から(21)までに規定する命令等（(20)の認可の取消しを除く。）、(32)に規定する立入検査等並びに(33)に規定する報告及び資料の徴収のうち、条例別表第七　一の部(三)の項に規定する基準に係るものを除く。<br>(1)　条例第八十一条第一項の規定による工場の設置の認可及び同条第四項（条例第八十二条第二 | 各特別区。ただし、条例第百五十一条の規定により適用除外となる事務については、当該事務に係る特別区を除く。 |

項において準用する場合を含む。）の規定による条件の付加

(2)　条例第八十二条第一項の規定による工場の変更の認可

(3)　条例第八十四条第一項の規定による工事完成の届出の受理並びに同条第二項の規定による検査及び認定

(4)　条例第八十六条の規定による工場の現況の届出の受理

(5)　条例第八十七条の規定による工場の認可を受けた者の氏名及び住所等の変更又は工場の廃止の届出の受理

(6)　条例第八十八条第三項の規定による工場の認可を受けた者の地位を承継した旨の届出の受理

(7)　条例第八十九条の規定による指定作業場の設置の届出の受理

(8)　条例第九十条の規定による指定作業場の変更の届出の受理

(9)　条例第九十一条の規定による計画の変更又は廃止の命令

(10)　条例第九十二条第二項の規定による実施制限期間の短縮の措置

(11)　条例第九十三条第一項において準用する条例第八十七条の規定による指定作業場の届出をした者の氏名及び住所等の変更又は指定作業場の廃止の届出の受理

(12)　条例第九十三条第二項において準用する条例第八十八条第三項の規定による指定作業場の届出をした者の地位を承継した旨の届出の受理

(13)　条例第九十六条の規定による測定の指示及びその結果の報告の要求

(14)　条例第九十七条の規定による揚水量の報告の受理

(15)　条例第九十八条第一項の規定による事故の届出の受理、同条第二項の規定による事故の再発防止のための措置に関する計画の受理、同条第三項の規定による事故の再発防止のための措置の完了の届出の受理及び同条第四項の規定による応急の措置の命令

(16)　条例第九十九条の規定によるばい煙等の減少計画の提出の要求

(17)　条例第百条の規定による騒音及び振動の防止方法の改善等の勧告

(18)　条例第百一条の規定による施設等の改善及び地下水の揚水の代替水への転換に係る勧告

(19)　条例第百二条第一項の規定による改善命令及び同条第二項の規定による作業の一時停止命令

(20)　条例第百三条第一項の規定による認可の取消し及び作業の一時停止命令並びに同条第二項の規定による移転命令及び操業停止命令

(21)　条例第百四条第一項の規定による工業用水等の供給停止の要請

(22)　条例第百五条第二項の規定による公害防止管理者の選任及び解任の届出の受理

(23)　条例第百十条第一項の規定による適正管理化学物質ごとの使用量等の報告の受理

(24)　条例第百十一条第一項の規定による化学物質管理方法書の受理

(25)　条例第百十二条の規定による適正管理化学物質取扱事業者に対する指導及び助言

(26)　条例第百十六条第一項の規定による汚染状況調査の結果の報告の受理、同項ただし書の規定による確認の申請の受理及び確認、同条第二項の規定による同条第一項ただし書の確認に係る土地の利用状況等の変更の届出

の受理、同条第三項の規定による確認の取消し、同条第四項（条例第百十六条の二第二項において準用する場合を含む。）の規定による土壌地下水汚染対策計画書の作成及び提出の指示並びに当該土壌地下水汚染対策計画書の受理、条例第百十六条第五項（条例第百十六条の二第二項において準用する場合を含む。）の規定による土壌地下水汚染対策計画書の提出の命令及び当該土壌地下水汚染対策計画書の受理、条例第百十六条第七項（条例第百十六条の二第二項において準用する場合を含む。）の規定による土壌汚染の除去等の措置の命令、条例第百十六条第八項（条例第百十六条の二第二項において準用する場合を含む。）の規定による土壌汚染の除去等の措置の完了の届出の受理、条例第百十六条第九項（条例第百十六条の二第二項において準用する場合を含む。）の規定による汚染状況調査の結果の報告、土壌地下水汚染対策計画書及び土壌汚染の除去等の措置の完了の届出の受理、条例第百十六条第十項の規定による通知並びに同条第十一項の規定による汚染状況調査又は土壌汚染の除去等の措置に関する認定

(27)　条例第百十六条の二第一項の規定による汚染状況調査の結果の報告の受理

(28)　条例第百十六条の三第一項の規定による汚染拡散防止計画書の受理（同項第二号に係るもの又は同項第三号（条例第百十四条第三項若しくは第四項又は第百十五条第四項若しくは第五項の規定により措置が講じられた土地を除く。）に係るものに限る。）及び条例第百十六条の三第三項の規定による汚染拡散防止の措置の完了の届出の受理（同条第一項第二号に係るもの又は同項第三号（条例第百十四条第三項若しくは第四項又は第百十五条第四項若しくは第五項の規定により措置が講じられた土地を除く。）に係るものに限る。）

(29)　条例第百十八条の二第一項の規定による台帳の調製及び保管並びに同条第二項の規定による当該台帳の公開等に関する事務であって、(26)から(28)までに掲げる事務に関して行うもの

(30)　条例第百十九条第一項の規定による指導及び助言であって、条例第百十六条第一項、第二項、第四項から第九項まで（条例第百十六条の二第二項において準用する場合を含む。）及び第十一項、第百十六条の二第一項並びに第百十六条の三各項（同条第一項第二号に係るもの又は同項第三号（条例第百十四条第三項若しくは第四項又は第百十五条第四項若しくは第五項の規定により措置が講じられた土地を除く。）に係るものに限る。）の規定に基づき行う調査、措置等に関して行うもの並びに条例第百十九条第二項の規定による情報の収集、整理、保存及び提供であって、条例第百十六条第四項第一号の規則で定める場合（条例第百十六条の二第二項において準用する場合を含む。）に該当することの判断に関して行うもの

(31)　条例第百二十条第一項の規定による勧告であって、条例第百十六条第一項、第八項（条例第百十六条の二第二項において準用する場合を含む。）及び第九項（条例第百十六条の二第二項

において準用する場合を含む。）並びに条例第百十六条の三各項（同条第一項第二号に係るもの又は同項第三号（条例第百十四条第三項若しくは第四項又は第百十五条第四項若しくは第五項の規定により措置が講じられた土地を除く。）に係るものに限る。）に関して行うもの、条例第百二十条第二項の規定による条例第百十六条第一項の汚染状況調査の対象となっている土地の公表並びに条例第百二十条第三項の規定による意見を述べ、証拠を提示する機会の付与

(32)　条例第百五十二条第一項の規定による立入検査等であって、(1)から(28)までに掲げる事務に関して行うもの並びに条例第八十五条の規定による表示板の掲出、条例第九十七条の規定による揚水量の報告、条例第百五条第一項の規定による公害防止管理者の設置及び条例第百十一条第一項の規定による化学物質管理方法書の作成に関して行うもの

(33)　条例第百五十五条第一項の規定による報告及び資料の徴収であって、(1)から(28)までに掲げる事務に関して行うもの

(34)　条例第百五十五条第二項の規定による条例第九十七条の規定による揚水量の報告に係る命令

ロ　イに掲げる事務のほか、次に掲げるもの

(1)　条例第百二十四条第一項の規定による飛散防止方法等計画の届出の受理及び同条第二項の規定による当該飛散防止方法等計画に対する変更の勧告

(2)　条例第百二十五条第一項の規定による改善又は変更の勧告及び同条第二項の規定による改善又は変更の命令

(3)　条例第百三十四条第四項の規定による地下水の揚水施設の届出の受理及び同条第五項の規定による変更の届出の受理

(4)　条例第百三十五条の規定による揚水量の報告の受理

(5)　条例第百三十七条の規定による条例第百二十六条の規定に違反する行為をしている者に対する勧告

(6)　条例第百三十八条の規定による条例第百二十九条から第百三十三条まで及び第百三十六条の規定に違反する行為をしている者に対する勧告

(7)　条例第百三十九条第一項の規定による条例第百二十六条、第百二十九条から第百三十四条まで及び第百三十六条の規定に違反する行為をしている者に対する停止命令等並びに条例第百三十九条第二項の規定による営業又は作業の停止命令

(8)　条例第百五十二条第一項の規定による立入検査等であって、(1)から(7)までに掲げる事務に関して行うもの及び条例第百三十五条の規定による揚水量の報告に関して行うもの

(9)　条例第百五十五条第一項の規定による報告及び資料の徴収であって、(1)から(7)までに掲げる事務に関して行うもの

(10)　条例第百五十五条第二項の規定による条例第百三十五条の規定による揚水量の報告に係る命令

ハ　イ及びロに掲げるもののほか、条例の施行に係る事務のうち規則に基づく事務であって別に規則で定めるもの

| 二十四の二　大気汚染防止法（昭和四十三年法律第九十七号。以下この項において「法」という。）に基づく | 各特別区 |
| --- | --- |

| | |
|---|---|
| 事務のうち、次に掲げるもの<br>イ　法第十八条の十五第六項の規定による解体等工事に係る調査の結果の報告の受理<br>ロ　法第十八条の十七第一項及び第二項の規定による特定粉じん排出等作業の実施の届出の受理<br>ハ　法第十八条の十八の規定による特定粉じん排出等作業の方法に関する計画の変更命令<br>ニ　法第十八条の二十一の規定による作業基準適合命令及び特定粉じん排出等作業の一時停止命令<br>ホ　法第二十六条第一項の規定による報告の徴収（解体等工事に係る建築物等の状況又は特定粉じん排出等作業の状況に関するものに限る。）及び立入検査（解体等工事に係る建築物等、解体等工事の現場又は解体等工事の元請業者、自主施工者若しくは下請負人の営業所、事務所等に係るものに限る。）<br>ヘ　法第二十八条第二項の規定による特定粉じん排出等作業の状況等に関する資料の送付その他の協力の要求 | |
| 二十五　身体障害者福祉法（昭和二十四年法律第二百八十三号。以下この項において「法」という。）、身体障害者福祉法施行令（昭和二十五年政令第七十八号。以下この項において「政令」という。）、身体障害者福祉法施行規則（昭和二十五年厚生省令第十五号。以下この項において「省令」という。）及び法の施行のための規則に基づく事務のうち、次に掲げるもの<br>イ　政令第六条第一項の規定により知事が発行した通知書の交付<br>ロ　政令第十条第一項の規定による身体障害者手帳を破り、汚し、又は失った者が知事に提出すべき再交付申請書の受理及び知事が再発行した身体障害者手帳の交付<br>ハ　政令第十条第三項の規定により知事に返還される身体障害者手帳の受理及び知事が発行した身体障害者手帳の交付<br>ニ　省令第八条第二項の規定により知事に返還される身体障害者手帳の受理<br>ホ　イからニまでに掲げるもののほか、法の施行に係る事務のうち規則に基づく事務であって別に規則で定めるもの | 各特別区 |
| 二十六　削除 | |
| 二十七　戦傷病者特別援護法（昭和三十八年法律第百六十八号。以下この項において「法」という。）に基づく事務のうち、次に掲げるもの<br>イ　法第二十条第一項の規定による更生医療の給付及び同条第四項の規定による更生医療に要する費用の支給の決定<br>ロ　法第二十一条第一項の規定による補装具の支給又は修理及び同条第四項の規定による補装具の購入又は修理に要する費用の支給の決定 | 各特別区 |
| 二十八　東京都重度心身障害者手当条例（昭和四十八年東京都条例第六十八号。以下この項において「条例」という。）及び条例の施行のための規則に基づく事務のうち、次に掲げるもの<br>イ　条例第四条の規定による知事に対して行うべき受給資格の認定に係る申請の受理<br>ロ　条例第九条の規定による知事に対して行うべき受給者の住所変更等に係る届出の受理<br>ハ　条例第十条の規定による報告の要求及び生活状況等に関する調査<br>ニ　イからハまでに掲げるもののほか、条例の施行に係る事務のうち規則に基づく事務であって別に規 | 各特別区 |

| 事務 | 特別区 |
|---|---|
| 則で定めるもの | |
| 二十九　東京都心身障害者扶養年金条例を廃止する条例（平成十八年東京都条例第百七十五号）による廃止前の東京都心身障害者扶養年金条例（昭和四十三年東京都条例第百十一号。以下この項において「条例」という。）及び条例の施行のための規則に基づく事務のうち、次に掲げるもの<br>イ　条例第十九条第二項及び第三項の規定による知事に対して行うべき変更事項等の届出の受理<br>ロ　条例第十九条第四項の規定による知事に対して行うべき現況に関する届出の受理<br>ハ　条例第十九条第六項の規定による調査<br>ニ　イからハまでに掲げるもののほか、条例の施行に係る事務のうち規則に基づく事務であって別に規則で定めるもの | 各特別区 |
| 二十九の二　東京都心身障害者扶養年金条例を廃止する条例（以下この項において「条例」という。）及び条例の施行のための規則に基づく事務のうち、次に掲げるもの<br>イ　条例附則第四条第四項の規定による知事に対して行うべき清算金受取人の変更の届出の受理<br>ロ　条例附則第九条第一項及び第二項の規定による知事に対して行うべき変更事項等の届出の受理<br>ハ　条例附則第九条第三項の規定による調査<br>ニ　イからハまでに掲げるもののほか、条例の施行に係る事務のうち規則に基づく事務であって別に規則で定めるもの | 各特別区 |
| 二十九の三　東京都心身障害者扶養共済制度条例（平成十九年東京都条例第百三十七号。以下この項において「条例」という。）及び条例の施行のための規則に基づく事務のうち、次に掲げるもの<br>イ　条例第五条第一項の規定による知事に対して行うべき加入の申込みの受理<br>ロ　条例第八条第一項の規定による知事に対して行うべき口数追加の申込みの受理<br>ハ　条例第二十二条第一項から第五項までの規定による知事に対して行うべき変更事項等の届出の受理<br>ニ　イからハまでに掲げるもののほか、条例の施行に係る事務のうち規則に基づく事務であって別に規則で定めるもの | 各特別区 |
| 三十　心身障害者の医療費の助成に関する条例（昭和四十九年東京都条例第二十号。以下この項において「条例」という。）及び条例の施行のための規則に基づく事務のうち、次に掲げるもの<br>イ　条例第四条の規定による受給者証の交付に係る申請の受理<br>ロ　次に掲げる場合に係る条例第五条第二項に規定する方法による医療費の支払<br>(1)　特別区が国民健康保険法（昭和三十三年法律第百九十二号）による保険者として条例第二条に規定する対象者（以下この項において「対象者」という。）について療養費の支給を行う場合<br>(2)　(1)に掲げる場合のほか、国民健康保険法に基づき、対象者について看護に係る療養費の支給が行われた場合<br>(3)　健康保険法（大正十一年法律第七十号）、船員保険法（昭和十四年法律第七十三号）、国家公務員共済組合法（昭和三十三年法律第百二十八号）、地方公務員等共済組合法（昭和三十七 | 各特別区 |

| | |
|---|---|
| 年法律第百五十二号）及び私立学校教職員共済法（昭和二十八年法律第二百四十五号）のいずれかに基づき、対象者について看護に係る家族療養費の支給が行われた場合<br>(4)　高齢者の医療の確保に関する法律（昭和五十七年法律第八十号）第八十四条第一項に規定する高額療養費に相当する額の支給を行う場合<br>ハ　条例第六条第一項の規定による氏名又は住所の変更の届出の受理及び同条第二項の規定による所得状況に係る届出の受理<br>ニ　イからハまでに掲げるもののほか、条例の施行に係る事務のうち規則に基づく事務であって別に規則で定めるもの | |
| 三十一　母子及び父子並びに寡婦福祉法（昭和三十九年法律第百二十九号。以下この項において「法」という。）、東京都母子及び父子福祉資金貸付条例（昭和三十九年東京都条例第百六十六号。以下この項において「条例」という。）及び母子及び父子福祉資金の貸付のための規則に基づく事務のうち、次に掲げるもの<br>イ　法第二十五条第三項（法第三十四条第一項において準用する場合を含む。）の規定による公共的施設内における売店等の設置に係る当該公共的施設の管理者との協議等。ただし、都の設置した施設に係るものを除く。<br>ロ　条例第一条の規定により行う母子及び父子福祉資金の貸付及び償還に関する事務。ただし、当該資金の貸付及び償還に係る事務のうち規則に基づく事務であって別に規則で定めるものを除く。 | 各特別区 |
| 三十二　東京都福祉のまちづくり条例（平成七年東京都条例第三十三号。以下この項において「条例」という。）及び条例の施行のための規則に基づく事務のうち、次に掲げるもの<br>イ　条例第十五条第二項の規定による整備基準適合証の交付（条例第十八条第一項の規定によりその新設又は改修に当たって届出を要するとされた施設（以下この項において「届出を要する施設」という。）に係るものに限る。）<br>ロ　条例第十八条第一項の規定による特定都市施設の新設又は改修等に係る届出の受理及び同条第二項の規定による変更の届出の受理<br>ハ　条例第十九条の規定による特定整備主に対する指導及び助言<br>ニ　条例第二十一条の規定による特定都市施設の整備基準への適合状況に係る報告の要求（届出を要する施設に係るものに限る。）<br>ホ　条例第二十二条の規定による勧告<br>ヘ　条例第二十三条第一項の規定による勧告に従わなかった旨の公表及び同条第二項の規定による意見を述べ、証拠を提示する機会の付与<br>ト　条例第二十四条第一項の規定による特定都市施設への立入調査（届出を要する施設に係るものに限る。）<br>チ　イからトまでに掲げるもののほか、条例の施行に係る事務のうち規則に基づく事務であって別に規則で定めるもの | 各特別区。ただし、条例第二十九条の規定により適用除外となる特別区を除く。 |
| 三十三及び三十四　削除 | |
| 三十五　児童福祉法（昭和二十二年法律第百六十四号。以下この項において「法」という。）、児童福祉法施行規則（昭和二十三年厚生省令第十一号。以下この項において「省令」という。）及び法の施行のための規則 | 各特別区（法第五十九条の四第一項の児童相談所設置 |

| | | |
|---|---|---|
| | に基づく事務のうち、次に掲げるもの<br>イ　法第二十条第一項の規定による療育の給付<br>ロ　第二十一条の二において準用する法第十九条の二十第四項の規定による診療報酬の支払に関する事務の委託<br>ハ　法第三十四条の十二第一項の規定による知事に対して行うべき一時預かり事業（区市町村以外の者が行うものに限る。以下この項において同じ。）の開始の届出の受理<br>ニ　法第三十四条の十二第二項の規定による知事に対して行うべき一時預かり事業に係る変更の届出の受理<br>ホ　法第三十四条の十二第三項の規定による知事に対して行うべき一時預かり事業の廃止又は休止の届出の受理<br>ヘ　法第三十四条の十八第一項の規定による知事に対して行うべき病児保育事業の開始の届出の受理<br>ト　法第三十四条の十八第二項の規定による知事に対して行うべき病児保育事業の変更の届出の受理<br>チ　法第三十四条の十八第三項の規定による知事に対して行うべき病児保育事業の廃止又は休止の届出の受理 | 市を除く。） |
| | リ　法第五十条第五号の規定による療育に係る費用の支弁<br>ヌ　リに掲げる事務に係る法第五十六条第二項の規定による費用の徴収、同条第四項の規定による報告又は必要な書類の閲覧若しくは資料の提供の要求、同条第五項の規定による費用の徴収の嘱託及び同条第六項の規定による地方税の滞納処分の例による処分<br>ル　省令第十条第一項の規定による申請の受理及び同条第二項の療育券の交付<br>ヲ　省令第三十七条第二項の規定による知事に提出すべき児童福祉施設（区市町村以外の者が設置した母子生活支援施設、保育所及び児童厚生施設並びに助産施設、乳児院及び障害児入所施設（法第四十二条第二号に規定する医療型障害児入所施設に限る。）に係るものに限る。以下この項において同じ。）の設置の認可の申請書の受理<br>ワ　省令第三十七条第五項及び第六項の規定による知事に対して行うべき児童福祉施設に係る変更の届出の受理 | |
| | カ　省令第三十八条第二項の規定による児童福祉施設の廃止又は休止の承認に係る知事に提出すべき申請書の受理<br>ヨ　イからカまでに掲げるもののほか、法の施行に係る事務のうち規則に基づく事務であって別に規則で定めるもの | |
| 三十五の二 | 社会福祉法（昭和二十六年法律第四十五号。以下この項において「法」という。）に基づく事務のうち、次に掲げるもの<br>イ　法第六十九条第一項の規定による知事に対して行うべき第二種社会福祉事業（区市町村以外の者が行う児童福祉法第六条の三第六項に規定する地域子育て支援拠点事業に限る。以下この項において同じ。）の開始の届出の受理<br>ロ　法第六十九条第二項の規定による知事に対して行うべき第二種社会福祉事業の変更又は廃止の届出の受理 | 各特別区 |
| 三十五の三 | 就学前の子どもに関する教育、保育等の総合的な提供の推進に関する法律（平成十八年法律第七十七号。以下この項において「法」という。）、就学前の子どもに関する | |

| | |
|---|---|
| 教育、保育等の総合的な提供の推進に関する法律施行規則（平成二十六年内閣府・文部科学省・厚生労働省令第二号。以下この項において「府省令」という。）及び法の施行のための規則に基づく事務のうち、次に掲げるもの | |
| イ　法第三条第一項又は第三項の規定による認定こども園の認定及び同条第十項の規定による公示 | 児童福祉法第五十九条の四第一項の児童相談所設置市（以下この項において「児童相談所設置市」という。） |
| ロ　法第四条第一項の規定による知事に提出すべき認定こども園の認定の申請書の受理 | 各特別区（児童相談所設置市を除く。） |
| ハ　法第七条第一項の規定による認定こども園の認定の取消し、同条第二項の規定による当該取消しの公表並びに同条第三項の規定による公示の取消し及びその旨の公示 | 児童相談所設置市 |
| ニ　法第八条第一項の規定による関係地方公共団体の機関との協議 | 児童相談所設置市 |
| ホ　法第十三条第一項の規定による幼保連携型認定こども園の設備及び運営の基準に関する条例の制定 | 児童相談所設置市 |
| ヘ　法第十七条第一項の規定により知事に提出すべき幼保連携型認定こども園の設置、廃止等の認可の申請書の受理 | 各特別区（児童相談所設置市を除く。） |
| ト　法第十七条第一項の規定による幼保連携型認定こども園の設置、廃止等の認可 | 児童相談所設置市 |
| チ　法第十九条第一項の規定による幼保連携型認定こども園に対する報告の徴収等 | 児童相談所設置市 |
| リ　法第二十条の規定による幼保連携型認定こども園に対する改善勧告及び改善命令 | 児童相談所設置市 |
| ヌ　法第二十一条第一項の規定による幼保連携型認定こども園の事業停止命令又は施設閉鎖命令 | 児童相談所設置市 |
| ル　法第二十二条第一項の規定による幼保連携型認定こども園の認可の取消し | 児童相談所設置市 |
| ヲ　法第二十五条の規定による合議制の機関の設置 | 児童相談所設置市 |
| ワ　法第二十八条の規定による教育及び保育等に関する情報の提供 | 児童相談所設置市 |
| カ　法第二十九条第一項の規定による知事に対して行うべき認定こども園に係る変更の届出の受理 | 各特別区（児童相談所設置市を除く。） |
| ヨ　法第二十九条第一項の規定による認定こども園に係る変更の届出の受理及び同条第四項の規定による当該届出に係る事項についての周知 | 児童相談所設置市 |
| タ　法第三十条第一項の規定による認定こども園の運営の状況の報告の受理及び同条第三項の規定による認定こども園に対する運営に関する報告の徴収 | 児童相談所設置市 |
| レ　法第三十四条第三項の規定による公私連携幼保連携型認定こども園に係る設置の届出の受理 | 児童相談所設置市 |
| ソ　府省令第十五条第二項の規定による知事に対して行うべき幼保連携型認定こども園に係る変更の届出の受理 | 各特別区（児童相談所設置市を除く。） |
| ツ　府省令第十五条第二項の規定による幼保連携型認定こども園に係る変更の届出の受理 | 児童相談所設置市 |
| ネ　ロ、ヘ、カ及びソに掲げるもののほか、法の施行に係る事務のうち規則に基づく事務であって別に規則で定めるもの | 各特別区（児童相談所設置市を除く。） |

| 事務 | 区域 |
|---|---|
| 三十六　母体保護法（昭和二十三年法律第百五十六号。以下この項において「法」という。）、母体保護法施行令（昭和二十四年政令第十六号。以下この項において「政令」という。）、母体保護法施行規則（昭和二十七年厚生省令第三十二号。以下この項において「省令」という。）、東京都福祉局関係手数料条例（令和五年東京都条例第六十七号。以下この項において「手数料条例」という。）及び法の施行のための規則に基づく事務のうち、次に掲げるもの<br>イ　政令第一条第一項の規定により知事が発行した指定証の交付<br>ロ　政令第一条第二項の規定による知事に提出すべき標識の交付の申請書の受理及び知事が発行した標識の交付<br>ハ　政令第三条の規定により知事が訂正した指定証の交付<br>ニ　政令第五条の規定により知事が再発行した指定証又は標識の交付<br>ホ　省令第十五条第三項の規定により知事に返納される標識の受理<br>ヘ　手数料条例別表一の項に定める手数料の徴収<br>ト　イからヘまでに掲げるもののほか、法の施行に係る事務のうち規則に基づく事務であって別に規則で定めるもの | 各特別区 |
| 三十七　母子保健法（昭和四十年法律第百四十一号）、母子保健法施行規則（昭和四十年厚生省令第五十五号。以下この項において「省令」という。）及び同法の施行のための規則に基づく事務のうち、次に掲げるもの<br>イ　省令第十条の規定による知事に提出すべき養育医療機関の指定の申請書の受理及び知事が発行した指定書の交付<br>ロ　省令第十二条の規定による知事に対して行うべき指定養育医療機関の変更等の届出の受理<br>ハ　省令第十三条の規定による知事に対して行うべき指定養育医療機関の指定の辞退の申出の受理 | 各特別区 |
| 三十八　調理師法（昭和三十三年法律第百四十七号。以下この項において「法」という。）、調理師法施行令（昭和三十三年政令第三百三号。以下この項において「政令」という。）、東京都保健医療局関係手数料条例（平成十二年東京都条例第八十七号。以下この項において「手数料条例」という。）及び法の施行のための規則に基づく事務のうち、次に掲げるもの<br>イ　法第五条第三項の規定により知事が発行した免許証の交付<br>ロ　政令第一条の規定による知事に提出すべき免許の申請書の受理<br>ハ　政令第十一条第二項の規定による知事に提出すべき名簿の訂正の申請書の受理<br>ニ　政令第十二条の規定による知事に提出すべき名簿の登録の消除の申請書の受理<br>ホ　政令第十三条第二項の規定による知事に提出すべき免許証の書換交付の申請書の受理及び知事が書換えをした免許証の交付<br>ヘ　政令第十四条第二項の規定による知事に提出すべき免許証の再交付の申請書の受理及び知事が再発行した免許証の交付<br>ト　政令第十四条第四項及び第十五条の規定により知事に返納される免許証の受理<br>チ　手数料条例別表二の項に定める手数料（同項ロに掲げるものを除く。）の徴収 | 各特別区 |
| 三十九　製菓衛生師法（昭和四十一年法律第百十五号。以下この項において「法」という。）、製菓衛生師法施行令（昭和四十一年政令第三百八十 | 各特別区 |

| 事務 | 特別区 |
|---|---|
| 七号。以下この項において「政令」という。）、東京都保健医療局関係手数料条例（以下この項において「手数料条例」という。）及び法の施行のための規則に基づく事務のうち、次に掲げるもの<br>イ　法第七条第三項の規定により知事が発行した免許証の交付<br>ロ　政令第一条の規定による知事に提出すべき免許の申請書の受理<br>ハ　政令第三条第二項の規定による知事に提出すべき名簿の訂正の申請書の受理<br>ニ　政令第四条の規定による知事に提出すべき名簿の登録の消除の申請書の受理<br>ホ　政令第五条第二項の規定による知事に提出すべき免許証の書換え交付の申請書の受理及び知事が書換えをした免許証の交付<br>ヘ　政令第六条第二項の規定による知事に提出すべき免許証の再交付の申請書の受理及び知事が再発行した免許証の交付<br>ト　政令第六条第四項及び第七条の規定により知事に返納される免許証の受理<br>チ　手数料条例別表三の項に定める手数料（同項ロに掲げるものを除く。）の徴収 | |
| 四十　削除 | |
| 四十一　クリーニング業法（昭和二十五年法律第二百七号）、クリーニング業法施行令（昭和二十八年政令第二百三十三号。以下この項において「政令」という。）、クリーニング業法施行規則（昭和二十五年厚生省令第三十五号。以下この項において「省令」という。）、東京都保健医療局関係手数料条例（以下この項において「手数料条例」という。）及び同法の施行のための規則に基づく事務のうち、次に掲げるもの<br>イ　政令第一条第一項の規定により知事が発行した免許証の交付<br>ロ　政令第一条第二項の規定により知事が訂正した免許証の交付<br>ハ　政令第一条第三項の規定により知事が再発行した免許証の交付<br>ニ　省令第四条の規定による知事に提出すべき免許の申請書の受理<br>ホ　省令第六条第一項の規定による知事に提出すべき免許証の再交付の申請書の受理<br>ヘ　省令第六条第二項の規定により知事に提出される免許証の受理<br>ト　省令第八条の規定による知事に提出すべき免許証の訂正の申請書の受理<br>チ　省令第九条及び第十条第二項の規定により知事に返納される免許証の受理<br>リ　手数料条例別表十の項に定める手数料（同項イ及びハに掲げるものを除く。）の徴収 | 各特別区 |
| 四十二　建築物における衛生的環境の確保に関する法律（昭和四十五年法律第二十号。以下この項において「法」という。）及び法の施行のための規則に基づく事務のうち、次に掲げるもの<br>イ　延べ面積（建築基準法施行令第二条第一項第三号に規定する床面積の合計をいう。以下この項において同じ。）が一万平方メートル以下の特定建築物（法第二条第一項に規定する特定建築物をいう。以下この項において同じ。）に係る事務のうち、次に掲げるもの<br>(1)　法第五条第一項（同条第二項において準用する場合を含む。）の規定による特定建築物に係る届出の受理<br>(2)　法第五条第三項の規定による特定建築物の変更等の届出の受理<br>(3)　法第七条第四項の規定による建築物環境衛生管理技術者免状 | 各特別区 |

| | |
|---|---|
| の返納を命ずべき旨の厚生労働大臣への申出<br>(4)　法第十一条第一項の規定による報告の徴取及び立入検査等<br>(5)　法第十二条の規定による改善命令並びに使用停止及び使用制限命令<br>(6)　法第十三条第二項の規定による国又は地方公共団体の公用又は公共の用に供する特定建築物に関する説明又は資料の提出の要求<br>(7)　法第十三条第三項ただし書の規定による通知及び改善等の勧告<br>ロ　延べ面積が一万平方メートルを超える特定建築物に係る事務のうち、次に掲げるもの<br>(1)　法第五条第一項（同条第二項において準用する場合を含む。）の規定による知事に対して行うべき特定建築物に係る届出の受理<br>(2)　法第五条第三項の規定による知事に対して行うべき特定建築物の変更等の届出の受理<br>ハ　イ及びロに掲げるもののほか、法の施行に係る事務のうち規則に基づく事務であって別に規則で定めるもの | |

| | |
|---|---|
| 四十三　大気汚染に係る健康障害者に対する医療費の助成に関する条例（昭和四十七年東京都条例第百十七号。以下この項において「条例」という。）及び条例の施行のための規則に基づく事務のうち、次に掲げるもの<br>イ　条例第四条又は第六条第一項の規定による医療費助成の申請の受理<br>ロ　条例第五条第一項の規定による疾病が大気汚染の影響を受けると推定される疾病である旨の認定<br>ハ　条例第六条第二項の規定による認定の有効期間の更新<br>ニ　条例第七条第一項の規定による医療券又は通知書の交付<br>ホ　条例第十条の規定による氏名又は住所を変更した旨の届出の受理<br>ヘ　イからホまでに掲げるもののほか、条例の施行に係る事務のうち規則に基づく事務であって別に規則で定めるもの | 各特別区 |
| 四十四　食品衛生法（昭和二十二年法律第二百三十三号。以下この項において「法」という。）、食品衛生法施行令（昭和二十八年政令第二百二十九号。以下この項において「政令」という。）、食品衛生法施行規則（昭 | 各特別区 |

| | |
|---|---|
| 和二十三年厚生省令第二十三号。以下この項において「省令」という。）、東京都保健医療局関係手数料条例（以下この項において「手数料条例」という。）及び法の施行のための規則に基づく事務のうち、次に掲げるもの（ホ、ヘ及びヲに掲げるもの（ヲに掲げるものにあっては、手数料条例別表十二の項イからハまでに掲げる手数料に係るものに限る。）を除き、卸売市場法（昭和四十六年法律第三十五号）第二条第二項に規定する卸売市場（花きの卸売のために開設されるものを除く。以下「卸売市場」という。）内におけるものに限る。）<br>イ　政令第三十五条第一号に規定する飲食店営業（以下この項及び四十六の項において「飲食店営業」という。）に係る法第二十八条第一項の規定による報告の徴取、臨検検査及び無償収去並びに法第三十条第二項の規定による監視指導<br>ロ　営業以外の食品供与施設（以下この項において「集団給食施設」という。）に係る法第六十八条第三項において準用する法第二十八条第一項の規定による報告の徴取、臨検検査及び無償収去並びに法第六十八条第三項において準用 | |

| | | |
|---|---|---|
| | する法第三十条第二項の規定による監視指導<br>ハ　法第五十九条の規定による行政処分に係る事務のうち、飲食店営業に係る廃棄命令その他必要な処置の命令（法第六条の規定に違反した場合におけるものに限る。）<br>ニ　法第六十八条第三項において準用する法第五十九条の規定による行政処分に係る事務のうち、集団給食施設に係る廃棄命令その他必要な処置の命令（法第六条の規定に違反した場合におけるものに限る。）<br>ホ　政令第四条第三項の規定による試験品の採取及び同条第四項の規定による合格証の貼付<br>ヘ　政令第五条第二項の規定による知事に提出すべき検査の申請書の受理<br>ト　省令第六十七条の規定による知事に提出すべき営業許可の申請書の受理<br>チ　省令第六十七条の二第一項、第六十八条第一項、第六十九条第一項及び第七十条第一項（省令第七十条の二第二項において準用する場合を含む。）の規定による知事に対して行うべき地位の承継の届出の受理<br>リ　省令第七十条の二第一項の規定による知事に対して行うべき営業の届出の受理<br>ヌ　省令第七十一条の規定による知事に対して行うべき申請事項等の変更の届出の受理<br>ル　省令第七十一条の二の規定による知事に対して行うべき廃業の届出の受理<br>ヲ　手数料条例別表十二の項に定める手数料の徴収<br>ワ　イからヲまでに掲げるもののほか、法の施行に係る事務のうち規則に基づく事務であって別に規則で定めるもの | |
| 四十五 | 削除 | |
| 四十六 | 東京都ふぐの取扱い規制条例（昭和六十一年東京都条例第五十一号。以下この項において「条例」という。）及び条例の施行のための規則に基づく事務のうち、次に掲げるもの<br>イ　条例第十二条の二第二項の規定による知事に対して行うべき営業者の地位の承継の届出の受理<br>ロ　条例第十三条第一項の規定により知事が発行した認証書の交付<br>ハ　条例第十三条第二項の規定による知事に対して行うべき認証書の書換えの申請の受理及び知事が書換えをした認証書の交付<br>ニ　条例第十三条第三項の規定による知事に対して行うべき認証書の再交付の申請の受理及び知事が再発行した認証書の交付<br>ホ　条例第十三条第四項及び第十五条の規定により知事に返納される認証書の受理<br>ヘ　条例第十九条第一項第五号及び第六号の規定による手数料の徴収<br>ト　卸売市場外における事務のうち、ふぐの取扱いを行う営業に係る条例第十七条第一項の規定による報告の要求及び立入検査<br>チ　卸売市場内における事務のうち、ふぐの取扱いを行う飲食店営業に係る条例第十七条第一項の規定による報告の要求及び立入検査<br>リ　イからチまでに掲げるもののほか、条例の施行に係る事務のうち規則に基づく事務であって別に規則で定めるもの | 各特別区 |
| 四十七 | 動物質原料の運搬等に関する条例（昭和三十三年東京都条例第三十三号。以下この項において「条例」という。）及び条例の施行のための規則に基づく事務のうち、次に掲げる | 各特別区 |

| 事務 | 特別区 |
|---|---|
| もの<br>イ　卸売市場外における事務のうち、次に掲げるもの<br>(1)　条例第三条の規定による営業の許可及び条例第四条第二項の規定による条件の付加<br>(2)　条例第五条の規定による申請事項の変更届の受理<br>(3)　条例第六条の規定による申請事項の変更の許可<br>(4)　条例第八条及び第十条第二項の規定による運搬容器に関する検査<br>(5)　条例第九条の規定による検査証の交付<br>(6)　条例第十一条の規定による検査証の再交付<br>(7)　条例第十五条の規定による休業又は廃業の届出の受理<br>(8)　条例第十六条の規定により返納される検査証の受理<br>(9)　条例第十八条第一項の規定による報告の徴取及び検査等<br>(10)　条例第十九条の規定による必要な処置命令、営業の停止命令及び運搬容器使用の停止命令<br>ロ　卸売市場内における事務のうち、次に掲げるもの<br>(1)　条例第三条の規定による知事に提出すべき営業の許可に係る | |

| 事務 | 特別区 |
|---|---|
| 申請書の受理<br>(2)　条例第五条の規定による知事に対して行うべき申請事項の変更届の受理<br>(3)　条例第六条の規定による知事に提出すべき申請事項の変更の許可に係る申請書の受理<br>(4)　条例第九条の規定により知事が発行した検査証の交付<br>(5)　条例第十一条第一項の規定による知事に対して行うべき検査証の再交付の申請の受理<br>(6)　条例第十一条第二項の規定により知事が再発行した検査証の交付<br>(7)　条例第十五条の規定による知事に対して行うべき休業又は廃業の届出の受理<br>(8)　条例第十六条の規定により知事に返納される検査証の受理<br>(9)　条例第十七条第一項の規定による手数料の徴収<br>ハ　イ及びロに掲げるもののほか、条例の施行に係る事務のうち規則に基づく事務であって別に規則で定めるもの | |
| 四十八　東京都動物の愛護及び管理に関する条例（平成十八年東京都条例第四号。以下この項において「条 | 各特別区 |

| 事務 | 特別区 |
|---|---|
| 例」という。）及び条例の施行のための規則に基づく事務のうち、次に掲げるもの<br>イ　条例第二十四条第一項の規定による所有者不明の犬、猫等を引き取り、又は収容したときの公示（犬、猫等を引き取り、又は収容した場所が当該特別区の区域にある場合に限る。）<br>ロ　条例第二十六条第二項の規定による野犬を駆除する旨の周知<br>ハ　条例第二十九条第一項の規定による事故及びその後の措置に係る届出の受理（犬による事故に係るものに限る。）<br>ニ　条例第三十条の規定による措置命令（犬の飼い主に対するものに限る。）<br>ホ　ニに掲げる事務に関して行う条例第三十一条の規定による報告の徴取及び立入調査 | |
| 四十九　医療法（昭和二十三年法律第二百五号。以下この項において「法」という。）、医療法施行令（昭和二十三年政令第三百二十六号。以下この項において「政令」という。）、医療法施行規則（昭和二十三年厚生省令第五十号。以下この項において「省令」という。）、東京都保 | 各特別区 |

健医療局関係手数料条例（以下この項において「手数料条例」という。）及び法の施行のための規則に基づく事務のうち、次に掲げるもの

イ　法第四条第一項の規定による地域医療支援病院の名称の使用の承認に係る知事に提出すべき申請書の受理

ロ　法第七条第一項の規定による病院の開設の許可に係る知事に提出すべき申請書の受理

ハ　法第七条第二項の規定による病院の開設許可事項の変更等の許可に係る知事に提出すべき申請書の受理

ニ　法第七条第三項の規定による診療所に係る病床の設置又は変更の許可に係る知事に提出すべき申請書の受理

ホ　法第八条の二第二項の規定による知事に対して行うべき病院の休止又は再開の届出の受理

ヘ　法第九条第一項の規定による知事に対して行うべき病院の廃止の届出の受理及び同条第二項の規定による知事に対して行うべき病院の開設者の死亡又は失そうの届出の受理

ト　法第十二条第一項ただし書の規定による病院の開設者以外の者が管理者となる場合の許可に係る知事に提出すべき申請書の受理

チ　法第十二条第二項の規定による二以上の病院等を管理する場合の許可に係る知事に提出すべき申請書の受理

リ　法第十五条第三項の規定による知事に対して行うべきエックス線装置等の届出の受理

ヌ　法第十六条ただし書及び省令第九条の十五の二の規定による医師の宿直の免除の承認に係る知事に提出すべき申請書の受理

ル　法第十八条ただし書の規定による専属の薬剤師を置かない場合の許可に係る知事に提出すべき申請書の受理

ヲ　法第二十五条第一項の規定による報告の命令により知事に提出される病院からの報告の受理

ワ　法第二十七条の規定による検査に係る知事に対して行うべき申出の受理及び知事が発行した許可証の交付

カ　政令第四条第一項の規定による知事に対して行うべき病院開設者の住所等の変更の届出の受理

ヨ　政令第四条第二項の規定による知事に対して行うべき病床を有する診療所の変更の届出（省令第一条の十四第七項第四号に規定する場合に係るものに限る。）の受理

タ　政令第四条の二第一項の規定による知事に対して行うべき病院の開設後の届出の受理及び同条第二項の規定による知事に対して行うべき届出事項の変更の届出の受理

レ　手数料条例別表十五の項に定める手数料（同項イ及びニに掲げるものに限る。）の徴収

ソ　イからレまでに掲げるもののほか、法の施行に係る事務のうち規則に基づく事務であって別に規則で定めるもの

| 五十　医師法（昭和二十三年法律第二百一号。以下この項において「法」という。）及び医師法施行令（昭和二十八年政令第三百八十二号。以下この項において「政令」という。）に基づく事務のうち、次に掲げるもの | 各特別区 |
|---|---|

イ　法第六条第三項の規定による知事に対して行うべき医師の氏名等の届出の受理

ロ　政令第三条の規定による知事に提出すべき免許の申請書の受理及び厚生労働大臣が発行した免許証の交付

ハ　政令第五条第二項の規定による

| | |
|---|---|
| 知事に提出すべき登録事項の変更の申請書の受理<br>ニ　政令第六条の規定による知事に提出すべき登録の抹消の申請書の受理<br>ホ　政令第八条第二項の規定による知事に提出すべき免許証の書換交付の申請書の受理及び厚生労働大臣が書換えをした免許証の交付<br>ヘ　政令第九条第二項の規定による知事に提出すべき免許証の再交付の申請書の受理及び厚生労働大臣が再発行した免許証の交付<br>ト　政令第九条第五項及び第十条の規定により知事に返納される免許証の受理 | |
| 五十一　歯科医師法（昭和二十三年法律第二百二号。以下この項において「法」という。）及び歯科医師法施行令（昭和二十八年政令第三百八十三号。以下この項において「政令」という。）に基づく事務のうち、次に掲げるもの<br>イ　法第六条第三項の規定による知事に対して行うべき歯科医師の氏名等の届出の受理<br>ロ　政令第三条の規定による知事に提出すべき免許の申請書の受理及び厚生労働大臣が発行した免許証 | 各特別区 |

| | |
|---|---|
| の交付<br>ハ　政令第五条第二項の規定による知事に提出すべき登録事項の変更の申請書の受理<br>ニ　政令第六条の規定による知事に提出すべき登録の抹消の申請書の受理<br>ホ　政令第八条第二項の規定による知事に提出すべき免許証の書換交付の申請書の受理及び厚生労働大臣が書換えをした免許証の交付<br>ヘ　政令第九条第二項の規定による知事に提出すべき免許証の再交付の申請書の受理及び厚生労働大臣が再発行した免許証の交付<br>ト　政令第九条第五項及び第十条の規定により知事に返納される免許証の受理 | |
| 五十二　歯科衛生士法（昭和二十三年法律第二百四号）第六条第三項の規定による知事に対して行うべき業務に従事する歯科衛生士の氏名等の届出の受理（情報通信技術を活用した行政の推進等に関する法律（平成十四年法律第百五十一号）第六条第一項の規定により同項に規定する電子情報処理組織を使用して行うものを除く。） | 各特別区 |

| | |
|---|---|
| 五十三　歯科技工士法（昭和三十年法律第百六十八号。以下この項において「法」という。）及び法の施行のための規則に基づく事務のうち、次に掲げるもの<br>イ　法第六条第三項の規定による知事に対して行うべき業務に従事する歯科技工士の氏名等の届出の受理（情報通信技術を活用した行政の推進等に関する法律第六条第一項の規定により同項に規定する電子情報処理組織を使用して行うものを除く。）<br>ロ　法第二十六条第一項第四号の規定による広告事項の許可に係る知事に提出すべき申請書の受理及び知事が発行した許可書の交付 | 各特別区 |
| 五十四　診療放射線技師法（昭和二十六年法律第二百二十六号。以下この項において「法」という。）、診療放射線技師法施行令（昭和二十八年政令第三百八十五号。以下この項において「政令」という。）、行政事務の簡素合理化及び整理に関する法律（昭和五十八年法律第八十三号）第二十二条の規定による改正前の法（以下この項において「旧法」という。）、診療放射線技師及び診療エックス線技師法施行令の一部を改正する政令（昭和五十九年政令第二百八 | 各特別区 |

| | |
|---|---|
| 十六号）による改正前の政令（以下この項において「旧令」という。）、東京都保健医療局関係手数料条例（以下この項において「手数料条例」という。）及び法の施行のための規則に基づく事務のうち、次に掲げるもの<br>イ　法第二十八条第二項の規定による照射録の徴取及び検査（診療所に係るものに限る。）<br>ロ　政令第一条の二の規定による知事に提出すべき診療放射線技師の免許の申請書の受理及び厚生労働大臣が発行した免許証の交付<br>ハ　政令第一条の四第二項の規定による知事に提出すべき診療放射線技師籍の訂正の申請書の受理<br>ニ　政令第二条の規定による知事に提出すべき診療放射線技師籍の登録の消除の申請書の受理<br>ホ　政令第三条第二項の規定による知事に提出すべき診療放射線技師免許証の書換え交付の申請書の受理及び厚生労働大臣が書換えをした免許証の交付<br>ヘ　政令第四条第一項の規定による知事に提出すべき診療放射線技師免許証の再交付の申請書の受理及び厚生労働大臣が再発行した免許証の交付<br>ト　旧法第八条第三項及び第十一条第一項の規定により知事に返納される免許証の受理<br>チ　旧法第二十七条第二項の規定による照射録の徴取及び検査（診療所に係るものに限る。）<br>リ　旧令第一条の三第一項の規定による知事に提出すべき診療エックス線技師籍の訂正の申請書の受理<br>ヌ　旧令第二条第一項及び第二項の規定による知事に提出すべき診療エックス線技師籍の登録の消除の申請書の受理<br>ル　旧令第三条第一項の規定による知事に提出すべき診療エックス線技師免許証の書換え交付の申請書の受理及び知事が書換えをした免許証の交付<br>ヲ　旧令第四条第一項の規定による知事に提出すべき診療エックス線技師免許証の再交付の申請書の受理及び知事が再発行した免許証の交付<br>ワ　手数料条例別表十八の項に定める手数料の徴収 | |
| 五十五　臨床検査技師等に関する法律（昭和三十三年法律第七十六号。以下この項において「法」という。）、臨床検査技師等に関する法律施行令（昭和三十三年政令第二百二十六号。以下この項において「政令」という。）、臨床検査技師、衛生検査技師等に関する法律の一部を改正する法律（平成十七年法律第三十九号）による改正前の法及び臨床検査技師、衛生検査技師等に関する法律施行令の一部を改正する政令（平成十八年政令第七十号）による改正前の政令（以下この項において「旧令」という。）に基づく事務のうち、次に掲げるもの<br>イ　政令第一条の規定による知事に提出すべき免許の申請書の受理及び厚生労働大臣が発行した免許証の交付<br>ロ　政令第三条第二項及び旧令第五条第二項の規定による知事に提出すべき名簿の訂正の申請書の受理<br>ハ　政令第四条及び旧令第六条の規定による知事に提出すべき名簿の登録の消除の申請書の受理<br>ニ　政令第五条第二項及び旧令第七条第二項の規定による知事に提出すべき免許証の書換交付の申請書の受理及び厚生労働大臣が書換えをした免許証の交付<br>ホ　政令第六条第二項及び旧令第八条第二項の規定による知事に提出すべき免許証の再交付の申請書の | 各特別区 |

| | |
|---|---|
| 受理及び厚生労働大臣が再発行した免許証の交付<br>ヘ　政令第六条第五項及び第七条並びに旧令第八条第五項及び第九条の規定により知事に返納される免許証の受理 | |
| 五十六　理学療法士及び作業療法士法（昭和四十年法律第百三十七号）及び理学療法士及び作業療法士法施行令（昭和四十年政令第三百二十七号。以下この項において「政令」という。）に基づく事務のうち、次に掲げるもの<br>イ　政令第一条の規定による知事に提出すべき免許の申請書の受理及び厚生労働大臣が発行した免許証の交付<br>ロ　政令第三条第二項の規定による知事に提出すべき名簿の訂正の申請書の受理<br>ハ　政令第四条の規定による知事に提出すべき名簿の登録の消除の申請書の受理<br>ニ　政令第五条第二項の規定による知事に提出すべき免許証の書換え交付の申請書の受理及び厚生労働大臣が書換えをした免許証の交付<br>ホ　政令第六条第二項の規定による知事に提出すべき免許証の再交付 | 各特別区 |

| | |
|---|---|
| の申請書の受理及び厚生労働大臣が再発行した免許証の交付<br>ヘ　政令第六条第五項及び第七条の規定により知事に返納される免許証の受理 | |
| 五十七　視能訓練士法（昭和四十六年法律第六十四号）及び視能訓練士法施行令（昭和四十六年政令第二百四十六号。以下この項において「政令」という。）に基づく事務のうち、次に掲げるもの<br>イ　政令第一条の規定による知事に提出すべき免許の申請書の受理及び厚生労働大臣が発行した免許証の交付<br>ロ　政令第三条第二項の規定による知事に提出すべき名簿の訂正の申請書の受理<br>ハ　政令第四条の規定による知事に提出すべき名簿の登録の消除の申請書の受理<br>ニ　政令第五条第二項の規定による知事に提出すべき免許証の書換え交付の申請書の受理及び厚生労働大臣が書換えをした免許証の交付<br>ホ　政令第六条第二項の規定による知事に提出すべき免許証の再交付の申請書の受理及び厚生労働大臣が再発行した免許証の交付 | 各特別区 |

| | |
|---|---|
| ヘ　政令第六条第五項及び第七条の規定により知事に返納される免許証の受理 | |
| 五十八　保健師助産師看護師法（昭和二十三年法律第二百三号。以下この項において「法」という。）、保健師助産師看護師法施行令（昭和二十八年政令第三百八十六号。以下この項において「政令」という。）、東京都保健医療局関係手数料条例（以下この項において「手数料条例」という。）及び法の施行のための規則に基づく事務のうち、次に掲げるもの<br>イ　法第十四条第二項（法第五十一条第二項、第五十二条第二項、第五十三条第二項及び第六十条において準用する場合を含む。）の規定による知事に提出すべき再免許に係る申請書の受理<br>ロ　法第三十三条（法第五十一条第二項、第五十二条第二項、第五十三条第二項及び第六十条において準用する場合を含む。）の規定による知事に対して行うべき業務に従事する保健師、助産師、看護師及び准看護師の氏名等の届出の受理（情報通信技術を活用した行政の推進等に関する法律第六条第一項の規定により同項に規定する電 | 各特別区 |

子情報処理組織を使用して行うものを除く。）

ハ　政令第一条の三の規定による知事に提出すべき免許の申請書の受理及び厚生労働大臣又は知事が発行した免許証の交付（情報通信技術を活用した行政の推進等に関する法律第六条第一項の規定により同項に規定する電子情報処理組織を使用して行う准看護師に係る申請書の受理及び当該申請に係る免許証の交付を除く。）

ニ　政令第三条第三項及び第五項（政令附則第二項において準用する場合を含む。）の規定による知事に提出すべき訂正の申請書の受理（情報通信技術を活用した行政の推進等に関する法律第六条第一項の規定により同項に規定する電子情報処理組織を使用して行う准看護師に係るものを除く。）

ホ　政令第四条第二項及び第三項並びに第五条（政令附則第二項において準用する場合を含む。）の規定による知事に提出すべき登録の抹消の申請書の受理

ヘ　政令第六条第二項及び第四項（政令附則第二項において準用する場合を含む。）の規定による知事に提出すべき書換交付の申請書の受理並びに厚生労働大臣、知事又は他の道府県知事が書換えをした免許証又は免状の交付（情報通信技術を活用した行政の推進等に関する法律第六条第一項の規定により同項に規定する電子情報処理組織を使用して行う准看護師に係る申請書の受理及び当該申請に係る免許証の交付を除く。）

ト　政令第七条第二項及び第六項（政令附則第二項において準用する場合を含む。）の規定による知事に提出すべき再交付の申請書の受理並びに厚生労働大臣、知事又は他の道府県知事が再発行した免許証又は免状の交付（情報通信技術を活用した行政の推進等に関する法律第六条第一項の規定により同項に規定する電子情報処理組織を使用して行う准看護師に係る申請書の受理及び当該申請に係る免許証の交付を除く。）

チ　政令第七条第五項及び第六項並びに第八条（政令附則第二項において準用する場合を含む。）の規定により知事に返納される免許証の受理並びに政令附則第三項の規定により知事に返納される免状の受理

リ　手数料条例別表二十の項に定める手数料（同項ロからトまでに掲げるものを除く。）の徴収

ヌ　イからリまでに掲げるもののほか、法の施行に係る事務のうち規則に基づく事務であって別に規則で定めるもの

| 事務 | 特別区 |
| --- | --- |
| 五十九　死体解剖保存法（昭和二十四年法律第二百四号）、死体解剖保存法施行令（昭和二十八年政令第三百八十一号。以下この項において「政令」という。）及び同法の施行のための規則に基づく事務のうち、次に掲げるもの<br>イ　政令第一条第一項の規定による知事に提出すべき死体解剖資格の認定の申請書の受理及び厚生労働大臣が発行した認定証明書の交付<br>ロ　政令第三条第二項の規定による知事に提出すべき認定証明書の再交付の申請書の受理及び厚生労働大臣が再発行した認定証明書の交付<br>ハ　政令第三条第五項及び第四条の規定により知事に返納される認定証明書の受理<br>ニ　政令第五条第一項の規定による知事に対して行うべき認定者の住所の変更の届出の受理 | 各特別区 |

| 事務 | 特別区 |
|---|---|
| 六十　救急病院等を定める省令（昭和三十九年厚生省令第八号）に基づく救急業務に関し協力する旨の申出に係る事務のうち規則に基づく事務であって別に規則で定めるもの | 各特別区 |
| 六十一　削除 | |
| 六十一の二　障害者の日常生活及び社会生活を総合的に支援するための法律（平成十七年法律第百二十三号）の施行に係る事務のうち規則に基づく事務であって別に規則で定めるもの | 各特別区 |
| 六十一の三　難病の患者に対する医療等に関する法律（平成二十六年法律第五十号。以下この項において「法」という。）、難病の患者に対する医療等に関する法律施行規則（平成二十六年厚生労働省令第百二十一号。以下この項において「省令」という。）及び法の施行のための規則に基づく事務のうち、次に掲げるもの<br>イ　法第六条第一項の規定による知事に提出すべき支給認定の申請書の受理<br>ロ　法第十条第一項の規定による知事に提出すべき支給認定の変更の申請書の受理<br>ハ　法第十条第三項の規定による知事に提出すべき医療受給者証の受理<br>ニ　法第十一条第二項の規定により知事に返還される医療受給者証の受理<br>ホ　省令第十三条の規定による知事に提出すべき支給認定の申請事項の変更の届出の受理<br>ヘ　省令第二十七条第一項の規定による知事に提出すべき医療受給者証の再交付の申請書の受理<br>ト　省令第二十七条第三項の規定により知事に返還される医療受給者証の受理<br>チ　イからトまでに掲げるもののほか、法の施行に係る事務のうち規則に基づく事務であって別に規則で定めるもの | 各特別区 |
| 六十二　原子爆弾被爆者に対する援護に関する法律（平成六年法律第百十七号。以下この項において「法」という。）、原子爆弾被爆者に対する援護に関する法律施行令（平成七年政令第二十六号。以下この項において「政令」という。）、原子爆弾被爆者に対する援護に関する法律施行規則（平成七年厚生省令第三十三号。以下この項において「省令」という。）及び法の施行のための規則に基づく事務のうち、次に掲げるもの<br>イ　政令第三条第一項、第四条及び第五条第一項並びに省令附則第四条第一項、第四条の二及び第四条の三第一項の規定による知事に対して行うべき居住地の変更の届出の受理<br>ロ　政令第八条第一項の規定による知事に提出すべき認定申請書の受理<br>ハ　政令第十一条の規定による知事に提出すべき医療機関の指定の申請書の受理<br>ニ　政令第十二条（政令第十六条において準用する場合を含む。）の規定による知事に対して行うべき申請事項の変更等の届出の受理<br>ホ　政令第十三条（政令第十六条において準用する場合を含む。）の規定による知事に対して行うべき指定の辞退の申出の受理<br>ヘ　政令第十五条の規定による知事に提出すべき被爆者一般疾病医療機関の指定の申請書の受理<br>ト　省令第七条第一項（省令附則第五条第一項において準用する場合を含む。）の規定による知事に対して行うべき氏名等の変更の届出 | 各特別区 |

の受理

チ　省令第七条の二第一項（省令附則第五条第一項において準用する場合を含む。）の規定による知事に提出すべき再交付の申請書の受理（国内に居住地及び現在地を有しない者に係るものを除く。）

リ　省令第二十二条第一項の規定による知事に提出すべき医療費の支給申請書の受理

ヌ　省令第二十六条第一項の規定による知事に提出すべき一般疾病医療費支給申請書の受理

ル　省令第二十九条第一項の規定による知事に提出すべき医療特別手当認定申請書の受理（国内に居住地及び現在地を有しない者に係るものを除く。）

ヲ　省令第三十二条第一項の規定による知事に提出すべき医療特別手当健康状況届の受理（国内に居住地及び現在地を有しない者に係るものを除く。）

ワ　省令第三十四条（省令第四十六条、第五十条、第五十四条及び第六十三条第一項において準用する場合を含む。）の規定による知事に提出すべき氏名変更の届書の受理（国内に居住地及び現在地を有しない者に係るものを除く。）

カ　省令第三十五条第一項（省令第四十六条、第五十条、第五十四条及び第六十三条第一項において準用する場合を含む。）及び第三十五条の二（省令第四十六条、第五十条、第五十四条及び第六十三条第一項において準用する場合を含む。）の規定による知事に提出すべき居住地変更の届書の受理

ヨ　省令第三十五条の三第一項（省令第四十六条、第五十条、第五十四条及び第六十三条第一項において準用する場合を含む。）の規定による知事に提出すべき居住地変更の届書の受理

タ　省令第三十七条第一項（省令第四十六条、第五十条、第五十四条及び第六十三条第一項において準用する場合を含む。）の規定による知事に提出すべき再交付の申請書の受理（国内に居住地及び現在地を有しない者に係るものを除く。）

レ　省令第三十九条（省令第五十四条において準用する場合を含む。）の規定による知事に提出すべき失権の届書の受理（国内に居住地及び現在地を有しない者に係るものを除く。）

ソ　省令第四十一条（省令第四十六条、第五十条、第五十四条、第六十三条第一項及び第七十条第一項において準用する場合を含む。）の規定による知事に提出すべき死亡の届書の受理（国内に居住地及び現在地を有しない者に係るものを除く。）

ツ　省令第四十四条第一項の規定による知事に提出すべき特別手当認定申請書の受理（国内に居住地及び現在地を有しない者に係るものを除く。）

ネ　省令第四十八条第一項の規定による知事に提出すべき原子爆弾小頭症手当認定申請書の受理（国内に居住地及び現在地を有しない者に係るものを除く。）

ナ　省令第五十二条第一項の規定による知事に提出すべき健康管理手当認定申請書の受理（国内に居住地及び現在地を有しない者に係るものを除く。）

ラ　省令第五十六条第一項の規定による知事に提出すべき保健手当認定申請書の受理（国内に居住地及び現在地を有しない者に係るものを除く。）

ム　省令第五十八条第一項の規定による知事に提出すべき保健手当額改定申請書の受理（国内に居住地

| | | |
|---|---|---|
| | 及び現在地を有しない者に係るものを除く。）<br>ウ　省令第五十九条第一項の規定による知事に提出すべき保健手当支給要件変更の届書の受理（国内に居住地及び現在地を有しない者に係るものを除く。）<br>キ　省令第六十条第一項の規定による知事に提出すべき保健手当現況届の受理（国内に居住地及び現在地を有しない者に係るものを除く。）<br>ノ　省令第六十五条第一項の規定による知事に提出すべき介護手当支給申請書の受理<br>オ　省令第六十五条第二項の規定による知事に提出すべき介護手当継続支給申請書の受理<br>ク　省令第六十六条の規定による知事に提出すべき介護手当継続支給対象者の氏名変更の届書の受理<br>ヤ　省令第六十七条第一項及び第六十七条の二の規定による知事に提出すべき介護手当継続支給対象者の居住地変更の届書の受理<br>マ　省令第六十八条の規定による知事に提出すべき介護手当継続支給申請書の記載事項の変更の届書の受理<br>ケ　省令第六十九条の規定による知事に提出すべき介護手当継続支給資格の消滅の届書の受理<br>フ　省令第七十一条第一項の規定による知事に提出すべき葬祭料支給申請書の受理（国内に居住地及び現在地を有しない者に係るものを除く。）<br>コ　イからフまでに掲げるもののほか、法の施行に係る事務のうち規則に基づく事務であって別に規則で定めるもの | |
| 六十三 | 東京都原子爆弾被爆者等の援護に関する条例（昭和五十年東京都条例第八十八号）の施行に係る事務のうち規則に基づく事務であって別に規則で定めるもの | 各特別区 |
| 六十四 | 感染症の予防及び感染症の患者に対する医療に関する法律（平成十年法律第百十四号）の施行に係る事務のうち規則に基づく事務であって別に規則で定めるもの | 各特別区 |
| 六十五 | 医薬品、医療機器等の品質、有効性及び安全性の確保等に関する法律（昭和三十五年法律第百四十五号）第七十六条の規定による薬局製造販売医薬品の製造販売業者及び薬局製造販売医薬品の製造業者に対する処分の理由の通知及び証拠の提出の機会の付与等 | 各特別区 |
| 六十五の二 | 削除 | |
| 六十五の三 | 麻薬及び向精神薬取締法（昭和二十八年法律第十四号。以下この項において「法」という。）及び麻薬及び向精神薬取締法施行規則（昭和二十八年厚生省令第十四号。以下この項において「省令」という。）に基づく事務のうち、次に掲げるもの<br>イ　法第三条第一項の規定による麻薬小売業者の免許<br>ロ　法第七条の規定による麻薬小売業者の業務廃止等の届出の受理<br>ハ　法第八条及び第十条第二項の規定による麻薬小売業者の免許証の返納の受理<br>ニ　法第九条第一項及び第二項の規定による麻薬小売業者の免許証の記載事項の変更の届出の受理及び書替え交付<br>ホ　法第十条第一項の規定による麻薬小売業者の免許証の再交付<br>ヘ　法第二十九条の規定による麻薬小売業者の麻薬の廃棄の届出の受理及び立会い<br>ト　法第三十五条第一項の規定によ | 各特別区 |

る麻薬小売業者の事故の届出の受理

チ　法第三十五条第二項の規定による麻薬小売業者の調剤済み麻薬の廃棄の届出の受理

リ　法第三十六条第一項及び第三項（同条第四項において準用する場合を含む。）の規定による麻薬小売業者又はその相続人等の現に所有する麻薬の届出及び麻薬の譲渡の届出の受理

ヌ　法第四十七条の規定による麻薬小売業者の届出の受理

ル　法第五十条の二十二第一項の規定による向精神薬卸売業者及び向精神薬小売業者（医薬品、医療機器等の品質、有効性及び安全性の確保等に関する法律の規定により薬局の開設の許可を受けた者に限る。以下この項において同じ。）の向精神薬の事故の届出の受理

ヲ　法第五十条の二十六第一項ただし書の規定による向精神薬卸売業者及び向精神薬小売業者からの申出の受理及び同条第四項の規定による当該申出等に係る公示

ワ　法第五十条の三十八第一項の規定による麻薬小売業者、向精神薬卸売業者及び向精神薬小売業者からの報告の徴収並びにそれらの施設に係る立入検査及び収去等

カ　法第五十条の三十九の規定による向精神薬卸売業者及び向精神薬小売業者に対する向精神薬の保管又は廃棄の方法の変更その他必要な措置の命令

ヨ　法第五十条の四十の規定による向精神薬卸売業者及び向精神薬小売業者に対する向精神薬営業所の構造設備の改善命令及び使用禁止

タ　法第五十条の四十一の規定による向精神薬卸売業者及び向精神薬小売業者に対する向精神薬取扱責任者の変更命令

レ　法第五十一条第一項の規定による麻薬小売業者の免許の取消し及び麻薬に関する業務の停止命令

ソ　法第五十一条第二項の規定による向精神薬卸売業者及び向精神薬小売業者の免許の取消し及び向精神薬に関する業務の停止命令

ツ　省令第一条の四の規定による麻薬小売業者の役員の変更の届出の受理

| 事務 | 特別区 |
|---|---|
| 六十五の四　覚醒剤取締法（昭和二十六年法律第二百五十二号。以下この項において「法」という。）に基づく事務のうち、次に掲げるもの | 各特別区 |

イ　法第三十条の十三の規定による法第三十条の七第七号に規定する薬局開設者が所有する覚醒剤原料の廃棄の届出の受理及び立会い

ロ　法第三十条の十四第一項の規定による法第三十条の七第七号に規定する薬局開設者の覚醒剤原料の事故の届出の受理

ハ　法第三十条の十四第二項の規定による薬局開設者の覚醒剤原料の廃棄の届出の受理

ニ　法第三十条の十四第三項の規定による薬局開設者の覚醒剤原料の譲受の届出の受理

ホ　法第三十条の十五第一項第二号の規定による法第三十条の七第七号に規定する薬局開設者が所有し、又は所持していた覚醒剤原料の報告の受理

ヘ　法第三十条の十五第二項の規定による法第三十条の七第七号に規定する薬局開設者の覚醒剤原料の譲渡の報告の受理

ト　法第三十条の十五第三項の規定による法第三十条の七第七号に規定する薬局開設者の覚醒剤原料の廃棄等に係る立会い及び指示

チ　法第三十一条の規定による法第三十条の七第七号に規定する薬局開設者その他の関係者からの報告の徴収

| | |
|---|---|
| リ　法第三十二条第二項の規定による法第三十条の十二第一項第四号に規定する薬局に対する立入検査及び収去並びに法第三十条の七第七号に規定する薬局開設者その他の関係者に対する質問 | |
| 六十六　薬剤師法（昭和三十五年法律第百四十六号。以下この項において「法」という。）及び薬剤師法施行令（昭和三十六年政令第十三号。以下この項において「政令」という。）に基づく事務のうち、次に掲げるもの<br>イ　法第九条の規定による知事に対して行うべき薬剤師の氏名等の届出の受理<br>ロ　政令第三条の規定による知事に提出すべき免許の申請書の受理及び厚生労働大臣が発行した免許証の交付<br>ハ　政令第五条第二項の規定による知事に提出すべき名簿の訂正の申請書の受理<br>ニ　政令第六条の規定による知事に提出すべき名簿の登録の消除の申請書の受理<br>ホ　政令第八条第二項の規定による知事に提出すべき免許証の書換交付の申請書の受理及び厚生労働大臣が書換えをした免許証の交付<br>ヘ　政令第九条第二項の規定による知事に提出すべき免許証の再交付の申請書の受理及び厚生労働大臣が再発行した免許証の交付<br>ト　政令第九条第五項及び第十条の規定により知事に返納される免許証の受理 | 各特別区 |
| 六十七　薬局等の行う医薬品の広告の適正化に関する条例（昭和五十三年東京都条例第三十一号）第七条第一項の規定による報告の徴取及び立入調査等（医薬品、医療機器等の品質、有効性及び安全性の確保等に関する法律に規定する薬局又は店舗販売業に係るものに限る。） | 各特別区 |
| 六十八　在宅重症心身障害児（者）に対する療育支援等に係る事務のうち規則に基づく事務であって別に規則で定めるもの | 各特別区 |
| 六十九　光化学スモッグの影響によると思われる健康障害者に係る事務のうち規則に基づく事務であって別に規則で定めるもの | 各特別区 |
| 七十　難病患者等に対する医療費の助成に係る事務のうち規則に基づく事務であって別に規則で定めるもの | 各特別区 |
| 七十一　在宅難病患者に対する療養支援等に係る事務のうち規則に基づく事務であって別に規則で定めるもの | 各特別区 |
| 七十一の二　東京都受動喫煙防止条例（平成三十年東京都条例第七十五号。以下この項において「条例」という。）及び条例の施行のための規則に基づく事務のうち、次に掲げるもの<br>イ　条例第八条第二項の規定による喫煙の中止又は喫煙禁止場所からの退出の命令<br>ロ　条例第十条の規定による条例第九条第一項の管理権原者等並びに同条第二項及び第三項の管理権原者に対する指導及び助言<br>ハ　条例第十一条第一項の規定による条例第九条第一項の規定に違反して器具又は設備を喫煙の用に供することができる状態で設置している管理権原者等に対する勧告<br>ニ　条例第十一条第二項の規定による勧告に従わなかった旨の公表<br>ホ　条例第十一条第三項の規定による勧告に係る措置をとるべき旨の命令<br>ヘ　条例第十二条第一項の規定によ | 各特別区 |

| 事務 | 特別区 |
|---|---|
| る報告の徴取、立入検査等<br>ト　イからヘまでに掲げるもののほか、条例の施行に係る事務のうち規則に基づく事務であって別に規則で定めるもの | |
| 七十二　商店街振興組合法（昭和三十七年法律第百四十一号。以下この項において「法」という。）及び商店街振興組合法施行規則（平成十九年経済産業省令第十二号。以下この項において「省令」という。）に基づく事務のうち、次に掲げるもの（主たる事務所が当該特別区の区域内にある商店街振興組合及び商店街振興組合連合会（以下この項において「組合」という。）でその地区が当該特別区の区域を超えるもの（東京都の全域を地区とするものを除く。）に係るものに限る。）<br>イ　法第三十六条第一項の規定による知事に提出すべき組合の設立の認可の申請書の受理<br>ロ　法第三十六条第三項（第六十二条第三項及び第七十三条第四項において準用する場合を含む。）の規定により知事がした認可又は不認可の処分の通知<br>ハ　法第四十五条の規定による知事に対して行うべき組合の役員の氏名又は住所の変更の届出の受理<br>ニ　法第七十二条第二項の規定による知事に対して行うべき組合の解散の届出の受理<br>ホ　法第八十一条第一項の規定による知事に対して行うべき検査請求の受理<br>ヘ　法第八十二条の規定による知事に提出すべき決算関係書類の受理<br>ト　省令第六十二条の規定による知事に提出すべき組合の総会招集承認申請書の受理<br>チ　省令第六十三条の規定による知事に提出すべき組合の定款の変更認可申請書の受理<br>リ　省令第六十九条の規定による知事に提出すべき組合の合併認可申請書の受理 | 各特別区 |
| 七十三　東京都営住宅条例（平成九年東京都条例第七十七号。以下この項において「条例」という。）及び条例の施行のための規則に基づく事務のうち、次に掲げるもの<br>イ　条例第十条第二項の規定による地元割当ての住宅に係る事務のうち、次に掲げるもの<br>(1)　条例第五条の規定による公募<br>(2)　条例第八条第一項及び第二項の規定による使用予定者の決定。ただし、同条第二項の規定により抽せんによらないで決定する場合を除く。<br>(3)　条例第八条第三項及び第四項の規定による使用予定者の決定等に係る通知<br>(4)　条例第九条の規定による使用許可に係る使用予定者の決定。ただし、同条第三号、第四号、第七号及び第八号のいずれかに掲げる事由に係る場合を除く。<br>ロ　イに掲げるもののほか、条例の施行に係る事務のうち規則に基づく事務であって別に規則で定めるもの | 各特別区 |
| 七十四　東京都地域特別賃貸住宅条例（昭和六十三年東京都条例第百三号。以下この項において「条例」という。）及び条例の施行のための規則に基づく事務のうち、次に掲げるもの<br>イ　条例第九条第一項の規定による地元割当ての住宅に係る事務のうち、次に掲げるもの<br>(1)　条例第五条の規定による公募<br>(2)　条例第九条第二項において準用する条例第八条の規定による使用予定者の決定。ただし、条例第九条第二項において準用す | 各特別区 |

| | |
|---|---|
| る条例第八条第二項の規定により抽せんによらない公正な方法により決定する場合を除く。<br>ロ　イに掲げるもののほか、条例の施行に係る事務のうち規則に基づく事務であって別に規則で定めるもの | |
| 七十五　東京都特定公共賃貸住宅条例（平成五年東京都条例第六十五号。以下この項において「条例」という。）及び条例の施行のための規則に基づく事務のうち、次に掲げるもの<br>イ　条例第九条第一項の規定による地元割当ての住宅に係る事務のうち、次に掲げるもの<br>(1)　条例第五条の規定による公募<br>(2)　条例第九条第二項において準用する条例第八条の規定による使用予定者の決定。ただし、条例第九条第二項において準用する条例第八条第二項の規定により抽せんによらない公正な方法により決定する場合を除く。<br>ロ　イに掲げるもののほか、条例の施行に係る事務のうち規則に基づく事務であって別に規則で定めるもの | 各特別区 |
| 七十六　東京におけるマンションの適正な管理の促進に関する条例（平成三十一年東京都条例第三十号。以下この項において「条例」という。）に基づく事務のうち、次に掲げるもの<br>イ　条例第十五条第一項、第三項及び第四項の規定による管理状況に関する事項の届出の受理<br>ロ　条例第十五条第二項の規定による管理状況に関する事項の届出の要求<br>ハ　条例第十五条第五項及び第十六条第二項の規定による届出内容の変更の届出の受理<br>ニ　条例第十五条第六項（条例第十六条第三項において準用する場合を含む。）及び第十八条第四項の規定による知事が適当と認める区分所有者等の認定<br>ホ　条例第十六条第一項の規定による届出内容の更新の届出の受理<br>ヘ　条例第十五条第一項及び第三項の規定による管理状況に関する事項の届出並びに同条第五項及び第十六条第二項の規定による届出内容の変更の届出並びに同条第一項の規定による届出内容の更新の届出に係る督促<br>ト　条例第十七条第一項及び第二項の規定による報告の徴収又は調査 | 各特別区。ただし、条例第二十一条の規定により適用除外となる事務については、当該事務に係る特別区を除く。 |
| チ　条例第十八条第一項の規定による助言（同条第四項の規定により知事が適当と認める区分所有者等に対して行うものを含む。）<br>リ　条例第十八条第二項及び第三項の規定による指導又は勧告（同条第四項の規定により知事が適当と認める区分所有者等に対して行うものを含む。） | |
| 七十七　削除 | |
| 七十八　河川法（昭和三十九年法律第百六十七号。以下この項において「法」という。）、東京都河川流水占用料等徴収条例（平成十二年東京都条例第九十五号。以下この項において「条例」という。）及び地球温暖化対策の推進に関する法律（平成十年法律第百十七号）に基づく河川（法第四条第一項に規定する一級河川（法第九条第二項に規定する指定区間内に限る。）及び法第五条第一項に規定する二級河川をいい、治水対策上重要な河川管理施設であって、知事が特別区の区長と協議して告示により指定するものを除く。）の管理に関する事務のうち、次に掲げるもの。ただ | 各特別区 |

し、法第七十九条の規定により国土交通大臣の認可を要するもの及び機械力によるしゅんせつ工事の施行並びに市又は他の県の区域にまたがるものを除く。

イ　法第九条第二項、第十条及び第二十九条の規定による一級河川及び二級河川の管理のうち、河川の維持修繕及び維持管理

ロ　法第十四条第一項の規定による河川管理施設の操作規則の制定並びに同条第二項の規定による協議及び意見の聴取

ハ　法第二十条の規定による河川管理者以外の者が施行する工事等に係る承認。ただし、都が直接施行する工事に係るものを除く。

ニ　法第二十三条の規定による流水の占用の許可

ホ　法第二十三条の二の規定による登録の申請書の受理

ヘ　法第二十四条の規定による土地の占用の許可

ト　法第二十五条の規定による土石等の採取の許可

チ　法第二十六条第一項の規定による工作物の新築等の許可

リ　法第二十七条第一項の規定による土地の掘削等の許可

ヌ　法第三十条第一項の規定による許可工作物の完成検査及び同条第二項の規定による完成前の一部使用の承認

ル　法第三十一条第一項の規定による許可工作物の用途の廃止の届出の受理

ヲ　法第三十三条第三項（法第五十五条第二項において準用する場合を含む。）の規定によるニからリまで及びヨに掲げる許可又は登録に基づく地位を承継した旨の届出の受理

ワ　法第三十四条第一項の規定によるニ、ヘ及びトに掲げる許可に基づく権利の譲渡の承認

カ　ニ又はチに掲げる許可の申請があった場合の法第三十八条の規定による通知

ヨ　法第五十五条第一項の規定による河川保全区域における行為の許可

タ　法第五十八条の八の規定による河川協力団体の指定

レ　法第五十八条の十一の規定による河川協力団体の監督等

ソ　法第五十八条の十二の規定による河川協力団体に対する情報の提供等

ツ　法第七十七条第一項の規定による河川監理員の任命及び河川監理員による是正の指示

ネ　法第七十八条第一項の規定による許可を受けた者等からの報告の徴取及び立入検査

ナ　法第八十九条第一項の規定による他人の占有する土地への立入り等、同条第二項の規定による通知、同条第三項の規定による告知並びに同条第六項の規定による通知及び意見の聴取（河川の維持修繕及び維持管理のために必要がある場合に限る。）

ラ　ハ、ニ、ヘからヌまで、ワ及びヨに掲げる許可又は承認に係る法第九十条の規定による条件の付加

ム　法第九十五条の規定による国との協議（法第二十条、第二十三条、第二十四条から第二十七条まで、第三十条第二項、第三十四条第一項及び第五十五条第一項の規定による許可又は承認とみなされるものに限る。）

ウ　法第九十九条の規定による地方公共団体等への委託

キ　条例別表に定める土地占用料、流水占用料、土石採取料及び河川産出物採取料（以下「流水占用料等」という。）の徴収並びに当該流水占用料等に係る法第七十四条第一項の規定による督促並びに法

| | |
|---|---|
| 第七十四条第五項及び条例第六条の規定による延滞金の徴収 | |
| ノ　地球温暖化対策の推進に関する法律第二十二条の二第四項第七号（同法第二十二条の三第五項及び第二十二条の四第二項において準用する場合を含む。）の規定による協議及び同法第二十二条の二第八項（同法第二十二条の三第五項及び第二十二条の四第二項において準用する場合を含む。）の規定による同意 | |
| 七十九　公有土地水面に関する事務のうち、次に掲げるもの。ただし、千川上水に係るものを除く。<br>イ　公有土地水面の維持管理<br>ロ　東京都公有土地水面使用料等徴収条例（平成十二年東京都条例第九十六号）第三条の規定による使用料等の徴収<br>ハ　東京都分担金等に係る督促及び滞納処分並びに延滞金に関する条例（昭和三十九年東京都条例第百三十五号）及び同条例の施行のための規則に基づく事務のうち、ロの使用料等に係る同条例第二条第一項の規定による督促及び同条例第三条の規定による延滞金の徴収<br>ニ　イからハまでに掲げるもののほか、公有土地水面の管理に係る事務のうち規則に基づく事務であって別に規則で定めるもの | 各特別区 |
| 八十　消防組織法（昭和二十二年法律第二百二十六号。以下この項において「法」という。）、特別区の消防団の設置等に関する条例（昭和三十八年東京都条例第五十三号。以下この項において「条例」という。）及び法第十八条第二項の規定により特別区の消防団の組織等を定める規則に基づく事務のうち、次に掲げるもの<br>イ　法第二十二条の規定による消防団長の任免及び消防団長以外の消防団員の任免に係る承認<br>ロ　条例第五条の規定による消防団運営委員会委員の委嘱<br>ハ　イ及びロに掲げるもののほか、特別区の消防団の組織等に係る事務のうち規則に基づく事務であって別に規則で定めるもの | 各特別区 |

（細目）

**第三条**　前条の規定の適用に関する細目は、規則で定める。

附　則

**（施行期日）**

1　この条例は、平成十二年四月一日から施行する。

**（経過措置）**

2　この条例の施行の際第二条の表の上欄に掲げる事務に係るそれぞれの法令、条例又は規則（以下「法令等」という。）の規定により知事がした処分その他の行為で現にその効力を有するもの又はこの条例の施行の日（以下「施行日」という。）前に法令等の規定により知事に対してなされた申請その他の行為で、施行日以後においては同条の表の下欄に掲げる特別区の区長が管理し、及び執行することとなる事務に係るものは、施行日以後における法令等の適用については、当該特別区の区長のした処分その他の行為又は当該特別区の区長に対してなされた申請その他の行為とみなす。

3　第二条の表二十三の項中「電気用品安全法」とあるのは、平成十二年六月三十日までの間は、「電気用品取締法」とする。

4　地方自治法等の一部を改正する法律（平成十年法律第五十四号）第一条の規定による改正前の地方自治法第二百八十一条の三第三項又は地方分権の推進を図るための関係法律の整備等に関する法律（平成十一年法律第八十七号）第一条の規定による改正前の地方自治法第百五十三条第二項の規定により特別区の区長に委任されていた事務のうち、理容師法及び美容師法の一部を改正する法律（平成七年法律第百九号）附則第四条第一項の規定によりなお従前の例によることとされる実地習練に係る事務は、同項に規定する厚生労働大臣が告示する日までの間は、各特別区が処理することとする。

**附　則**（平二六・三・三一条例一九）

1　この条例は、平成二十六年四月一日から施行する。ただし、第二条の表二十四の二の項の改正規定は大気汚染防止法の一部を改正する法律（平成二十五年法律第五十八号）の施行の日〔平二六・六・一〕から、同表六十五の項の改正規定は薬事法及び薬剤師法の一部を改正する法律（平成二十五年法律第百三号）の施行の日〔平二六・六・一二〕から施行する。

2　この条例の施行の際、地域の自主性及び自立性を高めるための改革の推進を図るための関係法律の整備に関する法律の一部の施行に伴う国土交通省関係政令等の整備等に関する政令（平成二十三年政令第三百六十三号）による改正後の風致地区内における建築等の規制に係る条例の制定に関する基準を定める政令（昭和四十四年政令第三百十七号）で定める基準に従って特別区が定める条例（以下「区条例」という。）が施行されていない場合においては、平成二十七年三月三十一日（同日以前に、区条例が施行されたときは、当該区条例の施行の日の前日）までの間、当該特別区の区域における面積が十ヘクタール以上かつ当該特別区以外の特別区の区域にわたらない風致地区については、この条例による改正前の特別区における東京都の事務処理の特例に関する条例第二条の表七十七の項の規定の例による。

附　則（平二六・九・三〇条例一一〇）（抄）

**（施行期日）**

1　この条例は、公布の日から施行する。ただし、第二条の表三十一の項の改正規定及び附則第三項の規定は平成二十六年十月一日から、次項の規定は東京都幼保連携型認定こども園の学級の編制、職員、設備及び運営の基準に関する条例（平成二十六年東京都条例第百二十二号）の公布の日〔平二六・一〇・一〇〕から、同表六十五の項の改正規定（同項中「平成二十一年厚生労働省令第十号」を「平成二十六年厚生労働省令第八号」に改める部分、同項ル及びヲを次のように改める部分並びに同項ワを削る部分を除く。）並びに同表六十五の三の項及び六十七の項の改正規定は同年十一月二十五日から、同表三十五の項の改正規定及び同表に六十一の三の項を加える改正規定は平成二十七年一月一日から、同表三十五の三の項の改正規定は就学前の子どもに関する教育、保育等の総合的な提供の推進に関する法律の一部を改正する法律（平成二十四年法律第六十六号。以下「一部改正法」という。）の施行の日〔平二七・四・一〕から施行する。

**（施行前の準備）**

2　一部改正法附則第九条の規定に基づく準備行為を行う場合において、この条例による改正後の特別区における東京都の事務処理の特例に関する条例（以下「新条例」という。）第二条の表三十五の三の項において該当する事務は、第二条の表三十五の三の項の改正規定の施行の日前においても、各特別区が処理することとする。

3　難病の患者に対する医療等に関する法律（平成二十六年法律第五十号）附則第三条第十二項の規定に基づく準備行為を行う場合において、新条例第二条の表六十一の三の項において該当する事務は、第二条の表に六十一の三の項を加える改正規定の施行の日前においても、各特別区が処理することとする。

附　則（平二七・三・三一条例一二）

1　この条例は、平成二十七年四月一日から施行する。ただし、第二条の表十八の項の改正規定は同年六月一日から、同表四十五の項の改正規定は同年十月一日から施行する。

2　食品製造業等取締条例の一部を改正する条例（平成二十七年東京都条例第五十三号）附則第四項の規定によりなお従前の例によるとされる行商人に係る事務は、この条例による改正後の特別区における東京都の事務処理の特例に関する条例第二条の表四十五の項の規定にかかわらず、平成二十七年十二月三十一日までの間は、なお従前の例による。

附　則（平二七・一〇・一五条例一一五）

1　この条例は、平成二十八年一月一日から施行する。ただし、第二条の表五十三の項の改正規定は、公布の日から施行する。

2　電子署名に係る地方公共団体の認証業務に関する法律施行条例を廃止する条例（平成二十七年東京都条例第百十四号）附則第二項の規定によりなおその効力を有することとされる徴収及び納付に係る事務については、各特別区が処理することとする。

附　則（令元・九・二六条例二九）

1　この条例は、令和二年四月一日（以下「施行日」という。）から施行する。ただし、次項の規定は同年一月一日から施行する。

2　東京都受動喫煙防止条例施行規則（平成三十一年東京都規則第九十五号）附則第三条の規定に基づく準備行為を行う場合において、この条例による改正後の特別区における東京都の事務処理の特例に関する条例第二条の表七十一の二の項において該当する事務は、施行日前においても、各特別区が処理することとする。

附　則（令六・三・二九条例九）

1　この条例は、令和六年四月一日から施行する。ただし、第二条の表八の項の改正規定及び次項の規定は、宅地造成及び特定盛土等規制法施行条例（令和六年東京都条例第三十六号）の施行の日〔令六・七・三一〕から施行する。

2　前項ただし書に規定する改正規定の施行の際、現に宅地造成等規制法の一部を改正する法律（令和四年法律第五十五号。以下「改正法」という。）附則第二条第二項の規定によりなお従前の例によることとされる改正法による改正前の宅地造成等規制法（昭和三十六年法律第百九十一号）第八条第一項本文の許可（改正法附則第二条第一項に規定する経過措置期間の経過前にされた都市計画法（昭和四十三年法律第百号）第二十九条第一項又は第二項の許可を含む。）を受けている者に係る当該許可に係る宅地造成に関する工事の規制については、この条例による改正前の特別区における東京都の事務処理の特例に関する条例第二条の表八の項の規定の例による。

附　則（令六・一〇・一一条例一一六）

この条例は、公布の日から施行する。ただし、第二条の表六十五の項の改正規定は、令和七年四月一日から施行する。

# ○市町村における東京都の事務処理の特例に関する条例

平一一・一二・二四
条例一〇七

最終改正　令六・一〇・一一条例一一七

（趣旨）

**第一条**　この条例は、地方自治法（昭和二十二年法律第六十七号）第二百五十二条の十七の二第一項の規定に基づき、知事の権限に属する事務の一部を市町村が処理することとすることに関し必要な事項を定めるものとする。

**（市町村が処理する事務の範囲等）**

**第二条**　次の表の上欄に掲げる事務は、それぞれ同表の下欄に掲げる市町村が処理することとする。

| | |
|---|---|
| 一　統計法（平成十九年法律第五十三号。以下この項において「法」という。）及び統計法施行令（平成二十年政令第三百三十四号。以下この項において「政令」という。）に基づく事務であって法第二条第四項に規定する基幹統計である建設工事統計に係る事務のうち、次に掲げるもの<br>イ　法第十四条の規定による統計調査員に対する指揮監督並びに当該統計調査員に対する報酬及び費用弁償の交付<br>ロ　政令別表第二　八の項下欄第二号の規定による調査票の配布に関する事務、同欄第三号の規定による調査票の取集に関する事務、同欄第四号の規定による調査票の審査に関する事務及び同欄第六号の規定による調査票への必要な事項の記入に関する事務 | 各市 |
| 二　学校教育法（昭和二十二年法律第二十六号。以下この項において「法」という。）、学校教育法施行令（昭和二十八年政令第三百四十号。以下この項において「政令」という。）、私立学校法（昭和二十四年法律第二百七十号）及び私立学校法の施行のための東京都規則（以下「規則」という。）に基づく事務のうち、次に掲げるもの（私立幼稚園、私立専修学校及び私立各種学校（これらのうち、外国人を専ら対象とするもの、教員免許の指定のあるもの及び資格免許の認定又は指定のあるものに係るものを除く。）に係るものに限る。）<br>イ　法第四条第一項（法第百三十四条第二項において準用する場合を含む。）の規定による設置廃止、設置者の変更及び収容定員に係る学則の変更の認可<br>ロ　法第十条（法第百三十三条第一項及び第百三十四条第二項において準用する場合を含む。）の規定による校長を定めた旨の届出の受理<br>ハ　法第十三条第一項（法第百三十三条第一項及び第百三十四条第二項において準用する場合を含む。）の規定による閉鎖命令<br>ニ　法第百三十条第一項の規定による専修学校の設置廃止、設置者の変更及び目的の変更の認可<br>ホ　法第百三十一条の規定による専修学校の名称、位置又は学則等の変更の届出の受理<br>ヘ　法第百三十六条第一項の規定による専修学校設置又は各種学校設置の認可を申請すべき旨の勧告<br>ト　法第百三十六条第二項の規定による教育の停止命令<br>チ　私立学校法第六条（私立学校法第六十四条第一項において準用する場合を含む。）の規定による報告書の提出の要求<br>リ　政令第二十七条の二第一項第一号、第五号及び第六号の規定による幼稚園の目的、名称、位置又は学則の変更、経費の見積り及び維持方法の変更並びに校地校舎等に関する権利の取得、処分等に係る届出の受理<br>ヌ　政令第二十七条の三第一号及び | 各市 |

| 事務 | 市町村 |
|---|---|
| 第三号の規定による各種学校の目的、名称、位置又は学則の変更及び校地校舎等に関する権利の取得、処分等に係る届出の受理<br>ル　イからヌまでに掲げるもののほか、私立学校法の施行に係る事務のうち規則に基づく事務であって別に規則で定めるもの | |
| 三　削除 | |
| 四　国土利用計画法（昭和四十九年法律第九十二号。以下この項において「法」という。）、国土利用計画法施行令（昭和四十九年政令第三百八十七号。以下この項において「政令」という。）及び国土利用計画法施行規則（昭和四十九年総理府令第七十二号。以下この項において「府令」という。）に基づく事務のうち、次に掲げるもの。ただし、イに掲げる事務のうち、(1)から(5)まで及び(7)については、契約の当事者の一方又は双方が外国の政府、大使館、領事館若しくはこれに準ずる機関又は外交特権若しくは領事特権等の特権享有者であるものに係るものを除く。<br>イ　二千平方メートル未満の土地の売買等の契約に係る事務のうち、次に掲げるもの | 小笠原村 |
| (1)　法第二十七条の七第一項において準用する法第二十七条の四第一項の規定による届出に係る土地等に関して行う法第四十一条の規定による立入検査等<br>(2)　法第二十七条の八第一項の規定による同項各号のいずれかに該当するかどうかの認定<br>(3)　法第二十七条の八第二項において準用する法第二十七条の五第三項の規定による勧告をする必要がないと認める旨の通知<br>(4)　法第二十七条の九の規定による報告の徴取（五百平方メートル以上の土地についての土地売買等の契約及び当該契約に係る土地の利用に係るものに限る。）<br>(5)　政令第十七条の二第一項第三号から第五号までの規定による法第二十七条の五第一項第一号に該当するかどうかの認定及び同号に該当しない旨の確認<br>(6)　府令第二十一条第一項の規定による確認申請書の受理<br>(7)　政令第十七条の二第二項の規定による確認をする旨の通知<br>ロ　イに掲げる事務のほか、次に掲げるもの<br>(1)　法第二十八条第一項の規定による遊休土地の認定のための土 | 各市、瑞穂町、日 |
| 地の実態調査 | の出町 |
| (2)　府令第二十一条第一項の規定による知事に提出すべき確認申請書の受理 | 各市町村 |
| 五　都市計画法（昭和四十三年法律第百号。以下この項において「法」という。）に基づく事務のうち、次に掲げるもの<br>イ　開発行為等の規制に関する事務のうち、次に掲げるもの<br>(1)　法第二十九条第一項及び第二項の規定による開発行為の許可<br>(2)　法第三十四条第十三号の規定による既存の権利者からの届出の受理<br>(3)　法第三十四条の二第一項（法第三十五条の二第四項において準用する場合を含む。）の規定による開発行為に係る当該国の機関又は都道府県等との協議<br>(4)　法第三十五条第二項（法第三十五条の二第四項において準用する場合を含む。）の規定による許可又は不許可の通知<br>(5)　法第三十五条の二第一項の規定による開発行為の変更の許可及び同条第三項の規定による軽微な変更の届出の受理<br>(6)　法第三十六条第一項の規定に | 町田市 |

| 事務 | 市町村 |
| --- | --- |
| よる工事完了届の受理、同条第二項の規定による検査及び検査済証の交付並びに同条第三項の規定による工事完了の公告 | |
| (7)　法第三十七条第一号の規定による工事完了公告前における建築物の建築又は特定工作物の建設の承認 | |
| (8)　法第三十八条の規定による工事の廃止の届出の受理 | |
| (9)　法第四十一条第一項（法第三十四条の二第二項（法第三十五条の二第四項において準用する場合を含む。）及び法第三十五条の二第四項において準用する場合を含む。）の規定による市街化調整区域内の開発許可に係る建築物の建築制限の指定 | |
| (10)　法第四十一条第二項ただし書（法第三十四条の二第二項（法第三十五条の二第四項において準用する場合を含む。）及び法第三十五条の二第四項において準用する場合を含む。）の規定による建築の特例許可 | |
| (11)　法第四十二条第一項ただし書の規定による工事完了公告後における予定建築物等以外の建築物又は特定工作物の新築等の許可 | |
| (12)　法第四十二条第二項の規定による国又は都道府県等が行う行為に係る当該国の機関又は都道府県等との協議 | |
| (13)　法第四十三条第一項の規定による市街化調整区域のうち開発許可を受けた開発区域以外の区域内における建築物又は第一種特定工作物の新築等の許可 | |
| (14)　法第四十三条第三項の規定による同条第一項本文の建築物又は第一種特定工作物の新築等に係る当該国の機関又は都道府県等との協議 | |
| (15)　法第四十五条の規定による開発許可に基づく地位の承継の承認 | |
| (16)　法第四十六条の規定による開発登録簿（以下この項において「登録簿」という。）の調整及び保管 | |
| (17)　法第四十七条第一項（法第三十四条の二第二項（法第三十五条の二第四項において準用する場合を含む。）及び法第三十五条の二第四項において準用する場合を含む。）の規定による登録簿への登録、同条第二項及び第三項の規定による登録簿への附記、同条第四項の規定による登録簿の修正並びに同条第五項の規定による登録簿の閲覧及び写しの交付に関する事務 | |
| (18)　法第七十九条の規定による許可等における条件の付加 | |
| (19)　法第八十条第一項の規定による報告又は資料の提出の要求、勧告及び助言 | |
| (20)　法第八十一条の規定による監督処分等 | |
| (21)　法第八十二条第一項の規定による立入検査 | |
| ロ　イに掲げる事務のほか、次に掲げるもの | |
| (1)　法第二十六条第一項の規定による土地の試掘等の許可及び意見陳述機会の付与 | 各町村 |
| (2)　法第二十七条第二項の許可証の発行 | 各町村 |
| (3)　法第七十九条の規定による許可等における条件の付加 | 各町村 |
| (4)　法第八十条第一項の規定による報告又は資料の提出の要求、勧告及び助言 | 各町村 |
| (5)　法第八十一条の規定による監督処分等 | 各町村 |
| (6)　法第八十二条第一項の規定による立入検査 | 各町村 |
| 五の二　土砂災害警戒区域等における | 町田市 |

| 事務 | 市町村 |
|---|---|
| 土砂災害防止対策の推進に関する法律（平成十二年法律第五十七号。以下この項において「法」という。）に基づく事務のうち、次に掲げるもの<br>イ　法第十条第一項の規定による特定開発行為の許可<br>ロ　法第十三条（法第十七条第四項において準用する場合を含む。）の規定による許可における条件の付加<br>ハ　法第十五条（法第十七条第四項において準用する場合を含む。）の規定による特定開発行為に係る国又は地方公共団体との協議<br>ニ　法第十六条第二項（法第十七条第四項において準用する場合を含む。）の規定による許可又は不許可の通知<br>ホ　法第十七条第一項の規定による特定開発行為の変更の許可及び同条第三項の規定による軽微な変更の届出の受理<br>ヘ　法第十八条第一項の規定による対策工事等の完了届の受理、同条第二項の規定による検査及び検査済証の交付並びに同条第三項の規定による対策工事等の完了の公告<br>ト　法第二十条の規定による対策工事等の廃止の届出の受理<br>チ　法第二十一条の規定による監督処分<br>リ　法第二十二条第一項の規定による立入検査<br>ヌ　法第二十三条の規定による報告又は資料の提出の要求、助言及び勧告 | |
| 六　宅地造成及び特定盛土等規制法（昭和三十六年法律第百九十一号。以下この項において「法」という。）、宅地造成及び特定盛土等規制法施行規則（昭和三十七年建設省令第三号。以下この項において「省令」という。）、宅地造成及び特定盛土等規制法施行条例（令和六年東京都条例第三十六号。以下この項において「条例」という。）及び法の施行のための規則に基づく事務のうち、次に掲げるもの<br>イ　法第十二条第一項の規定による宅地造成等に関する工事の許可、同条第三項の規定による条件の付加及び同条第四項の規定による宅地造成等に関する工事の許可に係る公表<br>ロ　法第十四条第二項の規定による許可証の交付又は不許可の通知<br>ハ　法第十五条第一項の規定による国又は都道府県が行う工事に係る国又は都道府県との協議<br>ニ　法第十六条第一項の規定による工事の計画の変更の許可、同条第二項の規定による軽微な変更の届出の受理並びに同条第三項において準用する法第十二条第三項の規定による条件の付加及び同条第四項の規定による工事の計画の変更の許可に係る公表<br>ホ　法第十六条第三項において準用する法第十四条第二項の規定による変更の許可証の交付又は不許可の通知<br>ヘ　法第十六条第三項において準用する法第十五条第一項の規定による工事の計画の変更に係る国又は都道府県との協議<br>ト　法第十七条第一項の規定による工事完了の検査、同条第二項の規定による検査済証の交付、同条第四項の規定による土石の除却の確認及び同条第五項の規定による確認済証の交付<br>チ　法第十八条第一項の規定による特定工程に係る工事完了の検査及び同条第二項の規定による中間検査合格証の交付<br>リ　法第十九条第一項の規定による知事に報告すべき定期の報告書の受理 | 町田市 |

ヌ　法第二十条第一項から第四項までの規定による監督処分

ル　法第二十一条第一項、第三項及び第四項の規定による工事等の届出の受理並びに同条第二項の規定による工事の届出に係る公表

ヲ　法第二十二条第二項の規定による宅地造成等に伴う災害の防止のため必要な措置をとることの勧告

ワ　法第二十三条第一項及び第二項の規定による改善命令

カ　法第二十四条第一項の規定による立入検査

ヨ　法第二十五条の規定による工事状況の報告の徴取

タ　省令第八十八条の規定による証明書の発行及び交付

レ　条例第四条第二項の規定による特定工程の通知、同条第三項の規定による書面の受理、同条第四項の規定による特定工程の指定及び同条第五項の規定による特定工程の指定の通知

ソ　条例第五条第一項の規定による盛土規制法調書（以下この項において「調書」という。）の調製及び保管、同条第二項の規定による調書への登録並びに同条第三項の規定による調書の閲覧及び写しの交付に関する事務

ツ　イからソまでに掲げるもののほか、法の施行に係る事務のうち規則に基づく事務であって別に規則で定めるもの

七　土地区画整理法（昭和二十九年法律第百十九号。以下この項において「法」という。）に基づく事務のうち、次に掲げるもの

イ　個人、土地区画整理組合（以下この項において「組合」という。）又は区画整理会社（以下この項において「会社」という。）の施行する土地区画整理事業（事業の規模が五ヘクタール以上のものを除く。）に関する事務のうち、次に掲げるもの　　府中市

(1)　法第四条第一項の規定による個人施行の土地区画整理事業の認可

(2)　(1)に掲げる認可に係る法第九条第三項の規定による公告及び図書の送付

(3)　法第十条第一項の規定による個人施行の規準若しくは規約又は事業計画の変更の認可並びに同条第三項において準用する法第九条第三項の規定による公告及び図書の送付

(4)　法第十一条第四項の規定による一人施行から共同施行になった場合における規約の認可、同条第七項の規定による施行者に変動が生じた場合における届出の受理及び同条第八項の規定による公告

(5)　法第十三条第一項の規定による個人施行者の土地区画整理事業の廃止又は終了の認可及び同条第四項において準用する法第九条第三項の規定による公告

(6)　法第十四条第一項及び第二項の規定による組合の設立の認可並びに同条第二項の規定による事業計画の認可

(7)　法第二十条第一項（法第三十九条第二項において準用する場合を含む。）の規定による事業計画の縦覧、法第二十条第二項（法第三十九条第二項において準用する場合を含む。）の規定による当該事業計画に対する意見書の受理、法第二十条第三項（法第三十九条第二項において準用する場合を含む。）の規定による当該意見書の処理並びに法第二十条第五項（法第三十九条第二項において準用する場合を含む。）の規定による当該事業計画の修正に係る申告の受理

及び当該事業計画の修正部分に係る手続の執行

(8)　(6)に掲げる認可に係る法第二十一条第三項及び第四項の規定による公告及び図書の送付

(9)　法第二十九条第一項の規定による組合の理事の氏名及び住所の届出の受理並びに同条第二項の規定による公告

(10)　法第三十九条第一項の規定による組合の定款又は事業計画若しくは事業基本方針の変更の認可並びに同条第四項の規定による公告及び図書の送付

(11)　法第四十五条第二項の規定による組合の解散の認可及び同条第五項の規定による組合の設立についての認可を取り消した場合又は組合の解散の認可をした場合の公告

(12)　法第四十九条の規定による決算報告書の承認

(13)　法第五十条第三項の規定による組合の合併に伴う組合設立認可の申請の受理及び同条第四項の規定による合併する組合の一方が合併後存続する場合の定款等の変更の認可

(14)　法第五十一条の二第一項の規定による会社施行の土地区画整理事業の認可

(15)　法第五十一条の八第一項（法第五十一条の十第二項において準用する場合を含む。）の規定による規準及び事業計画の縦覧、法第五十一条の八第二項（法第五十一条の十第二項において準用する場合を含む。）の規定による意見書の受理、法第五十一条の八第三項（法第五十一条の十第二項において準用する場合を含む。）の規定による当該意見書の処理並びに法第五十一条の八第五項（法第五十一条の十第二項において準用する場合を含む。）の規定による当該規準及び事業計画の修正に係る申告の受理並びに当該規準及び事業計画の修正部分に係る手続の執行

(16)　(14)に掲げる認可に係る法第五十一条の九第三項の規定による公告及び図書の送付

(17)　法第五十一条の十第一項の規定による会社が定めた規準又は事業計画の変更の認可並びに同条第二項において準用する法第五十一条の九第三項の規定による公告及び図書の送付

(18)　法第五十一条の十一第一項の規定による会社の合併若しくは分割又は会社が施行する土地区画整理事業の全部若しくは一部の譲渡及び譲受けの認可並びに同条第二項において準用する法第五十一条の九第三項の規定による公告及び図書の送付

(19)　法第五十一条の十三第一項の規定による会社が施行する土地区画整理事業の廃止又は終了の認可及び同条第四項において準用する法第五十一条の九第三項の規定による公告

(20)　法第八十六条第一項の規定による換地計画の認可

(21)　法第九十七条第一項の規定による換地計画の変更の認可

(22)　法第百三条第三項の規定による換地処分に係る届出の受理及び同条第四項の規定による公告

(23)　法第百二十四条第一項から第三項までの規定による個人施行者に対する監督等

(24)　法第百二十五条の規定による組合に対する監督等

(25)　法第百二十五条の二第一項から第五項までの規定による会社に対する監督等

(26)　法第百三十六条第一項の規定による農業委員会（農業委員会

| | |
|---|---|
| 等に関する法律（昭和二十六年法律第八十八号）第三条第一項ただし書又は第五項の規定により農業委員会を置かない市町村にあっては、市町村長）及び土地改良区からの意見の聴取 | |
| ロ　土地区画整理事業の施行地区内における建築行為等の制限に関する事務のうち、次に掲げるもの（建築基準法（昭和二十五年法律第二百一号）の規定による建築主事又は建築副主事（以下「建築主事等」という。）の確認を要するものを除く。）<br>(1)　法第七十六条第一項の規定による土地の形質の変更若しくは建築物その他の工作物の新築、改築若しくは増築又は物件の設置若しくは堆積に係る許可。ただし、次に掲げる行為に係るものを除く。<br>(イ)　東京都（以下「都」という。）が施行する土地区画整理事業の施行地区内におけるもの<br>(ロ)　都以外の者が施行する土地区画整理事業の施行地区のうち都市計画施設（都市計画決定の予定されているものを含む。）の区域内におけるもの | 各市、瑞穂町、日の出町 |
| (2)　(1)に掲げる許可に当たっての法第七十六条第二項の規定による施行者に対する意見の聴取<br>(3)　(1)に掲げる許可に係る法第七十六条第三項の規定による条件の付加<br>(4)　(1)の許可を受けずに行われた行為又は(3)の条件に違反した行為に係る法第七十六条第四項の規定による原状回復命令及び移転除却命令並びに同条第五項の規定による代執行及び公告 | |
| ハ　土地区画整理事業の施行地区内における建築行為等の制限に関する事務のうち、次に掲げるもの（建築基準法第四条第一項、第二項又は第七項の規定により市が置く建築主事等の確認又は当該建築主事等に対する計画の通知を要する建築物その他の工作物の新築、改築若しくは増築に係るものに限る。）<br>(1)　法第七十六条第一項の規定による建築物その他の工作物の新築、改築又は増築に係る許可<br>(2)　(1)に掲げる許可に当たっての法第七十六条第二項の規定による施行者に対する意見の聴取<br>(3)　(1)に掲げる許可に係る法第七十六条第三項の規定による条件の付加<br>(4)　(1)の許可を受けずに行われた行為又は(3)の条件に違反した行為に係る法第七十六条第四項の規定による原状回復命令及び移転除却命令並びに同条第五項の規定による代執行及び公告 | 八王子市、立川市、武蔵野市、三鷹市、府中市、調布市、町田市、小平市、日野市、国分寺市、西東京市（以下「十一市」という。） |
| 八　都市再開発法（昭和四十四年法律第三十八号。以下この項において「法」という。）に基づく事務のうち、次に掲げるもの<br>イ　法第六十六条第一項の規定による土地の形質の変更若しくは建築物その他の工作物の新築、改築若しくは増築（建築基準法第四条第一項、第二項又は第七項の規定により市が置く建築主事等の確認又は当該建築主事等への計画の通知を要する建築物等に係るものに限る。）又は物件の設置若しくは堆積に係る許可<br>ロ　イに掲げる許可に当たっての法第六十六条第二項の規定による施行者に対する意見の聴取<br>ハ　イに掲げる許可に係る法第六十六条第三項の規定による条件の付加<br>ニ　イの許可を受けずに行われた行為又はハの条件に違反した行為に | 十一市 |

| 市町村 | 事務 |
|---|---|
| | 係る法第六十六条第四項の規定による原状回復命令及び移転除却命令並びに同条第五項の規定による代執行及び公告 |
| 府中市 | 八の二　大都市地域における住宅及び住宅地の供給の促進に関する特別措置法（昭和五十年法律第六十七号。以下この項において「法」という。）に基づく事務のうち、次に掲げるもの。ただし、都、独立行政法人都市再生機構及び東京都住宅供給公社が施行する住宅街区整備事業に係るものを除く。<br>イ　法第三十三条第一項の規定による個人施行の住宅街区整備事業の認可<br>ロ　イに掲げる認可に係る法第三十六条において準用する土地区画整理法第九条第三項の規定による公告及び図書の送付<br>ハ　法第三十六条において準用する土地区画整理法第十条第一項の規定による個人施行の規準若しくは規約又は事業計画の変更の認可並びに同条第三項において準用する土地区画整理法第九条第三項の規定による公告及び図書の送付<br>ニ　法第三十六条において準用する土地区画整理法第十一条第四項の規定による一人施行から共同施行になった場合における規約の認可、同条第七項の規定による施行者に変動が生じた場合における届出の受理及び同条第八項の規定による公告<br>ホ　法第三十六条において準用する土地区画整理法第十三条第一項の規定による個人施行者の住宅街区整備事業の廃止又は終了の認可及び同条第四項において準用する土地区画整理法第九条第三項の規定による公告<br>ヘ　法第三十七条第一項の規定による住宅街区整備組合（以下この項において「組合」という。）の設立の認可<br>ト　法第五十一条において準用する土地区画整理法第二十条第一項（同法第三十九条第二項において準用する場合を含む。）の規定による事業計画の縦覧、同法第二十条第二項（同法第三十九条第二項において準用する場合を含む。）の規定による当該事業計画に対する意見書の受理、同法第二十条第三項（同法第三十九条第二項において準用する場合を含む。）の規定による当該意見書の処理並びに同法第二十条第五項（同法第三十九条第二項において準用する場合を含む。）の規定による当該事業計画の修正に係る申告の受理及び当該事業計画の修正部分に係る手続の執行<br>チ　へに掲げる認可に係る法第五十一条において準用する土地区画整理法第二十一条第三項の規定による公告及び図書の送付<br>リ　法第五十一条において準用する土地区画整理法第二十九条第一項の規定による組合の理事の氏名及び住所の届出の受理並びに同条第二項の規定による公告<br>ヌ　法第五十一条において準用する土地区画整理法第三十九条第一項の規定による組合の定款又は事業計画の変更の認可並びに同条第四項の規定による公告及び図書の送付<br>ル　法第五十一条において準用する土地区画整理法第四十五条第二項の規定による組合の解散の認可及び同条第五項の規定による組合の設立についての認可を取り消した場合又は組合の解散の認可をした場合の公告<br>ヲ　法第五十一条において準用する土地区画整理法第四十九条の規定による決算報告書の承認 |

ワ　法第五十一条において準用する土地区画整理法第五十条第三項の規定による組合の合併に伴う組合設立認可の申請の受理及び同条第四項の規定による合併する組合の一方が合併後存続する場合の定款等の変更の認可

カ　法第七十二条第一項の規定による換地計画の認可

ヨ　法第八十一条第一項の規定による換地計画の変更の認可

タ　法第八十三条において準用する土地区画整理法第百三条第三項の規定による換地処分に係る届出の受理及び同条第四項の規定による公告

レ　法第八十七条第一項の規定による施設住宅の一部等の譲渡に係る届出の受理

ソ　法第八十七条第二項の規定による買取りの協議を行う者の決定及び当該決定に係る通知

ツ　法第八十七条第四項の規定による買取りを希望する地方公共団体等がない旨の通知

ネ　法第九十五条第三項の規定による住宅街区整備事業の施行の促進を図るため必要な措置の命令

ナ　法第九十六条において準用する土地区画整理法第百二十四条第一項から第三項までの規定による個人施行者に対する監督等

ラ　法第九十六条において準用する土地区画整理法第百二十五条の規定による組合に対する監督等

府中市

八の三　密集市街地における防災街区の整備の促進に関する法律（平成九年法律第四十九号。以下この項において「法」という。）に基づく防災街区計画整備組合（以下この項において「計画整備組合」という。）に係る事務のうち、次に掲げるもの

イ　法第七十八条第二項の規定による定款及び事業基本方針の変更の認可

ロ　法第九十三条第一項の規定による計画整備組合の設立の認可の申請の受理及び同条第二項（法第七十八条第三項において準用する場合を含む。）の規定による計画整備組合の設立に関する報告書の提出要求

ハ　法第九十四条第一項（法第七十八条第三項において準用する場合を含む。）の規定による計画整備組合の設立の認可及び法第九十四条第二項（法第七十八条第三項において準用する場合を含む。）の規定による促進地区内防災街区整備地区計画の都市計画を定めた者の意見の聴取

ニ　法第九十七条第一項の規定による解散の決議の認可、同条第三項において準用する法第九十三条第二項の規定による報告書の提出の要求及び法第九十七条第五項の規定による解散の届出の受理

ホ　法第九十八条第二項の規定による合併の認可の申請の受理並びに同条第三項において準用する法第九十三条第二項の規定による報告書の提出の要求、法第九十四条第一項の規定による合併の認可及び同条第二項の規定による意見の聴取

ヘ　法第百五条の規定による必要な報告の要求及び資料の提出の命令

ト　法第百六条第一項及び第二項の規定による計画整備組合の業務又は会計の状況の検査

チ　法第百七条第一項の規定による必要な措置を講ずべき旨の命令及び同条第二項の規定による業務の停止又は役員の改選の命令

リ　法第百八条の規定による計画整備組合の解散の命令

ヌ　法第百九条第一項（同条第二項において準用する場合を含む。）の規定による議決又は選挙若しくは

| | |
|---|---|
| は当選の取消し | |
| 九　屋外広告物法（昭和二十四年法律第百八十九号。以下この項において「法」という。）、東京都屋外広告物条例（昭和二十四年東京都条例第百号。以下この項において「条例」という。）及び条例の施行のための規則に基づく事務のうち、次に掲げるもの<br>イ　法第七条第三項の規定による除却その他必要な措置及び費用の徴収<br>ロ　法第七条第四項の規定によるはり紙、はり札等、広告旗又は立看板等の除却<br>ハ　法第八条第六項の規定による除却、保管、売却、公示その他の措置に要した費用の請求<br>ニ　屋外広告物又はこれを掲出する物件（以下この項において「広告物等」という。）のうち、はり紙、はり札等、広告旗、立看板等、広告幕及びアドバルーン（電飾を除く。）並びにその他の広告物等（建築物の壁面を利用する広告物等でその面積が二十平方メートル以下のもの、建築物から突出する形式の広告物等でその面積が十平方メートル以下のもの及び高さが二メートル以下の広告塔に限り、条例第六条第一号ただし書に規定する区域又は条例第八条第二号の規定により定められた範囲内にある地域若しくは同条第三号に規定する区域に表示し、又は設置するもの及び他の区市町村の区域にまたがるものを除く。）に係る条例に基づく事務のうち、次に掲げるもの<br>(1)　条例第八条、第十五条、第十六条及び第三十条の規定による広告物等の表示又は設置に係る許可<br>(2)　条例第二十四条第一項（条例第二十七条第三項において準用する場合を含む。）の規定による許可の期間の設定及び条件の付加<br>(3)　条例第二十七条第一項の規定による広告物の表示の内容の変更等の許可及び同条第二項の規定による広告物等の表示等の継続の許可<br>(4)　条例第三十一条の規定による許可の取消し及び広告物等の改修、移転、除却その他必要な措置の命令<br>(5)　条例第三十二条第一項の規定による違反広告物等に対する表示若しくは設置の停止、改修、移転、除却その他必要な措置の命令並びに同条第二項の規定による代執行及び公告<br>(6)　条例第三十四条第一項の規定による広告物等の保管、同条第二項の規定による公告並びに同条第四項の規定による保管物件一覧表の備付け及び閲覧<br>(7)　条例第三十五条第一項の規定による広告物等の売却及び売却代金の保管並びに同条第二項の規定による広告物等の廃棄<br>(8)　条例第三十六条の規定による広告物等の価額の評価<br>(9)　条例第三十八条の規定による広告物等の返還<br>(10)　条例第六十五条の規定による報告又は資料の徴取<br>(11)　条例第六十六条第一項の規定による立入検査等<br>(12)　条例第七十一条の規定による処分のうち同条第一号に係るもの<br>(13)　(1)から(12)までに掲げるもののほか、条例の施行に係る事務のうち規則に基づく事務であって別に規則で定めるもの<br>ホ　ニに掲げるもののほか、条例に基づく事務のうち、次に掲げるも | 各市（八王子市及び町田市を除く。）、瑞穂町 |

| 事務 | 市町村 |
| --- | --- |
| の<br>(1) 条例第二十九条の規定による手数料の徴収（他の区市町村の区域にまたがる広告物等に係るものを除く。）<br>(2) 条例第十二条第一項（同条第五項において準用する場合を含む。）の規定による知事に提出すべき広告協定地区（一の市又は町の区域内におけるものに限る。）の指定等に係る申請書の受理<br>(3) (1)及び(2)に掲げるもののほか、条例の施行に係る事務のうち規則に基づく事務であって別に規則で定めるもの | |
| 九の二 屋外広告物法（以下この項において「法」という。）に基づく事務のうち、次に掲げるもの<br>イ 法第七条第二項の規定による代執行<br>ロ 法第七条第三項の規定による除却その他必要な措置及び費用の徴収<br>ハ 法第七条第四項の規定によるはり紙、はり札等、広告旗又は立看板等の除却<br>ニ 法第八条第一項の規定による屋外広告物又はこれを掲出する物件 | 町田市 |

| 事務 | 市町村 |
| --- | --- |
| （以下この項において「広告物等」という。）の保管<br>ホ 法第八条第二項の規定による公示<br>ヘ 法第八条第三項の規定による広告物等の価額の評価、売却及び売却代金の保管<br>ト 法第八条第四項の規定による広告物等の廃棄<br>チ 法第八条第六項の規定による除却、保管、売却、公示その他の措置に要した費用の請求 | |
| 十 高齢者、障害者等が利用しやすい建築物の整備に関する条例（平成十五年東京都条例第百五十五号）第十四条の規定による特別特定建築物に係る制限の緩和に関する認定（建築基準法第四条第一項、第二項又は第七項の規定により市が置く建築主事等の確認又は当該建築主事等への計画の通知を要する建築物（以下「市の建築主事等の確認対象となる建築物」という。）に係るものに限る。） | 十一市 |
| 十一 建築基準法第十五条第四項の規定による知事に提出すべき建築統計の作成（市の建築主事等の確認対象となる建築物に係るものに限る。） | 十一市 |

| 事務 | 市町村 |
| --- | --- |
| 十二 東京都建築安全条例（昭和二十五年東京都条例第八十九号。以下この項において「条例」という。）に基づく事務のうち、次に掲げるもの（市の建築主事等の確認対象となる建築物に係るものに限る。）<br>イ 条例第二条第三項の規定による角敷地の建築制限に関する特例の認定<br>ロ 条例第三条第一項ただし書の規定による路地状敷地の形態に関する特例の認定<br>ハ 条例第四条第三項の規定による建築物の敷地と道路との関係に関する特例の認定<br>ニ 条例第五条第二項の規定による長屋の主要な出入口と道路との関係等に関する特例の認定<br>ホ 条例第十条第四号の規定による路地状敷地の制限に関する特例の認定<br>ヘ 条例第十条の二第一項ただし書の規定による前面道路の幅員に関する特例の認定<br>ト 条例第十条の二第二項第二号の規定による道路に接する部分の長さに関する特例の認定<br>チ 条例第十七条第三号の規定による共同住宅等の主要な出入口と道路との関係に関する特例の認定 | 十一市 |

| 事務 | 市町村 |
|---|---|
| リ　条例第二十一条第二項の規定による寄宿舎又は下宿に係る制限の緩和に関する認定<br>ヌ　条例第二十二条ただし書の規定による物品販売業を営む店舗又は飲食店の用途に供する建築物の敷地と道路との関係に関する特例の認定<br>ル　条例第二十四条ただし書の規定による百貨店の屋上広場に関する特例の認定<br>ヲ　条例第三十二条ただし書の規定による大規模の自動車車庫又は自動車駐車場の構造及び設備に関する特例の認定<br>ワ　条例第四十一条第一項ただし書の規定による興行場等の敷地と道路との関係に関する特例の認定<br>カ　条例第五十二条の規定による興行場等に係る制限の緩和に関する認定<br>ヨ　条例第七十三条の二十の規定による地下街等に係る制限の緩和に関する認定 | |
| 十三　東京における緊急輸送道路沿道建築物の耐震化を推進する条例（平成二十三年東京都条例第三十六号。以下この項において「条例」という。）及び条例の施行のための規則 | 十一市（対象となる建築物の敷地が、二以 |
| に基づく事務のうち、次に掲げるもの<br>イ　条例第十条第二項及び第六項の規定による特定沿道建築物の所有者（所有者と管理者とが異なる場合においては、管理者）が知事に報告すべき報告書の受理<br>ロ　条例第十一条第一項の規定による沿道建築物の所有者等に対する耐震化に関する指導及び助言<br>ハ　条例第十一条第二項の規定による沿道建築物の所有者に対する耐震診断に関する指示<br>ニ　条例第十四条第一項の規定による特定沿道建築物の所有者に対する耐震改修等に関する指示<br>ホ　条例第十四条の二第一項の規定による沿道建築物の占有者に対する耐震化に関する助言<br>ヘ　条例第十四条の二第三項の規定による特定沿道建築物の占有者に対する耐震改修等の実現に向けた協力に関する指導及び助言<br>ト　条例第十五条第一項の規定による条例第十条第二項及び第六項、第十一条第二項並びに第十四条第一項の規定の施行に必要な限度における沿道建築物の所有者（所有者と管理者とが異なる場合においては、管理者（条例第十条第二項 | 上の行政区域にまたがる場合は、その敷地の所管面積が最大となる市） |
| 及び第六項に係る部分に限る。））への報告の要求及び立入検査<br>チ　条例第十五条第二項の規定による条例第十四条の二第三項の規定の施行に必要な限度における特定沿道建築物の占有者への報告の要求<br>リ　条例第二十一条の規定による条例第十条第二項又は条例第十五条第一項による報告を行わなかった者に対する過料の適用 | |
| 十四　東京都文教地区建築条例（昭和二十五年東京都条例第八十八号）第三条ただし書及び第四条ただし書の規定による文教地区内における建築物の建築又は用途変更の特例の許可（市の建築主事等の確認対象となる建築物に係るものに限る。） | 町田市 |
| 十五　東京都駐車場条例（昭和三十三年東京都条例第七十七号。以下この項において「条例」という。）及び条例の施行のための規則に基づく事務のうち、次に掲げるもの（市の建築主事等の確認対象となる建築物に附置すべき駐車施設に係るものに限る。）<br>イ　条例第十七条第一項第一号から第三号まで、第十七条の二第一項 | 十一市 |

| 事務 | 市町村 |
|---|---|
| 第一号から第四号まで、第十七条の三第一号から第三号まで、第十七条の四第一項第一号から第四号まで、第十七条の五第三項、第十八条第一項及び第二項並びに第十九条の二第一項第一号及び第二号の規定による駐車施設に係る認定 | |
| ロ　条例第十八条の二の規定による駐車施設の設置又は変更の届出の受理 | |
| ハ　条例第二十条第一項の規定による違反を是正するために必要な措置の命令及び同条第二項の規定による措置命令書の交付 | |
| ニ　条例第二十一条第一項の規定による報告の徴収又は資料の提出の要求及び立入検査等 | |
| 十六　都民の健康と安全を確保する環境に関する条例（平成十二年東京都条例第二百十五号。以下この項において「条例」という。）及び条例の施行のための規則に基づく事務のうち、次に掲げるもの<br>イ　条例第二条第七号に規定する工場に係る事務及び同条第八号に規定する指定作業場に係る事務のうち、次に掲げるもの。ただし、八王子市以外の市にあっては、特定の事務（(1)及び(2)の認可に係る審査、(3)の検査、(9)、(13)、(16)及び(19)から(21)までに規定する命令等（(20)の認可の取消しを除く。）、(37)及び(38)に規定する立入検査等並びに(40)及び(41)に規定する報告及び資料の徴収のうち、条例別表第七　一の部(三)の項に規定する基準に係るものをいう。以下この項において同じ。）並びに知事が市長と協議して別に告示により指定する工場に係る事務（八王子市にあっては、特定の事務を除く。）並びに八王子市及び町田市以外の市にあっては、条例別表第二第二十二号及び第二十四号に掲げる指定作業場に係る事務を除く。 | 次に掲げる各市。ただし、条例第百五十一条の規定により適用除外となる事務については、当該事務に係る市を除く。 |
| (1)　条例第八十一条第一項の規定による工場の設置の認可及び同条第四項（条例第八十二条第二項において準用する場合を含む。）の規定による条件の付加 | 各市 |
| (2)　条例第八十二条第一項の規定による工場の変更の認可 | 各市 |
| (3)　条例第八十四条第一項の規定による工事完成の届出の受理並びに同条第二項の規定による検査及び認定 | 各市 |
| (4)　条例第八十六条の規定による工場の現況の届出の受理 | 各市 |
| (5)　条例第八十七条の規定による工場の認可を受けた者の氏名及び住所等の変更又は工場の廃止の届出の受理 | 各市 |
| (6)　条例第八十八条第三項の規定による工場の認可を受けた者の地位を承継した旨の届出の受理 | 各市 |
| (7)　条例第八十九条の規定による指定作業場の設置の届出の受理 | 各市 |
| (8)　条例第九十条の規定による指定作業場の変更の届出の受理 | 各市 |
| (9)　条例第九十一条の規定による計画の変更又は廃止の命令 | 各市 |
| (10)　条例第九十二条第二項の規定による実施制限期間の短縮の措置 | 各市 |
| (11)　条例第九十三条第一項において準用する条例第八十七条の規定による指定作業場の届出をした者の氏名及び住所等の変更又は指定作業場の廃止の届出の受理 | 各市 |
| (12)　条例第九十三条第二項において準用する条例第八十八条第三項の規定による指定作業場の届出をした者の地位を承継した旨の届出の受理 | 各市 |
| (13)　条例第九十六条の規定による測定の指示及びその結果の報告の要求 | 各市 |
| (14)　条例第九十七条の規定による | 各市 |

| | |
|---|---|
| 揚水量の報告の受理 | |
| (15)　条例第九十八条第一項の規定による事故の届出の受理、同条第二項の規定による事故の再発防止のための措置に関する計画の受理、同条第三項の規定による事故の再発防止のための措置の完了の届出の受理及び同条第四項の規定による応急の措置の命令 | 各市 |
| (16)　条例第九十九条の規定によるばい煙等の減少計画の提出の要求 | 各市 |
| (17)　条例第百条の規定による騒音及び振動の防止方法の改善等の勧告 | 各市 |
| (18)　条例第百一条の規定による施設等の改善及び地下水の揚水の代替水への転換に係る勧告 | 各市 |
| (19)　条例第百二条第一項の規定による改善命令及び同条第二項の規定による作業の一時停止命令 | 各市 |
| (20)　条例第百三条第一項の規定による認可の取消し及び作業の一時停止命令並びに同条第二項の規定による移転命令及び操業停止命令 | 八王子市 |
| (21)　条例第百四条第一項の規定による工業用水等の供給停止の要請 | 八王子市 |
| (22)　条例第百五条第二項の規定による公害防止管理者の選任及び解任の届出の受理 | 各市 |
| (23)　条例第百十条第一項の規定による適正管理化学物質ごとの使用量等の報告の受理 | 各市 |
| (24)　条例第百十一条第二項の規定による化学物質管理方法書の受理 | 各市 |
| (25)　条例第百十二条の規定による適正管理化学物質取扱事業者に対する指導及び助言 | 各市 |
| (26)　条例第百十五条第一項の規定による汚染状況調査の実施及びその結果の報告の要求、同条第二項の規定による土壌地下水汚染対策計画書の作成及び提出の指示並びに当該土壌地下水汚染対策計画書の受理、同条第三項の規定による土壌地下水汚染対策計画書の提出の命令及び当該土壌地下水汚染対策計画書の受理、同条第五項の規定による土壌汚染の除去等の措置の命令並びに同条第六項の規定による土壌汚染の除去等の措置の完了の届出の受理 | 八王子市、町田市 |
| (27)　条例第百十六条第一項の規定による汚染状況調査の結果の報告の受理、同項ただし書の規定 | 各市 |
| による確認の申請の受理及び確認、同条第二項の規定による同条第一項ただし書の確認に係る土地の利用状況等の変更の届出の受理、同条第三項の規定による確認の取消し、同条第四項（条例第百十六条の二第二項において準用する場合を含む。）の規定による土壌地下水汚染対策計画書の作成及び提出の指示並びに当該土壌地下水汚染対策計画書の受理、条例第百十六条第五項（条例第百十六条の二第二項において準用する場合を含む。）の規定による土壌地下水汚染対策計画書の提出の命令及び当該土壌地下水汚染対策計画書の受理、条例第百十六条第七項（条例第百十六条の二第二項において準用する場合を含む。）の規定による土壌汚染の除去等の措置の命令、条例第百十六条第八項（条例第百十六条の二第二項において準用する場合を含む。）の規定による土壌汚染の除去等の措置の完了の届出の受理、条例第百十六条第九項（条例第百十六条の二第二項において準用する場合を含む。）の規定による汚染状況調査の結果の | |

| | |
|---|---|
| 報告、土壌地下水汚染対策計画書及び土壌汚染の除去等の措置の完了の届出の受理、条例第百十六条第十項の規定による通知並びに同条第十一項の規定による汚染状況調査又は土壌汚染の除去等の措置に関する認定 | |
| (28)　条例第百十六条の二第一項の規定による汚染状況調査の結果の報告の受理 | 各市 |
| (29)　条例第百十六条の三第一項の規定による汚染拡散防止計画書の受理（同項第二号に係るもの又は同項第三号（条例第百十四条第三項若しくは第四項又は第百十五条第四項若しくは第五項の規定により措置が講じられた土地を除く。）に係るものに限る。）及び条例第百十六条の三第三項の規定による汚染拡散防止の措置の完了の届出の受理（同条第一項第二号に係るもの又は同項第三号（条例第百十四条第三項若しくは第四項又は第百十五条第四項若しくは第五項の規定により措置が講じられた土地を除く。）に係るものに限る。） | 各市 |
| (30)　条例第百十六条の三第一項の規定による汚染拡散防止計画書の受理（同項第一号に係るもの又は同項第三号（条例第百十五条第四項又は第五項の規定により措置が講じられた土地に限る。）に係るものに限る。）及び条例第百十六条の三第三項の規定による汚染拡散防止の措置の完了の届出の受理（同条第一項第一号に係るもの又は同項第三号（条例第百十五条第四項又は第五項の規定により措置が講じられた土地に限る。）に係るものに限る。） | 八王子市、町田市 |
| (31)　条例第百十八条の二第一項の規定による台帳の調製及び保管並びに同条第二項の規定による当該台帳の公開等に関する事務であって、(27)から(29)までに掲げる事務に関して行うもの | 各市 |
| (32)　条例第百十八条の二第一項の規定による台帳の調製及び保管並びに同条第二項の規定による当該台帳の公開等に関する事務であって、(26)及び(30)に掲げる事務に関して行うもの | 八王子市、町田市 |
| (33)　条例第百十九条第一項の規定による指導及び助言であって、条例第百十六条第一項、第二項、第四項から第九項まで（条例第百十六条の二第二項において準用する場合を含む。）及び第十一項、第百十六条の三各項（同条第一項第二号に係るもの又は同項第三号（条例第百十四条第三項若しくは第四項又は第百十五条第四項若しくは第五項の規定により措置が講じられた土地を除く。）に係るものに限る。）の規定に基づき行う調査、措置等に関して行うもの並びに条例第百十九条第二項の規定による情報の収集、整理、保存及び提供であって、条例第百十六条第四項第一号の規則で定める場合（条例第百十六条の二第二項において準用する場合を含む。）に該当することの判断に関して行うもの | 各市 |
| (34)　条例第百十九条第一項の規定による指導及び助言であって、条例第百十五条及び第百十六条の三各項（同条第一項第一号に係るもの又は同項第三号（条例第百十五条第四項又は第五項の規定により措置が講じられた土地に限る。）に係るものに限る。）の規定に基づき行う調査、措置等に関して行うもの | 八王子市、町田市 |
| (35)　条例第百二十条第一項の規定 | 各市 |

| | |
|---|---|
| による勧告であって、条例第百十六条第一項、第八項（条例第百十六条の二第二項において準用する場合を含む。）及び第九項（条例第百十六条の二第二項において準用する場合を含む。）並びに条例第百十六条の三各項（同条第一項第二号に係るもの又は同項第三号（条例第百十四条第三項若しくは第四項又は第百十五条第四項若しくは第五項の規定により措置が講じられた土地を除く。）に係るものに限る。）に関して行うもの、条例第百二十条第二項の規定による条例第百十六条第一項の汚染状況調査の対象となっている土地の公表並びに条例第百二十条第三項の規定による意見を述べ、証拠を提示する機会の付与 | |
| (36)　条例第百二十条第一項の規定による勧告であって、条例第百十五条第六項及び条例第百十六条の三各項（同条第一項第一号に係るもの又は同項第三号（条例第百十五条第四項又は第五項の規定により措置が講じられた土地に限る。）に係るものに限る。）に関して行うもの | 八王子市、町田市 |
| (37)　条例第百五十二条第一項の規 | 各市 |

| | |
|---|---|
| 定による立入検査等であって、(1)から(19)まで、(22)から(25)まで、(27)、(28)及び(30)に掲げる事務に関して行うもの並びに条例第八十五条の規定による表示板の掲出、条例第九十七条の規定による揚水量の報告、条例第百五条第一項の規定による公害防止管理者の設置及び条例第百十一条第一項の規定による化学物質管理方法書の作成に関して行うもの | |
| (38)　条例第百五十二条第一項の規定による立入検査等であって、(20)及び(21)に掲げる事務に関して行うもの | 八王子市 |
| (39)　条例第百五十二条第一項の規定による立入検査等であって、(26)、(29)及び(31)に掲げる事務に関して行うもの | 八王子市、町田市 |
| (40)　条例第百五十五条第一項の規定による報告及び資料の徴収であって、(1)から(19)まで、(22)から(25)まで、(27)、(28)及び(30)に掲げる事務に関して行うもの | 各市 |
| (41)　条例第百五十五条第一項の規定による報告及び資料の徴収であって、(20)及び(21)に掲げる事務に関して行うもの | 八王子市 |
| (42)　条例第百五十五条第一項の規 | 八王子 |

| | |
|---|---|
| 定による報告及び資料の徴収であって、(26)、(29)及び(31)に掲げる事務に関して行うもの | 市、町田市 |
| (43)　条例第百五十五条第二項の規定による条例第九十七条の規定による揚水量の報告に係る命令 | 各市 |
| ロ　イに掲げる事務のほか、次に掲げるもの | |
| (1)　条例第百二十四条第一項の規定による飛散防止方法等計画の届出の受理及び同条第二項の規定による当該飛散防止方法等計画に対する変更の勧告（延べ面積（建築基準法施行令（昭和二十五年政令第三百三十八号）第二条第一項第四号に規定する延べ面積をいう。以下この項及び次項において同じ。）が二千平方メートル未満の建築物の石綿含有建築物解体等工事に係るものに限る。） | 各市 |
| (2)　条例第百二十四条第一項の規定による飛散防止方法等計画の届出の受理及び同条第二項の規定による当該飛散防止方法等計画に対する変更の勧告（延べ面積が二千平方メートル未満の建築物の石綿含有建築物解体等工事に係るものを除く。） | 八王子市 |
| (3)　条例第百二十五条第一項の規 | 各市 |

| | |
|---|---|
| 定による改善又は変更の勧告及び同条第二項の規定による改善又は変更の命令（石綿含有建築物解体等工事に係るものについては、延べ面積が二千平方メートル未満の建築物の工事に限る。） | |
| (4)　条例第百二十五条第一項の規定による改善又は変更の勧告及び同条第二項の規定による改善又は変更の命令（指定建設作業、条例第百二十三条第一項に規定する工事及び延べ面積が二千平方メートル未満の建築物の石綿含有建築物解体等工事に係るものを除く。） | 八王子市 |
| (5)　条例第百三十四条第四項の規定による地下水の揚水施設の届出の受理及び同条第五項の規定による変更の届出の受理 | 各市 |
| (6)　条例第百三十五条の規定による揚水量の報告の受理 | 各市 |
| (7)　条例第百三十七条の規定による条例第百二十六条の規定に違反する行為をしている者に対する勧告 | 各市 |
| (8)　条例第百三十八条の規定による条例第百二十九条から第百三十一条まで及び第百三十六条の規定に違反する行為をしている | 各市 |

| | |
|---|---|
| 者に対する勧告。ただし、午後八時から翌日の午前六時までの間における劇場、映画館その他これらに類する営業施設の経営に伴って発生する騒音により条例第百三十六条の規定に違反する行為をしている者に対する勧告を除く。 | |
| (9)　条例第百三十九条第一項の規定による条例第百二十六条、第百二十九条から第百三十一条まで、第百三十四条及び第百三十六条の規定に違反する行為をしている者に対する停止命令等。ただし、午後八時から翌日の午前六時までの間における劇場、映画館その他これらに類する営業施設の経営に伴って発生する騒音により条例第百三十六条の規定に違反する行為をしている者に対する停止命令等を除く。 | 各市 |
| (10)　条例第百五十二条第一項の規定による立入検査等であって、(1)から(9)までに掲げる事務に関して行うもの及び条例第百三十五条の規定による揚水量の報告に関して行うもの | 各市 |
| (11)　条例第百五十五条第一項の規定による報告及び資料の徴収であって、(1)から(9)までに掲げる | 各市 |

| | |
|---|---|
| 事務に関して行うもの | |
| (12)　条例第百五十五条第二項の規定による条例第百三十五条の規定による揚水量の報告に係る命令 | 各市 |
| ハ　イ及びロに掲げるもののほか、条例の施行に係る事務のうち規則に基づく事務であって別に規則で定めるもの | 各市 |
| 十六の二　大気汚染防止法（昭和四十三年法律第九十七号。以下この項において「法」という。）に基づく事務のうち、次に掲げるもの（延べ面積が二千平方メートル未満の建築物に係るものに限る。）<br>イ　法第十八条の十五第六項の規定による解体等工事に係る調査の結果の報告の受理<br>ロ　法第十八条の十七第一項及び第二項の規定による特定粉じん排出等作業の実施の届出の受理<br>ハ　法第十八条の十八の規定による特定粉じん排出等作業の方法に関する計画の変更命令<br>ニ　法第十八条の二十一の規定による作業基準適合命令及び特定粉じん排出等作業の一時停止命令<br>ホ　法第二十六条第一項の規定による報告の徴収（解体等工事に係る | 各市（八王子市を除く。） |

| 事務 | 市町村 |
| --- | --- |
| 建築物等の状況又は特定粉じん排出等作業の状況に関するものに限る。）及び立入検査（解体等工事に係る建築物等、解体等工事の現場又は解体等工事の元請業者、自主施工者若しくは下請負人の営業所、事務所等に係るものに限る。）<br>ヘ　法第二十八条第二項の規定による特定粉じん排出等作業の状況等に関する資料の送付その他の協力の要求 | |
| 十七　身体障害者福祉法（昭和二十四年法律第二百八十三号。以下この項において「法」という。）、身体障害者福祉法施行令（昭和二十五年政令第七十八号。以下この項において「政令」という。）、身体障害者福祉法施行規則（昭和二十五年厚生省令第十五号。以下この項において「省令」という。）及び法の施行のための規則に基づく事務のうち、次に掲げるもの<br>イ　政令第六条第一項の規定により知事が発行した通知書の交付<br>ロ　政令第十条第一項の規定による身体障害者手帳を破り、汚し、又は失った者が知事に提出すべき再交付申請書の受理及び知事が再発行した身体障害者手帳の交付<br>ハ　政令第十条第三項の規定により知事に返還される身体障害者手帳の受理及び知事が発行した身体障害者手帳の交付<br>ニ　省令第八条第二項の規定により知事に返還される身体障害者手帳の受理<br>ホ　イからニまでに掲げるもののほか、法の施行に係る事務のうち規則で定めるもの | 各市町村（八王子市を除く。） |
| 十八　削除 | |
| 十九　戦傷病者特別援護法（昭和三十八年法律第百六十八号。以下この項において「法」という。）に基づく事務のうち、次に掲げるもの<br>イ　法第二十条第一項の規定による更生医療の給付及び同条第四項の規定による更生医療に要する費用の支給の決定<br>ロ　法第二十一条第一項の規定による補装具の支給又は修理及び同条第四項の規定による補装具の購入又は修理に要する費用の支給の決定 | 各市町村 |
| 二十　東京都重度心身障害者手当条例（昭和四十八年東京都条例第六十八号。以下この項において「条例」という。）及び条例の施行のための規則に基づく事務のうち、次に掲げるもの<br>イ　条例第四条の規定による知事に対して行うべき受給資格の認定に係る申請の受理<br>ロ　条例第九条の規定による知事に対して行うべき受給者の住所変更等に係る届出の受理<br>ハ　条例第十条の規定による報告の要求及び生活状況等に関する調査<br>ニ　イからハまでに掲げるもののほか、条例の施行に係る事務のうち規則で定めるもの | 各市町村 |
| 二十一　東京都心身障害者扶養年金条例を廃止する条例（平成十八年東京都条例第百七十五号）による廃止前の東京都心身障害者扶養年金条例（昭和四十三年東京都条例第百十一号。以下この項において「条例」という。）及び条例の施行のための規則に基づく事務のうち、次に掲げるもの<br>イ　条例第十九条第二項及び第三項の規定による知事に対して行うべき変更事項等の届出の受理<br>ロ　条例第十九条第四項の規定によ | 各市町村 |

| 事務 | 市町村 |
|---|---|
| る知事に対して行うべき現況に関する届出の受理<br>ハ　条例第十九条第六項の規定による調査<br>ニ　イからハまでに掲げるもののほか、条例の施行に係る事務のうち規則に基づく事務であって別に規則で定めるもの | |
| 二十一の二　東京都心身障害者扶養年金条例を廃止する条例（以下この項において「条例」という。）及び条例の施行のための規則に基づく事務のうち、次に掲げるもの<br>イ　条例附則第四条第四項の規定による知事に対して行うべき清算金受取人の変更の届出の受理<br>ロ　条例附則第九条第一項及び第二項の規定による知事に対して行うべき変更事項等の届出の受理<br>ハ　条例附則第九条第三項の規定による調査<br>ニ　イからハまでに掲げるもののほか、条例の施行に係る事務のうち規則に基づく事務であって別に規則で定めるもの | 各市町村 |
| 二十一の三　東京都心身障害者扶養共済制度条例（平成十九年東京都条例第百三十七号。以下この項において | 各市町村 |

| 事務 | 市町村 |
|---|---|
| 「条例」という。）及び条例の施行のための規則に基づく事務のうち、次に掲げるもの<br>イ　条例第五条第一項の規定による知事に対して行うべき加入の申込みの受理<br>ロ　条例第八条第一項の規定による知事に対して行うべき口数追加の申込みの受理<br>ハ　条例第二十二条第一項から第五項までの規定による知事に対して行うべき変更事項等の届出の受理<br>ニ　イからハまでに掲げるもののほか、条例の施行に係る事務のうち規則に基づく事務であって別に規則で定めるもの | |
| 二十二　心身障害者の医療費の助成に関する条例（昭和四十九年東京都条例第二十号。以下この項において「条例」という。）及び条例の施行のための規則に基づく事務のうち、次に掲げるもの<br>イ　条例第四条の規定による受給者証の交付に係る申請の受理<br>ロ　市町村が国民健康保険法（昭和三十三年法律第百九十二号）による保険者として条例第二条に規定する対象者について療養費の支給を行う場合及び高齢者の医療の確 | 各市町村 |

| 事務 | 市町村 |
|---|---|
| 保に関する法律（昭和五十七年法律第八十号）第八十四条第一項に規定する高額療養費に相当する額の支給を行う場合における条例第五条第二項に規定する方法による医療費の支払<br>ハ　条例第六条第一項の規定による氏名又は住所の変更の届出の受理及び同条第二項の規定による所得状況に係る届出の受理<br>ニ　イからハまでに掲げるもののほか、条例の施行に係る事務のうち規則に基づく事務であって別に規則で定めるもの | |
| 二十三　母子及び父子並びに寡婦福祉法（昭和三十九年法律第百二十九号。以下この項において「法」という。）、東京都母子及び父子福祉資金貸付条例（昭和三十九年東京都条例第百六十六号。以下この項において「条例」という。）及び母子及び父子福祉資金の貸付けのための規則に基づく事務のうち、次に掲げるもの<br>イ　法第二十五条第三項（法第三十四条第一項において準用する場合を含む。）の規定による公共的施設内における売店等の設置に係る当該公共的施設の管理者との協議等。ただし、都の設置した施設に | 各市町村（八王子市を除く。） |

| | |
|---|---|
| 係るものを除く。<br>ロ　条例第一条の規定により行う母子及び父子福祉資金の貸付け及び償還に関する事務。ただし、当該資金の貸付け及び償還に係る事務のうち規則に基づく事務であって別に規則で定めるもの及び都の区域内に住所を有しなくなった者に係る資金の償還を除く。 | 各市（八王子市を除く。） |
| 二十四　東京都女性福祉資金貸付条例（昭和四十五年東京都条例第三十号）及び同条例の施行のための規則に基づく女性福祉資金の貸付及び償還に関する事務 | 各市 |
| 二十五　東京都福祉のまちづくり条例（平成七年東京都条例第三十三号。以下この項において「条例」という。）及び条例の施行のための規則に基づく事務のうち、次に掲げるもの<br>イ　条例第十五条第二項の規定による整備基準適合証の交付（条例第十八条第一項の規定によりその新設又は改修に当たって届出を要するとされた施設（以下この項において「届出を要する施設」という。）に係るものに限る。）<br>ロ　条例第十八条第一項の規定による特定都市施設の新設又は改修等に係る届出の受理及び同条第二項の規定による変更の届出の受理<br>ハ　条例第十九条の規定による特定整備主に対する指導及び助言<br>ニ　条例第二十一条の規定による特定都市施設の整備基準への適合状況に係る報告の要求（届出を要する施設に係るものに限る。）<br>ホ　条例第二十二条の規定による勧告<br>ヘ　条例第二十三条第一項の規定による勧告に従わなかった旨の公表及び同条第二項の規定による意見を述べ、証拠を提示する機会の付与<br>ト　条例第二十四条第一項の規定による特定都市施設への立入調査（届出を要する施設に係るものに限る。）<br>チ　イからトまでに掲げるもののほか、条例の施行に係る事務のうち規則に基づく事務であって別に規則で定めるもの | 各市町村。ただし、条例第二十九条の規定により適用除外となる市町村を除く。 |
| 二十六　児童福祉法（昭和二十二年法律第百六十四号。以下この項において「法」という。）、児童福祉法施行規則（昭和二十三年厚生省令第十一号。以下この項において「省令」という。）及び法の施行のための規則に基づく事務のうち、次に掲げるもの | |
| イ　法第二十条第一項の規定による療育の給付 | 町田市 |
| ロ　法第二十一条の二において準用する法第十九条の二十第四項の規定による診療報酬の支払に関する事務の委託 | 町田市 |
| ハ　法第三十四条の十二第一項の規定による知事に対して行うべき一時預かり事業（区市町村以外の者が行うものに限る。以下この項において同じ。）の開始の届出の受理 | 各市町村（八王子市を除く。） |
| ニ　法第三十四条の十二第二項の規定による知事に対して行うべき一時預かり事業に係る変更の届出の受理 | 各市町村（八王子市を除く。） |
| ホ　法第三十四条の十二第三項の規定による知事に対して行うべき一時預かり事業の廃止又は休止の届出の受理 | 各市町村（八王子市を除く。） |
| ヘ　法第三十四条の十八第一項の規定による知事に対して行うべき病児保育事業の開始の届出の受理 | 各市町村（八王子市を除く。） |
| ト　法第三十四条の十八第二項の規定による知事に対して行うべき病児保育事業の変更の届出の受理 | 各市町村（八王子市を除 |

| | |
|---|---|
| チ　法第三十四条の十八第三項の規定による知事に対して行うべき病児保育事業の廃止又は休止の届出の受理 | 各市町村（八王子市を除く。） |
| リ　法第五十条第五号の規定による療育に係る費用の支弁 | 町田市 |
| ヌ　リに掲げる事務に係る法第五十六条第二項の規定による費用の徴収、同条第四項の規定による報告又は必要な書類の閲覧若しくは資料の提供の要求、同条第五項の規定による費用の徴収の嘱託及び同条第六項の規定による地方税の滞納処分の例による処分 | 町田市 |
| ル　省令第十条第一項の規定による申請の受理及び同条第二項の療育券の交付 | 町田市 |
| ヲ　省令第三十七条第二項の規定による知事に提出すべき児童福祉施設（区市町村以外の者が設置した母子生活支援施設、保育所及び児童厚生施設（以下この項において「母子生活支援施設等」という。）に限る。）の設置の認可の申請書の受理（八王子市にあっては、母子生活支援施設及び保育所に係るものを除く。） | 各市町村 |
| ワ　省令第三十七条第二項の規定による知事に提出すべき児童福祉施設（区市町村以外の者が設置した助産施設及び障害児入所施設（法第四十二条第二号に規定する医療型障害児入所施設に限る。）（以下この項において「助産施設等」という。）に限る。）の設置の認可の申請書の受理（八王子市にあっては、助産施設に係るものを除く。） | 八王子市、町田市 |
| カ　省令第三十七条第五項及び第六項の規定による知事に対して行うべき児童福祉施設（母子生活支援施設等に限る。）に係る変更の届出の受理（八王子市にあっては、母子生活支援施設及び保育所に係るものを除く。） | 各市町村 |
| ヨ　省令第三十七条第五項及び第六項の規定による知事に対して行うべき児童福祉施設（助産施設等に限る。）に係る変更の届出の受理（八王子市にあっては、助産施設に係るものを除く。） | 八王子市、町田市 |
| タ　省令第三十八条第二項の規定による児童福祉施設（母子生活支援施設等に限る。）の廃止又は休止の承認に係る知事に提出すべき申請書の受理（八王子市にあっては、母子生活支援施設及び保育所に係るものを除く。） | 各市町村 |
| レ　省令第三十八条第二項の規定による児童福祉施設（助産施設等に限る。）の廃止又は休止の承認に係る知事に提出すべき申請書の受理（八王子市にあっては、助産施設に係るものを除く。） | 八王子市、町田市 |
| ソ　ヲ、カ及びタに掲げるもののほか、法の施行に係る事務のうち規則に基づく事務であって別に規則で定めるもの | 各市町村 |
| ツ　ハからチまでに掲げるもののほか、法の施行に係る事務のうち規則に基づく事務であって別に規則で定めるもの | 各市町村（八王子市を除く。） |
| ネ　ワ、ヨ及びレに掲げるもののほか、法の施行に係る事務のうち規則に基づく事務であって別に規則で定めるもの | 八王子市、町田市 |
| ナ　イ、ロ及びリからルまでに掲げるもののほか、法の施行に係る事務のうち規則に基づく事務であって別に規則で定めるもの | 町田市 |

| | | |
|---|---|---|
| 二十七　社会福祉法（昭和二十六年法律第四十五号。以下この項において「法」という。）に基づく事務のうち、次に掲げるもの | イ　法第六十九条第一項の規定による知事に対して行うべき第二種社会福祉事業（区市町村以外の者が行う児童福祉法第六条の三第六項に規定する地域子育て支援拠点事 | 各市町村（八王子市を除く。） |

| 事務 | 市町村 |
|---|---|
| 業に限る。以下この項において同じ。）の開始の届出の受理 | |
| ロ　法第六十九条第二項の規定による知事に対して行うべき第二種社会福祉事業の変更又は廃止の届出の受理 | |
| 二十八　就学前の子どもに関する教育、保育等の総合的な提供の推進に関する法律（平成十八年法律第七十七号。以下この項において「法」という。）、就学前の子どもに関する教育、保育等の総合的な提供の推進に関する法律施行規則（平成二十六年内閣府・文部科学省・厚生労働省令第二号。以下この項において「府省令」という。）及び法の施行のための規則に基づく事務のうち、次に掲げるもの | |
| イ　法第四条第一項の規定による知事に提出すべき認定こども園の認定の申請書の受理 | 各市町村（八王子市を除く。） |
| ロ　法第十七条第一項の規定による知事に提出すべき幼保連携型認定こども園の設置、廃止等の認可の申請書の受理 | 各市町村（八王子市を除く。） |
| ハ　法第二十九条第一項の規定による知事に対して行うべき認定こども園に係る変更の届出の受理 | 各市町村（八王子市を除く。） |
| ニ　府省令第十五条第二項の規定による知事に対して行うべき幼保連携型認定こども園に係る変更の届出の受理 | 各市町村（八王子市を除く。） |
| ホ　イからニまでに掲げるもののほか、法の施行に係る事務のうち規則に基づく事務であって別に規則で定めるもの | 各市町村（八王子市を除く。） |
| 二十八の二　母体保護法（昭和二十三年法律第百五十六号。以下この項において「法」という。）、母体保護法施行令（昭和二十四年政令第十六号。以下この項において「政令」という。）、母体保護法施行規則（昭和二十七年厚生省令第三十二号。以下この項において「省令」という。）、東京都福祉局関係手数料条例（令和五年東京都条例第六十七号。以下この項において「手数料条例」という。）及び法の施行のための規則に基づく事務のうち、次に掲げるもの | 八王子市、町田市 |
| イ　政令第一条第一項の規定により知事が発行した指定証の交付 | |
| ロ　政令第一条第二項の規定による知事に提出すべき標識の交付の申請書の受理及び知事が発行した標識の交付 | |
| ハ　政令第三条の規定により知事が訂正した指定証の交付 | |
| ニ　政令第五条の規定により知事が再発行した指定証又は標識の交付 | |
| ホ　省令第十五条第三項の規定により知事に返納される標識の受理 | |
| ヘ　手数料条例別表一の項に定める手数料の徴収 | |
| ト　イからヘまでに掲げるもののほか、法の施行に係る事務のうち規則に基づく事務であって別に規則で定めるもの | |
| 二十九　動物の愛護及び管理に関する法律（昭和四十八年法律第百五号。以下この項において「法」という。）、東京都動物の愛護及び管理に関する条例（平成十八年東京都条例第四号。以下この項において「条例」という。）及び条例の施行のための規則に基づく事務のうち、次に掲げるもの | |
| イ　法第三十五条第一項から第三項まで及び第六項並びに条例第二十一条の規定による犬又は猫の引取り等 | 町田市 |
| ロ　法第三十六条第一項の規定による負傷動物等の通報の受理、同条第二項及び条例第二十三条第一項の規定による負傷した犬、猫等の収容並びに同条第二項の規定によ | 町田市 |

| | |
|---|---|
| る治療その他必要な措置 | |
| ハ　法第三十七条第二項の規定による繁殖制限に関する指導及び助言 | 町田市 |
| ニ　条例第二十二条第一項の規定による逸走している犬の収容 | 町田市 |
| ホ　条例第二十四条第一項の規定による所有者不明の犬、猫等を引き取り、又は収容したときの公示（犬、猫等を引き取り、又は収容した場所が当該市町村の区域にある場合に限る。） | 各市町村（八王子市を除く。） |
| ヘ　条例第二十四条第二項の規定による犬の所有者への通知及び同条第三項の規定による犬、猫等の処分 | 町田市 |
| ト　条例第二十五条第一項の規定による犬、猫等の譲渡及び同条第二項の規定による申出の受理 | 町田市 |
| チ　条例第二十六条第一項の規定による野犬の駆除及び同条第二項の規定による住民への周知 | 町田市 |
| リ　条例第二十九条第一項の規定による事故及びその後の措置に係る届出の受理（条例第十条に規定する特定動物（以下この項において「特定動物」という。）による事故に係るものを除く。） | 町田市 |
| ヌ　条例第三十条の規定による措置命令（特定動物の飼い主に対するものを除く。） | 町田市 |
| ル　ヌに掲げる事務に関して行う条例第三十一条の規定による報告の徴取及び立入調査 | 町田市 |
| ヲ　条例第三十二条第一項の規定による動物監視員の設置 | 町田市 |
| 二十九の二　難病患者等に対する医療費の助成に係る事務のうち規則に基づく事務であって別に規則で定めるもの | 各市町村 |
| 二十九の三　東京都精神障害者都営交通乗車証条例（平成十二年東京都条例第百八十五号。以下この項において「条例」という。）及び条例の施行のための規則に基づく事務のうち、次に掲げるもの<br>イ　条例第三条第一項の規定による知事に対して行うべき乗車証の発行の申請の受理<br>ロ　条例第三条第二項の規定により知事が発行した乗車証の交付<br>ハ　条例第八条の規定による知事に対して行うべき氏名変更の届出の受理<br>ニ　条例第十条の規定により知事に返還される乗車証の受理<br>ホ　イからニまでに掲げるもののほか、条例の施行に係る事務のうち規則に基づく事務であって別に規則で定めるもの | 各市町村 |
| 二十九の四　精神保健及び精神障害者福祉に関する法律（昭和二十五年法律第百二十三号）第四十七条第一項の規定による相談及び援助（精神保健福祉相談員その他の職員によるものに限る。） | 各市町村（地域保健法施行令（昭和二十三年政令第七十七号）第一条に規定する市（以下「保健所を設置する市」という。）を除く。） |
| 二十九の五　母子保健法（昭和四十年法律第百四十一号。以下この項において「法」という。）、母子保健法施行規則（昭和四十年厚生省令第五十五号。以下この項において「省令」という。）及び法の施行のための規則に基づく事務のうち、次に掲げるもの | |
| イ　省令第十条の規定による知事に提出すべき養育医療機関の指定の申請書の受理及び知事が発行した指定書の交付 | 町田市 |

| | |
|---|---|
| ロ　省令第十二条の規定による知事に対して行うべき指定養育医療機関の変更等の届出の受理 | 町田市 |
| ハ　省令第十三条の規定による知事に対して行うべき指定養育医療機関の指定の辞退の申出の受理 | 町田市 |
| 二十九の五の二　障害者の日常生活及び社会生活を総合的に支援するための法律（平成十七年法律第百二十三号）の施行に係る事務のうち規則に基づく事務であって別に規則で定めるもの | 各市町村 |
| 二十九の五の三　調理師法（昭和三十三年法律第百四十七号。以下この項において「法」という。）、調理師法施行令（昭和三十三年政令第三百三号。以下この項において「政令」という。）、東京都保健医療局関係手数料条例（平成十二年東京都条例第八十七号。以下この項において「手数料条例」という。）及び法の施行のための規則に基づく事務のうち、次に掲げるもの<br>イ　法第五条第三項の規定により知事が発行した免許証の交付<br>ロ　政令第一条の規定による知事に提出すべき免許の申請書の受理<br>ハ　政令第十一条第二項の規定による知事に提出すべき名簿の訂正の申請書の受理<br>ニ　政令第十二条の規定による知事に提出すべき名簿の登録の消除の申請書の受理<br>ホ　政令第十三条第二項の規定による知事に提出すべき免許証の書換交付の申請書の受理及び知事が書換えをした免許証の交付<br>ヘ　政令第十四条第二項の規定による知事に提出すべき免許証の再交付の申請書の受理及び知事が再発行した免許証の交付<br>ト　政令第十四条第四項及び第十五条の規定により知事に返納される免許証の受理<br>チ　手数料条例別表二の項に定める手数料（同項ロに掲げるものを除く。）の徴収 | 八王子市、町田市 |
| 二十九の五の四　製菓衛生師法（昭和四十一年法律第百十五号。以下この項において「法」という。）、製菓衛生師法施行令（昭和四十一年政令第三百八十七号。以下この項において「政令」という。）、東京都保健医療局関係手数料条例（以下この項において「手数料条例」という。）及び法の施行のための規則に基づく事務のうち、次に掲げるもの<br>イ　法第七条第三項の規定により知事が発行した免許証の交付<br>ロ　政令第一条の規定による知事に提出すべき免許の申請書の受理<br>ハ　政令第三条第二項の規定による知事に提出すべき名簿の訂正の申請書の受理<br>ニ　政令第四条の規定による知事に提出すべき名簿の登録の消除の申請書の受理<br>ホ　政令第五条第二項の規定による知事に提出すべき免許証の書換え交付の申請書の受理及び知事が書換えをした免許証の交付<br>ヘ　政令第六条第二項の規定による知事に提出すべき免許証の再交付の申請書の受理及び知事が再発行した免許証の交付<br>ト　政令第六条第四項及び第七条の規定により知事に返納される免許証の受理<br>チ　手数料条例別表三の項に定める手数料（同項ロに掲げるものを除く。）の徴収 | 八王子市、町田市 |
| 二十九の五の五　墓地、埋葬等に関する法律（昭和二十三年法律第四十八号。以下この項において「法」という。）に基づく事務のうち、次に掲げるもの | 瑞穂町、日の出町、檜原村、奥多摩町 |

| 事務 | 市町村 |
|---|---|
| イ　法第十条第一項の規定による墓地、納骨堂又は火葬場（以下この項において「墓地等」という。）の経営の許可並びに同条第二項の規定による墓地の区域又は納骨堂若しくは火葬場の施設の変更の許可及び墓地等の廃止の許可（以下この項において「墓地等の経営等の許可」という。）<br>ロ　法第十八条第一項の規定による火葬場への立入検査及び墓地等の管理者に対する報告の要求<br>ハ　法第十九条の規定による墓地等の施設の整備に係る改善命令、墓地等の使用の制限及び禁止の命令並びに墓地等の経営等の許可の取消し | |
| 二十九の五の六　クリーニング業法（昭和二十五年法律第二百七号）、クリーニング業法施行令（昭和二十八年政令第二百三十三号。以下この項において「政令」という。）、クリーニング業法施行規則（昭和二十五年厚生省令第三十五号。以下この項において「省令」という。）、東京都保健医療局関係手数料条例（以下この項において「手数料条例」という。）及び同法の施行のための規則に基づく事務のうち、次に掲げるもの | 八王子市、町田市 |
| イ　政令第一条第一項の規定により知事が発行した免許証の交付<br>ロ　政令第一条第二項の規定により知事が訂正した免許証の交付<br>ハ　政令第一条第三項の規定により知事が再発行した免許証の交付<br>ニ　省令第四条の規定による知事に提出すべき免許の申請書の受理<br>ホ　省令第六条第一項の規定による知事に提出すべき免許証の再交付の申請書の受理<br>ヘ　省令第六条第二項の規定により知事に提出される免許証の受理<br>ト　省令第八条の規定による知事に提出すべき免許証の訂正の申請書の受理<br>チ　省令第九条及び第十条第二項の規定により知事に返納される免許証の受理<br>リ　手数料条例別表十の項に定める手数料（同項イ及びハに掲げるものを除く。）の徴収 | |
| 二十九の六　大気汚染に係る健康障害者に対する医療費の助成に関する条例（昭和四十七年東京都条例第百十七号。以下この項において「条例」という。）及び条例の施行のための規則に基づく事務のうち、次に掲げるもの | |
| イ　条例第四条又は第六条第一項の規定による知事に対して行うべき医療費助成の申請の受理 | 各市町村（八王子市及び町田市を除く。） |
| ロ　条例第四条又は第六条第一項の規定による医療費助成の申請の受理 | 八王子市、町田市 |
| ハ　条例第五条第一項の規定による疾病が大気汚染の影響を受けると推定される疾病である旨の認定 | 八王子市、町田市 |
| ニ　条例第六条第二項の規定による認定の有効期間の更新 | 八王子市、町田市 |
| ホ　条例第七条第一項の規定による医療券又は通知書の交付 | 八王子市、町田市 |
| ヘ　条例第十条の規定による知事に対して行うべき氏名又は住所を変更した旨の届出の受理 | 各市町村（八王子市及び町田市を除く。） |
| ト　条例第十条の規定による氏名又は住所を変更した旨の届出の受理 | 八王子市、町田市 |
| チ　イ及びヘに掲げるもののほか、条例の施行に係る事務のうち規則に基づく事務であって別に規則で定めるもの | 各市町村（八王子市及び町田市を除く。） |

| | |
|---|---|
| リ　ロからホまで及びトに掲げるもののほか、条例の施行に係る事務のうち規則に基づく事務であって別に規則で定めるもの | 八王子市、町田市 |
| 二十九の六の二　食品衛生法（昭和二十二年法律第二百三十三号）、食品衛生法施行令（昭和二十八年政令第二百二十九号。以下この項において「政令」という。）、東京都保健医療局関係手数料条例（以下この項において「手数料条例」という。）及び法の施行のための規則に基づく事務のうち、次に掲げるもの<br>イ　政令第四条第三項の規定による試験品の採取及び同条第四項の規定による合格証の貼付<br>ロ　政令第五条第二項の規定による知事に提出すべき検査の申請書の受理<br>ハ　手数料条例別表十二の項に定める手数料（同項イからハまでに掲げるものに限る。）の徴収 | 町田市 |
| 二十九の六の三及び二十九の六の四　削除 | |
| 二十九の六の五　東京都ふぐの取扱い規制条例（昭和六十一年東京都条例第五十一号。以下この項において「条例」という。）及び条例の施行のための規則に基づく事務のうち、次に掲げるもの<br>イ　条例第十二条の二第二項の規定による知事に対して行うべき営業者の地位の承継の届出の受理<br>ロ　条例第十三条第一項の規定により知事が発行した認証書の交付<br>ハ　条例第十三条第二項の規定による知事に対して行うべき認証書の書換えの申請の受理及び知事が書換えをした認証書の交付<br>ニ　条例第十三条第三項の規定による知事に対して行うべき認証書の再交付の申請の受理及び知事が再発行した認証書の交付<br>ホ　条例第十三条第四項及び第十五条の規定により知事に返納される認証書の受理<br>ヘ　ふぐの取扱いを行う営業に係る条例第十七条第一項の規定による報告の要求及び立入検査<br>ト　条例第十九条第一項第五号及び第六号の規定による手数料の徴収<br>チ　イからトまでに掲げるもののほか、条例の施行に係る事務のうち規則に基づく事務であって別に規則で定めるもの | 八王子市、町田市 |
| 二十九の六の六　動物質原料の運搬等に関する条例（昭和三十三年東京都条例第三号。以下この項において「条例」という。）及び条例の施行のための規則に基づく事務のうち、次に掲げるもの<br>イ　条例第三条の規定による営業の許可及び条例第四条第二項の規定による条件の付加<br>ロ　条例第五条の規定による申請事項の変更届の受理<br>ハ　条例第六条の規定による申請事項の変更の許可<br>ニ　条例第八条及び第十条第二項の規定による運搬容器に関する検査<br>ホ　条例第九条の規定による検査証の交付<br>ヘ　条例第十一条の規定による検査証の再交付<br>ト　条例第十五条の規定による休業又は廃業の届出の受理<br>チ　条例第十六条の規定により返納される検査証の受理<br>リ　条例第十八条第一項の規定による報告の徴取及び検査等<br>ヌ　条例第十九条の規定による必要な処置命令、営業の停止命令及び運搬容器使用の停止命令<br>ル　イからヌまでに掲げるもののほか、条例の施行に係る事務のうち規則に基づく事務であって別に規則で定めるもの | 八王子市、町田市 |

| 事務 | 市町村 |
|---|---|
| 則で定めるもの | |
| 二十九の六の七　医療法（昭和二十三年法律第二百五号。以下この項において「法」という。）、医療法施行令（昭和二十三年政令第三百二十六号。以下この項において「政令」という。）、医療法施行規則（昭和二十三年厚生省令第五十号。以下この項において「省令」という。）、東京都保健医療局関係手数料条例（以下この項において「手数料条例」という。）及び法の施行のための規則に基づく事務のうち、次に掲げるもの<br>イ　法第四条第一項の規定による地域医療支援病院の名称の使用の承認に係る知事に提出すべき申請書の受理<br>ロ　法第七条第一項の規定による病院の開設の許可に係る知事に提出すべき申請書の受理<br>ハ　法第七条第二項の規定による病院の開設許可事項の変更等の許可に係る知事に提出すべき申請書の受理<br>ニ　法第七条第三項の規定による診療所に係る病床の設置又は変更の許可に係る知事に提出すべき申請書の受理<br>ホ　法第八条の二第二項の規定による知事に対して行うべき病院の休止又は再開の届出の受理<br>ヘ　法第九条第一項の規定による知事に対して行うべき病院の廃止の届出の受理及び同条第二項の規定による知事に対して行うべき病院の開設者の死亡又は失そうの届出の受理<br>ト　法第十二条第一項ただし書の規定による病院の開設者以外の者が管理者となる場合の許可に係る知事に提出すべき申請書の受理<br>チ　法第十二条第二項の規定による二以上の病院等を管理する場合の許可に係る知事に提出すべき申請書の受理<br>リ　法第十五条第三項の規定による知事に対して行うべきエックス線装置等の届出の受理<br>ヌ　法第十六条ただし書及び省令第九条の十五の二の規定による医師の宿直の免除の承認に係る知事に提出すべき申請書の受理<br>ル　法第十八条ただし書の規定により専属の薬剤師を置かない場合の許可に係る知事に提出すべき申請書の受理<br>ヲ　法第二十五条第一項の規定による報告の命令により知事に提出される病院からの報告の受理<br>ワ　法第二十七条の規定による検査に係る知事に対して行うべき申出の受理及び知事が発行した許可証の交付<br>カ　政令第四条第一項の規定による知事に対して行うべき病院開設者の住所等の変更の届出の受理<br>ヨ　政令第四条第二項の規定による知事に対して行うべき病床を有する診療所の変更の届出（省令第一条の十四第七項第四号に規定する場合に係るものに限る。）の受理<br>タ　政令第四条の二第一項の規定による知事に対して行うべき病院の開設後の届出の受理及び同条第二項の規定による知事に対して行うべき届出事項の変更の届出の受理<br>レ　手数料条例別表十五の項に定める手数料（同項イ及びニに掲げるものに限る。）の徴収<br>ソ　イからレまでに掲げるもののほか、法の施行に係る事務のうち規則に基づく事務であって別に規則で定めるもの | 八王子市、町田市 |
| 二十九の六の八　医師法（昭和二十三年法律第二百一号。以下この項において「法」という。）及び医師法施行令（昭和二十八年政令第三百八十二号。以下この項において「政令」 | 八王子市、町田市 |

| | |
|---|---|
| という。）に基づく事務のうち、次に掲げるもの<br>イ　法第六条第三項の規定による知事に対して行うべき医師の氏名等の届出の受理<br>ロ　政令第三条の規定による知事に提出すべき免許の申請書の受理及び厚生労働大臣が発行した免許証の交付<br>ハ　政令第五条第二項の規定による知事に提出すべき登録事項の変更の申請書の受理<br>ニ　政令第六条の規定による知事に提出すべき登録の抹消の申請書の受理<br>ホ　政令第八条第二項の規定による知事に提出すべき免許証の書換交付の申請書の受理及び厚生労働大臣が書換えをした免許証の交付<br>ヘ　政令第九条第二項の規定による知事に提出すべき免許証の再交付の申請書の受理及び厚生労働大臣が再発行した免許証の交付<br>ト　政令第九条第五項及び第十条の規定により知事に返納される免許証の受理 | |
| 二十九の六の九　歯科医師法（昭和二十三年法律第二百二号。以下この項において「法」という。）及び歯科 | 八王子市、町田市 |

| | |
|---|---|
| 医師法施行令（昭和二十八年政令第三百八十三号。以下この項において「政令」という。）に基づく事務のうち、次に掲げるもの<br>イ　法第六条第三項の規定による知事に対して行うべき歯科医師の氏名等の届出の受理<br>ロ　政令第三条の規定による知事に提出すべき免許の申請書の受理及び厚生労働大臣が発行した免許証の交付<br>ハ　政令第五条第二項の規定による知事に提出すべき登録事項の変更の申請書の受理<br>ニ　政令第六条の規定による知事に提出すべき登録の抹消の申請書の受理<br>ホ　政令第八条第二項の規定による知事に提出すべき免許証の書換交付の申請書の受理及び厚生労働大臣が書換えをした免許証の交付<br>ヘ　政令第九条第二項の規定による知事に提出すべき免許証の再交付の申請書の受理及び厚生労働大臣が再発行した免許証の交付<br>ト　政令第九条第五項及び第十条の規定により知事に返納される免許証の受理 | |
| 二十九の六の十　歯科衛生士法（昭和 | 八王子 |

| | |
|---|---|
| 二十三年法律第二百四号）第六条第三項の規定による知事に対して行うべき業務に従事する歯科衛生士の氏名等の届出の受理（情報通信技術を活用した行政の推進等に関する法律（平成十四年法律第百五十一号）第六条第一項の規定により同項に規定する電子情報処理組織を使用して行うものを除く。） | 市、町田市 |
| 二十九の六の十一　歯科技工士法（昭和三十年法律第百六十八号。以下この項において「法」という。）及び法の施行のための規則に基づく事務のうち、次に掲げるもの<br>イ　法第六条第三項の規定による知事に対して行うべき業務に従事する歯科技工士の氏名等の届出の受理（情報通信技術を活用した行政の推進等に関する法律第六条第一項の規定により同項に規定する電子情報処理組織を使用して行うものを除く。）<br>ロ　法第二十六条第一項第四号の規定による広告事項の許可に係る知事に提出すべき申請書の受理及び知事が発行した許可書の交付 | 八王子市、町田市 |
| 二十九の六の十二　診療放射線技師法（昭和二十六年法律第二百二十六号。 | 八王子市、町田市 |

| 事務 | 市町村 |
| --- | --- |
| 以下この項において「法」という。）、診療放射線技師法施行令（昭和二十八年政令第三百八十五号。以下この項において「政令」という。）、行政事務の簡素合理化及び整理に関する法律（昭和五十八年法律第八十三号）第二十二条の規定による改正前の法（以下この項において「旧法」という。）、診療放射線技師及び診療エックス線技師法施行令の一部を改正する政令（昭和五十九年政令第二百八十六号）による改正前の政令（以下この項において「旧令」という。）、東京都保健医療局関係手数料条例（以下この項において「手数料条例」という。）及び法の施行のための規則に基づく事務のうち、次に掲げるもの<br>イ　法第二十八条第二項の規定による照射録の徴取及び検査（診療所に係るものに限る。）<br>ロ　政令第一条の二の規定による知事に提出すべき診療放射線技師の免許の申請書の受理及び厚生労働大臣が発行した免許証の交付<br>ハ　政令第一条の四第二項の規定による知事に提出すべき診療放射線技師籍の訂正の申請書の受理<br>ニ　政令第二条の規定による知事に提出すべき診療放射線技師籍の登録の消除の申請書の受理<br>ホ　政令第三条第二項の規定による知事に提出すべき診療放射線技師免許証の書換え交付の申請書の受理及び厚生労働大臣が書換えをした免許証の交付<br>ヘ　政令第四条第一項の規定による知事に提出すべき診療放射線技師免許証の再交付の申請書の受理及び厚生労働大臣が再発行した免許証の交付<br>ト　旧法第八条第三項及び第十一条第一項の規定により知事に返納される免許証の受理<br>チ　旧法第二十七条第二項の規定による照射録の徴取及び検査（診療所に係るものに限る。）<br>リ　旧令第一条の三第一項の規定による知事に提出すべき診療エックス線技師籍の訂正の申請書の受理<br>ヌ　旧令第二条第一項及び第二項の規定による知事に提出すべき診療エックス線技師籍の登録の消除の申請書の受理<br>ル　旧令第三条第一項の規定による知事に提出すべき診療エックス線技師免許証の書換え交付の申請書の受理及び知事が書換えをした免許証の交付<br>ヲ　旧令第四条第一項の規定による知事に提出すべき診療エックス線技師免許証の再交付の申請書の受理及び知事が再発行した免許証の交付<br>ワ　手数料条例別表十八の項に定める手数料の徴収 | 市 |
| 二十九の六の十三　臨床検査技師等に関する法律（昭和三十三年法律第七十六号。以下この項において「法」という。）、臨床検査技師等に関する法律施行令（昭和三十三年政令第二百二十六号。以下この項において「政令」という。）、臨床検査技師、衛生検査技師等に関する法律の一部を改正する法律（平成十七年法律第三十九号）による改正前の法及び臨床検査技師、衛生検査技師等に関する法律施行令の一部を改正する政令（平成十八年政令第七十号）による改正前の政令（以下この項において「旧令」という。）に基づく事務のうち、次に掲げるもの<br>イ　政令第一条の規定による知事に提出すべき免許の申請書の受理及び厚生労働大臣が発行した免許証の交付<br>ロ　政令第三条第二項及び旧令第五条第二項の規定による知事に提出すべき名簿の訂正の申請書の受理 | 八王子市、町田市 |

| 事務 | 市町村 |
| --- | --- |
| ハ　政令第四条及び旧令第六条の規定による知事に提出すべき名簿の登録の消除の申請書の受理<br>ニ　政令第五条第二項及び旧令第七条第二項の規定による知事に提出すべき免許証の書換交付の申請書の受理及び厚生労働大臣が書換えをした免許証の交付<br>ホ　政令第六条第二項及び旧令第八条第二項の規定による知事に提出すべき免許証の再交付の申請書の受理及び厚生労働大臣が再発行した免許証の交付<br>ヘ　政令第六条第五項及び第七条並びに旧令第八条第五項及び第九条の規定により知事に返納される免許証の受理 | |
| 二十九の六の十四　理学療法士及び作業療法士法（昭和四十年法律第百三十七号）及び理学療法士及び作業療法士法施行令（昭和四十年政令第三百二十七号。以下この項において「政令」という。）に基づく事務のうち、次に掲げるもの<br>イ　政令第一条の規定による知事に提出すべき免許の申請書の受理及び厚生労働大臣が発行した免許証の交付<br>ロ　政令第三条第二項の規定による | 八王子市、町田市 |

| 事務 | 市町村 |
| --- | --- |
| 知事に提出すべき名簿の訂正の申請書の受理<br>ハ　政令第四条の規定による知事に提出すべき名簿の登録の消除の申請書の受理<br>ニ　政令第五条第二項の規定による知事に提出すべき免許証の書換え交付の申請書の受理及び厚生労働大臣が書換えをした免許証の交付<br>ホ　政令第六条第二項の規定による知事に提出すべき免許証の再交付の申請書の受理及び厚生労働大臣が再発行した免許証の交付<br>ヘ　政令第六条第五項及び第七条の規定により知事に返納される免許証の受理 | |
| 二十九の六の十五　視能訓練士法（昭和四十六年法律第六十四号）及び視能訓練士法施行令（昭和四十六年政令第二百四十六号。以下この項において「政令」という。）に基づく事務のうち、次に掲げるもの<br>イ　政令第一条の規定による知事に提出すべき免許の申請書の受理及び厚生労働大臣が発行した免許証の交付<br>ロ　政令第三条第二項の規定による知事に提出すべき名簿の訂正の申請書の受理 | 八王子市、町田市 |

| 事務 | 市町村 |
| --- | --- |
| ハ　政令第四条の規定による知事に提出すべき名簿の登録の消除の申請書の受理<br>ニ　政令第五条第二項の規定による知事に提出すべき免許証の書換え交付の申請書の受理及び厚生労働大臣が書換えをした免許証の交付<br>ホ　政令第六条第二項の規定による知事に提出すべき免許証の再交付の申請書の受理及び厚生労働大臣が再発行した免許証の交付<br>ヘ　政令第六条第五項及び第七条の規定により知事に返納される免許証の受理 | |
| 二十九の六の十六　保健師助産師看護師法（昭和二十三年法律第二百三号。以下この項において「法」という。）、保健師助産師看護師法施行令（昭和二十八年政令第三百八十六号。以下この項において「政令」という。）、東京都保健医療局関係手数料条例（以下この項において「手数料条例」という。）及び法の施行のための規則に基づく事務のうち、次に掲げるもの<br>イ　法第十四条第三項（法第五十一条第二項、第五十二条第二項、第五十三条第二項及び第六十条において準用する場合を含む。）の規 | 八王子市、町田市 |

定による知事に提出すべき再免許に係る申請書の受理

ロ　法第三十三条（法第五十一条第二項、第五十二条第二項、第五十三条第二項及び第六十条において準用する場合を含む。）の規定による知事に対して行うべき業務に従事する保健師、助産師、看護師及び准看護師の氏名等の届出の受理（情報通信技術を活用した行政の推進等に関する法律第六条第一項の規定により同項に規定する電子情報処理組織を使用して行うものを除く。）

ハ　政令第一条の三の規定による知事に提出すべき免許の申請書の受理及び厚生労働大臣又は知事が発行した免許証の交付（情報通信技術を活用した行政の推進等に関する法律第六条第一項の規定により同項に規定する電子情報処理組織を使用して行う准看護師に係る申請書の受理及び当該申請に係る免許証の交付を除く。）

ニ　政令第三条第三項及び第五項（政令附則第二項において準用する場合を含む。）の規定による知事に提出すべき訂正の申請書の受理（情報通信技術を活用した行政の推進等に関する法律第六条第一項の規定により同項に規定する電子情報処理組織を使用して行う准看護師に係るものを除く。）

ホ　政令第四条第二項及び第三項並びに第五条（政令附則第二項において準用する場合を含む。）の規定による知事に提出すべき登録の抹消の申請書の受理

ヘ　政令第六条第二項及び第四項（政令附則第二項において準用する場合を含む。）の規定による知事に提出すべき書換交付の申請書の受理並びに厚生労働大臣、知事又は他の道府県知事が書換えをした免許証又は免状の交付（情報通信技術を活用した行政の推進等に関する法律第六条第一項の規定により同項に規定する電子情報処理組織を使用して行う准看護師に係る申請書の受理及び当該申請に係る免許証の交付を除く。）

ト　政令第七条第二項及び第六項（政令附則第二項において準用する場合を含む。）の規定による知事に提出すべき再交付の申請書の受理並びに厚生労働大臣、知事又は他の道府県知事が再発行した免許証又は免状の交付（情報通信技術を活用した行政の推進等に関する法律第六条第一項の規定により同項に規定する電子情報処理組織を使用して行う准看護師に係る申請書の受理及び当該申請に係る免許証の交付を除く。）

チ　政令第七条第五項及び第六項並びに第八条（政令附則第二項において準用する場合を含む。）の規定により知事に返納される免許証の受理並びに政令附則第三項の規定により知事に返納される免状の受理

リ　手数料条例別表二十の項に定める手数料（同項ロからトまでに掲げるものを除く。）の徴収

ヌ　イからリまでに掲げるもののほか、法の施行に係る事務のうち規則に基づく事務であって別に規則で定めるもの

| | |
|---|---|
| 二十九の六の十七　死体解剖保存法（昭和二十四年法律第二百四号）、死体解剖保存法施行令（昭和二十八年政令第三百八十一号。以下この項において「政令」という。）及び同法の施行のための規則に基づく事務のうち、次に掲げるもの<br>イ　政令第一条第一項の規定による知事に提出すべき死体解剖資格の認定の申請書の受理及び厚生労働大臣が発行した認定証明書の交付 | 八王子市、町田市 |

| 事務 | 市町村 |
|---|---|
| ロ　政令第三条第二項の規定による知事に提出すべき認定証明書の再交付の申請書の受理及び厚生労働大臣が再発行した認定証明書の交付<br>ハ　政令第三条第五項及び第四条の規定により知事に返納される認定証明書の受理<br>ニ　政令第五条第一項の規定による知事に対して行うべき認定者の住所の変更の届出の受理 | |
| 二十九の六の十八　救急病院等を定める省令（昭和三十九年厚生省令第八号）に基づく救急業務に関し協力する旨の申出に係る事務のうち規則に基づく事務であって別に規則で定めるもの | 八王子市、町田市 |
| 二十九の六の十九　難病の患者に対する医療等に関する法律（平成二十六年法律第五十号。以下この項において「法」という。）、難病の患者に対する医療等に関する法律施行規則（平成二十六年厚生労働省令第百二十一号。以下この項において「省令」という。）及び法の施行のための規則に基づく事務のうち、次に掲げるもの<br>イ　法第六条第一項の規定による知事に提出すべき支給認定の申請書の受理<br>ロ　法第十条第一項の規定による知事に提出すべき支給認定の変更の申請書の受理<br>ハ　法第十条第三項の規定による知事に提出すべき医療受給者証の受理<br>ニ　法第十一条第二項の規定により知事に返還される医療受給者証の受理<br>ホ　省令第十三条の規定による知事に提出すべき支給認定の申請事項の変更の届出の受理<br>ヘ　省令第二十七条第一項の規定による知事に提出すべき医療受給者証の再交付の申請書の受理<br>ト　省令第二十七条第三項の規定により知事に返還される医療受給者証の受理<br>チ　イからトまでに掲げるもののほか、法の施行に係る事務のうち規則に基づく事務であって別に規則で定めるもの | 各市町村 |
| 二十九の七　原子爆弾被爆者に対する援護に関する法律（平成六年法律第百十七号。以下この項において「法」という。）、原子爆弾被爆者に対する援護に関する法律施行令（平成七年政令第二十六号。以下この項において「政令」という。）、原子爆弾被爆者に対する援護に関する法律施行規則（平成七年厚生省令第三十三号。以下この項において「省令」という。）及び法の施行のための規則に基づく事務のうち、次に掲げるもの | |
| イ　政令第三条第一項、第四条及び第五条第一項並びに省令附則第四条第一項、第四条の二及び第四条の三第一項の規定による知事に対して行うべき居住地の変更の届出の受理 | 各市町村 |
| ロ　政令第八条第一項の規定による知事に提出すべき認定申請書の受理 | 各市町村 |
| ハ　政令第十一条の規定による知事に提出すべき医療機関の指定の申請書の受理 | 八王子市、町田市 |
| ニ　政令第十二条（政令第十六条において準用する場合を含む。）の規定による知事に対して行うべき申請事項の変更等の届出の受理 | 八王子市、町田市 |
| ホ　政令第十三条（政令第十六条において準用する場合を含む。）の規定による知事に対して行うべき指定の辞退の申出の受理 | 八王子市、町田市 |
| ヘ　政令第十五条の規定による知事に提出すべき被爆者一般疾病医療 | 八王子市、町田市 |

| | |
|---|---|
| 機関の指定の申請書の受理 | 市 |
| ト　省令第七条第一項（省令附則第五条第一項において準用する場合を含む。）の規定による知事に対して行うべき氏名等の変更の届出の受理 | 各市町村 |
| チ　省令第七条の二第一項（省令附則第五条第一項において準用する場合を含む。）の規定による知事に提出すべき再交付の申請書の受理（国内に居住地及び現在地を有しない者に係るものを除く。） | 各市町村 |
| リ　省令第二十二条第一項の規定による知事に提出すべき医療費の支給申請書の受理 | 各市町村 |
| ヌ　省令第二十六条第一項の規定による知事に提出すべき一般疾病医療費支給申請書の受理 | 各市町村 |
| ル　省令第二十九条第一項の規定による知事に提出すべき医療特別手当認定申請書の受理（国内に居住地及び現在地を有しない者に係るものを除く。） | 各市町村 |
| ヲ　省令第三十二条第一項の規定による知事に提出すべき医療特別手当健康状況届の受理（国内に居住地及び現在地を有しない者に係るものを除く。） | 各市町村 |
| ワ　省令第三十四条（省令第四十六条、第五十条、第五十四条及び第六十三条第一項において準用する場合を含む。）の規定による知事に提出すべき氏名変更の届書の受理（国内に居住地及び現在地を有しない者に係るものを除く。） | 各市町村 |
| カ　省令第三十五条第一項（省令第四十六条、第五十条、第五十四条及び第六十三条第一項において準用する場合を含む。）及び第三十五条の二（省令第四十六条、第五十条、第五十四条及び第六十三条第一項において準用する場合を含む。）の規定による知事に提出すべき居住地変更の届書の受理 | 各市町村 |
| ヨ　省令第三十五条の三第一項（省令第四十六条、第五十条、第五十四条及び第六十三条第一項において準用する場合を含む。）の規定による知事に提出すべき居住地変更の届書の受理 | 各市町村 |
| タ　省令第三十七条第一項（省令第四十六条、第五十条、第五十四条及び第六十三条第一項において準用する場合を含む。）の規定による知事に提出すべき再交付の申請書の受理（国内に居住地及び現在地を有しない者に係るものを除く。） | 各市町村 |
| レ　省令第三十九条（省令第五十四条において準用する場合を含む。）の規定による知事に提出すべき失権の届書の受理（国内に居住地及び現在地を有しない者に係るものを除く。） | 各市町村 |
| ソ　省令第四十一条（省令第四十六条、第五十条、第五十四条、第六十三条第一項及び第七十条第一項において準用する場合を含む。）の規定による知事に提出すべき死亡の届書の受理（国内に居住地及び現在地を有しない者に係るものを除く。） | 各市町村 |
| ツ　省令第四十四条第一項の規定による知事に提出すべき特別手当認定申請書の受理（国内に居住地及び現在地を有しない者に係るものを除く。） | 各市町村 |
| ネ　省令第四十八条第一項の規定による知事に提出すべき原子爆弾小頭症手当認定申請書の受理（国内に居住地及び現在地を有しない者に係るものを除く。） | 各市町村 |
| ナ　省令第五十二条第一項の規定による知事に提出すべき健康管理手当認定申請書の受理（国内に居住地及び現在地を有しない者に係るものを除く。） | 各市町村 |
| ラ　省令第五十六条第一項の規定による知事に提出すべき保健手当認定申請書の受理（国内に居住地及 | 各市町村 |

| | |
|---|---|
| び現在地を有しない者に係るものを除く。） | |
| ム　省令第五十八条第一項の規定による知事に提出すべき保健手当額改定申請書の受理（国内に居住地及び現在地を有しない者に係るものを除く。） | 各市町村 |
| ウ　省令第五十九条第一項の規定による知事に提出すべき保健手当支給要件変更の届書の受理（国内に居住地及び現在地を有しない者に係るものを除く。） | 各市町村 |
| ヰ　省令第六十条第一項の規定による知事に提出すべき保健手当現況届の受理（国内に居住地及び現在地を有しない者に係るものを除く。） | 各市町村 |
| ノ　省令第六十五条第一項の規定による知事に提出すべき介護手当支給申請書の受理 | 各市町村 |
| オ　省令第六十五条第二項の規定による知事に提出すべき介護手当継続支給申請書の受理 | 各市町村 |
| ク　省令第六十六条の規定による知事に提出すべき介護手当継続支給対象者の氏名変更の届書の受理 | 各市町村 |
| ヤ　省令第六十七条第一項及び第六十七条の二の規定による知事に提出すべき介護手当継続支給対象者の居住地変更の届書の受理 | 各市町村 |
| マ　省令第六十八条の規定による知事に提出すべき介護手当継続支給申請書の記載事項の変更の届書の受理 | 各市町村 |
| ケ　省令第六十九条の規定による知事に提出すべき介護手当継続支給資格の消滅の届書の受理 | 各市町村 |
| フ　省令第七十一条第一項の規定による知事に提出すべき葬祭料支給申請書の受理（国内に居住地及び現在地を有しない者に係るものを除く。） | 各市町村 |
| コ　イからフまでに掲げるもののほか、法の施行に係る事務のうち規則に基づく事務であって別に規則で定めるもの | 各市町村 |
| 二十九の八　東京都原子爆弾被爆者等の援護に関する条例（昭和五十年東京都条例第八十八号）の施行に係る事務のうち規則に基づく事務であって別に規則で定めるもの | 各市町村 |
| 二十九の九　感染症の予防及び感染症の患者に対する医療に関する法律（平成十年法律第百十四号）の施行に係る事務のうち規則に基づく事務であって別に規則で定めるもの | 八王子市、町田市 |
| 二十九の十　医薬品、医療機器等の品質、有効性及び安全性の確保等に関する法律（昭和三十五年法律第百四十五号。以下この項において「法」という。）及び医薬品、医療機器等の品質、有効性及び安全性の確保等に関する法律施行令（昭和三十六年政令第十一号。以下この項において「政令」という。）に基づく事務のうち、次に掲げるもの | |
| イ　法第二十四条第一項及び第二項並びに第三十四条第一項の規定による医薬品の販売業（卸売販売業に限る。以下この項において同じ。）の許可 | 八王子市、町田市 |
| ロ　法第三十五条第四項の規定による卸売販売業の営業所管理者の兼務許可 | 八王子市、町田市 |
| ハ　法第三十八条第二項において準用する法第十条第一項の規定による医薬品の販売業の廃止、休止、再開又は管理者等の変更の届出の受理 | 八王子市、町田市 |
| ニ　法第六十九条第二項の規定による医薬品の販売業者（卸売販売業者に限る。以下この項において同じ。）からの報告の徴収及びそれらの施設に係る立入検査等 | 八王子市、町田市 |
| ホ　法第七十条第一項及び第三項の規定による薬局製造販売医薬品の製造販売業者及び製造業者、医薬 | 八王子市、町田市 |

| | | |
|---|---|---|
| | 品の販売業者並びに医薬部外品及び化粧品の販売業者（医薬品の販売業の営業所において併せて行う場合に係る者に限る。）に対する措置命令及び処分等 | |
| | へ　法第七十二条第四項の規定による医薬品の販売業者に対する構造設備の改善命令及び使用禁止 | 八王子市、町田市 |
| | ト　法第七十二条の二の二の規定による医薬品の販売業者に対する法令遵守体制の改善措置命令 | 八王子市、町田市 |
| | チ　法第七十二条の四第一項の規定による医薬品の販売業者に対する業務運営の改善措置命令 | 八王子市、町田市 |
| | リ　法第七十二条の四第二項の規定による医薬品の販売業者に対する許可等の条件違反の是正措置命令 | 八王子市、町田市 |
| | ヌ　法第七十二条の五第一項の規定による違反広告（医薬品の販売業者によるものに限る。以下この項において同じ。）に係る措置命令及び同条第二項の規定による違反広告に係る措置要請 | 八王子市、町田市 |
| | ル　法第七十三条の規定による医薬品の販売業者に対する管理者等の変更命令 | 八王子市、町田市 |
| | ヲ　法第七十五条第一項の規定による医薬品の販売業の許可の取消し及び業務の停止命令 | 八王子市、町田市 |
| | ワ　法第七十六条の規定による薬局 | 八王子 |

| | | |
|---|---|---|
| | 製造販売医薬品の製造販売業者及び製造業者並びに医薬品の販売業者に対する処分の理由の通知及び証拠の提出の機会の付与等 | 市、町田市 |
| | カ　政令第四十五条第一項及び第二項の規定による医薬品の販売業の許可証の書換え交付 | 八王子市、町田市 |
| | ヨ　政令第四十六条第一項及び第二項の規定による医薬品の販売業の許可証の再交付 | 八王子市、町田市 |
| | タ　政令第四十六条第三項及び第四十七条の規定による医薬品の販売業の許可証の返納の受理 | 八王子市、町田市 |
| 二十九の十一 | 削除 | |
| 二十九の十二 | 麻薬及び向精神薬取締法（昭和二十八年法律第十四号。以下この項において「法」という。）及び麻薬及び向精神薬取締法施行規則（昭和二十八年厚生省令第十四号。以下この項において「省令」という。）に基づく事務のうち、次に掲げるもの<br>イ　法第三条第一項の規定による麻薬小売業者の免許<br>ロ　法第七条の規定による麻薬小売業者の業務廃止等の届出の受理<br>ハ　法第八条及び第十条第二項の規定による麻薬小売業者の免許証の | 八王子市、町田市 |

| | | |
|---|---|---|
| | 返納の受理<br>ニ　法第九条第一項及び第二項の規定による麻薬小売業者の免許証の記載事項の変更の届出の受理及び書替え交付<br>ホ　法第十条第一項の規定による麻薬小売業者の免許証の再交付<br>ヘ　法第二十九条の規定による麻薬小売業者の麻薬の廃棄の届出の受理及び立会い<br>ト　法第三十五条第一項の規定による麻薬小売業者の事故の届出の受理<br>チ　法第三十五条第二項の規定による麻薬小売業者の調剤済み麻薬の廃棄の届出の受理<br>リ　法第三十六条第一項及び第三項（同条第四項において準用する場合を含む。）の規定による麻薬小売業者又はその相続人等の現に所有する麻薬の届出及び麻薬の譲渡の届出の受理<br>ヌ　法第四十七条の規定による麻薬小売業者の届出の受理<br>ル　法第五十条第一項の規定による向精神薬卸売業者及び向精神薬小売業者の免許（法第五十条の二十六第一項ただし書の規定による申出をした者に係るものに限る。）<br>ヲ　法第五十条の四において準用す | |

る法第七条第一項及び第三項の規定による向精神薬卸売業者及び向精神薬小売業者（法第五十条の二十六第一項ただし書の規定による申出をして法第五十条第一項の免許を受けた者に限る。ワからタまで及びノにおいて同じ。）の業務廃止等の届出の受理

ワ　法第五十条の四において準用する法第八条及び第十条第二項の規定による向精神薬卸売業者及び向精神薬小売業者の免許証の返納の受理

カ　法第五十条の四において準用する法第九条第一項及び第二項の規定による向精神薬卸売業者及び向精神薬小売業者の免許証の記載事項の変更の届出の受理及び書替え交付

ヨ　法第五十条の四において準用する法第十条第一項の規定による向精神薬卸売業者及び向精神薬小売業者の免許証の再交付

タ　法第五十条の二十第四項の規定による向精神薬卸売業者及び向精神薬小売業者の向精神薬取扱責任者の設置等又は変更の届出の受理

レ　法第五十条の二十二第一項の規定による向精神薬卸売業者及び向精神薬小売業者（医薬品、医療機器等の品質、有効性及び安全性の確保等に関する法律の規定により薬局の開設の許可又は医薬品（同法第八十三条第一項に規定する医薬品を除く。）の卸売販売業の許可を受けた者に限る。以下この項において同じ。）の向精神薬の事故の届出の受理

ソ　法第五十条の二十六第一項ただし書の規定による向精神薬卸売業者及び向精神薬小売業者からの申出の受理及び同条第四項の規定による当該申出等に係る公示

ツ　法第五十条の三十八第一項の規定による麻薬小売業者、向精神薬卸売業者及び向精神薬小売業者からの報告の徴収並びにそれらの施設に係る立入検査、質問及び収去並びに麻薬（麻薬原料植物のうちパパヴェル・ブラクテアツム・リンドルに係るものに限る。ツにおいて同じ。）の取締り上必要な場合（栽培のおそれが認められないときに限る。）における、その他の関係者（麻薬取扱者及び向精神薬取扱者を除く。）からの報告の徴収並びに麻薬に関係ある場所に係る立入検査及び質問

ネ　法第五十条の三十九の規定による向精神薬卸売業者及び向精神薬小売業者に対する向精神薬の保管又は廃棄の方法の変更その他必要な措置の命令

ナ　法第五十条の四十の規定による向精神薬卸売業者及び向精神薬小売業者に対する向精神薬営業所の構造設備の改善命令及び使用禁止

ラ　法第五十条の四十一の規定による向精神薬卸売業者及び向精神薬小売業者に対する向精神薬取扱責任者の変更命令

ム　法第五十一条第一項の規定による麻薬小売業者の免許の取消し及び麻薬に関する業務の停止命令

ウ　法第五十一条第二項の規定による向精神薬卸売業者及び向精神薬小売業者の免許の取消し及び向精神薬に関する業務の停止命令

ヰ　省令第一条の四の規定による麻薬小売業者の役員の変更の届出の受理

ノ　省令第十四条の四の規定による向精神薬卸売業者及び向精神薬小売業者の役員の変更の届出の受理

| 事務 | 市町村 |
|---|---|
| 二十九の十二の二　あへん法（昭和二十九年法律第七十一号。以下この項において「法」という。）に基づく事務のうち、法第四十四条第二項の規定によるけしがらの取締り上必要 | 八王子市、町田市 |

| | |
|---|---|
| な場合（栽培のおそれが認められないときに限る。）における、その他の関係者（けし栽培者及び麻薬研究者を除く。）からの報告の徴収並びにけしがらに関係ある場所に係る立入検査及び質問 | |
| 二十九の十三　覚醒剤取締法（昭和二十六年法律第二百五十二号。以下この項において「法」という。）に基づく事務のうち、次に掲げるもの<br>イ　法第三十条の七第七号に規定する薬局開設者が所有する覚醒剤原料の廃棄の届出の受理及び立会い<br>ロ　法第三十条の十四第一項の規定による法第三十条の七第七号に規定する薬局開設者の覚醒剤原料の事故の届出の受理<br>ハ　法第三十条の十四第二項の規定による薬局開設者の覚醒剤原料の廃棄の届出の受理<br>ニ　法第三十条の十四第三項の規定による薬局開設者の覚醒剤原料の譲受の届出の受理<br>ホ　法第三十条の十五第一項第二号の規定による法第三十条の七第七号に規定する薬局開設者が所有し、又は所持していた覚醒剤原料の報告の受理<br>ヘ　法第三十条の十五第二項の規定による法第三十条の七第七号に規定する薬局開設者の覚醒剤原料の譲渡の報告の受理<br>ト　法第三十条の十五第三項の規定による法第三十条の七第七号に規定する薬局開設者の覚醒剤原料の廃棄等に係る立会い及び指示<br>チ　法第三十一条の規定による法第三十条の七第七号に規定する薬局開設者その他の関係者からの報告の徴収<br>リ　法第三十二条第二項の規定による法第三十条の十二第一項第四号に規定する薬局に対する立入検査及び収去並びに法第三十条の七第七号に規定する薬局開設者その他の関係者に対する質問 | 八王子市、町田市 |
| 二十九の十四　薬剤師法（昭和三十五年法律第百四十六号。以下この項において「法」という。）及び薬剤師法施行令（昭和三十六年政令第十三号。以下この項において「政令」という。）に基づく事務のうち、次に掲げるもの<br>イ　法第九条の規定による知事に対して行うべき薬剤師の氏名等の届出の受理<br>ロ　政令第三条の規定による知事に提出すべき免許の申請書の受理及び厚生労働大臣が発行した免許証の交付<br>ハ　政令第五条第二項の規定による知事に提出すべき名簿の訂正の申請書の受理<br>ニ　政令第六条の規定による知事に提出すべき名簿の登録の消除の申請書の受理<br>ホ　政令第八条第二項の規定による知事に提出すべき免許証の書換交付の申請書の受理及び厚生労働大臣が書換えをした免許証の交付<br>ヘ　政令第九条第二項の規定による知事に提出すべき免許証の再交付の申請書の受理及び厚生労働大臣が再発行した免許証の交付<br>ト　政令第九条第五項及び第十条の規定により知事に返納される免許証の受理 | 八王子市、町田市 |
| 二十九の十五　薬局等の行う医薬品の広告の適正化に関する条例（昭和五十三年東京都条例第三十一号）第七条第一項の規定による報告の徴収及び立入調査等（医薬品、医療機器等の品質、有効性及び安全性の確保等に関する法律に規定する薬局、店舗販売業又は卸売販売業に係るものに限る。） | 八王子市、町田市 |

| 事務 | 市町村 |
|---|---|
| 二十九の十六　在宅重症心身障害児（者）に対する療育支援等に係る事務のうち規則に基づく事務であって別に規則で定めるもの | 八王子市、町田市 |
| 二十九の十七　光化学スモッグの影響によると思われる健康障害者に係る事務のうち規則に基づく事務であって別に規則で定めるもの | 八王子市、町田市 |
| 二十九の十八　在宅難病患者に対する療養支援等に係る事務のうち規則に基づく事務であって別に規則で定めるもの | 八王子市、町田市 |
| 二十九の十八の二　東京都受動喫煙防止条例（平成三十年東京都条例第七十五号。以下この項において「条例」という。）及び条例の施行のための規則に基づく事務のうち、次に掲げるもの<br>イ　条例第八条第二項の規定による喫煙の中止又は喫煙禁止場所からの退出の命令<br>ロ　条例第十条の規定による条例第九条第一項の管理権原者等並びに同条第二項及び第三項の管理権原者に対する指導及び助言<br>ハ　条例第十一条第一項の規定による条例第九条第一項の規定に違反して器具又は設備を喫煙の用に供することができる状態で設置している管理権原者等に対する勧告<br>ニ　条例第十一条第二項の規定による勧告に従わなかった旨の公表<br>ホ　条例第十一条第三項の規定による勧告に係る措置をとるべき旨の命令<br>ヘ　条例第十二条第一項の規定による報告の徴取、立入検査等<br>ト　イからヘまでに掲げるもののほか、条例の施行に係る事務のうち規則に基づく事務であって別に規則で定めるもの | 八王子市、町田市 |
| 二十九の十九　商店街振興組合法（昭和三十七年法律第百四十一号。以下この項において「法」という。）及び商店街振興組合法施行規則（平成十九年経済産業省令第十二号。以下この項において「省令」という。）に基づく事務のうち、次に掲げるもの（主たる事務所が当該市の区域内にある商店街振興組合及び商店街振興組合連合会（以下この項において「組合」という。）でその地区が当該市の区域を超えるもの（東京都の全域を地区とするものを除く。）に係るものに限る。）<br>イ　法第三十六条第一項の規定による知事に提出すべき組合の設立の認可の申請書の受理<br>ロ　法第三十六条第三項（第六十二条第三項及び第七十三条第四項において準用する場合を含む。）の規定により知事がした認可又は不認可の処分の通知<br>ハ　法第四十五条の規定による知事に対して行うべき組合の役員の氏名又は住所の変更の届出の受理<br>ニ　法第七十二条第二項の規定による知事に対して行うべき組合の解散の届出の受理<br>ホ　法第八十一条第一項の規定による知事に対して行うべき検査請求の受理<br>ヘ　法第八十二条の規定による知事に提出すべき決算関係書類の受理<br>ト　省令第六十二条の規定による知事に提出すべき組合の総会招集承認申請書の受理<br>チ　省令第六十三条の規定による知事に提出すべき組合の定款の変更認可申請書の受理<br>リ　省令第六十九条の規定による知事に提出すべき組合の合併認可申請書の受理 | 各市 |
| 三十　東京都営住宅条例（平成九年東京都条例第七十七号。以下この項に | |

| 事務 | 市町村 |
|---|---|
| において「条例」という。）及び条例の施行のための規則に基づく事務のうち、次に掲げるもの | |
| イ　条例第十条第二項の規定による地元割当ての住宅に係る事務のうち、次に掲げるもの<br>(1)　条例第五条の規定による公募<br>(2)　条例第八条第一項及び第二項の規定による使用予定者の決定。ただし、抽せんによらない場合を除く。<br>(3)　条例第八条第三項及び第四項の規定による使用予定者の決定等に係る通知<br>(4)　条例第九条の規定による使用許可に係る使用予定者の決定。ただし、同条第三号、第四号、第七号及び第八号のいずれかに掲げる事由に係る場合を除く。<br>(5)　(1)から(4)までに掲げるもののほか、条例の施行に係る事務のうち規則に基づく事務であって別に規則で定めるもの | 各市、瑞穂町 |
| ロ　住宅使用申込書の配布に係る事務のうち、規則に基づく事務であって別に規則で定めるもの | 各市、瑞穂町、日の出町、檜原村、奥多摩町 |
| 三十一　東京都地域特別賃貸住宅条例（昭和六十三年東京都条例第百三号。以下この項において「条例」という。）及び条例の施行のための規則に基づく事務のうち、次に掲げるもの | 各市町村 |
| イ　条例第九条第一項の規定による地元割当ての住宅に係る事務のうち、次に掲げるもの<br>(1)　条例第五条の規定による公募<br>(2)　条例第九条第二項において準用する条例第八条の規定による使用予定者の決定。ただし、抽せんによらない場合を除く。<br>(3)　(1)及び(2)に掲げるもののほか、条例の施行に係る事務のうち規則に基づく事務であって別に規則で定めるもの | |
| ロ　地域特別賃貸住宅使用申込書の配布に係る事務のうち、規則に基づく事務であって別に規則で定めるもの | |
| 三十二　東京都特定公共賃貸住宅条例（平成五年東京都条例第六十五号。以下この項において「条例」という。）及び条例の施行のための規則に基づく事務のうち、次に掲げるもの | 各市町村 |
| イ　条例第九条第一項の規定による地元割当ての住宅に係る事務のうち、次に掲げるもの<br>(1)　条例第五条の規定による公募<br>(2)　条例第九条第二項において準用する条例第八条の規定による使用予定者の決定。ただし、抽せんによらない場合を除く。<br>(3)　(1)及び(2)に掲げるもののほか、条例の施行に係る事務のうち規則に基づく事務であって別に規則で定めるもの | |
| ロ　特定公共賃貸住宅使用申込書の配布に係る事務のうち、規則に基づく事務であって別に規則で定めるもの | |
| 三十三　東京におけるマンションの適正な管理の促進に関する条例（平成三十一年東京都条例第三十号。以下この項において「条例」という。）に基づく事務のうち、次に掲げるもの | 次に掲げる各市町村。ただし、条例第二十一条の規定により適用除外となる事務については、当該事務に係る市町村を除く。 |
| イ　条例第十五条第一項、第三項及 | 各市町村 |

| | |
|---|---|
| び第四項の規定による管理状況に関する事項の届出の受理 | |
| ロ　条例第十五条第二項の規定による管理状況に関する事項の届出の要求 | 各市町村 |
| ハ　条例第十五条第五項及び第十六条第二項の規定による届出内容の変更の届出の受理 | 各市町村 |
| ニ　条例第十五条第六項（条例第十六条第三項において準用する場合を含む。）の規定による知事が適当と認める区分所有者等の認定 | 各市町村 |
| ホ　条例第十六条第一項の規定による届出内容の更新の届出の受理 | 各市町村 |
| へ　条例第十五条第一項及び第三項の規定による管理状況に関する事項の届出並びに同条第五項及び第十六条第二項の規定による届出内容の変更の届出並びに同条第一項の規定による届出内容の更新の届出に係る督促 | 各市町村 |
| ト　条例第十七条第一項及び第二項の規定による報告の徴収又は調査 | 八王子市、立川市、武蔵野市、三鷹市、府中市、調布市、町田市、小金井市、日野市、東村山市、国分寺市、国立市、狛江市、東大和市、武蔵村山市、多摩市、稲城市、羽村市、あきる野市、西東京市 |
| チ　条例第十八条第一項の規定による助言（同条第四項の規定により知事が適当と認める区分所有者等に対して行うものを含む。） | 八王子市、立川市、武蔵野市、三鷹市、府中市、調布市、町田市、小金井市、日野市、東村山市、国分寺市、国立市、狛江市、東大和市、武蔵村山市、多摩市、稲城市、羽村市、あきる野市、西東京市 |
| リ　条例第十八条第二項及び第三項の規定による指導又は勧告（同条第四項の規定により知事が適当と認める区分所有者等に対して行うものを含む。） | 八王子市、立川市、武蔵野市、三鷹市、府中市、調布市、町田市、小金井市、日野市、東村山市、国分寺市、国立市、狛江市、東大和市、武蔵村山市、多摩市、稲城市、羽村市、あきる野市、西東京市 |

| | |
|---|---|
| ヌ　条例第十八条第四項の規定による知事が適当と認める区分所有者等の認定 | 八王子市、立川市、武蔵野市、三鷹市、府中市、調布市、町田市、小金井市、日野市、東村山市、国分寺市、国立市、狛江市、東大和市、武蔵村山市、多摩市、稲城市、羽村市、あきる野市、西東京市 |

（細目）

**第三条**　前条の規定の適用に関する細目は、規則で定める。

附　則

（施行期日）

1　この条例は、平成十二年四月一日から施行する。

（処分、申請等に関する経過措置）

2　この条例の施行の際第二条の表の上欄に掲げる事務に係るそれぞれの法令、条例又は規則（以下「法令等」という。）の規定により知事がした処分その他の行為で現にその効力を有するもの又はこの条例の施行の日（以下「施行日」という。）前に法令等の規定により知事に対してなされた申請その他の行為で、施行日以後においては同条の表の下欄に掲げる市町村の長が管理し、及び執行することとなる事務に係るものは、施行日以後における法令等の適用については、当該市町村の長のした処分その他の行為又は当該市町村の長に対してなされた申請その他の行為とみなす。

附　則（平二五・三・二九条例二六）

（施行期日）

1　この条例は、平成二十五年四月一日から施行する。ただし、第二条の表二十六の項及び二十七の項の改正規定は、公布の日から施行する。

（処分、申請等に関する経過措置）

2　この条例の施行の際第二条の表二十九の五の五の項の上欄に掲げる事務に係る法令、条例又は規則（以下「法令等」という。）の規定により知事又は保健所長がした処分その他の行為で現にその効力を有するもの又はこの条例の施行の日（以下「施行日」という。）前に法令等の規定により知事又は保健所長に対してなされた申請その他の行為で、施行日以後においては同項の下欄に掲げる町村の長が管理し、及び執行することとなる事務に係るものは、施行日以後における法令等の適用については、当該町村の長のした処分その他の行為又は当該町村の長に対してなされた申請その他の行為とみなす。

附　則（平二六・九・三〇条例一一一）（抄）

（施行期日）

1　この条例は、平成二十六年十月一日から施行する。ただし、次項の規定は東京都幼保連携型認定こども園の学級の編制、職員、設備及び運営の基準に関する条例（平成二十六年東京都条例第百二十二号。以下「基準条例」という。）の公布の日〔平二六・一〇・一〇〕から、第二条の表二十九の十の項、二十九の十一の項及び二十九の十五の項の改正規定及び同表に二十九の六の十九の項を加える改正規定は同年十一月二十五日から、同表二十六の項の改正規定は平成二十七年一月一日から、同表二十八の項の改正規定は就学前の子どもに関する教育、保育等の総合的な提供の推進に関する法律の一部を改正する法律（平成二十四年法律第六十六号。以下「一部改正法」という。）の施行の日〔平二七・四・一〕から施行する。

（施行前の準備）

2　一部改正法附則第九条の規定に基づく準備行為を行う場合において、この条例による改正後の市町村における東京都の事務処理の特例に関する条例（以下「新条例」という。）第二条の表二十八の項において該当する事務は、第二条の表二十八の項の改正規定の施行の日前においても、各市町村（平成二十七年三月三十一日までの間にあっては、八王子市を含む。）が処理することとする。この場合において、基準条例の公布の日から平成二十七年三月三十一日までの間、新条例第二条の表二十八の項ハ及びホの規定中「各市町村（八王子市を除く。）」とあるのは「各市町村」とする。

3　難病の患者に対する医療等に関する法律（平成二十六年法律第五十号）附則第三条第十二項の規定に基づく準備行為を行う場合において、新条例第二条の表二十九の六の十九の項において該当する事務は、第二条の表に二十九の六の十九の項を加える改正規定の施行の日前においても、各市町村が処理することとする。

附　則（平二七・三・三一条例一三）

1　この条例は、平成二十七年四月一日から施行する。ただし、第二条の表二十九の六の四の項の改正規定は、同年十月一日から施行する。

2　食品製造業等取締条例の一部を改正する条例（平成二十七年東京都条例第五十三号）附則第四項の規定によりなお従前の例によるとされる行商人に係る事務は、この条例による改正後の市町村における東京都の事務処理の特例に関する条例第二条の表二十九の六の四の項の規定にかかわらず、平成二十七年十二月三十一日までの間は、なお従前の例による。

**附　則**（平二七・一〇・一五条例一一六）

1　この条例は、平成二十八年四月一日から施行する。ただし、第二条の表一の項の改正規定は平成二十八年一月一日から、同表二十九の六の十一の項及び二十九の十の項の改正規定は公布の日から施行する。

2　電子署名に係る地方公共団体の認証業務に関する法律施行条例を廃止する条例（平成二十七年東京都条例第百十四号）附則第二項の規定によりなおその効力を有することとされる徴収及び納付に係る事務については、各市町村が処理することとする。

**附　則**（令元・九・二六条例三〇）

1　この条例は、令和二年四月一日（以下「施行日」という。）から施行する。ただし、次項の規定は同年一月一日から施行する。

2　東京都受動喫煙防止条例施行規則（平成三十一年東京都規則第九十五号）附則第三条の規定に基づく準備行為を行う場合において、この条例による改正後の市町村における東京都の事務処理の特例に関する条例第二条の表二十九の十八の二の項において該当する事務は、施行日前においても、八王子市及び町田市が処理することとする。

**附　則**（令六・三・二九条例一〇）

1　この条例は、令和六年四月一日から施行する。ただし、第二条の表六の項の改正規定及び次項の規定は宅地造成及び特定盛土等規制法施行条例（令和六年東京都条例第三十六号）の施行の日（令六・七・三一）から、同表九の項の改正規定及び同表に九の二の項を加える改正規定は同年十月一日から施行する。

2　前項ただし書に規定する改正規定（第二条の表六の項の改正規定に限る。）の施行の際、現に宅地造成等規制法の一部を改正する法律（令和四年法律第五十五号。以下「改正法」という。）附則第二条第二項の規定によりなお従前の例によることとされる改正法による改正前の宅地造成等規制法（昭和三十六年法律第百九十一号）第八条第一項本文の許可（改正法附則第三条第一項に規定する経過措置期間の経過前にされた都市計画法（昭和四十三年法律第百号）第二十九条第一項又は第二項の許可を含む。）を受けている者に係る当該許可に係る宅地造成に関する工事の規制については、この条例による改正前の市町村における東京都の事務処理の特例に関する条例第二条の表六の項の規定の例による。

**附　則**（令六・一〇・一一条例一一七）

この条例は、公布の日から施行する。

# ○都及び特別区並びに特別区相互間の財政調整に関する条例

昭四三・三・三〇
条　例　一　五

最終改正　令六・三・二九条例一三

（目的）

**第一条**　この条例は、地方自治法（昭和二十二年法律第六十七号。以下「法」という。）第二百八十二条第一項及び第二項の規定に基づき、特別区財政調整交付金について必要な事項を定めることを目的とする。

（用語の意義）

**第二条**　この条例において、次の各号に掲げる用語の意義は、当該各号に定めるところによる。

一　交付金　法第二百八十二条第一項に規定する特別区財政調整交付金をいう。

二　基準財政需要額　各特別区の財政需要を合理的に測定するために、地方自治法施行令（昭和二十二年政令第十六号。以下「令」という。）第二百十条の十二の規定に基づき、当該特別区について第九条の規定により算定した額をいう。

三　基準財政収入額　各特別区の財政力を合理的に測定するために、令第二百十条の十二の規定に基づき、当該特別区について第十二条の規定により算定した額をいう。

四　測定単位　特別区が執行する行政の種類ごとに設けられ、かつ、この種類ごとにその量を測定する単位で、毎年度の基準財政需要額を算定するために用いるものをいう。

五　単位費用　特別区が合理的かつ妥当な水準において特別区の行政を行なう場合又は特別区の管理する施設を維持する場合に要する経費を基準とし、特別区が収入すべき補助金、負担金、手数料、使用料、分担金その他これらに類する収入及び特別区税の収入のうち基準財政収入額に相当するもの以外のものを財源とすべき部分を除いて算定した各測定単位の単位当たりの費用（当該測定単位の数値につき第十一条第一項の規定の適用があるものについては、当該規定を適用した後の測定単位の単位当たりの費用）で、普通交付金の算定に用いる特別区の行政の種類ごとの経費の額を決定するために、測定単位の数値に乗ずるべきものをいう。

（交付金の総額）

**第三条**　交付金の総額は、地方税法（昭和二十五年法律第二百二十六号）第五条第二項に掲げる市町村税のうち同法第七百三十四条第一項及び第二項（第二号に係る部分に限る。）の規定により都が課する固定資産税、都民税及び特別土地保有税（以下「調整税」という。）の収入額と法人の行う事業に対する事業税の収入額（標準税率を超える税率で事業税を課する場合には、法人の行う事業に対する事業税の収入額に相当する額から当該額に地方税法施行令（昭和二十五年政令第二百四十五号）第五十七条の二の七第一項に規定する標準税率超過率を乗じて得た額を控除した額）に同令第三十五条の四の五の規定による率を乗じて得た額を統計法（平成十九年法律第五十三号）第二条第四項に規定する基幹統計である事業所統計の最近に公表された結果による特別区及び各市町村の従業者数であん分して得た額のうち特別区に係る額（以下「法人事業税交付対象額」という。）との合算額に千分の五百五十一を乗じて得た額（次項において「交付金総額」という。）とする。

2　毎年度分として交付すべき交付金の総額は、当該年度における調整税の収入見込額と法人事業税交付対象額の見込額の合算額に百分の五十五を乗じて得た額（以下この項において「交付金見込額」という。）に第一号の額を加算し、又は当該年度における交付金見込額から第二号の額を減額した額とする。

一　当該年度の前年度以前の年度における交付金総額が当該前年度以前の年度における交付金見込額を超える場合における当該超過額

二　当該年度の前年度以前の年度における交付金総額が当該前年度以前の年度における交付金見込額に満たない場合における当該不足額

（交付金の種類等）

**第四条**　交付金の種類は、普通交付金及び特別交付金とする。

2　毎年度分として交付すべき普通交付金の総額は、交付金の総額の百分の九十五に相当する額とする。

3　毎年度分として交付すべき特別交付金の総額は、交付金の総額の百分の五に相当する額とする。

（交付金の交付）

**第五条**　普通交付金は、基準財政需要額が基準財政収入額を超える特別区に対して、次条の規定により交付する。

2　特別交付金は、第九条で定める基準財政需要額の算定方法によっては捕そくされなかつた特別の財政需要があること、普通交付金の額の算定期日後に生じた災害等のため特別の財政需要があり、又は財政収入の減少があること等特別の事情があると認められる特別区に対して、当該事情を考慮して交付する。

（普通交付金の額の算定等）

**第六条**　各特別区に対して交付すべき普通交付金の額は、当該特別区の基準財政需要額が基準財政収入額を超える額とする。ただし、毎年度分として交付すべき普通交付金の総額が各特別区に対して交付すべき普通交付金の額の合算額に満たない場合においては、令第二百十条の十二第二項ただし書の規定に基づき算定した額とする。

2　各年度において、普通交付金の総額が前項ただし書の規定により算定した各特別区に対して交付すべき普通交付金の額の合算額に満たない場合においては、当該不足額は、当該年度の特別交付金の総額を減額してこれに充てるものとする。

3　毎年度分として交付すべき普通交付金の総額が第一項の規定により算定した各特別区に対して交付すべき普通交付金の額の合算額を超える場合においては、当該超過額は、当該年度の特別交付金の総額に加算するものとする。

（普通交付金の額の算定期日）

**第七条**　各特別区に交付すべき普通交付金の額は、毎年四月一日現在により算定する。

（普通交付金の額の決定等）

**第八条**　知事は、第六条の規定による普通交付金の額（同条第一項ただし書の規定の適用がある場合については、当該規定を適用した後の額）を毎年八月十五日までに決定するものとする。

2　知事は、交付金の総額の増加その他特別の事情がある場合においては、八月十六日以後において、既に決定した普通交付金の額を変更することができる。

3　知事は、前二項の規定により普通交付金の額を決定し、又は変更したときは、速やかに当該特別区に通知するものとする。

（基準財政需要額の算定方法）

**第九条**　基準財政需要額は、測定単位の数値（当該測定単位の数値につき第十一条の規定の適用があるものについては、当該規定を適用した後の測定単位の数値）を当該測定単位ごとの単位費用に乗じて得た額を当該特別区について合意した額とする。

（測定単位及び単位費用）

**第十条**　特別区の行政に要する経費の測定単位及び測定単位ごとの単位費用は、別表の経費の種類の欄に掲げる経費について、当該測定単位の欄及び単位費用の欄に定めるところによる。

2　前項の測定単位の数値の算定の基礎及び算定の方法については、東京都規則で定める。

（測定単位の数値の補正）

**第十一条**　前条第一項の測定単位で、そのうちに種別があり、かつ、その種別ごとに単位当たりの費用に差があるものについては、東京都規則の定める方法により、その種別ごとの単位当たりの費用の差に応じて当該測定単位の数値を補正することができる。

2　前条第二項及び前項の規定により算定された測定単位の数値で、次の各号に掲げるものについては、東京都規則で定める方法により当該測定単位の数値を補正することができる。

一　当該測定単位当たりの費用が、数値の多少により逓減又は逓増するもの

二　当該測定単位当たりの費用が、密度の大小により逓減又は逓増するもの

三　当該測定単位当たりの費用が、特別区ごとの態容による行政の質量の差により割高又は割安となるもの

（基準財政収入額の算定方法）

**第十二条**　基準財政収入額は、令第二百十条の十二第一項に定める基準税率をもつて算定した当該特別区の普通税（地方税法第一条第二項において同法第七百三十六条第一項の規定による読替えをして準用する同法第五条第二項の規定により特別区が課する普通税をいう。）の収入見込額の合算額に、地方税法第七十一条の二十六第一項の規定により当該特別区に交付するものとされる都民税利子割に係る交付金（以下「利子割交付金」という。）、同法第七十一条の四十七第一項の規定により当該特別区に交付するものとされる都民税配当割に係る交付金（以下「配当割交付金」という。）、同法第七十一条の六十七第一項の規定により当該特別区に交付するものとされる都民税株式等譲渡所得割に係る交付金（以下「株式等譲渡所得割交付金」という。）、同法第七十二条の百十五第一項及び第二項の規定により当該特別区に交付するものとされる地方消費税に係る交付金（以下「地方消費税交付金」という。）、同法第百三条の規定により特別区に交付するものとされるゴルフ場利用税に係る交付金（以下「ゴルフ場利用税交付金」という。）並びに同法第百七十七条の六第一項の規定により当該特別区に交付するものとされる環境性能割に係る交付金（以下「環境性能割交付金」という。）の収入見込額に百分の八十五を乗じて得た額並びに地方揮発油譲与税法（昭和三十年法律第百十三号）、自動車重量譲与税法（昭和四十六年法律第九十号）、航空機燃料譲与税法（昭和四十七年法律第十三号）及び森林環境税及び森林環境譲与税に関する法律（平成三十一年法律第三号）の規定により当該特別区に譲与するものとされる地方揮発油譲与税、自動車重量譲与税、航空機燃料譲与税及び森林環境譲与税の収入見込額を加算した額とする。

2　前項の基準財政収入額は、次の表の上欄に掲げる収入の項目ごとに、当該下欄に掲げる算定の基礎によつて、東京都規則で定めるところにより算定するものとする。

| 収入の項目 | 収入見込額の算定の基礎 |
|---|---|
| 一　特別区民税 | 前三年度に課税された、又は課税されるべきであつた税額 |
| 二　軽自動車税　1　環境性能割 | 前三年度に納付された、又は納付されるべきであつた税額 |
| 2　種別割 | 前三年度に課税された、又は課税されるべきであつた税額 |
| 三　特別区たばこ税 | 前三年度に納付された、又は納付されるべきであつた税額 |
| 四　鉱産税 | 前三年度に納付された、又は納付されるべきであつた税額 |
| 五　利子割交付金 | 前三年度に交付された交付金の額 |
| 六　配当割交付金 | 前三年度に交付された交付金の額 |
| 七　株式等譲渡所得割交付金 | 前三年度に交付された交付金の額 |
| 八　地方消費税交付金 | 当該年度の各特別区への交付見込額の合計額として知事が算定した |

| | 額 |
|---|---|
| 九　ゴルフ場利用税交付金 | 前三年度に交付された交付金の額 |
| 十　環境性能割交付金 | 前三年度に交付された交付金の額 |
| 十一　地方揮発油譲与税 | 前三年度に譲与された譲与税の額 |
| 十二　自動車重量譲与税 | 前三年度に譲与された譲与税の額 |
| 十三　航空機燃料譲与税 | 前三年度に譲与された譲与税の額 |
| 十四　森林環境譲与税 | 前三年度に譲与された譲与税の額 |

（**交付金の交付時期、交付額等**）

**第十三条**　交付金は、毎年度、次の表の上欄に掲げる時期に、当該下欄に定める額を交付する。ただし、知事が特別の理由があると認めるときは、四月から七月までの間に交付すべき普通交付金の額を減額し、又は交付しないことができる。

| 交付時期 | 交付時期ごとに交付すべき額 |
|---|---|
| 四月から七月までの毎月 | 前年度の当該特別区に対する普通交付金の額に十分の八を乗じて得た額のそれぞれ十二分の一に相当する額 |
| 八月から十一月までの毎月、一月及び二月 | 当該年度において交付すべき当該特別区に対する普通交付金の額から四月から七月までの間に交付した普通交付金の額を控除した額のそれぞれ八分の一に相当する額 |
| 十二月 | 当該年度において交付すべき当該特別区に対する普通交付金の額から四月から七月までの間に交付した普通交付金の額を控除した額の八分の一に相当する額及び当該年度の特別交付金の総額の三分の一に相当する額のうち当該特別区に交付すべき特別交付金の額 |
| 三月 | 当該年度において交付すべき当該特別区に対する普通交付金の額から既に交付した普通交付金の額を控除した額及び当該年度において交付すべき当該特別区に対する特別交付金の額から既に交付した特別交付金の額を控除した額 |

2　前項の規定により各交付時期に普通交付金の交付を受けた特別区で、当該年度分として交付を受けた普通交付金の額が交付を受けるべき普通交付金の額を超えることとなつたものは、その超過額を遅滞なく、都に返還しなければならない。

（**交付金の交付時期等の特例**）

**第十四条**　特別の理由により前条の規定により難い場合における交付金の交付時期及び交付時期ごとに交付すべき額については、当該理由を考慮して、東京都規則の定めるところにより特例を設けることができる。

（**交付金の算定に関する資料等**）

**第十五条**　特別区の区長は、当該特別区の基準財政需要額及び基準財政収入額に関する資料、特別交付金の額の算定に用いる資料その他必要な資料を知事に提出しなければならない。

2　知事は、前項の規定により提出された資料に関し、実地について調査することができる。

（**交付金の額の算定に用いる数に錯誤があつた場合等の措置**）

**第十六条**　知事は、普通交付金の額を決定した後において、普通交付金の額の算定の基礎に用いる数に錯誤があつたことを発見した場合（当該錯誤のあつた年度以降五か年度以内に発見した場合に限る。）で、当該特別区の基準財政収入額又は基準財政需要額を増加し、又は減少する必要があると認めるときは、それぞれの増加し、又は減少すべき額を、当該事実を発見した年度以降三か年度以内のいずれかの年度において、基準財政収入額若しくは基準財政需要額に加算し、又はこれらから減額した額をもつて、当該特別区の当該加算し、又は減額した年度における基準財政収入額又は基準財政需要額とすることができる。

2　普通交付金の額の算定の基礎に用いた数について錯誤があつたことを発見した年度又はその翌年度においては、前項の規定が適用される特別区で、同項の規定を適用しない場合でも当該特別区に交付すべき普通交付金の額の算定に用いられるべき当該年度の基準財政収入額が基準財政需要額を超えるもの又は同項の規定が適用される結果基準財政収入額が基準財政需要額を超えることとなる特別区について、交付年度分として交付を受けた普通交付金の額が交付を受けるべきであつた普通交付金の額に満たないときは、当該不足額を限度として、これを当該年度の特別交付金から交付し、交付年度分として交付を受けた普通交付金の額が交付を受けるべきであつた普通交付金の額を超えるときは、当該超過額を限度として、これを返還させることができる。ただし、返還させる場合においては、その方法について、当該特別区の意見を聞かなければならない。

3　特別区が前条の規定に基づいて提出した交付金の額の算定に用いる資料について作為を加え、又は偽りの記載をしたことによつて不当に多額の交付金の交付を受けた場合においては、知事は、当該特別区に対し、不当に受けた交付金の額について、当該事実を発見した年度（当該作為を加え、又は偽りの記載をした年度以降五か年度以内に限る。）以降三か年度以内のいずれかの年度において知事の指定する期間内に返還させなければならない。

4　前二項の規定により、既に交付した交付金の額の全部又は一部を返還させた場合においては、その返還された額は、当該返還された年度の翌年度又は翌翌年度において、第三条第二項の規定により当該年度分として交付すべき交付金の総額に算入し、当該算入した年度の特別交付金の総額に加算する。

（端数計算）

**第十七条**　毎年度分として交付すべき交付金の総額を算定する場合、各特別区に対して交付すべき交付金の額を算定する場合及び各特別区に対して交付金を交付する場合において、五百円未満の端数があるときはその端数金額を切り捨て、五百円以上千円未満の端数があるときはその端数金額を千円として計算するものとする。

（委任）

**第十八条**　第十条第二項、第十一条、第十二条第二項及び第十四条に規定するものを除くほか、この条例の施行について必要な事項は、東京都規則で定める。

附　則

この条例は、昭和四十三年四月一日から施行する。

附　則（平一六・三・三一条例八）（抄）

改正　平一九・三・一六条例八〇

（施行期日）

1　この条例は、平成十六年四月一日から施行する。

（経過措置）

3　平成十六年度から平成十九年度までの各年度に限り、この条例による改正後の都と特別区及び特別区相互間の財政調整に関する条例第十二条第二項の表第六号及び第七号中「前三年度に交付された交付金の額」とあるのは「東京都規則で定めるところにより算定した額」とする。

附　則（平一九・三・一六条例八〇）（抄）

最終改正　令五・一〇・一三条例八八

（施行期日）

1　この条例は、平成十九年四月一日から施行する。

（経過措置）

5　この条例による改正後の都と特別区及び特別区相互間の財政調整に関する条例（以下「新条例」という。）第三条第一項の規定の適用については、平成十九年度から平成二十一年度までの各年度に限り、地方特例交付金等の地方財政の特別措置に関する法律（平成十一年法律第十七号）附則第七条の規定により読み替えられた地方自治法（昭和二十二年法律第六十七号）第二百八十二条第二項の規定に基づき、新条例第三条第一項中「収入額の合算額」とあるのは、「収入額と地方特例交付金等の地方財政の特別措置に関する法律（平成十一年法律第十七号）附則第五条第二項の規定により読み替えられた同法第九条第一項の規定により読み替えられた地方交付税法（昭和二十五年法律第二百十一号）第十四条第一項に規定するたばこ税調整額及び交付金調整額との合算額」とする。

6　新条例第三条第二項各号中「百分の五十五」とあるのは、当該年度の前年度以前の年度が平成十七年度又は平成十八年度である場合には「百分の五十二」と読み替えるものとする。

7　基準財政収入額は、当分の間、新条例第十二条の規定により算定した額について、地方自治法施行令（昭和二十二年政令第十六号。以下「施行令」という。）附則第七条の二の規定により読み替えられた施行令第二百十条の十二第一項の規定に基づき、道路交通法（昭和三十五年法律第百五号）附則第十六条第一項の規定により当該特別区に交付するものとされる交通安全対策特別交付金の収入見込額（前三年度に交付された交付金の額を基礎として、東京都規則で定めるところにより算定した額をいう。）を加算した額に、地方交付税法（昭和二十五年法律第二百十一号）附則第七条の二第二項第一号に掲げる額と同項第三号に掲げる額との差額に相当する額として知事が算出した額に百分の十五を乗じて得た額を加算し、又は控除した額に、地方税法（昭和二十五年法律第二百二十六号）第七十二条の百十五第二項の規定により各特別区に対して交付すべき額の見込額に百分の十五を乗じて得た額に相当する額として東京都規則で定めるところにより算定した額を加算した額とする。

8　新条例第十二条第一項の規定の適用については、平成二十三年度においては、地方特例交付金等の地方財政の特別措置に関する法律施行令（平成十一年政令第九十五号）第二条第一項の規定により読み替えられた施行令第二百十条の十二第一項の規定に基づき、新条例第十二条第一項中「及び同法第百四十三条第一項の規定により当該特別区に交付するものとされる自動車取得税に係る交付金（以下「自動車取得税交付金」という。）」とあるのは「、同法第百四十三条第一項の規定により当該特別区に交付するものとされる自動車取得税に係る交付金（以下「自動車取得税交付金」という。）及び地方特例交付金等の地方財政の特別措置に関する法律（平成十一年法律第十七号。以下「特例交付金法」という。）第二条の規定により当該特別区に交付するものとされる地方特例交付金のうち同条第二項に規定する減収補塡特例交付金」と、「地方揮発油譲与税法」とあるのは「特例交付金法第二条の規定により当該特別区に交付するものとされる地方特例交付金のうち同条第三項に規定する児童手当及び子ども手当特例交付金の収入見込額、地方揮発油譲与税法」とする。

9　新条例第十二条第一項の規定の適用については、令和二年度以後の各年度においては、当分の間、地方特例交付金等の地方財政の特別措置に関する法律施行令第二条の規定により読み替えられた施行令第二百十条の十二第一項の規定に基づき、新条例第十二条第一項中「の収入見込額に」とあるのは「並びに地方特例交付金等の地方財政の特別措置に関する法律（平成十一年法律第十七号）第二条の規定により当該特別区に交付するものとされる地方特例交付金の収入見込額に」とする。

10　前二項の規定により読み替えて適用する新条例第十二条第一項の地方特例交付金の収入見込額は、当該年度に交付される地方特例交付金の額を基礎として、東京都規則で定めるところにより算定するものとする。

11　新条例第十二条第一項の規定の適用については、平成二十一年度に限り、地方特例交付金等の地方財政の特別措置に関する法律施行令附則第五条第二項の規定により読み替えられた同令第二条第二項の規定により読み替えられた施行令第二百十条の十二第一項の規定に基づき、新条例第十二条第一項中「及び同法第百四十三条第一項の規定により当該特別区に交付するものとされる自動車取得税に係る交付金（以下「自動車取得税交付金」という。）」とあるのは、「、同法第百四十三条第一項の規定により当該特別区に交付するものとされる自動車取得税に係る交付金（以下「自動車取得税交付金」という。）及び地方特例交付金等の地方財政の特別措置に関する法律附則第四条第一項の規定により当該特別区に交付するものとされる特別交付金」とする。

12　前項の規定により読み替えて適用する新条例第十二条第一項の特別交付金の収入見込額は、当該年度に交付される特別交付金の額を基礎として、東京都規則で定めるところにより算定するものとする。

13　平成十九年度から平成二十一年度までの各年度に限り、新条例第十二条第二項の表第一号中「前三年度に課税された、又は課税されるべきであつた税額」とあるのは、「東京都規則で定めるところにより算定した額」とする。

**附　則**（平二一・六・一二条例六六）（抄）

**（施行期日等）**

1　この条例は、公布の日から施行し、この条例による改正後の都と特別区及び特別区相互間の財政調整に関する条例（以下「新条例」という。）の規定及び次項の規定による改正後の都と特別区及び特別区相互間の財政調整に関する条例の一部を改正する条例（平成十九年条例第八十号。以下「平成十九年改正条例」という。）の規定は、平成二十一年度の都と特別区及び特別区相互間の財政調整から適用する。

**（経過措置）**

3　新条例第十二条の規定の適用については、平成二十一年度に限り、同条第一項中「以下「自動車取得税交付金」という。」とあるのは「地方税法等の一部を改正する法律（平成二十一年法律第九号。以下この項において「地方税法等改正法」という。）第一条の規定による改正前の地方税法第六百九十九条の三十二第一項の規定により当該特別区に交付するものとされる自動車取得税に係る交付金を含む。以下「自動車取得税交付金」という。」と、「地方揮発油譲与税法（昭和三十年法律第百十三号）」とあるのは「地方揮発油譲与税法（昭和三十年法律第百十三号）、地方税法等改正法附則第十四条第二項の規定によりなお効力を有することとされる地方税法等改正法第三条の規定による改正前の地方道路譲与税法（昭和三十年法律第百十三号）」と、「地方揮発油譲与税、自動車重量譲与税」とあるのは「地方揮発油譲与税、地方道路譲与税、自動車重量譲与税」と、同条第二項の表中「十一　地方揮発油譲与税　前三年度に譲与された譲与税の額」とあるのは

「
| 十一 | 地方揮発油譲与税 | 前三年度に譲与された譲与税の額 |
| --- | --- | --- |
| 十一の二 | 地方道路譲与税 | 前三年度に譲与された譲与税の額 |

」とする。

4　新条例第十二条第二項の規定の適用については、平成二十二年度から平成二十四年度までの各年度に限り、同項の表第十号中「交付金の額」とあるのは「交付金（地方税法等の一部を改正する法律（平成二十一年法律第九号。次号において「地方税法等改正法」という。）第一条の規定による改正前の地方税法第六百九十九条の三十二第一項の規定による自動車取得税に係る交付金を含む。）の額」と、同表第十一号中「譲与税の額」とあるのは「譲与税（地方税法等改正法附則第十四条第二項の規定によりなお効力を有することとされる地方税法等改正法第三条の規定による改正前の地方道路譲与税法（昭和三十年法律第百十三号）の規定による地方道路譲与税を含む。）の額」とする。

**附　則**（平二九・三・三一条例一三）（抄）

改正　令元・六・二六条例三

**（施行期日）**

1　この条例は、平成二十九年四月一日から施行する。ただし、次の各号に掲げる規定は、当該各号に定める日から施行する。

一　第二条並びに次項及び附則第七項の規定　平成三十一年四月一日

二　第三条並びに附則第三項から第六項まで及び第八項の規定　令和二年四月一日

**（経過措置）**

4　令和二年度に限り、第三条の規定による改正後の都及び特別区並びに特別区相互間の財政調整に関する条例（以下「新条例」という。）第二条第一項の規定の適用については、同項中「収入額（」とあるのは「収入額（令和元年十月一日から令和二年三月三十一日までの間に納付された法人の行う事業に対する事業税の収入額を含む。）（」と、

「収入額に」とあるのは「収入額（令和元年十月一日から令和二年三月三十一日までの間に納付された法人の行う事業に対する事業税の収入額を含む。）に」と、「統計法（平成十九年法律第五十三号）第二条第四項に規定する基幹統計である事業所統計の最近に公表された結果による特別区及び各市町村の従業者数」とあるのは「各市町村の市町村民税の法人税割額及び地方税法第五条第二項第一号に掲げる税のうち同法第七百三十四条第二項（第二号に係る部分に限る。）の規定により都が課する都民税の法人税割額」とする。

5　令和三年度に限り、新条例第三条第一項の規定の適用については、同項中「額を統計法」とあるのは「額（以下この条において「法人の事業税額」という。）の三分の一に相当する額を統計法」と、「従業者数」とあるのは「従業者数で、法人の事業税額の三分の二に相当する額を各市町村の市町村民税の法人税割額及び地方税法第五条第二項第一号に掲げる税のうち同法第七百三十四条第二項（第二号に係る部分に限る。）の規定により都が課する都民税の法人税割額」とする。

6　令和四年度に限り、新条例第三条第一項の規定の適用については、同項中「額を統計法」とあるのは「額（以下この条において「法人の事業税額」という。）の三分の二に相当する額を統計法」と、「従業者数」とあるのは「従業者数で、法人の事業税額の三分の一に相当する額を各市町村の市町村民税の法人税割額及び地方税法第五条第二項第一号に掲げる税のうち同法第七百三十四条第二項（第二号に係る部分に限る。）の規定により都が課する都民税の法人税割額」とする。

7　平成三十一年度に限り、第二条の規定による改正後の都と特別区及び特別区相互間の財政調整に関する条例第十二条第二項の表二の二の項中「前三年度に納付された、又は納付されるべきであつた税額」並びに同表十の項及び十の二の項中「前三年度に交付された交付金の額」とあるのは、それぞれ「東京都規則で定めるところにより算定した額」と読み替えるものとする。

8　令和二年度から令和四年度までの各年度に限り、新条例第十二条第二項の表二の項1中「前三年度に納付された、又は納付されるべきであつた税額」及び同項2中「前三年度に課税された、又は課税されるべきであつた税額」並びに同表十の項中「前三年度に交付された交付金の額」とあるのは、それぞれ「東京都規則で定めるところにより算定した額」と読み替えるものとする。

**附　則**（令元・六・二六条例三）（抄）

**（施行期日等）**

1　この条例は、公布の日から施行し、この条例による改正後の都と特別区及び特別区相互間の財政調整に関する条例（以下「新条例」という。）の規定は、平成三十一年度の都と特別区及び特別区相互間の財政調整から適用する。

**（経過措置）**

4　平成三十一年度から令和三年度までの各年度に限り、新条例第十二条第二項の表十四の項中「前三年度に譲与された譲与税の額」とあるのは、「東京都規則で定めるところにより算定した額」と読み替えるものとする。

**附　則**（令二・三・三一条例一五）

1　この条例は、令和二年四月一日から施行する。

2　この条例による改正後の都及び特別区並びに特別区相互間の財政調整に関する条例第三条第二項各号中、当該年度の前年度以前の年度が平成三十年度又は令和元年度である場合には、「交付金総額」とあるのは「調整税の収入額に百分の五十五を乗じて得た額」と、「交付金見込額」とあるのは「調整税の収入見込額に百分の五十五を乗じて得た額」と読み替えるものとする。

**附　則**（令三・三・三一条例八）（抄）

改正　令四・三・三一条例一四

**（施行期日）**

1　この条例は、令和三年四月一日から施行する。ただし、次項の規定は、公布の日から施行する。

**（令和三年度から令和八年度までの各年度における特別区財政調整交付金の特例）**

3　この条例による改正後の都及び特別区並びに特別区相互間の財政調整に関する条例（以下「新条例」という。）第三条の規定の適用については、令和三年度から令和八年度までの各年度に限り、地方税法（昭和二十五年法律第二百二十六号）附則第七十五条の規定により読み替えられた地方自治法（昭和二十二年法律第六十七号）第二百八十二条第二項の規定に基づき、新条例第三条第一項中「法人事業税交付対象額」という。）」とあるのは「法人事業税交付対象額」という。）と地方税法附則第六十六条第三項の規定により交付すべき固定資産税減収補塡特別交付金の額（以下「固定資産税減収補塡特別交付金額」という。）」と、同条第二項中「の見込額」とあるのは「の見込額と固定資産税減収補塡特別交付金額の見込額」とする。

4　前項の規定により読み替えて適用する場合における新条例第三条第二項の規定の適用については、当該年度の前年度以前の年度が令和二年度である場合には、同項各号中「交付金総額」とあるのは「調整税の収入額と法人事業税交付対象額との合算額に千分の五百五十一を乗じて得た額」と、「交付金見込額」とあるのは「調整税の収入見込額と法人事業税交付対象額の見込額の合算額に千分の五百五十一を乗じて得た額」とする。

**（令和九年度及び令和十年度における交付金総額等の読替え）**

5　新条例第三条第二項の規定の適用については、当該年度の前年度以前の年度が令和七年度又は令和八年度である場合には、同項第一号中「交付金総額」とあるのは「調整税の収入額と法人事業税交付対象額と地方税法附則第六十六条第三項の規定により交付すべき固定資産税減収補塡特別交付金の額（以下「固定資産税減収補塡特別交付金額」という。）との合算額に千分の五百五十一を乗じて得た額」と、「交付金見込額」とあるのは「調整税の収入見込額と法人事業税交付対象額の見込額と固定資産税減収補塡特別交付金額の見込額との合算額に千分の五百五十一を乗じて得た額」と、同項第二号中「交付金総額」とあるのは「調整税の収入額と法人事業税交付対象額と固定資産税減収補塡特別交付金額との合算額に千分の五百五十一を乗じて得た額」と、「交付金見込額」とあるのは「調整税の収入見込額と法人事業税交付対象額の見込額と固定資産税減収補塡特別交付金額の見込額との合算額に千分の五百五十一を乗じて得た額」とする。

**附　則**（令六・三・二九条例一三）

この条例は、令和六年四月一日から施行する。

**別表**（第十条関係）

一　経常的経費

| 経費の種類 | 測定単位 | 単位費用 |
|---|---|---|
| 一　議会総務費 | | |
| 1　議会総務費 | 人口 | 一人につき　二四、七四三円 |
| 二　民生費 | | |
| 1　社会福祉費 | 人口 | 一人につき　一五、一八八円 |
| 2　老人福祉費 | 六十五歳以上人口 | 一人につき　七五、九七四円 |
| 3　生活保護費 | 被保護者数 | 一人につき　一八八、八七五円 |
| 4　児童福祉費 | 十八歳未満人口 | 一人につき　一四九、二四二円 |
| | 区立保育所入所児童数 | 一人につき　一、五五九、七五九円 |
| | 私立保育所入所児童数 | 一人につき　七一三、六六六円 |
| 5　国民健康保険事業助成費 | 被保険者数 | 一人につき　一三、三五八円 |
| 6　後期高齢者医療制度事業助成費 | 被保険者数 | 一人につき　七九、二〇九円 |
| 三　衛生費 | | |
| 1　衛生費 | 人口 | 一人につき　九、九八二円 |
| 四　清掃費 | | |
| 1　清掃総務費 | 人口 | 一人につき　四六〇円 |
| 2　収集作業費 | 人口 | 一人につき　五、五三八円 |
| 3　収集車両費 | 人口 | 一人につき　一、五五四円 |
| 4　処理処分費 | 人口 | 一人につき　二、七三三円 |
| 五　経済労働費 | | |
| 1　生活経済費 | 人口 | 一人につき　四五三円 |
| 2　産業経済費 | 事業所数 | 一箇所につき　七四、八三四円 |
| 六　土木費 | | |
| 1　建築公害費 | 人口 | 一人につき　二、四八三円 |
| 2　都市整備費 | 人口 | 一人につき　一、一一二円 |
| 3　道路橋りょう費 | 道路面積 | 一平方メートルにつき　五六円 |
| 4　公園費 | 公園面積 | 一平方メートルにつき　一、五五六円 |
| 七　教育費 | | |
| 1　小学校費 | 児童数 | 一人につき　四一、九四四円 |
| | 学級数 | 一学級につき　一、一〇七、二三一円 |
| | 学校数 | 一校につき　一〇九、四七〇、〇九五円 |
| 2　中学校費 | 生徒数 | 一人につき　四四、七九五円 |
| | 学級数 | 一学級につき　一、六二八、〇八一円 |
| | 学校数 | 一校につき　一一四、六〇三、八九七円 |
| 3　その他の教育費 | 児童生徒数 | 一人につき　二八、九一一円 |

| 経費の種類 | 測定単位 | 単位費用 |
|---|---|---|
| | 幼稚園数 | 一箇所につき 五三、九九七、七四三円 |
| | 人口 | 一人につき 六、四一六円 |
| 八　その他諸費 | | |
| 1　公債費 | 元利償還金 | 一円につき 一円 |
| 2　財産費 | 年度支払額 | 一円につき 一円 |
| 3　その他行政費 | 人口 | 一人につき 一五、〇〇二円 |

二　投資的経費

| 経費の種類 | 測定単位 | 単位費用 |
|---|---|---|
| 一　議会総務費 | | |
| 1　議会総務費 | 人口 | 一人につき 三、八三八円 |
| 二　民生費 | | |
| 1　社会福祉費 | 人口 | 一人につき 一、五六八円 |
| 2　老人福祉費 | 六十五歳以上人口 | 一人につき 一三、六四五円 |
| 3　児童福祉費 | 十五歳未満人口 | 一人につき 四六、三九〇円 |
| 三　衛生費 | | |
| 1　衛生費 | 人口 | 一人につき 一、〇四八円 |
| 四　清掃費 | | |
| 1　収集作業費 | 人口 | 一人につき 五九八円 |
| 2　処理処分費 | 人口 | 一人につき 三、一三二円 |
| 五　経済労働費 | | |
| 1　生活経済費 | 人口 | 一人につき 三七九円 |
| 六　土木費 | | |
| 1　建築公害費 | 人口 | 一人につき 一、八五二円 |
| 2　都市整備費 | 人口 | 一人につき 二三一円 |
| 3　道路橋りよう費 | 道路面積 | 一平方メートルにつき 一六八円 |
| 4　公園費 | 人口 | 一人につき 二、一四八円 |
| 七　教育費 | | |
| 1　小学校費 | 学校数 | 一校につき 二五七、九一三、五〇〇円 |
| 2　中学校費 | 学校数 | 一校につき 二七四、〇六九、八八九円 |
| 3　その他の教育費 | 児童生徒数 | 一人につき 九、四七四円 |
| | 園児数 | 一人につき 三二一、六八一円 |
| | 人口 | 一人につき 五、六三七円 |

# 第二類

# 人　　事

# 第一章　人事

## ○東京都人事委員会設置条例

昭二六・六・一一
条例七〇

改正　昭三〇・七・七条例二〇

（設置）

**第一条**　地方公務員法の完全な実施を確保して、行政の民主的且つ能率的な運営を保障し、もつて地方自治の本旨の実現に資するため、東京都人事委員会（以下「委員会」という。）を設置する。

（委員）

**第二条**　委員会の委員は、非常勤とする。ただし、必要がある場合には、委員のうち一人に限り常勤とすることができる。

附　則

この条例は、公布の日から施行する。

## ○東京都人事委員会処務規則

昭五一・四・三〇
人事委員会規則六

最終改正　令五・七・二四人事委員会規則一四

（目的）

**第一条**　この規則は、東京都人事委員会（以下「委員会」という。）の権限に属する事項を処理するため、東京都人事委員会事務局（以下「事務局」という。）の組織その他必要な事項を定めることを目的とする。

（委員会議決事案）

**第二条**　人事行政の運営に関し、委員会の議決を経る事案は次のとおりとする。

一　委員会規則の制定及び改廃に関すること。
二　人事行政の調査に関すること。
三　人事評価、給与、勤務時間その他の勤務条件、研修、厚生福利制度その他職員に関する制度について研究の成果を議会及び長に報告すること。
四　人事機関及び職員に関する条例の制定又は改廃に関し議会及び長に対する意見の申出に関すること。
五　人事行政の運営に関し任命権者に勧告すること。
六　任命の方法の一般的基準の決定に関すること。
七　競争試験及び選考の基準に関すること。
八　職員の退職管理に係る規制違反行為についての任命権者への調査要求並びに任命権者が行う調査の報告要求及び意見陳述に関すること。
九　給与、勤務時間その他の勤務条件に関し講ずべき措置について議会及び長に勧告すること。
十　人事評価の実施に関し任命権者に勧告すること。
十一　研修に関する計画の立案その他に関し任命権者に勧告すること。
十二　給与、勤務時間その他の勤務条件に関する措置の要求の判定及び勧告に関すること。
十三　不利益処分に関する審査請求裁決及び指示に関すること。
十四　公務災害補償に関する審査の申立ての裁定に関すること。
十五　職員団体の登録及び登録取消しのための口頭審理に関すること。
十六　退職手当の支給制限等の処分等に係る諮問に対する答申に関すること。
十七　地方公務員法（昭和二十五年法律第二百六十一号）第五十八条第五項に掲げる法律の規定及びこれらの規定に基づく命令の規定中職員に関して適用されるもの（以下「労働基準法等の規定」という。）に基づく許可、認定その他特に重要な行政処分に関すること。
十八　特に重要な異議の申立て及び訴訟に関すること。
十九　特に重要な事項に関する報告、答申、進達及び副申に関すること。
二十　特に重要な告示、訓令、通達等に関すること。
二十一　特に重要な広報及び広聴に関すること。
二十二　特に重要な情報公開に関すること。
二十三　特に重要な保有個人情報の開示、訂正及び利用停止に関すること。
二十四　前各号のほか特に重要な事項に関すること。

（組織及び職）

**第三条**　事務局の組織は、次のとおりとする。

任用公平部

総務課
　任用給与課
　審査課
試験部
　試験課
　研究調査課
2　事務局に局長を置く。
3　部に部長を置く。
4　事務局に担当部長を置くことができる。
5　課に課長を置く。
6　部に担当課長を置くことができる。
7　課に課長代理を置くことができる。
8　第三項から前項までに規定する職のほか、必要な職を置く。

（**職員の職名**）
**第四条**　事務局職員の職名は、職層名及び職務名による。
2　職層名は、理事、参事、副参事及び主事とする。
3　職務名は、一般事務、土木技術、建築技術、機械技術、電気技術、情報通信技術、林業技術、造園技術、衛生監視とする。ただし、委員会が指定する職員の職務名については、委員会が指定する名称をもつて職務名に代えるものとする。
4　理事は局長の、参事は部長（担当部長を含む。以下同じ。）の、副参事は課長（担当課長を含む。以下同じ。）の、主事はその他の職員の職層名とする。

（**職責**）
**第五条**　局長は、委員会の命を受け、事務局の事務をつかさどり、所属職員を指揮監督する。
2　部長は、局長の命を受け、部の事務又は担任の事務をつかさどり、所属職員を指揮監督する。
3　課長は、部長の命を受け、課の事務又は担任の事務をつかさどり、職員を指揮監督する。
4　課長代理は、課長の命を受け、担任事務をつかさどり、当該事務に係る職員を指揮監督する。
5　課長代理は、課長を補佐する。
6　課長代理は、担任の事務の執行状況につき随時文書又は口頭をもつて課長に報告するものとする。
7　前各項に定める職員以外の職員は、上司の命を受け、事務に従事する。

（**事務局組織の分掌事務**）
**第六条**　事務局各部課の分掌事務は、次のとおりとする。

任用公平部
　総務課
一　委員会議に関すること。
二　委員会議事録の作成及び保管に関すること。
三　局所属職員の人事及び給与に関すること。
四　公印に関すること。
五　局事務事業に関する法規の調査及び解釈に関すること。
六　公文書類の収受、配布、審査、発送、編集及び保存に関すること。
七　情報公開に係る連絡調整等に関すること。
八　個人情報の保護に係る連絡調整等に関すること。
九　予算、決算及び会計に関すること。
十　財産及び物品の調達、管理に関すること。
十一　労働基準監督機関として行う労働基準法等の規定の施行に関すること。
十二　広報及び広聴に関すること。
十三　局事務事業の管理改善及び行政評価の実施に関すること。
十四　局事務事業のデジタル関連施策の企画、調整及び推進に関すること。
十五　知事への業務状況の報告に関すること。
十六　他の部、課に属しないこと。

任用給与課
一　職員の採用、昇任等任用の方法についての一般的基準に関すること。
二　選考の実施（試験課に属するものを除く。）に関すること。
三　職員の研修に関する計画の立案及びその勧告に関すること。
四　人事評価の実施に係る勧告に関すること。
五　職員の人事評価、給与、勤務時間その他の勤務条件、研修、厚生福利制度等の調査研究及びその成果の提出に関すること。
六　給与、勤務時間その他の勤務条件についての報告及び勧告に関すること。
七　人事機関及び職員に関する条例の制定又は改廃についての意見の申出に関すること。
八　職員に対する給与の支払監理に関すること。
九　その他人事制度の調査研究等に関すること。

審査課
一　職員の給与、勤務時間その他の勤務条件に関する措置の要求の審査に関すること。
二　職員に対する不利益処分に関する審査請求の審査に関すること。
三　職員の公務災害補償に関する審査の申立ての審査に関すること。
四　職員団体の登録に関すること。
五　職員団体等に対する法人格の付与に関すること

と。

六　管理職員等の範囲の指定に関すること。

七　職員の勤務条件その他の人事管理に関する苦情相談に関すること。

八　委託公共団体の公平審査に関すること。

九　退職手当の支給制限等の処分等に係る調査審議に関すること。

試験部

試験課

一　競争試験又は選考の実施に関すること。

二　採用候補者名簿又は昇任候補者名簿の作成及びその提示に関すること。

三　条件付採用及び臨時的任用に関すること。

四　競争試験又は選考の実施方法の調査企画に関すること。

研究調査課

一　試験問題の作成及び研究調査に関すること。

二　試験の結果の分析及びその有効性の判定に関すること。

（事案決定職及び対象事案等）

**第七条**　委員長の決定事案はおおむね別表第一とし、局長、部長、課長及び課長代理の決定事案はおおむね別表第二とする。

（実施細目）

**第八条**　局長は、第二条及び前条の規定により委員会、委員長、局長、部長、課長及び課長代理の決定の対象とされる事案の実施細目を定めなければならない。ただし、委員会及び委員長についての実施細目の制定改廃については、委員会の承認を受けなければならない。

（局長不在のときの代決）

**第九条**　局長が不在のときは、主務の部長がその事務を代決する。

（部長不在のときの代決）

**第十条**　部長が不在のときは、主務の課長がその事務を代決する。

（課長不在のときの代決）

**第十一条**　課長が不在のときは、課長があらかじめ指定する課長代理がその事務を代決する。

（課長代理が不在のときの決定）

**第十二条**　第七条の規定により課長代理の決定の対象とされた事案について至急に決定を行う必要がある場合において当該課長代理が不在であるときは、課長が決定するものとする。

（代決できる事案）

**第十三条**　第九条から前条までの規定により代決できる事案は、特に至急に処理しなければならない事案に関するものでなければならない。ただし、決定区分に従い、特に重要又は異例の事案については、代決することができない。

（代決の場合の閲覧）

**第十四条**　重要な事案に関し代決により処理した場合は、起案者は、事後速やかに上司の閲覧を受けなければならない。

（文書主任及び文書取扱主任）

**第十五条**　任用公平部総務課に文書主任を、その他の課に文書取扱主任を置く。

2　文書主任及び文書取扱主任は、局長が任命する。

（重要文書の審査）

**第十六条**　委員会の議決又は局長の決定を受け若しくは閲覧に供する文書は、総務課長の審査を受けなければならない。

（訓令及び告示）

**第十七条**　委員会の訓令及び告示は、東京都公報に登載して式とする。

（文書の管理等）

**第十八条**　この規則に定めるもののほか、事案決定方法及び文書の管理については、知事部局の例による。

（服務心得）

**第十九条**　職員の勤務時間、休憩時間等、健康管理及び服務については、別に定める場合を除き、知事部局の例による。

（会計年度任用職員の任用）

**第二十条**　地方公務員法（昭和二十五年法律第二百六十一号）第二十二条の二第一項第一号に掲げる会計年度任用職員の任用等については、別に定める場合を除き、知事部局の例による。

（臨時的任用職員の任用）

**第二十一条**　地方公務員法第二十二条の三第一項、地方公務員の育児休業等に関する法律（平成三年法律第百十号）第六条第一項第二号又は職員の配偶者同行休業に関する条例（平成二十六年東京都条例第百四十八号）第九条の規定により臨時的に任用される職員の任用等については、別に定める場合を除き、知事部局の例による。

**附　則**

1　この規則は、昭和五十一年五月一日から施行する。

2　東京都人事委員会事務局処務規則（昭和二十八年四月人事委員会規則第十一号）、東京都人事委員会文書専決規程（昭和三十二年四月人事委員会訓令甲第二号）及び労働基準監督機関の職権行使に伴う文書専決規程（昭和四十七年二月人事委員会訓令甲第一号）は、廃止する。

**附　則**（令五・三・三一人事委員会規則一）

この規則は、令和五年四月一日から施行する。

**附　則**（令五・七・二四人事委員会規則一四）

この規則は、公布の日から施行する。

**別表第一**（第七条関係）

一　庶務に関する事項

(一)　課長の職及びこれに相当する職以上の職にある職員の任免その他の人事に関すること。

(二)　局長の海外出張、出張及び服務に関すること。

二　任用に関する事項

(一)　職員の採用・昇任等に関する一般基準（昭和六十一年三月二十六日委員会決定。以下「一般基準」という。）のうち次に掲げるもの

1　職務分類基準(I)の一級職から六級職まで、同基準(II)の一級職及び同基準(III)の一級職への採用選考に関すること。ただし、一般基準の定めにより難い場合を除く。

2　都区交流による職員の採用選考に関すること。

3　保健所設置市との人事交流による職員の採用選考に関すること。

4　国家公務員又は他の任命権者に属する職員を相当以下の職に併任する場合の選考に関すること。

5　次の昇任選考に関すること。

(1)　職務分類基準(I)の四級職への昇任。ただし、一般基準の定めにより難い場合を除く。

(2)　削除

(3)　一般基準の別表15に示す昇任選考のうち、職務分類基準(I)二級職への昇任選考（准看護師二級職選考に限る。）、三級職への昇任選考、四級職への昇任選考（行政専門職選考の一次選考に限る。）、同基準(II)二級職、三級職及び四級職への昇任選考、同基準(III)二級職、三級職及び五級職への昇任選考実施要綱の承認

(二)　削除

(三)　採用試験に関する事項

1　「採用候補者名簿又は昇任候補者名簿の作成及びこれによる職員の採用又は昇任の方法に関する規則（昭和二十八年東京都人事委員会規則第一号）」に定める事由に基づく名簿からの削除、名簿への復活、名簿の訂正及び失効等に関すること。

(四)　採用選考に関する事項

消防吏員（専門系）に係る採用選考のうち第三次選考に関すること。

三　給与に関する事項

(一)　初任給の決定に関すること。ただし、通例的でない場合を除く。

(二)　二(一)1に定めるもののうち、職務分類基準(I)の四級職以上の職員の採用選考に伴う給料月額の決定に関すること。

(三)　指定職給料表の適用を受ける職員の指定に関すること。

(四)　行政職給料表(一)四級以上又は他の給料表における行政職給料表(一)四級相当級以上への昇格に関すること。

(五)　給料の特別調整額の支給を受ける者の範囲及び支給額の決定に関すること。ただし、支給基準の改廃を除く。

別表第二（第七条関係）

| 件名＼区分 | 局長 | 部長 | 課長 | 課長代理 |
|---|---|---|---|---|
| 一　予算に関すること。 | 一　成立した予算に係る局の事務事業についての執行計画の設定、変更及び廃止に関すること。 | | | |
| 二　人事及び給与に関すること。 | 一　課長代理その他の職員（以下「一般職員」という。）の任免その他人事に関すること。<br>二　部長及びこれに準ずる職にある者の出張及び服務に関すること。 | 一　課長及びこれに準ずる職にある者の出張及び服務に関すること。 | 一　一般職員の事務分掌、出張及び服務に関すること（課長代理の権限に属するものを除く。）。 | 一　課長代理が指揮監督する職員の出張（宿泊を伴う場合を除く。）、休暇（年次有給休暇に係る時季の変更並びに介護休暇、病気休暇及び超勤代休時間を除く。）及び事故欠勤に関すること。 |
| 三　請負又は委託による事業に関すること。 | 一　予定価格が二億円以上の請負又は委託により行う工事、修繕、通信及び運搬に係る役務の提供等に関すること。 | 一　予定価格が八百万円以上二億円未満の請負又は委託により行う工事、修繕、通信及び運搬に係る役務の提供等に関すること。 | 一　予定価格が八百万円未満の請負又は委託により行う工事、修繕、通信及び運搬に係る役務の提供等に関すること。 | |
| 四　物件の買入れ等に関すること。 | 一　予定価格が六千万円以上の物件の買入れ、売払い、借入れ及び貸付けに関すること。 | 一　予定価格が三百万円以上六千万円未満の物件の買入れ、売払い、借入れ及び貸付けに関すること。 | 一　予定価格が三百万円未満の物件の買入れ、売払い、借入れ及び貸付けに関すること。 | |
| 五　分担金等に関すること。 | 一　百万円以上の分担金及び負担金（法令によりその交付が義務付けられているもの及び局長が部長の決定によることが適当であると認めたものを除 | 一　四十万円以上百万円未満の分担金及び負担金（法令によりその交付が義務付けられているもの及び局長が部長の決定によることが適当であると認 | 一　四十万円未満の分担金及び負担金（法令によりその交付が義務付けられているものにあつては百万円未満のものを含む。）の交付並びに寄附金の贈 | |

| | | | | |
|---|---|---|---|---|
| | く。）の交付並びに寄附金の贈与に関すること。 | めたものにあつては百万円以上のものを含む。）の交付並びに寄附金の贈与に関すること。 | 与に関すること。 | |
| 六　損害賠償及び和解に関すること。 | | 一　損害賠償額の決定及び和解に関すること。 | | |
| 七　行政処分等に関すること。 | 一　労働基準監督機関の職権行使に伴う重要な行政処分に関すること。 | 一　労働基準監督機関の職権行使に伴う行政処分に関すること（特に重要又は重要なものを除く。）。 | 一　諸証明に関すること。 | 一　諸証明に関すること（簡易なものに限る。）。 |
| 八　異議の申立て等に関すること。 | 一　異議の申立て及び訴訟に関すること（特に重要なものを除く。）。 | | | |
| 九　報告、答申等に関すること。 | 一　重要な事項に関する報告、答申、進達及び副申に関すること。 | | 一　報告、答申、進達及び副申に関すること（特に重要又は重要な事項に関するものを除く。）。 | 一　報告、答申、進達及び副申に関すること（簡易なものに限る。）。 |
| 十　告示、公告等に関すること。 | 一　重要な告示、公告、公表、通達、申請、照会、回答、諮問及び通知に関すること。 | | 一　告示、公告、公表、通達、申請、照会、回答、諮問及び通知に関すること（特に重要又は重要なものを除く。）。 | 一　通達、申請、照会、回答、諮問及び通知に関すること（簡易なものに限る。）。 |
| 十一　広報及び広聴に関すること。 | 一　重要な広報及び広聴に関すること。 | | 一　広報及び広聴に関すること（特に重要又は重要なものを除く。）。 | |
| 十二　情報公開に関すること。 | 一　重要な情報公開に関すること。 | | 一　情報公開に関すること（特に重要又は重要なものを除く。）。 | |
| 十三　保有個人情報の開示、訂正及び利用停止に関すること。 | 一　重要な保有個人情報の開示、訂正及び利用停止に関すること。 | | 一　保有個人情報の開示、訂正及び利用停止に関すること（特に重要又は重要なものを除く。）。 | |

# ○職員の職名に関する規則

昭四六・四・一
規則八一

最終改正　令三・三・三一規則一一一

（目的）

**第一条**　この規則は、地方公務員法（昭和二十五年法律第二百六十一号）第三条第二項に規定する一般職の職員（知事が指定する職員を除く。以下「職員」という。）の職名に関し、必要な事項を定めることを目的とする。

（職名の構成）

**第二条**　職員の職名は、職層名及び職務名による。

（職層名）

**第三条**　職層名は、次のとおりとする。

一　理事
　専門理事
二　参事
　専門参事
三　副参事
　専門副参事
四　主事

（職務名）

**第四条**　職務名は、別表のとおりとする。

附　則

1　この規則は、公布の日から施行する。
2　職員の職の設置に関する規則（昭和三十一年東京都規則第九十三号）は、廃止する。

附　則（令三・三・三一規則一一一）

この規則は、令和三年四月一日から施行する。

別表

一　事務系
　一般事務　史料編纂　司書　法務
二　福祉系
　福祉　心理技術　補装具製作技術　福祉技術
三　一般技術系
　土木技術　建築技術　機械技術　電気技術　情報通信技術　環境検査技術　農業技術　林業技術　畜産技術　水産技術　造園技術　獣医師　職業訓練指導　写真技術　衛生監視　無線通信技術　理工技術
四　医療技術系
　医師　歯科医師　薬剤師　診療放射線技師　歯科衛生士　歯科技工士　マッサージ技術　理学療法士　作業療法士　視能訓練士　臨床検査技師　衛生検査技術　栄養士　保健師　助産師　看護師　准看護師　医療技術
五　技能系
　自動車運転　海技　機械管理　電話交換　自動車整備　巡視　設備管理　農園芸　動物飼育　病院施設調理　食肉処理　一般技能
六　業務系
　一般事務（業務）　一般業務
七　その他
　知事が指定する職員の職務名については、知事が指定する名称をもつて、前各号の職務名に代えるものとする。

# ○統括課長及び主任の職の指定等に関する規程

昭六一・四・一
訓令五三

最終改正　令四・三・三一訓令三七

（目的）

**第一条**　この規程は、統括課長及び主任の職の指定等に関し必要な事項を定めることを目的とする。

（定義）

**第二条**　この規程において次の各号に掲げる用語の定義は、それぞれ当該各号に定めるところによる。

一　局長　東京都組織規程（昭和二十七年東京都規則第百六十四号。以下「組織規程」という。）第九条第一項に規定する局長、同条第三項に規定する室長並びに住宅政策本部長、東京オリンピック・パラリンピック招致本部長、中央卸売市場長、収用委員会事務局長及び労働委員会事務局長をいう。
二　課長　組織規程第十一条第一項から第五項までに規定する課長、担当課長、副監察員、専門課長及び法務担当課長並びに各処務規程等に規定するこれらに相当する職をいう。

（統括課長の職の指定）

**第三条**　知事は、別に定める基準に基づき、特に重要かつ困難な事務をつかさどる課長の職を統括課長の職として指定することができる。

（主任の職の指定）

**第四条**　局長は、特に高度の知識又は経験を必要とする事務に従事する係員の職を主任の職として指定することができる。

（統括課長の任免）

**第五条**　統括課長の任免は、知事が行う。

（主任の任免）

**第六条**　主任の任免は、局長が行う。

（委任）

**第七条**　第三条から前条までに定めるもののほか、この規程の施行に関し必要な事項は、別に定める。

## ○管理職員等の範囲を定める規則

昭四一・九・一〇
人事委員会規則七

最終改正　令六・三・二九人事委員会規則五

（目的）

**第一条**　この規則は、地方公務員法（昭和二十五年法律第二百六十一号）第五十二条第四項の規定に基き、同条第三項ただし書に規定する管理職員等の範囲を定めることを目的とする。

（管理職員等の範囲）

**第二条**　都職員のうち管理職員等は、別表第一及び別表第二に掲げる職にある者とする。

（職の変更等についての報告）

**第三条**　任命権者は、別表第二に掲げる職の改廃又はこれに相当すると認められる職の新設があつたときは、すみやかにその旨を人事委員会に報告しなければならない。

**付　則**

この規則は、公布の日から施行する。

**附　則**（令六・三・二九人事委員会規則五）

この規則は、令和六年四月一日から施行する。

**別表第一**（第二条関係）

| 職 |
|---|
| 職員の職名に関する規則（昭和四十六年東京都規則第八十一号）・東京都教育委員会職員の職名に関する規則（昭和四十六年東京都教育委員会規則第三十六号）・東京都選挙管理委員会事務局処務規程（昭和四十四年東京都選挙管理委員会訓令甲第一号）・東京都人事委員会処務規則（昭和五十一年東京都人事委員会規則第六号）・東京都監査事務局処務規程（昭和三十四年東京都監査委員訓令甲第一号）・東京都議会議会局職員の職名に関する規程（昭和五十一年東京都議会議長訓令第四号）に定める理事・専門理事・参事・専門参事・副参事・専門副参事の職層にある者をもつて充てる職 |
| 高等学校の校長・副校長・経営企画課長・舎監長 |
| 中等教育学校の校長・副校長・経営企画課長 |
| 特別支援学校の校長・副校長・経営企画課長 |
| 中学校の校長・副校長・経営企画課長 |
| 小学校の校長・副校長・経営企画課長 |

別表第二（第二条関係）

| 機関 | 職 |
| --- | --- |
| 知事部局 | 東京都組織規程（昭和二十七年東京都規則第百六十四号）第八条に定める局、室及び住宅政策本部・中央卸売市場（以下「局等」という。）の庶務担当部の課長代理（庶務担当）・課長代理（人事担当）・課長代理（予算担当）<br>政策企画局総務部秘書課課長代理（事務担当）・課長代理（渉外担当）・課長代理（秘書事務担当）・課長代理（栄典担当）<br>総務局総務部総務課監視長・文書課課長代理（法規総括担当）及び課長代理（法規担当）・課長代理（政策法務担当）・法務課課長代理（訟務担当）・課長代理（不服審査担当）・課長代理（審理担当）・グループ経営戦略課課長代理（団体総括担当）・課長代理（団体担当）・課長代理（行政管理担当）・人事部人事課課長代理（管理担当）・課長代理（人事担当）及び服務に関する課長代理（人事担当）付きの主事・職員支援課課長代理（調整担当）・課長代理（企画厚生担当）・課長代理（安全衛生担当）・課長代理（職員住宅担当）・制度企画課課長代理（人事制度担当）及び課長代理（人事制度担当）付きの主事・課長代理（労務担当）及び課長代理（労務担当）付きの主事・調査課課長代理（組織定数総括担当）・課長代理（組織定数担当）・課長代理（職務調査担当）・コンプライアンス推進部コンプライアンス推進課課長代理（調整担当）及び課長代理（調整担当）付きの主事・課長代理（調査担当）・課長代理（企画担当）及び課長代理（企画担当）付きの主事・課長代理（公益通報担当）・課長代理（内部統制担当）・課長代理（監察担当）及び課長代理（監察担当）付きの主事<br>財務局主計部議案課課長代理（議案担当）・財政課課長代理（予算総括担当）・予算第一課課長代理（予算担当）・予算第二課課長代理（予算担当）・予算第三課課長代理（予算担当）<br>主税局総務部総務課課長代理（福利労務担当）・職員課課長代理（監察担当）<br>都市整備局総務部総務課課長代理（調査担当）・課長代理（給与福利担当）<br>福祉局総務部職員課課長代理（服務担当）・課長代理（給与福利担当）・課長代理（調査担当）<br>保健医療局総務部職員課課長代理（服務担当）・課長代理（給与福利担当）・課長代理（調査担当）<br>中央卸売市場管理部総務課課長代理（組織定数担当） |
| 職員共済組合事務局 | 管理部総務課課長代理（庶務担当）・課長代理（人事担当）・財務課課長代理（計理担当） |
| 地方公務員災害補償基金東京都支部 | 課長代理（審査総括担当）・支部審査会の調整事務を担当する課長代理（審査担当） |
| 労働委員会事務局 | 総務課課長代理（庶務担当）・課長代理（経理担当） |
| 収用委員会事務局 | 総務課課長代理（庶務担当）・課長代理（経理担当） |
| 教育委員会 | 総務部教育政策課課長代理（予算担当）・組織定数を担当する課長代理（企画担当）・総務課課長代理（秘書担当）・課長代理（人事担当）及び課長代理（人事担当）付きの労務を担当する主事・課長代理（学校事務人事担当）・課長代理（任用担当）・課長代理（庶務担当）・法務監察課の監察指導の総括を担当する課長代理（監察指導担当）、服務監査の実施計画の総合調整を担当する課長代理（監察指導担当）及び法務の総括を担当する課長代理（法務担当）・人事部人事計画課課長代理（教職員定数担当）・職員課の任用の総括を担当する課長代理（任用担当）・課長代理（服務担当）・勤労課課長代理（労務担当）及び課長代理（労務担当）付きの主事・課長代理（計画担当）<br>東京都学校経営支援センター経営支援室及び同支所経営支援室の教職員の人事を担当する課長代理（経営支援担当） |
| 選挙管理委員会事務局 | 総務課課長代理（庶務担当）・課長代理（経理担当） |
| 人事委員会事務局 | 任用公平部総務課課長代理（企画調整担当）・課長代理（秘書担当）・課長代理（経理担当）・課長代理（労働基準監督担当）・課長代理（技術検査担当）・任用給与課課長代理（総括担当）・課長代理（任用担当）・課長代理（企画担当）・課長代理（給与担当）・課長代理（調査担当）・審査課課長代理（審査総括担当）・課長代理（審査担当）<br>試験部試験課課長代理（総括担当）・課長代理（採用担当）・課長代理（昇任 |

| | 担当）・研究調査課課長代理（研究調査担当） |
|---|---|
| 監査事務局 | 総務課課長代理（庶務担当） |
| 議会局 | 管理部秘書課課長代理（管理担当）・課長代理（秘書事務担当）・総務課課長代理（庶務担当）・監視長・課長代理（人事担当）・経理課課長代理（企画計理担当） |

備考　知事部局の職の欄中次に掲げる用語については、次の定義に従うものとする。

一　課長代理（庶務担当）　局等の長の秘書事務及び庁舎の管理又は庁中取締りを担当するほか庶務に関すること等を担当する課長代理をいう。

二　課長代理（人事担当）　局等の所属職員の任用、昇格、昇給、給与（給与の支払を含む。）、分限、懲戒若しくは服務に関する事務、局等の職員団体との関係に関する事務、局等の定数配置に関する事務を専ら担当し、又はこれらの事務を主として担当するほか、局等の所属職員の人事記録、退職管理、人事評価、研修、災害補償、退職年金等の諸給付金その他人事に関する事務を担当する課長代理をいう。

三　課長代理（予算担当）　局等の予算に関する総括事務を専ら担当し、又はこれらの事務を主として担当するほか、その他の経理に関する事務を担当する課長代理をいう。

## ○東京都の一般職の任期付職員の採用及び給与の特例に関する条例

平一四・一二・二五
条例一六一

最終改正　令五・一二・二六条例九〇

（趣旨）

**第一条**　この条例は、東京都の一般職の職員について、専門的な知識経験又は優れた識見を有する者の任期を定めた採用及び任期を定めて採用された職員の給与の特例に関し、地方公共団体の一般職の任期付職員の採用に関する法律（平成十四年法律第四十八号。以下「法」という。）第三条第一項及び第二項、第四条、第六条第二項並びに第七条第一項及び第二項並びに地方公務員法（昭和二十五年法律第二百六十一号）第二十四条第五項の規定に基づき、必要な事項を定めるものとする。

（任期を定めた採用）

**第二条**　任命権者は、高度の専門的な知識経験又は優れた識見を有する者をその者が有する当該高度の専門的な知識経験又は優れた識見を一定の期間活用して遂行することが特に必要とされる業務に従事させる場合には、職員を選考により任期を定めて採用することができる。

2　任命権者は、前項の規定によるほか、専門的な知識経験を有する者を当該専門的な知識経験が必要とされる業務に従事させる場合において、次の各号のいずれかに該当する場合であって、当該者を当該業務に期間を限って従事させることが公務の能率的運営を確保するために必要であるときは、職員を選考により任期を定めて採用することができる。

一　当該専門的な知識経験を有する職員の育成に相当の期間を要するため、当該専門的な知識経験が必要とされる業務に従事させることが適任と認められる職員を部内で確保することが一定の期間困難である場合

二　当該専門的な知識経験が急速に進歩する技術に係るものであることその他当該専門的な知識経験の性質上、当該専門的な知識経験が必要とされる業務に当該者が有する当該専門的な知識経験を有効に活用することができる期間が一定の期間に限られる場合

三　当該専門的な知識経験を有する職員を一定期間他の業務に従事させる必要があるため、当該専門的な知識経験が必要とされる業務に従事させることが適任と認められる職員を部内で確保することが一定の期間困難である場合

四　当該業務が公務外における実務の経験を通じて得られる最新の専門的な知識経験を必要とするものであることにより、当該業務に当該者が有する当該専門的な知識経験を有効に活用することができる期間が一定の期間に限られる場合

**第二条の二**　任命権者は、職員を次の各号に掲げる業務のいずれかに期間を限って従事させることが公務の能率的運営を確保するために必要である場合には、職員を任期を定めて採用することができる。

一　一定の期間内に終了することが見込まれる業務

二　一定の期間内に限り業務量の増加が見込まれる業

務

2　任命権者は、法律により任期を定めて任用される職員以外の職員を前項各号に掲げる業務のいずれかに係る職に任用する場合において、職員を当該業務以外の業務に期間を限って従事させることが公務の能率的運営を確保するために必要であるときは、職員を任期を定めて採用することができる。

（任期の特例）

**第二条の三**　法第六条第二項に規定する条例で定める場合は、次に掲げる場合とする。

一　前条第一項第一号に掲げる業務の終了の時期が当初の見込みを超えて更に一定の期間延期された場合その他やむを得ない事情により同条の規定により任期を定めて採用された職員の任期を延長することが必要な場合であって、同条の規定により任期を定めて採用した趣旨に反しないとき。

二　あらかじめ三年を超える任期を定めて従事させる必要がある業務に従事させる場合

（任期の更新）

**第三条**　任命権者は、第二条各項又は第二条の二各項の規定により任期を定めて採用された職員の任期を更新する場合には、当該職員の同意を得なければならない。

（給与に関する特例）

**第四条**　第二条第一項の規定により任期を定めて採用された職員（以下「特定任期付職員」という。）には、次の給料表を適用する。

| 号給 | 給料月額 |
|---|---|
| 一 | 三七三、二〇〇円 |
| 二 | 四二〇、六〇〇円 |
| 三 | 四七〇、七〇〇円 |
| 四 | 五三六、七〇〇円 |
| 五 | 六〇九、三〇〇円 |
| 六 | 六九三、三〇〇円 |
| 七 | 七八〇、〇〇〇円 |

2　任命権者は、特定任期付職員の号給を、その者の専門的な知識経験又は識見の度並びにその者が従事する業務の困難及び重要の度に応じて次の号給別基準職務表に従い、前項の給料表に掲げる号給のいずれかに格付けし、同表により給料を支給しなければならない。

| 号給 | 基準となる職務 |
|---|---|
| 一 | 特に高度の専門的な知識経験を有する者がその知識経験を活用して従事する職務 |
| 二 | 特に高度の専門的な知識経験を有する者がその知識経験を活用して従事する困難な職務 |
| 三 | 著しく高度の専門的な知識経験を有する者がその知識経験を活用して従事する困難な職務 |
| 四 | 著しく高度の専門的な知識経験を有する者がその知識経験を活用して従事する特に困難な職務 |
| 五 | 極めて高度の専門的な知識経験又は優れた識見を有する者がその知識経験等を活用して従事する極めて困難な職務 |
| 六 | 極めて高度の専門的な知識経験又は優れた識見を有する者がその知識経験等を活用して従事する極めて困難で重要な職務 |
| 七 | 極めて高度の専門的な知識経験又は優れた識見を有する者がその知識経験等を活用して従事する極めて困難で特に重要な職務 |

3　任命権者は、特定任期付職員について、特別の事情により第一項の給料表に掲げる号給により難いときは、前二項の規定にかかわらず、人事委員会の承認を得て、その給料月額を同表に掲げる七号給の給料月額にその額と同表に掲げる六号給の給料月額との差額に一からの各整数を順次乗じて得られる額を加えた額のいずれかに相当する額（職員の給与に関する条例（昭和二十六年東京都条例第七十五号。以下「給与条例」という。）第五条第一項第六号に規定する指定職給料表に掲げる七号給の額未満の額に限る。）又は同号に規定する指定職給料表に掲げる七号給の額に相当する額とすることができる。

4　任命権者は、特定任期付職員のうち、特に顕著な業績を挙げたと認められる職員には、人事委員会規則の定めるところにより、その給料月額に相当する額を特定任期付職員業績手当として支給することができる。

5　第二条の二各項の規定により任期を定めて採用された職員の給料月額は、給与条例第五条第一項第一号イに規定する行政職給料表㈠に掲げる一級二十九号給の額とする。

6　第二項の規定による号給の格付け、第三項の規定による給料月額の決定及び第四項の規定による特定任期付職員業績手当の支給は、予算の範囲内で行わなければならない。

7　前各項の規定は、東京都公営企業職員の給与の種類及び基準に関する条例（昭和二十八年東京都条例第十九号）の適用を受ける職員には適用しない。

**（特定任期付職員に対する給与条例等の規定の適用）**

**第五条**　特定任期付職員に対する給与条例第二条第一項、第三条、第六条の二、第十八条の三第一項及び第三項、第十九条の二第三項、第二十条、第二十一条第二項並びに第二十一条の三第二項の規定の適用については、第二条第一項中「農林漁業普及指導手当」とあるのは「農林漁業普及指導手当並びに東京都の一般職の任期付職員の採用及び給与の特例に関する条例（平成十四年東京都条例第百六十一号。以下「任期付職員採用条例」という。）に定める特定任期付職員業績手当」と、第三条中「この条例」とあるのは「この条例及び任期付職員採用条例第四条の規定」と、第六条の二中「第五条第一項及び第三項、第五条の二並びに前条第一項及び第四項の規定にかかわらず、これらの」とあるのは「任期付職員採用条例第四条の規定にかかわらず、同条の」と、第十八条の三第一項中「指定する職員又は指定職給料表の適用を受ける職員」とあるのは「指定する職員、指定職給料表の適用を受ける職員又は特定任期付職員」と、同条第三項中「指定する職員」とあるのは「指定する職員又は特定任期付職員」と、第十九条の二第三項及び第二十条中「第二十一条及び第二十一条の二」とあるのは「第二十一条」と、「この条例に定める」とあるのは「この条例及び任期付職員採用条例第四条に規定する」と、第二十一条第二項中「百分の百二十」とあるのは「百分の百七十五」と、第二十一条の三第二項中「職員」とあるのは「職員及び特定任期付職員」とする。

2　特定任期付職員に対する学校職員の給与に関する条例（昭和三十一年東京都条例第六十八号。以下「学校職員給与条例」という。）第三条第一項、第五条、第八条の二、第十五条の五第二項、第二十一条の二第一項、第二十二条第三項、第二十三条、第二十四条第二項及び第二十四条の四第一項の規定の適用については、第三条第一項中「義務教育等教員特別手当」とあるのは「義務教育等教員特別手当並びに東京都の一般職の任期付職員の採用及び給与の特例に関する条例（平成十四年東京都条例第百六十一号。以下「任期付職員採用条例」という。）に定める特定任期付職員業績手当」と、第五条中「この条例」とあるのは「この条例及び任期付職員採用条例第四条の規定」と、第八条の二第二項中「第七条並びに前条第一項及び第三項の規定にかかわらず、これらの」とあるのは「任期付職員採用条例第四条の規定にかかわらず、同条の」と、第十五条の五第二項中「支給を受ける者」とあるのは「支給を受ける者及び特定任期付職員」と、第二十一条の二第一項中「支給を受ける職員」とあるのは「支給を受ける職員及び特定任期付職員」と、第二十二条第三項及び第二十三条中「第二十四条及び第二十四条の二」とあるのは「第二十四条」と、「この条例に定める」とあるのは「この条例及び任期付職員採用条例第四条に規定する」と、第二十四条第二項中「百分の百三十」とあるのは「百分の百七十五」と、第二十四条の四第一項中「職員」とあるのは「職員及び特定任期付職員」とする。

**（給与条例等の適用除外）**

**第六条**　給与条例第五条、第六条、第九条から第十一条まで、第十一条の三及び第二十一条の二の規定並びに学校職員給与条例第六条から第八条まで、第十一条から第十三条まで、第十三条の三、第二十四条の二及び第二十四条の三の規定は、特定任期付職員には適用しない。

2　給与条例第八条第二項から第八項まで及び学校職員給与条例第八条の二各項の規定は、任期を定めて採用された職員には適用しない。

**（人事委員会規則への委任）**

**第七条**　第四条第四項に規定するもののほか、第二条各項及び第三条の二各項の規定により任期を定めて職員を採用する場合における公正の確保の基準及び採用の手続並びに任期の更新及び退職に関する手続並びに第二条第二項の規定により採用された職員に対する職務の級、給料月額及び昇給の特例に関し必要な事項は、人事委員会規則で定める。

**附　則**

1　この条例は、平成十五年一月一日から施行する。

2　職員の給与の特例に関する条例（平成十四年東京都条例第百八号）及び学校職員の給与の特例に関する条例（平成十四年東京都条例第百九号）の規定は、第二条第二項の規定により任期を定めて採用された職員には適用しない。

**附　則**（令五・一二・二六条例九〇）

**（施行期日等）**

1　この条例は、公布の日から施行する。

2　この条例による改正後の東京都の一般職の任期付職員の採用及び給与の特例に関する条例（以下「改正後の条例」という。）第四条第一項及び第五項の規定は令和五年四月一日から、改正後の条例第五条及び次項の規定は同年十二月一日から適用する。

**（期末手当に関する特例措置）**

3　令和五年十二月に支給する期末手当に係る改正後の条例第五条の規定の適用については、同条中「百分の百七十五」とあるのは、「百分の百七十七・五」とする。

**（給与の内払）**

4　改正後の条例の規定を適用する場合においては、この条例による改正前の東京都の一般職の任期付職員の採用及び給与の特例に関する条例の規定に基づいて支払われた給与は、改正後の条例の規定による給与の内払とみなす。

# ○東京都の一般職の任期付研究員の採用及び給与の特例に関する条例

平一四・一二・二五
条例一六二

最終改正　令六・一二・二六条例九一

（趣旨）

**第一条**　この条例は、公設試験研究機関の研究業務に従事する職員について、任期を定めた採用及び任期を定めて採用された職員の給与の特例に関し、地方公共団体の一般職の任期付研究員の採用等に関する法律（平成十二年法律第五十一号。以下「法」という。）第二条第三号、第三条第一項及び第五条第一項並びに地方公務員法（昭和二十五年法律第二百六十一号）第二十四条第五項の規定に基づき、必要な事項を定めるものとする。

（定義）

**第二条**　この条例において、「公設試験研究機関」とは、東京都が設置する法第二条第一号に規定する公設試験研究機関をいう。

（適用除外となる職員）

**第三条**　法第二条第三号に規定する条例で定める職員は、次に掲げる職を占める職員とする。

一　公設試験研究機関の長の職

二　公設試験研究機関の長を助け、当該公設試験研究機関の業務を整理する次長、副所長等の職

三　公設試験研究機関に置かれる支所、分場等の長の職

（任期を定めた採用）

**第四条**　任命権者は、次に掲げる場合には、職員を選考により任期を定めて採用することができる。

一　研究業績等により当該研究分野において特に優れた研究者と認められている者を招へいして、当該研究分野に係る高度の専門的な知識を必要とする研究業務に従事させる場合

二　独立して研究する能力があり、研究者として高い資質を有すると認められる者（この号の規定によりかつて任期を定めて採用されたことがある者を除く。）を、当該研究分野における先導的役割を担う有為な研究者となるために必要な能力のかん養に資する研究業務に従事させる場合

（任期の更新）

**第五条**　任命権者は、前条各号の規定により任期を定めて採用された職員の任期を更新する場合には、当該職員の同意を得なければならない。

（任用の制限）

**第六条**　任命権者は、第四条各号の規定により任期を定めて採用された職員を、当該職員が採用時に占めていた職と同一の研究業務を行うことを職務内容とする他の職に任用する場合その他任期を定めた採用の趣旨に反しない場合に限り、人事委員会の承認を得て、その任期中、他の職に任用することができる。

（給与に関する特例）

**第七条**　第四条第一号の規定により任期を定めて採用された職員（以下「第一号任期付研究員」という。）には、次の給料表を適用する。

| 号給 | 給料月額 |
|---|---|
| 一 | 三八九、九〇〇円 |
| 二 | 四三八、三〇〇円 |
| 三 | 四九七、五〇〇円 |
| 四 | 五六四、四〇〇円 |
| 五 | 六二六、九〇〇円 |
| 六 | 六九三、三〇〇円 |

2 第四条第二号の規定により任期を定めて採用された職員（以下「第二号任期付研究員」という。）には、次の給料表を適用する。

| 号給 | 給料月額 |
|---|---|
| 一 | 三〇八、二〇〇円 |
| 二 | 三三三、二〇〇円 |
| 三 | 三六一、九〇〇円 |

3 任命権者は、第一号任期付研究員及び第二号任期付研究員の号給を、その者の知識経験等の度並びにその者が従事する研究業務の困難及び重要の度に応じて次の号給別基準職務表に従い、前二項の給料表に掲げる号給のいずれかに格付けし、これらの給料表により給料を支給しなければならない。

一 第一号任期付研究員給料表 号給別基準職務表

| 号給 | 基準となる職務 |
|---|---|
| 一 | 特に高度の専門的な知識経験を有し、研究業績等により当該研究分野において特に優れた研究者と認められている者がその知識経験等に基づき特に困難な研究を独立して行う研究員の職務 |
| 二 | 特に高度の専門的な知識経験を有し、研究業績等により当該研究分野において特に優れた研究者と認められている者がその知識経験等に基づき特に困難な研究で重要なものを独立して行う研究員の職務 |
| 三 | 著しく高度の専門的な知識経験を有し、研究業績等により当該研究分野において特に優れた研究者と認められている者がその知識経験等に基づき特に困難な研究で重要なものを独立して行う研究員の職務又はその知識経験等に基づき困難な研究について統括、調整等を行う職務 |
| 四 | 著しく高度の専門的な知識経験を有し、研究業績等により当該研究分野において特に優れた研究者と認められている者がその知識経験等に基づき特に困難な研究で特に重要なものを独立して行う研究員の職務又はその知識経験等に基づき困難な研究について統括、調整等を行う職務 |
| 五 | 極めて高度の専門的な知識経験を有し、研究業績等により当該研究分野において特に優れた研究者と認められている者がその知識経験等に基づき極めて困難な研究を独立して行う研究員の職務又はその知識経験等に基づき重要困難な研究について統括、調整等を行う職務 |
| 六 | 極めて高度の専門的な知識経験を有し、研究業績等により当該研究分野において特に優れた研究者と認められている者がその知識経験等に基づき極めて困難な研究で重要なものを独立して行う研究員の職務又はその知識経験等に基づき特に重要困難な研究について統括、調整等を行う職務 |

二 第二号任期付研究員給料表 号給別基準職務表

| 号給 | 基準となる職務 |
|---|---|
| 一 | 博士課程修了直後の者の有する程度の専門的な知識経験を有する者が当該知識経験に基づき研究を独立して行う研究員の職務 |
| 二 | 博士課程修了後、特別研究員制度（特別の法律により設立された法人等によって運営され、主として博士課程を修了した優れた研究者に国立試験研究機関等において研究する機会を提供することを内容とする制度をいう。）等により数年にわたり研究に従事したことのある者の有する程度の専門的な知識経験を有する者が当該知識経験に基づき研究を独立して行う研究員の職務 |
| 三 | 博士課程修了後、相当の期間にわたり研究に従事したことのある者の有する程度の専門的な知識経験を有する者が当該知識経験に基づき困難な研究を独立して行う研究員の職務 |

4 任命権者は、第一号任期付研究員について、特別の事情により第一項の給料表に掲げる号給により難いときは、同項及び前項の規定にかかわらず、人事委員会の承認を得て、その給料月額を同表に掲げる六号給の給料月額にその額と同表に掲げる五号給の給料月額との差額に一からの各整数を順次乗じて得られる額を加えた額のいずれかに相当する額（職員の給与に関する

条例（昭和二十六年東京都条例第七十五号。以下「給与条例」という。）第五条第一項第六号に規定する指定職給料表に掲げる七号給の額未満の額に限る。）又は同号に規定する指定職給料表に掲げる七号給の額に相当する額とすることができる。

5　任命権者は、第一号任期付研究員又は第二号任期付研究員のうち、特に顕著な研究業績を挙げたと認められる職員には、人事委員会規則の定めるところにより、その給料月額に相当する額を任期付研究員業績手当として支給することができる。

6　第三項の規定による号給の格付け、第四項の規定による給料月額の決定及び前項の規定による任期付研究員業績手当の支給は、予算の範囲内で行わなければならない。

（任期付研究員に対する給与条例の適用）

**第八条**　第一号任期付研究員及び第二号任期付研究員に対する給与条例第二条第一項、第三条、第六条の二、第十八条の三第一項及び第三項、第十九条の二第三項、第二十条、第二十一条第二項並びに第二十一条の三第二項の規定の適用については、第二条第一項中「農林漁業普及指導手当」とあるのは「農林漁業普及指導手当並びに東京都の一般職の任期付研究員の採用及び給与の特例に関する条例（平成十四年東京都条例第百六十二号。以下「任期付研究員採用条例」という。）に定める任期付研究員業績手当」と、第三条中「この条例」とあるのは「この条例及び任期付研究員採用条例第七条の規定」と、第六条の二中「第五条第一項及び第三項、第五条の二並びに前条第一項及び第四項の規定にかかわらず、これらの」とあるのは「任期付研究員採用条例第七条の規定にかかわらず、同条の」と、第十八条の三第一項中「指定する職員又は指定職給料表の適用を受ける職員」とあるのは「指定する職員、指定職給料表の適用を受ける職員又は第一号任期付研究員」と、同条第三項中「指定する職員」とあるのは「指定する職員又は第一号任期付研究員」と、第十九条の二第三項及び第二十条中「第二十一条及び第二十一条の二」とあるのは「第二十一条」と、「この条例に定める」とあるのは「この条例及び任期付研究員採用条例第七条に規定する」と、第二十一条第二項中「百分の百二十」とあるのは「百分の百七十五」と、第二十一条の三第二項中「職員」とあるのは「職員及び第一号任期付研究員」とする。

（給与条例等の適用除外）

**第九条**　給与条例第五条、第六条、第九条から第十一条まで、第十一条の三及び第二十一条の二の規定は、第一号任期付研究員及び第二号任期付研究員には適用しない。

**第十条**　東京都の一般職の任期付職員の採用及び給与の特例に関する条例（平成十四年東京都条例第百六十一号）の規定は、公設試験研究機関の研究業務に従事する職員には適用しない。

（人事委員会規則への委任）

**第十一条**　第七条第五項に規定するもののほか、第四条各号の規定により任期を定めて採用する職員の採用、任期の更新及び退職に関する手続に関し必要な事項は、人事委員会規則で定める。

附　則

この条例は、平成十五年一月一日から施行する。

附　則（令五・一二・二六条例九一）

（施行期日等）

1　この条例は、公布の日から施行する。

2　この条例による改正後の東京都の一般職の任期付研究員の採用及び給与の特例に関する条例（以下「改正後の条例」という。）第七条第一項及び第二項の規定は令和五年四月一日から、改正後の条例第八条及び次項の規定は同年十二月一日から適用する。

（期末手当に関する特例措置）

3　令和五年十二月に支給する期末手当に係る改正後の条例第八条の規定の適用については、同条中「百分の百七十五」とあるのは、「百分の百七十七・五」とする。

（給与の内払）

4　改正後の条例の規定を適用する場合においては、この条例による改正前の東京都の一般職の任期付研究員の採用及び給与の特例に関する条例の規定に基づいて支払われた給与は、改正後の条例の規定による給与の内払とみなす。

# ○職員の定年等に関する条例

昭五九・三・三一
条例四

最終改正 令四・六・二三条例七五

## 第一章 総則

（趣旨）

**第一条** この条例は、地方公務員法（昭和二十五年法律第二百六十一号。以下「法」という。）第二十二条の四第一項及び第二項、第二十八条の二、第二十八条の五、第二十八条の六第一項及び第二項並びに第二十八条の七並びに警察法（昭和二十九年法律第百六十二号）第五十六条の四第二項の規定に基づき、職員（市町村立学校職員給与負担法（昭和二十三年法律第百三十五号）第一条及び第二条に規定する職員を含む。以下同じ。）の定年等に関し必要な事項を定めるものとする。

## 第二章 定年制度

（定年による退職）

**第二条** 職員は、定年に達したときは、定年に達した日以後における最初の三月三十一日（以下「定年退職日」という。）に退職する。

（定年）

**第三条** 職員の定年は、年齢六十五年とする。

（定年による退職の特例）

**第四条** 任命権者は、定年に達した職員が第二条の規定により退職すべきこととなる場合において、次に掲げる事由があると認めるときは、同条の規定にかかわらず、当該職員に係る定年退職日の翌日から起算して一年を超えない範囲内で期限を定め、当該職員を当該定年退職日において従事している職務に従事させるため、引き続き勤務させることができる。ただし、第九条第一項から第四項までの規定により異動期間（同条第一項に規定する異動期間をいう。以下この項及び次項において同じ。）（これらの規定により延長された期間を含む。）を延長した職員であつて、定年退職日において管理監督職（第六条第一項各号に規定する職をいう。以下この条及び次章において同じ。）を占めている職員については、第九条第一項又は第二項の規定により当該異動期間を延長した場合であつて、引き続き勤務させることについて人事委員会の承認を得たときに限るものとし、当該期限は、当該職員が占めている管理監督職に係る異動期間の末日の翌日から起算して三年を超えることができない。

一 当該職務が高度の知識、技能又は経験を必要とするものであるため、当該職員の退職により生ずる欠員を容易に補充することができず公務の運営に著しい支障が生ずること。

二 当該職務に係る勤務環境その他の勤務条件に特殊性があるため、当該職員の退職により生ずる欠員を容易に補充することができず公務の運営に著しい支障が生ずること。

三 当該職務を担当する者の交替が当該業務の遂行上重大な障害となる特別の事情があるため、当該職員の退職により公務の運営に著しい支障が生ずること。

2 任命権者は、前項の期限又はこの項の規定により延長された期限が到来する場合において、前項各号に掲げる事由が引き続きあると認めるときは、人事委員会の承認を得て、これらの期限の翌日から起算して一年を超えない範囲内で期限を延長することができる。ただし、当該期限は、当該職員に係る定年退職日（同項ただし書に規定する職員にあつては、当該職員が占めている管理監督職に係る異動期間の末日）の翌日から起算して三年を超えることができない。

3 任命権者は、第一項の規定により職員を引き続き勤務させる場合又は前項の規定により期限を延長する場合には、当該職員の同意を得なければならない。

4 任命権者は、第一項の規定により引き続き勤務することとされた職員及び第二項の規定により期限が延長された職員について、第一項の期限又は第二項の規定により延長された期限が到来する前に第一項各号に掲げる事由がなくなつたと認めるときは、当該職員の同意を得て、期日を定めて当該期限を繰り上げるものとする。

5 前各項の規定を実施するために必要な手続は、人事委員会規則で定める。

（定年に関する施策の調査等）

**第五条** 知事は、職員の定年に関する事務の適正な運営を確保するため、職員の定年に関する制度の実施に関する施策を調査研究し、その権限に属する事務について適切な方策を講ずるものとする。

## 第三章 管理監督職勤務上限年齢制

（管理監督職勤務上限年齢制の対象となる管理監督職）

**第六条** 法第二十八条の二第一項に規定する条例で定める職は、次に掲げる職とする。

一 職員の給与に関する条例（昭和二十六年東京都条例第七十五号。以下「職員給与条例」という。）第九条の二に規定する給料の特別調整額又は学校職員の給与に関する条例（昭和三十一年東京都条例第六十八号）第十一条の二及び東京都公営企業職員の給与の種類及び基準に関する条例（昭和二十八年東京都条例第十九号）第三条の二に規定する管理職手当を支給される職員の職

二　職員給与条例別表第六（以下「指定職給料表」という。）の適用を受ける職員の職

三　指定職給料表に定める給料月額に相当する給料月額を支給される職員の職

四　警察法第六十二条に規定する警視又は警部の階級にある警視庁の警察官（第一号に該当する職を除く。）

五　前各号に掲げる職のほか、これらに相当する職として人事委員会規則で定める職

2　前項の規定にかかわらず、同項各号に掲げる職のうち、次に掲げる職は、同項の条例で定める職から除くものとする。

一　別表第一に掲げる施設等において医療業務に従事する医師及び歯科医師が占める職

二　別表第二に掲げる職員の職

三　前二号に掲げる職のほか、職務と責任に特殊性があること又は欠員の補充が困難であることにより法第二十八条の二第一項本文の規定を適用することが著しく不適当と認められる職として人事委員会規則で定める職

**（管理監督職勤務上限年齢）**

**第七条**　法第二十八条の二第一項の管理監督職勤務上限年齢は、年齢六十年とする。ただし、人事委員会規則で定める医療福祉系の研究所の副所長の職に充てられている職員の同項の管理監督職勤務上限年齢は、年齢六十三年とする。

**（他の職への降任を行うに当たつて遵守すべき基準）**

**第八条**　任命権者は、法第二十八条の二第一項に規定する他の職への降任（以下この章において「他の職への降任」という。）を行うに当たつては、法第十三条、第十五条、第二十三条の三、第二十七条第一項及び第五十六条に定めるもののほか、次に掲げる基準を遵守しなければならない。

一　当該職員の人事評価の結果、勤務の状況、職務経験等に基づき、降任をしようとする職の属する職制上の段階の標準的な職に係る法第十五条の二第一項第五号に規定する標準職務遂行能力（次条第三項において「標準職務遂行能力」という。）及び当該降任をしようとする職についての適性を有すると認められる職に、降任をすること。

二　人事の計画その他の事情を考慮した上で、管理監督職以外の職又は管理監督職勤務上限年齢が当該職員の年齢を超える管理監督職のうちできる限り上位の職制上の段階に属する職に、降任をすること。

三　当該職員の他の職への降任をする際、同時に、当該職員が占めていた管理監督職が属する職制上の段階より上位の職制上の段階に属する管理監督職を占める職員（以下この号において「上位職職員」という。）の他の職への降任をする場合には、やむを得ないと認められる場合を除き、上位職職員の降任をした職が属する職制上の段階と同じ職制上の段階又は当該職制上の段階より下位の職制上の段階に属する職に、降任をすること。

2　前項の規定は、警察法第五十六条の四第一項の規定による任命について準用する。この場合において、前項中「任命権者」とあるのは「警視総監」と、「法第二十八条の二第一項に規定する他の職への降任（以下この章において「他の職への降任」という。）」とあるのは「警察法第五十六条の二第一項に規定する特定地方警務官（以下単に「特定地方警務官」という。）に対し、同法第五十六条の四第一項の規定による任命（以下「特定任命」という。）」と、同項第一号中「職員」とあるのは「特定地方警務官」と、「降任」とあるのは「特定任命」と、同項第二号中「職員」とあるのは「特定地方警務官」と、「降任」とあるのは「特定任命」と、同項第三号中「職員」とあるのは「特定地方警務官」と、「他の職への降任」とあるのは「特定任命」と、「降任をした」とあるのは「特定任命をした」と、「、降任」とあるのは「、特定任命」と読み替えるものとする。

**（管理監督職勤務上限年齢による降任及び管理監督職への任用の制限の特例）**

**第九条**　任命権者は、他の職への降任をすべき管理監督職を占める職員について、次に掲げる事由があると認めるときは、当該職員が占める管理監督職に係る異動期間（当該管理監督職に係る管理監督職勤務上限年齢に達した日の翌日から同日以後における最初の四月一日までの間をいう。以下この章において同じ。）の末日の翌日から起算して一年を超えない期間内（当該期間内に定年退職日がある職員にあつては、当該異動期間の末日の翌日から定年退職日までの期間内。第三項において同じ。）で当該異動期間を延長し、引き続き当該管理監督職を占める職員に、当該管理監督職を占めたまま勤務をさせることができる。

一　当該職務が高度の知識、技能又は経験を必要とするものであるため、当該職員の他の職への降任により生ずる欠員を容易に補充することができず公務の

運営に著しい支障が生ずること。

二　当該職務に係る勤務環境その他の勤務条件に特殊性があるため、当該職員の他の職への降任により生ずる欠員を容易に補充することができず公務の運営に著しい支障が生ずること。

三　当該職務を担当する者の交替が当該業務の遂行上重大な障害となる特別の事情があるため、当該職員の他の職への降任により公務の運営に著しい支障が生ずること。

2　任命権者は、前項又はこの項の規定により異動期間（これらの規定により延長された期間を含む。）が延長された管理監督職を占める職員について、前項各号に掲げる事由が引き続きあると認めるときは、人事委員会の承認を得て、延長された当該異動期間の末日の翌日から起算して一年を超えない期間内（当該期間内に定年退職日がある職員にあつては、延長された当該異動期間の末日の翌日から定年退職日までの期間内。第四項において同じ。）で延長された当該異動期間を更に延長することができる。ただし、更に延長される当該異動期間の末日は、当該職員が占める管理監督職に係る異動期間の末日の翌日から起算して三年を超えることができない。

3　任命権者は、第一項の規定により異動期間を延長することができる場合を除き、他の職への降任をすべき特定管理監督職群（職務の内容が相互に類似する複数の管理監督職であつて、これらの欠員を容易に補充することができない年齢別構成その他の特別の事情がある管理監督職として人事委員会規則で定める管理監督職をいう。以下この項において同じ。）に属する管理監督職を占める職員について、当該特定管理監督職群に属する管理監督職の属する職制上の段階の標準的な職に係る標準職務遂行能力及び当該管理監督職についての適性を有すると認められる職員（当該管理監督職に係る管理監督職勤務上限年齢に達した職員を除く。）の数が当該管理監督職の数に満たない等の事情があるため、当該職員の他の職への降任により当該管理監督職に生ずる欠員を容易に補充することができず業務の遂行に重大な障害が生ずると認めるときは、当該職員が占める管理監督職に係る異動期間の末日の翌日から起算して一年を超えない期間内で当該異動期間を延長し、引き続き当該管理監督職を占めている職員に当該管理監督職を占めたまま勤務をさせ、又は当該職員を当該管理監督職が属する特定管理監督職群の他の管理監督職に降任し、若しくは転任することができる。

4　任命権者は、第一項若しくは第二項の規定により異動期間（これらの規定により延長された期間を含む。）が延長された管理監督職を占める職員について前項に規定する事由があると認めるとき（第二項の規定により延長された当該異動期間を更に延長することができるときを除く。）、又は前項若しくはこの項の規定により異動期間（前三項又はこの項の規定により延長された期間を含む。）が延長された管理監督職を占める職員について前項に規定する事由が引き続きあると認めるときは、人事委員会の承認を得て、延長された当該異動期間の末日の翌日から起算して一年を超えない期間内で延長された当該異動期間を更に延長することができる。

**（異動期間の延長等に係る職員の同意）**

**第十条**　任命権者は、前条の規定により異動期間を延長する場合及び同条第三項の規定により他の管理監督職に降任をする場合には、あらかじめ職員の同意を得なければならない。

**（延長した異動期間の期限の繰上げ）**

**第十一条**　任命権者は、第九条第一項又は第二項の規定により異動期間を延長した場合において、当該異動期間の末日の到来前に同条第四項の規定を適用しようとするときは、当該異動期間の期限を繰り上げることができる。

**（異動期間の延長事由が消滅した場合の措置）**

**第十二条**　任命権者は、第九条の規定により異動期間を延長した場合において、当該異動期間の末日の到来前に当該異動期間の延長の事由が消滅したときは、他の職への降任をするものとする。

## 第四章　定年前再任用短時間勤務制

**（定年前再任用短時間勤務職員の任用）**

**第十三条**　任命権者は、年齢六十年に達した日以後に退職（臨時的に任用される職員その他の法律により任期を定めて任用される職員及び非常勤職員が退職する場合を除く。）をした者（以下この条において「年齢六十年以上退職者」という。）を、従前の勤務実績その他の人事委員会規則で定める情報に基づく選考により、短時間勤務の職（当該職を占める職員の一週間当たりの通常の勤務時間が、常時勤務を要する職でその職務が当該短時間勤務の職と同種の職を占める職員の一週間当たりの通常の勤務時間に比し短い時間であるものをいう。以下この条において同じ。）に採用することができる。ただし、年齢六十年以上退職者がその者を採用しようとする短時間勤務の職に係る定年退職日相当日（短時間勤務の職を占める職員が、常時勤務を要する職でその職務が当該短時間勤務の職と同種の職を占めているものとした場合における定年退職日をいう。）を経過した者であるときは、この限りでない。

## 第五章　雑則

（雑則）

**第十四条**　この条例の実施に関し必要な事項は、人事委員会規則で定める。

### 附　則

（施行期日）

1　この条例は、昭和六十年三月三十一日から施行する。ただし、第六条の規定は、公布の日から施行する。

（経過措置）

2　昭和六十年三月三十一日から昭和六十三年三月三十一日までの間における東京都組織規程（昭和二十七年東京都規則第百六十四号）に規定する局長、部長、課長及びこれらに準ずる職にある者、執行機関である委員会及び委員の事務局の組織に関する規定によるこれらに相当する職にある者、東京都議会議会局の組織に関する規定によるこれらに相当する職にある者、交通局、水道局及び下水道局の組織に関する規定によるこれらに相当する職にある者、東京都教育委員会の所管に属する教育機関等の組織に関する規定によるこれらに相当する職（校長及び教頭を除く。）にある者並びに東京消防庁の組織に関する規定によるこれらに相当する職にある者（医師及び歯科医師を除く。）の定年は、第三条本文の規定にかかわらず、次の表の上欄に掲げる日又は期間の区分に応じ、それぞれ当該下欄に掲げるとおりとする。

| | |
|---|---|
| 昭和六十年三月三十一日 | 年齢五十八年 |
| 昭和六十年四月一日から昭和六十一年三月三十一日まで | 年齢五十八年六月 |
| 昭和六十一年四月一日から昭和六十二年三月三十一日まで | 年齢五十九年 |
| 昭和六十二年四月一日から昭和六十三年三月三十一日まで | 年齢五十九年六月 |

3　昭和六十年三月三十一日から昭和六十五年三月三十一日までの間における警視庁組織規則（昭和四十七年東京都公安委員会規則第二号）に規定する警視庁本部の参事官、理事官、課長、管理官及びこれらに準ずる職にある者（医師及び歯科医師を除く。）の定年は、第三条本文の規定にかかわらず、次の表の上欄に掲げる日又は期間の区分に応じ、それぞれ当該下欄に掲げるとおりとする。

| | |
|---|---|
| 昭和六十年三月三十一日 | 年齢五十七年 |
| 昭和六十年四月一日から昭和六十一年三月三十一日まで | 年齢五十七年六月 |
| 昭和六十一年四月一日から昭和六十二年三月三十一日まで | 年齢五十八年 |
| 昭和六十二年四月一日から昭和六十三年三月三十一日まで | 年齢五十八年六月 |
| 昭和六十三年四月一日から昭和六十四年三月三十一日まで | 年齢五十九年 |
| 昭和六十四年四月一日から昭和六十五年三月三十一日まで | 年齢五十九年六月 |

4　昭和六十年三月三十一日から昭和六十八年三月三十一日までの間における別表第一第一号、第三号及び第四号に掲げる施設等において医療業務に従事する医師及び歯科医師並びに別表第二第二号に掲げる者（東京都組織規程に規定する局長に準ずる職にある者を除く。）の定年は、第三条第一号及び第二号の規定にかかわらず、次の表の上欄に掲げる日又は期間の区分に応じ、それぞれ当該下欄に掲げるとおりとする。

| | |
|---|---|
| 昭和六十年三月三十一日 | 年齢六十年六月 |
| 昭和六十年四月一日から昭和六十一年三月三十一日まで | 年齢六十一年 |
| 昭和六十一年四月一日から昭和六十二年三月三十一日まで | 年齢六十一年六月 |
| 昭和六十二年四月一日から昭和六十三年三月三十一日まで | 年齢六十二年 |
| 昭和六十三年四月一日から昭和六十四年三月三十一日まで | 年齢六十二年六月 |
| 昭和六十四年四月一日から昭和六十五年三月三十一日まで | 年齢六十三年 |
| 昭和六十五年四月一日から昭和六十六年三月三十一日まで | 年齢六十三年六月 |
| 昭和六十六年四月一日から昭和六十七年三月三十一日まで | 年齢六十四年 |
| 昭和六十七年四月一日から昭和六十八年三月三十一日まで | 年齢六十四年六月 |

5　昭和六十年三月三十一日から昭和六十二年三月三十一日までの間における職員給与条例に規定する公安職給料表の適用を受ける者（附則第二項及び第三項の規定の適用を受ける者を除く。）の定年は、第三条本文の規定にかかわらず、次の表の上欄に掲げる日又は期間の区分に応じ、それぞれ当該下欄に掲げるとおりとする。

| | |
|---|---|
| 昭和六十年三月三十一日 | 年齢五十八年六月 |
| 昭和六十年四月一日から昭和六十一年三月三十一日まで | 年齢五十九年 |
| 昭和六十一年四月一日から昭和六十二年三月三十一日まで | 年齢五十九年六月 |

6　第四条の規定は、地方公務員法の一部を改正する法律（昭和五十六年法律第九十二号。以下「改正法」という。）附則第三条の規定により職員が退職すべきこととなる場合について準用する。この場合において、第四条第一項中「第二条」とあるのは「地方公務員法の一部を改正する法律（昭和五十六年法律第九十二号）附則第三条」と、同項及び同条第二項中「その職員に係る定年退職日」とあるのは「昭和六十年三月三十一日」と読み替えるものとする。

**（定年に関する経過措置）**

7　令和五年四月一日から令和十三年三月三十一日までの間における第三条の規定の適用については、次の表の上欄に掲げる期間の区分に応じ、同条中「六十五年」とあるのは、それぞれ同表の下欄に掲げる字句とする。

| | |
|---|---|
| 令和五年四月一日から令和七年三月三十一日まで | 六十一年 |
| 令和七年四月一日から令和九年三月三十一日まで | 六十二年 |
| 令和九年四月一日から令和十一年三月三十一日まで | 六十三年 |
| 令和十一年四月一日から令和十三年三月三十一日まで | 六十四年 |

8　令和五年四月一日から令和十三年三月三十一日までの間において、職員の定年等に関する条例の一部を改正する条例（令和四年東京都条例第七十五号。以下この項及び次項において「令和四年改正条例」という。）による改正前の第三条各号に掲げる職員については、前項の規定にかかわらず、次の各号に規定する定年とする。

一　令和四年改正条例による改正前の第三条第一号及び第二号に掲げる職員については、次の表の上欄に掲げる期間の区分に応じ、第三条中「六十五年」とあるのは、同表の下欄に掲げる字句とする。

| | |
|---|---|
| 令和五年四月一日から令和十三年三月三十一日まで | 六十五年 |

二　令和四年改正条例による改正前の第三条第三号に掲げる職員については、次の表の上欄に掲げる期間の区分に応じ、第三条中「六十五年」とあるのは、それぞれ同表の下欄に掲げる字句とする。

| | |
|---|---|
| 令和五年四月一日から令和十一年三月三十一日まで | 六十三年 |
| 令和十一年四月一日から令和十三年三月三十一日まで | 六十四年 |

**（情報の提供及び勤務の意思の確認）**

9　任命権者は、当分の間、職員（臨時的に任用される職員その他の法律により任期を定めて任用される職員、非常勤職員並びに令和四年改正条例による改正前の第三条第一号及び第二号に掲げる職員を除く。以下この項において同じ。）が年齢六十年（第七条ただし書に規定する職を占める職員にあつては同条ただし書に定める年齢。以下この項において同じ。）に達する日の属する年度の前年度（以下この項において「情報の提供及び勤務の意思の確認を行うべき年度」という。）（情報の提供及び勤務の意思の確認を行うべき年度に職員でなかつた者で、当該情報の提供及び勤務の意思の確認を行うべき年度の末日後に採用された職員（異動等により情報の提供及び勤務の意思の確認を行うべき年度の末日を経過することとなつた職員（以下この項において「末日経過職員」という。）を除く。）にあつては当該職員が採用された日から同日の属する年度の末日までの期間、末日経過職員にあつては当該職員の異動等の日が属する年度（当該日が年度の初日である場合は、当該年度の前年度））において、当該職員に対し、当該職員が年齢六十年に達する日以後に適用される任用及び給与に関する措置の内容その他の必要な情報を提供するものとするとともに、同日の翌日以後における勤務の意思を確認するよう努めるものとする。

10　警視総監は、当分の間、特定地方警務官が年齢六十年に達する日の属する年度の前年度において、当該特定地方警務官に対し、当該特定地方警務官が年齢六十年に達する日以後に適用される任用及び給与に関する措置の内容その他の必要な情報を提供するものとするとともに、同日の翌日以後における勤務の意思を確認するよう努めるものとする。

附　則（令四・六・二二条例七五）（抄）

**（施行期日）**

**第一条**　この条例は、令和五年四月一日（以下「施行日」という。）から施行する。ただし、附則第九条の規定は、公布の日から施行する。

**（勤務延長に関する経過措置）**

**第二条**　任命権者は、施行日前にこの条例による改正前の職員の定年等に関する条例（以下「旧条例」という。）第四条第一項又は第二項の規定により勤務することとされ、かつ、旧条例勤務延長期限（同条第一項の期限又は同条第二項の規定により延長された期限をいう。以下この項において同じ。）が施行日以後に到来する職員（以下この項において「旧条例勤務延長職員」という。）について、旧条例勤務延長期限又はこの項の規定により延長された期限が到来する場合において、この条例による改正後の職員の定年等に関する条例（以下「新条例」という。）第四条第一項各号に掲げる事由があると認めるときは、人事委員会の承認を得て、これらの期限の翌日から起算して一年を超えない範囲内で期限を延長することができる。ただし、当該期限は、当該旧条例勤務延長職員に係る旧条例第二条に規定する定年退職日の翌日から起算して三年を超えることができない。

2　任命権者は、基準日（施行日、令和七年四月一日、令和九年四月一日、令和十一年四月一日及び令和十三年四月一日をいう。以下この項において同じ。）から基準日の翌年の三月三十一日までの間、基準日における新条例定年（新条例第三条に規定する定年をいう。以下同じ。）が基準日の前日における新条例定年（基準日が施行日である場合には、施行日の前日における旧条例第三条に規定する定年）を超える職及びこれに相当する基準日以後に設置された職その他の人事委員会規則で定める職に、基準日から基準日の翌年の三月三十一日までの間に新条例第四条第一項若しくは第二項の規定、地方公務員法の一部を改正する法律（令和三年法律第六十三号。以下「令和三年改正法」という。）附則第三条第五項又は前項の規定により勤務している職員のうち、基準日の前日において同日における当該職に係る新条例定年（基準日が施行日である場合には、施行日の前日における旧条例第三条に規定する定年）に達している職員（当該人事委員会規則で定める職にあっては、人事委員会規則で定める職員）を、昇任し、降任し、又は転任することができない。

3　新条例第四条第三項から第五項までの規定は、第一項の規定による勤務について準用する。

**（定年退職者等の再任用に関する経過措置）**

**第三条**　任命権者は、次に掲げる者のうち、年齢六十五年に達する日以後における最初の三月三十一日（以下この条及び次条において「年齢六十五年到達年度の末日」という。）までの間にある者であって、当該者を採用しようとする常時勤務を要する職に係る旧条例定年（旧条例第三条に規定する定年をいう。以下同じ。）（施行日以後に新たに設置された職及び施行日以後に組織の変更等により名称が変更された職にあっては、当該職が施行日の前日に設置されていたものとした場合における旧条例定年に準じた当該職に係る年齢）に達しているものを、従前の勤務実績その他の人事委員会規則で定める情報に基づく選考により、一年を超えない範囲内で任期を定め、当該常時勤務を要する職に採用することができる。

一　施行日前に旧条例第二条の規定により退職した者

二　旧条例第四条第一項若しくは第二項、令和三年改正法附則第三条第五項又は前条第一項の規定により勤務した後退職した者

三　二十年以上勤続して施行日前に退職した者（前二号に掲げる者を除く。）であって、当該退職の日の翌日から起算して五年を経過する日までの間にある者

四　二十年以上勤続して施行日前に退職した者（前三号に掲げる者を除く。）であって、当該退職の日の翌日から起算して五年を経過する日までの間に、旧地方公務員法再任用（令和三年改正法による改正前の地方公務員法（昭和二十五年法律第二百六十一号）第二十八条の四第一項又は第二十八条の五第一項の規定により採用することをいう。）又は暫定再任用（この項若しくは次項又は次条第一項若しくは第二項の規定により採用することをいう。次項第五号において同じ。）をされたことがある者

2　令和十四年三月三十一日までの間、任命権者は、次に掲げる者のうち、年齢六十五年到達年度の末日までの間にある者であって、当該者を採用しようとする常時勤務を要する職に係る新条例定年に達しているものを、従前の勤務実績その他の人事委員会規則で定める情報に基づく選考により、一年を超えない範囲内で任期を定め、当該常時勤務を要する職に採用することができる。

一　施行日以後に新条例第二条の規定により退職した者

二　施行日以後に新条例第四条第一項又は第二項の規定により勤務した後退職した者

三　施行日以後に新条例第十三条の規定により採用された者のうち、令和三年改正法による改正後の地方公務員法（以下「新地方公務員法」という。）第二十二条の四第三項に規定する任期が満了したことにより退職した者

四　二十年以上勤続して施行日以後に退職した者（前三号に掲げる者を除く。）であって、当該退職の日の翌日から起算して五年を経過する日までの間にある者

五　二十年以上勤続して施行日以後に退職した者（前各号に掲げる者を除く。）であって、当該退職の日の翌日から起算して五年を経過する日までの間に、暫定再任用をされたことがある者

3　前二項の規定により定められた任期又はこの項の規定により更新された任期は、一年を超えない範囲内で更新することができる。ただし、当該任期の末日は、前二項の規定により採用する者又はこの項の規定により任期を更新する者の年齢六十五年到達年度の末日以前でなければならない。

4　暫定再任用職員（第一項若しくは第二項又は次条第一項若しくは第二項の規定により採用された職員をいう。以下この項及び次項において同じ。）の前項の規定による任期の更新は、当該暫定再任用職員の当該更新直前の任期における勤務実績が良好である場合に行うことができる。

5　任命権者は、暫定再任用職員の任期を更新する場合には、あらかじめ当該暫定再任用職員の同意を得なければならない。

**第四条**　任命権者は、新地方公務員法第二十二条の四第四項の規定にかかわらず、前条第一項各号に掲げる者のうち、年齢六十五年到達年度の末日までの間にある者であって、当該者を採用しようとする短時間勤務の職（新条例第十三条に規定する短時間勤務の職をいう。以下同じ。）に係る旧条例定年相当年齢（短時間勤務の職を占める職員が、常時勤務を要する職でその職務が当該短時間勤務の職と同種の職を占めているものとした場合における旧条例定年（施行日以後に新たに設置された短時間勤務の職及び施行日以後に組織の変更等により名称が変更された短時間勤務の職にあっては、当該職が施行日の前日に設置されていたもの

とした場合において、当該職を占める職員が、常時勤務を要する職でその職務が当該職と同種の職を占めているものとしたときにおける旧条例定年に準じた当該職に係る年齢）をいう。）に達しているものを、従前の勤務実績その他の人事委員会規則で定める情報に基づく選考により、一年を超えない範囲内で任期を定め、当該短時間勤務の職に採用することができる。

2　令和十四年三月三十一日までの間、任命権者は、新地方公務員法第二十二条の四第四項の規定にかかわらず、前条第二項各号に掲げる者のうち、年齢六十五年到達年度の末日までの間にある者であって、当該者を採用しようとする短時間勤務の職に係る新条例定年相当年齢（短時間勤務の職を占める職員が、常時勤務を要する職でその職務が当該短時間勤務の職と同種の職を占めているものとした場合における新条例定年をいう。附則第八条において同じ。）に達しているもの（新条例第十三条の規定により当該短時間勤務の職に採用することができる者を除く。）を、従前の勤務実績その他の人事委員会規則で定める情報に基づく選考により、一年を超えない範囲内で任期を定め、当該短時間勤務の職に採用することができる。

3　前二項の場合においては、附則第三条第三項から第五項までの規定を準用する。

**（令和三年改正法附則第八条第三項の条例で定める職及び年齢）**

**第五条**　令和三年改正法附則第八条第三項の条例で定める職は、次に掲げる職とする。

一　施行日以後に新たに設置された職

二　施行日以後に組織の変更等により名称が変更された職

2　令和三年改正法附則第八条第三項の条例で定める年齢は、前項に規定する職が施行日の前日に設置されていたものとした場合における旧条例第三条に規定する定年に準じた当該職に係る年齢とする。

**（令和三年改正法附則第八条第四項の規定により読み替えて適用する新地方公務員法第二十二条の四第四項の条例で定める職及び年齢）**

**第六条**　令和三年改正法附則第四条又は第六条の規定が適用される場合における令和三年改正法附則第八条第四項の規定により読み替えて適用する新地方公務員法第二十二条の四第四項の条例で定める職は、次に掲げる職とする。

一　施行日以後に新たに設置された短時間勤務の職

二　施行日以後に組織の変更等により名称が変更された短時間勤務の職

2　令和三年改正法附則第四条又は第六条の規定が適用される場合における令和三年改正法附則第八条第四項の規定により読み替えて適用する法第二十二条の四第四項の条例で定める年齢は、前項に規定する職が施行日の前日に設置されていたものとした場合において、当該職を占める職員が、常時勤務を要する職でその職務が前項に規定する職と同種の職を占めているものとしたときにおける旧条例定年に準じた前項に規定する職に係る年齢とする。

**（令和三年改正法附則第八条第五項の条例で定める職並びに条例で定める者及び職員）**

**第七条**　令和三年改正法附則第八条第五項の条例で定める職は、次に掲げる職のうち、当該職が基準日（附則第三条及び第四条の規定が適用される間における各年の四月一日（施行日を除く。）をいう。以下この条において同じ。）の前日に設置されていたものとした場合において、基準日における新条例定年が基準日の前日における新条例定年を超える職とする。

一　基準日以後に新たに設置された職（短時間勤務の職を含む。）

二　基準日以後に組織の変更等により名称が変更された職（短時間勤務の職を含む。）

2　令和三年改正法附則第八条第五項の条例で定める者は、前項に規定する職が基準日の前日に設置されていたものとした場合において、同日における当該職に係る新条例定年に達している者とする。

3　令和三年改正法附則第八条第五項の条例で定める職員は、第一項に規定する職が基準日の前日に設置されていたものとした場合において、同日における当該職に係る新条例定年に達している職員とする。

**（定年前再任用短時間勤務職員に関する経過措置）**

**第八条**　任命権者は、基準日（令和七年四月一日、令和九年四月一日、令和十一年四月一日及び令和十三年四月一日をいう。以下この条において同じ。）から基準日の翌年の三月三十一日までの間、基準日における新条例定年相当年齢が基準日の前日における新条例定年相当年齢を超える短時間勤務の職及びこれに相当する基準日以後に設置された短時間勤務の職その他の人事委員会規則で定める短時間勤務の職（以下この条において「新条例定年相当年齢引上げ短時間勤務職」という。）に、基準日の前日までに新条例第十三条に規定する年齢六十年以上退職者（基準日前から新条例第四条第一項又は第二項の規定により勤務した後基準日以後に退職をした者を含む。）のうち基準日の前日において同日における当該新条例定年相当年齢引上げ短時間勤務職に係る新条例定年相当年齢に達している者（当該人事委員会規則で定める短時間勤務の職にあっては、人事委員会規則で定める者）を、新条例第十三条の規定により採用することができず、新条例定年相当年齢引上げ短時間勤務職に、新条例第十三条の規定により採用された職員（以下この条において「定年前再任用短時間勤務職員」という。）のうち基準日の前日において同日における当該新条例定年相当年齢引上げ短時間勤務職に係る新条例定年相当年齢に達している定年前再任用短時間勤務職員（当該人事委員会規則で定める短時間勤務の職にあっては、人事委員会規則で定める定年前再任用短時間勤務職員）を、昇任し、降任し、又は転任することができない。

**（令和三年改正法附則第二条第三項に規定する条例で定める年齢）**

**第九条**　令和三年改正法附則第二条第三項に規定する条例で定める年齢は、年齢六十年とする。

**別表第一**（第六条関係）

一　病院
二　保健所
三　社会福祉施設
四　前三号に掲げる施設のほか、人事委員会規則で定める医療業務を担当する部署等のある施設等

**別表第二**（第六条関係）

一　監察医務院の医師
二　地方公務員等共済組合法（昭和三十七年法律第百五十二号）第十八条第一項の規定により、東京都職員共済組合の事務局及び診療所において医療業務に従事する医師及び歯科医師
三　人事委員会規則で定める医療福祉系の研究所の所長の職に充てられている職員

# 〇東京都職員定数条例

昭二四・八・一八
条　例　九　三

最終改正　令六・三・二九条例八

**（定義）**

**第一条**　この条例で「職員」とは、知事、公営企業、議会、人事委員会、選挙管理委員会、監査委員、教育委員会及び海区漁業調整委員会の事務部局に常時勤務する地方公務員（副知事、公営企業の管理者及び教育長を除く。以下「常時勤務職員」という。）、地方公務員の育児休業等に関する法律（平成三年法律第百十号）第十条第一項に規定する育児短時間勤務の職員（以下「育児短時間勤務職員」という。）及び地方公務員法（昭和二十五年法律第二百六十一号）第二十二条の四第一項に規定する短時間勤務の職を占める職員（以下「定年前再任用短時間勤務職員」という。）をいう。

**（職員の定数）**

**第二条**　職員の定数は、常時勤務職員数、育児短時間勤務職員の勤務時間総数に相当する常時勤務職員の数及び定年前再任用短時間勤務職員の勤務時間総数に相当する常時勤務職員の数の合計とし、次のとおりとする。

一　知事の事務部局の職員　一九、〇六八人
（うち、三三人は福祉事務所の定数とする。）
二　公営企業の職員
イ　交通事業（高速電車事業及び電気事業を含む。）　六、七一五人
ロ　水道事業　三、六〇三人
ハ　下水道事業　二、五二一人
計　一二、八三九人
三　議会の事務部局の職員　一五〇人
四　人事委員会の事務部局の職員　六四人
五　選挙管理委員会の事務部局の職員　二五人
六　監査委員の事務部局の職員　八九人
七　教育委員会の事務部局の職員　七八六人
八　海区漁業調整委員会の事務部局の職員　五人
合　計　三三、〇二六人

2　休職、併任、公務災害休業、育児休業、配偶者同行休業及び国、他の地方公共団体その他の団体における研修又は事務従事の場合の職員は、定数外とする。

3　休職、公務災害休業、育児休業及び配偶者同行休業の職員が復職した場合は、一年間を限り定数外とすることができる。

4　第一項の表に掲げる職員の定数のうち、定年前再任用短時間勤務職員をもって充てる数は、それぞれ知事、公営企業の管理者、議長、人事委員会委員長、選挙管理委員会委員長、代表監査委員、教育長、海区漁業調整委員会会長が定める。

**（職員の定数の配分）**

**第三条**　前条第一項の表に掲げる職員の定数の当該事務部局内の配分は、それぞれ知事、公営企業の管理者、議長、人事委員会委員長、選挙管理委員会委員長、代表監査委員、教育長、海区漁業調整委員会会長が定める。

**附　則**（抄）

1　この条例は、公布の日から施行し、昭和二十四年七月一日から適用する。

2　昭和二十二年七月東京都条例第五十四号東京都選挙管理委員会書記定数条例は、廃止する。

（日本国有鉄道の職員の受入れに伴う特例）

4　日本国有鉄道の職員であつた者の受入れに伴い、昭和六十二年四月一日から平成元年三月三十一日までの間において、第二条第一項に定める定数を超える員数がある場合には、当該超える員数については、定数外とする。ただし、当該期間に属する各年度の末日においては、この限りでない。

**附　則**（平二七・三・三一条例一一）

1　この条例は、平成二十七年四月一日から施行する。

2　この条例の施行の際、地方教育行政の組織及び運営に関する法律の一部を改正する法律（平成二十六年法律第七十六号）附則第二条第一項の規定の適用がある場合は、同項の規定の適用がある間、この条例による改正後の東京都職員定数条例第二条第四項及び第三条の規定は適用せず、この条例による改正前の東京都職員定数条例第二条第四項及び第三条の規定は、なおその効力を有する。

**附　則**（令四・三・三一条例一〇）

1　この条例は、令和四年四月一日から施行する。

2　令和四年六月三十日までの間に限り、この条例による改正後の東京都職員定数条例第二条第一項の表一の項中「一八、四二九人」とあるのは「二五、二六七人」と、同表合計の項中「三三、四五六」とあるのは「三九、二九四人」とそれぞれ読み替えるものとする。

**附　則**（令四・六・二二条例八三）

1　この条例は、令和五年四月一日から施行する。

2　地方公務員法の一部を改正する法律（令和三年法律第六十三号）附則第六条第一項又は第二項の規定により採用された職員は、この条例による改正後の東京都職員定数条例第一条に規定する定年前再任用短時間勤務職員とみなす。

**附　則**（令五・三・三一条例一五）

この条例は、令和五年四月一日から施行する。

**附　則**（令六・三・二九条例八）

この条例は、令和六年四月一日から施行する。

# ○職員の職務に専念する義務の特例に関する条例

昭二六・二・二三
条　例　一　六

最終改正　平一一・一二・二四条例一〇〇

（目的）

**第一条**　この条例は、職員の職務に専念する義務の特例に関し、規定することを目的とする。

（職務に専念する義務の免除）

**第二条**　職員は、次の各号の一に該当する場合においては、あらかじめ任命権者又はその委任を受けた者の承認を得て、その職務に専念する義務を免除されることができる。

一　研修を受ける場合

二　職員の厚生に関する計画の実施に参加する場合

三　前二号に規定する場合を除く外、人事委員会が定める場合

**附　則**

1　この条例は、公布の日から施行する。

2　人事委員会が設置されるまでの間は、この条例中「人事委員会」とあるのは、「任命権者」と読み替えるものとする。

**附　則**（平一一・一二・二四条例一〇〇）

この条例は、平成十二年四月一日から施行する。

# ○職員の職務に専念する義務の免除に関する規則

昭二七・二・一六
人事委員会規則一

最終改正　平一六・三・三一人事委員会規則二

（この規則の目的）

**第一条**　この規則は、職員の職務に専念する義務の特例に関する条例（昭和二十六年二月東京都条例第十六号。以下「条例」という。）第二条第三号の規定に基き、職員の職務に専念する義務の免除に関し必要な事項を定めることを目的とする。

（職務に専念する義務を免除される場合）

**第二条**　職員があらかじめ任命権者（その委任を受けた者を含む。以下同じ。）の承認を得て、職務に専念する義務を免除される場合は、次に掲げる場合とする。

一　職員が、職員団体（地方公務員法（昭和二十五年法律第二百六十一号）第五十二条に規定する職員団体及び地方公営企業等の労働関係に関する法律（昭和二十七年法律第二百八十九号）第五条の労働組合をいう。以下同じ。）が適法な交渉を行うため特に必要な限度内であらかじめ任命権者の許可を受けた場合において、その許可に係る業務に参加するとき。

二　職員が国又は他の地方公共団体その他の公共団体若しくはその職務と関連を有する公益に関する団体の事業又は事務に従事する場合

三　職員が法令又は条例に基いて設置された職員の厚生福利を目的とする団体の事業又は事務に従事する

場合

四　職員が都又は都の機関以外のものの主催する講演会等において、都政又は学術等に関し、講演等を行う場合

五　職員がその職務上の教養に資する講演会等を聴講する場合

六　職員がその職務の遂行上必要な資格試験を受験する場合

七　その他特別の事由のある場合

**第三条**　任命権者が前条第七号の規定により職員の職務に専念する義務を免除しようとするときは、あらかじめ人事委員会の意見を聴かなければならない。

**附　則**

この規則は、公布の日から施行する。

**附　則**（平一六・三・三一人事委員会規則二）

この規則は、平成十六年四月一日から施行する。

# ○東京都職員服務規程

昭四七・四・一
訓　令　一　二　二

最終改正　令五・三・三一訓令三〇

**（趣旨）**

**第一条**　この規程は、別に定めがあるもののほか、一般職の職員（以下「職員」という。）の服務に関し、必要な事項を定めるものとする。

**（服務の原則）**

**第二条**　職員は、全体の奉仕者としての職責を自覚し、法令、条例、規則その他の規程及び上司の職務上の命令に従い、誠実、公正かつ能率的に職務を遂行しなければならない。

2　職員は、自らの行動が公務の信用に影響を与えることを認識するとともに、日常の行動について常に公私の別を明らかにし、職務や地位を私的な利益のために用いてはならない。

**（履歴事項の届）**

**第三条**　新たに職員となつた者は、すみやかに所定の用紙による履歴書を提出しなければならない。

2　職員は、氏名、現住所、資格、免許その他の履歴事項に異動を生じたときは、別に定めるところにより速やかに届け出なければならない。

**（旧姓の使用）**

**第三条の二**　職員は、婚姻、養子縁組その他の事由（以下「婚姻等」という。）により戸籍上の氏を改めた後も、総務局長が別に定める基準に基づき、引き続き婚姻等の前の戸籍上の氏を文書等に使用すること（以下「旧姓使用」という。）を希望する場合又は旧姓使用を中止することを希望する場合は、別に定めるところにより速やかに申し出なければならない。

2　前項の申出を受けた場合、旧姓及び変更後の戸籍上の氏の確認を行い、別に定めるところにより当該職員に旧姓使用又は旧姓使用の中止を通知する。

3　旧姓使用の通知を受理した職員は、通知された使用開始年月日から旧姓使用を行うこととし、旧姓使用中止の通知を受理した職員は、通知された使用中止年月日から旧姓使用を中止しなければならない。

4　職員は、旧姓使用を行うに当たつて、都民及び他の職員に誤解や混乱が生じないように努めなければならない。

5　任命権者を異にする異動があつた者で、現に人事記録に旧姓使用に係る事項が記録されているものは、旧姓使用を行うものとする。

**（職員カード）**

**第四条**　職員は、職務の執行に当たつては、常に職員カード（別記様式第一号又は別記様式第一号の二）を所持しなければならない。

2　職員は、職員カードの有効期限が到来し、又は氏名の変更があつたときは、速やかに職員カードを返還し、新たな職員カードの交付を受けなければならない。

3　職員は、職員カードを紛失したときは、速やかに職員カード紛失・破損届（別記様式第二号）により届け出なければならない。

4　職員は、職員カードを破損したときは、速やかに破損した職員カードを添えて職員カード紛失・破損届により届け出なければならない。

5　職員は、離職したときは、速やかに職員カードを返

還しなければならない。

（職員カードの着用）

**第四条の二**　職員は、職務の執行に当たつては、職員カードを着用しなければならない。

2　前項の規定にかかわらず、職員は、次に掲げる場合には、職員カードを着用しないことができる。

一　出張して職務を行うとき。

二　局長（子供政策連携室長、スタートアップ・国際金融都市戦略室長、住宅政策本部長、中央卸売市場長、収用委員会事務局長及び労働委員会事務局長を含む。以下同じ。）が総務局長に協議の上定める職場において、作業時の安全確保及び衛生管理上の観点から、着用することによつて職務の遂行に具体的な支障が生じるとき。

三　その他着用することにより職務の遂行に支障が生じるため、一時的に外す必要があると局長が認めたとき。

3　職員カードの着用が適当でない場合は、局長が総務局長に協議の上、職員カードとは別の型式を定め、職員に着用させることができる。

4　前三項に定めるもののほか、職員カードの着用に関し必要な事項は、総務局長が別に定める。

（着任の時期）

**第五条**　新たに職員となつた者、又は転任を命ぜられた職員は、すみやかに着任しなければならない。

2　前項の職員が、疾病その他やむを得ない事由により着任できないときは、上司の承認を受けなければならない。

（出勤等の記録）

**第六条**　第一本庁舎、第二本庁舎及び東京都議会議事堂並びに総務局長が別に定める事業所に勤務する職員（巡視の職務に従事する職員を除く。以下「本庁舎勤務職員等」という。）は、次に掲げる場合（総務局長が別に定める事業所に勤務する職員にあつては、第一号の場合に限る。）は、それぞれ職員カード等により、自ら出勤等の記録に必要な所定の操作を行わなければならない。

一　あらかじめ定刻までに出勤しない理由を職員の勤務時間、休日、休暇等に関する規程（平成七年東京都訓令第五号）別記様式に定める休暇・職免等処理簿（以下単に「休暇・職免等処理簿」という。）等により届け出た場合を除き、出勤したとき（週休日（職員の勤務時間、休日、休暇等に関する条例（平成七年東京都条例第十五号。以下「勤務時間条例」という。）第四条及び第五条に規定する週休日をいう。以下同じ。）、休日（勤務時間条例第十一条及び第十二条に規定する休日並びに勤務時間条例第十三条に規定する代休日をいう。以下同じ。）又は勤務を割り振られない日（会計年度任用職員の勤務時間、休暇等に関する規則（平成二十七年東京都規則第四号。以下「会計年度任用職員勤務時間規則」という。）第三条の規定により勤務を割り振られない日をいう。）に出勤したときを含む。）。

二　勤務時間条例第十条若しくは会計年度任用職員勤務時間規則第八条に規定する超過勤務又は職員の勤務時間、休日、休暇等に関する条例施行規則（平成七年東京都規則第五十五号）第八条に規定する休日勤務が終了したとき。

2　本庁舎勤務職員等以外の職員は、定刻までに出勤したときは、総務局長が別に定めるところにより、出勤簿（別記様式第三号）に自ら出勤の表示をしなければならない。

（執務上の心得）

**第七条**　職員は、勤務時間中みだりに執務の場所を離れてはならない。

2　職員は、常に執務環境の整理に努めるとともに、物品等の保全活用に心がけなければならない。

3　職員は、出張、休暇等により不在となるときは、担任事務の処理に関し必要な事項を上司又は上司の指定する職員に連絡し、事務の処理に支障のないようにしておかなければならない。

4　職員は、上司の許可なく文書を他に示し、又はその内容を告げる等の行為をしてはならない。

（セクシュアル・ハラスメントの禁止）

**第七条の二**　職員は、他の職員又はその職務に従事する際に接する職員以外の者を不快にさせる性的な言動（性別により役割を分担すべきとする言動又は性的指向若しくは性自認に関する言動を含む。）を行つてはならない。

（妊娠、出産、育児又は介護に関するハラスメントの禁止）

**第七条の二の二**　職員は、妊娠又は出産に関して、妊娠又は出産した女性職員の勤務環境を害する言動を行つてはならない。

2　職員は、他の職員が妊娠、出産、育児又は介護に関する制度を利用すること又は措置を受けることに関して当該職員の勤務環境を害する言動を行つてはならない。

（パワー・ハラスメントの禁止）

**第七条の二の三**　職員は、職務に関する優越的な関係を背景として行われる、業務上必要かつ相当な範囲を超える言動であつて、他の職員に精神的又は身体的な苦痛を与え、当該職員の人格若しくは尊厳を害し、又は当該職員の勤務環境を害することとなるようなものを行つてはならない。

（障害を理由とする差別の禁止）

**第七条の三**　職員は、その事務又は事業を行うに当たり、障害を理由として、障害者と障害者でない者とを不当に差別的な取扱いをすることにより、障害者の権利利益を侵害してはならない。

2　職員は、その事務又は事業を行うに当たり、障害者から現に社会的障壁（障害を理由とする差別の解消の推進に関する法律（平成二十五年法律第六十五号）第二条第二号に規定する社会的障壁をいう。）の除去を必要としている旨の意思の表明があつた場合において、その実施に伴う負担が過重でないときは、当該社会的障壁の除去の実施について必要かつ合理的な配慮をしなければならない。

（利害関係があるものとの接触規制）

**第七条の四**　職員は、総務局長が別に定める指針に基づき上司が承認した場合を除き、いかなる理由においても、自らの職務に利害関係があるもの又は自らの地位等の客観的な事情から事実上影響力を及ぼし得ると考えられる他の職員の職務に利害関係があるものから金品を受領し、又は利益若しくは便宜の供与を受ける行為その他職務遂行の公正さに対する都民の信頼を損なうおそれのある行為をしてはならない。

（出張）

**第八条**　職員は、出張を命ぜられたときは、出発に際し上司の指示を受け、当該用務が終了したときは、すみやかに帰庁しなければならない。

2　職員は、出張の途中において、用務の必要又は天災その他やむを得ない事情によりその予定を変更しなければならないときは、電話、電報等により上司の承認を受けるとともに、帰庁後すみやかに所定の手続をとらなければならない。

3　職員は、出張から帰庁したときは、直ちに口頭又は文書によりその要旨を上司に報告しなければならない。

（退庁時の措置）

**第九条**　職員は、退庁しようとするときは、次に掲げる処置をとらなければならない。

一　文書及び物品等を所定の場所に納めること。

二　看守を依頼する物品等を宿直員等に確実に引き継ぐこと。

三　火気の始末、消灯、戸締等火災及び盗難の防止のための必要な処置をとること。

2　職員は、退庁しようとするときは、職員カード等により、自ら退庁時間の記録に必要な所定の操作を行わなければならない。ただし、職場の性質上これにより難い場合は、上司による現認、職員による自己申告その他の方法により退庁時間を記録するものとする。

（週休日等の登退庁）

**第十条**　職員は、週休日又は休日に登庁したときは、登庁及び退庁の際宿直員等にその旨を届け出なければならない。

（事故欠勤の届）

**第十一条**　職員は、交通機関の事故等の不可抗力の原因により勤務できないときは、その旨速やかに連絡し、出勤後直ちに休暇・職免等処理簿により届け出なければならない。

（私事欠勤等の届）

**第十一条の二**　職員は、前条に規定するときを除き、勤務できないときは、あらかじめ休暇・職免等処理簿により届け出なければならない。ただし、やむを得ない事由によりあらかじめ届け出ることができないときは、その旨速やかに連絡し、出勤後直ちに休暇・職免等処理簿により届け出なければならない。

2　前項の規定にかかわらず、職員が遅参した場合、又は早退しようとする場合において、上司から別の指示のあつたときには、その指示に従い届け出なければならない。

（私事旅行等の届出）

**第十二条**　職員は、私事旅行等により、その住所を離れるときは、その間の連絡先等をあらかじめ上司に届け出なければならない。

（事務引継）

**第十三条**　職員は、休職、退職、転任等をするときは、速やかにその担任事務の処理の経過を記載した事務引継書（別記様式第四号）を作成し、後任者又は上司の指定する職員に引き継がなければならない。

2　前項の規定にかかわらず、職員（本庁の課長の職又はこれに相当する職以上の職にある者（別に定めるものを除く。）を除く。）が、上司の承認を得たときは、口頭により事務引継を行うことができる。

3　前二項の職員の上司は、事務引継の事前又は事後において引継内容を確認し、必要な措置を講じなければならない。

（退職）

**第十四条**　職員は、退職しようとするときは、特別の事由がある場合を除き、退職しようとする日の十日前までに、退職願を提出しなければならない。

（事故報告）

**第十五条**　職員は、職務の遂行に関し事故が発生したときは、すみやかにその内容を上司に報告して、その指示を受けなければならない。

（非常の場合の措置）

**第十六条**　職員は、別に定めがある場合を除き、庁舎及びその付近に火災その他の非常事態が発生したときは、すみやかに登庁して臨機の処置をとらなければならない。

2　職員は、非常災害の場合においては、別に定めるところに従い執務しなければならない。

（委任）

**第十七条**　この規程の施行について必要な事項は、総務局長が定める。

**別記様式**〔略〕

# ○職員の分限に関する条例

昭二六・九・二〇
条　例　八　五

最終改正　令六・一〇・一一条例一〇九

（この条例の目的）

**第一条**　この条例は、職員（市町村立学校職員給与負担法（昭和二十三年法律第百三十五号）第一条及び第二条に規定する職員を含む。以下同じ。）の意に反する休職及び降給（地方公務員法（以下「法」という。）第二十八条の二第一項の規定による降給を除く。以下同じ。）の事由、職員の意に反する降任、免職、休職及び降給の基準、手続及び効果並びに失職の例外その他分限に関し規定することを目的とする。

（休職及び降給の事由）

**第二条**　法第二十八条第二項に定める事由によるほか、職員が人事委員会規則で定める事由に該当する場合においては、その意に反して、これを休職することができる。

2　職員の勤務実績が良くない場合においては、その意に反して、これを降給することができる。

（降任、免職、休職及び降給の基準及び手続）

**第三条**　法第二十八条第一項第一号の規定により職員を降任し、若しくは免職することができる場合又は前条第二項の規定により職員を降給することができる場合は、勤務実績を評定するに足ると認められる客観的事実に基づき、勤務実績が不良なことが明らかな場合とする。

2　任命権者は、法第二十八条第一項第二号の規定に該当するものとして職員を降任し、若しくは免職する場合又は同条第二項第一号の規定に該当するものとして職員を休職する場合においては、指定医師をしてあらかじめ診断を行わせなければならない。

3　法第二十八条第一項第三号の規定により職員を降任し、若しくは免職することができる場合は、当該職員をその現に有する適格性を必要とする他の職に転任させることができない場合に限るものとする。

4　職員の意に反する降任、免職、休職又は降給の処分は、その旨を記載した書面を当該職員に交付して行わなければならない。

5　前条第一項の規定により職員を休職する場合の一般的基準及び手続に関しては、人事委員会規則で定める。

（休職の期間）

**第四条**　法第二十八条第二項第一号の規定に該当する場合における休職の期間は、三年（非常勤職員（法第二十二条の四第一項に規定する短時間勤務の職を占める職員を除く。）にあつては、一年。以下この項及び次項において同じ。）を超えない範囲内において休職を要する程度に応じ、個々の場合において、任命権者が定める。この休職の期間が三年に満たない場合においては、休職にした日から引き続き三年を超えない範囲内において、これを更新することができる。

2　前項の場合において、休職の処分を受けた職員が第六条の規定による復職の日から起算して一年以内に再び当該休職の処分の事由とされた疾病と同一の疾病により休職の処分を受けるときのその者の休職期間は、当該復職前の休職期間を通算して三年を超えない範囲内において休養を要する程度に応じ、個々の場合において、任命権者が定める。この場合において、当該復職前の休職期間が更新されている場合にあつては、更新前の休職の開始の日（更新が二回以上されているときは、最初の更新前の休職の開始の日）から休職期間を通算するものとし、通算した期間が三年に満たない場合においては、休職期間を通算して三年を超えない範囲内において、これを更新することができる。

3　法第二十八条第二項第二号の規定に該当する場合における休職の期間は、当該刑事事件が裁判所に係属する間とする。

4　第二条第一項の規定による場合における休職期間は、人事委員会規則で定める。

**（休職の効果）**

**第五条**　休職者は、職員としての身分を保有するが、職務に従事しない。

2　休職者は、その休職の期間中条例で別段の定めをしない限りいかなる給与又は報酬も支給されない。

**第六条**　第四条第一項、第二項及び第四項に規定する休職期間中であつても、その事由が消滅したと認められるときは、速やかに復職を命じなければならない。

2　休職の期間が満了したときにおいては、当該職員は当然復職するものとする。

**（降給の効果）**

**第七条**　第二条第二項の規定により職員を降給する場合におけるその者の号給は、降給した日の前日に受けていた号給より三号給下位の号給（当該受けていた号給が職員の属する職務の級の最低の号給の上位三号給以内の号給である場合にあつては、当該最低の号給）とする。

**（失職の例外）**

**第八条**　任命権者は、拘禁刑に処せられた職員のうち、その刑に係る罪が過失によるものであり、かつ、その刑の執行を猶予された者については、情状により、当該職員がその職を失わないものとすることができる。

2　前項の規定により、その職を失わなかつた職員が刑の執行猶予を取消されたときは、その職を失う。

**（この条例の実施に関し必要な事項）**

**第九条**　この条例の実施に関し必要な事項は、人事委員会の承認を経て、任命権者が定める。ただし、法第二十八条の二第一項の規定による降任に関する事項は、人事委員会規則で定める。

**附　則**

1　この条例は、公布の日から施行する。

2　職員の給与に関する条例（昭和二十六年東京都条例第七十五号）附則第十項、学校職員の給与に関する条例（昭和三十一年東京都条例第六十八号）付則第九項又は東京都公営企業職員の給与の種類及び基準に関する条例（昭和二十八年東京都条例第十九号）附則第四項の規定の適用を受ける職員に対する第一条の規定の適用については、当分の間、同条中「の規定による降給」とあるのは、「、職員の給与に関する条例（昭和二十六年東京都条例第七十五号）附則第十項、学校職員の給与に関する条例（昭和三十一年東京都条例第六十八号）付則第九項及び東京都公営企業職員の給与の種類及び基準に関する条例（昭和二十八年東京都条例第十九号）附則第四項の規定による降給」とする。

**附　則**（平二〇・三・三一条例二一）

**（施行期日）**

1　この条例は、平成二十年四月一日から施行する。

**（経過措置）**

2　この条例による改正後の職員の分限に関する条例第四条第二項の規定は、この条例の施行の日以後に新たに休職の処分を受け、又は新たに休職期間を更新する処分を受けた者に対して適用する。この場合において、施行の日前に受けた休職の処分又は休職期間を更新する処分による休職期間は、同項の休職期間に通算しないものとする。

**附　則**（令四・六・二二条例八〇）

1　この条例は、令和五年四月一日から施行する。

2　地方公務員法の一部を改正する法律（令和三年法律第六十三号）附則第六条第一項又は第二項（これらの規定を同法附則第九条第三項の規定により読み替えて適用する場合を含む。）の規定により採用された職員は、この条例による改正後の職員の分限に関する条例第四条第一項に規定する短時間勤務の職を占める職員とみなす。

**附　則**（令六・一〇・一一条例一〇九）

この条例は、令和七年六月一日から施行する。

# ○職員の休職の事由等に関する規則

昭二七・七・一五
人事委員会規則一一

最終改正　令四・六・二二人事委員会規則一〇

（目的）

**第一条**　この規則は、職員の分限に関する条例（昭和二十六年東京都条例第八十五号）第二条第一項及び第四条第四項並びに職員の給与に関する条例（昭和二十六年東京都条例第七十五号）第十九条の二第一項第三号及び学校職員の給与に関する条例（昭和三十一年東京都条例第六十八号）第二十二条第一項第四号の規定に基づき、職員の休職の事由、休職の期間及び休職者の給与に関し、必要な事項を定めることを目的とする。

（休職の事由）

**第二条**　職員が地方公務員法（昭和二十五年法律第二百六十一号。以下「法」という。）第二十八条第二項に該当する場合のほか、次の各号のいずれかに該当する場合には、これを休職することができる。ただし、非常勤職員（法第二十二条の四第一項に規定する短時間勤務の職を占める職員を除く。以下同じ。）には、第一号及び第二号の規定は、適用しない。

一　学校、研究所その他これらに準ずる公共的施設においてその職員の職務に関連があると認められる学術に関する事項の調査、研究又は指導に従事する場合（外国の地方公共団体の機関等に派遣される職員の処遇等に関する条例（昭和六十三年東京都条例第十二号）第二条第一項の規定による派遣（以下「派遣」という。）の場合を除く。）

二　外国の政府又はこれに準ずる公共的機関の招きにより、その職員の職務と関連があると認められるこれらの機関の業務に従事する場合（派遣の場合を除く。）

三　水難、火災その他の災害により生死不明又は所在不明となつた場合

四　前三号に準ずると人事委員会が認める場合

（休職の期間）

**第三条**　前条各号の規定による休職の期間は、必要に応じいずれも三年（非常勤職員にあつては、一年。以下この項において同じ。）をこえない範囲内において、それぞれ個々の場合について任命権者が定める。この休職の期間が三年に満たない場合においては、休職にした日から引続き三年を超えない範囲内において、これを更新することができる。

（休職者の給与）

**第四条**　職員が第二条各号の規定に該当して休職となつたときは、次の区分により給与を支給することができる。

一　第二条各号（次号に掲げる場合を除く。）の規定に該当して休職にされたときは、その休職期間中、これに給料、扶養手当、住居手当、寒冷地手当並びに給料及び扶養手当に係る地域手当のそれぞれの百分の七十

二　第二条第三号の規定に該当して休職にされた場合において、職員が公務上の災害又は通勤（地方公務員災害補償法（昭和四十二年法律第百二十一号）第二条第二項に規定する通勤をいう。以下同じ。）による災害（派遣された職員の派遣先の業務上の災害又は通勤による災害を含む。）を受けたと認められるときは、その休職期間中、これに給料、扶養手当、住居手当、寒冷地手当並びに給料及び扶養手当に係る地域手当のそれぞれの百分の百

2　前項の場合において必要があるときは、人事委員会の承認を経て減額することができる。

3　前二項の規定は、非常勤職員には適用しない。

（この規則の実施に関し必要な事項）

**第五条**　この規則の実施に関し必要な事項は、任命権者が定める。

附　則

1　この規則は、公布の日から施行する。

2　この規則施行の際、現に職員でこの休職の事由に該当している者については、その事由が消滅するまではなお従前の例による。

附　則（令四・六・二二人事委員会規則一〇）

1　この規則は、令和五年四月一日から施行する。

2　地方公務員法の一部を改正する法律（令和三年法律第六十三号）附則第六条第一項又は第二項（これらの規定を同法附則第九条第三項の規定により読み替えて適用する場合を含む。）の規定により採用された職員は、この規則による改正後の職員の休職の事由等に関する規則第二条ただし書に規定する短時間勤務の職を占める職員とみなす。

# ○公益的法人等への東京都職員の派遣等に関する条例

平一三・一二・二六
条　例　一　三　三

最終改正　令四・六・二二条例七二

（趣旨）

**第一条**　この条例は、公益的法人等への一般職の地方公務員の派遣等に関する法律（平成十二年法律第五十号。以下「法」という。）第二条第一項及び第三項、第五条第一項、第六条第二項、第九条、第十条第一項及び第二項並びに第十二条第一項の規定に基づき、公益的法人等への東京都の職員の派遣等に関し必要な事項を定めるものとする。

（職員の派遣）

**第二条**　任命権者は、次項に定める団体との間の取決めに基づき、当該団体の業務にその役職員として専ら従事させるため職員（第三項に定める職員を除く。）を派遣することができる。

2　法第二条第一項に規定する条例で定めるものは、次の各号のいずれかに該当する団体で、人事委員会規則で定めるものとする。

一　都が出資し、若しくは補助金、負担金その他これに準ずるものを支出し、又は事業の委託若しくは役員の派遣を行っている団体

二　地方行政に資する事業を広域的に行っている団体

三　公共の利益の増進を目的とする事業を行っている団体で、都がその事業に参画し、又は協力することが、都の施策の推進に有益と認められるもの

3　法第二条第一項に規定する条例で定める職員は、次に掲げる職員とする。

一　臨時的に任用される職員その他の法律により任期を定めて任用される職員（地方公務員法（昭和二十五年法律第二百六十一号）第二十二条の四第一項の規定により採用された職員（以下「定年前再任用短時間勤務職員」という。）及び地方公共団体の一般職の任期付職員の採用に関する法律（平成十四年法律第四十八号）第三条第一項若しくは第二項又は第四条の規定により採用された職員（以下「任期付職員」という。）を除く。）

二　地方公務員法第二十八条第二項各号若しくは職員の分限に関する条例（昭和二十六年東京都条例第八十五号）第二条第一項の規定により休職にされ、又は同法第二十九条第一項各号のいずれかに掲げる事由に該当して停職にされている職員その他の同法第三十五条に規定する法律又は条例の特別の定めに基づき職務に専念する義務を免除されている職員

4　法第二条第三項に規定する条例で定める事項は、次に掲げる事項とする。

一　第一項の規定による職員の派遣（以下「職員派遣」という。）を受ける団体（以下「派遣先団体」という。）における福利厚生に関する事項

二　当該職員の派遣先団体における業務の従事の状況の連絡に関する事項

（派遣職員の職務への復帰）

**第三条**　法第五条第一項に規定するその他の条例で定める場合は、次に掲げる場合とする。

一　職員派遣をされた職員（以下「派遣職員」という。）が派遣先団体の役職員の地位を失った場合

二　当該職員派遣が法又はこの条例の規定に適合しなくなった場合

三　前条第一項に規定する取決めに反することとなった場合

四　派遣職員が地方公務員法第二十八条第一項第二号又は第三号に該当することとなった場合

五　派遣職員が地方公務員法第二十八条第二項各号のいずれかに該当することとなった場合又は水難、火災その他の災害により生死不明若しくは所在不明となった場合

六　派遣職員が地方公務員法第二十九条第一項第一号又は第三号に該当することとなった場合

（派遣職員の給与）

**第四条**　派遣職員（地方公営企業等の労働関係に関する法律（昭和二十七年法律第二百八十九号）第三条第四号に規定する職員のうち地方公営企業に勤務する職員（以下「企業職員」という。）及び地方公務員法第五十七条に規定する単純な労務に雇用される者であって、企業職員以外のもの（以下「単純労務職員」という。）である派遣職員を除く。第六条及び第七条において同じ。）のうち、法第六条第二項に規定する業務に従事するものには、その職員派遣の期間中、給料、扶養手当、地域手当、通勤手当、管理職手当、住居手当、期末手当及び勤勉手当のそれぞれ百分の百以内を支給することができる。

（職務に復帰した職員に関する職員の給与に関する特例）

**第五条**　職員派遣後職務に復帰した職員（企業職員及び単純労務職員である職員を除く。第七条第一項及び第十五条から第十八条までにおいて同じ。）に関する職員の給与に関する条例（昭和二十六年東京都条例第七十五号）第二十条の適用については、派遣先団体にお

いて就いていた業務（当該業務に係る労働者災害補償保険法（昭和二十二年法律第五十号）第七条第二項に規定する通勤を含む。）を公務と、同法の適用を地方公務員災害補償法（昭和四十二年法律第百二十一号）の適用とみなす。

（派遣職員の復帰時における処遇）

**第六条**　派遣職員が職務に復帰した場合におけるその者の職務の級、給料月額、昇給等については、他の職員との権衡上必要と認められる範囲内において、人事委員会規則で定めるところにより、必要な調整を行うことができる。

（職務に復帰した職員等に関する職員の退職手当に関する条例の特例）

**第七条**　職員派遣後職務に復帰した職員が退職した場合（派遣職員がその職員派遣の期間中に退職した場合を含む。）における職員の退職手当に関する条例（昭和三十一年東京都条例第六十五号。以下「退職手当条例」という。）の規定の適用については、派遣先団体の業務に係る業務上の傷病又は死亡は退職手当条例第五条第二項第二号及び第五条の二に規定する公務上の傷病又は死亡と、当該業務に係る労働者災害補償保険法第七条第二項に規定する通勤による傷病は同条例第五条第二項第一号及び第五条の二に規定する通勤による傷病とみなす。

２　退職手当条例第八条第三項及び第十条第四項の規定は、派遣職員の職員派遣の期間（育児休業、介護休業等育児又は家族介護を行う労働者の福祉に関する法律（平成三年法律第七十六号）に規定する育児休業の期間又は第二条第二項各号に規定する団体の就業規則等に定められている短時間勤務で地方公務員の育児休業等に関する法律（平成三年法律第百十号）第十条第一項に規定する育児短時間勤務に相当するものの期間を除く。）については、適用しない。

３　派遣職員がその職員派遣の期間中に退職した場合に支給する退職手当条例の規定による退職手当の算定の基礎となる給料月額については、他の職員との権衡上必要があると認められるときは、前条の規定の例により、その額を調整することができる。

（企業職員又は単純労務職員である派遣職員の給与の種類）

**第八条**　企業職員又は単純労務職員である派遣職員のうち、法第六条第二項に規定する業務に従事するものには、その職員派遣の期間中、給料、扶養手当、地域手当、通勤手当、管理職手当、住居手当、期末手当及び勤勉手当を支給することができる。

（報告）

**第九条**　任命権者は、人事委員会規則で定めるところにより、派遣職員の派遣先団体における処遇の状況等及び職員派遣後職務に復帰した職員の処遇の状況等を人事委員会に報告しなければならない。

（法第十条第一項に規定する条例で定める法人）

**第十条**　法第十条第一項に規定する条例で定める株式会社（以下「特定法人」という。）は、次の各号のいずれかに該当する団体で、人事委員会規則で定めるものとする。

一　都が出資し、若しくは補助金、負担金その他これに準ずるものを支出し、又は事業の委託若しくは役員の派遣を行っている団体

二　地方行政に資する事業を広域的に行っている団体

三　公共の利益の増進を目的とする事業を行っている団体で、都がその事業に参画し、又は協力することが、都の施策の推進に有益と認められるもの

（法第十条第一項に規定する条例で定める職員）

**第十一条**　法第十条第一項に規定する条例で定める職員は、次に掲げる職員とする。

一　臨時的に任用される職員その他の法律により任期を定めて任用される職員（定年前再任用短時間勤務職員及び任期付職員を除く。）

二　地方公務員法第二十八条第二項各号若しくは職員の分限に関する条例第二条第一項の規定により休職にされ、又は同法第二十九条第一項各号のいずれかに掲げる事由に該当して停職にされている職員その他の同法第三十五条に規定する法律又は条例の特別の定めに基づき職務に専念する義務を免除されている職員

（法第十条第一項に規定するその他の条例で定める場合）

**第十二条**　法第十条第一項に規定するその他の条例で定める場合は、次に掲げる場合とする。

一　法第十条第二項に規定する退職派遣者（以下「退職派遣者」という。）が特定法人の役職員の地位を失った場合

二　次に掲げる場合であって、退職派遣者を引き続き特定法人の役職員として在職させることができない場合又は適当でないと認められる場合

イ　退職派遣者の特定法人の業務への従事が、法又はこの条例の規定に適合しなくなった場合

ロ　法第十条第一項の規定により締結された取決めに反することとなった場合

ハ　退職派遣者が心身の故障のため、業務の遂行に支障があり、若しくはこれに堪えない場合又は長期の休養を要する場合

ニ　退職派遣者が刑事事件に関し起訴された場合

三　公務上の必要等のために当該退職派遣者を職員として採用することが必要と認める場合

（法第十条第一項に規定するその他条例で定める場合）

**第十三条**　法第十条第一項に規定するその他条例で定める場合は、退職派遣者が特定法人の業務に従事すべき期間に、刑法（明治四十年法律第四十五号）その他の法令の規定に違反した場合であって、当該退職派遣者が引き続き職員として在職したものとみなしたならば、地方公務員法第二十九条の規定による懲戒免職の処分を行うことが適当と認められる場合とする。

（法第十条第二項に規定する条例で定める事項）

**第十四条**　法第十条第二項に規定する条例で定める事項は、次に掲げる事項とする。

一　法第十条第一項に規定する要請に係る職員の特定法人における福利厚生に関する事項

二　前号に規定する職員の特定法人における業務の従事の状況の連絡に関する事項

（採用された職員に関する職員の給与に関する条例の特例）

**第十五条**　法第十条第一項の規定により採用された職員に関する職員の給与に関する条例第二十条の規定の適用については、特定法人において就いていた業務（当該業務に係る労働者災害補償保険法第七条第二項に規定する通勤を含む。）を公務と、同法の適用を地方公務員災害補償法の適用とみなす。

（退職派遣者の採用時における処遇）

**第十六条**　退職派遣者が法第十条第一項の規定により職員として採用された場合におけるその者の職務の級、給料月額、昇給等については、他の職員との権衡上必要と認められる範囲内において、人事委員会規則で定めるところにより、必要な調整を行うことができる。

（採用された職員に関する職員の退職手当に関する条例の特例）

**第十七条**　法第十条第一項の規定により採用された職員に関する退職手当条例の規定の適用については、特定法人の業務に係る業務上の傷病又は死亡は退職手当条例第五条第二項第二号及び第五条の二に規定する公務上の傷病又は死亡と、当該業務に係る労働者災害補償保険法第七条第二項に規定する通勤による傷病は同条例第五条第二項第一号及び第五条の二に規定する通勤による傷病とみなす。

（退職手当に係る勤続期間の計算）

**第十八条**　職員のうち、法第十条第一項の規定により、任命権者の要請に応じ、退職手当（これに相当する給与を含む。）を支給されないで、特定法人の業務に従事する者となるため退職し、かつ、当該特定法人役職員として在職した後、引き続いて同項の規定により職員として採用されたものの退職手当条例第十条第一項及び第二項の規定による在職期間の計算については、当該特定法人の役職員として在職した期間は、職員としての引き続いた在職期間とみなす。

2　前項の規定による在職期間については、退職手当条例第十条（同条第五項を除く。）の規定を準用して計算する。

3　法第十条第一項の規定により退職し、引き続いて特定法人役職員となった場合においては、退職手当条例の規定による退職手当は、支給しない。

（報告）

**第十九条**　任命権者は、人事委員会規則で定めるところにより、退職派遣者の特定法人における処遇の状況等及び退職派遣者が法第十条第一項の規定により職員として採用された場合における処遇の状況等を人事委員会に報告しなければならない。

（委任）

**第二十条**　この条例の施行に関し必要な事項は、人事委員会と協議の上東京都規則で定める。

附　則

（施行期日）

1　この条例は、平成十四年四月一日から施行する。ただし、第十条から第二十条まで及び次項の規定は、同年三月三十一日から施行する。

（退職派遣者の採用等に関する規定の適用）

2　第十条から第二十条までの規定は、平成十四年三月三十一日以後に法第十条第一項の任命権者の要請に応じて退職した者について適用する。

附　則（令四・六・二二条例七二）

（施行期日）

1　この条例は、令和五年四月一日から施行する。

（経過措置）

2　地方公務員法の一部を改正する法律（令和三年法律第六十三号）附則第四条第一項若しくは第二項又は第六条第一項若しくは第二項の規定により採用された職員は、この条例による改正後の公益的法人等への東京都職員の派遣等に関する条例第二条第三項第一号に規定する定年前再任用短時間勤務職員とみなす。

# ○職員の懲戒に関する条例

昭二六・九・二〇
条例八四

最終改正　令四・六・二二条例七九

（この条例の目的）

**第一条**　この条例は、職員（市町村立学校職員給与負担法（昭和二十三年法律第百三十五号）第一条及び第二条に規定する職員を含む。以下同じ。）の懲戒の手続及び効果その他懲戒に関し規定することを目的とする。

（懲戒手続）

**第二条**　戒告、減給、停職又は免職の処分は、その旨を記載した書面を当該職員に交付して行わなければならない。

（減給の効果）

**第三条**　常勤職員及び地方公務員法（昭和二十五年法律第二百六十一号）第二十二条の四第一項に規定する短時間勤務の職を占める職員（以下「定年前再任用短時間勤務職員」という。）に対する減給は、一日以上六月以下の範囲で、その発令の日に受ける給料及び地域手当の合計額の五分の一以下を減ずるものとする。この場合において、その減ずる額が現に受ける給料及び地域手当の合計額の五分の一に相当する額を超えるときは、当該額を当該合計額から減ずるものとする。

２　非常勤職員（定年前再任用短時間勤務職員を除く。）に対する減給は、一日以上六月以下の範囲で報酬の額（職員の給与に関する条例（昭和二十六年東京都条例第七十五号）第十二条に規定する通勤手当に相当する額及び同条例第十五条に規定する超過勤務手当に相当する額を除く。）の五分の一以下を減ずるものとする。

（停職の効果）

**第四条**　停職の期間は、一日以上六月以下とする。

２　停職者は、その職を保有するが、職務に従事しない。

３　停職者は、停職の期間中いかなる給与又は報酬も支給されない。

（刑事事件係属中の懲戒）

**第五条**　懲戒に付せらるべき事件が、刑事裁判所に係属する間においても、任命権者は同一事件について、適宜に懲戒手続を進めることができる。

（この条例の実施に関し必要な事項）

**第六条**　この条例の実施に関し必要な事項は、人事委員会の承認を経て任命権者が定める。

附　則

この条例は、公布の日から施行する。

附　則（令四・六・二二条例七九）

１　この条例は、令和五年四月一日から施行する。

２　地方公務員法の一部を改正する法律（令和三年法律第六十三号）附則第六条第一項又は第二項（これらの規定を同法附則第九条第三項の規定により読み替えて適用する場合を含む。）の規定により採用された職員は、この条例による改正後の職員の懲戒に関する条例第三条第一項に規定する定年前再任用短時間勤務職員とみなす。

# ○東京都職員研修規則

昭四三・三・三〇
規則三八

最終改正　令四・二・三一規則七〇

（目的）

**第一条**　この規則は、地方公務員法（昭和二十五年法律第二百六十一号）第三十九条の規定に基づき、職員の勤務能率の発揮及び増進のために、知事が任命権者として行う研修に関し、必要な事項を定めることを目的とする。

（定義）

**第二条**　この規則において、次の各号に掲げる用語の意義は、当該各号に定めるところによる。

一　局　東京都組織規程（昭和二十七年東京都規則第百六十四号）第八条に規定する局、室並びに住宅政策本部、中央卸売市場、収用委員会事務局、労働委員会事務局及び東京都職員共済組合事務局をいう。

二　部課　局に属する部及び課並びにこれらに相当する事業所をいう。

三　研修機関　第四条に規定する中央研修の計画及び実施を行う総務局人事部並びに局及び部課をいう。

（研修の目標）

**第三条**　研修は、職員に対し、都民全体の奉仕者としてふさわしい人格、教養を培わせるとともに、都行政の担当者として業務の遂行上必要な知識及び技能を習得し、もつて時代に即応する公務員たる資質を備えさせることを目標とする。

（研修の区分、実施機関及び内容）

**第四条**　研修の区分は、次に掲げるとおりとする。
一　職場外研修
　イ　中央研修
　ロ　局研修
二　職場研修
三　自主研修

2　中央研修は、総務局人事部長（以下「人事部長」という。）が各局に所属する職員を対象に、都の職員として職務執行上必要な事項のうち、主として各局間に共通するものに関して行うものとし、その種目は、おおむね次に掲げるとおりとする。ただし、中央研修のうち、総務局長が特に指定する研修については、総務局長があらかじめ指定した局の長が行うものとする。
一　職層別研修
二　幹部研修
三　技術職員研修
四　実践力向上研修
五　専門研修
六　講師養成研修
七　派遣研修
八　海外研修

3　局研修は、局の長が当該局に所属する職員を対象に、主として当該局の業務遂行上特に必要な事項に関して行うものとし、その種目は、おおむね次の各号に掲げるとおりとする。
一　新任研修
二　現任研修
三　監督者研修
四　管理者研修
五　実務研修
六　派遣研修

4　職場研修は、部課の長が当該部課に所属する職員を対象に、当該部課における業務遂行上直接必要な事項に関して、主として日常の職務を通して行うものとする。

5　自主研修は、人事部長及び局の長が自己啓発に努める職員を対象に、その自主的な学習及び研究に関して、これを支援するために行うものとする。

（**研修計画**）
**第五条**　総務局長は、研修に関する基本方針を決定する。

2　人事部長は、毎年度、研修に関する基本計画を策定する。

3　人事部長及び前条第二項ただし書により指定された局の長は、毎年度、中央研修に関する実施計画を策定する。この場合において、局の長は、あらかじめ人事部長に協議しなければならない。

4　局の長は、毎年度、人事部長に協議の上、局研修に関する実施計画を策定する。

（**研修の調整、助言等**）
**第六条**　人事部長は、研修の計画及び実施に関して、局の長又は部課の長に対し、必要な調整、助言及び指導を行うものとする。

2　局の長は、職場研修に関して、部課の長に対し、必要な指示を与えるものとする。

（**研修命令等**）
**第七条**　知事（局研修にあつては、局の長）は、職員（局研修にあつては、局に所属する職員）のうち必要と認められる者に対し、日常の執務を離れて専ら研修を受けることを命ずるものとする。

2　前項の研修命令を受けた職員は、その研修期間中、研修機関の長の定める規律に従い、誠実に研修を受けなければならない。

（**講師の派遣**）
**第八条**　局の長及び部課の長は、研修機関の長から所属する職員を当該研修機関で行う研修の講師として派遣するよう依頼があつた場合には、当該局及び部課の業務に支障がない範囲において、当該職員を研修の講師として派遣するものとする。

（**研修機関相互の協力**）
**第九条**　研修機関の長は、研修の能率を高めるため、他の研修機関と共同して研修を実施し、又は研修の実施を他の研修機関に依頼することができる。

（**他の任命権者との協力関係**）
**第十条**　研修機関の長は、知事以外の任命権者と共同して研修を実施し、又は他の任命権者からの委託に基づき、その任命権者の部局に所属する職員の研修を行うことができる。

（**国、他の地方公共団体等との協力関係**）
**第十一条**　研修機関の長は、国若しくは他の地方公共団体又はその他の団体等と共同して研修を実施し、又は国若しくは他の地方公共団体又はその他の団体等からの委託に基づき、職員以外の者を研修に参加させることができる。

（**細則**）
**第十二条**　この規則の実施に関し必要な事項は、総務局長が定める。

2　それぞれの研修の実施に関し必要な事項は、各研修機関の長が定めることができる。

附　則

1　この規則は、昭和四十三年四月一日から施行する。
2　東京都職員研修所規則（昭和二十四年東京都規則第二百七号）は、廃止する。

**附　則**（令四・三・三一規則七〇）

この規則は、令和四年四月一日から施行する。ただし、「、病院経営本部」を削る部分は、同年七月一日から施行する。

## ○東京都職員の人事考課に関する規程

平一四・三・二七
訓　令　一

最終改正　令四・三・三一訓令四一

**（目的）**

**第一条**　この規程は、地方公務員法（昭和二十五年法律第二百六十一号）第二十三条の二第二項の規定に基づき必要な事項を定めるとともに、同条第一項及び同法第二十三条の三の規定に基づき、職員の業績、意欲、適性等について、客観的かつ継続的に把握し、これを職員の能力開発、任用・給与制度、配置管理等へ反映させることにより、職員一人一人の資質の向上と組織全体の生産性の向上を図ることを目的とする。

**（定義）**

**第二条**　この規程において、次の各号に掲げる用語の意義は、それぞれ当該各号に定めるところによる。

一　人事考課　業績評価、自己申告及び人材情報をいう。

二　業績評価　職員が割り当てられた職務を遂行した業績及び職務遂行過程（以下「プロセス」という。）を、この規程に定めるところにより評定し、記録することをいう。

三　自己申告　職員が組織方針を踏まえて自らの職務上の目標を設定し、その達成状況及びプロセスについて自ら評価するとともに、人事異動等に関する意向及び意見を表明し、記録することをいう。

四　人材情報　職員の職務適性、人事異動、昇任等に関する情報をいう。

五　局長　東京都組織規程（昭和二十七年東京都規則第百六十四号。以下「組織規程」という。）第九条第一項に規定する局長、同条第三項に規定する室長並びに住宅政策本部長、中央卸売市場長、収用委員会事務局長及び労働委員会事務局長をいう。

六　部長　組織規程第十条第一項に規定する部長、同条第二項に規定する担当部長、同条第三項に規定する主席監察員及び各処務規程等に規定するこれらに相当する職にある者をいう。

七　課長　組織規程第十一条第一項に規定する課長、同条第二項に規定する担当課長、同条第三項に規定する副監察員及び各処務規程等に規定するこれらに相当する職にある者をいう。

**（対象となる職員の範囲）**

**第三条**　人事考課は、一般職に属する職員について実施する。ただし、知事が認める職員にあっては、この限りではない。

**（業績評価の種類）**

**第四条**　評定の種類は、定期評定及び特別評定とする。

**（定期評定）**

**第五条**　定期評定は、次に掲げる職員を除く職員について、毎年度一回、十二月三十一日を基準日（以下「評定基準日」という。）として実施する。

一　条件付採用期間中の職員

二　休職、長期の出張又は研修その他の理由により、知事が公正な評定を実施することが困難であると認める職員

三　会計年度任用職員の任用等に関する規則（平成二十七年東京都規則第七号）第一条に規定する会計年度任用職員及び地方公務員法第二十二条の三第一

項、地方公務員の育児休業等に関する法律（平成三年法律第百十号）第六条第一項第二号又は職員の配偶者同行休業に関する条例（平成二十六年東京都条例第百四十八号）第九条の規定により臨時的に任用される職員

（**特別評定**）

**第六条**　特別評定は、次に掲げる職員について、知事が別に定める日を基準日として実施する。

一　前条第一号に掲げる職員で、その採用の日から起算して五月を経過するもの（次号に掲げる職員を除く。）

二　前条第一号に掲げる職員のうち条件付採用期間が延長された職員で、知事が必要があると認めるもの

三　前条第二号に掲げる職員で、知事が定期評定を実施することが困難であると認めた理由が消滅し、評定を実施する必要があると認めるもの

四　前三号に掲げる職員のほか、知事が必要があると認める職員

2　局長は、前項の規定による特別評定の実施について、知事に報告するものとする。

（**業績評価の対象期間**）

**第七条**　定期評定の対象となる期間（以下「対象期間」という。）は、前回の評定基準日の翌日から当該定期評定の基準日までとする。ただし、当該定期評定の基準日前一年以内に採用された職員についての対象期間は、その採用の日から、当該定期評定の基準日までとする。

2　特別評定の対象期間は、次の各号に掲げる職員の区分に応じて、当該各号に定める期間とする。

一　前条第一項第一号及び第二号に掲げる職員　その採用の日から当該特別評定の基準日まで

二　前条第一項第三号及び第四号に掲げる職員　知事が別に定める期間

（**定期評定の評定者等**）

**第八条**　定期評定を実施する者は、第一次評定者及び最終評定者ごとに、被評定者の上司のうち、次の表に定める者（以下「評定者」という。）とする。

| 第一次評定者 | 最終評定者 |
|---|---|
| 課長 | 局長 |

2　被評定者の上司である部長を調整者とし、第一次評定に関与するものとする。

3　局長は、被評定者の上司である第一次評定者又は調整者に事故等があり、定期評定の実施又は関与ができない場合においては、別の者を第一次評定者又は調整者とすることができる。

4　局長は、この規程中その職務とされているものについて、当該局長が所属する局等の人事を主管する部長に行わせることができる。

（**評定者及び調整者の責務**）

**第九条**　評定者は、職員の職務を遂行した業績及びプロセス（以下これらを「業績」という。）について公正に評定し、別に定める業績評価シートに記録するものとする。

2　第一次評定者は、評定後直ちに業績評価シートを調整者に提出するものとする。この場合において、第一次評定者は、調整者に評定結果について説明するとともに、調整者と意見を交換するものとする。

3　調整者は、第一次評定者の評定結果について、第一次評定者に対し必要な指導及び助言を行った後、直ちに業績評価シートを最終評定者に提出するものとする。この場合において、調整者は、最終評定者に第一次評定結果について説明するとともに、最終評定者と意見を交換するものとする。

4　最終評定者は、第一次評定の内容について確認し、適当でないと認めたときは、第一次評定者に再評定させるものとする。

5　最終評定者は、第一次評定者の評定結果、調整者の説明等を参考に評定し、評定後直ちに業績評価シートを知事に提出するものとする。

（**定期評定の開示**）

**第十条**　局長は、知事が人事管理上支障がないと認めた場合において、別に定めるところにより、評定結果を本人に対して開示するものとする。

2　局長は、開示された評定結果に関する被評定者からの苦情について適切な措置を講ずるものとする。

（**昇任選考別評定**）

**第十一条**　局長は、知事が昇任選考の対象者について、当該昇任選考のための業績評価の提示を求めた場合においては、直近に実施した評定の当該対象者の業績評価シート等に基づき、昇任選考別評定を実施し、その評定結果を別に定める日までに、知事に報告しなければならない。

2　知事は、前項の昇任選考別評定結果について、直近に実施した評定の結果との均衡上必要があると認めるときは、これを調整することができる。

（**評定記録の効力**）

**第十二条**　業績評価シートその他の評定の記録（以下「評定記録」という。）は、当該評定記録に係る被評定者に対し新たに評定が実施されるまでの間の当該被評定者の業績を示したものとみなす。

（**評定記録の確認等**）

**第十三条**　知事は、評定記録の内容について確認し、適当でないと認めたときは、評定者に再評定させるものとする。

（**自己申告**）

**第十四条**　自己申告は、毎年度、四月一日、十二月一日及び三月三十一日を基準日として、別に定める目標・成果シート、自己採点シート及び異動申告シートに基づき、これを実施する。

（**人材情報**）

**第十五条**　人材情報は、毎年度一回、十二月三十一日を基準日として、別に定める人材情報シートに基づき、これを実施する。

（**書類の保管**）

**第十六条**　人事考課に関する書類は、別に定めるところにより保管することとする。

（**委任**）

**第十七条**　この規程に定めるもののほか、人事考課の実施について必要な事項は、総務局長が定める。

附　則

（**施行期日**）

1　この訓令は、平成十四年四月一日から施行する。

（**東京都職務業績評価規程の廃止**）

2　東京都職務業績評価規程（昭和六十一年東京都訓令第六十号）は、廃止する。

（**平成十四年度の定期評定の対象期間**）

3　第七条の規定にかかわらず、平成十四年度において実施する定期評定の対象期間は、平成十四年一月一日から同年十二月三十一日までとする。

# ○東京都職員の退職管理に関する条例

平二七・一二・二四
条　例　一　二　七

最終改正　令六・一〇・一一条例一一〇

（**趣旨**）

**第一条**　この条例は、地方公務員法（昭和二十五年法律第二百六十一号。以下「法」という。）第三十八条の二第八項、第三十八条の六第一項及び第二項並びに第六十五条の規定に基づき、職員（法第三十八条の二第一項に規定する職員（警察法（昭和二十九年法律第百六十二号）第五十六条の五の規定により法第四条第一項に規定する職員とみなされる警察法第五十六条の二第一項に規定する特定地方警務官（以下単に「特定地方警務官」という。）を含む。）をいう。以下同じ。）の退職管理に関し必要な事項を定めるものとする。

（**再就職者による依頼等の規制**）

**第二条**　法第三十八条の二第一項、第四項及び第五項の規定によるもののほか、職員であって離職後に営利企業等（法第三十八条の二第一項に規定する営利企業等をいう。以下同じ。）の地位に就いている者（退職手当通算予定職員（法第三十八条の二第三項に規定する退職手当通算予定職員をいう。次条第二項及び第七条において同じ。）であった者であって引き続いて退職手当通算法人（法第三十八条の二第二項に規定する退職手当通算法人をいう。次条第二項及び第七条において同じ。）の地位に就いている者（特定地方警務官であった者にあっては、国家公務員法（昭和二十二年法律第百二十号）第百六条の二第四項に規定する退職手当通算予定職員であった者であって引き続いて同条第三項に規定する退職手当通算法人の地位に就いている者）及び公益的法人等への一般職の地方公務員の派遣等に関する法律（平成十二年法律第五十号）第十条第二項に規定する退職派遣者（以下単に「退職派遣者」という。）を除く。）のうち、国家行政組織法（昭和二十三年法律第百二十号）第二十一条第一項に規定する部長又は課長の職に相当する職として人事委員会規則で定めるもの（以下「部課長等の職」という。）に離職した日の五年前の日より前に就いていた者は、当該職に就いていた時に在職していた執行機関の組織等（法第三十八条の二第一項に規定する地方公共団体の執行機関の組織等をいう。以下同じ。）の職員若しくは特定地方独立行政法人の役員又はこれらに類する者として人事委員会規則で定めるものに対し、同項に規定する契約等事務であって離職した日の五年前の日より前の職務（当該職に就いていたときの職務に限る。）に属するものに関し、離職後二年間、職務上の行為をするように、又はしないように要求し、又は依頼してはならない。

（**在職中の求職の規制**）

**第三条**　職員（局長等の職（地方自治法（昭和二十二年法律第六十七号）第百五十八条第一項に規定する普通地方公共団体の長の直近下位の内部組織の長又はこれに準ずる職として人事委員会規則に定めるものをいう。以下同じ。）に就いている者及び第六条第二項の規定により任命権者により営利企業等へ情報が提供された職員を除く。）は、利害関係企業等（営利企業等のうち、職員の職務に利害関係を有するものとして人事委員会規則で定めるものをいう。以下同じ。）に対し、離職後に当該利害関係企業等若しくはその子法人（法第三十八条の二第一項に規定する子法人をいう。以下同じ。）の地位に就くことを目的として、自己に関する情報を提供し、又は当該地位に関する情報の提供を依頼し、若しくは当該地位に就くことを要求し、若しくは約束してはならない。

2　前項の規定は、次に掲げる場合には、適用しない。

一　退職手当通算予定職員が退職手当通算法人に対して行う場合

二　退職派遣者となることが予定されている職員が、派遣される予定の団体に対して行う場合

三　在職する執行機関の組織等の意思決定の権限を実質的に有しない職と認められるものに就いている職員が行う場合

四　職員が、利害関係企業等に対し、当該利害関係企業等若しくはその子法人の地位に就くことを目的として、自己に関する情報を提供し、若しくは当該地位に関する情報の提供を依頼し、又は当該地位に就くことを要求し、若しくは約束することにより公務の公正性の確保に支障が生じないと認められる場合として任命権者が行う承認（以下「利害関係企業等への求職活動の承認」という。）を得た職員が当該承認に係る利害関係企業等に対して行う場合

（職員であった者に対する求職の規制）

**第四条**　任命権者は、職員であった者（離職日の前日において局長等の職に就いていた者を除く。以下この条において同じ。）に対し、離職後二年間、利害関係にあった企業等（営利企業等のうち職員であった者の離職時の職務に利害関係を有していたものとして人事委員会規則で定めるものをいう。）に対し、当該利害関係にあった企業等若しくはその子法人の地位に就くことを目的として、自己に関する情報を提供し、若しくは当該地位に関する情報の提供を依頼し、又は当該地位に就くことを要求し、若しくは約束しないよう求めることができる。

2　前項の規定は、離職時に在職していた執行機関の組織等の意思決定の権限を実質的に有しない職と認められるものに就いていた職員であった者が行う場合には、適用しない。

（局長等の職に就いている職員等に対する求職の規制）

**第五条**　局長等の職に就いている職員は、その職務の重要性に鑑み、局長等の職に就いている又は就いていたときの職務並びに部課長等の職に就いていたときの職務に関連する利害関係企業等に対し、離職後に当該利害関係企業等若しくはその子法人の地位に就くことを目的として、自己に関する情報を提供し、若しくは当該地位に関する情報の提供を依頼し、又は当該地位に就くことを要求し、若しくは約束してはならない。

2　任命権者は、職員のうち離職日の前日において局長等の職に就いていた者に対し、その職務の重要性に鑑み、離職後二年間、利害関係にあった企業等（営利企業等のうち局長等の職及び部課長等の職に就いていたときの職務に利害関係を有していたものとして人事委員会規則で定めるものをいう。）に対し、当該利害関係にあった企業等若しくはその子法人の地位に就くことを目的として、自己に関する情報を提供し、若しくは当該地位に関する情報の提供を依頼し、又は当該地位に就くことを要求し、若しくは約束しないよう求めることができる。

（任命権者による職員の推薦及び人材情報の提供）

**第六条**　任命権者は、都政の一体的、効率的かつ効果的な運営を行うため、適切な人材として当該任命権者の職員又は職員であった者を推薦することが必要と認められる団体（以下「適材推薦団体」という。）を選定し、当該任命権者の職員又は職員であった者を推薦することができる。

2　任命権者は、営利企業等（適材推薦団体を除く。）から、職員に係る求人の申込みがあった場合は、当該営利企業等に対し求人内容と合致する職員に関する情報を提供することができる。

3　前項に定める人材情報の提供について、やむを得ない事情により当該職員の在職中に実施することができなかった場合は、当該職員の離職後に実施することができる。

（任命権者への届出）

**第七条**　職員（退職手当通算予定職員であって引き続いて退職手当通算法人の地位に就く予定にある者、引き続いて退職派遣者となる予定にある者、実質的に行政上の権限を行使しない職員として人事委員会規則に定めるもの及び任命権者への届出がなされないことにより公務の公正性の確保に支障が生じない者と任命権者が認めるものを除く。）は、営利企業以外の法人その他の団体の地位に就くことを約束した場合（報酬を得る場合に限る。）又は営利企業の地位に就くことを約束した場合は、日々雇い入れられる者となる場合その他人事委員会規則で定める場合を除き、人事委員会規則で定めるところにより、速やかに、任命権者に人事委員会規則で定める事項を届け出なければならない。

2　離職日の前日において管理又は監督の地位にある職員の職として人事委員会規則で定めるものに就いている職員（以下「管理又は監督の地位にある職員」という。）であった者（退職手当通算予定職員であった者であって引き続いて退職手当通算法人の地位に就いて

いる者及び引き続いて退職派遣者となった者を除く。以下「管理又は監督の地位にある職員であった者」という。）は、離職後二年間、営利企業以外の法人その他の団体の地位に就いた場合（報酬を得る場合に限る。）又は営利企業の地位に就いた場合は、前項の規定による届出を行った場合、日々雇い入れられる者となった場合その他人事委員会規則で定める場合を除き、人事委員会規則で定めるところにより、速やかに、離職した職又はこれに相当する職の任命権者に人事委員会規則で定める事項を届け出なければならない。

3　前項に定める任命権者への届出は、職員であった者のうち離職日の前日において管理又は監督の地位にある職員であった者に該当しないもの（退職手当通算予定職員であった者であって引き続いて退職手当通算法人の地位に就いている者、引き続いて退職派遣者となった者、実質的に行政上の権限を行使しなかった職員として人事委員会規則に定めるもの及び任命権者への届出がなされないことにより公務の公正性の確保に支障が生じない者と任命権者が認めるものを除く。）に準用する。

**（公表）**

**第八条**　任命権者（次条第二項各号に掲げる任命権者に限る。）は、前条の規定により届出を受けた事項について、毎年度一回、知事に報告しなければならない。

2　知事は、前項の規定による報告を取りまとめ、前条に規定する職員又は職員であった者のうち人事委員会規則で定めるものについて、人事委員会規則で定める事項を、毎年度一回、公表する。

3　警視総監は、前条の規定により届出を受けた事項のうち、警視庁の職員の職務に支障を及ぼすおそれがないと認めるものについて、毎年度一回、公表する。

4　消防総監は、前条に規定する職員又は職員であった者のうち人事委員会規則で定めるものについて、前条の規定により届出を受けた事項のうち人事委員会規則で定めるものを、毎年度一回、公表する。

**（東京都職員人材バンクの設置）**

**第九条**　職員の再就職を適正に管理するに際し、次に掲げる事項に関する事務を行うことを目的として、東京都職員人材バンク（以下「人材バンク」という。）を置く。

一　利害関係企業等への求職活動の承認
二　第六条第一項に規定する任命権者による適材推薦団体への推薦
三　第六条第二項に規定する営利企業等からの求人の申込みの受付及び任命権者による人材情報の提供
四　第七条に規定する任命権者への届出
五　その他退職管理の適正確保に関する事務

2　人材バンクは、次に掲げる任命権者の職員又は職員であった者を対象とする。

一　知事
二　都議会議長
三　選挙管理委員会
四　代表監査委員
五　教育委員会
六　人事委員会
七　海区漁業調整委員会
八　公営企業管理者

3　人材バンクの運営における第一項に規定する事務に関して必要な事項については、東京都規則で定める。

**（東京都退職管理委員会の設置）**

**第十条**　職員の再就職の公正性の確保のため、知事の附属機関として、東京都退職管理委員会（以下「委員会」という。）を置く。

2　委員会は、この条例の規定によりその権限に属させられた事項を処理する。

3　任命権者は、次に掲げる事項を行う場合には、あらかじめ委員会に諮問しなければならない。

一　法第三十八条の二第六項第一号に規定する地方公共団体又は国の事務又は事業と密接な関連を有する業務として人事委員会規則に定めるものに係る人事委員会に対する申請
二　利害関係企業等への求職活動の承認
三　第六条第一項に規定する適材推薦団体の選定
四　第六条第二項に規定する人材情報の提供

4　前条第二項第二号から第八号までに掲げる任命権者は、前項の規定による委員会への諮問について知事に委任することができる。

5　委員会は、第三項に掲げる事項の審議のほか、職員の退職管理の適正確保に関する事項について、任命権者から報告を受けることができる。

6　委員会は、前条第二項各号に掲げる任命権者の職員又は職員であった者を審議の対象とする。

**（委員会の組織）**

**第十一条**　委員会は、委員三人以上七人以内をもって組織する。

2　委員は、非常勤とする。

3　委員会に委員長を置き、委員の互選によって定める。

4　委員長は、会務を総理し、委員会を代表する。

5　委員長に事故があるときは、あらかじめその指名する委員が、その職務を代理する。

**（委員の委嘱）**

**第十二条**　委員は、人格が高潔であり、職員の退職管理に関する事項に関し公正な判断をすることができる者であって、法令及び人事管理に関する優れた知識及び経験を有するもののうちから、知事が委嘱する。

2　委員の任期は、二年とし、補欠の委員の任期は、前任者の残任期間とする。ただし、再任を妨げない。

3　委員は、職務上知り得た秘密を漏らしてはならない。その職を退いた後も同様とする。

**（委員の解職）**

**第十三条**　知事は、委員が次の各号のいずれかに該当する場合は、委員を解職することができる。

一　破産手続開始の決定を受けたとき。

二　拘禁刑以上の刑に処せられたとき。

三　心身の故障により職務を執行することができないと認められるとき。

四　前条第三項前段の規定に違反したとき。

五　前各号に掲げるもののほか、委員による職務上の義務違反その他引き続き委員として職務を執行することが著しく不適当であると知事が認めるとき。

**（委員会の組織及び運営の細目）**

**第十四条**　この条例に定めるもののほか、委員会の組織及び運営に関し必要な事項は、東京都規則で定める。

**（警視庁の職員等に関する特例）**

**第十五条**　警視総監及び警視庁の職員又は職員であった者には、第九条から前条までの規定は、適用しない。

2　特定地方警務官又は特定地方警務官であった者には、第三条から第五条まで、第七条、第八条及び第十七条の規定は、適用しない。

3　特定地方警務官又は特定地方警務官であった者に対する第六条の規定の適用については、「任命権者は」とあるのは「警視総監は」と、「当該任命権者の」とあるのは「警視総監の」とする。

4　警視総監は、警視庁の職員の退職管理を行うために必要と認められる措置を講ずることができる。

**（東京消防庁の職員に関する読替え等）**

**第十六条**　第十条第一項から第三項まで及び同条第五項並びに第十一条から第十四条までの規定は、東京消防庁の職員の退職管理について準用する。この場合において、第十条第一項中「職員」とあるのは「東京消防庁の職員」と、「知事の附属機関として、東京都退職管理委員会」とあるのは「東京消防庁退職管理委員会」と、同条第三項中「任命権者」とあるのは「消防総監」と、第十二条及び第十三条中「知事」とあるのは「消防総監」と、第十四条中「東京都規則で定める」とあるのは「消防総監が別に定める」と読み替えるものとする。

2　消防総監は、東京消防庁の職員の退職管理を行うために必要と認められる措置を講ずることができる。

**（罰則）**

**第十七条**　第七条第二項の規定による届出をせず、又は虚偽の届出をした者は、十万円以下の過料に処する。

**（その他）**

**第十八条**　法律に別段の定めがあるときは、その定めるところによる。

**附　則**

**（施行期日）**

1　この条例は、平成二十八年四月一日（以下「施行日」という。）から施行する。ただし、第十条第一項、第二項、第三項第一号及び第三号並びに第四項、第十一条から第十四条まで並びに第十五条第一項の規定は、公布の日から施行する。

**（経過措置）**

2　第四条、第五条第二項並びに第七条第二項及び第三項の規定は、平成二十八年三月三十一日以後に離職した職員について適用する。この場合において、同日に離職した職員については、第七条第二項（同条第三項において準用する場合を含む。）中「前項の規定による届出を行った場合」とあるのは、「従前の例により任命権者が当該者の再就職情報を把握している場合」とする。

3　第十七条の規定は、施行日前に離職した職員には、適用しない。

**附　則**（平二九・一二・二二条例七六）

**（施行期日）**

1　この条例は、平成三十年四月一日から施行する。

**（経過措置）**

2　この条例による改正後の東京都職員の退職管理に関する条例第八条の規定は、平成三十年二月一日以後にこの条例による改正前の東京都職員の退職管理に関する条例第七条の規定による届出を行った職員について適用し、同日前に届出を行った職員については、なお従前の例による。

**附　則**（令六・一〇・一一条例一一〇）

この条例は、令和七年六月一日から施行する。

# ○東京都職員の退職管理の運営等に関する規則

平二八・二・二九
規則七三

最終改正　令六・六・二八規則一二五

（趣旨）

**第一条**　この規則は、東京都職員の退職管理に関する条例（平成二十七年東京都条例第百二十七号。以下「条例」という。）における東京都職員の退職管理に関し必要な事項を定めるものとする。

（用語）

**第二条**　この規則で使用する用語は、条例で使用する用語の例による。

**（在職する執行機関の組織等の意思決定の権限を実質的に有しない職）**

**第三条**　在職する執行機関の組織等の意思決定の権限を実質的に有しない職と認められるものは、職員（警視庁の職員及び東京消防庁の職員（消防総監を除く。）を除く。以下同じ。）のうち次に掲げるものが就いている職とする。

一　職員の給与に関する条例（昭和二十六年東京都条例第七十五号。以下「職員給与条例」という。）第五条第一項第一号に規定する行政職給料表（別表第一）の適用を受ける職員であって、同号イに規定する行政職給料表㈠（以下単に「行政職給料表㈠」という。）の職務の級が三級以下のもの又は同号ロに規定する行政職給料表㈡の職務の級にあるもの

二　職員給与条例第五条第一項第五号に規定する医療職給料表（別表第五）の適用を受ける職員であって、同号イに規定する医療職給料表㈠の職務の級が一級のもの、同号ロに規定する医療職給料表㈡の職務の級が三級以下のもの又は同号ハに規定する医療職給料表㈢の職務の級が三級以下のもの

三　学校職員の給与に関する条例（昭和三十一年東京都条例第六十八号。以下「学校職員給与条例」という。）第七条第一項第一号に規定する教育職給料表（別表第二）の適用を受ける職員のうち職務の級が四級以下のもの

四　学校職員給与条例第七条第一項第三号に規定する事務職員給料表の適用を受ける職員のうち職務の級が三級以下のもの

五　学校職員給与条例第七条第一項第四号に規定する技術職員給料表の適用を受ける職員であって、同号イに規定する技術職員給料表㈠の職務の級が三級以下のもの、同号ロに規定する技術職員給料表㈡の職務の級が一級のもの、同号ハに規定する技術職員給料表㈢の職務の級が三級以下のもの又は同号ニに規定する技術職員給料表㈣の職務の級が三級以下のもの

六　東京都公営企業職員の給与の種類及び基準に関する条例（昭和二十八年東京都条例第十九号。以下「公営企業職員給与条例」という。）第十九条の規定により管理者が定める給料表の適用を受ける職員であって、第一号又は第二号に規定する職務の級に相当する職務の級にあるもの

2　離職時に在職していた執行機関の組織等の意思決定の権限を実質的に有しない職と認められるものは、前項各号に掲げる職員が就いていた職とする。

**（利害関係企業等への求職活動の承認の手続）**

**第四条**　職員は、利害関係企業等への求職活動の承認を得ようとするときは、別記第一号様式による求職活動承認申請書を任命権者（条例第九条第二項各号に掲げる任命権者に限る。以下同じ。）に提出するものとする。

2　任命権者は、前項の規定による申請が、条例第三条第一項に規定する利害関係企業等に対する求職活動に該当するかどうかを審査し、該当しない場合は、速やかに利害関係企業等への求職活動の承認を決定し、その結果を当該職員に通知するものとする。

3　任命権者は、第一項の規定による申請が利害関係企業等に対する求職活動に該当するおそれがあると認めたときは、条例第十条第三項の規定により、当該利害関係企業等への求職活動の承認について委員会に諮問するものとする。

4　任命権者は、前項の規定による諮問に対する答申を踏まえ、利害関係企業等への求職活動の承認又はその不承認を決定したときは、その結果を当該職員に通知するものとする。

**（人材情報の登録）**

**第五条**　任命権者は、退職後に再就職する意向がある職員（地方公務員法（昭和二十五年法律第二百六十一号。以下「法」という。）第二十九条の規定による懲戒免職の処分を受けた者、実質的に行政上の権限を行使しない又は行使しなかった職員として人事委員会規則に定めるもの及び第八条に規定する職員を除く。）の人材情報を人材バンクに登録するものとする。

2　任命権者は、人材バンクに登録された職員又は職員であった者（以下「登録者」という。）から条例第七条に規定する届出を受けたときは、当該登録者の人材情報を抹消するものとする。

3　任命権者は、登録者が次条第一項に規定する求人情報に関する不適切な取扱いを行う等人材情報の登録を継続することが適当でないと認められるとき、又は登録者から再就職の意向を取り下げる旨の申出があったときは、当該登録者の人材情報を人材バンクから抹消するものとする。

（**人材情報の提供手続**）

**第六条**　任命権者は、職員を採用する意向のある営利企業等（以下「求人企業等」という。）から求人の申出があったときは、別記第二号様式による求人申込書兼誓約書の提出を受け、人材バンクに当該求人情報を登録するものとする。

2　任命権者は、求人情報の要件に合致する登録者に対して、当該求人に応募する意向があるかを確認し、その結果、当該求人に応募する意向がある登録者の人材情報を条例第六条第二項の規定により当該求人企業等に提供しようとする場合は、条例第十条第三項の規定により、あらかじめ委員会に諮問するものとする。

3　任命権者は、前項の規定による諮問に対する答申を踏まえ、人材情報の提供を承認することと決定したときは、同項の登録者の人材情報を同項の求人企業等に提供するものとする。

4　任命権者は、第一項の求人情報の要件に合致する登録者が存在しない場合又は第二項の規定による意向の確認の結果、登録者から当該求人に応募する意向がない旨の回答があった場合は、当該求人に係る求人企業等に対し、人材情報の提供を行わない旨を速やかに通知するものとする。

5　任命権者は、第二項の規定による諮問の結果、委員会から人材情報の提供が不適当であるとの答申があった場合であって、当該答申を踏まえ、承認しないことと決定したときは、同項の規定による登録者及び当該求人に係る求人企業等に対し、人材情報の提供を行わない旨を速やかに通知するものとする。

6　任命権者は、前各項の規定により再就職した者が、法第六十条第四号から第七号まで又は法第六十四条に規定する罰則の適用を受けたときは、当該罰則の適用を受けた時から一年以内については、当該求人企業等からの別の求人情報がある場合はこれを抹消し、当該求人企業等から新たに第一項の求人申込書兼誓約書が提出された場合はこれを登録しないものとする。

7　任命権者は、第四条の規定により再就職した者が、法第六十条第四号から第七号まで又は法第六十四条に規定する罰則の適用を受けたときは、当該罰則の適用を受けた時から一年以内については、当該営利企業等からの求人情報がある場合はこれを抹消し、当該営利企業等から新たに第一項の求人申込書兼誓約書が提出された場合はこれを登録しないこととする。

（**適材推薦団体**）

**第七条**　条例第六条第一項に規定する適材推薦団体として任命権者が選定したものは、国、国際機関、地方公共団体、独立行政法人通則法（平成十一年法律第百三号）第二条第四項に規定する行政執行法人、地方独立行政法人法（平成十五年法律第百十八号）第二条第二項に規定する特定地方独立行政法人及び地方自治法（昭和二十二年法律第六十七号）第二百六十三条の三第一項に規定する連合組織で同項の規定による届出をしたもののほか、別表に掲げる団体とする。

（**公務の公正性の確保に支障が生じない者**）

**第八条**　任命権者への届出がなされないことにより公務の公正性の確保に支障が生じない者と任命権者が認めるものは、行政職給料表㈠の適用を受ける職員のうち職務の級が三級以下のもの及び第三条第一項第二号から第六号までに掲げる職員のうち、当該職員が離職する予定の日において勤続期間（職員として採用された日から離職した日までの期間（退職手当通算予定職員として退職手当通算法人の地位に就いていた期間及び退職派遣者として特定法人（公益的法人等への一般職の地方公務員の派遣等に関する法律（平成十二年法律第五十号）第十条第一項に規定する特定法人をいう。）の地位に就いていた期間を含む。）をいう。以下同じ。）が二十年未満のもの又は離職した日において勤続期間が二十年未満のもの（職員の定年等に関する条例（昭和五十九年東京都条例第四号）第二条の規定により退職した者及び職員の退職手当に関する条例施行規則（昭和三十一年東京都規則第百十六号）第五条第一項に規定する者を除く。）とする。

（**退職管理委員会の運営等**）

**第九条**　委員会は、知事が招集する。

2　委員会は、委員の過半数が出席しなければ、会議を開くことができない。

3　委員会の議事は、出席した委員の過半数で決し、可否同数のときは、委員長の決するところによる。

4　委員長は、条例第十条第三項各号に掲げる事項を審議するに際し、やむを得ない事情により委員会を招集するいとまがないと認めるときは、委員会を臨時に代理し、その議事を決することができる。

5　委員長は、前項の規定により委員会を臨時に代理したときは、その旨及び代理した事項を次の委員会において報告しなければならない。

6　前各項に定めるもののほか、委員会の運営に関し必要な事項は、委員長が委員会に諮って定める。

## 附　則

この規則は、平成二十八年四月一日から施行する。ただし、第八条の規定は、公布の日から施行する。

**附　則**（令六・三・二九規則九〇）

この規則は、令和六年四月一日から施行する。

**附　則**（令六・六・二八規則一二五）

この規則は、令和六年七月一日から施行する。

**別表**（第七条関係）

一般財団法人ＧｏｖＴｅｃｈ東京
一般財団法人救急振興財団
一般財団法人公園財団
一般財団法人港湾空港総合技術センター
一般財団法人国際臨海開発研究センター
一般財団法人国土技術研究センター
一般財団法人砂防・地すべり技術センター
一般財団法人自治体衛星通信機構
一般財団法人自治体国際化協会
一般財団法人消防試験研究センター
一般財団法人全国危険物安全協会
一般財団法人地域活性化センター
一般財団法人地域総合整備財団
一般財団法人地方公務員安全衛生推進協会
一般財団法人地方債協会
一般財団法人東京港湾福利厚生協会
一般財団法人東京都営交通協力会
一般財団法人東京都人材支援事業団
一般財団法人東京マラソン財団
一般財団法人道路管理センター
一般財団法人日本建設情報総合センター
一般財団法人日本消防設備安全センター
一般財団法人みなと総合研究財団
一般社団法人東京国際金融機構
一般社団法人東京都港湾振興協会
一般社団法人東京都トラック協会
一般社団法人日本公園緑地協会
危険物保安技術協会
金融経済教育推進機構
公益財団法人後藤・安田記念東京都市研究所
公益財団法人全国市町村研修財団
公益財団法人東京オリンピック・パラリンピック競技大会組織委員会
公益財団法人東京観光財団
公益財団法人東京しごと財団
公益財団法人東京税務協会
公益財団法人東京都医学総合研究所
公益財団法人東京動物園協会
公益財団法人東京都環境公社
公益財団法人東京都教育支援機構
公益財団法人東京都公園協会
公益財団法人東京都交響楽団
公益財団法人東京都私学財団
公益財団法人東京都人権啓発センター
公益財団法人東京都スポーツ協会
公益財団法人東京都スポーツ文化事業団
公益財団法人東京都中小企業振興公社
公益財団法人東京都つながり創生財団
公益財団法人東京都島しょ振興公社
公益財団法人東京都道路整備保全公社
公益財団法人東京都都市づくり公社
公益財団法人東京都農林水産振興財団
公益財団法人東京都福祉保健財団
公益財団法人東京都防災・建築まちづくりセンター
公益財団法人東京都歴史文化財団
公益財団法人東京２０２５世界陸上財団
公益財団法人東京防災救急協会
公益財団法人東京連合防火協会
公益財団法人日本下水道新技術機構
公益財団法人日本消防協会
公益財団法人日本防災協会

公益財団法人リバーフロント研究所
公益社団法人東京都医師会
公益社団法人東京都教職員互助会
公益社団法人東京都障害者スポーツ協会
公益社団法人日本下水道協会
公益社団法人日本水道協会
公益財団法人東京都生活衛生営業指導センター
社会福祉法人東京都社会福祉協議会
社会福祉法人東京都社会福祉事業団
地方公共団体金融機構
地方税共同機構
地方独立行政法人東京都健康長寿医療センター
地方独立行政法人東京都立産業技術研究センター
地方独立行政法人東京都立病院機構
東京信用保証協会
東京都漁業協同組合連合会
東京都公立大学法人
東京都国民健康保険団体連合会
東京都住宅供給公社
東京都職業能力開発協会
独立行政法人国際協力機構
独立行政法人都市再生機構
独立行政法人日本スポーツ振興センター
日本下水道事業団
日本司法支援センター
日本消防検定協会
株式会社建設資源広域利用センター
株式会社多摩テレビ
株式会社多摩ニュータウン開発センター
株式会社東京きらぼしフィナンシャルグループ
株式会社東京国際フォーラム

株式会社東京スタジアム
株式会社東京ビッグサイト
株式会社東京臨海ホールディングス
東京臨海熱供給株式会社
株式会社東京テレポートセンター
株式会社日本宝くじシステム
株式会社パスモ
株式会社ゆりかもめ
株式会社セントラルプラザ
株式会社はとバス
株式会社東京交通会館
首都圏新都市鉄道株式会社
首都高速道路株式会社
多摩都市モノレール株式会社
東京下水道エネルギー株式会社
東京交通サービス株式会社
東京港埠頭株式会社
東京水道株式会社
東京都下水道サービス株式会社
東京都市開発株式会社
東京都地下鉄建設株式会社
東京トラフィック開発株式会社
東京熱供給株式会社
東京臨海高速鉄道株式会社
日本自動車ターミナル株式会社
東京都競馬株式会社
東京地下鉄株式会社
東京食肉市場株式会社
八丈島空港ターミナルビル株式会社
水道マッピングシステム株式会社
東京都市長会

特別区長会
東京都市区長会
東京都町村会
東京都市議会議長会
特別区議会議長会
東京都町村議会議長会

**別記**〔略〕

# ○東京都職員の退職管理に関する規則

平二八・三・二五
人事委員会規則一一

最終改正　令六・六・二八人事委員会規則八

（趣旨）

**第一条**　この規則は、地方公務員法（昭和二十五年法律第二百六十一号。以下「法」という。）第三十八条の二から第三十八条の五まで及び第六十条第四号から第七号まで並びに東京都職員の退職管理に関する条例（平成二十七年東京都条例第百二十七号。以下「条例」という。）第二条から第五条まで、第七条、第八条及び第十条の規定に基づき、職員（条例第一条に規定する職員をいう。以下同じ。）の退職管理に関し必要な事項を定めるものとする。

（離職前五年間に在職していた地方公共団体の執行機関の組織等の役職員に類する者）

**第二条**　法第三十八条の二第一項に規定する離職前五年間に在職していた地方公共団体の執行機関の組織等の役職員に類する者として人事委員会規則で定めるものは、再就職者（同項に規定する再就職者をいう。以下同じ。）が離職前五年間に就いていた職が廃止された場合における当該再就職者が当該職に就いていた時に担当していた職務を担当している役職員（同項に規定する役職員をいう。以下同じ。）が属する執行機関の組織等（同項に規定する地方公共団体の執行機関の組織等をいう。以下同じ。）（当該再就職者が当該職に就いていた時に在職していた執行機関の組織等を除く。）に属する役職員とする。

2　法第六十条第四号に規定する離職前五年間に在職していた地方公共団体の執行機関の組織等に属する役職員に類する者として人事委員会規則で定めるものも、前項と同様とする。

（子法人）

**第三条**　法第三十八条の二第一項の国家公務員法（昭和二十二年法律第百二十号）第百六条の二第一項に規定する子法人の例を基準として人事委員会規則で定めるものは、一の営利企業等（法第三十八条の二第一項に規定する営利企業等をいう。以下同じ。）が株主等（株主若しくは社員又は発起人その他の法人の設立者をいう。）の議決権（株主総会において決議をすることができる事項の全部につき議決権を行使することができない株式についての議決権を除き、会社法（平成十七年法律第八十六号）第八百七十九条第三項の規定により議決権を有するものとみなされる株式についての議決権を含む。以下同じ。）の総数の百分の五十を超える数の議決権を保有する法人をいい、一の営利企業等及びその子法人又は一の営利企業等の子法人が株主等の議決権の総数の百分の五十を超える数の議決権を保有する法人は、当該営利企業等の子法人とみなす。

（退職手当通算法人）

**第四条**　法第三十八条の二第二項の規定による人事委員会規則で定める法人は、地方独立行政法人法（平成十五年法律第百十八号）第二条第一項に規定する地方独立行政法人のほか、独立行政法人通則法（平成十一年法律第百三号）第二条第二項に規定する中期目標管理法人及び同条第三項に規定する国立研究開発法人のうち、職員の退職手当に関する条例（昭和三十一年東京都条例第六十五号）第十条第五項の規定により、当該法人の職員としての勤続期間が、職員としての在職期間に通算される法人（条例第一条に規定する特定地方警務官であった者にあっては、国家公務員法第百六条の二第三項に規定する退職手当通算法人）とする。

（退職手当通算予定職員）

**第五条**　法第三十八条の二第三項に規定する特別の事情がない限り引き続いて選考による採用が予定されている者のうち人事委員会規則で定めるものは、退職手当通算法人の役員又は退職手当通算法人に使用される者となるため退職する時に職員の退職手当に関する条例の規定による退職手当の支給を受けないこととされている者（条例第一条に規定する特定地方警務官であった者にあっては、国家公務員退職手当法（昭和二十八年法律第百八十二号）の規定による退職手当の支給を受けないこととされている者）とする。

（内部組織の長に準ずる職）

**第六条**　法第三十八条の二第四項及び法第六十条第五号並びに条例第三条の地方自治法（昭和二十二年法律第六十七号）第百五十八条第一項に規定する普通地方公共団体の長の直近下位の内部組織の長の職に準ずる職であって人事委員会規則で定めるものは、次の各号に掲げる職とする。

一　職員の給与に関する条例（昭和二十六年東京都条例第七十五号。以下「職員給与条例」という。）別表第六指定職給料表の適用を受ける職員（東京都組織条例（昭和三十五年東京都条例第六十六号）第一条に規定する局の局長を除く。）が就いている職

二　警視庁の設置に関する条例（昭和二十九年東京都条例第五十二号）第三条に規定する部の部長

三　東京都公営企業職員の給与の種類及び基準に関す

る条例（昭和二十八年東京都条例第十九号。以下「公営企業職員給与条例」という。）第十九条の規定により各給料表の適用を受ける職員のうち第一号に規定する給料表に相当する給料表の適用を受ける職員

**（内部組織の長等の職に就いていた時に在職していた地方公共団体の執行機関の組織等の役職員に類する者）**

**第七条**　法第三十八条の二第四項の地方自治法第百五十八条第一項に規定する普通地方公共団体の長の直近下位の内部組織の長又は前条各号で定める職（以下「内部組織の長等の職」という。）に就いていた時に在職していた地方公共団体の執行機関の組織等の役職員に類する者として人事委員会規則で定めるものは、再就職者が離職した日の五年前の日より前に就いていた内部組織の長等の職が廃止された場合における当該再就職者が当該内部組織の長等の職に就いていた時に担当していた職務を担当している役職員が属する執行機関の組織等（当該再就職者が当該内部組織の長等の職に就いていた時に在職していた執行機関の組織等を除く。）に属する役職員とする。

2　法第六十条第五号の地方自治法第百五十八条第一項に規定する普通地方公共団体の長の直近下位の内部組織の長又は前条各号で定める職に就いていた時に在職していた地方公共団体の執行機関の組織等に属する役職員に類する者として人事委員会規則で定めるものも、前項と同様とする。

**（在職していた地方公共団体の執行機関の組織等の役職員に類する者）**

**第八条**　法第三十八条の二第五項に規定する在職していた地方公共団体の執行機関の組織等の役職員に類する者として人事委員会規則で定めるものは、再就職者が離職前に就いていた職が廃止された場合における当該再就職者が当該職に就いていた時に担当していた職務を担当している役職員が属する執行機関の組織等（当該再就職者が当該職に就いていた時に在職していた執行機関の組織等を除く。）に属する役職員とする。

2　法第六十条第六号に規定する在職していた地方公共団体の執行機関の組織等に属する役職員に類する者として人事委員会規則で定めるものも、前項と同様とする。

**（地方公共団体等の事務又は事業と密接な関連を有する業務）**

**第九条**　法第三十八条の二第六項第一号に規定する地方公共団体若しくは国の事務又は事業と密接な関連を有する業務として人事委員会規則で定めるものは、地方独立行政法人及び第四条に定める退職手当通算法人並びに別表第一及び別表第二に掲げる法人（これらの法人の子法人を含む。）が行う業務とする。

**（行政庁等への権利行使等に類する場合）**

**第十条**　法第三十八条の二第六項第二号の規定による人事委員会規則で定める場合は、法令に違反する事実がある場合において、その是正のためにされるべき処分がされていないと思料するときに、当該処分をする権限を有する行政庁に対し、その旨を申し出て、当該処分をすることを求める場合とする。

**（再就職者による依頼等により公務の公正性の確保に支障が生じないと認められる場合）**

**第十一条**　法第三十八条の二第六項第六号の規定による人事委員会規則で定める場合は、同号の要求又は依頼に係る職務上の行為が電気、ガス又は水道水の供給及び日本放送協会による放送の役務の給付を受ける契約に関する職務その他任命権者が役職員の裁量の余地が少ない職務に関するものであると認める場合とする。

**（再就職者による依頼等の承認の手続）**

**第十二条**　法第三十八条の二第六項第六号の規定による任命権者の承認を得ようとする再就職者は、再就職者による依頼等の承認申請書（別記第一号様式）を任命権者に提出しなければならない。

**（再就職者による依頼等の届出の手続）**

**第十三条**　職員は、法第三十八条の二第七項に規定する禁止される要求又は依頼を受けたときは、当該要求又は依頼を受けた後遅滞なく、再就職者から依頼等を受けた場合の届出書（別記第二号様式）を人事委員会に提出しなければならない。

**（部長又は課長に相当する職）**

**第十四条**　条例第二条及び法第六十条第七号の国家行政組織法（昭和二十三年法律第百二十号）第二十一条第一項に規定する部長又は課長の職に相当する職（以下「部課長等の職」という。）として人事委員会規則で定めるものは、次に掲げる職員が就いている職とする。

一　職員給与条例第九条の二の規定に基づき給料の特別調整額の支給を受ける職員

二　学校職員の給与に関する条例（昭和三十一年東京都条例第六十八号。以下「学校職員給与条例」という。）第十一条の二の規定に基づき管理職手当の支給を受ける職員

三　東京都の一般職の任期付職員の採用及び給与の特例に関する条例（平成十四年東京都条例第百六十一号）第四条第一項に規定する給料表の適用を受ける職員

四　東京都の一般職の任期付研究員の採用及び給与の特例に関する条例（平成十四年東京都条例第百六十二号）第七条第一項に規定する給料表の適用を受け

る職員

五　公営企業職員給与条例第三条の二の規定に基づき管理職手当の支給を受ける職員及び同条例第十九条の規定に基づき各給料表の適用を受ける職員のうち第三号又は第四号に規定する給料表に相当する給料表の適用を受ける職員

**（部課長等の職に就いていた時に在職していた地方公共団体の執行機関の組織等の役職員に類する者）**

**第十五条**　条例第二条に規定する部課長等の職に就いていた時に在職していた地方公共団体の執行機関の組織等の職員又は地方独立行政法人法第二条第二項に規定する特定地方独立行政法人の役員（以下この項において「役職員」という。）に類する者として人事委員会規則で定めるものは、再就職者が離職した日の五年前の日より前に就いていた部課長等の職が廃止された場合における当該再就職者が当該部課長等の職に就いていた時に担当していた職務を担当している役職員が属する執行機関の組織等（当該再就職者が当該部課長等の職に就いていた時に在職していた執行機関の組織等を除く。）に属する役職員とする。

2　法第六十条第七号に規定する部課長等の職に就いていた地方公共団体の執行機関の組織等に属する役職員に類する者として人事委員会規則で定めるものも、前項と同様とする。

**（利害関係企業等）**

**第十六条**　条例第三条第一項に規定する営利企業等のうち職員の職務に利害関係を有するものとして人事委員会規則で定めるものは、職員が職務として携わる次の各号に掲げる事務の区分に応じ、当該各号に定めるもの（任命権者が職員の職務との利害関係が潜在的なものにとどまるもの又は職員の裁量の余地が少ない職務に関するものと認めるものを除く。）とする。

一　許認可等（行政手続法（平成五年法律第八十八号）第二条第三号に規定する許認可等をいう。以下同じ。）をする事務　当該許認可等を受けて事業を行っている営利企業等、当該許認可等の申請をしている営利企業等及び当該許認可等の申請をしようとしていることが明らかである営利企業等

二　補助金等（地方自治法第二百三十二条の二の規定により都が支出する補助金をいう。以下同じ。）を交付する事務　当該補助金等の交付を受けて当該交付の対象となる事務又は事業を行っている営利企業等、当該補助金等の交付の申請をしている営利企業等及び当該補助金等の交付の申請をしようとしていることが明らかである営利企業等

三　立入検査、監査又は監察（法令の規定に基づき行われるものに限る。以下「検査等」という。）をする事務　当該検査等を受けている営利企業等及び当該検査等を受けようとしていることが明らかである営利企業等（当該検査等の方針及び実施計画の作成に関する事務に携わる職員にあっては、当該検査等を受ける営利企業等）

四　不利益処分（行政手続法第二条第四号に規定する不利益処分をいう。以下同じ。）をする事務　当該不利益処分をしようとする場合における当該不利益処分の名宛人となるべき営利企業等

五　行政指導（行政手続法第二条第六号に規定する行政指導のうち、法令の規定に基づいてされるものをいう。以下同じ。）をする事務　当該行政指導により現に一定の作為又は不作為を求められている営利企業等

六　都の締結する売買、貸借、請負その他の契約（以下「契約」という。）に関する事務　当該契約（電気、ガス又は水道水の供給及び日本放送協会による放送の役務の給付を受ける契約を除く。以下この号において同じ。）を締結している営利企業等（職員が締結に携わった契約及び履行に携わっている契約の総額が二千万円未満である場合における当該営利企業等を除く。）、当該契約の申込みをしている営利企業等及び当該契約の申込みをしようとしていることが明らかである営利企業等

七　司法警察職員が職務として行う場合における犯罪の捜査に関する事務　当該犯罪の捜査を受けている被疑者である営利企業等

**（利害関係にあった企業等）**

**第十七条**　条例第四条第一項に規定する営利企業等のうち職員であった者の離職時の職務に利害関係を有していたものとして人事委員会規則で定めるものは、職員であった者が離職時に職務として携わっていた前条各号に掲げる事務の区分に応じ、当該各号に定めるもの（任命権者が職員の職務との利害関係が潜在的なものにとどまるもの又は職員の裁量の余地が少ない職務に関するものと認めるものを除く。）とする。

2　条例第五条第二項に規定する営利企業等のうち局長等の職及び部課長等の職に就いていたときの職務に利害関係を有していたものとして人事委員会規則で定めるものは、局長等の職員であった者が局長等の職又は部課長等の職に就いていたときに職務として携わっていた前条各号に掲げる事務の区分に応じ、当該各号に定めるものとする。

**（任命権者への再就職の届出）**

**第十八条**　条例第七条第　項及び第二項に規定する人事委員会規則で定める事項は、次に掲げる事項とする。

一　氏名
二　生年月日
三　離職時の所属
四　離職時の職
五　離職日
六　現住所
七　再就職先の名称
八　再就職先の所在地
九　再就職先における役職
十　再就職先の業務内容
十一　再就職日
十二　再就職先における勤務形態

2　条例第七条各項の規定による届出をしようとする職員又は職員であった者は、再就職状況届出書（別記第三号様式）により、任命権者（職員であった者にあっては、離職した職又はこれに相当する職の任命権者）に届け出なければならない。

**（実質的に行政上の権限を行使しない職員）**

**第十九条**　条例第七条第一項に規定する実質的に行政上の権限を行使しない職員として人事委員会規則に定めるものは、次に掲げる職員とする。

一　職員給与条例別表第一ロ行政職給料表㈡の適用を受ける職員

二　職員給与条例別表第五イ医療職給料表㈠の適用を受ける職員のうち職務の級が一級である職員、同表第五ロ医療職給料表㈡の適用を受ける職員のうち職務の級が三級以下である職員及び同表第五ハ医療職給料表㈢の適用を受ける職員のうち職務の級が三級以下である職員（東京都組織規程（昭和二十七年東京都規則第百六十四号）第八条に定める福祉局及び保健医療局の各部並びに保健所の設置等に関する条例（昭和二十三年東京都条例第百二十八号）第一条に規定する保健所並びに東京都健康安全研究センター処務規程（平成十五年東京都訓令第二十一号）第二条に規定する広域監視部に勤務する職員を除く。）

三　学校職員給与条例別表第二教育職給料表の適用を受ける職員のうち職務の級が四級以下である職員（東京都立学校設置条例（昭和三十九年東京都条例第百十三号）第一条に規定する都立学校（以下「都立学校」という。）に勤務する職員に限る。）

四　学校職員給与条例第七条第四号に規定する技術職員給料表の適用を受ける職員であって、第二号に規定する職務の級に相当する職務の級に格付けられる職員

五　公営企業職員給与条例第十九条の規定により、各給料表の適用を受ける職員であって、第一号又は第二号に規定する職務の級に相当する職務の級に格付けられる職員又はこれらに準ずる職員

2　条例第七条第三項に規定する実質的に行政上の権限を行使しなかった職員として人事委員会規則に定めるものは、離職時に前項各号に掲げる職員であった者とする。

**（任命権者への再就職の届出を要しない場合）**

**第二十条**　条例第七条第一項及び第二項に規定する人事委員会規則で定める場合は、次に掲げる場合とする。

一　任命権者又はその委任を受けた者の要請に応じ地方公務員又は国家公務員（以下この号において「地方公務員等」という。）となるため退職し、引き続き地方公務員等となった場合

二　都を離職後、再度、都に採用された場合（法第三条第三項に規定する都の特別職になった場合を含む。）

三　営利企業以外の法人その他の団体の地位に就き、又は事業に従事し、若しくは事務を行うこととなった日から起算して一年間につき、所得税法（昭和四十年法律第三十三号）第二十八条第三項第一号括弧書に規定する給与所得控除額に相当する金額と同法第八十六条第二項に規定する基礎控除の額に相当する金額の合計額以下の報酬を得る場合

**（管理又は監督の地位にある職員）**

**第二十一条**　条例第七条第二項に規定する管理又は監督の地位にある職員の職として人事委員会規則で定めるものは、次に掲げる職員が就いている職とする。

一　東京都組織条例第一条に規定する局の局長

二　第六条各号に掲げる職員

三　第十四条各号に掲げる職員

**（再就職状況の公表）**

**第二十二条**　条例第八条第二項及び第四項に規定する人事委員会規則で定める職員又は職員であった者は、条例第七条の規定による届出をした者とする。ただし、前条に規定する職に就いている職員であった者のうち、次に掲げる職員についてはこの限りでない。

一　離職日において、職員給与条例別表第五医療職給料表に掲げる各給料表の適用を受けていた職員（離職日において、東京都組織規程第八条に定める福祉局及び保健医療局の各部並びに保健所の設置等に関する条例第一条に規定する保健所並びに東京都健康安全研究センター処務規程第二条に規定する広域監視部に勤務していた職員を除く。）

二　離職日において、学校職員給与条例別表第二教育職給料表の適用を受けていた職員のうち都立学校の副校長又は教頭の職に就いていた職員

三　離職日において、公営企業職員給与条例第十九条

の規定により、各給料表の適用を受けていた職員であって、第一号に規定する職務の級に相当する職務の級に格付けられる職員又はこれらに準ずる職員

2　条例第八条第二項及び第四項に規定する人事委員会規則で定める事項は、条例第七条の規定による届出をした者のうち、前条に規定する職に就いている職員であった者にあっては第十八条第一項第一号、第三号、第四号、第五号、第七号、第九号及び第十一号に掲げる事項と、前条に規定する職に就いている職員でなかった者にあっては第十八条第一項第三号、第五号、第七号、第九号及び第十一号に掲げる事項とする。

（委任）

**第二十三条**　この規則の施行に関し必要な事項は、別に定める。

**附　則**

この規則は、平成二十八年四月一日から施行する。

**附　則**（令六・三・二九人事委員会規則一）

この規則は、令和六年四月一日から施行する。

**附　則**（令六・六・二八人事委員会規則八）

この規則は、令和六年七月一日から施行し、この規則による改正後の東京都職員の退職管理に関する規則第十九条第一項第二号及び第二十二条第一項第一号の規定は、令和五年七月一日から適用する。

**別表第一**（第九条関係）

一般財団法人ＧｏｖＴｅｃｈ東京
一般財団法人救急振興財団
一般財団法人公園財団
一般財団法人港湾空港総合技術センター
一般財団法人国際臨海開発研究センター
一般財団法人国土技術研究センター
一般財団法人砂防・地すべり技術センター
一般財団法人自警会
一般財団法人自治体衛星通信機構
一般財団法人自治体国際化協会
一般財団法人消防試験研究センター
一般財団法人全国危険物安全協会
一般財団法人地域活性化センター
一般財団法人地域総合整備財団
一般財団法人地方公務員安全衛生推進協会
一般財団法人地方債協会
一般財団法人東京港湾福利厚生協会
一般財団法人東京都営交通協力会
一般財団法人東京都人材支援事業団
一般財団法人東京マラソン財団
一般財団法人道路管理センター
一般財団法人日本建設情報総合センター
一般財団法人日本消防設備安全センター
一般財団法人みなと総合研究財団
一般社団法人東京国際金融機構
一般社団法人東京都港湾振興協会
一般社団法人東京都トラック協会
一般社団法人日本公園緑地協会
危険物保安技術協会
金融経済教育推進機構
公益財団法人後藤・安田記念東京都市研究所
公益財団法人全国市町村研修財団
公益財団法人東京オリンピック・パラリンピック競技大会組織委員会
公益財団法人東京観光財団
公益財団法人東京しごと財団
公益財団法人東京税務協会
公益財団法人東京都医学総合研究所
公益財団法人東京動物園協会
公益財団法人東京都環境公社
公益財団法人東京都教育支援機構
公益財団法人東京都公園協会
公益財団法人東京都交響楽団
公益財団法人東京都私学財団
公益財団法人東京都人権啓発センター
公益財団法人東京都スポーツ協会
公益財団法人東京都スポーツ文化事業団
公益財団法人東京都生活衛生営業指導センター
公益財団法人東京都中小企業振興公社
公益財団法人東京都つながり創生財団
公益財団法人東京都島しょ振興公社
公益財団法人東京都道路整備保全公社
公益財団法人東京都都市づくり公社
公益財団法人東京都農林水産振興財団
公益財団法人東京都福祉保健財団
公益財団法人東京都防災・建築まちづくりセンター
公益財団法人東京都歴史文化財団
公益財団法人東京２０２５世界陸上財団
公益財団法人東京防災救急協会
公益財団法人東京連合防火協会
公益財団法人日本下水道新技術機構

公益財団法人日本消防協会
公益財団法人日本防炎協会
公益財団法人暴力団追放運動推進都民センター
公益財団法人リバーフロント研究所
公益社団法人東京都医師会
公益社団法人東京都教職員互助会
公益社団法人東京都障害者スポーツ協会
公益社団法人日本下水道協会
公益社団法人日本水道協会
社会福祉法人東京都社会福祉協議会
社会福祉法人東京都社会福祉事業団
全国知事会
地方公共団体金融機構
地方税共同機構
東京信用保証協会
東京都漁業協同組合連合会
東京都国民健康保険団体連合会
東京都住宅供給公社
東京都職業能力開発協会
特定非営利活動法人全国万引犯罪防止機構
独立行政法人国際協力機構
独立行政法人都市再生機構
独立行政法人日本スポーツ振興センター
日本下水道事業団
日本司法支援センター
日本消防検定協会

**別表第二**（第九条関係）

株式会社建設資源広域利用センター
株式会社セントラルプラザ
株式会社多摩テレビ
株式会社多摩ニュータウン開発センター
株式会社東京きらぼしフィナンシャルグループ
株式会社東京交通会館
株式会社東京国際フォーラム
株式会社東京スタジアム
株式会社東京ビッグサイト
株式会社東京臨海ホールディングス
株式会社日本宝くじシステム
株式会社はとバス
株式会社パスモ
株式会社ゆりかもめ
首都圏新都市鉄道株式会社
首都高速道路株式会社
水道マッピングシステム株式会社
多摩都市モノレール株式会社
東京下水道エネルギー株式会社
東京交通サービス株式会社
東京港埠頭株式会社
東京食肉市場株式会社
東京水道株式会社
東京地下鉄株式会社
東京都競馬株式会社
東京都下水道サービス株式会社
東京都市開発株式会社
東京都地下鉄建設株式会社
東京トラフィック開発株式会社
東京熱供給株式会社
東京臨海高速鉄道株式会社
日本自動車ターミナル株式会社
八丈島空港ターミナルビル株式会社

**別記**〔略〕

# 第二章　勤務時間等

## ○職員の勤務時間、休日、休暇等に関する条例

平七・三・一六
条　例　一　五

最終改正　令四・一〇・一七条例一一六

（趣旨）

**第一条**　この条例は、地方公務員法（昭和二十五年法律第二百六十一号）第二十四条第五項の規定に基づき、職員の勤務時間、休日、休暇等に関し必要な事項を定めるものとする。

2　教育公務員特例法（昭和二十四年法律第一号）第二条に定める教育公務員（専門的教育職員を除く。）、教育公務員特例法施行令（昭和二十四年政令第六号）第九条第二項に定める実習助手及び寄宿舎指導員、地方教育行政の組織及び運営に関する法律（昭和三十一年法律第百六十二号）第三十一条第一項に定める事務職員及び技術職員並びに市町村立学校職員給与負担法（昭和二十三年法律第百三十五号）第一条に定める学校栄養職員の勤務時間、休日、休暇等に関しては、別に条例で定める。

（一週間の正規の勤務時間）

**第二条**　職員の正規の勤務時間は、休憩時間を除き、四週間を超えない期間につき一週間当たり三十八時間四十五分とする。

2　地方公務員の育児休業等に関する法律（平成三年法律第百十号）第十条第三項の規定により同条第一項に規定する育児短時間勤務（以下「育児短時間勤務」という。）の承認を受けた職員（同法第十七条の規定による短時間勤務をすることとなった職員を含む。以下「育児短時間勤務職員等」という。）の正規の勤務時間は、前項の規定にかかわらず、休憩時間を除き、一週間について当該承認を受けた育児短時間勤務の内容（同条の規定による短時間勤務をすることとなった職員にあっては、同条の規定によりすることとなった短時間勤務の内容。以下「育児短時間勤務等の内容」という。）に従い、任命権者が定める。

3　地方公務員法第二十二条の四第一項に規定する短時間勤務の職を占める職員（以下「定年前再任用短時間勤務職員」という。）の正規の勤務時間は、第一項の規定にかかわらず、休憩時間を除き、一週間について十五時間三十分から三十一時間までの範囲内で、任命権者が定める。

4　任命権者は、職務の性質により前三項の規定により難いときは、職員の正規の勤務時間について、人事委員会の承認を得て、別に定めることができる。

（正規の勤務時間の割振り）

**第三条**　任命権者は、暦日を単位として、月曜日から金曜日までの五日間（以下「平日」という。）において、一日につき七時間四十五分の正規の勤務時間を割り振るものとする。ただし、育児短時間勤務職員等については一週間ごとの期間について当該育児短時間勤務等の内容に従い一日につき七時間四十五分を超えない範囲内で正規の勤務時間を割り振るものとし、定年前再任用短時間勤務職員については一週間ごとの期間について一日につき七時間四十五分を超えない範囲内で正規の勤務時間を割り振るものとする。

2　任命権者は、任命権者が定める職場において始業及び終業の時刻について職員（育児短時間勤務職員等又は定年前再任用短時間勤務職員を除く。）の申告を考慮して当該職員の勤務時間を割り振ることが公務の運営に支障がないと認める職員（以下「フレックスタイム制勤務職員」という。又は職務の性質により特別の勤務形態によって勤務する必要のある職員については、前項の規定にかかわらず、正規の勤務時間の割振りを別に定めることができる。この場合において、フレックスタイム制勤務職員については、職員の申告を経て、暦日を単位として、平日の範囲内において正規の勤務時間を割り振るものとする。

3　前項の場合において、職員が二暦日にわたり継続する正規の勤務時間を割り振られたときは、当該勤務は、正規の勤務時間の始期の属する日の勤務とする。

（週休日）

**第四条**　日曜日及び土曜日は、週休日（正規の勤務時間を割り振らない日をいう。以下同じ。）とする。ただし、任命権者は、育児短時間勤務職員等については、必要に応じ、当該育児短時間勤務等の内容に従い、これらの日に加えて、平日において週休日を設けるものとし、定年前再任用短時間勤務職員については、日曜日及び土曜日に加えて、平日において週休日を設けることができるものとし、フレックスタイム制勤務職員については、四週間ごとの期間につき一日に限り、日曜日及び土曜日に加えて、平日において週休日を設けることができる。

2　任命権者は、職務の性質により特別の勤務形態によって勤務する必要のある職員については、前項の規定

にかかわらず、四週間ごとの期間につき八日の週休日（育児短時間勤務職員等にあっては八日以上で当該育児短時間勤務等の内容に従った週休日、定年前再任用短時間勤務職員にあっては八日以上の週休日）を設けるものとする。ただし、職務の特殊性又は当該公署の特殊の必要（育児短時間勤務職員等にあっては、当該育児短時間勤務等の内容）により、これにより難い場合において、人事委員会の承認を得て、四週間を超えない期間につき一週間当たり一日以上の割合で週休日（育児短時間勤務職員等にあっては、四週間を超えない期間につき一週間当たり一日以上の割合で当該育児短時間勤務等の内容に従った週休日）を設けるときは、この限りでない。

**（週休日の変更）**

**第五条**　任命権者は、職員に前条の規定により週休日とされた日において特に勤務することを命ずる必要がある場合には、東京都規則の定めるところにより、第三条第一項又は第二項の規定により正規の勤務時間が割り振られた日のうち東京都規則で定める期間内にある日を週休日に変更して、当該日に割り振られた正規の勤務時間を当該勤務することを命ずる必要がある日に割り振ることができる。

**（休憩時間）**

**第六条**　任命権者は、勤務時間が六時間を超える場合は少なくとも四十五分、八時間を超える場合は少なくとも一時間、継続して一昼夜にわたる場合は一時間三十分以上の休憩時間を、それぞれ勤務時間の途中に置かなければならない。

2　前項の場合において、任命権者は、第三条第二項に規定する職員（フレックスタイム制勤務職員を除く。）について、人事委員会の承認を得て、別に定めるところにより、休憩時間を置くことができる。

3　前二項に定めるもののほか、任命権者は、職務の性質により特別の勤務を命ずる場合には、必要な休憩時間を与えることができる。

4　前三項の休憩時間は、職務の特殊性又は当該公署の特殊の必要がある場合は、任命権者の定めるところにより、一斉に与えないことができる。

**（休息時間）**

**第七条**　任命権者は、第三条第二項に規定する職員（フレックスタイム制勤務職員を除く。）について、人事委員会の承認を得て、別に定めるところにより、正規の勤務時間のうちに、休息時間を置くものとする。

2　休息時間は、正規の勤務時間に含まれるものとし、これを与えられなかった場合においても繰り越さない。

**（船員の勤務時間等の特例）**

**第八条**　第二条から前条までの規定にかかわらず、船員法（昭和二十二年法律第百号）の適用を受ける職員が船舶に乗り組む場合の正規の勤務時間、週休日等については、人事委員会の承認を得て、東京都規則で定める。

**（宿日直勤務）**

**第九条**　任命権者は、人事委員会（労働基準法（昭和二十二年法律第四十九号）別表第一第一号から第十号まで及び第十三号から第十五号までに掲げる事業にあっては、労働基準監督署長）の許可を受けて、第二条、第三条第一項及び第二項並びに第五条に規定する正規の勤務時間以外の時間において職員に設備等の保全、外部との連絡及び文書の収受を目的とする勤務その他の人事委員会の承認を得て東京都規則で定める断続的な勤務をすることを命ずることができる。ただし、当該職員が育児短時間勤務職員等である場合にあっては、公務運営に著しい支障が生ずると認められる場合として人事委員会の承認を得て東京都規則で定める場合に限り、当該断続的な勤務をすることを命ずることができる。

**（超過勤務）**

**第十条**　任命権者は、公務のため臨時又は緊急の必要がある場合には、職員に対し、前条に規定する正規の勤務時間以外の時間において同条に規定する断続的な勤務以外の勤務をすることを命ずることができる。ただし、当該職員が育児短時間勤務職員等である場合にあっては、公務運営に著しい支障が生ずると認められる場合として人事委員会の承認を得て東京都規則で定める場合に限り、同条に規定する正規の勤務時間以外の時間において同条に掲げる勤務以外の勤務をすることを命ずることができる。

**（育児又は介護を行う職員の深夜勤務の制限）**

**第十条の二**　任命権者は、小学校就学の始期に達するまでの子を養育する職員（当該職員の配偶者（届出をしないが事実上婚姻関係と同様の事情にある者を含む。以下同じ。）又は東京都オリンピック憲章にうたわれる人権尊重の理念の実現を目指す条例（平成三十年東京都条例第九十三号）第七条の二第二項の証明若しくは同条第一項の東京都パートナーシップ宣誓制度と同等の制度であると知事が認めた地方公共団体のパートナーシップに関する制度による証明を受けたパートナーシップ関係の相手方であって、同居し、かつ、生計を一にしているもの（以下単に「パートナーシップ関係の相手方」という。）で当該子の親であるものが、東京都規則で定める者に該当する場合を除く。）が当該子を養育するために請求した場合には、公務運営に支障がある場合を除き、午後十時から翌日の午前五時までの間（以下「深夜」という。）における勤務をさせてはならない。

２　前項の規定は、配偶者若しくはパートナーシップ関係の相手方若しくは二親等内の親族又は同一の世帯に属する者で疾病、負傷又は老齢により日常生活を営むことに支障があるもの（以下「要介護者」という。）を介護する職員について準用する。この場合において、同項中「小学校就学の始期に達するまでの子を養育する職員（当該職員の配偶者（届出をしないが事実上婚姻関係と同様の事情にある者を含む。以下同じ。）又は東京都オリンピック憲章にうたわれる人権尊重の理念の実現を目指す条例（平成三十年東京都条例第九十三号）第七条の二第二項の証明若しくは同条第一項の東京都パートナーシップ宣誓制度と同等の制度であると知事が認めた地方公共団体のパートナーシップに関する制度による証明を受けたパートナーシップ関係の相手方であって、同居し、かつ、生計を一にしているもの（以下単に「パートナーシップ関係の相手方」という。）で当該子の親であるものが、東京都規則で定める者に該当する場合を除く。）が当該子を養育」とあるのは、「次項に規定する要介護者のある職員が当該要介護者を介護」と読み替えるものとする。

３　前二項に規定するもののほか、育児又は介護を行う職員の深夜勤務の制限に関し必要な事項は、人事委員会の承認を得て、東京都規則で定める。

（**育児又は介護を行う職員の超過勤務の免除**）

**第十条の二の二**　任命権者は、三歳に満たない子を養育する職員が当該子を養育するために請求した場合には、公務運営に支障がある場合を除き、第十条に規定する勤務（以下「超過勤務」という。）をさせてはならない。ただし、災害その他避けることのできない事由に基づく臨時の勤務の必要がある場合は、この限りでない。

２　前項の規定は、要介護者を介護する職員について準用する。この場合において、同項中「三歳に満たない子を養育する職員が当該子を養育」とあるのは、「要介護者のある職員が当該要介護者を介護」と読み替えるものとする。

３　前二項に規定するもののほか、育児又は介護を行う職員の超過勤務の免除に関し必要な事項は、人事委員会の承認を得て、東京都規則で定める。

（**育児又は介護を行う職員の超過勤務の制限**）

**第十条の三**　任命権者は、小学校就学の始期に達するまでの子を養育する職員が当該子を養育するために請求した場合には、公務運営に支障がある場合を除き、東京都規則で定める時間を超えて超過勤務をさせてはならない。ただし、災害その他避けることのできない事由に基づく臨時の勤務の必要がある場合は、この限りでない。

２　前項の規定は、要介護者を介護する職員について準用する。この場合において、同項中「小学校就学の始期に達するまでの子を養育する職員が当該子を養育」とあるのは「要介護者のある職員が当該要介護者を介護」と読み替えるものとする。

３　前二項に規定するもののほか、育児又は介護を行う職員の超過勤務の制限に関し必要な事項は、人事委員会の承認を得て、東京都規則で定める。

（**超勤代休時間**）

**第十条の四**　任命権者は、職員の給与に関する条例（昭和二十六年東京都条例第七十五号）第十五条第五項の規定により超過勤務手当を支給すべき職員が請求した場合には、東京都規則の定めるところにより、当該超過勤務手当の一部の支給に代わる措置の対象となるべき時間（以下「超勤代休時間」という。）として、東京都規則で定める期間内にある第三条第一項若しくは第二項、第五条又は第八条の規定により正規の勤務時間が割り振られた日（第十三条第一項において「勤務日等」という。）（次条に規定する休日及び第十三条に規定する代休日を除く。）に割り振られた勤務時間の全部又は一部を承認するものとする。

２　前項の規定により超勤代休時間を承認された職員は、当該超勤代休時間には、特に勤務することを命ぜられる場合を除き、正規の勤務時間においても勤務することを要しない。

（**休日**）

**第十一条**　次に掲げる日は、休日（特に勤務することを命ぜられる場合を除き、正規の勤務時間においても勤務することを要しない日をいう。次条以降において同じ。）とする。

一　国民の祝日に関する法律（昭和二十三年法律第百七十八号）に規定する休日

二　十二月二十九日から翌年の一月三日までの日（前号に掲げる日を除く。以下「年末年始の休日」という。）

三　国の行事の行われる日で、人事委員会の承認を得て、東京都規則で定める日

（**休日の振替え**）

**第十二条**　前条各号に掲げる日が週休日に当たるときは、同条の規定にかかわらず、その日は、休日としない。この場合（年末年始の休日である場合を除く。）において、第三条第二項の規定により正規の勤務時間の割振りを定められた職員（フレックスタイム制勤務

職員を除く。）については、その日に振り替えて、東京都規則で定めるところにより前条各号に掲げる日以外の日を休日とする。

２　職員が二暦日にわたり継続する正規の勤務時間を割り振られた場合において、その正規の勤務時間の終期の属する日が、前条又は前項の規定による休日（年末年始の休日を除く。）に当たるときは、同条又は同項の規定にかかわらず、その日は、休日としない。この場合においては、その日に振り替えて、東京都規則で定めるところにより同条又は同項の規定により休日とされた日以外の日を休日とする。

**（休日の代休日）**

**第十三条**　任命権者は、職員に休日に特に勤務することを命じた場合には、東京都規則で定めるところにより、当該休日前に、当該休日に代わる日（以下この条において「代休日」という。）として、勤務日等（第十条の四の規定により超勤代休時間が承認された勤務日等、休日及びこの項の規定により指定された代休日を除く。）を指定することができる。

２　前項の規定により代休日を指定された職員は、代休日には、特に勤務することを命ぜられる場合を除き、正規の勤務時間においても勤務することを要しない。

**（年次有給休暇）**

**第十四条**　年次有給休暇は、一の年ごとの休暇とし、その日数は、一の年において、二十日（育児短時間勤務職員等及び定年前再任用短時間勤務職員にあっては、その者の勤務時間等を考慮し二十日を超えない範囲内で東京都規則で定める日数）とする。

２　前項の規定にかかわらず、当該年の中途において新たにこの条例の適用を受けることとなった者その他東京都規則で定める者のその年の年次有給休暇の日数は、その年の在職期間、他の条例等の適用を受ける職員としてのその年の在職期間中における年次有給休暇の残日数等を考慮し、四十日を上限として東京都規則で定める。

３　前二項の規定にかかわらず、臨時的に任用された職員の任用期間中の年次有給休暇の日数は、人事委員会の承認を得て、東京都規則で定める。

４　任命権者は、年次有給休暇を職員の請求する時季に与えなければならない。ただし、任命権者は、請求された時季に年次有給休暇を与えることが職務に支障のある場合には、他の時季にこれを与えることができる。

５　前各項に規定するもののほか、年次有給休暇に関し必要な事項は、人事委員会の承認を得て、東京都規則で定める。

**（病気休暇）**

**第十五条**　任命権者は、職員が疾病又は負傷（東京都規則で定める疾病又は負傷を除く。）のため療養する必要があり、勤務しないことがやむを得ないと認められる場合における休暇として、病気休暇を承認するものとする。

２　病気休暇に関しその期間その他の必要な事項は、人事委員会の承認を得て、東京都規則で定める。

**（特別休暇）**

**第十六条**　任命権者は、職員が選挙権の行使、結婚、出産その他の特別の事由により、勤務しないことが相当である場合における休暇（以下「特別休暇」という。）として、公民権行使等休暇、妊娠出産休暇、妊娠症状対応休暇、早期流産休暇、母子保健健診休暇、妊婦通勤時間、育児時間、出産支援休暇、育児参加休暇、子どもの看護休暇、生理休暇、慶弔休暇、災害休暇、夏季休暇、長期勤続休暇、ボランティア休暇及び短期の介護休暇を承認するものとする。

２　特別休暇に関しその内容、期間その他の必要な事項は、人事委員会の承認を得て、東京都規則で定める。

**（介護休暇）**

**第十七条**　任命権者は、職員が要介護者の介護をするため、勤務しないことが相当であると認められる場合における休暇として、介護休暇（前条に規定するものを除く。次条において同じ。）を承認するものとする。

２　介護休暇に関しその期間その他の必要な事項は、人事委員会の承認を得て、東京都規則で定める。

**（介護時間）**

**第十七条の二**　任命権者は、職員が申請した場合において、当該職員が要介護者の介護をするため、勤務しないことが相当であると認められるときは、一日の勤務時間の一部について勤務しないこと（次項において「介護時間」という。）を承認するものとする。

２　介護時間に関しその期間その他の必要な事項は、人事委員会の承認を得て、東京都規則で定める。

**（管理監督職員等に対する特例）**

**第十八条**　任命権者は、次に掲げる職員の勤務時間、休憩時間等については、第二条から第七条まで及び第九条から第十三条までの規定にかかわらず、人事委員会の承認を得て、別に定めることができる。

一　労働基準法別表第一第六号又は第七号に掲げる事業に従事する職員

二　管理又は監督の地位にある職員及び機密の事務を取り扱う職員

三　監視又は断続的業務に従事する職員で行政官庁の許可を受けたもの

**（非常勤職員に対する特例）**

**第十九条**　非常勤職員（定年前再任用短時間勤務職員を除く。）の勤務時間、休日、休暇等に関しては、第二条から前条までの規定にかかわらず、その職務の性質等を考慮し、人事委員会の承認を得て任命権者が定める。

**（委任）**

**第二十条**　この条例の施行に関し必要な事項は、人事委員会の承認を得て、東京都規則で定める。

**附　則**（抄）

**（施行期日）**

**第一条**　この条例は、平成七年四月一日から施行する。

**（経過措置）**

**第二条**　この条例の施行の際現にこの条例による改正前の職員の勤務時間、休日、休暇等に関する条例（以下「旧条例」という。）第二条第二項の規定に基づき定められている一週間の正規の勤務時間は、この条例による改正後の職員の勤務時間、休日、休暇等に関する条例（以下「新条例」という。）第二条第二項の規定に基づき定められたものとみなす。

2　この条例の施行の際現に旧条例第四条第一項ただし書に基づき定められている正規の勤務時間の割振りは、新条例第三条第二項の規定に基づき定められたものとみなす。

3　この条例の施行の際現に旧条例第三条第二項又は第三項の規定に基づき定められている勤務を要しない日は、新条例第四条第二項の規定に基づき定められた週休日とみなす。

4　この条例の施行の際現に旧条例第十六条第一項の規定に基づき他の日に振り替えられている勤務を要しない日は、新条例第五条の規定に基づき定められた週休日とみなす。

5　この条例の施行の際現に旧条例第七条の規定に基づき与えられている睡眠時間は、新条例第六条第二項の規定に基づく休憩時間とみなす。

6　この条例の施行の際現に旧条例第六条第二項の規定に基づき定められている休息時間は、新条例第七条第二項の規定に基づき定められたものとみなす。

7　この条例の施行の際現に旧条例第十七条の規定に基づき命ぜられている宿直勤務又は日直勤務は、新条例第九条の規定に基づき命ぜられた勤務とみなす。

8　この条例の施行の際現に旧条例第十五条の規定に基づき命ぜられている勤務は、新条例第十条の規定に基づく勤務又は新条例第十一条から第十三条までの規定に基づき特に勤務することを命ぜられた場合の勤務とみなす。

9　この条例の施行の際現に旧条例第八条第二項又は第三項に基づき定められている休日は、新条例第十二条の規定に基づき定められたものとみなす。

10　この条例の施行の際現に旧条例第十六条第二項の規定に基づき勤務を免除されている日は、新条例第十三条第一項の規定に基づき指定された日とみなす。

11　この条例の施行の日前から引き続き在職する職員のこの条例の施行の日以後の平成七年における年次有給休暇の日数については、新条例第十四条第一項及び第二項の規定にかかわらず、この条例の施行の際の旧条例第九条第一項及び第三項に規定する年次休暇の残日数とする。

12　この条例の施行の際現に旧条例第九条第四項の規定に基づき承認されている年次休暇は、新条例第十四条第三項の規定に基づき承認された年次有給休暇とみなす。

13　この条例の施行の際現に旧条例第十条から第十四条までの規定に基づき承認されている休暇は、新条例第十六条第一項の規定に基づき承認された特別休暇とみなす。

14　この条例の施行の際現に旧条例第二十条の規定に基づき定められている勤務時間、休憩時間等は、新条例第十八条の規定に基づき定められたものとみなす。

15　この条例の施行の際現に旧条例第二十一条の規定に基づき定められている勤務時間、休日、休暇等は、新条例第十九条第一項の規定に基づき定められたものとみなす。

16　前各項に規定するもののほか、この条例（次条から附則第五条までの規定を除く。）の施行に伴い必要な経過措置は、東京都規則で定める。

**附　則**（平二一・一二・二四条例八一）（抄）

**（施行期日）**

1　この条例は、平成二十二年四月一日から施行する。

**（経過措置）**

3　この条例の施行の際、現にこの条例による改正前の職員の勤務時間、休日、休暇等に関する条例第二条第二項の規定に基づき定められている地方公務員の育児休業等に関する法律（平成三年法律第百十号）第十条第三項の規定により同条第一項に規定する育児短時間勤務の承認を受けた職員（同法第十七条の規定による短時間勤務をすることとなった職員を含む。以下「育児短時間勤務職員等」という。）の正規の勤務時間は、この条例の施行の日（以下「施行日」という。）の前日限り、その効力を失うものとし、施行日において、施行日以後の期間に係るこの条例による改正後の職員の勤務時間、休日、休暇等に関する条例第二条第二項の規定に基づき任命権者が定める育児短時間勤務職員等の正規の勤務時間が定められたものとみなす。

**附　則**（令二・一二　二三条例一〇七）

1　この条例は、令和三年　月一日から施行する。ただし、次項の規定は、公布の日から施行する。

2　この条例による改正後の職員の勤務時間、休日、休暇等に関する条例第十条の二に規定する深夜勤務の制限、同条例第十条の二の二に規定する超過勤務の制限、同条例第十条の三に規定する超過勤務の免除、同条例第十六条に規定する短期の介護休暇、同条例第十七条に規定する介護休暇及び同条例第十七条の二に規定する介護時間に係る請求等は、この条例の施行の日前においても行うことができる。

**附　則**（令三・一二・二二条例一〇六）（抄）

**（施行期日）**

1　この条例は、令和四年四月一日から施行する。

**附　則**（令四・六・二二条例七八）

1　この条例は、令和五年四月一日から施行する。

2　地方公務員法の一部を改正する法律（令和三年法律第六十三号）附則第六条第一項又は第二項の規定により採用された職員は、この条例による改正後の職員の勤務時間、休日、休暇等に関する条例第二条第三項に規定する定年前再任用短時間勤務職員とみなす。

**附　則**（令四・一〇・一七条例一一六）

この条例は、令和四年十一月一日から施行する。

## ○職員の勤務時間、休日、休暇等に関する条例施行規則

平七・三・一六
規　則　五　五

最終改正　令六・三・二八規則三一

**（趣旨）**

**第一条**　職員の勤務時間、休日、休暇等に関する条例（平成七年東京都条例第十五号。以下「条例」という。）の施行については、別に定めるもののほか、この規則の定めるところによる。

**（正規の勤務時間）**

**第二条**　条例第二条に規定する一週間とは、日曜日から土曜日までの七日間をいう。

**（通常の勤務場所以外での勤務時間）**

**第三条**　職員が勤務時間の全部又は一部について通常の勤務場所以外で勤務した場合において、勤務時間を算定し難いときは、正規の勤務時間勤務したものとみなす。ただし、当該職務を遂行するために正規の勤務時間を超えて勤務することが通常必要となる場合においては、当該職務に関しては、当該職務の遂行に通常必要とされる時間勤務したものとみなす。

**（週休日の変更）**

**第四条**　条例第五条の規定による週休日の変更（以下「週休日の変更」という。）により、新たに正規の勤務時間を割り振られる日の正規の勤務時間は、当該週休日の変更により新たに週休日となる日にあらかじめ割り振られていた正規の勤務時間と同一の時間数でなければならない。

2　週休日の変更は、当該週休日の属する週において行うものとする。ただし、やむを得ないと認められるときは、当該週休日の前後各二月以内において行うことができる。

3　任命権者は、週休日の変更をするときは、別記第一号様式により行うものとする。

**（船員の勤務時間等の特例）**

**第五条**　条例第八条に規定する場合の正規の勤務時間、週休日等は、船員法（昭和二十二年法律第百号）第六十条から第六十二条までの各規定に定められている限度の時間数及び日数とする。ただし、地方公務員法（昭和二十五年法律第二百六十一号）第二十二条の四第一項に規定する短時間勤務の職を占める職員（以下「定年前再任用短時間勤務職員」という。）の正規の勤務時間にあっては、条例第二条第三項の規定により定める時間とする。

2　前項本文に規定する船員法第六十条第一項及び第二項並びに第六十二条第一項から第三項までの適用については、第六十条第一項中「八時間」とあるのは「七時間四十五分」とし、同条第二項中「四十時間」とあるのは「三十八時間四十五分」とし、第六十二条第一項中「四十時間」とあるのは「三十八時間四十五分」と、「八時間」とあるのは「七時間四十五分」とし、同条第二項及び第三項中「八時間」とあるのは「七時間四十五分」とする。

**（宿日直勤務）**

**第六条**　条例第九条の東京都規則で定める断続的な勤務（以下「宿日直勤務」という。）は、次に掲げる勤務とする。

一　本来の勤務に従事しないで行う庁舎、設備、備品、書類等の保全、外部との連絡、緊急の文書の収

受及び庁舎の監視を目的とする勤務

二　緊急又は非常の事態に備えて待機する勤務

三　病院等に勤務する医師が行う救急患者の診療等の勤務

四　入所施設に勤務する保育士の業務に従事する者等が行う入所者の生活介助等のための勤務

五　前各号に掲げる勤務に準ずるものとして任命権者が定める勤務

2　宿日直勤務は、次に掲げる基準のいずれかに適合するものでなければならない。ただし、公務上必要があり、人事委員会（労働基準法（昭和二十二年法律第四十九号）別表第一第一号から第十号まで及び第十三号から第十五号までに掲げる事業にあっては、労働基準監督署長）の許可を得た場合は、この限りでない。

一　宿直勤務は一週間について一回、日直勤務は一月について一回であること。

二　五人又は六人の職員が交替で行う宿直勤務は、その過半数の者にあっては一週間について一回、その他の者にあっては一週間について二回までであること。

三　庁舎に附属する建物に居住している職員の宿直勤務は、一週間について二回までであること。

四　四人の職員が交替で行う日直勤務は、その過半数の者にあっては一月について一回、その他の者にあっては一月について二回までであること。

3　宿直勤務を命ずるときは、原則として、午後十時から翌日の午前六時までの間に、仮眠の時間を与えなければならない。

4　任命権者は、職員に宿日直勤務を命ずる場合には、これが過度にならないように留意しなければならない。

5　前各項に定めるもののほか、宿日直勤務については、任命権者が定める。

**（育児短時間勤務職員等に正規の勤務時間以外の時間における勤務を命ずることができる場合）**

**第六条の二**　条例第九条ただし書の東京都規則で定める場合は、前条第一項第二号から第五号（同項第一号に掲げる勤務に準ずるものとして任命権者が定める勤務を除く。）までに掲げる勤務を命じようとする正規の勤務時間以外の時間に、当該勤務に従事する職員のうち地方公務員の育児休業等に関する法律（平成三年法律第百十号。以下「育児休業法」という。）第十条第三項の規定による承認を受け、同条第一項に規定する育児短時間勤務をしている職員（同法第十七条の規定による短時間勤務を含む。以下「育児短時間勤務職員等」という。）以外の職員に前条第二項の基準に適合するように当該勤務を命ずることができない場合とする。

2　条例第十条ただし書の東京都規則で定める場合は、公務のため臨時又は緊急の必要がある場合において、育児短時間勤務職員等に超過勤務を命じなければ公務の運営に著しい支障が生ずると認められるときとする。

**（超過勤務）**

**第七条**　任命権者は、職員に条例第十条の規定による勤務（以下「超過勤務」という。）を命ずるときは、別記第二号様式により、あらかじめ勤務することを命じ、かつ、事後に勤務の状況を確認しなければならない。

2　前項の規定にかかわらず、緊急かつやむを得ない公務の必要があり、任命権者があらかじめ職員に勤務することを命ずることができなかった場合で、職員から超過勤務をしたことの申出があったときは、当該勤務の事実を証する資料等に基づきその事実を確認し、同項の手続をとったものとして取り扱うことができる。

3　任命権者は、職員に超過勤務を命ずる場合には、次の各号に掲げる職員の区分に応じ、それぞれ当該各号に定める時間及び月数の範囲内で必要最小限の超過勤務を命ずるものとする。

一　第三号に規定する職場以外の職場に勤務する職員（次号に掲げる職員を除く。）　次のイ及びロに定める時間

イ　一月について四十五時間

ロ　一年について三百六十時間

二　一年において勤務する職場が次号に規定する職場から前号に規定する職場となった職員　次のイからハまでに定める時間及び月数

イ　一年について七百二十時間

ロ　次号に規定する職場から前号に規定する職場となった日から当該日が属する月の末日までの期間（以下「特定期間」という。）が属する月において次号イ、ハ及びニに定める時間及び月数

ハ　特定期間の末日の翌日から一年の末日までの期間において次の(1)及び(2)に定める時間

(1)　一月について四十五時間

(2)　三十時間に当該期間の月数を乗じて得た時間

三　他律的業務（業務量、業務の実施時期その他の業務の遂行に関する事項を自ら決定することが困難な業務をいう。）の比重が高い職場として任命権者が定める職場に勤務する職員　次のイからニまでに定める時間及び月数

イ　一月について百時間未満

ロ　一年について七百二十時間

ハ　一月ごとに区分した各期間に当該各期間の直前の一月、二月、三月、四月及び五月の期間を加えたそれぞれの期間において超過勤務を命ずる時間の一月当たりの平均時間について八十時間

ニ　一年のうち一月において四十五時間を超えて超過勤務を命ずる月数について六月

4　任命権者が、特例業務（大規模災害への対処、重要な政策に関する条例の立案その他の重要な業務であって特に緊急に処理することを要するものとして任命権者が認めるものをいう。以下同じ。）に従事する職員又は任命権者が定める期間及び場合において特例業務に従事していた職員に対し、前項各号に規定する時間又は月数を超えて超過勤務を命ずる必要がある場合については、当該超えることとなる時間又は月数に係る部分に限り、同項の規定は適用しない。

5　任命権者は、前項の規定により、第三項各号に規定する時間又は月数を超えて職員に超過勤務を命ずる場合には、当該超えた部分の超過勤務を必要最小限のものとし、かつ、当該職員の健康の確保に最大限の配慮をするとともに、当該超過勤務を命じた日が属する当該時間又は月数の算定に係る一年の末日の翌日から起算して六月以内に、当該超過勤務に係る要因の整理、分析及び検証を行わなければならない。

**（育児又は介護を行う職員の深夜勤務の制限）**

**第七条の二**　条例第十条の二第一項の東京都規則で定める者は、当該職員の配偶者又はパートナーシップ関係の相手方である当該子の親であって、午後十時から翌日の午前五時までの間（以下「深夜」という。）において常態として請求に係る子を養育できるものとして、次のいずれにも該当するものとする。

一　深夜において就業していない者（深夜における就業日数が一月に三日以下の者を含む。）であること。

二　負傷、疾病、老齢又は身体上若しくは精神上の障害により請求に係る子を養育することが困難な状態にある者でないこと。

三　妊娠出産休暇（第十七条第三項の規定により与えるものを除く。）若しくはこれに相当する休暇の期間中の者でないこと、又は八週間（多胎妊娠の場合にあっては、十六週間）以内に出産する予定である者若しくは産後八週間を経過しない者でないこと。

四　請求に係る子と同居している者であること。

2　条例第十条の二第一項の規定による深夜における勤務の制限（以下「深夜勤務の制限」という。）を請求するときは、別記第二号様式の二により、当該請求に係る一の期間（六月以内の期間に限る。）について、その初日（以下「深夜勤務制限開始日」という。）及び末日（以下「深夜勤務制限終了日」という。）とする日を明らかにして、深夜勤務制限開始日の一月前までに行うものとする。

3　深夜勤務の制限の請求があった場合においては、任命権者は、公務運営の支障の有無について、速やかに当該請求をした職員に対して通知しなければならない。当該通知後において、公務運営に支障が生じる日があることが明らかとなった場合にあっては、任命権者は、当該日の前日までに、当該請求をした職員に対してその旨を通知しなければならない。

4　任命権者は、深夜勤務の制限の請求に係る事由について確認する必要があると認めるときは、当該請求をした職員に対して証明書類の提出を求めることができる。

5　深夜勤務の制限の請求がされた後深夜勤務制限開始日とされた日の前日までに、次の各号に掲げるいずれかの事由が生じた場合には、当該請求はされなかったものとみなす。

一　当該請求に係る子が死亡した場合

二　当該請求に係る子が離縁、養子縁組の取消しその他これらに準ずる事由により当該請求をした職員の子でなくなった場合

三　当該請求をした職員が当該請求に係る子と同居しないこととなった場合

四　深夜において、第一項に規定する当該職員の配偶者又はパートナーシップ関係の相手方である当該子の親がいることとなった場合

6　深夜勤務制限開始日以後深夜勤務制限終了日とされた日の前日までに、前項各号に掲げるいずれかの事由が生じた場合には、当該深夜勤務の制限の請求は、当該事由が生じた日を深夜勤務制限終了日とする請求であったものとみなす。

7　前二項に規定する場合において、職員は遅滞なく、第五項各号に掲げる事由が生じた旨を別記第二号様式の三により、任命権者に届け出なければならない。

8　第四項の規定は、前項の届出があった場合について準用する。

9　第二項から前項までの規定（第五項第四号を除く。）は、条例第十条の二第二項に規定する要介護者（二週間以上にわたり介護を必要とする一の継続する状態にある者に限る。以下同じ。）を介護する職員の深夜における勤務の制限について準用する。この場合において、第二項中「条例第十条の二第一項」とあるのは「条例第十条の二第二項において準用する同条第一項」と、第五項中「次の各号」とあるのは「第一号から第三号まで」と、同項第一号中「子」とあるのは「要介護者」と、同項第二号中「子が離縁、養子縁組の取消

しその他これらに準ずる事由により当該請求をした職員の子でなくなった」とあるのは「要介護者と当該請求をした職員との関係が配偶者若しくはパートナーシップ関係の相手方又は二親等内の親族でなくなった」と、同項第三号中「子と同居しない」とあるのは「要介護者（当該職員の配偶者又はパートナーシップ関係の相手方及び二親等内の親族を除く。）と同一の世帯に属さない」と、第六項中「前項各号」とあるのは「第九項において準用する前項第一号から第三号まで」と、第七項中「前二項」とあるのは「第九項において準用する前二項」と、「第五項各号」とあるのは「第九項において準用する第五項第一号から第三号まで」と、前項中「第四項」とあるのは「次項において準用する第四項」と、「前項」とあるのは「次項において準用する前項」と読み替えるものとする。

**（育児又は介護を行う職員の超過勤務の免除）**

**第七条の二の二**　条例第十条の二の二第一項の規定による超過勤務の免除（以下「超過勤務の免除」という。）を請求するときは、別記第二号様式の二により、当該請求に係る一の期間について、その初日（以下「超過勤務免除開始日」という。）及び期間（一年又は一年に満たない月を単位とする期間に限る。）を明らかにして、超過勤務免除開始日の一月前までに行うものとする。

2　超過勤務の免除の請求があった場合においては、任命権者は、公務運営の支障の有無について、速やかに当該請求をした職員に対して通知しなければならない。当該通知後において、公務運営に支障が生じる日があることが明らかとなった場合にあっては、任命権者は、当該日の前日までに、当該請求をした職員に対してその旨を通知しなければならない。

3　任命権者は、超過勤務の免除の請求に係る事由について確認する必要があると認めるときは、当該請求をした職員に対して証明書類の提出を求めることができる。

4　超過勤務の免除の請求がされた後超過勤務免除開始日とされた日の前日までに、次の各号に掲げるいずれかの事由が生じた場合には、当該請求はされなかったものとみなす。

一　当該請求に係る子が死亡した場合

二　当該請求に係る子が離縁、養子縁組の取消しその他これらに準ずる事由により当該請求をした職員の子でなくなった場合

三　当該請求をした職員が当該請求に係る子と同居しないこととなった場合

5　超過勤務免除開始日から起算して請求に係る期間を経過する日の前日までの間に、次の各号に掲げるいずれかの事由が生じた場合には、当該超過勤務の免除の請求は、超過勤務免除開始日から当該事由が生じた日までの期間についての請求であったものとみなす。

一　前項各号に掲げるいずれかの事由が生じた場合

二　当該請求に係る子が三歳に達した場合

6　前二項に規定する場合において、職員は遅滞なく、第四項各号に掲げる事由が生じた旨を別記第二号様式の三により、任命権者に届け出なければならない。

7　第三項の規定は、前項の届出があった場合について準用する。

8　条例第十条の三第一項（同条第二項において準用する同条第一項を含む。）の規定により請求（以下この項において「超過勤務制限請求」という。）をした職員について、第一項の規定による請求があったときは、超過勤務免除開始日から起算して同項の請求に係る期間を経過する日までの間（公務運営に支障が生じる日を除く。）の期間については、超過勤務制限請求がなかったものとみなす。

9　前各項の規定（第五項第一号及び第二号を除く。）は、条例第十条の二の二第二項に規定する要介護者を介護する職員の超過勤務の免除について準用する。この場合において、第一項中「条例第十条の二の二第一項」とあるのは「条例第十条の二の二第二項において準用する同条第一項」と、第四項第一号中「子」とあるのは「要介護者」と、同項第二号中「子が離縁、養子縁組の取消しその他これらに準ずる事由により当該請求をした職員の子でなくなった」とあるのは「要介護者と当該請求をした職員との関係が配偶者若しくはパートナーシップ関係の相手方又は二親等内の親族でなくなった」と、同項第三号中「子と同居しない」とあるのは「要介護者（当該職員の配偶者又はパートナーシップ関係の相手方及び二親等内の親族を除く。）と同一の世帯に属さない」と、第五項中「次の」とあるのは「第九項において準用する前項」と、第六項中「前二項」とあるのは「第九項において準用する前二項」と、「第四項」とあるのは「第九項において準用する第四項」と、第七項中「第三項」とあるのは「第九項において準用する第三項」と、「前項」とあるのは「第九項において準用する前項」と、前項中「、第一項」とあるのは「、次項において準用する第一項」と読み替えるものとする。

**（育児又は介護を行う職員の超過勤務の制限）**

**第七条の三**　条例第十条の三第一項の東京都規則で定める時間は、一月について二十四時間、一年について百五十時間とする。

2　条例第十条の三第一項の規定による超過勤務の制限

（以下「超過勤務の制限」という。）を請求するときは、別記第二号様式の二により、当該請求に係る一の期間について、その初日（以下「超過勤務制限開始日」という。）及び期間（一年又は一年に満たない月を単位とする期間に限る。）を明らかにして、超過勤務制限開始日の一月前までに行うものとする。

3　超過勤務の制限の請求があった場合においては、任命権者は、公務運営の支障の有無について、速やかに当該請求をした職員に対して通知しなければならない。当該通知後において、公務運営に支障が生じる日があることが明らかとなった場合にあっては、任命権者は、当該日の前日までに、当該請求をした職員に対してその旨を通知しなければならない。

4　任命権者は、超過勤務の制限の請求に係る事由について確認する必要があると認めるときは、当該請求をした職員に対して証明書類の提出を求めることができる。

5　超過勤務の制限の請求がされた後超過勤務制限開始日とされた日の前日までに、次の各号に掲げるいずれかの事由が生じた場合には、当該請求はされなかったものとみなす。

一　当該請求に係る子が死亡した場合

二　当該請求に係る子が離縁、養子縁組の取消しその他これらに準ずる事由により当該請求をした職員の子でなくなった場合

三　当該請求をした職員が当該請求に係る子と同居しないこととなった場合

6　超過勤務制限開始日から起算して請求に係る期間を経過する日の前日までの間に、次の各号に掲げるいずれかの事由が生じた場合には、当該超過勤務の制限の請求は、超過勤務制限開始日から当該事由が生じた日までの期間についての請求であったものとみなす。

一　前項各号に掲げるいずれかの事由が生じた場合

二　当該請求に係る子が小学校就学の始期に達した場合

7　前二項に規定する場合において、職員は遅滞なく、第五項各号に掲げる事由が生じた旨を別記第二号様式の三により、任命権者に届け出なければならない。

8　第四項の規定は、前項の届出があった場合について準用する。

9　前各項の規定（第六項第一号及び第二号を除く。）は、条例第十条の三第二項に規定する要介護者を介護する職員の超過勤務の制限について準用する。この場合において、第一項及び第二項中「条例第十条の三第一項」とあるのは「条例第十条の三第二項において準用する同条第一項」と、第五項第一号中「子」とあるのは「要介護者」と、同項第二号中「子が離縁、養子縁組の取消しその他これらに準ずる事由により当該請求をした職員の子でなくなった」とあるのは「要介護者と当該請求をした職員との関係が配偶者若しくはパートナーシップ関係の相手方又は二親等内の親族でなくなった」と、同項第三号中「子と同居しない」とあるのは「要介護者（当該職員の配偶者又はパートナーシップ関係の相手方及び二親等内の親族を除く。）と同一の世帯に属さない」と、第六項中「次の」とあるのは「第九項において準用する前項」と、第七項中「前二項」とあるのは「第九項において準用する前二項」と、「第五項」とあるのは「第九項において準用する第五項」と、前項中「第四項」とあるのは「次項において準用する第四項」と、「前項」とあるのは「次項において準用する前項」と読み替えるものとする。

（超勤代休時間）

**第七条の四**　条例第十条の四第一項の東京都規則で定める期間は、職員の給与に関する条例（昭和二十六年東京都条例第七十五号。以下「給与条例」という。）第十五条第五項に規定する六十時間を超えて勤務した全時間に係る月（以下「六十時間超過月」という。）の末日の翌日から同日を起算日とする二月後の日までの期間とする。

2　任命権者は、条例第十条の四第一項の規定に基づき超勤代休時間を承認する場合には、前項に規定する期間内にある条例第三条第一項若しくは第二項、第五条又は第八条の規定により正規の勤務時間が割り振られた日（以下「勤務日等」という。）（条例第十一条に規定する休日（条例第十二条の規定により振り替えられた日を含む。以下「休日」という。）及び条例第十三条第一項に規定する代休日（以下「代休日」という。）を除く。）に割り振られた勤務時間のうち、超勤代休時間の承認に代えようとする超過勤務手当の支給に係る六十時間超過月における給与条例第十五条第五項の規定の適用を受ける時間（以下「六十時間超過時間」という。）については、次の各号に掲げる区分に応じ、当該各号に定める時間数の時間を承認するものとする。

一　職員の給与に関する条例施行規則（昭和三十七年東京都規則第百七十二号。以下「給与条例施行規則」という。）第九条第一項第二号に規定する勤務に係る時間（次号に掲げる時間を除く。）　当該時間に該当する六十時間超過時間の時間数に百分の二十五を乗じて得た時間数

二　給与条例第十五条第三項に規定する七時間四十五分に達するまでの間の勤務に係る時間　当該時間に

該当する六十時間超過時間の時間数に百分の五十を乗じて得た時間数

三　給与条例施行規則第九条第一項第一号に規定する勤務に係る時間　当該時間に該当する六十時間超過時間の時間数に百分の十五を乗じて得た時間数

四　給与条例第十五条第四項に規定する一週間の正規の勤務時間を超えて割り振られた正規の勤務時間に相当する時間　当該時間に該当する六十時間超過時間の時間数に百分の二十五を乗じて得た時間数

3　前項の場合において、その承認は、四時間又は七時間四十五分（年次有給休暇の時間に連続して超勤代休時間を承認する場合にあっては、当該年次有給休暇の時間の時間数と当該超勤代休時間の時間数を合計した時間数が四時間又は七時間四十五分となる時間）を単位として行うものとする。

4　条例第十条の四の規定による超勤代休時間を請求するときは、別記第二号様式の四により行うものとする。

**（休日勤務）**

**第八条**　任命権者は、休日又は代休日に勤務することを命ずるときは、第七条第一項の例による。

2　前項の規定にかかわらず、緊急かつやむを得ない公務の必要があり、任命権者があらかじめ職員に勤務することを命ずることができなかった場合で、職員から休日又は代休日に勤務をしたことの申出があったときは、当該勤務の事実を証する資料等に基づきその事実を確認し、同項の手続をとったものとして取り扱うことができる。

**（休日の振替え）**

**第九条**　条例第十二条第一項の規定による休日の振替えは、当該振替え前の休日を当該週休日の直後の正規の勤務時間が割り振られている日（その日が休日に当たるときは、当該振替え前の休日の前後各二月以内の日）に振り替えることにより行うものとする。

2　条例第十二条第二項の規定による休日の振替えは、前項の規定の例による。

3　前二項の規定による振替えは、別記第三号様式により行うものとする。

**（代休日の指定）**

**第十条**　条例第十三条第一項の規定による代休日は、勤務することを命じた休日の前後各二月以内の日で当該休日に勤務することを命じた時間数と同一の正規の勤務時間が割り振られている日でなければならない。

2　前項の規定による代休日の指定は、別記第三号様式により行うものとする。

**（年次有給休暇の単位）**

**第十一条**　年次有給休暇は、一日を単位として与える。ただし、職務に支障がないと認めるときは、半日又は一時間を単位として与えることができる。

2　前項ただし書の規定にかかわらず、職員が一日を単位とした年次有給休暇を請求した場合において、任命権者は、半日又は一時間を単位とした年次有給休暇を職員に与えてはならず、また、職員が半日を単位とした年次有給休暇を請求した場合において、任命権者は、一時間を単位とした年次有給休暇を職員に与えてはならない。

3　第一項本文の規定にかかわらず、育児短時間勤務職員等のうち、一週間ごとの勤務日（条例第三条第一項又は第二項の規定により正規の勤務時間が割り振られた日をいう。以下同じ。）の日数又は勤務日ごとの正規の勤務時間の時間数（以下「勤務形態」という。）が同一でないもの（以下「不斉一型育児短時間勤務職員等」という。）、定年前再任用短時間勤務職員のうち条例第二条第三項の規定により定める勤務時間が三十一時間未満の者及び条例第三条第二項に規定する職員の年次有給休暇は、半日又は一時間を単位として与える。

4　一時間を単位として与えられた年次有給休暇を日に換算する場合には、次の各号に掲げる職員の区分に応じ、当該各号に定める時間数をもって一日とする。

一　次号から第四号までに掲げる職員以外の職員　八時間

二　育児短時間勤務職員等のうち、一週間ごとの勤務日の日数及び勤務日ごとの正規の勤務時間の時間数が同一であるもの（以下「斉一型育児短時間勤務職員等」という。）　勤務日ごとの正規の勤務時間の時間数（一時間未満の端数があるときは、これを時間単位に切り上げた時間）

三　不斉一型育児短時間勤務職員等　一週間当たりの正規の勤務時間の時間数及び一週間当たりの勤務日の日数（一週間ごとの勤務日の日数が異なる者にあっては、別表第一の二の一年間の勤務日数の区分に応じ、一週間の勤務日数の欄に掲げる日数）の区分に応じ、別表第一の三の一日に換算する時間数の欄に掲げる時間数

四　定年前再任用短時間勤務職員のうち、条例第二条第三項の規定により定める勤務時間が三十一時間未満の者　一週間当たりの正規の勤務時間の時間数をその者の一週間当たりの勤務日の日数（一週間ごとの勤務日の日数が異なる者にあっては、別表第一の一年間の勤務日数の区分に応じ、一週間の勤務日数の欄に掲げる日数）で除して得た時間（一時間未満の端数があるときは、これを時間単位に切り上げた

時間）

5　半日を単位とする年次有給休暇は、一回の勤務に割り振られた勤務時間（割り振られた勤務時間に一時間未満の端数があるときは、これを時間単位に切り上げた時間）（不斉一型育児短時間勤務職員等については第四項第三号に規定する時間数とし、定年前再任用短時間勤務職員のうち、条例第二条第三項の規定により定める勤務時間が三十一時間未満の者については第四項第四号に規定する時間とする。）の半分とする。ただし、条例第三条第二項に規定する職員については、四時間とする。

6　半日を単位とする年次有給休暇は、始業の時刻から連続し、又は終業の時刻まで連続する勤務時間について与えることができる。

7　半日を単位として使用した年次有給休暇を日に換算する場合は、二回をもって一日とする。

**（育児短時間勤務職員等及び定年前再任用短時間勤務職員の年次有給休暇の付与）**

**第十一条の二**　条例第十四条第一項の東京都規則で定める日数は、次の各号に掲げる区分に応じ、当該各号に定める日数とする。

一　斉一型育児短時間勤務職員等又は定年前再任用短時間勤務職員　一週間ごとの勤務日の日数及び一週間ごとの正規の勤務時間の時間数の区分に応じ、別表第一に定める日数のうち、斉一型育児短時間勤務職員等又は定年前再任用短時間勤務職員となった月が一月の場合に相当する日数

二　不斉一型育児短時間勤務職員等　一週間当たりの正規の勤務時間の時間数及び一週間当たりの勤務日の日数（一週間ごとの勤務日の日数が異なる者にあっては、別表第一の三の一年間の勤務日数の区分に応じ、一週間の勤務日数の欄に掲げる日数）に応じ、別表第一の三に定める日数のうち、不斉一型育児短時間勤務職員等となった月が一月の場合に相当する日数

**（新たに条例等の適用を受ける職員等の年次有給休暇の付与）**

**第十二条**　新たに職員となり条例第十四条第二項に定める当該年の中途において新たに条例の適用を受けることとなった者（次項及び第四項に掲げる者を除く。）のその年の年次有給休暇の日数は、次の各号に掲げる区分に応じ、当該各号に定める日数とする。

一　次号及び第三号に掲げる者以外の職員　職員となった月に応じ、別表第一の二に定める日数

二　斉一型育児短時間勤務職員等又は定年前再任用短時間勤務職員　一週間当たりの勤務日の日数、一週間当たりの正規の勤務時間の時間数及び斉一型育児短時間勤務職員等又は定年前再任用短時間勤務職員となった月の区分に応じ、別表第一に定める日数

三　不斉一型育児短時間勤務職員等　一週間当たりの正規の勤務時間の時間数、一週間当たりの勤務日の日数（一週間ごとの勤務日の日数が異なる者にあっては、別表第一の三の一年間の勤務日数の区分に応じ、一週間の勤務日数の欄に掲げる日数）及び不斉一型育児短時間勤務職員等となった月の区分に応じ、別表第一の三に定める日数

2　次に掲げる者（非常勤職員（定年前再任用短時間勤務職員を除く。）を除く。）で、新たに条例の適用を受けることとなる前にその者に適用されていた勤務時間、休日、休暇等に関する条例等（以下「旧条例等」という。）から引き続き条例の適用を受けること（以下「異動」という。）となり条例第十四条第二項に定める当該年の中途において新たに条例の適用を受けることとなったもののその年の年次有給休暇の日数は、別表第二に定める日数とする。

一　東京都の学校職員又は企業職員（これらの職員のうち臨時的任用の職にあった者を除く。）

二　特別区の職員

三　国又は他の地方公共団体（特別区を除き、年次有給休暇についてこの項に相当する定めがある場合に限る。）の職員

四　前三号に定める職員に準ずる任命権者が定める職員

3　会計年度任用職員の勤務時間、休暇等に関する規則（平成二十七年東京都規則第四号）の適用を受けていた職員が引き続いてこの規則の適用を受ける場合における当該職員のその年の年次有給休暇の日数は、この規則の適用を受けることとなる日の前日に使用することができる日数のうちその年度に付与されたものに、この規則の適用を受けることとなった月に応じ、別表第一の二に定める日数を加えたものとする。

4　非常勤職員（定年前再任用短時間勤務職員及び前項に規定する者を除く。）であって、新たにこの規則の適用を受けることとなる職員のその年の年次有給休暇の日数は、新たにこの規則の適用を受けることとなる日（以下この項において「採用日」という。）前一年の期間内に付与された年次有給休暇の日数に当該年次有給休暇の付与日（以下この項において「前付与日」という。）から採用日の前日までの月数を十二で除して得た数を乗じて得た日数（一日未満の端数があるときは、これを日単位に切り上げた日数）に前付与日前一年の期間内に付与された年次有給休暇の日数のうち使用しなかった日数及びこの規則の適用を受けること

となった月に応じ別表第一の二に定める日数を加えた日数から、前付与日から採用日の前日までに使用した日数を差し引いたものとする。

5　東京都の臨時的任用の職に在職する者が退職後引き続き職員（条例第十四条第三項に規定する臨時的に任用された職員（以下「臨時的任用職員」という。）を除く。）として採用された場合における当該職員の当該採用された年の年次有給休暇の日数は、当該採用された日の前日に使用することができる日数のうちその年度に付与されたものに、当該採用された月に応じ、別表第一の二に定める日数を加えたものとする。

**（定年前再任用短時間勤務職員等に関する年次有給休暇の特例）**

**第十二条の二**　前条の規定にかかわらず、退職後引き続き採用された定年前再任用短時間勤務職員の当該採用された年の年次有給休暇の日数は、当該退職以前の勤務と当該採用以後の勤務とが継続するものとみなした場合に、当該採用日以後に使用することができる日数とする。

2　前項の規定にかかわらず、退職以前に前条第二項に掲げる者で、旧条例等の規定により年次有給休暇が付与されていたもののその年の年次有給休暇の日数は、別表第二の規定を準用する。この場合において、同表中「異動」とあるのは「退職後引き続き採用」と、「異動がなかったものとした」とあるのは「退職以前の勤務と採用以後の勤務とが継続するものとみなした」と、「二十日」とあるのは「その者が一月に採用された場合に付与された日数」と読み替えるものとする。

3　前二項の規定は、東京都の一般職の任期付職員の採用及び給与の特例に関する条例（平成十四年東京都条例第百六十一号。以下「任期付職員条例」という。）第二条及び第二条の二又は東京都の一般職の任期付研究員の採用及び給与の特例に関する条例（平成十四年東京都条例第百六十二号。以下「任期付研究員条例」という。）第四条の規定により採用された職員（以下「任期付職員等」という。）について準用する。この場合において、第一項中「採用された定年前再任用短時間勤務職員」とあるのは「任期付職員等に採用された者」と、「とする。」とあるのは「とする。任期付職員条例第三条又は任期付研究員条例第五条に規定する任期の更新（以下「任期の更新」という。）をしたときも同様とする。」と、前項中「前項」とあるのは「次項において準用する前項」と読み替えるものとする。

**（育児短時間勤務職員等に関する年次有給休暇の特例）**

**第十二条の三**　次の各号に掲げる場合において、勤務形態が変更されるときの当該変更の日以後における職員の年次有給休暇の日数は、次の各号に掲げる場合に応じ、当該各号に定める日数とする。

一　当該変更が属する年の初日に当該変更の日の勤務形態を始めた場合　条例第十四条第一項及び第二項に掲げる日数（以下「当初付与日数」という。）に次条の規定により当該年の前年から繰り越された年次有給休暇の日数（以下「繰越日数」という。）を加えて得た日数（第十二条第二項の適用を受ける者にあっては、同項に掲げる日数）

二　当該年の初日後に当該変更後の勤務形態を始め、同日以前に当該変更前の勤務形態を始めた場合　繰越日数から当該変更の日の前日までに使用した年次有給休暇の日数（以下「使用日数甲」という。）を減じて得た日数（零を下回るときは、零）に次のイからニまでに掲げる場合に応じ、当該イからニまでに定める率（一を下回るときは、一とし、以下これを「無調整」という。）を乗じて得た日数（一日未満の端数があるときは、これを四捨五入して得た日数とし、当該勤務形態の変更がこの号の規定により無調整でなかった場合は、当該勤務形態の変更時において変更後の勤務形態の区分に応じ、第十一条の二各号又は第十二条第一項各号に定める日数を超えるときは、当該日数とする。以下「繰越調整日数甲」という。）と当初付与日数から使用日数甲から繰越日数を減じて得た日数（零を下回るときは、零）を減じて得た日数に次のイからニまでに掲げる場合に応じ、当該イからニまでに定める率（一を下回るときは、一）を乗じて得た日数（一日未満の端数があるときは、これを四捨五入して得た日数とし、当該勤務形態の変更がこの号の規定により無調整でなかった場合は、当該勤務形態の変更時において変更後の勤務形態の区分に応じ、第十一条の二各号又は第十二条第一項各号に定める日数を超えるときは、当該日数とする。以下「当初付与調整日数甲」という。）とを合計して得た日数（繰越日数（次号の適用を受ける場合にあっては、繰越調整日数甲）及び当初付与日数（同号の適用を受ける場合にあっては、当初付与調整日数甲）がこの条の規定により無調整として算出されたものである場合における次のイからニまでの適用については、当該変更前の勤務形態への変更前の勤務形態であってその期間における年次有給休暇がこの条の規定により無調整とならないものから当該変更後の勤務形態に直接変更されるものとしたときに適用されるべき次のイからニまでに掲げる場合を適用する。以下この条及び次条において同じ。）

イ　定年前再任用短時間勤務職員及び育児短時間勤務職員等以外の職員が斉一型育児短時間勤務職員等となる場合、斉一型育児短時間勤務職員等が引き続いて勤務形態を異にする斉一型育児短時間勤務職員等となる場合又は斉一型育児短時間勤務職員等が当該短時間勤務を終える場合　勤務形態の変更後における一週間ごとの勤務日の日数を当該勤務形態の変更前における一週間ごとの勤務日の日数で除して得た率

ロ　定年前再任用短時間勤務職員及び育児短時間勤務職員等以外の職員が不斉一型育児短時間勤務職員等となる場合、不斉一型育児短時間勤務職員等が引き続いて勤務形態を異にする不斉一型育児短時間勤務職員等となる場合又は不斉一型育児短時間勤務職員等が当該短時間勤務を終える場合　勤務形態の変更後における一週間当たりの正規の勤務時間の時間数を当該勤務形態の変更前における一週間当たりの正規の勤務時間の時間数で除して得た率

ハ　斉一型育児短時間勤務職員等が引き続いて不斉一型育児短時間勤務職員等となる場合　勤務形態の変更後における一週間当たりの正規の勤務時間の時間数を当該勤務形態の変更前における勤務日ごとの正規の勤務時間の時間数を七時間四十五分とみなした場合の一週間当たりの勤務時間の時間数で除して得た率

ニ　不斉一型育児短時間勤務職員等が引き続いて斉一型育児短時間勤務職員等となる場合　勤務形態の変更後における勤務日ごとの正規の勤務時間の時間数を七時間四十五分とみなした場合の一週間当たりの正規の勤務時間の時間数を当該勤務形態の変更前における一週間当たりの勤務時間の時間数で除して得た率

三　当該変更が属する年の初日後に当該変更前の勤務形態を始めた場合　当該変更前の勤務形態を始めた日における繰越調整日数甲から同日以後当該変更の日の前日までに使用した年次有給休暇の日数（以下「使用日数乙」という。）を減じて得た日数（零を下回るときは、零）に前号イからニまでに掲げる場合に応じ、当該イからニまでに定める率（一を下回るときは、一）を乗じて得た日数（一日未満の端数があるときは、これを四捨五入して得た日数とし、当該勤務形態の変更がこの号の規定により無調整でなかった場合は、当該勤務形態の変更時において変更後の勤務形態の区分に応じ、第十一条の二各号又は第十二条第一項各号に定める日数を超えるときは、当該日数とする。以下「繰越調整日数乙」という。）と当該変更前の勤務形態を始めた日における当初付与調整日数甲から使用日数乙から繰越調整日数甲を減じて得た日数（零を下回るときは、零）を減じて得た日数に前号イからニまでに掲げる場合に応じ、当該イからニまでに定める率（一を下回るときは、一）を乗じて得た日数（一日未満の端数があるときは、これを四捨五入して得た日数とし、当該勤務形態の変更がこの号の規定により無調整でなかった場合は、当該勤務形態の変更時において変更後の勤務形態の区分に応じ、第十一条の二各号又は第十二条第一項各号に定める日数を超えるときは、当該日数とする。以下「当初付与調整日数乙」という。）とを合計して得た日数

四　前号の規定にかかわらず、当該変更前の勤務形態を始める以前に当該変更が属する年の初日後に勤務形態の変更があった場合にあっては、前号中「繰越調整日数甲」とあるのは「前回の勤務形態の変更に伴う繰越調整日数乙」と、「当初付与調整日数甲」とあるのは「前回の勤務形態の変更に伴う当初付与調整日数乙」とする。

**（年次有給休暇の繰越し）**

**第十三条**　条例第十四条第一項及び第二項に規定する年次有給休暇の日数のうち、その年に使用しなかった日数がある場合は、二十日（第十一条の二各号に掲げる職員にあっては、同条の規定による日数とする。この場合において、当該年の翌年の初日に勤務形態が変更される場合にあっては、当該繰越日数に前条第二号イからニまでに掲げる場合に応じ、当該イからニまでに定める率（一を下回るときは、一）を乗じて得た日数（一日未満の端数があるときは、これを四捨五入して得た日数とし、当該勤務形態の変更がこの条の規定により無調整でなかった場合は、当該勤務形態の変更時において変更後の勤務形態の区分に応じ、第十一条の二各号又は第十二条第一項各号に定める日数を超えるときは、当該日数とする。）とする。）を限度に翌年に限りこれを繰り越すことができる。ただし、前年における勤務実績（一の年における総日数から週休日の日数及び超勤代休時間が承認された勤務日等（日を単位とする場合に限る。）を減じた日数に対する勤務した日数の割合をいう。以下この条及び別表第二において同じ。）が八割に満たない職員については、この限りでない。この場合において、二暦日にわたり継続する正規の勤務時間を割り振られたときのその終期の属する日（他の正規の勤務時間が割り振られた日を除く。）は、一の年における総日数及び勤務した日数から除く。

2　前項ただし書の規定にかかわらず、新たに職員となった者の勤務実績は、その年における新たに職員となった日以後の期間について算定する。

3　第一項ただし書の規定にかかわらず、第十二条第二項に掲げる職員の年次有給休暇の繰越しについては、別表第二に定めるところによる。

4　勤務実績を算定する場合において、次に掲げる期間は、勤務した日数とみなす。

一　超勤代休時間が承認された勤務日等（日を単位とする場合を除く。）、休日及び代休日

二　条例第十四条、第十五条（日を単位とする場合を除く。）、第十六条及び第十七条の規定による休暇により勤務しなかった期間

三　外国の地方公共団体の機関等に派遣される職員の処遇等に関する条例（昭和六十三年東京都条例第十二号）第二条第一項の規定により派遣されて勤務しなかった期間

四　公益的法人等への東京都職員の派遣等に関する条例（平成十三年東京都条例第百三十三号）第二条第一項の規定により公益的法人等に派遣されて勤務しなかった期間（当該公益的法人等において勤務した期間及びこれに相当すると認められる期間に限る。）

五　公務上の傷病又は通勤による傷病により勤務しなかった期間

六　育児休業法第二条第一項の規定により育児休業を承認されて勤務しなかった期間

七　職員の職務に専念する義務の特例に関する条例（昭和二十六年東京都条例第十六号）第二条の規定により職務に専念する義務を免除されて勤務しなかった期間

八　任命権者が職員の給与の減額を免除することのできる場合の基準（昭和二十七年東京都人事委員会規則第三号）別表第一号から第四号までの事由に該当する場合で勤務できなかった期間

5　第十二条の二第一項（同条第三項の規定により準用される場合を含む。）に定める者の勤務実績の算定に当たっては、当該退職以前の勤務と当該採用以後の勤務とが継続するものとみなす。任期の更新をしたときも同様とする。

6　第三項の規定にかかわらず、第十二条の二第二項（同条第三項の規定により準用される場合を含む。）に定める者の年次有給休暇の翌年への繰越しについては、別表第二の規定を準用する。この場合において、同表中「異動」とあるのは「退職後引き続き採用又は任期の更新」と、「五日」とあるのは「その者が十月に採用された場合に付与された日数」と読み替えるものとする。

**（臨時的任用職員の年次有給休暇の日数）**

**第十三条の二**　臨時的任用職員の年次有給休暇の日数は、一会計年度において引き続き任用される期間（以下「任用期間」という。）に応じ、別表第二の二のとおりとする。

2　前項の規定にかかわらず、次の各号に掲げる場合に該当する臨時的任用職員の年次有給休暇の日数は、当該各号に定める日数とする。

一　同一会計年度内において、東京都の臨時的任用の職に在職する者が任用期間満了後引き続き臨時的任用職員として新たに任用される場合（地方公務員法第二十二条の三第一項の規定による臨時的任用の更新をしたときを含む。）　当該任用以前の勤務と当該任用以後の勤務とが継続するものとみなした場合に当該任用の日以後に使用することができる日数から、当該年度内において使用した日数を差し引いた日数

二　東京都のいずれかの職（臨時的任用の職及び会計年度任用の職を除く。）にあった者若しくはその他任命権者が定める者が引き続き臨時的任用職員として新たに任用される場合又は東京都の臨時的任用の職に在職する者が任用期間の中途において退職後引き続き臨時的任用職員として新たに任用される場合　新たに臨時的任用職員に任用された日（以下この号において「任用日」という。）前一年の期間内に付与されていた年次有給休暇の日数に当該年次有給休暇の付与日（以下この号において「前付与日」という。）から任用日の前日までの月数を十二で除して得た数を乗じた日数（一日未満の端数があるときは、これを日単位に切り上げた日数）に、前付与日前一年の期間内に付与されていた年次有給休暇の日数のうち使用しなかった日数及び任用日の属する任用期間に応じ、別表第二の二に定める日数を加えた日数（前付与日前一年の期間内に付与されていた年次有給休暇の付与日が任用日前二年以前の日である場合は、当該日数から前付与日前一年の期間内に付与されていた年次有給休暇の日数のうち使用しなかった日数を差し引いたもの）から、前付与日から任用日の前日までに使用した日数を差し引いた日数

三　東京都の会計年度任用の職に在職する者が当該任用の期間満了後引き続き臨時的任用職員として新たに任用される場合　当該任用の日の前日に使用することができる日数のうちその年度に付与されたものに、任用期間に応じ、別表第二の二に定める日数を加えた日数

**（臨時的任用職員の年次有給休暇の繰越し）**

**第十三条の三**　東京都の臨時的任用の職にあった者が当該任用の期間の属する年度の翌年度において引き続き臨時的任用職員として新たに任用された場合においては、当該任用の日の前日に使用することができる年次有給休暇の日数のうち同日の属する年度に付与されたものがあるときは、二十日を限度として翌年度に限りこれを繰り越すことができる。ただし、前年度における勤務実績（その年度に新たに臨時的任用職員となった日以後の期間において割り振られた勤務日の総数に対する勤務した日数の割合をいう。以下この条において同じ。）が八割に満たない者については、この限りでない。この場合において、二暦日にわたり継続する勤務時間を割り振られたときのその終期の属する日（他の勤務時間が割り振られた日を除く。）は、当該年度において割り振られた勤務日の総数及び勤務した日から除くものとする。

2　勤務実績を算定する場合において、次に掲げる期間は、勤務した日数とみなす。

一　超勤代休時間が承認された勤務日等（日を単位とする場合を除く。）、休日及び代休日

二　条例第十四条、第十五条（日を単位とする場合を除く。）、第十六条及び第十七条の規定による休暇により勤務しなかった期間

三　公務上の傷病又は通勤による傷病により勤務しなかった期間

四　職員の職務に専念する義務の特例に関する条例第二条の規定により職務に専念する義務を免除されて勤務しなかった期間

五　任命権者が職員の給与の減額を免除することのできる場合の基準別表第一号から第四号までの事由に該当する場合で勤務できなかった期間

（病気休暇）

**第十四条**　病気休暇は、原則として、日を単位として承認する。

2　病気休暇の期間は、療養のため勤務しないことがやむを得ないと認められる必要最小限度の期間とする。

3　病気休暇を請求するときは、別に定める場合を除き、医師の証明書を示さなければならない。

（規則で定める疾病等）

**第十五条**　条例第十五条第一項の東京都規則で定める疾病又は負傷（以下「疾病等」という。）は、疾病等の種類、事由等により、人事委員会の承認を得て別に定めるもので、当該疾病等による病気休暇の最後の日の翌日から起算して二年以内のものとする。

（公民権行使等休暇）

**第十六条**　公民権行使等休暇は、正規の勤務時間の全部又は一部において、職員の選挙権その他の公民としての権利の行使又は公の職務の執行（以下「公民権行使等」という。）をするための休暇であって、その期間は、必要と認められる時間とする。

2　任命権者は、職員が公民権行使等休暇を請求した場合においては、拒んではならない。ただし、職務の都合により、公民権行使等に妨げがない場合に限り、請求された時刻を変更することができる。

3　任命権者は、公民権行使等休暇を承認するときは、公民権行使等を証する書類の提出を求めることができる。

（妊娠出産休暇）

**第十七条**　妊娠出産休暇は、女性職員に対し、その妊娠中及び出産後を通じて十六週間（多胎妊娠の場合にあっては、二十四週間）以内の引き続く休養として与える休暇とする。ただし、出産が出産予定日後となった場合で、妊娠中に八週間（多胎妊娠の場合にあっては、十六週間）を超えて休養することがやむを得ないと認められるときは、十六週間（多胎妊娠の場合にあっては、二十四週間）にその超えた日数に相当する日数を加えた期間の引き続く休養として与える休暇とする。

2　任命権者は、妊娠出産休暇を出産予定日以前の少なくとも六週間（多胎妊娠の場合にあっては、十四週間）、出産後の少なくとも八週間与えるものとする。ただし、出産後六週間を経過した女性職員が勤務に就くことを申し出た場合において医師が支障がないと認めた業務に就くときは、この限りでない。

3　第一項の規定にかかわらず、妊娠初期（妊娠四月程度までの期間をいう。以下同じ。）等の女性職員が妊娠に起因する障害のため、一週間を超える引き続く休養が必要と認められるときは、一週間又は二週間を同項に規定する期間から分離して与えることができる。

4　妊娠出産休暇を請求するときは、医師若しくは助産師の証明書又は母子保健法（昭和四十年法律第百四十一号）の規定に基づく母子健康手帳（以下「母子手帳等」という。）を示さなければならない。

（妊娠症状対応休暇）

**第十八条**　妊娠症状対応休暇は、妊娠中の女性職員が妊娠に起因する症状のために勤務することが困難な場合における休養として与える休暇とする。

2　妊娠症状対応休暇は、一回の妊娠について、日又は時間を単位として十日以内で承認する。

3　妊娠症状対応休暇を請求するときは、母子手帳等を示さなければならない。

（早期流産休暇）

**第十八条の二**　早期流産休暇は、妊娠初期において流産

した女性職員が、安静加療を要するため又は母体の健康保持若しくは心身の疲労回復に係る休養のため、勤務することが困難な場合における休暇とする。

2　早期流産休暇は、日を単位として、流産した日の翌日から起算して引き続く七日以内で承認する。ただし、流産の日において病気休暇を承認されている場合にあっては、流産した日の翌日から起算して六日以内に病気休暇が終了するときに限り、病気休暇の終了する日の翌日から、流産した日の翌日から起算して七日を経過する日までを限度として、引き続く日数を承認する。

3　早期流産休暇を請求するときは、母子手帳等を示さなければならない。

（**母子保健健診休暇**）

**第十九条**　母子保健健診休暇は、妊娠中の、又は出産後一年を経過しない女性職員が母子保健法の規定に基づく医師、助産師又は保健師の健康診査又は保健指導を受けるための休暇であって、その期間は、必要と認められる時間とする。

2　母子保健健診休暇は、妊娠中に九回及び出産後に一回又は妊娠中に十回の範囲内で承認する。ただし、医師、助産師又は保健師の特別の指示があったときは、その指示されたところにより当該必要な回数を承認するものとする。

3　母子保健健診休暇を請求するときは、母子手帳等を示さなければならない。

（**妊婦通勤時間**）

**第二十条**　妊婦通勤時間は、妊娠中の女性職員が通勤に利用する交通機関の混雑が著しく、職員の健康維持及びその胎児の健全な発達を阻害するおそれがあるときに、交通混雑を避けるための休暇とする。

2　妊婦通勤時間は、正規の勤務時間の始め又は終わりに六十分を超えない範囲内でそれぞれ三十分に十五分を単位として増減した時間の範囲内又はいずれか一方に六十分の範囲内で承認する。

3　妊婦通勤時間を請求するときは、母子手帳等を示さなければならない。

（**育児時間**）

**第二十一条**　育児時間は、生後一年六月に達しない生児を育てる職員が生児を育てるための休暇とする。

2　育児時間は、正規の勤務時間において、一生児（一回の出産で産まれた複数の生児は、一生児とみなす。以下同じ。）について一日二回それぞれ四十五分間承認する。ただし、任命権者の承認を受けた場合には、一日について二回を超えず、かつ、九十分を超えない範囲内で一回につき三十分以上（生後一年に達し、かつ、生後一年六月に達しない生児にあっては、十五分以上）で四十五分に十五分を単位として増減した時間とすることができる。

3　男性職員の育児時間は、その生児を育てる当該職員の配偶者又はパートナーシップ関係の相手方が次の各号のいずれかに該当する場合には、承認しないものとする。

一　労働基準法その他の法律又は条例等により妊娠中又は出産後の休養を与えられ、当該生児を育てることができる場合

二　育児休業法その他の法律により育児休業をし、当該生児を育てることができる場合

三　当該生児を常態として育てることができる場合

四　前三号に定めるもののほか、当該利用しようとする時間において、当該生児を育てることができる場合

4　第二項の規定にかかわらず、男性職員の育児時間は、その配偶者又はパートナーシップ関係の相手方が当該生児について育児時間（当該配偶者又はパートナーシップ関係の相手方が職員でない場合にあっては、労働基準法第六十七条の規定による育児時間又は他の法律若しくは条例等に基づく育児時間に相当するもの。以下同じ。）を利用するときは、一日について九十分から当該配偶者又はパートナーシップ関係の相手方が利用する育児時間を差し引いた時間を限度とする。

5　第二項及び前項に定めるもののほか、同一の日において職員及びその配偶者又はパートナーシップ関係の相手方が育児時間を利用するときのその利用方法は、任命権者が定める。

6　任命権者は、女性職員が育児時間の利用を申し出たときは、これを拒んではならない。

（**出産支援休暇**）

**第二十二条**　出産支援休暇は、職員がその配偶者又はパートナーシップ関係の相手方の出産に当たり、子の養育その他家事等を行うための休暇とする。

2　出産支援休暇は、出産の直前又は出産の日の翌日から起算して二週間の範囲内で、日を単位として二日以内で承認する。ただし、職務に支障がないと認めるときは、一時間を単位として承認することができる。

3　出産支援休暇を請求するときは、その配偶者又はパートナーシップ関係の相手方の母子手帳等を示さなければならない。

（**育児参加休暇**）

**第二十二条の二**　育児参加休暇は、職員がその配偶者又はパートナーシップ関係の相手方の産前産後の期間に、育児に参加するための休暇とする。

2　育児参加休暇は、職員の配偶者又はパートナーシップ関係の相手方の出産の日の翌日から当該出産の日以後一年を経過する日までの期間内において承認する。ただし、職員に当該職員又はその配偶者若しくはパートナーシップ関係の相手方と同居し、かつ、養育の必要がある子がある場合には、配偶者又はパートナーシップ関係の相手方の出産予定日の八週間（多胎妊娠の場合にあっては、十六週間）前の日から当該出産の日以後一年を経過する日までの期間内において承認する。

3　育児参加休暇は、一日を単位として五日以内で承認する。ただし、職務に支障がないと認めるときは、一時間を単位として承認することができる。

4　育児参加休暇を請求するときは、その配偶者又はパートナーシップ関係の相手方の母子手帳等を示さなければならない。ただし、第二項ただし書に規定する場合は、当該母子手帳等及び職員又はその配偶者若しくはパートナーシップ関係の相手方が子と同居していることを確認できる証明書等を示さなければならない。

**（子どもの看護休暇）**

**第二十二条の三**　子どもの看護休暇は、十二歳に達する日又は小学校、義務教育学校の前期課程若しくは特別支援学校の小学部の課程を修了した日のいずれか遅い日以後の最初の三月三十一日（ただし、十五歳に達する日以後の最初の三月三十一日を限度とする。）までの間にある子（配偶者又はパートナーシップ関係の相手方の子を含む。以下この項において同じ。）を養育する職員が、その子（次項において「養育する子」という。）の看護（負傷し、又は疾病にかかったその子の世話を行うことをいう。）のため又は予防接種若しくは健康診断を受けさせるため勤務しないことが相当であると認められる場合の休暇とする。

2　子どもの看護休暇は、一の年において、一日を単位として五日（養育する子が複数の場合にあっては、十日とする。）以内で必要と認められる期間を承認する。ただし、職務に支障がないと認めるときは、一時間を単位として承認することができる。

**（生理休暇）**

**第二十三条**　生理休暇は、生理日の勤務が著しく困難な場合の休養として与える休暇とする。

2　任命権者は、女性職員が生理休暇を請求したときは、その職員を生理日に勤務させてはならない。

**（慶弔休暇）**

**第二十四条**　慶弔休暇は、職員が結婚する場合又は東京都オリンピック憲章にうたわれる人権尊重の理念の実現を目指す条例（平成三十年東京都条例第九十三号）第七条の二第二項の証明若しくは同条第一項の東京都パートナーシップ宣誓制度と同等の制度であると知事が認めた地方公共団体のパートナーシップに関する制度による証明を受けたパートナーシップ関係にある者と、同居し、かつ、生計を一にすることとなる場合（以下この条において「パートナーシップ関係となる場合」という。）、職員の関係者（別表第三に掲げる者に限る。以下同じ。）が死亡した場合その他の勤務しないことが相当と認められる場合の休暇とする。

2　慶弔休暇は、日を単位として、次の各号に掲げる場合について、当該各号に定める日数の範囲内で承認する。

一　職員が結婚する場合又はパートナーシップ関係となる場合　引き続く七日

二　職員の関係者が死亡した場合　任命権者が承認した日から引き続く別表第三に掲げる日数

三　職員の父母の追悼のための特別な行事を行う場合（父母の死亡後十五年以内に行う場合に限る。）　一日

3　前項第一号に掲げる場合の慶弔休暇の始期は、結婚の日（戸籍法（昭和二十二年法律第二百二十四号）に規定する婚姻の届出をした日又は結婚した日のうち職員が選択した日をいう。）又はパートナーシップ関係となる場合に該当することとなった日の一週間前の日から当該結婚の日又はパートナーシップ関係となる場合に該当することとなった日後六月を経過する日までの期間内の日とする。

4　第二項第二号又は第三号の場合において、遠隔の地に旅行する必要があるときは、往復に通常要する日数を加算することができる。

5　慶弔休暇を請求するときは、結婚等の事実を確認できる証明書等を示さなければならない。

**（災害休暇）**

**第二十五条**　災害休暇は、地震、水害、火災その他の災害により次の各号のいずれかに該当する場合で、職員が勤務しないことが相当と認められるときの休暇とする。

一　職員の現住居が滅失し、又は損壊した場合で、当該職員がその復旧作業等を行い、又は一時的に避難しているとき。

二　職員及び当該職員と同一の世帯に属する者の生活に必要な水、食料等が著しく不足している場合で、当該職員以外にはそれらの確保を行うことができないとき。

2　災害休暇は、日を単位として、災害により現住居が滅失し、若しくは損壊した日又は生活に必要な水、食料等が著しく不足した日から起算して七日を超えない

範囲内で必要と認められる期間承認する。

3　災害休暇を請求するときは、災害により現住居が滅失し、若しくは損壊したこと又は生活に必要な水、食料等が著しく不足したことを確認できる証明書等を示さなければならない。

（夏季休暇）

**第二十六条**　夏季休暇は、夏季の期間（七月一日から九月三十日まで（条例第三条第二項に定める職務の性質により特別の勤務形態によって勤務する必要がある職員については、六月一日から十月三十一日まで）をいう。）において、職員が心身の健康の維持及び増進又は家庭生活の充実のため勤務しないことが相当と認められる場合の休暇とする。

2　夏季休暇は、一日を単位とし、夏季の期間の初日において次の各号に掲げる区分に応じ、当該各号に定める日数以内で承認する。

一　次号から第四号までに掲げる職員以外の職員　五日

二　斉一型育児短時間勤務職員等　五日に当該初日における一週間ごとの勤務日数を五日で除して得た数を乗じた日数

三　不斉一型育児短時間勤務職員等　五日に当該初日における一週間当たりの正規の勤務時間の時間数を三十八時間四十五分で除して得た数を乗じた日数（一日未満の端数があるときは、これを四捨五入して得た日数）

四　定年前再任用短時間勤務職員　五日に条例第二条第三項の規定に基づき定められた定年前再任用短時間勤務職員の勤務時間を三十八時間四十五分で除して得た数を乗じて得た日数（一日未満の端数があるときは、これを四捨五入して得た日数）

3　夏季の期間（当該期間の初日を除く。）において、勤務形態が変更されるときの当該変更の日以後における職員の夏季休暇は、前項の規定にかかわらず、前項各号に掲げる場合に応じ、当該各号に定める日数から当該変更の日の前日までに使用した夏季休暇の日数を減じて得た日数に、第十二条の三第二号イからニまでに掲げる場合に応じ、当該イからニまでに定める率（一を下回るときは、一）を乗じて得た日数（一日未満の端数があるときは、これを四捨五入して得た日数とする。ただし、当該勤務形態の変更がこの項の規定により無調整でなかった場合は、当該日数が、前項各号に掲げる当該勤務形態の変更後の勤務形態の区分に応じ、当該各号に定める日数を超えるときは、当該各号に定める日数）以内で承認する（当該勤務形態の変更がこの項の規定により無調整であった場合における第十二条の三第二号イからニまでの適用については、当該変更前の勤務形態への変更前の勤務形態であってその期間における年次有給休暇がこの項の規定により無調整とならないものから当該変更後の勤務形態に直接変更されるものとしたときに適用されるべき第十二条の三第二号イからニまでに掲げる場合を適用する。）。

（長期勤続休暇）

**第二十六条の二**　長期勤続休暇は、長期にわたり勤続した職員が、心身の活力を維持し、及び増進するため勤務しないことが相当と認められる場合の休暇とする。

2　長期勤続休暇は、次に掲げる期間において、日を単位として、勤続十五年に達する場合は引き続く二日以内、勤続二十五年に達する場合は引き続く五日以内で承認する。ただし、次項第五号に規定する場合において、当該派遣されていた期間に知事が別に定める長期勤続休暇に相当する休暇（以下「相当する休暇」という。）を承認された職員については、勤続十五年に達する場合は二日から、勤続二十五年に達する場合は五日から当該承認された相当する休暇の日数（一日未満の端数があるときは、これを切り上げて得た日数）を除いた日数の範囲内で長期勤続休暇を承認する。

一　勤続十五年に達する日が属する年度の一月一日から二年間

二　勤続二十五年に達する日が属する年度の一月一日から二年間

三　前二号の規定にかかわらず、勤続十五年又は勤続二十五年に達する日が属する年度の一月一日からその翌々年度の十二月三十一日までの間に退職する者にあっては、勤続十五年又は勤続二十五年に達する日が属する年度の一月一日から退職の日まで

3　前項の規定にかかわらず、次の各号に掲げる職員には、当該各号に定める期間において、長期勤続休暇を承認するものとする。

一　勤続十五年又は勤続二十五年に達する日が属する年度の一月一日において、刑事事件の被疑者として検察官に逮捕された者若しくは検察官に送致された者又は被告人として刑事訴訟係属中である者　公訴が提起されないことが決定した日又は無罪判決が確定した日若しくは有罪判決（禁錮以上の刑の場合を除く。）が確定した日から二年を経過する日が属する年の翌年の一月一日から二年間

二　勤続十五年又は勤続二十五年に達する日が属する年度の一月一日において、懲戒処分（別に定めるものを除く。）を受けた日から二年を経過しない者　当該懲戒処分を受けた日から二年を経過する日が属する年の翌年の一月一日から二年間

三　前項第一号又は第二号に定める期間において、条例第十五条に定める病気休暇その他任命権者が定める事由により勤務しなかった期間が、同項第一号又は第二号に定める期間の二分の一以上である職員　勤続十五年又は勤続二十五年に達する日が属する年度の一月一日から三年間

四　勤続二十五年に達する日の属する年度の末日において六十四歳に満たない職員で、当該職員の勤務成績、欠勤の状況、賞罰その他が別に定める基準に該当するもの　勤続二十六年に達する日が属する年度の一月一日から二年間

五　前項第一号若しくは第二号又は前各号に規定する期間において、国又は地方公共団体等に派遣されていた期間がある職員のうち当該勤続年数に係る長期勤続休暇の承認を受けていない者　派遣が終了した日の翌日と前項第一号若しくは第二号又は前各号に規定する期間の終了日の翌日のうちいずれか遅い日から、前項第一号若しくは第二号又は前各号に規定する期間と派遣期間とが重複している期間に相当する期間を延長した期間

（ボランティア休暇）

**第二十六条の三**　ボランティア休暇は、職員が自発的に、かつ、報酬を得ないで社会に貢献する活動（専ら親族に対する支援となる活動を除く。）を行う場合で、その勤務しないことが相当であると認められるときの休暇とする。

2　ボランティア休暇は、次に掲げる場合について、一の年において五日の範囲内で必要と認められる期間承認する。

一　地震、暴風雨、噴火等により相当規模の災害が発生した被災地又はその周辺の地域における生活関連物資の配布その他被災者を支援する活動

二　障害者支援施設、特別養護老人ホームその他の主として身体上若しくは精神上の障害がある者又は負傷し、若しくは疾病にかかった者に対して必要な措置を講ずることを目的とする施設における活動

三　前二号に掲げる活動のほか、身体上若しくは精神上の障害、負傷又は疾病により常態として日常生活を営むのに支障がある者の介護その他の日常生活を支援する活動

四　東京都の区域内で開催される国、地方公共団体等が主催、共催、協賛又は後援する国際交流事業における通訳その他外国人を支援する活動

五　安全確保を図るための活動、スポーツや野外活動等を指導する活動その他地域における子どもの健全育成に関する活動

3　ボランティア休暇を請求するときは、活動期間、活動の種類、活動場所、仲介団体、活動内容等活動の計画を明らかにする書類を示さなければならない。ただし、緊急かつやむを得ない事由によりあらかじめ示すことができなかった場合には、事後において活動の結果を明らかにする書類を示さなければならない。

（短期の介護休暇）

**第二十六条の四**　短期の介護休暇は、要介護者の介護、要介護者の通院等の付添い、要介護者が介護サービスの提供を受けるために必要な手続の代行及びその他の要介護者の必要な世話を行うために勤務しないことが相当であると認められる場合の休暇とする。

2　短期の介護休暇は、一の年において、一日を単位として五日（要介護者が複数の場合にあっては、十日とする。）以内で必要と認められる期間を承認する。ただし、職務に支障がないと認めるときは、一時間を単位として承認することができる。

3　短期の介護休暇を請求するときは、要介護者の氏名、職員との続柄等及びその他の要介護者に関する事項並びに要介護者の状態を明らかにする書類（以下この項において「要介護者の状態等を明らかにする書類」という。）を示さなければならない。ただし、緊急かつやむを得ない事由によりあらかじめ示すことができなかった場合には、事後において要介護者の状態等を明らかにする書類を示さなければならない。

（介護休暇）

**第二十七条**　介護休暇（前条に規定するものを除く。以下この条及び次条において同じ。）は、要介護者の各々が二週間以上にわたり介護を必要とする一の継続する状態ごとに、連続する六月の期間内において必要と認められる期間及び回数について承認する。ただし、連続する六月の期間経過後であっても、更に二回まで通算百八十日（連続する六月の期間内において既に承認した期間を含む。）を限度として承認することができる。

2　介護休暇は、その承認された期間内に日又は時間を単位として、連続し、又は断続して利用することができる。ただし、時間を単位とする介護休暇を利用する場合において、当該利用する日の他の休暇（前条に規定するものを除く。）、職務専念義務の免除等及び当該介護休暇によりその日の全ての正規の勤務時間について勤務しないこととなるときは、当該日の当該介護休暇は承認しない。

3　介護休暇を承認された期間又は前項に規定する介護休暇の利用方法は、承認された各期間について一回に限り変更することができる。

4　任命権者は、介護休暇を承認し、又は利用の状況を

確認するため、介護を必要とすることを証する証明書等の提出を求めることができる。

5　任命権者は、職務に重大な支障が生じた場合には、既に承認した介護休暇（当該支障が生じた日以後の期間に係るものに限る。）を取り消すことができる。

6　介護休暇の申請は、これを利用する日の前日までに別記第四号様式により行うものとする。

7　職員は、申請事由に変更が生じた場合には、別記第五号様式により任命権者に届け出なければならない。

**（介護時間）**

**第二十七条の二**　介護時間は、要介護者の各々が二週間以上にわたり介護を必要とする一の継続する状態ごとに、職員（育児短時間勤務職員等を除く。）が要介護者の介護を行うために勤務しないことが相当であると認められる場合の休暇として、介護時間取得の初日から連続する三年の期間内において承認する。ただし、当該要介護者に係る介護休暇を承認されている期間内においては、介護時間を承認することができないものとする。

2　介護時間の承認は、正規の勤務時間の始め又は終わりにおいて、一日につき二時間を超えない範囲内で、三十分を単位として行うものとする。

3　第二十一条に規定する育児時間又は職員の育児休業等に関する条例（平成四年東京都条例第十号）第十四条に規定する部分休業を承認されている職員に対する介護時間の承認については、一日につき二時間から当該育児時間又は部分休業を減じた時間を超えない範囲内で行うものとする。

4　任命権者は、介護時間を承認し、又は利用の状況を確認するため、介護を必要とすることを証する証明書等の提出を求めることができる。

5　任命権者は、職務に重大な支障が生じた場合には、既に承認した介護時間（当該支障が生じた日以後の期間に係るものに限る。）を取り消すことができる。

6　介護時間の申請は、これを利用する日の前日までに別記第六号様式により行うものとする。

7　職員は、申請事由に変更が生じた場合には、別記第五号様式により任命権者に届け出なければならない。

**（期間計算）**

**第二十八条**　第十四条、第十七条、第十八条の二、第二十三条から第二十五条まで、第二十六条の二及び第二十七条の規定による休暇の期間には、週休日並びに休日及び代休日を含むものとする。

**（特別休暇等の特例）**

**第二十八条の二**　東京都のいずれかの職を退職した者が引き続き職員（臨時的任用職員を除く。）に採用された場合において、当該採用された年における条例第十五条から第十七条の二までの規定の適用については、当該退職以前の勤務と当該採用以後の勤務とが継続するものとみなす。ただし、東京都の常勤の職を退職した者が引き続き定年前再任用短時間勤務職員又は任期付職員等に採用された場合における条例第十六条第一項の規定（長期勤続休暇に限る。）の適用については、この限りでない。

2　東京都のいずれかの職を退職した者が引き続き臨時的任用職員に任用された場合において、当該任用された年度における条例第十五条から第十七条の二までの規定の適用については、当該退職以前の勤務と当該任用以後の勤務とが継続するものとみなす。地方公務員法第二十二条の三第一項の規定による臨時的任用の更新をしたときも同様とする。

**（一時間を単位として使用した特別休暇の日への換算等）**

**第二十八条の三**　一時間を単位として使用した第十八条、第二十二条から第二十二条の三まで、第二十六条の三及び第二十六条の四に規定する休暇を日に換算する場合には、次の各号に掲げる職員の区分に応じ、当該各号に掲げる時間数をもって一日とする。

一　次号から第四号までに掲げる職員以外の職員　七時間四十五分

二　斉一型育児短時間勤務職員等　勤務日ごとの正規の勤務時間の時間数（七時間四十五分を超える場合にあっては、七時間四十五分とする。）

三　不斉一型育児短時間勤務職員等　七時間四十五分

四　定年前再任用短時間勤務職員のうち、条例第二条第三項の規定により定める勤務時間が三十一時間未満の者　一週間当たりの正規の勤務時間の時間数をその者の一週間当たりの勤務日の日数（一週間ごとの勤務日の日数が異なる者にあっては、別表第一の一年間の勤務日数の区分に応じ、一週間の勤務日数の欄に掲げる日数）で除して得た時間（一分未満の端数があるときは、これを四捨五入して得た時間）

2　一時間を単位として使用した第十八条、第二十二条から第二十二条の三まで、第二十六条の三及び第二十六条の四に規定する休暇の残日数の全てを使用しようとする場合において、当該残日数に一時間未満の端数があるときは、第十八条第二項、第二十二条第二項、第二十二条の二第三項、第二十二条の三第二項、第二十六条の三第二項及び第二十六条の四第二項の規定にかかわらず、当該残日数の全てを承認することができる。

**（臨時的任用職員に関する読替え）**

**第二十八条の四**　臨時的任用職員についての第二十二条の三第二項、第二十六条の三第二項及び第二十六条の四第二項の規定の適用については、これらの規定中「一の年」とあるのは「一の年度」とする。

**（休暇等の申請）**

**第二十九条**　第十一条、第十四条及び第十六条から第二十六条の四までに規定する休暇を申請するための様式は、任命権者が別に定める。

2　前項の休暇の申請は、休暇を利用する日の前日までに申請し、任命権者の承認を得なければならない。

3　前項の規定にかかわらず、第一項の休暇（第二十六条の三に規定する休暇を除く。）について、病気、災害その他やむを得ない事由により休暇を利用する日の前日までに申請できなかった場合には、その事由を付して事後において承認を求めることができる。

**（勤務間インターバルの確保等）**

**第三十条**　任命権者は、別に定める場合を除き、条例第三条第一項若しくは第二項、第五条若しくは第八条の規定により正規の勤務時間を割り振るとき又は超過勤務を命ずるときは、職員の健康及び福祉を確保するために必要な終業から始業までの時間の設定その他の必要な措置を講ずるよう努めなければならない。

附　則

**（施行期日）**

**第一条**　この規則は、平成七年四月一日から施行する。

**（経過措置）**

**第二条**　この規則の施行の際現に東京都職員服務規程（昭和四十七年東京都訓令第百二十二号）第十一条第二項の規定に基づき承認されている欠勤は、条例第十五条第一項の規定に基づき承認された病気休暇とみなす。

2　この規則の施行の際現に職員の職務に専念する義務の免除に関する規則（昭和二十七年東京都人事委員会規則第一号。以下「職免規則」という。）第二条第七号に定める特別の事由がある場合として人事委員会が承認した妊娠障害に係る職員の職務専念義務の免除（平成元年三月三十日付六十三人委任第二百十二号）により承認されている勤務の免除は、条例第十六条第一項の規定に基づき承認された妊娠初期休暇とみなす。

3　この規則の施行の際現に職免規則第二条第七号に定める特別の事由がある場合として人事委員会が承認した妊娠中の女子職員が母子保健法に基づく健康診査等を受けるための勤務免除の特例（昭和四十六年十月七日付四十六人委収第千百十二号）により承認されている勤務の免除は、条例第十六条第一項の規定に基づき承認された母子保健健診休暇とみなす。

4　この規則の施行の際現に職免規則第二条第七号に定める特別の事由がある場合として人事委員会が承認した妊娠中の女子職員の出勤・退庁時の勤務免除の特例（昭和四十四年二月二十七日付四十四人委収第百十一号）により承認されている勤務の免除は、条例第十六条第一項の規定に基づき承認された妊婦通勤時間とみなす。

5　この規則の施行の際現に職免規則第二条第七号に定める特別の事由がある場合として人事委員会が承認した配偶者の出産に係る職務専念義務の免除（昭和四十八年十月四日付四十八人委第千四百十六号）により承認されている勤務の免除は、条例第十六条第一項の規定に基づき承認された出産支援休暇とみなす。

6　この規則の施行の際現に任命権者が職員の給与の減額を免除することのできる場合の基準別表第三号に規定する風、水、震、火災その他の天災地変による職員の現住居の滅失又は破壊による場合として任命権者が承認している日に勤務しないときは、条例第十六条第一項の規定に基づき災害休暇を承認されたものとみなす。

7　この規則の施行の際既に看護欠勤に関する事務処理要領（平成元年三月三十一日付六十三総人職第六百八十二号）により承認された欠勤は、条例第十七条第一項の規定に基づき承認された介護休暇とみなす。

8　前各項に規定するもののほか、この規則の施行に伴い必要な経過措置は、任命権者が定める。

9　この規則の施行の際、この規則による改正前の職員の勤務時間、休日、休暇等に関する条例施行規則別記様式第一号及び様式第二号による用紙で、現に残存するものは、所要の修正を加え、なお使用することができる。

**（年次有給休暇の特例）**

**第三条**　異動となり条例第十四条第二項に定める当該年の中途において新たに条例の適用を受けることとなった第十二条第二項各号に掲げる者については、第十一条に規定する年次有給休暇の残日数のすべてを使用しようとする場合において、当該残日数に一時間未満の端数があるときは、当該残日数のすべてを使用することができる。

**（長期勤続休暇に関する経過措置）**

**第四条**　令和五年四月一日から令和十三年三月三十一日までの間における第二十六条の二第三項第四号の規定の適用については、次の表の上欄に掲げる期間の区分に応じ、同号中「六十四歳」とあるのはそれぞれ同表の下欄に掲げる字句とする。

| | |
|---|---|
| 令和五年四月一日から令和七年三月三十一日まで | 六十歳 |
| 令和七年四月一日から令和九年三月三十一日まで | 六十一歳 |
| 令和九年四月一日から令和十一年三月三十一日まで | 六十二歳 |
| 令和十一年四月一日から令和十三年三月三十一日まで | 六十三歳 |

**附　則**（平三〇・一二・二七規則一六一）

1　この規則は、平成三十一年一月一日から施行する。ただし、第十二条第三項の改正規定は、平成三十二年四月一日から施行する。

2　平成三十二年三月三十一日に一般職非常勤職員の勤務時間、休暇等に関する規則（平成二十七年東京都規則第四号）の適用を受けていた職員における、前項ただし書に規定する改正規定による改正後の職員の勤務時間、休日、休暇等に関する条例施行規則第十二条第三項の規定の適用については、「会計年度任用職員の勤務時間、休暇等に関する規則」とあるのは、「一般職非常勤職員の勤務時間、休暇等に関する規則」とする。

3　この規則による改正後の職員の勤務時間、休日、休暇等に関する条例施行規則（以下「改正後の規則」という。）第二十四条及び第二十九条の規定は、改正後の規則第二十四条第三項に規定する結婚の日及び改正後の規則第二十九条第二項に規定する申請をした日がいずれも平成三十一年一月一日以後である場合について適用し、この規則による改正前の職員の勤務時間、休日、休暇等に関する条例施行規則（以下「改正前の規則」という。）第二十四条第三項に規定する結婚の日又は改正前の規則第二十九条第三項に規定する申請をした日のいずれかが平成三十一年一月一日前である場合については、なお従前の例による。

**附　則**（平三一・三・二九規則五〇）

1　この規則は、平成三十一年四月一日から施行する。

2　平成三十一年八月三十一日までの間におけるこの規則による改正後の職員の勤務時間、休日、休暇等に関する条例施行規則第七条第三項第三号ハ（同項第二号ロに掲げる場合を含む。）の規定の適用については、同項第三号ハ中「五月の期間」とあるのは、「五月の期間（平成三十一年四月以後の期間に限る。）」とする。

**附　則**（令二・一二・二三規則二〇三）

1　この規則は、令和三年一月一日から施行する。ただし、次項及び附則第三項の規定は、公布の日から施行する。

2　この規則による改正後の職員の勤務時間、休日、休暇等に関する条例施行規則（以下「改正後の規則」という。）第七条の二第九項で準用する同条第二項（会計年度任用職員の勤務時間、休暇等に関する規則（平成二十七年東京都規則第四号。以下「会計年度任用職員勤務時間規則」という。）第九条において準用する場合を含む。）の規定による深夜勤務の制限に係る請求及び改正後の規則第七条の二第九項で準用する同条第七項（会計年度任用職員勤務時間規則第九条において準用する場合を含む。）の規定による届出、改正後の規則第七条の二の二第九項で準用する同条第一項（会計年度任用職員勤務時間規則第十条において準用する場合を含む。）に規定する超過勤務の免除に係る請求及び改正後の規則第七条の二の二第九項で準用する同条第六項（会計年度任用職員勤務時間規則第十条において準用する場合を含む。）の規定による届出、改正後の規則第七条の三第九項で準用する同条第二項（会計年度任用職員勤務時間規則第十一条において準用する場合を含む。）に規定する超過勤務の制限に係る請求及び改正後の規則第七条の三第九項で準用する同条第七項（会計年度任用職員勤務時間規則第十一条において準用する場合を含む。）の規定による届出並びに改正後の規則第二十六条の四に規定する短期の介護休暇の請求等は、この規則の施行の日前においても行うことができる。

3　職員の勤務時間、休日、休暇等に関する条例の一部を改正する条例（令和二年東京都条例第百七号）による改正後の職員の勤務時間、休日、休暇等に関する条例（平成七年東京都条例第十五号。以下「改正後の条例」という。）第十七条に規定する介護休暇及び改正後の条例第十七条の二に規定する介護時間に係る請求等は、改正後の規則第二十七条及び改正後の規則第二十七条の二（会計年度任用職員勤務時間規則第二十八条において準用する場合を含む。）の規定の例により、この規則の施行の日前においても行うことができる。

4　この規則の施行の際、この規則による改正前の職員の勤務時間、休日、休暇等に関する条例施行規則の様式（この規則により改正されるものに限る。）による用紙で、現に残存するものは、所要の修正を加え、なお使用することができる。

**附　則**（令三・一二・二二規則三二一）

1　この規則は、令和四年四月一日から施行する。ただし、第二十七条第二項から第八項までの改正規定は同年一月一日から、次項の規定は公布の日から施行する。

2　この規則による改正後の職員の勤務時間、休日、休暇等に関する条例施行規則第二十七条（会計年度任用職員の勤務時間、休暇等に関する規則（平成二十七年東京都規則第四号）第二十六条第二項において準用する場合を含む。）に規定する介護休暇の申請等は、この規則の施行の日前においても行うことができる。

**附　則**（令四・六・一二規則一三二）

1　この規則は、令和五年四月一日から施行する。

2　地方公務員法の一部を改正する法律（令和三年法律第六十三号。以下「改正法」という。）附則第四条第一項若しくは第二項又は第六条第　項若しくは第二項の規定により採用された職員は、この規則による改正後の職員の勤務時間、休日、休暇等に関する条例施行規則（以下「新規則」という。）第五条第一項に規定する定年前再任用短時間勤務職員（以下「定年前再任用短時間勤務職員」という。）とみなして、新規則第十一条の二第一項及び第二十八条の二第一項の規定を適用する。この場合において、新規則第十二条の二第一項中「とする。」とあるのは「とする。職員の定年等に関する条例の一部を改正する条例（令和四年東京都条例第七十五号）附則第三条第三項（同条例附則第四条第三項において準用する場合を含む。）の規定による任期の更新をしたときも同様とする。」と、同条第二項中「以前」とあるのは「以前又は職員の定年等に関する条例の一部を改正する条例（令和四年東京都条例第七十五号）附則第三条第三項（同条例附則第四条第三項において準用する場合を含む。）の規定による任期の更新（以下この項において「任期の更新」という。）前」と、「引き続き採用」とあるのは「引き続き採用又は任期の更新」と、「以後の勤務」とあるのは「以後の勤務又は任期の更新前の勤務と任期の更新以後の勤務」と、第二十八条の二第一項中「任期の更新」とあるのは「職員の定年等に関する条例の一部を改正する条例（令和四年東京都条例第七十五号）附則第三条第三項（同条例附則第四条第三項において準用する場合を含む。）の規定による任期の更新」とする。

3　改正法附則第六条第一項又は第二項の規定により採用された職員は、定年前再任用短時間勤務職員とみなして、新規則第五条第一項、第十一条第三項、第四項第四号及び第五項、第十一条の二第一号、第十二条第一項第二号、第二項及び第四項、第十二条の三第二号イ及びロ、第二十六条第二項第四号並びに第二十八条の三第一項第四号の規定を適用する。

**附　則**（令四・九・二〇規則一八六）

1　この規則は、令和四年十月一日から施行する。ただし、次項の規定は、公布の日から施行する。

2　この規則による改正後の職員の勤務時間、休日、休暇等に関する条例施行規則第二十二条の二（会計年度任用職員の勤務時間、休暇等に関する規則（平成二十七年東京都規則第四号）第二十条の三において準用する場合を含む。）に規定する育児参加休暇の請求等は、この規則の施行の日前においても行うことができる。

**附　則**（令四・一〇・一七規則一九七）

1　この規則は、令和四年十一月一日から施行する。

2　この規則の施行の際、この規則による改正前の職員の勤務時間、休日、休暇等に関する条例施行規則別記第二号様式の二、第二号様式の三及び第五号様式による用紙で、現に残存するものは、所要の修正を加え、なお使用することができる。

**附　則**（令五・一二・二七規則一六六）

1　この規則は、令和六年一月一日から施行する。ただし、次項の規定は、公布の日から施行する。

2　この規則による改正後の職員の勤務時間、休日、休暇等に関する条例施行規則（以下「改正後の規則」という。）第二十一条（会計年度任用職員の勤務時間、休暇等に関する規則（平成二十七年東京都規則第四号。以下「会計年度任用職員勤務時間規則」という。）第二十条において準用する場合を含む。）に規定する育児時間、改正後の規則第二十五条に規定する災害休暇及び改正後の規則第二十七条（会計年度任用職員勤務時間規則第二十六条第二項において準用する場合を含む。）に規定する介護休暇の請求等は、この規則の施行の日前においても行うことができる。

**附　則**（令六・三・二八規則三一）

この規則は、令和六年四月一日から施行する。

**別表第一**（第十一条、第十一条の二、第十二条、第二十八条の三関係）

| 勤務日数 一週間の勤務日数 | 勤務日数 一年間の勤務日数 | 一週間の勤務時間 | 斉一型育児短時間勤務職員等又は定年前再任用短時間勤務職員となった月 一月 | 二月 | 三月 | 四月 | 五月 | 六月 | 七月 | 八月 | 九月 | 十月 | 十一月 | 十二月 |
|---|---|---|---|---|---|---|---|---|---|---|---|---|---|---|
| 五日 | 二百十七日以上 | ― | 二十日 | 十八日 | 十七日 | 十五日 | 十三日 | 十二日 | 十日 | 八日 | 七日 | 五日 | 三日 | 二日 |
| 四日 | 百六十九日以上二百十六日以下 | 三十時間未満 | 十六日 | 十五日 | 十三日 | 十二日 | 十一日 | 九日 | 八日 | 七日 | 五日 | 四日 | 三日 | 一日 |
| | | 三十時間以上 | 二十日 | 十八日 | 十七日 | 十五日 | 十三日 | 十二日 | 十日 | 八日 | 七日 | 五日 | 三日 | 二日 |
| 三日 | 百二十一日以上百六十八日以下 | 三十時間未満 | 十二日 | 十一日 | 十日 | 九日 | 八日 | 七日 | 六日 | 五日 | 四日 | 三日 | 二日 | 一日 |
| | | 三十時間以上 | 二十日 | 十八日 | 十七日 | 十五日 | 十三日 | 十二日 | 十日 | 八日 | 七日 | 五日 | 三日 | 二日 |
| 二日 | 七十三日以上百二十日以下 | 三十時間未満 | 八日 | 七日 | 七日 | 六日 | 五日 | 五日 | 四日 | 三日 | 三日 | 二日 | 一日 | 一日 |
| | | 三十時間以上 | 二十日 | 十八日 | 十七日 | 十五日 | 十三日 | 十二日 | 十日 | 八日 | 七日 | 五日 | 三日 | 二日 |
| 一日 | 四十八日以上七十二日以下 | 三十時間未満 | 四日 | 四日 | 三日 | 三日 | 三日 | 二日 | 二日 | 二日 | 一日 | 一日 | 一日 | 〇日 |
| | | 三十時間以上 | 二十日 | 十八日 | 十七日 | 十五日 | 十三日 | 十二日 | 十日 | 八日 | 七日 | 五日 | 三日 | 二日 |

（注）一週間ごとの勤務日数が異なる場合は、一年間の勤務日数に基づく。

**別表第一の二**（第十二条関係）

| 職員となった日 | 日数 |
|---|---|
| 一月 | 二十日 |
| 二月 | 十八日 |
| 三月 | 十七日 |
| 四月 | 十五日 |
| 五月 | 十三日 |
| 六月 | 十二日 |
| 七月 | 十日 |
| 八月 | 八日 |
| 九月 | 七日 |
| 十月 | 五日 |
| 十一月 | 三日 |
| 十二月 | 二日 |

**別表第一の三**（第十一条、第十一条の二、第十二条関係）

イ　一週間当たりの正規の勤務時間が十九時間二十五分である場合

| 勤務日数 一週間の勤務日数 | 勤務日数 一年間の勤務日数 | 一日に換算する時間数 | 不斉一型育児短時間勤務職員等となった月 一月 | 二月 | 三月 | 四月 | 五月 | 六月 | 七月 | 八月 | 九月 | 十月 | 十一月 | 十二月 |
|---|---|---|---|---|---|---|---|---|---|---|---|---|---|---|
| 五日 | 二百十七日以上 | 四時間 | 二十日 | 十八日 | 十七日 | 十五日 | 十三日 | 十二日 | 十日 | 八日 | 七日 | 五日 | 三日 | 二日 |

| | | | | | | | | | | | | | |
|---|---|---|---|---|---|---|---|---|---|---|---|---|---|
| 四日 | 百六十九日以上二百十六日以下 | 五時間 | 十五日 | 十四日 | 十三日 | 十一日 | 十日 | 九日 | 八日 | 六日 | 五日 | 四日 | 三日 | 一日 |
| 三日 | 百二十一日以上百六十八日以下 | 七時間 | 十一日 | 十日 | 九日 | 八日 | 七日 | 六日 | 六日 | 五日 | 四日 | 三日 | 二日 | 一日 |
| 二日 | 七十三日以上百二十日以下 | 八時間 | 十日 | 九日 | 八日 | 八日 | 七日 | 六日 | 五日 | 四日 | 三日 | 三日 | 二日 | 一日 |
| 一日 | 四十八日以上七十二日以下 | 八時間 | 十日 | 九日 | 八日 | 八日 | 七日 | 六日 | 五日 | 四日 | 三日 | 三日 | 二日 | 一日 |

ロ　一週間当たりの正規の勤務時間が十九時間三十五分である場合

| 勤務日数 | | 一日に換算する時間数 | 不斉一型育児短時間勤務職員等となった月 | | | | | | | | | | | |
|---|---|---|---|---|---|---|---|---|---|---|---|---|---|---|
| 一週間の勤務日数 | 一年間の勤務日数 | | 一月 | 二月 | 三月 | 四月 | 五月 | 六月 | 七月 | 八月 | 九月 | 十月 | 十一月 | 十二月 |
| 五日 | 二百十七日以上 | 四時間 | 二十日 | 十八日 | 十七日 | 十五日 | 十三日 | 十二日 | 十日 | 八日 | 七日 | 五日 | 三日 | 二日 |
| 四日 | 百六十九日以上二百十六日以下 | 五時間 | 十五日 | 十四日 | 十三日 | 十一日 | 十日 | 九日 | 八日 | 六日 | 五日 | 四日 | 三日 | 一日 |
| 三日 | 百二十一日以上百六十八日以下 | 七時間 | 十一日 | 十日 | 九日 | 八日 | 七日 | 六日 | 六日 | 五日 | 四日 | 三日 | 二日 | 一日 |
| 二日 | 七十三日以上百二十日以下 | 八時間 | 十日 | 九日 | 八日 | 八日 | 七日 | 六日 | 五日 | 四日 | 三日 | 三日 | 二日 | 一日 |
| 一日 | 四十八日以上七十二日以下 | 八時間 | 十日 | 九日 | 八日 | 八日 | 七日 | 六日 | 五日 | 四日 | 三日 | 三日 | 二日 | 一日 |

ハ　一週間当たりの正規の勤務時間が二十三時間十五分である場合

| 勤務日数 | | 一日に換算する時間数 | 不斉一型育児短時間勤務職員等となった月 | | | | | | | | | | | |
|---|---|---|---|---|---|---|---|---|---|---|---|---|---|---|
| 一週間の勤務日数 | 一年間の勤務日数 | | 一月 | 二月 | 三月 | 四月 | 五月 | 六月 | 七月 | 八月 | 九月 | 十月 | 十一月 | 十二月 |

| 一週間の勤務日数 | 一年間の勤務日数 | 一日に換算する時間数 | 一月 | 二月 | 三月 | 四月 | 五月 | 六月 | 七月 | 八月 | 九月 | 十月 | 十一月 | 十二月 |
|---|---|---|---|---|---|---|---|---|---|---|---|---|---|---|
| 五日 | 二百十七日以上 | 五時間 | 二十日 | 十八日 | 十七日 | 十五日 | 十三日 | 十二日 | 十日 | 八日 | 七日 | 五日 | 三日 | 二日 |
| 四日 | 百六十九日以上二百十六日以下 | 六時間 | 十五日 | 十四日 | 十三日 | 十一日 | 十日 | 九日 | 八日 | 六日 | 五日 | 四日 | 三日 | 一日 |
| 三日 | 百二十一日以上百六十八日以下 | 八時間 | 十二日 | 十一日 | 十日 | 九日 | 八日 | 七日 | 六日 | 五日 | 四日 | 三日 | 二日 | 一日 |
| 二日 | 七十三日以上百二十日以下 | 八時間 | 十二日 | 十一日 | 十日 | 九日 | 八日 | 七日 | 六日 | 五日 | 四日 | 三日 | 二日 | 一日 |
| 一日 | 四十八日以上七十二日以下 | 八時間 | 十二日 | 十一日 | 十日 | 九日 | 八日 | 七日 | 六日 | 五日 | 四日 | 二日 | 二日 | 一日 |

二　一週間当たりの正規の勤務時間が二十四時間三十五分である場合

| 勤務日数 | | 一日に換算する時間数 | 不斉一型育児短時間勤務職員等となった月 | | | | | | | | | | | |
|---|---|---|---|---|---|---|---|---|---|---|---|---|---|---|
| 一週間の勤務日数 | 一年間の勤務日数 | | 一月 | 二月 | 三月 | 四月 | 五月 | 六月 | 七月 | 八月 | 九月 | 十月 | 十一月 | 十二月 |
| 五日 | 二百十七日以上 | 五時間 | 二十日 | 十八日 | 十七日 | 十五日 | 十三日 | 十二日 | 十日 | 八日 | 七日 | 五日 | 三日 | 二日 |
| 四日 | 百六十九日以上二百十六日以下 | 六時間 | 十五日 | 十四日 | 十三日 | 十一日 | 十日 | 九日 | 八日 | 六日 | 五日 | 四日 | 三日 | 一日 |
| 三日 | 百二十一日以上百六十八日以下 | 八時間 | 十三日 | 十二日 | 十一日 | 十日 | 九日 | 八日 | 七日 | 五日 | 四日 | 三日 | 二日 | 一日 |
| 二日 | 七十三日以上百二十日以下 | 八時間 | 十三日 | 十二日 | 十一日 | 十日 | 九日 | 八日 | 七日 | 五日 | 四日 | 三日 | 二日 | 一日 |
| 一日 | 四十八日以上七十二日以下 | 八時間 | 十三日 | 十二日 | 十一日 | 十日 | 九日 | 八日 | 七日 | 五日 | 四日 | 三日 | 二日 | 一日 |

別表第二（第十二条、第十二条の二、第十三条関係）

| 異動前の付与期間 | 異動の日 | その年の付与日数 | 翌年への繰越し日数 |
|---|---|---|---|
| 暦年 | | 異動がなかったものとした場合に旧条例等によりその年の異動の日以後に使用することができる日数に相当する日数 | 第十三条第一項による日数。この場合において、勤務実績の算定の基礎となる期間は、職員（旧条例等の適用を受ける職員をいう。以下この表において同じ。）としての期間とする。 |
| | 一月一日から三月三十一日まで | 1　異動の日から三月三十一日までの期間<br>異動がなかったものとした場合に旧条例等によりその年の異動の日以後三月三十一日までの間に使用することができる日数に相当する日数<br>2　四月一日から十二月三十一日までの期間<br>二十日に、異動がなかったものとした場合に三月三十一日までに旧条例等の規定により当該異動の日の属する年度に付与された年次有給休暇の日数のうち使用しなかった日数に相当する日数を加えた日数。ただし、異動の日の属する年（以下「異動年」という。）の前々年の勤務実績が八割に満たない職員については、二十日とする。この場合において次の各号に掲げる者の勤務実績の算定の基礎となる期間は、第十三条第一項の規定にかかわらず、当該各号に定めるところによる。<br>一　異動年の前々年の一月一日から三月三十一日までに職員となった者<br>職員となった日からその年の十二月三十一日まで<br>二　異動年の前々年の又は前年の四月一日から十二月三十一日までに職員となった者<br>職員となった日からその翌年の三月三十一日まで<br>三　前年の一月一日から三月三十一日まで又は異動年に職員となった者<br>職員となった日からその年の三月三十一日まで | 第十三条第一項による日数から五日を減じた日数。この場合において、次の各号に掲げる職員の勤務実績の算定の基礎となる期間は、当該各号に定めるところによる。<br>一　異動年の前年の四月一日から十二月三十一日までに職員となった者<br>職員となった日からその翌年の三月三十一日まで<br>二　異動年の一月一日から三月三十一日までに職員となった者<br>職員となった日からその年の三月三十一日まで |
| 会計年度 | 四月一日から十二月三十一日まで | 異動がなかったものとした場合に旧条例等によりその年の異動の日以後その翌年の三月三十一日までの間に使用することができる日数に相当する日数 | |

**別表第二の二**（第十三条の二関係）

| 任用期間 | 付与日数 |
|---|---|
| 十一月を超え一年以内の期間 | 二十日 |
| 十月を超え十一月以内の期間 | 十八日 |
| 九月を超え十月以内の期間 | 十七日 |
| 八月を超え九月以内の期間 | 十五日 |
| 七月を超え八月以内の期間 | 十三日 |
| 六月を超え七月以内の期間 | 十二日 |
| 五月を超え六月以内の期間 | 十日 |
| 四月を超え五月以内の期間 | 八日 |
| 三月を超え四月以内の期間 | 七日 |
| 二月を超え三月以内の期間 | 五日 |
| 一月を超え二月以内の期間 | 三日 |
| 一月以内の期間 | 二日 |

**別表第三**（第二十四条関係）

| 関係者 | 日数 |
|---|---|
| 配偶者又はパートナーシップ関係の相手方 | 十日 |
| 父母 | 七日 |
| 子 | 七日 |
| 祖父母 | 三日（職員が代襲相続し、かつ、祭具等の承継を受ける場合は、七日） |
| 孫 | 二日 |
| 兄弟姉妹 | 三日 |
| おじ又はおば | 一日（職員が代襲相続し、かつ、祭具等の承継を受ける場合は、七日） |
| おい又はめい | 一日 |
| 父母の配偶者若しくはパートナーシップ関係の相手方又は配偶者若しくはパートナーシップ関係の相手方の父母 | 三日（職員と生計を一にしていた場合は、七日） |
| 子の配偶者若しくはパートナーシップ関係の相手方又は配偶者若しくはパートナーシップ関係の相手方の子 | 三日（職員と生計を一にしていた場合は、七日） |
| 祖父母の配偶者若しくはパートナーシップ関係の相手方又は配偶者若しくはパートナーシップ関係の相手方の祖父母 | 一日（職員と生計を一にしていた場合は、三日） |
| 兄弟姉妹の配偶者若しくはパートナーシップ関係の相手方又は配偶者若しくはパートナーシップ関係の相手方の兄弟姉妹 | 一日（職員と生計を一にしていた場合は、三日） |
| おじ又はおばの配偶者又はパートナーシップ関係の相手方 | 一日 |

**別記様式**〔略〕

## ○職員の勤務時間、休日、休暇等に関する規程

平七・三・一六
訓　令　五

最終改正　令五・五・二訓令三七

（趣旨）

**第一条**　この規程は、職員の勤務時間、休日、休暇等に関する条例（平成七年東京都条例第十五号。以下「条例」という。）第二条から第七条まで及び第十一条から第十三条まで並びに職員の勤務時間、休日、休暇等に関する条例施行規則（平成七年東京都規則第五十五号。以下「規則」という。）、第十二条、第十五条及び第二十九条の規定に基づき、職員（条例第十九条に規定する職員を除く。以下同じ。）の勤務時間、休日、休暇等について、必要な事項を定めるものとする。

（**定年前再任用短時間勤務職員の正規の勤務時間**）

**第一条の二**　条例第二条第三項に規定する地方公務員法第二十二条の四第一項に規定する短時間勤務の職を占める職員（以下「定年前再任用短時間勤務職員」という。）の正規の勤務時間は、休憩時間を除き、一週間について三十一時間とする。

（**任命権者が定める職場**）

**第一条の三**　条例第三条第二項に規定する任命権者が定める職場は、職務の性質により特別の勤務形態によって勤務する必要のある職員の勤務する職場以外の職場並びにその他の職場で始業及び終業の時刻について職員の申告を考慮して当該職員の勤務時間を割り振ることが公務の運営に支障がないと認めるものとして総務局長が別に定める職場とする。

（**正規の勤務時間の割振り及び休憩時間**）

**第二条**　職員の正規の勤務時間の割振り及び休憩時間は、別表第一に定めるところによる。

2　条例第三条第二項に規定するフレックスタイム制勤務職員の正規の勤務時間の割振り及び休憩時間は、別表第二に定めるところによる。

3　命令権者は、前二項の規定による正規の勤務時間の割振りの区分に応じ、そのいずれかをそれぞれの職員について指定する。

4　前各項に規定するもののほか、正規の勤務時間の割振り及び休憩時間に関し必要な事項は、総務局長が別に定める。

（**週休日**）

**第二条の二**　条例第四条第一項ただし書の規定による週休日（定年前再任用短時間勤務職員の週休日に限る。）は、局長（東京都組織規程（昭和二十七年東京都規則第百六十四号）第九条第一項の局長、同条第三項の室長並びに住宅政策本部長、中央卸売市場長、労働委員会事務局長及び収用委員会事務局長をいう。以下同じ。）が定める月曜日から金曜日までの五日間のうちの一日とする。

**第三条及び第四条**　削除

（**兼務職員の勤務時間**）

**第五条**　二以上の職を兼ねる職員の勤務時間、休憩時間等は、総務局長と協議の上、局長が定めることができる。

（**特例**）

**第六条**　局長は、職務の性質により第二条第一項の規定によることができない職員並びにその職員の正規の勤務時間の割振り及び休憩時間並びに日曜日及び土曜日（定年前再任用短時間勤務職員にあっては、日曜日、土曜日及び第二条の二に規定する日）を週休日とすることができない職員並びにその職員の週休日について、別に定めるところにより行うことができる。

2　局長は、職務の遂行上特に必要がある場合において、第二条から前条まで及び前項に規定する正規の勤務時間の割振り、休憩時間等を臨時に変更するときには、別に定めるところにより行うことができる。ただし、緊急かつやむを得ない場合の休憩時間の臨時の変更については、この限りでない。

（**週休日・休日勤務の勤務時間**）

**第七条**　条例第五条の規定により週休日を変更する場合において、新たに勤務時間を割り振られる日の職員の正規の勤務時間及び休憩時間は、命令権者が定める。

2　条例第十一条及び第十二条に規定する休日並びに条例第十三条に規定する代休日に勤務することを命ずる場合の職員の勤務時間及び休憩時間は、命令権者が定める。

（**研修期間中の勤務時間**）

**第八条**　研修命令により、正規の勤務時間の全部又は一部について研修を受ける職員については、命令権者の別段の指示のない限り、研修期間中は、正規の勤務時間勤務したものとみなす。

（**年次有給休暇**）

**第九条**　規則第十二条第二項第四号に定める者は、次に掲げる者とする。

一　東京都職員共済組合の職員
二　東京都人材支援事業団の職員
三　単純労務職員
四　前三号に定める職員に準ずる総務局長が定める職員

（病気休暇）

**第十条**　局長は、職員の疾病又は負傷を規則第十五条に規定する東京都規則で定める疾病等として認定するときには、総務局長と協議しなければならない。

（休暇等の申請様式）

**第十一条**　規則第二十九条第一項の休暇を申請するための様式は、別記様式とする。

（総務局長の権限）

**第十二条**　総務局長は、局長に対して、勤務時間、休日、休暇等に関し必要な報告を求め、又は指示をすることができる。

2　総務局長は、職務の遂行上必要があるときは、第二条から前条までの規定にかかわらず、職員の勤務時間、休日、休暇等に関し必要な措置をとることができる。

## 附　則

（施行期日）

**第一条**　この訓令は、平成七年四月一日から施行する。

（経過措置）

**第二条**　この訓令の施行の際現にこの訓令による改正前の職員の勤務時間、休憩時間等に関する規程（以下「旧規程」という。）第六条の規定に基づき定められている職員の正規の勤務時間、休憩時間等は、この訓令による改正後の職員の勤務時間、休日、休暇等に関する規程（以下「新規程」という。）第五条の規定に基づき定められたものとみなす。

2　この訓令の施行の際現に旧規程第七条第一項の規定に基づき定められている職員、正規の勤務時間、休憩時間、休息時間及び勤務を要しない日は、新規程第六条第一項の規定に基づき定められた職員、正規の勤務時間、休憩時間、休息時間及び週休日とみなす。

3　この訓令の施行の際現に旧規程第七条第一項の規定に基づき定められている睡眠時間を与える職員及びその職員の睡眠時間は、新規程第六条第一項の規定に基づき定められた第三条の規定によることのできない職員及びその職員の休憩時間とみなす。

4　この訓令の施行の際現に旧規程第七条第二項及び第八条の二の規定に基づき定められている休憩時間は、新規程第六条第二項の規定に基づき定められたものとみなす。

5　この訓令の施行の際現に旧規程第八条第二項の規定に基づき定められている勤務時間、休憩時間等は、新規程第七条第一項の規定に基づき定められたものとみなす。

（正規の勤務時間の割振り及び休憩時間に関する特例措置）

**第三条**　平成二十七年七月一日から同年八月三十一日までの間、第二条第一項の規定の適用については、同項中「別表第一」とあるのは、「附則別表」とする。

**附則別表**（附則第三条関係）

一　本庁舎（第一本庁舎及び第二本庁舎をいう。以下この表において同じ。）に勤務する職員

| 正規の勤務時間の割振り | 休憩時間 |
|---|---|
| 午前七時三十分から午後四時十五分まで | 正午から午後一時まで。ただし、総務局長が別に定める職員については、命令権者はそれぞれの職場について、午前休憩型（午前十一時から正午まで又は正午から午後一時までのいずれかの時間を休憩時間とする型をいう。以下この表において同じ。）又は午後休憩型（正午から午後一時まで又は午後一時から午後二時までのいずれかの時間を休憩時間とする型をいう。以下この表において同じ。）のいずれかの型を採用し、各職員について休憩時間を指定する。 |
| 午前八時から午後四時四十五分まで | |
| 午前八時三十分から午後五時十五分まで | |
| 午前九時から午後五時四十五分まで | |
| 午前九時三十分から午後六時十五分まで | 正午から午後一時まで |

二　本庁舎以外に勤務する職員

| 正規の勤務時間の割振り | 休憩時間 |
|---|---|
| 午前八時三十分から午後五時十五分まで | 正午から午後一時まで。ただし、総務局長が別に定める職員については、命令権者はそれぞれの職場について、午前休憩型又は午後休憩型のいずれかの型を採用し、各職員について休憩時間を指定する。 |
| 午前九時から午後五時四十五分まで | |
| 午前九時三十分から午後六時十五分まで | 正午から午後一時まで |

**別表第一**（第二条関係）

| 正規の勤務時間の割振り | 休憩時間 |
|---|---|
| 午前七時から午後三時四十五分まで | 正午から午後一時まで。ただし、命令権者が認める場合にあっては、当該命令権者は、午前十一時から正午まで、午前十一時三十分から午後零時三十分まで、午後零時三十分から午後一時三十分まで又は午後一時から午後二時までのいずれかの時間を休憩時間として各職員について指定する。 |
| 午前七時三十分から午後四時十五分まで | |
| 午前八時から午後四時四十五分まで | |
| 午前八時三十分から午後五時十五分まで | |
| 午前九時から午後五時四十五分まで | |
| 午前九時三十分から午後六時十五分まで | |
| 午前十時から午後六時四十五分まで | |
| 午前十時三十分から午後七時十五分まで | 午後一時から午後二時まで。 |
| 午前十一時から午後七時四十五分まで | |

**別表第二**（第二条関係）

| 正規の勤務時間の割振り | | 休憩時間 |
|---|---|---|
| 始業の時刻 | 終業の時刻 | |
| 午前七時 | 午後三時四十五分 | 正午から午後一時まで。ただし、命令権者が認める場合にあっては、当該命令権者は、午前十一時から正午まで、午前十一時三十分から午後零時三十分まで、午後零時三十分から午後一時三十分まで又は午後一時から午後二時までのいずれかの時間を休憩時間として各職員について指定する。 |
| 午前七時三十分 | 午後四時十五分 | |
| 午前八時 | 午後四時四十五分 | |
| 午前八時三十分 | 午後五時十五分 | |
| 午前九時 | 午後五時四十五分 | |
| 午前九時三十分 | 午後六時十五分 | |
| 午前十時 | 午後六時四十五分 | |
| 午前十時三十分 | 午後七時十五分 | 午後一時から午後二時まで |
| 午前十一時 | 午後七時四十五分 | |

備考　条例第四条第一項ただし書の規定（フレックスタイム制勤務職員に係る部分に限る。）を適用する場合における終業の時刻については、午後四時、午後四時三十分、午後五時、午後五時三十分、午後六時、午後六時三十分、午後七時、午後七時三十分又は午後八時とする。

**別記様式**〔略〕

# ○職員の育児休業等に関する条例

平四・三・三一
条例一〇

最終改正　令四・一〇・一七条例一二七

**（趣旨）**

**第一条**　この条例は、地方公務員の育児休業等に関する法律（平成三年法律第百十号。以下「育児休業法」という。）第二条第一項、第三条第二項、第五条第二項、第十条第一項及び第二項、第十四条（育児休業法第十七条において準用する場合を含む。）、第十七条並びに第十九条第一項及び第二項の規定に基づき、職員の育児休業等に関し必要な事項を定めるものとする。

**（育児休業をすることができない職員）**

**第二条**　育児休業法第二条第一項の条例で定める職員は、次に掲げる職員とする。

一　非常勤職員であって、次のいずれかに該当するもの以外の非常勤職員

イ　次のいずれにも該当する非常勤職員

(1)　当該非常勤職員の養育する子（育児休業法第二条第一項に規定する子をいう。以下同じ。）が一歳六か月に達する日（以下「一歳六か月到達日」という。）（当該子の出生の日から第三条の二に規定する期間内に育児休業をしようとする場合にあっては、当該期間の末日から六月を経過する日）までに、その任期（任期が更新される場合にあっては、更新後のもの）が満了すること及び引き続いて任命権者を同じくする職

（以下「特定職」という。）に任用されないことが明らかでない非常勤職員

(2)　勤務日数を考慮して、人事委員会の承認を得て東京都規則で定める非常勤職員

ロ　その養育する子が一歳に達する日（以下「一歳到達日」という。）（当該子について当該非常勤職員が第二条の三第二号に掲げる場合に該当してする育児休業の期間の末日とされた日が当該子の一歳到達日後である場合にあっては、当該末日とされた日。以下ロにおいて同じ。）において育児休業をしている非常勤職員であって、同条第三号に掲げる場合に該当して当該子の一歳到達日の翌日を育児休業の期間の初日とする育児休業をしようとするもの

ハ　その養育する子が一歳六か月到達日において育児休業をしている非常勤職員であって、第二条の四に掲げる場合に該当して当該子の一歳六か月到達日の翌日を育児休業の期間の初日とする育児休業をしようとするもの

ニ　その任期の末日を育児休業の期間の末日とする育児休業をしている非常勤職員であって、当該任期を更新され、又は当該任期の満了後引き続いて特定職に任用されることに伴い、当該育児休業に係る子について、当該更新前の任期の末日の翌日又は当該任用の日を育児休業の期間の初日とする育児休業をしようとするもの

二　臨時的に任用される職員

三　職員の定年等に関する条例（昭和五十九年東京都条例第四号。以下「定年条例」という。）第四条第一項又は第二項の規定により引き続いて勤務している職員

四　定年条例第九条の規定により異動期間（同条各項の規定により延長された期間を含む。第六条第四号において同じ。）が延長された管理監督職を占める職員

**（育児休業法第二条第一項の条例で定める者）**

**第二条の二**　育児休業法第二条第一項の条例で定める者は、児童福祉法（昭和二十二年法律第百六十四号）第六条の四第一号に規定する養育里親である職員（児童の親その他の同法第二十七条第四項に規定する者の意に反するため、同項の規定により、同法第六条の四第二号に規定する養子縁組里親として当該児童を委託することができない職員に限る。）に同法第二十七条第一項第三号の規定により委託されている当該児童とする。

**（育児休業法第二条第一項の条例で定める日）**

**第二条の三**　育児休業法第二条第一項の条例で定める日は、次の各号に掲げる場合の区分に応じ、当該各号に定める日とする。

一　次号及び第三号に掲げる場合以外の場合　非常勤職員の養育する子の一歳到達日

二　非常勤職員の配偶者（届出をしないが事実上婚姻関係と同様の事情にある者を含む。以下同じ。）又は東京都オリンピック憲章にうたわれる人権尊重の理念の実現を目指す条例（平成三十年東京都条例第九十三号）第七条の二第二項の証明若しくは同条第一項の東京都パートナーシップ宣誓制度と同等の制度であると知事が認めた地方公共団体のパートナーシップに関する制度による証明を受けたパートナーシップ関係の相手方であって、同居し、かつ、生計を一にしているもの（以下単に「パートナーシップ関係の相手方」という。）が当該非常勤職員の養育する子の一歳到達日以前のいずれかの日において当該子を養育するために育児休業法その他の法律の規定による育児休業（以下「地方等育児休業」という。）をしている場合において当該非常勤職員が当該子について育児休業をしようとする場合（当該育児休業の期間の初日とされた日が当該子の一歳到達日の翌日後である場合又は当該地方等育児休業の期間の初日前である場合を除く。）　当該子が一歳二か月に達する日（当該日が当該育児休業の期間の初日とされた日から起算して育児休業等可能日数（当該子の出生の日から当該子の一歳到達日までの日数をいう。）から育児休業等取得日数（当該子の出生の日以後当該非常勤職員が労働基準法（昭和二十二年法律第四十九号）第六十五条の規定による産前産後の休業又は職員の勤務時間、休日、休暇等に関する条例（平成七年東京都条例第十五号。以下「勤務時間条例」という。）第十六条第一項その他の規定による妊娠出産休暇により勤務しなかった日数と当該子について育児休業をした日数を合算した日数をいう。）を差し引いた日数を経過する日より後の日であるときは、当該経過する日）

三　一歳から一歳六か月に達するまでの子を養育する非常勤職員が、次に掲げる場合のいずれにも該当する場合（当該子についてこの号に掲げる場合に該当して育児休業をしている場合であって第三条第七号に掲げる事情に該当するときはロ及びハに掲げる場合に該当する場合、人事委員会の承認を得て東京都規則で定める特別の事情がある場合にあってはハに掲げる場合に該当する場合）　当該子の一歳六か月到達日

イ　当該非常勤職員が当該子の一歳到達日（当該非

常勤職員が前号に掲げる場合に該当してする育児休業又は当該非常勤職員の配偶者若しくはパートナーシップ関係の相手方が同号に掲げる場合若しくはこれに相当する場合に該当してする地方等育児休業の期間の末日とされた日が当該子の一歳到達日後である場合にあっては、当該末日とされた日（当該育児休業の期間の末日とされた日と当該地方等育児休業の期間の末日とされた日が異なるときは、そのいずれかの日））の翌日（当該配偶者若しくはパートナーシップ関係の相手方がこの号に掲げる場合又はこれに相当する場合に該当して地方等育児休業をする場合にあっては、当該地方等育児休業の期間の末日とされた日の翌日以前の日）を育児休業の期間の初日とする育児休業をしようとする場合

ロ　当該子について、当該非常勤職員が当該子の一歳到達日（当該非常勤職員が前号に掲げる場合に該当してする育児休業の期間の末日とされた日が当該子の一歳到達日後である場合にあっては、当該末日とされた日）において育児休業をしている場合又は当該非常勤職員の配偶者若しくはパートナーシップ関係の相手方が当該子の一歳到達日（当該配偶者若しくはパートナーシップ関係の相手方が同号に掲げる場合又はこれに相当する場合に該当してする地方等育児休業の期間の末日とされた日が当該子の一歳到達日後である場合にあっては、当該末日とされた日）において地方等育児休業をしている場合

ハ　当該子の一歳到達日後の期間について育児休業をすることが継続的な勤務のために特に必要と認められる場合として人事委員会の承認を得て東京都規則で定める場合に該当する場合

ニ　当該子について、当該非常勤職員が当該子の一歳到達日（当該非常勤職員が前号に掲げる場合に該当してする育児休業の期間の末日とされた日が当該子の一歳到達日後である場合にあっては、当該末日とされた日）後の期間においてこの号に掲げる場合に該当して育児休業をしたことがない場合

（育児休業法第二条第一項の条例で定める場合）

**第二条の四**　育児休業法第二条第一項の条例で定める場合は、一歳六か月から二歳に達するまでの子を養育する非常勤職員が、次に掲げる場合のいずれにも該当する場合（当該子についてこの条の規定に該当して育児休業をしている場合であって次条第七号に掲げる事情に該当するときは第二号及び第三号に掲げる場合に該当する場合、人事委員会の承認を得て東京都規則で定める特別の事情がある場合にあっては第三号に掲げる場合に該当する場合）とする。

一　当該非常勤職員が当該子の一歳六か月到達日の翌日（当該非常勤職員の配偶者若しくはパートナーシップ関係の相手方がこの条の規定に該当し、又はこれに相当する場合に該当して地方等育児休業をする場合にあっては、当該地方等育児休業の期間の末日とされた日の翌日以前の日）を育児休業の期間の初日とする育児休業をしようとする場合

二　当該子について、当該非常勤職員が当該子の一歳六か月到達日において育児休業をしている場合又は当該非常勤職員の配偶者若しくはパートナーシップ関係の相手方が当該子の一歳六か月到達日（当該配偶者又はパートナーシップ関係の相手方がする地方等育児休業の期間の末日とされた日が当該子の一歳六か月到達日後である場合にあっては、当該末日とされた日）において地方等育児休業をしている場合

三　当該子の一歳六か月到達日後の期間について育児休業をすることが継続的な勤務のために特に必要と認められる場合として人事委員会の承認を得て東京都規則で定める場合に該当する場合

四　当該子について、当該非常勤職員が当該子の一歳六か月到達日後の期間においてこの条の規定に該当して育児休業をしたことがない場合

（育児休業法第二条第一項ただし書の条例で定める特別の事情）

**第三条**　育児休業法第二条第一項ただし書の条例で定める特別の事情は、次に掲げる事情とする。

一　育児休業の承認が、産前の休業を始め又は出産したことにより効力を失った後、当該産前の休業又は出産に係る子が次に掲げる場合に該当することとなったこと。

イ　死亡した場合

ロ　養子縁組等により職員と別居することとなった場合

二　育児休業の承認が、第五条に規定する事由に該当したことにより取り消された後、同条に規定する承認に係る子が次に掲げる場合に該当することとなったこと。

イ　前号イ又はロに掲げる場合

ロ　民法（明治二十九年法律第八十九号）第八百十七条の二第一項の規定による請求に係る家事審判事件が終了した場合（特別養子縁組の成立の審判が確定した場合を除く。）又は養子縁組が成立しないまま児童福祉法第二十七条第一項第三号の規定による措置が解除された場合

三　育児休業をしている職員が休職又は停職の処分を受けたことにより当該育児休業の承認が効力を失った後、当該休職又は停職の期間が終了したこと。

四　育児休業をしている職員が当該職員の負傷、疾病又は身体上若しくは精神上の障害により当該育児休業に係る子を養育することができない状態が相当期間にわたり継続することが見込まれることにより当該育児休業の承認が取り消された後、当該職員が当該子を養育することができる状態に回復したこと。

五　配偶者又はパートナーシップ関係の相手方が負傷又は疾病により入院したこと、配偶者又はパートナーシップ関係の相手方と別居したことその他の育児休業の終了時に予測することができなかった事実が生じたことにより、当該育児休業に係る子について育児休業をしなければその養育に著しい支障が生じることとなったこと。

六　第二条の三第三号に掲げる場合に該当すること。

七　任期を定めて任用された職員であって、当該任期の末日を育児休業の期間の末日とする育児休業をしているものが、当該任期を更新され、又は当該任期の満了後引き続いて特定職に任用されることに伴い、当該育児休業に係る子について、当該更新前の任期の末日の翌日又は当該任用の日を育児休業の期間の初日とする育児休業をしようとすること。

**（育児休業法第二条第一項第一号の条例で定める期間）**

**第三条の二**　育児休業法第二条第一項第一号の条例で定める期間は、育児休業に係る子の出生の日から起算して八週間を経過する日の翌日までの期間とする。

**（育児休業の期間の再度の延長ができる特別の事情）**

**第四条**　育児休業法第三条第二項の条例で定める特別の事情は、配偶者又はパートナーシップ関係の相手方が負傷又は疾病により入院したこと、配偶者又はパートナーシップ関係の相手方と別居したことその他の育児休業の期間の延長の請求時に予測することができなかった事実が生じたことにより、当該育児休業に係る子について育児休業の期間の再度の延長をしなければその養育に著しい支障が生じることとなったこととする。

**（育児休業の承認の取消事由）**

**第五条**　育児休業法第五条第二項の条例で定める事由は、育児休業をしている職員について当該育児休業に係る子以外の子に係る育児休業を承認しようとするときとする。

**（育児短時間勤務をすることができない職員）**

**第六条**　育児休業法第十条第一項の条例で定める職員は、次に掲げる職員とする。

一　非常勤職員

二　臨時的に任用される職員

三　定年条例第四条第一項又は第二項の規定により引き続いて勤務している職員

四　定年条例第九条の規定により異動期間が延長された管理監督職を占める職員

**（育児短時間勤務の終了の日の翌日から起算して一年を経過しない場合に育児短時間勤務をすることができる特別の事情）**

**第七条**　育児休業法第十条第一項ただし書の条例で定める特別の事情は、次に掲げる事情とする。

一　育児短時間勤務の承認が、産前の休業を始め又は出産したことにより効力を失った後、当該産前の休業又は出産に係る子が第三条第一号イ又はロに掲げる場合に該当することとなったこと。

二　育児短時間勤務の承認が、第十条第一号に掲げる事由に該当したことにより取り消された後、同号に規定する承認に係る子が第三条第二号イ又はロに掲げる場合に該当することとなったこと。

三　育児短時間勤務をしている職員が休職又は停職の処分を受けたことにより当該育児短時間勤務の承認が効力を失った後、当該休職又は停職の期間が終了したこと。

四　育児短時間勤務をしている職員が当該職員の負傷、疾病又は身体上若しくは精神上の障害により当該育児短時間勤務に係る子を養育することができない状態が相当期間にわたり継続することが見込まれることにより当該育児短時間勤務の承認が取り消された後、当該職員が当該子を養育することができる状態に回復したこと。

五　育児短時間勤務の承認が、第十条第二号に掲げる事由に該当したことにより取り消されたこと。

六　育児短時間勤務（この号の規定に該当したことにより当該育児短時間勤務に係る子について既にしたものを除く。）の終了後、三月以上の期間を経過したこと（当該育児短時間勤務をした職員が、当該育児短時間勤務の承認の請求の際育児短時間勤務により当該子を養育するための計画について育児短時間勤務計画書により任命権者に申し出た場合に限る。）。

七　配偶者又はパートナーシップ関係の相手方が負傷又は疾病により入院したこと、配偶者又はパートナーシップ関係の相手方と別居したことその他の育児短時間勤務の終了時に予測することができなかった事実が生じたことにより、当該育児短時間勤務に係る子について再度の育児短時間勤務をしなければその養育に著しい支障が生じることとなったこと。

（育児休業法第十条第一項第五号の条例で定める勤務の形態）

**第八条**　育児休業法第十条第一項第五号の条例で定める勤務の形態は、勤務時間条例第三条第二項又は学校職員の勤務時間、休日、休暇等に関する条例（平成七年東京都条例第四十五号。以下「学校職員勤務時間条例」という。）第四条第二項の規定により正規の勤務時間の割振りを定められた職員（第三号に掲げる勤務の形態にあっては、勤務時間条例第八条又は学校職員勤務時間条例第九条の規定により正規の勤務時間の割振りを定められた船員法（昭和二十二年法律第百号）の適用を受ける職員に限る。）について、次の各号に掲げる勤務の形態（育児休業法第十条第一項第一号から第四号までに掲げる勤務の形態を除く。）とする。

一　四週間ごとの期間につき八日以上を週休日とし、当該期間につき一週間当たりの勤務時間が十九時間二十五分、十九時間三十五分、二十三時間十五分又は二十四時間三十五分となるように勤務すること。

二　四週間を超えない期間につき一週間当たり一日以上の割合の日を週休日とし、当該期間につき一週間当たりの勤務時間が十九時間二十五分、十九時間三十五分、二十三時間十五分又は二十四時間三十五分となるように勤務すること。

三　五十二週間を超えない期間につき一週間当たり一日以上の割合の日を週休日とし、週休日が毎四週間につき四日以上となるようにし、及び当該期間につき一週間当たりの勤務時間が十九時間二十五分、十九時間三十五分、二十三時間十五分又は二十四時間三十五分となるように、かつ、毎四週間につき一週間当たりの勤務時間が三十八時間四十五分を超えないように勤務すること。

（育児短時間勤務の承認又は期間の延長の請求手続）

**第九条**　育児短時間勤務の承認又は期間の延長の請求は、人事委員会の承認を得て東京都規則で定める請求書により、育児短時間勤務を始めようとする日又はその期間の末日の翌日の一月前までに行うものとする。

（育児短時間勤務の承認の取消事由）

**第十条**　育児休業法第十二条において準用する育児休業法第五条第二項の条例で定める事由は、次に掲げる事由とする。

一　育児短時間勤務をしている職員について当該育児短時間勤務に係る子以外の子に係る育児短時間勤務を承認しようとするとき。

二　育児短時間勤務をしている職員について当該育児短時間勤務の内容と異なる内容の育児短時間勤務を承認しようとするとき。

（育児休業法第十七条の条例で定めるやむを得ない事情）

**第十一条**　育児休業法第十七条の条例で定めるやむを得ない事情は、過員を生ずることとする。

（育児短時間勤務の例による短時間勤務に係る職員への通知）

**第十二条**　任命権者は、育児休業法第十七条の規定による短時間勤務をさせる場合又は当該短時間勤務が終了した場合にあっては、職員に対し、書面によりその旨を通知しなければならない。

（部分休業をすることができない職員）

**第十三条**　育児休業法第十九条第一項の条例で定める職員は、次に掲げる職員とする。

一　勤務日数及び勤務日ごとの勤務時間を考慮して、人事委員会の承認を得て東京都規則で定める非常勤職員以外の非常勤職員（地方公務員法（昭和二十五年法律第二百六十一号）第二十二条の四第一項に規定する短時間勤務の職を占める職員（以下「定年前再任用短時間勤務職員」という。）を除く。）

二　育児短時間勤務又は育児休業法第十七条の規定による短時間勤務をしている職員

（部分休業の承認）

**第十四条**　部分休業の承認は、正規の勤務時間（非常勤職員（定年前再任用短時間勤務職員、地方公営企業等の労働関係に関する法律（昭和二十七年法律第二百八十九号）第三条第四号の職員（以下「企業等職員」という。）及び地方公務員法第五十七条に規定する単純な労務に雇用される一般職に属する地方公務員（以下「単純労務職員」という。）で企業等職員以外のものを除く。以下この条及び次条において同じ。）にあっては、当該非常勤職員について定められた勤務時間）の始め又は終わりにおいて、三十分を単位として行うものとする。

2　勤務時間条例第十六条第一項若しくは第十七条の二第一項又は学校職員勤務時間条例第十七条第一項若しくは第十八条の二第一項の規定による育児時間又は介護時間の承認を受けて勤務しない職員（企業等職員、単純労務職員で企業等職員以外のもの及び非常勤職員を除く。）に対する部分休業の承認については、一日につき二時間から当該育児時間又は介護時間の承認を受けて勤務しない時間を減じた時間を超えない範囲内で行うものとする。

3　非常勤職員に対する部分休業の承認については、一日につき、当該非常勤職員について一日につき定められた勤務時間から五時間四十五分を減じた時間（当該非常勤職員が育児時間又は介護時間の承認を受けて勤務しない場合にあっては、当該時間から当該承認を受けて勤務しない時間を減じた時間）を超えない範囲内で行うものとする。

**（部分休業をしている職員の給与等の取扱い）**

**第十五条**　職員（企業等職員、単純労務職員で企業等職員以外のもの及び非常勤職員を除く。）が部分休業の承認を受けて勤務しない場合には、職員の給与に関する条例（昭和二十六年東京都条例第七十五号。以下「職員給与条例」という。）の適用を受ける職員にあっては職員給与条例第十四条第一項の規定にかかわらず、その勤務しない一時間につき職員給与条例第十八条に規定する勤務一時間当たりの給料等の額の合計額を減額して、学校職員の給与に関する条例（昭和三十一年東京都条例第六十八号。以下「学校職員給与条例」という。）の適用を受ける職員にあっては学校職員給与条例第十六条第一項の規定にかかわらず、その勤務しない一時間につき学校職員給与条例第二十条に規定する勤務一時間当たりの給料等の額の合計額を減額して給与を支給する。

2　非常勤職員が部分休業の承認を受けて勤務しない場合には、当該職員に支給する報酬の額（職員給与条例第十二条に規定する通勤手当に相当する額を除く。）のうちその勤務しない時間数に相当する額を減額する。

**（部分休業の承認の取消事由）**

**第十六条**　第十条の規定は、部分休業について準用する。

**（妊娠、出産等についての申出があった場合における措置等）**

**第十七条**　任命権者は、職員が当該任命権者に対し、当該職員又はその配偶者若しくはパートナーシップ関係の相手方が妊娠し、若しくは出産したこと又はこれらに準ずる事実を申し出たときは、当該職員に対して、育児休業に関する制度その他の事項を知らせるとともに、育児休業の承認の請求に係る当該職員の意向を確認するための面談その他の措置を講じなければならない。

2　任命権者は、職員が前項の規定による申出をしたことを理由として、当該職員が不利益な取扱いを受けることがないようにしなければならない。

**（勤務環境の整備に関する措置）**

**第十八条**　任命権者は、育児休業の承認の請求が円滑に行われるようにするため、次に掲げる措置を講じなければならない。

一　職員に対する育児休業に係る研修の実施

二　育児休業に関する相談体制の整備

三　その他育児休業に係る勤務環境の整備に関する措置

**（委任）**

**第十九条**　この条例の施行に関し必要な事項は、人事委員会の承認を得て、東京都規則で定める。

附　則（抄）

**（施行期日）**

1　この条例は、平成四年四月一日から施行する。

**（職員の育児休業給に関する条例等の廃止）**

2　次に掲げる条例は、廃止する。

一　職員の育児休業給に関する条例（昭和五十三年東京都条例第五号）

二　学校職員の育児休業給に関する条例（昭和五十三年東京都条例第七号）

**（職員の育児休業給に関する条例等の廃止に伴う経過措置）**

3　この条例による改正前の職員の勤務時間、休日、休暇等に関する条例（昭和三十八年東京都条例第八十三号。以下「改正前の職員勤務時間条例」という。）第十三条の二又はこの条例による改正前の学校職員の勤務時間、休日、休暇等に関する条例（昭和三十八年東京都条例第八十四号。以下「改正前の学校職員勤務時間条例」という。）第十四条の二の規定による育児休業の期間のうちこの条例の施行の日前の期間に係る育児休業給に関する取扱いについては、なお従前の例による。

**（職員勤務時間条例等の一部改正に伴う経過措置）**

10　育児休業法の施行の際、現に改正前の職員勤務時間条例第十三条の二又は改正前の学校職員勤務時間条例第十四条の二の規定による育児休業の承認を受けて育児休業をしている職員（育児休業法附則第二条に規定する職員を除く。）については、当該承認は、育児休業法第二条の規定による育児休業の承認とみなす。

11　育児休業法の施行の日前に職員（改正前の職員勤務時間条例第十三条の二第一項に規定する看護婦等以外の女子職員及び改正前の学校職員勤務時間条例第十四条の二第一項に規定する女子教育職員等以外の女子職員に限る。次項及び附則第十三項において同じ。）が行った改正前の職員勤務時間条例第十三条の二第一項又は改正前の学校職員勤務時間条例第十四条の二第一項の規定による同日以後の期間に係る育児休業の承認の申請は、育児休業法第二条第二項の規定による育児休業の承認の請求とみなす。

12　育児休業法の施行の日前に職員が行った改正前の職員勤務時間条例第十三条の二第一項及び職員の勤務時間、休日、休暇等に関する条例施行規則（昭和三十八年東京都規則第百八十三号）第十三条の四第二項又は改正前の学校職員勤務時間条例第十四条の二第一項及び学校職員の勤務時間、休日、休暇等に関する条例施行規則（昭和三十八年東京都教育委員会規則第二十八号）第十二条の三第二項の規定による同日以後の期間に係る育児休業の期間の延長の申請は、育児休業法第三条第一項の規定による育児休業の期間の延長の請求とみなす。

13　改正前の職員勤務時間条例第十三条の二又は改正前の学校職員勤務時間条例第十四条の二の規定により職員がした育児休業で育児休業法の施行の日前に終了したものは、育児休業法第二条第一項ただし書に規定する育児休業に含まれるものとする。

14　附則第十項の規定の適用を受けて育児休業をしている職員には、当該育児休業の期間中、第五条の規定は適用しない。

15　平成二十二年四月一日（以下「切替日」という。）において、現に育児短時間勤務（この条例による改正前の職員の育児休業等に関する条例第八条に規定する勤務の形態を除く。）をしている職員に係る当該育児短時間勤務の承認は、切替日の前日限り、その効力を失うものとし、切替日において、切替日から失効前の当該育児短時間勤務の期間の末日までの間において任命権者が定める内容の育児短時間勤務をすることの承認があったものとみなす。

**附　則**（令四・三・三一条例九）

1　この条例は、令和四年四月一日から施行する。ただし、次項の規定は、公布の日から施行する。

2　この条例による改正後の職員の育児休業等に関する条例第二条第一号イに規定する職員による育児休業の承認の請求及び同条例第十三条第一号の規定による東京都規則で定める職員による部分休業の承認の請求は、この条例の施行の日前においても行うことができる。

**附　則**（令四・六・二二条例八一）

1　この条例は、令和五年四月一日から施行する。

2　地方公務員法の一部を改正する法律（令和三年法律第六十三号）附則第六条第一項又は第二項（これらの規定を同法附則第九条第三項の規定により読み替えて適用する場合を含む。）の規定により採用された職員は、この条例による改正後の職員の育児休業等に関する条例第十三条第一号に規定する定年前再任用短時間勤務職員とみなす。

**附　則**（令四・九・二〇条例一一一）

1　この条例は、令和四年十月一日から施行する。ただし、次項の規定は、公布の日から施行する。

2　この条例による改正後の職員の育児休業等に関する条例第二条第一号イから二までに規定する非常勤職員からの育児休業の承認の請求、同条例第二条の三第三号に掲げる場合及び同条例第二条の四に規定する場合に該当する非常勤職員からの育児休業の承認の請求、同条例第三条第七号に掲げる事情による育児休業の承認の請求並びに同条例第三条の二に規定する期間内に育児休業をした職員からの育児休業の承認の請求は、この条例の施行の日前においても行うことができる。

3　この条例の施行の日前に育児休業等計画書を提出した職員に対するこの条例による改正前の職員の育児休業等に関する条例第三条第五号及び第七条第六号の規定の適用については、なお従前の例による。

**附　則**（令四・一〇・一七条例一二七）

この条例は、令和四年十一月一日から施行する。

## ○職員の配偶者同行休業に関する条例

平二六・一二・二六
条　例　一　四　八

改正　令三・一二・二三条例一〇七

（趣旨）

**第一条**　この条例は、地方公務員法（昭和二十五年法律第二百六十一号。以下「法」という。）第二十六条の六第一項、第二項、第六項、第七項及び第十一項の規定に基づき、職員の配偶者同行休業（同条第一項に規定する配偶者同行休業をいう。以下同じ。）に関し、必要な事項を定めるものとする。

（配偶者同行休業の承認）

**第二条**　任命権者は、職員が申請した場合において、公務の運営に支障がないと認めるときは、当該職員の勤務成績その他の事情を考慮した上で、配偶者同行休業を承認することができる。

（配偶者同行休業の期間）

**第三条**　法第二十六条の六第一項の条例で定める期間は、三年とする。

（配偶者同行休業の対象となる配偶者が外国に滞在する事由）

**第四条**　法第二十六条の六第一項の条例で定める事由は、次に掲げる事由（六月以上にわたり継続することが見込まれるものに限る。第七条において「配偶者外国滞在事由」という。）とする。

一　外国での勤務

二　事業を経営することその他の個人が業として行う

活動であって外国において行うもの

三　学校教育法（昭和二十二年法律第二十六号）による大学に相当する外国の大学（これに準ずる教育施設を含む。）であって外国に所在するものにおける修学（前二号に掲げるものに該当するものを除く。）

四　前三号に掲げるもののほか、これらに準ずる事由として東京都規則で定めるもの

（**配偶者同行休業の承認の申請**）

**第五条**　配偶者同行休業の承認の申請をするときは、職員が配偶者同行休業をしようとする期間の初日及び末日並びに当該職員の配偶者（法第二十六条の六第一項に規定する配偶者をいう。第七条第一号及び第八条第一項第一号から第三号までにおいて同じ。）が当該期間中に外国に住所又は居所を定めて滞在する事由を明らかにしなければならない。

2　任命権者は、配偶者同行休業の申請をした職員に対して、当該申請について確認するため必要があると認める書類の提出を求めることができる。

（**配偶者同行休業の期間の延長**）

**第六条**　配偶者同行休業をしている職員は、当該配偶者同行休業を開始した日から引き続き配偶者同行休業をしようとする期間が第三条に規定する期間を超えない範囲内において、延長をしようとする期間の末日を明らかにして、任命権者に対し、配偶者同行休業の期間の延長を申請することができる。

2　第二条の規定は、配偶者同行休業の期間の延長の承認について準用する。

（**配偶者同行休業の承認の取消事由**）

**第七条**　法第二十六条の六第六項の条例で定める事由は、次に掲げる事由とする。

一　配偶者が外国に滞在しないこととなり、又は配偶者が外国に滞在する事由が配偶者外国滞在事由に該当しないこととなったこと。

二　配偶者同行休業をしている職員が職員の勤務時間、休日、休暇等に関する条例（平成七年東京都条例第十五号）第十六条第一項その他の規定による妊娠出産休暇により就業しなくなったこと。

三　任命権者が、配偶者同行休業をしている職員について、地方公務員の育児休業等に関する法律（平成三年法律第百十号）第二条第一項の規定による育児休業を承認することとなったこと。

（**届出**）

**第八条**　配偶者同行休業をしている職員は、次に掲げる場合には、遅滞なく、その旨を任命権者に届け出なければならない。

一　配偶者が死亡した場合

二　配偶者が職員の配偶者でなくなった場合

三　配偶者と生活を共にしなくなった場合

四　前条第一号又は第二号に掲げる事由に該当することとなった場合

2　第五条第二項の規定は、前項の届出について準用する。

（**配偶者同行休業に伴う臨時的任用**）

**第九条**　任命権者は、第二条又は第六条第一項の規定による申請があった場合において、当該申請に係る期間について職員の配置換えその他の方法によって当該申請をした職員の業務を処理することが困難であると認めるときは、当該業務を処理するため、当該期間又は一年のいずれか短い期間を任用の期間の限度として臨時的任用を行うことができる。

（**委任**）

**第十条**　この条例の施行に関し必要な事項は、人事委員会の承認を得て、東京都規則で定める。

**附　則**（抄）

（**施行期日**）

1　この条例は、平成二十七年四月一日から施行する。ただし、次項の規定は、公布の日から施行する。

（**準備行為**）

2　配偶者同行休業に関し必要な申請その他の手続は、この条例の施行の日前においても行うことができる。

**附　則**（令三・一二・二二条例一〇七）

この条例は、令和四年四月一日から施行する。

# ○職員団体のための職員の行為の制限の特例に関する条例

昭四一・九・一〇
条例九八

最終改正　令四・六・二二条例八二

（目的）

**第一条**　この条例は、地方公務員法（昭和二十五年法律第二百六十一号。以下「法」という。）第五十五条の二第六項の規定に基づき、職員（市町村立学校職員給与負担法（昭和二十三年法律第百三十五号）第一条及び第二条に規定する職員を含む。以下同じ。）が、給与又は報酬を受けながら、職員団体のためその業務を行い、又は活動することができる場合を定めることを目的とする。

（職員団体のための職員の行為の制限の特例）

**第二条**　職員は、次に掲げる場合に限り、給与又は報酬を受けながら、職員団体のためその業務を行い、又は活動することができる。

一　法第五十五条第八項の規定に基づき、適法な交渉を行う場合

二　職員の勤務時間、休日、休暇等に関する条例（平成七年東京都条例第十五号。以下「勤務時間条例」という。）第十一条及び第十二条の規定による休日並びに勤務時間条例第十三条の規定により指定された代休日又は学校職員の勤務時間、休日、休暇等に関する条例（平成七年東京都条例第四十五号。以下「学校職員勤務時間条例」という。）第十二条及び第十三条の規定による休日並びに学校職員勤務時間条例第十四条の規定により指定された代休日で、その日に任命権者が特に勤務を命じていない場合

三　勤務時間条例第十四条第四項、学校職員勤務時間条例第十五条第三項又は都立学校等に勤務する講師の報酬等に関する条例（昭和四十九年東京都条例第三十号）第五条第一項第一号（同条例第十条において準用する場合を含む。）の規定により年次有給休暇を承認されている場合

三の二　勤務時間条例第十九条又は学校職員勤務時間条例第二十条の二の規定に基づき定めるところにより年次有給休暇を承認されている場合

四　法第二十八条第二項第二号の規定により休職を命ぜられている場合

2　前項第二号及び第四号の規定は、非常勤職員（法第二十二条の四第一項に規定する短時間勤務の職を占める職員を除く。）には適用しない。

付　則

この条例は、公布の日から施行する。

附　則（令三・一二・二二条例一〇六）（抄）

（施行期日）

1　この条例は、令和四年四月一日から施行する。

附　則（令四・六・二二条例八二）

1　この条例は、令和五年四月一日から施行する。

2　地方公務員法の一部を改正する法律（令和三年法律第六十三号）附則第六条第一項又は第二項（これらの規定を同法附則第九条第三項の規定により読み替えて適用する場合を含む。）の規定により採用された職員は、この条例による改正後の職員団体のための職員の行為の制限の特例に関する条例第二条第二項に規定する短時間勤務の職を占める職員とみなす。

# 第三章　給　与

## ○職員の給与に関する条例

昭二六・六・一四
条　例　七　五

最終改正　令六・一〇・一一条例一一一

（この条例の目的）

**第一条**　この条例は、職員の給与に関する事項を定めることを目的とする。

（給料）

**第二条**　給料は、職員の勤務時間、休日、休暇等に関する条例（平成七年東京都条例第十五号。以下「勤務時間条例」という。）に規定する正規の勤務時間による勤務に対する報酬であつて、この条例に定める給料の特別調整額、初任給調整手当、扶養手当、地域手当、住居手当、通勤手当、単身赴任手当、特殊勤務手当、特地勤務手当（第十三条の三第一項の規定による手当を含む。）、超過勤務手当、休日給、夜勤手当、宿日直手当、管理職員特別勤務手当、期末手当、勤勉手当、寒冷地手当及び農林漁業普及指導手当を除いたものとする。

2　公務について生じた実費の弁償は、給与に含まれない。

（現物給与）

**第二条の二**　任命権者は、特に必要と認めたときは、職員に対し宿舎、食事、被服及び生活に必要な施設又はこれに類する有価物を支給することができる。

2　前項に規定する現物の支給範囲、種類、数量及び支給方法については、人事委員会の承認を得なければならない。

3　前二項により支給されたものは、これを給与の一部とし、別に条例で定めるところによりその職員の給料額を調整する。

（給与の支払）

**第三条**　この条例に基く給与は、現金で直接職員に支払わなければならない。ただし、職員から申出のある場合には、口座振替の方法により支払うことができる。

**第四条**　削除

（給料表、適用範囲及び職務の級）

**第五条**　給料表の種類は、次に掲げるとおりとし、各給料表の適用範囲は、それぞれ当該給料表に定めるところによる。

一　行政職給料表（別表第一）
　イ　行政職給料表(一)
　ロ　行政職給料表(二)
二　公安職給料表（別表第二）
三及び四　削除
五　医療職給料表（別表第五）
　イ　医療職給料表(一)
　ロ　医療職給料表(二)
　ハ　医療職給料表(三)
六　指定職給料表（別表第六）

2　職員（指定職給料表の適用を受ける職員を除く。）の職務は、その複雑、困難及び責任の度に基づきこれを前項の給料表（以下「給料表」という。）に定める職務の級に分類するものとし、その分類の基準となるべき職務の内容は、別表第六の二に掲げる等級別基準職務表に定めるとおりとする。

3　任命権者は、全ての職員（指定職給料表の適用を受ける職員を除く。）の職を前項に規定する等級別基準職務表及び人事委員会の定める基準に従い、第一項の給料表に掲げる職務の級のいずれかに格付けし、同項の給料表により給料を支給しなければならない。

**第五条の二**　指定職給料表の適用を受ける職員の給料月額は、その者の占める職に応じて人事委員会規則で定める。

（初任給及び昇格昇給等の基準）

**第六条**　新たに職員となつた場合並びに職員が一つの職務の級から他の職務の級に移つた場合及び一つの職から同じ職務の級の初任給の基準を異にする他の職に移つた場合の給料の基準は、人事委員会が定める。

2　職員を昇格（職員の職務の級をその上位の級に変更することをいう。以下同じ。）させるには、昇格させようとする職務の級に適すると認められる場合に限るものとする。

3　職員の昇給は、人事委員会の定める日に、同日前で人事委員会の定める期間におけるその者の勤務成績に応じて、行い、又は行わないものとする。

4　前項の規定により職員を昇給させるか否か及び昇給させる場合の昇給の号給数は、同項に規定する期間を良好な成績で勤務した職員の昇給の号給数を四号給とすることを標準として人事委員会の定める基準に従い決定するものとする。

5　四月一日に五十五歳（人事委員会の定める職員にあつては、五十六歳以上の年齢で人事委員会の定めるもの）を超える職員に関する前項の規定の適用については、同項中「四号給」とあるのは、「零」とする。

6　職員の昇給は、その属する職務の級における最高の号給を超えて行うことができない。

7　職員の昇給は、予算の範囲内で行わなければならない。

8　職員を降給させる場合におけるその者の号給は、職員の分限に関する条例（昭和二十六年東京都条例第八十五号）第七条の規定に基づき、当該職員が降給した日の前日に受けていた号給より三号給下位の号給（当該受けていた号給が職員の属する職務の級の最低の号給の上位三号給以内の号給である場合にあつては、当該最低の号給）とする。

9　第二項から第六項まで及び前項の規定の実施について必要な基準は、人事委員会が定める。

10　地方公務員法第二十二条の四第一項の規定により採用された職員（以下「定年前再任用短時間勤務職員」という。）の給料月額は、その者に適用される給料表の定年前再任用短時間勤務職員の欄に掲げる基準給料月額のうち、その者の属する職務の級に応じた額に、勤務時間条例第二条第三項の規定により定められた当該定年前再任用短時間勤務職員の勤務時間を同条第一項に規定する勤務時間で除して得た数を乗じて得た額とする。

**第六条の二**　地方公務員の育児休業等に関する法律（平成三年法律第百十号）第十条第三項の規定による承認を受け、同条第一項に規定する育児短時間勤務をしている職員（同法第十七条の規定による短時間勤務をしている職員を含む。以下「育児短時間勤務職員等」という。）の給料月額は、第五条第一項及び第三項、第五条の二並びに前条第一項及び第四項の規定にかかわらず、これらの規定による給料月額に、勤務時間条例第二条第二項の規定により定められたその者の勤務時間を同条第一項に規定する勤務時間で除して得た数を乗じて得た額とする。

**（給料の支給方法）**

**第七条**　給料は、月の一日から末日までの期間（以下「給与期間」という。）につき、給料月額の全額を月一回に支給する。

2　給料の支給日は、給与期間のうち知事の定める日とする。

**第八条**　新たに職員となつた者に対しては、その日から給料を支給し、昇給、降給等により給料額に異動を生じた者に対しては、その日から新たに定められた給料を支給する。但し、離職した職員が即日他の職に任命されたときは、その日の翌日から給料を支給する。

2　職員が離職したときは、その日まで給料を支給する。

3　職員が死亡したときは、その月まで給料を支給する。ただし、まだその月の給料が支給されていない場合において、その者の在職期間中の行為が、地方公務員法第二十九条の規定による懲戒免職の処分又は同法第二十八条第四項の規定による失職に相当し、その月まで給料を支給することが、公務に対する都民の信頼を確保し、給料に関する制度の適正かつ円滑な実施を維持する上で重大な支障を生ずることが明らかであると認めるときは、東京都規則で定めるところにより、前項の規定を準用することができる。

4　前三項の規定により給料を支給する場合であつて、給与期間の初日から支給するとき以外のとき、又は給与期間の末日まで支給するとき以外のときは、その給料額は、その給与期間の現日数から勤務時間条例第四条及び第五条に規定する週休日の日数を差し引いた日数を基礎として日割りによつて計算する。

**（給料の調整額）**

**第九条**　第五条に規定する給料表の額が、職務の複雑、困難若しくは責任の度又は勤労の強度、勤務時間、勤労環境その他の勤労条件が同じ職務の級に属する他の職に比して著しく特殊な職に対し適当でないと認めるときは、その特殊性に基づき、その給料表に掲げられている給料額につき適正な調整額表を定めることができる。

2　前項の規定による給料の調整額は、三万八千四百円を超えない範囲内において定める。

3　前二項の規定により給料の調整額の支給を受ける者の範囲、支給額その他給料の調整額の支給に関し必要な事項は、任命権者が人事委員会の承認を得て定める。

**（給料の特別調整額）**

**第九条の二**　管理又は監督の地位にある職員のうち特に指定するものについては、その特殊性に基き、第五条に規定する給料表に掲げられている給料額につき適正な特別調整額表を定めることができる。

2　前項の規定による給料の特別調整額は、同項に規定する職員の属する職務の級における最高の号給の給料月額の百分の二十五を超えない額の範囲内において定める。

3　前条第三項の規定は、前二項の規定による給料の特別調整額について準用する。

**（初任給調整手当）**

**第九条の三**　次の各号に掲げる職に新たに採用された職員には、当該各号に掲げる額を超えない範囲内の額を、第一号に掲げる職に係るものにあつては採用の日から四十年以内、第二号及び第三号に掲げる職に係るものにあつては採用の日から五年以内、第四号に掲げる職に係るものにあつては採用の日から三年以内の期間、採用の日（第一号及び第二号に掲げる職に係るものにあつては、採用後人事委員会規則で定める期間を経過した日）から一年を経過するごとにその額を減じて、初任給調整手当として支給する。

一　医療職給料表㈠の適用を受ける職員の職のうち、採用による欠員の補充が困難であると認められる職で人事委員会が定めるもの　月額　三十万六千九百円

二　医療職給料表㈢の適用を受ける職員の職のうち、採用による欠員の補充が困難であると認められる職で人事委員会が定めるもの　月額　五千八百円

三　科学技術に関する専門的知識を必要とし、かつ、採用による欠員の補充が困難であると認められる職（前二号に掲げる職を除く。）で人事委員会が定めるもの　月額　二千五百円

四　前三号の職以外の職で専門的知識を必要とし、かつ、採用による欠員の補充について特別の事情があると認められるもので人事委員会が定めるもの　月額　千円

2　前項の職に在職する職員のうち、同項の規定により初任給調整手当を支給される職員との均衡上必要があると認められる職員には、同項の規定に準じて、初任給調整手当を支給する。

3　前二項の規定により初任給調整手当を支給される職員の範囲、初任給調整手当の支給期間及び支給額その他初任給調整手当の支給に関し必要な事項は、人事委員会が定める。

**（扶養手当）**

**第十条**　扶養手当は、扶養親族のある職員に対して支給する。

2　前項の扶養親族とは、次に掲げる者で他に生計のみちがなく主としてその職員の扶養を受けているものをいう。

一　配偶者（届出をしないが事実上婚姻関係と同様の事情にある者を含む。以下同じ。）又は東京都オリンピック憲章にうたわれる人権尊重の理念の実現を目指す条例（平成三十年東京都条例第九十三号）第七条の二第二項の証明若しくは同条第一項の東京都パートナーシップ宣誓制度と同等の制度であると知事が認めた地方公共団体のパートナーシップに関する制度による証明を受けたパートナーシップ関係の相手方であつて、同居し、かつ、生計を一にしているもの（以下単に「パートナーシップ関係の相手方」という。）

二　満二十二歳に達する日以後の最初の三月三十一日までの間にある子

三　満二十二歳に達する日以後の最初の三月三十一日までの間にある孫

四　満六十歳以上の父母及び祖父母

五　満二十二歳に達する日以後の最初の三月三十一日までの間にある弟妹

六　重度心身障害者

3　扶養手当の月額は、次の各号に掲げる扶養親族の区分に応じて、扶養親族一人につき当該各号に掲げる額を合計して得た額とする。

一　扶養親族たる配偶者又はパートナーシップ関係の相手方、父母等（前項第一号及び第三号から第六号までに掲げる者をいう。以下同じ。）　六千円（行政職給料表㈠の適用を受ける職員のうちその属する職務の級が四級であるもの及び同表以外の給料表の適用を受ける職員のうちその属する職務の級がこれに相当するものとして人事委員会の承認を得て東京都規則で定めるもの（以下「行㈠四級相当職員」という。）の扶養親族たる配偶者又はパートナーシップ関係の相手方、父母等　三千円）

二　扶養親族たる子（前項第二号に掲げる扶養親族たる子をいう。以下同じ。）　九千円

4　扶養親族たる子で満十五歳に達する日後の最初の四月一日から満二十二歳に達する日以後の最初の三月三十一日までの間にあるもの（以下「特定期間にある子」という。）がいる場合における扶養手当の月額は、前項の規定にかかわらず、四千円に当該特定期間にある子の数を乗じて得た額を同項の規定による額に加算した額とする。

**第十一条**　新たに職員となつた者に扶養親族がある場合又は職員に次の各号の一に該当する事実が生じた場合においては、その職員は、直ちにその旨を任命権者に届け出なければならない。

一　新たに扶養親族たる要件を具備するに至つた者がある場合

二　扶養親族たる要件を欠くに至つた者がある場合

2　扶養手当の支給は、新たに職員となつた者に扶養親族がある場合においてはその者が職員となつた日、扶養親族がない職員に前項第一号に掲げる事実が生じた場合においてはその事実が生じた日の属する月の翌月（これらの日が月の初日であるときは、その日の属する月）から開始し、扶養手当を受けている職員が離職し、または死亡した場合においてはそれぞれその者が離職し、または死亡した日、扶養手当を受けている職員の扶養親族で同項の規定による届出に係るもののす

べてについて同項第二号に掲げる事実が生じた場合においてはその事実が生じた日の属する月（これらの日が月の初日であるときは、その日の属する月の前月）をもつて終る。ただし、扶養手当の支給の開始については、同項の規定による届出が、これに係る事実の生じた日から十五日を経過した後にされたときは、その届出を受理した日の属する月の翌月（その日が月の初日であるときは、その日の属する月）から行うものとする。

3　扶養手当は、次の各号のいずれかに該当する事実が生じた場合においては、その事実が生じた日の属する月の翌月（その日が月の初日であるときは、その日の属する月）からその支給額を改定する。

一　扶養手当を受けている職員に更に第一項第一号に掲げる事実が生じた場合

二　扶養手当を受けている職員の扶養親族で第一項の規定による届出に係るものの一部について同項第二号に掲げる事実が生じた場合

三　扶養親族たる配偶者又はパートナーシップ関係の相手方、父母等で第一項の規定による届出に係るものがある行㈠四級相当職員が行㈠四級相当職員以外のものとなつた場合

四　扶養親族たる配偶者又はパートナーシップ関係の相手方、父母等で第一項の規定による届出に係るものがある行㈠四級相当職員以外のものが行㈠四級相当職員となつた場合

五　扶養親族たる子で第一項の規定による届出に係るもののうち特定期間にある子でなかつたものが特定期間にある子となつた場合

4　第二項ただし書の規定は、前項第一号に掲げる事実が生じた場合における扶養手当の支給額の改定について準用する。

（地域手当）

**第十一条の二**　地域手当は、民間における賃金、物価等に関する事情を考慮して、人事委員会の承認を得て東京都規則で定める地域に在勤する職員に支給する。

2　地域手当の月額は、給料、給料の特別調整額及び扶養手当の月額の合計額の百分の二十の範囲内の額とする。

3　地域手当の支給額、支給方法その他地域手当の支給に関し必要な事項は、人事委員会の承認を得て東京都規則で定める。

（住居手当）

**第十一条の三**　住居手当は、次の各号のいずれかに該当する職員に支給する。

一　世帯主（これに準ずる者を含む。以下同じ。）である職員（公舎等で東京都規則で定めるものに居住する職員を除く。）のうち、満三十四歳に達する日以後の最初の三月三十一日までの間にある者で、自ら居住するため住宅（貸間を含む。次号において同じ。）を借り受け、月額一万五千円以上の家賃（使用料を含む。次号において同じ。）を支払つているもの

二　第十二条の二第一項又は第三項の規定により単身赴任手当を支給される職員で、世帯主であるもの（配偶者又はパートナーシップ関係の相手方（配偶者及びパートナーシップ関係の相手方のいずれもない職員にあつては、満十八歳に達する日以後の最初の三月三十一日までの間にある子。以下この条において同じ。）が、公舎等で東京都規則で定めるものに居住する職員を除く。）のうち、満三十四歳に達する日以後の最初の三月三十一日までの間にある者で、配偶者又はパートナーシップ関係の相手方が居住するための住宅を借り受け、月額一万五千円以上の家賃を支払つているもの

2　住居手当の月額は、次の各号に掲げる職員の区分に応じて、当該各号に掲げる額（第一号に掲げる職員のうち第二号に掲げる職員でもあるものについては、第一号に掲げる額及び第二号に掲げる額の合計額）とする。

一　前項第一号に掲げる職員　一万五千円

二　前項第二号に掲げる職員　七千五百円

3　前二項に規定するもののほか、住居手当の支給に関し必要な事項は、人事委員会の承認を得て東京都規則で定める。

（通勤手当）

**第十二条**　通勤手当は、次に掲げる職員に支給する。

一　通勤のため交通機関または有料の道路（以下「交通機関等」という。）を利用してその運賃または料金（以下「運賃等」という。）を負担することを常例とする職員（交通機関等を利用しなければ通勤することが困難であると人事委員会で定める職員以外の職員であつて、交通機関等を利用しないで徒歩により通勤するものとした場合の通勤距離が片道二キロメートル未満であるもの及び第三号に掲げる職員を除く。）

二　通勤のため自転車その他の交通の用具で人事委員会の定めるもの（以下「自転車等」という。）を使用することを常例とする職員（自転車等を使用しなければ通勤することが著しく困難であると人事委員会が定める職員以外の職員であつて自転車等を使用しないで徒歩により通勤するものとした場合の通勤距離が片道二キロメートル未満であるもの及び次号

に掲げる職員を除く。）

三　通勤のため交通機関等を利用してその運賃等を負担し、かつ、自転車等を使用することを常例とする職員（交通機関等を利用し、又は自転車等を使用しなければ通勤することが著しく困難であると人事委員会が定める職員以外の職員であつて、交通機関等を利用せず、かつ、自転車等を使用しないで徒歩により通勤するものとした場合の通勤距離が片道二キロメートル未満であるものを除く。）

2　通勤手当は、月の初日からその月以後の月の末日までの一箇月を単位として人事委員会が定める期間（以下「支給対象期間」という。）につき、任命権者が定める日に支給する。

3　通勤手当の額は、次の各号に掲げる職員の区分に応じ、当該各号に定める額とする。

一　第一項第一号に掲げる職員　人事委員会の定めるところにより算出したその者の支給対象期間の通勤に要する運賃等の額に相当する額（以下「運賃等相当額」という。）。ただし、運賃等相当額を支給対象期間につき第一項各号に掲げる職員としての要件を満たすものとして手当が支給される月数（以下「支給月数」という。）で除して得た額が五万五千円を超えるときは、五万五千円に支給月数を乗じて得た額

二　第一項第二号に掲げる職員　別表第七に掲げる職員の区分及び自転車等の片道の使用距離の区分に応じて同表に定める額（定年前再任用短時間勤務職員及び育児短時間勤務職員等のうち、一箇月当たりの通勤回数を考慮して人事委員会が定める職員にあつては、その額から、その額に人事委員会が定める割合を乗じて得た額を減じた額）に支給月数を乗じて得た額

三　第一項第三号に掲げる職員　交通機関等を利用せず、かつ、自転車等を使用しないで徒歩により通勤するものとした場合の通勤距離、交通機関等の利用距離、自転車等の使用距離等の事情を考慮して人事委員会の定める区分に応じ、前二号に定める額の合計額（その額を支給月数で除して得た額が五万五千円を超えるときは、五万五千円に支給月数を乗じて得た額）、第一号に定める額又は前号に定める額

4　公署を異にする異動又は在勤する公署の移転に伴い、通勤の実情に変更を生ずることとなつた職員で人事委員会が定めるもののうち、当該異動又は公署の移転の直前の住居（当該住居に相当するものとして人事委員会が定める住居を含む。）からの通勤のため、新幹線鉄道等の特別急行列車その他の交通機関等でその利用が人事委員会の定める基準に照らして通勤事情の改善に相当程度資するものであると認められるものを利用し、その利用に係る特別料金等（その利用に係る運賃等の額から運賃等相当額の算出の基礎となる運賃等に相当する額を減じて得た額をいう。以下同じ。）を負担することを常例とするものの通勤手当の額は、前項の規定にかかわらず、支給対象期間につき、人事委員会が定めるところにより算出したその者の通勤に要する特別料金等の額の二分の一に相当する額（その額を支給月数で除して得た額が二万円を超えるときは、二万円に支給月数を乗じて得た額）及び同項の規定による額の合計額とする。

5　前項の規定は、同項の規定による通勤手当を支給される職員との均衡上必要があると認められるものとして人事委員会が定める職員の通勤手当の額の算出について準用する。

6　前各項の規定に基づき通勤手当を支給される職員につき、支給対象期間中に所在地を異にする公署への異動その他の人事委員会規則で定める事由が生じた場合には、支給対象期間のうちこれらの事由が生じた後の期間、通勤の実情の変更等を考慮して人事委員会の定めるところにより算出した額を支給し、又は返納させるものとする。この場合において、当該職員の当該支給対象期間の通勤手当の額は、従前の手当額にこの項の規定により支給した額を加え、返納させた額を減じた額とする。

7　前各項に規定するもののほか、通勤の実情の変更に伴う支給額の改定その他通勤手当の支給、返納等に関し必要な事項は、任命権者が定める。

**（単身赴任手当）**

**第十二条の二**　公署を異にする異動又は在勤する公署の移転に伴い、住居を移転し、父母の疾病その他の東京都規則で定めるやむを得ない事情により、同居していた配偶者又はパートナーシップ関係の相手方と別居することとなつた職員で、当該異動又は公署の移転の直前の住居から当該異動又は公署の移転の直後に在勤する公署に通勤することが通勤距離等を考慮して東京都規則で定める基準に照らして困難であると認められるもののうち、単身で生活することを常況とする職員には、単身赴任手当を支給する。ただし、配偶者又はパートナーシップ関係の相手方の住居から在勤する公署に通勤することが、通勤距離等を考慮して東京都規則で定める基準に照らして困難であると認められない場合は、この限りでない。

2　単身赴任手当の月額は、三万円（東京都規則で定めるところにより算定した職員の住居と配偶者又はパートナーシップ関係の相手方の住居との間の交通距離等

（以下単に「交通距離等」という。）が東京都規則で定める基準以上である職員にあつては、その額に、七万円を超えない範囲内で交通距離等の区分に応じて東京都規則で定める額を加算した額）とする。

3　第一項のほか、同項の規定による単身赴任手当を支給される職員との均衡上必要があると認められるものとして東京都規則で定める職員には、前二項の規定に準じて、単身赴任手当を支給する。

4　前三項に規定するもののほか、単身赴任手当の支給に関し必要な事項は、人事委員会の承認を得て東京都規則で定める。

**（特殊勤務手当）**

**第十三条**　著しく危険、不快、不健康又は困難な勤務その他著しく特殊な勤務で、給与上特別の考慮を必要とし、かつ、その特殊性を給料で考慮することが適当でないと認められるものに従事する職員には、その勤務の特殊性に応じて特殊勤務手当を支給する。

2　前項の特殊勤務手当の支給額は、当該職員の給料の百分の二十五をこえない範囲内において定める。ただし、職務の性質により特別の必要がある場合は、この限りでない。

3　特殊勤務手当の種類、支給される職員の範囲及び支給額については、別に条例で定める。

**（特地勤務手当等）**

**第十三条の二**　離島その他の生活の著しく不便な地に所在する公署として任命権者が人事委員会の承認を得て定めるもの（以下「特地公署」という。）に勤務する職員には、特地勤務手当を支給する。

2　特地勤務手当の月額は、給料及び扶養手当の月額の合計額の百分の二十五を超えない範囲内において定める。

3　特地勤務手当の支給額、特地勤務手当と地域手当との調整その他特地勤務手当の支給に関し必要な事項は、任命権者が人事委員会の承認を得て定める。

**第十三条の三**　異動又は採用により、特地公署に勤務することとなつた職員で、当該異動又は採用に伴つて住居を移転した職員（医療職給料表(一)の適用を受ける職員を除く。）には、特地勤務手当に準ずる手当を支給する。

2　特地勤務手当に準ずる手当は、任命権者が人事委員会の承認を得て定めるところにより、前項に定める異動又は採用に伴つて住居を移転した日から、当該異動又は採用の日から起算して三年に達する日までの期間（当該異動又は採用の日から三年を経過する際任命権者が特に必要と認める職員にあつては、同日から起算して八年以内の期間）、給料及び扶養手当の月額の合計額の百分の六を超えない範囲内で支給する。

3　定年前再任用短時間勤務職員で特地公署に勤務する者のうち、地方公務員法第二十二条の四第一項の規定により採用される前から引き続き特地公署に勤務するものにあつては、当該採用前における勤務と定年前再任用短時間勤務職員としての勤務とが引き続くものとみなして、前二項の規定を適用する。

4　前三項に規定するもののほか、特地勤務手当に準ずる手当の支給額その他特地勤務手当に準ずる手当の支給に関し必要な事項は、任命権者が人事委員会の承認を得て定める。

**（給与の減額）**

**第十四条**　職員が勤務しないときは、勤務時間条例第十条の四第一項に規定する超勤代休時間及び休日（勤務時間条例第十一条及び第十二条の規定による休日並びに勤務時間条例第十三条第一項の規定により指定された代休日をいう。以下同じ。）である場合、勤務時間条例第十四条から第十六条までに規定する年次有給休暇、病気休暇（東京都規則で定める日数を限度とする。）及び特別休暇（生理休暇にあつては、東京都規則で定める日数を限度とする。）を承認され勤務しなかつた場合並びにその勤務しないこと及び給与の減額を免除することにつき任命権者の承認があつた場合を除き、その勤務しない一時間につき、第十八条に規定する勤務一時間当たりの給料等の額の合計額を減額して給与を支給する。

2　前項の承認の基準は、人事委員会が定める。

**（超過勤務手当）**

**第十五条**　勤務時間条例第二条、第三条第一項及び第二項並びに第五条に規定する正規の勤務時間を超えて勤務することを命ぜられた職員には、正規の勤務時間を超えて勤務した全時間に対して、勤務一時間につき、第十八条に規定する勤務一時間当たりの給料等の額に正規の勤務時間を超えてした勤務の区分に応じてそれぞれ百分の百二十五から百分の百五十までの範囲内の割合（その勤務が午後十時から翌日の午前五時までの間である場合は、その割合に百分の二十五を加算した割合）を乗じて得た額の合計額を超過勤務手当として支給する。

2　前項の勤務の区分及び割合は、人事委員会の承認を得て東京都規則で定める。

3　定年前再任用短時間勤務職員及び育児短時間勤務職員等が、正規の勤務時間が割り振られた日（次条の規定により休日給が支給されることとなる日を除く。）において、正規の勤務時間を超えてした勤務のうち、その勤務の時間とその勤務をした日における正規の勤務時間との合計が七時間四十五分に達するまでの間の勤務に対する第一項の規定の適用については、同項中「正規の勤務時間を超えてした勤務の区分に応じてそれぞれ百分の百二十五から百分の百五十までの範囲内の割合」とあるのは「百分の百」とする。

4　第一項の規定に定めるもののほか、勤務時間条例第二条の規定によりあらかじめ定められた一週間の正規の勤務時間を超えて勤務時間条例第四条の規定により週休日とされた日に勤務時間条例第五条の規定により正規の勤務時間を割り振られた職員には、当該正規の勤務時間に相当する時間（人事委員会の承認を得て東京都規則で定める時間を除く。）について、一時間につき、第十八条に規定する勤務一時間当たりの給料等の額に百分の二十五から百分の五十までの範囲内で人事委員会の承認を得て東京都規則で定める割合を乗じて得た額の合計額を超過勤務手当として支給する。

5　次の各号に規定する時間の合計が一箇月について六十時間を超えた職員には、その六十時間を超えて勤務した全時間に対して、第一項（第三項の規定により読み替えて適用する場合を含む。）及び前項の規定にかかわらず、勤務一時間につき、第十八条に規定する勤務一時間当たりの給料等の額に、当該各号に規定する時間に応じ、当該各号に規定する割合を乗じて得た額を超過勤務手当として支給する。

一　正規の勤務時間を超えて勤務することを命ぜられ、正規の勤務時間を超えてした勤務の時間　百分の百五十（その勤務が午後十時から翌日の午前五時までの間である場合は、百分の百七十五）

二　前項に規定する当該正規の勤務時間に相当する時間　百分の五十

6　勤務時間条例第十条の四第一項に規定する超勤代休時間を承認された場合において、当該超勤代休時間に職員が勤務しなかつたときは、前項に規定する六十時間を超えて勤務した全時間のうち当該超勤代休時間の承認により代えられた超過勤務手当の支給に係る次の各号に規定する時間に対しては、当該時間一時間につき、第十八条に規定する勤務一時間当たりの給料等の額に、当該各号に規定する時間に応じ、当該各号に規定する割合を乗じて得た額の超過勤務手当を支給することを要しない。

一　前項第一号に規定する時間　百分の百五十（その時間が午後十時から翌日の午前五時までの間である場合は、百分の百七十五）から第二項に規定する東京都規則で定める割合（その時間が午後十時から翌日の午前五時までの間である場合は、その割合に百分の二十五を加算した割合）を減じた割合

二　前項第二号に規定する時間　百分の五十から第四項に規定する東京都規則で定める割合を減じた割合

7　第三項に規定する七時間四十五分に達するまでの間の勤務に係る時間について前二項の規定の適用がある場合における当該時間に対する前項の規定の適用については、同項第一号中「第二項に規定する東京都規則で定める割合」とあるのは「百分の百」とする。

**（休日給）**

**第十六条**　休日の勤務として正規の勤務時間中に勤務することを命ぜられた職員には、正規の勤務時間中に勤務した全時間に対して、勤務一時間につき、第十八条に規定する勤務一時間当たりの給料等の額に百分の百二十五から百分の百五十までの範囲内で人事委員会の承認を得て東京都規則で定める割合を乗じて得た額の合計額を休日給として支給する。ただし、勤務時間条例第十三条第一項の規定により、任命権者が代休日を指定し当該代休日に勤務しなかつた場合には、休日給は支給しない。

**（夜勤手当）**

**第十七条**　正規の勤務時間として、午後十時から翌日の午前五時までの間に勤務することを命ぜられた職員には、その間に勤務した全時間に対して、勤務一時間につき、第十八条に規定する勤務一時間当たりの給料等の額に百分の二十五を乗じて得た額の合計額を夜勤手当として支給する。

**（勤務一時間当たりの給料等の額の算出）**

**第十八条**　第十四条第一項、第十五条第一項及び第四項から第六項まで並びに前二条に規定する勤務一時間当たりの給料等の額は、給料の月額及び人事委員会の承認を得て東京都規則で定める手当の月額のそれぞれに十二を乗じて得た額を　人事委員会の承認を得て東京都規則で定める年間の勤務時間でそれぞれ除して得た額とする。

**（宿日直手当）**

**第十八条の二**　勤務時間条例第九条の規定による宿日直勤務を命ぜられた職員には、宿日直手当を支給する。

2　前項の宿日直勤務は、第十五条から第十七条まで及び次条の手当の対象となる勤務には、含まれないものとする。

3　宿日直手当の支給額は、前二項に規定する勤務一回につき、三万円を超えない範囲内において定める。

4　宿日直手当の支給対象となる勤務の種類、支給額その他宿日直手当の支給に関し必要な事項は、任命権者が人事委員会の承認を得て定める。

**（管理職員特別勤務手当）**

**第十八条の三**　第九条の二第一項の規定に基づき指定する職員又は指定職給料表の適用を受ける職員が臨時又は緊急の必要その他公務の運営の必要により週休日又

は休日に勤務した場合は、当該職員には、管理職員特別勤務手当を支給する。ただし、勤務時間条例第十三条第一項の規定により、任命権者が代休日を指定し当該代休日に勤務しなかつた場合には、管理職員特別勤務手当は支給しない。

2　前項に規定する場合のほか、第九条の二第一項の規定に基づき指定する職員が災害への対処その他の臨時又は緊急の必要により週休日又は休日以外の日の午前零時から午前五時までの間であつて正規の勤務時間以外の時間に勤務した場合は、当該職員には、管理職員特別勤務手当を支給する。

3　管理職員特別勤務手当の額は、次の各号に掲げる場合の区分に応じ、当該各号に定める額とする。

一　第一項に規定する場合　次に掲げる職員の区分に応じ、同項の勤務一回につき、それぞれ次に定める額（当該勤務に従事する時間等を考慮して東京都規則で定める勤務をした職員にあつては、これらの額にそれぞれ百分の百五十を乗じて得た額）

イ　第九条の二第一項の規定に基づき指定する職員　一万二千円を超えない範囲内において人事委員会の承認を得て東京都規則で定める額

ロ　指定職給料表の適用を受ける職員　イの人事委員会の承認を得て東京都規則で定める額の最高額に百分の百五十を乗じて得た額

二　前項に規定する場合　同項の勤務一回につき、六千円を超えない範囲内において人事委員会の承認を得て東京都規則で定める額

4　前三項に規定するもののほか、管理職員特別勤務手当の支給に関し必要な事項は、人事委員会の承認を得て東京都規則で定める。

**第十九条**　削除

**（休職者等の給与）**

**第十九条の二**　休職等となつた職員（次項に規定する職員を除く。）に対しては、休職等の期間中次の区分により給与を支給することができる。

一　地方公務員法第二十八条第二項第一号に掲げる事由に該当して休職されたときは、その休職期間が満一年に達するまでは、これに給料及び扶養手当、地域手当、住居手当及び寒冷地手当のそれぞれの百分の八十

二　地方公務員法第二十八条第二項第二号に掲げる事由に該当して休職されたときは、その休職期間中、これに給料、扶養手当、地域手当及び住居手当のそれぞれの百分の六十に相当する額以内の額

三　職員の分限に関する条例第二条第一項に掲げる事由に該当して休職されたときは、人事委員会規則で定める額

2　地方公務員法第五十五条の二第五項の規定により休職となつた職員には、その休職の期間中、いかなる給与も支給しない。

3　地方公務員の育児休業等に関する法律（平成三年法律第百十号）第二条第一項の規定による育児休業中の職員には、その育児休業の期間中、第二十一条及び第二十一条の二の給与を除くほか、この条例に定める給与は支給しない。

**（災害補償との関係）**

**第二十条**　職員が公務上負傷し、若しくは疾病にかかり、又は通勤により負傷し、若しくは疾病にかかり、地方公務員災害補償法（昭和四十二年法律第百二十一号）の適用を受けて療養のため勤務しない期間については、第二十一条及び第二十一条の二の給与を除くほか、この条例に定める給与は支給しない。

**（期末手当）**

**第二十一条**　期末手当は、六月一日及び十二月一日（以下この条から第二十一条の二の三までにおいてこれらの日を「基準日」という。）にそれぞれ在職する職員（東京都規則で定める職員を除く。）に対して、それぞれ基準日の属する月の東京都規則で定める日（第二十一条の二の二から第二十一条の二の三までにおいてこれらの日を「支給日」という。）に支給する。これらの基準日前一箇月以内に退職し、又は死亡した職員（東京都規則で定める職員を除く。）についても、また同様とする。

2　期末手当の額は、職員の給与月額に、次の表の上欄に掲げる職員の区分に応じて、同表の下欄に定める割合を乗じて得た額に東京都規則で定める支給割合を乗じて得た額とする。

| 職員の区分 | 割合 | |
| --- | --- | --- |
| | 六月に支給する場合 | 十二月に支給する場合 |
| 一　前項に掲げる職員のうち二から四までに掲げる職員以外のもの | 百分の百二十 | 百分の百二十 |
| 二　行政職給料表㈠の適用を受ける職員のうちその属する職務の級が四級である職員（以下この条において「行㈠四級職員」という。）又は指定職給料表以外の給料表の適用を受ける職員の | 百分の百 | 百分の百 |

| | | |
|---|---|---|
| うち行㈠四級職員に相当する職員であつて、その職務の複雑、困難及び責任の度等を考慮して東京都規則で定めるもの（以下「行㈠四級等職員」と総称する。） | | |
| 三　行政職給料表㈠の適用を受ける職員のうちその属する職務の級が五級である職員（以下この条において「行㈠五級職員」という。）又は指定職給料表以外の給料表の適用を受ける職員のうち行㈠五級職員に相当する職員であつて、その職務の複雑、困難及び責任の度等を考慮して東京都規則で定めるもの（以下「行㈠五級等職員」と総称する。） | 百分の九十 | 百分の九十 |
| 四　指定職給料表の適用を受ける職員 | 百分の六十二・五 | 百分の六十二・五 |

3　定年前再任用短時間勤務職員に対する前項の規定の適用については、同項の表一の項中「百分の百二十」とあるのは「百分の六十七・五」と、同表二の項中「百分の百」とあるのは「百分の五十七・五」と、同表三の項中「百分の九十」とあるのは「百分の五十七・五」と、同表四の項中「百分の六十二・五」とあるのは「百分の三十二・五」とする。

4　次に掲げる職員に支給する期末手当に対する第二項の規定の適用については、同項中「給与月額」とあるのは「給与月額に、給料月額及びこれに対する地域手当の月額の合計額に職務段階等を考慮して東京都規則で定める職員の区分に応じて百分の二十を超えない範囲内で東京都規則で定める割合を乗じて得た額（東京都規則で定める管理又は監督の地位にある職員にあつては、その額に給料月額に百分の二十五を超えない範囲内で東京都規則で定める割合を乗じて得た額を加算した額）を加算した額」とする。

一　行政職給料表㈠の適用を受ける職員のうちその属する職務の級が二級以上である職員

二　行政職給料表㈠以外の給料表の適用を受ける職員のうちその職務の複雑、困難及び責任の度等を考慮して前号に掲げる職員に相当する者として東京都規則で定める職員

5　前各項に規定するもののほか、期末手当の支給に関し必要な事項は、人事委員会の承認を得て東京都規則で定める。

（**勤勉手当**）

**第二十一条の二**　勤勉手当は、基準日にそれぞれ在職する職員（東京都規則で定める職員を除く。）に対し、その者の勤務成績に応じて、それぞれ基準日の属する月の東京都規則で定める日に支給する。これらの基準日前一箇月以内に退職し、又は死亡した職員（東京都規則で定める職員を除く。）についても、また同様とする。

2　勤勉手当の額は、職員の給与月額に、任命権者が東京都規則で定める基準に従つて定める支給割合を乗じて得た額とする。この場合において、任命権者が支給する勤勉手当の額の総額は、次の各号に掲げる職員について、それぞれ当該各号に掲げる額を超えてはならない。

一　前項の職員のうち次号及び第三号に該当する職員以外の職員　当該職員の給与月額に百分の百十二・五（行㈠四級等職員にあつては百分の百三十二・五、行㈠五級等職員にあつては百分の百四十二・五）を乗じて得た額の総額

二　前項の職員のうち指定職給料表の適用を受ける職員（次号に該当する職員を除く。）　当該職員の給与月額に百分の百十二・五を乗じて得た額の総額

三　前項の職員のうち定年前再任用短時間勤務職員　当該定年前再任用短時間勤務職員の給与月額に百分の五十五（行㈠四級等職員及び行㈠五級等職員にあつては、百分の六十五、指定職給料表の適用を受ける職員にあつては百分の六十）を乗じて得た額の総額

3　第二十一条第四項の規定は、前項の給与月額について準用する。この場合において、同条第四項中「第二項」とあるのは「前項」と読み替えるものとする。

4　前三項に規定するもののほか、勤勉手当の支給に関し必要な事項は、人事委員会の承認を得て東京都規則で定める。

（**期末手当の不支給**）

**第二十一条の二の二**　次の各号のいずれかに該当する者には、第二十一条第一項の規定にかかわらず、当該各号の基準日に係る期末手当（第四号に掲げる者にあつては、その支給を一時差し止めた期末手当）は、支給しない。

一　基準日から当該基準日に対応する支給日の前日までの間に地方公務員法第二十九条の規定による懲戒免職の処分を受けた職員

二　基準日から当該基準日に対応する支給日の前日までの間に地方公務員法第二十八条第四項の規定によ

り失職した職員

三　基準日前一箇月以内又は基準日から当該基準日に対応する支給日の前日までの間に離職した職員（前二号に掲げる者を除く。）で、その離職した日から当該支給日の前日までの間に拘禁刑以上の刑に処せられたもの

四　第二十一条の二の三第一項の規定により期末手当の支給を一時差し止める処分を受けた者（当該処分を取り消された者を除く。）で、その者の在職期間中の行為に係る刑事事件に関し拘禁刑以上の刑に処せられたもの

**（不支給特例）**

**第二十一条の二の二の二**　退職手当管理機関（職員の退職手当に関する条例（昭和三十一年東京都条例第六十五号。以下「退職手当条例」という。）第十六条第二号に規定する退職手当管理機関（退職手当管理機関が二以上あるときは、最後の退職に係る機関）をいう。以下同じ。）は、次の各号のいずれかに該当する場合においては、第二十一条第一項の規定にかかわらず、当該基準日に係る期末手当を支給しないこととする処分を行うことができる。

一　退職手当管理機関が、基準日前一箇月以内又は基準日から当該基準日に対応する支給日の前日までの間に離職した職員（前条及び次号に掲げる者を除く。）に対し、まだ当該基準日に係る期末手当が支給されていない場合において、その者が在職期間中に懲戒免職等処分（退職手当条例第十六条第一号に規定する懲戒免職等処分をいう。以下次号において同じ。）を受けるべき行為をしたと認めたとき。

二　退職手当管理機関が、基準日前一箇月以内又は基準日から当該基準日に対応する支給日の前日までの間に死亡による退職をした職員（退職後死亡した者を含む。）に対し、まだ当該基準日に係る期末手当が支給されていない場合において、その者が在職期間中に懲戒免職等処分を受けるべき行為をしたと認めたとき。

2　退職手当管理機関は、前項の規定による処分を行う場合は、当該処分を受けるべき者に対し、当該処分の際、当該処分の事由を記載した説明書を交付しなければならない。

3　前二項に規定するもののほか、第一項の規定による処分に関し必要な事項は、人事委員会の承認を得て東京都規則で定める。

**（期末手当の一時差止め）**

**第二十一条の二の三**　退職手当管理機関は、支給日に期末手当を支給することとされていた職員で当該支給日の前日までに離職又は死亡したものが次の各号のいずれかに該当する場合は、当該期末手当の支給を一時差し止めることができる。

一　離職した日から当該支給日の前日までの間に、その者の在職期間中の行為に係る刑事事件に関して、その者が起訴（当該起訴に係る犯罪について拘禁刑以上の刑が定められているものに限り、刑事訴訟法（昭和二十三年法律第百三十一号）第六編に規定する略式手続によるものを除く。第三項第三号において同じ。）をされ、その判決が確定していない場合

二　離職した日から当該支給日の前日までの間に、その者の在職期間中の行為に係る刑事事件に関して、その者が逮捕された場合又はその者から聴取した事項若しくは調査により判明した事実に基づきその者に犯罪があると思料するに至つた場合であつて、その者に対し期末手当を支給することが、公務に対する都民の信頼を確保し、期末手当に関する制度の適正かつ円滑な実施を維持する上で支障を生ずると認めるとき。

三　離職又は死亡した日から当該支給日の前日までの間に、前条第一項の規定に該当する行為があると思料するに至つたとき。

2　前項の規定による期末手当の支給を一時差し止める処分（以下「一時差止処分」という。）を受けた者は、行政不服審査法（平成二十六年法律第六十八号）第十八条第一項本文に規定する期間が経過した後においては、当該一時差止処分後の事情の変化を理由に、当該一時差止処分をした者に対し、その取消しを申し立てることができる。

3　退職手当管理機関は、一時差止処分について、次の各号のいずれかに該当するに至つた場合には、速やかに当該一時差止処分を取り消さなければならない。ただし、第三号に該当する場合において、一時差止処分を受けた者がその者の在職期間中の行為に係る刑事事件に関し現に逮捕されているときその他これを取り消すことが一時差止処分の目的に明らかに反すると認めるとき、又は第五号に該当する場合において、これを取り消すことが一時差止処分の目的に明らかに反すると認めるときは、この限りでない。

一　第一項第一号の規定により一時差止処分を受けた者（前条第一項の規定に該当する行為があると思料された場合を除く。次号及び第三号において同じ。）が当該一時差止処分の理由となつた行為に係る刑事事件に関し拘禁刑以上の刑に処せられなかつた場合

二　第一項第二号の規定により一時差止処分を受けた者について、当該一時差止処分の理由となつた行為に係る刑事事件につき公訴を提起しない処分があつ

た場合

三　第一項第二号の規定により一時差止処分を受けた者がその者の在職期間中の行為に係る刑事事件に関し起訴をされることなく当該一時差止処分に係る期末手当の基準日から起算して一年を経過した場合

四　第一項第三号の規定により一時差止処分を受けた者について、前条第一項の規定に該当する行為があると認められないことが明らかになつた場合

五　第一項第三号の規定により一時差止処分を受けた者について、前条第一項の規定に該当する行為があると認められることなく当該一時差止処分に係る期末手当の基準日から起算して一年を経過した場合

4　前項の規定は、退職手当管理機関が、一時差止処分後に判明した事実又は生じた事情に基づき、期末手当の支給を差し止める必要がなくなつたとして当該一時差止処分を取り消すことを妨げるものではない。

5　退職手当管理機関は、一時差止処分を行う場合は、当該一時差止処分を受けるべき者に対し、当該一時差止処分の際、一時差止処分の事由を記載した説明書を交付しなければならない。

6　前各項に規定するもののほか、一時差止処分に関し必要な事項は、人事委員会の承認を得て東京都規則で定める。

（**人事委員会による調査審議**）

**第二十一条の二の四**　人事委員会は、退職手当管理機関の諮問に応じ、次項に規定する支給制限処分について調査審議する。

2　退職手当管理機関は、第二十一条の二の二の二第一項の規定による処分（以下この条において「支給制限処分」という。）を行おうとするときは、人事委員会に諮問しなければならない。

3　人事委員会は、第二十一条の二の二の二第一項第二号の規定による処分を受けるべき者から申立てがあつた場合には、当該処分を受けるべき者に口頭で意見を述べる機会を与えなければならない。

4　人事委員会は、必要があると認める場合には、支給制限処分に係る事件に関し、当該処分を受けるべき者又は退職手当管理機関にその主張を記載した書面又は資料の提出を求めること、適当と認める者にその知つている事実の陳述又は鑑定を求めることその他必要な調査をすることができる。

5　人事委員会は、必要があると認める場合には、支給制限処分に係る事件に関し、関係機関に対し、資料の提出、意見の開陳その他必要な協力を求めることができる。

6　前各項に規定するもののほか、支給制限処分についての調査審議に関し必要な事項は、人事委員会規則で定める。

（**勤勉手当の不支給及び一時差止め等**）

**第二十一条の二の五**　第二十一条の二の二から前条までの規定は、第二十一条の二の規定による勤勉手当の支給について準用する。この場合において、第二十一条の二の二及び第二十一条の二の二の二中「第二十一条第一項」とあるのは「第二十一条の二第一項」と、「支給日」とあるのは「支給日（同項に規定する東京都規則で定める日をいう。以下この条から第二十一条の二の三までにおいて同じ。）」と読み替えるものとする。

（**特定職員についての適用除外**）

**第二十一条の三**　第六条、第九条から第十一条まで、第十一条の三、第十三条、第十五条から第十七条まで及び第十八条の二の規定は、指定職給料表の適用を受ける職員には適用しない。

2　第十五条から第十七条までの規定は、第九条の二第一項の規定に基づき指定する職員には適用しない。

3　第六条第二項から第九項まで、第九条の三から第十一条まで、第十一条の三及び次条の規定は、定年前再任用短時間勤務職員には適用しない。

4　第十一条の三の規定は、行政職給料表㈠の適用を受ける職員のうちその属する職務の級が四級である職員、公安職給料表の適用を受ける職員のうちその属する職務の級が六級又は七級である職員、医療職給料表㈠の適用を受ける職員のうちその属する職務の級が二級である職員、医療職給料表㈡の適用を受ける職員のうちその属する職務の級が四級である職員及び医療職給料表㈢の適用を受ける職員のうちその属する職務の級が四級である職員には適用しない。

5　第六条第三項から第五項まで及び第八項、第十条、第十一条並びに第十一条の三の規定は、行政職給料表㈠の適用を受ける職員のうちその属する職務の級が五級である職員及び公安職給料表の適用を受ける職員のうちその属する職務の級が八級である職員には適用しない。

6　第十条、第十一条及び第十一条の三の規定は、医療職給料表㈠の適用を受ける職員のうちその属する職務の級が三級である職員には適用しない。

（**寒冷地手当**）

**第二十二条**　寒冷の地域に在勤する職員には、寒冷地手当を支給する。

2　寒冷地手当の月額は、寒冷の地域に所在する公署として任命権者が人事委員会の承認を得て指定するもの（以下「指定公署」という。）の区分及び職員の世帯等の区分に応じて定める。

3　寒冷地手当の支給期間は、一月一日から三月三十一日まで及び十一月一日から十二月三十一日までとする。

4　寒冷地手当の支給額、支給方法その他寒冷地手当の支給に関し必要な事項は、任命権者が人事委員会の承認を得て定める。

**第二十二条の二**　削除

**（農林漁業普及指導手当）**

**第二十二条の三**　次の各号に掲げる職員には、農林漁業普及指導手当を支給する。

一　農業改良助長法（昭和二十三年法律第百六十五号）第八条に定める普及指導員である職員

二　森林法（昭和二十六年法律第二百四十九号）第百八十七条に定める林業普及指導員である職員

2　農林漁業普及指導手当の月額は、二万一千円を超えない範囲内において定める。

3　農林漁業普及指導手当の支給される職員の範囲、支給額その他農林漁業普及指導手当の支給に関し必要な事項は、任命権者が人事委員会の承認を得て定める。

**（給与からの控除）**

**第二十二条の四**　次に掲げるものは、職員に給与を支給する際、その給与から控除することができる。

一　都が職員の居住の用に供する施設及びその駐車施設の使用料並びにその使用に必要な経費

二　東京都職員互助組合、警視庁職員互助組合及び東京消防庁職員互助組合（以下「互助組合」と総称する。）の組合費並びに互助組合の貸付金及び立替金に係る返還金及び利子

三　一般財団法人自警会及び一般財団法人東京消防協会の会費、これらの法人の貸付金及び立替金に係る返還金、これらの法人が職員の居住の用に供する施設の使用料並びにこれらの法人が取り扱う独立行政法人住宅金融支援機構住宅建設貸付資金に係る返還金及び利子

四　互助組合及び前号に掲げる法人が取り扱う生命保険料、損害保険料及び火災共済事業の共済掛金並びに一般財団法人自警会が取り扱う生命共済事業の共済掛金

五　東京都職員信用組合、警視庁職員信用組合、東京消防信用組合及び中央労働金庫に対する貯蓄金並びにこれらの法人の貸付金に係る返還金及び利子

六　公益社団法人東京都教職員互助会の会費及び退職事業積立金

**（この条例の施行に関し必要な事項）**

**第二十三条**　この条例に定めるもののほか、この条例の施行に関し必要な事項は、人事委員会と協議のうえ東京都規則で定める。

**附　則**

1　この条例中第二十条の規定は、昭和二十七年四月一日から、その他の規定は、公布の日から施行する。

2　この条例中人事委員会又は任命権者が定める事項であつて、人事委員会又は任命権者により、別段の定がなされるまでの間、なお従前の例による。

3　他の条例及び規則等のうち、「俸給」とあるのは「給料」、「号俸」とあるのは「号給」とそれぞれ読み替えるものとする。

4　従前の給与に関する条例、訓令及びその他任命権者によつてなされた給与に関する決定その他の手続は、この条例の規定に基いてなされたものとみなす。

5　この条例は、教育公務員特例法（昭和二十四年法律第一号）第二条に定める教育公務員（専門的教育職員を除く。）、教育公務員特例法施行令（昭和二十四年政令第六号）第九条第二項に定める実習助手及び寄宿舎指導員、地方教育行政の組織及び運営に関する法律（昭和三十一年法律第百六十二号）第三十一条第一項に定める事務職員及び技術職員並びに市町村立学校職員給与負担法（昭和二十三年法律第百三十五号）第一条に定める学校栄養職員には適用しない。

6　この条例中第二十一条から第二十一条の二の五までの規定は、地方公務員法第二十二条の二第一項第一号に掲げる職員には適用しない。

7　地方公務員法第五十七条の規定に基づく単純な労務に雇用される者（以下この項において「単純労務職員」という。）の給与の種類及び基準については、この条例中給与の種類及び基準に関する規定を準用する。ただし、単純労務職員のうち、非常勤職員（地方公務員法第二十二条の二第一項第二号に掲げる職員及び定年前再任用短時間勤務職員であるものを除く。）の給与の種類及び基準については、非常勤職員の報酬等に関する条例（昭和三十一年東京都条例第五十六号）の規定を準用する。

8　昭和五十四年四月一日以後において、第九条の三第一項第三号又は第四号に掲げる職に新たに採用される職員には、当分の間、同項の規定は適用しない。

9　平成三十年四月一日から平成三十一年三月三十一日までの間、人事委員会の承認を得て東京都規則で定める場合における第十条の規定の適用については、同条の規定にかかわらず、同条第三項及び第四項中「額とする」とあるのは「額の範囲において人事委員会の承認を得て東京都規則で定める額とする」とする。

10　当分の間、職員の給料月額は、当該職員が六十歳（職員の定年等に関する条例の一部を改正する条例（令和四年東京都条例第七十五号）による改正前の職員の定年等に関する条例（昭和五十九年東京都条例第四号）第三条第三号に掲げる職員については、六十三歳）に達した日後における最初の四月一日（附則第十三項及び第十五項において「特定日」という。）以後、当該職員に適用される給料表の給料月額のうち、第五条第三項に規定する当該職員の属する職務の級並びに第六条第一項、第四項及び第五項の規定により当該職員の受ける号給（指定職給料表の適用を受ける

職員については、第五条の二の規定により当該職員の受ける号給）に応じた額（給料の切替えに伴う経過措置として、この条例その他の条例の規定において、異なる給料月額の定めがある場合は当該給料月額）に百分の七十を乗じて得た額とする。この場合において、当該額に、五十円未満の端数を生じたときはこれを切り捨て、五十円以上百円未満の端数を生じたときはこれを百円に切り上げる（指定職給料表の適用を受ける職員にあつては、五百円未満の端数を生じたときはこれを切り捨て、五百円以上千円未満の端数を生じたときはこれを千円に切り上げる）ものとする。

11　前項の規定により職員を降給させる場合における第六条第八項の規定の適用については、同項中「とする。」とあるのは、「とする。ただし、附則第十項の規定により職員を降給させる場合は、同条の規定にかかわらず、同項の規定により降給させるものとする。」とする。

12　附則第十項の規定は、次に掲げる職員には適用しない。

一　臨時的に任用される職員その他の法律により任期を定めて任用される職員及び非常勤職員

二　職員の定年等に関する条例第六条第二項第一号又は第二号に掲げる職を占める職員

三　職員の定年等に関する条例第九条第一項又は第二項の規定により同条第一項に規定する異動期間（同項又は同条第二項の規定により延長された期間を含む。）を延長された同条例第六条第一項各号に掲げる職を占める職員

四　職員の定年等に関する条例第四条第一項又は第二項の規定により勤務している職員（同条例第二条に規定する定年退職日において附則第十項の規定が適用されていた職員を除く。）

13　地方公務員法第二十八条の二第一項に規定する他の職への降任をされた職員であつて、当該他の職への降任をされた日（以下この項及び附則第十七項において「異動日」という。）の前日から引き続き同一の給料表の適用を受ける職員のうち、特定日に附則第十項の規定により当該職員の受ける給料月額（以下この項及び附則第十五項において「特定日給料月額」という。）が異動日の前日に当該職員が受けていた給料月額に百分の七十を乗じて得た額（当該額に、五十円未満の端数を生じたときはこれを切り捨て、五十円以上百円未満の端数を生じたときはこれを百円に切り上げるものとする。以下この項において「基礎給料月額」という。）に達しないこととなる職員（人事委員会規則で定める職員を除く。）には、当分の間、特定日以後、附則第十項の規定により当該職員の受ける給料月額のほか、基礎給料月額と特定日給料月額との差額に相当する額を給料として支給する。

14　前項の規定による給料の額と当該給料を支給される職員の受ける給料月額との合計額が第五条第三項に規定する当該職員の属する職務の級における最高の号給の給料月額を超える場合における前項の規定の適用については、同項中「基礎給料月額と特定日給料月額」とあるのは、「第五条第三項に規定する当該職員の属する職務の級における最高の号給の給料月額と当該職員の受ける給料月額」とする。

15　警察法（昭和二十九年法律第百六十二号）第五十六条の四第一項の規定による任命により職員となつた者のうち、特定日給料月額が、当該任命をされた日の前日に当該職員が適用を受けていた一般職の職員の給与に関する法律（昭和二十五年法律第九十五号）第六条に規定する公安職俸給表(一)に定められる俸給月額に百分の七十を乗じて得た額（当該額に、五十円未満の端数を生じたときはこれを切り捨て、五十円以上百円未満の端数を生じたときはこれを百円に切り上げるものとする。以下この項において「基礎俸給月額」という。）に達しないこととなる職員（人事委員会規則で定める職員を除く。）には、当分の間、特定日以後、附則第十項の規定により当該職員の受ける給料月額のほか、基礎俸給月額と特定日給料月額との差額に相当する額を給料として支給する。

16　附則第十四項の規定は、前項の規定の適用について準用する。この場合において、附則第十四項中「前項」とあるのは「第十五項」と、「基礎給料月額」とあるのは「基礎俸給月額」と読み替えるものとする。

17　異動日の前日から引き続き給料表の適用を受ける職員（附則第十項の規定の適用を受ける職員に限り、附則第十三項に規定する職員を除く。）であつて、同項の規定による給料を支給される職員との権衡上必要があると認められる職員には、当分の間、人事委員会規則で定めるところにより、附則第十三項及び第十四項の規定に準じて算出した額を給料として支給する。

18　附則第十三項、第十五項又は前項の規定による給料を支給される職員以外の附則第十項の規定の適用を受ける職員であつて、任用の事情を考慮して当該給料を支給される職員との権衡上必要があると認められる職員には、当分の間、当該職員の受ける給料月額のほか、人事委員会規則で定めるところにより、前五項の規定に準じて算出した額を給料として支給する。

19　附則第十三項、第十五項又は前二項の規定による給料を支給される職員に対する第二十一条第四項（第二十一条の二第三項において準用する場合を含む。）の規定の適用については、同項中「給料月額」とあるのは、「給料月額と附則第十三項、第十五項、第十七項又は第十八項の規定による給料の額との合計額」とする。

20　附則第十項から前項までに定めるもののほか、附則第十項の規定による給料月額、附則第十三項の規定による給料その他附則第十項から前項までの規定の施行に関し必要な事項は、人事委員会規則で定める。

**附則**（平二一・一二・二四条例八四）〔略〕

**附則**（平二二・三・三一条例二二）〔略〕

**附則**（平二二・一一・三〇条例九〇）〔略〕

**附則**（平二三・一一・三〇条例七七）〔略〕

**附則**（平二四・一一・三〇条例一二五）〔略〕

**附則**（平二五・一一・二九条例一二一）〔略〕

**附則**（平二六・一二・一六条例一三二）〔略〕

**附則**（平二七・一二・二四条例一二九）〔略〕

**附則**（平二八・一二・二二条例一〇四）〔略〕

**附則**（平二九・一二・二二条例九八）〔略〕

附　則（平三〇・一二・二一条例一〇四）〔略〕

附　則（令元・九・二六条例二五）〔略〕

附　則（令元・一二・二四条例六二）〔略〕

附　則（令二・一二・三〇条例一〇〇）〔略〕

附　則（令三・一一・三〇条例一〇一）〔略〕

附　則（令四・六・二二条例六八）

（施行期日）

**第一条**　この条例は、令和五年四月一日から施行する。

（職員の勤務延長に関する経過措置）

**第二条**　この条例による改正後の職員の給与に関する条例（以下「改正後の条例」という。）附則第十項から第二十項までの規定は、地方公務員法の一部を改正する法律（令和三年法律第六十三号。以下「改正法」という。）附則第三条第五項又は第六項の規定により勤務している職員には適用しない。

（定年退職者等の再任用に関する経過措置）

**第三条**　改正法附則第四条第一項又は第二項の規定により採用された職員（以下「暫定再任用職員」という。）のうち、指定職給料表の適用を受ける職員以外の職員の給料月額は、当該暫定再任用職員が改正後の条例第六条第十項に規定する定年前再任用短時間勤務職員（以下「定年前再任用短時間勤務職員」という。）であるものとした場合に適用される改正後の条例第五条第一項に規定する給料表の定年前再任用短時間勤務職員の欄に掲げる基準給料月額のうち、同条第三項に規定する当該暫定再任用職員の属する職務の級に応じた額とする。

2　改正法附則第六条第一項又は第二項の規定により採用された職員（以下「暫定再任用短時間勤務職員」という。）の給料月額は、当該暫定再任用短時間勤務職員が定年前再任用短時間勤務職員であるものとした場合に適用される改正後の条例第五条第一項に規定する給料表の定年前再任用短時間勤務職員の欄に掲げる基準給料月額のうち、同条第三項に規定する当該暫定再任用短時間勤務職員の属する職務の級に応じた額に、職員の勤務時間、休日、休暇等に関する条例（平成七年東京都条例第十五号）第二条第三項の規定により定められた当該暫定再任用短時間勤務職員の勤務時間を同条第一項に規定する勤務時間で除して得た数を乗じて得た額とする。

3　暫定再任用職員又は暫定再任用短時間勤務職員で特地公署（改正後の条例第十三条の二第一項に規定する特地公署をいう。以下同じ。）に勤務する者のうち、地方公務員法（昭和二十五年法律第二百六十一号）第二十八条の六第一項の規定により退職した者若しくは同法第二十八条の七の規定により勤務した後退職した者で退職前から引き続き特地公署に勤務するもの又は定年前再任用短時間勤務職員として勤務した後定年退職日相当日（同法第二十二条の四第一項に規定する定年退職日相当日をいう。以下同じ。）に退職した者で退職前から引き続き特地公署に勤務するものにあっては退職前における勤務と暫定再任用職員又は暫定再任用短時間勤務職員の各任期における勤務とが引き続くものと、同法第二十二条の四第一項の規定により採用される前から引き続き特地公署に勤務していた定年前再任用短時間勤務職員であって、定年前再任用短時間勤務職員として勤務した期間中引き続き特地公署に勤務した後定年退職日相当日に退職した者で退職前から引き続き特地公署に勤務するものにあっては定年前再任用短時間勤務職員として採用される前に特地公署に勤務していた期間と退職前における勤務と暫定再任用職員又は暫定再任用短時間勤務職員の各任期における勤務とが引き続くものと、それ以外の者にあっては暫定再任用職員又は暫定再任用短時間勤務職員の各任期における勤務が引き続くものとみなして、改正後の条例第十三条の三第一項及び第二項の規定を適用する。

4　暫定再任用職員及び暫定再任用短時間勤務職員は、定年前再任用短時間勤務職員とみなして、改正後の条例第二十一条第三項、第二十一条の二第二項第三号及び第二十一条の三第三項の規定を適用する。

5　暫定再任用短時間勤務職員は、定年前再任用短時間勤務職員とみなして、改正後の条例第十二条第三項第二号、第十五条第三項及び附則第七項の規定を適用する。

6　前各項に定めるもののほか、暫定再任用職員及び暫定再任用短時間勤務職員に関し必要な事項は、人事委員会規則で定める。

附　則（令四・一〇・一七条例一一三）〔略〕

附　則（令四・一二・二二条例一三三）

（施行期日等）

**第一条**　この条例は、公布の日から施行する。

**第二条**　この条例による改正後の職員の給与に関する条例（以下「改正後の条例」という。）の規定（第二十一条の二第二項の規定を除く。）は令和四年四月一日から、改正後の条例第二十一条の二第二項及び附則第五条の規定は同年十二月一日から適用する。

（令和四年四月一日から施行日の前日までの間における給料表の適用を異にする異動者等の号給の調整）

**第三条**　令和四年四月一日からこの条例の施行の日（以下「施行日」という。）の前日までの間に新たに給料表の適用を受けることとなった職員及び給料表の適用を異にして異動した職員の当該適用の日又は異動の日における号給については、この条例による改正前の職員の給与に関する条例（以下「改正前の条例」という。）の規定が適用された場合との均衡上必要と認められる限度において、人事委員会の定めるところにより、必要な調整を行うことができる。

（施行日から令和五年三月三十一日までの間における異動者等の号給の調整）

**第四条**　施行日から令和五年三月三十一日までの間において、新たに給料表の適用を受けることとなった職員及び給料表の適用を異にして異動した職員の当該適用の日又は異動の日における号給については、当該適用又は異動について、まず改正前の条例の規定が適用され、次いで当該適用の日又は異動の日から改正後の条例の規定が適用されるものとした場合との均衡上必要と認められる限度において、人事委員会の定めるところにより、必要な調整を行うことができる。

（勤勉手当に関する特例措置）

**第五条**　令和四年十二月に支給する勤勉手当に係る改正後の条例第二十一条の二第二項の規定の適用については、同項第一号中「百分の百七・五」とあるのは「百分の百十二・五」と、「百分の百二十七・五」とあるのは「百分の百三十二・五」と、「百分の百三十七・五」とあるのは「百分の百四十二・五」と、同項第二号中「百分の百十」とあるのは「百分の百十五」と、同項第三号中「百分の五十二・五」とあるのは「百分の五十五」と、「百分の六十二・五」とあるのは「百分の六十五」と、「百分の五十七・五」とあるのは「百分の六十」とする。

（給与の内払）

**第六条** 改正後の条例の規定を適用する場合においては、改正前の条例の規定に基づいて職員に支払われた給与は、改正後の条例の規定による給与の内払とみなす。

（委任）

**第七条** 附則第三条から前条までに定めるもののほか、この条例の施行に関し必要な事項は、人事委員会が定める。

附　則（令五・一二・二六条例八九）

（施行期日等）

**第一条** この条例は、公布の日から施行する。ただし、附則第六項及び第七項ただし書の改正規定は、令和六年四月一日から施行する。

**第二条** この条例（前条ただし書に規定する改正規定を除く。次条において同じ。）による改正後の職員の給与に関する条例（以下「改正後の条例」という。）の規定（第二十一条の二第二項の規定を除く。）は令和五年四月一日から、改正後の条例第二十一条の二第二項及び附則第五条の規定は同年十二月一日から適用する。

**（令和五年四月一日から施行日の前日までの間における給料表の適用を異にする異動者等の号給の調整）**

**第三条** 令和五年四月一日からこの条例の施行の日（以下「施行日」という。）の前日までの間に新たに給料表の適用を受けることとなった職員及び給料表の適用を異にして異動した職員の当該適用の日又は異動の日における号給については、この条例による改正前の職員の給与に関する条例（以下「改正前の条例」という。）の規定が適用された場合との均衡上必要と認められる限度において、人事委員会の定めるところにより、必要な調整を行うことができる。

**（施行日から令和六年三月三十一日までの間における異動者等の号給の調整）**

**第四条** 施行日から令和六年三月三十一日までの間において、新たに給料表の適用を受けることとなった職員及び給料表の適用を異にして異動した職員の当該適用の日又は異動の日における号給については、当該適用又は異動について、まず改正前の条例の規定が適用され、次いで当該適用の日又は異動の日から改正後の条例の規定が適用されるものとした場合との均衡上必要と認められる限度において、人事委員会の定めるところにより、必要な調整を行うことができる。

**（勤勉手当に関する特例措置）**

**第五条** 令和五年十二月に支給する勤勉手当に係る改正後の条例第二十一条の二第二項の規定の適用については、同項第一号中「百分の百十二・五」とあるのは「百分の百十七・五」と、「百分の百三十二・五」とあるのは「百分の百三十七・五」と、「百分の百四十二・五」とあるのは「百分の百四十七・五」と、同項第二号中「百分の百十二・五」とあるのは「百分の百十五」と、同項第三号中「百分の五十五」とあるのは「百分の五十七・五」と、「百分の六十五」とあるのは「百分の六十七・五」と、「百分の六十」とあるのは「百分の六十二・五」とする。

（給与の内払）

**第六条** 改正後の条例の規定を適用する場合においては、改正前の条例の規定に基づいて職員に支払われた給与は、改正後の条例の規定による給与の内払とみなす。

（委任）

**第七条** 附則第三条から前条までに定めるもののほか、この条例の施行に関し必要な事項は、人事委員会が定める。

附　則（令六・一〇・一一条例一一一）

（施行期日）

1　この条例は、令和七年六月一日から施行する。

（経過措置）

2　刑法等の一部を改正する法律（令和四年法律第六十七号）及び刑法等の一部を改正する法律の施行に伴う関係法律の整理等に関する法律（令和四年法律第六十八号）並びにこの条例の施行前に犯した禁錮以上の刑（死刑を除く。）が定められている罪につき起訴をされた者は、この条例による改正後の職員の給与に関する条例第二十一条の二の三第一項（第一号に係る部分に限る。）及び第三項（第三号に係る部分に限る。）（これらの規定を同条例第二十一条の二の五において準用する場合を含む。）の規定の適用については、拘禁刑が定められている罪につき起訴をされた者とみなす。

**附則別表**〔略〕

別表第一～別表第六〔略〕

別表第七（第12条関係）

| 自転車等の片道の使用距離の区分＼職員の区分 | 1　2及び3以外の職員 | 2　通勤不便な勤務庁に勤務する職員で人事委員会が定める事由に該当するもの | 3　身体に障害を有する職員で人事委員会が定めるところにより通勤が困難であると認められるもの |
|---|---|---|---|
| 5キロメートル未満 | 円<br>2,600 | 円<br>3,900 | 円<br>4,500 |
| 5キロメートル以上10キロメートル未満 | 3,000 | 5,300 | 6,200 |
| 10キロメートル以上15キロメートル未満 | 5,000 | 8,100 | 9,600 |
| 15キロメートル以上20キロメートル未満 | 7,000 | 10,900 | 13,000 |
| 20キロメートル以上25キロメートル未満 | 9,000 | 13,700 | 16,400 |
| 25キロメートル以上30キロメートル未満 | 11,000 | 16,400 | 19,800 |
| 30キロメートル以上35キロメートル未満 | 11,000 | 17,700 | 23,200 |
| 35キロメートル以上40キロメートル未満 | 13,000 | 20,100 | 26,600 |
| 40キロメートル以上45キロメートル未満 | 13,000 | 22,500 | 30,000 |
| 45キロメートル以上50キロメートル未満 | 14,000 | 24,300 | 31,800 |
| 50キロメートル以上55キロメートル未満 | 14,000 | 26,100 | 33,600 |
| 55キロメートル以上60キロメートル未満 | 15,000 | 27,900 | 35,400 |
| 60キロメートル以上 | 15,000 | 29,700 | 37,200 |

# ○職員の給与に関する条例施行規則

昭三七・一一・一
規則一七二

最終改正 令六・三・二九規則九三

（目的）

**第一条** この規則は、職員の給与に関する条例（昭和二十六年六月東京都条例第七十五号。以下「条例」という。）第二十三条の規定に基き、条例の施行に関し必要な事項を定めることを目的とする。

**（給与の口座振替）**

**第一条の二** 任命権者は、職員から条例第三条ただし書の規定に基づく申出があつたときは、口座振替の方法による給与の支払を行うものとする。

2 前項の申出は、次の事項を記載した書面（当該書面に記載すべき事項を記録した電磁的記録（電子的方式、磁気的方式その他人の知覚によつては認識することができない方式で作られる記録であつて、電子計算機による情報処理の用に供されるものをいう。以下同じ。）を含む。）により任命権者に対して行わなければならない。

一 口座振替を希望する給与の種別及びその金額

二 口座振替を受ける職員名義の預金又は貯金に係る金融機関等の名称、預金又は貯金の種別及び口座番号

三 口座振替の開始時期

3 前項の規定は、職員が同項各号の事項の全部又は一部を変更しようとする場合について準用する。

4 前三項に定めるもののほか、口座振替の方法による給与の支払の実施に関し必要な事項は、任命権者が知事と協議のうえ定める。

**（定年前再任用短時間勤務職員及び育児短時間勤務職員等の給料月額の端数計算）**

**第一条の三** 地方公務員法（昭和二十五年法律第二百六十一号）第二十二条の四第一項に規定する短時間勤務の職を占める職員（以下「定年前再任用短時間勤務職員」という。）及び地方公務員の育児休業等に関する法律（平成三年法律第百十号）第十条第三項の規定による承認を受け、同条第一項に規定する育児短時間勤務をしている職員（同法第十七条の規定による短時間勤務をしている職員を含む。以下「育児短時間勤務職員等」という。）について、条例第六条第十項及び第六条の二の規定による給料月額に円位未満の端数を生ずるときは、その端数を切り捨てた額をもつて当該職員の給料月額とする。

**（給料の支給方法等）**

**第二条** 条例第七条第二項に規定する給料の支給日は、十五日とする。ただし、十五日が日曜日、土曜日又は休日（国民の祝日に関する法律（昭和二十三年法律第百七十八号）に定める休日をいう。以下この条において同じ。）に当たるときは、十五日に最も近い日曜日、土曜日又は休日でない日（その日が二あるときは、十五日より前の日）を支給日とする。

2 前項の規定にかかわらず、知事は、非常災害、給与事務のふくそうその他の理由により、同項の支給日に支給することができないと認めた場合においては、別に支給日を定めることができる。

3 前二項の支給日後に新たに職員となつた場合又は職員が前二項の支給日前に離職し、若しくは死亡した場合における給料は、前二項の規定にかかわらず、新たに職員となり、又は離職し、若しくは死亡した日以後速やかに支給する。

4 前三項の規定にかかわらず、支給日前に職員が死亡した場合において、その者の在職期間中の行為が条例第八条第三項ただし書の規定に該当すると思料するに至つたときは、死亡した日までの給料を死亡した日以降速やかに支給し、当該行為が同項ただし書の規定に該当すると認められなかつたときは、当該死亡した日の翌日以降の給料を当該認められなかつたことが明らかになつた日以降速やかに支給する。

**第三条** 職員が、職員又はその収入によつて生計を維持する者の出産、疾病、災害、婚礼、葬儀その他これらに準ずる非常の場合の費用に充てるため、前条第一項から第三項までに規定する支給日前に給料の非常時払を請求したときは、条例第八条第四項に規定する日割計算の方法により、その請求の日までの給料を前条第一項及び第二項の規定にかかわらず、請求のあつた日以降速やかに支給する。

**（条例第八条第三項ただし書による支給手続）**

**第三条の二** 条例第八条第三項ただし書に規定する東京都規則で定める手続は、次のとおりとする。

一 任命権者は、条例第八条第三項ただし書の規定を適用する場合は、別記様式第一号による給料の支給に関する通知書により、知事に通知しなければならない。

二 削除

**（給与簿）**

**第四条** 任命権者は、職員に支給されたすべての給与を記録するため、別記様式第一号の二（これによりがたい場合には知事の承認を得て定める様式）による職員

別給与簿を作成し、管理しなければならない。

2　前項の職員別給与簿は、職員ごとに毎年作成し、三年間保存するものとする。

（**扶養親族の認定等**）

**第五条**　任命権者は、条例第十一条第一項の規定による届出を受けた場合、当該届出に係る扶養親族が条例第十条第二項に規定する要件を具備しているかどうかを確認し認定するものとする。

2　前項の場合において、任命権者は、次に掲げる者を条例第十条第二項に規定する扶養親族として認定することができない。

一　その者の勤労所得、資産所得、事業所得その他の収入の合計額が年額百三十万円以上である者

二　扶養手当又はこれに相当する給与を他の者が受ける原因となつている者

三　重度心身障害の場合は、前二号によるほか、終身労務に服することができない程度でない者

3　職員が他の者と共同して同一人を扶養する場合には、その職員が主たる扶養者である場合に限り、その者を扶養親族として認定することができる。

4　任命権者は、前三項の規定により扶養親族の認定を行うときその他必要と認めるときは、届出の事実に係る証明書等の提出を求めることができる。

（**届出の様式等**）

**第六条**　条例第十一条の規定による扶養手当に係る届出は、別記様式第二号（同様式に記載すべき事項を記録した電磁的記録を含む。次項において同じ。）による。

2　住居手当に関する規則（昭和四十六年東京都規則第三十三号）第三条の規定による住居手当に係る届出は、別記様式第二号による。

3　前二項の規定にかかわらず、前二項に規定する届出については、知事の承認を得て任命権者が別に定める様式（当該様式に記載すべき事項を記録した電磁的記録を含む。）によることができる。この場合において、学校職員の給与に関する条例（昭和三十一年東京都条例第六十八号）及び東京都公営企業職員の給与の種類及び基準に関する条例（昭和二十八年東京都条例第十九号）に規定する扶養手当及び住居手当に係る各任命権者が定める届出の様式は、知事の承認を得たものとみなす。

4　前三項に規定する様式が電磁的記録による場合であつて、第一項及び第二項に規定する届出が電磁的方法（電子情報処理組織を使用する方法その他の情報通信の技術を利用する方法をいう。）により行われたときは、当該届出を受理する者の使用に係る電子計算機に備えられたファイルへの記録がなされた時に届出があつたものとみなす。

（**給与の減額免除**）

**第六条の二**　条例第十四条第一項の規定に基く任命権者の承認は、別記様式第三号による給与減額免除申請書に基き行わなければならない。

2　任命権者は、前項に規定する給与減額免除申請書を整理し、保管しなければならない。

3　第一項の規定にかかわらず、任命権者は、任命権者が職員の給与の減額を免除することのできる場合の基準（昭和二十七年東京都人事委員会規則第三号）別表第一号から第六号まで、第八号から第十二号まで及び第十四号のいずれかに定める理由に係る承認については、当該任命権者の定める手続をもつて、同項の手続に代えることができる。

（**給与の減額**）

**第七条**　条例第十四条に規定する給与の減額は、減額すべき事実のあつた日の属する給与期間（月の一日から末日までの期間をいう。以下同じ。）のものを、その給与期間または次の給与期間の給料支給の際、行なうものとする。

2　やむを得ない理由により、前項に規定する時期において給与の減額をすることができない場合には、その後の給与期間における給料支給の際、行なうことができるものとする。

3　前二項の場合において、一の給与期間における減額の基礎となる時間の合計に一時間未満の端数があるときは、その端数が三十分以上のときは一時間とし、三十分未満のときは切り捨てる。

4　給与期間において勤務すべき全期間が欠勤であつたとき、又は減額すべき給料等の額が、減額すべき事実のあつた日の属する給与期間において支給されるべき給料等の額を超えるときは、当該給与期間において支給されるべき当該給料等の額を減額するものとする。

5　前項の規定にかかわらず、第十二条第一項に規定する手当のうち、手当の額が月額以外で定められている手当については、減額すべき事実のあつた日において減額すべき手当の額がその日において支給されるべき当該手当の額を超えるときは、その日において支給されるべき当該手当の額を減額するものとする。この場合において、減額の基礎となる時間に一時間未満の端数があるときは、その端数が三十分以上のときは一時間とし、三十分未満のときは切り捨てる。

**第七条の二**　条例第十四条第一項の東京都規則で定める日数は、次の各号に掲げる休暇について、当該各号に定める日数とする。

一　病気休暇　一回について、引き続く九十日

二　生理休暇　一回について、引き続く二日

**第八条**　任命権者は、条例第十四条に規定する事実を記録するため別記様式第四号による給与減額整理簿を作成し、必要な事項を記入し、保管しなければならない。

**（超過勤務手当）**

**第九条**　条例第十五条第一項に規定する勤務の区分及び割合は、次のとおりとする。

一　条例第八条第四項に規定する週休日（以下「週休日」という。）及び条例第十四条第一項に規定する休日（条例第十六条ただし書の規定により休日給を支給しないとされる日を除く。）における勤務　百分の百三十五

二　前号に掲げる勤務以外の勤務　百分の百二十五

2　条例第十五条第四項の東京都規則で定める時間は、職員の勤務時間、休日、休暇等に関する条例（平成七年東京都条例第十五号。以下「勤務時間条例」という。）第二条第二項、第三項又は第四項の規定によりあらかじめ定められた一週間の正規の勤務時間（以下「変更前の正規の勤務時間」という。）が三十八時間四十五分に満たない場合について、三十八時間四十五分から当該変更前の正規の勤務時間を減じた時間とする。

3　条例第十五条第四項の東京都規則で定める割合は、百分の二十五とする。

**（休日給の割合）**

**第九条の二**　条例第十六条の東京都規則で定める割合は、百分の百三十五とする。

**（休日給、夜勤手当及び管理職員特別勤務手当）**

**第十条**　条例第十六条に規定する休日給、条例第十七条に規定する夜勤手当及び条例第十八条の三に規定する管理職員特別勤務手当は、休憩時間を除く実働時間に対して支給する。

**（超過勤務等の勤務時間の集計）**

**第十一条**　超過勤務等の勤務時間数は、一の給与期間に係るものを、手当の種類、支給割合の区分ごとに集計するものとし、その集計時間数に一時間未満の端数があるときは、その端数が三十分以上のときは一時間とし、三十分未満のときは切り捨てる。

**（勤務一時間当たりの給料等の額の算出）**

**第十二条**　条例第十八条の東京都規則で定める手当は、次に掲げるとおりとする。

一　初任給調整手当

二　給料の月額に対する地域手当

三　削除

四　特殊勤務手当のうち人事委員会の承認を得て任命権者が別に定める手当

五　特地勤務手当

六　特地勤務手当に準ずる手当

七　農林漁業普及指導手当

2　条例第十八条の東京都規則で定める年間の勤務時間は、次の各号に掲げる職員の区分に応じ、それぞれ当該各号に定める時間とする。

一　定年前再任用短時間勤務職員及び育児短時間勤務職員等以外の職員　勤務時間条例第二条第一項に規定する一週間の正規の勤務時間に五十二を乗じて得たものから七時間四十五分に十八を乗じて得たものを減じた時間

二　定年前再任用短時間勤務職員　前号に規定する時間に、勤務時間条例第二条第三項の規定により定められたその者の勤務時間を同条第一項に規定する勤務時間で除して得た数を乗じて得た時間

三　育児短時間勤務職員等　第一号に規定する時間に、勤務時間条例第二条第二項の規定により定められたその者の勤務時間を同条第一項に規定する勤務時間で除して得た数を乗じて得た時間

3　条例第十八条に規定する勤務一時間当たりの給料等の額を算定する場合並びに条例第十五条第一項、第十六条及び第十七条に規定する勤務一時間当たりの給料等の額に当該各規定に定める割合を乗じて得た額を算定する場合において、円位未満の端数を生ずるときは、その端数が五十銭以上のときは一円とし、五十銭未満のときは切り捨てる。

**（扶養手当の支給）**

**第十三条**　扶養手当は、給料の支給方法に準じて支給する。

**（超過勤務手当等の支給）**

**第十四条**　超過勤務手当、休日給、夜勤手当、宿日直手当及び管理職員特別勤務手当は、一の給与期間に係るものを、次の給与期間の給料の支給日に支給する。

2　職員が勤務時間条例第十条の四第一項の規定により承認された超勤代休時間に勤務した場合において支給する当該超勤代休時間の承認により代えられた超過勤務手当の支給に係る超過勤務手当に対する前項の規定の適用については、同項中「次の」とあるのは、「勤務時間条例第十条の四第一項の規定により超勤代休時間が承認された日の属する給与期間の次の」とする。

3　第一項（前項の規定により読み替えて適用する場合を含む。以下この条において同じ。）に規定する手当（宿日直手当を除く。）の支給は、職員の勤務時間、休日、休暇等に関する条例施行規則（平成七年東京都規則第五十五号）第七条第一項に規定する別記第二号様式を用いて行わなければならない。

4　第一項の規定にかかわらず、任命権者は、やむを得

ない理由により、第一項の支給日に支給することができないと認めた場合においては、別に支給日を定めることができる。

5　職員が第一項及び前項の支給日前に離職し、又は死亡した場合においては、第一項及び前項の規定にかかわらず、職員が離職し、又は死亡した日以降すみやかに支給する。

**第十五条**　職員が、第三条に規定する非常の場合の費用に充てるため、超過勤務手当、休日給、夜勤手当、宿日直手当及び管理職員特別勤務手当の非常時払を請求したときは、前条第一項及び第四項の規定にかかわらず、その請求の日までのものを請求のあつた日以降速やかに支給する。

**付　則**

1　この規則は、公布の日から施行する。

2　この規則施行の際、従前の規定に基き、昭和三十七年分として作成中の給与簿並びにすでに届出のあつた扶養親族届及び扶養親族異動届は、それぞれこの規則第四条及び第六条の規定に基づいてなされたものとみなす。

**附　則**（平二九・一二・二二規則一二九）

改正　平三〇・一二・二七規則一五五

**（施行期日）**

**第一条**　この規則は、平成三十年四月一日（以下「施行日」という。）から施行する。

**（扶養手当に係る特例措置）**

**第二条**　職員の給与に関する条例（昭和二十六年東京都条例第七十五号。以下「条例」という。）附則第九項に規定する人事委員会の承認を得て東京都規則で定める場合は、施行日の前日（以下「基準日」という。）において、この規則による改正前の職員の給与に関する条例施行規則第五条第一項の規定による認定を受けている扶養親族（条例第十条第二項に規定する扶養親族をいう。以下単に「扶養親族」という。）（以下「特定扶養親族」という。）の収入の合計額（この規則による改正後の職員の給与に関する条例施行規則（以下「改正後の規則」という。）第五条第二項第一号に規定する勤労所得、資産所得、事業所得その他の収入の合計額をいう。以下単に「収入の合計額」という。）が年額百三十万円以上百四十万円未満であり、当該特定扶養親族の収入の合計額が施行日以後引き続き年額百三十万円以上百四十万円未満である場合とする。

2　前項の場合において、任命権者は、改正後の規則第五条第二項第一号の規定にかかわらず、特定扶養親族を扶養親族として認定するものとする。

**第三条**　条例附則第九項に規定する人事委員会の承認を得て東京都規則で定める額は、次に掲げる額を合計して得た額とする。

一　前条第二項の規定により扶養親族の認定を受けた者（以下「認定扶養親族」という。）に係る扶養手当については条例第十条第三項又は第四項の規定により算定された額の二分の一に相当する額

二　前号に規定する者以外の者に係る扶養手当については条例第十条第三項又は第四項の規定により算定された額

2　認定扶養親族である子が、基準日において条例第十条第四項に規定する特定期間にある子でない場合であって、当該子が施行日以後に同項に規定する特定期間にある子となるときは、前項第一号の算定に当たっては、条例第十条第四項の規定を適用しない。

**附　則**（令四・六・二二規則一三七）

改正　令四・九・二六規則一九三

1　この規則は、令和五年四月一日から施行する。

2　地方公務員法の一部を改正する法律（令和三年法律第六十三号）附則第六条第一項又は第二項の規定により採用された職員は、この規則による改正後の職員の給与に関する条例施行規則第一条の三に規定する定年前再任用短時間勤務職員とみなす。

**附　則**（令六・三・二九規則九三）

この規則は、令和六年四月一日から施行する。

**別記様式**〔略〕

# ○初任給、昇格及び昇給等に関する規則

昭四八・三・三一
人事委員会規則三

最終改正　令六・六・二八人事委員会規則一〇

## 第一節　総則

（目的）

**第一条**　職員の給与に関する条例（昭和二十六年東京都条例第七十五号。以下「条例」という。）第五条第三項及び第六条の規定に基づき、任命権者がその所属の職員の職務の級及び号給を決定する場合の基準等については、別に定める場合を除き、この規則の定めるところによる。

（定義）

**第二条**　この規則において、次の各号に掲げる用語の意義は、当該各号に定めるところによる。

一　職員　条例第五条第一項の給料表（以下「給料表」という。）のうちいずれか一の給料表の適用を受ける者をいう。

二　昇格　職員の職務の級を同一の給料表の上位の職務の級に変更することをいう。

三　降格　職員の職務の級を同一の給料表の下位の職務の級に変更することをいう。

四　経験年数　職員が職員として、その職務に在職した年数（第六条の規定によりその年数に換算された年数を含む。）をいう。

五　基準学歴　基準学歴とは、次に掲げる学歴資格をいう。

(1)　Ⅰ類Aの基準学歴は、学校教育法（昭和二十二年法律第二十六号）に規定する大学院の修士課程（標準修業年限二年以上のもの）若しくは専門職学位課程（標準修業年限二年以上のもの）の修了又はこれに相当する資格

(2)　Ⅰ類又はⅠ類Bの基準学歴は、学校教育法に規定する四年制の大学の卒業又はこれに相当する資格

(3)　Ⅱ類の基準学歴は、学校教育法に規定する二年制の短期大学の卒業又はこれに相当する資格

(4)　Ⅲ類の基準学歴は、学校教育法に規定する高等学校、中等教育学校若しくは特別支援学校の高等部の卒業又はこれに相当する資格

## 第二節　級別資格基準等

（基準となる職務と同程度の職務の分類）

**第三条**　条例第五条第三項による格付けに当たっては、条例別表第六の二に定める等級別基準職務表に掲げる基準となる職務とその複雑、困難及び責任の度が同程度の職務は、それぞれの職務の級に分類されるものとする。

（級別資格基準表）

**第四条**　職員の職務の級を決定する場合に必要な資格は、この規則において別に定める場合を除き、別表第二に定める級別資格基準表（以下「級別資格基準表」という。）に定めるとおりとする。

（級別資格基準表の適用方法）

**第五条**　級別資格基準表は、その者に適用される給料表の別に応じ、かつ、職種欄の区分又は試験（選考）欄の区分及び学歴免許等欄の区分に応じて適用する。この場合において、それぞれの区分に対応する職務の級欄に定める数字は、同表の備考に別段の定めがある場合を除き、当該職務の級に決定するために必要な一級下位の職務の級における経験年数を示す。

2　級別資格基準表の学歴免許等欄の区分は、職員の有する最も新しい学歴免許等の資格に応じて適用するものとし、当該学歴免許等欄の学歴免許等の区分に属する学歴免許等の資格については、別に定める場合を除き、別表第三に定める学歴免許等資格区分表（以下「学歴免許等資格区分表」という。）に定めるところによる。ただし、職員の有する最も新しい学歴免許等の資格以外の資格によることがその者に有利である場合には、その資格に応じた区分によることができる。

3　前項の場合において、その者に適用される級別資格基準表の職種欄の区分又は試験（選考）欄の区分に対応する学歴免許等欄の最も低い学歴免許等の区分よりも下位の区分に属する学歴免許等の資格のみを有する職員に対する同表の学歴免許等欄の適用については、その最も低い学歴免許等の区分による。この場合において、その者の有する学歴免許等の資格が学歴免許等資格区分表の「高校卒」の区分に達しないものにあっては、当該職務の級に決定するために必要な経験年数は、部内の他の職員との均衡を考慮して、あらかじめ人事委員会の承認を得て定める。

（経験年数の起算及び換算）

**第六条**　級別資格基準表を適用する場合における職員の経験年数は、同表の試験（選考）欄に対応する基準学歴又は学歴免許等欄の区分の適用に当たつて用いるその者の学歴免許等の資格を取得した時以後の経験年数による。ただし、同表の試験（選考）欄の区分がキャリア活用及び経験者については、別表第五に定める経験年数起算表（以下「経験年数起算表」という。）に定めるところにより得られた時以後の経験年数によ

る。

2　級別資格基準表の試験（選考）欄に対応する基準学歴若しくは学歴免許等欄の区分の適用に当たつて用いる学歴免許等の資格を取得した時又は経験年数起算表に定めるところにより得られた時以後の職員の経歴のうち、職員としてその職務に在職した年数以外の年数については、別表第四に定める経験年数換算表（以下「経験年数換算表」という。）に定めるところにより職員としてその職務に在職した年数に換算することができる。

（経験年数の調整）

**第七条**　級別資格基準表を適用する場合において、第十条第一項後段の規定の適用を受ける職員については、前条の規定により得られた経験年数から同表に定める当該級の決定について必要な経験年数を減じた年数をもつてその者の経験年数とする。

（経験年数の取扱いの特例）

**第八条**　級別資格基準表の備考に別段の定めがある場合における経験年数の取扱いについては、前二条の規定にかかわらず、その定めるところによる。

（特定職員の経験年数）

**第八条の二**　級別資格基準表を次の各号に掲げる職員に適用する場合における経験年数は、当該各号に定める期間をその職務の級の経験年数として取り扱うことができる。

一　第十五条の規定の適用を受けた職員は、部内の他の職員との均衡を考慮して、あらかじめ人事委員会の承認を得て定める期間

二　第二十二条第一項、第二十三条第一項又は第二十四条の規定の異動をした職員は、部内の他の職員との均衡及びその者の従前の勤務成績を考慮して、あらかじめ人事委員会の承認を得て定める期間

## 第三節　初任給

（新たに職員となつた者の職務の級）

**第九条**　新たに職員となつた者の職務の級は、その職務に応じ、かつ、次に定めるところにより決定するものとする。

一　次に掲げる職務の級にあつては、あらかじめ人事委員会の承認を得ること。

(1)　行政職給料表㈠の職務の級四級及び五級
(2)　公安職給料表の職務の級六級、七級及び八級
(3)　削除
(4)　医療職給料表㈠の職務の級二級及び三級
(5)　医療職給料表㈡の職務の級四級
(6)　医療職給料表㈢の職務の級四級

二　前号に掲げる職務の級以外の職務の級にあつては、その職務の級について級別資格基準表に定める資格を有していること。

（新たに職員となつた者の号給）

**第十条**　新たに職員となつた者の号給は、前条の規定により決定された職務の級の号給が別表第六に定める初任給基準表（以下「初任給基準表」という。）に定められているときは当該号給とし、当該職務の級の号給が同表に定められていないときは、同表に定める号給を基礎としその者の属する職務の級に昇格したものとした場合に得られる号給とする。この場合において、昇格は次の各号に定めるとおり行われたものとする。

一　昇格した日の前日の号給が、昇格した職務の級の最低の号給に達しない額の号給であるときは昇格した職務の級の最低の号給

二　前号に定める場合を除き、昇格した日の前日の号給と同じ額の号給（同じ額の号給がないときは、当該号給の直近上位の額の号給）

三　前二号の規定にかかわらず、昇格した職務の級が行政職給料表㈠の職務の級五級（以下「行政職給料表㈠五級」という。）又は公安職給料表の職務の級八級（以下「公安職給料表八級」という。）であるときは、第二十条第二項の規定に準ずる方法により得られる号給

2　職務の級の最低限度の資格を超える学歴免許等の資格又は経験年数を有する職員の号給については、前項の規定にかかわらず、第十三条及び第十四条に定めるところにより、人事委員会の承認を得て、初任給基準表に定める号給を調整し、又はその者の号給を前項の規定による号給より上位の号給とすることができる。

3　前二項の規定により職員の昇格が行われたものとした場合で当該昇格が二級以上上位の職務の級への昇格であるときは、それぞれ一級上位の職務の級への昇格が順次行われたものとして取り扱うものとする。

（初任給基準表の適用方法）

**第十一条**　初任給基準表は、その者に適用される給料表の別に応じ、かつ、職種欄の区分又は試験（選考）欄の区分及び学歴免許等欄の区分に応じて適用するものとし、同表の学歴免許等欄の区分の適用については、同表において別に定める場合を除き、学歴免許等資格区分表に定める区分によるものとする。

**第十二条**　削除

（経験年数を有する者の号給）

**第十三条**　新たに職員となつた者（職務の級を第九条第一号に掲げる職務の級に決定された者を除く。）で次に掲げる経験年数を有する者の号給は、第十条第一項前段の規定による号給の号数に、当該経験年数の月数を三月で除した数（一未満の端数があるときは、これ

を切り捨てた数）を加えて得た数を号数とする号給とすることができる。

一　初任給基準表の試験（選挙）欄に対応する基準学歴若しくは学歴免許等欄の区分の適用に当たつて用いるその者の学歴免許等の資格を取得した時又は経験年数起算表に定めるところにより得られた時以後の経験年数。ただし、別に定める場合を除く。

二　前号に定めるほか、第十条第一項後段の規定により初任給が決定された者にあつては、級別資格基準表に定める当該職務の級についての必要な経験年数を超える経験年数

2　前項の規定を適用する場合における職員の経験年数の取り扱いについては、同項に定めるもののほか、第六条から第八条までの規定を準用する。

**（下位の区分を適用する方が有利な場合の号給）**

**第十四条**　前条の規定による号給が、その者に適用される初任給基準表の試験（選考）欄の区分より下位の同欄の区分を用い、又はその者の有する学歴免許等の資格のうち、下位の資格のみを有するものとしてこれらの規定を適用した場合に得られる号給に達しない職員については、当該下位の区分を用い、又は当該下位の資格のみを有するものとしてこれらの規定を適用した場合に得られる号給をもつて、その者の号給とすることができる。

**（人事交流等により異動した場合の号給）**

**第十五条**　次に掲げる者から人事交流等により引き続いて職員となつた者の号給が、前二条の規定による場合には著しく部内の他の職員との均衡を失すると認めるときは、これらの規定にかかわらず人事委員会の承認を得てその者の号給を決定することができる。

一　国家公務員等（国家公務員並びに国立大学法人法（平成十五年法律第百十二号）第二条第一項に規定する国立大学法人及び同条第三項に規定する大学共同利用機関法人の職員をいう。以下同じ。）

二　都に業務が移管される機関に勤務する者

三　職制若しくは定数の改廃又は予算の減少により廃職又は過員を生じたことにより身分移管を余儀なくされた者

四　公益的法人等への東京都職員の派遣等に関する条例（平成十三年東京都条例第百三十三号。以下「派遣条例」という。）第十二条第一号に規定する退職派遣者

五　人事委員会が前各号に準ずると認める者

**（特定の職員の号給）**

**第十六条**　新たに職員となつた者のうち、その職務の級を第九条第一号に掲げる職務の級に決定された者について内部の他の職員との均衡上必要があると認められるときは、あらかじめ人事委員会の承認を得て、第十三条から前条までの規定に準じてその者の号給を決定することができる。

2　初任給基準表の学歴免許等欄に学歴免許等の区分の定めがない職種欄の区分（これに対応する試験（選考）欄の区分の定めのあるものを除く。）の適用を受ける職員については、第十三条及び第十四条の規定にかかわらず、あらかじめ人事委員会の承認を得て定める基準に従い、その者の号給を決定することができる。

## 第四節　昇格及び降格

**（昇格）**

**第十七条**　職員を昇格させる場合には、その職務に応じ、かつ、次に定めるところにより、その者の属する職務の級を一級上位の職務の級に決定するものとする。

一　第九条第一号に掲げる職務の級への昇格については、人事委員会の承認を得ること。

二　前号に規定する職務の級以外の職務の級への昇格については、その職務の級について級別資格基準表に定める経験年数を有すること。なお、級別資格基準表に定める経験年数のうち二分の一以上の年数についてては、その職務の級に在級していなければならない。

2　前項の規定による昇格は、現に属する職務の級に二年以上（級別資格基準表に別に定める場合を除く。）在級していない職員については行うことができない。ただし、職務の特殊性等によりその在級する年数が二年に満たない者を特に昇格させる必要がある場合であらかじめ人事委員会の承認を得たときは、この限りでない。

**第十八条**　削除

**（特別な場合の昇格）**

**第十九条**　第八条の二の規定の適用を受けた職員を昇格させる場合及び外国の地方公共団体の機関等に派遣される職員の処遇等に関する条例（昭和六十三年東京都条例第十二号）第二条第一項の規定により派遣された職員（以下「海外派遣職員」という。）が職務に復帰した場合において、部内の他の職員との均衡上特に必要があると認められるときは、第十七条の規定にかかわらず、あらかじめ人事委員会の承認を得て昇格させることができる。

2　職員が生命をとして職務を遂行し、そのために危篤となり、又は重度心身障害の状態となつた場合は、第十七条の規定にかかわらずあらかじめ人事委員会の承認を得て昇格させることができる。

（昇格の場合の号給）

**第二十条**　職員を昇格させた場合におけるその者の号給は、次項に定める昇格を除き、別表第七に定める昇格時号給対応表（以下「昇格時号給対応表」という。）により得られる号給とする。

2　職員を行政職給料表㈠五級又は公安職給料表八級に昇格させた場合におけるその者の号給は、次の各号に定める号給とする。

一　昇格の日におけるその者の職が別表第八に定める行政職給料表㈠五級又は公安職給料表八級昇格時職務区分別号給表（以下「昇格時職務区分別号給表」という。）に定めがある場合は、昇格時職務区分別号給表の昇格後の号給欄に掲げる号給

二　昇格の日におけるその者の職が昇格時職務区分別号給表に定めがない場合は、一号給

3　前条の規定により職員を昇格させた場合で当該昇格が二級以上上位の職務の級への昇格であるときにおける前二項の規定の適用については、それぞれ一級上位の職務の級への昇格が順次行われたものとして取り扱うものとする。

4　職員の退職に伴い昇格させた場合におけるその者の号給は、前三項の規定にかかわらず、あらかじめ人事委員会の承認を得て定める。

（降格の場合の号給）

**第二十一条**　職員を降格させた場合におけるその者の号給は、次項に定める降格を除き、次の各号に定める号給とする。

一　降格した日の前日に受けていた号給（以下「降格前号給」という。）が昇格時号給対応表の昇格後の号給欄に定めるいずれかの号給に該当するときは、その号給に対応する昇格の日の前日に受けていた号給欄に掲げる号給（号給が二以上あるときは、最も上位の号給）

二　降格前号給が昇格時号給対応表の昇格後の号給欄に定める号給にないときは、降格した職務の級の最高の号給

2　職員を行政職給料表㈠五級又は公安職給料表八級から一級下位の職務の級に降格させた場合におけるその者の号給は、第二十二条第二項及び第三項の規定に準ずる方法により得られる号給とする。

3　職員を降格させた場合で当該降格が二級以上下位の職務の級への降格であるときにおける前二項の規定の適用については、それぞれ一級下位の職務の級への降格が順次行われたものとして取り扱うものとする。

（行政職給料表㈠五級等の適用を受ける職員を昇格時職務区分別号給表に定める職務区分の異なる職に異動させた場合の号給）

**第二十一条の二**　行政職給料表㈠五級又は公安職給料表八級の適用を受ける職員を昇格時職務区分別号給表に定める職務区分の異なる職に異動させた場合におけるその者の号給は、第二十条第二項の規定に準ずる方法により得られる号給とする。

### 第五節　初任給基準又は給料表の適用を異にする異動等

（初任給基準を異にする異動の場合の職務の級及び号給）

**第二十二条**　職員を給料表の適用を異にすることなく初任給基準表に異なる初任給の定めがある他の職種に属する職務に異動させる場合には、その異動後の職務に応じ、かつ、第九条第一号に掲げる職務の級にあつてはあらかじめ人事委員会の承認を得て、その他の職務の級にあつては級別資格基準表に定める資格基準に従い、それぞれ昇格させ、降格させ、又は引き続き従前の職務の級にとどまらせるものとする。

2　前項に規定する異動をした職員の当該異動後の号給は、次の各号に定める号給とする。

一　新たに職員となつた時（免許等を必要とする職務に異動した者にあつては、その免許等を取得した時）から異動後の職務と同種の職務に引き続き在職したものとみなしてその時の初任給を基礎とし、かつ、部内の他の職員との均衡及びその者の従前の勤務成績を考慮して昇格、昇給等の規定を適用した場合に異動の日に受けることとなる号給

二　号給の決定について第十五条の規定の適用を受けた者については、あらかじめ人事委員会の承認を得て定める基準に従い前号の規定に準じて昇格、昇給等の規定を適用した場合に異動の日に受けることとなる号給

3　前項の規定によるその者の号給が新たに職員となつたものとした場合に初任給として受けるべき号給に達しないときは、同項の規定にかかわらず、当該初任給として受けるべき号給をもつて、その者の異動後の号給とすることができる。

（給料表の適用を異にする異動の場合の職務の級及び号給）

**第二十三条**　職員を給料表の適用を異にして他の職務に異動させる場合におけるその者の職務の級は、その異動後の職務に応じ、かつ、第九条第一号に掲げる職務の級にあつてはあらかじめ人事委員会の承認を得て、その他の職務の級にあつては級別資格基準表に定める資格基準に従い決定するものとする。

2　前条第二項及び第三項の規定は、前項に規定する異動をした職員の異動後の号給について準用する。

**（条例以外の給与に関する条例の適用を受ける者から条例の適用者に異動する場合の職務の級及び号給）**

**第二十四条**　学校職員の給与に関する条例（昭和三十一年東京都条例第六十八号）又は東京都公営企業職員の給与の種類及び基準に関する条例（昭和二十八年東京都条例第十九号）の適用を受ける者から条例の適用を受ける職員に異動させる場合における職務の級及び号給は、前条の規定に準じて決定するものとする。

### 第六節　削除

**第二十五条及び第二十六条**　削除

### 第七節　昇給及び降給

**（昇給日及び勤務成績の証明）**

**第二十七条**　条例第六条第三項の規定による人事委員会の定める日は、毎年四月一日（以下「昇給日」という。）又は人事委員会の承認を得て定める日とする。

2　条例第六条第三項の規定による人事委員会の定める期間とは、昇給日の属する年の前年の一月一日から十二月三十一日までの期間又は人事委員会の承認を得て定める期間とする。

3　条例第六条第三項の規定による昇給は、昇給させようとする者の勤務成績について、その者の職務について監督する地位にある者の証明を得て行わなければならない。

**（昇給の基準）**

**第二十八条**　条例第六条第三項の規定により昇給させる場合の号給数は、人事評価の結果について人事委員会の承認を得て定める付与率その他の基準により区分した評語が中位となった職員の昇給の号給数を欠勤等の特別の事情がない限り四号給とすることを標準として、零から六号給までの範囲内とする。ただし、特に必要があると認められる場合には、この号給数と別に四号給の範囲内で号給数の調整を行うことができる。

2　前項に定めるもののほか、前条及び同項により昇給させる場合の基準は、あらかじめ人事委員会の承認を得て定める。

**（特別な場合の昇給）**

**第二十九条**　勤務成績の特に良好な職員が生命をとして職務を遂行し、そのために危篤となり、又は重度心身障害の状態となった場合その他特に必要があると認められる場合には、あらかじめ人事委員会の承認を得て、四号給の範囲内で条例第六条第三項の規定による昇給をさせることができる。

**（一定年齢を超える職員の昇給）**

**第二十九条の二**　条例第六条第五項に規定する職員に関する第二十八条第一項の規定の適用については、同項本文中「四号給」とあるのは「零」と、「六号給」とあるのは「二号給」とする。

2　条例第六条第五項の規定による人事委員会の定める職員は、医療職給料表㈠の適用を受ける職員とし、同項に規定する人事委員会規則で定める年齢は五十七歳とする。

**（昇給号給数の上限）**

**第三十条**　条例第六条第六項の規定により、前三条に規定する昇給の号給数が、昇給させようとする日にその者が属する職務の級の最高の号給の号数から昇給させようとする日の前日にその者が受けていた号給の号数を減じて得た数に相当する号給数を超えることとなる職員の号給数は、これらの規定にかかわらず、当該相当する号給数とする。

**（降格と降給とが同日に行われる場合の号給）**

**第三十条の二**　第二十一条の規定による降格と条例第六条第八項の規定による降給とが同日に行われる場合におけるその者の号給は、同項の規定により決定された号給から第二十一条の規定を適用して得られる号給とする。

**第三十一条及び第三十二条**　削除

### 第八節　特別の場合における号給の調整

**（上位資格取得等の場合の号給の調整）**

**第三十三条**　職員が新たに職員となったものとした場合に、現に受ける号給より上位の号給を初任給として受けるべき資格を取得した場合（第二十二条第二項（第二十三条及び第二十四条において準用する場合を含む。）の規定の適用を受ける場合を除く。）又はこれに準ずる場合で人事委員会の承認を得た場合は、その者の号給を人事委員会の定めるところにより上位の号給に決定することができる。

**（行政職給料表㈠五級等の適用を受ける職員についての適用除外）**

**第三十四条**　第二十七条から第三十三条までの規定は、行政職給料表㈠五級及び公安職給料表八級の適用を受ける職員には適用しない。

### 第九節　補則

**（この規則の特例）**

**第三十五条**　この規則により難いと認められるときは、あらかじめ人事委員会の承認を得て別段の定めをすることができる。

### 附　則

1　この規則は、昭和四十八年四月一日から施行する。

2　改正前の規則に基づきなされた昇格及び昇給等に関する決定その他の手続きは、この規則の規定に基づきなされたものとみなす。

3　昭和四十八年三月三十一日以前から在職する職員については、改正後の規則を適用して号給を決定される者との権衡上必要と認められる限度において、人事委員会の承認を得て、調整を行なうことができる。

**附　則**（平三一・三・二九人事委員会規則六）

**（施行期日）**

1　この規則は、平成三十一年四月一日から施行する。

**（経過措置）**

2　この規則の施行の日（以下「施行日」という。）の前日に職員の給与に関する条例の一部を改正する条例（平成三十年東京都条例第百四号）による改正前の職員の給与に関する条例（昭和二十六年東京都条例第七十五号）別表第二に掲げる公安職給料表の職務の級二級の適用を受けていた職員を施行日に一級上位の職務の級へ昇格させる場合におけるその者の号給は、施行日の前日に昇格したものとみなし、この規則による改正前の初任給、昇格及び昇給等に関する規則別表第七ハの項の規定を適用して得られる号給とする。

**附　則**（令六・三・二九人事委員会規則七）

この規則は、令和六年四月一日から施行する。

**附　則**（令六・六・二八人事委員会規則一〇）

この規則は、令和六年七月一日から施行する。

**別表第1**　削除

**別表第2**　級別資格基準表（第4条関係）

イ　行政職給料表(一)級別資格基準表

| 職種 | 試験（選考） | 学歴免許等 | 職務の級 1級 | 2級 | 3級 |
|---|---|---|---|---|---|
| 事務 福祉 技術 | キャリア活用 | | | 0 | 3 |
| | 経験者 | | 0 | 3 | 5 |
| 事務 技術 | Ⅰ類A | | 0 | 3 | 5 |
| 事務 福祉 技術 | Ⅰ類B | | 0 | 5 | 5 |
| | Ⅱ類 | | 0 | 7 | 5 |
| | Ⅲ類 | | 0 | 9 | 5 |
| 獣医 | | 大学6卒 | 0 | 3 | 5 |

備考

1　職務の級欄に掲げる数字のうち「0」は、当該職務の級に決定するために必要な経験年数を示す。

2　獣医にこの表を適用する場合における当該職員の経験年数は、免許を取得した時以後のものとする。

3　管理職選考（試験選考職）の合格者を職務の級3級に決定するために必要な経験年数は、別に定める。

4　試験（選考）の区分がキャリア活用の者を採用時に職務の級3級に決定する場合には、職務の級欄のうち2級を空欄、3級を「0」と読み替える。

5　試験（選考）の区分が経験者の者を採用時に職務の級2級に決定する場合には、職務の級欄のうち1級を空欄、2級を「0」、3級を「3」と読み替える。

6　試験（選考）の区分が経験者の者を採用時に職務の級3級に決定する場合には、職務の級欄のうち1級及び2級を空欄、3級を「0」と読み替える。

7　キャリア活用及び経験者の経験年数の起算については、経験年数起算表の定めるところによる。

ロ　行政職給料表(二)級別資格基準表

| 職種 | 職務の級 1級 | 2級 | 3級 | 4級 |
|---|---|---|---|---|
| 自動車運転 海技 自動車整備 機械管理 技能Ⅰ 技能Ⅱ 業務 | 0 | 16 | 4 | 3 |

備考

1　職務の級欄に掲げる数字のうち「0」は、当該職務の級に決定するために必要な経験年数を示す。

2　採用前にその職務について有用な経験等を有する場合は、人事委員会の承認を得て定める基準により算出された年数を、6年の範囲内で都における経験年数とみなすことができる。

3　職種欄に掲げる職で免許を必要とする職に採用された者にこの表を適用する場合におけるその者の経験年数は、それぞれの免許を取得した時以後のものとする。

ハ　公安職給料表級別資格基準表

| 職種 | 試験（選考） | 学歴免許等 | 職務の級 1級 | 2級 | 3級 | 4級 | 5級 |
|---|---|---|---|---|---|---|---|
| 警察官 消防 吏員 | Ⅰ類 | | 0 | 3 | 1 | 4 | 3 |
| | Ⅱ類 | | 0 | 4 | 2 | 4 | 3 |
| | Ⅲ類 | | 0 | 5 | 3 | 4 | 3 |

備考

職務の級欄に掲げる数字のうち「0」は、当該職務の級に決定するために必要な経験年数を示す。

二 削除

ホ 医療職給料表(一)級別資格基準表

| 職種 | 学歴免許等 | 職務の級 1級 |
|---|---|---|
| 医師<br>歯科医師 | 大学6卒 | 0 |

備考

職務の級欄に掲げる数字は、当該職務の級に決定するために必要な経験年数を示し、この表を適用する場合における職員の経験年数は、それぞれの免許を取得した時以後のものとする。

ヘ 医療職給料表(二)級別資格基準表

| 職種 | 試験(選考) | 学歴免許等 | 職務の級 1級 | 2級 | 3級 |
|---|---|---|---|---|---|
| 薬剤 | | 大学6卒 | 0 | 3 | 3 |
| 歯科衛生<br>歯科技工<br>マッサージ<br>理学療法<br>作業療法<br>視能訓練<br>衛生検査<br>栄養士<br>診療放射線<br>診療エックス線<br>臨床検査<br>医療技術 | I類B | | 0 | 5 | 5 |
| | II類 | 短大3卒 | 0 | 6 | 5 |
| | | 短大2卒 | 0 | 7 | 5 |
| | III類 | 高校専攻科卒 | 0 | 8 | 5 |
| | | | 0 | 9 | 5 |

備考

1 職務の級欄に掲げる数字のうち「0」は、当該職務の級に決定するために必要な経験年数を示す。

2 この表を適用する場合における職員の経験年数は、医療技術を除き、それぞれの免許を取得した時以後とする。

ト 医療職給料表(三)級別資格基準表

| 職種 | 試験(選考) | 学歴免許等 | 職務の級 1級 | 2級 | 3級 |
|---|---|---|---|---|---|
| 看護師 | キャリア活用 | | | 0 | 3 |
| 保健師<br>助産師<br>看護師 | 看護教員 | 大学4卒 | 0 | 5 | 5 |
| 保健師 | I類B | | 0 | 5 | 5 |
| | II類 | 短大3卒 | 0 | 6 | 5 |
| 助産師 | | 短大3卒 | 0 | 6 | 5 |
| 看護師 | | 短大2卒 | 0 | 7 | 5 |
| 准看護師 | | 准看護師養成所卒 | 0 | 15 | － |

備考

1 職務の級欄に掲げる数字のうち「0」は、当該職務の級に決定するために必要な経験年数を示す。

2 試験(選考)欄の「看護教員」の区分の適用を受ける者に対するこの表の適用については、学歴免許等資格区分表における「短大3卒」の区分の適用を受けるものについては、学歴免許等の欄中「大学4卒」とあるのは「短大3卒」と、学歴免許等資格区分表における「短大2卒」の区分の適用を受けるもの(職種欄の「看護師」の区分の適用を受けるものに限る。)については学歴免許等の欄中「大学4卒」とあるのは「短大2卒」とする。

3 職種欄の「助産師」の区分の適用を受ける者(試験(選考)欄の「看護教員」の区分の適用を受けるものを除く。)に対するこの表の適用については、学歴免許等資格区分表における「大学4卒」(上位の区分を含む。)の区分の適用を受けるものについては、学歴免許等の欄中「短大3卒」とあるのは「大学4卒」と、職務の2級の欄中「6」とあるのは「5」とする。

4 職種欄の「看護師」の区分の適用を受ける者(試験(選考)欄の「キャリア活用」及び「看護教員」の区分の適用を受けるものを除く。)に対するこの表の適用については、学歴免許等資格区分表における「大学4卒」(上位の区分を含む。)の区分の適用を受けるものについては、学歴免許等の欄中「短大2卒」とあるのは「大学4卒」と、職務の2級の欄中「7」とあるのは「5」と、学歴免許等資格区分表における「短大3卒」の区分の適用を受けるものについては、学歴免許等の欄中「短大2卒」とあるのは「短大3卒」と、職務の2級の欄中「7」とあるのは「6」とする。

5 学歴免許等欄の「准看護師養成所卒」は保健師助産師看護師法(昭和23年法律第203号)第22条第1号又は第2号に規定する学校又は養成所(保健婦助産婦看護婦法の一部を改正する法律(平成13年法律第153号)による改正前の保健婦助産婦看護婦法(以下「改正前の保健婦助産婦看護婦法」という。)第22条第1号又は第2号に規定する学校又は養成所を含む。)の卒業を示す。

6 この表を適用する場合における職員の経験年数は、それぞれの免許を取得した時(保健師及び助産師で看護師免許を有する職員にあつては、看護師免許を取得した時)以後のものとする。

7 試験(選考)の区分がキャリア活用の者を採用時に職務の級3級に決定する場合には、職務の級欄のうち2級を空欄、3級を「0」と読み替える。

8　キャリア活用の経験年数の起算については、経験年数起算表の定めるところによる。

**別表第3**　学歴免許等資格区分表（第5条関係）

| 学歴免許等の区分 | | 学歴免許等の資格 |
|---|---|---|
| 区分 | 学歴区分 | |
| 1　大学卒 | 一　博士課程修了 | 学校教育法による大学院博士課程の修了 |
| | 二　修士課程修了 | 学校教育法による大学院修士課程の修了 |
| | 三　専門職学位課程修了 | 学校教育法による専門職大学院専門職学位課程の修了 |
| | 四　大学6卒 | 学校教育法による大学の医学若しくは歯学に関する学科（同法第85条ただし書に規定する学部以外の教育研究上の基本となる組織を置く場合における相当の組織を含む。以下同じ。）又は薬学若しくは獣医学に関する学科（修業年限6年のものに限る。）の卒業 |
| | 五　大学専攻科卒 | 学校教育法による4年制の大学の専攻科の卒業 |
| | 六　大学4卒 | (1)　学校教育法による4年制の大学の卒業<br>(2)　保健師助産師看護師法による保健師助産師学校、保健師養成所、助産師学校又は助産師養成所（同法による看護師学校の卒業又は看護師養成所の卒業を入学資格とする修業年限1年以上のものに限る。）の卒業 |
| 2　短大卒 | 一　短大3卒 | (1)　学校教育法による3年制の短期大学の卒業又は専門職大学の修業年限2年の前期課程の修了<br>(2)　学校教育法による2年制の短期大学の専攻科の卒業<br>(3)　学校教育法による高等専門学校の専攻科の卒業<br>(4)　診療放射線技師法（昭和26年法律第226号）による診療放射線技師学校又は診療放射線技師養成所（いずれも「高校3卒」を入学資格とする修業年限3年以上のものに限る。）の卒業<br>(5)　臨床検査技師等に関する法律（昭和33年法律第76号）による臨床検査技師学校又は臨床検査技師養成所（臨床検査技師、衛生検査技師等に関する法律の一部を改正する法律（平成17年法律第39号）による改正前の臨床検査技師、衛生検査技師等に関する法律による臨床検査技師学校又は臨床検査技師養成所を含むものとし、いずれも「高校3卒」を入学資格とする修業年限3年以上のものに限る。）の卒業<br>(6)　理学療法士及び作業療法士法（昭和40年法律第137号）による理学療法士学校、理学療法士養成施設、作業療法士学校又は作業療法士養成施設（いずれも「高校3卒」を入学資格とする修業年限3年以上のものに限る。）の卒業<br>(7)　保健師助産師看護師法による看護師学校又は看護師養成所（いずれも「高校3卒」を入学資格とする修業年限3年以上のものに限る。）の卒業 |
| | 二　短大2卒 | (1)　学校教育法による2年制の短期大学の卒業又は専門職大学の修業年限2年の前期課程の修了<br>(2)　学校教育法による高等専門学校の卒業<br>(3)　学校教育法による高等学校、中等教育学校又は特別支援学校の専攻科（2年制の短期大学と同程度とみなされる修業年限2年以上のものに限る。）の卒業<br>(4)　栄養士法（昭和22年法律第245号）第2条第1項の規定による栄養士の養成施設（「高校3卒」を入学資格とする修業年限2年以上のものに限る。）の卒業<br>(5)　保健師助産師看護師 |

| | | |
|---|---|---|
| | | 法による看護師学校又は看護師養成所の進学課程（同法第21条第4号に該当する者に係る課程をいう。）の卒業 |
| 3　高校卒 | 一　高校専攻科卒 | 学校教育法による高等学校、中等教育学校又は特別支援学校の専攻科の卒業 |
| | 二　高校3卒 | 学校教育法による高等学校、中等教育学校又は特別支援学校（同法第76条第2項に規定する高等部に限る。）の卒業 |
| | 三　高校2卒 | 保健師助産師看護師法による准看護師学校又は准看護師養成所の卒業 |
| 4　中学卒 | 中学卒 | 学校教育法による中学校、義務教育学校若しくは特別支援学校（同法第76条第1項に規定する中学部に限る。）の卒業又は中等教育学校の前期課程の修了 |

備考
1　本表のそれぞれの学歴免許等の区分に相当すると認められる学歴免許等の資格については、別に定める。
2　本表の「保健師学校」、「保健師養成所」、「助産師学校」、「助産師養成所」、「看護師学校」、「看護師養成所」、「准看護師学校」及び「准看護師養成所」は、それぞれ改正前の保健婦助産婦看護婦法による保健婦学校、保健婦養成所、助産婦学校、助産婦養成所、看護婦学校、看護婦養成所、准看護婦学校及び准看護婦養成所を含む。
3　この表「特別支援学校」は、学校教育法等の一部を改正する法律（平成18年法律第80号）による改正前の学校教育法による盲学校、ろう学校及び養護学校を含む。

**別表第4**　経験年数換算表（第6条関係）

| 経歴の種類 | 職員の職務との関係 | 換算率 | 備考 |
|---|---|---|---|
| 国家公務員等地方公務員又は公共企業体、政府関係機関若しくは外国政府の職員としての在職期間 | 職務の種類が同種のもの | （割）10 | |
| | その他のもの | 8 | |
| 民間における企業体、団体等の職員としての在職期間 | 職務の種類が同種のもの | 10 | 1　在学年数は正規の修学年数の範囲内とする。<br>2　従事する職務と密接な関係のある在学期間については、人事委員会の承認を得て8割に換算することができる。 |
| | その他のもの | 8 | |
| 学校又は学校に準ずる教育機関における在学期間 | | 5 | |
| その他の期間 | | 5 | 経験年数は10年（換算後5年）を限度とする。 |

備考
1　保健師及び助産師については、看護師実歴5年までを10割に換算することができる。
2　免許等の取得を条件とし、免許等を必要とする職務に従事する職員については、同種の職務に従事した期間は10割をもつて換算することができる。
3　看護師については、准看護師の期間は10割に換算することができる。

**別表第5**　経験年数起算表（第6条関係）

| 試験（選考） | 学歴免許等 | | | | | | | | |
|---|---|---|---|---|---|---|---|---|---|
| | 修士課程修了等 | 大学専攻科卒等 | 大学4卒 | 短大3卒 | 短大2卒 | 高校専攻科卒 | 高校3卒 | 高校2卒 | 中学卒 |
| キャリア活用 | 5年 | 6年 | 7年 | 8年 | 9年 | 10年 | 11年 | 12年 | 14年 |
| 経験者 | 2年 | 2年 | 2年 | 3年 | 4年 | 5年 | 6年 | 7年 | 9年 |

備考
1　学歴免許等の区分は、学歴免許等資格区分表の定めるところによるものとする。ただし、「修士課程修了等」とは、学歴免許等資格区分表における「博士課程修了」、「修士課程修了」のうち標準修業年限2年以上のもの、「専門職学位課程修了」のうち標準修業年限2年以上のもの及び「大学6卒」を、「大学専攻科卒等」とは、学歴免許等資格区分表における「修士課程修了」のうち標準修業年限1年のもの、「専門職学位課程修了」のうち標準修業年限1年のもの及び「大学専攻科卒」をいう。
2　経験年数の起算は、職員の経歴のうち、経験年数換算表における「国家公務員等、地方公務員又は公共企業体、政府関係機関若しくは外国政府の職員としての在職期間」又は「民間における企業体、団体等の職員としての在職期間」(6月以上のもの（別表第2ト医療職給料表(三)級別資格基準表の職種欄の「看護師」の区分の適用を受ける者については、看護師免許を取得した時以後のもの）に限る。）の通算が学歴免許等欄に掲げる年数に達し、かつ、当該学歴免許等の資格を取得した時以後とする。

3　別表第6イ行政職給料表(一)初任給基準表の備考1及び同表ト医療職給料表(三)初任給基準表の備考8に定める初任給の適用を受ける者の学歴免許等欄に掲げる年数は、学歴免許等に適用される年数に3年を加えた年数とする。

4　別表第6イ行政職給料表(一)初任給基準表の備考3に定める初任給の適用を受ける者の学歴免許等欄に掲げる年数は、学歴免許等に適用される年数に「修士課程修了等」にあつては3年を、「大学専攻科卒等」にあつては4年を、「大学4卒」、「短大3卒」、「短大2卒」、「高校専攻科卒」、「高校3卒」、「高校2卒」及び「中学卒」にあつては5年を加えた年数とする。

5　別表第6イ行政職給料表(一)初任給基準表の備考4に定める初任給の適用を受ける者の学歴免許等欄に掲げる年数は、学歴免許等に適用される年数に「修士課程修了等」にあつては6年を、「大学専攻科卒等」にあつては7年を、「大学4卒」、「短大3卒」、「短大2卒」、「高校専攻科卒」、「高校3卒」、「高校2卒」及び「中学卒」にあつては8年を加えた年数とする。

**別表第6**　初任給基準表（第10条、第11条関係）

イ　行政職給料表(一)初任給基準表

| 職種 | 試験(選考) | 学歴免許等 | 初任給 |
|---|---|---|---|
| 事務<br>福祉<br>技術 | キャリア活用 | | 2級25号給 |
| | 経験者 | | 1級37号給 |
| 事務<br>技術 | Ⅰ類A | | 1級37号給 |
| 事務<br>福祉<br>技術 | Ⅰ類B | | 1級29号給 |
| | Ⅱ類 | | 1級17号給 |
| | Ⅲ類 | | 1級5号給 |
| 獣医 | | 大学6卒 | 1級37号給 |

備考

1　試験（選考）の区分がキャリア活用の者のうち、職務の級3級の適用を受けるものについては、初任給欄の号給を3級29号給とする。

2　試験（選考）の区分が経験者の者のうち、職務の級1級の適用を受け、経験年数起算表における「大学専攻科卒等」の区分の適用を受けるものについては、初任給の欄中「1級37号給」とあるのは「1級40号給」と、職務の級1級の適用を受け、同表における「修士課程修了等」の区分の適用を受けるものについては、初任給の欄中「1級37号給」とあるのは「1級43号給」とする。

3　試験（選考）の区分が経験者の者のうち、職務の級2級の適用を受けるものについては、初任給欄の号給を2級25号給とする。

4　試験（選考）の区分が経験者の者のうち、職務の級3級の適用を受けるものについては、初任給欄の号給を3級29号給とする。

5　試験（選考）の区分がⅠ類Aの者のうち、学校教育法に規定する専門職大学院のうち専門職大学院設置基準（平成15年文部科学省令第16号）に規定する法科大学院の課程を修了したもの（在学期間3年以上のものに限る。）については、初任給欄の号給を1級40号給とする。

ロ　行政職給料表(二)初任給基準表

| 職種 | 学歴免許等 | 初任給 |
|---|---|---|
| 自動車運転<br>海技 | | |
| 自動車整備<br>機械管理 | | 1級17号給 |
| 技能Ⅰ | | 1級17号給 |
| 技能Ⅱ | | 1級17号給 |
| 業務 | | 1級17号給 |

備考

1　この表の適用を受ける職員が満18歳以後において有用な経験等を有する場合の初任給等の調整については、別に定める。

2　技能Ⅰとは、土木若しくはこれに準ずる技能職場において重労働に従事する職員の職又は清掃若しくはこれに準ずる職場において作業に従事する職員の職をいい、技能Ⅱとは、その他の技能系の職員の職（職種欄に掲げられている職種の職を除く。）をいう。

ハ　公安職給料表初任給基準表

| 職種 | 試験(選考) | 初任給 |
|---|---|---|
| 警察官<br>消防吏員 | Ⅰ類 | 1級25号給 |
| | Ⅱ類 | 1級17号給 |
| | Ⅲ類 | 1級9号給 |

ニ　削除

ホ　医療職給料表(一)初任給基準表

| 職種 | 学歴免許等 | 初任給 |
|---|---|---|
| 医師 | 大学6卒（インターン修了） | 1級13号給 |
| 医師及び歯科医師 | 大学6卒 | 1級9号給 |

ヘ　医療職給料表(二)初任給基準表

| 職種 | 試験（選考） | 学歴免許等 | 初任給 |
|---|---|---|---|
| 薬剤 | | 大学6卒 | 1級39号給 |
| 栄養士 | I類B | | 1級29号給 |
| | II類 | 短大2卒 | 1級17号給 |
| 診療放射線 | II類 | 短大3卒 | 1級21号給 |
| 臨床検査 | I類B | | 1級29号給 |
| | II類 | 短大3卒 | 1級21号給 |
| 衛生検査 | I類B | | 1級29号給 |
| | II類 | 短大2卒 | 1級17号給 |
| 理学療法<br>作業療法<br>視能訓練 | II類 | 短大3卒 | 1級21号給 |
| 歯科衛生 | II類 | 短大3卒 | 1級21号給 |
| | | 短大2卒 | 1級17号給 |
| | III類 | 高校専攻科卒 | 1級13号給 |
| 歯科技工 | II類 | 短大2卒 | 1級17号給 |
| マッサージ | III類 | | 1級5号給 |
| 医療技術 | I類B | | 1級29号給 |

備考　医療技術II類の初任給基準については、別の定めによる。

ト　医療職給料表(三)初任給基準表

| 職種 | 試験（選考） | 学歴免許等 | 初任給 |
|---|---|---|---|
| 看護師 | キャリア活用 | | 2級25号給 |
| 保健師<br>助産師 | 看護教員 | 大学4卒 | 1級25号給 |
| 看護師 | | | |
| 保健師 | I類B | | 1級25号給 |
| | II類 | 短大3卒 | 1級21号給 |
| 助産師 | | 短大3卒 | 1級21号給 |
| 看護師 | | 短大2卒 | 1級17号給 |
| 准看護師 | | 准看護師養成所卒 | 1級1号給 |

備考

1　試験（選考）欄の「看護教員」の区分の適用を受ける者に対するこの表の適用については、次のとおりとする。

(1)　その者が学歴免許等資格区分表における「短大3卒」の区分の適用を受ける場合は、学歴免許等の欄中「大学4卒」とあるのは「短大3卒」と、初任給の欄中「1級25号給」とあるのは「1級21号給」とする。

(2)　その者が学歴免許等資格区分表における「短大2卒」の区分の適用を受ける場合（職種欄の「看護師」の区分の適用を受ける場合に限る。）は、学歴免許等の欄中「大学4卒」とあるのは「短大2卒」と、初任給の欄中「1級25号給」とあるのは「1級17号給」とする。

2　職種欄の「助産師」の区分の適用を受ける者（試験（選考）欄の「看護教員」の区分の適用を受けるものを除く。）に対するこの表の適用については、学歴免許等資格区分表における「大学4卒」（上位の区分を含む。）の区分の適用を受けるものについては、学歴免許等の欄中「短大3卒」とあるのは「大学4卒」と、初任給の欄中「1級21号給」とあるのは「1級25号給」とする。

3　職種欄の「看護師」の区分の適用を受ける者（試験（選考）欄の「キャリア活用」及び「看護教員」の区分の適用を受けるものを除く。）に対するこの表の適用については、学歴免許等資格区分表における「大学4卒」（上位の区分を含む。）の区分の適用を受けるものについては、学歴免許等の欄中「短大2卒」とあるのは「大学4卒」と、初任給の欄中「1級17号給」とあるのは「1級25号給」と、学歴免許等資格区分表における「短大3卒」の区分の適用を受けるものについては、学歴免許等の欄中「短大2卒」とあるのは「短大3卒」と、初任給の欄中「1級17号給」とあるのは「1級21号給」とする。

4　この表の「准看護師養成所卒」については、別表第2のトの医療職給料表(三)級別資格基準表の備考第5項に定めるところによる。

5　准看護師の業務に3年以上従事し、保健師助産師看護師法第21条第4号の規定により看護師免許を取得し、更に同法第19条の規定に基づき保健師の免許を取得した者のうち、I類Bの採用試験に合格したものを保健師として採用した場合におけるこの表の適用については、試験（選考）欄のI類Bの区分に対応する初任給欄の号給を「1級29号給」とする。

6　准看護師の業務に3年以上従事し、保健師助産師看護師法第21条第4号の規定により看護師免許を取得し、更に同法第20条の規定に基づき助産師の免許を取得した者のうち、助産師採用選考に合格したものを助産師として採用した場合におけるこの表の適用については、学歴免許等資格区分表における「大学4卒」（上位の区分を含む。）の区分の適用を受けるものについては、学歴免許等の欄中「短大3卒」とあるのは「大学4卒」と、初任給の欄中「1級21号給」とあるのは「1級29号給」とする。

7　准看護師の業務に3年以上従事し、保健師助産師看護師法第21条第4号の規定により看護師免許を取得した者を看護師として採用した場合（試験（選考）欄の「キャリア活用」の区分の適用を受けるものを除く。）におけるこの表の適用については、初任給欄の号給を「1級25号給」とする。

8　試験（選考）の区分がキャリア活用の者のうち、職務の級3級の適用を受けるものについては、初任給欄の号給を3級29号給とする。

**別表第7**　昇格時号給対応表（第20条関係）〔略〕

**別表第8**　行政職給料表(一)6級昇格時職務区分別号給表（第20条関係）〔略〕

# ○任命権者が職員の給与の減額を免除することのできる場合の基準

昭二七・二・一六
人事委員会規則三

最終改正　令三・二・二四人事委員会規則一

**（この規則の目的）**

**第一条**　この規則は、職員の給与に関する条例（昭和二十六年六月東京都条例第七十五号。以下「条例」という。）第十四条第二項の規定に基き、任命権者が職員の給与の減額を免除することのできる場合の基準を定めることを目的とする。

**（減額免除の基準）**

**第二条**　任命権者は、職員が職員の勤務時間、休日、休暇等に関する条例（平成七年東京都条例第十五号）に規定する正規の勤務時間に勤務しない場合において、勤務しないことにつき給与の減額の免除を申請したときは、別表に定める基準に従い、これを承認することができる。

**附　則**

1　この規則は、公布の日から施行する。

2　削除

3　この規則施行の際、職員が勤務しないことにつき、現に任命権者の承認を得た事項であつて、この規則にてい触しないものは、この規則によつて承認を得たものとみなす。

4　業務上負傷し、又は疾病にかかり休養中の職員の給与については、昭和二十七年三月三十一日までの間は、なお従前の例による。

**附　則**（令三・二・二四人事委員会規則一）

この規則は、公布の日から施行し、この規則による改正後の任命権者が職員の給与の減額を免除することのできる場合の基準別表第一号の規定は、令和三年二月十三日から適用する。

別表

| 原因 | 承認を与える日又は時間 |
| --- | --- |
| 一 感染症の予防及び感染症の患者に対する医療に関する法律（平成十年法律第百十四号）による就業制限、交通の制限若しくは遮断若しくは検疫法（昭和二十六年法律第二百一号）による停留若しくは感染を防止するための協力 | その都度必要と認める日又は時間 |
| 二 風、水、震、火災その他の非常災害による交通遮断 | 右に同じ。 |
| 三 その他交通機関の事故等の不可抗力による原因 | 右に同じ。 |
| 四 在勤庁の事務又は事業の運営上の必要に基づく事務又は事業の全部又は一部の停止<br>（注）台風の来襲等による事故発生の防止のための措置を含むものとする。 | 右に同じ。 |
| 五 研修を受ける場合 | 計画の実施に伴い必要と認める期間<br>（職員の職務に専念する義務の特例に関する条例（昭和二十六年東京都条例第十六号）） |
| 六 職員の厚生に関する計画の実施に参加する場合（元気を回復し、相互の緊密度を高め、勤務能率の増進に資する目的をもって職員の所属が主催する行事に参加する場合を除く。） | 右に同じ。<br>（右に同じ。） |
| 七 職員団体のための職員の行為の制限の特例に関する条例（昭和四十一年東京都条例第九十八号）第二条第一項第一号に定める適法な交渉を行う場合 | その都度必要と認める時間 |
| 八 国又は他の地方公共団体その他の公共団体若しくはその職務と関連を有する公益に関する団体の事業又は事務に報酬を得ずに従事する場合 | 右に同じ。<br>（職員の職務に専念する義務の免除に関する規則（昭和二十七年東京都人事委員会規則第一号）） |
| 九 法令又は条例に基づいて設置された職員の厚生福利を目的とする団体の事業又は事務に従事する場合 | 右に同じ。<br>（右に同じ。） |
| 十 職員が報酬を得ずに都又は都の機関以外のものの主催する講演会等において都政又は学術等に関し講演を行う場合 | 右に同じ。<br>（右に同じ。） |
| 十一 職務上の教養に資する講演会等を聴講する場合 | 右に同じ。<br>（右に同じ。） |
| 十二 職務の遂行上必要な資格試験を受験する場合 | 右に同じ。<br>（右に同じ。） |
| 十三 削除 | |
| 十四 前各号のほか、あらかじめ人事委員会の承認を経て任命権者が定めた事項 | 当該事項につき人事委員会が承認した期間又は時間 |

備考 承認を与える期間中一定日数で示されているものは、その日数中に、その間の週休日並びに休日及び代休日を含むものとする。

# ○地域手当に関する規則

昭四三・三・一六
規則一九

最終改正　令四・六・二二規則一四〇

（目的）

**第一条**　この規則は、職員の給与に関する条例（昭和二十六年東京都条例第七十五号。以下「条例」という。）第十一条の二第三項の規定に基づき、地域手当の支給について必要な事項を定めることを目的とする。

（支給額）

**第二条**　地域手当の支給額は、職員が受けるべき給料、給料の特別調整額及び扶養手当の月額の合計額（以下「合計額」という。）に当該職員が在勤する別表上欄に掲げる支給地域の区分に応じ、同表下欄に定める支給割合を乗じて得た額とする。

（医師等の特例）

**第二条の二**　医療職給料表㈠の適用を受ける職員、指定職給料表の適用を受ける職員（医師又は歯科医師に限る。）及び東京都の一般職の任期付職員の採用及び給与の特例に関する条例（平成十四年東京都条例第百六十一号）第四条第一項の給料表の適用を受ける職員（医師又は歯科医師に限る。）に支給する地域手当の支給額は、当分の間、前条の規定にかかわらず、合計額に百分の二十を乗じて得た額とする。

（新規採用職員の特例）

**第二条の三**　新たに採用された職員（地方公務員法（昭和二十五年法律第二百六十一号）第二十二条の四第一項の規定により採用された者（以下「定年前再任用短時間勤務職員」という。）、次の各号に掲げる者から人事交流等により引き続いて職員となった者又は特に知事が定める者を除く。）のうち、別表上欄に掲げる支給地域のうち東京都の部に規定する支給地域以外の地域に勤務する者の地域手当の額は、当分の間、第二条の規定にかかわらず、新たに職員となった日から三年（新たに職員となった日から三年を経過する際任命権者が特に必要と認める職員にあっては、四年）を経過するまでの間、合計額に、別表上欄に掲げる支給地域のうち東京都の部以外に規定する支給地域（以下「都外地域」という。）にあっては百分の二十を、別表上欄に掲げる支給地域以外の地域（以下「支給地域以外の地域」という。）にあっては百分の九を乗じて得た額とする。

一　国家公務員等

二　他の地方公共団体の職員等

三　公益的法人等への一般職の地方公務員の派遣等に関する法律（平成十二年法律第五十号）第十条に規定する退職派遣者

（異動保障）

**第二条の四**　職員（定年前再任用短時間勤務職員を除く。以下この条において同じ。）が在勤する地域が都外地域であって、別表上欄に掲げる支給地域のうち東京都の部に規定する支給地域及び東京都公営企業職員の給与の種類及び基準に関する条例（昭和二十八年東京都条例第十九号）に基づき定められている公営企業管理規程により支給割合が百分の二十である東京都の区域外の地域（以下「区部・多摩地域等」という。）から異動後三年以内（異動後三年を経過する際任命権者が特に必要と認める職員にあっては、八年以内）の者（当該在勤していた地域に当該異動の日の前日まで引き続き六箇月を超えて在勤していた場合に限る。以下この条において「異動後三年以内の者」という。）にあっては、当分の間、第二条の規定にかかわらず、合計額に、百分の二十を乗じて得た額の地域手当を支給する。

2　職員が在勤する地域が支給地域以外の地域（東京都の区域に限る。）であって、区部・多摩地域等から異動後三年以内の者にあっては、当分の間、第二条の規定にかかわらず、合計額に、百分の九を乗じて得た額の地域手当を支給する。

3　職員が在勤する地域が支給地域以外の地域（東京都の区域外の地域に限る。）であって、東京都の区域外の地域から異動後三年以内の者（前条及び前項の規定による地域手当の支給を受ける場合を除く。）にあっては、当分の間、第二条の規定にかかわらず、合計額に、百分の五・四を乗じて得た額の地域手当を支給する。

（支給方法）

**第三条**　地域手当の支給については、給料支給の例による。

（端数計算）

**第四条**　第二条から第二条の四までに規定する地域手当の支給額に一円未満の端数があるときは、その端数を切り捨てるものとする。

2　条例第十八条に規定する勤務一時間当たりの給料等の額の算出の基礎となる給料の月額並びに条例第二十一条に規定する期末手当の額及び条例第二十一条の二に規定する勤勉手当の額の算出の基礎となる給料及び扶養手当の月額に対する地域手当の月額に一円未満の端数が生じたときは、その端数を切り捨てるものとする。

3　条例第八条に規定する場合等の日割計算の基礎とな

る地域手当の月額に一円未満の端数が生じたときは、その端数を切り捨てるものとする。

附　則

1　この規則は、公布の日から施行し、昭和四十二年八月一日から適用する。

2　東日本大震災に係る被災地支援の業務に従事するため、東京都の区域外の地域に異動し勤務する職員（第二条の二の規定の適用を受ける職員を除く。）にあっては、当分の間、第二条及び第二条の三の規定にかかわらず、合計額に、百分の二十を乗じて得た額の地域手当を支給する。

3　東京都の区域外の地域から異動後三年以内（異動後三年を経過する際任命権者が特に必要と認める職員にあっては、八年以内）の者（東京都の区域外の地域の勤務において前項の規定の適用を受けていた職員（定年前再任用短時間勤務職員を除く。）に限る。）のうち、別表上欄に掲げる支給地域のうち東京都の部に規定する支給地域以外の地域に勤務する者の地域手当の額は、当分の間、第二条及び第二条の四第三項の規定にかかわらず、合計額に、別表上欄に掲げる支給地域のうち都外地域にあっては百分の二十を、支給地域以外の地域（東京都の区域に限る。）にあっては百分の九を乗じて得た額とする。

4　附則第二項及び前項に規定する地域手当の額に一円未満の端数があるときの計算については、第四条の規定を準用する。

附　則（平二四・三・三〇規則五九）

1　この規則は、平成二十四年四月一日から施行する。

2　この規則の施行の日（以下「施行日」という。）の前日においてこの規則による改正前の地域手当に関する規則第二条の三の規定による地域手当、学校職員の地域手当に関する規則の一部を改正する規則（平成二十四年東京都教育委員会規則第六号）の施行の日の前日において同規則による改正前の学校職員の地域手当に関する規則（昭和四十三年東京都教育委員会規則第十七号）第二条の三の規定による地域手当又は東京都水道局職員の給与に関する規程の一部を改正する規程（平成二十四年東京都水道局管理規程第三号）の施行の日の前日において同規程による改正前の東京都水道局職員の給与に関する規程（昭和三十四年東京都水道局管理規程第十二号）第三十三条の二の二の規定による地域手当を支給される職員で、施行日以後勤務する公署の所在する地域がこの規則による改正後の地域手当に関する規則（以下「改正後の規則」という。）別表上欄に掲げる支給地域以外の地域（東京都の区域に限る。）である者は、新たに職員となった日から四年を経過するまでの間にあって、施行日以降に係る期間、改正後の規則第二条の三の規定を適用し、地域手当を支給する。

附　則（令四・六・二二規則一四〇）

1　この規則は、令和五年四月一日から施行する。

2　地方公務員法の一部を改正する法律（令和三年法律第六十三号）附則第四条第一項若しくは第二項又は第六条第一項若しくは第二項の規定により採用された職員は、この規則による改正後の地域手当に関する規則第二条の三に規定する定年前再任用短時間勤務職員とみなす。

別表〔略〕

## ○職員の期末手当に関する規則

昭四三・五・三一
規則一二〇

最終改正　令六・一〇・一一規則一四六

（目的）

**第一条**　この規則は、職員の給与に関する条例（昭和二十六年東京都条例第七十五号。以下「条例」という。）第二十一条及び第二十一条の二の二から第二十一条の二の三までの規定に基づき、期末手当の支給に関し必要な事項を定めることを目的とする。

（支給対象外職員）

**第二条**　条例第二十一条第一項前段の東京都規則で定める職員は、次に掲げる職員とする。

一　条例第二十一条第一項に規定する基準日（以下「基準日」という。）に新たに条例の適用を受けることとなつた職員（第五条の規定の適用を受ける者を除く。）

二　地方公務員法（昭和二十五年法律第二百六十一号。以下「法」という。）第二十六条の六第一項の規定による配偶者同行休業中の職員

三　法第二十八条第二項第一号又は職員の休職の事由等に関する規則（昭和二十七年東京都人事委員会規則第十一号。以下「休職規則」という。）第二条各号の規定に該当して休職にされている職員（以下「休職中の職員」という。）のうち給与の支給を受けていない職員

四　法第二十八条第二項第二号の規定に該当して休職にされている職員

五　法第二十九条第一項の規定により停職にされている職員
六　法第五十五条の二第一項ただし書に規定する許可を受けている職員
七　地方公務員の育児休業等に関する法律（平成三年法律第百十号。以下「育児休業法」という。）第二条第一項の規定による育児休業中の職員（基準日に育児休業中の職員のうち、基準日以前六箇月以内の期間（以下「支給期間」という。）において勤務した期間（休暇の期間その他勤務しないことにつき特に承認のあつた期間（育児休業法第二条第一項の規定により育児休業をしていた期間及び第二号から第五号までに掲げる職員として在職した期間を除く。）を含む。）がある職員を除く。）
八　地方自治法（昭和二十二年法律第六十七号）第二百五十二条の十七（同法第二百九十二条において準用する場合を含む。）の規定により他の地方公共団体に派遣されている職員
九　公益的法人等への東京都職員の派遣等に関する条例（平成十三年東京都条例第百三十三号。以下「派遣条例」という。）第二条第一項の規定に基づき公益的法人等に派遣されている職員（派遣条例第四条及び第八条の適用を受ける職員を除く。）
十　職員の職務に専念する義務の免除に関する規則（昭和二十七年東京都人事委員会規則第一号。以下「職免規則」という。）第二条第二号又は第七号に掲げる場合に該当し職務に専念する義務を免除され、知事が別に定める団体（以下「団体」という。）の事業又は事務に従事している職員（任命権者が職員の給与の減額を免除することのできる場合の基準（昭和二十七年東京都人事委員会規則第三号。以下「減免基準」という。）第二条に規定する承認を受けている者及び知事が別に定める者を除く。）

2　条例第二十一条第一項後段の東京都規則で定める職員は、次に掲げる職員とする。
一　退職し、若しくは失職し、又は死亡した日において前項第二号又は第四号から第七号までのいずれかに該当した者
二　法第二十八条第一項の規定により免職された職員
三　法第二十八条第四項の規定により職を失つた職員
四　法第二十九条第一項の規定により免職された職員
五　条例の適用を受けていた職員が退職後新たに条例の適用を受ける職員となつた者
六　退職後引き続いて国又は他の地方公共団体等の職員となつた者（支給期間においてその者の都の職員としての在職期間について、国又は当該他の地方公共団体等の条例第二十一条又は第二十一条の二に規定する手当に相当する手当の基礎となるべき在職期間に通算する措置を講じられていない場合を除く。）
七　公益的法人等への一般職の地方公務員の派遣等に関する法律（平成十二年法律第五十号。以下「派遣法」という。）第十条第一項の規定により任命権者の要請に応じて退職し、引き続き派遣条例第十条に規定する特定法人の役職員として在職する者

（一時差止処分の手続）
**第二条の二**　退職手当管理機関（職員の退職手当に関する条例（昭和三十一年東京都条例第六十五号）第十六条第二号に規定する退職手当管理機関（退職手当管理機関が二以上あるときは、最後の退職に係る機関）をいう。以下同じ。）は、条例第二十一条の二の三の規定による一時差止処分（以下「一時差止処分」という。）を行おうとする場合は、あらかじめその旨を書面で知事に通知しなければならない。

（一時差止処分書及び一時差止処分説明書）
**第二条の三**　退職手当管理機関は、一時差止処分を行う場合には、当該一時差止処分を受ける者に一時差止処分書（別記第一号様式）を交付しなければならない。
2　条例第二十一条の二の三第五項の説明書（以下「一時差止処分説明書」という。）の様式は、別記第二号様式による。
3　一時差止処分書又は一時差止処分説明書を交付する場合において、一時差止処分を受けるべき者の所在が知れないときは、当該一時差止処分書又は一時差止処分説明書の内容を東京都公報に掲載することをもつて交付に代えることができる。この場合においては、その掲載した日から起算して二週間を経過した日に、当該一時差止処分書又は一時差止処分説明書が当該一時差止処分を受けるべき者に到達したものとみなす。

**第二条の四**　削除

（一時差止処分の取消しの申立ての手続等）
**第二条の五**　条例第二十一条の二の三第二項の規定による一時差止処分の取消しの申立ては、その理由を明示した書面で行わなければならない。

（一時差止処分の取消しの通知）
**第二条の六**　退職手当管理機関は、条例第二十一条の二の三第三項又は第四項の規定により一時差止処分を取り消した場合には、当該一時差止処分を受けた者及び知事に対し、理由を付してその旨を書面で通知しなければならない。

（支給制限処分の手続等）
**第二条の七**　条例第二十一条の二の二第二項の説明書（以下「支給制限処分書」という。）の様式は、別記第三号様式による。

2　条例第二十一条の二の二の二第三項に規定する東京都規則で定める手続は、次のとおりとする。
一　退職手当管理機関は、条例第二十一条の二の二の二第一項に規定する処分（以下「支給制限処分」という。）を行おうとするときは、当該処分を受けるべき者の意見を聴取しなければならない。
二　東京都行政手続条例（平成六年東京都条例第百四十二号）第三章第二節の規定は、前項の規定による意見の聴取について準用する。
三　支給制限処分書を交付する場合において、支給制限処分を受けるべき者の所在が知れないときは、当該支給制限処分書の内容を東京都公報に掲載することをもつて交付に代えることができる。この場合においては、その掲載した日から起算して二週間を経過した日に、当該支給制限処分書が当該支給制限処分を受けるべき者に到達したものとみなす。
四　退職手当管理機関は、支給制限処分を行つた場合は、当該支給制限処分書の写し一部を知事に提出するものとする。

（支給割合）
**第三条**　条例第二十一条第二項の東京都規則で定める支給割合は、支給期間におけるその者の在職期間の区分に応じ、次の表に定める割合とする。

| 在職期間 | 支給割合 |
| --- | --- |
| 百五十日以上 | 百分の百 |
| 百三十五日以上百五十日未満 | 百分の九十 |
| 百二十日以上百三十五日未満 | 百分の八十 |
| 百五日以上百二十日未満 | 百分の七十 |
| 九十日以上百五日未満 | 百分の六十 |
| 六十日以上九十日未満 | 百分の五十 |
| 三十日以上六十日未満 | 百分の三十 |
| 一日以上三十日未満 | 百分の十 |
| 零 | 零 |

（行㈠四級等職員及び行㈠五級等職員）
**第三条の二**　条例第二十一条第二項の表に規定する行㈠四級等職員とは、別表第二上欄に掲げる給料表の適用を受ける職員のうち、次に掲げる職員をいう。
一　行政職給料表㈠の適用を受ける職員のうち、職務の級が四級である職員
二　公安職給料表の適用を受ける職員のうち、職務の級が七級又は六級である職員
三　医療職給料表㈠の適用を受ける職員のうち、職務の級が二級である職員
四　医療職給料表㈡の適用を受ける職員のうち、職務の級が四級である職員
五　医療職給料表㈢の適用を受ける職員のうち、職務の級が四級である職員
2　条例第二十一条第二項の表に規定する行㈠五級等職員とは、別表第二上欄に掲げる給料表の適用を受ける職員のうち、次に掲げる職員をいう。
一　行政職給料表㈠の適用を受ける職員のうち、職務の級が五級である職員
二　公安職給料表の適用を受ける職員のうち、職務の級が八級である職員
三　医療職給料表㈠の適用を受ける職員のうち、職務の級が三級である職員

（在職期間）
**第四条**　第三条の在職期間は、条例の適用を受ける職員として在職した期間について日を単位として計算する。
2　前項の期間の算定に当たつては、次の各号に掲げる期間に応じ、当該期間にそれぞれ当該各号に定める割合を乗じて得た期間を除算する。
一　第二条第一項第二号に掲げる職員として在職した期間　五割
二　第二条第一項第五号に掲げる職員として在職した期間　十割
三　第二条第一項第六号に掲げる職員として在職した期間　十割
四　職員の職務に専念する義務の特例に関する条例（昭和二十六年東京都条例第十六号）第二条の規定により職務に専念する義務を免除され、かつ、減免基準第二条に規定する承認を受けていない期間（職免規則第二条第二号若しくは第四号に掲げる場合に該当し職務に専念する義務を免除された期間又は同条第七号に掲げる場合に該当し職務に専念する義務を免除され、団体の事業若しくは事務に従事していた期間若しくは職員の職務に専念する義務の免除に関する事務取扱規程（昭和四十六年東京都訓令甲第六十八号）第四条の規定に基づく適用基準のうち総務局長が別に定める期間若しくはこれに類する期間を除く。）　十割
五　休職中の職員又は第二条第一項第四号に掲げる職員として在職した期間　五割
六　育児休業法第二条第一項の規定による育児休業

（次に掲げる育児休業を除く。）中の職員として在職した期間　五割

イ　当該育児休業の承認に係る期間の全部が子の出生の日から職員の育児休業等に関する条例（平成四年東京都条例第十号。以下「育児休業条例」という。）第三条の二に規定する期間内にある育児休業であつて、当該育児休業の承認に係る期間（当該期間が二以上あるときは、それぞれの期間を合算した期間）が一箇月以下である育児休業

ロ　当該育児休業の承認に係る期間の全部が子の出生の日から育児休業条例第三条の二に規定する期間内にある育児休業以外の育児休業であつて、当該育児休業の承認に係る期間（当該期間が二以上あるときは、それぞれの期間を合算した期間）が一箇月以下である育児休業

七　育児休業法第十条第一項に規定する育児短時間勤務をしている職員（同法第十七条の規定による短時間勤務をしている職員を含む。以下「育児短時間勤務職員等」という。）として在職した期間から当該期間に職員の勤務時間、休日、休暇等に関する条例（平成七年東京都条例第十五号。以下「勤務時間条例」という。）第二条第二項の規定により定められたその者の勤務時間を同条第一項に規定する勤務時間で除して得た数（以下「算出率」という。）を乗じて得た期間を減じて得た期間　五割

八　知事が別に定める事由に該当し、勤務しなかつた期間　十割

3　育児短時間勤務職員等として在職している期間中に前項第四号又は第八号に掲げる期間がある場合の当該各号に掲げる期間に係る除算は、前項の規定にかかわらず、当該各号に掲げる期間に算出率及び当該各号に定める割合をそれぞれ乗じて得た期間を除算する。

4　勤務時間条例第三条第一項若しくは第二項、第五条又は第八条の規定により割り振られた正規の勤務時間の一部において、第二項各号に掲げる事由により勤務しないときは、知事が別に定める期間を除算する。

**（団体に派遣された期間等に係る在職期間の算定）**

**第四条の二**　派遣条例第二条第一項に基づき公益的法人等に派遣された者の当該派遣に係る期間及び職免規則第二条第二号又は第七号に掲げる場合に該当し職務に専念する義務を免除され、団体の事業又は事務に従事した者の当該団体の事業又は事務に従事した期間に係る在職期間の算定に当たつては、別表第一の上欄に掲げるものを、同表の下欄に掲げるものとみなして、前条の規定を適用する。

**（一時差止処分に係る在職期間）**

**第四条の三**　条例第二十一条の二の三第一項及び第三項に規定する在職期間は、条例の適用を受ける職員として在職した期間とする。

2　前条及び次条に掲げる者が引き続き条例の適用を受ける職員となつた場合は、それらの者として在職した期間は、前項の在職期間とみなす。

**（在職期間の通算）**

**第五条**　都の要請に基づいて、国又は他の地方公共団体等を退職し、引き続いて条例の適用を受ける職員となつた者については、退職前の国又は当該他の地方公共団体の職員として在職した期間を都職員としての在職期間に加えたものをもつて、その者の在職期間とする。

2　派遣法第十条第一項の規定により、任命権者の要請に応じ、特定法人の業務に従事する者となるため退職し、かつ、当該特定法人の役職員として在職した後、引き続いて同項の規定により職員として採用され、条例の適用を受ける職員となつた者については、当該特定法人の役職員として在職した期間を都職員としての在職期間に加えたものをもつて、その者の在職期間とする。

3　次の各号に掲げる者が、引き続いて条例の適用を受ける職員となつた場合においては、条例適用前のそれらの職員として在職した期間を、条例適用後の在職期間に通算する。

一　学校職員の給与に関する条例（昭和三十一年東京都条例第六十八号）の適用を受けていた者

二　東京都公営企業職員の給与の種類及び基準に関する条例（昭和二十八年東京都条例第十九号）に基づき定められている公営企業管理規程の適用を受けている者

三　前二号に定めるほか、特に知事が定める者

4　前三項の期間の算定については、前三条の規定を準用する。

**（給与月額等の意義）**

**第六条**　条例第二十一条第二項及びこの規則において、職員の給与月額とは、次に掲げるもののほか、当該職員の基準日現在における給料、扶養手当及びこれらに対する地域手当の月額の合計額をいう。

一　基準日において休職中の職員については、条例第十九条の二又は休職規則第四条の規定により、現に支給されている給料、扶養手当及び地域手当の月額の合計額

二　基準日前一月以内に退職し、又は死亡した職員については、退職し、若しくは失職し、又は死亡した日の前日に支給されていた給料、扶養手当及びこれらに対する地域手当の月額の合計額

三　基準日において、地方公務員災害補償法（昭和四十二年法律第百二十一号。以下「地公災法」という。）の規定による休業補償若しくは傷病補償年金（以下「休業補償等」という。）、労働者災害補償保険法（昭和二十二年法律第五十号。以下「労災保険法」という。）の規定による休業補償給付若しくは傷病補償年金（以下「休業補償給付等」という。）又は労災保険法の規定による休業給付若しくは傷病年金（以下「休業給付等」という。）を受けている職員については、当該職員の給料、扶養手当及びこれらに対する地域手当の月額の合計額。ただし、基準日現在地公災法第三十条又は労災保険法第十二条の二の二第二項の規定により、休業補償等、休業補償給付等又は休業給付等を百分の七十に減額されている場合においては、それぞれの百分の七十の額の合計額

四　基準日において、法第二十九条第一項の規定により、その給料を減額されている職員については、減給された給料、扶養手当並びに給料及び扶養手当に対する地域手当の月額の合計額

五　基準日において、外国の地方公共団体の機関等に派遣される職員の処遇等に関する条例（昭和六十三年東京都条例第十二号）の適用を受けている職員（以下「海外派遣職員」という。）については、条例による給料、扶養手当及びこれらに対する地域手当の月額の合計額

六　基準日において育児休業法第二条第一項の規定による育児休業中の職員については、基準日現在において職員が受けるべき給料、扶養手当及びこれらに対する地域手当の月額の合計額

七　基準日において育児短時間勤務職員等である職員については、基準日現在において職員が受けるべき給料の月額を算出率で除して得た額、扶養手当及びこれらに対する地域手当の月額の合計額

八　基準日において派遣条例第四条及び第八条の適用を受けている職員については、条例による給料、扶養手当及びこれらに対する地域手当の月額の合計額（当該職員が第一号から第三号まで、第六号及び前号に該当する場合を除く。）

**（職務段階等に応じた加算の職員の区分及び加算割合）**

**第六条の二**　条例第二十一条第四項の職務段階等を考慮して東京都規則で定める職員の区分は、基準日（基準日前一箇月以内に退職し、若しくは失職し、又は死亡した職員にあつては、退職し、若しくは失職し、又は死亡した日の前日。以下「基準日等」という。）における別表第二上欄に掲げる給料表に応じて同表中欄に定める職員の区分とし、同項の百分の二十を超えない範囲内で東京都規則で定める割合は同表中欄に掲げる職員の区分に応じて同表下欄に定める加算割合とする。

**（管理監督者に対する加算の対象職員及び加算割合）**

**第六条の三**　条例第二十一条第四項の東京都規則で定める管理又は監督の地位にある職員は、基準日等において次の各号のいずれかに該当する職員（休職中の職員、海外派遣職員及び知事が別に定める職員を除く。）とし、同項の百分の二十五を超えない範囲内で東京都規則で定める割合は、それぞれ当該各号に定めるとおりとする。

一　指定職給料表の適用を受ける職員及び東京都の一般職の任期付職員の採用及び給与の特例に関する条例（平成十四年東京都条例第百六十一号。以下「任期付職員採用条例」という。）第四条第一項の給料表の適用を受ける職員（七号給の給料月額又は同条第三項の規定による給料月額を受ける職員に限る。）百分の二十五

二　東京都組織規程（昭和二十七年東京都規則第百六十四号。以下「組織規程」という。）第十条に規定する部長及びこれに相当する職にある職員百分の二十

三　組織規程第十一条に規定する課長及びこれに相当する職にある職員百分の十五

**（職務段階等に応じた加算の対象職員）**

**第六条の四**　条例第二十一条第四項第二号のその職務の複雑、困難及び責任の度等を考慮して同項第一号に掲げる職員に相当する者として東京都規則で定める職員は、別表第二上欄に掲げる給料表（行政職給料表(一)を除く。）に応じて同表中欄に定める職員とする。

**（給料月額及び地域手当の意義）**

**第六条の五**　条例第二十一条第四項の給料月額及びこれに対する地域手当の月額の合計額とは、次に掲げるもののほか、条例の規定により定められている当該職員の基準日現在における給料及びこれに対する地域手当の月額の合計額をいう。

一　第六条第一号から第三号まで及び第五号から第八号までに掲げる事由に該当する職員については、当該各号に定める給料及びこれに対する地域手当の月額の合計額

二　第六条第四号に掲げる事由に該当する職員については、同号に定める減給された給料及び給料に対する地域手当の月額の合計額

2　条例第二十一条第四項の百分の二十五を超えない範囲内で東京都規則で定める割合を乗じる給料月額とは、次に掲げるもののほか、条例の規定により定めら

れている当該職員の基準日現在における給料をいう。

一　基準日前一箇月以内に退職し、若しくは失職し、又は死亡した職員については、退職し、若しくは失職し、又は死亡した日の前日に支給されていた給料

二　基準日において、休業補償等、休業補償給付等又は休業給付等を受けている職員で、地公災法第三十条又は労災保険法第十二条の二の二第二項の規定により、休業補償等、休業補償給付等又は休業給付等を百分の七十に減額されているものについては、条例の規定により定められている当該職員の基準日現在における給料月額の百分の七十に相当する額

三　基準日において法第二十九条第一項の規定により減給されている職員については、減給された給料

四　基準日において育児休業法第二条第一項の規定による育児休業中の職員については、基準日現在において職員が受けるべき給料

五　基準日において育児短時間勤務職員等である職員については、基準日現在において職員が受けるべき給料月額を算出率で除して得た額

六　基準日において派遣条例第四条の適用を受けている職員については、条例による給料（当該職員が第一号、第二号、第四号及び前号に該当する場合を除く。）

**（支給額の調整）**

**第七条**　次の各号の一に該当する職員が、国又は当該他の地方公共団体等から条例第二十一条及び第二十一条の二に規定する手当に相当する手当を支給される場合において、この規則に基づいて期末手当を支給することが他の職員と著しく均衡を失するときは、第三条の規定にかかわらず、知事は期末手当の額を調整することができる。

一　基準日又は基準日前一月以内に退職し、基準日までに国又は他の地方公共団体等の職員となつた者

二　基準日又は基準日前一月以内に国又は他の地方公共団体等を退職し、基準日までに条例の適用を受ける職員となつた者

**（支給日）**

**第八条**　期末手当の支給日は、次に定めるところによる。

一　六月に支給する期末手当にあつては六月三十日

二　十二月に支給する期末手当にあつては十二月十日

2　前項各号に定める日が日曜日に当たるときはその日の前々日を、同項各号に定める日が土曜日に当たるときはその日の前日を支給日とする。

3　前二項の規定にかかわらず、知事は、非常災害、給与事務のふくそうその他の理由により、前二項に定める支給日に支給することができないと認めた場合においては、別に支給日を定めることができる。

**（端数計算）**

**第九条**　条例第二十一条第二項の給与月額（同条第四項の適用を受ける職員にあつては、給料月額及びこれに対する地域手当の月額の合計額に職務段階等を考慮して第六条の二で定める職員の区分に応じて同条で定める加算割合を乗じて得た額（第六条の三で定める管理又は監督の地位にある職員にあつては、その額に給料月額に同条で定める割合を乗じて得た額を加算した額）を加算した額）に一円未満の端数を生じたときは、これを切り捨てるものとする。

**附　則**

この規則は、公布の日から施行する。

**附　則**（平三〇・一二・二七規則一五八）

1　この規則は、公布の日から施行する。ただし、第三条の二第一項第二号及び第二項第二号並びに別表第二の改正規定は、平成三十一年四月一日から施行する。

2　この規則による改正後の職員の期末手当に関する規則第四条第二項及び第三項並びに別表第一の規定は、平成三十年十二月二日から適用する。

**附　則**（令六・一〇・一一規則一四六）（抄）

1　この規則は、令和七年六月一日から施行する。

**別表第一**（第四条の二関係）

| | |
|---|---|
| 法第二十九条第一項の規定による停職の処分に相当する処分 | 法第二十九条第一項の規定による停職の処分 |
| 知事が別に定める事由に相当する事由 | 知事が別に定める事由 |
| 休職中の職員に相当する者 | 休職中の職員 |
| 育児休業に相当する休業 | 育児休業 |
| 育児短時間勤務職員等に相当する者 | 育児短時間勤務職員等 |
| 配偶者同行休業に相当する休業 | 配偶者同行休業 |

**別表第二**（第六条の二、第六条の四関係）

| 給料表 | 職員 | 加算割合 |
|---|---|---|
| 行政職給料表(一) | 職務の級が五級である職員 | 百分の二十 |
| | 職務の級が四級である職員 | 百分の十五 |
| | 職務の級が三級である職員のうち、統括課長代理の認定等に関する規程（平成二十七年東京都訓令第十号）、東京都教育庁等統括課長代理の認定等に関する規程（平成二十七年東京都教育委員会訓令第十二号）、東京都選挙管理委員会事務局統括課長代理の認定等に関する規程（平成二十七年東京都選挙管理委員会訓令第三号）、東京都人事委員会事務局統括課長代理の認定等に関する規程（平成二十七年東京都人事委員会訓令第一号）、東京都監査事務局統括課長代理の認定等に関する規程（平成二十七年東京都監査委員訓令第三号）若しくは東京都議会議会局統括課長代理の認定等に関する規程（平成二十七年東京都議会議長訓令第九号）により統括課長代理に認定された職員、警視庁警察行政職員指定係長職任用規程（平成二十七年警視庁訓令甲第八号）に規定する指定係長に任用された職員又は東京消防庁の指定課長、課長補佐及び副主任の任命に関する規程（平成二十五年東京消防庁訓令第二十号）に規定する課長補佐に任命された職員（以下「統括課長代理等」という。） | 百分の十 |
| | 職務の級が三級である職員（加算割合が百分の十である職員を除く。） | 百分の六 |
| | 職務の級が二級である職員 | 百分の三 |
| 行政職給料表(二) | 職務の級が四級又は三級である職員 | 百分の六 |
| | 職務の級が二級である職員 | 百分の三 |
| 公安職給料表 | 職務の級が八級である職員 | 百分の二十 |
| | 職務の級が七級又は六級である職員 | 百分の十五 |
| | 職務の級が五級である職員 | 百分の十 |
| | 職務の級が四級である職員 | 百分の六 |
| | 職務の級が三級である職員又は職務の級が二級である職員であつて知事が別に定めるもの | 百分の三 |
| 医療職給料表(一) | 職務の級が三級である職員 | 百分の二十 |
| | 職務の級が二級である職員 | 百分の十五 |
| | 職務の級が一級である職員であつて知事が別に定めるもの | 百分の六 |
| 医療職給料表(二) | 職務の級が四級である職員 | 百分の十五 |
| | 職務の級が三級である職員のうち、統括課長代理等 | 百分の十 |
| | 職務の級が三級である職員（加算割合が百分の十である職員を除く。） | 百分の六 |
| | 職務の級が二級である職員 | 百分の三 |
| 医療職給料表(三) | 職務の級が四級である職員 | 百分の十五 |
| | 職務の級が三級である職員のうち、統括課長代理等 | 百分の十 |

| | | |
|---|---|---|
| | 職務の級が三級である職員（加算割合が百分の十である職員を除く。） | 百分の六 |
| | 職務の級が二級である職員 | 百分の三 |
| 指定職給料表 | 全職員 | 百分の二十 |
| 任期付職員採用条例第四条第一項の給料表 | 五号給から七号給までの給料月額又は任期付職員採用条例第四条第三項の規定による給料月額を受ける職員 | 百分の二十 |
| | 四号給以下の給料月額を受ける職員 | 百分の十五 |
| 東京都一般職の任期付研究員の採用及び給与の特例に関する条例（以下「任期付研究員採用条例」という。）第七条第一項の給料表 | 五号給若しくは六号給の給料月額又は任期付研究員採用条例第七条第四項の規定による給料月額を受ける職員 | 百分の二十 |
| | 四号給以下の給料月額を受ける職員 | 百分の十五 |
| 任期付研究員採用条例第七条第二項の給料表 | 三号給又は二号給の給料月額を受ける職員 | 百分の六 |
| | 一号給の給料月額を受ける職員 | 百分の三 |

**別記様式**〔略〕

# ○職員の退職手当に関する条例

昭三一・九・二九
条例六五

最終改正　令六・一〇・一一条例一一三

**（目的）**

**第一条**　この条例は、職員の退職手当について必要な事項を定めることを目的とする。

**（支給対象）**

**第二条**　退職手当の支給を受ける者は、都から給料を支給される職員（都から給料以外の給与を支給される職員で東京都規則で定める者を含む。）及び市町村立学校職員給与負担法（昭和二十三年法律第百三十五号）に定める職員とする。ただし、次の各号のいずれかに該当する者を除く。

一　地方公務員法（昭和二十五年法律第二百六十一号）第二十二条の四第一項の規定により採用された者

二　東京都知事等の給料等に関する条例（昭和二十三年東京都条例第百二号）の適用を受ける者

三　東京都公営企業の管理者の給料等に関する条例（昭和四十五年東京都条例第七十三号）の適用を受ける者

四　東京都人事委員会委員の給与等に関する条例（昭和二十六年東京都条例第七十一号）の適用を受ける者のうち常勤の委員

五　東京都監査委員の給与等に関する条例（昭和三十九年東京都条例第百二十四号）の適用を受ける者のうち常勤の委員

六　東京都公営企業職員の給与の種類及び基準に関する条例（昭和二十八年東京都条例第十九号）の適用を受ける職員
七　東京都教育委員会教育長の給与等に関する条例（平成二十七年東京都条例第二十六号）の適用を受ける者

（退職手当の支給）
**第三条**　退職手当は、職員が退職した場合に、その者（死亡による退職の場合には、その遺族）に支給する。ただし、職員が退職した場合において、その者が退職の日又はその翌日に再び職員となつたときは、退職手当は、支給しない。
2　第五条及び第九条の規定による退職手当（以下「一般の退職手当」という。）並びに第十二条の規定による退職手当は、職員が退職した日から起算して一月以内に支払わなければならない。ただし、死亡により退職した者に対する退職手当の支給を受けるべき者を確知することができない場合その他特別の事情がある場合は、この限りでない。

（遺族の範囲及び順位）
**第四条**　前条に規定する遺族は、次の各号に掲げる者とする。
一　配偶者（届出をしないが職員の死亡当時事実上婚姻関係と同様の事情にあつた者を含む。）又は職員の死亡の当時において、東京都オリンピック憲章にうたわれる人権尊重の理念の実現を目指す条例（平成三十年東京都条例第九十三号）第七条の二第二項の証明若しくは同条第一項の東京都パートナーシップ宣誓制度と同等の制度であると知事が認めた地方公共団体のパートナーシップに関する制度による証明を受けたパートナーシップ関係の相手方であつて、同居し、かつ、生計を一にしているもの（以下単に「パートナーシップ関係の相手方」という。）であつた者
二　子、父母、孫、祖父母及び兄弟姉妹で職員の死亡当時主としてその収入によつて生計を維持していたもの。
三　前号に掲げる者のほか、職員の死亡当時主としてその収入によつて生計を維持していた親族
四　子、父母、孫、祖父母及び兄弟姉妹で第二号に該当しないもの。
2　前項に掲げる者が退職手当を受ける順位は、前項各号の順位により、第二号及び第四号に掲げる者のうちにあつては同号に掲げる順位による。この場合において、父母については、養父母を先にし実父母を後にし、祖父母については、養父母の父母を先にし実父母の父母を後にし、父母の養父母を先にし父母の実父母を後にする。
3　退職手当の支給を受けるべき同順位の者が二人以上ある場合には、その人数によつて等分して、支給する。

（遺族からの排除）
**第四条の二**　次に掲げる者は、退職手当の支給を受けることができる遺族としない。
一　職員を故意に死亡させた者
二　職員の死亡前に、当該職員の死亡によつて退職手当の支給を受けることができる先順位又は同順位の遺族となるべき者を故意に死亡させた者

（一般の退職手当）
**第五条**　退職した者に対する退職手当の額は、第六条から第六条の五までの規定により計算した退職手当の基本額に、第七条又は第八条の二の規定により計算した退職手当の調整額（以下単に「退職手当の調整額」という。）を加えて得た額とする。
2　退職手当の調整額は、第六条第一項に規定する退職した者のうち、次に掲げる者に支給する。
一　定年に達したことにより退職した者（定年に達した者で、職員の定年等に関する条例（昭和五十九年東京都条例第四号）第四条の規定により引き続き勤務した後退職した者を含む。）、その者の非違によることなく勧奨を受けて退職した者で東京都規則で定めるもの、東京都規則で定める傷病により退職した者、通勤による災害により退職した者又は死亡により退職した者（以下「定年退職者等」という。）
二　地方公務員法第二十八条第一項第四号の規定に該当する理由又はこれに準ずる理由により、任命権者があらかじめ知事と協議して定めた計画に基づき、勧奨を受け又はその意に反して退職した者及び公務上の傷病又は死亡により退職した者

（公務等によることの認定の基準）
**第五条の二**　任命権者は、退職の理由となつた傷病又は死亡が公務上のもの又は通勤によるものかどうかを認定するに当たつては、地方公務員災害補償法（昭和四十二年法律第百二十一号）の規定により職員の公務上の災害又は通勤による災害に対する補償を実施する場合における基準に準拠しなければならない。

（退職手当の基本額）
**第六条**　退職した者（第十七条第一項各号に掲げる者を含む。次条第一項において同じ。）に対して支給する退職手当の基本額は、退職の日におけるその者の給料月額（職員の給与に関する条例（昭和二十六年東京都条例第七十五号）第九条の規定及び学校職員の給与に関する条例（昭和三十一年東京都条例第六十八号）第

十一条の規定に基づく給料の調整額（第六条の五第一項及び第四項、付則第六条の五第二項並びに付則第三十七条において「調整額」という。）を除く。以下同じ。）に、その者の勤続期間を次の各号に区分して、当該各号に掲げる割合を乗じて得た額の合計額とする。

一　一年以上十年以下の期間については、一年につき百分の九十

二　十一年以上十五年以下の期間については、一年につき百分の百二十

三　十六年以上二十年以下の期間については、一年につき百分の百六十

四　二十一年以上三十年以下の期間については、一年につき百分の百五十

五　三十一年以上三十三年以下の期間については、一年につき百分の百四十

六　三十四年以上の期間については、一年につき百分の四十

2　前項の規定により計算した金額、退職の日におけるその者の給料月額に四十三を乗じて得た額を超える場合は、同項の規定にかかわらず、当該給料月額に四十三を乗じて得た額をもつてその者に対して支給する退職手当の基本額とする。

**（給料月額の減額改定等以外の理由により給料月額が減額されたことがある場合の退職手当の基本額に係る特例）**

**第六条の二**　退職した者（警察法（昭和二十九年法律第百六十二号）第五十六条の四第一項の規定による任命（以下「特定任命」という。）により職員となつた後に退職した者を除く。）の基礎在職期間（第八条第二項に規定する基礎在職期間をいう。）のうち東京都規則で定める期間中に、給料月額の減額改定（給料月額の改定をする条例等が制定された場合において、当該条例等による改定により当該改定前に受けていた給料月額が減額されることをいう。）その他東京都規則で定める事由以外の理由によりその者の給料月額が減額されたことがある場合において、当該理由が生じた日（以下「減額日」という。）の前日におけるその者の給料月額（当該減額日以後に給料月額の改定をする条例等が制定された場合にあつては、当該改定後の給料月額に相当する東京都規則で定める額とする。ただし、その額が減額日の前日におけるその者の給料月額を超える場合は、この限りでない。）のうち最も多いもの（以下「特定減額前給料月額」という。）が退職の日におけるその者の給料月額よりも多いときは、その者に対して支給する退職手当の基本額は、前条の規定にかかわらず、次に掲げる額の合計額とする。

一　その者が特定減額前給料月額に係る減額日のうち最も遅い日の前日に現に退職した理由と同一の理由により退職したものとし、かつ、その者の同日までの勤続期間及び特定減額前給料月額を基礎として、前条第一項の規定により計算した場合の退職手当の基本額に相当する額

二　退職の日におけるその者の給料月額に、イに掲げる割合からロに掲げる割合を控除した割合を乗じて得た額

イ　その者に対する退職手当の基本額が前条第一項の規定により計算した額であるものとした場合における当該退職手当の基本額の退職の日におけるその者の給料月額に対する割合

ロ　前号に掲げる額の特定減額前給料月額に対する割合

2　前項の規定により計算した金額が、次の各号に掲げる同項第二号ロに掲げる割合の区分に応じ当該各号に定める額を超える場合は、同項の規定にかかわらず、当該各号に定める額をもつてその者に対して支給する退職手当の基本額とする。

一　四十三以上　特定減額前給料月額に四十三を乗じて得た額

二　四十三未満　特定減額前給料月額に前項第二号ロに掲げる割合を乗じて得た額及び退職の日におけるその者の給料月額に四十三から当該割合を控除した割合を乗じて得た額の合計額

**（定年前早期退職者に対する退職手当の基本額に係る特例）**

**第六条の三**　第五条第二項第一号の規定に該当する者（東京都規則で定める傷病により退職した者、通勤による災害により退職した者及び死亡により退職した者を除く。）のうち、定年に達する日の属する会計年度の初日前に退職した者であつて、その勤続期間（第十条第一項から第五項までの規定により計算した在職期間をいう。次条第二項（同項の表を除く。）において同じ。）が二十五年以上であり、かつ、退職の日の属する会計年度の末日の年齢がその者に係る定年から十年を減じた年齢以上であるものに対する前二条の規定の適用については、次の表の上欄に掲げる規定中同表の中欄に掲げる字句は、それぞれ同表の下欄に掲げる字句とする。

| | | |
|---|---|---|
| 第六条第一項 | 以下同じ。） | 以下同じ。）及び退職の日におけるその者の給料月額にその者に係る定年と退職の日の属 |

| | | |
|---|---|---|
| | | する会計年度の末日の年齢との差に相当する年数一年につき百分の二（職員の給与に関する条例に規定する指定職給料表の適用を受ける者及び他の東京都の条例によりこれに相当する給料を受ける者については、百分の一）を乗じて得た額の合計額 |
| 第六条第二項 | 前項 | 第六条の三の規定により読み替えて適用する前項 |
| | の給料月額 | の給料月額及び退職の日におけるその者の給料月額にその者に係る定年と退職の日の属する会計年度の末日の年齢との差に相当する年数一年につき百分の二（職員の給与に関する条例に規定する指定職給料表の適用を受ける者及び他の東京都の条例によりこれに相当する給料を受ける者については、百分の一）を乗じて得た額の合計額 |
| | 当該給料月額 | 当該退職の日におけるその者の給料月額及び退職の日におけるその者の給料月額にその者に係る定年と退職の日の属する会計年度の末日の年齢との差に相当する年数一年につき百分の二（職員の給与に関する条例に規定する指定職給料表の適用を受ける者及び他の東京都の条例によりこれに相当する給料を受ける者については、百分の一）を乗じて得た額の合計額 |
| 第六条の二第一項 | 前条の | 次条の規定により読み替えて適用する前条の |
| 第六条の二第一項第一号 | 及び特定減額前給料月額 | 並びに特定減額前給料月額及び特定減額前給料月額にその者に係る定年と退職の日の属する会計年度の末日の年齢との差に相当する年数一年につき百分の二（特定減額前給料月額に係る減額日のうち最も遅い日の前日において、職員の給与に関する条例に規定する指定職給料表の適用を受ける者及び他の東京都の条例等によりこれに相当する給料を受ける者については、百分の一）を乗じて得た額の合計額 |
| 第六条の二第一項第二号 | 前条第一項 | 次条の規定により読み替えて適用する前条第一項 |
| | 給料月額に、 | 給料月額及び退職の日におけるその者の給料月額にその者に係る定年と退職の日の属する会計年度の末日の年齢との差に相当する年数一年につき百分の二（特定減額前給料月額に係る減額日のうち最も遅い日の前日において、職員の給与に関する条例に規定する指定職給料表の適用を受ける者及び他の東京都の条例等によりこれに相当する給料を受ける者 |

| | | |
|---|---|---|
| | | については、百分の一）を乗じて得た額の合計額に、 |
| 第六条の二第一項第二号ロ | 前号に掲げる額 | その者が特定減額前給料月額に係る減額日のうち最も遅い日の前日に現に退職した理由と同一の理由により退職したものとし、かつ、その者の同日までの勤続期間及び特定減額前給料月額を基礎として、前条第一項の規定により計算した場合の退職手当の基本額に相当する額 |
| 第六条の二第二項 | 前項の | 次条の規定により読み替えて適用する前項の |
| 第六条の二第二項第一号 | 特定減額前給料月額 | 特定減額前給料月額及び特定減額前給料月額にその者に係る定年と退職の日の属する会計年度の末日の年齢との差に相当する年数一年につき百分の二（特定減額前給料月額に係る減額日のうち最も遅い日の前日において、職員の給与に関する条例に規定する指定職給料表の適用を受ける者及び他の東京都の条例等によりこれに相当する給料を受ける者については、百分の一）を乗じて得た額の合計額 |
| 第六条の二第二項第二号 | 特定減額前給料月額 | 特定減額前給料月額及び特定減額前給料月額にその者に係る定年と退職の日の属する会計年度の末日の年齢との差に相当する年数一年につき百分の二（特定減額前給料月額に係る減額日のうち最も遅い日の前日において、職員の給与に関する条例に規定する指定職給料表の適用を受ける者及び他の東京都の条例等によりこれに相当する給料を受ける者については、百分の一）を乗じて得た額の合計額 |
| | 及び退職の日におけるその者の給料月額 | 並びに退職の日におけるその者の給料月額及び退職の日におけるその者の給料月額にその者に係る定年と退職の日の属する会計年度の末日の年齢との差に相当する年数一年につき百分の二（特定減額前給料月額に係る減額日のうち最も遅い日の前日において、職員の給与に関する条例に規定する指定職給料表の適用を受ける者及び他の東京都の条例等によりこれに相当する給料を受ける者については、百分の一）を乗じて得た額の合計額 |

**（公務上の理由等により退職する者に対する退職手当の基本額に係る特例）**

**第六条の四**　第五条第二項第一号に規定する通勤による災害により退職した者又は死亡により退職した者（通勤による災害により死亡した者に限る。）及び同項第二号の規定に該当する者（これらの者のうち次項に該当するものを除く。）に対する第六条及び第六条の二の規定の適用については、次の表の上欄に掲げる規定中同表の中欄に掲げる字句は、それぞれ同表の下欄に掲げる字句とする。

| | | |
|---|---|---|
| 第六条第一項 | 以下同じ。） | 以下同じ。）及び退職の日におけるその者の給料月額に百分の十を |

| | | |
|---|---|---|
| | | 乗じて得た額の合計額 |
| 第六条第二項 | 前項 | 第六条の四第一項の規定により読み替えて適用する前項 |
| | の給料月額 | の給料月額及び退職の日におけるその者の給料月額に百分の十を乗じて得た額の合計額 |
| | 当該給料月額 | 当該退職の日におけるその者の給料月額及びその者の給料月額及び退職の日におけるその者の給料月額に百分の十を乗じて得た額の合計額 |
| 第六条の二第一項 | 前条の | 第六条の四第一項の規定により読み替えて適用する前条の |
| 第六条の二第一項第一号 | 及び特定減額前給料月額 | 並びに特定減額前給料月額及び特定減額前給料月額に百分の十を乗じて得た額の合計額 |
| | 前条第一項 | 第六条の四第一項の規定により読み替えて適用する前条第一項 |
| 第六条の二第一項第二号 | 給料月額に、 | 給料月額及び退職の日におけるその者の給料月額に百分の十を乗じて得た額の合計額に、 |
| 第六条の二第一項第二号ロ | 前号に掲げる額 | その者が特定減額前給料月額に係る減額日のうち最も遅い日の前日に現に退職した理由と同一の理由により退職したものとし、かつ、その者の同日までの勤続期間及び特定減額前給料月額を基礎として、前条第一項の規定により計算した場合の退職手当の基本額に相当する額 |
| 第六条の二第二項 | 前項の | 第六条の四第一項の規定により読み替えて適用する前項の |
| 第六条の二第二項第一号 | 特定減額前給料月額 | 特定減額前給料月額及び特定減額前給料月額に百分の十を乗じて得た額の合計額 |
| 第六条の二第二項第二号 | 特定減額前給料月額 | 特定減額前給料月額及び特定減額前給料月額に百分の十を乗じて得た額の合計額 |
| | 及び退職の日における | 並びに退職の日におけるその者の給料月額及び退職の日におけるその者の給料月額に百分の十を乗じて得た額の合計額 |
| | その者の給料月額 | |

2　第五条第二項第一号に規定する通勤による災害により退職した者又は死亡により退職した者（通勤による災害により死亡した者に限る。）及び同項第二号の規定に該当する者のうち、定年に達する日の属する会計年度の初日前に退職したものであつて、その勤続期間が二十五年以上であり、かつ、退職の日の属する会計年度の末日の年齢がその者に係る定年から十年を減じた年齢以上であるものに対する第六条及び第六条の二の規定の適用については、次の表の上欄に掲げる規定中同表の中欄に掲げる字句は、それぞれ同表の下欄に掲げる字句とする。

| | | |
|---|---|---|
| 第六条第一項 | 以下同じ。） | 以下同じ。）、退職の日におけるその者の給料月額にその者に係る定年と退職の日の属する会計年度の末日の年齢との差に相当する年数一年につき百分の二（職員の給与に関する条例に規定する指定職給料表の適用を受ける者及び他の東京都の条例によりこれに相当する給料を受ける者については、百分の一）を |

| | | |
|---|---|---|
| | | 乗じて得た額及び退職の日におけるその者の給料月額に百分の十を乗じて得た額の合計額 |
| 第六条第二項 | 前項 | 第六条の四第二項の規定により読み替えて適用する前項 |
| | の給料月額 | の給料月額、退職の日におけるその者の給料月額にその者に係る定年と退職の日の属する会計年度の末日の年齢との差に相当する年数一年につき百分の二（職員の給与に関する条例に規定する指定職給料表の適用を受ける者及び他の東京都の条例によりこれに相当する給料を受ける者については、百分の一）を乗じて得た額及び退職の日におけるその者の給料月額に百分の十を乗じて得た額の合計額 |
| | 当該給料月額 | 当該退職の日におけるその者の給料月額、退職の日におけるその者の給料月額にその者に係る定年と退職の日の属する会計年度の末日の年齢との差に相当する年数一年につき百分の二（職員の給与に関する条例に規定する指定職給料表の適用を受ける者及び他の東京都の条例によりこれに相当する給料を受ける者については、百分の一）を乗じて得た額及び退職の日におけるその者の給料月額に百分の十を乗じて得た額の合計額 |
| 第六条の二第一項 | 前条の | 第六条の四第二項の規定により読み替えて適用する前条の |
| | 前条第一項 | 第六条の四第二項の規定により読み替えて適用する前条第一項 |
| 第六条の二第一項第一号 | 及び特定減額前給料月額 | 並びに特定減額前給料月額、特定減額前給料月額にその者に係る定年と退職の日の属する会計年度の末日の年齢との差に相当する年数一年につき百分の二（特定減額前給料月額に係る減額日のうち最も遅い日の前日において、職員の給与に関する条例に規定する指定職給料表の適用を受ける者及び他の東京都の条例等によりこれに相当する給料を受ける者については、百分の一）を乗じて得た額及び特定減額前給料月額に百分の十を乗じて得た額の合計額 |
| 第六条の二第一項第二号 | 給料月額に、 | 給料月額、退職の日におけるその者の給料月額にその者に係る定年と退職の日の属する会計年度の末日の年齢との差に相当する年数一年につき百分の二（特定減額前給料月額に係る減額日のうち最も遅い日の前日において、職員の給与に関する条例に規定する指定職給料表の適用を受ける者及び他の東京都の条例等によりこれに相当す |

| 読み替える規定 | 読み替えられる字句 | 読み替える字句 |
| --- | --- | --- |
| | | る給料を受ける者については、百分の一）を乗じて得た額及び退職の日におけるその者の給料月額に百分の十を乗じて得た額の合計額に、 |
| 第六条の二第一項第二号ロ | 前号に掲げる額 | その者が特定減額前給料月額に係る減額日のうち最も遅い日の前日に現に退職した理由と同一の理由により退職したものとし、かつ、その者の同日までの勤続期間及び特定減額前給料月額を基礎として、前条第一項の規定により計算した場合の退職手当の基本額に相当する額 |
| 第六条の二第二項 | 前項の | 第六条の四第二項の規定により読み替えて適用する前項の |
| 第六条の二第二項第一号 | 特定減額前給料月額 | 特定減額前給料月額、特定減額前給料月額にその者に係る定年と退職の日の属する会計年度の末日の年齢との差に相当する年数一年につき百分の二（特定減額前給料月額に係る減額日のうち最も遅い日の前日において、職員の給与に関する条例に規定する指定職給料表の適用を受ける者及び他の東京都の条例等によりこれに相当する給料を受ける者については、百分の一）を乗じて得た額及び特定減額前給料月額に百分の十を乗じて得た額の合計額 |
| 第六条の二第二項第二号 | 特定減額前給料月額 | 特定減額前給料月額、特定減額前給料月額にその者に係る定年と退職の日の属する会計年度の末日の年齢との差に相当する年数一年につき百分の二（特定減額前給料月額に係る減額日のうち最も遅い日の前日において、職員の給与に関する条例に規定する指定職給料表の適用を受ける者及び他の東京都の条例等によりこれに相当する給料を受ける者については、百分の一）を乗じて得た額及び特定減額前給料月額に百分の十を乗じて得た額の合計額 |
| | 及び退職の日におけるその者の給料月額 | 並びに退職の日におけるその者の給料月額、退職の日におけるその者の給料月額にその者に係る定年と退職の日の属する会計年度の末日の年齢との差に相当する年数一年につき百分の二（特定減額前給料月額に係る減額日のうち最も遅い日の前日において、職員の給与に関する条例に規定する指定職給料表の適用を受ける者及び他の東京都の条例等によりこれに相当する給料を受ける者については、百分の一）を乗じて得た額及び退職の日におけるその者の給料月額に百分の十を乗じて得た額の合計額 |

**（特定任命により職員となつた後に退職した者に関する準用規定）**

**第六条の四の二**　第六条の二（前条第一項において読み替えて適用する場合を含む。）の規定は、特定任命により職員となつた後に退職した者について準用する。この場合において、第六条の二の見出し中「給料月額」とあるのは「俸給月額」と、同条第一項中「退職した者（警察法（昭和二十九年法律第百六十二号）第五十六条の四第一項の規定による任命（以下「特定任命」という。）により職員となつた後に退職した者を除く。）」とあるのは「特定任命（警察法（昭和二十九年法律第百六十二号）第五十六条の四第一項の規定による任命をいう。）により職員となつた後に退職した者」と、「給料月額の減額改定（給料月額の改定をする条例等が制定された場合において、当該条例等による改定により当該改定前に受けていた給料月額が減額されることをいう。）その他東京都規則で定める事由」とあるのは「俸給月額の減額改定（国家公務員退職手当法（昭和二十八年法律第百八十二号）第五条の二第一項の俸給月額の減額改定をいう。）」と、「給料月額が減額されたことがある場合」とあるのは「俸給月額が減額されたことがある場合（特定任命を受けたことにより、特定任命前の俸給月額よりも低い給料月額を支給されることとなつた場合を含む。）」と、「給料月額（当該減額日以後に給料月額の改定をする条例等が制定された場合にあつては、当該改定後の給料月額に相当する東京都規則で定める額とする。ただし、その額が減額日の前日におけるその者の給料月額を超える場合は、この限りでない。）のうち」とあるのは「俸給月額のうち」と、同条並びに前条第一項の表第六条の二第一項第一号の項、第六条の二第一項第二号ロの項、第六条の二第二項第一号の項及び第六条の二第二項第二号の項中「特定減額前給料月額」とあるのは「特定減額前俸給月額」と読み替えるものとする。

**（給料の調整額等の支給を受けた者の退職手当の基本額に係る特例）**

**第六条の五**　調整額の支給を受けた者が退職した場合に、その者に対して支給する退職手当の基本額は、第六条から前条までの規定により計算して得た額に、退職の日におけるその者の調整額の額（退職の日に調整額の支給を受けていない者については、退職の日の直近の時期に受けていた調整額の額に相当する東京都規則で定める額）と、その者が最も長期間にわたり支給を受けていた調整額の額に相当する東京都規則で定める額とのいずれか多い額のものに、調整額を受けていた期間を第六条の勤続期間とみなして得た支給割合を乗じて得た額を加えた額とする。

2　退職時に義務教育諸学校等の教育職員の給与等に関する特別措置に関する条例（昭和四十七年東京都条例第十二号）第三条の教職調整額の適用のある者の退職手当の基本額は、第六条から前条までの規定又は前項の規定により計算して得た額に、退職時に受けていた教職調整額の額に教職調整額を受けていた期間を第六条の勤続期間とみなして得た支給割合を乗じて得た額を加えた額とする。

3　第六条の二の規定の適用を受ける者のうち、同条第一項の東京都規則で定める期間中に学校職員の給与に関する条例第二条第一項に規定する校長、副校長及び教頭の職から前項の教職調整額の適用のある者の職への降任（地方公務員法第二十八条第一項第一号から第三号までの規定による降任を除く。以下この項において同じ。）をしたものの前項（次項の規定の適用を受ける場合を含む。）の規定の適用については、前項中「教職調整額を受けていた期間を第六条の勤続期間とみなして得た支給割合」とあるのは、「学校職員の給与に関する条例第二条第一項に規定する校長、副校長及び教頭の職から教職調整額の適用のある者の職への降任をした日以後、当該教職調整額を受けていた期間を第六条の勤続期間とみなして得た支給割合」と読み替えるものとする。

4　第十条第五項の規定により勤続期間が通算されることと定められている東京都公営企業、特別区及び特別区の一部事務組合の職員の当該期間内に当該東京都公営企業及び特別区の条例等により、前二項の調整額及び教職調整額（以下「調整額等」という。）と同様のものを受けていた期間がある者の当該期間及び当該額は前三項の調整額等を受けていた期間及び額とみなす。

**（退職手当の調整額）**

**第七条**　退職した者に対する退職手当の調整額は、その者の調整額期間（次条に規定する調整額期間をいう。以下同じ。）の初日の属する月からその者の調整額期間の末日の属する月までの各月ごとに当該各月にその者が属していた次の各号に掲げる職員の区分に応じて当該各号に定める点数を合計した点数一点につき千百円を乗じた額とする。

一　第一号区分　三十五点
二　第二号区分　三十点
三　第三号区分　二十五点
四　第四号区分　二十点
五　第五号区分　十五点
六　第六号区分　十点
七　指定一号区分　四十点

八　指定二号区分　四十五点
九　指定三号区分　五十点
十　指定四号区分　五十五点
十一　指定五号区分　六十点
十二　指定六号区分　六十五点
十三　指定七号区分　七十点

2　退職した者の調整額期間に次条第二項第二号から第六号までに掲げる期間が含まれる場合における前項の規定の適用については、その者は、東京都規則で定めるところにより、当該期間において職員として在職していたものとみなす。

3　第一項各号に掲げる職員の区分は、職の職制上の段階、職務の級、階級その他職員の職務の複雑、困難及び責任の度に関する事項を考慮して、東京都規則で定める。

4　前各項に定めるもののほか、退職手当の調整額の計算に関し必要な事項は、東京都規則で定める。

**（調整額期間）**

**第八条**　調整額期間とは、基礎在職期間のうち、その者の退職の日の属する月の末日を起算日として、二十年前までの期間をいう。

2　基礎在職期間とは、その者に係る退職（第三条第一項ただし書、第十条の二、第十四条の四、第十五条又は公益的法人等への一般職の地方公務員の派遣等に関する法律（平成十二年法律第五十号）第十条の規定に該当するものを除く。）の日以前の期間のうち、次の各号に掲げる在職期間に該当するもの（当該期間中にこの条例の規定による退職手当の支給を受けたこと又は第十条第五項に規定する国家公務員等として退職したことにより退職手当（これに相当する給与を含む。）の支給を受けたことがある場合におけるこれらの退職手当に係る退職の日以前の期間及び第十条第六項の規定により職員としての引き続いた在職期間の全期間が切り捨てられたこと又は第十七条第一項若しくは第十九条第一項の規定により一般の退職手当等（一般の退職手当及び第十二条の規定による退職手当をいう。以下同じ。）の全部を支給しないこととする処分を受けたことにより一般の退職手当等の支給を受けなかつたことがある場合における当該一般の退職手当等に係る退職の日以前の期間（これらの退職の日に職員又は第十条第五項に規定する国家公務員等となつたときは、当該退職の日前の期間）を除く。）をいう。

一　職員としての引き続いた在職期間
二　第十条第五項の規定により職員としての引き続いた在職期間に含むものとされた職員以外の国家公務員等としての引き続いた在職期間
三　第十条の二第一項の規定により職員としての引き続いた在職期間に含むものとされた都が設立団体となる一般地方独立行政法人（地方独立行政法人法（平成十五年法律第百十八号）第八条第一項第五号に規定する一般地方独立行政法人をいう。以下同じ。）の役員としての引き続いた在職期間
四　第十四条の四第一項の規定により職員として勤続するものとみなされた特別区等の職員の在職期間
五　公益的法人等への東京都職員の派遣等に関する条例（平成十三年東京都条例第百三十三号）第十八条第一項の規定により職員としての引き続いた在職期間とみなされた特定法人の役職員としての在職期間
六　前各号に掲げる期間に準ずるものとして東京都規則で定める在職期間

3　第一項の調整額期間のうちに地方公務員法第二十六条の六の規定による配偶者同行休業（以下「配偶者同行休業」という。）、同法第二十八条の規定による休職、同法第二十九条の規定による停職、同法第五十五条の二第一項ただし書に規定する理由、地方公務員の育児休業等に関する法律（平成三年法律第百十号。以下「育児休業法」という。）第二条第一項の規定による育児休業（以下「育児休業」という。）、教育公務員特例法（昭和二十四年法律第一号）第二十六条の規定による大学院修学休業その他これらに準ずる理由により現実に職務に従事することを要しない期間のある月（現実に職務に従事することを要する日のあつた月を除く。以下これらを「休職月等」という。）がある場合、東京都規則の定めるところにより調整額期間から除くものとする。

**（管理監督職勤務上限年齢による降任をされた後に退職した者等に係る退職手当の調整額の特例）**

**第八条の二**　地方公務員法第二十八条の二第一項に規定する他の職への降任をされた後に退職した者又は特定任命により職員となつた後に退職した者の前二条の規定の適用については、次の表の上欄に掲げる規定中同表の中欄に掲げる字句は、それぞれ同表の下欄に掲げる字句とする。

| | | |
|---|---|---|
| 第七条第一項 | 次条に | 第八条の二の規定により読み替えられた第八条第一項に |
| | 同じ。） | 同じ。）のそれぞれの期間ごとに、当該期間 |
| | その者の調整額期間の | 当該期間の |

| | | |
|---|---|---|
| | 合計した点数 | 合計した点数を計算し、多い方の点数に |
| 第八条第一項 | として、 | として二十年前までの期間又は地方公務員法第二十八条の二第一項に規定する他の職への降任をされた日若しくは特定任命により職員となつた日の前日の属する月の末日を起算日として |

（一般の退職手当の額に係る特例）

**第九条**　第五条第二項第二号に規定する者で次の各号に該当するものに対する退職手当の額が、退職の日におけるその者の基本給月額に当該各号に掲げる割合を乗じて得た額に満たないときは、同条の規定にかかわらず、その乗じて得た額をもつてその者に対して支給する退職手当の額とする。

一　勤続期間一年未満の者　百分の二百七十

二　勤続期間一年以上二年未満の者　百分の三百六十

三　勤続期間二年以上三年未満の者　百分の四百五十

四　勤続期間三年以上の者　百分の五百四十

2　前項の基本給月額は、職員の給与に関する条例及び学校職員の給与に関する条例に規定する給料月額及び扶養手当の月額並びにこれらに対する地域手当の合計額又はこれらに相当する給与の月額の合計額とする。

（勤続期間の計算）

**第十条**　退職手当の算定の基礎となる勤続期間の計算は、職員として引き続いた在職期間による。

2　前項の規定による在職期間の計算は、職員となつた日の属する月から退職した日の属する月までの月数による。

3　職員が退職した場合（第十七条第一項各号のいずれかに該当する場合を除く。）において、その者が退職の日又はその翌日に再び職員となつたときは、前二項の規定による在職期間の計算については、引き続いて在職したものとみなす。

4　前三項の規定による在職期間のうちに休職月等が一月以上あつたときは、その月数の二分の一に相当する月数（育児休業をした期間についてはその月数の三分の一に相当する月数、配偶者同行休業をした期間又は同法第五十五条の二第一項ただし書に規定する理由若しくはこれに準ずる理由により現実に職務に従事することを要しなかつた期間についてはその月数）を前三項により計算した在職期間から除算する。ただし、同法第二十八条第二項第二号の規定に該当した者に係る休職において無罪の判決が確定した場合の休職期間及び教育公務員特例法第十四条の規定による休職期間については、この限りでない。

5　第一項に規定する職員としての引き続いた在職期間には国家公務員、東京都公営企業職員の給与の種類及び基準に関する条例の適用を受ける職員、職員以外の地方公務員、国立大学法人等（国立大学法人法（平成十五年法律第百十二号）第二条第一項に規定する国立大学法人及び同条第三項に規定する大学共同利用機関法人をいう。以下同じ。）の職員及び中期目標管理法人等（独立行政法人通則法（平成十一年法律第百三号）第二条第二項に規定する中期目標管理法人及び同条第三項に規定する国立研究開発法人をいう。以下同じ。）の職員（以下「国家公務員等」という。）から引き続いて職員となつた者（職員以外の地方公務員については任命権者の求めにより職員となつた者のうち知事が特に必要と認めた者並びに退職手当に関する条例の規定により職員としての勤続期間を特別区及び特別区の一部事務組合の職員としての勤続期間に通算することに定めている特別区及び特別区の一部事務組合の職員のうち任期の定めのある者以外の者に、国立大学法人等の職員については退職手当（これに相当する給与を含む。）に関する規程により職員としての勤続期間を当該法人の職員としての勤続期間に通算することに定めている法人の職員で任命権者の求めにより職員となつたもののうち知事が特に必要と認めた者に、中期目標管理法人等の職員についてはその業務が都の事務又は事業と密接な関連を有するもののうち東京都規則で定めるもの（退職手当（これに相当する給与を含む。）に関する規程により職員としての勤続期間を当該法人の職員としての勤続期間に通算することに定めている法人に限る。）の職員で任命権者の求めにより職員となつたもののうち知事が特に必要と認めた者に限る。）の国家公務員等としての引き続いた在職期間並びに職員が国家公務員等となり、引き続いて職員となつたものの先の職員として引き続いた在職期間の始期から国家公務員等としての引き続いた在職期間の終期までの在職期間をそれぞれ含むものとする。この場合において、その者の国家公務員等としての引き続いた在職期間の計算については、前各項の規定を準用する。

6　前五項の規定により計算した在職期間に一年未満の端月数がある場合には、六月以上の端月数はこれを一年とし、六月未満の端月数はこれを切り捨てる。ただし、第五条第二項に該当する者の退職手当の基本額を計算する場合については、これを一年とする。

7　前項の規定は、第九条第一項または第十三条の規定による退職手当の額を計算する場合における勤続期間の計算については、適用しない。

8　第十三条の規定による退職手当を計算する場合における勤続期間の計算について、第一項から第五項までの規定により計算した在職期間に一月未満のは数がある場合は、これを切り捨てる。

**（一般地方独立行政法人の役員として在職した後引き続いて職員となつた者に対する在職期間に係る特例）**

**第十条の二**　職員のうち、任命権者の要請に応じ、引き続いて都が設立団体となる一般地方独立行政法人の役員となるため退職し、かつ、当該都が設立団体となる一般地方独立行政法人の役員として在職した後引き続いて再び職員となつた者の前条第一項の規定による在職期間の計算については、先の職員としての在職期間の始期から後の職員としての在職期間の終期までの期間は、職員としての引き続いた在職期間とみなす。

2　前項の場合における都が設立団体となる一般地方独立行政法人の役員としての在職期間の計算については、前条（第五項を除く。）の規定を準用する。

**第十一条から第十一条の三まで**　削除

**（予告を受けない退職者の退職手当）**

**第十二条**　職員の退職が労働基準法（昭和二十二年法律第四十九号）第二十条及び第二十一条または船員法（昭和二十二年法律第百号）第四十六条の規定に該当する場合におけるこれらの規定による給与は、一般の退職手当に含まれるものとする。ただし、一般の退職手当の額がこれらの規定による給付の額に満たないときは、一般の退職手当のほかその差額に相当する金額を退職手当として支給する。

**（失業者の退職手当）**

**第十三条**　勤続期間十二月以上（特定退職者（雇用保険法（昭和四十九年法律第百十六号）第二十三条第二項に規定する特定受給資格者に相当するものとして東京都規則で定めるものをいう。以下この条において同じ。）にあつては、六月以上）で退職した職員（第五項の規定に該当する者を除く。）であつて、第一号に掲げる額が第二号に掲げる額に満たないものが、当該退職した職員を同法第十五条第一項に規定する受給資格者と、当該退職した職員の基準勤続期間の年月数を同法第二十二条第三項に規定する算定基礎期間の年月数と、当該退職の日を同法第二十条第一項第一号に規定する離職の日と、特定退職者を同法第二十三条第二項に規定する特定受給資格者とみなして同法第二十条第一項を適用した場合における同項各号に掲げる受給資格者の区分に応じ、当該各号に定める期間（当該期間内に妊娠、出産、育児その他東京都規則で定める理由により引き続き三十日以上職業に就くことができない者が東京都規則で定めるところにより知事にその旨を申し出た場合には、当該理由により職業に就くことができない日数を加算するものとし、その加算された期間が四年を超えるときは、四年とする。第三項において「支給期間」という。）内に失業している場合において、第一号に規定する一般の退職手当等の額を第二号に規定する基本手当の日額で除して得た数（一未満の端数があるときは、これを切り捨てる。）に等しい日数（以下「待期日数」という。）を超えて失業しているときは、当該退職手当のほかその超える部分の失業の日につき同号に規定する基本手当の日額に相当する金額を、退職手当として、同法の規定による基本手当の支給の条件に従い、支給する。ただし、同号に規定する所定給付日数から待期日数を減じた日数分を超えては支給しない。

一　その者が既に支給を受けた当該退職に係る一般の退職手当等の額

二　その者を雇用保険法第十五条第一項に規定する受給資格者と、その者の基準勤続期間を同法第十七条第一項に規定する被保険者期間と、当該退職の日を同法第二十条第一項第一号に規定する離職の日と、その者の基準勤続期間の年月数を同法第二十二条第三項に規定する算定基礎期間の年月数とみなして同法の規定を適用した場合に同法第十六条の規定によりその者が支給を受けることができる基本手当の日額にその者に係る同法第二十二条第一項に規定する所定給付日数（以下「所定給付日数」という。）を乗じて得た額

2　前項の基準勤続期間とは、職員としての勤続期間をいう。この場合において、当該勤続期間に係る職員となつた日前に職員又は職員以外の者で職員について定められている勤務時間以上勤務した日（法令又は条例若しくはこれに基づく東京都規則により、勤務を要しないこととされ、又は休暇を与えられた日を含む。）が十八日以上ある月が一月以上あるもの（季節的業務に四箇月以内の期間を定めて雇用され、又は季節的に四箇月以内の期間を定めて雇用されていた者にあつては、引き続き当該所定の期間を超えて勤務したものに限る。）であつた者（以下この項において「職員等」という。）であつたことがあるものについては、当該職員等であつた期間を含むものとし、当該勤続期間又は当該職員等であつた期間に次の各号に掲げる期間が該当するときは、当該各号に掲げる期間に該当するすべての期間を除く。

一　当該勤続期間又は当該職員等であつた期間に係る職員等となつた日の直前の職員等でなくなつた日が当該職員等となつた日前一年の期間内にないときは、当該直前の職員等でなくなつた日前の職員等であつた期間

二　当該勤続期間に係る職員等となつた日前に退職手当の支給を受けたことのある職員については、当該退職手当の支給に係る退職の日以前の職員等であつた期間

3　勤続期間十二月以上（特定退職者にあつては、六月以上）で退職した職員（第六項の規定に該当する者を除く。）が、支給期間内に失業している場合において、退職した者が一般の退職手当等の支給を受けないときは、その失業の日につき第一項第二号の規定の例によりその者につき雇用保険法の規定を適用した場合にその者が支給を受けることができる基本手当の日額に相当する金額を、退職手当として、同法の規定による基本手当の支給の条件に従い支給する。ただし、第一項第二号の規定の例によりその者につき雇用保険法の規定を適用した場合におけるその者に係る所定給付日数に相当する日数分を超えては支給しない。

4　第一項及び前項の規定による退職手当の支給に係る退職が定年に達したことその他の東京都規則で定める理由によるものである職員が当該退職後一定の期間求職の申込みをしないことを希望する場合において、東京都規則で定めるところにより、知事にその旨を申し出たときは、第一項中「当該各号に定める期間」とあるのは「当該各号に定める期間と、求職の申込みをしないことを希望する一定の期間（一年を限度とする。）に相当する期間を合算した期間（当該求職の申込みをしないことを希望する一定の期間内に求職の申込みをしたときは、当該各号に定める期間に当該退職の日の翌日から当該求職の申込みをした日の前日までの期間に相当する期間を加算した期間）」と、「当該期間内」とあるのは「当該合算した期間内」と、前項中「支給期間」とあるのは「第四項において読み替えられた第一項に規定する支給期間」とし、当該退職の日後に事業（その実施期間が三十日未満のものその他東京都規則で定めるものを除く。）を開始した職員その他これに準ずるものとして東京都規則で定める職員が東京都規則で定めるところにより、知事にその旨を申し出たときは、当該事業の実施期間（当該実施期間の日数が四年から第一項及びこの項の規定により算定される期間の日数を除いた日数を超える場合における当該超える日数を除く。）は、第一項及びこの項の規定による期間に算入しない。

5　勤続期間六月以上で退職した職員であつて、その者を雇用保険法第四条第一項に規定する被保険者とみなしたならば同法第三十七条の二第一項に規定する高年齢被保険者に該当するもののうち、第一号に掲げる額が第二号に掲げる額に満たないものが退職の日後失業している場合には、一般の退職手当等のほか、第二号に掲げる額から第一号に掲げる額を減じた額に相当する金額を、退職手当として、同法の規定による高年齢求職者給付金の支給の条件に従い支給する。

一　その者が既に支給を受けた当該退職に係る一般の退職手当等の額

二　その者を雇用保険法第三十七条の三第二項に規定する高年齢受給資格者と、その者の基準勤続期間（第二項に規定する基準勤続期間をいう。以下この条において同じ。）を同法第十七条第一項に規定する被保険者期間と、当該退職の日を同法第二十条第一項第一号に規定する離職の日と、その者の基準勤続期間の年月数を同法第三十七条の四第三項の規定による期間の年月数とみなして同法の規定を適用した場合に、その者が支給を受けることができる高年齢求職者給付金の額に相当する額

6　勤続期間六月以上で退職した職員であつて、その者を雇用保険法第四条第一項に規定する被保険者とみなしたならば同法第三十七条の二第一項に規定する高年齢被保険者に該当するものが退職の日後失業している場合において、退職した者が一般の退職手当等の支給を受けないときは、前項第二号の規定の例によりその者につき同法の規定を適用した場合にその者が支給を受けることができる高年齢求職者給付金の額に相当する金額を、退職手当として、同法の規定による高年齢求職者給付金の支給の条件に従い支給する。

7　第一項又は第三項に規定する場合のほか、これらの規定による退職手当の支給を受ける者に対しては、次に掲げる場合には、雇用保険法第二十四条から第二十八条までの規定による基本手当の支給の例により、当該基本手当の支給の条件に従い、第一項又は前項の退職手当を支給することができる。

一　その者が知事が雇用保険法の規定の例により指示した同法第二十四条第一項に規定する公共職業訓練等を受ける場合

二　その者が次のいずれかに該当する場合

イ　特定退職者であつて、雇用保険法第二十四条の二第一項各号に掲げる者に相当する者として東京都規則で定める者のいずれかに該当し、かつ、知事が同項に規定する指導基準（以下単に「指導基準」という。）に照らして再就職を促進するために必要な職業安定法（昭和二十二年法律第百四十

一号）第四条第四項に規定する職業指導（以下単に「職業指導」という。）を行うことが適当であると認めたもの

ロ　雇用保険法第二十二条第二項に規定する厚生労働省令で定める理由により就職が困難な者であつて、同法第二十四条の二第一項第二号に掲げる者に相当する者として東京都規則で定める者に該当し、かつ、知事が指導基準に照らして再就職を促進するために必要な職業指導を行うことが適当であると認めたもの

三　厚生労働大臣が雇用保険法第二十五条第一項の規定による措置を決定した場合

四　厚生労働大臣が雇用保険法第二十七条第一項の規定による措置を決定した場合

8　第一項、第三項及び第五項から前項までに定めるもののほか、第一項又は第三項の規定による退職手当の支給を受けることができる者で次の各号の規定に該当するものに対しては、それぞれ当該各号に掲げる金額を、退職手当として、雇用保険法の規定による技能習得手当、寄宿手当、傷病手当、就業促進手当、移転費又は求職活動支援費の支給の条件に従い支給する。

一　知事が雇用保険法の規定の例により指示した雇用保険法第三十六条に規定する公共職業訓練等を受けている者　同条第四項に規定する技能習得手当の額に相当する金額

二　前号に規定する公共職業訓練等を受けるため、その者により生計を維持されている同居の親族（届出をしていないが、事実上その者と婚姻関係と同様の事情にある者を含む。）又はパートナーシップ関係の相手方と別居して寄宿する者　雇用保険法第三十六条第四項に規定する寄宿手当の額に相当する金額

三　退職後公共職業安定所に出頭し求職の申込みをした後において、疾病又は負傷のために職業に就くことができない者　雇用保険法第三十七条第三項に規定する傷病手当の日額に相当する金額

四　職業に就いた者　雇用保険法第五十六条の三第三項に規定する就業促進手当の額に相当する金額

五　公共職業安定所、職業安定法第四条第九項に規定する特定地方公共団体若しくは同法第十八条の二に規定する職業紹介事業者の紹介した職業に就くため、又は知事が雇用保険法の規定の例により指示した同法第五十八条第一項に規定する公共職業訓練等を受けるため、その住所又は居所を変更する者　同条第二項（パートナーシップ関係の相手方のある職員に対する同項の規定の適用については、同項中「親族」とあるのは、「親族又はパートナーシップ関係の相手方」とする。）に規定する移転費の額に相当する金額

六　求職活動に伴い雇用保険法第五十九条第一項各号のいずれかに該当する行為をする者　同条第二項に規定する求職活動支援費の額に相当する金額

9　前項第三号に掲げる退職手当は、所定給付日数から待期日数及び第一項又は第三項の規定による退職手当の支給を受けた日数を控除した日数を超えては支給しない。

10　第八項第三号に掲げる退職手当の支給があつたときは、第一項、第三項又は第八項の規定の適用については、当該支給があつた金額に相当する日数分の第一項又は第三項の規定による退職手当の支給があつたものとみなす。

11　第八項第四号に掲げる退職手当の支給があつたときは、第一項、第三項又は第八項の規定の適用については、次の各号に掲げる退職手当ごとに、当該各号に定める日数分の第一項又は第三項の規定による退職手当の支給があつたものとみなす。

一　雇用保険法第五十六条の三第一項第一号イに該当する者に係る就業促進手当に相当する退職手当　当該退職手当の支給を受けた日数に相当する日数

二　雇用保険法第五十六条の三第一項第一号ロに該当する者に係る就業促進手当に相当する退職手当　当該就業促進手当について同条第五項の規定により基本手当を支給したものとみなされる日数に相当する日数

12　第八項の規定は、第五項又は第六項の規定による退職手当の支給を受けることができる者（第五項又は第六項の規定により退職手当の支給を受けた者であつて、当該退職手当の支給に係る退職の日の翌日から起算して一年を経過していないものを含む。）について準用する。この場合において、第八項中「次の各号」とあるのは「第四号から第六号まで」と、「技能習得手当、寄宿手当、傷病手当、就業促進手当」とあるのは「就業促進手当」と読み替えるものとする。

13　偽りその他不正の行為によつて第一項、第三項及び第五項から第八項までの規定による退職手当の支給を受けた者がある場合には、雇用保険法第十条の四の例による。

14　本条の規定による退職手当は、雇用保険法の規定によるこれに相当する給付の支給を受ける者に対しては支給しない。

**第十四条から第十四条の三まで**　削除

**（特別区等の職員となつた者の取扱い）**

**第十四条の四**　職員が引き続いて特別区及び東京都内の市町村並びにこれらをもつて組織する一部事務組合の

任期の定めのある職員（以下本条において「特別区等の職員」という。）となつた場合（その者が引き続いて再び都の職員となつた場合を含む。）は、当該特別区等の職員として在職する間、第二条に規定する職員として勤続するものとみなしてこの条例を適用する。

2　前項の特別区等の職員（その者が引き続いて再び都の職員となつた場合を除く。次項において同じ。）に対する第六条から第六条の五まで及び第九条の規定による退職手当の計算の基礎となる給料月額は、その者の特別区等の職員としての職をこれに相当する職員としての職とみなして、その者が引き続き職員として在職して退職したとしたならば受けることとなる給料月額に相当する額で知事が定めた額とする。

3　第一項の特別区等の職員が在職中六十五歳に達した場合には、当該年齢に達した日に退職したものとみなして前項の規定を適用する。

4　第一項の特別区等の職員に支給する退職手当の額は、第五条から第九条までの規定により計算して得た額から、特別区等の職員として在職した期間に対し当該特別区等から支給された退職手当（前項の規定により退職したものとみなされた者については、その退職したとみなされた日に当該特別区等の職員を退職したとしたならば支給されることとなる退職手当を含む。）の額を控除した額とする。

**（国家公務員等及び一般地方独立行政法人の役職員となつた者の取扱い）**

**第十五条**　職員が引き続いて国家公務員等及び一般地方独立行政法人の役職員となつたときは、この条例による退職手当は、支給しない。ただし、地方公共団体、国立大学法人等、中期目標管理法人等又は地方独立行政法人（地方独立行政法人法第二条第一項に規定する地方独立行政法人をいう。）（以下「地方公共団体等」という。）に就職した場合において、その者の職員としての勤続期間が、当該地方公共団体等の退職手当（これに相当する給与を含む。）に関する規程によりその者の当該地方公共団体等の職員としての勤続期間に通算されないことに定められているときは、この限りでない。

**（定義）**

**第十六条**　この条から第二十三条までにおいて、次の各号に掲げる用語の意義は、当該各号に定めるところによる。

一　懲戒免職等処分　地方公務員法第二十九条の規定による懲戒免職の処分その他の職員としての身分を当該職員の非違を理由として失わせる処分をいう。

二　退職手当管理機関　地方公務員法その他の法令の規定により職員の退職（この条例その他の条例の規定により、この条例の規定による退職手当を支給しないこととしている退職を除く。以下この条から第二十三条までにおいて同じ。）の日において当該職員に対し懲戒免職等処分を行う権限を有していた機関をいう。ただし、当該機関が退職後に廃止された場合における当該職員については、当該職員の占めていた職（当該職が廃止された場合にあつては、当該職に相当する職。以下この号において同じ。）を占める職員に対し懲戒免職等処分を行う権限を有する機関をいい、これらに該当する機関がない場合にあつては、当該職員の退職の日において当該職員の占めていた職の任命権を有する機関をいう。

**（懲戒免職等処分を受けた場合等の退職手当の支給制限）**

**第十七条**　退職をした者が次の各号のいずれかに該当するときは、当該退職に係る退職手当管理機関は、当該退職をした者（当該退職をした者が死亡したときは、当該退職に係る一般の退職手当等の額の支払を受ける権利を承継した者）に対し、事情（当該退職をした者が占めていた職の職務及び責任、当該退職をした者の勤務の状況、当該退職をした者が行つた非違の内容及び程度、当該非違に至つた経緯、当該非違後における当該退職をした者の言動、当該非違が公務の遂行に及ぼす支障の程度並びに当該非違が公務に対する信頼に及ぼす影響をいう。）を勘案して、当該一般の退職手当等の全部又は一部を支給しないこととする処分を行うことができる。

一　懲戒免職等処分を受けて退職をした者

二　地方公務員法第二十八条第四項の規定による失職又はこれに準ずる退職をした者

2　退職手当管理機関は、前項の規定による処分を行うときは、その理由を付記した書面により、その旨を当該処分を受けるべき者に通知しなければならない。

3　退職手当管理機関は、前項の規定による通知をする場合において、当該処分を受けるべき者の所在が知れないときは、当該処分の内容を東京都公報に掲載することをもつて通知に代えることができる。この場合においては、その掲載した日から起算して二週間を経過した日に、通知が当該処分を受けるべき者に到達したものとみなす。

**（退職手当の支払の差止め）**

**第十八条**　退職をした者が次の各号のいずれかに該当するときは、当該退職に係る退職手当管理機関は、当該退職をした者に対し、当該退職に係る一般の退職手当等の額の支払を差し止める処分を行うものとする。

一　職員が刑事事件に関し起訴（当該起訴に係る犯罪

について拘禁刑以上の刑が定められているものに限り、刑事訴訟法（昭和二十三年法律第百三十一号）第六編に規定する略式手続によるものを除く。以下同じ。）をされた場合において、その判決の確定前に退職をしたとき。

二　退職をした者に対しまだ当該一般の退職手当等の額が支払われていない場合において、当該退職をした者が基礎在職期間中の行為に係る刑事事件に関し起訴をされたとき。

2　退職をした者に対しまだ当該退職に係る一般の退職手当等の額が支払われていない場合において、次の各号のいずれかに該当するときは、当該退職に係る退職手当管理機関は、当該退職をした者に対し、当該一般の退職手当等の額の支払を差し止める処分を行うことができる。

一　当該退職をした者の基礎在職期間中の行為に係る刑事事件に関して、その者が逮捕されたとき又は当該退職手当管理機関がその者から聴取した事項若しくは調査により判明した事実に基づきその者に犯罪があると思料するに至つたときであつて、その者に対し一般の退職手当等の額を支払うことが公務に対する信頼を確保する上で支障を生ずると認めるとき。

二　当該退職手当管理機関が、当該退職をした者について、当該一般の退職手当等の額の算定の基礎となる職員としての引き続いた在職期間中に懲戒免職等処分を受けるべき行為（在職期間中の職員の非違に当たる行為であつて、その非違の内容及び程度に照らして懲戒免職等処分に値することが明らかなものをいう。以下同じ。）をしたことを疑うに足りる相当な理由があると思料するに至つたとき。

3　死亡による退職をした者の遺族（退職をした者（死亡による退職の場合には、その遺族）が当該退職に係る一般の退職手当等の額の支払を受ける前に死亡したことにより当該一般の退職手当等の額の支払を受ける権利を承継した者を含む。以下この項において同じ。）に対しまだ当該一般の退職手当等の額が支払われていない場合において、前項第二号に該当するときは、当該退職に係る退職手当管理機関は、当該遺族に対し、当該一般の退職手当等の額の支払を差し止める処分を行うことができる。

4　前三項の規定による一般の退職手当等の額の支払を差し止める処分（以下「支払差止処分」という。）を受けた者は、行政不服審査法（平成二十六年法律第六十八号）第十八条第一項本文に規定する期間が経過した後においては、当該支払差止処分後の事情の変化を理由に、当該支払差止処分を行つた退職手当管理機関に対し、その取消しを申し立てることができる。

5　第一項又は第二項の規定による支払差止処分を行つた退職手当管理機関は、次の各号のいずれかに該当するに至つた場合には、速やかに当該支払差止処分を取り消さなければならない。ただし、第三号に該当する場合において、当該支払差止処分を受けた者がその者の基礎在職期間中の行為に係る刑事事件に関し現に逮捕されているときその他これを取り消すことが支払差止処分の目的に明らかに反すると認めるときは、この限りでない。

一　当該支払差止処分を受けた者について、当該支払差止処分の理由となつた起訴又は行為に係る刑事事件につき無罪の判決が確定した場合

二　当該支払差止処分を受けた者について、当該支払差止処分の理由となつた起訴又は行為に係る刑事事件につき、判決が確定した場合（拘禁刑以上の刑に処せられた場合及び無罪の判決が確定した場合を除く。）又は公訴を提起しない処分があつた場合であつて、次条第一項の規定による処分を受けることなく、当該判決が確定した日又は当該公訴を提起しない処分があつた日から六月を経過した場合

三　当該支払差止処分を受けた者について、その者の基礎在職期間中の行為に係る刑事事件に関し起訴をされることなく、かつ、次条第一項の規定による処分を受けることなく、当該支払差止処分を受けた日から一年を経過した場合

6　第三項の規定による支払差止処分を行つた退職手当管理機関は、当該支払差止処分を受けた者が次条第二項の規定による処分を受けることなく当該支払差止処分を受けた日から一年を経過した場合には、速やかに当該支払差止処分を取り消さなければならない。

7　前二項の規定は、当該支払差止処分を行つた退職手当管理機関が、当該支払差止処分後に判明した事実又は生じた事情に基づき、当該一般の退職手当等の額の支払を差し止める必要がなくなつたとして当該支払差止処分を取り消すことを妨げるものではない。

8　第一項又は第二項の規定による支払差止処分を受けた者に対する第十三条の規定の適用については、当該支払差止処分が取り消されるまでの間、その者は、一般の退職手当等の支給を受けない者とみなす。

9　第一項又は第二項の規定による支払差止処分を受けた者が当該支払差止処分が取り消されたことにより当該一般の退職手当等の額の支払を受ける場合（これらの規定による支払差止処分を受けた者が死亡した場合において、当該一般の退職手当等の額の支払を受ける権利を承継した者が第三項の規定による支払差止処分

を受けることなく当該一般の退職手当等の額の支払を受けるに至つたときを含む。）において、当該退職をした者が既に第十三条の規定による退職手当の額の支払を受けているときは、当該一般の退職手当等の額から既に支払を受けた同条の規定による退職手当の額を控除するものとする。この場合において、当該一般の退職手当等の額が既に支払を受けた同条の規定による退職手当の額以下であるときは、当該一般の退職手当等は、支払わない。

10　前条第二項及び第三項の規定は、支払差止処分について準用する。

**（退職後拘禁刑以上の刑に処せられた場合等の退職手当の支給制限）**

**第十九条**　退職をした者に対しまだ当該退職に係る一般の退職手当等の額が支払われていない場合において、次の各号のいずれかに該当するときは、当該退職に係る退職手当管理機関は、当該退職をした者（第一号又は第二号に該当する場合において、当該退職をした者が死亡したときは、当該一般の退職手当等の額の支払を受ける権利を承継した者）に対し、第十七条第一項に規定する事情及び同項各号に規定する退職をした場合の一般の退職手当等の額との権衡を勘案して、当該一般の退職手当等の全部又は一部を支給しないこととする処分を行うことができる。

一　当該退職をした者が刑事事件（当該退職後に起訴をされた場合にあつては、基礎在職期間中の行為に係る刑事事件に限る。）に関し当該退職後に拘禁刑以上の刑に処せられたとき。

二　当該退職をした者が当該一般の退職手当等の額の算定の基礎となる職員としての引き続いた在職期間中の行為に関し地方公務員法第二十九条第三項の規定による懲戒免職処分（以下「定年前再任用短時間勤務職員に対する免職処分」という。）を受けたとき。

三　当該退職手当管理機関が、当該退職をした者（定年前再任用短時間勤務職員に対する免職処分の対象となる者を除く。）について、当該退職後に当該一般の退職手当等の額の算定の基礎となる職員としての引き続いた在職期間中に懲戒免職等処分を受けるべき行為をしたと認めたとき。

2　死亡による退職をした者の遺族（退職をした者（死亡による退職の場合には、その遺族）が当該退職に係る一般の退職手当等の額の支払を受ける前に死亡したことにより当該一般の退職手当等の額の支払を受ける権利を承継した者を含む。以下この項において同じ。）に対しまだ当該一般の退職手当等の額が支払われていない場合において、前項第三号に該当するときは、当該退職に係る退職手当管理機関は、当該遺族に対し、第十七条第一項に規定する事情を勘案して、当該一般の退職手当等の全部又は一部を支給しないこととする処分を行うことができる。

3　退職手当管理機関は、第一項第三号又は前項の規定による処分を行おうとするときは、当該処分を受けるべき者の意見を聴取しなければならない。

4　東京都行政手続条例（平成六年東京都条例第百四十二号）第三章第二節の規定は、前項の規定による意見の聴取について準用する。

5　第十七条第二項及び第三項の規定は、第一項及び第二項の規定による処分について準用する。

6　支払差止処分に係る一般の退職手当等に関し第一項又は第二項の規定により当該一般の退職手当等の一部を支給しないこととする処分が行われたときは、当該支払差止処分は、取り消されたものとみなす。

**（退職をした者の退職手当の返納）**

**第二十条**　退職をした者に対し当該退職に係る一般の退職手当等の額が支払われた後において、次の各号のいずれかに該当するときは、当該退職に係る退職手当管理機関は、当該退職をした者に対し、第十七条第一項に規定する事情のほか、当該退職をした者の生計の状況を勘案して、当該一般の退職手当等の額（当該退職をした者が当該一般の退職手当等の支給を受けていなければ第十三条第三項又は第六項の規定による退職手当の支給を受けることができた者（次条及び第二十二条において「失業手当受給可能者」という。）であつた場合には、これらの規定により算出される金額（次条及び第二十二条において「失業者退職手当額」という。）を除く。）の全部又は一部の返納を命ずる処分を行うことができる。

一　当該退職をした者が基礎在職期間中の行為に係る刑事事件に関し拘禁刑以上の刑に処せられたとき。

二　当該退職をした者が当該一般の退職手当等の額の算定の基礎となる職員としての引き続いた在職期間中の行為に関し定年前再任用短時間勤務職員に対する免職処分を受けたとき。

三　当該退職手当管理機関が、当該退職をした者（定年前再任用短時間勤務職員に対する免職処分の対象となる職員を除く。）について、当該一般の退職手当等の額の算定の基礎となる職員としての引き続いた在職期間中に懲戒免職等処分を受けるべき行為をしたと認めたとき。

2　前項の規定にかかわらず、当該退職をした者が第十三条第一項又は第五項の規定による退職手当の額の支払を受けている場合（受けることができる場合を含む。）における当該退職に係る一般の退職手当等については、当該退職に係る退職手当管理機関は、前項の規定による処分を行うことができない。

3　第一項第三号に該当するときにおける同項の規定による処分は、当該退職の日から五年以内に限り、行うことができる。

4　退職手当管理機関は、第一項の規定による処分を行おうとするときは、当該処分を受けるべき者の意見を聴取しなければならない。

5　東京都行政手続条例第三章第二節の規定は、前項の規定による意見の聴取について準用する。

6　第十七条第二項の規定は、第一項の規定による処分について準用する。

**（遺族の退職手当の返納）**

**第二十一条**　死亡による退職をした者の遺族（退職をした者（死亡による退職の場合には、その遺族）が当該退職に係る一般の退職手当等の額の支払を受ける前に死亡したことにより当該一般の退職手当等の額の支払を受ける権利を承継した者を含む。以下この項において同じ。）に対し当該一般の退職手当等の額が支払われた後において、前条第一項第三号に該当するときは、当該退職に係る退職手当管理機関は、当該遺族に対し、当該退職の日から一年以内に限り、第十七条第一項に規定する事情のほか、当該遺族の生計の状況を勘案して、当該一般の退職手当等の額（当該退職をした者が失業手当受給可能者であつた場合にあつては、失業者退職手当額を除く。）の全部又は一部の返納を命ずる処分を行うことができる。

2　第十七条第二項並びに前条第二項及び第四項の規定は、前項の規定による処分について準用する。

3　東京都行政手続条例第三章第二節の規定は、前項において準用する前条第四項の規定による意見の聴取について準用する。

**（退職手当受給者の相続人からの退職手当相当額の納付）**

**第二十二条**　退職をした者（死亡による退職の場合には、その遺族）に対し当該退職に係る一般の退職手当等の額が支払われた後において、当該一般の退職手当等の額の支払を受けた者（以下この条において「退職手当の受給者」という。）が当該退職の日から六月以内に第二十条第一項又は前条第一項の規定による処分を受けることなく死亡した場合（次項から第五項までに規定する場合を除く。）において、当該退職に係る退職手当管理機関が、当該退職手当の受給者の相続人（包括受遺者を含む。以下この項から第六項までにおいて同じ。）に対し、当該退職の日から六月以内に、当該退職をした者が当該一般の退職手当等の額の算定の基礎となる職員としての引き続いた在職期間中に懲戒免職等処分を受けるべき行為をしたことを疑うに足りる相当な理由がある旨の通知をしたときは、当該退職手当管理機関は、当該通知が当該相続人に到達した日から六月以内に限り、当該相続人に対し、当該退職をした者が当該一般の退職手当等の額の算定の基礎となる職員としての引き続いた在職期間中に懲戒免職等処分を受けるべき行為をしたと認められることを理由として、当該一般の退職手当等の額（当該退職をした者が失業手当受給可能者であつた場合には、失業者退職手当額を除く。）の全部又は一部に相当する額の納付を命ずる処分を行うことができる。

2　退職手当の受給者が、当該退職の日から六月以内に第二十条第五項又は前条第三項において準用する東京都行政手続条例第十五条第一項の規定による通知を受けた場合において、第二十条第一項又は前条第一項の規定による処分を受けることなく死亡したとき（次項から第五項までに規定する場合を除く。）は、当該退職に係る退職手当管理機関は、当該退職手当の受給者の死亡の日から六月以内に限り、当該退職手当の受給者の相続人に対し、当該退職をした者が当該退職に係る一般の退職手当等の額の算定の基礎となる職員としての引き続いた在職期間中に懲戒免職等処分を受けるべき行為をしたと認められることを理由として、当該一般の退職手当等の額（当該退職をした者が失業手当受給可能者であつた場合には、失業者退職手当額を除く。）の全部又は一部に相当する額の納付を命ずる処分を行うことができる。

3　退職手当の受給者（遺族を除く。以下この項から第五項までにおいて同じ。）が、当該退職の日から六月以内に基礎在職期間中の行為に係る刑事事件に関し起訴をされた場合（第十八条第一項第一号に該当する場合を含む。次項において同じ。）において、当該刑事事件につき判決が確定することなく、かつ、第二十条第一項の規定による処分を受けることなく死亡したときは、当該退職に係る退職手当管理機関は、当該退職手当の受給者の死亡の日から六月以内に限り、当該退職手当の受給者の相続人に対し、当該退職をした者が当該退職に係る一般の退職手当等の額の算定の基礎となる職員としての引き続いた在職期間中に懲戒免職等処分を受けるべき行為をしたと認められることを理由として、当該一般の退職手当等の額（当該退職をした者が失業手当受給可能者であつた場合には、失業者退職手当額を除く。）の全部又は一部に相当する額の納付を命ずる処分を行うことができる。

4　退職手当の受給者が、当該退職の日から六月以内に基礎在職期間中の行為に係る刑事事件に関し起訴をされた場合において、当該刑事事件に関し拘禁刑以上の刑に処せられた後において第二十条第一項の規定による処分を受けることなく死亡したときは、当該退職に係る退職手当管理機関は、当該退職手当の受給者の死亡の日から六月以内に限り、当該退職手当の受給者の相続人に対し、当該退職をした者が当該刑事事件に関し拘禁刑以上の刑に処せられたことを理由として、当該一般の退職手当等の額（当該退職をした者が失業手当受給可能者であつた場合には、失業者退職手当額を除く。）の全部又は一部に相当する額の納付を命ずる処分を行うことができる。

5　退職手当の受給者が、当該退職の日から六月以内に当該退職に係る一般の退職手当等の額の算定の基礎となる職員としての引き続いた在職期間中の行為に関し定年前再任用短時間勤務職員に対する免職処分を受けた場合において、第二十条第一項の規定による処分を受けることなく死亡したときは、当該退職に係る退職手当管理機関は、当該退職手当の受給者の死亡の日から六月以内に限り、当該退職手当の受給者の相続人に対し、当該退職をした者が当該行為に関し定年前再任用短時間勤務職員に対する免職処分を受けたことを理由として、当該一般の退職手当等の額（当該退職をした者が失業手当受給可能者であつた場合には、失業者退職手当額を除く。）の全部又は一部に相当する額の納付を命ずる処分を行うことができる。

6　前各項の規定による処分に基づき納付する金額は、第十七条第一項に規定する事情のほか、当該退職手当の受給者の相続財産の額、当該退職手当の受給者の相続財産の額のうち第一項から前項までの規定による処分を受けるべき者が相続又は遺贈により取得をした又は取得をする見込みである財産の額、当該退職手当の受給者の相続人の生計の状況及び当該一般の退職手当等に係る租税の額を勘案して、定めるものとする。この場合において、当該相続人が二人以上あるときは、各相続人が納付する金額の合計額は、当該一般の退職手当等の額を超えることとなつてはならない。

7　第十七条第二項並びに第二十条第二項及び第四項の規定は、第一項から第五項までの規定による処分について準用する。

8　東京都行政手続条例第三章第二節の規定は、前項において準用する第二十条第四項の規定による意見の聴取について準用する。

**（人事委員会による調査審議）**

**第二十三条**　人事委員会は、退職手当管理機関の諮問に応じ、次項に規定する退職手当の支給制限等の処分について調査審議する。

2　退職手当管理機関は、第十九条第一項第三号若しくは第二項、第二十条第一項、第二十一条第一項又は前条第一項から第五項までの規定による処分（以下この条において「退職手当の支給制限等の処分」という。）を行おうとするときは、人事委員会に諮問しなければならない。

3　人事委員会は、第十九条第二項、第二十一条第一項又は前条第一項から第五項までの規定による処分を受けるべき者から申立てがあつた場合には、当該処分を受けるべき者に口頭で意見を述べる機会を与えなければならない。

4　人事委員会は、必要があると認める場合には、退職手当の支給制限等の処分に係る事件に関し、当該処分を受けるべき者又は退職手当管理機関にその主張を記載した書面又は資料の提出を求めること、適当と認める者にその知つている事実の陳述又は鑑定を求めることその他必要な調査をすることができる。

5　人事委員会は、必要があると認める場合には、退職手当の支給制限等の処分に係る事件に関し、関係機関に対し、資料の提出、意見の開陳その他必要な協力を求めることができる。

6　前各項に規定するもののほか、退職手当の支給制限等の処分についての調査審議に関し必要な事項は、人事委員会規則で定める。

**（口座振替による支払）**

**第二十四条**　退職手当は、受給者から申出のある場合は、口座振替の方法により支払うことができる。

**（東京都規則への委任）**

**第二十五条**　この条例に定めるもののほか、この条例の施行について必要な事項は、東京都規則で定める。

付　則（抄）

**第一条**　この条例は、公布の日から施行し、昭和三十一年九月一日から適用する。ただし、付則第八条の規定は、昭和二十八年七月三十一日から適用する。

**第二条**　昭和三十一年八月三十一日以前の退職による退職手当については、なお従前の例による。

**第三条**　昭和三十一年八月三十一日に現に在職する職員の同年同月同日以前における勤続期間については、東京都規則で定めるものを除くほか、なお、従前の例による。ただし、旧恩給法の特例に関する件（昭和二十一年「勅令」第六十八号）第一条に規定する軍人軍属としての勤続期間は、その者の勤続から除算しないものとする。

**第四条**　職員又は東京都公営企業職員の給与の種類及び基準に関する条例の適用を受ける職員が引き続き、東京都知事等の給料等に関する条例の適用を受ける職員（副知事を除く。）若しくは東京都公営企業の管理者の給料等に関する条例の適用を受ける職員となつた場合又は東京都人事委員会の常勤の委員若しくは東京都の常勤の監査委員となつた場合には、第二条に定める職員として勤続するものとみなし、なお、この条例を適用する。

**第五条**　任命権者の指定する職員が引き続いて日本住宅公団、住宅・都市整備公団、都市基盤整備公団、首都高速道路公団、京浜外貿埠頭公団、東京都住宅供給公社、財団法人新宿副都心建設公社、財団法人東京都新都市建設公社又は財団法人オリンピック東京大会組織委員会（以下本条において「公団等」という。）の役員又は職員となつた場合は、第三条の規定にかかわらず当該公団等の役員又は職員としての在職期間中は、退職手当の支給を停止する。

2　前項の職員が更に引き続いて都の職員となつた場合は、前項の都の職員としての在職期間及び当該公団等の役員または職員としての在職期間を通算し、第十条第一項及び同条第二項の規定による在職期間の計算については、引き続いて在職したものとみなす。

3　前項の規定の適用を受けて退職した者に対して支給する退職手当の額は、第五条から第九条までの規定により計算して得た額から当該公団等の役員又は職員としての在職期間について支給を受けた条例の退職手当に相当する給与の額を控除した額とする。

4　第一項に規定する役員または職員としての在職中に死亡した場合の同項に規定する退職手当は、その者の遺族に支給する。

**第六条**　先に職員として在職し、裁判所法（昭和二十二年法律第五十九号）に基づく司法修習生となるため退職した者が司法修習生の修習を終えたのち、他に就職することなく再び職員となつた場合の第十条の規定による在職期間の計算については、先の職員としての在職期間は、あとの職員としての在職期間に引き続いたものとみなす。

2　前項の規定の適用を受けて退職した者に対して支給する退職手当の額は、第五条から第九条までの規定により計算して得た額から先の職員としての在職期間について支給を受けた退職手当の額を控除した額とする。

**第六条の二**　第十条第五項の規定による先の職員としての在職期間及び国家公務員等の在職期間について、条例の規定による退職手当に相当する給与の支給を受けた者の退職手当の額は、第五条から第九条までの規定にかかわらず退職の日におけるその者の給料月額に第一号に掲げる割合から第二号に掲げる割合を控除した割合を乗じて得た額とする。ただし、その額が先の職員としての在職期間及び国家公務員等の在職期間を算入しないとした場合の退職手当の額に満たないときは、先の職員としての在職期間及び国家公務員等の在職期間を算入しないとした場合の額とする。

一　その者が第五条から第九条までの規定により計算した額の退職手当の支給を受けるものとした場合における当該退職手当の額の当該給料月額に対する割合

二　その者が先の職員を退職した際及び国家公務員等を退職した際に支給を受けた退職手当の額のその計算の基礎となつた給料月額に対する割合

**第六条の三**　埼玉県入間郡元狭山村の公立学校に勤務していた教育職員であつて、同村の東京都西多摩郡瑞穂町編入に伴い引き続いて第二条の職員となつた者の埼玉県の教育職員としての在職期間は、これを同条の職員としての在職期間に通算する。

**第六条の四**　東京都内の市町村の消防機関に勤務していた消防職員であつて、昭和三十五年四月一日、昭和四十五年四月一日、昭和四十八年四月一日、昭和四十九年四月一日、昭和五十年八月一日又は平成二十二年四月一日に引き続いて第二条の職員となつた者の当該消防機関の職員としての在職期間（その在職期間に通算されることになつている在職期間を含む。）は、これを同条の職員としての在職期間に通算する。ただし、条例に規定する退職手当に相当する給与の支給を受けた者の在職期間については、当該給与の支給の基礎となつた在職期間を除く。

**第六条の五**　財団法人東京芝浦食肉事業公社に勤務していた職員であつて、同公社の業務が東京都へ移管したことに伴い、引き続いて第二条の職員となつた者の同公社の職員としての在職期間は、これを同条の職員としての在職期間に通算する。

2　前項の在職期間内に同公社の規定により調整額と同様のものを受けていた期間がある者の当該期間及び当該額は、調整額を受けていた期間及び額とみなす。

**第八条**　この条例の適用を受ける職員であつて、昭和二十九年九月二日以後ソヴエト社会主義共和国連邦、樺太、千島、北緯三十八度以北の朝鮮、関東州、満州または中国本土の地域内において生存していたと認められる資料があり、かつ、本邦に帰還していないもの（自己の意思により帰還しないものと認められる者ならびに昭和二十年九月二日以降において、本邦にあつた者を除く。）が、恩給法の一部を改正する法律（昭和二十八年法律第百五十五号）または東京都恩給条例の一部を改正する条例（昭和二十八年十二月東京都条例第百二十一号）の規定によつて退職したものとみなされたとき、または昭和二十八年八月一日以後死亡が確認されたときは、その者がその退職の日または死亡確認の日に退職したものとみなして、第六条の規定による退職手当を支給する。

**第十二条**　平成九年度及び平成十年度に退職する職員のうち職員の定年等に関する条例第三条に規定する定年が年齢六十年であるものの退職手当の算定にあつては、第六条の二の規定中「二十五年」とあるのは「二十年」と、「百分の二」とあるのは「百分の三」として、同条の規定を適用する。

2　平成十一年度に退職する職員のうち職員の定年等に関する条例第三条に規定する定年が年齢六十年であるものの退職手当の算定にあつては、第六条の二の規定中「二十五年」とあるのは「二十年」と、定年年度の十年前から六年前のものについては、「百分の二」とあるのは「百分の三」として、同条の規定を適用する。

3　平成十三年度及び平成十四年度に退職する職員のうち職員の定年等に関する条例第三条に規定する定年が年齢六十年であるものの退職手当の算定にあつては、定年年度の十年前から六年前のものについては、第六条の二の規定中「百分の二」とあるのは「百分の三」として同条の規定を適用する。

**第十三条**　職員から引き続いて国家公務員となつた者が、国立大学法人法附則第四条の規定により引き続いて国立大学法人等の職員となり、かつ、引き続き国立大学法人等の職員として在職した後、任命権者の要請により引き続いて職員となつた場合におけるその者の退職手当の算定の基礎となる勤続期間の計算については、先の職員としての引き続いた在職期間の始期から国立大学法人等の職員としての引き続いた在職期間の終期までを職員としての引き続いた在職期間とみなす。ただし、その者が国立大学法人等を退職したことにより退職手当（これに相当する給与を含む。）の支給を受けているときは、この限りでない。

**第十四条**　平成十六年四月一日前に職員から引き続いて国家公務員となつた者が、引き続いて非特定独立行政法人（独立行政法人通則法の一部を改正する法律（平成二十六年法律第六十六号）による改正前の独立行政法人通則法第二条第一項に規定する独立行政法人のうち、同条第二項に規定する特定独立行政法人以外のものをいう。以下同じ。）の職員となり、かつ、引き続き非特定独立行政法人の職員として在職した後、任命権者の要請により引き続いて職員となつた場合におけるその者の退職手当の算定の基礎となる勤続期間の計算については、先の職員としての引き続いた在職期間の始期から非特定独立行政法人の職員としての引き続いた在職期間の終期までを職員としての引き続いた在職期間とみなす。ただし、その者が非特定独立行政法人を退職したことにより退職手当（これに相当する給与を含む。）の支給を受けているときは、この限りでない。

2　平成二十七年四月一日前に職員から引き続いて国家公務員となつた者が、引き続いて中期目標管理法人等の職員となり、かつ、引き続き中期目標管理法人等の職員として在職した後、任命権者の要請により引き続いて職員となつた場合におけるその者の退職手当の算定の基礎となる勤続期間の計算については、先の職員としての引き続いた在職期間の始期から中期目標管理法人等の職員としての引き続いた在職期間の終期までを職員としての引き続いた在職期間とみなす。ただし、その者が中期目標管理法人等を退職したことにより退職手当（これに相当する給与を含む。）の支給を受けているときは、この限りでない。

**第十五条**　職員の給与に関する条例の一部を改正する条例（平成十七年東京都条例第百三十号）附則第十一条の規定による給料を支給される職員及び学校職員の給与に関する条例の一部を改正する条例（平成十七年東京都条例第百四十三号）附則第十一条の規定による給料を支給される職員の退職手当の計算の基礎となる給料月額は、給料月額とそれぞれの規定による給料の額との合計額とする。

**第十六条**　職員の給与に関する条例の一部を改正する条例（平成十八年東京都条例第百四十九号。以下本条において「新条例」という。）の施行の日以後の前条の規定における職員の給与に関する条例の一部を改正する条例（平成十七年東京都条例第百三十号。以下本条において「旧条例」という。）附則第十一条の規定の適用については、新条例附則第二条の規定により読み替えられた旧条例附則第十一条の規定を適用する。

**第十七条**　平成十九年一月一日から同年三月三十一日までに退職した者（ただし、条例第六条第一項及び第七条第一項の規定に該当する者に限る。）の退職手当の計算の基礎となる給料月額等は、職員の給与に関する条例の一部を改正する条例（平成十八年東京都条例第百四十九号）及び学校職員の給与に関する条例の一部を改正する条例（平成十八年東京都条例第百六十号）による改正前の給料月額等を適用する（ただし、改正前の給料月額等が退職の日におけるその者の給料月額等よりも多いときに限る。）。

**第十八条**　職員の給与に関する条例の一部を改正する条例（平成十八年東京都条例第百四十九号）附則第八条の規定による給料を支給される職員の退職手当の基礎となる給料月額は、給料月額と同条の規定による給料の額との合計額とする。

**第十九条**　職員の給与に関する条例の一部を改正する条例（平成二十年東京都条例第百三十号）附則第六条の規定による給料を支給される職員及び学校職員の給与に関する条例の一部を改正する条例（平成二十年東京都条例第百四十号）附則第七条の規定による給料を支給される職員の退職手当の計算の基礎となる給料月額は、給料月額とそれぞれの規定による給料の額との合計額とする。

**第二十条**　平成二十一年四月一日から平成二十三年三月三十一日までに退職した者（ただし、第五条第二項の規定に該当する者に限る。）のうち、東京都規則で定めるものについては、第七条第一項に規定する職員の区分に応じて定める点数は同項の規定にかかわらず二点とする。

**第二十一条**　職員の給与に関する条例の一部を改正する条例（平成二十一年東京都条例第八十四号）附則第七条の規定による給料を支給される職員の退職手当の計算の基礎となる給料月額は、給料月額と同条の規定による給料の額との合計額とする。

**第二十二条**　職員の給与に関する条例の一部を改正する条例（平成二十二年東京都条例第九十号）附則第六条の規定による給料を支給される職員の退職手当の計算の基礎となる給料月額は、給料月額と同条の規定による給料の額との合計額とする。

**第二十三条**　職員の給与に関する条例の一部を改正する条例（平成二十三年東京都条例第七十七号）附則第五条又は第六条の規定による給料を支給される職員の退職手当の計算の基礎となる給料月額は、給料月額と同条例附則第五条の規定による給料の額との合計額とする。

**第二十四条**　平成二十五年一月一日以降に退職した者（職員の退職手当に関する条例の一部を改正する条例（平成二十四年東京都条例第百二十七号）による改正後の職員の退職手当に関する条例第五条第二項の規定の適用を受ける者に限る。）のうち、東京都規則で定める者における第七条第一項の規定の適用については、同項第六号中「十点」とあるのは、「十五点」とする。

**第二十五条**　職員の給与に関する条例の一部を改正する条例（平成二十四年東京都条例第百二十五号）附則第五条による給料を支給される職員の退職手当の計算の基礎となる給料月額は、給料月額と同条の規定による差額に相当する額等との合計額とする。

**第二十六条**　職員の給与に関する条例の一部を改正する条例

(平成二十六年東京都条例第百三十二号) 附則第七条による給料を支給される職員の退職手当の計算の基礎となる給料月額は、給料月額と同条の規定による差額に相当する額等との合計額とする。

**第二十七条** 職員の給与に関する条例の一部を改正する条例(平成二十七年東京都条例第百二十九号) 附則第八条による給料を支給される職員の退職手当の計算の基礎となる給料月額は、給料月額と同条の規定による差額に相当する額等との合計額とする。

**第二十八条** 職員の給与に関する条例の一部を改正する条例(平成二十八年東京都条例第百四号) 附則第四条による給料を支給される職員の退職手当の計算の基礎となる給料月額は、給料月額と同条の規定による差額に相当する額等との合計額とする。

**第二十九条** 令和七年三月三十一日以前に退職した職員に対する第十三条第七項の規定の適用については、同項の規定中次の表の上欄に掲げる字句は、それぞれ同表の下欄に掲げる字句とする。

| 上欄 | 下欄 |
|---|---|
| 第二十八条まで | 第二十八条まで及び附則第五条 |
| ロ 雇用保険法第二十二条第二項に規定する厚生労働省令で定める理由により就職が困難な者であつて、同法第二十四条の二第一項第二号に掲げる者に相当する者として東京都規則で定める者に該当し、かつ、知事が指導基準に照らして再就職を促進するために必要な職業指導を行うことが適当であると認めたもの | ロ 雇用保険法第二十二条第二項に規定する厚生労働省令で定める理由により就職が困難な者であつて、同法第二十四条の二第一項第二号に掲げる者に相当する者として東京都規則で定める者に該当し、かつ、知事が指導基準に照らして再就職を促進するために必要な職業指導を行うことが適当であると認めたもの<br>ハ 特定退職者であつて、雇用保険法附則第五条第一項に規定する地域内に居住し、かつ、知事が指導基準に照らして再就職を促進するために必要な職業指導を行うことが適当であると認めたもの（イに掲げる者を除く。） |

**第三十条** 職員の給与に関する条例の一部を改正する条例(平成二十九年東京都条例第九十八号) 附則第五条の規定による給料を支給される職員及び学校職員の給与に関する条例の一部を改正する条例 (平成二十九年東京都条例第百四号) 附則第五条の規定による給料を支給される職員の退職手当の計算の基礎となる給料月額は、給料月額とそれぞれの規定による給料の額との合計額とする。

**第三十一条** 職員の給与に関する条例の一部を改正する条例(平成三十年東京都条例第百四号) 附則第五条の規定による給料を支給される職員の退職手当の計算の基礎となる給料月額は、給料月額と同条の規定による差額に相当する額等との合計額とする。

**第三十二条** 職員の給与に関する条例附則第十項及び学校職員の給与に関する条例付則第九項の規定による職員の給料月額の改定 (次条において「給料月額七割措置」という。)は、第六条の二第一項に規定する給料月額の減額改定に該当しないものとする。

**第三十三条** 当分の間、給料月額七割措置の適用を受ける者のうち、第六条の二第一項の東京都規則で定める期間中に、同項の理由 (給料月額七割措置によりその者の給料月額が減額されたことがある場合を除く。) によりその者の給料月額が減額されたことがある者については、その者に対して支給する退職手当の基本額は、同条の規定にかかわらず、次項又は第三項に定める額とする。ただし、東京都規則で定める場合については、この限りでない。

2 第六条の二第一項の東京都規則で定める期間中に、同項の理由 (給料月額七割措置によりその者の給料月額が減額されたことがある場合及び当該減額をされた日 (以下この項において「七割措置減額日」という。) における同項の理由を除く。) によりその者の給料月額が減額されたことがある場合において、当該減額をされた日 (以下この項において「特別特定減額日」という。) の前日におけるその者の給料月額 (当該特別特定減額日以後に給料月額の改定をする条例等が制定された場合にあつては、同項の東京都規則で定める額とする。ただし、その額が特別特定減額日の前日におけるその者の給料月額を超える場合は、この限りでない。) のうち最も多いもの (当該給料月額がこの項に規定する七割措置前給料月額を超えない場合にあつては、当該特別特定減額日が七割措置減額日よりも後のものに限る。) (以下この条において「特別特定減額前給料月額」という。) が退職の日におけるその者の給料月額よりも多く、かつ、給料月額七割措置によりその者の給料月額が減額されたことがある場合において、当該七割措置減額日の前日におけるその者の給料月額 (当該七割措置減額日以後に給料月額の改定をする条例等が制定された場合にあつては、同項の東京都規則で定める額とする。ただし、その額が七割措置減額日の前日におけるその者の給料月額を超える場合は、この限りでない。) (以下この条において「七割措置前給料月額」という。) が退職の日におけるその者の給料月額より多いときは、その者に対して支給する退職手当の基本額は、次に掲げる額の合計額とする。

一 その者が特別特定減額前給料月額 (当該特別特定減額前給料月額に係る特別特定減額日が二以上ある場合は、これらのうち最も遅い日の前日におけるものをいう。以下この項において同じ。) 又は七割措置前給料月額のいずれか多い額 (以下この条及び付則第三十五条において「上位減額前給料月額」という。) に係る減額日の前日に現に退職した理由と同一の理由により退職したものとし、かつ、その者の同日までの勤続期間及び上位減額前給料月額を基礎として、第六条第一項の規定により計算した場合の退職手当の基本額に相当する額

二　その者が特別特定減額前給料月額又は七割措置前給料月額のいずれか少ない額（以下この条及び付則第三十五条において「下位減額前給料月額」という。）に係る減額日の前日に現に退職した理由と同一の理由により退職したものとし、かつ、その者の同日までの勤続期間及び下位減額前給料月額に、イに掲げる割合からロに掲げる割合を控除した割合を乗じて得た額

イ　その者が下位減額前給料月額に係る減額日の前日に現に退職した理由と同一の理由により退職したものとし、かつ、その者の同日までの勤続期間及び下位減額前給料月額を基礎として、第六条第一項の規定により計算した場合の退職手当の基本額に対する割合

ロ　前号に掲げる額の上位減額前給料月額に対する割合

三　退職の日におけるその者の給料月額に、イに掲げる割合からロに掲げる割合を控除した割合を乗じて得た額

イ　その者に対する退職手当の基本額が第六条第一項の規定により計算した額であるものとした場合における当該退職手当の基本額の退職の日におけるその者の給料月額に対する割合

ロ　前号に掲げる額の下位減額前給料月額に対する割合

3　前項の規定により計算した額が、次の各号に掲げる同項第二号ロに掲げる割合の区分に応じ当該各号に定める額を超える場合は、同項の規定にかかわらず、当該各号に定める額をもつてその者に対して支給する退職手当の基本額とする。

一　四十三以上　上位減額前給料月額に四十三を乗じて得た額

二　四十三未満　次のイ又はロに掲げる前項第三号ロに掲げる割合の区分に応じ当該イ又はロに定める額

イ　四十三以上　上位減額前給料月額に前項第二号ロに掲げる割合を乗じて得た額及び下位減額前給料月額に四十三から当該割合を控除した割合を乗じて得た額の合計額

ロ　四十三未満　上位減額前給料月額に前項第二号ロに掲げる割合を乗じて得た額、下位減額前給料月額に前項第三号ロに掲げる割合から前項第二号ロに掲げる割合を控除した割合を乗じて得た額及び退職の日におけるその者の給料月額に四十三から前項第三号ロに掲げる割合を控除した割合を乗じて得た額の合計額

**第三十四条**　当分の間、第六条の三及び第六条の四第二項の規定の適用については、これらの規定中「定年」とあるのは、「定年（職員の定年等に関する条例の一部を改正する条例（令和四年東京都条例第七十五号）による改正前の職員の定年等に関する条例（以下この条及び付則第三十七条において「令和四年旧職員定年条例」という。）第三条各号に掲げる者以外の者にあつては六十歳とし、令和四年旧職員定年条例第三条第一号及び第二号に掲げる者にあつては六十五歳とし、令和四年旧職員定年条例第三条第三号に掲げる者にあつては六十三歳とする。）」とする。

**第三十五条**　当分の間、第六条の四第一項に規定する者に対する付則第三十三条の規定の適用については、次の表の上欄に掲げる規定中同表の中欄に掲げる字句は、それぞれ同表の下欄に掲げる字句とする。

| | | |
|---|---|---|
| 付則第三十三条第二項第一号 | 及び上位減額前給料月額 | 並びに上位減額前給料月額及び当該上位減額前給料月額に百分の十を乗じて得た額の合計額 |
| | 第六条第一項 | 付則第三十五条の規定により読み替えて適用する第六条第一項 |
| 付則第三十三条第二項第二号 | 及び下位減額前給料月額 | 並びに下位減額前給料月額及び当該下位減額前給料月額に百分の十を乗じて得た額の合計額 |
| 付則第三十三条第二項第二号イ | 及び下位減額前給料月額 | 並びに下位減額前給料月額及び当該下位減額前給料月額に百分の十を乗じて得た額の合計額 |
| | 第六条第一項 | 付則第三十五条の規定により読み替えて適用する第六条第一項 |
| 付則第三十三条第二項第二号ロ | 上位減額前給料月額 | 上位減額前給料月額及び当該上位減額前給料月額に百分の十を乗じて得た額の合計額 |
| 付則第三十三条第二項第三号 | 給料月額に、 | 給料月額及び当該給料月額に百分の十を乗じて得た額の合計額に、 |
| 付則第三十三条第二項第三号イ | 第六条第一項 | 付則第三十五条の規定により読み替えて適用する第六条第一項 |
| 付則第三十三条第二項第三号ロ | 下位減額前給料月額 | 下位減額前給料月額及び当該下位減額前給料月額に百分の十を乗じて得た額の合計額 |
| 付則第三十三条第三項 | 前項の | 付則第三十五条の規定により読み替えて適用する前項の |
| 付則第三十三条第三項第一号 | 上位減額前給料月額 | 上位減額前給料月額及び当該上位減額前給料月額に百分の十を乗じて得た額の合計額 |
| 付則第三十三条第三項第二号イ | 上位減額前給料月額 | 上位減額前給料月額及び当該上位減額前給料月額に百分の十を乗じて得た額の合計額 |

| 付則第三十三条第三項第二号ロ | 下位減額前給料月額 | 下位減額前給料月額及び当該下位減額前給料月額に百分の十を乗じて得た額の合計額 |
|---|---|---|
| | 上位減額前給料月額 | 上位減額前給料月額及び当該上位減額前給料月額に百分の十を乗じて得た額の合計額 |
| | 下位減額前給料月額 | 下位減額前給料月額及び当該下位減額前給料月額に百分の十を乗じて得た額の合計額 |
| | 及び退職の日におけるその者の給料月額 | 並びに退職の日におけるその者の給料月額及び当該給料月額に百分の十を乗じて得た額の合計額 |

**第三十六条**　当分の間、職員の給与に関する条例附則第十三項、第十五項、第十七項若しくは第十八項又は学校職員の給与に関する条例付則第十二項、第十四項若しくは第十五項の規定による給料を支給される職員の退職手当の計算の基礎となる給料月額は、給料月額とこれらの規定による給料の額との合計額とする。

**第三十七条**　当分の間、調整額の支給を受けた者が、六十歳（令和四年旧職員定年条例第三条第三号に掲げる者にあつては六十三歳とする。）に達した日後における最初の四月一日（以下この条及び次条において「特定日」という。）以後退職した場合に、その者に対して支給する退職手当の基本額は、第六条の五第一項の規定にかかわらず、第六条から第六条の四までの規定（付則第三十三条及び付則第三十五条の規定の適用を受ける場合は、当該規定）により計算して得た額に、次に掲げる額の合計額（特定日以後の期間において調整額の支給を受けていない場合は第一号に掲げる額とし、特定日の前日までの期間において調整額の支給を受けていない場合は第二号に掲げる額とする。）を加えた額とする。

一　特定日の前日におけるその者の調整額の額に相当する東京都規則で定める額（特定日の前日に調整額の支給を受けていない者については、特定日の前日の直近の時期に受けていた調整額の額に相当する東京都規則で定める額）と、その者が特定日の前日までの期間において最も長期間にわたり支給を受けていた調整額の額に相当する東京都規則で定める額とのいずれか多い額のものに、特定日の前日までの期間において調整額を受けていた期間を第六条の勤続期間とみなして得た支給割合を乗じて得た額

二　退職の日におけるその者の調整額の額（退職の日に調整額の支給を受けていない者については、特定日以後の期間において退職の日の直近の時期に受けていた調整額の額に相当する東京都規則で定める額）と、その者が特定日以後の期間において最も長期間にわたり支給を受けていた調整額の額に相当する東京都規則で定める額とのいずれか多い額のものに、調整額を受けていた期間を第六条の勤続期間とみなして得た支給割合から前号に掲げる支給割合を控除した支給割合を乗じて得た額

**第三十八条**　当分の間、特定日以後退職した場合に、退職時に義務教育諸学校等の教育職員の給与等に関する特別措置に関する条例第三条の教職調整額の適用のある者の退職手当の基本額は、第六条の五第二項の規定にかかわらず、第六条から第六条の四までの規定（付則第三十三条及び付則第三十五条の規定の適用を受ける場合は、当該規定）及び第六条の五第一項の規定（前条の規定の適用を受ける場合は、同条の規定）により計算して得た額に、次に掲げる額の合計額（特定日の前日までの期間において教職調整額の支給を受けていない場合は、第二号に掲げる額とする。）を加えた額とする。

一　特定日の前日に受けていた教職調整額の額に相当する東京都規則で定める額に特定日の前日までの期間において教職調整額を受けていた期間を第六条の勤続期間とみなして得た支給割合を乗じて得た額

二　退職時に受けていた教職調整額の額に教職調整額を受けていた期間を第六条の勤続期間とみなして得た支給割合から前号に掲げる支給割合を控除した支給割合を乗じて得た額

2　前項の規定は、第六条の五第三項の規定の適用を受ける者について準用する。

**第三十九条**　当分の間、付則第三十三条第一項に規定する者に対する第六条の五第三項の規定の適用については、同項中「第六条の二」とあるのは、「付則第三十三条第一項」と読み替えるものとする。

**附　則**（平二四・一一・三〇条例一二七）（抄）

**（施行期日）**

**第一条**　この条例は、平成二十五年一月一日から施行する。ただし、付則第二十五条の規定は、同年四月一日から施行する。

**（経過措置）**

**第二条**　この条例による改正後の職員の退職手当に関する条例（以下「改正後の条例」という。）第六条の規定の適用を受ける者（次条の適用を受けるものを除く。）で、平成二十五年一月一日から平成二十六年三月三十一日までの間に退職したものの退職手当の基本額については、改正後の条例第六条の規定にかかわらず、次の各号に掲げる退職の日が属する期間に応じて、当該各号に定める額をもって、その者に支給する退職手当の基本額とする。

一　平成二十五年一月一日から平成二十五年三月三十一日までの間　その者の退職の日における給料月額に、その者の勤続期間に応じて附則別表第一の支給率の欄に定める率を乗じて得た額

二　平成二十五年四月一日から平成二十六年三月三十一日までの間　その者の退職の日における給料月額に、その者の勤続期間に応じて附則別表第二の支給率の欄に定める率を乗じて得た額

**第三条**　改正後の条例第六条の規定の適用を受ける者のうち、改正後の条例第五条第二項に規定する者で、平成二十五年一月一日から平成二十七年三月三十一日までの間（以下「経過措置期間」という。）に退職したものの退職手当の基本額については、改正後の条例第六条の規定にかかわらず、次の各号に掲げる退職の日が属する期間に応じて、当該各号に定める額をもって、その者に支給する退職手当の基本額とする。

一　平成二十五年一月一日から平成二十五年三月三十一日までの間　その者の退職の日における給料月額（改正後の条例第六条の二及び第六条の三に規定する者については、当該規定に定める合計額。以下「最終給料月額」という。）に、その者の勤続期間に応じて附則別表第三の支給率の欄に定める率を乗じて得た額

二　平成二十五年四月一日から平成二十六年三月三十一日までの間　その者の最終給料月額に、その者の勤続期間に応じて附則別表第四の支給率の欄に定める率を乗じて得た額

三　平成二十六年四月一日から平成二十七年三月三十一日までの間　その者の最終給料月額に、その者の勤続期間に応じて附則別表第五の支給率の欄に定める率を乗じて得た額

**第四条**　改正後の条例第七条の規定の適用を受ける者（次条の適用を受ける者を除く。）で、経過措置期間に退職したものの調整額点数については、改正後の条例第七条の規定にかかわらず、次の各号に掲げる退職の日が属する期間に応じて、当該各号に定める点数とする。

一　平成二十五年一月一日から平成二十五年三月三十一日までの間　附則別表第六に定める点数

二　平成二十五年四月一日から平成二十六年三月三十一日までの間　附則別表第七に定める点数

三　平成二十六年四月一日から平成二十七年三月三十一日までの間　附則別表第八に定める点数

**第五条**　改正後の条例第七条の規定の適用を受ける者のうち、職員の給与に関する条例別表第六指定職給料表の適用を受ける者及び他の東京都の条例によりこれに相当する給料を受ける者で、経過措置期間に退職したものの退職手当の調整額については、改正後の条例第七条の規定にかかわらず、次の各号に掲げる退職の日が属する期間に応じて、当該各号に定める額をもって、その者に支給する退職手当の調整額とする。

一　平成二十五年一月一日から平成二十五年三月三十一日までの間　改正後の条例第七条の規定により計算した退職手当の調整額（以下「改正後の退職手当の調整額」という。）から、改正後の退職手当の調整額と、この条例による改正前の職員の退職手当に関する条例第九条の八第四項の規定により計算した退職手当の調整額（以下「改正前の退職手当の調整額」という。）との差額に四分の三を乗じて得られた額を減じた額

二　平成二十五年四月一日から平成二十六年三月三十一日までの間　改正後の退職手当の調整額から、改正後の退職手当の調整額と改正前の退職手当の調整額との差額に四分の二を乗じて得られた額を減じた額

三　平成二十六年四月一日から平成二十七年三月三十一日までの間　改正後の退職手当の調整額から、改正後の退職手当の調整額と改正前の退職手当の調整額との差額に四分の一を乗じて得られた額を減じた額

**第六条**　改正後の条例第六条の三の規定の適用については、同条中「百分の十」とあるのは、次の各号に掲げる退職の日が属する期間に応じて、当該各号に定める割合とする。

一　平成二十五年一月一日から平成二十五年三月三十一日までの間　千分の二十五

二　平成二十五年四月一日から平成二十六年三月三十一日までの間　千分の五十

三　平成二十六年四月一日から平成二十七年三月三十一日までの間　千分の七十五

**第七条**　改正後の条例付則第二十四条の適用については、同条中「十五点」とあるのは、次の各号に掲げる退職の日が属する期間に応じて、当該各号に定める点数とする。

一　平成二十五年一月一日から平成二十五年三月三十一日までの間　三・八点

二　平成二十五年四月一日から平成二十六年三月三十一日までの間　七・六点

三　平成二十六年四月一日から平成二十七年三月三十一日までの間　十一・三点

**附　則**（令六・一〇・一一条例一一三）

**（施行期日）**

1　この条例は、令和七年六月一日から施行する。

**（経過措置）**

2　刑法等の一部を改正する法律（令和四年法律第六十七号）及び刑法等の一部を改正する法律の施行に伴う関係法律の整理等に関する法律（令和四年法律第六十八号）並びにこの条例の施行前に犯した禁錮以上の刑（死刑を除く。）が定められている罪につき起訴をされた者は、この条例による改正後の職員の退職手当に関する条例第十八条第一項及び第五項、第十九条第一項（第一号に係る部分に限る。）並びに第二十二条第三項及び第四項の規定の適用については、拘禁刑が定められている罪につき起訴をされた者とみなす。

附則別表第一
（附則第２条関係）

| 勤続期間 | 支給率 |
|---|---|
| １年 | 0.96 |
| ２年 | 1.93 |
| ３年 | 2.90 |
| ４年 | 3.86 |
| ５年 | 4.83 |
| ６年 | 5.80 |
| ７年 | 6.76 |
| ８年 | 7.73 |
| ９年 | 8.70 |
| 10年 | 9.66 |
| 11年 | 11.00 |
| 12年 | 12.33 |
| 13年 | 13.66 |
| 14年 | 15.00 |
| 15年 | 16.33 |
| 16年 | 17.86 |
| 17年 | 19.40 |
| 18年 | 20.93 |
| 19年 | 22.46 |
| 20年 | 24.00 |
| 21年 | 25.63 |
| 22年 | 27.26 |
| 23年 | 28.90 |
| 24年 | 30.53 |
| 25年 | 32.16 |
| 26年 | 33.90 |
| 27年 | 35.63 |
| 28年 | 37.36 |
| 29年 | 39.09 |
| 30年 | 40.83 |
| 31年 | 42.43 |
| 32年 | 44.03 |
| 33年 | 45.60 |
| 34年 | 46.90 |
| 35年 | 48.16 |
| 36年以上 | 48.33 |

附則別表第二
（附則第２条関係）

| 勤続期間 | 支給率 |
|---|---|
| １年 | 0.93 |
| ２年 | 1.86 |
| ３年 | 2.80 |
| ４年 | 3.73 |
| ５年 | 4.66 |
| ６年 | 5.60 |
| ７年 | 6.53 |
| ８年 | 7.46 |
| ９年 | 8.40 |
| 10年 | 9.33 |
| 11年 | 10.65 |
| 12年 | 11.96 |
| 13年 | 13.28 |
| 14年 | 14.60 |
| 15年 | 15.91 |
| 16年 | 17.48 |
| 17年 | 19.05 |
| 18年 | 20.61 |
| 19年 | 22.18 |
| 20年 | 23.75 |
| 21年 | 25.36 |
| 22年 | 26.98 |
| 23年 | 28.60 |
| 24年 | 30.21 |
| 25年 | 31.83 |
| 26年 | 33.50 |
| 27年 | 35.16 |
| 28年 | 36.83 |
| 29年 | 38.49 |
| 30年 | 40.16 |
| 31年 | 41.71 |
| 32年 | 43.26 |
| 33年 | 44.81 |
| 34年 | 45.70 |
| 35年 | 46.58 |
| 36年以上 | 46.66 |

附則別表第三
（附則第３条関係）

| 勤続期間 | 支給率 |
|---|---|
| １年 | 1.2 |
| ２年 | 2.5 |
| ３年 | 3.8 |
| ４年 | 5.1 |
| ５年 | 6.3 |
| ６年 | 7.6 |
| ７年 | 8.9 |
| ８年 | 10.2 |
| ９年 | 11.4 |
| 10年 | 12.7 |
| 11年 | 14.5 |
| 12年 | 16.2 |
| 13年 | 18.0 |
| 14年 | 19.7 |
| 15年 | 21.5 |
| 16年 | 23.4 |
| 17年 | 25.3 |
| 18年 | 27.2 |
| 19年 | 29.1 |
| 20年 | 31.0 |
| 21年 | 32.9 |
| 22年 | 34.8 |
| 23年 | 36.7 |
| 24年 | 38.6 |
| 25年 | 40.5 |
| 26年 | 42.4 |
| 27年 | 44.3 |
| 28年 | 46.2 |
| 29年 | 48.1 |
| 30年 | 50.0 |
| 31年 | 51.5 |
| 32年 | 53.0 |
| 33年 | 54.5 |
| 34年 | 55.0 |
| 35年以上 | 55.6 |

附則別表第四
（附則第３条関係）

| 勤続期間 | 支給率 |
|---|---|
| １年 | 1.1 |
| ２年 | 2.2 |
| ３年 | 3.4 |
| ４年 | 4.6 |
| ５年 | 5.7 |
| ６年 | 6.8 |
| ７年 | 8.0 |
| ８年 | 9.2 |
| ９年 | 10.3 |
| 10年 | 11.4 |
| 11年 | 13.1 |
| 12年 | 14.6 |
| 13年 | 16.3 |
| 14年 | 17.8 |
| 15年 | 19.5 |
| 16年 | 21.3 |
| 17年 | 23.1 |
| 18年 | 24.9 |
| 19年 | 26.7 |
| 20年 | 28.5 |
| 21年 | 30.3 |
| 22年 | 32.1 |
| 23年 | 33.9 |
| 24年 | 35.7 |
| 25年 | 37.5 |
| 26年 | 39.3 |
| 27年 | 41.1 |
| 28年 | 42.9 |
| 29年 | 44.7 |
| 30年 | 46.5 |
| 31年 | 48.0 |
| 32年 | 49.5 |
| 33年 | 51.0 |
| 34年 | 51.5 |
| 35年以上 | 52.0 |

附則別表第五
（附則第３条関係）

| 勤続期間 | 支給率 |
|---|---|
| １年 | 1.0 |
| ２年 | 2.0 |
| ３年 | 3.0 |
| ４年 | 4.1 |
| ５年 | 5.1 |
| ６年 | 6.1 |
| ７年 | 7.1 |
| ８年 | 8.2 |
| ９年 | 9.2 |
| 10年 | 10.2 |
| 11年 | 11.7 |
| 12年 | 13.1 |
| 13年 | 14.6 |
| 14年 | 16.0 |
| 15年 | 17.5 |
| 16年 | 19.2 |
| 17年 | 20.9 |
| 18年 | 22.6 |
| 19年 | 24.3 |
| 20年 | 26.0 |
| 21年 | 27.7 |
| 22年 | 29.4 |
| 23年 | 31.1 |
| 24年 | 32.8 |
| 25年 | 34.5 |
| 26年 | 36.2 |
| 27年 | 37.9 |
| 28年 | 39.6 |
| 29年 | 41.3 |
| 30年 | 43.0 |
| 31年 | 44.5 |
| 32年 | 46.0 |
| 33年 | 47.5 |
| 34年 | 48.0 |
| 35年以上 | 48.5 |

附則別表第六
（附則第４条関係）

| 調整額区分 | 点　数 |
|---|---|
| 第一号区分 | 23.8 |
| 第二号区分 | 18.8 |
| 第三号区分 | 13.8 |
| 第四号区分 | 9.5 |
| 第五号区分 | 6.0 |
| 第六号区分 | 2.5 |

附則別表第七
（附則第４条関係）

| 調整額区分 | 点　数 |
|---|---|
| 第一号区分 | 27.6 |
| 第二号区分 | 22.6 |
| 第三号区分 | 17.6 |
| 第四号区分 | 13.0 |
| 第五号区分 | 9.0 |
| 第六号区分 | 5.0 |

附則別表第八
（附則第４条関係）

| 調整額区分 | 点　数 |
|---|---|
| 第一号区分 | 31.3 |
| 第二号区分 | 26.3 |
| 第三号区分 | 21.3 |
| 第四号区分 | 16.5 |
| 第五号区分 | 12.0 |
| 第六号区分 | 7.5 |

附　則（平二八・一二・二二条例一〇七）

**（施行期日）**

**第一条**　この条例は、平成二十九年一月一日（以下「施行日」という。）から施行する。ただし、付則第二十八条の規定は、同年四月一日から施行する。

**（経過措置）**

**第二条**　退職職員（職員の退職手当に関する条例第二条に規定する職員のうち退職したものをいう。以下同じ。）であって、退職職員が退職の際勤務していた当該地方公共団体の事務を雇用保険法（昭和四十九年法律第百十六号）第五条第一項に規定する適用事業とみなしたならば雇用保険法等の一部を改正する法律（平成二十八年法律第十七号）第二条の規定による改正前の雇用保険法第六条第一号に掲げる者に該当するものにつき、この条例による改正後の職員の退職手当に関する条例（以下「新条例」という。）第十三条第五項又は第六項の勤続期間を計算する場合における職員の退職手当に関する条例第十条の規定の適用については、同条第一項中「在職期間」とあるのは「在職期間（平成二十九年一月一日前の在職期間を有する者にあっては、同日以後の職員としての引き続いた在職期間）」と、同条第二項中「月数」とあるのは「月数（平成二十九年一月一日前の在職期間を有する者にあっては、平成二十九年一月から退職した日の属する月までの月数（退職した日が平成二十九年一月一日前である場合にあっては、零））」とする。

**第三条**　新条例第十三条第八項（第六号に係る部分に限り、同条第十二項において準用する場合を含む。）の規定は、退職職員であって求職活動に伴い施行日以後に同条第八項第六号に規定する行為（当該行為に関し、この条例による改正前の職員の退職手当に関する条例（以下この条及び附則第五条において「旧条例」という。）第十三条第八項第六号に掲げる広域求職活動費の額に相当する金額の退職手当が支給されている場合における当該行為を除く。）をしたもの（施行日前一年以内に旧条例第十三条第五項又は第六項の規定による退職手当の支給を受けることができる者となった者であって施行日以後に新条例第十三条第五項又は第六項の規定による退職手当の支給を受けることができる者となっていないものを除く。）について適用し、退職職員であって施行日前に旧条例第十三条第八項第六号に掲げる求職活動をしたものについては、なお従前の例による。

**第四条**　新条例第十三条第十二項において準用する同条第八項（第四号に係る部分に限る。）の規定は、退職職員であって施行日以後に職業に就いたものについて適用し、退職職員であって施行日前に職業に就いたものについては、なお従前の例による。

**第五条**　施行日前に旧条例第十三条第五項又は第六項の規定による退職手当の支給を受けることができる者となった者（施行日以後に新条例第十三条第五項又は第六項の規定による退職手当の支給を受けることができる者となった者を除く。）に対する職員の退職手当に関する条例第十三条第八項第五号に掲げる移転費の額に相当する金額の退職手当の支給については、なお従前の例による。

附　則（平二九・六・一四条例四二）

**（施行期日）**

**第一条**　この条例は、公布の日から施行する。ただし、第十三条第八項の改正規定及び附則第三条の規定は、平成三十年一月一日から施行する。

**（経過措置）**

**第二条**　この条例による改正後の職員の退職手当に関する条例（以下「新条例」という。）第十三条第七項（第二号に係る部分に限り、新条例付則第二十九条の規定により読み替えて適用する場合を含む。）の規定は、退職職員（職員の退職手当に関する条例第二条に規定する職員のうち退職したものをいう。次条において同じ。）であって職員の退職手当に関する条例第十三条第一項第二号に規定する所定給付日数から同項に規定する待期日数を減じた日数分の同項の退職手当又は同号の規定の例により雇用保険法（昭和四十九年法律第百十六号）の規定を適用した場合におけるその者に係る同号に規定する所定給付日数に相当する日数分の同条第三項の退職手当の支給を受け終わった日が平成二十九年四月一日以後であるものについて適用する。

**第三条**　退職職員であって雇用保険法等の一部を改正する法律（平成二十九年法律第十四号）第四条による改正後の職業安定法（昭和二十二年法律第百四十一号。以下「新法」という。）第四条第八項に規定する特定地方公共団体又は新法第十八条の二に規定する職業紹介事業者の紹介により職業に就いた者に対する新条例第十三条第八項（第五号に係る部分に限り、職員の退職手当に関する条例第十三条第十二項において準用する場合を含む。）の規定は、当該退職職員が当該紹介により職業に就いた日が平成三十年一月一日以後である場合について適用する。

附　則（平二九・一一・二二条例一〇二）

**（施行期日）**

**第一条**　この条例は、平成三十年一月一日から施行する。ただし、付則に一条を加える改正規定は、同年四月一日から施行する。

**（経過措置）**

**第二条**　この条例による改正後の職員の退職手当に関する条例第六条、第七条第一項、第八条第三項及び第十条第四項の規定は、この条例の施行の日以後に退職した者に係る退職手当について適用し、同日前に退職した者に係る退職手当については、なお従前の例による。

附　則（令三・三・三一条例三）（抄）

**（施行期日等）**

1　この条例は、公布の日から施行する。

2　この条例による改正後の職員の退職手当に関する条例及び次項による改正後の外国の地方公共団体の機関等に派遣される職員の処遇等に関する条例（昭和六十三年東京都条例第十二号）の規定は、令和三年三月三十一日以後に退職した者に係る退職手当について適用し、同日前に退職した者に係る退職手当については、なお従前の例による。

附　則（令四・六・二二条例七四）

**第一条**　この条例は、令和五年四月一日から施行する。ただし、次の各号に掲げる規定は、当該各号に定める日から施行する。

一　付則第二十九条の改正規定　公布の日

二　第十三条の改正規定（同条第四項に係る部分に限る。）
　令和四年七月一日

三　第十三条の改正規定（同条第八項に係る部分に限る。）
　令和四年十月一日

**第二条**　地方公務員法の一部を改正する法律（令和三年法律第六十三号）附則第四条第一項若しくは第二項又は第六条第一項若しくは第二項（これらの規定を同法附則第九条第三項の規定により読み替えて適用する場合を含む。）の規定により採用された職員に対するこの条例による改正後の職員の退職手当に関する条例（以下「新条例」という。）第二条の規定の適用については、同条第一号中「者」とあるのは「者及び地方公務員法の一部を改正する法律（令和三年法律第六十三号）附則第四条第一項若しくは第二項又は第六条第一項若しくは第二項（これらの規定を同法附則第九条第三項の規定により読み替えて適用する場合を含む。）の規定により採用された者」とする。

**第三条**　新条例第十三条第七項（第二号に係る部分に限り、新条例付則第二十九条の規定により読み替えて適用する場合を含む。）の規定は、退職職員（新条例第二条に規定する職員のうち退職したものをいう。）であって新条例第十三条第一項第二号に規定する所定給付日数から同項に規定する待期日数を減じた日数分の同項の退職手当又は同号の規定の例により雇用保険法（昭和四十九年法律第百十六号）の規定を適用した場合におけるその者に係る同号に規定する所定給付日数に相当する日数分の同条第三項の退職手当の支給を受け終わった日が令和四年四月一日以後であるものについて適用する。

**第四条**　新条例第十三条第四項の規定は、附則第一条第二号に掲げる施行日以後に同項の事業を開始した職員その他これに準ずるものとして同項の東京都規則で定める職員に該当するに至った者について適用する。

**第五条**　令和五年四月一日から令和十三年三月三十一日までの間に退職した者の新条例第十四条の四第三項の規定の適用については、次の表の上欄に掲げる期間の区分に応じ、同項中「六十五歳」とあるのは、それぞれ同表の下欄に掲げる字句とする。

| 期間 | 字句 |
|---|---|
| 令和五年四月一日から令和七年三月三十一日まで | 六十一歳 |
| 令和七年四月一日から令和九年三月三十一日まで | 六十二歳 |
| 令和九年四月一日から令和十一年三月三十一日まで | 六十三歳 |
| 令和十一年四月一日から令和十三年三月三十一日まで | 六十四歳 |

**附　則**（令四・一〇・一七条例一一五）

**（施行期日）**

1　この条例は、令和四年十一月一日（以下「施行日」という。）から施行する。

**（経過措置）**

2　この条例による改正後の職員の退職手当に関する条例第十三条第八項の規定は、施行日以後に支給すべき事由が生じた同項の退職手当について適用し、施行日前に支給すべき事由が生じた同項の退職手当については、なお従前の例による。

# ○職員の旅費に関する条例

昭二六・六・一四
条　例　七　六

最終改正　令四・一〇・一七条例一一四

## 第一章　総則

**（趣旨）**

**第一条**　この条例は、公務のために旅行する職員（市町村立学校職員給与負担法（昭和二十三年法律第百三十五号）第一条及び第二条に規定する職員を含む。以下同じ。）の旅費に関し、諸般の基準を定めるものとする。

**（用語の意義）**

**第二条**　この条例において、次の各号に掲げる用語の意義は、当該各号に定めるところによる。

一　指定職の職務　職員の給与に関する条例（昭和二十六年東京都条例第七十五号）第五条第一項第六号に規定する指定職給料表の適用を受ける職員の職務をいう。

二　内国旅行　本邦（本州、北海道、四国、九州及びその附属の島の存する領域をいう。以下同じ。）における旅行をいう。

三　外国旅行　本邦と外国（本邦以外の領域（公海を含む。）をいう。以下同じ。）との間における旅行及び外国における旅行をいう。

四　出張　職員が公務のため一時その在勤庁（常時勤務する在勤庁のない職員については、その住所又は居所）を離れて旅行することをいう。

五　赴任　東京都（以下「都」という。）の要請に基づいて国若しくは他の地方公共団体等を退職し、引き続いて採用された職員若しくは任命権者があらかじめ人事委員会と協議して指定した職に充てるため採用された職員が、その採用に伴う移転のため住所若しくは居所から在勤庁に旅行し、転任を命ぜられた職員が、その転任に伴う移転のため旧在勤庁から新在勤庁に旅行し、又は住所若しくは居所を移転する者で任命権者が人事委員会と協議して特別の事情があると認められたものが、移転のため旅行することをいう。

六　帰住　職員が退職し、又は死亡した場合において、その職員若しくはその扶養親族又はその遺族が生活の本拠地となる地に旅行することをいう。

七　扶養親族　内国旅行にあつては、職員の配偶者（届出をしないが事実上婚姻関係と同様の事情にある者を含む。以下同じ。）又は東京都オリンピック憲章にうたわれる人権尊重の理念の実現を目指す条例（平成三十年東京都条例第九十三号）第七条の二第二項の証明若しくは同条第一項の東京都パートナーシップ宣誓制度と同等の制度であると知事が認めた地方公共団体のパートナーシップに関する制度による証明を受けたパートナーシップ関係の相手方であつて、同居し、かつ、生計を一にしているもの（以下単に「パートナーシップ関係の相手方」という。）、子、父母、孫、祖父母及び兄弟姉妹で主として職員の収入によつて生計を維持しているものをいい、外国旅行にあつては、職員の配偶者又はパートナーシップ関係の相手方及び子で主として職員の収入によつて生計を維持しているものをいう。

八　遺族　職員の配偶者又はパートナーシップ関係の相手方、子、父母、孫、祖父母及び兄弟姉妹並びに職員の死亡当時職員と生計を一にしていた他の親族をいう。

九　電磁的記録　電子的方式、磁気的方式その他人の知覚によつては認識することができない方式で作られた記録をいう。

2　この条例において「何級の職務」という場合には、職員の給与に関する条例第五条第一項第一号イに規定する行政職給料表(一)（以下「行政職給料表(一)」という。）により定められた当該級の職務をいい、行政職給料表(一)以外の給料表の適用を受ける者及び学校職員の給与に関する条例（昭和三十一年東京都条例第六十八号）第七条に規定する給料表の適用を受ける者については、人事委員会規則で定めるこれに相当する級の職務をいうものとする。

3　この条例において「何々地」という場合には、市町村の地域（特別区の存する区域にあつてはその全地域）をいい、外国にあつては、これに準ずる地域をいうものとする。ただし、「近接地」という場合には、人事委員会規則で定める地域をいうものとする。

**（旅費の支給）**

**第三条**　職員が出張し、又は赴任した場合には、その職員に対し、旅費を支給する。

2　職員、その配偶者若しくはパートナーシップ関係の相手方又はその遺族が次の各号のいずれかに該当する場合には、それぞれ当該各号に掲げる者に対し、旅費を支給する。

一　職員が出張又は赴任のための内国旅行中に退職、免職、失職又は休職（以下「退職等」という。）となつた場合（当該退職等に伴う旅行を必要としない場合を除く。）には、当該職員

二　職員（人事委員会規則で定める者を除く。）が、島しよの区域内の在勤地又は被災地支援の業務（人事委員会規則で定めるものに限る。）に従事することを目的とした都の区域外の在勤地において人事委員会規則で定める事由により退職となり、その退職の日の翌日から一月以内に旧在勤地を出発して、人事委員会規則で定める本邦の地域に帰住した場合には、当該職員

三　職員が出張又は赴任のための内国旅行中に死亡した場合には、当該職員の遺族

四　職員が死亡した場合において、当該職員の本邦にある遺族がその死亡の日の翌日から三月以内にその居住地を出発して帰住したときは、当該遺族

五　職員が、外国の在勤地において退職等となり、一定の期間内に本邦に帰住し、又は出張若しくは赴任のための外国旅行中に退職等となつた場合（当該退職等に伴う旅行を必要としない場合を除く。）には、当該職員

六　職員が、外国の在勤地において死亡し、又は出張若しくは赴任のための外国旅行中に死亡した場合には、当該職員の遺族

七　外国在勤の職員が死亡した場合において、当該職員の外国にある遺族（配偶者又はパートナーシップ関係の相手方及び子に限る。）がその死亡の日の翌日から三月以内にその居住地を出発して帰住したときは、当該遺族

八　外国在勤の職員の配偶者若しくはパートナーシップ関係の相手方が、当該職員の在勤地において死亡し、又は第三十八条第一項第一号若しくは第二号の規定に該当する外国旅行中に死亡した場合には、当該職員

3　職員が前項第一号又は第五号の規定に該当する場合において、地方公務員法（昭和二十五年法律第二百六十一号）第十六条各号若しくは第二十九条第一項各号に掲げる事由又はこれらに準ずる事由により退職等となつた場合には、前項の規定にかかわらず、同項の規定による旅費は、支給しない。

4　職員が、都の機関の依頼又は要求に応じ、公務の遂行を補助するため、証人、鑑定人、参考人、通訳等として旅行した場合には、その者に対し、旅費を支給する。

5　第一項、第二項及び前項の規定により旅費の支給を受けることができる者（その者の扶養親族の旅行について旅費の支給を受けることができる場合には、当該扶養親族を含む。以下本条において同じ。）が、その出発前に第四条第三項の規定により旅行命令等を取り消され、又は死亡した場合において、当該旅行のため既に支出した金額があるときは、当該金額のうちその者の損失となつた金額を旅費として支給することができる。

6　第一項、第二項及び第四項の規定により旅費の支給を受けることができる者が、旅行中交通機関の事故又は天災その他やむを得ない事情により概算払を受けた旅費額（概算払を受けなかつた場合には、概算払を受けることができた旅費額に相当する金額）の全部又は一部を喪失した場合には、その喪失した旅費額の範囲内の金額を旅費として支給することができる。

**（旅行命令等）**

**第四条**　次の各号に掲げる旅行は、当該各号に掲げる区分により、任命権者又は任命権者の委任を受けた者（以下「旅行命令権者」という。）の発する旅行命令又は旅行依頼（以下「旅行命令等」という。）によつて行われなければならない。

一　前条第一項の規定に該当する旅行　旅行命令

二　前条第四項の規定に該当する旅行　旅行依頼

2　旅行命令権者は、電信、電話、郵便等の通信による連絡手段によつては、公務の円滑な遂行を図ることができない場合で、かつ、予算上旅費の支出が可能である場合に限り、旅行命令等を発することができる。

3　旅行命令権者は、既に発した旅行命令等を変更（取消を含む。以下同じ。）する必要があると認める場合で、前項の規定に該当する場合には、自ら又は第五条第一項若しくは第二項の規定による旅行者の申請に基づき、これを変更することができる。

4　旅行命令権者は、旅行命令等を発し、又はこれを変更するには、旅行命令簿又は旅行依頼簿（旅行命令簿又は旅行依頼簿に記載すべき事項を記録した電磁的記録を含む。以下「旅行命令簿等」という。）に当該旅行に関する事項の記載又は記録をし、これを当該旅行者に提示してしなければならない。ただし、内国旅行（宿泊を要しない場合に限る。）のうち近接地内に出張を命じるとき又は旅行命令簿等に当該旅行に関する事項の記載若しくは記録をし、これを提示するいとまがないときは、口頭により旅行命令等を発し、又はこれを変更することができる。この場合においては、速やかに旅行命令簿等に、当該旅行に関する事項の記載又は記録をし、これを当該旅行者に提示しなければならない。

5　旅行命令簿等が電磁的記録による場合は、電磁的方法（電子情報処理組織を使用する方法その他の情報通信の技術を利用する方法であつて任命権者が定めるものをいう。以下同じ。）により提示することができる。

6　旅行命令簿等の記載事項又は記録事項、様式その他必要な事項は、任命権者が定める。

**（旅行命令等に従わない旅行）**

**第五条**　旅行者は、公務上の必要又は天災その他やむを得ない事情により旅行命令等（前条第三項の規定により変更された旅行命令等を含む。以下本条において同じ。）に従つて旅行することができない場合には、あらかじめ旅行命令権者に旅行命令等の変更の申請をしなければならない。

2　旅行者は、前項の規定による旅行命令等の変更の申請をするいとまがない場合には、旅行命令等に従わないで旅行した後、すみやかに旅行命令権者に旅行命令等の変更の申請をしなければならない。

3　旅行者は、前二項の規定による旅行命令等の変更の申請をせず、又は申請をしたがその変更が認められなかつた場合において、旅行命令等に従わないで旅行したときは、その旅行者は、旅行命令等に従つた限度の旅行に対する旅費のみの支給を受けることができる。

**（旅費の種類）**

**第六条**　旅費の種類は、鉄道賃、船賃、航空賃、車賃、日当、旅行雑費、宿泊料、食卓料、移転料、着後手当、扶養親族移転料、渡航手数料及び死亡手当とする。

2　鉄道賃は、鉄道旅行について、実費額により支給する。

3　船賃は、水路旅行について、実費額により支給する。

4　航空賃は、航空旅行について、実費額により支給する。

5　車賃は、陸路（鉄道を除く。以下同じ。）旅行について、実費額又は路程に応じ一キロメートル当たりの定額により支給する。

6　日当は、外国旅行中の日数に応じ一日当たりの定額により支給する。

7　旅行雑費は、出張（外国旅行における近接地外の出張を除く。）又は近接地内の赴任の場合にあつては実費額により、近接地外の赴任の場合にあつては旅行中の日数に応じ一日当たりの定額により支給する。

8　宿泊料は、旅行中の夜数に応じ一夜当たりの定額により支給する。

9　食卓料は、旅行中の夜数に応じ一夜当たりの定額により支給する。

10　移転料は、赴任に伴う住所又は居所の移転について、内国旅行にあつては実費額により、外国旅行にあつては路程等に応じ定額により支給する。

11　着後手当は、赴任に伴う住所又は居所の移転について、定額により支給する。

12　扶養親族移転料は、赴任に伴う扶養親族の移転について支給する。

13　渡航手数料は、外国への出張又は赴任に伴う雑費について、実費額により支給する。

14　死亡手当は、第三条第二項第六号又は第八号の規定に該当する場合について、定額により支給する。

（**旅費の計算**）

**第七条**　旅費は、最も経済的な通常の経路及び方法により旅行した場合の旅費により計算する。但し、公務上の必要又は天災その他やむを得ない事情により最も経済的な通常の経路又は方法によつて旅行し難い場合には、その現によつた経路及び方法によつて計算する。

**第八条**　旅費計算上の旅行日数は、旅行のために現に要した日数による。

**第九条**　旅行者が同一地域（第二条第三項に規定する地域区分による地域をいう。以下同じ。）に滞在する場合における日当及び宿泊料は、その地域に到着した日の翌日から起算して滞在日数十五日を超える場合には、その超える日数について定額の十分の一に相当する額、滞在日数三十日を超える場合には、その超える日数について定額の十分の二に相当する額を、それぞれの定額から減じた額による。

2　同一地域に滞在中一時他の地に出張した日数は、前項の滞在日数から除算する。

**第十条**　削除

**第十一条**　一日の旅行において、日当又は宿泊料（扶養親族移転料のうちこれらの旅費に相当する部分を含む。以下本条において同じ。）について定額を異にする事由が生じた場合には、額の多い方の定額による日当又は宿泊料を支給する。

**第十二条**　鉄道旅行、水路旅行、航空旅行又は陸路旅行中において、職務の級の変更等のあつたときは、最初の目的地に到着するまでの分及びそれ以後の分に区分して計算する。

**第十三条**　旅費を区分して内国旅行の旅費及び外国旅行の旅費とし、それぞれの旅費を更に近接地内旅費及び近接地外旅費とする。

（**旅費の請求及び精算**）

**第十三条の二**　旅費（概算払に係る旅費を含む。）の支給を受けようとする旅行者又は概算払に係る旅費の支給を受けた旅行者でその精算をしようとするものは、所定の請求書又は精算書（当該請求書又は精算書に記載すべき事項を記録した電磁的記録を含む。以下「請求書等」という。）に必要な資料を添えて、これを当該旅費の支出等を担当する者（以下「支出担当者等」という。）に提出しなければならない。この場合において、必要な資料の全部又は一部を提出しなかつた者は、その請求に係る旅費額のうち、その資料を提出しなかつたためその旅費の必要が明らかにされなかつた部分の金額の支給を受けることができない。

2　概算払に係る旅費の支給を受けた旅行者は、当該旅行を完了した後所定の期間内に、当該旅行について前項の規定による旅費の精算をしなければならない。

3　支出担当者等は、前項の規定による精算の結果過払金があつた場合には、所定の期間内に、当該過払金を返納させなければならない。

4　請求書等又は資料が電磁的記録による場合は、電磁的方法により提出することができる。

5　請求書等及び必要な資料の種類、記載事項又は記録事項及び様式、第二項及び第三項に規定する期間その他必要な事項は、任命権者が定める。

## 第二章　内国旅行の旅費

**第十四条**　削除

（**近接地内旅費**）

**第十五条**　近接地内の旅行の旅費は、次に規定する旅費とする。

一　鉄道賃、船賃及び車賃

二　別表第一に規定する旅行雑費

三　公務上の必要又は天災その他やむを得ない事情により宿泊する場合には次に規定する宿泊料

イ　食事を提供しない公用の施設又は現場等に宿泊する場合には、別表第一の食卓料定額に相当する額

ロ　ホテル、旅館等に宿泊する場合には、別表第一の宿泊料定額の範囲内の実費額

四　赴任を命ぜられた職員が、職員のための公設宿舎に居住すること又はこれを明け渡すことを命ぜら

れ、住所若しくは居所を移転した場合又は任命権者が人事委員会と協議して住所若しくは居所の移転を特に必要と認めて移転した場合には、別表第一の路程に応じた移転料額（扶養親族を随伴しない場合には、その二分の一に相当する額）の範囲内における実費額の移転料

**第十六条から第十八条まで**　削除

**（近接地外旅費）**

**第十九条**　近接地外の旅行の旅費は、鉄道賃、船賃、航空賃、車賃、旅行雑費、宿泊料、食卓料、移転料、着後手当及び扶養親族移転料とする。

**（鉄道賃）**

**第二十条**　鉄道賃の額は、次に規定する旅客運賃（以下この条において「運賃」という。）、急行料金、寝台料金、特別車両料金及び座席指定料金のそれぞれの範囲内の実費額による。

一　乗車に要する運賃

二　急行料金を徴する線路による旅行の場合には、前号に規定する運賃のほか、急行料金

三　公務上の必要により寝台車を利用する場合には、前二号に規定する運賃及び急行料金のほか、任命権者が定める寝台料金

四　指定職の職務にある者が特別車両料金を徴する客車を運行する線路による旅行をする場合には、前三号に規定する運賃、急行料金及び寝台料金のほか、特別車両料金

五　座席指定料金を徴する客車を運行する線路による旅行をする場合には、前各号に規定する運賃、急行料金、寝台料金及び特別車両料金のほか、座席指定料金

2　前項第二号に規定する急行料金は、任命権者が人事委員会と協議して特別の事情があると認められる場合のほか、次の各号のいずれかに該当する場合に限り、支給する。

一　特別急行列車を運行する線路による旅行で片道百キロメートル以上のもの

二　普通急行列車を運行する線路による旅行で片道五十キロメートル以上のもの

3　第一項第五号に規定する座席指定料金は、普通急行列車を運行する線路による旅行で片道百キロメートル以上のものに該当する場合に限り、支給する。

**（船賃）**

**第二十一条**　船賃の額は、次に規定する旅客運賃（はしけ賃及び桟橋賃を含む。以下この条において「運賃」という。）、寝台料金、特別船室料金及び座席指定料金のそれぞれの範囲内の実費額による。

一　運賃の等級を三階級に区分する船舶による旅行の場合には、中級の運賃

二　運賃の等級を二階級に区分する船舶による旅行の場合には、次に規定する運賃

イ　指定職の職務にある者については、上級の運賃

ロ　五級以下の職務にある者については、下級の運賃

三　前二号の規定に該当する場合において、同一階級の運賃を更に二以上に区分する船舶による旅行の場合には、次に規定する運賃

イ　第一号の規定に該当する場合には、次に規定する運賃

(1)　指定職の職務にある者については、最上級の運賃

(2)　五級以下の職務にある者については、最上級の直近下位の級の運賃

ロ　第二号の規定に該当する場合には、次に規定する運賃

(1)　指定職の職務にある者については、最上級の直近下位の級の運賃

(2)　五級以下の職務にある者については、最上級の運賃

四　運賃の等級を設けない船舶による旅行の場合には、その乗船に要する運賃

五　公務上の必要により別に寝台料金を必要とする場合には、前各号に規定する運賃のほか、寝台料金

六　指定職の職務にある者が第四号の規定に該当する船舶で特別船室料金を徴するものを運行する航路による旅行をする場合には、同号に規定する運賃及び前号に規定する寝台料金のほか、特別船室料金

七　座席指定料金を徴する船舶を運行する航路による旅行をする場合には、前各号に規定する運賃及び料金のほか、座席指定料金

**（航空賃）**

**第二十二条**　航空賃の額は、旅客運賃の範囲内の実費額による。

**（車賃）**

**第二十三条**　車賃の額は、実費額による。ただし、公務上の必要又は天災その他やむを得ない事情により実費額によることができない場合には、路程一キロメートルにつき三十七円とする。

2　前項ただし書の場合には、全路程を通算して計算し、路程に一キロメートル未満の端数を生じたときは、これを切り捨てる。

**（旅行雑費）**

**第二十四条**　旅行雑費の額は、別表第一に規定する額による。

2　鉄道二百キロメートル未満又は水路若しくは陸路百キロメートル未満の旅行（近接地外の赴任に限る。次項及び第三十条において同じ。）の場合における旅行雑費の額は、公務上の必要又は天災その他やむを得ない事情により宿泊した場合を除くほか、前項の規定にかかわらず、同項の規定による額の二分の一に相当する額による。

3　鉄道、水路又は陸路にわたる旅行については、鉄道二キロメートルをもつて水路又は陸路一キロメートルとみなして、前項の規定を適用する。

（**宿泊料**）

**第二十五条**　宿泊料の額は、宿泊先の区分に応じた別表第一の定額による。

2　宿泊料は、鉄道賃、船賃、航空賃若しくは車賃のほかに別に宿泊費を要する場合、又は鉄道賃、船賃、航空賃若しくは車賃を要しないが宿泊費を要する場合に限り、支給する。

（**食卓料**）

**第二十六条**　食卓料の額は、別表第一の定額による。

2　食卓料は、鉄道賃、船賃、航空賃若しくは車賃のほかに別に食費を要する場合、又は鉄道賃、船賃、航空賃、車賃若しくは宿泊料を要しないが食費を要する場合に限り、支給する。

（**移転料**）

**第二十七条**　移転料の額は、次に規定する額の範囲内の実費額による。

一　赴任の際扶養親族を移転する場合には、旧在勤地から新在勤地までの路程に応じた別表第一の額

二　赴任の際扶養親族を移転しない場合には、前号に規定する額の二分の一に相当する額

三　赴任の際扶養親族を移転しないが赴任を命ぜられた日の翌日から一年以内に扶養親族を移転する場合には、前号に規定する額に相当する額（赴任の後扶養親族を移転するまでの間に更に赴任があつた場合には、各赴任について支給することができる前号に規定する額に相当する額の合計額）

2　前項第三号の場合において、扶養親族を移転した際における移転料の別表第一の額が、職員が赴任した際の移転料の別表第一の額と異なるときは、同号の額は、扶養親族を移転した際における移転料の別表第一の額を基礎として計算する。

3　旅行命令権者は、公務上の必要又は天災その他やむを得ない事情がある場合には、第一項第三号に規定する期間を延長することができる。

（**着後手当**）

**第二十八条**　着後手当の額は、別表第一の旅行雑費定額の五日分及び赴任に伴い住所又は居所を移転した地の存する地域の区分に応じた宿泊料定額の五夜分に相当する額による。

（**扶養親族移転料**）

**第二十九条**　扶養親族移転料の額は、次に規定する額による。

一　赴任の際扶養親族を旧在勤地から新在勤地まで随伴する場合には、赴任を命ぜられた日における扶養親族一人ごとに、その移転の際における年齢に従い、次の各号に規定する額の合計額

イ　十二歳以上の者については、その移転の際における職員相当の鉄道賃、船賃、航空賃及び車賃の実費額並びに旅行雑費、宿泊料、食卓料及び着後手当の三分の二に相当する額

ロ　十二歳未満の者については、その移転の際における年齢に応じた鉄道賃、船賃、航空賃及び車賃の実費額並びに旅行雑費、宿泊料、食卓料及び着後手当の三分の一に相当する額

二　前号の規定に該当する場合を除くほか、第二十七条第一項第一号又は第三号の規定に該当する場合には、扶養親族の旧居住地から新居住地までの旅行について前号の規定に準じて計算した額。ただし、前号の規定により支給することができる額に相当する額（赴任の後扶養親族を移転するまでの間に更に赴任があつた場合には、各赴任について前号の規定により支給することができる額に相当する額の合計額）を超えることができない。

2　職員が赴任を命ぜられた日において、胎児であつた子を移転する場合においては、扶養親族移転料の額の計算については、その子を赴任を命ぜられた日における扶養親族とみなして、前項の規定を適用する。

（**近接地以外の同一地域内旅行の旅費**）

**第三十条**　近接地以外の同一地域内における旅行については、鉄道賃、船賃及び車賃は、支給しない。ただし、公務上の必要又は天災その他やむを得ない事情により、鉄道賃、船賃又は車賃を要する場合で、その実費額が、当該旅行について支給される旅行雑費定額に相当する額を超える場合には、その超える部分の金額に相当する額の鉄道賃、船賃又は車賃を支給する。

（**退職者等の旅費**）

**第三十条の二**　第三条第一項第一号の規定により支給する旅費は、次に規定する旅費とする。

一　職員が出張中に退職等となつた場合には、次に規定する旅費

イ　退職等となつた日（以下「退職等の日」という。）にいた地から退職等の命令の通達を受け、又はその原因となつた事実の発生を知つた日（以

下「退職等を知つた日」という。）にいた地までの前職務相当の旅費

ロ　退職等を知つた日の翌日から三月以内に出発して当該退職等に伴う旅行をした場合に限り、出張の例に準じて計算した退職等を知つた日にいた地から旧在勤地までの前職務相当の旅費

二　職員が赴任中に退職等となつた場合には、赴任の例に準じ、かつ、新在勤地を旧在勤地とみなして前号の規定に準じて計算した旅費

2　本邦に出張中の外国在勤の職員が第三条第二項第一号の規定に該当する場合において同号の規定により支給する旅費は、当該職員の本邦への出張における出張地を旧在勤地とみなして前項第一号の規定に準じて計算した旅費のほか、第四十一条の二第一項第三号ロ又は第四号及び第五号並びに第二項の規定に準じて計算した旅費とする。

3　第三条第二項第二号の規定により支給する旅費は、赴任の例に準じて計算した旧在勤地から帰住地までの前職務相当の旅費（旅行雑費、宿泊料及び着後手当を除く。）とする。ただし、その額は人事委員会規則で定める額を超えることができない。

**（遺族の旅費）**

**第三十条の三**　第三条第二項第三号の規定により支給する旅費は、次に規定する旅費とする。

一　職員が出張中に死亡した場合には、死亡地から居住地までの往復に要する前職務相当の旅費

二　職員が赴任中に死亡した場合には、赴任の例に準じて計算した死亡地から新在勤地までの前職務相当の旅費

2　本邦に出張中の外国在勤の職員が第三条第二項第三号の規定に該当する場合において同号の規定により支給する旅費は、当該職員の本邦への出張における出張地を居住地とみなして前項第一号の規定に準じて計算した旅費とする。

3　遺族が前二項に規定する旅費の支給を受ける順位は、第二条第一項第八号に掲げる順序により、同順位者がある場合には、年長者を先にする。

4　第三条第二項第四号の規定により支給する旅費は、第二十九条第一項第一号の規定に準じて計算した居住地から帰住地（外国に帰住する場合には、本邦における外国への出発地）までの鉄道賃、船賃、車賃及び食卓料とする。この場合において、同号中「赴任を命ぜられた日」とあるのは、「職員が死亡した日」と読み替えるものとする。

## 第三章　外国旅行の旅費

**（本邦通過の場合の旅費）**

**第三十一条**　外国旅行中本邦を通過する場合には、その本邦内の旅行について支給する旅費は、前章に規定するところによる。ただし、移転料並びに外国航路の船舶又は航空機により本邦を出発し、又は本邦に到着した場合における船賃、又は航空賃及び本邦を出発した日からの日当及び食卓料、又は本邦に到着した日までの日当及び食卓料については、本章に規定するところによる。

2　前項の場合において、第二十九条第一項の規定の適用については、本邦出発の場合にはその外国への出発地を新在勤地又は新居住地とみなし、本邦到着の場合にはその外国からの到着地を旧在勤地又は旧居住地とみなす。

**（近接地内旅費）**

**第三十一条の二**　第十五条（移転料に関する部分を除く。）の規定は、外国の近接地内における旅行の旅費について準用する。この場合において、同条第三号中「別表第一」とあるのは「別表第二」と読み替えるものとする。

**（近接地外旅費）**

**第三十一条の三**　近接地外旅行の旅費は、鉄道賃、船賃、航空賃、車賃、日当、宿泊料、食卓料、移転料、着後手当、扶養親族移転料、渡航手数料及び死亡手当とする。

**（鉄道賃）**

**第三十二条**　鉄道賃の額は、次に規定する旅客運賃（以下この条において「運賃」という。）、急行料金及び寝台料金（これらのものに対する通行税を含む。）の範囲内の実費額による。

一　運賃の等級を三以上の階級に区分する線路による旅行の場合には、次に規定する運賃の範囲内で任命権者が定める運賃

イ　指定職の職務にある者又は四級以上の職務にある者については、最上級の運賃

ロ　三級以下の職務にある者については、最上級の直近下位の級の運賃

二　運賃の等級を二階級に区分する線路による旅行の場合には、上級の運賃

三　運賃の等級を設けない線路による旅行の場合には、その乗車に要する運賃

四　公務上の必要により特別の座席の設備を利用した場合には、前三号に規定する運賃のほか、その座席の利用に要した運賃

五　公務上の必要により別に急行料金又は寝台料金を必要とした場合には、前各号に規定する運賃のほか、急行料金又は寝台料金

（船賃）

**第三十三条**　船賃の額は、次に規定する旅客運賃（はしけ賃及び桟橋賃を含む。以下この条において「運賃」という。）及び寝台料金（これらのものに対する通行税を含む。）の範囲内の実費額による。

一　運賃の等級を二以上の階級に区分する船舶による旅行の場合には、次に規定する運賃の範囲内で任命権者が定める運賃（最下級の運賃による場合を除く。）

イ　運賃の等級を二以上の階級に区分する船舶による旅行の場合には、最上級の運賃

ロ　イの最上級の運賃を更に四以上に区分する船舶による旅行の場合には、指定職の職務にある者又は四級以上の職務にある者については最上級の直近下位の級の運賃、三級以下の職務にある者については指定職の職務にある者又は四級以上の職務にある者について定める運賃の級の直近下位の級の運賃

ハ　イの最上級の運賃を更に三に区分する船舶による旅行の場合には、指定職の職務にある者又は四級以上の職務にある者については中級の運賃、三級以下の職務にある者については下級の運賃

ニ　イの最上級の運賃を更に二に区分する船舶による旅行の場合には、下級の運賃

二　運賃の等級を設けない船舶による旅行の場合には、その乗船に要する運賃

三　公務上の必要により、あらかじめ旅行命令権者の許可を受け特別の運賃を必要とする船室を利用した場合には、前二号に規定する運賃のほか、その船室の利用に要した運賃

四　公務上の必要により別に寝台料金を必要とした場合には、前三号に規定する運賃のほか、寝台料金

（航空賃及び車賃）

**第三十四条**　航空賃の額は、次に規定する旅客運賃（以下この条において「運賃」という。）の範囲内の実費額による。

一　運賃の等級を三階級に区分する航空路による旅行の場合には、次に規定する運賃

イ　指定職の職務にある者については、中級の運賃

ロ　五級以下の職務にある者については、下級の運賃

二　運賃の等級を二階級に区分する航空路による旅行の場合には、次に規定する運賃

イ　指定職の職務にある者については、上級の運賃

ロ　五級以下の職務にある者については、下級の運賃

三　運賃の等級を設けない航空路による旅行の場合には、航空機の利用に要する運賃

四　指定職の職務にある者が公務上の必要により特別の座席の設備を利用した場合には、前三号に規定する運賃のほか、その座席の利用に要した運賃

2　前項第一号ロ又は第二号ロの規定に該当する場合において、搭乗する航空機の目的地までの予定所要時間が八時間を超えるときには、第一号ロの運賃は中級の運賃に、第二号ロの運賃は上級の運賃によることができる。

3　車賃の額は、実費額による。

（日当、宿泊料及び食卓料）

**第三十五条**　日当及び宿泊料の額は、旅行先の区分に応じた別表第二の定額による。

2　食卓料の額は、別表第二の定額による。

3　第二十四条第二項及び第三項、第二十五条第二項並びに第二十六条第二項の規定は、外国旅行の場合の日当、宿泊料及び食卓料について準用する。この場合において、第二十四条第二項中「旅行（近接地外の赴任に限る。次項及び第三十条において同じ。）」とあるのは「旅行」と、「旅行雑費」とあるのは「日当」と、「前項」とあるのは「第二十五条第一項」と読み替えるものとする。

（移転料）

**第三十六条**　赴任の際扶養親族（赴任を命ぜられた日における扶養親族に限る。以下本条において同じ。）を旧在勤地から新在勤地まで随伴する場合の移転料の額は、旧在勤地から新在勤地までの路程に応じた別表第二の定額（以下本条において「定額」という。）による。ただし、次の各号に該当する場合においては、当該各号に規定する額による。

一　二人以上の扶養親族を随伴する場合には、定額に、一人を超える者ごとにその百分の十五に相当する額を加算した額

二　外国在勤の職員が赴任を命ぜられた場合には、定額（前号の規定に該当する場合には、同号の規定により計算した額）にその百分の十に相当する額を加算した額

三　移転に伴う家財の輸送の通常の経路のうちに含まれる水路又は陸路につき特に多額の運賃を要する場合として人事委員会規則で定める場合には、その運賃の額を参酌して、定額（前二号の規定に該当する場合には、これらの規定により計算した額。以下本号において同じ。）に、水路が含まれる場合にあつては、定額の百分の四十五に相当する額の範囲内、陸路が含まれる場合にあつては、定額の百分の三十五に相当する額の範囲内においてそれぞれ人事委員

会規則で定める額に相当する額を加算した額

2　赴任の際扶養親族を随伴しない場合の移転料の額は、前項（同項第一号の規定に係る部分を除く。）に規定する額の二分の一に相当する額による。

3　赴任の際扶養親族を随伴しないが、第三十八条第一項第二号の規定に該当し扶養親族を呼び寄せる場合の移転料の額は、当該扶養親族の同号の許可があつた日における居住地（当該扶養親族が二人以上あり、かつ、これらの者がその居住地を異にしている場合には、任命権者が定める扶養親族の居住地）から当該扶養親族を随伴して在勤地へ赴任したものとみなして第一項の規定を適用した場合における移転料の額に相当する額から、当該居住地から当該扶養親族を随伴しないで在勤地へ赴任したものとみなして前項の規定を適用した場合における移転料の額に相当する額を差し引いた額による。

4　第二十九条第二項の規定は、前三項の規定による移転料の額の計算について、第二十七条第二項の規定は、前項の規定による移転料の額の計算についてそれぞれ準用する。この場合において、第二十七条第二項中「別表第一」とあるのは、「別表第二」と読み替えるものとする。

（**着後手当**）

**第三十七条**　着後手当の額は、新在勤地の存する地域の区分に応じた別表第二の日当定額の十日分及び宿泊料定額の十夜分に相当する額による。

（**扶養親族移転料**）

**第三十八条**　扶養親族移転料は、次の各号のいずれかに該当する場合に支給する。

一　赴任の際、旅行命令権者の許可を受け、扶養親族を旧在勤地から新在勤地まで随伴するとき。

二　外国に在勤中旅行命令権者の許可を受け、同一在勤地について一回限り、扶養親族を在勤地に呼び寄せ、又は本邦に帰らせるとき。

三　本邦から外国に赴任後旅行命令権者の許可を受け、赴任を命ぜられた日の翌日から一年以内に一回限り、扶養親族を赴任を命ぜられた日における居住地から本邦内の他の地に移転するとき。

2　前項第一号又は第二号の規定に該当する場合における扶養親族移転料の額は、赴任を命ぜられた日における扶養親族一人ごとに、その移転の際における年齢に従い、次に規定する額の合計額による。

一　十二歳以上の者については、その移転の際における職員相当の鉄道賃、船賃、航空賃、車賃及び渡航手数料の実費額並びに日当、宿泊料、食卓料及び着後手当の三分の二に相当する額

二　十二歳未満の者については、前号に規定する額の二分の一に相当する額

3　第一項第三号の規定に該当する場合における扶養親族移転料の額は、その旧居住地を旧在勤地と、新居住地を新在勤地とみなして第二十九条第一項第一号の規定に準じて計算した額による。

4　第二十九条第二項の規定は、前二項の規定による扶養親族移転料の額の計算について準用する。

（**渡航手数料**）

**第三十九条**　削除

**第三十九条の二**　渡航手数料の額は、旅行者の予防注射料、旅券の交付手数料及び査証手数料、外貨交換手数料、空港旅客サービス施設使用料並びに入出国税の実費額による。

（**死亡手当**）

**第四十条**　死亡手当の額は、第三条第二項第六号の規定に該当する場合（死亡地が本邦である場合を除く。）には別表第二の定額により、同項第八号の規定に該当する場合（死亡地が本邦である場合を除く。）にはその定額の二分の一に相当する額による。

2　職員が第三条第二項第六号の規定に該当し、かつ、その死亡地が本邦である場合において同号の規定により支給する死亡手当の額は、前項の規定にかかわらず、次に規定する額による。

一　職員が出張中に死亡した場合には、第三十条の三第一項第一号の規定に準じて計算した旅費の額

二　職員が赴任中に死亡した場合には、当該職員の任命権者の在勤地を新在勤地とみなして第三十条の三第一項第二号の規定に準じて計算した旅費の額

3　外国在勤の職員の配偶者又はパートナーシップ関係の相手方が第三条第二項第八号の規定に該当し、かつ、その死亡地が本邦である場合において同号の規定により支給する死亡手当の額は、第一項の規定にかかわらず、次に規定する額による。

一　配偶者又はパートナーシップ関係の相手方が第三十八条第一項第一号の規定に該当する旅行中に死亡した場合には、職員が死亡したものとみなして前項第二号の規定に準じて計算した額の二分の一に相当する額

二　配偶者又はパートナーシップ関係の相手方が第三十八条第一項第二号の規定に該当する旅行中に死亡した場合には、職員が死亡したものとみなして前項第一号の規定に準じて計算した額の二分の一に相当する額

4　第三十条の三第三項の規定は、第三条第二項第六号の規定に該当する場合において第一項又は第二項の規定による死亡手当の支給を受ける遺族の順位について

準用する。

（外国の同一地域内旅行の旅費）

**第四十一条**　近接地以外の同一地域内における旅行については、鉄道賃、船賃及び車賃は支給しない。ただし、公務上の必要又は天災その他やむを得ない事情により、鉄道賃、船賃又は車賃を要する場合で、その実費額が、当該旅行について支給される日当額の二分の一に相当する額を超える場合には、その超える部分の金額に相当する額の鉄道賃、船賃又は車賃を支給する。

（退職者等の旅費）

**第四十一条の二**　第三条第二項第五号の規定により支給する旅費は、次に規定する旅費とする。

一　外国在勤の職員がその在勤地において退職等となつた場合には、次に規定する旅費

イ　退職等の日の翌日から退職等を知つた日までの旧在勤地の存する地域の区分に応じた前職務相当の日当及び宿泊料

ロ　退職等を知つた日の翌日から三月以内に旧在勤地を出発して本邦に帰住した場合に限り、次に規定する旅費

(1)　退職等を知つた日の翌日からその出発の前日までの旧在勤地の存する地域の区分に応じた前職務相当の日当及び宿泊料。ただし、日当については三十日分、宿泊料については三十夜分を超えることができない。

(2)　赴任の例に準じて計算した旧在勤地から旧任命権者の在勤地までの前職務相当の旅費（着後手当を除く。）

二　職員が外国の出張地において退職等となつた場合において、出張地から旧在勤地に帰らないで当該退職等に伴う旅行をしたときは、出張の例に準じ、かつ、出張地を旧在勤地とみなして前号の規定に準じて計算した旅費

三　外国在勤の職員が本邦の出張地において退職等となつた場合において、出張地から旧在勤地に帰らないで当該退職等に伴う旅行をしたときは、次に規定する旅費

イ　退職等の日の翌日から退職等を知つた日までの出張地の存する地域の区分に応じた第二十四条第一項及び第二十五条第一項の規定による前職務相当の旅行雑費及び宿泊料

ロ　退職等を知つた日の翌日から三月以内に出張地を出発して当該退職等に伴う旅行をした場合に限り、出張の例に準じて計算した出張地から居住地までの前章の規定による前職務相当の旅費

四　外国在勤の職員が外国又は本邦の出張地において退職等となつた場合において、出張地から旧在勤地に帰つた後当該退職等に伴う旅行をしたときは、次に規定する旅費

イ　外国の出張地から旧在勤地に帰る場合には、出張地を旧在勤地とみなして第一号イの規定に準じて計算した日当及び宿泊料

ロ　本邦の出張地から旧在勤地に帰る場合には、前号イの規定に準じて計算した旅行雑費及び宿泊料

ハ　退職等を知つた日の翌日から一月以内に出張地を出発して旧在勤地に帰つた場合に限り、イ又はロに規定する旅費のほか、次に規定する旅費

(1)　退職等を知つた日の翌日からその出発の前日までの出張地の存する地域の区分に応じた第三十五条第一項又は第二十四条第一項及び第二十五条第一項の規定による前職務相当の日当又は旅行雑費及び宿泊料。ただし、日当又は旅行雑費については十五日分、宿泊料については十五夜分を超えることができない。

(2)　出張の例に準じて計算した出張地から旧在勤地までの前職務相当の旅費

(3)　旧在勤地に到着した日の翌日から二月以内に当該退職等に伴う旅行をした場合に限り、旧在勤地に到着した日を退職等を知つた日とみなして第一号ロの規定に準じて計算した旅費

五　外国在勤の職員が第二号又は第三号の規定に該当する場合において、家財又は扶養親族を旧在勤地から本邦に移転する必要があるときは、当該各号に規定する旅費のほか、旧在勤地から居住地までの前職務相当の移転料及び扶養親族移転料（着後手当に相当する部分を除く。）

2　旅行命令権者は、天災その他やむを得ない事情がある場合には、前項第一号ロ、第三号ロ又は第四号ハに規定する期間を延長することができる。

3　第一項第二号から第四号までの規定に該当する場合を除くほか、職員が外国旅行の途中において退職等となつた場合において第三条第二項第五号の規定により支給する旅費は、前二項の規定に準じて計算した旅費とする。

（遺族の旅費）

**第四十一条の三**　第三条第二項第七号の規定により支給する旅費は、職員の旧在勤地から遺族の帰住地までの前職務相当の移転料及び扶養親族移転料（着後手当に相当する部分を除く。）とする。

## 第四章　雑則

（旅費の調整）

**第四十二条** 任命権者は、旅行者が公用の交通機関、宿泊施設等を利用して旅行した場合その他当該旅行における特別の事情によりまたは当該旅行の性質上この条例の規定による旅費を支給した場合には不当に旅行の実費をこえた旅費または通常必要としない旅費を支給することとなる場合においては、その実費をこえることとなる部分の旅費又はその必要としない部分の旅費を支給しないことができる。

2 任命権者は、旅行者がこの条例の規定による旅費により旅行することが当該旅行における特別の事情によりまたは当該旅行の性質上困難である場合には、人事委員会と協議して定める旅費を支給することができる。

（旅費の特例）

**第四十三条** 旅行命令権者は、職員について労働基準法（昭和二十二年法律第四十九号）第十五条第三項若しくは第六十四条又は船員法（昭和二十二年法律第百号）第四十七条第一項若しくは第二項の規定に該当する事由がある場合において、この条例の規定による旅費の支給ができないとき又はこの規定により支給する旅費が労働基準法第十五条第三項若しくは第六十八条又は船員法第四十八条の規定による旅費又は費用に満たないときは、当該職員に対し、これらの規定による旅費若しくは費用に相当する金額又はその満たない部分に相当する金額を、旅費として支給するものとする。

2 旅行命令権者は、職員について船員法第四十七条第二項の規定に該当する事由があつた場合において、前項の規定により当該職員に旅費を支給したときは、当該職員に対し、当該支給した旅費の償還を請求するものとする。

**第四十四条** この条例に定めがあるものの外実施上必要な事項は、任命権者が定める。

**附　則**

1 この条例は、公布の日から施行する。

2 この条例中人事委員会又は任命権者が定める事項であつて、この条例にてい触しない事項は、人事委員会又は任命権者により別段の定めがなされるまでの間は、なお従前の例による。

3 外国旅行については、当該旅行の期間とその旅行開始直前十日間の準備期間とを通じた期間が、二会計年度にわたる場合の旅費は、当分の間、当該二会計年度のうち前会計年度の歳出予算から概算で支出することができる。

4 旅行先または目的地が特別の事情により旅費の調整を要するものとして人事委員会が定める地域である場合における外国旅行の日当及び宿泊料に係る別表第二の定額は、当分の間、同表の甲地方について定める額の十分の八に相当する額とする。

**附　則**（令四・一〇・一七条例一一四）

この条例は、令和四年十一月一日から施行する。

**別表第一** 内国旅行の旅費(第十五条、第二十四条—第二十八条、第三十条関係)

(一) 旅行雑費、宿泊料及び食卓料

| 区分 | 旅行雑費(一日につき) | | 宿泊料(一夜につき) | | 食卓料(一夜につき) |
|---|---|---|---|---|---|
| | 出張又は近接地内の赴任 | 近接地外の赴任 | 甲地方 | 乙地方 | |
| 指定職の職務にある者 | 公務上の必要によりやむを得ず負担した通話料金等の額 | 一、一〇〇円 | 一五、〇〇〇円 | 一三、五〇〇円 | 三、〇〇〇円 |
| 五級以下の職務にある者 | | | 一一、〇〇〇円 | 一〇、〇〇〇円 | 二、二〇〇円 |

(二) 移転料

| 区分 | 移転料額 |
|---|---|
| 鉄道五十キロメートル未満 | 一二六、〇〇〇円 |
| 鉄道五十キロメートル以上百キロメートル未満 | 一四四、〇〇〇円 |
| 鉄道百キロメートル以上三百キロメートル未満 | 一七八、〇〇〇円 |
| 鉄道三百キロメートル以上五百キロメートル未満 | 二三〇、〇〇〇円 |
| 鉄道五百キロメートル以上千キロメートル未満 | 二九二、〇〇〇円 |
| 鉄道千キロメートル以上千五百キロメートル未満 | 三〇六、〇〇〇円 |
| 鉄道千五百キロメートル以上二千キロメートル未満 | 三二八、〇〇〇円 |
| 鉄道二千キロメートル以上 | 三八一、〇〇〇円 |

備考 路程の計算については、水路及び陸路四分の一キロメートルをもつて鉄道一キロメートルとみなす。

**別表第二** 外国旅行の旅費（第三十五条—第三十七条、第四十条、附則第四項関係）

㈠ 日当、宿泊料及び食卓料

| 区分 | 日当（一日につき） | | | | 宿泊料（一夜につき） | | | | 食卓料（一夜につき） |
|---|---|---|---|---|---|---|---|---|---|
| | 指定都市 | 甲地方 | 乙地方 | 丙地方 | 指定都市 | 甲地方 | 乙地方 | 丙地方 | |
| 指定職の職務にある者又は五級の職務にある者 | 八、三〇〇円 | 七、〇〇〇円 | 五、六〇〇円 | 五、一〇〇円 | 二五、七〇〇円 | 二一、五〇〇円 | 一七、二〇〇円 | 一五、五〇〇円 | 七、七〇〇円 |
| 四級の職務にある者 | 七、二〇〇円 | 六、二〇〇円 | 五、〇〇〇円 | 四、五〇〇円 | 二二、五〇〇円 | 一八、八〇〇円 | 一五、一〇〇円 | 一三、五〇〇円 | 六、七〇〇円 |
| 三級以下の職務にある者 | 六、二〇〇円 | 五、二〇〇円 | 四、二〇〇円 | 三、八〇〇円 | 一九、三〇〇円 | 一六、一〇〇円 | 一二、九〇〇円 | 一一、六〇〇円 | 五、八〇〇円 |

備考 一 指定都市とは、人事委員会が定める都市の地域をいい、甲地方とは、北米地域、欧州地域及び中近東地域として人事委員会が定める地域のうち指定都市の地域以外の地域で人事委員会が定める地域をいい、丙地方とは、アジア地域（本邦を除く。）、中南米地域、大洋州地域、アフリカ地域及び南極地域として人事委員会が定める地域のうち指定都市の地域以外の地域で人事委員会が定める地域をいい、乙地方とは、指定都市、甲地方及び丙地方の地域以外の地域（本邦を除く。）をいう。

二 船舶又は航空機による旅行（外国を出発した日及び外国に到着した日を除く。）の場合における日当の額は、丙地方につき定める定額とする。

(二)　移転料

| 区分 | 指定職の職務又は四級以上の職務にある者 | 三級の職務にある者 | 二級及び一級の職務にある者 |
|---|---|---|---|
| 鉄道百キロメートル未満 | 一四一、〇〇〇円 | 一一六、〇〇〇円 | 九五、〇〇〇円 |
| 鉄道百キロメートル以上五百キロメートル未満 | 一八八、〇〇〇円 | 一五四、〇〇〇円 | 一二六、〇〇〇円 |
| 鉄道五百キロメートル以上千キロメートル未満 | 二六九、〇〇〇円 | 二二〇、〇〇〇円 | 一八〇、〇〇〇円 |
| 鉄道千キロメートル以上千五百キロメートル未満 | 三三八、〇〇〇円 | 二七六、〇〇〇円 | 二二六、〇〇〇円 |
| 鉄道千五百キロメートル以上二千キロメートル未満 | 四二五、〇〇〇円 | 三四八、〇〇〇円 | 二八五、〇〇〇円 |
| 鉄道二千キロメートル以上五千キロメートル未満 | 五二一、〇〇〇円 | 四二八、〇〇〇円 | 三五〇、〇〇〇円 |
| 鉄道五千キロメートル以上一万キロメートル未満 | 五七五、〇〇〇円 | 四七一、〇〇〇円 | 三八六、〇〇〇円 |
| 鉄道一万キロメートル以上一万五千キロメートル未満 | 六二八、〇〇〇円 | 五一四、〇〇〇円 | 四二一、〇〇〇円 |
| 鉄道一万五千キロメートル以上二万キロメートル未満 | 六八〇、〇〇〇円 | 五五六、〇〇〇円 | 四五六、〇〇〇円 |
| 鉄道二万キロメートル以上 | 七三四、〇〇〇円 | 六〇一、〇〇〇円 | 四九三、〇〇〇円 |

備考　路程の計算については、水路及び陸路一キロメートルをもつて鉄道一キロメートルとみなす。

(三)　削除

(四)　死亡手当

| 区分 | 手当額 |
|---|---|
| 指定職の職務にある者又は五級の職務にある者 | 六四〇、〇〇〇円 |
| 四級の職務にある者 | 五二〇、〇〇〇円 |
| 三級以下の職務にある者 | 四六〇、〇〇〇円 |

# 第三類
# 財　　務

# 第一章　予算等

## ○東京都予算事務規則

昭四〇・三・三一
規則八三

最終改正　令四・三・三一規則一一一

### 第一章　総則

（通則）

**第一条**　東京都の予算の編成及び執行に関する事務の手続については、法令その他別に定めるもののほか、この規則の定めるところによる。

（予算の編成及び執行の原則）

**第二条**　予算は、都民の福祉の増進のため、最少の経費をもつて最大の効果をあげるように、総合的かつ長期的な視野に立つて編成し、計画的かつ能率的に執行しなければならない。

（用語の意義）

**第三条**　第二章において、次の各号に掲げる用語の意義は、当該各号に定めるところによる。

一　局　東京都組織規程（昭和二十七年東京都規則第百六十四号）第八条第一項に規定する本庁の局、室並びに住宅政策本部、中央卸売市場、教育庁、警視庁、選挙管理委員会事務局、監査事務局、人事委員会事務局、労働委員会事務局、収用委員会事務局、東京消防庁及び議会局をいう。

二　局長　東京都組織規程第九条第一項に規定する局長、同条第三項に規定する室長並びに住宅政策本部長、中央卸売市場長、教育長、警視総監、選挙管理委員会事務局長、監査事務局長、人事委員会事務局長、労働委員会事務局長、収用委員会事務局長、消防総監及び議会局長をいう。

三　所　東京都組織規程別表三に掲げる本庁行政機関（次項第三号に掲げるものを除く。）、同規程別表四に掲げる地方行政機関、東京都立学校設置条例（昭和三十九年東京都条例第百十三号）別表に掲げる都立学校、警察署、消防署等で知事が指定したものをいう。

2　第三章において、次の各号に掲げる用語の意義は、当該各号に定めるところによる。

一　局　都市整備局、港湾局及び中央卸売市場をいう。

二　局長　前号の局の長をいう。

三　所　東京都組織規程別表三に掲げる市場等で知事が指定したものをいう。

### 第二章　一般会計及び公営企業会計以外の特別会計の予算の編成及び執行

#### 第一節　通則

（通則）

**第四条**　一般会計及び特別会計（地方公営企業法（昭和二十七年法律第二百九十二号）の全部または同法の財務規定等が適用される事業に係る会計を除く。）の予算の編成及び執行については、この章に定めるところによる。

（電子情報処理組織）

**第四条の二**　前条に規定する予算の編成（第十二条の規定に基づく予算の編成については、財務局長が指定するものに限る。）及び執行は、電子情報処理組織を利用して行うものとする。

2　この規則に定めるもののほか、前項の規定による電子情報処理組織の利用に関し必要な事項は、財務局長が別に定めることができる。

（予算科目）

**第五条**　歳入歳出予算は、款、項及び目、節に区分して編成し、それに従つて執行しなければならない。

2　前項の款、項の区分並びに目及び歳入予算の節の区分は、毎会計年度歳入歳出予算の定めるところによる。

3　歳入予算の款、項、目及び節は、その歳入の性質及び目的に従い、その原因となる法令等を考慮して、歳入の内容が明らかになるように定めなければならない。

4　歳出予算の款、項及び目は、事業の目的に従い、組織との関連を考慮して、事業内容が明らかになるように定めなければならない。

（予算科目の新設及び変更）

**第六条**　財務局長は、予算成立後に生じた理由により必要があると認めるときは、歳入予算の款、項、目及び節並びに歳出予算の目を新設し、または変更することができる。

2　局長は、前項の措置を必要とする理由が生じたときは、その旨を財務局長に通知しなければならない。

3　第一項の規定により予算科目を新設し、または変更したときは、財務局長は、これを会計管理者及び当該予算に係る事業を所掌する局の長に通知しなければならない。

（は数整理）

**第七条**　千円未満のは数を整理するときは、歳入にあつては切り捨て、歳出にあつては切り上げるものとする。

### 第二節　予算の編成

（予算見積書の提出）

**第八条**　局長は、あらかじめ知事が定める予算編成方針に従い、その所管する局の事業に係る翌年度の歳入歳出予算、継続費、繰越明許費及び債務負担行為の見積書を作成し、財務局長に、その指定する期日までにこれを提出しなければならない。

2　前項の見積書には、事業の概要及びその効果等に関する説明を付するとともに、当該事業が長期的計画と関連を有する場合においては、その関連を明らかにしなければならない。

（査定）

**第九条**　財務局長は、前条第一項の見積書を審査調整し、都債及び一時借入金の限度額並びに歳出予算各項の経費の金額の流用の限度に関する資料とともにこれを知事に提出し、その査定を受けなければならない。

2　財務局長は、前項の査定が終了したときは、直ちにその結果を局長に通知しなければならない。

（予算及び予算に関する説明書の作成）

**第十条**　財務局長は、前条の査定の結果に基き、予算及び予算に関する説明書を作成しなければならない。

（予算に関する説明書の作成資料の提出）

**第十一条**　局長は、第九条第二項の規定により通知された査定の結果に基き、前条の予算に関する説明書の作成に要する次の各号に掲げる資料を、財務局長に、その指定する期日までに提出しなければならない。

一　歳入歳出予算事項別明細調書
二　給与費明細調書
三　継続費調書
四　繰越明許費調書
五　債務負担行為調書
六　前各号のほか、財務局長が指定する資料

（補正予算、暫定予算等）

**第十二条**　局長は、予算の編成後、予算の補正を必要とする理由が生じたときは、その旨を財務局長を経て知事に報告しなければならない。

2　前項のほか、補正予算の編成の手続については、前四条に規定する予算編成の例による。

3　地方自治法（昭和二十二年法律第六十七号）第二百十八条第四項の規定を適用する場合の手続については、前二項の規定を準用する。

4　暫定予算の編成の手続については、知事が特に定める場合を除くほか、前四条に規定する予算編成の例による。

（予算成立の通知）

**第十三条**　予算が成立したときは、財務局長は、これを会計管理者に通知するとともに、局長にその所管する局の事業に係る予算の内容を通知しなければならない。

### 第三節　予算の執行

（執行計画）

**第十四条**　局長は、前条の規定による通知を受けたときは、すみやかに四半期ごとに区分した歳出予算の執行計画を定め、財務局長を経て知事に提出しなければならない。

2　局長は、前項の執行計画に基き、月ごとに区分した各四半期の歳出予算の執行計画を定めなければならない。

（資金収支計画）

**第十五条**　財務局長は、前条第一項の執行計画並びに収入及び金融の状況等を考慮して、当該年度の資金の収支に関する計画を定め、知事に報告しなければならない。

（細節）

**第十六条**　財務局長は、予算の統制上必要があるときは、歳出予算の節を細分して細節を設けることができる。

2　前項の細節は、これを歳出予算の節とみなし、この節の規定を適用する。

（配当）

**第十七条**　局長は、各四半期の開始前十日までに、その所管する局の事業に係る当該四半期の歳出予算所要額見積書を財務局長に提出しなければならない。ただし、第一・四半期に係るものについては、別に財務局長が指定する期日までに提出するものとする。

2　局長は、四半期開始後に生じた理由により必要があるときは、前項の規定にかかわらず、臨時に当該四半期の歳出予算所要額見積書を提出することができる。

3　前二項の見積書には、当該四半期の歳出予算の執行計画その他参考となる資料を付さなければならない。

4　財務局長は、第一項または第二項の規定により提出された見積書を審査し、適正と認めたときは、すみやかに歳出予算を配当しなければならない。ただし、資金の収支、財源の確保その他の状況を検討して必要があると認めるときは、知事の承認を得て、その全部または一部を配当しないことができる。

5　財務局長は、事業計画の変更その他により経費の一部が必要でなくなつた場合または重要な特定財源の収

入に不足を生ずることが明らかになつた場合は、知事の承認を得て、前項の規定により配当した歳出予算の額を変更し、またはその配当を取り消すことができる。

6　財務局長は、歳出予算を配当したとき、または配当した歳出予算の額を変更し、若しくはその配当を取り消したときは、これを会計管理者に通知しなければならない。

**（配付及び執行委任）**

**第十八条**　局長は、配当された歳出予算のうち、その所管に属する所の事業に係るものについては、これを当該所の長（知事が指定する所にあつては、所の長以外の者で、知事が指定する者）へ配付しなければならない。

2　局長は、配当された歳出予算のうち、他の局において執行する必要があるものについては、その執行を当該他の局の長に委任することができる。

3　歳出予算を配付し、またはその執行を委任する場合においては、その費途を明示して行わなければならない。

4　歳出予算を配付し、又はその執行を委任したときは、局長は、これを会計管理者に通知しなければならない。

**（支出負担行為の制限）**

**第十九条**　歳出予算については、配当または配付があつた後でなければ、支出負担行為をすることができない。

**（流用）**

**第二十条**　歳出予算の経費の金額は、各目の間または各節の間において相互にこれを流用することができない。

2　前項の規定にかかわらず、局長は、歳出予算の執行上やむを得ない場合に限り、財務局長に協議のうえ、各目の間または各節の間において相互にこれを流用することができる。

3　局長は、前項の規定により歳出予算の経費の金額を流用したときは、直ちにこれを会計管理者及び財務局長に通知しなければならない。

4　予算に定める歳出予算の各項の経費の金額の流用については、前二項の規定を準用する。

**（予備費の充当）**

**第二十一条**　局長は、予備費の充当を必要とするときは、事業計画その他参考となる資料を付して、予備費充当請求書を財務局長に提出しなければならない。

2　財務局長は、前項の請求書を受理したときは、すみやかに審査のうえ予備費を充当し、これを会計管理者及び当該局長に通知しなければならない。

3　前項の通知は、これを第十七条第四項の規定による配当及び同条第六項の規定による通知とみなす。

**（歳出予算の執行の実績報告）**

**第二十二条**　局長は、各四半期の歳出予算の執行に関する実績報告書を、当該四半期の終了後十五日以内に、財務局長に提出しなければならない。

2　財務局長は、前項の報告書を調査のうえ、その概略を知事に報告しなければならない。

**（資金収支に関する報告）**

**第二十三条**　主税局長は、毎月の都税の調定及び収入の状況を、翌月の十日までに、財務局長を経て知事に報告しなければならない。

2　会計管理者は、毎月の資金の収支の見込額をその月の十日までに、その実績を翌月の十日までに、財務局長を経て知事に報告しなければならない。

**（一時借入金）**

**第二十四条**　会計管理者は、資金の収支の状況により一時借入金を借り入れる必要があると認めるときは、財務局長に協議しなければならない。

2　会計管理者は、一時借入金を借り入れ、またはこれを返済したときは、直ちに財務局長に通知しなければならない。

**（繰越明許費）**

**第二十五条**　局長は、繰越明許費に係る歳出予算の経費を翌年度に繰り越して使用しようとするときは、繰越見積書を、財務局長に、その指定する期日までに提出しなければならない。

2　財務局長は、前項の見積書を審査調整し、知事に提出しなければならない。

3　繰越明許費に係る歳出予算の経費について、翌年度に繰り越して使用することが決定されたときは、財務局長は、これを会計管理者及び当該局長に通知しなければならない。

4　翌年度に繰り越した繰越明許費に係る歳出予算の執行の手続については、当該翌年度の歳出予算の執行の例による。

**（継続費の繰越及び事故繰越）**

**第二十六条**　継続費の繰越及び地方自治法第二百二十条第三項ただし書の規定による歳出予算の経費の繰越については、前条の規定を準用する。

**（繰越計算書の作成）**

**第二十七条**　局長は、当該年度の予算に係る次の各号に掲げる調書を、翌年度の五月十五日までに、財務局長に提出しなければならない。

一　継続費繰越調書

二　繰越明許費繰越調書

三　事故繰越繰越調書

2　財務局長は、前項の調書に基き、継続費繰越計算書、繰越明許費繰越計算書及び事故繰越繰越計算書をその年の五月三十一日までに作成し、知事の承認を受けなければならない。

3　財務局長は、前項の規定により知事の承認を受けたときは、直ちにこれを会計管理者及び当該局長に通知しなければならない。

**（翌年度歳入の繰上充用）**

**第二十八条**　財務局長は、会計年度経過後に至つて歳入が歳出に不足する場合において、翌年度の歳入を繰り上げてこれを当該年度の歳出に充てようとするときは、知事の承認を受けなければならない。

2　財務局長は、前項の規定により知事の承認を受けたときは、直ちにこれを会計管理者に通知しなければならない。

## 第三章　地方公営企業法の財務規定等適用事業に係る会計の予算の編成及び執行

### 第一節　通則

**（通則）**

**第二十九条**　地方公営企業法第二条第三項又は地方公営企業法の一部を改正する法律（昭和四十一年法律第百二十号）附則第三条第二項の規定に基づき、地方公営企業法の財務規定等が適用される事業に係る会計の予算（以下この章において「予算」という。）の編成及び執行については、この章に定めるところによる。

**（予算科目、予算科目の新設及び変更並びには数整理）**

**第三十条**　第五条から第七条までの規定は、予算の予算科目、予算科目の新設及び変更並びには数整理について準用する。この場合において、第五条第一項中「歳入歳出予算」とあるのは「予定収支」と、同条第二項中「歳入予算」とあるのは「予定収入」と、「毎会計年度歳入歳出予算」とあるのは「毎事業年度予定収支」と、同条第三項中「歳入予算」とあるのは「予定収入」と、「歳入」とあるのは「収入」と、同条第四項中「歳出予算」とあるのは「予定支出」と読み替え、第六条第一項中「歳入予算」とあるのは「予定収入」と、「歳出予算」とあるのは「予定支出」と、同条第三項中「財務局長は、これを会計管理者及び」とあるのは「財務局長は、これを」と読み替え、第七条中「歳入」とあるのは「収入」と、「歳出」とあるのは「支出」と読み替えるものとする。

### 第二節　予算の編成

**（予算見積書の提出及び査定並びに予算及び予算に関する説明書の作成）**

**第三十一条**　第八条から第十条までの規定は、予算の予算見積書の提出及び査定並びに予算及び予算に関する説明書の作成について準用する。この場合において、第八条第一項中「歳入歳出予算、継続費、繰越明許費及び債務負担行為」とあるのは「業務の予定量、予定収支、継続費、債務負担行為、利益剰余金の処分、たな卸資産購入限度額並びに重要な資産の取得及び処分」と読み替え、第九条第一項中「歳出予算各項の経費の金額の流用の限度」とあるのは「予定支出の各項の経費の金額の流用の限度、議会の議決を経なければ流用することのできない経費及び他会計からの補助金」と読み替えるものとする。

**第三十二条**　削除

**（予算に関する説明書の作成資料の提出）**

**第三十三条**　局長は、第三十一条において準用する第九条第二項の規定により通知された査定の結果に基づき、第三十一条において準用する第十条の予算に関する説明書の作成に要する次の各号に掲げる資料を、財務局長に、その指定する期日までに提出しなければならない。

一　予算の実施計画に関する資料
二　予定キャッシュ・フロー計算書に関する資料
三　給与費明細調書
四　継続費調書
五　債務負担行為調書
六　予定貸借対照表並びに前年度の予定損益計算書及び予定貸借対照表

**（補正予算、暫定予算等）**

**第三十四条**　局長は、予算の編成後、予算の補正を必要とする理由が生じたときは、その旨を財務局長を経て知事に報告しなければならない。

2　前項のほか、補正予算の編成の手続については、第三十一条及び前条に規定する予算編成の例による。

3　地方公営企業法第二十四条第三項の規定を適用する場合の手続については、前二項の規定を準用する。

4　暫定予算の編成の手続については、知事が特に定める場合を除くほか、第二十一条及び前条に規定する予算編成の例による。

**（予算成立の通知）**

**第三十五条**　予算が成立したときは、財務局長は、局長にその所管する局の事業に係る予算の内容を通知しなければならない。

### 第三節　予算の執行

**（執行計画）**

**第三十六条**　第十四条の規定は、予算の執行計画について準用する。この場合において、第十四条第一項中

「前条」とあるのは「第三十五条」と、「歳出予算」とあるのは「予定支出」と、同条第二項中「歳出予算」とあるのは「予定支出」と読み替えるものとする。

（資金収支計画）

**第三十七条**　局長は、収入及び金融の状況等を考慮して、当該年度の資金の収支に関する計画を定め、財務局長を経て知事に報告しなければならない。

（細節）

**第三十八条**　財務局長は、予算の統制上必要があるときは、予定支出の節を細分して細節を設けることができる。

2　前項の細節は、これを予定支出の節とみなし、この節の規定を適用する。

（配当）

**第三十九条**　第十七条第一項から第五項までの規定は、予算の予定支出の配当について準用する。

（配付及び執行委任）

**第四十条**　局長は、配当された予定支出のうち、その所管に属する所の事業に係るものについては、これを当該所の長（知事が指定する所にあつては、所の長以外の者で、知事が指定する者）へ配付しなければならない。

2　局長は、配当された予定支出のうち、他の局（第三条第一項第一号に掲げる局を含む。）において執行する必要があるものについては、その執行を当該他の局の長に委任することができる。

3　前項の規定により、予定支出の執行を委任することにより処理させることができる事務の範囲は、支出負担行為に係る履行の確認の時期までの事務とする。

4　予定支出を配付し、またその執行を委任する場合においては、その費途を明示して行わなければならない。

（支出負担行為の制限）

**第四十一条**　第十九条の規定は、予算の予定支出の支出負担行為について準用する。

（流用）

**第四十二条**　予定支出の経費の金額は、各目の間または各節の間において相互にこれを流用することができない。

2　前項の規定にかかわらず、局長は、予定支出の執行上やむを得ない場合に限り、財務局長に合議のうえ、各目の間または各節の間において相互にこれを流用することができる。

3　局長は、前項の規定により、予定支出の経費の金額を流用したときは、直ちにこれを財務局長に通知しなければならない。

4　予算に定める予定支出の各項の経費の金額の流用については、前二項の規定を準用する。

（予備費の充当、予定支出の執行の実績報告及び一時借入金）

**第四十三条**　第二十一条、第二十二条及び第二十四条の規定は、予算の予備費の充当、予定支出の執行の実績報告及び一時借入金について準用する。この場合において、第二十一条第二項中「会計管理者及び当該局長」とあるのは「当該局長」と、同条第三項中「第十七条第四項の規定による配当及び同条第六項の規定による通知」とあるのは「第三十九条において準用する第十七条第四項の規定による配当」と読み替え、第二十二条第一項中「歳出予算」とあるのは「予定支出」と読み替え、第二十四条中「会計管理者」とあるのは「局長」と読み替えるものとする。

（計理状況の報告）

**第四十四条**　局長は、毎月末日をもつて当該所掌する地方公営企業法の財務規定等が適用される事業に係る試算表及び資金予算表を作成し、翌月の十五日までに、財務局長を経て知事に提出しなければならない。

（建設改良費の繰越）

**第四十五条**　局長は、予算に定める建設または改良に要する経費（以下「建設改良費」という。）のうち、年度内に支払義務が生じなかつたものを翌年度に繰り越して使用しようとするときは、繰越見積書を、財務局長に、その指定する期日までに提出しなければならない。

2　財務局長は、前項の見積書を審査調整し、知事に提出しなければならない。

3　建設改良費に係る予定支出の経費について、翌年度に繰り越して使用することが決定されたときは、財務局長は、これを当該局長に通知しなければならない。

4　翌年度に繰り越した建設改良費に係る予定支出の執行の手続については、当該翌年度の予定支出の執行の例による。

（継続費の繰越及び事故繰越）

**第四十六条**　継続費の繰越及び地方公営企業法第二十六条第二項ただし書の規定による予定支出の経費の繰越については、前条の規定を準用する。

（繰越計算書の作成）

**第四十七条**　局長は、当該年度の予算に係る次の各号に掲げる調書を、翌年度の四月二十日までに、財務局長に提出しなければならない。

一　継続費繰越調書

二　建設改良費繰越調書

三　事故繰越繰越調書

2　財務局長は、前項の調書に基き、継続費繰越計算書、建設改良費繰越計算書及び事故繰越繰越計算書をその年の四月三十日までに作成し、知事の承認を受けなければならない。

3　財務局長は、前項の規定により知事の承認を受けたときは、直ちにこれを当該局長に通知しなければならない。

## 第四章　雑則

**（財務局長協議事項）**

**第四十八条**　局長（第三条第一項第二号及び第二項第二号に掲げる局長をいう。以下同じ。）は、次の各号の一に該当する場合は、あらかじめ財務局長に協議しなければならない。

一　継続費に基く支出負担行為であつて、翌年度以降の支出予定額に係るものをしようとするとき。

二　債務負担行為に基く支出負担行為をしようとするとき。

三　不納欠損処分（都税及び都税に係る税外収入に係るものを除く。）をしようとするとき。

四　予算を伴うこととなる条例、規則等を制定し、また改正しようとするとき。

五　前各号のほか、予算の執行に関する事務で知事が指定するものを処理しようとするとき。

**（財務局長への報告）**

**第四十九条**　局長は、その所管する局（第三条第一項第一号及び第二項第一号に掲げる局をいう。以下同じ。）の事業について、当該事業の経費の主たる財源に充当すべき特定の収入に重大な影響を及ぼす事情が生じたとき、若しくは生ずることが明らかになつたとき、または当該事業に関して重大な事情の変更があつたときは、直ちにこれを財務局長に報告しなければならない。

**（財務局長の調査等）**

**第五十条**　財務局長は、予算の編成または執行に関し必要があるときは、局長に対し、その所管する局の事業に係る予算の執行状況について、報告を求め、または実地に調査することができる。

**（帳簿）**

**第五十一条**　財務局長は、次の各号に掲げる事項に関する帳簿を備え、必要な事項を記録し、整理しなければならない。

一　歳入歳出予算現計または予定収支現計

二　歳出予算現額または予定支出現額

三　予算配当

四　流用

五　予備費

六　継続費

七　債務負担行為

八　都債

九　一時借入金

十　繰越使用

**（付属様式）**

**第五十二条**　この規則の施行について必要な様式は、別記のとおりとする。

### 付　則

1　この規則は、昭和四十年四月一日から施行する。

2　この規則の施行前になした予算の編成及び執行についての手続その他の行為は、この規則の規定によりなしたものとみなす。

### 附　則（令四・三・三一規則一一一）

この規則は、令和四年四月一日から施行する。ただし、第三条第一項第一号の改正規定中「、病院経営本部」を削る部分及び同項第二号の改正規定中「、病院経営本部長」を削る部分並びに同条第二項第一号及び同項第三号並びに第二十九条の改正規定は、同年七月一日から施行する。

**別記**〔略〕

# ○東京都予算事務規則の施行について（依命通達）

昭四〇・四・一
四〇財主調発九

最終改正　令二・三・三一財主財二三〇

昭和四十年三月三十一日、東京都規則第八十三号をもつて、東京都予算事務規則が公布され、同年四月一日から施行された。

この規則は、昭和三十八年六月の地方自治法改正の趣旨に従い、予算の編成及び執行に関する手続規定の整備を行つたものである。

この規則制定の趣旨は、予算制度の発展的整備を図ることによつて、組織における情報伝達を円滑にし、政策決定機能の発揮を十全ならしめ、都政全般にわたる管理能率の向上を期するとともに、将来における予算制度改善の目標として指向される事業別予算制度の基礎を確立しようとするものである。

よつて、貴職におかれては、下記事項に留意するとともに、これを所属職員に周知徹底せしめ、その実施に遺憾なきを期せられたい。

この旨、命により通達する。

記

**第一**　通則的事項

一　**適用範囲**（第一条、第四条、第二十九条）

この規則は、地方公営企業法（昭和二十七年法律第二百九十二号）の全部が適用される事業に係る予算事務を除き、東京都における予算の編成及び執行に関する手続の基本的事項を定めたものであり、東京都の予算事務に関しては、地方自治法（昭和二十二年法律第六十七号）、地方公営企業法その他の関係法令に定めるもののほか、この規則及び東京都会計事務規則（昭和三十九年東京都規則第八十八号）、東京都事案決定規程（昭和四十七年東京都訓令甲第十号）等の規定によるべきものであること。

二　**電子情報処理組織**（第四条の二）

電子情報処理組織を利用した予算の編成及び執行は、第二章の規定が適用される一般会計及び公営企業会計以外の特別会計を対象とし、第三章の規定が適用される地方公営企業法の財務規定等適用事業に係る会計は対象としないものであること。なお、電子情報処理組織を利用して予算の編成又は執行を行うことができない事情が生じたときは、財務局長は、各局長に事務執行の方針を別途通知するものであること。

三　**予算科目**（第五条、第三十条）

予算科目の設定については、いわゆる事業別予算制度を参考として定められた地方自治法第二百十六条の規定の趣旨をさらに発展的に規定したものであること。

歳入歳出予算（予定収支）の款、項、目、節の区分については、第五条（第三十条）に規定しているところであるが、歳出予算（予定支出）の科目の区分については、次の事項に留意して行うべきものであること。

(一)　歳出予算（予定支出）の款、項、目の区分については、款は機能別に、項は事業目的別に、目はできるだけ具体的な事業計画ごとに分類し、かつ、組織との関連を考慮して決定することを要するものであること。

(二)　歳出予算の節の区分は、地方自治法施行規則（昭和二十二年内務省令第二十九号）第十五条第二項の規定により定められているところによるものであるが、節の区分の明確でない経費については、その性質を分析のうえ、もつとも類似した節に区分、整理して編成、執行するものであること。

予定支出の節についても、これに準じて処理するものであること。

四　**予算科目の新設及び変更**（第六条、第三十一条）

(一)　予算科目の新設及び変更は、予算の説明内容に重大な変改を加えることとなるので、財務局長が行うものとして、特に規定したものであること。

(二)　予算科目を新設し、または変更する必要があると認められる場合は、次のとおりであること。

ア　科目名が予算成立後の事情により収入または事業の内容を的確に表現しないこととなつたとき。

イ　既存の科目に属せしめることができない新たな収入があるとき。

この場合における歳入予算（予定収入）の款、項の新設または変更は、収入受入れに関する経理手続として行うものであること。したがつて、科目設定後すみやかに第十二条第一項及び第二項（第三十四条第一項及び第二項）の規定による予算補正の手続をとることを要するものであること。

ウ　新たな事業計画を設定することとなつたとき。

この場合においては、歳出予算（予定支出）の款、項において表示された予算の内容を逸脱しない範囲においてのみ許されるものであること。

(三)　科目の新設に伴う経費の金額の流用または予備費の充当については、別途、第二十条（第四十二条）または第二十一条（第四十三条）に定める手続によるものであるが、第六条第二項（第三十条）の規定による手続をとる際に、流用または予備費の充当を予定する各節の金額を明記するものであること。

五　**は数整理**（第七条、第三十条）

千円未満のは数を整理するに当つて、当該経費に充当すべき財源が全額特定財源である場合等この規定によりがたいものについては、この原則によらないことができるものであること。

**第二**　予算の編成に関する事項

一　**予算見積書の提出**（第八条、第三十一条）

(一)　予算編成方針

知事は、毎年度、予算の編成にさきだち、予算編成方針を定め、これを各局長に示すものであること。

各局長は、その予算編成方針において示された政策及び予算規模の概略を考慮したうえ、その都度示される事務処理方針に従つて、予算見積書を作成するものであること。この場合、各局長は、合理的な基礎に立つた見積額を算定しうるよう、事務事業の分析、精査を行うことに努めるとともに、局内はもとより、関係各局との充分な調整を行うべきものであること。

(二)　長期的計画とは、東京都長期計画及び庁議または首脳部会議において決定された二年度以上にわたる計画をいうものであること。なお、第八条第二項（第三十一条）に規定する「長期的計画との関連を明らかにする」とは、上記長期的計画との関連のみならず、各局または関係各局においてこれらに基き作成した事業の計画との関連を明らかにすることをいうものであること。

(三)　事業効果とは、当該事業の施行に係るいわゆる行政効果をいうものであるが、現状において直ちに測定しがたいものについては、事業施行の直接的効果をいうものであること。

二　**予算及び予算説明書の作成**（第十条）

財務局長は、知事の査定の結果に基づき、議会に提出すべき予算及び予算説明書を作成するものであること。

予算及び予算説明書の作成に当たつては、予算の内容を明らかにすることにより、議会の審議と住民の理解に便ならしめるとともに、管理能率の向上に資するよう、特に留意すべきものであること。

三　**予算説明書作成資料の提出**（第十一条、第三十三条）

(一)　各局長は、第九条第二項（第三十一条）の規定により通知された査定の結果に基づき、第十一条（第三十三条）各号に列記する資料を所定の様式に従い作成しなければならないものであるが、特に歳入歳出予算事項別明細書（予算の実施計画に関する資料）の作成に当たつては、事業目的及び内容を明らかにするよう、特に留意すべきものであること。

(二)　繰越明許費に関する説明書の作成は、法令の義務付けているところではないが、予算内容を明らかにするため必要であるので、この説明書の作成に要する資料として繰越明許費調書を財務局長に提出させることとしたものであること。

なお、繰越明許費調書の作成に当たつては、その内容を明らかにするよう、翌年度に経費を繰り越して使用することを必要とする理由、その費目及び金額を記載する必要があるものであること。

(三)　「その（財務局長の）指定する期日」及び「財務局長が指定する資料」については、第九条第二項（第三十一条）の規定による査定の結果の通知の際に定めるものであること。

(四)　電子情報処理組織を利用して予算の編成を行う場合においては、第十一条第一号に規定する歳入歳出予算事項別明細書及び同条第五号に規定する債務負担行為調書の提出を、電子情報処理組織の端末機からの入力によつて代えるものとするものであること。

四　**補正予算等の手続**（第十二条、第三十四条）

(一)　「予算の補正を必要とする理由が生じたとき」とは、第二十条（第四十二条）の規定による流用または第二十一条（第四十三条）の規定による予備費の充当の手続によるべき場合を除き、次の各号の一に該当する場合をいうものであること。

ア　歳入歳出予算（予定収支）の総額、継続費の経費の総額若しくは年割額、繰越明許費の経費の金額、債務負担行為の事項、期間若しくは限度額、地方債の起債の目的、限度額等、一時借入金の借入れの最高額または歳出予算の各項の経費の金額の流用の限度（予定支出の各項の経費の金額の流用の限度及び議会の議決を経なければ流用することのできない経費）を変更する必要が生じたとき。

イ　歳入歳出予算（予定収支）の款、項を新設し、または款、項の経費の金額若しくは名称を変更する必要が生じたとき。

ウ　その他歳出予算（予定支出）の款、項において表示された経費の内容に重大な影響を与えることとなる事業計画の設定または変更があつたとき。

(二)　局長から予算の補正を必要とする理由が生じた旨の報告があつたときは、財務局長は、総合的な財政運営の見地から、知事にこれについての意見を具申するものであること。

(三) いわゆる弾力条項を適用することは、事実上予算を増額することとなるので、みだりにこれを適用すべきものではないものであること。したがつて、この運用に当つては、業務量の増加による収入増を過大に見積ることのないよう注意することはもとより、業務に直接必要な経費をこえて使用することのないよう、特に留意しなければならないものであること。

五 **予算成立の通知**（第十三条、第三十五条）

予算成立の通知は、予算及び予算説明書の送付をもつてこれに代えることができるものであること。

## 第三　予算の執行に関する事項

一 **執行計画**（第十四条、第三十六条）

(一) 年間執行計画

ア 作成及び提出

各局長は、予算の成立後すみやかに、その所掌する事業に係る歳出予算（予定支出）について、四半期ごとに区分した執行計画（以下「年間執行計画」という。）を定め、財務局長を経て知事に提出しなければならないものであること。なお、予算成立後に生じた理由に基き、予算の内容とは別に、新たに事業計画を設定した場合においても同様とするものであること。

各局長から年間執行計画が提出されたときは、財務局長は、その内容を審査し、意見があるときは、これを知事に具申するものであること。

イ 内容

年間執行計画の内容については、支出負担行為、支出、収入調定、収入の予定額並びに事業計画及び収入に関する進行過程を明らかにするとともに、当該事業計画と長期的計画との関連及び事業執行上の問題点（局間調整を要するものを含む。）を明らかにするものであること。

執行計画に係る事業の名称については、予算の区分上、目が事業別に区分されている場合には目ごとに、また、目に係る経費の内容が二つ以上の事業を含む場合には、原則としてその事業ごとに細分して表示するものであること。なお、事業計画未設定の執行計画にあつては、その旨を明記するものであること。

ウ 改定

(ア) 事業計画に変更があつたときは、すみやかに既定の年間執行計画を改定し、これを財務局長を経て知事に提出するものであること。

(イ) 事業計画に変更がない場合においても、配当の保留、取消等または事業の進捗状況等により、既定の執行計画による予算の執行が困難となつたときは、現実に即して、当該執行計画を改定しうるものであること。この場合、第十四条第二項（第三十六条）に規定する各四半期の歳出予算（予定支出）の執行計画（以下「四半期執行計画」という。）の提出をもつて、当該四半期以降の年間執行計画に代えうるものであること。

(二) 四半期執行計画

ア 四半期執行計画とは、予算の計画的執行を確保するための一・四半期に係る月別に区分された具体的日程計画であり、各局長は、上記年間執行計画に基き、第十七条第一項または第二項（第三十九条）に規定する歳出予算（予定支出）所要額見積書の提出の時期にあわせて作成しておくものであること。

イ 年間執行計画、四半期執行計画、実績報告書の統合

四半期執行計画において、年間執行計画及び歳出予算（予定支出）の執行の実績（見込）が明らかにされている場合においては、当分の間、四半期執行計画をもつて、当該年間執行計画及び第二十二条（第四十三条）に規定する実績報告書に代えることができるものであること。

したがつて、四半期執行計画は、歳出予算（予定支出）所要額見積書すなわち予算配当の基礎資料となるにとどまらず、当該四半期前の四半期の実績報告書及び当該四半期以降の年間執行計画たる性格を有するものとなるのであるから、その作成に当つては、事業の進捗状況、収入の確定状況等現実的要素にも充分配意すべきものであること。ただし、第四・四半期に係る実績報告書については、所定の様式によるものであること。なお、年間執行計画を改定したときは、当該四半期執行計画にその理由を明らかにするものであること。

二 **資金収支計画**（第十五条、第三十七条）

財務局長は、第十五条の規定による報告の後にあつても、財政運営の状況を考慮しつつ、常時、現実に即した資金収支計画を作成しておくものであること。この場合、四半期執行計画（第十七条第三項）、歳出予算の執行の実績報告（第二十二条）、資金収支に関する報告（第二十三条）、財務局長への報告（第四十九条）等、この規則の定める諸制度を充分に活用することにより、資金の収支に関する情報を的確に把握し、

計画の作成に遺漏のないよう努めるべきものであること。なお、財務規定等一部適用事業を所掌する局の長にあつても、財務局長の場合に準じ、当該事業に係る資金収支計画を作成しておくものであること。

**三　細節**（第十六条、第三十八条）

細節による経理は、予算執行上の内部統制手段としてこれを行うものであること。その事務手続については、節と同様に取り扱うものであるが、特に次の点に留意して取り扱うこととするものであること。

(一)　設定されるべき細節については、予算編成の段階において、その細節名を明らかにし、予算額を算定、把握しておかなければならないものであること。

(二)　細節を設定したときは、第十三条（第三十五条）に規定する予算成立の通知の際に、各局長及び会計管理者に通知することを適当とするものであること。

(三)　財務局長は、細節を設定したときは、予算現額及び予算流用に関する帳簿にこれを記載するものであること。

(四)　配当、配付及び執行委任に際しては、細節に係る金額を明記し、会計管理者に通知するものであること。

(五)　局長及び所長は、帳簿に細節を記載し、その配当額、配付額または執行委任額をこえて支出負担行為を行つてはならないものであること。

(六)　局長は、決算調書を作成するときは、細節ごとにその支出額を明らかにするものであること。ただし、決算書には表示されないものであること。

**四　配当**（第十七条、第三十九条）

(一)　歳出予算所要額見積書の提出

諸支出金等いわゆる統合科目に表現されている歳出予算については、事業を実際に執行する局において、歳出予算所要額見積書を提出するものであること。

(二)　四半期執行計画の提出

四半期執行計画は、これを財務局長に提出するとともに、あわせてその写を会計管理者に送付すべきものであること。なお、第十七条第三項の「その他参考となる資料」とは、事業執行上の問題点、国庫支出金の決定状況等について、その内容を明らかにしたものをいうものであること。

(三)　定期配当、臨時配当

予算の配当は、原則として四半期ごとに行うものであること。ただし、当該四半期に係る歳出予算（予定支出）所要額見積書を提出する際においては捕捉しえなかつた支出負担行為を、当該四半期に行う必要があると認められるときは、臨時に配当することがあるものであること。

(四)　歳出予算（予定支出）所要額見積書の審査

歳出予算（予定支出）所要額見積書の審査とは、

ア　四半期執行計画と年間執行計画とは統一されているか、統一されていないものについては、その理由が四半期執行計画に明らかにされているか、

イ　四半期執行計画において、予算執行の月別配分は、合理的、現実的であるか、などについて審査し、これらに適合しないものについては、当該局と協議のうえ、修正、補完することをいうものであること。

上記の審査を経て、適正と認められたときは、配当保留の場合を除き、すみやかに配当するものであること。

(五)　配当の保留は、次の場合に限つて行うものであること。

ア　全般の資金収支との関連で配当が困難なとき。

イ　当該経費に充てるべき主要な財源が確保されていないとき。

ウ　事業の取りやめ、中断等を必要とする事情が生じたとき。なお、第十七条第四項ただし書（第三十九条）に規定する「知事の承認」については、予算配当方針の設定により、一括して知事の承認を受けることをさまたげるものではないものであること。

(六)　配当の変更、取消

ア　すでに配当した歳出予算（予定支出）の額を変更し、またはその配当を取り消すことができる場合については、第十七条第五項（第三十九条）に規定するところであるが、同項の「その他」とは、事業の完了、落札差金の発生等をいうものであること。

イ　事業の完了に伴う不用額及び落札差金等については、歳出予算（予定支出）の執行の実績報告（第二十二条、第四十三条）、財務局長の調査等（第五十条）などの制度により、財務局長は、常時、その状況を把握しておくべきものであること。

(七)　集中処理を必要とする事務に関する予算の配当

集中処理を必要とする事務に関する予算の配当については、その予算に係る事業を所掌する局にかかわりなく、その事務の性質に応じ、集中処理する局の長に対し配当することができるものであること。この場合において、歳出予算（予定支出）所要額見積書は、当該予算に係る事業を所掌する局の長が提

出するものであること。

五　**配付及び執行委任**（第十八条、第四十条）

(一)　第十八条第三項（第四十条第四項）の「費途」とは、歳出予算（予定支出）の経費及びその事業計画について、その内容を明らかにする要件をいうものであること。

(二)　財務規定等一部適用事業に係る予算の執行委任の範囲については、第四十条第三項に規定するとおり、支出負担行為に係る履行の確認を行う時期（たとえば、物品購入または工事請負の契約における検査完了の時期）までの事務であり、それ以降の経理事務（金銭支払等）については、委任局長が行うものであること。

(三)　執行委任に係る執行計画及び歳出予算（予定支出）の執行の実績報告書には、その旨を明記して、受任局長がこれを提出するものであること。この場合、受任局長は、委任局長の求めに応じて、執行計画または実績報告書の作成に必要な資料を提供するものであること。

六　**支出負担行為の制限**（第十九条、第四十一条）

(一)　歳出予算（予定支出）に係る支出負担行為

支出負担行為は、歳出予算（予定支出）の配当または配付があつた後でなければ、これを行つてはならないものであること。

第十八条第二項（第四十条第二項）の規定による執行委任に係る支出負担行為は、当該予算の執行の委任を受けた後でなければ、これを行つてはならないものであること。

(二)　支出負担行為の整理区分

支出負担行為として整理する時期及び支出負担行為の範囲は、別表一に定めるところによるものであること。ただし、別表一に定める経費に係る支出負担行為であつても、別表二に定める経費に係る支出負担行為に該当するものについては、別表二に定めるところによるものであること。

七　**流用**（第二十条、第四十二条）

流用とは、第六条（第三十条）の規定による科目の新設を伴うと伴わないとにかかわらず、目相互間及び節相互間の経費の金額の流用をいうものであつて、第二十条第二項（第四十二条第二項）に規定するとおり、必要やむをえない場合に限つてのみこれを行いうるものであるが、この場合においても、人件費、事業費間の流用は厳に慎しむべきものであること。

八　**予備費の充当**（第二十一条、第四十三条）

(一)　予備費は、予見しがたい予算外または予算超過の支出に充てるためのものであり、真に緊急やむをえない場合にのみこれを充当しうるものであること。

(二)　予備費充当請求書の審査とは、

ア　予備費充当に係る事業計画の新設または変更が所定の手続に従つてなされているか、

イ　予備費充当請求書に記載された計数の算出基礎が正確であるか、

などについて審査し、所要の措置を講じたうえ、充当額を確定するものであること。

九　**歳出予算（予定支出）の執行の実績報告**（第二十二条、第四十三条）

(一)　実績報告制度の目的

実績報告制度は、トップマネジメントに対し、予算執行の実績に関する情報を提供させて、合理的な管理を行い、予算の編成及び執行の指針とするため、これを設けたものであること。

(二)　実績報告書の調査

実績報告書の調査とは、支出負担行為、支出、事業の進捗及び財源確保の状況等について、これを執行計画と比較検討し、計画と実績との間に差異が生じたものについては、その原因を明らかにすることをいうものであること。

その結果に基き、財務局長は、問題点を明らかにして、実績の概要を知事に報告するものであること。この場合、改善策等に関する意見をあわせて報告することを適当とするものであること。

十　**一時借入金**（第二十四条、第四十三条）

第二十四条第一項（第四十三条）の協議に際しては、会計管理者（財務規定等一部適用事業を所掌する局の長）は、借入れ所要額、時期、期間、借入先等を明らかにするものであること。

十一　**繰越明許費**（第二十五条）、**建設改良費の繰越**（第四十五条）

(一)　繰越見積書の提出及び繰越の決定

繰越明許費に係る歳出予算の経費または建設改良費に係る予定支出の経費を翌年度に繰り越して使用しようとする場合には、その概算額について、その見積書を財務局長を経て知事に提出し、三月三十一日までに知事の決定を受けることを要するものであること。

(二)　翌年度に繰り越した経費に係る予算の執行については、翌年度の予算と同様、この規則の第二章第三節または第三章第三節の規定の適用があるものであること。

## 第四　その他

一　**財務局長合議事項**（第四十八条）

(一)　継続費及び債務負担行為に係る支出負担行為

継続費の翌年度以降の年割額及び債務負担行為に

係る支出負担行為については、予算の効力の発生後直ちにこれを行いうるものであるが、これらは当然、将来における支出を伴い、全体としての財政運営に影響を与えるものであるので、事前に財務局長に対する合議を要することとしたものであること。なお、当該年度の歳出予算（予定支出）に計上されている分に係るものについては、当然に第十九条（第四十一条）の規定の適用があるものであること。

(二)　不納欠損処分

歳入に関する不納欠損処分を行うに当つては、事前に財務局長に合議することとしたが、都税及び都税に係る税外収入に係るものについては、これによることが必ずしも適当でないと認められるので、これを除いたものであること。ただし、これについては、第二十三条第一項の規定による報告の中に含めて報告すべきものであること。

**二　財務局長への報告**（第四十九条）

(一)　用語の意義

ア　第四十九条の「……に重大な影響を及ぼす事情が生ずる」とは、当該経費を予算計上する際に、その計上について重要な基礎となつた特定財源に不足を生ずることにより、目的の達成が不可能となること、またはそこなわれることとなることをいい、当該目的の達成のために予定された一般財源の充当額をこえて、当該経費に一般財源を充当する必要が生ずることをいうものであること。また、そのことが「明らかになつたとき」とは、収入が未確定または不確定であつたものが、収入されないことが確実となつた場合をいうものであること。

イ　同条の「重大な事情の変更があつたとき」とは、上記アの場合を除き、予算の編成、執行計画の作成または予算配当に際し、その前提となつた事情に重大な変更があつた場合をいうものであること。

(二)　財務局長の措置

財務局長は、第四十九条に規定する報告に基き、予算の補正、予備費の充当、流用または配当の保留、取消等に関し、必要な措置をとるものであること。

**三　帳簿**（第五十一条）

第五十一条の各号に列記したものは、帳簿の内容に関する要件であつて、この要件を満たすものであれば、必ずしも列記したものごとに帳簿を設けることを要しないものであること。

**四　経過措置**（付則第二項）

(一)　東京都予算事務要綱（昭和三十九年三月三十日三九財主調発第八号知事決裁）第二条第三号の規定による所及び付則第三項の規定による所は、この規則の規定による所とみなされたものであること。

(二)　局長は、局所属の事業所等について、新たに所の指定を受けようとするときは、次に掲げる事項に関する資料を添えて、財務局長を経て知事に申請するものであること。この場合において、局長は、当該申請書類の写を会計管理者に送付して、その旨を通知するものであること。

ア　当該事業所の位置及び名称

イ　事業規模（所属職員数、予算規模等）

ウ　その他必要と認められる事項

別表一

| 区分 | 説明概略 | 支出負担行為として整理する時期 | 支出負担行為の範囲 | 備考 |
|---|---|---|---|---|
| 報酬及び給与 | 議員報酬<br>委員報酬<br>非常勤職員報酬<br>特別職給<br>一般職給<br>職員手当<br>（退職手当を除く。） | 支出決定のとき | 当該期間分の報酬または給与の額 | |
| その他手当 | 退職手当 | 支出決定のとき | 支出しようとする額 | |
| 共済費 | 東京都職員共済組合に対する負担金<br>報酬及び給料に係る社会保険料 | 支出決定のとき | 支出しようとする額 | |
| 災害補償費 | 療養補償費<br>休業補償費<br>葬祭料<br>その他補償費 | 支出決定のとき | 支出しようとする額 | |
| 恩給及び退職年金 | 恩給法、東京都恩給条例並びに雇傭員の退職年金及び退職一時金等に関する条例に基く給付 | 支出決定のとき | 支出しようとする額 | |
| 報償費 | 報償金<br>謝礼金<br>賞賜金<br>買上金 | 支出決定のとき | 支出しようとする額 | |
| 旅費 | 費用弁償<br>普通旅費<br>特別旅費 | 支出決定のとき | 支出しようとする額 | |
| 交際費 | | 支出決定のとき | 支出しようとする額 | |
| 物品購入費 | 消耗品費<br>燃料費<br>工事用・加工用原材料費<br>飼料費<br>庁用器具費<br>機械器具費<br>動物費 | 購入契約を締結するとき（請求のあったとき） | 購入契約金額（請求のあった額） | 単価契約によるものは（　）による。 |
| 食糧費及び賄費 | | 契約を締結するとき（請求のあったとき） | 契約金額（請求のあった額） | 単価契約によるものは（　）による。 |
| 印刷製本費及び修繕料 | 印刷費<br>製本費<br>修繕料 | 契約を締結するとき（請求のあったとき） | 契約金額（請求のあった額） | 単価契約によるものは（　）による。 |
| 光熱水費及び電話加入料 | 電気・ガス・水道使用料<br>冷暖房使用料 | 請求のあったとき | 請求のあった額 | |
| | 電話加入・設備料 | 電話の加入申込を承認する旨の通知があったとき | 請求のあった額 | |
| 役務費 | 電信・電話料<br>郵便料<br>広告料<br>手数料<br>筆耕・ほん訳・速記料 | 契約を締結するとき（請求のあったとき） | 契約金額（請求のあった額） | 後納または単価契約によるものは（　）による。 |
| 運搬及び保管料 | | 契約を締結するとき（請求のあったとき） | 契約金額（請求のあった額） | 運賃先払による運搬料、到着荷物の保管料、後納または単価契約によるものは |

| | | | | |
|---|---|---|---|---|
| | | | | （　）による。 |
| 借料及び損料 | 自動車借上料<br>会場借上料<br>物件借上料<br>使用料 | 契約を締結するとき（請求のあったとき） | 契約金額（請求のあった額） | 後納または単価契約によるものは（　）による。 |
| 損害保険料 | 火災保険料<br>自動車損害保険料 | 契約を締結するとき | 契約金額 | |
| 捜査費 | | 請求のあったとき | 請求のあった額 | |
| 委託料 | 試験、調査、研究、製作、加工及び工事の委託料 | 契約を締結するとき（請求のあったとき） | 契約金額（請求のあった額） | 概算払に係る委託契約または単価契約によるものは（　）による。 |
| 工事請負費 | | 契約を締結するとき（請求のあったとき） | 契約金額（請求のあった額） | 単価契約によるものは（　）による。 |
| 公有財産購入費 | 不動産購入費<br>権利購入費<br>船舶、航空機等購入費 | 契約を締結するとき | 契約金額 | |
| 負担金、補助及び交付金 | 負担金<br>補助金<br>交付金 | 交付決定をするとき（交付額の確定をするとき） | 交付決定金額（交付確定金額） | 交付決定の際に額の特定されていないもの（概算払に係るものを除く。）は（　）による。 |
| 扶助費 | 生活扶助費<br>生業扶助費<br>その他扶助費 | 支出決定のとき | 支出しようとする額 | |
| 貸付金 | | 貸付決定のとき | 貸付を要する額 | |
| 補償、補塡、賠償及び償還金 | 賠償金<br>償還金<br>諸払戻金<br>補償金<br>小切手支払未済償還金 | 支出決定のとき（契約を締結するとき） | 支出しようとする額（契約金額） | 補償金で、契約によるものは（　）による。 |
| 利子及び割引料 | 地方債利子<br>借入金利子<br>還付加算金 | 支出決定のとき | 支出を要する額 | |
| 投資及び出資金 | 出資金<br>払込金<br>出捐金 | 支出決定のとき | 支出を要する額 | |
| 積立金 | 基金積立金<br>保証金 | 支出または納付決定のとき | 支出または納付しようとする額 | |
| 寄附金 | | 寄附決定のとき | 寄附を要する額 | |
| 公課費 | | 申告または納付決定のとき | 納付を要する額 | |
| 他会計繰出金及び支出金 | 他会計繰出金<br>他会計支出金 | 繰出または支出決定のとき | 繰出または支出を要する額 | |

別表二

| 区分 | 支出負担行為として整理する時期 | 支出負担行為の範囲 | 備考 |
| --- | --- | --- | --- |
| 資金前渡 | 資金の前渡をするとき | 資金の前渡を要する額 | |
| 繰替払 | 繰替払金額の補塡をするとき | 繰替払をした額 | |
| 過年度支出 | 過年度支出を行うとき | 過年度支出を要する額 | |
| 繰越 | 繰越をした経費のうち、前年度において支出負担行為が行われたものについては、当該繰越分に係る歳出予算の配当のあつたとき | 繰越をした経費のうち、前年度において行われた支出負担行為に相当する額 | 前年度において支出負担行為が行われていないものについては、別表一による。 |
| 返納金の戻入 | 現金の戻入の通知をするとき | 戻入をする額 | |
| 債務負担行為 | 債務負担行為を行うとき | 債務負担行為を要する額 | |

# 第二章　収入・支出

## ○東京都都税条例

昭二五・八・二三
条例五六

最終改正　令六・六・一九条例九五

### 第一章　総則

#### 第一節　通則

（課税の根拠）

**第一条**　東京都都税（以下都税という。）及びその賦課徴収については、法令その他に別に定があるものの外、この条例の定めるところによる。

（用語）

**第二条**　この条例において、次の各号に掲げる用語の意義は、当該各号に定めるところによる。

一　徴税吏員　知事又はその委任を受けた都職員をいう。

二　徴収金　都税並びにその延滞金、過少申告加算金、不申告加算金、重加算金及び滞納処分費をいう。

三　納付書　納税者が徴収金を納付するために用いる文書で、納税者の氏名又は名称及びその納付すべき徴収金額その他納付について必要な事項を記載したもの（当該文書に記載すべき事項を記録した電磁的記録（電子的方式、磁気的方式その他の人の知覚によつては認識することができない方式で作られる記録であつて、電子計算機による情報処理の用に供されるものをいう。次号において同じ。）を含む。）をいう。

四　納入書　特別徴収義務者が徴収金を納入するために用いる文書で、特別徴収義務者の氏名又は名称及びその納入すべき徴収金額その他納入について必要な事項を記載したもの（当該文書に記載すべき事項を記録した電磁的記録を含む。）をいう。

（都税として課する税目）

**第三条**　都の全域において都税として課する普通税は、次に掲げるものとする。

一　都民税

二　事業税

三　地方消費税

四　不動産取得税

五　都たばこ税

六　ゴルフ場利用税

七　自動車税

八　鉱区税

九　軽油引取税

2　都の全域において都税として課する目的税は、狩猟税とする。

3　特別区の存する区域においては、第一項に規定するもののほか、都税として次に掲げる普通税を課するものとする。

一　都民税

二　固定資産税

三　特別土地保有税

4　特別区の存する区域においては、第二項に規定するもののほか、都税として次に掲げる目的税を課する。

一　事業所税

二　都市計画税

5　市町村の存する区域においては、第一項に規定するもののほか、都税として次に掲げる普通税を課するものとする。

一　都民税

二　固定資産税

（徴税吏員の証票等）

**第四条**　徴税吏員は、都税の賦課徴収に関する調査のため質問、検査又は提示若しくは提出の要求を行う場合にあつては当該徴税吏員の身分を証明する東京都都税検査吏員証を、都税に関する犯則事件の調査を行う場合にあつてはその職務を指定された徴税吏員であることを証明する東京都都税査察吏員証を、徴収金に関する滞納処分のため財産差押を行う場合又は財産差押に関する調査のため質問若しくは検査を行う場合にあつてはその命令を受けた徴税吏員であることを証明する東京都都税滞納処分吏員証をそれぞれ携帯しなければならない。

**第四条の二**　削除

（都税事務所長等及び都税総合事務センター所長に対する知事の権限の委任）

**第四条の三**　知事は、徴収金の賦課徴収に関する事項及び都税に係る過料の徴収に関する事項を都税の納税地所管の都税事務所長又は支庁長（以下「都税事務所長等」という。）に委任する。ただし、次に掲げる事項については、この限りでない。

一　第十五条第三項に規定する納税地の指定に関する事項

二　地方税法（昭和二十五年法律第二百二十六号。以

下「法」という。）第八条第一項及び同条第四項に関する事項
三　第十七条の二第一項に規定する期限の延長に関する事項
四　固定資産税の課税標準である固定資産の価格の決定に関する事項
五　法第七百四十二条に規定する大規模の償却資産の指定及び通知並びに法第七百四十三条に規定する大規模の償却資産の価格等の決定、修正及び通知に関する事項
六　前各号に掲げるもののほか、東京都規則（以下「規則」という。）で定める事項

2　知事は、自動車税に係る徴収金の賦課徴収に関する事項、自動車税に係る過料の徴収に関する事項及び過誤納金その他の徴収金の還付又は充当に関する事項については、前項の規定にかかわらず、都税総合事務センター所長に委任する。ただし、前項第一号から第三号まで及び第六号に掲げる事項については、この限りでない。

3　知事は、第二十二条又は第二十三条の規定により徴収の引継ぎをした徴収金の徴収に関する事項については、前二項の規定にかかわらず、徴収の引継ぎを受けた都税事務所長等に委任する。

4　知事は、第一項の規定にかかわらず、次の各号に掲げる事項について、それぞれ当該各号に掲げる都税事務所長等に委任する。ただし、同項第二号、第三号及び第六号に掲げる事項については、この限りでない。
一　法第百四十四条の三十二第一項に規定する製造、譲渡又は消費の承認に関する事項　当該製造若しくは譲渡に直接関係を有する事務所若しくは事業所（当該事務所若しくは事業所が都内に所在しない場合にあつては、当該製造若しくは譲渡を行う場所）又は当該消費に係る自動車の主たる定置場の所在地を所管する都税事務所長等
二　法第百四十四条の二十一第一項（法附則第十二条の二の七第二項において読み替えて準用する場合を含む。）に規定する軽油引取税に係る免税証の交付及び法第百四十四条の二十七（法附則第十二条の二の七第二項において準用する場合を含む。）に規定する免税軽油の引取り等に係る報告に関する事項　第百三条の十二第一項に規定する免税軽油使用者の同項に規定する免税軽油の使用に係る事務所又は事業所（当該免税軽油使用者の特別の事情によりこれにより難い場合にあつては、その主たる事務所若しくは事業所又は当該免税軽油の使用に係る事務所若しくは事業所を管理する事務所若しくは事業所）の所在地を所管する都税事務所長等
三　法第百四十四条の三十四第一項から第三項までに規定する届出又は法第百四十四条の三十五第一項から第三項までに規定する報告（第百三条の二第一項に規定する元売業者又は同項に規定する特約業者の行う届出又は報告を除く。）に関する事項　当該届出又は報告を行う者の法第百四十四条の三十四第一項の主たる事務所又は事業所の所在地を所管する都税事務所長等

5　法第二十条の四の規定によつて知事が徴収嘱託を受けた他の地方団体に係る地方団体の徴収金の徴収に関しては、当該徴収金を納付すべき者の住所、居所、家屋敷、事務所若しくは事業所又はその者の財産の所在地を所管する都税事務所長等に委任する。

6　第一項から第三項までの規定にかかわらず、法第二十条の十の証明書（地方税法施行令（昭和二十五年政令第二百四十五号）第六条の二十一第一項第一号、第二号及び第五号に掲げる事項に係るものに限る。）については、都税事務所長等に交付の申請が行われた場合に限り、当該都税事務所長等は、当該証明書の交付を行うものとする。

7　第一項の規定にかかわらず、法第二十条の十の証明書（地方税法施行令第六条の二十一第一項第四号に掲げる事項に係るものに限る。）及び法第三百八十二条の三の証明書（同条ただし書の規定による措置を講じたものを含む。）については、特別区の存する区域を所管する都税事務所長に交付（法第三百八十二条の四の規定により当該証明書に住所に代わる事項を記載したものの交付を含む。以下この項において同じ。）の申請が行われた場合に限り、当該都税事務所長は、当該証明書の交付を行うものとする。

8　事務所又は事業所（以下本項において「事業所等」という。）において行う事業に対して課する事業所税の賦課徴収事務のうち、主たる事業所等以外の事業所等に係る課税標準の調査のための質問、検査、提示若しくは提出の要求又は留置きについては、当該主たる事業所等以外の事業所等の所在地を所管する都税事務所長もこれを行うことができる。

9　知事は、前各項の規定によつて委任した事項について必要があると認める場合においては、都税事務所長等及び都税総合事務センター所長に指示することができる。

**第五条**　削除

（**許可、認可書類の提出等**）
**第六条**　この条例により申告をすべき義務がある者は、その申告すべき事項について法令その他の定めにより官公署の許可、認可若しくは検査を受け、又は官公署

に対し届出をしたものである場合においては、当該事実を証するものを納税地所管の都税事務所長等又は都税総合事務センター所長に呈示し、又は提出しなければならない。ただし、第十二条第三項の規定によつて市町村を経由する申告書その他の書類に関するものにあつては、当該市町村長に呈示し又は提出することができる。

2　前項の規定により難いものは、許可、認可若しくは検査又は届出の年月日及びその要領を申告しなければならない。

**（既に賦課を受けた者の当該事実を証明する書類の提出）**

**第七条**　都税の納税義務の発生した者が、同一の課税客体に対する同種の税について他の道府県、市町村（都内の市町村を含む。）において既に賦課を受けた者である場合においては、この条例による申告をすると同時に当該事実を証明する書類を提出しなければならない。

**（人格のない社団等に対する本章の規定の適用）**

**第七条の二**　法人でない社団又は財団で代表者又は管理人の定のあるもの（以下次条において「人格のない社団等」という。）は、法人とみなして、本章中法人に関する規定をこれに準用する。

**（法人の提出すべき申告書に係る代表者等の併記）**

**第八条**　この条例により申告をすべき義務がある者が法人である場合においては、その本店又は主たる事務所若しくは事業所の所在地及びその法人の代表者（法人の代表者が法人である場合にあつては当該代表者の職務を行うべき者とし、二人以上の者が共同して法人を代表する場合にあつてはその全員とし、法人の代表者が二人以上ある場合（二人以上の者が共同して法人を代表する場合を除く。）にあつては法人の業務を主宰する者とし、人格のない社団等で代表者の定めがなく、かつ、管理人の定めがあるものにあつては管理人とする。）の氏名を併せて申告しなければならない。

**（都税事務所長等又は都税総合事務センター所長による申告事項）**

**第九条**　都税事務所長等又は都税総合事務センター所長は、この条例による申告事項のほか、都税の賦課徴収に関し必要があると認める事項について、納税義務者又は特別徴収義務者にその申告をさせることができる。

**（納税地の異動）**

**第十条**　都内において、第十五条に規定する納税地に異動を生じた場合の申告書は、前納税地所管の都税事務所長等を経由しなければならない。

**（申告すべき事項が二以上の都税事務所等にわたる場合の申告書の経由）**

**第十一条**　この条例により申告すべき事項が二以上の都税事務所又は支庁（以下「都税事務所長等」という。）の所管区域に係るものである場合において提出すべき申告書は、主たる納税地所管の都税事務所長等を経由しなければならない。

**（書類の経由）**

**第十二条**　この条例により知事に提出すべき申告書、申請書その他の書類（以下この条において「書類」と総称する。）は、次項に規定するものを除き、すべて納税地所管の都税事務所長等を経由しなければならない。ただし、第四条の三第二項に規定する事項に係る申告書は、都税総合事務センター所長を経由しなければならない。

2　第四条の三第二項に規定する事項に係る書類（申告書を除く。）は、都税事務所長等又は都税総合事務センター所長を経由しなければならない。

3　市町村の存する区域において、この条例により知事に提出すべき書類は、課税客体が所在する市町村を経由することができる。

**（東京都行政手続条例の適用除外）**

**第十二条の二**　東京都行政手続条例（平成六年東京都条例第百四十二号）第三条又は第四条に定めるもののほか、この条例に基づく処分その他公権力の行使に当たる行為については、同条例第二章及び第三章の規定は、適用しない。

2　東京都行政手続条例第三条、第四条又は第三十三条第四項に定めるもののほか、徴収金を納付し、又は納入する義務の適正な実現を図るために行われる行政指導（同条例第二条第一項第六号に規定する行政指導をいう。）については、同条例第三十三条第三項及び第三十四条の規定は、適用しない。

**（文書等の様式）**

**第十三条**　納付書、納入書及び納税通知書その他この条例に定める文書等の様式は、規則で定める。

**（条例施行の細目）**

**第十四条**　この条例の施行について必要な事項及びこの条例に定めるものの外、都税の賦課徴収について必要な事項は、規則で定める。

## 第二節　賦課徴収

**（納税地）**

**第十五条**　徴収金は、納税地において賦課徴収する。

2　前項の納税地とは、次に掲げるものをいう。

一　普通徴収に係る徴収金にあつては、課税客体の所在地（個人の事業税に係る徴収金にあつては、納税義務者が都内に住所又は居所を有し、かつ、当該住所又は居所が所得税法（昭和四十年法律第三十三号）第十五条、第十六条又は第十八条の規定の適用を受ける場合は、当該住所又は居所の所在地）

二　申告納付に係る徴収金にあつては、申告納付すべき日における主たる事務所又は事業所の所在地（地方消費税の徴収金のうち、譲渡割（法第七十二条の七十七第二号に規定する譲渡割をいう。以下同じ。）にあつては法第七十二条の七十八第二項各号に規定する場所の所在地、自動車税の環境性能割（法第百四十五条第一号に規定する環境性能割をいう。以下「環境性能割」という。）に係る徴収金にあつては第六十五条第一項に規定する自動車の主たる定置場の所在地、軽油引取税に係る徴収金のうち、第百三条の二第三項又は第四項に規定する燃料炭化水素油又は軽油の販売に対するものにあつては当該燃料炭化水素油又は軽油の販売に直接関係を有する事業所の所在地、同条第五項に規定する炭化水素油の消費に対するものにあつては同項の自動車の主たる定置場の所在地、同条第六項に規定する軽油の所有に対するものにあつては当該所有している者の事務所又は事業所で当該軽油を直接管理するものの所在地、第百三条の三に規定する軽油の消費、譲渡又は輸入に対するものにあつては当該軽油の消費、譲渡又は輸入について直接関係を有する事務所又は事業所（事務所又は事業所のない者にあつては、住所）の所在地、特別土地保有税に係る徴収金にあつては課税客体の所在地

三　申告納入に係る徴収金にあつては、特別徴収すべき都税に係る法第二十四条第八項の営業所等、特定配当等（法第二十三条第一項第十五号に規定する特定配当等をいう。以下この号及び次章第一節において同じ。）の支払を受けるべき日現在における当該特定配当等の支払を受ける個人が当該特定配当等の支払を受けるべき日現在における当該個人の住所、特定株式等譲渡対価等（法第二十三条第一項第十六号に規定する特定株式等譲渡対価等をいう。以下この号及び次章第一節において同じ。）の支払を受ける個人が当該特定株式等譲渡対価等の支払を受けるべき日の属する年の一月一日現在における当該個人の住所、第四十八条の十五のゴルフ場又は第百三条の十第一項の軽油の納入地（都内に本店（法第百四十四条の三十四第一項の主たる事務所又は事業所をいう。以下この号及び第二章第十一節において同じ。）が所在する場合にあつては、当該本店）の所在地

四　証紙徴収に係る徴収金及び第八十一条の規定による自動車税の種別割（法第百四十五条第二号に規定する種別割をいう。以下「種別割」という。）の徴収に係る徴収金にあつては、課税客体の所在地（種別割に係る徴収金にあつては、課税客体である自動車の主たる定置場の所在地）

3　知事は、前項の規定による納税地を不適当と認める場合又はこれにより難いと認める場合においては、同項の規定にかかわらず、別に納税地を指定することができる。

**（課税洩れ等に係る徴収金の取扱）**

**第十六条**　課税洩れに係る徴収金又は詐偽その他不正の行為に因り免かれた徴収金については、課税すべき年度の税率によつてその金額を一時に賦課徴収する。

**（公示送達）**

**第十七条**　法第二十条の二の規定による公示送達は、都税事務所等、都税総合事務センター又は都庁内の掲示場に掲示して行うものとする。

**（災害等による期限の延長）**

**第十七条の二**　知事は、都又は他の道府県の区域の全部又は一部にわたり災害（災害対策基本法（昭和三十六年法律第二百二十三号）第二条第一号に規定する災害をいう。以下同じ。）その他やむを得ない理由により、法又はこの条例に定める申告、申請、請求、届出その他書類の提出（審査請求に関するものを除く。）又は納付若しくは納入に関する期限までに、これらの行為をすることができないと認める場合には、法第二十条の五の二第二項の規定の適用がある場合を除き、その理由のやんだ日から二月以内に限り、地域及び期日を指定して当該期限を延長するものとする。

2　知事は、災害その他やむを得ない理由により、前項に規定する期限までに当該行為をすることができないと認める場合には、法第二十条の五の二第二項又は前項の規定の適用がある場合を除き、当該行為をすべき者の申請により、その理由のやんだ日から二月以内に限り、期日を指定して当該期限を延長するものとする。

3　前項の申請をする者は、当該理由のやんだ日から十五日以内に、次に掲げる事項を記載した申請書に延長を必要とする理由を証明すべき書類を添付して、これを知事に提出しなければならない。

一　年度並びに事業年度、期別、月別又は日別、税目及び税額

二　延長を必要とする期限及びその理由

三　前二号に掲げるもののほか、知事において必要があると認める事項

**（納期限後に納付し、又は納入する税金又は納入金に係る延滞金）**

**第十八条**　納税者又は特別徴収義務者は、納期限後にそ

の税金を納付し、又はその納入金を納入する場合においては、当該税額又は納入金額に、その納期限の翌日から納付又は納入の日までの期間の日数に応じ、年十四・六パーセント（当該納期限の翌日から一月を経過する日までの期間（次の各号に掲げる税額又は納入金額にあつては、その区分に応じ、当該各号に掲げる期間）については、年七・三パーセント）の割合を乗じて計算した金額に相当する延滞金額を加算して納付書によつて納付し、又は納入書によつて納入しなければならない。

一　法第七十二条の二十五第八項から第十二項まで（法第七十二条の二十八第二項並びに法第七十二条の二十九第二項、第四項及び第六項において準用する場合を含む。）若しくは法第七十二条の二十六第四項の申告書、法第五十三条第一項、第二項若しくは第三十一項若しくは法第三百二十一条の八第一項、第二項、第四項若しくは第十九項の申告書（次項において「法第七十二条の二十五第八項の申告書等」という。）、第四十八条の十四の二第一項若しくは第三項の申告書、第七十二条第一項の申告書、第百五十条第一項若しくは第百六十条第一項の申告書又は第百八十八条の十七第一項若しくは第二項の申告書でその提出期限後に提出したものに係る税額　当該提出した日までの期間又はその日の翌日から一月を経過する日までの期間

二　法第七十二条の三十一第二項若しくは第三項の修正申告書、法第五十三条第三十四項若しくは法第三百二十一条の八第三十四項の申告書、法第七十四条の十二第二項の修正申告書、法第百六十一条第二項の修正申告書、法第六百条第二項の修正申告書又は法第七百一条の四十九第二項の修正申告書に係る税額　当該修正申告書又は申告書を提出した日（当該修正申告書又は申告書がその提出期限前に提出された場合には、当該修正申告書又は申告書の提出期限）までの期間又はその期間の末日の翌日から一月を経過する日までの期間

三　第四十八条の二第一項（第四十八条の四の二第二項、第四十八条の四の三第二項並びに附則第五条の五第二項及び第四項において準用する場合を含む。）、第四十八条の四の四第二項（第四十八条の四の五第二項、第四十八条の四の六第二項及び第四十八条の四の七第二項において準用する場合を含む。）、法附則第十二条第一項、法第百六十四条第二項又は法第百四十四条の二十九第一項の規定により徴収を猶予した税額又は納入金額　当該猶予した期間の末日の翌日から一月を経過する日までの期間

四　第百五十一条第三項若しくは第四項（これらの規定を第百五十二条第二項、第百五十三条の二の二第二項、附則第十八条の二第四項及び附則第十八条の二の二第三項において準用する場合を含む。）、第百五十三条第三項、第百五十三条の二第五項、第百六十三条第五項、附則第十八条の二第三項、附則第十八条の二の二第二項又は附則第十八条の二の三第二項、第四項若しくは第五項の規定によつて徴収を猶予した税額　当該猶予した期間又はその期間の末日の翌日から一月を経過する日までの期間

2　前項の場合において、事業税又は都民税について法人が法第七十二条の二十五第八項の申告書等を提出した日（当該申告書がその提出期限前に提出された場合には当該申告書の提出期限）の翌日から一年を経過する日後に法第七十二条の三十一第二項若しくは第三項の修正申告書又は法第五十三条第三十四項若しくは法第三百二十一条の八第三十四項の申告書を提出したときは、詐偽その他不正の行為により事業税又は都民税を免れた法人が法第七十二条の三十九第一項若しくは第三項、法第七十二条の四十一第一項若しくは第三項若しくは法第七十二条の四十一の二第一項若しくは第三項又は法第五十五条第一項若しくは第三項若しくは法第三百二十一条の十一第一項若しくは第三項の規定による更正があるべきことを予知して当該修正申告書又は申告書を提出した場合を除き、当該一年を経過する日の翌日から当該修正申告書又は申告書を提出した日（当該修正申告書又は申告書がその提出期限前に提出された場合には、当該修正申告書又は申告書の提出期限）までの期間は、延滞金の計算の基礎となる期間から控除する。

3　第一項の場合において、法第七十二条の三十一第二項若しくは第三項の規定による修正申告書又は法第五十三条第三十四項若しくは法第三百二十一条の八第三十四項に規定する申告書（以下この項において「修正申告書」という。）の提出があつたとき（当該修正申告書に係る事業税又は都民税について法第七十二条の二十五、法第七十二条の二十八及び法第七十二条の二十九並びに法第七十二条の三十一第一項の規定により提出する申告書又は法第五十三条第一項、第二項若しくは第三十一項又は法第三百二十一条の八第一項、第二項若しくは第三十一項に規定する申告書（以下この項において「当初申告書」という。）が提出されており、かつ、当該当初中告書の提出により納付すべき税額を減少させる更正（これに類するものとして地方税法施行令第三十三条の三第一項又は同令第九条の十第一項若しくは同令第四十八条の十六の二第一項で定める更正を含む。以下この項において「減額更正」とい

う。）があった後に、当該修正申告書が提出されたときに限る。）は、当該修正申告書の提出により納付すべき税額（当該当初申告書に係る税額（還付金の額に相当する税額を含む。）に達するまでの部分として同令第三十三条の三第二項又は同令第九条の十第二項若しくは同令第四十八条の十六の二第二項で定める税額に限る。）については、前項の規定にかかわらず、次に掲げる期間（詐偽その他不正の行為により事業税又は都民税を免れた法人が法第七十二条の三十九第一項若しくは第三項、法第七十二条の四十一第一項若しくは第三項若しくは法第七十二条の四十一の二第一項若しくは第三項又は法第五十五条第一項若しくは第三項若しくは法第三百二十一条の十一第一項若しくは第三項の規定による更正があるべきことを予知して提出した修正申告書に係る事業税又は都民税その他同令第三十三条の三第三項又は同令第九条の十第三項若しくは同令第四十八条の十六の二第三項で定める事業税又は都民税にあつては、第一号に掲げる期間に限る。）を延滞金の計算の基礎となる期間から控除する。

一　当該当初申告書の提出により納付すべき税額の納付があつた日（その日が当該申告に係る事業税又は都民税の納期限より前である場合には、当該納期限）の翌日から当該減額更正の通知をした日までの期間

二　当該減額更正の通知をした日（当該減額更正が、更正の請求に基づくもの（法人税に係る更正によるものを除く。）である場合又は法人税に係る更正（法人税に係る更正の請求に基づくものに限る。）によるものである場合には、当該減額更正の通知をした日の翌日から起算して一年を経過する日）の翌日から当該修正申告書を提出した日（事業税又は法第五十三条第三十五項若しくは法第三百二十一条の八第三十五項の規定の適用がある都民税において、当該修正申告書がその提出期限前に提出された場合には、当該修正申告書の提出期限）までの期間

4　法附則第十二条第一項の規定により不動産取得税の徴収猶予を受けた者が当該猶予を受けた税金を納付する場合においては、同項の規定により徴収猶予を受けた期間に限り、当該税額に、当該期間に応じ、年三・六パーセントの割合を乗じて計算した金額に相当する延滞金額（同条第二項の規定により準用される租税特別措置法（昭和三十二年法律第二十六号）第七十条の八第一項の規定の適用を受けるべき場合にあつては、当該延滞金額の二分の一に相当する金額）を加算して納付書によつて納付しなければならない。

**（法人の事業税等に係る納期限延長の場合の延滞金）**

**第十八条の二**　法第七十二条の二十五第三項（法第七十二条の二十八第二項及び法第七十二条の二十九第二項において準用する場合を含む。以下この項において同じ。）又は第五項（法第七十二条の二十八第二項並びに法第七十二条の二十九第二項及び第六項において準用する場合を含む。以下この項において同じ。）の規定の適用を受けている法人は、その適用に係る各事業年度に係る所得割等（第二十五条第一項第一号イに掲げる法人の付加価値割、資本割及び所得割又は同号ロに掲げる法人の所得割をいう。）又は収入割等（同項第二号に掲げる事業を行う法人の収入割、同項第三号イに掲げる法人若しくは同項第四号に掲げる事業を行う法人の収入割、付加価値割及び資本割又は同項第三号ロに掲げる法人の収入割及び所得割をいう。）を納付する場合には、当該税額に、当該各事業年度終了の日後二月を経過した日から法第七十二条の二十五第三項又は第五項の規定により延長された当該事業税の申告書の提出期限までの期間の日数に応じ、年七・三パーセントの割合を乗じて計算した金額に相当する延滞金額を加算して納付書により納付しなければならない。

2　前条第三項の規定は、前項の延滞金額について準用する。この場合において、同条第三項中「前項の規定にかかわらず、次に掲げる期間（詐偽その他不正の行為により事業税又は都民税を免れた法人が法第七十二条の三十九第一項若しくは第三項、法第七十二条の四十一第一項若しくは第三項若しくは法第七十二条の四十一の二第一項若しくは第三項又は法第五十五条第一項若しくは第三項若しくは法第三百二十一条の十一第一項若しくは第三項の規定による更正があるべきことを予知して提出した修正申告書に係る事業税又は都民税その他同令第三十三条の三第三項又は同令第九条の十第三項若しくは同令第四十八条の十六の二第三項で定める事業税又は都民税にあつては、第一号に掲げる期間に限る。）」とあるのは、「当該当初申告書の提出により納付すべき税額の納付があつた日（その日が次条第一項の各事業年度終了の日後二月を経過した日より前である場合には、同日）から次条第一項の申告書の提出期限までの期間」と読み替えるものとする。

3　法人税法（昭和四十年法律第三十四号）第七十四条第一項又は第百四十四条の六第一項の規定により法人税に係る申告書を提出する義務がある法人で同法第七十五条の二第一項の規定の適用を受けているものは、当該申告書に係る法人税額の課税標準の算定期間でその適用に係るものの所得に対する法人税額を課税標準として算定した都民税の法人税割額及びこれと併せて納付すべき均等割額を第百十三条又は第二百一条の規

定により納付する場合には、当該税額に、当該法人税額の課税標準の算定期間の末日の翌日以後二月を経過した日から同項の規定により延長された当該申告書の提出期限までの期間の日数に応じ、年七・三パーセントの割合を乗じて計算した金額に相当する延滞金額を加算して納付書により納付しなければならない。

4　前条第三項の規定は、前項の延滞金額について準用する。この場合において、同条第三項中「前項の規定にかかわらず、次に掲げる期間（詐偽その他不正の行為により事業税又は都民税を免れた法人が法第七十二条の三十九第一項若しくは第三項、法第七十二条の四十一第一項若しくは第三項若しくは法第七十二条の四十一の二第一項若しくは第三項又は法第五十五条第一項若しくは第三項若しくは法第三百二十一条の十一第一項若しくは第三項の規定による更正があるべきことを予知して提出した修正申告書に係る事業税又は都民税その他同令第三十三条の三第三項又は同令第九条の十第三項若しくは同令第四十八条の十六の二第三項で定める事業税又は都民税にあつては、第一号に掲げる期間に限る。）」とあるのは、「当該当初申告書の提出により納付すべき税額の納付があつた日（その日が次条第三項の法人税額の課税標準の算定期間の末日の翌日以後二月を経過した日より前である場合には、同日）から次条第三項の申告書の提出期限までの期間」と読み替えるものとする。

（督促）

**第十九条**　納税者又は特別徴収義務者が納期限までに徴収金を完納しない場合においては、徴税吏員は、納期限後二十日以内に、督促状を発しなければならない。ただし、繰上徴収をする場合においては、これを発しないものとする。

2　法第七百三十九条の五第一項又は第二項の規定により滞納処分をする場合において、まだ督促状を発しないものについては、徴税吏員は速やかに督促状を発しなければならない。

3　徴収の嘱託を受けた滞納に係る徴収金については、第一項中「納期限後」とあるのは「嘱託を受けた日の後」と読み替えるものとする。

**第二十条**　削除

（滞納処分）

**第二十一条**　滞納者が次の各号の一に該当するときは、徴税吏員は、当該滞納者の財産について、直ちに滞納処分に着手しなければならない。

一　滞納者が督促を受け、その督促状を発した日から起算して十日を経過した日までにその督促に係る徴収金を完納しないとき。

二　滞納者が繰上徴収に係る告知により指定された納期限までに徴収金を完納しないとき。

2　法第十一条に規定する第二次納税義務者または法第十六条第一項第六号の保証人について前項の規定を適用する場合には、前項中「督促状」とあるのは「納付または納入の催告書」とする。

（都税事務所長等の徴収の引継ぎ）

**第二十二条**　都税事務所長等は、都税に係る徴収金を納付し、又は納入すべき者が他の都税事務所長等の所管区域（都税事務所長にあつては、東京都都税事務所設置条例（昭和二十五年東京都条例第四十九号）別表第一に定める所管区域をいう。以下この項において同じ。）内に住所、居所、家屋敷、事務所若しくは事業所を有し、又はその者の財産が他の都税事務所長等の所管区域内にある場合においては、その者の住所、居所、家屋敷、事務所若しくは事業所又は財産の所在地を所管する都税事務所長等（当該所管区域を所管する都税事務所長等をいう。）に、その者の未納の徴収金について、徴収の引継ぎをしなければならない。ただし、急速に処理を必要とするものその他特別な理由があるものについては、この限りでない。

2　前項本文の規定により徴収の引継ぎがあつたときは、引継ぎを受けた都税事務所長等は、遅滞なく、その旨を引継ぎに係る徴収金を納付し、又は納入すべき者に通知しなければならない。

（都税総合事務センター所長の徴収の引継ぎ）

**第二十三条**　都税総合事務センター所長は、第四条の三第二項の規定により賦課徴収の委任を受けた自動車税について未納の徴収金がある場合においては、当該自動車税に係る納税義務者の住所、居所、事務所若しくは事業所又は当該自動車の主たる定置場の所在地を所管する都税事務所長等にその未納の徴収金について、徴収の引継ぎをしなければならない。ただし、特別な理由があるものについては、この限りでない。

2　前項本文の規定により徴収の引継ぎがあつたときにおいては、前条第二項の規定を準用する。

（徴収猶予に係る徴収金の分割納付納入の方法等）

**第二十三条の二**　知事は、法第十五条第三項又は第五項の規定により、同条第一項若しくは第二項の規定による徴収の猶予（以下この条において「徴収の猶予」という。）をする場合又は同条第四項の規定による徴収の猶予をした期間の延長（以下この条において「徴収の猶予期間の延長」という。）をする場合には、当該徴収の猶予に係る金額を当該徴収の猶予をする期間内又は当該徴収の猶予期間の延長をする期間内において適宜分割して納付し、又は納入させるものとする。この場合においては、分割納付又は分割納入（以下この節において「分割納付納入」という。）の各納付期限又は各納入期限（以下この節において「各納付納入期限」という。）及び各納付納入期限ごとの納付金額又は納入金額（以下この節において「各納付納入金額」という。）を定めるものとする。

2　知事は、徴収の猶予又は徴収の猶予期間の延長を受けた者が各納付納入期限までに各納付納入金額を納付し、又は納入することができないことにつきやむを得ない理由があると認めるときは、前項の規定により定めた分割納付納入の各納付納入期限及び各納付納入金額を変更することができる。

3　知事は、第一項の規定により分割納付納入の各納付納入期限及び各納付納入金額を定めたときは、その旨、当該分割納付納入の各納付納入期限及び各納付納入金額その他必要な事項を当該徴収の猶予又は当該徴収の猶予期間の延長を受けた者に通知しなければならない。

4　知事は、第二項の規定により分割納付納入の各納付納入期限及び各納付納入金額を変更したときは、その旨、その変更後の各納付納入期限及び各納付納入金額その他必要な事項を当該変更を受けた者に通知しなければならない。

**（徴収猶予の申請手続等）**

**第二十三条の三**　法第十五条の二第一項に規定する条例で定める事項は、次に掲げる事項とする。

一　法第十五条第一項各号のいずれかに該当する事実があること及びその該当する事実に基づき徴収金を一時に納付し、又は納入することができない事情の詳細

二　納付し、又は納入すべき徴収金の年度、種別、納期限及び金額

三　前号の金額のうち猶予を受けようとする金額

四　猶予を受けようとする期間

五　分割納付納入の方法により納付又は納入を行うかどうか（分割納付納入の方法により納付又は納入を行う場合にあつては、分割納付納入の各納付納入期限及び各納付納入金額を含む。）

六　猶予を受けようとする金額が百万円を超え、かつ、猶予期間が三月を超える場合には、提供しようとする法第十六条第一項各号に掲げる担保の種類、数量、価額及び所在（その担保が保証人の保証であるときは、保証人の氏名及び住所又は居所）その他担保に関し参考となるべき事項（担保を提供することができない特別な事情があるときは、その事情）

2　法第十五条の二第一項に規定する条例で定める書類は、次に掲げる書類とする。

一　法第十五条第一項各号のいずれかに該当する事実を証するに足りる書類

二　財産目録その他の資産及び負債の状況を明らかにする書類

三　猶予を受けようとする日前一年間の収入及び支出の実績並びに同日以後の収入及び支出の見込みを明らかにする書類

四　猶予を受けようとする金額が百万円を超え、かつ、猶予期間が三月を超える場合には、地方税法施行令第六条の十の規定により提出すべき書類その他担保の提供に関し必要となる書類

3　法第十五条の二第二項に規定する条例で定める事項は、次に掲げる事項とする。

一　徴収金を一時に納付し、又は納入することができない事情の詳細

二　第一項第二号から第六号までに掲げる事項

4　法第十五条の二第二項及び第三項に規定する条例で定める書類は、第二項第二号から第四号までに掲げる書類とする。

5　法第十五条の二第三項に規定する条例で定める事項は、次に掲げる事項とする。

一　猶予期間の延長を受けようとする徴収金の年度、種別、納期限及び金額

二　猶予期間内にその猶予を受けた金額を納付し、又は納入することができないやむを得ない理由

三　猶予期間の延長を受けようとする期間

四　第一項第五号及び第六号に掲げる事項

6　法第十五条の二第四項に規定する条例で定める書類は、第二項第四号に掲げる書類とする。

7　法第十五条の二第八項（法附則第五十九条第三項において準用する場合を含む。）に規定する条例で定める期間は、二十日とする。

**（職権による換価の猶予）**

**第二十三条の四**　知事は、法第十五条の五第二項において読み替えて準用する法第十五条第三項又は第五項の規定により、法第十五条の五第一項の規定による換価の猶予（以下この条において「職権による換価の猶予」という。）をする場合又は法第十五条の五第二項において読み替えて準用する法第十五条第四項の規定による職権による換価の猶予をした期間の延長（以下この項において「職権による換価の猶予期間の延長」という。）をする場合には、当該職権による換価の猶予に係る金額を当該職権による換価の猶予をする期間内又は当該職権による換価の猶予期間の延長をする期間内の各月（知事がやむを得ない事情があると認めるときは、その期間内の知事が指定する月）に分割して納付し、又は納入させるものとする。

2　第二十三条の二第一項後段から第四項までの規定は、法第十五条の五第二項において読み替えて準用する法第十五条第三項又は第五項の規定により、職権による換価の猶予に係る金額を分割して納付し、又は納入させる場合について準用する。

3　法第十五条の五の二第一項及び第二項に規定する条例で定める書類は、次に掲げる書類とする。

一　第二十三条の三第二項第二号から第四号までに掲げる書類

二　分割納付納入させるために必要となる書類

**（申請による換価の猶予）**

**第二十三条の五**　法第十五条の六第一項に規定する条例で定める期間は、三月とする。

2　知事は、法第十五条の六第三項において読み替えて準用する法第十五条第三項又は第五項の規定により、法第十五条の六第一項の規定による換価の猶予（以下この項及び次項において「申請による換価の猶予」という。）をする場合又は法第十五条の六第三項において準用する法第十五条第四項の規定による申請による換価の猶予をした期間の延長（以下この項において「申請による換価の猶予期間の延長」という。）をする場合には、当該申請による換価の猶予に係る金額を当該申請による換価の猶予をする期間内又は当該申請による換価の猶予期間の延長をする期間内の各月（知事がやむを得ない事情があると認めるときは、その期間内の知事が指定する月）に分割して納付し、又は納入させるものとする。

3　第二十三条の二第一項後段から第四項までの規定は、法第十五条の六第三項において読み替えて準用する法第十五条第三項又は第五項の規定により、申請による換価の猶予に係る金額を分割して納付し、又は納入させる場合について準用する。

4　法第十五条の六の二第一項に規定する条例で定める事項は、次に掲げる事項とする。

一　徴収金を一時に納付し、又は納入することにより事業の継続又は生活の維持が困難となる事情の詳細

二　第二十三条の三第一項第二号、第四号及び第六号に掲げる事項

三　地方税法施行令第六条の九の三第一項第二号に掲げる額

四　第二十三条の三第一項第二号に掲げる金額のうちその納付又は納入を困難とする金額

五　分割納付納入の各納付納入期限及び各納付納入金額

六　猶予を受けようとする日以後一年以内に納期限が到来する都税の税目、納期限及び金額

七　猶予を受けようとする日以後の収入及び支出の見込み

5　法第十五条の六の二第一項及び第二項に規定する条例で定める書類は、次に掲げる書類とする。

一　第二十三条の三第二項第二号から第四号までに掲げる書類

二　その他知事において必要があると認める書類

6　前項の規定にかかわらず、知事が認める場合においては、前項各号に掲げる書類（第二十三条の三第二項第四号に掲げる書類を除く。）の全部又は一部を添付することを要しない。

7　法第十五条の六の二第二項に規定する条例で定める事項は、次に掲げる事項とする。

一　第二十三条の三第一項第六号に掲げる事項

二　第二十三条の三第五項第一号から第三号までに掲げる事項

三　第四項第五号に掲げる事項

8　法第十五条の六の二第三項において準用する法第十五条の二第八項に規定する期間は、二十日とする。

**（担保を徴する必要がない場合）**

**第二十三条の六**　法第十六条第一項に規定する条例で定める場合は、猶予に係る金額が百万円以下である場合、猶予期間が三月以内である場合又は担保を徴することができない特別の事情があると知事が認める場合とする。

**（法人課税信託の受託者に関するこの章の規定の適用）**

**第二十四条**　法人課税信託（法人税法第二条第二十九号の二に規定する法人課税信託をいう。以下同じ。）の受託者は、各法人課税信託の信託資産等（第二十五条の二第一項又は第四十条の二第一項に規定する信託資産等をいう。次項及び第三項において同じ。）及び固有資産等（第二十五条の二第一項又は第四十条の二第一項に規定する固有資産等をいう。次項において同じ。）ごとに、それぞれ別の者とみなして、この章の規定（第六条、第七条、第八条、第十五条及び第十七条の二から第十八条の二までの規定を事業税、都民税及び地方消費税について適用する場合における当該規定に限る。第三項及び第四項において同じ。）を適用する。

2　前項の場合において、各法人課税信託の信託資産等及び固有資産等は、同項の規定によりみなされた各別の者にそれぞれ帰属するものとする。

3　受託法人（法人課税信託の受託者である法人（その受託者が個人である場合にあつては、当該受託者である個人）について、前二項の規定により、当該法人課税信託に係る信託資産等が帰属する者としてこの章の規定を適用する場合における当該受託者である法人を

いう。）が個人である場合には、当該受託法人は法人とみなして、この章の規定を適用する。

4 前三項の規定により、法人課税信託の受託者についてこの章の規定を適用する場合においては、次の表の上欄に掲げる規定中同表の中欄に掲げる字句は、同表の下欄に掲げる字句にそれぞれ読み替えるものとする。

| | | |
|---|---|---|
| 第八条 | とする | とし、第二十四条第三項の規定により法人とみなされる個人にあつては当該個人とする |
| 第十八条の二第一項 | 第二十五条第一項第一号イに掲げる法人 | 第二十五条第一項第一号イに掲げる法人で固有法人（第二十四条第一項に規定する法人課税信託の受託者である法人（その受託者が個人である場合にあつては、当該受託者である個人）について、同項及び同条第二項の規定により、当該法人課税信託に係る同条第一項に規定する固有資産等が帰属する者としてこの章の規定（第六条、第七条、第八条、第十五条及び第十七条の二から第十八条の二までの規定を事業税、都民税及び地方消費税について適用する場合における当該規定に限る。）を適用する場合における当該受託者である法人をいう。以下この項において同じ。）であるもの |
| | 所得割又は同号ロに掲げる法人 | 所得割又は同号ロに掲げる法人（同号イに掲げる法人で受託法人（第二十四条第三項に規定する受託法人をいう。以下この項において同じ。）であるものを含む。） |
| | 同項第二号に掲げる事業を行う法人 | 第二十五条第一項第二号に掲げる事業を行う法人（同項第三号イに掲げる法人で受託法人であるものを含む。） |
| | 同項第三号イに掲げる法人 | 同項第三号イに掲げる法人で固有法人であるもの |

## 第二章 都の全域において都税として課する普通税

### 第一節 都民税

**（都民税の納税義務者等）**

**第二十四条の二** 都民税は、次の各号に掲げる者に対し、それぞれ当該各号に掲げる額によつて課する。

一 住所を有する個人 均等割額及び所得割額の合算額

二 事務所、事業所又は家屋敷を有する個人で当該事務所、事業所又は家屋敷を有する特別区又は市町村内に住所を有しないもの 均等割額

三 法第二十三条第一項第十四号に規定する利子等（以下この節において「利子等」という。）の支払を受ける個人 利子割額

四 特定配当等の支払を受ける個人 配当割額

五 特定株式等譲渡対価等の支払を受ける個人 株式等譲渡所得割額

**（個人の都民税の所得割の課税標準）**

**第二十四条の三** 個人の都民税の所得割の課税標準は、前年の所得について算定した法第三十二条第一項に規定する総所得金額、退職所得金額及び山林所得金額とする。

**（個人の都民税の所得割の税率等）**

**第二十四条の四** 個人の都民税の所得割の額は、法第三十五条第二項に規定する課税総所得金額、課税退職所得金額及び課税山林所得金額の合計額に、百分の四の税率を乗じて得た金額とする。

**（法第三十七条の二第一項第三号の寄附金）**

**第二十四条の五** 法第三十七条の二第一項第三号に規定する条例で定める寄附金は、所得税法第七十八条第二項第二号及び第三号に掲げる寄附金並びに租税特別措置法第四十一条の十八の二第二項に規定する特定非営利活動に関する寄附金のうち、都内に主たる事務所又

は事業所を有する法人又は団体に対するものとする。

（個人の都民税の均等割の税率）

**第二十四条の六**　個人の都民税の均等割の税率は、千円とする。

（個人の都民税の賦課期日）

**第二十四条の七**　個人の都民税の賦課期日は、当該年度の初日の属する年の一月一日とする。

（退職所得の課税の特例）

**第二十四条の七の二**　退職手当等（所得税法第百九十九条の規定によりその所得税を徴収して納付すべきものに限る。以下同じ。）の支払を受けるべき日の属する年の一月一日現在において都内に住所を有する者が当該退職手当等の支払を受ける場合には、当該退職手当等に係る所得割は、第二十四条の三、第二十四条の四及び前条の規定にかかわらず、当該退職手当等に係る所得を他の所得と区分し、次条から第二十四条の七の六までに規定するところによつて課する。

（分離課税に係る所得割の課税標準）

**第二十四条の七の三**　前条の規定によつて課する所得割（以下「分離課税に係る所得割」という。）の課税標準は、その年中の退職所得の金額とする。

2　前項の退職所得の金額は、所得税法第三十条第二項に規定する退職所得の金額の計算の例によつて算定する。

（分離課税に係る所得割の税率）

**第二十四条の七の四**　分離課税に係る所得割の税率は、百分の四とする。

（特別徴収税額）

**第二十四条の七の五**　分離課税に係る所得割の特別徴収義務者が徴収すべき分離課税に係る所得割の額は、次の各号に掲げる場合の区分に応じ、当該各号に掲げる税額とする。

一　退職手当等の支払を受ける者が提出した法第五十条の七第一項の規定による申告書（以下この条において「退職所得申告書」という。）に、その支払うべきことが確定した年において支払うべきことが確定した他の退職手当等で既に支払がされたもの（次号において「支払済みの他の退職手当等」という。）がない旨の記載がある場合　その支払う退職手当等の金額について前二条の規定を適用して計算した税額

二　退職手当等の支払を受ける者が提出した退職所得申告書に、支払済みの他の退職手当等がある旨の記載がある場合　その支払済みの他の退職手当等の金額とその支払う退職手当等の金額との合計額について前二条の規定を適用して計算した税額から、支払済みの他の退職手当等につき徴収された又は徴収されるべき分離課税に係る所得割の額を控除した残額に相当する税額

2　退職手当等の支払を受ける者がその支払を受ける時までに退職所得申告書を提出していないときは、分離課税に係る所得割の特別徴収義務者が徴収すべき分離課税に係る所得割の額は、その支払う退職手当等の金額について前二条の規定を適用して計算した税額とする。

（分離課税に係る所得割の普通徴収）

**第二十四条の七の六**　その年において退職手当等の支払を受けた者が前条第二項に規定する分離課税に係る所得割の額を徴収されたまたは徴収されるべき場合において、その者のその年中における退職手当等の金額について第二十四条の七の三及び第二十四条の七の四の規定を適用して計算した税額が当該退職手当等につき法第三百二十八条の五第二項の規定により徴収されたまたは徴収されるべき分離課税に係る所得割の額をこえるときは、特別区長または市町村長が普通徴収の方法によつて徴収すべき税額は、そのこえる金額に相当する税額とする。

（個人の都民税の賦課徴収に関する報告）

**第二十四条の八**　特別区長又は市町村長は、次の各号に定める事項を、規則の定めるところにより、当該年度の七月十日までに知事に報告しなければならない。

一　個人の都民税の納税義務者数

二　個人の都民税及び特別区民税又は市町村民税の均等割並びに森林環境税の調定額

三　個人の都民税及び特別区民税又は市町村民税の所得割の調定額

四　個人の都民税の調定額、個人の特別区民税又は市町村民税の調定額及び森林環境税の調定額の合計額に対する個人の都民税の調定額の割合

五　前各号に掲げるもののほか、知事において必要があると認める事項

2　特別区長または市町村長は、前項に規定する報告をした後において、個人の都民税の均等割額または所得割額に変更があつた場合においては、毎月分について次の各号に定める事項を、規則の定めるところにより、翌月十日までに知事に報告しなければならない。

一　課税洩れその他の理由によつて均等割額または所得割額の変更があつたときは、その理由及び変更のあつた額

二　法第四十五条の規定によつて減免された均等割額または所得割額

三　前二号に掲げるもののほか、知事において必要があると認める事項

3　特別区長または市町村長は、次の各号に定める事項について当該年度中の毎月分を規則の定めるところにより、当該月の翌月の十日までに知事に報告しなければならない。
一　個人の都民税の分離課税に係る所得割の納税義務者数
二　個人の都民税及び特別区民税または市町村民税の分離課税に係る所得割の調定額
三　前二号に掲げるもののほか、知事において必要があると認める事項

（個人の都民税に係る徴収金の払込みの方法）
**第二十四条の九**　特別区が法第七百三十九条の四第二項の規定により個人の都民税に係る徴収金を払い込む場合には、払込書によりこれを東京都指定金融機関の派出所又は都出納員に払い込まなければならない。
2　市町村が法第七百三十九条の四第二項の規定により個人の都民税に係る徴収金を払い込む場合には、払込書によりこれを東京都指定金融機関、東京都指定代理金融機関若しくは東京都収納代理金融機関又は都出納員に払い込まなければならない。

（個人の都民税の滞納状況に関する報告）
**第二十四条の十**　法第四十六条第二項の規定により特別区長又は市町村長が知事に対してなすべき報告は、都民税（個人）滞納調書によつて、六月三十日までにしなければならない。

（個人の都民税に係る徴収取扱費等の交付）
**第二十四条の十一**　知事は、特別区又は市町村が個人の都民税の賦課徴収に関する事務を行うために要する費用を補償するため、次に掲げる金額の合計額を、徴収取扱費として特別区又は市町村に対して交付するものとする。
一　各年度において賦課決定（既に賦課していた税額を変更するものを除く。）をされた個人の都民税の納税義務者の数に三千円を乗じて得た金額
二　法第四十一条第一項の規定により特別区又は市町村が徴収した個人の都民税に係る徴収金を特別区又は市町村が法第十七条の規定により還付し、又は法第十七条の二の規定により充当した場合における当該徴収金に係る過誤納金に相当する金額
三　法第十七条の四第一項の規定により特別区又は市町村が加算した前号の過誤納金に係る還付加算金に相当する金額
四　法第四十一条第一項においてその例によることとされた法第三百二十一条第二項の規定により特別区又は市町村が交付した個人の都民税の納期前の納付に対する報奨金の額に相当する金額
五　法第三十七条の四の規定により控除されるべき額で同条の所得割の額から控除することができなかつた金額を法第三百十四条の九第三項の規定により適用される同条第二項の規定により特別区又は市町村が還付した場合における当該控除することができなかつた金額に相当する金額
2　特別区長又は市町村長は、前年の七月一日からその年の六月三十日までの間に確定した前項各号に掲げる金額を、その年の七月二十日までに知事に報告しなければならない。
3　知事は、第一項の徴収取扱費を特別区又は市町村にその年の八月三十一日までに交付する。
4　前項に規定する交付時期において、徴収取扱費として交付することができなかつた金額がある場合又は交付すべき額を超えて交付した金額がある場合は、当該金額を、当該金額があることが判明した日以後最初に到来する交付時期において交付すべき徴収取扱費の額に加算し、又はこれから減額する。ただし、知事において必要があると認めるときは、当該金額を当該交付時期以外の時期に交付し、又は返還させることができる。
5　特別区又は市町村が既収の個人の都民税に係る徴収金を失つた場合において、天災その他の避けることができない事由によるものと認めるときは、知事は、当該特別区又は市町村の申請によつてその徴収金額に相当する金額を補償する。
6　前項の申請は、規則の定めるところにより、その事由が発生した日から三十日以内にしなければならない。

（利子割の課税標準）
**第二十四条の十二**　利子割の課税標準は、支払を受けるべき利子等の額とする。

（利子割の税率）
**第二十四条の十三**　利子割の税率は、百分の五とする。

（利子割の徴収の方法）
**第二十四条の十四**　利子割の徴収については、特別徴収の方法による。

（利子割の特別徴収義務者）
**第二十四条の十五**　利子割については、利子等の支払又はその取扱いをする者で法第二十四条第八項に規定する営業所等（第二十四条の十七において「営業所等」という。）を有するものを特別徴収義務者とする。

（利子割の申告納入）
**第二十四条の十六**　利子割の特別徴収義務者は、利子等の支払の際（特別徴収義務者が利子等の支払を取り扱う者である場合には、当該取扱いに係る利子等の交付の際）、その利子等について利子割を徴収し、その徴

収の日の属する月の翌月十日までに、その徴収すべき利子割の課税標準額、税額その他必要な事項を記載した納入申告書を知事に提出するとともに、その納入金を納入書によつて納入しなければならない。この場合において、納入申告書には、法第七十一条の十第二項に規定する計算書を添付しなければならない。

（営業所等設置等の届出）

**第二十四条の十七**　利子割の特別徴収義務者は、営業所等を設けた場合においては、当該営業所等を設けた日から十五日以内に、次に掲げる事項を記載した届書を知事に提出しなければならない。

一　営業所等の名称及び所在地

二　営業所等において行う支払又は支払の取扱いに係る利子等の種別

三　前二号に掲げるもののほか、知事において必要があると認める事項

2　利子割の特別徴収義務者は、前項各号に掲げる事項に変更を生じた場合又は当該営業所等を廃止した場合には、遅滞なく、その旨を知事に届け出なければならない。

（配当割の課税標準）

**第二十四条の十八**　配当割の課税標準は、支払を受けるべき特定配当等の額とする。

（配当割の税率）

**第二十四条の十九**　配当割の税率は、百分の五とする。

（配当割の徴収の方法）

**第二十四条の二十**　配当割の徴収については、特別徴収の方法による。

（配当割の特別徴収義務者）

**第二十四条の二十一**　配当割については、特定配当等の支払をする者（当該特定配当等が法第七十一条の二十九に規定する国外特定配当等（以下この節において「国外特定配当等」という。）、租税特別措置法第九条の三の二第一項に規定する上場株式等の配当等（以下この節において「上場株式等の配当等」という。）又は同法第四十一条の十二の二第三項に規定する特定割引債の償還金に係る差益金額（次条において「償還金に係る差益金額」という。）である場合にあつては、その支払を取り扱う者）を特別徴収義務者とする。

（配当割の申告納入）

**第二十四条の二十二**　配当割の特別徴収義務者は、特定配当等の支払の際（特別徴収義務者が国外特定配当等、上場株式等の配当等又は償還金に係る差益金額の支払を取り扱う者である場合には、当該取扱いに係る国外特定配当等、上場株式等の配当等又は償還金に係る差益金額の交付の際）、その特定配当等について配当割を徴収し、その徴収の日の属する月の翌月十日までに、その徴収すべき配当割の課税標準額、税額その他必要な事項を記載した納入申告書を知事に提出するとともに、その納入金を納入書によつて納入しなければならない。この場合において、納入申告書には、法第七十一条の三十一第二項後段に規定する計算書を添付しなければならない。

2　法附則第三十五条の二の五第二項に規定する源泉徴収選択口座が開設されている前条に規定する特別徴収義務者が、租税特別措置法第三十七条の十一の六第一項に規定する源泉徴収選択口座内配当等につき、前項の規定に基づき都民税の配当割を徴収する場合における同項の規定の適用については、同項の規定中「属する月の翌月十日」とあるのは「属する年の翌年一月十日（地方税法施行令附則第十八条の四の二に定める場合にあつては、同条に定める日）」とする。

（株式等譲渡所得割の課税標準）

**第二十四条の二十三**　株式等譲渡所得割の課税標準は、法第二十三条第一項第十七号に規定する特定株式等譲渡所得金額（以下この節において「特定株式等譲渡所得金額」という。）とする。

（株式等譲渡所得割の税率）

**第二十四条の二十四**　株式等譲渡所得割の税率は、百分の五とする。

（株式等譲渡所得割の徴収の方法）

**第二十四条の二十五**　株式等譲渡所得割の徴収については、特別徴収の方法による。

（株式等譲渡所得割の特別徴収義務者）

**第二十四条の二十六**　株式等譲渡所得割については、法第二十三条第一項第十六号に規定する源泉徴収選択口座（以下この節において「選択口座」という。）が開設されている租税特別措置法第三十七条の十一の三第三項第一号に規定する金融商品取引業者等で特定株式等譲渡対価等の支払をするものを特別徴収義務者とする。

（株式等譲渡所得割の申告納入）

**第二十四条の二十七**　株式等譲渡所得割の特別徴収義務者は、特定株式等譲渡対価等の支払をする際、株式等譲渡所得割を徴収し、その徴収の日の属する年の翌年の一月十日（地方税法施行令第九条の二十第一項各号に掲げる場合にあつては、当該各号に掲げる場合の区分に応じ、当該各号に定める日）までに、その徴収すべき株式等譲渡所得割の課税標準額、税額その他必要な事項を記載した納入申告書を知事に提出するとともに、その納入金を納入書によつて納入しなければならない。この場合において、納入申告書には、法第七十一条の五十一第二項後段に規定する計算書を添付しな

ければならない。

2　株式等譲渡所得割の特別徴収義務者は、租税特別措置法第三十七条の十一の四第二項に規定する場合には、その都度、同項に規定する満たない部分の金額又は同項に規定する特定費用の金額（当該特定費用の金額が選択口座においてその年最後に行われた同条第二項に規定する対象譲渡等に係る同項に規定する源泉徴収口座内通算所得金額を超える場合には、その超える部分の金額を控除した金額）に百分の五を乗じて計算した金額に相当する株式等譲渡所得割を還付しなければならない。

## 第二節　事業税

**（事業税の納税義務者等）**

**第二十五条**　法人の行う事業に対する事業税は、法人の行う事業に対し、次の各号に掲げる事業の区分に応じ、当該各号に定める額により、その法人に課する。

一　次号から第四号までに掲げる事業以外の事業　次に掲げる法人の区分に応じ、それぞれ次に定める額

イ　ロに掲げる法人以外の法人　付加価値割額、資本割額及び所得割額の合算額

ロ　法第七十二条の二第一項第一号ロに掲げる法人　所得割額

二　電気供給業（次号に掲げる事業を除く。）、導管ガス供給業（法第七十二条の二第一項第二号に規定する導管ガス供給業をいう。以下この節において同じ。）、保険業及び貿易保険業　収入割額

三　電気供給業のうち、小売電気事業等（法第七十二条の二第一項第三号に規定する小売電気事業等をいう。以下同じ。）、発電事業等（同号に規定する発電事業等をいう。以下同じ。）及び特定卸供給事業（同号に規定する特定卸供給事業をいう。以下同じ。）　次に掲げる法人の区分に応じ、それぞれ次に定める額

イ　ロに掲げる法人以外の法人　収入割額、付加価値割額及び資本割額の合算額

ロ　第一号ロに掲げる法人　収入割額及び所得割額の合算額

四　特定ガス供給業（法第七十二条の二第一項第四号に規定する特定ガス供給業をいう。以下同じ。）　収入割額、付加価値割額及び資本割額の合算額

2　法人でない社団又は財団で代表者又は管理人の定めがあり、かつ、地方税法施行令第十五条に規定する収益事業又は法人課税信託の引受けを行うもの（当該社団又は財団で収益事業を廃止したものを含む。）は、法人とみなして、この節の規定を適用する。

3　法人課税信託の引受けを行う個人（この条において「みなし課税法人」という。）には、次項の規定により個人の行う事業に対する事業税を課するほか、法人とみなして、法人の行う事業に対する事業税を課する。

4　個人の行う事業に対する事業税は、個人の行う法第七十二条の二第八項から第十項までに規定する第一種事業、第二種事業及び第三種事業に対し、所得を課税標準として、その個人に課する。

**（法人課税信託の受託者に関するこの節の規定の適用）**

**第二十五条の二**　法人課税信託の受託者は、各法人課税信託の信託資産等（信託財産に属する資産及び負債並びに当該信託財産に帰せられる収益及び費用をいう。以下この項、第百五条及び第百九十条において同じ。）及び固有資産等（法人課税信託の信託資産等以外の資産及び負債並びに収益及び費用をいう。第百五条及び第百九十条において同じ。）ごとに、それぞれ別の者とみなして、この節（前条、次条から第二十九条まで及び第三十九条の六を除く。次項において同じ。）の規定を適用する。

2　前項の規定により、法人課税信託の受託者についてこの節の規定を適用する場合においては、次の表の上欄に掲げる規定中同表の中欄に掲げる字句は、同表の下欄に掲げる字句にそれぞれ読み替えるものとする。

| | | |
|---|---|---|
| 第三十三条第一項第一号 | 掲げる法人 | 掲げる法人で固有法人（法第七十二条の二第七項に規定する固有法人をいう。以下この節において同じ。）であるもの |
| 第三十三条第一項第三号 | その他の法人 | その他の法人（第二十五条第一項第一号イに掲げる法人で受託法人（法第七十二条の二第三項に規定する受託法人をいう。以下この節において同じ。）であるものを含む。） |
| 第三十三条第三項第一号 | 合計額 | 合計額（受託法人であるものにあつては、イに掲げる金額） |
| 第三十三条第五項 | 法人で | 受託法人及び都と他の二以上の道府県において事務所又は事業所を設けて事業を行う固有 |

| | | |
|---|---|---|
| | | 法人で |
| 第三十三条第五項第二号 | 特別法人以外の法人 | 特別法人以外の法人（第二十五条第一項第一号イに掲げる法人で受託法人であるものを含む。） |
| 第三十五条第一項 | 第二十五条第一項第一号イに掲げる法人 | 第二十五条第一項第一号イに掲げる法人で固有法人であるもの |
| | 所得割又は同号ロに掲げる法人 | 所得割又は同号ロに掲げる法人（同号イに掲げる法人で受託法人であるものを含む。） |
| | 同項第二号に掲げる事業を行う法人 | 同項第二号に掲げる事業を行う法人（同項第三号イに掲げる法人で受託法人であるものを含む。） |
| | 同項第三号イに掲げる法人 | 同項第三号イに掲げる法人で固有法人であるもの |

**（事業開始等の申告義務）**

**第二十六条**　事業税の納税義務者は、事業を開始し、又は事務所若しくは事業所を設けた場合においては、その事業を開始し、又は事務所若しくは事業所を設けた日から十五日以内に次に掲げる事項を知事に申告しなければならない。

一　住所及び氏名又は名称
二　事務所又は事業所の所在地
三　事業の種類
四　事業を開始し、又は事務所若しくは事業所を設けた年月日
五　前各号に掲げるもののほか、知事において必要があると認める事項

2　前項の規定によつて申告をした事項に変更を生じた場合、事業を廃止した場合又は事務所若しくは事業所を廃止した場合においては、その事実の発生した日から十日以内（当該事業の廃止が納税義務者の死亡によるときは、三十日以内）にその旨を知事に申告しなければならない。

**（法人課税信託の効力が生じた場合等の申告義務）**

**第二十七条**　事業税の納税義務がある法人で、法人課税信託の受託者（当該法人課税信託の受託者が二以上ある場合には、当該法人課税信託の信託事務を主宰する受託者（以下この条において「主宰受託者」という。）であるものは、当該法人課税信託の効力が生ずることとなつた場合においては、当該効力が生じた日から十五日以内に、次に掲げる事項を知事に申告しなければならない。

一　名称又は氏名
二　事務所又は事業所の所在地
三　当該法人課税信託の名称
四　当該法人課税信託の効力が生じた日
五　前各号に掲げるもののほか、知事において必要があると認める事項

2　法人課税信託について新たな受託者が就任した場合には、当該就任した受託者は、当該就任の日から十五日以内に、次に掲げる事項を知事に申告しなければならない。

一　名称又は氏名
二　事務所又は事業所の所在地
三　当該法人課税信託の名称
四　当該就任した受託者に信託事務の引継ぎをした者の名称又は氏名
五　当該就任の日
六　当該就任の理由
七　前各号に掲げるもののほか、知事において必要があると認める事項

3　法人課税信託について受託者の任務が終了した場合には、当該任務の終了に伴い当該信託事務の引継ぎをした受託者（当該引継ぎの直前において当該法人課税信託の受託者が二以上あつた場合には、その主宰受託者）は、当該引継ぎをした日から十五日以内に、次に掲げる事項を知事に申告しなければならない。

一　当該引継ぎをした受託者の名称又は氏名
二　当該引継ぎをした受託者の事務所又は事業所の所在地
三　当該法人課税信託の名称
四　当該信託事務の引継ぎを受けた者の名称又は氏名
五　当該信託事務の引継ぎをした日
六　当該終了の理由
七　前各号に掲げるもののほか、知事において必要があると認める事項

4　一の法人課税信託の受託者が二以上ある場合において、その主宰受託者の変更があつたときは、その変更

前の主宰受託者及びその変更後の主宰受託者は、それぞれ、その変更の日から十五日以内に、次に掲げる事項を知事に申告しなければならない。

一　名称又は氏名
二　事務所又は事業所の所在地
三　当該法人課税信託の名称
四　当該変更後又は変更前の主宰受託者の名称又は氏名
五　当該変更の日
六　当該変更の理由
七　前各号に掲げるもののほか、知事において必要があると認める事項

5　前各項の規定によつて申告をした事項に変更を生じた場合、当該法人課税信託について信託の終了があつた場合又は当該法人課税信託が法人課税信託に該当しなくなつた場合においては、その事実の発生した日から十日以内にその旨を知事に申告しなければならない。

**（事業税の納税管理人）**

**第二十八条**　事業税の納税義務者は、都内に住所、居所、事務所又は事業所（以下この条において「住所等」という。）を有しない場合においては、都内に住所等を有する者のうちから納税管理人を定めてこれを定める必要が生じた日から十日以内に納税管理人申告書を知事に提出し、又は都外に住所等を有する者のうち納税に関する一切の事項の処理につき便宜を有する者を納税管理人として定めることについてこれを定める必要が生じる日の十日前までに知事に申請してその承認を受けなければならない。

2　前項の規定によつて納税管理人申告書を知事に提出し、又は知事の承認を受けた者は、納税管理人を変更した場合その他申告をした事項若しくは承認を受けた事項に異動を生じた場合又は納税管理人を変更しようとする場合その他申告をした事項若しくは承認を受けた事項に異動を生じる場合においては、納税管理人が都内に住所等を有する場合はその変更又は異動を生じた日から十日以内にその旨を知事に申告し、納税管理人が都外に住所等を有する場合はその変更又は異動を生じる日の十日前までに知事に申請してその承認を受けなければならない。

3　前二項の規定にかかわらず、当該納税義務者は、当該納税義務者に係る事業税の徴収の確保に支障がないことについて知事に申請してその認定を受けたときは、納税管理人を定めることを要しない。

**（事業税の納税管理人に係る不申告に関する過料）**

**第二十九条**　前条第三項の認定を受けていない事業税の納税義務者で同条第一項又は第二項の承認を受けていないものが、同条第一項又は第二項の規定によつて申告すべき納税管理人について正当な事由がなくて申告をしなかつた場合においては、その者を、十万円以下の過料に処する。

2　前項の過料の額は、知事が定める。

3　第一項の過料を徴収する場合において発する納入通知書に指定すべき納期限は、その発付の日から十日以内とする。

**（法人の事業税の課税標準）**

**第三十条**　法人の行う事業に対する事業税の課税標準は、次の各号に掲げる事業税の区分に応じ、当該各号に定めるものによる。

一　付加価値割　各事業年度の付加価値額
二　資本割　各事業年度の資本金等の額
三　所得割　各事業年度の所得
四　収入割　各事業年度の収入金額

**（法人の課税標準の区分経理の義務）**

**第三十一条**　医療法人又は農業協同組合連合会（法第七十二条の五第一項第五号に規定する特定農業協同組合連合会を除く。）は、当該法人の事業から生ずる所得について、法第七十二条の二十三第二項の規定によつて当該法人の事業税の課税標準とすべき所得の計算上、益金の額及び損金の額に算入されないものとされる部分を、その他の部分と区分して経理しなければならない。

2　事業税を課されない事業とその他の事業とを併せて行う法人は、事業税を課されない事業から生ずる付加価値額及び所得に関する経理を、その他の事業から生ずる付加価値額及び所得に関する経理と区分して行わなければならない。ただし、鉱物の掘採事業と精錬事業とを一貫して行う法人のうち、鉱物の掘採事業に係る付加価値額及び所得と精錬事業に係る付加価値額及び所得とを区分することができない法人については、この限りでない。

3　次の各号に掲げる事業のいずれか二以上を併せて行う法人は、それぞれの事業に関する経理を区分して行わなければならない。

一　次号から第四号までに掲げる事業以外の事業
二　電気供給業（次号に掲げる事業を除く。）、導管ガス供給業、保険業及び貿易保険業
三　電気供給業のうち、小売電気事業等、発電事業等及び特定卸供給事業
四　特定ガス供給業

**（法人の事業税に係る付加価値額等の区分計算の承認申請等）**

**第三十二条**　鉱物の掘採事業と精錬事業とを一貫して行

う法人が、法第七十二条の二十四の五第三項の規定による承認を受けようとする場合においては、当該承認を受けようとする事業年度分の第三十五条第一項第一号から第四号までに規定する申告納付の期間内に、次に掲げる事項を記載した申請書を知事に提出しなければならない。

一 住所及び名称

二 事務所又は事業所の所在地及び名称

三 事業の種類

四 承認を受けようとする付加価値額及び所得の区分計算の方法

五 前各号に掲げるもののほか、知事において必要があると認める事項

2 知事は、前項の申請書の提出があつた場合において、当該申請に係る付加価値額及び所得の区分計算の方法が適当であると認めるときは、その旨を当該納税者に通知するものとする。

**（法人の事業税の税率）**

**第三十三条** 法人の行う事業（電気供給業、ガス供給業（導管ガス供給業及び特定ガス供給業に限る。）、保険業及び貿易保険業を除く。第五項において同じ。）に対する事業税の額は、次の各号に掲げる法人の区分に応じ、それぞれ当該各号に定める金額とする。

一 第二十五条第一項第一号イに掲げる法人 次に掲げる金額の合計額

イ 各事業年度の付加価値額に百分の一・二の税率を乗じて得た金額

ロ 各事業年度の資本金等の額に百分の〇・五の税率を乗じて得た金額

ハ 各事業年度の所得に百分の一の税率を乗じて得た金額

二 特別法人 次の表の上欄に掲げる金額の区分により各事業年度の所得を区分し、当該区分に応ずる同表の下欄に掲げる税率を乗じて計算した金額の合計額

| | |
|---|---|
| 各事業年度の所得のうち年四百万円以下の金額 | 百分の三・五 |
| 各事業年度の所得のうち年四百万円を超える金額 | 百分の四・九 |

三 その他の法人 次の表の上欄に掲げる金額の区分により各事業年度の所得を区分し、当該区分に応ずる同表の下欄に掲げる税率を乗じて計算した金額の合計額

| | |
|---|---|
| 各事業年度の所得のうち年四百万円以下の金額 | 百分の三・五 |
| 各事業年度の所得のうち年四百万円を超え年八百万円以下の金額 | 百分の五・三 |
| 各事業年度の所得のうち年八百万円を超える金額 | 百分の七 |

2 電気供給業（小売電気事業等、発電事業等及び特定卸供給事業を除く。）、導管ガス供給業、保険業及び貿易保険業に対する事業税の額は、各事業年度の収入金額に百分の一の税率を乗じて得た金額とする。

3 電気供給業のうち、小売電気事業等、発電事業等及び特定卸供給事業に対する事業税の額は、次の各号に掲げる法人の区分に応じ、それぞれ当該各号に定める金額とする。

一 第二十五条第一項第二号イに掲げる法人 次に掲げる金額の合計額

イ 各事業年度の収入金額に百分の〇・七五の税率を乗じて得た金額

ロ 各事業年度の付加価値額に百分の〇・三七の税率を乗じて得た金額

ハ 各事業年度の資本金等の額に百分の〇・一五の税率を乗じて得た金額

二 第二十五条第一項第三号ロに掲げる法人 次に掲げる金額の合計額

イ 各事業年度の収入金額に百分の〇・七五の税率を乗じて得た金額

ロ 各事業年度の所得に百分の一・八五の税率を乗じて得た金額

4 特定ガス供給業に対する事業税の額は、次に掲げる金額の合計額とする。

一 各事業年度の収入金額に百分の〇・四八の税率を乗じて得た金額

二 各事業年度の付加価値額に百分の〇・七七の税率を乗じて得た金額

三 各事業年度の資本金等の額に百分の〇・三二の税率を乗じて得た金額

5 都と他の二以上の道府県において事務所又は事業所を設けて事業を行う法人で資本金の額又は出資金の額が千万円以上のもの（第二十五条第一項第一号イに掲げる法人を除く。）が行う事業に対する事業税の額は、第一項の規定にかかわらず、次の各号に掲げる法人の区分に応じ、当該各号に定める金額とする。

一　特別法人　各事業年度の所得に百分の四・九の税率を乗じて得た金額
二　特別法人以外の法人　各事業年度の所得に百分の七の税率を乗じて得た金額

（法人の事業税の徴収の方法）
**第三十四条**　法人の行う事業に対する事業税の徴収については、申告納付の方法による。

（法人の事業税の申告納付の期間）
**第三十五条**　事業税の納税義務がある法人が各事業年度に係る所得割等（第二十五条第一項第一号イに掲げる法人の付加価値割、資本割及び所得割又は同号ロに掲げる法人の所得割をいう。）又は収入割等（同項第二号に掲げる事業を行う法人の収入割、同項第三号イに掲げる法人若しくは同項第四号に掲げる事業を行う法人の収入割、付加価値割及び資本割又は同項第三号ロに掲げる法人の収入割及び所得割をいう。）についてすべき申告納付の期間は、次の各号に掲げる区分に従い、それぞれ当該各号に定めるところによる。
一　法第七十二条の二十五第一項又は法第七十二条の二十八第一項の規定の適用を受ける法人にあつては、各事業年度終了の日から二月以内（外国法人が第二十八条に規定する納税管理人を定めないで法施行地に事務所又は事業所を有しないこととなる場合（同条第三項の認定を受けた場合を除く。）には、当該事業年度終了の日から二月を経過した日の前日と当該事務所又は事業所を有しないこととなる日とのいずれか早い日まで）
二　法第七十二条の二十五第二項及び第四項（同条第六項及び第七項、法第七十二条の二十八第二項並びに法第七十二条の二十九第二項において準用する場合を含む。）の規定の適用を受ける法人にあつては、これらの規定に基づき知事（都と他の道府県において事務所又は事業所を有する法人にあつては、主たる事務所又は事業所所在地の都道府県知事）の指定した日まで
三　法第七十二条の二十五第三項（法第七十二条の二十八第二項及び法第七十二条の二十九第二項において準用する場合を含む。）の規定の適用を受ける法人にあつては、各事業年度終了の日から三月以内（法第七十二条の二十五第三項各号に掲げる場合に該当するときは、当該各号に定める期間内）
四　法第七十二条の二十五第五項（法第七十二条の二十八第二項及び第六項において準用する場合を含む。）の規定の適用を受ける法人にあつては、各事業年度終了の日から四月以内（法第七十二条の二十五第五項各号に掲げる場合に該当するときは、当該各号に定める期間内）
五　法第七十二条の二十六第一項の規定の適用を受ける法人にあつては、同項に規定する六月経過日から二月以内
六　法第七十二条の二十九第一項又は第五項の規定の適用を受ける法人にあつては、当該法人の当該事業年度終了の日から二月以内
七　法第七十二条の二十九第三項の規定の適用を受ける法人にあつては、残余財産の確定した日から一月以内（当該期間内に残余財産の最後の分配又は引渡しが行われるときは、その行われる日の前日まで）
2　法第七十二条の三十一第三項に規定する修正申告書を提出する法人が当該修正により増加した税額を納付すべき期間は、同項に規定する税務官署が更正又は決定の通知をした日から一月以内とする。

（第二十五条第一項第一号イに掲げる法人に係る法人の事業税の徴収猶予に係る申請）
**第三十六条**　法第七十二条の三十八の二第一項又は第六項の規定による事業税の徴収の猶予を受けようとする法人は、当該事業税の申告書を提出する際、次に掲げる事項を記載した申請書に、同条第一項各号又は第六項各号のいずれかに該当する法人であることを証明する書類を添付して、これを知事に提出しなければならない。
一　住所及び名称
二　事業年度及び税額
三　徴収の猶予を受けようとする税額及び期間
四　徴収の猶予を必要とする理由
五　前各号に掲げるもののほか、知事において必要があると認める事項
2　法第七十二条の三十八の二第五項（同条第七項において準用する場合を含む。）の規定による徴収の猶予の期間の延長を受けようとする法人は、次に掲げる事項を記載した申請書を当該徴収の猶予を受けている期間の末日までに知事に提出しなければならない。
一　住所及び名称
二　徴収の猶予を受けている事業税に係る事業年度及び税額並びに期間
三　徴収の猶予の期間の延長を受けようとする税額及び期間
四　徴収の猶予の期間の延長を必要とする理由
五　前各号に掲げるもののほか、知事において必要があると認める事項

（法人の事業税の減免）
**第三十七条**　法人の行う事業に対する事業税は、公益上の事由その他の特別の事情がある場合において、知事

において必要があると認める法人に限り、これを減免する。

２　前項の規定によつて事業税の減免を受けようとする法人は、減免を受けようとする事業年度に係る事業税の納期限までに、次に掲げる事項を記載した申請書にその事由を証明する書類を添付して、これを知事に提出しなければならない。

一　住所及び名称

二　事業年度及び税額

三　減免を受けようとする事由

四　前三号に掲げるもののほか、知事において必要があると認める事項

３　第一項の規定によつて事業税の減免を受けた法人は、その事由がやんだ場合においては、直ちにその旨を知事に申告しなければならない。

**（個人の事業税の課税標準）**

**第三十八条**　個人の行う事業に対する事業税の課税標準は、当該年度の初日の属する年の前年中における個人の事業の所得による。

２　個人が年の中途において事業を廃止した場合における事業税の課税標準は、前項に規定する所得によるほか、当該年の一月一日から事業の廃止の日までの個人の事業の所得による。

**（個人の課税標準の区分経理の義務）**

**第三十九条**　法第七十二条の二第十項第一号から第三号まで及び第五号に掲げる事業を行う個人の事業税の納税義務がある者は、当該個人の事業から生ずる所得について、法第七十二条の四十九の十二第一項ただし書の規定によつて当該個人の事業税の課税標準とすべき所得の計算上、総収入金額及び必要な経費に算入されないものとされる部分を、その他の部分と区分して経理しなければならない。

２　事業税を課されない事業とその他の事業とを併せて行う個人は、事業税を課されない事業から生ずる所得に関する経理を、その他の事業から生ずる所得に関する経理と区分して行わなければならない。ただし、鉱物の掘採事業と精錬事業とを一貫して行う個人のうち、鉱物の掘採事業に係る所得と精錬事業に係る所得とを区分することができない者については、この限りでない。

**（個人の事業税に係る所得の区分計算の承認申請等）**

**第三十九条の二**　鉱物の掘採事業と精錬事業とを一貫して行う個人が、法第七十二条の四十九の十六第三項の規定による承認を受けようとする場合においては、法第七十二条の五十五の規定による申告の期限までに、次に掲げる事項を記載した申請書を知事に提出しなければならない。

一　住所及び氏名

二　事務所又は事業所の所在地及び名称

三　事業の種類

四　承認を受けようとする所得の区分計算の方法

五　前各号に掲げるもののほか、知事において必要があると認める事項

２　知事は、前項の申請書の提出があつた場合において、当該申請に係る所得の区分計算の方法が適当であると認めるときは、その旨を当該納税者に通知するものとする。

**（個人の事業税の税率等）**

**第三十九条の三**　個人の行う事業に対する事業税の額は、次の各号に掲げる区分に応じ、それぞれ当該各号に定める金額とする。

一　第一種事業を行う個人　所得に百分の五の税率を乗じて得た金額

二　第二種事業を行う個人　所得に百分の四の税率を乗じて得た金額

三　第三種事業（次号に掲げるものを除く。）を行う個人　所得に百分の五の税率を乗じて得た金額

四　第三種事業のうち法第七十二条の二第十項第五号及び第七号に掲げるものを行う個人　所得に百分の三の税率を乗じて得た金額

**（個人の事業税の徴収の方法）**

**第三十九条の四**　個人の行う事業に対する事業税の徴収については、普通徴収の方法による。

**（個人の事業税の納期）**

**第三十九条の五**　個人の行う事業に対する事業税の納期は、次のとおりとする。ただし、年の中途において事業を廃止した場合又は課税漏れその他特別の事情がある場合における当該事業税の納期は、納税通知書に定めるところによる。

第一期　八月一日から同月三十一日まで

第二期　十一月一日から同月三十日まで

**（個人の事業税に係る不申告に関する過料）**

**第三十九条の六**　個人の行う事業に対する事業税の納税義務者が法第七十二条の五十五第一項の規定によつて申告すべき事項について正当な事由がなくて申告をしなかつた場合においては、その者を、十万円以下の過料に処する。

２　前項の過料の額は、知事が定める。

３　第一項の過料を徴収する場合において発する納入通知書に指定すべき納期限は、その発付の日から十日以内とする。

**（個人の事業税の減免）**

**第三十九条の七**　個人の行う事業に対する事業税は、次

の各号のいずれかに該当する者で知事において必要があると認めるものに限り、これを減免する。

一　生活保護法（昭和二十五年法律第百四十四号）により生活扶助を受ける者

二　災害その他これに類する事由（以下「災害等」という。）により資産に著しい損害を受けた者

三　前二号に掲げる者のほか、特別の事情があると認められる者

2　前項の規定は、当該年度の税額のうち次項の規定による申請のあつた後初めて到来する納期限に係る分からこれを適用する。

3　前二項の規定によつて事業税の減免を受けようとする者は、次に掲げる事項を記載した申請書に、その事由を証明する書類を添付して、これを知事に提出しなければならない。

一　住所及び氏名

二　年度、期別及び税額

三　減免を受けようとする事由

四　前三号に掲げるもののほか、知事において必要があると認める事項

4　第一項の規定によつて事業税の減免を受けた者は、その事由がやんだ場合においては、直ちにその旨を知事に申告しなければならない。

### 第三節　地方消費税

**（地方消費税の納税義務者等）**

**第四十条**　地方消費税は、法第七十二条の七十七第一号に規定する事業者（以下この節において「事業者」という。）の行つた法第七十二条の七十八第一項に規定する課税資産の譲渡等（次条において「課税資産の譲渡等」という。）及び同項に規定する特定課税仕入れ（次条において「特定課税仕入れ」という。）については、当該事業者（消費税法（昭和六十三年法律第百八号）第九条第一項本文の規定により消費税を納める義務が免除される事業者（法人課税信託の受託者にあつては、同法第十五条第三項に規定する受託事業者及び同条第四項に規定する固有事業者に係る消費税を納める義務が全て免除される事業者に限る。）を除く。）に対し、譲渡割によつて、法第七十二条の七十八第一項に規定する課税貨物については、当該課税貨物を消費税法第二条第一項第二号に規定する保税地域から引き取る者に対し、貨物割（法第七十二条の七十七第三号に規定する貨物割をいう。以下同じ。）によつて課する。

2　法第七十二条の七十八第六項に規定する税務署長又は税関長が消費税を徴収する場合には、当該消費税を納付すべき者に対し、当該徴収すべき消費税額を課税標準として、地方消費税を課するものとし、税務署長が消費税を徴収する場合に課すべき地方消費税にあつては譲渡割に、税関長が消費税を徴収する場合に課すべき地方消費税にあつては貨物割に含まれるものとして、この節（前項及びこの項を除く。）の規定を適用する。この場合において、譲渡割に含まれるものとされる地方消費税の徴収については、普通徴収の方法によるものとする。

**（法人課税信託の受託者に関するこの節の規定の適用）**

**第四十条の二**　法人課税信託の受託者は、各法人課税信託の信託資産等（信託財産に属する資産並びに当該信託財産に属する資産に係る課税資産の譲渡等及び特定課税仕入れをいう。以下この項において同じ。）及び固有資産等（法人課税信託の信託資産等以外の資産、課税資産の譲渡等及び特定課税仕入れをいう。）ごとに、それぞれ別の者とみなして、この節（第四十条、第四十条の七及び第四十条の八を除く。次項において同じ。）の規定を適用する。

2　個人事業者が受託事業者（法第七十二条の八十の二第三項に規定する受託事業者をいう。以下この項において同じ。）である場合には、当該受託事業者は、法人とみなして、この節の規定を適用する。

**（地方消費税の課税標準）**

**第四十条の二の二**　譲渡割の課税標準は、法第七十二条の七十七第二号に規定する消費税額とする。

2　貨物割の課税標準は、法第七十二条の七十七第三号に規定する消費税額とする。

**（地方消費税の税率）**

**第四十条の三**　地方消費税の税率は、七十八分の二十二とする。

**（譲渡割の徴収の方法）**

**第四十条の四**　譲渡割の徴収については、申告納付の方法による。

**（譲渡割の申告納付）**

**第四十条の五**　法第七十二条の八十七第一項から第三項までの規定により申告書を提出する義務がある事業者は、当該申告書の提出期限までに、同条各項に規定する事項を記載した申告書を知事に提出し、及びその申告した金額に相当する譲渡割を納付しなければならない。この場合において、当該事業者が当該申告書を当該提出期限までに提出しなかつたときは、当該申告書の提出期限において、同条第一項後段（同条第二項及び第三項の規定において準用する場合を含む。）に規定する申告書の提出があつたものとみなし、当該事業者は当該申告納付すべき期限内にその提出があつたものとみなされる申告書に係る金額に相当する譲渡割を納付しなければならない。

2　法第七十二条の八十八第一項の規定により申告書を

提出する義務がある事業者は、当該申告書の提出期限までに、同項に規定する事項を記載した申告書を知事に提出し、及びその申告に係る譲渡割額を納付しなければならない。この場合において、当該事業者のうち前項の規定により譲渡割を納付すべき者が納付すべき譲渡割額は、当該事業者が当該申告書に記載した譲渡割額から同条第一項後段に規定する譲渡割の中間納付額を控除した額とする。

3　法第七十二条の八十九の二第一項に規定する事業者は、法第七十二条の八十九の三第一項又は第十一項の規定の適用を受ける場合を除き、前二項の規定により、前二項の規定による申告書により行うこととされている譲渡割の申告については、前二項の規定に関らず、同条第一項の規定により行わなければならない。

**（貨物割の賦課徴収）**

**第四十条の六**　貨物割の賦課徴収は、第四条の三から第十二条まで、第十五条から第十八条まで、第十九条、第二十一条及び第二十二条の規定にかかわらず、国が、消費税の賦課徴収の例により、消費税の賦課徴収と併せて行うものとする。

**（貨物割の申告）**

**第四十条の七**　法第七十二条の百一の規定により申告書を提出する義務がある者は、第四条の三から第十二条まで、第十五条から第十八条まで、第十九条、第二十一条及び第二十二条の規定にかかわらず、法第七十二条の百一に規定する事項を記載した申告書を、消費税の申告の例により、消費税の申告と併せて、税関長に提出しなければならない。

**（貨物割の納付）**

**第四十条の八**　貨物割の納税義務者は、第四条の三から第十二条まで、第十五条から第十八条まで、第十九条、第二十一条及び第二十二条の規定にかかわらず、貨物割を、消費税の納付の例により、消費税の納付と併せて国に納付しなければならない。

**（貨物割に係る徴収取扱費の支払）**

**第四十条の九**　都は、国が貨物割の賦課徴収に関する事務を行うために要する費用を補償するため、法第七十二条の百十三第一項の規定により、徴収取扱費を国に支払うものとする。

### 第四節　不動産取得税

**（不動産取得税の納税義務者等）**

**第四十一条**　不動産取得税は、不動産の取得に対し、不動産を取得した時における不動産の価格（法第七十三条の十四又は法附則第十一条の規定の適用がある不動産の取得にあつては、それぞれこれらの規定により算定して得た額）を課税標準として、当該不動産の取得者に課する。

**（法第七十三条の十四第十二項等に規定する条例で定める割合）**

**第四十一条の二**　次の各号に掲げる規定に規定する条例で定める割合は、当該各号に定める割合とする。

一　法第七十三条の十四第十二項　三分の二
二　法第七十三条の十四第十三項　三分の二
三　法第七十三条の十四第十四項　三分の二

**（不動産取得税の税率）**

**第四十二条**　不動産取得税の税率は、百分の四とする。

**（不動産取得税の納期）**

**第四十三条**　不動産取得税の納期は、納税通知書に定めるところによる。

**第四十四条**　削除

**（不動産取得税の賦課徴収に関する申告義務等）**

**第四十五条**　不動産取得税の納税義務者は、不動産取得税を課されるべき不動産を取得した日から三十日以内に、次に掲げる事項を記載した申告書を知事に提出しなければならない。ただし、当該不動産の取得について、当該不動産を取得した日から三十日以内に不動産登記法（平成十六年法律第百二十三号）第十八条の規定により表示に関する登記又は所有権の登記の申請をした場合（同法第二十五条の規定により当該申請が却下された場合を除く。次項において同じ。）は、この限りでない。

一　住所及び氏名又は名称
二　不動産の取得年月日及び取得の事由
三　土地にあつては所在、地番、地目、地積及び用途
四　家屋にあつては所在、家屋番号、種類、構造、床面積及び用途
五　共同住宅等（法第七十三条の十四第一項に規定する共同住宅等をいう。第四十八条第一項において同じ。）以外の住宅の建築（新築された住宅でまだ人の居住の用に供されたことのないものの購入を含む。）後一年以内に当該住宅と一構となるべき住宅を新築し、又は当該住宅に増築した場合にあつては、その旨
六　前各号に掲げるもののほか知事において必要があると認める事項

2　建物の区分所有等に関する法律（昭和三十七年法律第六十九号）第二条第三項に規定する専有部分（以下「専有部分」という。）の取得又は同条第四項に規定する共用部分（以下「共用部分」という。）のみの建築があつた場合には、前項本文の規定にかかわらず、不動産取得税の納税義務者は、不動産取得税を課されるべき不動産を取得した日から三十日以内に、次に掲げる事項を記載した申告書を知事に提出しなければなら

ない。ただし、当該不動産の取得について、当該不動産を取得した日から三十日以内に不動産登記法第十八条の規定により表示に関する登記又は所有権の登記の申請をした場合は、この限りでない。

一　住所及び氏名又は名称
二　不動産の取得年月日及び取得の事由
三　専有部分の属する家屋又は共用部分のみの建築があつた場合における当該共用部分の構造、床面積及び用途
四　専有部分の床面積及び用途
五　専有部分以外の家屋の部分の床面積又は共用部分とされた附属の建物の床面積及び用途
六　前各号に掲げるもののほか、知事において必要があると認める事項

3　法第七十三条の十四第四項の規定による申告は、同条第一項又は第三項に規定する住宅の取得の日から六十日以内（知事がやむを得ない理由があると認める場合には、知事が相当と認める期間内）に、知事に対し次に掲げる事項を記載した申告書をもつてしなければならない。

一　当該住宅を取得した者の住所及び氏名又は名称
二　当該住宅（当該住宅が住宅と一構となるべき住宅である場合には、一構をなすこれらの住宅とし、当該住宅が増築又は改築により取得された住宅である場合には、当該増築又は改築がされた後の住宅とする。）の所在、家屋番号、構造及び床面積
三　当該住宅を取得した年月日及びその取得の事由
四　前三号に掲げるもののほか、知事において必要があると認める事項

4　第一項又は第二項の申告書を提出する者で法第七十三条の十四第一項又は第三項の規定の適用を受けようとするものは、当該住宅の取得につきこれらの規定の適用があるべき旨及び前項各号に掲げる事項を記載した当該申告書を知事に提出することにより、前項の申告に代えることができる。

5　法第七十三条の十四第四項前段又は同項後段の申告がなかつた場合においても、当該住宅の取得が同条第一項又は第三項に規定する要件に該当すると認められるときは、同条第四項の規定にかかわらず、同条第一項又は第三項の規定を適用する。

**（不動産取得税に係る不申告に関する過料）**

**第四十六条**　不動産取得税の納税義務者が、前条第一項又は第二項の規定によつて申告すべき事項について正当な事由がなくて申告をしなかつた場合においては、その者に対し、十万円以下の過料を科する。

2　前項の過料の額は、知事が定める。

3　第一項の過料を徴収する場合において発する納入通知書に指定すべき納期限は、その発付の日から十日以内とする。

**（地方税法施行規則第七条の三第四項本文の補正の方法の申出）**

**第四十六条の二**　地方税法施行規則（昭和二十九年総理府令第二十三号）第七条の三第四項本文の規定により補正の方法を申し出ようとする者は、不動産取得税を課されるべき不動産を取得した日から三十日以内に、次に掲げる事項を記載した申出書を知事に届出しなければならない。

一　住所及び氏名又は名称
二　補正の方法及びその計算の基礎
三　専有部分の天井の高さ
四　専有部分の附帯設備及び仕上部分の取得に要した価格
五　前各号に掲げるもののほか、知事において必要があると認める事項

**（地方税法施行規則第七条の三の二第四項本文及び第五項本文の補正の方法の申出）**

**第四十六条の三**　地方税法施行規則第七条の三の二第四項本文の規定により補正の方法を申し出ようとする者は、不動産取得税を課されるべき不動産を取得した日から三十日以内に、次に掲げる事項を記載した申出書を知事に提出しなければならない。

一　住所及び氏名又は名称
二　補正の方法及びその計算の基礎
三　専有部分の天井の高さ
四　専有部分の附帯設備及び仕上部分の取得に要した価格
五　前各号に掲げるもののほか、知事において必要があると認める事項

2　地方税法施行規則第七条の三の二第五項本文の規定により補正の方法（同条第三項の規定による補正を行わないこととするものを含む。第二号において同じ。）を申し出ようとする者は、不動産取得税を課されるべき不動産を取得した日から三十日以内に、次に掲げる事項を記載した申出書を知事に提出しなければならない。

一　住所及び氏名又は名称
二　補正の方法及びその計算の基礎
三　前各号に掲げるもののほか、知事において必要があると認める事項

**（固定資産課税台帳に登録された不動産の価格等の通知）**

**第四十七条**　市町村長は、法第七十三条の十八第四項の規定により、知事に対し、第四十五条第一項又は第二

項に規定する申告書を送付し、又は自ら不動産の取得の事実を発見し、当該事実を通知する場合には、当該不動産について固定資産課税台帳に登録された価格その他当該不動産の価格の決定について参考となるべき事項を併せて通知しなければならない。

**（住宅の用に供する土地の取得に対する不動産取得税の減額）**

**第四十八条**　土地の取得に対して課する不動産取得税は、次の各号のいずれかに該当する場合には、当該税額から百五十万円（当該土地に係る不動産取得税の課税標準となるべき価格を当該土地の面積の平方メートルで表した数値で除して得た額に当該土地の上に新築した住宅（地方税法施行令第三十九条の二の四第一項に規定する住宅に限る。以下この条及び次条において「特例適用住宅」という。）一戸（共同住宅等にあつては、居住の用に供するために独立的に区画された一の部分で同令第三十九条の二の四第二項に規定するもの）についてその床面積の二倍の面積の平方メートルで表した数値（当該数値が二百を超える場合には、二百とする。）を乗じて得た金額が百五十万円を超えるときは、当該乗じて得た金額）に税率を乗じて得た額を減額する。

一　土地を取得した日から二年以内に当該土地の上に特例適用住宅が新築された場合（当該取得をした者（以下この号において「取得者」という。）が当該土地を当該特例適用住宅の新築の時まで引き続き所有している場合又は当該特例適用住宅の新築が当該取得者から当該土地を取得した者（以下この条及び次条において「譲受者」という。）により行われる場合に限る。）

二　土地を取得した者が当該土地を取得した日前一年の期間内に当該土地の上に特例適用住宅を新築していた場合

三　新築された特例適用住宅でまだ人の居住の用に供されたことのないもの及び当該特例適用住宅の用に供する土地を当該特例適用住宅が新築された日から一年以内に取得した場合

2　土地の取得に対して課する不動産取得税は、次の各号のいずれかに該当する場合には、当該税額から百五十万円（当該土地に係る不動産取得税の課税標準となるべき価格を当該土地の面積の平方メートルで表した数値で除して得た額に当該土地の上にある耐震基準適合既存住宅等（法第七十三条の十四第三項に規定する耐震基準適合既存住宅（第七項において「耐震基準適合既存住宅」という。）及び新築された特例適用住宅でまだ人の居住の用に供されたことのないもののうち当該特例適用住宅に係る土地について前項の規定の適用を受けるもの以外のものをいう。以下次条までにおいて同じ。）一戸についてその床面積の二倍の面積の平方メートルで表した数値（当該数値が二百を超える場合には、二百とする。）を乗じて得た金額が百五十万円を超えるときは、当該乗じて得た金額）に税率を乗じて得た額を減額する。

一　土地を取得した者が当該土地を取得した日から一年以内に当該土地の上にある自己の居住の用に供する耐震基準適合既存住宅等を取得した場合

二　土地を取得した者が当該土地を取得した日前一年の期間内に当該土地の上にある自己の居住の用に供する耐震基準適合既存住宅等を取得していた場合

3　土地の取得に対して課する不動産取得税は、次の各号のいずれかに該当する場合には、当該税額から百五十万円（当該土地に係る不動産取得税の課税標準となるべき価格を当該土地の面積の平方メートルで表した数値で除して得た額に当該土地の上にある耐震基準不適合既存住宅（法第七十三条の二十四第三項に規定する耐震基準不適合既存住宅をいう。以下この条から第四十八条の四の二までにおいて同じ。）一戸についてその床面積の二倍の面積の平方メートルで表した数値（当該数値が二百を超える場合には、二百とする。）を乗じて得た金額が百五十万円を超えるときは、当該乗じて得た金額）に税率を乗じて得た額を減額する。

一　土地を取得した者が当該土地を取得した日から一年以内に当該土地の上にある耐震基準不適合既存住宅を取得した場合（当該耐震基準不適合既存住宅の取得が第四十八条の四の二第一項の規定に該当する場合に限る。）

二　土地を取得した者が当該土地を取得した日前一年の期間内に当該土地の上にある耐震基準不適合既存住宅を取得していた場合（当該耐震基準不適合既存住宅の取得が第四十八条の四の二第一項の規定に該当する場合に限る。）

4　土地を取得した者が当該土地を取得した日から一年以内に当該土地に隣接する土地を取得した場合には、前後の取得に係る土地の取得をもつて一の土地の取得と、最初に土地を取得した日をもつてこれらの土地を取得した日とみなして、前三項の規定を適用する。

5　第一項から第三項までの規定は、当該土地の取得に対して課する不動産取得税につき次条第一項の規定により徴収猶予がなされた場合その他地方税法施行令第三十九条の三の二に規定する場合を除き、当該土地の取得の日から六十日以内（知事がやむを得ない理由があると認める場合には、知事が相当と認める期間内）に、当該土地の取得者から、第一項第一号の規定の適用を受ける土地の取得にあつては第一号から第三号まで及び第五号から第八号までに掲げる事項を、同項第二号若しくは第三号、第二項又は第三項の規定の適用を受ける土地の取得にあつては第一号から第四号まで及び第八号に掲げる事項を記載した申告書をもつて、当該土地の取得につき第一項から第三項までの規定の適用があるべき旨の申告がなされた場合に限り適用する。この場合において、当該土地が、土地を取得した日から一年以内に取得したその土地に隣接する土地であるときは、最初の取得に係る土地の取得につき、その取得の日から六十日以内（知事がやむを得ない理由があると認める場合には、知事が相当と認める期間内）に、第一項第一号の規定の適用を受ける土地の取得にあつては第一号から第三号まで及び第五号から第八号までに掲げる事項を、同項第二号若しくは第三号、第二項又は第三項の規定の適用を受ける土地の取得にあつては第一号から第四号まで及び第八号に掲げる事項を記載した申告書をもつて、第一項から第三項までの規定の適用があるべき旨の申告がなされていたときに限り、適用する。

一　当該土地を取得した者の住所及び氏名又は名称
二　当該土地の所在、地番、地目及び地積
三　当該土地を取得した年月日及びその取得の事由
四　当該土地に係る住宅の取得年月日又は取得予定年月日及びその床面積
五　当該土地に係る特例適用住宅の新築者又は新築予定者の住所及び氏名又は名称
六　当該土地に係る特例適用住宅の新築年月日又は新築予定年月日及びその床面積
七　譲受者又は譲受者となる予定である者の住所及び氏名又は名称
八　前各号に掲げるもののほか、知事において必要があると認める事項

6　第四十五条第一項の申告書を提出する者で第一項から第三項までの規定の適用を受けようとするものは、当該土地の取得につきこれらの規定の適用があるべき旨及び前項に定める事項を記載した当該申告書を知事に提出することにより、前項の申告に代えることができる。

7　第一項から第三項までの規定の適用を受けるべき者は、第五項前段、前項又は次条第一項の規定による申告をしている場合にあつてはこれらの規定による申告をした日後、地方税法施行令第三十九条の三の二に規定する場合に該当しこれらの規定による申告をしていない場合にあつては当該土地を取得した日後当該土地の上に特例適用住宅が新築され、又は当該土地の上にある特例適用住宅、耐震基準適合既存住宅若しくは耐震基準不適合既存住宅を取得したときは、第一項第一号の規定の適用を受ける土地の取得にあつては次の各号に掲げる事項を、同項第二号若しくは第三号、第二項又は第三項の規定の適用を受ける土地の取得にあつては第一号から第四号まで、第七号及び第八号に掲げる事項を記載した申告書に当該事実を証明する書類を添付して、遅滞なくこれを知事に提出しなければならない。

一　土地の所在、地番、地目及び地積
二　土地の取得年月日
三　特例適用住宅、耐震基準適合既存住宅又は耐震基準不適合既存住宅の構造及び床面積
四　特例適用住宅の新築年月日又は特例適用住宅、耐震基準適合既存住宅若しくは耐震基準不適合既存住宅の取得年月日
五　特例適用住宅の新築者の住所及び氏名又は名称
六　譲受者の住所及び氏名又は名称
七　減額を受けようとする事由
八　前各号に掲げるもののほか、知事において必要があると認める事項

8　第五項前段、同項後段又は前項の申告がなかつた場合においても、当該土地の取得が第一項から第三項までに規定する要件に該当すると認められるときは、第五項又は前項の規定にかかわらず、第一項から第三項までの規定を適用する。

**（住宅の用に供する土地の取得に対する不動産取得税の徴収猶予）**

**第四十八条の二**　知事は、不動産取得税の納税義務者から当該不動産取得税について前条第一項第一号、第二項第一号又は第三項の規定の適用があるべき旨の申告が当該不動産取得税を課されるべき土地を取得した日から三十日以内にあり、当該申告が真実であると認められるときは、同条第一項第一号の規定の適用を受ける土地の取得にあつては当該取得の日から二年以内、同条第二項第一号の規定の適用を受ける土地の取得にあつては当該取得の日から一年以内、同条第三項第一号の規定の適用を受ける土地の取得にあつては当該取得の日から一年六月以内、同項第二号の規定の適用を受ける土地の取得（当該土地の上にある耐震基準不適合既存住宅の取得が第四十八条の四の二第一項の規定に該当することとなつた日前に行われたものに限る。）にあつては当該土地の取得の日から六月以内の期間を限つて、当該土地に係る不動産取得税額のうちこれらの規定により減額すべき額に相当する税額を徴収猶予する。

2　前項の申告をする者は、前条第一項第一号の規定の

適用を受ける土地の取得にあつては次の各号に掲げる事項を、同条第二項第一号又は第三項の規定の適用を受ける土地の取得にあつては第一号から第三号まで及び第六号に掲げる事項を記載した申告書に、同条第一項第一号の規定の適用を受ける土地の取得にあつては当該取得の日から二年以内に当該土地の上に新築されるべき特例適用住宅に係る計画その他特例適用住宅が新築されることを証明する書類を、同条第二項第一号の規定の適用を受ける土地の取得にあつては当該取得の日から一年以内に当該土地の上にある耐震基準適合既存住宅等を取得することを証明する書類を、同条第三項第一号の規定の適用を受ける土地の取得にあつては当該取得の日から一年以内に当該土地の上にある耐震基準不適合既存住宅を取得することを証明する書類及び当該耐震基準不適合既存住宅の取得に対して課する不動産取得税について第四十八条の四の二第一項の規定の適用があるべき旨を証明する書類を、前条第三項第二号の規定の適用を受ける土地の取得にあつては当該土地の上にある耐震基準不適合既存住宅の取得に対して課する不動産取得税について第四十八条の四の二第一項の規定の適用があるべき旨を証明する書類を添付して、これを知事に提出しなければならない。

一　土地の所在、地番、地目及び地積

二　土地の取得年月日

三　特例適用住宅の着工及び完成予定年月日、耐震基準適合既存住宅等の取得予定年月日又は耐震基準不適合既存住宅の取得年月日若しくは取得予定年月日、耐震改修着工年月日若しくは耐震改修着工予定年月日及び耐震改修完了年月日若しくは耐震改修完了予定年月日

四　特例適用住宅の新築予定者の住所及び氏名又は名称

五　譲受者又は譲受者となる予定である者の住所及び氏名又は名称

六　前各号に掲げるもののほか、知事において必要があると認める事項

**（住宅の用に供する土地の取得に対する不動産取得税の徴収猶予の取消し）**

**第四十八条の三**　知事は、前条第一項の規定により徴収猶予をした場合において、当該徴収猶予に係る不動産取得税について第四十八条第一項第一号、第二項第一号若しくは第三項の規定の適用がないことが明らかとなつたとき、又は徴収猶予の事由の一部に変更があることが明らかとなつたときは、当該徴収猶予をした税額の全部又は一部についてその徴収猶予を取り消し、これを直ちに徴収するものとする。

**（住宅の用に供する土地の取得に対する不動産取得税の還付）**

**第四十八条の四**　知事は、土地の取得に対して課する不動産取得税に係る徴収金を徴収した場合において、当該不動産取得税について、第四十八条第一項第一号、第二項第一号又は第三項の規定の適用があることとなつたときは、当該不動産取得税の納税者の申請に基づいて、これらの規定により減額すべき額に相当する税額及びこれに係る徴収金を還付する。

**（耐震基準不適合既存住宅の取得に対する不動産取得税の減額等）**

**第四十八条の四の二**　個人が耐震基準不適合既存住宅を取得した場合において、当該個人が、当該耐震基準不適合既存住宅を取得した日から六月以内に、当該耐震基準不適合既存住宅に耐震改修（法第七十三条の二十七の二第一項に規定する耐震改修をいう。）を行い、当該住宅が耐震基準に適合することにつき地方税法施行規則第七条の七で定めるところにより証明を受け、かつ、当該住宅をその者の居住の用に供したときは、当該耐震基準不適合既存住宅の取得に対して課する不動産取得税については、当該税額から当該耐震基準不適合既存住宅が新築された時において施行されていた法第七十三条の十四第一項の規定により控除するものとされていた額に税率を乗じて得た額を減額する。

2　第四十八条の二から前条までの規定は、前項の場合における不動産取得税について同項の規定の適用があるべき旨の申告、当該不動産取得税額の徴収猶予及びその取消し並びに当該不動産取得税に係る徴収金の還付について準用する。

**（被収用不動産等の代替不動産の取得に対する不動産取得税の減額等）**

**第四十八条の四の三**　不動産を取得した者が当該不動産を取得した日から一年以内に、公共事業の用に供するため当該不動産以外の不動産を収用されて補償金を受け、公共事業を行う者に当該公共事業の用に供するため当該不動産以外の不動産を譲渡し、若しくは公共事業の用に供するため収用され、若しくは譲渡した土地の上に建築されていた家屋について移転補償金を受けた場合又は地方公共団体、土地開発公社若しくは独立行政法人都市再生機構に公共事業の用に供されることが確実であると認められるものとして地方税法施行令第三十九条の四に規定する不動産で当該不動産以外のものを譲渡し、若しくは当該譲渡に係る土地の上に建築されていた家屋について移転補償金を受けた場合において、当該不動産が当該収用され、譲渡し、又は移転補償金を受けた不動産（以下この項において「被収用不動産等」という。）に代わるものと認められると

きは、当該不動産の取得に対して課する不動産取得税については、当該税額から被収用不動産等の固定資産課税台帳に登録された価格（被収用不動産等の価格が固定資産課税台帳に登録されていない場合にあつては、同令第三十九条で定めるところにより、知事が法第三百八十八条第一項の固定資産評価基準により決定した価格）に相当する額に税率を乗じて得た額を減額する。

２　第四十八条の二から第四十八条の四までの規定は、納税義務者が当該不動産を取得した場合における不動産取得税について前項の規定の適用があるべき旨の申告、当該不動産取得税額の徴収猶予及びその取消し並びに当該不動産取得税に係る徴収金の還付について準用する。この場合において、第四十八条の二第一項中「同条第一項第一号の規定の適用を受ける土地の取得にあつては当該取得の日から二年以内、同条第二項第一号の規定の適用を受ける土地の取得にあつては当該取得の日から一年以内、同条第三項第一号の規定の適用を受ける土地の取得にあつては当該取得の日から一年六月以内、同項第二号の規定の適用を受ける土地の取得（当該土地の上にある耐震基準不適合既存住宅の取得が第四十八条の四の二第一項の規定に該当することとなつた日前に行われたものに限る。）にあつては当該土地の取得の日から六月以内」とあるのは「当該取得の日から一年以内」と読み替えるものとする。

**（譲渡担保財産の取得に対して課する不動産取得税の納税義務の免除等）**

**第四十八条の四の四**　譲渡担保権者が譲渡担保財産の取得（法第七十三条の二第二項本文の規定が適用されるものを除く。）をした場合において、当該譲渡担保財産により担保される債権の消滅により当該譲渡担保財産の設定の日から二年以内に譲渡担保権者から譲渡担保財産の設定者に当該譲渡担保財産を移転したときは、譲渡担保権者による当該譲渡担保財産の取得に対する不動産取得税及びこれに係る徴収金の納税義務を免除する。

２　知事は、不動産取得税の納税義務者から当該不動産取得税について前項の規定の適用があるべき旨の申告が当該不動産取得税を課されるべき不動産を取得した日から三十日以内にあり、当該申告が真実であると認められるときは、当該取得の日から二年以内の期間を限つて、当該不動産に係る不動産取得税額を徴収猶予する。

３　前二項の申告をする者は、次に掲げる事項を記載した申告書に当該不動産が譲渡担保契約により取得したものであることを証する書類を添付して、これを知事に提出しなければならない。

一　土地にあつては所在、地番、地目及び地積、家屋にあつては所在、家屋番号、種類、構造及び床面積

二　譲渡担保財産を取得した年月日

三　譲渡担保財産を譲渡担保財産の設定者に移転する年月日

四　譲渡担保財産の設定者の住所及び氏名又は名称

五　前各号に掲げるもののほか、知事において必要があると認める事項

４　知事は、第二項の規定によつて徴収猶予をした場合において、当該徴収猶予に係る不動産取得税について第一項の規定の適用がないことが明らかとなつたとき又は徴収猶予の事由の一部に変更があることが明らかとなつたときは、当該徴収猶予をした税額の全部又は一部についてその徴収猶予を取り消し、これを直ちに徴収するものとする。

５　知事は、不動産の取得に対して課する不動産取得税に係る徴収金を徴収した場合において、当該不動産取得税について第一項の規定の適用があることとなつたときは、当該譲渡担保権者の申請に基づいて、当該税額及びこれに係る徴収金を還付する。

**（再開発会社の取得に対して課する不動産取得税の納税義務の免除等）**

**第四十八条の四の五**　都市再開発法（昭和四十四年法律第三十八号）第五十条の二第三項に規定する再開発会社（以下この条において「再開発会社」という。）が同法第二条第一号に規定する第二種市街地再開発事業（以下この条において「第二種市街地再開発事業」という。）の施行に伴い同法第百十八条の七第一項第三号の建築施設の部分（以下この条において「建築施設の部分」という。）を取得した場合において同法第百十八条の十七の規定による建築工事の完了の公告があつた日の翌日に同法第百十八条の十一第一項に規定する譲受け予定者が当該建築施設の部分を取得したとき又は再開発会社が第二種市街地再開発事業の施行に伴い同法第二条第四号に規定する公共施設（以下この条において「公共施設」という。）の用に供する不動産を取得した場合において同法第百十八条の二十第一項の規定による公共施設の整備に関する工事の完了の公告の日の翌日に国又は地方公共団体が当該不動産を取得したときは、当該再開発会社による当該不動産の取得に対する不動産取得税に係る徴収金の納税義務を免除する。

２　前条第二項から第五項までの規定は、前項の場合における不動産取得税の納税義務免除の申告、当該不動産取得税額の徴収猶予及び当該不動産取得税に係る徴収金の還付について準用する。この場合において、前

条第二項中「当該取得の日から二年以内」とあるのは「建築施設の部分の取得にあつては都市再開発法第百十八条の十七の規定による建築工事の完了の公告があつた日の翌日まで、公共施設の用に供する不動産の取得にあつては同法第百十八条の二十第一項の規定による公共施設の整備に関する工事の完了の公告があつた日の翌日まで」と、同条第三項中「譲渡担保契約により」とあるのは「第二種市街地再開発事業の施行に伴い」と、「譲渡担保財産を」とあるのは「建築施設の部分の取得にあつては当該建築施設の部分を、公共施設の用に供する不動産の取得にあつては当該不動産を」と、「譲渡担保財産の設定者」とあるのは「建築施設の部分の取得にあつては都市再開発法第百十八条の十一第一項に規定する譲受け予定者、公共施設の用に供する不動産の取得にあつては国又は地方公共団体」と、同条第五項中「当該譲渡担保権者」とあるのは「当該再開発会社」と読み替えるものとする。

**（農地中間管理機構の農地の取得に対して課する不動産取得税の納税義務の免除等）**

**第四十八条の四の六**　農地中間管理事業の推進に関する法律（平成二十五年法律第百一号）第二条第四項に規定する農地中間管理機構が、農業経営基盤強化促進法（昭和五十五年法律第六十五号）第七条第一号に掲げる事業（同法第四条第一項に規定する農用地等の貸付けであつてその貸付期間（当該貸付期間のうち延長に係るものを除く。）が五年を超えるものを行うことを目的として当該農用地等を取得するものを除く。以下この条において「農地売買事業」という。）の実施により地方税法施行令第三十九条の五に規定する区域内の農地、採草放牧地又は開発して農地とすることが適当な土地を取得した場合において、これらの土地（開発して農地とすることが適当な土地について開発した場合には、開発後の農地）をその取得の日から五年以内（同日から五年以内に、これらの土地について土地改良法（昭和二十四年法律第百九十五号）第二条第二項に規定する土地改良事業で同項第二号、第三号、第五号又は第七号に掲げるもの（これらの事業に係る調査で国の行政機関の定めた計画に基づくものが行われる場合には、当該調査）が開始された場合において、これらの事業の完了の日として同令第三十九条の六に規定する日後一年を経過する日がこれらの土地の取得の日から五年を経過する日後に到来することとなつたときは、当該一年を経過する日までの間）に当該農地売買事業の実施により売り渡し、若しくは交換し、又は農業経営基盤強化促進法第七条第三号に掲げる事業の実施により現物出資したときは、当該農地中間管理機構によるこれらの土地の取得に対する不動産取得税に係る徴収金の納税義務を免除する。

2　第四十八条の四の四第二項から第五項までの規定は、前項の場合における不動産取得税の納税義務免除の申告、当該不動産取得税額の徴収猶予及びその取消し並びに当該不動産取得税に係る徴収金の還付について準用する。この場合において、同条第二項中「当該取得の日から二年以内」とあるのは「当該取得の日から五年以内（当該不動産が第四十八条の四の六第一項に規定する土地改良事業に係るものである場合には、同日から同項に規定する一年を経過する日まで）」と、同条第三項中「譲渡担保契約により」とあるのは「農地売買事業に伴い」と、「譲渡担保財産を」とあるのは「土地を」と、「譲渡担保財産の設定者」とあるのは「譲受人」と、同条第五項中「当該譲渡担保権者」とあるのは「当該農地中間管理機構」と読み替えるものとする。

**（土地改良区の換地の取得に対して課する不動産取得税の納税義務の免除等）**

**第四十八条の四の七**　土地改良区が土地改良法第五十三条の三第一項又は第五十三条の三の二第一項の規定により換地計画において定められた換地（地方税法施行令第三十九条の七に規定するものに限る。）を取得した場合において、当該換地をその取得の日から二年以内に譲渡したときは、当該土地改良区による当該換地の取得に対して課する不動産取得税に係る徴収金の納税義務を免除する。

2　第四十八条の四の四第二項から第五項までの規定は、前項の場合における不動産取得税の納税義務免除の申告、当該不動産取得税額の徴収猶予及びその取消し並びに当該不動産取得税に係る徴収金の還付について準用する。この場合において、同条第三項中「譲渡担保契約により」とあるのは「換地計画に定められた換地として」と、「譲渡担保財産を」とあるのは「土地を」と、「譲渡担保財産の設定者」とあるのは「譲受人」と、同条第五項中「当該譲渡担保権者」とあるのは「当該土地改良区」と読み替えるものとする。

**（不動産取得税に係る徴収金の還付すべき額の充当）**

**第四十八条の五**　法第七十三条の二第八項、第四十八条の四（第四十八条の四の二第二項、第四十八条の四の三第二項並びに附則第五条の五第二項及び第四項において準用する場合を含む。）又は第四十八条の四の四第五項（第四十八条の四の五第二項、第四十八条の四の六第二項及び第四十八条の四の七第二項において準用する場合を含む。）の規定により不動産取得税に係る徴収金を還付する場合において、還付を受ける納税者の未納に係る徴収金があるときは、当該還付すべき額をこれに充当するものとする。

**（不動産取得税の納税管理人）**

**第四十八条の六** 不動産取得税の納税義務者は、都内に住所、居所、事務所又は事業所（以下この条において「住所等」という。）を有しない場合においては、都内に住所等を有する者のうちから納税管理人を定めてこれを定める必要が生じた日から十日以内に納税管理人申告書を知事に提出し、又は都外に住所等を有する者のうち納税に関する一切の事項の処理につき便宜を有するものを納税管理人として定めることについてこれを定める必要が生じる日の十日前までに知事に申請してその承認を受けなければならない。

2 前項の規定によつて納税管理人申告書を知事に提出し、又は知事の承認を受けた者は、納税管理人を変更した場合その他申告をした事項若しくは承認を受けた事項に異動を生じた場合又は納税管理人を変更しようとする場合その他申告をした事項若しくは承認を受けた事項に異動を生じる場合においては、納税管理人が都内に住所等を有する場合はその変更又は異動を生じた日から十日以内にその旨を知事に申告し、納税管理人が都外に住所等を有する場合はその変更又は異動を生じる日の十日前までに知事に申請してその承認を受けなければならない。

3 前二項の規定にかかわらず、当該納税義務者は、当該納税義務者に係る不動産取得税の徴収の確保に支障がないことについて知事に申請してその認定を受けたときは、納税管理人を定めることを要しない。

**（不動産取得税の納税管理人に係る不申告に関する過料）**

**第四十八条の七** 前条第三項の認定を受けていない不動産取得税の納税義務者で同条第一項又は第二項の承認を受けていないものが、同条第一項又は第二項の規定によつて申告すべき納税管理人について正当な事由がなくて申告をしなかつた場合においては、その者に対し、十万円以下の過料を科する。

2 前項の過料の額は、知事が定める。

3 第一項の過料を徴収する場合において発する納入通知書に指定すべき納期限は、その発付の日から十日以内とする。

**第四十八条の八** 削除

**（不動産取得税の減免）**

**第四十八条の九** 次の各号のいずれかに該当する不動産の取得であつて、知事において必要があると認めるものに対する不動産取得税の納税者に対しては、当該不動産取得税を減免する。

一 公益のため直接専用する不動産の取得（有料で使用させる場合における当該不動産の取得を除く。）

二 取得した不動産が当該不動産の取得に係る不動産取得税の納期限までに災害等により滅失し、又は損壊した場合における当該不動産の取得で規則で定めるもの（当該不動産を災害等の時までに譲渡していた場合における当該不動産の取得を除く。）

三 災害等により滅失し、又は損壊した不動産（前号の規定により当該不動産に係る不動産取得税が減免された不動産を除く。）に代わる不動産の取得で規則で定めるもの（災害等後三年以内の取得に限る。）

四 前各号に掲げるもののほか、規則で定める不動産の取得

2 前項の規定によつて不動産取得税の減免を受けようとする者は、左に掲げる事項を記載した申請書にその事由を証明すべき書類を添付して、これを知事に提出しなければならない。

一 住所及び氏名又は名称

二 土地にあつては所在、地番、地目、地積及び価格

三 家屋にあつては所在、家屋番号、種類、構造、床面積及び価格

四 減免を受けようとする事由

五 前各号に掲げるものの外、知事において必要があると認める事項

**第四十八条の九の二** 削除

## 第五節 都たばこ税

**（都たばこ税の納税義務者等）**

**第四十八条の十** 都たばこ税は、法第七十四条第一項第一号に規定する製造たばこ（以下この節において「製造たばこ」という。）の製造者、同項第二号に規定する特定販売業者又は同項第三号に規定する卸売販売業者（以下この節において「卸売販売業者等」という。）が製造たばこを同項第四号に規定する小売販売業者（以下この節において「小売販売業者」という。）に売り渡す場合（当該小売販売業者が卸売販売業者等である場合においては、その卸売販売業者等に卸売販売用として売り渡すときを除く。）において、当該売渡しに係る製造たばこに対し、当該売渡しを行う卸売販売業者等に課する。

2 都たばこ税は、前項に規定する場合のほか、卸売販売業者等が製造たばこにつき、卸売販売業者等及び小売販売業者以外の者（以下この節において「消費者等」という。）に売渡しをし、又は消費その他の処分（以下この節において「消費等」という。）をする場合においては、当該売渡し又は消費等に係る製造たばこに対し、当該卸売販売業者等に課する。

**（卸売販売業者等の売渡し又は消費等とみなす場合）**

**第四十八条の十一** 卸売販売業者等が、小売販売業者又

は消費者等からの買受けの委託により他の卸売販売業者等から製造たばこの売渡しを受けた場合において、当該卸売販売業者等が当該委託をした者に当該製造たばこの引渡しをしたときは、当該卸売販売業者等が当該引渡しの時に当該製造たばこを当該委託をした者に売り渡したものとみなして、前条第一項又は第二項の規定を適用する。

2　卸売販売業者等が、小売販売業者又は消費者等に対し、民法（明治二十九年法律第八十九号）第四百八十二条に規定する他の給付又は同法第五百四十九条若しくは第五百五十三条に規定する贈与若しくは同法第五百八十六条第一項に規定する交換に係る財産権の移転として製造たばこの引渡しをした場合には、当該卸売販売業者等が当該引渡しの時に当該製造たばこを当該引渡しを受けた者に売り渡したものとみなして、前条第一項又は第二項の規定を適用する。

3　法第七十四条第一項第二号に規定する特定販売業者又は同項第三号に規定する卸売販売業者がその営業を廃止し、又はたばこ事業法（昭和五十九年法律第六十八号）第十一条第一項若しくは第二十条の規定による登録を取り消された時に製造たばこを所有している場合においては、当該廃止又は取消しの時に当該特定販売業者又は卸売販売業者が当該製造たばこにつき、消費者等に対する売渡し又は消費等をしたものとみなして、前条第二項の規定を適用する。

4　卸売販売業者等が所有している製造たばこにつき、当該卸売販売業者等以外の者が売渡し又は消費等をした場合においては、当該卸売販売業者等が売渡し又は消費等をしたものとみなして、前条第一項又は第二項の規定を適用する。ただし、その売渡し又は消費等がされたことにつき、当該卸売販売業者等の責めに帰することができない場合には、当該売渡し又は消費等をした者を卸売販売業者等とみなして、前条第一項又は第二項の規定を適用する。

5　法第七十四条の六第一項第一号の規定により都たばこ税を免除された製造たばこにつき、同号に規定する輸出業者が小売販売業者若しくは消費者等に売渡しをし、又は消費等をした場合には、当該製造たばこについて、当該輸出業者を卸売販売業者等とみなして、前条第一項又は第二項の規定を適用する。

**（製造たばことみなす場合）**

**第四十八条の十一の二**　法第七十四条の三の二に規定する特定加熱式たばこ喫煙用具（以下この条において「特定加熱式たばこ喫煙用具」という。）は、製造たばことみなして、この節の規定を適用する。この場合において、特定加熱式たばこ喫煙用具に係る製造たばこの区分は、加熱式たばことする。

**（都たばこ税の課税標準）**

**第四十八条の十二**　都たばこ税の課税標準は、第四十八条の十第一項の売渡し又は同条第二項の売渡し若しくは消費等（以下この節において「売渡し等」という。）に係る法第七十四条の四第二項及び第三項の規定による製造たばこの本数とする。

**（都たばこ税の税率）**

**第四十八条の十三**　都たばこ税の税率は、千本につき千七十円とする。

**（都たばこ税の徴収の方法）**

**第四十八条の十四**　都たばこ税の徴収については、申告納付の方法による。ただし、第四十八条の十一第四項ただし書の規定に該当する場合においては、普通徴収の方法による。

**（都たばこ税の申告納付）**

**第四十八条の十四の二**　前条の規定によつて都たばこ税を申告納付すべき者（以下この節において「申告納税者」という。）は、毎月末日までに、前月の初日から末日までの間における売渡し等に係る製造たばこの品目ごとの課税標準たる本数の合計数（以下この節において「課税標準数量」という。）及び当該課税標準数量に対する都たばこ税額、法第七十四条の六第一項の規定により免除を受けようとする場合にあつては同項の適用を受けようとする製造たばこに係る都たばこ税額並びに法第七十四条の十四第一項の規定により控除を受けようとする場合にあつては同項の適用を受けようとする都たばこ税額その他必要な事項を記載した申告書を知事に提出するとともに、その申告書により納付すべき税額を納付書によつて納付しなければならない。この場合において、申告書には、地方税法施行規則第八条の四及び第八条の六に規定する書類並びに都内に主たる事務所又は事業所を有する申告納税者が提出すべき申告書にあつては同令第八条の五に規定する前月の初日から末日までの間における製造たばこの購入及び販売に関する事実を記載した書類を添付しなければならない。

2　都内に主たる事務所又は事業所を有する卸売販売業者等は、前月の初日から末日までの間における申告納付すべき都たばこ税額及びその基礎となるべき課税標準数量がない場合においても、前項の規定に準じて、申告書を知事に提出しなければならない。

3　申告納税者が法第七十四条の十第三項に規定する総務大臣の指定を受けた卸売販売業者等である場合には、前二項の規定によつて次の表の上欄に掲げる月に提出すべき申告書の提出期限は、これらの規定にかかわらず、同欄に掲げる区分に応じ、同表の下欄に掲げる月にこれらの規定によつて提出すべき申告書の提出期限と同一の期限とする。

| | |
|---|---|
| 一月及び二月 | 三月 |
| 四月及び五月 | 六月 |
| 七月及び八月 | 九月 |
| 十月及び十一月 | 十二月 |

（都たばこ税に係る不申告に関する過料）

**第四十八条の十四の三**　都たばこ税の申告納税者が正当な事由がなくて前条各項の規定による申告書をこれらの項に規定する申告書の提出期限までに提出しなかつた場合においては、その者に対し、十万円以下の過料を科する。

2　前項の過料の額は、知事が定める。

3　第一項の過料を徴収する場合において発する納入通知書に指定すべき納期限は、その発付の日から十日以内とする。

（都たばこ税の普通徴収）

**第四十八条の十四の四**　第四十八条の十四ただし書の規定により普通徴収の方法によつて徴収する都たばこ税の納期は、納税通知書に定めるところによる。

### 第六節　ゴルフ場利用税

（ゴルフ場利用税の納税義務者等）

**第四十八条の十五**　ゴルフ場利用税は、ゴルフ場の利用に対し、利用の日ごとに定額によつて、その利用者に課する。

（ゴルフ場利用税の課税免除）

**第四十八条の十五の二**　ゴルフ場利用税は、スポーツ基本法（平成二十三年法律第七十八号）第二十六条第一項に規定する国民スポーツ大会に準じて取り扱うことが適当である競技会として規則で定めるものに参加する選手（プロゴルファーを除く。）が当該競技会のゴルフ競技として、又はその公式の練習のためにゴルフを行う場合の当該ゴルフ場の利用で規則で定める要件に該当するものに対しては、これを課さない。

（ゴルフ場利用税の税率等）

**第四十八条の十六**　ゴルフ場利用税の税率は、一人一日について、次の表の上欄に掲げる等級の区分に応じ、それぞれ当該下欄に定める金額とする。

| 等級 | 税率 |
|---|---|
| 一級 | 千二百円 |
| 二級 | 千百円 |
| 三級 | 千円 |
| 四級 | 九百円 |
| 五級 | 八百円 |
| 六級 | 六百円 |
| 七級 | 五百円 |
| 八級 | 四百円 |

2　次に掲げるゴルフ場の利用で規則で定める要件に該当するものに対するゴルフ場利用税の税率は、前項の規定にかかわらず、同項に規定する税率の二分の一とする。

一　年齢六十五歳以上七十歳未満の者が行うゴルフ場の利用

二　前号に掲げるゴルフ場の利用以外の利用で利用時間について特に制限のあるもの

3　第一項の等級は、各ゴルフ場について、当該ゴルフ場の規模及び整備状況等を基準として、知事が定める。

（ゴルフ場利用税の徴収の方法）

**第四十八条の十七**　ゴルフ場利用税の徴収については、特別徴収の方法による。

（ゴルフ場利用税の特別徴収義務者）

**第四十八条の十八**　ゴルフ場利用税については、ゴルフ場の経営者その他の料金を徴収すべき者を特別徴収義務者とし、当該ゴルフ場の利用に対するゴルフ場利用税を徴収させる。

2　知事において必要があると認める場合においては、前項の規定にかかわらず、ゴルフ場利用税の徴収について便宜を有する者を特別徴収義務者に指定し、当該ゴルフ場利用税を徴収させることができる。

（ゴルフ場利用税の申告納入等）

**第四十八条の十九**　ゴルフ場利用税の特別徴収義務者は、毎月末日までに、前月の初日から末日までの間において徴収すべきゴルフ場利用税に係る課税標準の総数及び税額その他知事において必要があると認める事項を記載した納入申告書を知事に提出するとともに、その納入金を納入書によつて納入しなければならない。

**（ゴルフ場利用税の特別徴収義務者としての登録等）**

**第四十八条の二十**　第四十八条の十八第一項の規定による特別徴収義務者はゴルフ場の経営を開始しようとする日前五日までに、同条第二項の規定による指定を受けた特別徴収義務者は指定を受けた日から五日以内に、その特別徴収すべきゴルフ場利用税に係るゴルフ場ごとに、当該ゴルフ場におけるゴルフ場利用税の特別徴収義務者としての登録を知事に申請しなければならない。

2　前項の規定による登録の申請をする場合において提出すべき申請書には、次に掲げる事項を記載しなければならない。

一　特別徴収義務者の住所及び氏名又は名称
二　ゴルフ場の所在地及び名称
三　ゴルフ場の規模
四　ゴルフ場の利用料金
五　経営開始年月日
六　前各号に掲げるもののほか、知事において必要があると認める事項

3　ゴルフ場利用税の特別徴収義務者としての登録を受けた者は、その登録事項に変更を生じた場合においては、その変更を生じた日から五日以内に、登録事項の変更を申請しなければならない。

4　第一項の特別徴収義務者は、当該ゴルフ場の経営を一月以上休止しようとするときは、その時期を定めて、その旨を知事に申告しなければならない。

5　第一項の特別徴収義務者は、当該ゴルフ場の経営を廃止したときは、廃止の日から五日以内に、その旨を知事に申告しなければならない。

6　知事は、第一項の申請をした特別徴収義務者に対し、ゴルフ場利用税を徴収すべき義務を課せられた者であることを証する証票を交付する。

7　前項の証票の交付を受けた特別徴収義務者は、当該ゴルフ場の公衆に見やすい箇所に、当該証票を掲示するとともに、当該ゴルフ場の等級及び徴収すべきゴルフ場利用税額を表示しなければならない。

**（ゴルフ場利用税の特別徴収義務者の帳簿の記載義務等）**

**第四十八条の二十一**　ゴルフ場利用税の特別徴収義務者は、毎日次に掲げる事項を帳簿に記載し、かつ、当該帳簿を当該帳簿の使用が終わつた日の属する月の末日の翌日から一月を経過した日から五年間保存しなければならない。

一　利用者の数
二　ゴルフ場利用税額
三　法第七十五条の二又は法第七十五条の三の規定の適用を受ける利用者の数及び利用の区分
四　第四十八条の十五の二又は第四十八条の十六第二項の規定の適用を受ける利用者の数及び利用の区分

**（ゴルフ場利用税の納税管理人）**

**第四十八条の二十二**　ゴルフ場利用税の特別徴収義務者は、都内に住所、居所、事務所又は事業所（以下この条において「住所等」という。）を有しない場合においては、都内に住所等を有する者のうちから納税管理人を定めてこれを定める必要が生じた日から十日以内に納税管理人申告書を知事に提出し、又は都外に住所等を有する者のうち納入に関する一切の事項の処理につき便宜を有するものを納税管理人として定めることについてこれを定める必要が生じる日の十日前までに知事に申請してその承認を受けなければならない。

2　前項の規定によつて納税管理人申告書を知事に提出し、又は知事の承認を受けた者は、納税管理人を変更した場合その他申告をした事項若しくは承認を受けた事項に異動を生じた場合又は納税管理人を変更しようとする場合その他申告をした事項若しくは承認を受けた事項に異動を生じる場合においては、納税管理人が都内に住所等を有する場合はその変更又は異動を生じた日から十日以内にその旨を知事に申告し、納税管理人が都外に住所等を有する場合はその変更又は異動を生じる日の十日前までに知事に申請してその承認を受けなければならない。

3　前二項の規定にかかわらず、当該特別徴収義務者は、当該特別徴収義務者に係るゴルフ場利用税の徴収の確保に支障がないことについて知事に申請してその認定を受けたときは、納税管理人を定めることを要しない。

**（ゴルフ場利用税の納税管理人に係る不申告に関する過料）**

**第四十八条の二十三**　前条第三項の認定を受けていないゴルフ場利用税の特別徴収義務者で同条第一項又は第二項の承認を受けていないものが、同条第一項又は第二項の規定によつて申告すべき納税管理人について正当な事由がなくて申告をしなかつた場合においては、その者に対し、十万円以下の過料を科する。

2　前項の過料の額は、知事が定める。

3　第一項の過料を徴収する場合において発する納入通知書に指定すべき納期限は、その発付の日から十日以内とする。

**（ゴルフ場利用税の等級等の表示義務違反等に関する罪）**

**第四十八条の二十四**　次の各号のいずれかに該当する場合には、その違反行為をした者は、一年以下の懲役又

は五十万円以下の罰金に処する。

一　第四十八条の二十第七項の規定に違反して、当該ゴルフ場の等級又は徴収すべきゴルフ場利用税額について当該ゴルフ場の公衆に見やすい箇所に表示しなかつたとき、又は虚偽の表示をしたとき。

二　第四十八条の二十一の規定により帳簿に記載すべき事項について正当な事由がなくて記載をせず、若しくは虚偽の記載をしたとき、又は同条の規定に違反して五年間帳簿を保存しなかつたとき。

2　法人の代表者又は法人若しくは人の代理人、使用人その他の従業者がその法人又は人の業務に関して前項の違反行為をした場合には、その行為者を罰するほか、その法人又は人に対し、同項の罰金刑を科する。

### 第七節　削除

**第四十九条から第六十四条まで**　削除

### 第八節　自動車税

**（自動車税の納税義務者等）**

**第六十五条**　自動車税は、自動車（法第百四十五条第三号に規定する自動車をいう。以下自動車税について同じ。）に対し、当該自動車の取得者に環境性能割によつて、当該自動車の所有者に種別割によつて課する。

2　前項に規定する自動車の取得者には、製造により自動車を取得した自動車製造業者、販売のために自動車を取得した自動車販売業者その他運行（道路運送車両法（昭和二十六年法律第百八十五号）第二条第五項に規定する運行をいう。次条第三項及び第四項において同じ。）以外の目的に供するために自動車を取得した者として地方税法施行令第四十四条の二で定めるものを含まないものとする。

3　自動車の所有者が法第百四十八条第一項の規定により種別割を課することができない者である場合には、第一項の規定にかかわらず、当該自動車の使用者に種別割を課する。

**（自動車税のみなす課税）**

**第六十六条**　自動車の売買契約において売主が当該自動車の所有権を留保している場合には、自動車税の賦課徴収については、買主を前条第一項に規定する自動車の取得者（以下「自動車の取得者」という。）及び自動車の所有者とみなして、自動車税を課する。

2　前項の規定の適用を受ける売買契約に係る自動車について、買主の変更があつたときは、新たに買主となる者を自動車の取得者及び自動車の所有者とみなして、自動車税を課する。

3　自動車製造業者、自動車販売業者又は地方税法施行令第四十四条の二に規定する自動車を取得した者（以下この項において「販売業者等」という。）が、その製造により取得した自動車又はその販売のためその他運行以外の目的に供するため取得した自動車について、当該販売業者等が、道路運送車両法第七条第一項に規定する新規登録（以下「新規登録」という。）を受けた場合（当該新規登録前に第一項の規定の適用を受ける売買契約の締結が行われた場合を除く。）には、当該販売業者等を自動車の取得者とみなして、環境性能割を課する。

4　法の施行地外で自動車を取得した者が、当該自動車を法の施行地外から都内に持ち込んで運行の用に供した場合には、当該自動車を運行の用に供する者を自動車の取得者とみなして、環境性能割を課する。

**（種別割の課税免除）**

**第六十七条**　種別割は、商品であつて使用しない自動車（道路運送車両法第四条の規定による登録を受けていないものに限る。）に対しては、これを課さない。

**（日本赤十字社の所有する自動車に対する自動車税の非課税の範囲）**

**第六十八条**　法第百四十八条第二項の規定の適用を受けるべき自動車は、左の各号に掲げるものとする。

一　救急自動車

二　巡回診療の用に供する自動車

三　患者輸送の用に供する自動車

四　血液事業の用に供する自動車

五　救護資材の運搬の用に供する自動車

六　前各号に掲げる自動車に類するもので、知事において必要があると認める自動車

**（環境性能割の課税標準）**

**第六十九条**　環境性能割の課税標準は、自動車の取得のために通常要する価額として地方税法施行規則第九条の三で定めるところにより算定した金額とする。

**（環境性能割の税率）**

**第七十条**　環境性能割の税率は、次の各号に掲げる自動車の区分に応じ、当該各号に定める率とする。

一　法第百五十七条第一項（同条第四項から第六項までにおいて準用する場合を含む。）の規定の適用を受ける自動車　百分の一

二　法第百五十七条第二項（同条第四項から第六項までにおいて準用する場合を含む。）の規定の適用を受ける自動車　百分の二

三　法第百五十七条第三項の規定の適用を受ける自動車　百分の三

**（環境性能割の徴収の方法）**

**第七十一条**　環境性能割の徴収については、申告納付の方法による。

**（環境性能割の申告納付）**

**第七十二条**　環境性能割の納税義務者は、次の各号に掲

げる自動車の区分に応じ、当該各号に定める時又は日までに、環境性能割の課税標準額、環境性能割額その他必要な事項を記載した申告書を知事に提出するとともに、その申告に係る環境性能割額に相当する現金を納付し、又は当該環境性能割額に相当する金額を証紙代金収納計器で当該申告書に表示させる納付の方法により納付しなければならない。

一　新規登録を受ける自動車　当該新規登録の時

二　道路運送車両法第十三条第一項の規定による移転登録（以下この号及び第八十二条第一項において「移転登録」という。）を受けるべき自動車　当該移転登録を受けるべき事由があつた日から十五日を経過する日（その日前に当該移転登録を受けたときは、当該移転登録の時）

三　前二号に掲げる自動車以外の自動車で、道路運送車両法第六十七条第一項の規定による自動車検査証の変更記録を受けるべき自動車　当該変更記録を受けるべき事由があつた日から十五日を経過する日（その日前に当該変更記録を受けたときは、当該変更記録の時）

四　前三号に掲げる自動車以外の自動車　当該自動車の取得の日から十五日を経過する日

2　自動車の取得者（環境性能割の納税義務者を除く。以下この項において同じ。）は、前項各号に掲げる区分に応じ、当該各号に定める時又は日までに、当該自動車の取得者が取得した自動車について必要な事項を記載した報告書を知事に提出しなければならない。

（環境性能割に係る不申告等に関する過料）

**第七十三条**　環境性能割の納税義務者が前条の規定により申告し、又は報告すべき事項について正当な事由がなくて申告又は報告をしなかつた場合には、その者に対し、十万円以下の過料を科する。

2　前項の過料の額は、知事が定める。

3　第一項の過料を徴収する場合において発する納入通知書に指定すべき納期限は、その発付の日から十日以内とする。

（譲渡担保財産に対して課する環境性能割の納税義務の免除に係る申告）

**第七十四条**　法第百六十四条第二項に規定する申告をする自動車の取得者は、次に掲げる事項を記載した申告書に当該自動車が譲渡担保契約により取得したものであることを証する書類を添付して、遅滞なくこれを知事に提出しなければならない。

一　譲渡担保財産の取得者の住所及び氏名又は名称

二　自動車の車名及び型式

三　譲渡担保財産の取得年月日

四　譲渡担保財産を譲渡担保財産の設定者に移転する年月日

五　譲渡担保財産の設定者の住所及び氏名又は名称

六　前各号に掲げるもののほか、知事において必要があると認める事項

（自動車の返還があつた場合の環境性能割の納税義務の免除に係る申請）

**第七十五条**　法第百六十五条第二項に規定する申請をする者は、次に掲げる事項を記載した申請書を遅滞なく知事に提出しなければならない。

一　自動車の取得者の住所及び氏名又は名称

二　自動車の取得年月日及び返還年月日

三　自動車の車名及び型式

四　自動車の返還の理由

五　自動車の取得価額及び環境性能割額

六　前各号に掲げるもののほか、知事において必要があると認める事項

（環境性能割の減免）

**第七十六条**　次の各号のいずれかに該当する自動車の取得であつて、知事において必要があると認めるものに対する環境性能割の納税者に対しては、当該環境性能割を減免する。

一　下肢又は体幹に障害を有し歩行が著しく困難な者その他の規則で定める障害を有する者（以下この条及び第八十五条の五第一項において「下肢等障害者」という。）が取得した自動車又はその者と生計を一にする者（以下この条及び第八十五条の五第一項において「生計を一にする者」という。）が下肢等障害者のために取得した自動車であつて、下肢等障害者が自ら運転するもの又は生計を一にする者が下肢等障害者のために運転するものの取得

二　前号に掲げるもののほか、規則で定める自動車の取得

2　前項の規定は、第七十二条第一項の規定によつて税金を払い込むべき日から一月以内に次項の申請があつたものについてこれを適用する。

3　前二項の規定によつて環境性能割の減免を受けようとする者は、次に掲げる事項を記載した申請書にその事由を証明すべき書類を添付して、これを知事に提出しなければならない。ただし、第一項第一号の自動車の取得について減免を受けようとする者は、身体障害者福祉法（昭和二十四年法律第二百八十三号）第十五条第四項の規定により交付された身体障害者手帳（戦傷病者特別援護法（昭和三十八年法律第百六十八号）第四条の規定により戦傷病者手帳の交付を受けている者で身体障害者手帳の交付を受けていないものにあつては、戦傷病者手帳）その他障害の程度を証する書類

で規則で定めるもの（第八十五条の五第二項において「身体障害者手帳等」という。）及び道路交通法（昭和三十五年法律第百五号）第九十二条の規定により交付された運転免許証（第八十五条の五第二項において「運転免許証」という。）を提示しなければならない。

一 納税義務者の住所及び氏名又は名称
二 自動車の登録番号、種別、用途及び主たる定置場
三 環境性能割の課税標準額及び環境性能割額
四 減免を受けようとする事由
五 前各号に掲げるもののほか、知事において必要があると認める事項

**（種別割の税率）**

**第七十七条** 自動車の所有に対して課する自動車税の税率は、次の各号に掲げる自動車に対し、一台について、それぞれ当該各号に定める額とする。

一 種別割の税率は、次の各号に掲げる自動車の区分に応じ、一台について、それぞれ当該各号に定める額とする。

イ 営業用
(1) 総排気量が一リットル以下のもの及び電気自動車（法第百四十九条第一項第一号に規定する電気自動車をいう。以下同じ。） 年額 七千五百円
(2) 総排気量が一リットルを超え、一・五リットル以下のもの 年額 八千五百円
(3) 総排気量が一・五リットルを超え、二リットル以下のもの 年額 九千五百円
(4) 総排気量が二リットルを超え、二・五リットル以下のもの 年額 一万三千八百円
(5) 総排気量が二・五リットルを超え、三リットル以下のもの 年額 一万五千七百円
(6) 総排気量が三リットルを超え、三・五リットル以下のもの 年額 一万七千九百円
(7) 総排気量が三・五リットルを超え、四リットル以下のもの 年額 二万五百円
(8) 総排気量が四リットルを超え、四・五リットル以下のもの 年額 二万三千六百円
(9) 総排気量が四・五リットルを超え、六リットル以下のもの 年額 二万七千二百円
(10) 総排気量が六リットルを超えるもの 年額 四万七百円

ロ 自家用
(1) 総排気量が一リットル以下のもの及び電気自動車 年額 二万五千円
(2) 総排気量が一リットルを超え、一・五リットル以下のもの 年額 三万五百円
(3) 総排気量が一・五リットルを超え、二リットル以下のもの 年額 三万六千円
(4) 総排気量が二リットルを超え、二・五リットル以下のもの 年額 四万三千五百円
(5) 総排気量が二・五リットルを超え、三リットル以下のもの 年額 五万円
(6) 総排気量が三リットルを超え、三・五リットル以下のもの 年額 五万七千円
(7) 総排気量が三・五リットルを超え、四リットル以下のもの 年額 六万五千五百円
(8) 総排気量が四リットルを超え、四・五リットル以下のもの 年額 七万五千五百円
(9) 総排気量が四・五リットルを超え、六リットル以下のもの 年額 八万七千円
(10) 総排気量が六リットルを超えるもの 年額 十一万円

二 トラック（三輪の小型自動車であるものを除く。）

イ 営業用（けん引自動車であるもの及び被けん引自動車であるものを除く。）
(1) 最大積載量が一トン以下のもの 年額 六千五百円
(2) 最大積載量が一トンを超え、二トン以下のもの 年額 九千円
(3) 最大積載量が二トンを超え、三トン以下のもの 年額 一万二千円
(4) 最大積載量が三トンを超え、四トン以下のもの 年額 一万五千円
(5) 最大積載量が四トンを超え、五トン以下のもの 年額 一万八千五百円
(6) 最大積載量が五トンを超え、六トン以下のもの 年額 二万二千円
(7) 最大積載量が六トンを超え、七トン以下のもの 年額 二万五千五百円
(8) 最大積載量が七トンを超え、八トン以下のもの 年額 二万九千五百円
(9) 最大積載量が八トンを超えるもの 年額 二万九千五百円に最大積載量が八トンを超える部分一トンまでごとに四千七百円を加算した額

ロ 自家用（けん引自動車であるもの及び被けん引自動車であるものを除く。）
(1) 最大積載量が一トン以下のもの 年額 八千円
(2) 最大積載量が一トンを超え、二トン以下のも

の　年額　一万一千五百円

(3) 最大積載量が二トンを超え、三トン以下のもの　年額　一万六千円

(4) 最大積載量が三トンを超え、四トン以下のもの　年額　二万五百円

(5) 最大積載量が四トンを超え、五トン以下のもの　年額　二万五千五百円

(6) 最大積載量が五トンを超え、六トン以下のもの　年額　三万円

(7) 最大積載量が六トンを超え、七トン以下のもの　年額　三万五千円

(8) 最大積載量が七トンを超え、八トン以下のもの　年額　四万五百円

(9) 最大積載量が八トンを超えるもの　年額　四万五百円に最大積載量が八トンを超える部分一トンまでごとに六千三百円を加算した額

ハ　けん引自動車

(1) 営業用

(i) 小型自動車であるもの　年額　七千五百円

(ii) 普通自動車であるもの　年額　一万五千百円

(2) 自家用

(i) 小型自動車であるもの　年額　一万二百円

(ii) 普通自動車であるもの　年額　二万六百円

ニ　被けん引自動車

(1) 営業用

(i) 小型自動車であるもの　年額　三千九百円

(ii) 普通自動車であるもので最大積載量が八トン以下のもの　年額　七千五百円

(iii) 普通自動車であるもので最大積載量が八トンを超えるもの　年額　七千五百円に最大積載量が八トンを超える部分一トンまでごとに三千八百円を加算した額

(2) 自家用

(i) 小型自動車であるもの　年額　五千三百円

(ii) 普通自動車であるもので最大積載量が八トン以下のもの　年額　一万二百円

(iii) 普通自動車であるもので最大積載量が八トンを超えるもの　年額　一万二百円に最大積載量が八トンを超える部分一トンまでごとに五千百円を加算した額

三　バス（三輪の小型自動車であるものを除く。以下この号において同じ。）

イ　営業用

(1) 一般乗合用バス（道路運送法（昭和二十六年法律第百八十三号）第五条第一項第三号に規定する路線定期運行の用に供するバスをいう。以下この項及び附則第七条において同じ。）

(i) 乗車定員が三十人以下のもの　年額　一万二千円

(ii) 乗車定員が三十人を超え、四十人以下のもの　年額　一万四千五百円

(iii) 乗車定員が四十人を超え、五十人以下のもの　年額　一万七千五百円

(iv) 乗車定員が五十人を超え、六十人以下のもの　年額　二万円

(v) 乗車定員が六十人を超え、七十人以下のもの　年額　二万二千五百円

(vi) 乗車定員が七十人を超え、八十人以下のもの　年額　二万五千五百円

(vii) 乗車定員が八十人を超えるもの　年額　二万九千円

(2) 一般乗合用バス以外のバス

(i) 乗車定員が三十人以下のもの　年額　二万六千五百円

(ii) 乗車定員が三十人を超え、四十人以下のもの　年額　三万二千円

(iii) 乗車定員が四十人を超え、五十人以下のもの　年額　三万八千円

(iv) 乗車定員が五十人を超え、六十人以下のもの　年額　四万四千円

(v) 乗車定員が六十人を超え、七十人以下のもの　年額　五万五百円

(vi) 乗車定員が七十人を超え、八十人以下のもの　年額　五万七千円

(vii) 乗車定員が八十人を超えるもの　年額　六万四千円

ロ　自家用

(1) 乗車定員が三十人以下のもの　年額　三万三千円

(2) 乗車定員が三十人を超え、四十人以下のもの

年額 四万一千円

(3) 乗車定員が四十人を超え、五十人以下のもの
年額 四万九千円

(4) 乗車定員が五十人を超え、六十人以下のもの
年額 五万七千円

(5) 乗車定員が六十人を超え、七十人以下のもの
年額 六万五千五百円

(6) 乗車定員が七十人を超え、八十人以下のもの
年額 七万四千円

(7) 乗車定員が八十人を超えるもの
年額 八万三千円

四 三輪の小型自動車

イ 営業用 年額 四千五百円

ロ 自家用 年額 六千円

2 前項第二号に掲げる自動車のうち最大乗車定員が四人以上であるものの所有に対して課する種別割の税率は、同項の規定にかかわらず、同号に定める額に、次の各号の区分に応じ当該各号に定める額を、それぞれ加算した額とする。

一 営業用

イ 総排気量が一リットル以下のもの及び電気自動車 三千七百円

ロ 総排気量が一リットルを超え、一・五リットル以下のもの 四千七百円

ハ 総排気量が一・五リットルを超えるもの 六千三百円

二 自家用

イ 総排気量が一リットル以下のもの及び電気自動車 五千二百円

ロ 総排気量が一リットルを超え、一・五リットル以下のもの 六千三百円

ハ 総排気量が一・五リットルを超えるもの 八千円

3 ロータリー・エンジンを搭載している自動車に対する前二項の規定の適用については、第一項第一号及び前項中「総排気量」とあるのは、「総容積（エンジンの単室容積にローター数を乗じて得た数値）に一・五を乗じて計算した数値」とする。

4 特種用途自動車の所有に対して課する種別割についての第一項の税率の適用は、規則で定めるところによる。

5 自動車の使用に対して課する種別割の税率は、前各項の規定により自動車の所有に対して課する税率の七割に相当する額とする。

6 学校教育法（昭和二十二年法律第二十六号）第一条に規定する学校が所有し、かつ、専ら当該学校の学生、生徒、児童又は幼児の通学の用に供するバス（附則第七条において「スクールバス」という。）の所有に対して課する種別割の税率は、第一項第三号ロの規定にかかわらず、同号イ(1)に定める額とする。

**（種別割の賦課期日）**

**第七十八条** 種別割の賦課期日は、四月一日とする。

**（種別割の納期）**

**第七十九条** 種別割の納期は、五月一日から同月三十一日までとする。

2 賦課期日後に納税義務が発生し、若しくは消滅した場合又は課税漏れその他特別の事情がある場合の普通徴収に係る当該種別割の納期は、納税通知書に定めるところによる。

**（種別割の徴収の方法）**

**第八十条** 種別割の徴収は、普通徴収の方法による。

2 新規登録の申請があつた自動車について法第百七十七条の十第一項の規定により課する種別割の徴収については、同項の賦課期日後翌年二月末日までの間に納税義務が発生した場合に限り、前項の規定にかかわらず、証紙徴収の方法による。

3 前項の規定による種別割の証紙徴収については、納税者が新規登録の申請をした際第八十二条の規定により提出する申告書に法第百七十七条の十第一項の規定により課する種別割額に相当する現金の納付を受けた後規則で定める納税済印を押すことによつて行うものとする。

**（種別割の徴収の方法の特例）**

**第八十一条** 情報通信技術を活用した行政の推進等に関する法律（平成十四年法律第百五十一号）第六条第一項の規定により同項に規定する電子情報処理組織を使用して新規登録の申請を行い、併せて法第七百四十七条の二第一項の規定により法第七百六十二条第一号に規定する地方税関係手続用電子情報処理組織を使用し、かつ、地方税共同機構を経由して、次条第一項の規定による申告書の提出を行うときは、前条第二項及び第三項の規定にかかわらず、当該納税者が当該登録の申請をした際に、当該登録の申請に係る自動車に対して課する種別割を地方税法施行規則第九条の十六で定める方法により徴収する。

**（種別割の賦課徴収に関する申告義務）**

**第八十二条** 種別割の納税義務者は、次の各号のいずれかに該当する場合は、規則で定める場合を除き、その該当する事実が発生した日から七日以内に、種別割の賦課徴収に関し必要な事項を記載した申告書を知事に提出しなければならない。この場合において、その該当する事実が発生した日から七日以内に新規登録、道路運送車両法第十二条第一項に規定する変更登録又は

移転登録の申請をするときは、その申請をした際に、種別割の賦課徴収に関し必要な事項を記載した申告書を知事に提出しなければならない。

一　自動車（第六十七条の規定の適用があるものを除く。）を取得したとき。

二　自動車が第六十七条及び第六十八条の規定の適用を受けなくなつたとき。

三　自動車を運行の用に供することをやめたとき。

四　自動車を滅失し、解体し（整備又は改造のために解体した場合を除く。）、又は自動車としての用途を廃止したとき。

五　第六十五条第三項に規定する使用者となつたとき、又は使用者でなくなつたとき。

六　自動車の主たる定置場が都内に所在することとなつたとき、又は所在しないこととなつたとき。

2　種別割の納税義務者が前項に規定する申告書を提出した後において、その申告書に記載した事項に異動を生じた場合は、同項の例により申告書を知事に提出しなければならない。

**（自動車の売主の報告義務）**

**第八十三条**　法第百四十七条第一項に規定する自動車の売主は、知事から当該自動車の買主の住所又は居所が不明であることを理由として請求があつた場合には、知事の指定する期日までに、次に掲げる事項を知事に報告しなければならない。

一　当該自動車の買主の住所若しくは居所又は所在地及び氏名又は名称

二　当該自動車の買主の勤務先又は事務所若しくは事業所の所在地及び名称

三　当該自動車の賦払金の支払場所及び支払方法

四　当該自動車の所有権を買主へ移転する旨の通知の発送の有無

五　当該自動車の占有の有無

六　前各号に掲げるもののほか、知事において必要があると認める事項

2　前項に規定する期日は、特別の事情がある場合を除き、知事の請求の日から四十日を経過する日とするものとする。

**（種別割に係る不申告等に関する過料）**

**第八十四条**　種別割の納税義務者又は法第百四十七条第一項に規定する自動車の売主が前二条の規定によつて申告し、又は報告すべき事項について正当な事由がなくて申告又は報告をしなかつた場合においては、その者に対し、十万円以下の過料を科する。

2　前項の過料の額は、知事が定める。

3　第一項の過料を徴収する場合において発する納入通知書に指定すべき納期限は、その発付の日から十日以内とする。

**（種別割の第二次納税義務に係る納付義務の免除に係る申告）**

**第八十五条**　法第十一条の十第三項に規定する申告をする者は、次の各号に掲げる事項を記載した申告書に納付の義務の免除を必要とする理由を証明する書類を添えて、遅滞なく知事に提出しなければならない。

一　自動車の売主の住所及び氏名又は名称

二　自動車の買主の住所及び氏名又は名称

三　自動車の登録番号

四　売買代金の入金状況及び未収の事実が発生した年月日

五　第二次納税義務に係る徴収金の額

六　前各号に掲げるもののほか、知事において必要があると認める事項

**（種別割の納税管理人）**

**第八十五条の二**　種別割の納税義務者は、都内に住所、居所、事務所又は事業所（以下この条において「住所等」という。）を有しない場合においては、都内に住所等を有する者のうちから納税管理人を定めてこれを定める必要が生じた日から十日以内に納税管理人申告書を知事に提出し、又は都外に住所等を有する者のうち納税に関する一切の事項の処理につき便宜を有するものを納税管理人として定めることについてこれを定める必要が生じる日の十日前までに知事に申請してその承認を受けなければならない。

2　前項の規定によつて納税管理人申告書を知事に提出し、又は知事の承認を受けた者は、納税管理人を変更した場合その他申告をした事項若しくは承認を受けた事項に異動を生じた場合又は納税管理人を変更しようとする場合その他申告をした事項若しくは承認を受けた事項に異動を生じる場合においては、納税管理人が都内に住所等を有する場合はその変更又は異動を生じた日から十日以内にその旨を知事に申告し、納税管理人が都外に住所等を有する場合はその変更又は異動を生じる日の十日前までに知事に申請してその承認を受けなければならない。

3　前二項の規定にかかわらず、当該納税義務者は、当該納税義務者に係る種別割の徴収の確保に支障がないことについて知事に申請してその認定を受けたときは、納税管理人を定めることを要しない。

**（種別割の納税管理人に係る不申告に関する過料）**

**第八十五条の三**　前条第三項の認定を受けていない種別割の納税義務者で同条第一項又は第二項の承認を受けていないものが、同条第一項又は第二項の規定によつて申告すべき納税管理人について正当な事由がなくて

申告をしなかつた場合においては、その者に対し、十万円以下の過料を科する。

2　前項の過料の額は、知事が定める。

3　第一項の過料を徴収する場合において発する納入通知書に指定すべき納期限は、その発付の日から十日以内とする。

（**種別割の減免**）

**第八十五条の四**　公益のため直接専用する自動車その他規則で定める自動車であつて知事において必要があると認めるものに対する種別割の納税者に対しては、その申請によつて種別割を減免する。

2　前項の規定は、普通徴収に係る種別割にあつては、当該年度の納期限までに次項の申請があつたものについて、証紙徴収又は第八十一条の規定による徴収に係る種別割にあつては、法第百七十七条の十一第四項又は第百七十七条の十二の規定によつて料金を払い込むべき日から一月以内に次項の申請があつたものについてこれを適用する。

3　前二項の規定によつて種別割の減免を受けようとする者は、次に掲げる事項を記載した申請書を知事に提出しなければならない。

一　年度及び種別割額

二　納税義務者の住所及び氏名又は名称

三　自動車の種別、用途及び車名

四　総排気量及び最大積載量又は乗車定員

五　主たる定置場

六　自動車登録番号

七　減免を受けようとする事由

八　前各号に掲げるもののほか、知事において必要があると認める事項

4　第一項の規定によつて種別割の減免を受けた者は、その事由がやんだ場合においては、直ちにその旨を知事に申告しなければならない。

**第八十五条の五**　下肢等障害者が所有する自動車又は生計を一にする者が下肢等障害者のために所有する自動車で、下肢等障害者が自ら運転するもの又は生計を一にする者が下肢等障害者のために運転するものであつて、知事において必要があると認めるものに限り、その者の申請によつて種別割を減免する。

2　前項の規定によつて種別割の減免を受けようとする者は、次に掲げる事項を記載した申請書を知事に提出するとともに、身体障害者手帳等及び運転免許証を提示しなければならない。

一　納税義務者の住所及び氏名

二　納税義務者が生計を一にする者である場合においては、下肢等障害者の住所及び氏名

三　年度及び種別割額

四　身体障害者手帳等の番号、交付年月日、障害名及び障害等級又は障害の程度

五　運転免許証の番号、交付年月日及び有効期限

六　運転免許の種類及び当該免許に条件が付されているときはその条件

七　自動車の登録番号、主たる定置場、種別及び用途

八　前各号に掲げるもののほか、知事において必要があると認める事項

3　前条第二項及び第四項の規定は、第一項に規定する減免について準用する。

4　種別割の納税者が前年度において第一項の規定により減免を受けた場合で、当該年度の賦課期日において、第二項各号に掲げる事項に異動がないと知事が認めるときは、前項において準用される前条第二項の規定にかかわらず、当該年度の納期限までに第二項の申請書の提出があつたものとみなして、第一項の規定を適用する。

**第八十五条の六**　自動車の販売を業とする者で規則で定めるもの（以下この条において「販売業者」という。）が賦課期日において商品として所有し、かつ、展示している中古自動車（規則で定める中古自動車に限る。以下この条において「中古商品自動車」という。）であつて、知事において必要があると認めるものについては、当該販売業者の申請によつて、当該中古商品自動車に係る種別割額（当該中古商品自動車が法第百七十七条の十第二項の規定の適用を受けることとなつた場合には、同項の規定の適用がないものとした場合の税額とする。）の十二分の三に相当する額を減免する。

2　前項の規定は、当該年度の納期限までに次項の規定による申請があつたものについて適用する。

3　前二項の規定によつて種別割の減免を受けようとする者は、次に掲げる事項を記載した申請書に第一項に規定する中古商品自動車であることを証する書類その他知事において必要があると認める書類を添付して、これを知事に提出しなければならない。

一　住所及び氏名又は名称

二　年度及び種別割額

三　自動車登録番号及び主たる定置場

四　前三号に掲げるもののほか、知事において必要があると認める事項

（**種別割に係る証明書の交付**）

**第八十五条の七**　知事は、自動車の所有者が、道路運送車両法第九十七条の二第一項の規定によつて種別割を滞納していないこと又は種別割を滞納していることが天災その他やむを得ない事由によるものであることを証する知事の証明書の交付を申請したときは、自動車

税（種別割）納税済等証明書を交付する。

### 第九節　鉱区税

（鉱区税の納税義務者等）

**第八十六条**　鉱区税は、鉱区に対し、その面積を課税標準として、その鉱業権者（鉱業法（昭和二十五年法律第二百八十九号）第二十条の規定により試掘権が存続するものとみなされる期間において試掘することができる者を含む。）に課する。

（鉱区税の税率）

**第八十七条**　鉱区税の税率は、次の各号に掲げる鉱区について、それぞれ当該各号に定める額とする。

一　砂鉱を目的としない鉱業権の鉱区
　試掘鉱区　面積百アールごとに　年額　二百円
　採掘鉱区　面積百アールごとに　年額　四百円

二　砂鉱を目的とする鉱業権の鉱区
　面積百アールごとに　年額　二百円

2　石油又は可燃性天然ガスを目的とする鉱業権の鉱区についての鉱区税の税率は、前項の規定にかかわらず、同項第一号に規定する税率の三分の二とする。

3　第一項の場合において、百アール未満の端数は、百アールとみなす。

（鉱区税の賦課期日）

**第八十八条**　鉱区税の賦課期日は、四月一日とする。

（鉱区税の納期）

**第八十九条**　鉱区税の納期は、五月一日から同月三十一日までとする。

2　賦課期日後に納税義務が発生し、若しくは消滅した場合又は課税洩れその他特別の事情がある場合における当該鉱区税の納期は、納税通知書に定めるところによる。

**第九十条**　削除

（鉱区税の賦課徴収に関する申告の義務）

**第九十一条**　鉱区税の納税義務者は、鉱区税を課されるべき事実が発生し、又は消滅した場合においては、その発生し、又は消滅した日から七日以内に左に掲げる事項を知事に申告しなければならない。その申告をした事項に異動を生じた場合においても、また、同様とし、その申告の期限は、その異動を生じた日から七日以内とする。

一　納税義務者の住所及び氏名又は名称

二　鉱区の所在地、種類、登録番号及び存続期間並びにその面積

三　都内の主たる事務所又は事業所（主たる事務所又は事業所を有しないときは、都内において納税の便宜を有する場所）の所在地及び名称

四　納税義務の発生、消滅又は異動の年月日及びその事由

（鉱区税に係る不申告に係る過料）

**第九十二条**　鉱区税の納税義務者が前条の規定によつて申告すべき事項について正当な事由がなくて申告をしなかつた場合においては、その者に対し、十万円以下の過料を科する。

2　前項の過料の額は、知事が定める。

3　第一項の過料を徴収する場合において発する納入通知書に指定する納期限は、その発付の日から十日以内とする。

（鉱区税の納税管理人）

**第九十三条**　鉱区税の納税義務者は、都内に住所、居所、事務所又は事業所（以下この条において「住所等」という。）を有しない場合においては、都内に住所等を有する者のうちから納税管理人を定めてこれを定める必要が生じた日から十日以内に納税管理人申告書を知事に提出し、又は都外に住所等を有する者のうち納税に関する一切の事項の処理につき便宜を有するものを納税管理人として定めることについてこれを定める必要が生じる日の十日前までに知事に申請してその承認を受けなければならない。

2　前項の規定によつて納税管理人申告書を知事に提出し、又は知事の承認を受けた者は、納税管理人を変更した場合その他申告をした事項若しくは承認を受けた事項に異動を生じた場合においては、納税管理人を変更しようとする場合その他申告をした事項若しくは承認を受けた事項に異動を生じる場合においては、納税管理人が都内に住所等を有する場合はその変更又は異動を生じた日から十日以内にその旨を知事に申告し、納税管理人が都外に住所等を有する場合はその変更又は異動を生じる日の十日前までに知事に申請してその承認を受けなければならない。

3　前二項の規定にかかわらず、当該納税義務者は、当該納税義務者に係る鉱区税の徴収の確保に支障がないことについて知事に申請してその認定を受けたときは、納税管理人を定めることを要しない。

（鉱区税の納税管理人に係る不申告に関する過料）

**第九十四条**　前条第三項の認定を受けていない鉱区税の納税義務者で同条第一項又は第二項の承認を受けていないものが、同条第　項又は第二項の規定によつて申告すべき納税管理人について正当な事由がなくて申告をしなかつた場合においては、その者に対し、十万円以下の過料を科する。

2　前項の過料の額は、知事が定める。

3　第一項の過料を徴収する場合において発する納入通知書に指定すべき納期限は、その発付の日から十日以内とする。

（鉱区税に係る証明書の交付）

**第九十四条の二**　知事は、試掘権者が鉱業法施行規則（昭和二十六年通商産業省令第二号）第四条の二及び第二十条第四項の規定によつて鉱区税を滞納していないこと又は鉱区税を滞納していることが天災その他止むを得ない事由によるものであることを証する知事の証明書の交付を申請したときは、鉱区税納税済等証明書を交付する。

**第九十五条**　削除

**第十節**　削除

**第九十六条から第百条まで**　削除

**第百一条から第百三条まで**　削除

**第十一節**　軽油引取税

（軽油引取税の納税義務者等）

**第百三条の二**　軽油引取税は、法第百四十四条第一項第三号に規定する特約業者（以下この節において「特約業者」という。）又は同項第二号に規定する元売業者（以下この節において「元売業者」という。）からの同項第一号に規定する軽油（以下この節において「軽油」という。）の引取り（特約業者の元売業者からの引取り及び元売業者の他の元売業者からの引取りを除く。次項において同じ。）で当該引取りに係る軽油の現実の納入を伴うものに対し、その数量を課税標準として、その引取りを行う者に課する。

2　前項の場合において、特約業者又は元売業者からの軽油の引取りを行う者が当該引取りに係る軽油の現実の納入を受けない場合に当該軽油につき現実の納入を伴う引取りを行う者があるときは、その者が当該納入の時に当該特約業者又は元売業者から当該納入に係る軽油の引取りを行つたものとみなして、同項の規定を適用する。

3　軽油引取税は、前二項に規定する場合のほか、特約業者又は元売業者が法第百四十四条の二第三項に規定する燃料炭化水素油（次項において「燃料炭化水素油」という。）を自動車の内燃機関の燃料として販売した場合においては、同項に規定する販売量を課税標準として、当該特約業者又は元売業者に課する。

4　軽油引取税は、前三項に規定する場合のほか、特約業者又は元売業者以外の石油製品の販売業者（以下この項において「石油製品販売業者」という。）が軽油に軽油以外の炭化水素油（炭化水素とその他の物との混合物又は単一の炭化水素で、一気圧において温度十五度で液状であるものを含む。以下この節において同じ。）を混和し若しくは軽油以外の炭化水素油と軽油以外の炭化水素油を混和して製造された軽油を販売した場合又は燃料炭化水素油を自動車の内燃機関の燃料として販売した場合においては、法第百四十四条の二第四項に規定する販売量を課税標準として、当該石油製品販売業者に課する。

5　軽油引取税は、前各項に規定する場合のほか、法第百四十四条の二第五項に規定する自動車の保有者（以下この節において「自動車の保有者」という。）が炭化水素油を自動車の内燃機関の燃料として消費した場合（当該自動車を道路において運行の用に供するため消費した場合に限る。）においては、当該炭化水素油の消費に対し、同項に規定する消費量を課税標準として、当該自動車の保有者に課する。

6　軽油引取税は、前各項に規定する場合のほか、軽油引取税の特別徴収義務者がその特別徴収の義務が消滅した時に軽油を所有している場合（特別徴収義務者が引渡しを行つた軽油につき現実の納入が行われていない場合を含む。）においては、法第百四十四条の二第六項に規定する数量を課税標準として、その者に課する。

（軽油引取税のみなす課税）

**第百三条の三**　軽油引取税は、前条に規定する場合のほか、次の各号に掲げる者の当該各号に掲げる消費、譲渡又は輸入に対し、当該消費、譲渡又は輸入を同条第一項に規定する引取りと、当該消費、譲渡又は輸入をする者（関税法（昭和二十九年法律第六十一号）第六十七条の輸入の許可を受ける場合には当該許可を受ける者をいう。以下この条において同じ。）を同項に規定する引取りを行う者とみなし、その数量を課税標準として、それぞれ当該消費、譲渡又は輸入をする者に課する。

一　特約業者が軽油を自ら消費する場合における当該軽油の消費

二　元売業者が軽油を自ら消費する場合における当該軽油の消費

三　法第百四十四条の六又は法附則第十二条の二の七第一項に規定する軽油の引取りを行つた者が他の者に当該引取りに係る軽油を譲渡する場合における当該軽油の譲渡

四　法第百四十四条の六又は法附則第十二条の二の七第一項に規定する軽油の引取りを行つた者がこれらの規定に規定する用途以外の用途に供するため当該引取りに係る軽油を自ら消費する場合における当該軽油の消費

五　特約業者及び元売業者以外の者が軽油の製造をして、当該製造に係る軽油を自ら消費し、又は他の者に譲渡する場合における当該軽油の消費又は譲渡

六　特約業者及び元売業者以外の者が軽油の輸入をする場合における当該軽油の輸入

（軽油引取税の税率）

**第百三条の四**　軽油引取税の税率は、一キロリットルにつき、一万五千円とする。

（特約業者の指定等）

**第百三条の五**　知事は、元売業者との間に締結された販売契約に基づいて当該元売業者から継続的に軽油の供給を受け、これを販売することを業とする者（地方税法施行令第四十三条の九に規定する要件に該当する者を除く。）で、都内に本店を有するものを、その者の申請に基づき、仮特約業者として指定する。

2　前項の規定による仮特約業者の指定の有効期間は、指定を受けた日から起算して一年とする。ただし、仮特約業者が次条第一項の規定による特約業者の指定を受けたときは、当該仮特約業者の指定はその効力を失う。

3　知事は、仮特約業者が地方税法施行令第四十三条の九に規定する要件に該当することとなつたときその他同令第四十三条の十に規定する場合には、仮特約業者の指定を取り消すものとする。

**第百三条の六**　知事は、都内に本店を有する仮特約業者のうち、軽油引取税の徴収の確保に支障がないと認められることその他の地方税法施行令第四十三条の十一に規定する要件に該当するものを、当該仮特約業者の申請に基づき、特約業者として指定する。

2　知事は、都内に本店を有する特約業者が前項に規定する要件に該当しなくなつたときその他地方税法施行令第四十三条の十二に規定する要件に該当するときは、特約業者の指定を取り消すものとする。

3　知事は、都内に本店を有する特約業者について法第百四十四条の九第四項の規定による指定の取消しの請求に係る書類を受け取つた場合において、必要があると認めるときは、当該特約業者の指定を取り消すものとする。

（軽油引取税の徴収の方法）

**第百三条の七**　軽油引取税の徴収については、特別徴収の方法による。ただし、第百三条の二第三項から第六項まで又は第百三条の三の規定に該当する場合においては、申告納付の方法による。

（軽油引取税の特別徴収義務者）

**第百三条の八**　軽油引取税については、元売業者又は特約業者をその特別徴収義務者とし、現実の納入を伴う軽油の引取りに対する軽油引取税を徴収させる。

2　知事において必要があると認める場合においては、前項の規定にかかわらず、軽油引取税の徴収について便宜を有する者を特別徴収義務者に指定し、当該軽油引取税を徴収させることができる。

3　第一項の特別徴収義務者が元売業者又は特約業者の指定を取り消された場合には、その取消しの日に特別徴収義務者でなくなるものとする。

（軽油引取税の申告納入）

**第百三条の九**　軽油引取税の特別徴収義務者は、毎月末日までに、前月の初日から末日までの間において徴収すべき軽油引取税に係る課税標準たる数量（以下この節において「課税標準量」という。）及び税額並びに法第百四十四条の五若しくは法第百四十四条の六又は法附則第十二条の二の七第一項の規定によつて軽油引取税を課さないこととされる引取りに係る軽油の数量その他必要な事項を記載した納入申告書を知事に提出するとともに、その納入金を納入書によつて納入しなければならない。

（軽油引取税の特別徴収義務者としての登録等）

**第百三条の十**　軽油引取税の特別徴収義務者は、特別徴収義務者となつた日から五日以内に、特別徴収義務者としての登録を知事に申請しなければならない。ただし、都内に事務所又は事業所及び法第百四十四条の二第一項の軽油の納入地（次項において「納入地」という。）を有しない者は、この限りでない。

2　軽油引取税の特別徴収義務者は、既に特別徴収義務者としての登録がなされている場合を除き、都内において新たに事務所又は事業所の事業を開始しようとする場合には当該事業を開始しようとする日前五日までに、都内に所在する納入地に新たに軽油を納入することとなつた場合には当該納入することとなつた日の属する月の翌月の末日までに、特別徴収義務者としての登録を知事に申請しなければならない。

3　前二項の規定による登録の申請をする場合において提出すべき申請書には、次に掲げる事項を記載しなければならない。

一　特別徴収義務者の住所及び氏名又は名称

二　事務所又は事業所の所在地及び名称並びに事務所又は事業所の代表者の氏名

三　取扱石油製品の種類及び事務所又は事業所の構造その他設備の概要

四　特別徴収義務者となつた年月日（第二項に規定する場合にあつては、事業を開始しようとする年月日又は軽油を納入することとなつた年月日）

五　軽油の引渡しを受けるべき元売業者の本店の所在地及び名称（特別徴収義務者が特約業者である場合に限る。）

六　前各号に掲げるもののほか、知事において必要があると認める事項

4　知事は、第一項又は第二項の申請を受理した場合には、当該特別徴収義務者を登録特別徴収義務者として

登録するとともに、その旨を当該特別徴収義務者に対し通知する。

5　前項の規定により登録された登録特別徴収義務者（以下この条において「登録特別徴収義務者」という。）は、その登録事項に変更を生じた場合においては、その変更を生じた日から五日以内に、登録事項の変更を申請しなければならない。

6　登録特別徴収義務者は、当該事務所又は事業所の事業を一月以上休止しようとするときは、その時期を定めて、その旨を知事に申告しなければならない。

7　登録特別徴収義務者は、当該事務所又は事業所の事業を廃止したときは、廃止の日から五日以内に、その旨を知事に申告しなければならない。

8　知事は、第一項又は第二項の登録の申請を受理した場合には、その申請をした者のうち都内に事務所又は事業所を有するものに対し、軽油引取税を徴収すべき義務を課せられた者であることを証する証票を交付する。

9　知事は、登録特別徴収義務者から第四項の登録の消除の申請があつたときその他次の各号のいずれにも該当する場合には、遅滞なく当該特別徴収義務者の登録を消除するとともに、その旨を当該消除に係る者に対し通知する。

一　当該登録特別徴収義務者の事務所又は事業所が都内に所在しなくなつたこと。

二　都内において一年以上当該登録特別徴収義務者からの軽油の納入が行われないこと。

**（軽油引取税の申告納付）**

**第百三条の十一**　第百三条の七ただし書の規定によつて軽油引取税を申告納付すべき納税者（以下この節において「申告納付義務者」という。）は、次に定めるところによつて申告した税額をそれぞれ納付書によつて納付しなければならない。

一　第百三条の二第三項から第五項まで又は第百三条の三第一号、第二号若しくは第五号に掲げる者にあつては、毎月末日までに、前月の初日から末日までの間における当該販売若しくは消費又は譲渡に係る軽油引取税の課税標準量及び税額その他必要な事項を記載した申告書を知事に提出すること。

二　第百三条の二第六項に掲げる者にあつては、その者に係る特別徴収の義務が消滅した日の属する月の翌月の末日までに、当該所有している軽油に係る軽油引取税の課税標準量、税額その他必要な事項を記載した申告書を知事に提出すること。

三　第百三条の三第三号又は第四号に掲げる者にあつては、当該消費又は譲渡をした日から三十日以内に当該消費又は譲渡に係る軽油引取税の課税標準量及び税額その他必要な事項を記載した申告書を知事に提出すること。

四　第百三条の三第六号に掲げる者にあつては、当該軽油の輸入の時までに、当該輸入に係る軽油引取税の課税標準量、税額その他必要な事項を記載した申告書を知事に提出すること。

**（免税証に記載された販売業者以外の者からの免税軽油の引取り）**

**第百三条の十二**　免税軽油使用者（法第百四十四条の二十一第一項（法附則第十二条の二の七第二項において読み替えて準用する場合を含む。以下この項において同じ。）に規定する免税軽油使用者をいう。以下この節において同じ。）が免税証（法第百四十四条の二十一第一項に規定する免税証をいう。以下この節において同じ。）に記載された販売業者の事務所又は事業所所在地以外の地において軽油の引取りを行う必要が生じたことその他やむを得ない理由がある場合においては、当該免税軽油使用者は、他の販売業者から免税軽油（同項に規定する免税軽油をいう。以下この節において同じ。）の引取りを行うことができる。

2　前項の場合においては、当該免税軽油使用者は、当該免税証に氏名又は名称を記載しなければならない。

**（普通徴収の例によつて徴収する軽油引取税の納期等）**

**第百三条の十三**　偽りその他不正の行為によつて免税証の交付を受け、又は免税証を譲り受け、免税軽油の引取りを行つた者に対して課する軽油引取税の徴収については、普通徴収の例によるものとし、その納期は、納税通知書に定めるところによる。

**（免税軽油の引取り等に係る報告期限の特例）**

**第百三条の十三の二**　免税軽油使用者証（法第百四十四条の二十一第二項（法附則第十二条の二の七第二項において準用する場合を含む。）に規定する免税軽油使用者証をいう。）の交付を受けた者で次の各号のいずれかに該当するものについては、当該免税軽油使用者証に係る法第百四十四条の二十七第一項（法附則第十二条の二の七第二項において準用する場合を含む。以下この条において同じ。）に規定する報告対象免税軽油の引取り等に係る報告書の提出期限は、法第百四十四条の二十七第一項の規定にかかわらず、交付を受けた免税証に記載された有効期間の末日の属する月の翌月の末日とする。

一　免税証の月平均交付数量が一キロリットル未満である者

二　国又は地方公共団体の行政機関の長

**（製造等の承認を受けた者の帳簿の保存義務等）**

**第百三条の十四**　法第百四十四条の三十二第一項の承認

を受けた者は同条第三項に規定する帳簿（法第七百四十八条第一項に規定する電磁的記録又は法第七百四十九条第一項に規定する電子計算機出力マイクロフィルムを含む。以下この条において同じ。）を、法第百四十四条の三十六に規定する者は同条に規定する帳簿を、それぞれ当該帳簿の使用が終わつた日の属する月の末日の翌日から一月を経過した日から五年間保存しなければならない。

**（軽油引取税の申告納付義務者の帳簿の記載義務等）**

**第百三条の十五**　軽油引取税の申告納付義務者は、次の各号に掲げる事項をそれぞれ当該炭化水素油を消費し、又は当該軽油を消費し、譲渡し、若しくは輸入した日ごとに帳簿に記載しなければならない。

一　自動車の保有者が第百三条の二第五項に規定する炭化水素油を消費した場合における当該炭化水素油の数量

二　免税軽油使用者が、当該免税軽油を他の者に譲渡し、又は自ら法第百四十四条の六又は法附則第十二条の二の七第一項に規定する用途以外の用途に消費した場合における当該譲渡し、又は消費した免税軽油の数量

三　特約業者及び元売業者以外の者が、第百三条の三第六号に規定する軽油の輸入をした場合における当該軽油の数量

四　前三号に掲げるもののほか、知事において必要があると認める事項

2　前項に規定する者は、同項に規定する帳簿を当該帳簿の使用が終わつた日の属する月の末日の翌日から一月を経過した日から五年間保存しなければならない。

**（軽油引取税の申告納付義務者の帳簿の記載義務違反等に関する罪）**

**第百三条の十六**　前条第一項の規定により帳簿に記載すべき事項について正当な事由がなくて記載をせず、若しくは虚偽の記載をしたとき、又は前条第二項の規定に違反して五年間帳簿を保存しなかつたときは、その違反行為をした者は、一年以下の懲役又は五十万円以下の罰金に処する。

2　法人の代表者又は法人若しくは人の代理人、使用人その他の従業者がその法人又は人の業務に関して前項の違反行為をした場合には、その行為者を罰するほか、その法人又は人に対し、同項の罰金刑を科する。

**（軽油引取税の減免）**

**第百三条の十七**　軽油引取税は、災害等その他特別の事情がある場合において、知事において必要があると認める申告納付義務者に限り、知事の認めるところにより減免する。

2　前項の規定によつて軽油引取税の減免を受けようとする者は、当該軽油引取税の納期限までに年度、月分又は日分及び税額並びに減免を受けようとする理由を記載した申請書を知事に提出しなければならない。

## 第三章　都の全域において都税として課する目的税

### 第一節　狩猟税

**（狩猟税の納税義務者等）**

**第百三条の十八**　狩猟税は、鳥獣の保護及び狩猟に関する行政の実施に要する費用に充てるため、狩猟者の登録を受ける者に対して課する。

**（狩猟税の税率）**

**第百三条の十九**　狩猟税の税率は、次の各号に掲げる者について、それぞれ当該各号に定める額とする。

一　第一種銃猟免許に係る狩猟者の登録を受ける者で、次号に掲げる者以外のもの　一万六千五百円

二　第一種銃猟免許に係る狩猟者の登録を受ける者で、当該年度の都民税の所得割額又は道府県民税の所得割額を納付することを要しないもののうち、法第二十三条第一項第十号に規定する同一生計配偶者又は同項第九号に規定する扶養親族に該当する者（農業、水産業又は林業に従事している者を除く。）以外の者　一万一千円

三　網猟免許又はわな猟免許に係る狩猟者の登録を受ける者で、次号に掲げる者以外のもの　八千二百円

四　網猟免許又はわな猟免許に係る狩猟者の登録を受ける者で、当該年度の都民税の所得割額又は道府県民税の所得割額を納付することを要しないもののうち、法第二十三条第一項第七号に規定する同一生計配偶者又は同項第九号に規定する扶養親族に該当する者（農業、水産業又は林業に従事している者を除く。）以外の者　五千五百円

五　第二種銃猟免許に係る狩猟者の登録を受ける者　五千五百円

2　狩猟者の登録が次の各号に掲げる登録のいずれかに該当する場合における当該狩猟者の登録に係る狩猟税の税率は、前項の規定にかかわらず、同項に規定する税率に当該各号に定める割合を乗じた税率とする。

一　放鳥獣猟区（鳥獣の保護及び管理並びに狩猟の適正化に関する法律（平成十四年法律第八十八号）第六十八条第二項第四号に規定する放鳥獣猟区をいう。次号において同じ。）のみに係る狩猟者の登録　四分の一

二　前号の狩猟者の登録を受けている者が受ける放鳥獣猟区及び放鳥獣猟区以外の場所に係る狩猟者の登録　四分の三

（狩猟税の賦課期日）

**第百三条の二十**　狩猟税の賦課期日は、狩猟者の登録を受ける日とする。

（狩猟税の徴収方法）

**第百三条の二十一**　狩猟税の徴収は、証紙徴収の方法による。ただし、特別の事情によつて知事がこれにより難いと認める場合は、普通徴収の方法による。

2　前項ただし書の規定により普通徴収の方法によつて徴収する狩猟税の納期は、納税通知書に定めるところによる。

（狩猟税の証紙徴収の手続）

**第百三条の二十二**　狩猟税の証紙徴収については、納税者が狩猟者の登録を受ける際提出する規則に定める申請書に、第百三条の十九に定める狩猟税の税率に相当する額の現金の納付を受けた後規則で定める納税済印を押すことによつて行うものとする。

## 第四章　特別区の存する区域において都税として課する普通税

### 第一節　都民税（法人）

（都民税の納税義務者等）

**第百四条**　都民税は、次の各号に掲げる者に対して、それぞれ当該各号に掲げる額により課する。

一　事務所又は事業所を有する法人　均等割額及び法人税割額の合算額

二　寮、宿泊所、クラブその他これらに類する施設（以下「寮等」という。）を有する法人で事務所又は事業所を有しないもの　均等割額

三　法人課税信託の引受けを行うことにより法人税を課される個人で事務所又は事業所を有するもの　法人税割額

2　法人でない社団又は財団で代表者又は管理人の定めがあり、かつ、収益事業を行うもの（当該社団又は財団で収益事業を廃止したものを含む。第百六条第一項の表第一号において「人格のない社団等」という。）又は法人課税信託の引受けを行うものは、法人とみなして、この節（第百十四条を除く。）の規定を適用する。

（法人課税信託の受託者に関する第二章第一節及びこの節の規定の適用）

**第百五条**　法人課税信託の受託者は、各法人課税信託の信託資産等及び固有資産等ごとに、それぞれ別の者とみなして、第二章第一節（第二十四条の二及び第二十四条の十七を除く。）及びこの節（第百七条、第百十三条及び第百十四条に限る。）の規定を適用する。

（均等割の税率）

**第百六条**　均等割の税率は、次の表の上欄に掲げる法人の区分に応じ、それぞれ当該下欄に定める額とする。

| 法人の区分 | 税率 |
| --- | --- |
| 一　次に掲げる法人<br>イ　法人税法第二条第五号の公共法人及び法人税法第二百九十四条第七項に規定する公益法人等のうち、法第二百九十六条第一項の規定により均等割を課することができないもの以外のもの（法人税法別表第二に規定する独立行政法人で収益事業を行うものを除く。）<br>ロ　人格のない社団等<br>ハ　一般社団法人（非営利型法人（法人税法第二条第九号の二に規定する非営利型法人をいう。以下同じ。）に該当するものを除く。）及び一般財団法人（非営利型法人に該当するものを除く。）<br>ニ　保険業法（平成七年法律第百五号）に規定する相互会社以外の法人で資本金の額又は出資金の額を有しないもの（イからハまでに掲げる法人を除く。）<br>ホ　資本金等の額を有する法人（法人税法別表第二に規定する独立行政法人で収益事業を行わないもの及びニに掲げる法人を除く。以下この表において同じ。）で資本金等の額が千万 | 年額　七万円（法人の事務所、事業所又は寮等が特別区の存する区域以外の都の区域内にも所在する場合（以下「法人の事務所等が特別区の存する区域外にも所在する場合」という。）には、五万円） |

| 法人の区分 | 税率 |
|---|---|
| 円以下であるもののうち、特別区内に有する事務所、事業所又は寮等の従業者（俸給、給料若しくは賞与又はこれらの性質を有する給与の支払を受けるべき役員を含む。）の数の合計数（次号から第十号までにおいて「従業者数の合計数」という。）が五十人以下であるもの | |
| 二　資本金等の額を有する法人で資本金等の額が千万円以下であるもののうち、従業者数の合計数が五十人を超えるもの | 年額　十四万円（法人の事務所等が特別区の存する区域外にも所在する場合には、十二万円） |
| 三　資本金等の額を有する法人で資本金等の額が千万円を超え一億円以下であるもののうち、従業者数の合計数が五十人以下であるもの | 年額　十八万円（法人の事務所等が特別区の存する区域外にも所在する場合には、十三万円） |
| 四　資本金等の額を有する法人で資本金等の額が千万円を超え一億円以下であるもののうち、従業者数の合計数が五十人を超えるもの | 年額　二十万円（法人の事務所等が特別区の存する区域外にも所在する場合には、十五万円） |
| 五　資本金等の額を有する法人で資本金等の額が一億円を超え十億円以下であるもののうち、従業者数の合計数が五十人以下であるもの | 年額　二十九万円（法人の事務所等が特別区の存する区域外にも所在する場合には、十六万円） |
| 六　資本金等の額を有する法人で資本金等の額が一億円を超え十億円以下であるもののうち、従業者数の合計数が五十人を超えるもの | 年額　五十三万円（法人の事務所等が特別区の存する区域外にも所在する場合には、四十万円） |
| 七　資本金等の額を有する法人で資本金等の額が十億円を超え五十億円以下であるもののうち、従業者数の合計数が五十人以下であるもの | 年額　九十五万円（法人の事務所等が特別区の存する区域外にも所在する場合には、四十一万円） |
| 八　資本金等の額を有する法人で資本金等の額が十億円を超え五十億円以下であるもののうち、従業者数の合計数が五十人を超えるもの | 年額　二百二十九万円（法人の事務所等が特別区の存する区域外にも所在する場合には、百七十五万円） |
| 九　資本金等の額を有する法人で資本金等の額が五十億円を超えるもののうち、従業者数の合計数が五十人以下であるもの | 年額　百二十一万円（法人の事務所等が特別区の存する区域外にも所在する場合には、四十一万円） |
| 十　資本金等の額を有する法人で資本金等の額が五十億円を超えるもののうち、従業者数の合計数が五十人を超えるもの | 年額　三百八十万円（法人の事務所等が特別区の存する区域外にも所在する場合には、三百万円） |

2　二以上の特別区の区域内に事務所、事業所又は寮等を有する法人（特別区の存する区域以外の都の区域内に事務所、事業所又は寮等を有する法人を除く。）に対して課する均等割の税率は、それらの事務所、事業所又は寮等のうち主たる事務所若しくは事業所又は主たる寮等として知事が指定するもの以外の事務所、事業所又は寮等の所在する特別区にあつては、前項の規定にかかわらず、次の表の上欄に掲げる法人の区分に応じ、それぞれ当該下欄に定める額とする。

| 法人の区分 | 税率 |
|---|---|

| | | |
|---|---|---|
| 一　前項の表の第一号に掲げる法人 | 年額 | 五万円 |
| 二　前項の表の第二号に掲げる法人 | 年額 | 十二万円 |
| 三　前項の表の第三号に掲げる法人 | 年額 | 十三万円 |
| 四　前項の表の第四号に掲げる法人 | 年額 | 十五万円 |
| 五　前項の表の第五号に掲げる法人 | 年額 | 十六万円 |
| 六　前項の表の第六号に掲げる法人 | 年額 | 四十万円 |
| 七　前項の表の第七号及び第九号に掲げる法人 | 年額 | 四十一万円 |
| 八　前項の表の第八号に掲げる法人 | 年額 | 百七十五万円 |
| 九　前項の表の第十号に掲げる法人 | 年額 | 三百万円 |

**（法人税割の税率）**

**第百七条**　法人税割の税率は、百分の七・〇とする。

**第百八条から第百十二条まで**　削除

**（都民税の申告納付）**

**第百十三条**　都民税を申告納付する義務がある者は、法第三百二十一条の八及び法第三百二十一条の十三に規定する申告書を知事に提出し、及びその申告に係る税額を納付書によつて納付しなければならない。

**第百十四条**　法第三百二十一条の八第六十二項に規定する内国法人は、同条第六十六項又は第七十六項の規定の適用を受ける場合を除き、前条の規定により、同条の規定による申告書により行うこととされている申告については、同条の規定にかかわらず、法第三百二十一条の八第五十二項の規定により行わなければならない。

**（事務所設置等の申告義務）**

**第百十四条の二**　都民税の納税義務者は、事務所、事業所又は寮等を設けた場合においては、事務所、事業所又は寮等を設けた日から十五日以内に、次に掲げる事項を知事に申告しなければならない。ただし、第二十六条の規定により事業開始等の申告義務を有するものについては、この限りでない。

一　名称及び代表者又は管理人の氏名

二　事務所、事業所又は寮等の所在地及び名称

三　事業の種類

四　事務所、事業所又は寮等を設けた年月日

五　前各号に掲げるもののほか、知事において必要があると認める事項

2　前項の規定によつて申告をした事項に変更を生じた場合若しくは事務所、事業所又は寮等を廃止した場合においては、その事実の発生した日から十日以内にその旨を知事に申告しなければならない。

**（都民税の納税管理人）**

**第百十五条**　都民税の納税義務者は、都内に事務所、事業所又は寮等を有しなくなつた場合においては、都内に住所、居所、事務所若しくは事業所（以下この条及び第二百三条において「住所等」という。）を有する者のうちから納税管理人を定めてこれを定める必要が生じた日から十日以内に納税管理人申告書を知事に提出し、又は都外に住所等を有する者のうち納税に関する一切の事項の処理につき便宜を有するものを納税管理人として定めることについてこれを定める必要が生じる日の十日前までに知事に申請してその承認を受けなければならない。

2　前項の規定によつて納税管理人申告書を知事に提出し、又は知事の承認を受けた者は、納税管理人を変更した場合その他申告をした事項若しくは承認を受けた事項に異動を生じた場合又は納税管理人を変更しようとする場合その他申告をした事項若しくは承認を受けた事項に異動を生じる場合においては、納税管理人が都内に住所等を有する場合はその変更又は異動を生じた日から十日以内にその旨を知事に申告し、納税管理人が都外に住所等を有する場合はその変更又は異動を生じる日の十日前までに知事に申請してその承認を受けなければならない。

3　前二項の規定にかかわらず、当該納税義務者は、当該納税義務者に係る都民税の徴収の確保に支障がないことについて知事に申請してその認定を受けたときは、納税管理人を定めることを要しない。

**（都民税の納税管理人に係る不申告に関する過料）**

**第百十六条**　前条第三項の認定を受けていない都民税の納税義務者で同条第一項又は第二項の承認を受けていないものが、同条第一項又は第二項の規定によつて申告すべき納税管理人について正当な事由がなくて申告をしなかつた場合においては、その者に対し、十万円以下の過料を科する。

2　前項の過料の額は、知事が定める。

3　第一項の過料を徴収する場合において発する納入通知書に指定すべき納期限は、その発付の日から十日以内とする。

**第百十七条**　削除

**（均等割の免除）**

**第百十七条の二**　均等割は、公益社団法人及び公益財団法人その他規則で定める法人（収益事業又は法人課税信託の引受けを行うものを除く。）であつて、知事において必要があると認めるものに対しては、これを免除する。

2　前項の規定によつて均等割の免除を受けようとする者は、当該均等割の納期限までに年度、税額及び免除を受けようとする事由を記載した申請書を知事に提出しなければならない。

3　第一項の規定によつて均等割の免除を受けたものは、その事由が止んだ場合においては、直ちにその旨を知事に申告しなければならない。

### 第二節　固定資産税

**（固定資産税の納税義務者等）**

**第百十八条**　固定資産税は、固定資産に対し、土地又は家屋にあつては土地課税台帳等若しくは家屋課税台帳等に登録された基準年度に係る賦課期日における価格又は法第三百四十九条第二項ただし書、第三項ただし書、第四項、第五項ただし書若しくは第六項に規定する当該価格に比準する価格、償却資産にあつては賦課期日における価格で償却資産課税台帳に登録された価格を課税標準として、それぞれ賦課期日現在における所有者に課する。この場合において、法第三百四十九条の三、法第三百四十九条の三の二若しくは法第三百四十九条の三の四（法附則第十五条の三の二の規定により読み替えて適用される場合を含む。第百三十条において同じ。）又は法附則第十五条から第十五条の三まで若しくは法附則第六十三条の規定の適用を受ける固定資産にあつては、当該固定資産の価格にそれぞれこれらの規定に定める率を乗じて得た額を課税標準とする。

2　固定資産の所有者の所在が震災、風水害、火災その他の事由により不明である場合には、その使用者を所有者とみなして、固定資産課税台帳に登録し、その者に固定資産税を課することができる。この場合において、当該登録をしようとするときは、あらかじめ、その旨を当該使用者に通知しなければならない。

3　法第三百四十三条第五項に規定する探索を行つてもなお固定資産の所有者の存在が不明である場合（前項に規定する場合を除く。）には、その使用者を所有者とみなして、固定資産課税台帳に登録し、その者に固定資産税を課することができる。この場合において、当該登録をしようとするときは、あらかじめ、その旨を当該使用者に通知しなければならない。

4　土地区画整理法（昭和二十九年法律第百十九号）による土地区画整理事業（農住組合法（昭和五十五年法律第八十六号）第八条第一項の規定により土地区画整理法の規定が適用される農住組合法第七条第一項第一号の事業及び密集市街地における防災街区の整備の促進に関する法律（平成九年法律第四十九号）第四十六条第一項の規定により土地区画整理法の規定が適用される密集市街地における防災街区の整備の促進に関する法律第四十五条第一項第一号の事業並びに大都市地域における住宅及び住宅地の供給の促進に関する特別措置法（昭和五十年法律第六十七号）による住宅街区整備事業を含む。以下この項において同じ。）又は土地改良法による土地改良事業の施行に係る土地については、法令若しくは規約等の定めるところにより仮換地、一時利用地その他の仮に使用し、若しくは収益することができる土地（以下この項において「仮換地等」という。）の指定があつた場合又は土地区画整理法による土地区画整理事業の施行者が同法第百条の二（農住組合法第八条第一項及び密集市街地における防災街区の整備の促進に関する法律第四十六条第一項において適用する場合並びに大都市地域における住宅及び住宅地の供給の促進に関する特別措置法第八十三条において準用する場合を含む。）の規定により管理する土地で当該施行者以外の者が仮に使用するもの（以下この項において「仮使用地」という。）がある場合には、知事が定める区域内の仮換地等又は仮使用地に限り、当該仮換地等又は仮使用地について使用し、又は収益することができることとなつた日から換地処分の公告がある日又は換地計画の認可の公告がある日までの間は、仮換地等にあつては当該仮換地等に対応する従前の土地について登記簿又は土地補充課税台帳に所有者として登記又は登録がされている者をもつて、仮使用地にあつては土地区画整理法による土地区画整理事業の施行者以外の仮使用地の使用者をもつて、それぞれ当該仮換地等又は仮使用地に係る第一項の所有者とみなし、換地処分の公告があつた日又は換地計画の認可の公告があつた日から換地又は保留地を取得した者が登記簿に当該換地又は保留地に係る所有者として登記される日までの間は、当該換地又は保留地を取得した者をもつて当該換地又は保留地に係る同項の所有者とみなすことができる。

5　公有水面埋立法（大正十年法律第五十七号）第二十三条第一項の規定により使用する埋立地若しくは干拓

地（以下この項において「埋立地等」という。）又は国が埋立て若しくは干拓により造成する埋立地等（同法第四十二条第二項の規定による通知前の埋立地等に限る。以下この項において同じ。）で工作物を設置し、その他土地を使用する場合と同様の状態で使用されているもの（埋立て又は干拓に関する工事に関して使用されているものを除く。）については、これらの埋立地等をもつて土地とみなし、これらの埋立地等のうち、都道府県、市町村、特別区、これらの組合、財産区及び合併特例区（以下この項において「都道府県等」という。）以外の者が同法第二十三条第一項の規定により使用する埋立地等にあつては、当該埋立地等を使用する者をもつて当該埋立地等に係る第一項の所有者とみなし、都道府県等が同条第一項の規定により使用し、又は国が埋立て若しくは干拓により造成する埋立地等にあつては、都道府県等又は国が当該埋立地等を都道府県等又は国以外の者に使用させている場合に限り、当該埋立地等を使用する者（土地改良法第八十七条の二第一項の規定により国又は都道府県が行う同項第一号の事業により造成された埋立地等を使用する者で地方税法施行令第四十九条の三に定める者を除く。）をもつて当該埋立地等に係る第一項の所有者とみなし、固定資産税を課することができる。

6　家屋の附帯設備（家屋のうち附帯設備に属する部分その他地方税法施行規則第十条の二の十五で定めるものを含む。）であつて、当該家屋の所有者以外の者がその事業の用に供するため取り付けたものであり、かつ、当該家屋に付合したことにより当該家屋の所有者が所有することとなつたもの（以下この項において「特定附帯設備」という。）については、当該取り付けた者の事業の用に供することができる資産である場合に限り、当該取り付けた者をもつて第一項の所有者とみなし、当該特定附帯設備のうち家屋に属する部分は家屋以外の資産とみなして固定資産税を課する。

**第百十九条**　削除

**第百二十条**　削除

**（非課税の固定資産の有料貸付者に係る納税義務）**

**第百二十一条**　固定資産を有料で借り受けた者がこれを法第三百四十八条第二項各号又は法附則第四十一条第八項各号に掲げる固定資産として使用する場合には、当該固定資産の所有者に対し固定資産税を課する。

**（法第三百四十九条の三第二十七項等に規定する条例で定める割合）**

**第百二十一条の二**　次の各号に掲げる規定に規定する条例で定める割合は、当該各号に定める割合とする。

一　法第三百四十九条の三第二十七項　三分の一

二　法第三百四十九条の三第二十八項　三分の一

三　法第三百四十九条の三第二十九項　三分の一

**（固定資産税の税率）**

**第百二十二条**　固定資産税の税率は、百分の一・四とする。

**（固定資産税の免税点）**

**第百二十三条**　固定資産税は、同一の者について、特別区の区域内におけるその者の所有に係る固定資産に対して課する固定資産税の課税標準となるべき額が土地にあつては三十万円、家屋にあつては二十万円、償却資産にあつては百五十万円に満たない場合においては、これを課さない。

**第百二十四条**　削除

**（地方税法施行規則第十五条の三第三項本文の補正の方法の申出）**

**第百二十四条の二**　地方税法施行規則第十五条の三第三項本文の規定により補正の方法を申し出ようとする者は、次に掲げる事項を記載した申出書を知事に提出しなければならない。ただし、当該補正の方法が第四十六条の二の規定により申し出た補正の方法と同一である場合においては、その限りでない。

一　住所及び氏名又は名称

二　補正の方法及びその計算の基礎

三　専有部分の天井の高さ

四　専有部分の附帯設備及び仕上部分の取得に要した価格

五　前各号に掲げるもののほか、知事において必要があると認める事項

**（地方税法施行規則第十五条の三の二第四項本文及び第五項本文の補正の方法の申出）**

**第百二十四条の二の二**　地方税法施行規則第十五条の三の二第四項本文の規定により補正の方法を申し出ようとする者は、次に掲げる事項を記載した申出書を知事に提出しなければならない。ただし、当該補正の方法が第四十六条の三第一項の規定により申し出た補正の方法と同一である場合においては、この限りでない。

一　住所及び氏名又は名称

二　補正の方法及びその計算の基礎

三　専有部分の天井の高さ

四　専有部分の附帯設備及び仕上部分の取得に要した価格

五　前各号に掲げるもののほか、知事において必要があると認める事項

2　地方税法施行規則第十五条の三の二第五項本文の規定により補正の方法（同条第三項の規定による補正を行わないこととするものを含む。第二号において同じ。）を申し出ようとする者は、次に掲げる事項を記

載した申出書を知事に提出しなければならない。ただし、当該補正の方法が第四十六条の三第二項の規定により申し出た補正の方法と同一である場合においては、この限りでない。
一 住所及び氏名又は名称
二 補正の方法及びその計算の基礎
三 前各号に掲げるもののほか、知事において必要があると認める事項

（共用土地に係る固定資産税額のあん分の申出）

**第百二十四条の三** 法第三百五十二条の二第五項の規定による固定資産税額のあん分の申出をしようとする者は、同項の規定の適用を受けようとする年度の初日の属する年の一月十四日までに、次に掲げる事項を記載した申出書を知事に提出しなければならない。ただし、既にこの条の規定による申出に基づく同項の規定による知事の認定を受けている場合において、当該申出事項に異動がないとき又は第一号に掲げる事項のみに異動があるときは、この限りでない。
一 各共用土地納税義務者（法第三百五十二条の二第一項に規定する共用土地納税義務者をいう。第四号において同じ。）の住所及び氏名又は名称
二 共用土地（法第三百五十二条の二第一項に規定する共用土地をいう。第三号及び第四号において同じ。）の所在、地番、地目及び地積並びにその用途
三 共用土地に係る区分所有に係る家屋の所在、家屋番号、種類、構造及び床面積並びにその用途
四 各共用土地納税義務者の共用土地に係る区分所有に係る家屋の建物の区分所有等に関する法律第十四条第一項から第三項までの規定の例により算定した専有部分の床面積の割合及び当該各共用土地納税義務者の当該共用土地に係る持分の割合
五 法第三百五十二条の二第一項の規定によりあん分する場合に用いられる割合に準じて定めた割合及び当該割合の算定方法
六 前各号に掲げるもののほか、知事において必要があると認める事項

（特定被災共用土地等に係る固定資産税額のあん分の申出）

**第百二十四条の四** 法第三百五十二条の二第六項の規定による特定被災共用土地（同項に規定する特定被災共用土地をいう。以下この条において同じ。）に係る固定資産税額のあん分の申出をしようとする者は、法第三百四十九条の三の三第一項に規定する被災年度（以下この項及び第百三十六条の三において「被災年度」という。）の翌年度又は翌々年度（法第三百四十九条の三の三第一項に規定する避難の指示等（以下この項において「避難の指示等」という。）が行われた場合において、同項に規定する避難等解除日（以下この項において「避難等解除日」という。）の属する年が同項に規定する被災年の翌年以後の年であるときは、当該被災年度の翌年度から避難等解除日の属する年の一月一日から起算して三年を経過した日を賦課期日とする年度までの各年度とし、同項に規定する被災市街地復興推進地域が定められた場合（避難の指示等が行われた場合において、避難等解除日の属する年が被災年の翌年以後の年であるときを除く。）には、当該被災年度の翌年度から被災年の一月一日から起算して四年を経過した日を賦課期日とする年度までの各年度とする。第百三十六条の三において同じ。）の初日の属する年の一月十四日までに、次に掲げる事項を記載した申出書を知事に提出しなければならない。ただし、既にこの条の規定による申出に基づく知事の認定を受けている場合において、当該申出事項に異動がないときは、この限りでない。
一 各特定被災共用土地納税義務者（法第三百五十二条の二第六項に規定する特定被災共用土地納税義務者をいう。第五号において同じ。）の住所及び氏名又は名称
二 特定被災共用土地の所在、地番、地目及び地積並びにその用途
三 特定被災共用土地に係る被災区分所有家屋（法第三百五十二条の二第三項に規定する被災区分所有家屋をいう。次号及び第五号において同じ。）の被災年度に係る賦課期日における所在、家屋番号、種類、構造及び床面積並びにその用途
四 特定被災共用土地に係る被災区分所有家屋が滅失し、又は損壊した原因となつた震災等（法第三百四十九条の三の三第一項に規定する震災等をいう。第百三十六条の三第四号において同じ。）の発生した日時
五 各特定被災共用土地納税義務者の特定被災共用土地に係る被災区分所有家屋の建物の区分所有等に関する法律第十四条第一項から第三項までの規定の例により算定した専有部分の床面積の割合及び当該各特定被災共用土地納税義務者の当該特定被災共用土地に係る持分の割合
六 法第三百五十二条の二第三項の規定によりあん分する場合に用いられる割合に準じて定めた割合及び当該割合の算定方法
七 前各号に掲げるもののほか、知事において必要があると認める事項
2 法第三百五十二条の二第七項の規定による特定仮換地等（法第三百四十九条の三の三第三項に規定する特

定仮換地等をいう。）に係る固定資産税額のあん分の申出については、前項中「法第三百五十二条の二第六項の規定による特定被災共用土地（同項に規定する特定被災共用土地をいう。以下この条において同じ。）」とあるのは「法第三百五十二条の二第七項の規定による特定仮換地等（次項に規定する特定仮換地等をいう。以下この項において同じ。）」と、「特定被災共用土地納税義務者」とあるのは「特定仮換地等納税義務者」と、「第三百五十二条の二第六項に」とあるのは「第三百五十二条の二第七項の規定により読み替えて適用される同条第六項に」と、「特定被災共用土地の」とあるのは「特定仮換地等の」と、「特定被災共用土地に」とあるのは「特定仮換地等に対応する従前の土地である特定被災共用土地に」として、同項の規定を適用する。

（固定資産税の納税管理人）

**第百二十五条** 固定資産税の納税義務者は、特別区の存する区域内に住所、居所、事務所又は事業所（以下この条において「住所等」という。）を有しない場合においては、特別区の存する区域内に住所等を有する者のうちから納税管理人を定めてこれを定める必要が生じた日から十日以内に納税管理人申告書を知事に提出し、又は特別区の存する区域外に住所等を有する者のうち納税に関する一切の事項の処理につき便宜を有するものを納税管理人として定めることについてこれを定める必要が生じる日の十日前までに知事に申請してその承認を受けなければならない。

2 前項の規定によつて納税管理人申告書を知事に提出し、又は知事の承認を受けた者は、納税管理人を変更した場合その他申告をした事項若しくは承認を受けた事項に異動を生じた場合又は納税管理人を変更しようとする場合その他申告をした事項若しくは承認を受けた事項に異動を生ずる場合においては、納税管理人がその変更又は異動を生じた日から十日以内にその旨を知事に申告し、納税管理人が特別区の存する区域外に住所等を有する場合はその変更又は異動を生じる日の十日前までに知事に申請してその承認を受けなければならない。

3 前二項の規定にかかわらず、当該納税義務者は、当該納税義務者に係る固定資産税の徴収の確保に支障がないことについて知事に申請してその認定を受けたときは、納税管理人を定めることを要しない。

（固定資産税の納税管理人に係る不申告に関する過料）

**第百二十六条** 前条第三項の認定を受けていない固定資産税の納税義務者で同条第一項又は第二項の承認を受けていないものが、同条第一項又は第二項の規定によつて申告すべき納税管理人について正当な事由がなくて申告をしなかつた場合においては、その者に対し、十万円以下の過料を科する。

2 前項の過料の額は、知事が定める。

3 第一項の過料を徴収する場合において発する納入通知書に指定すべき納期限は、その発付の日から十日以内とする。

（固定資産税の賦課期日）

**第百二十七条** 固定資産税の賦課期日は、当該年度の初日の属する年の一月一日とする。

**第百二十八条** 削除

（固定資産税の納期）

**第百二十九条** 固定資産税の納期は、左のとおりとする。

第一期　六月一日から同月三十日まで
第二期　九月一日から同月三十日まで
第三期　十二月一日から同月二十七日まで
第四期　二月一日から同月末日まで

2 課税洩れその他特別の事情がある場合における当該固定資産税の納期は、納税通知書に定めるところによる。

（仮算定税額による固定資産税の徴収）

**第百三十条** 法第三百八十九条第一項各号に掲げる固定資産（地方税法施行規則第十五条の五に規定するものを除く。）に対して課する固定資産税については、当該固定資産について法第三百九十四条の規定に基づいて申告すべき者が同条に規定する期限までに申告をしなかつたことその他やむを得ない理由があることにより、法第三百六十四条第二項の納税通知書の交付期限までに当該固定資産に係る法第三百八十九条第一項の規定による通知が行われなかつた場合には、当該通知が行われる日までの間に到来する納期において徴収すべき固定資産税に限り、当該固定資産に係る前年度の固定資産税の課税標準である価格（法第三百四十九条の三、法第三百四十九条の三の二若しくは法第三百四十九条の三の四又は法附則第十五条から第十五条の三まで若しくは法附則第六十三条の規定の適用を受ける固定資産にあつては、当該固定資産の価格にそれぞれこれらの規定に定める率を乗じて得た額とする。）を課税標準として仮に算定した額を当該年度の納期の数で除して得た額の二分の一に相当する額をそれぞれの納期において徴収する。

**第百三十一条** 削除

（固定資産税の納期前の納付）

**第百三十二条** 固定資産税の納税者は、納税通知書に記載された納付額のうち到来した納期に係る納付額に相当する税額の税金を納付しようとする場合においては、当該納付後の納期に係る納付額に相当する税額をあわせて納付することができる。

**第百三十三条**　削除

**（固定資産税の減免）**

**第百三十四条**　次の各号のいずれかに該当する固定資産であつて、知事において必要があると認めるものに対する固定資産税の納税者に対しては、当該固定資産税を減免する。

一　生活保護法により生活扶助を受ける者の納付すべき固定資産税に係る固定資産

二　公益のために直接専用する固定資産（固定資産の所有者に課する固定資産税にあつては、当該所有者が有料で使用させるものを除く。）

三　災害等により、滅失し、又は甚大な損害を受けた固定資産で規則で定めるもの

四　前各号に掲げるものの外、規則で定める固定資産

2　前項の規定は、当該年度分の税額のうち、次項の申請があつた後初めて到来する納期限に係る分からこれを適用する。ただし、知事が別に定める場合においては、この限りでない。

3　前二項の規定によつて固定資産税の減免を受けようとする者は、次に掲げる事項を記載した申請書にその事由を証明すべき書類を添付して、これを知事に提出しなければならない。

一　住所及び氏名又は名称

二　土地にあつてはその所在、地番、地目、地積及び価格

三　家屋にあつてはその所在、家屋番号、種類、構造、床面積及び価格

四　償却資産にあつてはその所在、種類、数量及び価格

五　減免を受けようとする事由

六　前各号に掲げるものの外、知事において必要があると認める事項

4　第一項及び第二項の規定によつて固定資産税の減免を受けた者は、その事由がやんだときは、直ちにその旨を知事に申告しなければならない。

**第百三十五条**　削除

**（固定資産に関する地籍図等の備付）**

**第百三十六条**　固定資産税に関する地籍図、土地使用図、土壌分類図、家屋見取図、固定資産売買記録簿その他固定資産の評価に関して必要な資料の様式及び記載事項については、規則で定める。

**（住宅用地の申告義務）**

**第百三十六条の二**　法第三百四十九条の三の二第一項に規定する住宅用地（以下「住宅用地」という。）の所有者は、当該年度の賦課期日現在における当該住宅用地について、当該年度の初日の属する年の一月三十一日までに、次に掲げる事項を記載した申告書を知事に提出しなければならない。ただし、当該年度の前年度に係る賦課期日における当該住宅用地の所有者が引き続き当該住宅用地を所有し、かつ、既に申告した事項に異動がない場合は、この限りでない。

一　住宅用地の所有者の住所及び氏名又は名称

二　住宅用地の所在及び地積

三　住宅用地の上に存する家屋の所有者、所在、家屋番号、種類、構造、床面積、居住部分の床面積及び居住の用に供した年月日、住宅用地の上に存する住居の数（法第三百四十九条の三の二第二項に規定する住居の数をいう。）

四　前各号に掲げるもののほか、知事において必要があると認める事項

2　当該年度に係る賦課期日において住宅用地から住宅用地以外の土地への変更があり、かつ、当該土地の所有者が当該年度の前年度に係る賦課期日から引き続き当該土地を所有している場合には、当該土地の所有者は、当該年度の初日の属する年の一月三十一日までに、その旨を知事に申告しなければならない。

**（被災住宅用地等の申告義務）**

**第百三十六条の三**　前条の規定にかかわらず、法第三百四十九条の三の三第一項（同条第二項において準用する場合及び同条第三項（同条第四項において準用する場合を含む。）の規定により読み替えて適用される場合を含む。第五号において同じ。）の規定の適用を受けようとする者は、被災年度の翌年度又は翌々年度の初日の属する年の一月三十一日までに、次に掲げる事項を記載した申告書を知事に提出しなければならない。ただし、既にこの条の規定による申告に基づく知事の認定を受けている場合において、当該申告事項に異動がないときは、この限りでない。

一　被災住宅用地（法第三百四十九条の三の三第一項に規定する被災住宅用地をいう。次号及び第三号において同じ。）の所有者の住所及び氏名又は名称

二　被災住宅用地の所在及び地積

三　被災住宅用地の上に被災年度に係る賦課期日において存した家屋の所有者、所在、家屋番号、種類、構造、床面積、居住部分の床面積及び居住の用に供した年月日、被災住宅用地の上に存した住居の数（法第三百四十九条の三の二第二項に規定する住居の数をいう。）

四　前号に規定する家屋が滅失し、又は損壊した原因となつた震災等の発生した日時

五　当該年度に係る賦課期日において法第三百四十九条の三の三第一項の規定の適用を受けようとする土地の全部又は一部を法第三百四十九条の三の二第一項に規定する家屋の敷地の用に供する土地として使用することができない理由

六　前各号に掲げるもののほか、知事において必要があると認める事項

（現所有者の申告義務）

**第百三十六条の四**　現所有者（法第三百八十四条の三に規定する現所有者をいう。以下この条及び次条において同じ。）は、現所有者であることを知つた日の翌日から三月を経過した日までに次に掲げる事項を記載した申告書を知事に提出しなければならない。ただし、二以上の現所有者がある場合で、一の現所有者が他の現所有者に係る第一号に掲げる事項の申告をしたときは、当該他の現所有者については、この限りでない。

一　土地又は家屋の現所有者の住所、氏名又は名称及び次号に規定する個人との関係

二　土地又は家屋の所有者として登記簿又は土地補充課税台帳若しくは家屋補充課税台帳に登記又は登録がされている個人が死亡している場合における当該個人の住所及び氏名

三　前二号に掲げるもののほか、知事において必要があると認める事項

（固定資産に係る不申告に関する過料）

**第百三十七条**　固定資産の所有者（法第三百四十三条第九項及び第百十八条第六項の場合には、これらの規定によつて所有者とみなされる者とする。）が法第三百八十三条若しくは第百三十六条の二の規定により、又は現所有者が前条の規定により、申告すべき事項について正当な事由がなくて申告をしなかつた場合には、その者に対し、十万円以下の過料を科する。

2　前項の過料の額は、知事が定める。

3　第一項の過料を徴収する場合において発する納入通知書に指定すべき納期限は、その発付の日から十日以内とする。

（固定資産評価員の設置）

**第百三十八条**　知事の指揮を受けて固定資産を適正に評価し、且つ、知事が行う価格の決定を補助するため、東京都固定資産評価員（以下「固定資産評価員」という。）一人をおく。

2　固定資産評価員は、非常勤の職とする。

（固定資産評価員等の証票等）

**第百三十九条**　固定資産評価員又は固定資産評価補助員は、固定資産税の賦課徴収に関する調査のため質問、検査又は提示若しくは提出の要求を行う場合においては、当該固定資産評価員又は固定資産評価補助員の身分を証明する東京都固定資産評価員証又は東京都固定資産評価補助員証を携帯しなければならない。

（固定資産評価審査委員会の設置）

**第百四十条**　固定資産課税台帳に登録された価格に関する不服を審査決定するために、東京都固定資産評価審査委員会（以下「審査委員会」という。）を置く。

2　審査委員会の委員の定数は、十五人以内で規則で定める。

3　審査委員会は、委員のうちから審査委員会が指定する者三人をもつて構成する合議体で、審査の申出の事件を取り扱う。

（審査委員会の委員の手当）

**第百四十一条**　審査委員会の委員に対する手当、旅費その他の給与の支給に関しては、別に条例の定めるところによる。

**第百四十二条及び第百四十三条**　削除

（審査の決定に関する記録の作成、保存等）

**第百四十四条**　審査委員会は、審査に附した事件の件名、議事、表決の数、決定の要領、その他審査に関し必要な事項を記載した記録を作成し、且つ、これを明確に整理して五年間保存しなければならない。

2　前項に規定するものの外、審査委員会の審査の手続その他審査に関して必要な事項は、審査委員会の規定で定めなければならない。

## 第三節　特別土地保有税

（特別土地保有税の納税義務者等）

**第百四十五条**　特別土地保有税は、土地又はその取得に対し、当該土地の取得価額を課税標準として、当該土地の所有者又は取得者（以下この節において「土地の所有者等」という。）に課する。

2　前項の「土地」とは、田、畑、宅地、塩田、鉱泉地、池沼、山林、牧場、原野その他の土地をいう。

3　この節の規定中土地に対して課する特別土地保有税に関する規定は、第一項の土地（以下この節において「土地」という。）の所有者が所有する土地で第百五十条第一項の規定により申告納付すべき日の属する年の一月一日において当該土地の取得をした日以後十年を経過したものについては、適用しない。

4　法第五百八十五条第四項に規定する特殊関係者（以下この項において「特殊関係者」という。）を有する者がある場合において、当該特殊関係者が取得した、又は所有する土地について特別の事情があるときは、当該土地は、その者及び当該特殊関係者の共有物とみなす。

5　土地区画整理法による土地区画整理事業（農住組合法第八条第一項の規定により土地区画整理法の規定が

適用される農住組合法第七条第一項第一号の事業及び密集市街地における防災街区の整備の促進に関する法律第四十六条第一項の規定により土地区画整理法の規定が適用される密集市街地における防災街区の整備の促進に関する法律第四十五条第一項第一号の事業並びに大都市地域における住宅及び住宅地の供給の促進に関する特別措置法による住宅街区整備事業を含む。次項において同じ。）又は土地改良法による土地改良事業の施行に係る土地について法令の定めるところにより仮換地又は一時利用地（以下この項において「仮換地等」という。）の指定があつた場合において、当該仮換地等である土地について使用し、又は収益することができることとなつた日以後においては、当該仮換地等である土地に対応する従前の土地（以下この項において「従前の土地」という。）の取得又は所有をもつて当該仮換地等である土地の取得又は所有とみなし、当該従前の土地の取得者又は所有者を当該仮換地等である土地に係る第一項の土地の所有者等とみなして、特別土地保有税を課する。

6　土地区画整理法による土地区画整理事業の施行に係る土地について当該土地区画整理事業の施行者が同法第百条の二（農住組合法第八条第一項及び密集市街地における防災街区の整備の促進に関する法律第四十六条第一項において適用する場合並びに大都市地域における住宅及び住宅地の供給の促進に関する特別措置法第八十三条において準用する場合を含む。）の規定により管理する土地（以下この項において「保留地予定地等」という。）がある場合において、当該施行者以外の者が、当該土地区画整理事業に係る換地処分の公告がある日までの間当該保留地予定地等である土地について使用し、若しくは収益することができること及び同日の翌日に当該施行者が取得する当該保留地予定地等である土地を取得することを目的とする契約が締結されたとき、又は同日の翌日に土地区画整理組合の参加組合員が取得する当該保留地予定地等である土地について当該参加組合員が使用し、若しくは収益することができることを目的とする契約が締結されたときは、それらの契約の効力が発生した日として地方税法施行令第三十六条の二の三に規定する日においてそれらの保留地予定地等である土地の取得があつたものとみなし、それらの保留地予定地等である土地を取得することとされている者を第一項の土地の所有者等とみなして、特別土地保有税を課する。

7　第百十八条第五項の規定は、特別土地保有税について準用する。この場合において、同項中「当該埋立地等を使用する者」とあるのは「当該埋立地等の使用開始をもつて土地の取得と、当該埋立地等を使用する者」と、「第一項の所有者」とあるのは「第百四十五条第一項の土地の所有者等」と、「同条第一項」とあるのは「同法第二十三条第一項」と読み替えるものとする。

**（特別土地保有税の税率）**

**第百四十六条**　特別土地保有税の税率は、土地に対して課する特別土地保有税にあつては百分の一・四、土地の取得に対して課する特別土地保有税にあつては百分の三とする。

**（特別土地保有税の免税点）**

**第百四十七条**　特別区の区域内において、同一の者について、特別土地保有税は、第百五十条第一項第一号の特別土地保有税にあつてはその者が一月一日に所有する土地（法第五百八十六条第一項若しくは第二項、法第五百八十七条第一項又は法第五百八十七条の二第一項本文の規定の適用がある土地を除く。）の合計面積が、第百五十条第一項第二号の特別土地保有税にあつてはその者が一月一日前一年以内に取得した土地（当該土地の取得について法第五百八十六条第一項若しくは第二項又は法第五百八十七条第二項の規定の適用がある土地を除く。以下この条において同じ。）の合計面積が、第百五十条第一項第三号の特別土地保有税にあつてはその者が七月一日前一年以内に取得した土地の合計面積が、それぞれ一千平方メートル（以下この節において「基準面積」という。）に満たない場合には、これを課さない。

**（特別土地保有税の税額）**

**第百四十八条**　特別土地保有税の税額は、次の各号に掲げる区分に応じ、当該各号に定める額とする。

一　第百五十条第一項第一号の特別土地保有税　同条第二項第一号の課税標準額に第百四十六条の税率を乗じて得た額から、当該額を限度として、同号の土地に対して課すべき当該年度分の固定資産税の課税標準となるべき価格に百分の一・四を乗じて得た額の合計額を控除した額

二　第百五十条第一項第二号又は第三号の特別土地保有税　それぞれ、同条第二項第二号又は第三号の課税標準額に第百四十六条の税率を乗じて得た額から、当該額を限度として、同項第二号又は第三号の土地の取得に対して課すべき不動産取得税の課税標準となるべき価格に百分の四を乗じて得た額の合計額を控除した額

**（特別土地保有税の徴収の方法）**

**第百四十九条**　特別土地保有税の徴収については、申告納付の方法による。

**（特別土地保有税の申告納付）**

**第百五十条**　特別土地保有税の納税義務者は、次の各号に掲げる特別土地保有税の区分に応じ、当該各号に定める日までに、当該特別土地保有税の課税標準額、税額その他必要な事項を記載した申告書を知事に提出するとともに、その申告した税額を納付しなければならない。

一　一月一日において基準面積以上の土地を所有する者に係る土地に対して課する特別土地保有税　その年の五月三十一日

二　一月一日前一年以内に基準面積以上の土地を取得した者に係る土地の取得に対して課する特別土地保有税　その年の二月末日

三　七月一日前一年以内に基準面積以上の土地を取得した者に係る土地の取得に対して課する特別土地保有税　その年の八月三十一日

2　前項の課税標準額は、次に定めるところによる。

一　前項第一号の特別土地保有税にあつては、同号に規定する者が一月一日において所有する土地（法第五百八十六条第一項若しくは第二項、法第五百八十七条第一項又は法第五百八十七条の二第一項本文の規定の適用がある土地を除く。）の取得価額の合計額

二　前項第二号の特別土地保有税にあつては、同号に規定する者が同号に規定する期間内に取得した土地（当該土地の取得について法第五百八十六条第一項若しくは第二項又は法第五百八十七条第二項の規定の適用があるもの及び土地の取得に対して課する特別土地保有税を既に申告納付した、又は申告納付すべきであつたものを除く。次号において同じ。）の取得価額の合計額

三　前項第三号の特別土地保有税にあつては、同号に規定する者が同号に規定する期間内に取得した土地の取得価額の合計額

（特別土地保有税に係る不申告に関する過料）

**第百五十条の二**　特別土地保有税の納税義務者が正当な事由がなくて前条第一項の規定による申告書を同項各号に規定する申告書の提出期限までに提出しなかつた場合においては、その者に対し、十万円以下の過料を科する。

2　前項の過料の額は、知事が定める。

3　第一項の過料を徴収する場合において発する納入通知書に指定すべき納期限は、その発付の日から十日以内とする。

（特別土地保有税の納税義務の免除等）

**第百五十一条**　土地の所有者等が、その所有する土地を法第六百一条第一項に規定する非課税土地（以下この条において「非課税土地」という。）として使用し、又は使用させようとする場合において、知事が当該事実を認定したところに基づいて定める日から二年を経過する日までの期間（工場、事務所その他の建物若しくは構築物の建設又は農用地の造成その他の用地の造成に要する期間が通常二年を超えることその他その期間を延長することにつきやむを得ない理由があると知事が認める場合には、土地の所有者等の申請に基づき知事が定める相当の期間。以下本条において「納税義務の免除に係る期間」という。）内に当該土地を非課税土地として使用し、又は使用させ、かつ、これらの使用が開始されたことにつき知事の確認を受けたときは、当該土地に係る特別土地保有税及びこれに係る徴収金（納税義務の免除に係る期間に係るものに限る。第三項及び第六項において同じ。）の納税義務を免除する。

2　知事は、災害その他やむを得ない理由により納税義務の免除に係る期間（この項の規定により納税義務の免除に係る期間を延長した場合における当該延長された期間を含む。以下この項において同じ。）内に当該土地を非課税土地として使用し、又は使用させることができないと認める場合には、土地の所有者等からの申請に基づき知事が定める相当の期間を限つて、納税義務の免除に係る期間を延長する。

3　知事は、第一項の認定をした場合には、納税義務の免除に係る期間を限つて、当該土地に係る特別土地保有税及びこれに係る徴収金の徴収を猶予する。

4　知事は、第二項の規定により納税義務の免除に係る期間（同項の規定により納税義務の免除に係る期間を延長した場合における当該延長された期間を含む。）を延長した場合には、当該延長された期間を限つて、当該土地に係る特別土地保有税及びこれに係る徴収金の徴収の猶予の期間を延長する。

5　知事は、前二項の規定による徴収の猶予をした場合において、当該徴収の猶予に係る特別土地保有税について第一項の規定の適用がないことが明らかとなつたとき、又は徴収の猶予の理由の一部に変更があることが明らかとなつたときは、当該徴収の猶予に係る特別土地保有税及びこれに係る徴収金の全部又は一部についてその徴収の猶予を取り消し、直ちに当該徴収の猶予の取消しに係る特別土地保有税及びこれに係る徴収金を徴収する。

6　知事は、特別土地保有税及びこれに係る徴収金を徴収した場合において、当該特別土地保有税について第一項の規定の適用があることとなつたときは、当該特別土地保有税の納税義務者の申請に基づいて、当該特別土地保有税及びこれに係る徴収金を還付する。

**第百五十二条**　法第六百二条第一項各号に掲げる者が、それぞれ当該各号に規定する土地の譲渡をしようとする場合において、知事が当該事実を認定したところに基づいて定める日（以下本項において「事実認定日」という。）から二年を経過する日までの期間（大規模な宅地の造成でその造成に要する期間が通常二年を超えることその他その期間を延長することにつきやむを得ない理由があると知事が認める場合には、納税義務者の申請に基づき知事が定める相当の期間とし、同条第一項に規定する特定譲渡（第三項において「特定譲渡」という。）にあつては、当該事実認定日から同条第一項第二号又は第三号に定める日以後二年を経過する日までの期間とする。以下本項において「納税義務の免除に係る期間」という。）内に当該土地の譲渡をし、かつ、当該土地の譲渡があつたことにつき知事の確認を受けたときは、当該土地に係る特別土地保有税及びこれに係る徴収金（納税義務の免除に係る期間に係るものに限る。）の納税義務を免除する。

2　前条第二項から第六項までの規定は、前項の場合について準用する。

3　前項の規定にかかわらず、同項において準用する前条第二項及び第四項の規定は、特定譲渡については、適用しない。

**第百五十三条**　土地の所有者が所有する土地で、その取得が法第六百三条第一項に規定する取得に該当するもののうち地方税法施行令第五十四条の四十六第二項に規定するものに対しては、土地に対して課する特別土地保有税及びこれに係る徴収金の納税義務を免除する。

2　土地の取得で法第六百三条第二項に規定する取得に該当するものに対しては、土地の取得に対して課する特別土地保有税及びこれに係る徴収金の納税義務を免除する。

3　知事は、土地の所有者等から前二項の適用があるべき旨の申告があり、当該申告が真実であると認められるときは、当該土地の取得の日から五年以内の期間を限つて、当該土地に係る特別土地保有税及びこれに係る徴収金の徴収を猶予する。

4　第百五十一条第五項及び第六項の規定は、前項の場合における徴収の猶予の取消し及び特別土地保有税及びこれに係る徴収金の還付について準用する。

**第百五十三条の二**　土地の所有者等が所有する土地が次の各号に掲げる土地のいずれかに該当し、かつ、当該土地の利用が土地利用基本計画（国土利用計画法（昭和四十九年法律第九十二号）第九条第一項の土地利用基本計画をいう。）、都市計画その他の土地利用に関する計画に照らし、当該土地を含む周辺の地域における計画的な土地利用に適合するものであることについて知事が認定した場合には、当該土地に係る特別土地保有税及びこれに係る徴収金の納税義務を免除する。

一　事務所、店舗その他の建物又は構築物で、その構造、利用状況等が恒久的な利用に供される建物又は構築物に係る基準として地方税法施行令第五十四条の四十七第一項に規定する基準に適合するものの敷地の用に供する土地（次号に該当するものを除く。）

二　工場施設、競技場施設その他の施設（建物、構築物その他の工作物及びこれらと一体的に利用されている土地により構成されているものに限る。以下この号及び次条第一項において「特定施設」という。）で、その整備状況、利用状況等が恒久的な利用に供される特定施設に係る基準として地方税法施行令第五十四条の四十七第二項に規定する基準に適合するものの用に供する土地

2　土地の所有者等は、前項の規定の適用を受けようとする場合においては、第百五十条第一項の納期限（納期限の延長があつたときは、その延長された納期限。第五項において同じ。）までに知事に対して当該土地に係る特別土地保有税について前項の規定の適用があるべき旨の申請をしなければならない。ただし、既に同項の認定又は次条第一項の確認を受けた土地について、当該認定又は確認に係る事情に変更がなく、かつ、当該土地の所有者に変更のないときは、この限りでない。

3　第一項の認定は、前項本文の申請があつた場合又は同項ただし書の規定に該当する場合に限り、するものとする。

4　知事は、第一項の認定をしたとき、又は当該認定をしない旨の決定をしたときは、遅滞なくその旨を当該土地の所有者等に通知しなければならない。ただし、第二項ただし書の規定に該当する土地について、第一項の認定をするときは、この限りでない。

5　知事は、第二項本文の申請があつた場合又は既に第一項の認定若しくは次条第一項の確認を受けた土地について当該認定若しくは確認に係る事情に変更がなく、かつ、当該土地の所有者に変更のない場合には、第百五十条第一項の納期限から第一項の認定をする日（同項の認定をしない旨の決定をしたときは、前項の通知をする日）までの期間、当該第二項本文の申請に係る土地又は既に第一項の認定若しくは次条第一項の確認を受けた土地に係る特別土地保有税及びこれに係る徴収金（第百五十一条第三項若しくは第四項（これらの規定を第百五十二条第二項において準用する場合を含む。）又は前条第二項の規定により徴収を猶予さ

れている部分を除く。）の徴収を猶予する。ただし、当該土地が第一項各号に掲げる土地のいずれにも該当しないことが明らかである場合は、この限りでない。

6　第百五十一条第六項の規定は、第一項の場合について準用する。

**第百五十三条の二の二**　土地の所有者等が、その所有する土地を前条第一項の規定に該当する土地（以下この項において「免除土地」という。）として使用し、又は使用させようとする場合において、知事が当該事実を認定したところに基づいて定める日から二年を経過する日までの期間（当該認定に係る建物若しくは構築物の建設又は特定施設の整備に要する期間が通常二年を超えることその他その期間を延長することにつきやむを得ない理由があると知事が認める場合には、土地の所有者等の申請に基づき五年を超えない範囲内で知事が定める相当の期間。以下この項において「納税義務の免除に係る期間」という。）内に当該土地を免除土地として使用し、又は使用させ、かつ、これらの使用が開始されたことにつき知事の確認を受けたときは、当該土地に係る特別土地保有税及びこれに係る徴収金（納税義務の免除に係る期間に係るものに限るものとし、知事の確認を受けた日後の当該期間に係るものを除く。）の納税義務を免除するものとする。

2　第百五十一条第二項から第六項までの規定は、前項の場合について準用する。この場合において、同条第二項中「納税義務の免除に係る期間（この項の規定により納税義務の免除に係る期間を延長した場合における当該延長された期間を含む。以下この項において同じ。）」とあるのは「第百五十三条の二の二第一項に規定する納税義務の免除に係る期間」と、「知事が定める相当の期間」とあるのは「五年を超えない範囲内で知事が定める相当の期間」と、「延長する」とあるのは「一回に限り延長する」と、同条第四項中「納税義務の免除に係る期間（同項の規定により納税義務の免除に係る期間を延長した場合における当該延長された期間を含む。）」とあるのは「第百五十三条の二の二第一項に規定する納税義務の免除に係る期間」と読み替えるものとする。

**（特別土地保有税の減免）**

**第百五十四条**　次の各号のいずれかに該当する土地又はその取得のうち、知事において必要があると認めるものに対して課する特別土地保有税の納税者に対しては、当該特別土地保有税を減免する。

一　災害等により区画又は形質が変化し、著しく価値を減じた土地で規則で定めるもの

二　公益のため直接専用する土地その他の土地で規則で定めるもの

2　前項の規定は、第百五十条第一項各号に掲げる特別土地保有税の区分に応じ、当該各号に定める日までに次項の申請があつたものについて、これを適用する。

3　第一項の規定によつて特別土地保有税の減免を受けようとする者は、次の各号に掲げる事項を記載した申請書にその事由を証明すべき書類を添付して、これを知事に提出しなければならない。

一　住所及び氏名又は名称

二　土地の所在、地番、地目及び面積

三　取得価額及び税額

四　減免を受けようとする事由

五　前各号に掲げるもののほか、知事において必要があると認める事項

4　第一項の規定によつて特別土地保有税の減免を受けた者は、その事由がやんだ場合においては、直ちにその旨を知事に申告しなければならない。

**（特別土地保有税の納税管理人）**

**第百五十五条**　特別土地保有税の納税義務者は、特別区の存する区域内に住所、居所、事務所又は事業所（以下この条において「住所等」という。）を有しない場合には、特別区の存する区域内に住所等を有する者のうちから納税管理人を定めてこれを定める必要が生じた日から十日以内に納税管理人申告書を知事に提出し、又は特別区の存する区域外に住所等を有する者のうち納税に関する一切の事項の処理につき便宜を有するものを納税管理人として定めることについてこれを定める必要が生じる日の十日前までに知事に申請してその承認を受けなければならない。

2　前項の規定によつて納税管理人申告書を知事に提出し、又は知事の承認を受けた者は、納税管理人を変更した場合その他申告をした事項若しくは承認を受けた事項に異動を生じた場合又は納税管理人を変更しようとする場合その他申告をした事項若しくは承認を受けた事項に異動を生じる場合においては、納税管理人が特別区の存する区域内に住所等を有する場合はその変更又は異動を生じた日から十日以内にその旨を知事に申告し、納税管理人が特別区の存する区域外に住所等を有する場合はその変更又は異動を生じる日の十日前までに知事に申請してその承認を受けなければならない。

3　前二項の規定にかかわらず、当該納税義務者は、当該納税義務者に係る特別土地保有税の徴収の確保に支障がないことについて知事に申請してその認定を受けたときは、納税管理人を定めることを要しない。

**（特別土地保有税の納税管理人に係る不申告に関する過料）**

**第百五十六条**　前条第三項の認定を受けていない特別土地保有税の納税義務者で同条第一項又は第二項の承認を受けていないものが、同条第一項又は第二項の規定によつて申告すべき納税管理人について正当な事由がなくて申告をしなかつた場合においては、その者に対し、十万円以下の過料を科する。

2　前項の過料の額は、知事が定める。

3　第一項の過料を徴収する場合において発する納入通知書に指定すべき納期限は、その発付の日から十日以内とする。

**（遊休土地に対して課する特別土地保有税の納税義務者等）**

**第百五十七条**　都市計画法（昭和四十三年法律第百号）第十条の三第一項に規定する遊休土地転換利用促進地区（第百六十三条第一項において「遊休土地転換利用促進地区」という。）の区域内に所在する土地で同一の者が第百六十条第一項の規定により申告納付すべき日の属する年の一月一日に所有する一団の土地の面積が千平方メートル以上であるもの（以下この節において「遊休土地」という。）に対しては、土地に対して課する特別土地保有税のほか、法第六百二十二条第一項に規定する時価等（第百六十条第二項において「時価等」という。）を課税標準として、当該遊休土地の所有者に特別土地保有税を課する。

**（遊休土地に対して課する特別土地保有税の税率）**

**第百五十八条**　遊休土地に対して課する特別土地保有税の税率は、百分の一・四とする。

**（遊休土地に対して課する特別土地保有税の税額）**

**第百五十九条**　遊休土地に対して課する特別土地保有税の税額は、次条第二項の課税標準額に前条の税率を乗じて得た額から、同項の遊休土地である土地に対して課すべき当該年度分の固定資産税の課税標準となるべき価格に百分の一・四を乗じて得た額の合計額（当該遊休土地である土地のうちに土地に対して課する特別土地保有税が課される土地がある場合にあつては、当該合計額に当該土地に対して第百四十五条の規定により課すべき当該年度分の第百四十八条に規定する第百五十条第一項第一号の特別土地保有税の税額の合計額を加えた額）を控除した額とする。

**（遊休土地に対して課する特別土地保有税の申告納付）**

**第百六十条**　遊休土地に対して課する特別土地保有税の納税義務者（次項において「納税義務者」という。）は、その年の五月三十一日までに、当該特別土地保有税の課税標準額、税額その他必要な事項を記載した申告書を知事に提出するとともに、その申告した税額を納付しなければならない。

2　前項の課税標準額は、納税義務者が一月一日において所有する遊休土地の時価等の合計額とする。

**（遊休土地に係る土地に対して課する特別土地保有税の納税義務の免除等の特例）**

**第百六十一条**　遊休土地に対して課する特別土地保有税が課される土地（第百六十三条第一項の規定の適用を受けるものを除く。）に対して課する特別土地保有税については、第百五十一条から第百五十三条の二の二までの規定は、適用しない。

**（土地に対して課する特別土地保有税に関する規定の準用）**

**第百六十二条**　第百五十七条の規定により特別土地保有税を課する場合には、第百四十五条第二項及び第四項から第七項まで、第百四十九条並びに第百五十四条から第百五十六条までの規定中土地に対して課する特別土地保有税に関する規定を準用する。この場合において、第百四十五条第二項中「前項の「土地」」とあるのは「第百五十七条の遊休土地転換利用促進地区の区域内に所在する「土地」」と、同条第五項及び第六項中「第一項の土地の所有者等」とあり、並びに同条第七項中「第百四十五条第一項の土地の所有者等」とあるのは「第百五十七条に規定する遊休土地の所有者」と、「第百五十四条第二項中「第百五十条第一項各号に掲げる特別土地保有税の区分に応じ、当該各号に定める日」とあるのは「第百六十条第一項の納期限」と、同条第三項第三号中「取得価額」とあるのは「法第六百二十二条第一項に規定する時価等」と読み替えるものとする。

**（遊休土地に対して課する特別土地保有税の納税義務の免除等）**

**第百六十三条**　遊休土地について次の各号のいずれかに掲げる事情があることにつき知事が認定した場合には、当該遊休土地に対して課する特別土地保有税に係る徴収金の納税義務を免除する。

一　当該遊休土地に関する都市計画についてその目的が達成されたと認められる場合において、遊休土地転換利用促進地区に関する都市計画の変更により当該遊休土地を遊休土地転換利用促進地区の区域外としたならば変更後の遊休土地転換利用促進地区が都市計画法第十条の三第一項第二号から第四号までの規定に該当しなくなることが明らかであること。

二　当該遊休土地を遊休土地転換利用促進地区の区域外とすることについて、都市計画法第十七条第四項の規定により意見を聴取したこと。

2　遊休土地の所有者は、前項の規定の適用を受けようとする場合においては、第百六十条第一項の納期限（納期限の延長があつたときは、その延長された納期限。第五項において同じ。）までに知事に対して当該遊休土地に対して課する特別土地保有税について前項の規定の適用があるべき旨の申請をしなければならない。ただし、既に同項の認定を受けた遊休土地について、当該認定に係る事情に変更がなく、かつ、当該遊休土地の所有者に変更のないときは、この限りでない。

3　第一項の認定は、前項本文の申請があつた場合又は同項ただし書の規定に該当する場合に限り、するものとする。

4　知事は、第一項の認定をしたとき、又は当該認定をしない旨の決定をしたときは、遅滞なくその旨を当該遊休土地の所有者に通知しなければならない。ただし、第二項ただし書の規定に該当する遊休土地について、第一項の認定をするときは、この限りでない。

5　知事は、第二項本文の申請があつた場合又は既に第一項の認定を受けた遊休土地について当該認定に係る事情に変更がなく、かつ、当該遊休土地の所有者に変更のない場合には、第百六十条第一項の納期限から第一項の認定をする日（同項の認定をしない旨の決定をしたときは、前項の通知をする日）までの期間、当該第二項本文の申請に係る遊休土地又は既に第一項の認定を受けた遊休土地に対して課する特別土地保有税に係る徴収金の徴収を猶予する。ただし、当該遊休土地について同項各号に掲げるいずれの事情もないことが明らかである場合は、この限りでない。

6　第一項の認定は、第百六十条第一項の規定により申告納付すべき日の属する年の一月一日の現況によるものとする。

7　第百五十一条第六項の規定は、第一項の場合について準用する。

**第百六十四条から第百八十八条まで**　削除

## 第五章　特別区の存する区域において都税として課する目的税

### 第一節　削除

### 第二節　事業所税

**第百八十八条の二から第百八十八条の十一まで**　削除

**（事業所税の納税義務者等）**

**第百八十八条の十二**　事業所税は、都市環境の整備及び改善に関する事業に要する費用に充てるため、事務所又は事業所（以下この節において「事業所等」という。）において法人又は個人の行う事業に対し、当該事業を行う者に資産割額及び従業者割額の合算額によつて課する。

2　法第七百一条の三十二第二項に規定する特殊関係者（以下この項において「特殊関係者」という。）を有する者がある場合において、当該特殊関係者が行う事業について地方税法施行令第五十六条の二十一第二項に規定する特別の事情があるときは、事業所税の賦課徴収については、当該事業は、その者及び当該特殊関係者の共同事業とみなす。

3　法人でない社団又は財団で代表者又は管理人の定めがあるものは、法人とみなして、この節中法人に関する規定を適用する。

**（事業所税の課税標準）**

**第百八十八条の十三**　事業所税の課税標準は、資産割にあつては、課税標準の算定期間（法人に係るものにあつては、事業年度とし、個人に係るものにあつては、法第七百一条の三十一第一項第八号に規定する個人に係る課税期間（以下この節において「個人に係る課税期間」という。）とする。以下この節において同じ。）の末日現在における事業所床面積（当該課税標準の算定期間の月数が十二月に満たない場合には、当該事業所床面積を十二で除して得た面積に当該課税標準の算定期間の月数を乗じて得た面積。次項において同じ。）とし、従業者割にあつては、課税標準の算定期間中に支払われた従業者給与総額とする。

2　次の各号に掲げる事業所等において行う事業に対して課する資産割の課税標準は、前項の規定にかかわらず、それぞれ当該各号に定める面積とする。

一　課税標準の算定期間の中途において新設された事業所等（第三号の事業所等を除く。）　当該課税標準の算定期間の末日における事業所床面積に当該新設の日の属する月の翌月から当該課税標準の算定期間の末日の属する月までの月数の当該課税標準の算定期間の月数に対する割合を乗じて得た面積

二　課税標準の算定期間の中途において廃止された事業所等（次号の事業所等を除く。）　当該廃止の日における事業所床面積に当該課税標準の算定期間の開始の日の属する月から当該廃止の日の属する月までの月数の当該課税標準の算定期間の月数に対する割合を乗じて得た面積

三　課税標準の算定期間の中途において新設された事業所等で当該課税標準の算定期間の中途において廃止されたもの　当該廃止の日における事業所床面積に当該新設の日の属する月の翌月から当該廃止の日の属する月までの月数の当該課税標準の算定期間の月数に対する割合を乗じて得た面積

3　前二項の規定による事業所税の課税標準となるべき事業所床面積又は従業者給与総額について、法第七百一条の四十一第一項若しくは第二項又は法附則第三十三条第一項から第六項までの規定の適用がある場合に

おいては、これらの規定の定めるところによりこれを算定する。

4　第一項及び第二項の課税標準の算定期間の月数は、暦に従つて計算し、一月に満たない端数を生じたときは、これを一月とする。

（事業所税の税率）

**第百八十八条の十四**　事業所税の税率は、資産割にあつては一平方メートルにつき六百円、従業者割にあつては百分の〇・二五とする。

（事業所税の免税点）

**第百八十八条の十五**　事業所税は、同一の者が特別区の存する区域内において行う事業に係る各事業所等（次項に規定する事業所等に該当するものを除く。）について、当該各事業所等に係る法第七百一条の四十三第一項に規定する事業所床面積の合計面積が千平方メートル以下である場合には資産割を、当該各事業所等の同項に規定する従業者の数の合計数が百人以下である場合には従業者割を課さない。

2　前項に規定するもののほか、法第七百一条の四十三第二項に規定する企業組合等（以下本項において「企業組合等」という。）が特別区の存する区域内において行う事業に係る各事業所等のうち、当該事業所等に係る事業所用家屋が当該企業組合等の組合員が組合員となつた際その者の事業の用に供されていたものであり、かつ、その者がその後引き続き当該事業所等において行われる事業の主宰者として当該企業組合等の事業に従事しているものその他これに準ずるものとして地方税法施行令第五十六条の七十二に規定する事業所等に該当するものについては、法第七百一条の四十三第一項に規定する事業所床面積が千平方メートル以下であるものにあつては資産割を、同項に規定する従業者の数が百人以下であるものにあつては従業者割を課さない。

（事業所税の徴収の方法）

**第百八十八条の十六**　事業所税の徴収については、申告納付の方法による。

（事業所税の申告納付）

**第百八十八条の十七**　事業所等において法人が行う事業に対して課する事業所税の納税義務者は、各事業年度終了の日から二月以内（外国法人が第百八十八条の二十四に規定する納税管理人を定めないで法施行地に事業所等を有しないこととなる場合（同条第三項の認定を受けた場合を除く。）には、当該事業年度終了の日から二月を経過した日の前日と当該事業所等を有しないこととなる日とのいずれか早い日まで）に、当該各事業年度に係る事業所税の課税標準額及び税額その他必要な事項を記載した申告書を知事に提出するとともに、その申告した税額を納付しなければならない。

2　事業所等において個人が行う事業に対して課する事業所税の納税義務者は、その年の翌年三月十五日までに（年の中途において事業を廃止した場合には、当該事業の廃止の日から一月以内（当該事業の廃止が納税義務者の死亡によるときは、四月以内）に）、個人に係る課税期間に係る事業所税の課税標準額及び税額その他必要な事項を記載した申告書を知事に提出するとともに、その申告した税額を納付しなければならない。

3　前二項の課税標準額は、資産割にあつては、当該法人又は個人が当該事業年度中又は当該個人に係る課税期間中において特別区の存する区域内に有し、又は有していた各事業所等に係る資産割の課税標準となるべき事業所床面積の合計面積とし、従業者割にあつては、当該各事業所等に係る従業者割の課税標準となるべき従業者給与総額の合計額とする。

4　特別区の存する区域内において事業所等を設けて事業を行う法人又は個人で各事業年度又は各個人に係る課税期間について納付すべき事業所税額のないもののうち規則で定めるものは、法人にあつては各事業年度終了の日から二月以内に、個人にあつてはその年の翌年三月十五日までに、次に掲げる事項を記載した申告書を主たる事業所等の所在地を所管する都税事務所長を経由して知事に提出しなければならない。

一　住所及び氏名又は名称

二　事業所等の所在地、名称及び事業期間

三　事業所等の事業所床面積及び従業者数

四　前各号に掲げるもののほか、知事において必要があると認める事項

（事業所税に係る不申告に関する過料）

**第百八十八条の十七の二**　事業所税の納税義務者が正当な事由がなくて前条第一項、第二項又は第四項の規定による申告書をこれらの項に規定する申告書の提出期限までに提出しなかつた場合においては、その者に対し、十万円以下の過料を科する。

2　前項の過料の額は、知事が定める。

3　第一項の過料を徴収する場合において発する納入通知書に指定すべき納期限は、その発付の日から十日以内とする。

**第百八十八条の十八から第百八十八条の二十まで**　削除

（事業所税の賦課徴収に関する申告義務）

**第百八十八条の二十一**　特別区の存する区域内において事業所等を新設し、又は廃止した者（法第七百一条の三十四第一項に規定する法人及び同条第二項に規定する公益法人等又は人格のない社団等で収益事業を行わ

ないもの並びに事業年度の中途において解散若しくは合併した法人又は年の中途において事業を廃止した個人で、第百八十八条の十七第一項又は第二項の規定により事業所税を申告納付すべきものを除く。）は、その新設又は廃止の日から一月以内に、次に掲げる事項を当該事業所等の所在地を所管する都税事務所長を経由して知事に申告しなければならない。

一　住所及び氏名又は名称
二　事業所等の所在地
三　事業所等を新設し、又は廃止した年月日
四　事業所等の事業所床面積及び従業者数
五　前各号に掲げるもののほか、知事において必要があると認める事項

2　事業所税の納税義務者に事業所用家屋の貸付けを行う者は、新たに貸付けを行うこととなつた事業所用家屋に関し、当該貸付けを行つた日から二月以内に、次に掲げる事項を当該事業所用家屋の所在地を所管する都税事務所長を経由して知事に申告しなければならない。

一　貸付けを行う者の住所及び氏名又は名称
二　事業所用家屋の所在地及び事業所床面積
三　事業所用家屋に係る一むねの床面積（当該事業所用家屋が区分所有に係るものにあつては、専有部分及び共用部分の床面積）
四　納税義務者の住所及び氏名又は名称
五　前各号に掲げるもののほか、知事において必要があると認める事項

3　前項の規定によつて申告をした事項に異動が生じた場合においては、その異動が生じた日から一月以内にその旨その他必要な事項を知事に申告しなければならない。

**（事業所税の賦課徴収に係る不申告に関する過料）**

**第百八十八条の二十二**　前条の規定により申告をすべき者が同条の規定によつて申告すべき事項について正当な事由がなくて申告をしなかつた場合においては、その者に対し、十万円以下の過料を科する。

2　前項の過料の額は、知事が定める。

3　第一項の過料を徴収する場合において発する納入通知書に指定すべき納期限は、その発付の日から十日以内とする。

**（事業所税の減免）**

**第百八十八条の二十三**　事業所税は、次の各号のいずれかに該当する場合で知事において必要があると認める者に限り、これを減免する。

一　災害等により事業所用家屋が滅失し、又は甚大な損害を受けた場合
二　前号に規定するほか、規則で定める事由がある場合

2　前項の規定によつて事業所税の減免を受けようとする者は、次に掲げる事項を記載した申請書にその事由を証明すべき書類を添付して、これを知事に提出しなければならない。

一　住所及び氏名又は名称
二　事業所等の所在地
三　減免を受けようとする事由
四　前各号に掲げるもののほか、知事において必要があると認める事項

3　第一項の規定によつて事業所税の減免を受けようとする者は、第百八十八条の十七第一項又は第二項に規定する事業所税の申告納付期限までに、前項に規定する申請書を提出しなければならない。

4　第一項の規定によつて事業所税の減免を受けた者は、その事由がやんだ場合においては、直ちにその旨を知事に申告しなければならない。

**（事業所税の納税管理人）**

**第百八十八条の二十四**　事業所税の納税義務者は、特別区の存する区域内に住所、居所又は事業所等（以下この条において「住所等」という。）を有しない場合には、特別区の存する区域内に住所等を有する者のうちから納税管理人を定めてこれを定める必要が生じた日から十日以内に納税管理人申告書を知事に提出し、又は特別区の存する区域外に住所等を有する者のうち納税に関する一切の事項の処理につき便宜を有するものを納税管理人として定めることについてこれを定める必要が生じる日の十日前までに知事に申請してその承認を受けなければならない。

2　前項の規定によつて納税管理人申告書を知事に提出し、又は知事の承認を受けた者は、納税管理人を変更した場合その他申告をした事項若しくは承認を受けた事項に異動を生じた場合又は納税管理人を変更しようとする場合その他申告をした事項若しくは承認を受けた事項に異動を生じる場合においては、納税管理人が特別区の存する区域内に住所等を有する場合はその変更又は異動を生じた日から十日以内にその旨を知事に申告し、納税管理人が特別区の存する区域外に住所等を有する場合はその変更又は異動を生じる日の十日前までに知事に申請してその承認を受けなければならない。

3　前二項の規定にかかわらず、当該納税義務者は、当該納税義務者に係る事業所税の徴収の確保に支障がないことについて知事に申請してその認定を受けたときは、納税管理人を定めることを要しない。

**（事業所税の納税管理人に係る不申告に関する過料）**

**第百八十八条の二十五**　前条第三項の認定を受けていない事業所税の納税義務者で同条第一項又は第二項の承認を受けていないものが、同条第一項又は第二項の規定によつて申告すべき納税管理人について正当な事由がなくて申告をしなかつた場合においては、その者に対し、十万円以下の過料を科する。

2　前項の過料の額は、知事が定める。

3　第一項の過料を徴収する場合において発する納入通知書に指定すべき納期限は、その発付の日から十日以内とする。

### 第三節　都市計画税

**（都市計画税の納税義務者等）**

**第百八十八条の二十六**　都市計画税は、都市計画法に基づいて行う都市計画事業又は土地区画整理法に基づいて行う土地区画整理事業に要する費用に充てるため、特別区の存する区域で都市計画法第五条の規定により都市計画区域として指定されたもののうち市街化区域内に所在する土地及び家屋に対し、その価格（法第七百二条第二項に規定する価格をいう。）を課税標準として、賦課期日現在における所有者に課する。この場合において、法第七百二条の三又は法附則第十五条から第十五条の三まで若しくは法附則第六十三条の規定の適用を受ける土地及び家屋にあつては、当該土地及び家屋の価格にそれぞれこれらの規定に定める率を乗じて得た額を課税標準とする。

2　都市計画税の賦課徴収については、第百十八条第二項から第五項まで、第百二十一条及び第百二十三条の規定を準用する。

**（都市計画税の税率）**

**第百八十八条の二十七**　都市計画税の税率は、百分の〇・三とする。

**（都市計画税の賦課期日）**

**第百八十八条の二十八**　都市計画税の賦課期日は、当該年度の初日の属する年の一月一日とする。

**（都市計画税の納期）**

**第百八十八条の二十九**　都市計画税の納期は、左のとおりとする。

第一期　六月一日から同月三十日まで

第二期　九月一日から同月三十日まで

第三期　十二月一日から同月二十七日まで

第四期　二月一日から同月末日まで

2　課税洩れその他特別の事情がある場合における当該都市計画税の納期は、納税通知書に定めるところによる。

**（都市計画税の賦課徴収）**

**第百八十八条の三十**　都市計画税の賦課徴収は、固定資産税の賦課徴収の例によるものとし、知事において特別の事情があると認める場合を除き、固定資産税の賦課徴収とあわせて行うものとする。

## 第六章　市町村の存する区域において都税として課する普通税

### 第一節　都民税（法人）

**（都民税の納税義務者等）**

**第百八十九条**　都民税は、次の各号に掲げる者に対して、それぞれ当該各号に掲げる額により課する。

一　事務所又は事業所を有する法人　均等割額及び法人税割額の合算額

二　寮等を有する法人で事務所又は事業所を有しないもの　均等割額

三　法人課税信託の引受けを行うことにより法人税を課される個人で事務所又は事業所を有するもの　法人税割額

2　法人でない社団又は財団で代表者又は管理人の定めがあり、かつ、収益事業を行うもの（当該社団又は財団で収益事業を廃止したものを含む。第二百条の表第一号において「人格のない社団等」という。）又は法人課税信託の引受けを行うものは、法人とみなして、この節（第二百二条を除く。）の規定を適用する。

**（法人課税信託の受託者に関する第二章第一節及びこの節の規定の適用）**

**第百九十条**　法人課税信託の受託者は、各法人課税信託の信託資産等及び固有資産等ごとに、それぞれ別の者とみなして、第二章第一節（第二十四条の二及び第二十四条の十七を除く。）及びこの節（第百九十九条、第二百一条及び第二百二条に限る。）の規定を適用する。

**第百九十一条から第百九十八条まで**　削除

**（法人税割の税率）**

**第百九十九条**　法人税割の税率は、百分の一・〇とする。

**（均等割の税率）**

**第二百条**　均等割の税率は、次の表の上欄に掲げる法人の区分に応じ、当該下欄に定める額とする。

| 法人の区分 | 税率 |
| --- | --- |
| 一　次に掲げる法人<br>イ　法人税法第二条第五号の公共法人及び法第二十四条第五項に規定する公益法人等のうち、法第二十五条第一項の規定により均等割を課すること | 年額　二万円 |

| | |
|---|---|
| ができないもの以外のもの（法人税法別表第二に規定する独立行政法人で収益事業を行うものを除く。）<br>ロ　人格のない社団等<br>ハ　一般社団法人（非営利型法人に該当するものを除く。）及び一般財団法人（非営利型法人に該当するものを除く。）<br>ニ　保険業法に規定する相互会社以外の法人で資本金の額又は出資金の額を有しないもの（イからハまでに掲げる法人を除く。）<br>ホ　資本金等の額を有する法人（法人税法別表第二に規定する独立行政法人で収益事業を行わないもの及びニに掲げる法人を除く。以下この表において同じ。）で資本金等の額が千万円以下であるもの | |
| 二　資本金等の額を有する法人で資本金等の額が千万円を超え一億円以下であるもの | 年額　五万円 |
| 三　資本金等の額を有する法人で資本金等の額が一億円を超え十億円以下であるもの | 年額　十三万円 |
| 四　資本金等の額を有する法人で資本金等の額が十億円を超え五十億円以下であるもの | 年額　五十四万円 |
| 五　資本金等の額を有する法人で資本金等の額が五十億円を超えるもの | 年額　八十万円 |

**（都民税の申告納付）**

**第二百一条**　都民税を申告納付する義務があるものは、法第五十三条及び法第五十七条に規定する申告書を知事に提出し、及びその申告に係る税額を納付書によつて納付しなければならない。

**第二百二条**　法第五十三条第六十五項に規定する内国法人は、同条第六十九項又は第七十九項の規定の適用を受ける場合を除き、前条の規定により、同条の規定による申告書により行うこととされている申告については、同条の規定にかかわらず、法第五十三条第五十五項の規定により行わなければならない。

**（事務所設置等の申告義務）**

**第二百二条の二**　都民税の納税義務者に係る事務所設置等の申告義務については、第百十四条の二の規定を準用する。

**（都民税の納税管理人）**

**第二百三条**　都民税の納税義務者は、都内に事務所、事業所又は寮等を有しなくなつた場合においては、都内に住所等を有する者のうちから納税管理人を定めてこれを定める必要が生じた日から十日以内に納税管理人申告書を知事に提出し、又は都外に住所等を有する者のうち納税に関する一切の事項の処理につき便宜を有するものを納税管理人として定めることについてこれを定める必要が生じる日の十日前までに知事に申請してその承認を受けなければならない。

２　前項の規定によつて納税管理人申告書を提出し、又は知事の承認を受けた者は、納税管理人を変更した場合その他申告をした事項若しくは承認を受けた事項に異動を生じた場合又は納税管理人を変更しようとする場合その他申告をした事項若しくは承認を受けた事項に異動を生じる場合においては、納税管理人が都内に住所等を有する場合はその変更又は異動を生じた日から十日以内にその旨を知事に申告し、納税管理人が都外に住所等を有する場合はその変更又は異動を生じる日の十日前までに知事に申請してその承認を受けなければならない。

３　前二項の規定にかかわらず、当該納税義務者は、当該納税義務者に係る都民税の徴収の確保に支障がないことについて知事に申請してその認定を受けたときは、納税管理人を定めることを要しない。

**（都民税の納税管理人の不申告に関する過料）**

**第二百四条**　前条第三項の認定を受けていない都民税の納税義務者で同条第一項又は第二項の承認を受けていないものが、同条第一項又は第二項の規定によつて申告すべき納税管理人について正当な事由がなくて申告をしなかつた場合においては、その者に対し、十万円以下の過料を科する。

２　前項の過料の額は、知事が定める。

３　第一項の過料を徴収する場合において発する納入通知書に指定すべき納期限は、その発付の日から十日以内とする。

**第二百五条**　削除

**（均等割の免除）**

**第二百六条**　均等割は、公益社団法人及び公益財団法人その他規則で定める法人（収益事業又は法人課税信託の引受けを行うものを除く。）であつて、知事において必要があると認めるものに対しては、これを免除する。

2 前項の規定によつて均等割の免除を受けようとするものは、当該均等割の納期限までに年度、税額及び免除を受けようとする事由を記載した申請書を知事に提出しなければならない。

3 第一項の規定によつて均等割の免除を受けた者は、その事由がやんだ場合においては、直ちに、その旨を知事に申告しなければならない。

### 第二節 固定資産税

（大規模償却資産に対する固定資産税の納税義務者等）

**第二百七条** 固定資産税は、法第三百四十九条の四に規定する大規模の償却資産及び法第三百四十九条の五に規定する新設大規模償却資産（以下本節中「大規模償却資産」と総称する。）に対し、当該年度の初日の属する年の一月一日現在における当該大規模償却資産の価額（法第三百四十九条の二、法第三百四十九条の三若しくは法第三百四十九条の三の四（法附則第十五条の三の二の規定により読み替えて適用される場合を含む。）又は法附則第十五条から第十五条の三まで若しくは法附則第六十三条の規定により固定資産税の課税標準となるべき額をいう。）のうち法第三百四十九条の四及び法第三百四十九条の五の規定により当該大規模償却資産の所在する市町村が課することができる固定資産税の課税標準となるべき金額を超える部分の金額を課税標準として、その所有者に課する。

（大規模償却資産に対する固定資産税の税率）

**第二百八条** 大規模償却資産に対する固定資産税の税率は、百分の一・四とする。

（大規模償却資産に対する固定資産税の納税管理人）

**第二百九条** 大規模償却資産に対する固定資産税の納税義務者は、都内に住所、居所又は事務所（以下この条において「住所等」という。）を有しない場合においては、都内に住所等を有する者のうちから納税管理人を定めてこれを定める必要が生じた日から十日以内に納税管理人申告書を知事に提出し、又は都外に住所等を有する者のうち納税に関する一切の事項の処理につき便宜を有するものを納税管理人として定めることについてこれを定める必要が生じる日の十日前までに知事に申請してその承認を受けなければならない。

2 前項の規定によつて納税管理人申告書を知事に提出し、又は知事の承認を受けた者は、納税管理人を変更した場合その他申告をした事項若しくは承認を受けた事項に異動を生じた場合又は納税管理人を変更しようとする場合その他申告をした事項若しくは承認を受けた事項に異動を生じる場合においては、納税管理人が都内に住所等を有する場合はその変更又は異動を生じた日から十日以内にその旨を知事に申告し、納税管理人が都外に住所等を有する場合はその変更又は異動を生じる日の十日前までに知事に申請してその承認を受けなければならない。

3 前二項の規定にかかわらず、当該納税義務者は、当該納税義務者に係る大規模償却資産に対する固定資産税の徴収の確保に支障がないことについて知事に申請してその認定を受けたときは、納税管理人を定めることを要しない。

**第二百十条** 削除

（特別区の存する区域において課する固定資産税に関する規定の準用）

**第二百十一条** 大規模償却資産に対する固定資産税の賦課徴収等に関しては、この節に規定するもののほか、第百二十六条、第百二十七条、第百二十九条、第百三十条、第百三十二条、第百三十四条及び第百三十七条の規定を準用する。この場合において、第百三十条中「（法第三百四十九条の三、法第三百四十九条の三の二若しくは法第三百四十九条の三の四又は法附則第十五条から第十五条の三まで若しくは法附則第六十三条の規定の適用を受ける固定資産にあつては、当該固定資産の価格にそれぞれこれらの規定に定める率を乗じて得た額とする。）」とあるのは、「（法第三百四十九条の四又は法第三百四十九条の五の規定の適用を受ける大規模償却資産にあつては、第二百七条の規定により前年度の固定資産税の課税標準とすべき額とする。）」と読み替えるものとする。

## 第七章 電子計算機を使用して作成する帳簿の保存方法等の特例

（都税に関する帳簿の電磁的記録による保存等）

**第二百十二条** 次の各号に掲げる者は、それぞれ当該各号に定める帳簿の全部又は一部について、自己が最初の記録段階から一貫して電子計算機を使用して作成する場合には、規則で定めるところにより、当該帳簿に係る電磁的記録（法第七百四十八条第一項に規定する電磁的記録をいう。以下この章において同じ。）の備付け及び保存をもつて当該帳簿の備付け及び保存に代えることができる。

一 第四十八条の二十一に規定するゴルフ場利用税の特別徴収義務者 同条に規定する帳簿

二 第百三条の十五第一項に規定する軽油引取税の申告納付義務者 同項に規定する帳簿

（都税に関する帳簿の電子計算機出力マイクロフィルムによる保存等）

**第二百十三条**　前条各号に掲げる者は、それぞれ当該各号に定める帳簿の全部又は一部について、自己が最初の記録段階から一貫して電子計算機を使用して作成する場合には、規則で定めるところにより、当該帳簿に係る電磁的記録の備付け及び当該電磁的記録の電子計算機出力マイクロフィルム（法第七百四十八条第一項に規定する電子計算機出力マイクロフィルムをいう。以下この章において同じ。）による保存をもつて当該帳簿の備付け及び保存に代えることができる。

2　前条の規定により同条各号に定める帳簿に係る電磁的記録の備付け及び保存をもつて当該帳簿の備付け及び保存に代えている当該各号に掲げる者は、規則で定める場合には、当該帳簿の全部又は一部について、規則で定めるところにより、当該帳簿に係る電磁的記録の電子計算機出力マイクロフィルムによる保存をもつて当該帳簿に係る電磁的記録の保存に代えることができる。

**（都税に関する法令の規定の適用）**

**第二百十四条**　第二百十二条又は前条各項のいずれかに規定する規則で定めるところに従つて備付け及び保存が行われている帳簿に係る電磁的記録又は電子計算機出力マイクロフィルムに対する地方税に関する法令又はこの条例の規定の適用については、当該電磁的記録又は電子計算機出力マイクロフィルムを当該帳簿とみなす。

## 附　則

**（施行期日）**

**第一条**　この条例は、公布の日から施行し、この条例中に特別の定がある場合を除く外、入場税、遊興飲食税、電気ガス税、広告税（第百六十条第二項第四号に該当する者を除く。以下同様とする。）、商品切手発行税及びと畜税については、昭和二十五年九月一日（特別徴収に係る電気ガス税にあつては、同日以後において収納すべき料金に係る分）から、その他の都税については昭和二十五年度分からそれぞれ適用する。但し、第百九十八条及び第二百一条中電気供給業、ガス供給業及び運送業に関する規定は、これらの事業の料金について、物価統制令の規定による統制額がある場合においては、昭和二十五年一月一日の属する事業年度の初日又は同年一月一日以後においてその統制額が改訂されたときは、その改訂の時の属する事業年度分又は昭和二十五年度分若しくは昭和二十六年度分から、その改訂の時が昭和二十四年四月一日以後昭和二十五年一月一日の属する事業年度の初日又は昭和二十五年一月一日前に係るときは、同年一月一日の属する事業年度分又は昭和二十五年度分若しくは昭和二十六年度分からそれぞれ適用し、昭和二十四年四月一日以後昭和二十七年一月一日の属する事業年度の初日又は同年一月一日前にその改訂が行われなかつたときは、適用しない。

**（関係条例の廃止）**

**第二条**　左に掲げる条例は、廃止する。

東京都都税条例（昭和十八年東京都条例第四号）

東京都都税条例等の特例に関する条例（昭和二十五年東京都条例第十一号）

**（旧東京都都税条例の規定によつて課し又は課すべきであつた都税の取扱）**

**第三条**　前条の規定中旧東京都都税条例の廃止に関する規定は、同条例第八条の二の規定に関する部分に限り、昭和二十五年八月一日から適用する。

2　旧東京都都税条例の規定によつて課し又は課すべきであつた都税（法人の行う事業に対する事業税にあつては、昭和二十五年一月一日の属する事業年度の直前の事業年度以前の分、入場税、電気ガス税、木材引取税、遊興飲食税、と畜税、広告税及び接客人税にあつては昭和二十五年八月三十一日以前の分（特別徴収に係る電気ガス税にあつては、同日以前において収納した料金に係る分）については、前項の規定にかかわらず、旧東京都都税条例第八条の二の規定を除く外、なお、従前の例による。

3　この条例施行前にした行為に対する罰則の適用については、なお、従前の例による。

4　旧東京都都税条例による地租及び家屋税の課税標準額の算定については、国庫出納金等端数計算法施行令第二条第二項第七号の規定によつて、その課税標準額に一円未満の端数がある場合又はその金額が一円未満である場合においてその端数金額又はその全部を切り捨てる。

5　前項の規定は、昭和二十五年四月一日以降において交付すべき地租又は家屋税の徴税令書に係る分から適用する。

**（法附則第二十九条の十に規定する軽自動車税の環境性能割の減免に関する知事の権限の委任）**

**第三条の二**　知事は、当分の間、法附則第二十九条の十の規定により、知事が行うものとされた軽自動車税の環境性能割の減免に関する事務については、第四条の三第一項の規定にかかわらず、都税総合事務センター所長に委任する。

**（延滞金の割合の特例）**

**第三条の三**　当分の間、第十八条第一項に規定する延滞金の年十四・六パーセントの割合及び年七・三パーセントの割合は、同項の規定にかかわらず、各年の延滞金特例基準割合（平均貸付割合（租税特別措置法第九十三条第二項に規定する平均貸付割合をいう。次項及び第三項において同じ。）に年一パーセントの割合を加算した割合をいう。以下この項及び第四項において同じ。）が年七・三パーセントの割合に満たない場合には、その年中においては、年十四・六パーセントの割合にあつてはその年における延滞金特例基準割合に年七・三パーセントの割合を加算した割合と、年七・三パーセントの割合にあつては当該延滞金特例基準割合に年一パーセントの割合を加算した割合（当該加算した割合が年七・三パーセントの割合を超える場合には、年七・三パーセントの割合）とする。

2　当分の間、第十八条の二第一項及び第三項に規定する延滞金の年七・三パーセントの割合は、これらの規定にかかわらず、各年の平均貸付割合に年〇・五パーセントの割合を加算した割合が年七・三パーセントの割合に満たない場合には、その年中においては、当該その年における当該加算した割合とする。

3 当分の間、第十八条第四項に規定する延滞金の年三・六パーセントの割合は、同項の規定にかかわらず、各年の平均貸付割合に年〇・五パーセントの割合を加算した割合が年七・三パーセントの割合に満たない場合には、その年中においては、当該延滞金の年三・六パーセントの割合に加算した割合が年七・三パーセントの割合のうちに占める割合を乗じて計算した割合（当該割合に〇・一パーセント未満の端数があるときは、これを切り捨てる。）とする。

4 前三項のいずれかの規定の適用がある場合における延滞金の額の計算において、前三項に規定する加算した割合（延滞金特例基準割合を除く。）及び計算した割合が年〇・一パーセント未満の割合であるときは年〇・一パーセントの割合とする。

5 第一項から第三項までのいずれかの規定の適用がある場合における延滞金の額の計算において、その計算の過程における金額に一円未満の端数が生じたときは、これを切り捨てる。

**（納期限の延長に係る延滞金の特例）**

**第四条** 当分の間、法附則第三条の二の二に規定する期間として地方税法施行令附則第三条の二の二第一項に定める期間内は、同条第二項で定めるところにより、第十八条の二第一項及び第三項に規定する延滞金の年七・三パーセントの割合は、これらの規定及び前条第二項の規定にかかわらず、日本銀行法（平成九年法律第八十九号）第十五条第一項第一号の規定により定められる商業手形の基準割引率の引上げに応じ、年十二・七七五パーセントの割合の範囲内で定める割合とする。

**（公益法人等に係る個人の都民税の課税の特例）**

**第四条の二** 当分の間、租税特別措置法第四十条第三項後段（同条第六項から第十項まで及び第十一項（同条第十二項において準用する場合を含む。以下この条において同じ。）の規定によりみなして適用する場合を含む。）の規定の適用を受けた同法第四十条第三項に規定する公益法人等（同条第六項から第十一項までの規定により特定贈与等に係る公益法人等とみなされる法人を含む。）を同条第三項に規定する贈与又は遺贈を行つた個人とみなして、地方税法施行令附則第三条の二の三で定めるところにより、これに同法第四十条第三項に規定する財産（同条第六項から第十一項までの規定により特定贈与等に係る財産とみなされる資産を含む。）に係る山林所得の金額、譲渡所得の金額又は雑所得の金額に係る個人の都民税の所得割を課する。

**（利子割の特別徴収義務者の特例）**

**第四条の二の二** 地方税法施行令第七条の四の二第二項第二号に掲げる利子又は同項第十号ロに掲げる休眠預金等代替金に係る利子割については、当分の間、第二十四条の十五の規定にかかわらず、当該利子の支払をする者又は預金保険機構から当該休眠預金等代替金の支払に係る支払等業務（同令第七条の四の二第二項第九号に規定する支払等業務をいう。）の委託を受けた者を特別徴収義務者とする。

**（個人の都民税の均等割の税率の特例）**

**第四条の三** 平成二十六年度から令和五年度までの各年度分の個人の都民税に限り、均等割の税率は、第二十四条の六の規定にかかわらず、同条に規定する額に五百円を加算した額とする。

**（法附則第六十条第一項に規定する条例で定めるもの）**

**第四条の四** 法附則第六十条第一項に規定する条例で定めるものは、新型コロナウイルス感染症等の影響に対応するための国税関係法律の臨時特例に関する法律（令和二年法律第二十五号）第五条第四項に規定する指定行事の同条第一項に規定する中止等により生じた同項に規定する入場料金等払戻請求権の全部又は一部の放棄とする。

**（法人課税信託の受託者に関する附則の規定の適用）**

**第五条** 法人課税信託の受託者は、各法人課税信託の信託資産等（第二十四条第一項に規定する信託資産等をいう。次項において同じ。）及び固有資産等（同条第一項に規定する固有資産等をいう。次項において同じ。）ごとに、それぞれ別の者とみなして、この附則（附則第三条の三から前条まで、次条から附則第五条の二の六まで、附則第十一条及び附則第十二条に限る。以下同じ。）の規定を適用する。

2 前項の場合において、各法人課税信託の信託資産等及び固有資産等は、同項の規定によりみなされた各別の者にそれぞれ帰属するものとする。

3 前二項の規定により、法人課税信託の受託者についてこの附則の規定を適用する場合においては、次の表の上欄に掲げる規定中同表の中欄に掲げる字句は、同表の下欄に掲げる字句にそれぞれ読み替えるものとする。

| | | |
|---|---|---|
| 附則第五条の二の二第一項 | 以下のもの | 以下の固有法人（法人課税信託の受託者である法人（その受託者が個人である場合にあつては、当該受託者である個人）について、附則第五条第一項及び第二項の規定により、当該法人課税信託に係る第二十四条第一項に規定する固有資産等が帰属する者としてこの附則の規定を適用する場合における当該受託者である法人をいう。以下同じ。） |
| | 以下の法人 | 以下のもの及び収入金額（小売電気事業等、発電事業等及び特定卸供給事業並びに特定ガス供給業に係る収入金額を除く。）が年二億円以 |

| | | 下の受託法人（法人課税信託の受託者である法人（その受託者が個人である場合にあつては、当該受託者である個人）について、附則第五条第一項及び第二項の規定により、当該法人課税信託に係る第二十四条第一項に規定する信託資産等が帰属する者としてこの附則の規定を適用する場合における当該受託者である法人をいう。以下同じ。） |
|---|---|---|
| 附則第五条の二の二第二項 | 超えるもの | 超えるもので固有法人であるもの |
| 附則第五条の二の二第二項 | とする | とし、第二十五条第一項第三号イに掲げる法人で受託法人であるもののうち、小売電気事業等、発電事業等及び特定卸供給事業に係る収入金額が年二億円以下の受託法人に対する各事業年度の収入割額は、当該事業年度の収入割の課税標準額に前条の規定により読み替えて適用される第三十三条第三項第一号イに規定する率から百分の〇・〇五二五の率を控除した率を乗じて計算した額に相当する金額とする |
| 附則第五条の二の二第三項 | 超えるものを除く。） | 超えるもので固有法人であるものを除く。）又は同号イに掲げる法人で受託法人であるもの |
| 附則第十二条第一項 | 又は第百四条第二項 | であつて固有法人であるもの、第百四条第二項 |
| 附則第十二条第一項 | みなされるもの | みなされるもののうち固有法人であるもの又は受託法人 |

（法人の事業税の税率の特例）

**第五条の二**　法人（第二十五条第二項又は第三項において法人とみなされるものを含む。次条において同じ。）に対する第三十三条の規定の適用については、当分の間、次の表の上欄に掲げる規定中同表の中欄に掲げる字句は、同表の下欄に掲げる字句にそれぞれ読み替えるものとする。

| 規定 | 読み替えられる字句 | 読み替える字句 |
|---|---|---|
| 第三十三条第一項第一号イ | 百分の一・二 | 百分の一・二六 |
| 第三十三条第一項第一号ロ | 百分の〇・五 | 百分の〇・五二五 |
| 第三十三条第一項第一号ハ | 百分の一 | 百分の一・一八 |
| 第三十三条第一項第二号 | 百分の三・五 | 百分の三・七五 |
| 第三十三条第一項第二号 | 百分の四・九 | 百分の五・二三 |
| 第三十三条第一項第三号 | 百分の三・五 | 百分の三・七五 |
| 第三十三条第一項第三号 | 百分の五・三 | 百分の五・六六五 |
| 第三十三条第一項第三号 | 百分の七 | 百分の七・四八 |
| 第三十三条第二項 | 百分の一 | 百分の一・〇六五 |
| 第三十三条第三項第一号イ | 百分の〇・七五 | 百分の〇・八〇二五 |
| 第三十三条第三項第一号ロ | 百分の〇・三七 | 百分の〇・三八八五 |
| 第三十三条第三項第一号ハ | 百分の〇・一五 | 百分の〇・一五七五 |
| 第三十三条第三項第二号イ | 百分の〇・七五 | 百分の〇・八〇二五 |
| 第三十三条第三項第二号ロ | 百分の一・八五 | 百分の一・九四二五 |
| 第三十三条第四項第一号 | 百分の〇・四八 | 百分の〇・五一九 |
| 第三十三条第四項第二号 | 百分の〇・七七 | 百分の〇・八〇八五 |
| 第三十三条第四項第三号 | 百分の〇・三二 | 百分の〇・三三六 |

| 第三十三条第五項第一号 | 百分の四・九 | 百分の五・二三 |
|---|---|---|
| 第三十三条第五項第二号 | 百分の七 | 百分の七・四八 |

」

2　法附則第九条の二に規定する法人の同条の規定に該当する各事業年度に係る所得割については、第三十三条第一項第二項中

「

| 各事業年度の所得のうち年四百万円を超える金額 | 百分の四・九 |
|---|---|

」

とあるのは

「

| 各事業年度の所得のうち年四百万円を超え年十億円以下の金額 | 百分の四・九 |
|---|---|
| 各事業年度の所得のうち年十億円を超える金額 | 百分の五・七 |

」

と、同条第五項第一号中「百分の四・九」とあるのは「百分の四・九（各事業年度の所得のうち年十億円を超える金額については、百分の五・七）」と、前項中

「

| 第三十三条第一項第二号 | 百分の三・五 | 百分の三・七五 |
|---|---|---|
| | 百分の四・九 | 百分の五・二三 |

」

とあるのは

「

| 次項の規定により読み替えられた第三十三条第一項第二号 | 百分の三・五 | 百分の三・七五 |
|---|---|---|
| | 百分の四・九 | 百分の五・二三 |
| | 百分の五・七 | 百分の六・〇九五 |

」

と、

「

| 第三十三条第五項第一号 | 百分の四・九 | 百分の五・二三 |
|---|---|---|

」

とあるのは

「

| 次項の規定により読み替えられた第三十三条第四項第二号 | 百分の四・九 | 百分の五・二三 |
|---|---|---|
| | 百分の五・七 | 百分の六・〇九五 |

」

とする。

（事業税における中小零細法人等に対する不均一課税）

**第五条の二の二**　第二十五条第一項第二号に掲げる事業を行う法人のうち、資本金の額又は出資金の額が一億円以下のものであつて、かつ、収入金額（小売電気事業等、発電事業等及び特定卸供給事業並びに特定ガス供給業に係る収入金額を除く。）が年二億円以下の法人に対する各事業年度の事業税額は、当該事業年度の事業税の課税標準額に前条の規定により読み替えて適用される第三十三条第二項に規定する率から百分の〇・〇六五の率を控除した率を乗じて計算した額に相当する金額とする。

2　第二十五条第一項第三号ロに掲げる法人（投資法人（投資信託及び投資法人に関する法律（昭和二十六年法律第百九十八号）第二条第十二項に規定する投資法人をいう。次項において同じ。）及び特定目的会社（資産の流動化に関する法律（平成十年法律第百五号）第二条第三項に規定する特定目的会社をいう。次項において同じ。）のうち資本金の額又は出資金の額が一億円を超えるものを除く。）のうち、小売電気事業等、発電事業等及び特定卸供給事業に係る収入金額が年二億円以下の法人に対する各事業年度の収入割額は、当該事業年度の収入割の課税標準額に前条の規定により読み替えて適用される第三十三条第三項第二号イに規定する率から百分の〇・〇五二五の率を控除した率を乗じて計算した額に相当する金額とし、小売電気事業等、発電事業等及び特定卸供給事業に係る所得が年二千五百万円以下の法人に対する各事業年度の所得割額は、当該事業年度の所得割の課税標準額に前条の規定により読み替えて適用される同号ロに規定する率から百分の〇・〇九二五の率を控除した率を乗じて計算した額に相当する金額とする。

3　第二十五条第一項第一号ロに掲げる法人（投資法人及び特定目的会社のうち資本金の額又は出資金の額が一億円を超えるものを除く。）であつて、かつ、所得（小売電気事業等、発電事業等及び特定卸供給事業に係る所得を除く。）が年二千五百万円以下の法人に対する各事業年度の事業税額は、当該事業年度の事業税の課税標準額に前条の規定により読み替えて適用される第三十三条第一項及び第五項に規定する率から、同条第一項第二号の表中各事業年度の所得のうち年四百万円以下の金額の項に掲げる率にあつては百分の〇・二五の率を、各事業年度の所得のうち年四百万円を超える金額の項に掲げる率（前条第二項の規定により読み替えられた同条第一項の規定により読み替えられた第三十三条第一項第二号に規定する各事業年度の所得のうち年四百万円を超え年十億円以下の金額の項に掲げる率を含む。）にあつては百分の〇・三三の率を、同項第三号の表中各事業年度の所得のうち年四百万円以下の金額の項に掲げる率にあつては百分の〇・二五の率を、各事業年度の所得のうち年四百万円を超え年八百万円以下の金額の項に掲げる率にあつては百分の〇・三六五の率を、各事業年度の所得のうち年八百万円を超える金額の項に掲げる率にあつては百分の〇・四八の率を、同条第五項第一号に規定する率（前条第二項の規定により読み替えられた同条第一項の規定により読み替えられた第三十三条第五項第一号に規定する率を含む。）にあつては百分の〇・三三の率を、同項第二号に規定する率にあつては百分の〇・四八の率を控除

した率をそれぞれ乗じて計算した額に相当する金額とする。

4　前三項の規定を適用する場合において、資本金の額又は出資金の額が一億円以下であるかどうかの判定は、各事業年度終了の日（法第七十二条の二十六第一項ただし書又は法第七十二条の四十八第二項ただし書の規定により申告納付すべき事業税にあつては、法第七十二条の二十六第一項に規定する六月経過日の前日）の現況による。ただし、法人が解散した場合における清算中の各事業年度の収入金額又は付加価値額、資本金等の額若しくは所得を課税標準とする事業税にあつては、その解散の日の現況による。

5　都と他の道府県において事務所又は事業所を設けて事業を行う法人の第一項及び第二項の収入金額が年二億円以下であるかどうか又は同項及び第三項の所得が年二千五百万円以下であるかどうかの判定は、法第七十二条の四十八の規定により関係都道府県に分割される前の額による。

6　事業年度が一年に満たない法人に対する第一項から第三項までの規定の適用については、第一項及び第二項中「年二億円」とあるのは「二億円に当該事業年度の月数を乗じて得た額を十二で除して計算した金額」と、同項及び第三項中「年二千五百万円」とあるのは「二千五百万円に当該事業年度の月数を乗じて得た額を十二で除して計算した金額」とする。

7　前項の月数は、暦に従つて計算し、一月に満たない端数を生じたときは、一月とする。

**（地方消費税の譲渡割の賦課徴収の特例）**

**第五条の二の三**　譲渡割の賦課徴収は、当分の間、第四条の三から第十二条まで、第十五条から第十八条まで、第十九条、第二十一条及び第二十二条の規定にかかわらず、国が、消費税の賦課徴収の例により、消費税の賦課徴収と併せて行うものとする。

**（地方消費税の譲渡割の申告の特例）**

**第五条の二の四**　譲渡割の申告は、当分の間、第四条の三から第十二条まで、第十五条から第十八条まで、第十九条、第二十一条及び第二十二条の規定にかかわらず、消費税の申告の例により、消費税の申告と併せて、税務署長にしなければならない。この場合において、第四十条の五第一項及び第二項中「知事」とあるのは「税務署長」と、同条第三項中「法」とあるのは「法附則第九条の五後段の規定により読み替えられた法」と、「同条第一項」とあるのは「法附則第九条の五後段の規定により読み替えられた法第七十二条の八十九の二第一項」とする。

**（地方消費税の譲渡割の納付の特例）**

**第五条の二の五**　譲渡割の納税義務者は、当分の間、第四条の三から第十二条まで、第十五条から第十八条まで、第十九条、第二十一条及び第二十二条の規定にかかわらず、譲渡割を、消費税の納付の例により、消費税の納付と併せて国に納付しなければならない。この場合において、第四十条の五中「納付しなければならない」とあるのは、「国に納付しなければならない」とする。

**（地方消費税の譲渡割に係る徴収取扱費の支払）**

**第五条の二の六**　都は、国が譲渡割の賦課徴収に関する事務を行うために要する費用を補償するため、法附則第九条の十四第一項の規定により、徴収取扱費を国に支払うものとする。

**（不動産取得税の新築家屋の取得の日等に係る特例）**

**第五条の二の七**　土地が取得され、かつ、当該土地の上に第四十八条第一項に規定する特例適用住宅が新築された場合における同項及び第四十八条の二の規定の適用については、当該土地の取得が平成十六年四月一日から令和八年三月三十一日までの間に行われたときに限り、第四十八条第一項第一号中「二年」とあるのは「三年（同日から三年以内に特例適用住宅が新築されることが困難である場合として地方税法施行令附則第六条の十八第二項で定める場合には、四年）」と、第四十八条の二中「二年」とあるのは「三年（同号に規定する地方税法施行令附則第六条の十八第二項で定める場合においては、四年）」とする。

**（法附則第十一条第七項に規定する条例で定める割合）**

**第五条の二の八**　法附則第十一条第七項本文に規定する条例で定める割合は、十分の三（同項ただし書に規定する条例で定める割合は、五分の三）とする。

**（住宅の取得及び土地の取得に対する不動産取得税の税率の特例）**

**第五条の三**　平成十八年四月一日から令和九年三月三十一日までの間に住宅又は土地の取得が行われた場合における不動産取得税の税率は、第四十二条の規定にかかわらず、百分の三とする。

2　前項に規定する住宅又は土地の取得が第四十八条第一項から第三項まで、第四十八条の四の二第一項、第四十八条の四の三第一項又は附則第五条の五第一項若しくは第三項の規定に該当する場合におけるこれらの規定の適用については、これらの規定中「税率」とあるのは、「当該税額の算定に用いられた税率」とする。

**（不動産取得税の減額等）**

**第五条の四**　高齢者の居住の安定確保に関する法律（平成十三年法律第二十六号）第七条第一項の登録を受けた同法第五条第一項に規定するサービス付き高齢者向け住宅である貸家住宅（その全部又は一部が専ら住居として貸家の用に供される家屋をいう。）で地方税法施行令附則第八条第一項に規定するものの用に供する土地の取得を令和七年三月三十一日までにした場合における第四十八条第一項、第五項及び第七項並びに第四十八条の二第二項の規定の適用については、第四十八条第一項中「該当する場合には」とあるのは「該当する場合には、当該取得が令和七年三月三十一日までに行われたときに限り」と、「住宅（地方税法施行令第三十九条の二の四第一項に規定する住宅に限る。以下この条及び次条において「特例適用住宅」という。）一戸（共同住宅等にあつては、居住の用に供するために独立的に区画された一の部分で同令第三十九条の二の四第二項に規定するもの）」とあるのは「高齢者の居住の安定確保に関する法律（平成十三年法律第二十六号）第七条第一項の登録を受けた同法第五条第一項に規定するサービス付き高齢者向け住宅である貸家住宅（その全部又は一部が専ら住居として貸家の用に供される家屋をいう。）で地方税法施行令附則第八条第一項に規定するもの（以下次条までにおいて「特例適用サービス付き高齢者向け住宅」という。）の居住の用に供するために独立的に区画された一の部分で同令附則第八条第二項に規定するもの」と、同項各号、同条第五項及び第七項並びに第四十八条の二第二項中「特例適用住宅」とあるのは「特例適用サービス付き高齢者向け住宅」とする。

**第五条の五**　宅地建物取引業法（昭和二十七年法律第百七十六号）第二条第三号に規定する宅地建物取引業者（以下この項及び第三項において「宅地建物取引業者」という。）が改修工事対象住宅（法附則第十一条の四第二項に規定する改修工事対象住宅をいう。以下この項及び第三項において同じ。）を取得した場合において、当該宅地建物取引業者が、当該改修工事対象住宅を取得した日から二年以内に、当該改修工事対象住宅について地方税法施行令附則第九条第一項で定める改修工事（以下この項及び第三項において「住宅性能向上改修工事」という。）を行つた後、当該住宅性能向上改修工事を行つた当該改修工事対象住宅で同令附則第九条第二項で定めるもの（以下この項及び第三項において「住宅性能向上改修住宅」という。）を個人に対し譲渡し、当該個人が当該住宅性能向上改修住宅をその者の居住の用に供したときは、当該宅地建物取引業者による当該改修工事対象住宅の取得に対して課する不動産取得税については、当該取得が令和七年三月三十一日までの間に行われたときに限り、当該税額から当該改修工事対象住宅が新築された時において施行されていた法第七十三条の十四第一項の規定により控除するものとされていた額に税率を乗じて得た額を減額する。

2　第四十八条の二から第四十八条の四までの規定は、前項の場合における不動産取得税について同項の規定の適用があるべき旨の申告、当該不動産取得税額の徴収猶予及びその取消し並びに当該不動産取得税に係る徴収金の還付について準用する。この場合において、第四十八条の二第一項中「前条第一項第一号、第二項第一号又は第三項」とあるのは「附則第五条の五第一項」と、「同条第一項第一号の規定の適用を受ける土地の取得にあつては当該取得の日から二年以内、同条第二項第一号の規定の適用を受ける土地の取得にあつては当該取得の日から一年以内、同条第三項第一号の規定の適用を受ける土地の取得にあつては当該取得の日から一年六月以内、同項第二号の規定の適用を受ける土地の取得（当該土地の上にある耐震基準不適合既存住宅の取得が第四十八条の四の二第一項の規定に該当することとなつた日前に行われたものに限る。）にあつては当該土地の取得の日から六月以内」とあるのは「当該取得の日から二年以内」と、「当該土地に」とあるのは「附則第五条の五第一項に規定する改修工事対象住宅（第四十八条の四において「改修工事対象住宅」という。）に」と、「これら」とあるのは「同項」と、第四十八条の三中「第四十八条第一項第一号、第二項第一号若しくは第三項」とあるのは「附則第五条の五第一項」と、第四十八条の四中「土地」とあるのは「改修工事対象住宅」と、「第四十八条第一項第一号、第二項第一号又は第三項」とあるのは「附則第五条の五第一項」と、「これら」とあるのは「同項」と読み替えるものとする。

3　宅地建物取引業者が改修工事対象住宅の敷地の用に供する土地（当該改修工事対象住宅とともに取得したものに限る。以下この項において「改修工事対象住宅用地」という。）を取得した場合において、当該宅地建物取引業者が、当該改修工事対象住宅用地を取得した日から二年以内に、当該改修工事対象住宅について住宅性能向上改修工事を行つた後、当該住宅性能向上改修住宅で地方税法施行令附則第九条の二で定めるもの（以下この項において「特定住宅性能向上改修住宅」という。）の敷地の用に供する土地を個人に対し譲渡し、当該個人が当該特定住宅性能向上改修住宅をその者の居住の用に供したときは、当該宅地建物取引業者による当該改修工事対象住宅用地の取得に対して課する不動産取得税については、当該取得が令和七年三月三十一日までに行われたときに限り、当該税額から百五十万円（当該改修工事対象住宅用地に係る不動産取得税の課税標準となるべき価格を当該土地の面積の平方メートルで表した数値で除して得た額に当該改修工事対象住宅用地の上にある改修工事対象住宅一戸（第四十五条第一項第五号に規定する共同住宅等にあつては、居住の用に供するために独立的に区画された一の部分）についてその床面積の二倍の面積の平方メートルで表した数値（当該数値が二百を超える場合には、二百とする。）を乗じて得た金額が百五十万円を超えるときは、当該乗じて得た金額）に税率を乗じて得た額を減額する。

4　第四十八条の二から第四十八条の四までの規定は、前項の場合における不動産取得税について同項の規定の適用があるべき旨の申告、当該不動産取得税額の徴収猶予及びその取消し並びに当該不動産取得税に係る徴収金の還付について準用する。この場合において、第四十八条の二第一項中「前条第一項第一号、第二項第一号又は第三項」とあるのは「附則第五条の五第三項」と、「同条第一項第一号の規定の適用を受ける土地の取得にあつては当該取得の日から二年以内、同条第二項第一号の規定の適用を受ける土地の取得にあつては当該取得の日から一年以内、同条第三項第一号の規定の適用を受ける土地の取得にあつては当該取得の日から一年六月以内、同項第二号の規定の適用を受ける土地の取得（当該土地の上にある耐震基準不適合既存住宅の取得が第四十八条の四の二第一項の規定に該当することとなつた日前に行われたものに限る。）にあつては当該土地の取得の日から六月以内」とあるのは「当該取得の日から二年以内」と、「当該土地に」とあるのは「附則第五条の五第三項に規定する改修工事対象住宅用地（第四十八条の四において「改修工事対象住宅用地」という。）に」と、「これら」とあるのは「同項」と、第四十八条の三中「第四十八条第一項第一号、第二項第一号若しくは第三項」とあるのは「附則第五条の五第三項」と、第四十八条の四中「土地」とあるのは「改修工事対象住宅用地」と、「第四十八条第一項第一号、第二項第一号又は第三項」とあるのは「附則第五条の五第三項」と、「これら」とあるのは「同項」と読み替えるものとする。

**（宅地評価土地の取得に対して課する不動産取得税の特例）**

**第六条**　宅地評価土地（法附則第十一条の五第一項に規定す

る宅地評価土地をいう。第三項において同じ。）の取得に対して課する不動産取得税については、当該取得が平成十八年一月一日から令和九年三月三十一日までの間に行われた場合に限り、第四十一条中「又は法附則第十一条」とあるのは、「、法附則第十一条又は法附則第十一条の五」とする。

2　前項の規定の適用がある土地の取得について第四十八条第一項から第三項まで及び前条第三項の規定の適用がある場合におけるこれらの規定の適用については、これらの規定中「価格」とあるのは、「価格の二分の一に相当する額」とする。

3　平成十八年四月一日から令和九年三月三十一日までの間において、第四十八条の四の三第一項に規定する被収用不動産等を収用され、又は譲渡した場合において、同項に規定する固定資産課税台帳に登録された価格（当該価格が登録されていない場合には、知事が法第三百八十八条第一項の固定資産評価基準により決定した価格）中に宅地評価土地の価格があるときにおける第四十八条の四の三第一項の規定の適用については、同項中「登録された価格」とあるのは「登録された価格（当該価格のうち附則第六条第一項に規定する宅地評価土地の部分以外の部分の価格に相当する額に当該宅地評価土地の部分の価格の二分の一に相当する額を加算して得た額）」と、「決定した価格」とあるのは「決定した価格（当該価格のうち附則第六条第一項に規定する宅地評価土地の部分以外の部分の価格に相当する額に当該宅地評価土地の部分の価格の二分の一に相当する額を加算して得た額）」とする。

**（業務核都市における中核的民間施設の取得に対する不動産取得税の不均一課税）**

**第六条の二**　多極分散型国土形成促進法（昭和六十三年法律第八十三号。以下この項において「多極法」という。）第二十二条第三項第三号に規定する業務施設集積地区において、同法第二十六条に規定する同意基本構想（地方分権の推進を図るための関係法律の整備等に関する法律（平成十一年法律第八十七号）第九十条の規定による改正前の多極分散型国土形成促進法（以下この項において「旧多極法」という。）第二十四条第一項の規定による承認又は多極法第二十四条第一項の規定による同意（旧多極法第二十五条第一項の規定による承認又は多極法第二十五条第一項の規定による同意を含む。）を受けたもの又は得たものに限る。以下この項において同じ。）に従つて整備される同法第二十二条第三項第四号に規定する中核的民間施設（以下この条及び附則第二十一条において「中核的民間施設」という。）の用に供する家屋のうち規則で定めるものを新築した者で規則で定めるものの当該家屋の取得に対して課する不動産取得税の税率は、当該取得が旧多極法第二十四条第三項又は多極法第二十四条第三項（旧多極法第二十五条第二項又は多極法第二十五条第二項において準用する場合を含む。）の規定による同意基本構想の公表の日（以下「公表日」という。）から八年を経過する日までの間に行われたときに限り、第四十二条及び附則第五条の三第一項の規定にかかわらず、百分の二とする。

2　中核的民間施設の用に供する家屋又は構築物のうち規則で定めるものを新築した者で規則で定めるものの当該家屋又は構築物の敷地の用に供する土地の取得に対して課する不動産取得税の税率は、当該取得が公表日から八年を経過する日までの間に行われたときに限り、第四十二条及び附則第五条の三第一項の規定にかかわらず、百分の二とする。

**（不動産の価格の決定の特例）**

**第六条の二の二**　第四十八条の四の三第一項の規定により知事が不動産の価格を決定する場合において、当該不動産が法附則第十七条の二第一項又は第二項の規定の適用を受ける土地であるときにおける第四十八条の四の三第一項又は附則第六条第三項の規定の適用については、これらの規定中「固定資産評価基準」とあるのは、「固定資産評価基準及び法附則第十七条の二第一項に規定する修正基準」と読み替えるものとする。

**（東日本大震災による被災家屋の代替家屋等の取得に係る不動産取得税の特例）**

**第六条の二の三**　法附則第五十一条第一項に規定する代替家屋、同条第二項に規定する代替家屋の敷地の用に供する土地で従前の土地に代わるものと知事が認める土地若しくは同条第三項に規定する被災農用地に代わるものと知事が認める農用地の取得が平成二十三年三月十一日から令和八年三月三十一日までの間に行われたとき、又は同条第四項に規定する代替家屋、同条第五項に規定する代替家屋の敷地の用に供する土地で対象土地に代わるものと知事が認める土地若しくは同条第六項に規定する対象区域内農用地に代わるものと知事が認める農用地の取得が同条第四項に規定する居住困難区域を指定する旨の公示があつた日から当該居住困難区域の指定を解除する旨の公示があつた日から起算して三月（代替家屋の取得にあつては、一年）を経過する日までの間に行われたときに限り、当該取得に対して課する不動産取得税については、第四十一条中「又は法附則第十一条」とあるのは、「、法附則第十一条又は法附則第五十一条」とする。

2　前項の規定の適用がある場合における附則第六条第一項の規定の適用については、同項中「又は法附則第十一条」とあるのは「、法附則第十一条又は法附則第五十一条」と、「又は法附則第十一条の五」とあるのは「、法附則第十一条の五又は法附則第五十一条」とする。

**（自動車税の環境性能割の賦課徴収の特例）**

**第六条の二の四**　知事は、当分の間、納付すべき環境性能割の額について不足額があることを第七十二条第一項に規定する納期限後において知つた場合において、当該事実が生じた原因が、国土交通大臣の認定等（法附則第十二条の二の十一第一項に規定する国土交通大臣の認定等をいう。以下この項において同じ。）の申請をした者が偽りその他不正の手段（当該申請をした者に当該申請に必要な情報を直接又は間接に提供した者の偽りその他不正の手段を含む。）により国土交通大臣の認定等を受けたことを事由として国土交通大臣が当該国土交通大臣の認定等を取り消したことによるものであるときは、当該申請をした者又はその一般承継人を当該不足額に係る自動車について第七十二条第一項に規定する申告書を提出すべき当該自動車の取得者とみなして、環境性能割に関する規定を適用する。

2　前項の規定の適用がある場合における法第百六十八条第二項の規定による決定により納付すべき環境性能割の額は、前項の不足額に、これに百分の三十五の割合を乗じて計算した金額を加算した金額とする。

**（自動車税の環境性能割の税率の特例）**

**第六条の三**　営業用の自動車に対する第七十条の規定の適用については、当分の間、同条第一号中「百分の一」とあるのは「百分の〇・五」と、同条第二号中「百分の二」とあるのは「百分の一」と、同条第三号中「百分の三」とあるのは「百分の二」とする。

**（電気自動車及び充電機能付電力併用自動車に対する自動車税の種別割の課税免除）**

**第六条の四**　次に掲げる自動車で平成二十一年四月一日から令和八年三月三十一日までの間に初めて新規登録（以下この条及び次条において「初回新規登録」という。）を受けたものに対しては、当該自動車に対して新たに種別割が課されるべき年度から当該初回新規登録を受けた日から起算して五年を経過した日の属する年度までの各年度分の種別割に限り、第六十五条の規定にかかわらず、これを課さない。

一　電気自動車

二　充電機能付電力併用自動車（法第百四十九条第一項第三号に規定する充電機能付電力併用自動車をいう。次条において同じ。）

2　前項の規定の適用がある場合における第八十二条の規定の適用については、同条第一項第二号中「第六十七条及び第六十八条」とあるのは「第六十七条、第六十八条又は附則第六条の四第一項」とする。

**（自動車税の種別割の税率の特例）**

**第七条**　次の各号に掲げる自動車（電気自動車、天然ガス自動車（法第百四十九条第一項第二号に規定する天然ガス自動車をいう。次項第二号及び次条第三項において同じ。）、メタノール自動車（専らメタノールを内燃機関の燃料として用いる自動車で地方税法施行規則附則第五条第一項で定めるものをいう。次条第三項において同じ。）、混合メタノール自動車（メタノールとメタノール以外のものとの混合物で地方税法施行規則附則第五条第二項で定めるものを内燃機関の燃料として用いる自動車で同条第一項で定めるものをいう。次条第三項において同じ。）及びガソリンを内燃機関の燃料として用いる電力併用自動車（法第百四十九条第一項第三号に規定する電力併用自動車をいう。次条第三項において同じ。）並びに自家用の乗用車（三輪の小型自動車であるものを除く。同条において同じ。）、バス（一般乗合用バス及びスクールバスに限る。）及び被けん引自動車を除く。）に対する当該各号に定める年度以後の年度分の種別割に係る第七十七条第一項及び第二項の規定の適用については、次の表の上欄に掲げる同条の規定中同表の中欄に掲げる字句は、それぞれ同表の下欄に掲げる字句とする。

一　ガソリン自動車（法第百四十九条第一項第四号に規定するガソリン自動車をいう。次項第四号及び第三項第一号において同じ。）又は石油ガス自動車（同条第一項第五号に規定する石油ガス自動車をいう。次項第五号及び第三項第二号において同じ。）で平成二十五年三月三十一日までに初回新規登録を受けたもの　初回新規登録を受けた日から起算して十四年を経過した日の属する年度

二　軽油自動車（法第百四十九条第一項第六号に規定する軽油自動車をいう。次項第六号及び第三項第三号において同じ。）その他の前号に掲げる自動車以外の自動車で平成二十七年三月三十一日までに初回新規登録を受けたもの　初回新規登録を受けた日から起算して十二年を経過した日の属する年度

| | | |
|---|---|---|
| 第一項第一号イ | 七千五百円 | 八千六百円 |
| | 八千五百円 | 九千七百円 |
| | 九千五百円 | 一万九百円 |
| | 一万二千八百円 | 一万五千八百円 |
| | 一万五千七百円 | 一万八千円 |
| | 一万七千九百円 | 二万五百円 |
| | 二万五百円 | 二万三千五百円 |
| | 二万三千六百円 | 二万七千百円 |
| | 二万七千二百円 | 三万一千二百円 |
| | 四万七百円 | 四万六千八百円 |
| 第一項第二号イ | 六千五百円 | 七千百円 |
| | 九千円 | 九千九百円 |
| | 一万二千円 | 一万三千二百円 |
| | 一万五千円 | 一万六千五百円 |
| | 一万八千五百円 | 二万三百円 |
| | 二万二千円 | 二万四千二百円 |
| | 二万五千五百円 | 二万八千円 |
| | 二万九千五百円 | 三万二千四百円 |
| | 四千七百円 | 五千百円 |
| 第一項第二号ロ | 八千円 | 八千八百円 |

| | | |
|---|---|---|
| | 一万一千五百円 | 一万二千六百円 |
| | 一万六千円 | 一万七千六百円 |
| | 二万五百円 | 二万二千五百円 |
| | 二万五千五百円 | 二万八千円 |
| | 三万円 | 三万三千円 |
| | 三万五千円 | 三万八千五百円 |
| | 四万五百円 | 四万四千五百円 |
| | 六千三百円 | 六千九百円 |
| 第一項第二号ハ(1) | 七千五百円 | 八千二百円 |
| | 一万五千百円 | 一万六千六百円 |
| 第一項第二号ハ(2) | 一万二百円 | 一万一千二百円 |
| | 二万六百円 | 二万二千六百円 |
| 第一項第三号イ(1) | 一万四千五百円 | 一万五千九百円 |
| | 一万七千五百円 | 一万九千二百円 |
| 第一項第三号イ(2) | 二万六千五百円 | 二万九千百円 |
| | 三万二千円 | 三万五千二百円 |
| | 三万八千円 | 四万一千八百円 |
| | 四万四千円 | 四万八千四百円 |

| | | |
|---|---|---|
| | 五万五百円 | 五万五千五百円 |
| | 五万七千円 | 六万二千七百円 |
| | 六万四千円 | 七万四百円 |
| 第一項第三号ロ | 三万三千円 | 三万六千三百円 |
| | 四万一千円 | 四万五千百円 |
| | 四万九千円 | 五万三千九百円 |
| | 五万七千円 | 六万二千七百円 |
| | 六万五千五百円 | 七万二千円 |
| | 七万四千円 | 八万一千四百円 |
| | 八万三千円 | 九万一千三百円 |
| 第一項第四号 | 四千五百円 | 五千百円 |
| | 六千円 | 六千九百円 |
| 第二項第一号 | 三千七百円 | 四千百円 |
| | 四千七百円 | 五千二百円 |
| | 六千三百円 | 六千九百円 |
| 第二項第二号 | 五千二百円 | 五千七百円 |
| | 六千三百円 | 六千九百円 |
| | 八千円 | 八千八百円 |

2　次に掲げる自動車（前条第一項の規定の適用を受ける自動車を除く。）に対する第七十七条第一項及び第二項の規定の適用については、当該自動車が令和四年四月一日から令和八年三月三十一日までの間に初回新規登録を受けた場合には、当該初回新規登録を受けた日の属する年度の翌年度分の種別割に限り、次の表の上欄に掲げる同条の規定中同表の中欄に掲げる字句は、それぞれ同表の下欄に掲げる字句とする。

一　電気自動車

二　天然ガス自動車のうち、道路運送車両法第四十一条第一項の規定により平成三十年十月一日以降に適用されるべきものとして定められた排出ガス保安基準（法第百四十九条第一項第二号イに規定する排出ガス保安基準をいう。）で地方税法施行規則附則第五条の二第一項で定めるものに適合するもの又は平成二十一年天然ガス車基準（同号ロに規定する平成二十一年天然ガス車基準をいう。以下この号において同じ。）に適合し、かつ、窒素酸化物の排出量が平成二十一年天然ガス車基準に定める窒素酸化物の値の十分の九を超えないもので地方税法施行規則附則第五条の二第二項で定めるもの

三　充電機能付電力併用自動車

四　ガソリン自動車（営業用の乗用車に限る。）のうち、窒素酸化物の排出量が平成三十年ガソリン軽中量車基準（法第百四十九条第一項第四号イ(1)(i)に規定する平成三十年ガソリン軽中量車基準をいう。次項第一号において同じ。）に定める窒素酸化物の値の二分の一を超えないもの又は窒素酸化物の排出量が平成十七年ガソリン軽中量車基準（同条第一項第四号イ(1)(ii)に規定する平成十七年ガソリン軽中量車基準をいう。次項第一号において同じ。）に定める窒素酸化物の値の四分の一を超えないものであつて、エネルギー消費効率（エネルギーの使用の合理化及び非化石エネルギーへの転換等に関する法律（昭和五十四年法律第四十九号）第百五十一条第一号イに規定するエネルギー消費効率をいう。以下この項及び

次項において同じ。）が令和十二年度基準エネルギー消費効率（法第百四十九条第一項第四号イ(2)に規定する令和十二年度基準エネルギー消費効率をいう。以下この項及び次項において同じ。）に百分の九十を乗じて得た数値以上かつ令和二年度基準エネルギー消費効率（同号イ(3)に規定する令和二年度基準エネルギー消費効率をいう。以下この項及び次項において同じ。）以上のもので地方税法施行規則附則第五条の二第三項で定めるもの

五　石油ガス自動車（営業用の乗用車に限る。）のうち、窒素酸化物の排出量が平成三十年石油ガス軽中量車基準（法第百四十九条第一項第五号イ(1)(i)に規定する平成三十年石油ガス軽中量車基準をいう。次項第二号において同じ。）に定める窒素酸化物の値の二分の一を超えないもの又は窒素酸化物の排出量が平成十七年石油ガス軽中量車基準（同条第一項第五号イ(1)(ii)に規定する平成十七年石油ガス軽中量車基準をいう。次項第二号において同じ。）に定める窒素酸化物の値の四分の一を超えないものであつて、エネルギー消費効率が令和十二年度基準エネルギー消費効率に百分の九十を乗じて得た数値以上かつ令和二年度基準エネルギー消費効率以上のもので地方税法施行規則附則第五条の二第四項で定めるもの

六　軽油自動車（営業用の乗用車に限る。）のうち、平成三十年軽油軽中量車基準（法第百四十九条第一項第六号イ(1)に規定する平成三十年軽油軽中量車基準をいう。次項第三号において同じ。）又は平成二十一年軽油軽中量車基準（同条第一項第六号イ(1)に規定する平成二十一年軽油軽中量車基準をいう。次項第三号において同じ。）に適合するものであつて、エネルギー消費効率が令和十二年度基準エネルギー消費効率に百分の九十を乗じて得た数値以上かつ令和二年度基準エネルギー消費効率以上のもので地方税法施行規則附則第五条の二第五項で定めるもの

| | | |
|---|---|---|
| 第一項第一号イ | 七千五百円 | 二千円 |
| | 八千五百円 | 二千五百円 |
| | 九千五百円 | 二千五百円 |
| | 一万三千八百円 | 三千五百円 |
| | 一万五千七百円 | 四千円 |
| | 一万七千九百円 | 四千五百円 |
| | 二万五百円 | 五千五百円 |
| | 二万三千六百円 | 六千円 |
| | 二万七千二百円 | 七千円 |
| | 四万七百円 | 一万五百円 |
| 第一項第一号ロ | 二万五千円 | 六千五百円 |
| | 三万五百円 | 八千円 |
| | 三万六千円 | 九千円 |
| | 四万三千五百円 | 一万一千円 |
| | 五万円 | 一万二千五百円 |
| | 五万七千円 | 一万四千五百円 |
| | 六万五千五百円 | 一万六千五百円 |
| | 七万五千五百円 | 一万九千円 |
| | 八万七千円 | 二万二千円 |
| | 十一万円 | 二万七千五百円 |
| 第一項第二号イ | 八千五百円 | 二千円 |
| | 九千円 | 二千五百円 |
| | 一万二千円 | 三千円 |
| | 一万五千円 | 四千円 |
| | 一万八千五百円 | 五千円 |
| | 二万二千円 | 五千五百円 |
| | 二万五千五百円 | 六千五百円 |
| | 二万九千五百円 | 七千五百円 |
| | 四千七百円 | 千二百円 |
| 第一項第二号ロ | 八千円 | 二千円 |
| | 一万一千五百円 | 三千円 |
| | 一万六千円 | 四千円 |
| | 二万五百円 | 五千五百円 |
| | 二万五千五百円 | 六千五百円 |
| | 三万円 | 七千五百円 |
| | 三万五千円 | 九千円 |
| | 四万五百円 | 一万五百円 |

| | | |
|---|---|---|
| | 六千三百円 | 千六百円 |
| 第一項第二号ハ(1) | 七千五百円 | 二千円 |
| | 一万五千五百円 | 四千円 |
| 第一項第二号ハ(2) | 一万二百円 | 三千円 |
| | 二万六百円 | 五千五百円 |
| 第一項第三号イ(1) | 一万二千円 | 三千円 |
| | 一万四千五百円 | 四千円 |
| | 一万七千五百円 | 四千五百円 |
| | 二万円 | 五千円 |
| | 二万二千五百円 | 六千円 |
| | 二万五千五百円 | 六千五百円 |
| | 二万九千円 | 七千五百円 |
| 第一項第三号イ(2) | 二万六千五百円 | 七千円 |
| | 三万二千円 | 八千円 |
| | 三万八千円 | 九千五百円 |
| | 四万四千円 | 一万一千円 |
| | 五万五百円 | 一万三千円 |
| | 五万七千円 | 一万四千五百円 |
| | 六万四千円 | 一万六千円 |
| 第一項第三号ロ | 三万三千円 | 八千五百円 |
| | 四万一千円 | 一万五百円 |
| | 四万九千円 | 一万二千五百円 |
| | 五万七千円 | 一万四千五百円 |
| | 六万五千五百円 | 一万六千五百円 |
| | 七万四千円 | 一万八千五百円 |
| | 八万三千円 | 二万一千円 |
| 第一項第四号 | 四千五百円 | 千五百円 |
| | 六千円 | 千五百円 |
| 第二項第一号 | 三千七百円 | 千円 |
| | 四千七百円 | 千二百円 |
| | 六千三百円 | 千六百円 |
| 第二項第二号 | 五千二百円 | 千三百円 |
| | 六千三百円 | 千六百円 |
| | 八千円 | 二千円 |

3　次に掲げる自動車のうち、営業用の乗用車（前項の規定の適用を受けるものを除く。）に対する第七十七条第一項第一号イ及び第四号イの規定の適用については、当該営業用の乗用車が令和四年四月一日から令和七年三月三十一日までの間に初回新規登録を受けた場合には、当該初回新規登録を受けた日の属する年度の翌年度分の種別割に限り、次の表の上欄に掲げる同項の規定中同表の中欄に掲げる字句は、それぞれ同表の下欄に掲げる字句とする。

一　ガソリン自動車のうち、窒素酸化物の排出量が平成三十年ガソリン軽中量車基準に定める窒素酸化物の値の二分の一を超えないもの又は窒素酸化物の排出量が平成十七年ガソリン軽中量車基準に定める窒素酸化物の値の四分の一を超えないものであつて、エネルギー消費効率が令和十二年度基準エネルギー消費効率に百分の七十を乗じて得た数値以上かつ令和二年度基準エネルギー消費効率以上のもので地方税法施行規則附則第五条の二第六項で定めるもの

二　石油ガス自動車のうち、窒素酸化物の排出量が平成三十年石油ガス軽中量車基準に定める窒素酸化物の値の二分の一を超えないもの又は窒素酸化物の排出量が平成十七年石油ガス軽中量車基準に定める窒素酸化物の値の四分の一を超えないものであつて、エネルギー消費効率が令和十二年度基準エネルギー消費効率に百分の七十を乗じて得た数値以上かつ令和二年度基準エネルギー消費効率以上のもので地方税法施行規則附則第五条の二第七項で定めるもの

三　軽油自動車のうち、平成三十年軽油軽中量車基準又は平成二十一年軽油軽中量車基準に適合するものであつて、エネルギー消費効率が令和十二年度基準エネルギー消費効率に百分の七十を乗じて得た数値以上かつ令和二年度基準エネルギー消費効率以上のもので地方税法施行規則附則第五条の二第八項で定めるもの

| | | |
|---|---|---|
| 第一号イ | 七千五百円 | 四千円 |
| | 八千五百円 | 四千五百円 |
| | 九千五百円 | 五千円 |

| | | |
|---|---|---|
| | 一万三千八百円 | 七千円 |
| | 一万五千七百円 | 八千円 |
| | 一万七千九百円 | 九千円 |
| | 二万五百円 | 一万五百円 |
| | 二万三千六百円 | 一万二千円 |
| | 二万七千二百円 | 一万四千円 |
| | 四万七百円 | 二万五百円 |
| 第四号イ | 四千五百円 | 二千五百円 |

4　前三項の規定の適用がある場合における第七十七条第三項から第六項までの規定の適用については、同条第三項中「前二項」とあるのは「前二項（附則第七条第一項から第三項までの規定により読み替えて適用される場合を含む。）」と、「第一項第一号及び前項」とあるのは「第一項第一号及び前項（附則第七条第一項から第三項までの規定により読み替えて適用される場合を含む。）」と、同条第四項中「第一項」とあるのは「第一項（附則第七条第一項から第三項までの規定により読み替えて適用される場合を含む。）」と、同条第五項中「前各項」とあるのは「前各項（附則第七条各項の規定により読み替えて適用される場合を含む。）」と、同条第六項中「第一項第三号ロ」とあるのは「第一項第三号ロ（附則第七条第一項から第三項までの規定により読み替えて適用される場合を含む。）」と、「同号イ(1)」とあるのは「同号イ(1)（附則第七条第一項から第三項までの規定により読み替えて適用される場合を含む。）」とする。

**第七条の二**　東京都都税条例等の一部を改正する条例（令和元年東京都条例第四号）の施行の日（以下この項において「特定日」という。）の前日までに初回新規登録を受けた自家用の乗用車であつて東京都都税条例の一部を改正する条例（平成二十八年東京都条例第八十二号）による改正前の東京都都税条例（以下この項において「平成二十八年改正前の東京都都税条例」という。）第六十五条の規定により平成二十八年改正前の東京都都税条例に規定する自動車税を課されたもの（同日までに初回新規登録を受けた自家用の乗用車であつて、地方税法等の一部を改正する等の法律（平成二十八年法律第十三号）第二条の規定による改正前の地方税法第百四十六条その他の地方税法に関する法律及び平成二十八年改正前の東京都都税条例の規定により平成二十八年改正前の東京都都税条例に規定する自動車税を課されなかつたものを含む。）又は同日までに法の施行地外において第六十五条第二項に規定する運行に相当するものとして地方税法施行規則附則第五条の二の二で定めるものの用に供されたことがある自家用の乗用車であつて特定日以後に初回新規登録を受けたものに対して課すべき種別割の税率は、第七十七条第一項の規定にかかわらず、一台について、次の各号に掲げる自家用の乗用車の区分に応じ、当該各号に定める額とする。

一　総排気量が一リットル以下のもの及び電気自動車　年額　二万九千五百円
二　総排気量が一リットルを超え、一・五リットル以下のもの　年額　三万四千五百円
三　総排気量が一・五リットルを超え、二リットル以下のもの　年額　三万九千五百円
四　総排気量が二リットルを超え、二・五リットル以下のもの　年額　四万五千円
五　総排気量が二・五リットルを超え、三リットル以下のもの　年額　五万一千円
六　総排気量が三リットルを超え、三・五リットル以下のもの　年額　五万八千円
七　総排気量が三・五リットルを超え、四リットル以下のもの　年額　六万六千五百円
八　総排気量が四リットルを超え、四・五リットル以下のもの　年額　七万六千五百円
九　総排気量が四・五リットルを超え、六リットル以下のもの　年額　八万八千円
十　総排気量が六リットルを超えるもの　年額　十一万一千円

2　第七十七条第三項から第六項までの規定は、前項の規定の適用を受ける自家用の乗用車について準用する。

3　第一項の規定の適用を受ける自家用の乗用車（電気自動車、天然ガス自動車、メタノール自動車、混合メタノール自動車及びガソリンを内燃機関の燃料として用いる電力併用自動車を除く。）のうち、前条第一項各号に掲げるものに対する当該各号に定める年度以後の年度分の種別割に係る第一項の規定の適用については、次の表の上欄に掲げる同項の規定中同表の中欄に掲げる字句は、それぞれ同表の下欄に掲げる字句とする。

| | | |
|---|---|---|
| 第一号 | 二万九千五百円 | 三万三千九百円 |
| 第二号 | 三万四千五百円 | 三万九千六百円 |
| 第三号 | 三万九千五百円 | 四万五千四百円 |
| 第四号 | 四万五千円 | 五万一千七百円 |
| 第五号 | 五万一千円 | 五万八千六百円 |
| 第六号 | 五万八千円 | 六万六千七百円 |
| 第七号 | 六万六千五百円 | 七万六千四百円 |
| 第八号 | 七万六千五百円 | 八万七千九百円 |
| 第九号 | 八万八千円 | 十万一千二百円 |

| 第十号 | 十一万一千円 | 十二万七千六百円 |
|---|---|---|

（自動車税の種別割の賦課徴収の特例）

**第七条の三**　知事は、納付すべき種別割の額について不足額があることを第七十九条各項に規定する納期限後において知つた場合において、当該事実が生じた原因が、国土交通大臣の認定等（法附則第十二条の五第一項に規定する国土交通大臣の認定等をいう。以下この項において同じ。）の申請をした者が偽りその他不正の手段（当該申請をした者に当該申請に必要な情報を直接又は間接に提供した者の偽りその他不正の手段を含む。）により国土交通大臣の認定等を受けたことを事由として国土交通大臣が当該国土交通大臣の認定等を取り消したことによるものであるときは、当該申請をした者又はその一般承継人を賦課期日現在における当該不足額に係る自動車の所有者とみなして、種別割に関する規定（第八十二条から第八十四条までの規定を除く。）を適用する。

2　前項の規定の適用がある場合における納付すべき種別割の額は、同項の不足額に、これに百分の三十五の割合を乗じて計算した金額を加算した金額とする。

3　第一項の規定の適用がある場合における第十八条第一項の規定の適用については、同項中「納期限後」とあるのは「納期限（附則第七条の三第一項の規定の適用がないものとした場合の当該自動車の所有者についての種別割の納期限とする。以下この項において同じ。）後」とする。

（砂鉱を目的とする鉱業権の鉱区で河床に存するものに対する鉱区税の特例）

**第八条**　鉱業法施行法（昭和二十五年法律第二百九十号）第一条第二項の規定により鉱業法による採掘権となつたものとみなされ、又は鉱業法施行法第十七条第一項の規定により鉱業法による採掘権の設定の出願とみなされて設定された砂鉱を目的とする鉱業権の鉱区で河床に存するものに対する第八十六条、第八十七条及び第九十一条の規定の適用については、第八十六条及び第九十一条第二号中「面積」とあるのは「河床の延長」と、第八十七条第一項第二号中「面積百アールごとに　年額　二百円」とあるのは「延長千メートルごとに　年額　六百円」と、同条第三項中「百アール」とあるのは「千メートル」とする。

**第九条**　削除

（軽油引取税の税率の特例）

**第十条**　軽油引取税の税率は、第百三条の四の規定にかかわらず、当分の間、一キロリットルにつき、三万二千百円とする。

（揮発油価格高騰時における軽油引取税の税率の特例規定の適用停止）

**第十条の二**　前条の規定の適用がある場合において、租税特別措置法第八十九条第一項の規定による告示の日の属する月の翌月の初日以後に第百三条の二第一項若しくは第二項に規定する軽油の引取り、同条第三項の燃料炭化水素油の販売、同条第四項の軽油若しくは燃料炭化水素油の販売、同条第五項の炭化水素油の消費若しくは第百三条の三各号の軽油の消費、譲渡若しくは輸入が行われた場合又は同日以後に軽油引取税の特別徴収義務者が第百三条の二第六項の規定に該当するに至つた場合における軽油引取税については、前条の規定の適用を停止する。

2　前項の規定により前条の規定の適用が停止されている場合において、租税特別措置法第八十九条第二項の規定による告示の日の属する月の翌月の初日以後に第百三条の二第一項若しくは第二項に規定する軽油の引取り、同条第三項の燃料炭化水素油の販売、同条第四項の軽油若しくは燃料炭化水素油の販売、同条第五項の炭化水素油の消費若しくは第百三条の三各号の軽油の消費、譲渡若しくは輸入が行われた場合又は同日以後に軽油引取税の特別徴収義務者が第百三条の二第六項の規定に該当するに至つた場合における軽油引取税については、前項の規定にかかわらず、前条の規定を適用する。

（揮発油価格高騰時における軽油引取税の税率の特例規定の適用停止措置の停止）

**第十条の二の二**　前条の規定は、東日本大震災の被災者等に係る国税関係法律の臨時特例に関する法律（平成二十三年法律第二十九号）第四十四条の別に法律で定める日までの間、その適用を停止する。

（狩猟税の税率の特例）

**第十条の三**　平成二十七年四月一日から令和十一年三月三十一日までの間に受ける狩猟者の登録であつて、当該狩猟者の登録を受ける者が鳥獣の保護及び管理並びに狩猟の適正化に関する法律（以下この条において「鳥獣保護管理法」という。）第五十六条に規定する申請書（以下この項において「狩猟者登録の申請書」という。）を提出する日前一年以内の期間（以下この条において「特定捕獲等期間」という。）に都の区域を対象とする鳥獣保護管理法第九条第一項（鳥獣による農林水産業等に係る被害の防止のための特別措置に関する法律（平成十九年法律第百三十四号。次項において「鳥獣被害防止特措法」という。）第六条第一項の規定により読み替えて適用される場合を含む。）の規定による許可を受け、当該許可に係る鳥獣の捕獲等（以下この条において「許可捕獲等」という。）を行つた場合における狩猟税の税率は、第百三条の十九第一項の規定にかかわらず、同項に規定する税率に二分の一を乗じた税率（以下この項において「軽減税率」という。）とする。ただし、軽減税率が適用される狩猟者の登録（以下この項において「軽減税率適用登録」という。）の要件を満たす者が、特定捕獲等期間に許可捕獲等を行つた後、軽減税率適用登録の対象となる狩猟期間（鳥獣保護管理法第二条第九項に規定する狩猟期間をいう。以下この項において同じ。）の直近の狩猟期間について狩猟者登録の申請書を提出し、既にその狩猟者の登録を受けた場合には、この限りでない。

2　前項の規定は、狩猟者の登録を受ける者が、都の区域において、従事者（鳥獣保護管理法第九条第八項（鳥獣保護管理法第十四条の二第九項又は鳥獣被害防止特措法第六条第一項の規定により読み替えて適用される場合を含む。以下この項において同じ。）に規定する従事者をいい、認定鳥獣捕獲等事業者（鳥獣保護管理法第十八条の五第二項第一号に規定する認定鳥獣捕獲等事業者をいう。）に係るものを除く。）として、従事者証（鳥獣保護管理法第九条第八項に規定する従事者証をいう。）の交付を受けて特定捕獲等期間に許可捕獲等を行つた場合における狩猟税の税率について準用する。この場合において、前項中「受け、」とあるのは、「受けた鳥獣保護管理法第九条第八項（鳥獣保護管理法第十四条の二第九項又は鳥獣被害防止特措法第六条第一項の規定により読み替えて適用される場合を含む。以下この項において同じ。）に規定する者（鳥獣保護管理法第十八条の五第二項第一号に規定する認定鳥獣捕獲等事業者を除く。）の従事者（鳥獣保護管理法第九条第八項に規定する従事者をいう。）として、同項に規定する従事者証の交付を受けて」と読み替えるものとする。

**（都民税の法人税割の税率の特例）**

**第十一条**　令和二年十月一日以後五年以内に終了する各事業年度分の法人税割の税率は、第百七条及び第百九十九条の規定にかかわらず、特別区の存する区域において課する都民税にあつては百分の十・四とし、市町村の存する区域において課する都民税にあつては百分の二・〇とする。

**（都民税における中小零細法人等に対する不均一課税）**

**第十二条**　法人のうち、資本金の額若しくは出資金の額が一億円以下のもの若しくは資本若しくは出資を有しないもの（保険業法に規定する相互会社を除く。）又は第百四条第二項若しくは第百八十九条第二項において法人とみなされるものであつて、かつ、法人税割の課税標準となる法人税額が年千万円以下の法人に対する各事業年度の法人税割額は、当該事業年度の法人税割の課税標準額に前条に規定する率から特別区の存する区域において課する都民税にあつては百分の三・四の率を、市町村の存する区域において課する都民税にあつては百分の一の率をそれぞれ控除した率を乗じて得た額に相当する金額とする。

2　前項に規定する法人税額とは、法第二十三条第一項第四号又は法第二百九十二条第一項第四号の法人税額をいい、法第五十三条第三項、第八項、第十一項、第十三項、第十七項、第十九項、第二十三項若しくは第二十六項又は法第三百二十一条の八第三項、第八項、第十一項、第十三項、第十七項、第十九項、第二十三項若しくは第二十六項の規定の適用を受ける場合には、これらの規定を適用して計算した後の額とする。

3　第一項の規定を適用する場合において、資本金の額若しくは出資金の額が一億円以下のもの又は資本若しくは出資を有しないものであるかどうかの判定は、法第五十三条第一項及び法第三百二十一条の八第一項に規定する法人税額の課税標準の算定期間の末日の現況による。

4　都と他の道府県において事務所若しくは事業所を有する法人又は特別区と都の市町村において事務所若しくは事業所を有する法人の第一項の法人税額が年千万円以下であるかどうかの判定は、法第五十七条又は法第三百二十一条の十三の規定によりそれぞれ関係都道府県又は関係市町村に分割される前の額による。

5　事業年度が一年に満たない法人に対する第一項の規定の適用については、同項中「年千万円」とあるのは、「千万円に当該事業年度の月数を乗じて得た額を十二で除して計算した金額」とする。

6　前項の月数は暦に従つて計算し、一月に満たない端数を生じたときは、一月とする。

**第十三条**　削除

**（法附則第十五条第二項第一号等に規定する条例で定める割合）**

**第十四条**　次の各号に掲げる規定に規定する条例で定める割合は、当該各号に定める割合とする。

一　法附則第十五条第二項第一号　二分の一
二　法附則第十五条第二項第五号　五分の四
三　法附則第十五条第十四項本文　二分の一（同項ただし書に規定する条例で定める割合は、五分の二）
四　法附則第十五条第二十五項第一号　二分の一
五　法附則第十五条第二十五項第二号　十四分の十一
六　法附則第十五条第二十五項第三号　十二分の七
七　法附則第十五条第二十五項第四号　三分の一
八　法附則第十五条第二十八項　三分の二
九　法附則第十五条第三十二項　二分の一
十　法附則第十五条第三十八項　二分の一
十一　法附則第十五条の八第二項　三分の二
十二　法附則第十五条の九の三第一項　二分の一

**（令和七年度分又は令和八年度分の固定資産税の特例）**

**第十四条の二**　令和七年度分又は令和八年度分の固定資産税に限り、第百十八条第一項中「価格又は」とあるのは「価格若しくは」と、「比準する価格」とあるのは「比準する価格又は法附則第十七条の二第一項に規定する修正価格若しくは同条第二項に規定する修正された価格」とする。

**（令和六年度から令和八年度までの各年度の用途変更宅地等に対して課する固定資産税及び都市計画税の特例）**

**第十四条の三**　令和六年度から令和八年度までの各年度分の固定資産税及び都市計画税については、法附則第十八条の三（法附則第二十一条の二第二項において準用する場合を含む。）及び法附則第二十五条の三（法附則第二十七条の四の二第二項において準用する場合を含む。）の規定は、適用しない。

**（新築住宅等に対する固定資産税の減額に係る申告義務等）**

**第十五条**　法附則第十五条の六第一項若しくは第二項若しくは法附則第十五条の七第一項若しくは第二項に規定する住宅、法附則第十五条の八第一項に規定する家屋、同条第二項に規定する貸家住宅又は同条第三項若しくは第四項に規定する家屋に対して課する固定資産税について、法附則第十五条の六第一項若しくは第二項又は法附則第十五条の八第一項から第四項までの規定の適用を受けるべき者にあつては当該年度の初日の属する年の一月三十一日までに、法附則第十五条の七第一項又は第二項の規定の適用を受けるべき者にあつては当該住宅が新築された日から当該住宅に対して新たに固定資産税が課されることとなる年度の初日の属する年の一月三十一日までの間に地方税法施行規則附則第七条第三項に規定する書類を添付して、次に掲げる事項を記載した申告書を知事に提出しなければならない。

一　住所及び氏名又は名称
二　家屋の所在、家屋番号、種類、構造及び床面積
三　家屋の建築年月日及び登記年月日

四　家屋を居住の用に供した年月日

五　前各号に掲げるもののほか、知事において必要があると認める事項

2　知事は、法附則第十五条の七第一項又は第二項に規定する住宅のうち区分所有に係る住宅については、前項の申告書の提出がなかつた場合においても、長期優良住宅の普及の促進に関する法律（平成二十年法律第八十七号）第五条第四項に規定する管理者等から、前項に規定する期間内に地方税法施行規則附則第七条第四項に規定する書類の提出がされたときは、前項の規定にかかわらず、法附則第十五条の七第一項又は第二項の規定を適用する。

3　法附則第十五条の九第一項に規定する耐震基準適合住宅、同条第四項に規定する高齢者等居住改修住宅若しくは同条第五項に規定する高齢者等居住改修専有部分、同条第九項に規定する熱損失防止改修等住宅若しくは同条第十項に規定する熱損失防止改修等専有部分、法附則第十五条の九の二第一項に規定する特定耐震基準適合住宅、同条第四項に規定する特定熱損失防止改修等住宅若しくは同条第五項に規定する特定熱損失防止改修等住宅専有部分、法附則第十五条の九の三第一項に規定する特定マンションに係る区分所有に係る家屋、法附則第十五条の十一第一項に規定する耐震基準適合家屋又は法附則第十五条の十一第一項に規定する改修実演芸術公演施設（以下この条において「耐震基準適合住宅等」という。）に対して課する固定資産税について、法附則第十五条の九第一項、第四項、第五項、第九項若しくは第十項、法附則第十五条の九の二第一項、第四項若しくは第五項、法附則第十五条の九の三第一項、法附則第十五条の十第一項又は法附則第十五条の十一第一項の規定の適用を受けようとする者は、当該耐震基準適合住宅等に係る耐震改修等（法附則第十五条の九第一項に規定する耐震改修、同条第四項に規定する居住安全改修工事、同条第九項に規定する熱損失防止改修工事等、法附則第十五条の九の三第一項に規定する工事及び法附則第十五条の十一第一項に規定する利便性等向上改修工事をいう。以下この項において同じ。）が完了した日から三月以内に次に掲げる事項を記載した申告書に、法附則第十五条の九第一項の規定の適用を受けようとする者にあつては地方税法施行規則附則第七条第七項に規定する書類を、法附則第十五条の九第四項又は第五項の規定の適用を受けようとする者にあつては地方税法施行規則附則第七条第九項に規定する書類を、法附則第十五条の九第九項又は第十項の規定の適用を受けようとする者にあつては地方税法施行規則附則第七条第十項に規定する書類を、法附則第十五条の九の二第一項の規定の適用を受けようとする者にあつては地方税法施行規則附則第七条第十一項に規定する書類を、法附則第十五条の九の二第四項又は第五項の規定の適用を受けようとする者にあつては地方税法施行規則附則第七条第十二項に規定する書類を、法附則第十五条の九の三第一項の規定の適用を受けようとする者にあつては地方税法施行規則附則第七条第十七項に規定する書類を、法附則第十五条の十第一項の規定の適用を受けようとする者にあつては地方税法施行規則附則第七条第十九項に規定する書類を、法附則第十五条の十一第一項の規定の適用を受けようとする者にあつては地方税法施行規則附則第七条の二に規定する書類を添付して、これを知事に提出しなければならない。

一　住所及び氏名又は名称

二　当該耐震基準適合住宅等の所在、家屋番号、種類、構造及び床面積

三　当該耐震基準適合住宅等の建築年月日

四　当該耐震基準適合住宅等に係る耐震改修等が完了した年月日

五　前各号に掲げるもののほか、知事において必要があると認める事項

4　知事は、第一項（法附則第十五条の七第一項及び第二項に係る部分に限る。以下この項において同じ。）又は前項に規定する期間の経過後に当該各項に規定する申告書又は第二項に規定する書類の提出がされた場合において、当該期間内に当該申告書又は当該書類の提出がされなかつたことについてやむを得ない理由があると認めるときは、当該申告書若しくは当該書類に係る住宅又は当該申告書に係る耐震基準適合住宅等につき法附則第十五条の七第一項若しくは第二項、法附則第十五条の九第一項、第四項、第五項、第九項若しくは第十項、法附則第十五条の九の二第一項、第四項若しくは第五項、法附則第十五条の九の三第一項、法附則第十五条の十第一項又は法附則第十五条の十一第一項の規定を適用する。

**（商業地等に対して課する令和六年度分の固定資産税の減額）**

**第十五条の二**　令和六年度分の固定資産税に限り、法附則第十七条第四号に規定する商業地等（以下「商業地等」という。）に係る当該年度分の固定資産税額（当該商業地等が当該年度分の固定資産税について法附則第十八条の規定の適用を受ける商業地等であるときは、当該年度の同条第一項に規定する宅地等調整固定資産税額、同条第四項に規定する商業地等据置固定資産税額又は同条第五項に規定する商業地等調整固定資産税額とする。以下この条において同じ。）が、当該商業地等に係る当該年度分の固定資産税の課税標準となるべき価格に十分の六・五を乗じて得た額（当該商業地等が当該年度分の固定資産税について法第三百四十九条の三又は法附則第十五条から第十五条の三までの規定の適用を受ける商業地等であるときは、当該額にこれらの規定に定める率を乗じて得た額）を当該商業地等に係る当該年度分の固定資産税の課税標準となるべき額とした場合における固定資産税額を超える場合には、その超えることとなる額に相当する額を、当該商業地等に係る固定資産税額から減額する。

**（住宅用地等に対して課する令和六年度から令和八年度までの各年度分の固定資産税の減額）**

**第十五条の三**　令和六年度から令和八年度までの各年度分の固定資産税に限り、法附則第二十一条の二第一項に規定する住宅用地等（以下この条及び附則第二十条の三において「住宅用地等」という。）に係る当該年度分の固定資産税額（当該住宅用地等が当該年度分の固定資産税について法附則第十八条又は法附則第十九条の四の規定の適用を受ける住宅用地等であるときは、当該年度分の法附則第十八条第

一項に規定する宅地等調整固定資産税額、同条第四項に規定する商業地等据置固定資産税額、同条第五項に規定する商業地等調整固定資産税額又は法附則第十九条の四第一項に規定する市街化区域農地調整固定資産税額とする。以下この条において同じ。）が、次の各号に掲げる年度の区分に応じ、当該各号に定める額を超える場合には、その超えることとなる額に相当する額を、当該住宅用地等に係る当該年度分の固定資産税額から減額する。

一　令和六年度　次に掲げる住宅用地等の区分に応じ、それぞれ次に定める額

イ　ロに掲げる住宅用地等以外の住宅用地等　当該住宅用地等の当該年度分の固定資産税に係る前年度分の固定資産税の課税標準額（法附則第二十一条の二第二項において法附則第十八条第六項、法附則第十八条の三及び法附則第十九条の四第四項から第六項までの規定を読み替えて準用される前年度分の固定資産税の課税標準額をいう。以下この条において同じ。）に、次に掲げる区分に応じ、それぞれに定める割合（以下この条において「負担上限割合」という。）を乗じて得た額（当該住宅用地等が当該年度分の固定資産税について法第三百四十九条の三又は法附則第十五条から第十五条の三までの規定の適用を受ける住宅用地等であるときは、当該額にこれらの規定に定める率を乗じて得た額）を当該住宅用地等に係る令和六年度分の固定資産税の課税標準となるべき額とした場合における固定資産税額

(1)　住宅用地　百分の百十

(2)　商業地等　百分の百十

(3)　市街化区域農地（法附則第二十一条の二第一項に規定する市街化区域農地をいう。以下この条及び附則第二十条の三において同じ。）　百分の百十

ロ　令和五年度分の固定資産税について、東京都都税条例の一部を改正する条例（令和六年東京都条例第九十四号。以下「令和六年改正条例」という。）による改正前の東京都都税条例附則第十五条の二又は附則第十五条の三第三号イ若しくはロの規定の適用があった住宅用地等　当該住宅用地等に係る令和五年度分の固定資産税に係るこれらの規定に規定する固定資産税の課税標準となるべき額（当該住宅用地等が同年度分の固定資産税について地方税法等の一部を改正する法律（令和六年法律第四号）第一条の規定による改正前の地方税法（以下「令和六年改正前の地方税法」という。）第三百四十九条の三又は令和六年改正前の地方税法附則第十五条から第十五条の三までの規定の適用を受ける住宅用地等であるときは、当該額をこれらの規定に定める率で除して得た額）に、負担上限割合を乗じて得た額（当該住宅用地等が令和六年度分の固定資産税について法第三百四十九条の三又は法附則第十五条から第十五条の三までの規定の適用を受ける住宅用地等であるときは、当該額にこれらの規定に定める率を乗じて得た額）を当該住宅用地等に係る令和六年度分の固定資産税の課税標準となるべき額とした場合における固定資産税額

二　令和七年度　次に掲げる住宅用地等の区分に応じ、それぞれ次に定める額

イ　ロに掲げる住宅用地等以外の住宅用地等　当該住宅用地等の当該年度分の固定資産税に係る前年度分の固定資産税の課税標準額に、負担上限割合を乗じて得た額（当該住宅用地等が当該年度分の固定資産税について法第三百四十九条の三又は法附則第十五条から第十五条の三までの規定の適用を受ける住宅用地等であるときは、当該額にこれらの規定に定める率を乗じて得た額）を当該住宅用地等に係る令和七年度分の固定資産税の課税標準となるべき額とした場合における固定資産税額

ロ　令和六年度分の固定資産税について、前号イ又はロの規定の適用があった住宅用地等　当該住宅用地等に係る令和六年度分の固定資産税に係る同号イ又はロに規定する固定資産税の課税標準となるべき額（当該住宅用地等が同年度分の固定資産税について法第三百四十九条の三又は法附則第十五条から第十五条の三までの規定の適用を受ける住宅用地等であるときは、当該額をこれらの規定に定める率で除して得た額）に、負担上限割合を乗じて得た額（当該住宅用地等が令和七年度分の固定資産税について法第三百四十九条の三又は法附則第十五条から第十五条の三までの規定の適用を受ける住宅用地等であるときは、当該額にこれらの規定に定める率を乗じて得た額）を当該住宅用地等に係る令和七年度分の固定資産税の課税標準となるべき額とした場合における固定資産税額

二　令和八年度　次に掲げる住宅用地等の区分に応じ、それぞれ次に定める額

イ　ロに掲げる住宅用地等以外の住宅用地等　当該住宅用地等の当該年度分の固定資産税に係る前年度分の固定資産税の課税標準額に、負担上限割合を乗じて得た額（当該住宅用地等が令和八年度分の固定資産税について法第三百四十九条の三又は法附則第十五条から第十五条の三までの規定の適用を受ける住宅用地等であるときは、当該額にこれらの規定に定める率を乗じて得た額）を当該住宅用地等に係る令和八年度分の固定資産税の課税標準となるべき額とした場合における固定資産税額

ロ　令和七年度分の固定資産税について、前号イ又はロの規定の適用があった住宅用地等　当該住宅用地等に係る令和七年度分の固定資産税に係る同号イ又はロに規定する固定資産税の課税標準となるべき額（当該住宅用地等が同年度分の固定資産税について法第三百四十九条の三又は法附則第十五条から第十五条の三までの規定の適用を受ける住宅用地等であるときは、当該額をこれらの規定に定める率で除して得た額）に、負担上限割合を乗じて得た額（当該住宅用地等が令和八年度分の固定資産税について法第三百四十九条の三又は法附則第十五条から第十五条の三までの規定の適用を受ける住宅用地等であるときは、当該額にこれらの規定に定める率を乗じて得た額）を当該住宅用地等に

係る令和八年度分の固定資産税の課税標準となるべき額とした場合における固定資産税額

（宅地化農地に対して課する固定資産税及び都市計画税の納税義務の免除等）

**第十六条**　市街化区域設定年度（法附則第二十九条の五第一項に規定する市街化区域設定日（以下この条において「市街化区域設定日」という。）の属する年の翌年の一月一日（当該市街化区域設定日が一月一日である場合には、同日）を賦課期日とする年度をいう。以下この条において同じ。）分及び市街化区域設定年度の翌年度分の固定資産税及び都市計画税に限り、市街化区域設定年度に係る賦課期日に所在する法附則第十九条の二第一項に規定する市街化区域農地（以下この条において「市街化区域農地」という。）で当該市街化区域農地の所有者が市街化区域設定日から市街化区域設定年度の初日の属する年の十二月三十一日までの間に当該市街化区域農地につき地方税法施行令附則第十四条の五第二項各号に掲げる計画的な宅地化のための手続を開始し、かつ、当該手続が開始されたことにつき知事の認定を受けたもの（以下この条において「宅地化農地」という。）に対してその者（その相続人を含む。以下この条において「宅地化農地所有者」という。）に課する固定資産税及び都市計画税については、当該宅地化農地について平成三年四月一日から市街化区域設定年度の翌年度の初日の属する年の十二月三十一日までの間に同条第三項各号に掲げる宅地化のための計画策定等がなされたことにつき知事の確認を受けた場合には、市街化区域設定年度分及び市街化区域設定年度の翌年度分（平成四年度に当該確認を受けたときにあつては、市街化区域設定年度分）の当該宅地化農地に係る固定資産税額及び都市計画税額のそれぞれ十分の九に相当する額に係る徴収金の納税義務を免除する。

2　前項の認定を受けようとする者は、市街化区域設定年度の初日から同年度の翌年度の初日の属する年の一月三十一日までの間にその旨を知事に申告しなければならない。ただし、知事がやむを得ない理由があると認める場合は、この限りでない。

3　前項の申告をする者は、次に掲げる事項を記載した申告書に地方税法施行規則附則第八条の三第二項第一号に掲げる書類を添付して、これを知事に提出しなければならない。

一　所有者の住所及び氏名又は名称
二　土地の所在、地番、地目及び地積
三　当該市街化区域農地の宅地化に係る開発行為等の手法
四　当該市街化区域農地に係る計画的な宅地化のための手続を開始した年月日
五　前各号に掲げるもののほか、知事において必要があると認める事項

4　市街化区域設定年度の翌年度の初日の属する年の十二月三十一日までの間に宅地化農地について第一項に規定する計画策定等がなされないことについて、宅地化農地所有者の申請に基づきやむを得ない理由があると知事が認定するときに限り、市街化区域設定年度の翌々年度の初日の属する年の一月一日から同年度の翌年度の初日の属する年の十二月三十一日までの間に当該宅地化農地について計画策定等がなされたことにつき知事の確認を受けた場合には、市街化区域設定年度分及び市街化区域設定年度の翌年度分の当該宅地化農地に係る固定資産税額及び都市計画税額のそれぞれ十分の九に相当する額並びに市街化区域設定年度の翌々年度分及び市街化区域設定年度から起算して三年度を経過した年度分（市街化区域設定年度の翌々年度に当該確認を受けたときにあつては、市街化区域設定年度の翌々年度分）の当該宅地化農地に係る固定資産税額及び都市計画税額のそれぞれ三分の二に相当する額（平成六年一月一日から同年三月三十一日までの間に当該確認を受けたときにあつては、市街化区域設定年度分及び市街化区域設定年度の翌年度分の当該宅地化農地に係る固定資産税額及び都市計画税額のそれぞれ十分の九に相当する額）に係る徴収金の納税義務を免除する。

5　前項の認定を受けようとする者は、市街化区域設定年度の翌々年度の初日の属する年の一月三十一日までの間にその旨を知事に申請しなければならない。ただし、知事がやむを得ない理由があると認める場合は、この限りでない。

6　前項の申請をする者は、次に掲げる事項を記載した申請書に地方税法施行規則附則第八条の三第二項第二号に掲げる書類を添付して、これを知事に提出しなければならない。

一　所有者の住所及び氏名又は名称
二　土地の所在、地番、地目及び地積
三　当該市街化区域農地に係る計画的な宅地化のための計画策定等を市街化区域設定年度の翌年度の初日の属する年の十二月三十一日までの間に行うことができない理由
四　当該市街化区域農地に係る計画的な宅地化のために予定している計画策定等の区分
五　前各号に掲げるもののほか、知事において必要があると認める事項

7　第一項の確認を受けようとする宅地化農地所有者は市街化区域設定年度の初日から同年度の翌々年度の初日の属する年の一月三十一日までの間に、第四項の確認を受けようとする宅地化農地所有者は同年一月一日から同日の属する年の翌々年の一月三十一日までの間に、その旨を知事に申請しなければならない。ただし、知事がやむを得ない理由があると認める場合は、この限りでない。

8　前項の申請をする宅地化農地所有者は、次に掲げる事項を記載した申請書に地方税法施行規則附則第八条の三第二項第三号に掲げる書類を添付して、これを知事に提出しなければならない。

一　所有者の住所及び氏名又は名称
二　土地の所在、地番、地目及び地積
三　当該市街化区域農地に係る計画的な宅地化のための計画策定等がなされた年月日
四　前三号に掲げるもののほか、知事において必要があると認める事項

9　知事は、第一項若しくは第四項の確認をしたとき、又は当該確認をしない旨の決定をしたときは、遅滞なくその旨を当該宅地化農地所有者に通知しなければならない。

10　知事は、第一項の認定をした場合には、市街化区域設定

年度の翌々年度の初日の属する年の三月三十一日までの期間、当該認定に係る宅地化農地に係る市街化区域設定年度分及び市街化区域設定年度の翌年度分の固定資産税額及び都市計画税額のそれぞれ十分の九に相当する額に係る徴収金の徴収を猶予する。

11　知事は、第四項の認定をした場合には、市街化区域設定年度の翌々年度の初日から同年度の翌々年度の初日の属する年の三月三十一日までの間、当該認定に係る宅地化農地に係る市街化区域設定年度分及び市街化区域設定年度の翌年度分の固定資産税額及び都市計画税額のそれぞれ十分の九に相当する額並びに市街化区域設定年度の翌々年度分及び市街化区域設定年度から起算して三年度を経過した年度分の固定資産税額及び都市計画税額のそれぞれ三分の二に相当する額に係る徴収金の徴収を猶予する。

12　知事は、前二項の規定による徴収の猶予をした場合において、当該徴収の猶予に係る固定資産税及び都市計画税について第一項（第四項の認定をした場合にあつては、同項）の規定の適用がないことが明らかとなつたときは、当該徴収の猶予に係る固定資産税及び都市計画税に係る徴収金の全部又は一部についてその徴収の猶予を取り消し、直ちに当該徴収の猶予の取消しに係る固定資産税及び都市計画税に係る徴収金を徴収する。

13　知事は、固定資産税及び都市計画税に係る徴収金を徴収した場合において、当該固定資産税及び都市計画税の課された土地について第一項の規定の適用があることとなつたときは、当該固定資産税及び都市計画税の納税義務者の申請に基づいて、当該土地に係る固定資産税額及び都市計画税額のそれぞれ十分の九に相当する額に係る徴収金を還付する。

14　知事は、固定資産税及び都市計画税に係る徴収金を徴収した場合において、当該固定資産税及び都市計画税の課された土地について第四項の規定の適用があることとなつたときは、当該固定資産税及び都市計画税の納税義務者の申請に基づいて、当該土地に係る固定資産税額及び都市計画税額のそれぞれ三分の二（市街化区域設定年度分及び市街化区域設定年度の翌年度分の固定資産税及び都市計画税については、十分の九）に相当する額に係る徴収金を還付する。

15　市街化区域設定年度の翌年度までに第一項の確認を受けた土地に対して同項の納税義務の免除を受けた宅地化農地所有者に課する固定資産税及び都市計画税については、市街化区域設定年度の翌々年度分（市街化区域設定年度に当該確認を受けた場合にあつては、市街化区域設定年度の翌年度分及び平成六年度分）及び市街化区域設定年度から起算して三年度を経過した年度分の固定資産税及び都市計画税に限り、当該確認に係る土地に係る固定資産税額及び都市計画税額のそれぞれ十分の九（平成七年度分については、三分の二）に相当する額を当該確認に係る土地に係る固定資産税額及び都市計画税額から減額する。

16　市街化区域設定年度の翌々年度までに第四項の確認を受けた土地に対して同項の納税義務の免除を受けた宅地化農地所有者に課する固定資産税及び都市計画税については、市街化区域設定年度から起算して三年度を経過した年度分（市街化区域設定年度の翌々年度の初日の属する年の一月一日から同年三月三十一日までの間に当該確認を受けたときにあつては、市街化区域設定年度の翌々年度分及び市街化区域設定年度から起算して三年度を経過した年度分）の固定資産税及び都市計画税に限り、当該確認に係る土地に係る固定資産税額及び都市計画税額のそれぞれ三分の二に相当する額を当該確認に係る土地に係る固定資産税額及び都市計画税額から減額する。

| | | |
|---|---|---|
| 第一項 | 平成四年度分及び平成五年度分の | 市街化区域設定年度（法附則第二十九条の五第二十項の規定により読み替えられた同条第一項に規定する市街化区域設定日（以下この条において「市街化区域設定日」という。）の属する年の翌年の一月一日（当該市街化区域設定日が一月一日である場合には、同日）を賦課期日とする年度をいう。以下この条において同じ。）分及び市街化区域設定年度の翌年度分の |
| | 平成四年度に | 市街化区域設定年度に |
| | 平成三年四月一日 | 市街化区域設定日 |
| | 平成四年十二月三十一日 | 市街化区域設定年度の初日の属する年の十二月三十一日 |
| | 平成五年十二月三十一日 | 市街化区域設定年度の翌年度の初日の属する年の十二月三十一日 |
| | 平成四年度分及び平成五年度分（ | 市街化区域設定年度分及び市街化区域設定年度の翌年度分（ |
| | 平成四年度分） | 市街化区域設定年度分） |
| 第二項 | 平成四年四月一日 | 市街化区域設定年度の初日 |
| | 平成五年一月三十一日 | 同年度の翌年度の初日の属する年の一月三十一日 |
| 第四項 | 平成五年十二月三 | 市街化区域設定年度の |

| 項 | 読み替えられる字句 | 読み替える字句 |
|---|---|---|
| | 十一日 | 翌年度の初日の属する年の十二月三十一日 |
| | 平成六年一月一日 | 市街化区域設定年度の翌々年度の初日の属する年の一月一日 |
| | 平成七年十二月三十一日 | 同年度の翌年度の初日の属する年の十二月三十一日 |
| | 平成四年度分及び平成五年度分 | 市街化区域設定年度分及び市街化区域設定年度の翌年度分 |
| | 平成六年度分 | 市街化区域設定年度の翌々年度分 |
| | 平成七年度分 | 市街化区域設定年度から起算して三年度を経過した年度分 |
| | 平成六年度に | 市街化区域設定年度の翌々年度に |
| 第五項 | 平成六年一月三十一日 | 市街化区域設定年度の翌々年度の初日の属する年の一月三十一日 |
| 第六項 | 平成五年十二月三十一日 | 市街化区域設定年度の翌年度の初日の属する年の十二月三十一日 |
| 第七項 | 平成四年四月一日 | 市街化区域設定年度の初日 |
| | 平成六年一月三十一日 | 同年度の翌々年度の初日の属する年の一月三十一日 |
| | 平成八年一月三十一日 | 同日の属する年の翌々年の一月三十一日 |
| 第十項 | 平成六年三月三十一日 | 市街化区域設定年度の翌々年度の初日の属する年の三月三十一日 |
| | 平成四年度分及び平成五年度分 | 市街化区域設定年度分及び市街化区域設定年度の翌年度分 |
| 第十一項 | 平成六年四月一日 | 市街化区域設定年度の翌々年度の初日 |
| | 平成八年三月三十一日 | 同年度の翌々年度の初日の属する年の三月三十一日 |
| | 平成四年度分及び平成五年度分 | 市街化区域設定年度分及び市街化区域設定年度の翌年度分 |
| | 平成六年度分及び平成七年度分 | 市街化区域設定年度の翌々年度分及び市街化区域設定年度から起算して三年度を経過した年度分 |
| 第十四項 | 平成四年度分及び平成五年度分 | 市街化区域設定年度分及び市街化区域設定年度の翌年度分 |
| 第十五項 | 平成五年度まで | 市街化区域設定年度の翌年度まで |
| | 平成六年度分 | 市街化区域設定年度の翌々年度分 |
| | 平成四年度 | 市街化区域設定年度 |
| | 平成五年度分 | 市街化区域設定年度の翌年度分 |
| | 平成七年度分 | 市街化区域設定年度から起算して三年度を経過した年度分 |
| 第十六項 | 平成六年度まで | 市街化区域設定年度の翌々年度まで |
| | 平成七年度分 | 市街化区域設定年度から起算して三年度を経過した年度分 |
| | 平成六年一月一日 | 市街化区域設定年度の翌々年度の初日の属する年の一月一日 |
| | 平成六年度分 | 市街化区域設定年度の翌々年度分 |

**第十七条**　削除

**（特別土地保有税の課税の停止）**

**第十七条の二**　平成十五年以後の各年の一月一日において土地の所有者が所有する土地に対しては、第四章第三節（第百五十七条から第百六十三条までを除く。）の規定にかかわらず、当分の間、平成十五年度以後の年度分の土地に対して課する特別土地保有税を課さない。

2　平成十五年一月一日以後に取得された土地の取得に対しては、第四章第三節（第百五十七条から第百六十三条までを除く。）の規定にかかわらず、当分の間、土地の取得に対して課する特別土地保有税を課さない。

3　平成十五年以後の各年の一月一日において土地の所有者が所有する第百五十七条に規定する遊休土地（以下この項において単に「遊休土地」という。）に対しては、同条から第百六十三条までの規定にかかわらず、当分の間、平成十五年度以後の年度分の遊休土地に対して課する特別土地保有税を課さない。

（特別土地保有税の課税の特例）

**第十八条**　当分の間、土地の取得の日の属する年の翌々年（当該土地の取得の日が一月一日である場合にあつては、同日の属する年の翌年）の末日の属する年度以後の年度における当該土地に対して課する特別土地保有税については、第百四十五条第一項及び第百五十条第二項第一号中「取得価額」とあるのは、「取得価額（法附則第三十一条の二の二第一項に規定する修正取得価額が取得価額より低い土地にあつては、当該修正取得価額）」とする。

**第十八条の二**　第百五十一条第一項に規定する納税義務の免除に係る期間（同条第二項の規定により納税義務の免除に係る期間を延長した場合における当該延長された期間を含む。）、第百五十二条第一項に規定する納税義務の免除に係る期間（同条第二項において準用する第百五十一条第二項の規定により納税義務の免除に係る期間を延長した場合における当該延長された期間を含む。）又は第百五十三条の二の二第一項に規定する納税義務の免除に係る期間（同条第二項において準用する第百五十一条第二項の規定により納税義務の免除に係る期間を延長した場合における当該延長された期間を含む。）（以下この項において「免除期間」という。）が定められている土地の所有者等（第百四十五条第一項に規定する土地の所有者等をいう。以下この項及び次項、次条第一項並びに附則第十八条の二の三第一項及び第三項において同じ。）が、平成十三年四月一日から免除期間の末日までの期間内に当該土地を譲渡した場合において、当該譲渡が非課税土地等予定地（当該譲渡の日から二年を経過する日までの期間（工場、事務所その他の建物若しくは構築物の建設又は大規模な宅地の造成に要する期間が通常二年を超えることその他の地方税法施行令附則第十五条の四第一項に規定する理由がある場合には、同条第二項に規定する期間とする。以下この項及び第四項において「予定期間」という。）内に、当該譲渡を受けた者（以下この項及び次項において「譲受者」という。）が、当該土地を法第五百八十六条第二項各号に掲げる土地（同項第二十三号、第二十五号及び第二十五号の二に掲げる土地並びに同項第二十八号に掲げる土地のうち法第三百四十八条第二項第一号又は第七号から第八号までに掲げる土地に該当するものを除く。以下この項において「非課税土地」という。）として使用し、若しくは使用させる予定であること、当該土地について第百五十二条第一項に規定する法第六百二条第一項各号に掲げる者の区分に応じ当該各号に定める土地の譲渡（以下この項において「特例譲渡」という。）をする予定であること又は当該土地を第百五十三条の二第一項の規定に該当する土地（以下この項において「免除土地」という。）として使用し、若しくは使用させる予定であることにつき知事の認定を受けた土地をいう。）のための譲渡に該当し、かつ、譲受者が、予定期間内に、当該土地を非課税土地として使用し、若しくは使用させたこと、当該土地について特例譲渡をしたこと又は当該土地を免除土地として使用し、若しくは使用させたことにつき知事の確認を受けたときは、当該土地の所有者等の当該土地に係る特別土地保有税及びこれに係る徴収金（免除期間に係るものに限る。第三項及び第四項において同じ。）の納税義務を免除する。

2　土地の所有者等は、前項の規定の適用を受けようとする場合においては、譲受者に対する土地の譲渡の日までに、知事に対して当該土地に係る特別土地保有税について同項の規定の適用を受けたい旨の申出をしなければならない。ただし、当該申出が遅延したことについてやむを得ない理由があると知事が認める場合には、当該譲渡の日後に申出をすることができる。

3　知事は、前項の申出があつた場合には、直ちに当該申出に係る土地に係る第百五十一条第三項又は第四項（これらの規定を第百五十二条第二項及び第百五十三条の二の二第二項において準用する場合を含む。）の規定による徴収の猶予を取り消し、かつ、当該徴収の猶予の取消しの日から第一項の認定をする日までの期間（当該徴収の猶予の取消しの日から六月以内に同項の認定を求める旨の申請がないときは、当該徴収の猶予の取消しの日から六月を経過する日までの期間とし、同項の認定をしない旨の決定をしたときは地方税法施行令附則第十五条の四第三項に規定する日までの期間とする。）、当該土地に係る特別土地保有税及びこれに係る徴収金（既に徴収したものを除く。）の徴収を猶予する。ただし、当該土地について、同項の規定の適用がないことが明らかである場合は、この限りでない。

4　第百五十一条第二項から第六項までの規定は、知事が第一項の認定をした場合における当該認定に係る予定期間の延長及び当該土地に係る特別土地保有税及びこれに係る徴収金の徴収の猶予並びに同項の規定により納税義務を免除した場合における当該土地に係る特別土地保有税及びこれに係る徴収金の還付について準用する。この場合において、同条第二項中「納税義務の免除に係る期間」とあるのは「附則第十八条の二第一項に規定する予定期間」と、「非課税土地として使用し、又は使用させることができないと認める場合」とあるのは「同条第一項に規定する譲受者が、同項に規定する非課税土地として使用し、若しくは使用させ、若しくは当該土地について同項に規定する特例譲渡をすることができないと認める場合又は同項に規定する譲受者が、当該土地を同項に規定する免除土地（以下この項において「免除土地」という。）として使用し、若しくは使用させることができないと認める場合（この項の規定により同条第一項に規定する予定期間が既に延長されている場合を除く。）」と、「相当の期間」とあるのは「相当の期間（当該土地を免除土地として使用し、又は使用させることができないと認める場合にあつては、五年を超えない範囲内で知事が定める相当の期間）」と、同条第三項中「第一項の認定」とあるのは「附則第十八条の二第一項の認定」と、「納税義務の免除に係る期間」とあるのは「当該認定の日から同項に規定する予定期間の末日までの期間」と、「当該土地に係る特別土地保有税及びこれに係る徴収金」とあるのは「同項に規定する当該土地に係る特別土地保有税及びこれに係る徴収金（既に徴収したものを除く。）」と、同条第四項中「第二項」とあり、及び「同項」とあるのは「附則第十八条の二第四項において読み替えて準用する第二項」と、「納税義務の免除に係る期間」とあるのは「附則第十八条の二第一項に規定する予定期間」と、「当該土地に係る特別土地保有税及びこれに係る徴収金」とあるのは「同項に規定する当該土地に係る特別土地保有税及びこれに係る徴収金（既に徴収したものを除く。）」と、同条第五項中「第一項の規定の適用がないこと」とあるのは「附則第十八条の二第一項の確認をすることができないこと」と、同条第六項中「第一項の規定の適用があることとなつた」とあるのは「附則第十八条の二第一項の規定により同項の土地の所有者等の当該土地に係る特別土地保有税及びこれに係る徴収金（同項に規定する免除期間に係るものに限る。）に係る納税義務を免除した」と読み替えるものとする。

**第十八条の二の二**　第百五十一条第一項に規定する納税義務の免除に係る期間（同条第二項の規定により納税義務の免除に係る期間を延長した場合における当該延長された期間を含む。）、第百五十二条第一項に規定する納税義務の免除に係る期間（同条第二項において準用する第百五十一条第二項の規定により納税義務の免除に係る期間を延長した場合における当該延長された期間を含む。）又は第百五十三条の二の二第一項に規定する納税義務の免除に係る期間（同条第二項において準用する第百五十一条第二項の規定により納税義務の免除に係る期間を延長した場合における当該延長された期間を含む。）（以下この項及び次項並びに次条において「免除期間」という。）が定められている土地の所有者等が、平成十三年四月一日から免除期間の末日までの期間内に、当該免除期間に係る第百五十一条第三項又は第四項（これらの規定を第百五十二条第二項及び第百五十三条の二の二第二項において準用する場合を含む。次項において同じ。）の規定による徴収の猶予の理由の全部又は一部の変更の申出をし、かつ、当該申出に係る土地を法第五百八十六条第二項各号に掲げる土地（同項第二十三号、第二十五号及び第二十五号の二に掲げる土地並びに同項第二十八号に掲げる土地のうち法第三百四十八条第二項第一号又は第七号から第八号までに掲げる土地に該当するものを除く。以下この項及び次条において「非課税土地」という。）として使用し、若しくは使用させる予定であること、当該土地について第百五十二条第一項に規定する法第六百二条第一項各号に掲げる者の区分に応じ当該各号に定める土地の譲渡（以下この項及び次条において「特例譲渡」という。）をする予定であること又は当該土地を第百五十三条の二の二第一項の規定に該当する土地（以下この項及び次条において「免除土地」という。）として使用し、若しくは使用させる予定であることにつき知事の認定を受け、当該認定の日から二年を経過する日までの期間（工場、事務所その他の建物若しくは構築物の建設又は大規模な宅地の造成に要する期間が通常二年を超えることその他の地方税法施行令附則第十六条第一項で定める理由がある場合には、同条第二項で定める期間とする。以下この項及び第三項並びに次条において「予定期間」という。）内に、当該土地を非課税土地として使用し、若しくは使用させたこと、当該土地について特例譲渡をしたこと又は当該土地を免除土地として使用し、若しくは使用させたことにつき知事の確認を受けたときは、当該土地に係る特別土地保有税及びこれに係る徴収金（免除期間又は予定期間に係るものに限る。第三項において同じ。）に係る納税義務を免除するものとする。

2　知事は、前項の申出があつた場合には、直ちに当該申出に係る土地に係る第百五十一条第三項又は第四項の規定による徴収の猶予を取り消し、かつ、当該徴収の猶予の取消しの日から前項の認定をする日までの期間（当該徴収の猶予の取消しの日の属する月の翌々月の末日までに同項の認定を求める旨の申請がないときは、当該徴収の猶予の取消しの日から同日の属する月の翌々月の末日までの期間とし、同項の認定をしない旨の決定をしたときは地方税法施行令附則第十六条第三項で定める日までの期間とする。）、当該土地に係る特別土地保有税及びこれに係る徴収金（免除期間に係るものに限り、既に徴収したものを除く。）の徴収を猶予するものとする。ただし、当該土地について、前項の規定の適用がないことが明らかである場合は、この限りでない。

3　第百五十一条第二項から第六項までの規定は、知事が第一項の認定をした場合における当該認定に係る予定期間の延長並びに当該土地に係る特別土地保有税及びこれに係る徴収金の徴収の猶予並びに同項の規定により納税義務を免除した場合における当該土地に係る特別土地保有税及びこれに係る徴収金の還付について準用する。この場合において、同条第二項中「納税義務の免除に係る期間」とあるのは「附則第十八条の二の二第一項に規定する予定期間」と、「非課税土地として使用し、又は使用させることができないと認める場合」とあるのは「同条第一項に規定する非課税土地として使用し、若しくは使用させ、若しくは当該土地について同項に規定する特例譲渡をすることができないと認める場合又は当該土地を同項に規定する免除土地（以下この項において「免除土地」という。）として使用し、若しくは使用させることができないと認める場合（この項の規定により同条第一項に規定する予定期間が既に延長されている場合を除く。）」と、「相当の期間」とあるのは「相当の期間（当該土地を免除土地として使用し、又は使用させることができないと認める場合にあつては、五年を超えない範囲内で知事が定める相当の期間）」と、同条第三項中「第一項の認定」とあるのは「附則第十八条の二の二第一項の認定」と、「納税義務の免除に係る期間」とあるのは「当該認定の日から同項に規定する予定期間の末日までの期間」と、「当該土地に係る特別土地保有税及びこれに係る徴収金」とあるのは「同項に規定する当該土地に係る特別土地保有税及びこれに係る徴収金（既に徴収したものを除く。）」と、同条第四項中「第二項」とあり、及び「同項」とあるのは「附則第十八条の二の二第三項において読み替えて準用する第二項」と、「納税義務の免除に係る期間」とあるのは「附則第十八条の二の二第一項に規定する予定期間」と、「当該土地に係る特別土地保有税及びこれに係る徴収金」とあるのは「同項に規定する当該土地に係る特別土地保有税及びこれに係る徴収金（既に徴収したものを除く。）」と、同条第五項中「第一項の規定の適用がないこと」とあるのは「附則第十八条の二の二第一項の確認をすることができないこと」と、同条第六項中「第一項の規定の適用があることとなつた」とあるのは「附則第十八条の二の二第一項の規定により同項の土地の所有者等の当該土地に係る特別土地保有税及びこれに係る徴収金（同項に規定する免除期間に係るものに限る。以下この項において同じ。）に係る納税義務を免除した」と読み替えるものとする。

**第十八条の二の三**　予定期間（前条第三項の規定により読み替えて準用する第百五十一条第二項の規定により予定期間を延長した場合における当該延長された期間を含む。以下この項において同じ。）が定められている土地の所有者等が、平成十七年四月一日から予定期間の末日までの期間内に、当該予定期間に係る前条第三項の規定により読み替えて準用する第百五十一条第三項又は第四項の規定による徴収の猶予の理由の全部又は一部の変更の申出をし、かつ、当該申出に係る土地を非課税土地として使用し、若しくは使用させる予定であること、当該土地について特例譲渡する予定であること又は当該土地を免除土地として使用し、若しくは使用させる予定であることにつき知事の認定を受け、当該認定の日から二年を経過する日までの期間（工場、事務所その他の建物若しくは構築物の建設又は大規模な宅地の造成に要する期間が通常二年を超えることその他の地方税法施行令附則第十六条の二の二第一項で定める理由がある場合には、同条第二項で定める期間とする。以下この条において「変更後予定期間」という。）内に、当該土地を非課税土地として使用し、若しくは使用させたこと、当該土地について特例譲渡をしたこと又は当該土地を免除土地として使用し、若しくは使用させたことにつき知事の確認を受けたときは、当該土地に係る特別土地保有税及びこれに係る徴収金（免除期間、予定期間又は変更後予定期間に係るものに限る。第四項において同じ。）に係る納税義務を免除する。

2　知事は、前項の申出があつた場合には、直ちに当該申出に係る土地に係る前条第三項の規定により読み替えて準用する第百五十一条第三項又は第四項の規定による徴収の猶予を取り消し、かつ、当該徴収の猶予の取消しの日から前項の認定をする日までの期間（当該徴収の猶予の取消しの日の属する月の翌々月の末日までに同項の認定を求める旨の申請がないときは当該徴収の猶予の取消しの日から同日の属する月の翌々月の末日までの期間とし、同項の認定をしない旨の決定をしたときは地方税法施行令附則第十六条の二の二第三項で定める日までの期間とする。）、当該土地に係る特別土地保有税及びこれに係る徴収金（免除期間又は予定期間に係るものに限り、既に徴収したものを除く。）の徴収を猶予する。ただし、当該土地について、前項の規定の適用がないことが明らかである場合は、この限りでない。

3　知事は、災害その他やむを得ない理由により変更後予定期間（この項の規定により変更後予定期間を延長した場合における当該延長された期間を含む。以下この項において同じ。）内に当該土地を非課税土地として使用し、若しくは使用させ、当該土地について特例譲渡をし、又は当該土地を免除土地として使用し、若しくは使用させることができないと認める場合（この項の規定により免除土地として使用し、又は使用させることができないと認められることで変更後予定期間が既に延長されている場合を除く。）には、土地の所有者等からの申請に基づき知事が定める相当の期間（当該土地を免除土地として使用し、又は使用させることができないと認める場合にあつては、五年を超えない範囲内で知事が定める相当の期間）を限つて、変更後予定期間を延長する。

4　知事は、第一項の認定をした場合には、当該認定の日から変更後予定期間の末日までの期間を限つて、当該土地に係る特別土地保有税及びこれに係る徴収金（既に徴収したものを除く。）の徴収を猶予する。

5　知事は、第三項の規定により変更後予定期間（同項の規定により変更後予定期間を延長した場合における当該延長された期間を含む。）を延長した場合には、当該延長された期間を限つて、当該土地に係る特別土地保有税及びこれに係る徴収金（既に徴収したものを除く。）の徴収の猶予の期間を延長する。

6　知事は、前二項の規定による徴収の猶予をした場合において、当該徴収の猶予に係る特別土地保有税について第一項の確認をすることができないことが明らかとなつたとき、又は徴収の猶予の理由の一部に変更があることが明らかとなつたときは、当該徴収の猶予に係る特別土地保有税及びこれに係る徴収金の全部又は一部についてその徴収の猶予を取り消し、直ちに当該徴収の猶予の取消しに係る特別土地保有税及びこれに係る徴収金を徴収する。

7　知事は、特別土地保有税及びこれに係る徴収金を徴収した場合において、当該特別土地保有税について第一項の規定の適用があることとなつたときは、当該特別土地保有税の納税義務者の申請に基づいて、当該土地に係る特別土地保有税及びこれに係る徴収金（免除期間に係るものに限る。）を還付する。

**第十八条の二の四**　知事は、平成十七年四月一日以後において第百五十一条第二項（第百五十二条第二項及び第百五十三条の二の二第二項において準用する場合を含む。）の規定により第百五十一条第一項、第百五十二条第一項若しくは第百五十三条の二の二第一項にそれぞれ規定する納税義務の免除に係る期間（以下この項及び次項において「免除期間」という。）を延長する場合、附則第十八条の二第一項若しくは附則第十八条の二の二第一項の規定によりこれらの規定に規定する予定期間（以下この項及び次項において「予定期間」という。）を定める場合、前条第一項の規定により同項に規定する変更後予定期間（以下この項及び次項において「変更後予定期間」という。）を定める場合、附則第十八条の二第四項若しくは附則第十八条の二の二第三項において準用する第百五十一条第二項の規定により予定期間を延長する場合又は前条第三項の規定により変更後予定期間を延長する場合においては、これらの規定にかかわらず、同日以後において延長し、又は定める期間の合計が十年を超えない範囲内で当該免除期間、予定期間又は変更後予定期間の末日を定めるものとする。ただし、免除期間、予定期間又は変更後予定期間が定められている土地が土地区画整理法による土地区画整理事業の施行に係るもの又は都市再開発法による市街地再開発事業の施行に係るものであり、かつ、当該土地区画整理事業又は市街地再開発事業の事業施行期間の終了の時が免除期間、予定期間又は変更後予定期間の末日において当該末日後に定められているときは、免除期間、予定期間又は変更後予定期間の末日を当該事業施行期間の終了の時までとする。

2　知事は、前項の規定により免除期間、予定期間又は変更後予定期間の末日を定めた場合において、震災、風水害、火災その他の災害により免除期間、予定期間又は変更後予定期間内に当該土地を附則第十八条の二第一項に規定する非課税土地として使用し、若しくは使用させ、当該土地について同項に規定する特例譲渡をし、又は当該土地を同項に規定する免除土地として使用し、若しくは使用させることができないと認める場合には、前項の規定にかかわらず、第百五十一条第二項（第百五十二条第二項、第百五十三条の二の二第二項、附則第十八条の二第四項又は附則第十八条の二の二第三項において準用する場合を含む。）又は前条第三項の規定により、二年を超えない範囲内で一回に限り、更に免除期間、予定期間又は変更後予定期間を延長する。

3　前二項の規定は、地方公共団体、独立行政法人都市再生機構又は地方住宅供給公社が施行する土地区画整理法による土地区画整理事業又は都市再開発法による市街地再開発事業に係る土地については、適用しない。

**第十八条の三**　法附則第三十一条の四第一項に規定する都が土地の状況を勘案して条例で定める区域は、特別区の存する区域とする。

**第十九条**　削除

**（小規模住宅用地に対する都市計画税の不均一課税）**

**第二十条**　土地の全部又は一部が法第三百四十九条の三の二第二項に規定する小規模住宅用地であるもの（以下この条において「特例土地」という。）に対して課する令和六年度分の都市計画税の額は、次の各号に掲げる区分に応じ、当該各号に定める額に第百八十八条の二十七に規定する率に二分の一を乗じて得た率を乗じて得た額を当該特例土地に係る当該年度分の都市計画税額（この条の規定の適用がないものとした場合における都市計画税額とする。）から控除した額に相当する金額とする。

一　特例土地の全部が小規模住宅用地であるもの　当該特例土地に係る当該年度分の都市計画税の課税標準に相当する額（法附則第二十五条第一項又は第三項の規定の適用がある場合には当該規定を適用した場合の都市計画税額の算定の基礎となる課税標準となるべき額とし、附則第二十条の三の規定の適用がある場合には同条第一号イ又はロに規定する都市計画税の課税標準となるべき額とする。次号において同じ。）

二　特例土地の一部が小規模住宅用地であるもの　当該特例土地のうち小規模住宅用地である部分に係る当該年度分の都市計画税の課税標準に相当する額

**（商業地等に対して課する令和六年度分の都市計画税の減額）**

**第二十条の二**　令和六年度分の都市計画税に限り、商業地等に係る当該年度分の都市計画税額（当該商業地等が当該年度分の都市計画税について法附則第二十五条の規定の適用を受ける商業地等であるときは、当該年度の同条第一項に規定する宅地等調整都市計画税額、同条第四項に規定する商業地等据置都市計画税額又は同条第五項に規定する商業地等調整都市計画税額とする。以下この条において同じ。）が、当該商業地等に係る当該年度分の都市計画税の課税標準となるべき価格に十分の六・五を乗じて得た額（当該商業地等が当該年度分の固定資産税について法第三百四十九条の三（第十八項を除く。）又は法附則第十五条から第十五条の三までの規定の適用を受ける商業地等であるときは、当該額にこれらの規定に定める率を乗じて得た額）を当該商業地等に係る当該年度分の都市計画税の課税標準となるべき額とした場合における都市計画税額を超える場合には、その超えることとなる額に相当する額を、当該商業地等に係る都市計画税額から減額する。

**（住宅用地等に対して課する令和六年度から令和八年度までの各年度分の都市計画税の減額）**

**第二十条の三**　令和六年度から令和八年度までの各年度分の都市計画税に限り、住宅用地等に係る当該年度分の都市計画税額（当該住宅用地等が当該年度分の都市計画税について法附則第二十五条又は法附則第二十七条の二の規定の適用を受ける住宅用地等であるときは、当該年度分の法附則第二十五条第一項に規定する宅地等調整都市計画税額、同条第四項に規定する商業地等据置都市計画税額、同条第五項に規定する商業地等調整都市計画税額又は法附則第二十七条の二第一項に規定する市街化区域農地調整都市計画税額とする。以下この条において同じ。）が、次の各号に掲げる年度の区分に応じ、当該各号に定める額を超える場合には、その超えることとなる額に相当する額を、当該住宅用地等に係る当該年度分の都市計画税額から減額する。

一　令和六年度　次に掲げる住宅用地等の区分に応じ、それぞれ次に定める額

イ　ロに掲げる住宅用地等以外の住宅用地等　当該住宅用地等の当該年度分の都市計画税に係る前年度分の都市計画税の課税標準額（法附則第二十七条の四の二第二項において法附則第十八条第六項、法附則第二十五条の三及び法附則第二十七条の二第四項から第六項までの規定を読み替えて準用される前年度分の都市計画税の課税標準額をいう。以下この条において同じ。）に、次に掲げる区分に応じ、それぞれ次に定める割合（以下この条において「負担上限割合」という。）を乗じて得た額（当該住宅用地等が当該年度分の固定資産税について法第三百四十九条の三（第十八項を除く。

以下この条において同じ。）又は法附則第十五条から第十五条の三までの規定の適用を受ける住宅用地等であるときは、当該額にこれらの規定に定める率を乗じて得た額）を当該住宅用地等に係る令和六年度分の都市計画税の課税標準となるべき額とした場合における都市計画税額

(1)　住宅用地　百分の百十

(2)　商業地等　百分の百十

(3)　市街化区域農地　百分の百十

ロ　令和五年度分の都市計画税について、令和六年改正条例による改正前の東京都都税条例附則第二十条の二又は附則第二十条の三第三号イ若しくはロの規定の適用があつた住宅用地等　当該住宅用地等に係る令和五年度分の都市計画税に係るこれらの規定に規定する都市計画税の課税標準となるべき額（当該住宅用地等が同年度分の固定資産税について令和六年改正前の地方税法第三百四十九条の三（第十八項を除く。）又は令和六年改正前の地方税法附則第十五条から第十五条の三までの規定の適用を受ける住宅用地等であるときは、当該額をこれらの規定に定める率で除して得た額）に、負担上限割合を乗じて得た額（当該住宅用地等が令和六年度分の固定資産税について法第三百四十九条の三又は法附則第十五条から第十五条の三までの規定の適用を受ける住宅用地等であるときは、当該額にこれらの規定に定める率を乗じて得た額）を当該住宅用地等に係る令和六年度分の都市計画税の課税標準となるべき額とした場合における都市計画税額

二　令和七年度　次に掲げる住宅用地等の区分に応じ、それぞれ次に定める額

イ　ロに掲げる住宅用地等以外の住宅用地等　当該住宅用地等の当該年度分の都市計画税に係る前年度分の都市計画税の課税標準額に、負担上限割合を乗じて得た額（当該住宅用地等が当該年度分の固定資産税について法第三百四十九条の三又は法附則第十五条から第十五条の三までの規定の適用を受ける住宅用地等であるときは、当該額にこれらの規定に定める率を乗じて得た額）を当該住宅用地等に係る令和七年度分の都市計画税の課税標準となるべき額とした場合における都市計画税額

ロ　令和六年度分の都市計画税について、前号イ又はロの規定の適用があつた住宅用地等　当該住宅用地等に係る令和六年度分の都市計画税に係る同号イ又はロに規定する都市計画税の課税標準となるべき額（当該住宅用地等が同年度分の固定資産税について法第三百四十九条の三又は法附則第十五条から第十五条の三までの規定の適用を受ける住宅用地等であるときは、当該額をこれらの規定に定める率で除して得た額）に、負担上限割合を乗じて得た額（当該住宅用地等が令和七年度分の固定資産税について法第三百四十九条の三又は法附則第十五条から第十五条の三までの規定の適用を受ける住宅用地等であるときは、当該額にこれらの規定に定める率を乗じて得た額）を当該住宅用地等に係る令和七年度分の都市計画税の課税標準となるべき額とした場合における都市計画税額

三　令和八年度　次に掲げる住宅用地等の区分に応じ、それぞれ次に定める額

イ　ロに掲げる住宅用地等以外の住宅用地等　当該住宅用地等の当該年度分の都市計画税に係る前年度分の都市計画税の課税標準額に、負担上限割合を乗じて得た額（当該住宅用地等が令和八年度分の固定資産税について法第三百四十九条の三又は法附則第十五条から第十五条の三までの規定の適用を受ける住宅用地等であるときは、当該額にこれらの規定に定める率を乗じて得た額）を当該住宅用地等に係る令和八年度分の都市計画税の課税標準となるべき額とした場合における都市計画税額

ロ　令和七年度分の都市計画税について、前号イ又はロの規定の適用があつた住宅用地等　当該住宅用地等に係る令和七年度分の都市計画税に係る同号イ又はロに規定する都市計画税の課税標準となるべき額（当該住宅用地等が同年度分の固定資産税について法第三百四十九条の三又は法附則第十五条から第十五条の三までの規定の適用を受ける住宅用地等であるときは、当該額をこれらの規定に定める率で除して得た額）に、負担上限割合を乗じて得た額（当該住宅用地等が令和八年度分の固定資産税について法第三百四十九条の三又は法附則第十五条から第十五条の三までの規定の適用を受ける住宅用地等であるときは、当該額にこれらの規定に定める率を乗じて得た額）を当該住宅用地等に係る令和八年度分の都市計画税の課税標準となるべき額とした場合における都市計画税額

**（業務核都市における中核的民間施設に係る大規模償却資産に対する固定資産税の不均一課税）**

**第二十一条**　中核的民間施設の用に供する構築物のうち規則で定める構築物で公表日から八年を経過する日までの間に取得し、かつ、第二百七条に規定する大規模償却資産に該当するものに対して課する固定資産税の税率は、当該構築物に対して法第三百四十二条の規定により市町村が新たに固定資産税を課することとなつた年度から五年度分の固定資産税に限り、第二百八条の規定にかかわらず、百分の〇・七とする。

**（旧民法第三十四条の法人から移行した法人等に係る特例）**

**第二十二条**　一般社団法人及び一般財団法人に関する法律及び公益社団法人及び公益財団法人の認定等に関する法律の施行に伴う関係法律の整備等に関する法律（平成十八年法律第五十号。以下この条において「整備法」という。）第四十条第一項の規定により存続する一般社団法人又は一般財団法人であつて整備法第百六条第一項（整備法第百二十一条第一項において読み替えて準用する場合を含む。次項及び第三項において同じ。）の登記をしていないもの（整備法第百三十一条第一項の規定により整備法第四十五条の認可を取り消されたもの（以下この条においてそれぞれ「認可取消社団法人」又は「認可取消財団法人」という。）にあつては、非営利型法人に該当するものに限る。）については、公益社団法人又は公益財団法人とみなして、第二

十五条第一項の規定を適用する。

2　整備法第四十条第一項の規定により存続する一般社団法人又は一般財団法人であつて整備法第百六条第一項の登記をしていないもの（認可取消社団法人又は認可取消財団法人にあつては、非営利型法人に該当するものに限る。）については、法人税法第二条第六号の公益法人等とみなして、第百六条第一項及び第二百条の規定を適用する。

3　整備法第四十一条第一項の規定により存続する一般社団法人又は一般財団法人であつて整備法第百六条第一項の登記をしていないもの又は認可取消社団法人若しくは認可取消財団法人については、一般社団法人又は一般財団法人とみなして、第二十五条第一項、第百六条第一項及び第二百条の規定を適用する。

4　整備法第二条第一項に規定する旧有限責任中間法人で整備法第三条第一項本文の規定の適用を受けるもの及び整備法第二十五条第二項に規定する特例無限責任中間法人については、一般社団法人とみなして、第二十五条第一項、第百六条第一項及び第二百条の規定を適用する。

5　整備法第四十二条第二項に規定する特例民法法人（認可取消社団法人又は認可取消財団法人を除く。）に対する第百十七条の二及び第二百六条の規定の適用については、これらの規定中「公益財団法人」とあるのは、「公益財団法人並びに附則第二十二条第六項に規定する特例民法法人」とする。

**（東日本大震災に係る特定被災共用土地等に対する固定資産税額のあん分の申出）**

**第二十三条**　法附則第五十六条第四項の規定による特定被災共用土地（同項に規定する特定被災共用土地をいう。以下この条において同じ。）に係る固定資産税額のあん分の申出をしようとする者は、平成二十四年度から令和八年度までの各年度の初日の属する年の一月十四日までに、次に掲げる事項を記載した申出書を知事に提出しなければならない。ただし、既にこの条の規定による申出に基づく知事の認定を受けている場合において、当該申出事項に異動がないときは、この限りでない。

一　各特定被災共用土地納税義務者（法附則第五十六条第四項に規定する特定被災共用土地納税義務者をいう。第五号において同じ。）の住所及び氏名又は名称

二　特定被災共用土地の所在、地番、地目及び地積並びにその用途

三　特定被災共用土地に係る被災区分所有家屋（法附則第五十六条第三項に規定する被災区分所有家屋をいう。次号及び第五号において同じ。）の平成二十三年度に係る賦課期日における所在、家屋番号、種類、構造及び床面積並びにその用途

四　特定被災共用土地に係る被災区分所有家屋が滅失し、又は損壊した原因となつた震災の発生した日時

五　各特定被災共用土地納税義務者の特定被災共用土地に係る被災区分所有家屋の建物の区分所有等に関する法律第十四条第一項から第三項までの規定の例により算定した専有部分の床面積の割合及び当該各特定被災共用土地納税義務者の当該特定被災共用土地に係る持分の割合

六　法附則第五十六条第三項の規定によりあん分する場合に用いられる割合に準じて定めた割合及び当該割合の算定方法

七　前各号に掲げるもののほか、知事において必要があると認める事項

2　法附則第五十六条第九項の規定による仮換地等（同条第六項に規定する仮換地等をいう。）に係る固定資産税額のあん分の申出については、前項中「法附則第五十六条第四項の規定による特定被災共用土地（同項に規定する特定被災共用土地をいう。以下この条において同じ。）」とあるのは「法附則第五十六条第九項の規定による仮換地等（次項に規定する仮換地等をいう。以下この項において同じ。）」と、「特定被災共用土地納税義務者」とあるのは「仮換地等納税義務者」と、「法附則第五十六条第四項に」とあるのは「法附則第五十六条第九項の規定により読み替えて適用される同条第四項に」と、「特定被災共用土地の」とあるのは「仮換地等の」と、「特定被災共用土地に」とあるのは「仮換地等に対応する従前の土地である特定被災共用土地に」として、同項の規定を適用する。

**（東日本大震災に係る被災住宅用地等の固定資産税及び都市計画税に関する申告義務）**

**第二十四条**　第百三十六条の二及び第百三十六条の三の規定にかかわらず、法附則第五十六条第一項（同条第二項において準用する場合及び同条第六項（同条第七項において準用する場合を含む。）の規定により読み替えて適用される場合を含む。第五号において同じ。）の規定の適用を受けようとする者は、平成二十四年度から令和八年度までの各年度の初日の属する年の一月三十一日までに、次に掲げる事項を記載した申告書を知事に提出しなければならない。ただし、既にこの条の規定による申告に基づく知事の認定を受けている場合において、当該申告事項に異動がないときは、この限りでない。

一　被災住宅用地（法附則第五十六条第一項に規定する被災住宅用地をいう。次号及び第三号において同じ。）の所有者の住所及び氏名又は名称

二　被災住宅用地の所在及び地積

三　被災住宅用地の上に平成二十三年度に係る賦課期日において存した家屋の所有者、所在、家屋番号、種類、構造、床面積、居住部分の床面積及び居住の用に供した年月日、被災住宅用地の上に存した住居の数（法第三百四十九条の三の二第二項に規定する住居の数をいう。）

四　前号に規定する家屋が滅失し、又は損壊した原因となつた震災の発生した日時

五　当該年度に係る賦課期日において法附則第五十六条第一項の規定の適用を受けようとする土地の全部又は一部を法第三百四十九条の三の二第一項に規定する家屋の敷地の用に供する土地として使用することができない理由

六　前各号に掲げるもののほか、知事において必要があると認める事項

**（新型コロナウイルス感染症等に係る耐震基準不適合既存住宅の取得に対する不動産取得税の減額等の特例）**

**第二十五条**　法第七十三条の二十四第三項に規定する耐震基準不適合既存住宅を取得し、当該耐震基準不適合既存住宅

の法第七十三条の二十七の二第一項に規定する耐震改修に係る契約を地方税法施行令附則第三十八条で定める日までに締結している個人が、新型コロナウイルス感染症（法附則第五十九条第一項に規定する新型コロナウイルス感染症をいう。）及びそのまん延防止のための措置の影響により当該耐震改修をして当該耐震基準不適合既存住宅をその取得の日から六月以内にその者の居住の用に供することができなかつたことにつき地方税法施行規則附則第二十八条第一項で定めるところにより証明がされた場合において、当該耐震改修をして当該耐震基準不適合既存住宅を令和四年三月三十一日までにその者の居住の用に供したとき（当該耐震基準不適合既存住宅を当該耐震改修の日から六月以内にその者の居住の用に供した場合に限る。）は、第四十八条の四の二第一項の規定の適用については、同項中「当該耐震基準不適合既存住宅を取得した日から六月以内に、当該」とあるのは「当該」と、「行い」とあるのは「行い、当該住宅の当該耐震改修の日から六月以内に」とする。

2　前項の規定の適用がある場合における第四十八条の二第一項の規定の適用については、次の表の上欄に掲げる字句は、それぞれ同表の下欄に掲げる字句とする。

| 一年六月以内、同項第二号 | 当該土地の上にある耐震基準不適合既存住宅の耐震改修（法第七十三条の二十七の二第一項に規定する耐震改修をいう。以下この項において同じ。）の日後六月以内の日まで、前条第三項第二号 |
|---|---|
| から六月以内 | から当該土地の上にある耐震基準不適合既存住宅の耐震改修の日後六月以内の日まで |

**附　則**（平二五・三・二九条例三六）（抄）

最終改正　平二九・三・三一条例一五

1　この条例は、平成二十五年四月一日から施行する。ただし、次の各号に掲げる規定は、当該各号に定める日から施行する。

一　〔略〕

二　第二条及び附則第五項の規定　平成三十一年十月一日

5　第二条の規定による改正後の東京都都税条例第四十条の三の規定は、附則第一項第二号に定める日（以下この項において「施行日」という。）以後に事業者が行う課税資産の譲渡等（消費税法第二条第一項第九号に規定する課税資産の譲渡等のうち、同項第八号の二に規定する特定資産の譲渡等以外のものをいう。以下この項において同じ。）及び特定課税仕入れ（消費税法第五条第一項に規定する特定課税仕入れをいう。以下この項において同じ。）並びに施行日以後に保税地域から引き取られる課税貨物に係る地方消費税について適用し、附則第一項第一号に定める日から施行日の前日までの間に事業者が行った課税資産の譲渡等及び特定課税仕入れ並びに同号に定める日から施行日の前日までの間に保税地域から引き取った課税貨物に係る地方消費税については、なお従前の例による。

**附　則**（平二七・七・一条例一〇〇）

改正　平三〇・七・四条例七七

**（施行期日）**

1　この条例は、公布の日から施行する。ただし、次の各号に掲げる規定は、当該各号に定める日から施行する。

一　第一条中東京都都税条例第四十条第一項及び第四十条の二第一項の改正規定、第二条の規定並びに附則第三項の規定　平成二十七年十月一日

二　第一条中東京都都税条例第三十三条第一項及び第三項、附則第五条の二第一項、附則第六条の三並びに附則第二十三条第一項、第二項及び第四項の改正規定並びに附則第二項及び第五項から第十五項までの規定　平成二十八年四月一日

**（経過措置）**

2　この条例による改正後の東京都都税条例（以下「新条例」という。）の規定中法人の事業税に関する部分は、附則第一項第二号に定める日以後に開始する事業年度に係る法人の事業税について適用し、同日前に開始した事業年度に係る法人の事業税については、なお従前の例による。

3　新条例の規定中地方消費税に関する部分は、附則第一項第一号に定める日以後に事業者（地方税法（昭和二十五年法律第二百二十六号。以下「法」という。）第七十二条の七十七第一号に規定する事業者をいう。以下この項において同じ。）が行う課税資産の譲渡等（消費税法（昭和六十三年法律第百八号）第二条第一項第九号に規定する課税資産の譲渡等のうち、所得税法等の一部を改正する法律（平成二十七年法律第九号。以下「所得税法等改正法」という。）第四条の規定による改正後の消費税法（以下この項において「新消費税法」という。）第二条第一項第八号の二に規定する特定資産の譲渡等以外のものをいう。）及び特定課税仕入れ（新消費税法第五条第一項に規定する特定課税仕入れをいう。）に係る地方消費税について適用し、同日前に事業者が行った課税資産の譲渡等（消費税法第二条第一項第九号に規定する課税資産の譲渡等をいう。）に係る地方消費税については、なお従前の例による。

4　新条例附則第五条の二の八の規定は、この条例の施行の日以後の法附則第十一条第七項に規定する不動産の取得に対して課すべき不動産取得税について適用する。

5　別段の定めがあるものを除き、附則第一項第二号に定める日前に課した、又は課すべきであったこの条例による改正前の東京都都税条例（以下「旧条例」という。）附則第六条の三に規定する喫煙用の紙巻たばこ（以下「紙巻たばこ三級品」という。）に係る都たばこ税については、なお従前の例による。

6　次の各号に掲げる期間内に、東京都都税条例第四十八条の十第一項に規定する売渡し又は同条第二項に規定する売渡し若しくは消費等が行われる紙巻たばこ三級品に係る都たばこ税の税率は、東京都都税条例第四十八条の十三の規定にかかわらず、当該各号に定める税率とする。

一　平成二十八年四月一日から平成二十九年三月三十一日まで　千本につき四百八十一円

二　平成二十九年四月一日から平成三十年三月三十一日まで　千本につき五百五十一円

三　平成三十年四月一日から平成三十一年九月三十日まで
千本につき六百五十六円

7　平成二十八年四月一日前に旧条例第四十八条の十第一項に規定する売渡し又は同条第二項に規定する売渡し若しくは消費等（地方税法等の一部を改正する法律（平成二十七年法律第二号。以下「平成二十七年改正法」という。）による改正前の法第七十四条の六第一項第一号及び第二号に規定する売渡しを除く。）が行われた紙巻たばこ三級品を同日に販売のため所持する卸売販売業者等（新条例第四十八条の十第一項に規定する卸売販売業者等をいう。以下同じ。）又は小売販売業者（新条例第四十八条の十第一項に規定する小売販売業者をいう。以下同じ。）がある場合において、これらの者が所得税法等改正法附則第五十二条第一項の規定により製造たばこの製造者として当該紙巻たばこ三級品を同日にこれらの者の製造たばこの製造場から移出したものとみなして同項の規定によりたばこ税を課されることとなるときは、これらの者が卸売販売業者等として当該紙巻たばこ三級品を同日に小売販売業者に売り渡したものとみなして、都たばこ税を課する。この場合における都たばこ税の課税標準は、当該売り渡したものとみなされる紙巻たばこ三級品の本数とし、当該都たばこ税の税率は、千本につき七十円とする。

8　前項に規定する者は、平成二十七年改正法附則第十二条第三項に規定する貯蔵場所又は小売販売業者の営業所ごとに、次に掲げる事項を記載した申告書を平成二十八年五月二日までに知事に提出し、同年九月三十日までに、当該申告書に記載した第二号に掲げる都たばこ税額に相当する金額を納付書によって納付しなければならない。

一　所持する紙巻たばこ三級品の本数及び当該紙巻たばこ三級品の本数のうち都たばこ税の課税標準となるものの本数

二　前号の課税標準となる紙巻たばこ三級品の本数により算定した前項の規定による都たばこ税額

三　その他参考となるべき事項

9　附則第七項の規定により都たばこ税を課する場合には、前二項に規定するもののほか、新条例の規定中都たばこ税に関する部分（新条例第四十八条の十二、第四十八条の十三及び第四十八条の十四の二の規定を除く。）を適用する。この場合において、新条例第十八条第一項第一号中「第四十八条の十四の二第一項若しくは第三項」とあるのは「東京都都税条例及び東京都都税条例の一部を改正する条例の一部を改正する条例（平成二十七年東京都条例第百号。以下この項において「平成二十七年改正条例」という。）附則第八項」と、「その提出期限」とあるのは「平成二十七年改正条例附則第八項の納期限」と、同項第二号中「法第七十四条の十二第二項」とあるのは「平成二十七年改正条例附則第八項の納期限後に提出した地方税法等の一部を改正する法律（平成二十七年法律第二号）附則第十二条第七項の規定により読み替えて適用される同法による改正後の法第七十四条の十二第二項」と、「当該修正申告書又は申告書を」とあるのは「当該」と、「その期間の末日」とあるのは「その日」と、新条例第四十八条の十四の三中「前条各項」とあるのは「平成二十七年改正条例附則第八項」と、「これらの項」とあるのは「同項」と読み替えるものとする。

10　平成二十九年四月一日前に新条例第四十八条の十第一項に規定する売渡し又は同条第二項に規定する売渡し若しくは消費等（平成二十七年改正法による改正後の法第七十四条の六第一項第一号及び第二号に規定する売渡しを除く。以下同じ。）が行われた紙巻たばこ三級品を同日に販売のため所持する卸売販売業者等又は小売販売業者がある場合において、これらの者が所得税法等改正法附則第五十二条第八項の規定により製造たばこの製造者として当該紙巻たばこ三級品を同日にこれらの者の製造たばこの製造場から移出したものとみなして同項の規定によりたばこ税を課されることとなるときは、これらの者が卸売販売業者等として当該紙巻たばこ三級品を同日に小売販売業者に売り渡したものとみなして、都たばこ税を課する。この場合における都たばこ税の課税標準は、当該売り渡したものとみなされる紙巻たばこ三級品の本数とし、当該都たばこ税の税率は、千本につき七十円とする。

11　附則第八項及び第九項の規定は、前項の規定により都たばこ税を課する場合について準用する。この場合において、附則第八項中「前項に」とあるのは「附則第十項に」と、「附則第十二条第三項」とあるのは「附則第十二条第九項」と、「平成二十八年五月二日」とあるのは「平成二十九年五月一日」と、「同年九月三十日」とあるのは「同年十月二日」と、同項第二号中「前項」とあるのは「附則第十項」と、附則第九項中「附則第七項」とあるのは「附則第十項」と、「前二項」とあるのは「同項及び前項」と、「附則第八項」とあるのは「附則第十一項において準用する附則第八項」と、「附則第十二条第七項」とあるのは「附則第十二条第十項において準用する同条第七項」と読み替えるものとする。

12　平成三十年四月一日前に新条例第四十八条の十第一項に規定する売渡し又は同条第二項に規定する売渡し若しくは消費等が行われた紙巻たばこ三級品を同日に販売のため所持する卸売販売業者等又は小売販売業者がある場合において、これらの者が所得税法等改正法附則第五十二条第十項の規定により製造たばこの製造者として当該紙巻たばこ三級品を同日にこれらの者の製造たばこの製造場から移出したものとみなして同項の規定によりたばこ税を課されることとなるときは、これらの者が卸売販売業者等として当該紙巻たばこ三級品を同日に小売販売業者に売り渡したものとみなして、都たばこ税を課する。この場合における都たばこ税の課税標準は、当該売り渡したものとみなされる紙巻たばこ三級品の本数とし、当該都たばこ税の税率は、千本につき百五円とする。

13　附則第八項及び第九項の規定は、前項の規定により都たばこ税を課する場合について準用する。この場合において、附則第八項中「前項に」とあるのは「附則第十二項に」と、「附則第十二条第三項」とあるのは「附則第十二条第十一項」と、「平成二十八年五月二日」とあるのは「平成三十年五月一日」と、「同年九月三十日」とあるのは「同年十月一日」と、同項第二号中「前項」とあるのは

「附則第十二項」と、附則第九項中「附則第七項」とあるのは「附則第十二項」と、「前二項」とあるのは「同項及び前項」と、「附則第八項」とあるのは「附則第十三項において準用する附則第八項」と、「附則第十二条第七項」とあるのは「附則第十二条第十二項において準用する同条第七項」と読み替えるものとする。

14　平成三十一年十月一日前に東京都都税条例第四十八条の十第一項に規定する売渡し又は同条第二項に規定する売渡し若しくは消費等が行われた紙巻たばこ三級品を同日に販売のため所持する卸売販売業者等又は小売販売業者がある場合において、これらの者が所得税法等改正法附則第五十二条第十二項の規定により製造たばこの製造者として当該紙巻たばこ三級品を同日にこれらの者の製造たばこの製造場から移出したものとみなして同項の規定によりたばこ税を課されることとなるときは、これらの者が卸売販売業者等として当該紙巻たばこ三級品を同日に小売販売業者に売り渡したものとみなして、都たばこ税を課する。この場合における都たばこ税の課税標準は、当該売り渡したものとみなされる紙巻たばこ三級品の本数とし、当該都たばこ税の税率は、千本につき二百七十四円とする。

15　附則第八項及び第九項の規定は、前項の規定により都たばこ税を課する場合について準用する。この場合において、附則第八項中「前項に」とあるのは「附則第十四項に」と、「附則第十二条第三項」とあるのは「附則第十二条第十三項」と、「平成二十八年五月二日」とあるのは「平成三十一年十月三十一日」と、「同年九月三十日」とあるのは「平成三十二年三月三十一日」と、同項第二号中「前項」とあるのは「附則第十四項」と、附則第九項中「附則第七項」とあるのは「附則第十四項」と、「前二項」とあるのは「同項及び前項」と、「附則第八項」とあるのは「附則第十五項において準用する附則第八項」と、「附則第十二条第七項」とあるのは「附則第十二条第十四項において準用する同条第七項」と読み替えるものとする。

16　新条例附則第十四条第五号の規定は、平成二十七年四月一日以後に取得された法附則第十五条第十八項に規定する家屋及び償却資産に対して課すべき平成二十八年度以後の年度分の固定資産税について適用する。

17　新条例附則第十四条第五号の規定は、平成二十七年四月一日以後に取得された法附則第十五条第十八項に規定する家屋に対して課すべき平成二十八年度以後の年度分の都市計画税について適用する。

18　新条例附則第十四条第九号の規定は、平成二十七年四月一日以後に新築された法附則第十五条の八第四項に規定するサービス付き高齢者向け住宅である貸家住宅に対して課すべき平成二十八年度以後の年度分の固定資産税について適用する。

**附　則**（平二八・三・三一条例一八）

**（施行期日）**

1　この条例は、平成二十八年四月一日（以下「施行日」という。）から施行する。ただし、第五条、第十一条、第二十四条の十一、第二十五条第一項第二号、第三十条第二号、第三十一条第三項、第三十三条第一項及び第二項並びに附則第二十三条第二項及び第三項の改正規定は、平成二十九年四月一日から施行する。

**（経過措置）**

2　平成二十九年四月一日前にこの条例による改正前の東京都都税条例（以下「旧条例」という。）第五条第一項の規定により市町村が受理した書類及び収納した都税については、なお従前の例による。

3　この条例による改正後の東京都都税条例（以下「新条例」という。）第二十三条の二、第二十三条の三及び第二十三条の六（地方税法等の一部を改正する法律（平成二十七年法律第二号。以下「平成二十七年改正法」という。）第二条の規定による改正後の地方税法（昭和二十五年法律第二百二十六号。以下この項、次項及び第五項において「新法」という。）第十五条第一項又は第二項の規定による徴収の猶予に係る部分に限る。）の規定は、施行日以後に申請される新法第十五条第一項又は第二項の規定による徴収の猶予について適用し、施行日前に申請された平成二十七年改正法第二条の規定による改正前の地方税法（次項において「旧法」という。）第十五条第一項又は第二項の規定による徴収の猶予については、なお従前の例による。

4　新条例第二十三条の四及び第二十三条の六（新法第十五条の五第一項の規定による換価の猶予に係る部分に限る。）の規定は、施行日以後にされる同項の規定による換価の猶予について適用し、施行日前にされた旧法第十五条の五第一項の規定による換価の猶予については、なお従前の例による。

5　新条例第二十三条の五及び第二十三条の六（新法第十五条の六第一項の規定による換価の猶予に係る部分に限る。）の規定は、施行日以後に同項に規定する納期限が到来する徴収金について適用する。

6　旧条例附則第十五条の二の規定は、平成二十七年度分の固定資産税については、なおその効力を有する。

7　旧条例附則第二十条及び附則第二十条の二の規定は、平成二十七年度分の都市計画税については、なおその効力を有する。

8　新条例の規定中法人の事業税に関する部分は、平成二十九年四月一日以後に開始する事業年度に係る法人の事業税について適用し、同日前に開始した事業年度に係る法人の事業税については、なお従前の例による。

**附　則**（平二八・三・三一条例七九）

**（施行期日）**

1　この条例は、平成二十八年四月一日から施行する。

**（経過措置）**

2　この条例による改正後の東京都都税条例（以下「新条例」という。）の規定中法人の事業税に関する部分は、この条例の施行の日（以下「施行日」という。）以後に開始する事業年度に係る法人の事業税について適用し、施行日前に開始した事業年度に係る法人の事業税については、なお従前の例による。

3　新条例の規定中自動車税に関する部分は、平成二十八年度以後の年度分の自動車税について適用し、平成二十七年度分までの自動車税については、なお従前の例による。

4　新条例の規定中自動車取得税に関する部分は、施行日以後の自動車の取得に対して課すべき自動車取得税について適用し、施行日前の自動車の取得に対して課する自動車取得税については、なお従前の例による。

5　新条例の規定中固定資産税及び都市計画税に関する部分は、平成二十八年度以後の年度分の固定資産税及び都市計画税について適用し、平成二十七年度分までの固定資産税及び都市計画税については、なお従前の例による。

**附　則**（平二八・六・二二条例八二）（抄）

最終改正　令元・六・二六条例四

**（施行期日）**

1　この条例は、令和元年十月一日から施行する。ただし、次の各号に掲げる規定は、当該各号に定める日から施行する。

一　附則第十四条の改正規定、附則第八項及び第九項の規定　公布の日

二　第十八条第二項の改正規定、同条中第三項を第四項とし、第二項の次に一項を加える改正規定、附則第三条の二第三項の改正規定及び附則第六項の規定　平成二十九年一月一日

三　附則第七条の改正規定及び附則第四項の規定　平成二十九年四月一日

**（東京都都税条例の一部改正に伴う経過措置）**

2　この条例の施行の日（以下「施行日」という。）前の自動車の取得に対して課する自動車取得税については、なお従前の例による。

3　この条例による改正後の東京都都税条例（以下「新条例」という。）の規定中自動車税の環境性能割に関する部分は、施行日以後に取得された自動車に対して課する自動車税の環境性能割について適用する。

4　新条例附則第七条の規定は、平成二十九年度以後の年度分の自動車税について適用し、平成二十八年度分までの自動車税については、なお従前の例による。

5　新条例の規定中自動車税の種別割に関する部分は、令和元年度分の施行日以後に納税義務が発生した者に課すべき自動車税の種別割及び令和二年度以後の年度分の自動車税の種別割について適用し、平成三十一年度分までの同日前に納税義務が発生した者に課する自動車税については、なお従前の例による。

6　新条例第十八条第三項の規定は、平成二十九年一月一日以後に納期限が到来する法人の事業税及び法人の都民税について適用する。

7　新条例の規定中法人の都民税に関する部分（新条例第十八条第三項の規定を除く。）は、施行日以後に開始する事業年度分及び連結事業年度分の法人の都民税について適用し、施行日前に開始した事業年度分及び連結事業年度分に係る法人の都民税については、なお従前の例による。

8　新条例附則第十四条第六号の規定は、平成二十八年四月一日以後に取得された地方税法（昭和二十五年法律第二百二十六号。以下「法」という。）附則第十五条第三十三項第一号に規定する特定再生可能エネルギー発電設備に対して課すべき平成二十九年度以後の年度分の固定資産税について適用する。

9　新条例附則第十四条第七号の規定は、平成二十八年四月一日以後に取得された法附則第十五条第三十三項第二号に規定する特定再生可能エネルギー発電設備に対して課すべき平成二十九年度以後の年度分の固定資産税について適用する。

10　施行日前に開始した事業年度に係る法人の事業税についてのこの条例による改正前の東京都都税条例附則第二十三条及び第二十四条の規定の適用については、なお従前の例による。

**附　則**（平二九・三・三一条例一五）

**（施行期日）**

1　この条例は、平成二十九年四月一日から施行する。ただし、第二条及び第三条の規定は、公布の日から施行する。

**（経過措置）**

2　第一条の規定による改正前の東京都都税条例（以下「旧条例」という。）附則第十五条の二の規定は、平成二十八年度分の固定資産税については、なおその効力を有する。

3　旧条例附則第二十条及び附則第二十条の二の規定は、平成二十八年度分の都市計画税については、なおその効力を有する。

**附　則**（平二九・三・三一条例三八）

**（施行期日）**

1　この条例は、平成二十九年四月一日から施行する。

**（経過措置）**

2　この条例による改正後の東京都都税条例（以下「新条例」という。）第十八条第三項の規定は、平成二十九年一月一日以後に納期限が到来する法人の事業税及び法人の都民税に係る延滞金について適用する。

3　次項に定めるものを除き、新条例の規定中固定資産税及び都市計画税に関する部分は、平成二十九年度以後の年度分の固定資産税及び都市計画税について適用し、平成二十八年度分までの固定資産税及び都市計画税については、なお従前の例による。

4　新条例第百二十四条の四第一項本文の規定は、平成二十八年四月一日以後に発生した同項第四号に規定する震災等により滅失し、又は損壊した家屋の敷地の用に供されていた土地に対して課すべき平成二十九年度以後の年度分の固定資産税について適用し、同日前に発生したこの条例による改正前の東京都都税条例（以下「旧条例」という。）第百二十四条の四第一項第四号に規定する震災等により滅失し、又は損壊した家屋の敷地の用に供されていた土地に対して課する固定資産税については、なお従前の例による。

5　旧条例附則第十四条第八号の規定は、この条例の施行の日（以下「施行日」という。）前に地方税法及び航空機燃料譲与税法の一部を改正する法律（平成二十九年法律第二号）第一条の規定による改正前の地方税法（昭和二十五年法律第二百二十六号。次項において「旧法」という。）附則第十五条第三十六項に規定する管理協定が締結された協定倉庫に対して課する固定資産税及び都市計画税については、なおその効力を有する。

6　旧条例附則第十四条第十号の規定は、施行日前に取得された旧法附則第十五条第四十項に規定する機器に対して課する固定資産税については、なおその効力を有する。

7　次項及び附則第九項に定めるものを除き、新条例の規定中自動車税に関する部分は、平成二十九年度以後の年度分の自動車税について適用し、平成二十八年度分までの自動車税については、なお従前の例による。

8　知事は、納付すべき自動車税（平成二十八年度以前の年度分のものに限る。）の額について不足額があることを東京都都税条例第六十九条各項に規定する納期限後に知った場合において、当該事実が生じた原因が当該不足額に係る自動車の所有者以外の者（以下この項及び次項において「第三者」という。）にあるときは、地方税法（附則第十一項において「法」という。）第十三条第一項の規定による告知をする前に、当該第三者（当該第三者と地方税法施行令の一部を改正する政令（平成二十九年政令第百十八号。附則第十一項において「平成二十九年改正令」という。）附則第七条第一項で定める特別の関係がある者を含む。以下この項及び次項において同じ。）に対し、当該不足額に係る自動車税の納付を申し出る機会を与えることができるものとし、当該申出の機会を与えられた第三者が当該申出をしたときは、当該第三者を賦課期日現在における当該不足額に係る自動車の所有者とみなして、自動車税に関する規定（同条例第七十二条から第七十三条までの規定を除く。）を適用する。

9　前項の規定による申出をした第三者は、当該申出を撤回することができない。

10　次項及び附則第十二項に定めるものを除き、新条例の規定中自動車取得税に関する部分は、施行日以後の自動車の取得に対して課すべき自動車取得税について適用し、施行日前の自動車の取得に対して課する自動車取得税については、なお従前の例による。

11　知事は、納付すべき自動車取得税（施行日前の自動車の取得に対するものに限る。）の額について不足額があることを東京都都税条例第百二条の四に規定する納期限後に知った場合において、当該事実が生じた原因が当該不足額に係る自動車の取得者以外の者（以下この項及び次項において「第三者」という。）にあるときは、法第百二十九条第四項の規定による通知をする前に、当該第三者（当該第三者と平成二十九年改正令附則第六条第一項で定める特別の関係がある者を含む。以下この項及び次項において同じ。）に対し、当該不足額に係る自動車取得税の納付を申し出る機会を与えることができるものとし、当該申出の機会を与えられた第三者が当該申出をしたときは、当該第三者を当該不足額に係る自動車について同条例第百二条の四に規定する申告書を提出すべき当該自動車の取得者とみなして、自動車取得税に関する規定を適用する。

12　前項の規定による申出をした第三者は、当該申出を撤回することができない。

附　則（平二九・六・一四条例四八）

**（施行期日）**

1　この条例は、平成三十年四月一日（以下「施行日」という。）から施行する。ただし、次の各号に掲げる規定は、当該各号に定める日から施行する。

一　第四十一条の次に一条を加える改正規定、第百二十一条の次に一条を加える改正規定、附則第十四条の改正規定及び次項から附則第四項までの規定　公布の日

二　第百三条の十九の改正規定　平成三十一年一月一日

**（経過措置）**

2　この条例による改正後の東京都都税条例（以下「新条例」という。）第四十一条の二の規定は、附則第一項第一号に定める日以後の地方税法（昭和二十五年法律第二百二十六号。以下「法」という。）第七十三条の十四第十一項から第十三項までに規定する家屋の取得に対して課すべき不動産取得税について適用する。

3　新条例第百二十一条の二の規定は、平成三十年度以後の年度分の固定資産税及び都市計画税について適用し、平成二十九年度分までの固定資産税及び都市計画税については、なお従前の例による。

4　新条例附則第十四条第九号の規定は、平成二十九年四月一日以後に法附則第十五条第四十四項に規定する政府の補助を受けた者が同項に規定する特定事業所内保育施設の用に供する固定資産に対して課すべき平成三十年度以後の年度分の固定資産税及び都市計画税について適用する。

5　新条例の規定中自動車取得税に関する部分は、施行日以降の自動車の取得に対して課すべき自動車取得税について適用し、施行日前の自動車の取得に対して課する自動車取得税については、なお従前の例による。

附　則（平三〇・三・二〇条例一五）

**（施行期日）**

1　この条例は、公布の日から施行する。

**（経過措置）**

2　この条例による改正後の東京都都税条例（以下「新条例」という。）第百十八条第五項の規定は、平成三十年度以後の年度分の固定資産税について適用し、平成二十九年度分までの固定資産税については、なお従前の例による。

3　新条例附則第十四条第十号の規定は、平成二十九年六月十五日以後に設置された地方税法（昭和二十五年法律第二百二十六号）附則第十五条第四十五項に規定する市民緑地の用に供する同項に規定する土地に対して課すべき平成三十年度以後の年度分の固定資産税及び都市計画税について適用する。

4　この条例による改正前の東京都都税条例附則第二十条の規定は、平成二十九年度分の都市計画税については、なおその効力を有する。

附　則（平三〇・三・三一条例六八）

**（施行期日）**

1　この条例は、平成三十年四月一日から施行する。

**（経過措置）**

2　この条例による改正後の東京都都税条例（以下「新条例」という。）第十八条の二第二項の規定は、平成二十九年一月一日以後に同条第一項の申告書の提出期限が到来する法人の事業税に係る延滞金について適用する。

3　新条例第十八条の二第四項及び第六項の規定は、平成二十九年一月一日以後に同条第三項又は第五項の申告書の提出期限が到来する法人の都民税に係る延滞金について適用する。

4　附則第二項に定めるものを除き、新条例の規定中法人の

事業税に関する部分は、この条例の施行の日（以下「施行日」という。）以後に開始する事業年度に係る法人の事業税について適用し、施行日前に開始した事業年度に係る法人の事業税については、なお従前の例による。

5 新条例の規定中不動産取得税に関する部分は、施行日以後の不動産の取得に対して課すべき不動産取得税について適用し、施行日前の不動産の取得に対して課する不動産取得税については、なお従前の例による。

6 別段の定めがあるものを除き、新条例の規定中固定資産税及び都市計画税に関する部分は、平成三十年度以後の年度分の固定資産税及び都市計画税について適用し、平成二十九年度分までの固定資産税及び都市計画税については、なお従前の例による。

7 この条例による改正前の東京都都税条例（以下「旧条例」という。）附則第十四条第一号及び第三号の規定は、施行日前に取得された地方税法等の一部を改正する法律（平成三十年法律第三号）第一条の規定による改正前の地方税法（昭和二十五年法律第二百二十六号。以下「旧法」という。）附則第十五条第二項第一号及び第三号に規定する施設又は設備に対して課する固定資産税については、なおその効力を有する。

8 旧条例附則第十四条第六号及び第七号の規定は、施行日前に新たに取得された旧法附則第十五条第三十二項第一号及び第二号に規定する特定再生可能エネルギー発電設備に対して課する固定資産税については、なおその効力を有する。

9 旧条例附則第十五条第二項の規定は、施行日前に新築された旧法附則第十五条の八第一項に規定する貸家住宅及び施行日前に新築された同条第二項に規定する貸家住宅の敷地の用に供する土地のうち同項に規定する旧農地に対して課する固定資産税については、なお従前の例による。

附　則（平三〇・七・四条例七七）（抄）

改正　令元・六・二六条例四

**（施行期日）**

1 この条例は、公布の日から施行する。ただし、次の各号に掲げる規定は、当該各号に定める日から施行する。

一 第一条中第四十八条の十第一項及び第四十八条の十一第三項の改正規定、同条の次に一条を加える改正規定並びに第四十八条の十二及び第四十八条の十三の改正規定並びに第四条並びに附則第三項から第六項までの規定　平成三十年十月一日

二 第一条中附則第四条の二の二の改正規定　平成三十一年一月一日

三 第三条中附則第十四条の改正規定　平成三十一年四月一日

四 第一条中第十八条第一項から第三項まで、第二十五条第一項及び第三十五条第二項の改正規定、第四十条の五に一項を加える改正規定並びに第百四条、第百五条、第百十四条、第百八十九条、第百九十条、第二百二条及び附則第五条の二の四の改正規定並びに附則第二項及び第十五項の規定　令和二年四月一日

五 第二条中第四十八条の十三の改正規定及び附則第七項から第十項までの規定　令和二年十月一日

六 第三条中第四十八条の十三の改正規定及び附則第十一項から第十四項までの規定　令和三年十月一日

七 第二条中附則第十四条の改正規定及び附則第十八項の規定　生産性向上特別措置法（平成三十年法律第二十五号）の施行の日又はこの条例の公布の日のいずれか遅い日〔平三〇・七・四〕

**（経過措置）**

2 第一条の規定による改正後の東京都都税条例（以下「新条例」という。）附則第五条の二の四の規定により読み替えられた新条例第四十条の五第三項の規定は、地方税法（昭和二十五年法律第二百二十六号。以下「法」という。）第七十二条の七十八第三項に規定する課税期間が附則第一項第四号に掲げる規定の施行の日以後に開始する場合について適用し、当該課税期間が同日前に開始した場合については、なお従前の例による。

3 別段の定めがあるものを除き、附則第一項第一号に掲げる規定の施行の日前に課した、又は課すべきであった都たばこ税については、なお従前の例による。

4 平成三十年十月一日前に新条例第四十八条の十第一項に規定する売渡し又は同条第二項に規定する売渡し若しくは消費等（法第七十四条の六第一項第一号及び第二号に規定する売渡しを除く。次項から附則第十三項までにおいて「売渡し等」という。）が行われた地方税法等の一部を改正する法律（平成三十年法律第三号。以下「平成三十年改正法」という。）による改正前の法第七十四条第一号に規定する製造たばこ（東京都都税条例及び東京都都税条例の一部を改正する条例の一部を改正する条例（平成二十七年東京都条例第百号）附則第五項に規定する紙巻きたばこ三級品を除く。以下この項及び次項において「製造たばこ」という。）を同日に販売のため所持する新条例第四十八条の十第一項に規定する卸売販売業者等（以下この項から附則第十二項までにおいて「卸売販売業者等」という。）又は新条例第四十八条の十第一項に規定する小売販売業者（以下この項から附則第十三項までにおいて「小売販売業者」という。）がある場合において、これらの者が所得税法等の一部を改正する法律（平成三十年法律第七号。以下「所得税法等改正法」という。）附則第五十一条第一項の規定により製造たばこの製造者として当該製造たばこを同日にこれらの者の製造たばこの製造場から移出したものとみなして同項の規定によりたばこ税を課されることとなるときは、これらの者が卸売販売業者等として当該製造たばこを同日に小売販売業者に売り渡したものとみなして、都たばこ税を課する。この場合における都たばこ税の課税標準は、当該売り渡したものとみなされる製造たばこの本数とし、当該都たばこ税の税率は、千本につき七十円とする。

5 前項に規定する者は、平成三十年改正法附則第十条第二項に規定する貯蔵場所又は小売販売業者の営業所ごとに、次に掲げる事項を記載した申告書を平成三十年十月三十一日までに知事に提出し、平成三十一年四月一日までに、当該申告書に記載した第二号に掲げる都たばこ税額に相当する金額を納付書によって納付しなければならない。

一 所持する製造たばこの区分（平成三十年改正法第一条

の規定による改正後の法（以下「新法」という。）第七十四条第二項に規定する製造たばこの区分をいう。以下この項から附則第十三項までにおいて同じ。）及び区分ごとの数量並びに当該数量のうち売渡し等が行われたものにより算出した都たばこ税の課税標準となる製造たばこの本数

二　前号の課税標準となる製造たばこの本数により算定した前項の規定による都たばこ税額

三　その他参考となるべき事項

6　附則第四項の規定により都たばこ税を課する場合には、前二項に規定するもののほか、新条例の規定中都たばこ税に関する部分（新条例第四十八条の十二、第四十八条の十三及び第四十八条の十四の二の規定を除く。）を適用する。この場合において、新条例第十八条第一項第一号中「第四十八条の十四の二第一項若しくは第三項」とあるのは「東京都都税条例並びに東京都都税条例及び東京都都税条例の一部を改正する条例の一部を改正する条例の一部を改正する条例（平成三十年東京都条例第七十七号。以下この項及び第四十八条の十四の三において「平成三十年改正条例」という。）附則第五項」と、「その提出期限」とあるのは「平成三十年改正条例附則第五項の納期限」と、同項第二号中「法第七十四条の十二第二項」とあるのは「平成三十年改正条例附則第五項の納期限後に提出した地方税法等の一部を改正する法律（平成三十年法律第三号）附則第十条第六項の規定により読み替えて適用される同法による改正後の法第七十四条の十二第二項」と、「当該修正申告書又は申告書を」とあるのは「当該」と、「その期間の末日」とあるのは「その日」と、新条例第四十八条の十四の三中「前条各項」とあるのは「平成三十年改正条例附則第五項」と、「これらの項」とあるのは「同項」と読み替えるものとする。

7　別段の定めがあるものを除き、附則第一項第五号に掲げる規定の施行の日前に課した、又は課すべきであった都たばこ税については、なお従前の例による。

8　令和二年十月一日前に売渡し等が行われた新法第七十四条第一項第一号に規定する製造たばこ（以下この項から附則第十三項までにおいて「製造たばこ」という。）を同日に販売のため所持する卸売販売業者等又は小売販売業者がある場合において、これらの者が所得税法等改正法附則第五十一条第九項の規定により製造たばこの製造者として当該製造たばこを同日にこれらの者の製造たばこの製造場から移出したものとみなして同項の規定によりたばこ税を課されることとなるときは、これらの者が卸売販売業者等として当該製造たばこを同日に小売販売業者に売り渡したものとみなして、都たばこ税を課する。この場合における都たばこ税の課税標準は、当該売り渡したものとみなされる製造たばこの本数とし、当該都たばこ税の税率は、千本につき七十円とする。

9　前項に規定する者は、平成三十年改正法附則第十二条第二項に規定する貯蔵場所又は小売販売業者の営業所ごとに、次に掲げる事項を記載した申告書を令和二年十一月二日までに知事に提出し、令和三年三月三十一日までに、当該申告書に記載した第二号に掲げる都たばこ税額に相当する金額を納付書によって納付しなければならない。

一　所持する製造たばこの区分及び区分ごとの数量並びに当該数量のうち売渡し等が行われたものにより算出した都たばこ税の課税標準となる製造たばこの本数

二　前号の課税標準となる製造たばこの本数により算定した前項の規定による都たばこ税額

三　その他参考となるべき事項

10　附則第八項の規定により都たばこ税を課する場合には、前二項に規定するもののほか、第二条の規定による改正後の東京都都税条例（以下「三十二年新条例」という。）の規定中都たばこ税に関する部分（三十二年新条例第四十八条の十二、第四十八条の十三及び第四十八条の十四の二の規定を除く。）を適用する。この場合において、三十二年新条例第十八条第一項第一号中「第四十八条の十四の二第一項若しくは第三項」とあるのは「東京都都税条例並びに東京都都税条例及び東京都都税条例の一部を改正する条例の一部を改正する条例の一部を改正する条例（平成三十年東京都条例第七十七号。以下この項及び第四十八条の十四の三において「平成三十年改正条例」という。）附則第九項」と、「その提出期限」とあるのは「平成三十年改正条例附則第九項の納期限」と、同項第二号中「法第七十四条の十二第二項」とあるのは「平成三十年改正条例附則第九項の納期限後に提出した地方税法等の一部を改正する法律（平成三十年法律第三号）附則第十二条第六項の規定により読み替えて適用される同法による改正後の法第七十四条の十二第二項」と、「当該修正申告書又は申告書を」とあるのは「当該」と、「その期間の末日」とあるのは「その日」と、三十二年新条例第四十八条の十四の三中「前条各項」とあるのは「平成三十年改正条例附則第九項」と、「これらの項」とあるのは「同項」と読み替えるものとする。

（経過措置）

11　別段の定めがあるものを除き、附則第一項第六号に掲げる規定の施行の日前に課した、又は課すべきであった都たばこ税については、なお従前の例による。

12　令和三年十月一日前に売渡し等が行われた製造たばこを同日に販売のため所持する卸売販売業者等又は小売販売業者がある場合において、これらの者が所得税法等改正法附則第五十一条第十一項の規定により製造たばこの製造者として当該製造たばこを同日にこれらの者の製造たばこの製造場から移出したものとみなして同項の規定によりたばこ税を課されることとなるときは、これらの者が卸売販売業者等として当該製造たばこを同日に小売販売業者に売り渡したものとみなして、都たばこ税を課する。この場合における都たばこ税の課税標準は、当該売り渡したものとみなされる製造たばこの本数とし、当該都たばこ税の税率は、千本につき七十円とする。

13　前項に規定する者は、平成三十年改正法附則第十三条第二項に規定する貯蔵場所又は小売販売業者の営業所ごとに、次に掲げる事項を記載した申告書を令和三年十一月一日までに知事に提出し、令和四年三月三十一日までに、当該申告書に記載した第二号に掲げる都たばこ税額に相当す

る金額を納付書によって納付しなければならない。

一　所持する製造たばこの区分及び区分ごとの数量並びに当該数量のうち売渡し等が行われたものにより算出した都たばこ税の課税標準となる製造たばこの本数

二　前号の課税標準となる製造たばこの本数により算定した前項の規定による都たばこ税額

三　その他参考となるべき事項

14　附則第十二項の規定により都たばこ税を課する場合には、前二項に規定するもののほか、第三条の規定による改正後の東京都都税条例（以下この項において「三十三年新条例」という。）の規定中都たばこ税に関する部分（三十三年新条例第四十八条の十二、第四十八条の十三及び第四十八条の十四の二の規定を除く。）を適用する。この場合において、三十三年新条例第十八条第一項第一号中「第四十八条の十四の二第一項若しくは第三項」とあるのは「東京都都税条例並びに東京都都税条例及び東京都都税条例の一部を改正する条例の一部を改正する条例の一部を改正する条例（平成三十年東京都条例第七十七号。以下この項及び第四十八条の十四の三において「平成三十年改正条例」という。）附則第十三項」と、「その提出期限」とあるのは「平成三十年改正条例附則第十三項の納期限」と、同項第二号中「法第七十四条の十二第二項」とあるのは「平成三十年改正条例附則第十三項の納期限後に提出した地方税法等の一部を改正する法律（平成三十年法律第三号）附則第十三条第六項の規定により読み替えて適用される同法による改正後の法第七十四条の十二第二項」と、「当該修正申告書又は申告書を」とあるのは「当該」と、「その期間の末日」とあるのは「その日」と、三十三年新条例第四十八条の十四の三中「前条各項」とあるのは「平成三十年改正条例附則第十三項」と、「これらの項」とあるのは「同項」と読み替えるものとする。

15　新条例の規定中法人の都民税に関する部分は、附則第一項第四号に掲げる規定の施行の日以後に開始する事業年度分の法人の都民税及び同日以後に開始する連結事業年度分の法人の都民税について適用し、同日前に開始した事業年度分の法人の都民税及び同日前に開始した連結事業年度分の法人の都民税については、なお従前の例による。

16　新条例附則第十四条第一号の規定は、平成三十年四月一日以後に取得された法附則第十五条第二項第一号に規定する施設又は設備に対して課すべき平成三十一年度以後の年度分の固定資産税について適用する。

17　新条例附則第十四条第五号から第七号までの規定は、平成三十年四月一日以後に新たに取得された法附則第十五条第三十二項第一号から第三号までに規定する特定再生可能エネルギー発電設備に対して課すべき平成三十一年度以後の年度分の固定資産税について適用する。

18　三十二年新条例附則第十四条第十一号の規定は、生産性向上特別措置法の施行の日以後に取得された法附則第十五条第四十七項に規定する先端設備等に該当する同項に規定する機械装置等に対して課すべき平成三十一年度以後の年度分の固定資産税について適用する。

**附　則**（平三一・三・二九条例一七）（抄）

**（施行期日）**

1　この条例は、平成三十一年四月一日から施行する。ただし、次の各号に掲げる規定は、当該各号に定める日から施行する。

一　附則第七条第二項第四号及び附則第九条第二項第一号イ(2)の改正規定　公布の日

二　第四十八条の十五の二の改正規定　平成三十五年一月一日

**（経過措置）**

2　この条例による改正前の東京都都税条例（以下「旧条例」という。）附則第十五条の二の規定は、平成三十年度分の固定資産税については、なおその効力を有する。

3　旧条例附則第二十条及び附則第二十条の二の規定は、平成三十年度分の都市計画税については、なおその効力を有する。

**附　則**（平三一・三・二九条例五二）（抄）

**（施行期日）**

1　この条例は、平成三十一年四月一日から施行する。

**（経過措置）**

2　この条例による改正後の東京都都税条例（以下「新条例」という。）の規定中自動車税に関する部分は、平成三十一年度分の自動車税について適用し、平成三十年度分までの自動車税については、なお従前の例による。

3　新条例の規定中自動車取得税に関する部分は、この条例の施行の日（以下この項において「施行日」という。）以後の自動車の取得に対して課すべき自動車取得税について適用し、施行日前の自動車の取得に対して課する自動車取得税については、なお従前の例による。

4　新条例の規定中固定資産税及び都市計画税に関する部分は、平成三十一年度以後の年度分の固定資産税及び都市計画税について適用し、平成三十年度分までの固定資産税及び都市計画税については、なお従前の例による。

**附　則**（令元・六・二六条例四）（抄）

**（施行期日）**

1　この条例は、令和元年十月一日（以下「施行日」という。）から施行する。ただし、次の各号に掲げる規定は、当該各号に定める日から施行する。

一　第一条中附則第四条の三、附則第五条の二の七、附則第五条の三、附則第五条の四、附則第五条の五第一項及び第三項、附則第六条第一項及び第三項、附則第六条の二の三第一項、附則第六条の四第一項、附則第八条の二、附則第十条の三第一項、附則第十四条の二、附則第十四条の三、附則第十五条の三、附則第二十条の三、附則第二十五条第一項並びに附則第二十六条の改正規定並びに第三条及び第四条の規定　公布の日

二　第二条及び附則第五項の規定　令和三年四月一日

**（経過措置）**

2　第一条の規定による改正後の東京都都税条例（以下「新条例」という。）の規定中法人の事業税に関する部分は、施行日以後に開始する事業年度に係る法人の事業税について適用し、施行日前に開始した事業年度に係る法人の事業税については、なお従前の例による。

3　施行日前の自動車の取得に対して課する自動車取得税に

ついては、なお従前の例による。

4 新条例の規定中自動車税の種別割に関する部分は、平成三十一年度分の施行日以後に納税義務が発生した者に課すべき自動車税の種別割及び令和二年度以後の年度分の自動車税の種別割について適用する。

5 第二条の規定による改正後の東京都都税条例の規定中自動車税の種別割に関する部分は、令和三年度以後の年度分の自動車税の種別割について適用し、令和二年度分までの自動車税の種別割については、なお従前の例による。

6 新条例の規定中自動車税の環境性能割に関する部分は、施行日以後に取得された自動車に対して課すべき自動車税の環境性能割について適用する。

附　則（令二・三・三一条例一九）（抄）

**（施行期日）**

1 この条例は、令和二年四月一日（以下「施行日」という。）から施行する。ただし、次の各号に掲げる規定は、当該各号に定める日から施行する。

一 第八十一条及び附則第七条の二第一項の改正規定　公布の日

二 第七十二条第一項第三号の改正規定　道路運送車両法の一部を改正する法律（令和元年法律第十四号）附則第一条第六号に規定する日（令五・一・一）又はこの条例の公布の日のいずれか遅い日

**（経過措置）**

2 この条例による改正後の東京都都税条例（以下「新条例」という。）第四十八条の四の六第一項の規定は、施行日以後の同項に規定する土地の取得に対して課すべき不動産取得税について適用し、施行日前のこの条例による改正前の東京都都税条例（以下「旧条例」という。）第四十八条の四の六第一項に規定する土地の取得に対して課する不動産取得税については、なお従前の例による。

3 旧条例附則第十一条の規定は、令和二年十月一日前に終了した各事業年度分及び各連結事業年度分の法人の都民税については、なおその効力を有する。

4 前項の規定の適用がある場合における新条例附則第十二条の規定の適用については、同条第一項中「前条」とあるのは、「東京都都税条例の一部を改正する条例（令和二年東京都条例第十九号）附則第三項の規定によりなおその効力を有することとされる同条例による改正前の東京都都税条例附則第十一条」とする。

5 旧条例附則第十五条の二の規定は、平成三十一年度分の固定資産税については、なおその効力を有する。

6 旧条例附則第二十条及び附則第二十二条の二の規定は、平成三十一年度分の都市計画税については、なおその効力を有する。

附　則（令二・三・三一条例五二）

**（施行期日）**

1 この条例は、令和二年四月一日から施行する。

**（経過措置）**

2 この条例による改正後の東京都都税条例（以下「新条例」という。）の規定中法人の事業税に関する部分は、この条例の施行の日以後に開始する事業年度に係る法人の事業税について適用し、同日前に開始した事業年度に係る法人の事業税については、なお従前の例による。

3 別段の定めがあるものを除き、新条例の規定中固定資産税及び都市計画税に関する部分は、令和二年度以後の年度分の固定資産税及び都市計画税について適用し、令和元年度分までの固定資産税及び都市計画税については、なお従前の例による。

4 この条例による改正前の東京都都税条例（以下「旧条例」という。）附則第十四条第一号から第三号までの規定は、平成三十年四月一日から令和二年三月三十一日までの間に取得された地方税法等の一部を改正する法律（令和二年法律第五号）第一条の規定による改正前の地方税法（昭和二十五年法律第二百二十六号。以下「旧法」という。）附則第十五条第二項第一号、第二号及び第六号に規定する施設又は設備に対して課する固定資産税については、なおその効力を有する。

5 旧条例附則第十四条第五号から第七号までの規定は、平成三十年四月一日から令和二年三月三十一日までの間に新たに取得された旧法附則第十五条第三十三項第一号から第三号までに規定する特定再生可能エネルギー発電設備に対して課する固定資産税については、なおその効力を有する。

附　則（令二・六・一七条例六四）

**（施行期日）**

1 この条例は、令和三年一月一日から施行する。ただし、次の各号に掲げる規定は、当該各号に定める日から施行する。

一 第四十八条の十五の二及び附則第六条の三第二項の改正規定並びに附則第三項の規定　公布の日

二 第百三十六条の三の次に一条を加える改正規定、第百三十七条第一項の改正規定及び附則第四項の規定　令和三年四月一日

**（経過措置）**

2 この条例による改正後の東京都都税条例（以下「新条例」という。）附則第三条の三第一項から第四項までの規定は、この条例の施行の日以後の期間に対応する延滞金について適用し、同日前の期間に対応する延滞金については、なお従前の例による。

3 新条例第四十八条の十五の二の規定は、附則第一項第一号に掲げる規定の施行の日以後のゴルフ場の利用に対して課すべきゴルフ場利用税について適用し、同日前のゴルフ場の利用に対して課するゴルフ場利用税については、なお従前の例による。

4 新条例第百三十六条の四の規定は、附則第一項第二号に掲げる規定の施行の日以後に、同条に規定する現所有者であることを知った者について適用する。

附　則（令三・三・三一条例九）

**（施行期日）**

1 この条例は、公布の日から施行する。ただし、次の各号に掲げる規定は、当該各号に定める日から施行する。

一 附則第六条の四第一項の改正規定　令和三年四月一日

二 第十七条の二第三項及び第十八条第一項から第三項までの改正規定、第十八条の二第五項及び第六項を削る改

正規定、第三十五条第一項第五号、第百十四条、第二百二条、附則第三条の三第二項、附則第四条、附則第五条の二の二第四項、附則第十一条及び附則第十二条第一項から第五項までの改正規定並びに次項及び附則第三項の規定　令和四年四月一日

（経過措置）

2　前項第二号に掲げる規定による改正後の東京都都税条例（以下「四年新条例」という。）の規定中法人の都民税に関する部分は、同号に掲げる規定の施行の日（以下「二号施行日」という。）以後に開始する事業年度（所得税法等の一部を改正する法律（令和二年法律第八号）第三条の規定（同法附則第一条第五号ロに掲げる改正規定に限る。）による改正前の法人税法（昭和四十年法律第三十四号。以下「四年旧法人税法」という。）第二条第十二号の七に規定する連結子法人（以下「連結子法人」という。）の連結親法人事業年度（四年旧法人税法第十五条の二第一項に規定する連結親法人事業年度をいう。以下同じ。）が二号施行日前に開始した事業年度を除く。）分の法人の都民税について適用し、二号施行日前に開始した事業年度（連結子法人の連結親法人事業年度が二号施行日前に開始した事業年度を含む。）分の法人の都民税及び二号施行日前に開始した連結事業年度（四年旧法人税法第十五条の二第一項に規定する連結事業年度をいう。以下同じ。）（連結子法人の連結親法人事業年度が二号施行日前に開始した連結事業年度を含む。）分の法人の都民税については、前項第二号に掲げる規定による改正前の東京都都税条例（以下「四年旧条例」という。）の規定中法人の都民税に関する部分は、なおその効力を有する。

3　四年新条例の規定中法人の事業税に関する部分は、二号施行日以後に開始する事業年度（連結子法人の連結親法人事業年度が二号施行日前に開始した事業年度を除く。）に係る法人の事業税について適用し、二号施行日前に開始した事業年度（連結子法人の連結親法人事業年度が二号施行日前に開始した事業年度を含む。）に係る法人の事業税については、四年旧条例の規定中法人の事業税に関する部分は、なおその効力を有する。

4　この条例による改正後の東京都都税条例（以下「新条例」という。）第百十八条第二項の規定は、令和三年度以後の年度分の固定資産税について適用し、令和二年度分までの固定資産税については、なお従前の例による。

5　新条例第百十八条第三項の規定は、令和三年度以後の年度分の固定資産税について適用する。

6　この条例による改正前の東京都都税条例附則第二十条の規定は、令和二年度分の都市計画税については、なおその効力を有する。

附　則（令三・三・三一条例五四）

（施行期日）

1　この条例は、令和三年四月一日から施行する。

（経過措置）

2　この条例による改正後の東京都都税条例（以下「新条例」という。）の規定中自動車税の環境性能割に関する部分は、この条例の施行の日（以下この項において「施行日」という。）以後に取得された自動車に対して課すべき自動車税の環境性能割について適用し、施行日前に取得された自動車に対して課する自動車税の環境性能割については、なお従前の例による。

3　新条例の規定中自動車税の種別割に関する部分は、令和三年度以後の年度分の自動車税の種別割について適用し、令和二年度分までの自動車税の種別割については、なお従前の例による。

4　別段の定めがあるものを除き、新条例の規定中固定資産税及び都市計画税に関する部分は、令和三年度以後の年度分の固定資産税及び都市計画税について適用し、令和二年度分までの固定資産税及び都市計画税については、なお従前の例による。

5　この条例による改正前の東京都都税条例附則第十四条第十号の規定は、生産性向上特別措置法（平成三十年法律第二十五号）の施行の日から令和三年三月三十一日までの期間（以下「適用期間」という。）内に地方税法等の一部を改正する法律（令和三年法律第七号）第一条の規定による改正前の地方税法（昭和二十五年法律第二百二十六号）附則第十五条第四十一項に規定する中小事業者等（以下「中小事業者等」という。）が取得（同項に規定する取得をいう。以下同じ。）をした同項に規定する機械装置等（以下「機械装置等」という。）（中小事業者等が、同項に規定するリース取引（以下「リース取引」という。）に係る契約により機械装置等を引き渡して使用させる事業を行う者が適用期間内に取得をした同項に規定する先端設備等に該当する機械装置等を、適用期間内にリース取引により引渡しを受けた場合における当該機械装置等を含む。）に対して課する固定資産税については、なお従前の例による。

附　則（令三・六・一四条例五九）

（施行期日）

1　この条例は、令和四年四月一日（以下「施行日」という。）から施行する。ただし、次の各号に掲げる規定は、当該各号に定める日から施行する。

一　第一条中第二十四条の七の五第一項第一号及び第二号、第二十四条の二十二第二項、第二十四条の二十六、第百三条の十二第二項並びに附則第二十五条第一項の改正規定並びに第二条の規定　公布の日

二　第一条中目次の改正規定、第四条の三第四項第二号、第二十四条の二十七第二項、第百三条の十四、第二百十二条、第二百十三条第一項及び第二項の改正規定、第二百十四条から第二百十七条までを削る改正規定並びに第二百十八条を第二百十四条とする改正規定並びに附則第三項から第五項までの規定　令和四年一月一日

（経過措置）

2　第一条の規定による改正後の東京都都税条例の規定中法人の事業税に関する部分は、施行日以後に終了する事業年度に係る法人の事業税について適用し、同日前に終了した事業年度に係る法人の事業税については、なお従前の例による。

3　附則第一項第二号に掲げる改正規定による改正後の東京都都税条例（以下「四年一月条例」という。）第二十四条の二十七第二項の規定は、令和四年一月一日以後に行われ

る所得税法等の一部を改正する法律（令和三年法律第十一号。以下「所得税法等改正法」という。）第七条の規定による改正後の租税特別措置法（昭和三十二年法律第二十六号）第三十七条の十一の四第二項に規定する対象譲渡等について適用し、同日前に行われた所得税法等改正法第七条の規定による改正前の租税特別措置法第三十七条の十一の四第二項に規定する対象譲渡等については、なお従前の例による。

4　四年一月条例第二百十二条及び第二百十三条第一項の規定は、令和四年一月一日以後に備付けを開始する帳簿について適用する。

5　四年一月条例第二百十三条第二項の規定は、令和四年一月一日以後に保存が行われる帳簿に係る電磁的記録（地方税法（昭和二十五年法律第二百二十六号）第七百四十八条第一項に規定する電磁的記録をいう。）について適用する。

**附　則**（令四・三・三一条例二二）

**（施行期日）**

1　この条例は、令和四年四月一日から施行する。

**（経過措置）**

2　この条例による改正前の東京都都税条例（以下「旧条例」という。）附則第十五条の二の規定は、令和三年度分の固定資産税については、なおその効力を有する。

3　旧条例附則第二十条及び附則第二十条の二の規定は、令和三年度分の都市計画税については、なおその効力を有する。

**附　則**（令四・三・三一条例六五）

**（施行期日）**

1　この条例は、令和四年四月一日（以下「施行日」という。）から施行する。

**（経過措置）**

2　この条例による改正後の東京都都税条例（以下「新条例」という。）の規定中法人の事業税に関する部分は、施行日以後に開始する事業年度に係る法人の事業税について適用し、施行日前に開始した事業年度に係る法人の事業税については、なお従前の例による。

3　新条例の規定中不動産取得税に関する部分は、施行日以後の不動産の取得に対して課すべき不動産取得税について適用し、施行日前の不動産の取得に対して課する不動産取得税については、なお従前の例による。

4　新条例の規定中法人の都民税に関する部分は、施行日以後に開始する事業年度分の法人の都民税について適用し、施行日前に開始した事業年度分の法人の都民税については、なお従前の例による。

5　別段の定めがあるものを除き、新条例の規定中固定資産税及び都市計画税に関する部分は、令和四年度以後の年度分の固定資産税及び都市計画税について適用し、令和三年度分までの固定資産税及び都市計画税については、なお従前の例による。

6　この条例による改正前の東京都都税条例（以下「旧条例」という。）附則第十四条第二号の規定は、令和二年四月一日から令和四年三月三十一日までの間に取得された地方税法等の一部を改正する法律（令和四年法律第一号）第一条の規定による改正前の地方税法（昭和二十五年法律第二百二十六号。以下「旧法」という。）附則第十五条第二項第五号に規定する施設又は設備に対して課する固定資産税については、なおその効力を有する。

7　旧条例附則第十五条第二項の規定は、平成二十年四月一日から令和四年三月三十一日までの間に旧法附則第十五条の九第九項に規定する熱損失防止改修工事（以下「熱損失防止改修工事」という。）が行われた同項に規定する熱損失防止改修住宅若しくは同条第十項に規定する熱損失防止改修専有部分又は平成二十九年四月一日から令和四年三月三十一日までの間に熱損失防止改修工事が行われた旧法附則第十五条の九の二第四項に規定する特定熱損失防止改修住宅若しくは同条第五項に規定する特定熱損失防止改修住宅専有部分に対して課する固定資産税については、なおその効力を有する。

**附　則**（令四・六・二二条例八七）

**（施行期日）**

1　この条例は、令和五年四月一日（以下「施行日」という。）から施行する。ただし、附則第十四条の改正規定は、公布の日から施行する。

**（経過措置）**

2　この条例による改正後の東京都都税条例の規定中不動産取得税に関する部分は、施行日以後の不動産の取得に対して課すべき不動産取得税について適用し、施行日前の不動産の取得に対して課する不動産取得税については、なお従前の例による。

**附　則**（令五・三・三一条例二〇）

**（施行期日）**

1　この条例は、令和五年四月一日から施行する。ただし、次の各号に掲げる規定は、当該各号に定める日から施行する。

一　第四条の三第七項の改正規定（「第三百八十二条の三の証明書」の下に「（同条ただし書の規定による措置を講じたものを含む。）」を加える部分に限る。）及び第三十五条第一項の改正規定　公布の日

二　第四条の三第七項の改正規定（「に交付」の下に「（法第三百八十二条の四の規定により当該証明書に住所に代わる事項を記載したものの交付を含む。以下この項において同じ。）」を加える部分に限る。）及び次項の規定　令和六年四月一日

**（経過措置）**

2　前項第二号に掲げる改正規定による改正後の東京都都税条例第四条の三第七項の規定は、令和六年四月一日以後にされる地方税法（昭和二十五年法律第二百二十六号）第二十条の十の規定による証明書（地方税法施行令（昭和二十五年政令第二百四十五号）第六条の二十一第一項第四号に掲げる事項に係るものに限る。）又は同法第三百八十二条の三の規定による証明書（同条ただし書の規定による措置を講じたものを含む。）の交付について適用する。

3　この条例による改正前の東京都都税条例（以下「旧条例」という。）第百十八条第一項、第百三十条、第二百七条、第二百十一条及び附則第十四条第十一号の規定は、令和二年四月三十日から令和三年三月三十一日までの期間

（以下この項において「適用期間」という。）内に地方税法等の一部を改正する法律（令和三年法律第七号。次項において「令和三年改正法」という。）第一条の規定による改正前の地方税法附則第六十四条に規定する中小事業者等（以下この項において「中小事業者等」という。）が取得（同条に規定する取得をいう。以下この項において同じ。）をした同条に規定する家屋及び構築物（中小事業者等が、同条に規定するリース取引（以下この項において「リース取引」という。）に係る契約により家屋及び構築物を引き渡して使用させる事業を行う者が適用期間内に取得をした同条に規定する先端設備等に該当する家屋及び構築物を、適用期間内にリース取引により引渡しを受けた場合における当該家屋及び構築物を含む。）に対して課する固定資産税については、なお従前の例による。

4　旧条例第百十八条第一項、第百三十条、第二百七条、第二百十一条及び附則第十四条第十一号の規定は、令和三年四月一日から令和五年三月三十一日までの期間（以下この項において「適用期間」という。）内に令和三年改正法附則第一条第四号に掲げる規定による改正前の地方税法附則第六十四条に規定する中小事業者等（以下この項において「中小事業者等」という。）が取得（同条に規定する取得をいう。以下この項において同じ。）をした同条に規定する特例対象資産（以下この項において「特例対象資産」という。）（中小事業者等が、同条に規定するリース取引（以下この項において「リース取引」という。）に係る契約により特例対象資産を引き渡して使用させる事業を行う者が適用期間内に取得をした同条に規定する先端設備等に該当する特例対象資産を、適用期間内にリース取引により引渡しを受けた場合における当該特例対象資産を含む。）に対して課する固定資産税については、なお従前の例による。

5　旧条例附則第十五条の二の規定は、令和四年度分の固定資産税については、なおその効力を有する。

6　旧条例附則第二十条及び附則第二十条の二の規定は、令和四年度分の都市計画税については、なおその効力を有する。

附　則（令五・三・三一条例五一）

**（施行期日）**

1　この条例は、令和五年四月一日（以下「施行日」という。）から施行する。

**（経過措置）**

2　この条例による改正後の東京都都税条例（以下「新条例」という。）の規定中法人の事業税に関する部分は、施行日以後に残余財産が確定する法人の当該残余財産の確定の日の属する事業年度（施行日前に残余財産が確定した法人の当該残余財産の確定の日の属する事業年度で当該事業年度のこの条例による改正前の東京都都税条例（以下「旧条例」という。）第三十五条第一項第七号に定める申告納付の期間の末日が施行日以後に到来するもの（以下「経過事業年度」という。）を含む。）に係る法人の事業税について適用し、施行日前に残余財産が確定した法人の当該残余財産の確定の日の属する事業年度（経過事業年度を除く。）に係る法人の事業税については、なお従前の例による。

3　新条例の規定中不動産取得税に関する部分は、施行日以後の不動産の取得に対して課すべき不動産取得税について適用し、施行日前の不動産の取得に対して課する不動産取得税については、なお従前の例による。

4　新条例附則第七条の規定は、令和五年度以後の年度分の自動車税の種別割について適用し、令和四年度分までの自動車税の種別割については、なお従前の例による。

5　別段の定めがあるものを除き、新条例の規定中固定資産税及び都市計画税に関する部分は、令和五年度以後の年度分の固定資産税及び都市計画税について適用し、令和四年度分までの固定資産税及び都市計画税については、なお従前の例による。

6　旧条例附則第十四条第三号の規定は、平成二十七年四月一日から令和五年三月三十一日までの間に新たに取得された地方税法等の一部を改正する法律（令和五年法律第一号）第一条の規定による改正前の地方税法（昭和二十五年法律第二百二十六号。以下「旧法」という。）附則第十五条第十五項に規定する家屋及び償却資産に対して課する固定資産税並びに同項に規定する家屋に対して課する都市計画税については、なお従前の例による。

7　旧条例附則第十四条第八号の規定は、平成二十九年四月一日から令和五年三月三十一日までの間に受けた旧法附則第十五条第三十三項に規定する政府の補助に係る同項に規定する特定事業所内保育施設の用に供する固定資産に対して課する固定資産税及び都市計画税については、なお従前の例による。

附　則（令五・六・二八条例五五）（抄）

**（施行期日）**

1　この条例は、令和六年一月一日（以下「施行日」という。）から施行する。ただし、次の各号に掲げる規定は、当該各号に定める日から施行する。

一　附則第六条の三第二項を削る改正規定、附則第十四条に一号を加える改正規定並びに附則第十五条第二項及び第三項の改正規定並びに附則第六項の規定　公布の日

二　第七十条第一号及び第二号の改正規定並びに附則第四項の規定　令和七年四月一日

**（経過措置）**

2　この条例による改正後の東京都都税条例（以下「新条例」という。）第十九条第二項及び第二十四条の十一第一項第五号の規定は、令和六年度以後の年度分の個人の都民税について適用し、令和五年度分までの個人の都民税については、なお従前の例による。

3　新条例第二十四条の九の規定は、令和六年度以後の年度分の個人の都民税に係る徴収金又は森林環境税に係る徴収金について適用し、令和五年度分までの個人の都民税に係る徴収金については、なお従前の例による。

4　附則第一項第二号に掲げる改正規定による改正後の東京都都税条例第七十条第一号及び第二号の規定は、同項第二号に掲げる規定の施行の日以後に取得された自動車に対して課すべき自動車税の環境性能割について適用し、同日前に取得された自動車に対して課する自動車税の環境性能割については、なお従前の例による。

5　新条例附則第六条の二の四第二項の規定は、施行日以後

に取得された自動車に対して課すべき自動車税の環境性能割について適用し、施行日前に取得された自動車に対して課する自動車税の環境性能割については、なお従前の例による。

6　附則第一項第一号に掲げる改正規定による改正前の東京都都税条例附則第六条の三第二項の規定は、令和元年十月一日から令和三年十二月三十一日までの間に取得された同項に規定する自家用の乗用車に対して課する自動車税の環境性能割については、なお従前の例による。

7　新条例附則第七条の三第二項の規定は、令和五年度分の施行日以後に納税義務が発生した者に課すべき自動車税の種別割及び令和六年度以後の年度分の自動車税の種別割について適用し、令和五年度分までの施行日前に納税義務が発生した者に課する自動車税の種別割については、なお従前の例による。

**附　則**（令六・三・二九条例二一）

**（施行期日）**

1　この条例は、公布の日から施行する。

**（経過措置）**

2　この条例による改正前の東京都都税条例附則第二十条の規定は、令和五年度分の都市計画税については、なおその効力を有する。

**附　則**（令六・三・三一条例九四）

**（施行期日）**

1　この条例は、令和六年四月一日から施行する。

**（経過措置）**

2　次項に定めるものを除き、この条例による改正後の東京都都税条例の規定中固定資産税及び都市計画税に関する部分は、令和六年度以後の年度分の固定資産税及び都市計画税について適用し、令和五年度分までの固定資産税及び都市計画税については、なお従前の例による。

3　この条例による改正前の東京都都税条例附則第十四条第八号の規定は、平成二十九年四月一日から令和六年三月三十一日までの間に受けた地方税法等の一部を改正する法律（令和六年法律第四号）第一条の規定による改正前の地方税法（昭和二十五年法律第二百二十六号）附則第十五条第三十二項に規定する政府の補助に係る同項に規定する特定事業所内保育施設の用に供する固定資産に対して課する固定資産税及び都市計画税については、なお従前の例による。

**附　則**（令六・六・一九条例九五）

**（施行期日）**

1　この条例は、公布の日から施行する。ただし、次の各号に掲げる規定は、当該各号に定める日から施行する。

一　第八十五条の改正規定　令和七年一月一日

二　第二十五条第一項第一号ロ、第百六条第一項の表第一号ハ及び附則第五条の二の二第二項の改正規定　令和七年四月一日

**（経過措置）**

2　この条例による改正後の東京都都税条例第二十四条の八第一項の規定は、令和六年度以後の年度分の個人の都民税の賦課徴収に関する報告について適用し、令和五年度分までの個人の都民税の賦課徴収に関する報告については、なお従前の例による。

# ○東京都宿泊税条例

平一四・四・一〇
条例一一一

最終改正　令五・六・二八条例五六

（宿泊税）

**第一条**　国際都市東京の魅力を高めるとともに、観光の振興を図る施策に要する費用に充てるため、地方税法（昭和二十五年法律第二百二十六号）第四条第六項の規定に基づき、宿泊税を課する。

（納税義務者等）

**第二条**　宿泊税は、旅館業法（昭和二十三年法律第百三十八号）第三条第一項の許可を受けて行う同法第二条第二項の営業に係る施設（以下「ホテル等」という。）における宿泊に対し、その宿泊者に課する。

（課税免除）

**第三条**　宿泊税は、宿泊料金（宿泊の対価として支払うべき金額であって東京都規則（以下「規則」という。）で定めるものをいう。次条において同じ。）が一人一泊一万円未満の宿泊に対しては、これを課さない。

（税率）

**第四条**　宿泊税の税率は、一人一泊について、次の各号に掲げる宿泊料金の区分に応じ、それぞれ当該各号に定める額とする。

一　宿泊料金が一万五千円未満のもの　百円

二　宿泊料金が一万五千円以上のもの　二百円

（徴収の方法）

**第五条**　宿泊税の徴収については、特別徴収の方法による。

（特別徴収義務者）

**第六条**　宿泊税については、ホテル等の経営者を特別徴収義務者とし、当該ホテル等における宿泊に対する宿泊税を徴収させる。

2　知事において必要があると認める場合においては、前項の規定にかかわらず、宿泊税の徴収について便宜を有する者を特別徴収義務者に指定し、当該宿泊税を徴収させることができる。

（申告納入）

**第七条**　宿泊税の特別徴収義務者は、毎月末日までに、前月の初日から末日までの間において徴収すべき宿泊税に係る宿泊の総数、宿泊税額その他知事において必要があると認める事項を記載した納入申告書を知事に提出するとともに、その納入金を納入書によって納入しなければならない。

2　宿泊税の特別徴収義務者が、申告納入すべき宿泊税額が規則で定める金額以下であることその他の規則で定める要件に該当するものとして規則で定めるところにより知事が指定した者である場合には、前項の規定によって次の表の上欄に掲げる月に提出すべき納入申告書の提出期限は、同項の規定にかかわらず、同欄に掲げる区分に応じ、同表の下欄に掲げる月に提出すべき納入申告書の提出期限と同一の期限とする。

| 一月及び二月 | 三月 |
|---|---|
| 四月及び五月 | 六月 |
| 七月及び八月 | 九月 |
| 十月及び十一月 | 十二月 |

3　知事は、前項の規定による指定をした特別徴収義務者について同項に規定する要件に該当しなくなったと認めるときは、同項の規定による指定を取り消すことができる。

（特別徴収義務者としての登録等）

**第八条**　第六条第一項に規定する宿泊税の特別徴収義務者（特別徴収義務者の登録を要しないものとして規則で定める者を除く。）はホテル等の経営を開始しようとする日前五日までに、同条第二項の規定により指定を受けた宿泊税の特別徴収義務者は指定を受けた日から十日以内に、ホテル等ごとに、当該ホテル等における宿泊税の特別徴収義務者としての登録を知事に申請しなければならない。

2　前項の規定による登録の申請をする場合において提出すべき申請書には、次に掲げる事項を記載しなければならない。

一　特別徴収義務者の住所及び氏名又は名称

二　ホテル等の所在地及び名称

三　客室数その他設備の概要

四　経営開始年月日

五　前各号に掲げるもののほか、知事において必要があると認める事項

3　宿泊税の特別徴収義務者としての登録を受けた者は、その登録事項に変更を生じた場合においては、遅滞なく、登録事項の変更を申請しなければならない。

4　第一項の特別徴収義務者は、当該ホテル等の経営を一月以上休止しようとするときは、遅滞なく、その旨を知事に申告しなければならない。期間を定めずに経

営を休止した場合において、当該ホテル等の経営を再開しようとするときも、同様とする。

5　第一項の特別徴収義務者は、当該ホテル等の経営を廃止したときは、廃止の日から十日以内に、その旨を知事に申告しなければならない。

6　知事は、第一項の登録の申請を受理した場合には、当該申請をした特別徴収義務者に対し、宿泊税を徴収すべき義務を課せられた者であることを証する証票を交付する。

7　前項の証票の交付を受けた者は、これを当該ホテル等の公衆の見やすい箇所に掲示しなければならない。

8　第六項の証票は、他人に貸し付け、又は譲り渡してはならない。

9　第六項の証票の交付を受けた者は、当該ホテル等に係る宿泊税の特別徴収の義務が消滅した場合においては、その消滅した日から十日以内にその証票を知事に返さなければならない。

**（徴収不能額等の還付又は納入義務の免除）**

**第九条**　知事は、宿泊税の特別徴収義務者が宿泊料金及び宿泊税の全部又は一部を受け取ることができなくなったことについて正当な理由があると認める場合又は徴収した宿泊税額を失ったことについて天災その他避けることのできない理由があるものと認める場合においては、当該特別徴収義務者の申請により、その宿泊税額が既に納入されているときはこれに相当する額を還付し、その宿泊税額がまだ納入されていないときはその納入の義務を免除するものとする。

2　知事は、前項の規定により宿泊税額に相当する額を還付する場合において、還付を受ける特別徴収義務者の未納に係る徴収金があるときは、当該還付すべき額をこれに充当することができる。

3　知事は、第一項の規定による申請を受理した場合においては、同項又は前項に規定する措置を採るかどうかについて、その申請を受理した日から六十日以内に特別徴収義務者に通知しなければならない。

**（特別徴収義務者の帳簿等の記載義務等）**

**第十条**　宿泊税の特別徴収義務者は、次に掲げる事項を帳簿に記載し、かつ、当該帳簿を当該帳簿の使用が終わった日の属する月の末日の翌日から三月を経過した日から五年間保存しなければならない。

一　宿泊年月日、宿泊料金、宿泊者数、宿泊税の課税対象となる宿泊者数及び宿泊税額

二　前号に掲げるもののほか、知事において必要があると認める事項

2　宿泊税の特別徴収義務者は、次に掲げる書類を作成し、かつ、当該書類を当該宿泊が行われた日の属する月の末日の翌日から三月を経過した日から二年間保存しなければならない。

一　宿泊の際に作成される売上伝票その他の書類で、宿泊年月日、宿泊者数及び宿泊料金並びに宿泊税額が記載されているもの

二　前号に掲げるもののほか、知事において必要があると認める書類

3　第十二条の規定により読み替えて適用される東京都都税条例（昭和二十五年東京都条例第五十六号。以下「都税条例」という。）第二百十二条に規定するもののほか、宿泊税の特別徴収義務者は、前項に規定する書類（規則で定めるものを除く。）の全部又は一部について、当該書類に記載されている事項を規則で定める装置により電磁的記録（地方税法第七百四十八条第一項に規定する電磁的記録をいう。以下同じ。）に記録する場合には、規則で定めるところにより、当該書類に係る電磁的記録の保存をもって当該書類の保存に代えることができる。この場合において、当該書類に係る電磁的記録の保存が当該規則で定めるところに従って行われていないとき（当該書類の保存が行われている場合を除く。）は、当該特別徴収義務者は、当該電磁的記録を保存すべき期間その他の規則で定める要件を満たして当該電磁的記録を保存しなければならない。

4　前項前段に規定する規則で定めるところに従って保存が行われている書類に係る電磁的記録又は同項後段の規定により保存が行われている当該電磁的記録に記録された事項に関し地方税法第七百三十三条の十九第二項第一号に規定する納入申告書の提出期限後のその提出又は更正若しくは決定があった場合において、同条第一項又は第二項の規定に該当するときは、同条第一項又は第二項の重加算金額の計算については、同法第七百五十六条第五項の規定を準用する。この場合において、同項中「第百四十四条の四十八第一項」とあるのは「第七百三十三条の十九第一項」と、「第百四十四条の四十八第二項」とあるのは「第七百三十三条の十九第二項」と読み替えるものとする。

**（帳簿の記載義務違反等に関する罪）**

**第十一条**　次の各号のいずれかに該当する場合には、その違反行為をした者は、一年以下の懲役又は五十万円以下の罰金に処する。

一　第八条第七項から第九項までの規定のいずれかに違反したとき。

二　前条第一項の規定により帳簿に記載すべき事項について正当な事由がなくて記載をせず、若しくは虚偽の記載をしたとき、又は同項の帳簿を隠匿したとき。

三　前条第一項の規定に違反して同項の帳簿を五年間保存しなかつたとき。

四　前条第二項の規定によつて作成すべき書類について正当な事由がなくて作成をせず、若しくは虚偽の書類を作成したとき、又は同項の書類を隠匿したとき。

五　前条第二項の規定に違反して同項の書類を二年間保存しなかつたとき。

2　法人の代表者又は法人若しくは人の代理人、使用人その他の従業者がその法人又は人の業務に関して前項の違反行為をした場合には、その行為者を罰するほか、その法人又は人に対し、同項の罰金刑を科する。

**（地方税法施行令第六条の二十二の四第六号の規定による指定）**

**第十一条の二**　宿泊税は、地方税法施行令（昭和二十五年政令第二百四十五号）第六条の二十二の四第六号に規定する条例で指定する法定外目的税とする。

**（賦課徴収）**

**第十二条**　宿泊税の賦課徴収については、この条例に定めるもののほか、法令又は都税条例の定めるところによる。この場合において、都税条例第十五条第二項第三号中「又は第百三条の十第一項の軽油の納入地（都内に本店（法第百四十四条の三十四第一項の主たる事務所又は事業所をいう。以下この号及び第二章第十一節において同じ。）が所在する場合にあつては、当該本店）」とあるのは「、第百三条の十第一項の軽油の納入地（都内に本店（法第百四十四条の三十四第一項の主たる事務所又は事業所をいう。以下この号及び第二章第十一節において同じ。）が所在する場合にあつては、当該本店）又は東京都宿泊税条例（平成十四年東京都条例第百十一号）第二条のホテル等」と、都税条例第二百十二条の見出し中「帳簿」とあるのは「帳簿等」と、同条中「定める帳簿」とあるのは「定める帳簿等（書類を含む。以下この章において同じ。）」と、「場合」とあるのは「場合（書類にあつては、自己が一貫して電子計算機を使用して作成する場合とする。次条第一項において同じ。）」と、「当該帳簿」とあるのは「当該帳簿等」と、「備付け及び保存を」とあるのは「備付け（書類にあつては作成とする。以下この章において同じ。）及び保存を」と、

「二　第百三条の十五第一項に規定する軽油引取税の申告納付義務者　同項に規定する帳簿　」

とあるのは

「二　第百三条の十五第一項に規定する軽油引取税の申告納付義務者　同項に規定する帳簿

三　東京都宿泊税条例第十条第一項又は第二項に規定する宿泊税の特別徴収義務者　同項に規定する帳簿等　」

と、都税条例第二百十三条（見出しを含む。）中「帳簿」とあるのは「帳簿等」と、都税条例第二百十四条中「第二百十二条又は前条各項」とあるのは「第二百十二条若しくは前条各項又は東京都宿泊税条例第十条第三項」と、「帳簿」とあるのは「帳簿等」とする。

**（条例施行の細目）**

**第十三条**　この条例に定めるものを除くほか、この条例の施行について必要な事項は、規則で定める。

附　則

**（施行期日）**

1　この条例は、規則で定める日〔平一四・一〇・一〕から施行する。ただし、附則第四項の規定は、公布の日から施行する。

**（経過措置）**

2　この条例は、この条例の施行の日（以下「施行日」という。）以後における宿泊に対して課すべき宿泊税について適用する。

3　施行日において現にホテル等を経営している者については、施行日にホテル等の経営を開始するものとみなして、第八条第一項の規定を適用する。

4　第六条第一項の規定により特別徴収義務者となる者に係る特別徴収義務者としての登録の申請及び証票の交付は、施行日前においても、第八条第一項（前項の規定が適用される場合を含む。）及び第六項の規定の例により行うことができる。

**（検討）**

5　知事は、この条例の施行後五年ごとに、条例の施行状況、社会経済情勢の推移等を勘案し、この条例について検討を加え、その結果に基づいて必要な措置を講ずるものとする。

**（東京二〇二〇オリンピック・パラリンピック競技大会開催等に伴う課税免除）**

6　ホテル等における宿泊が、令和二年七月一日から令和三年九月三十日までの間に行われたときに限り、第二条の規定にかかわらず、宿泊税を課さない。

附　則（平三〇・七・四条例七八）

**（施行期日）**

1　この条例は、公布の日から施行する。ただし、第十一条の次に一条を加える改正規定は、平成三十年八月一日から施行する。

**（経過措置）**

2　この条例による改正後の東京都宿泊税条例第十一条の二の規定は、前項ただし書に規定する日以後にした行為に係る宿泊税に関する犯則事件の処分について適用し、同日前にした行為に係る宿泊税に関する犯則事件の処分については、なお従前の例による。

附　則（令三・六・一四条例六〇）

**（施行期日）**

1　この条例は、令和四年一月一日（以下「施行日」という。）から施行する。

（**経過措置**）

2　この条例による改正後の東京都宿泊税条例（以下「新条例」という。）第十条第三項の規定は、施行日以後に保存が行われる書類について適用する。

3　新条例第十条第四項の規定は、施行日以後に新条例第七条の納入申告書の提出期限が到来する宿泊税について適用する。

4　新条例第十二条の規定は、施行日以後に備付けを開始する帳簿等（書類を含む。以下同じ。）及び保存が行われる帳簿等に係る電磁的記録（地方税法（昭和二十五年法律第二百二十六号）第七百四十八条第一項に規定する電磁的記録をいう。）について適用する。

**附　則**（令五・六・二八条例五六）

この条例は、令和六年一月一日から施行する。

# ○東京都事務手数料条例

昭二四・三・三一
条　例　三　〇

最終改正　令元・一二・二五条例七〇

**第一条**　地方自治法（昭和二十二年法律第六十七号。以下「法」という。）第二百二十七条の規定による東京都の手数料は、別に規定があるもののほか、この条例の定めるところにより、これを徴収する。

**第二条**　前条の規定により徴収する手数料は、次に掲げる事項の申請者から申請の際、これを徴収する。ただし、第四条の証明（宗教法人の境内地又は境内建物であることの証明に限る。）については、交付の際、これを徴収する。

一　資格又は履歴に関する証明
二　予防接種に関する証明
三　法人に関する証明
四　営業又は業務に関する証明
五　都税その他諸収入金に関する証明
六　土地、建物又は償却資産に関する証明
七　文書の受理に関する証明
八　公簿又は公文図書に関する証明
九　前各号のほか、知事（地方公営企業法（昭和二十七年法律第二百九十二号）の規定の全部が適用される事業の業務に係るものについては、当該事業の管理者。以下同じ。）の指定する事項に関する証明
十　願書又は届書に対する奥書、奥印又は証明
十一　知事の指定する公簿又は公文図書の謄本又は抄本の交付
十二　知事の指定する公簿又は公文図書の閲覧

②　前項のほか、法第二百二十七条の規定に基づき手数料を徴収する事務を処理するため、郵送料その他の費用（以下「郵送料等」という。）が生じた場合には、これを徴収する。

**第三条**　前条第一項各号に掲げる事項について徴収する手数料は、証明、奥書、奥印及び謄本又は抄本の交付については一件につき四百円、閲覧については一回につき三百円とする。

②　前条第二項の規定により徴収する郵送料等の額は、実費に相当する額とする。

③　予防接種に関する証明については一種ごとに、都税に関する証明については一税目（固定資産税と都市計画税とを合わせて賦課徴収している場合は、固定資産税と都市計画税とを合わせて一税目とみなす。）ごとに、土地、建物又は償却資産に関する証明については年度ごと及び一筆、一棟又は償却資産の種類ごとに、奥書又は奥印については一文書ごとに、謄本又は抄本の交付については一枚ごとに、それぞれ一件とする。

④　数人を列記して、それらの者に対し同一の証明をするときは、一人につき一件となし、第一項の規定を適用する。

⑤　公簿又は公文図書の閲覧については、公簿又は公文図書の簿冊一冊をもつて一回とする。

**第四条**　前条第一項の規定にかかわらず、宗教法人の境内地又は境内建物であることの証明については一件につき八千百円、土地若しくは建物又は償却資産（一の特別区の区域内に存するものに限る。）に係る固定資産課税台帳の登録事項に関する証明については二件以上である場合にあつては一件を超えるもの一件につき百円とする。

**第五条**　手数料は、国若しくは法第一条の三に規定する地方公共団体又は生活保護法（昭和二十五年法律第百四十四号）の規定により保護を受ける者から申請があるとき、その他知事において特別の理由があると認めるときは、これを減額し、又は免除することができる。

**第六条**　既納の手数料は、還付しない。ただし、知事が特別の理由があると認めるときは、この限りでない。

**附　則**

この条例は、公布の日から、これを施行する。

**附　則**（令元・一二・二五条例七〇）

この条例は、公布の日から施行する。

# ○東京都分担金等に係る督促及び滞納処分並びに延滞金に関する条例

昭三九・七・三一
条　例　一　三　五

最終改正　平二五・一〇・一八条例一一六

**（通則）**

**第一条**　東京都が徴収する分担金、使用料、手数料及び過料その他の収入（以下「分担金等」という。）に係る督促及び滞納処分並びに延滞金に関しては、別に定めるもののほか、この条例の定めるところによる。

**（督促）**

**第二条**　分担金等を納期限までに納付しない者があるときは、納期限経過後二十日以内に東京都規則で定める督促状を発行して督促する。

2　前項の督促状には、その発行の日から十五日以内において納付すべき期限を指定する。

**（延滞金の額及び徴収方法）**

**第三条**　分担金等について前条の規定による督促をした場合においては、当該分担金等の金額に、その納期限の翌日から納付の日までの期間の日数に応じ、その金額（百円未満のは数があるとき又は百円未満であるときは、そのは数額又はその全額を切り捨てる。）に年十四・六パーセント（督促状に指定する期限までの期間については、年七・三パーセント）の割合を乗じて計算した金額に相当する延滞金額を加算して徴収する。

**（延滞金額の減免）**

**第四条**　次の各号の一に該当する場合においては、前条の規定による延滞金額を減額または免除することができる。

一　分担金等を納付すべき者が災害により納期限までに納付できなかつたとき。

二　分担金等の徴収に関する書類の送達について、その送達を受けるべき者の住所、居所、事務所及び事業所が明らかでないためまたは外国においてすべき送達について困難な事情があると認められるため、その送達に代えて公示送達をしたとき。

三　前各号のほか、延滞金額を減額または免除することについてやむを得ない理由があると認められるとき。

**（滞納処分）**

**第五条**　分担金等について第二条の規定による督促を受けた者が督促状に指定する期限までに納付すべき金額を納付しない場合において、当該分担金等が地方自治法（昭和二十二年法律第六十七号）第二百三十一条の三第三項の規定により地方税の滞納処分の例により処分できるものであるときは、当該分担金等及び当該分担金等に係る延滞金について、督促状に指定する期限経過後四十日以内に滞納処分に着手する。

**付　則**

1　この条例は、公布の日から施行する。

2　第三条の規定は、この条例施行の日以後に徴収する延滞金額について適用する。ただし、当該延滞金額で同日前の期間に対応するものの計算については、なお従前の例による。

3　この条例施行の日前にこの条例による改正前の東京都分担金その他収入金の督促及び滞納処分に関する条例（以下

「旧条例」という。）の規定によつて行つた督促、滞納処分（分担金及び過料に係るものに限る。）その他の行為は、この条例の相当規定によつて行つたものとみなす。

4　この条例施行の日の前日に発行した督促状に係る旧条例第二条に規定する督促手数料の徴収については、なお従前の例による。

5　当分の間、第三条に規定する延滞金の年十四・六パーセントの割合及び年七・三パーセントの割合は、同条の規定にかかわらず、各年の特例基準割合（当該年の前年に租税特別措置法（昭和三十二年法律第二十六号）第九十三条第二項の規定により告示された割合に年一パーセントの割合を加算した割合をいう。以下この項において同じ。）が年七・三パーセントの割合に満たない場合には、その年（以下この項において「特例基準割合適用年」という。）中においては、年十四・六パーセントの割合にあつては当該特例基準割合適用年における特例基準割合に年七・三パーセントの割合を加算した割合と、年七・三パーセントの割合にあつては当該特例基準割合に年一パーセントの割合を加算した割合（当該加算した割合が年七・三パーセントの割合を超える場合には、年七・三パーセントの割合）とする。この場合における延滞金の額の計算において、その計算の過程における金額に一円未満の端数が生じたときは、これを切り捨てる。

**附　則**（平一一・一〇・八条例九二）

1　この条例は、平成十二年一月一日から施行する。

2　この条例による改正後の東京都分担金等に係る督促及び滞納処分並びに延滞金に関する条例付則第五項の規定は、延滞金のうち平成十二年一月一日以後の期間に対応するものについて適用し、同日前の期間に対応するものについては、なお従前の例による。

**附　則**（平二五・一〇・一八条例一一六）

1　この条例は、平成二十六年一月一日から施行する。

2　この条例による改正後の東京都分担金等に係る督促及び滞納処分並びに延滞金に関する条例付則第五項の規定は、延滞金のうち平成二十六年一月一日以後の期間に対応するものについて適用し、同日前の期間に対応するものについては、なお従前の例による。

## ○東京都分担金等の督促及び滞納処分に係る事務手続等に関する規則

昭三〇・一〇・二五
規　則　八　五

最終改正　令三・三・三一規則一二四

（通則）

**第一条**　東京都が徴収する分担金、使用料、手数料及び過料その他の収入（以下「分担金等」という。）の督促及び滞納処分に係る事務手続等については、別に定めがあるもののほか、この規則の定めるところによる。

（督促状）

**第二条**　東京都分担金等に係る督促及び滞納処分並びに延滞金に関する条例（昭和三十九年東京都条例第百三十五号）第二条に規定する督促状は、別記第一号様式その一（電子計算機によらず処理する場合）又はその二若しくはその三（電子計算機により処理する場合）による。

（滞納処分に関する事務の委任等）

**第三条**　地方自治法（昭和二十二年法律第六十七号）第二百三十一条の三第三項の規定により地方税の滞納処分の例により、又は行政代執行法（昭和二十三年法律第四十三号）その他の法律の規定により国税滞納処分の例により処分することができる分担金等及び当該分担金等に係る延滞金の滞納処分に関する事務は、分担金等の徴収に関する事務に従事する東京都職員のうちから知事が指定する者に委任する。

2　前項の規定により滞納処分に関する事務の委任を受けた者（以下「滞納処分吏員」という。）は、分担金等及び当該分担金等に係る延滞金の滞納処分のため財産差押を行う場合または財産差押に関する調査のため質問し、若しくは検査を行う場合には、別記第二号様式による滞納処分吏員証及び別記第三号様式による滞納票を携行しなければならない。

3　滞納処分吏員が第一項の規定により委任された滞納処分に関する事務を執行するうえにおいて行う現金（現金に代えて納付される証券を含む。）の出納については、当該滞納処分吏員を東京都会計事務規則（昭和三十九年三月東京都規則第八十八号）第八条第三項に規定する金銭出納員とする。

4　前項の金銭出納員が分担金等及び当該分担金等に係る延滞金を領収したときは、別記第四号様式による領収証を滞納者に交付する。

（**封印**）

**第四条**　動産を差し押えたときの封印は、別記第五号様式による。

（**差押調書**）

**第五条**　財産を差し押えたときの差押調書は、別記第六号様式による。

（**差押通知書**）

**第六条**　債権を差し押えたときの債務者に対する通知書は、別記第七号様式による。

**第七条**　質権または抵当権の設定された財産を差し押えたときの債権者に対する通知書は、別記第八号様式による。

**第八条**　仮差押または仮処分を受けている財産を差し押えたときの執行裁判所または執行官若しくは強制管理人に対する通知書は、別記第九号様式による。

（**不動産の差押手続**）

**第九条**　不動産を差し押えたときの差押登記嘱託書は、別記第十号様式による。

（**滞納処分執行停止通知書**）

**第十条**　滞納処分の執行停止をしたときの滞納者に対する通知書は、別記第十一号様式による。

（**滞納処分執行停止取消通知書**）

**第十一条**　滞納処分の執行停止を取り消したときの滞納者に対する通知書は、別記第十二号様式による。

（**滞納処分執行猶予通知書**）

**第十二条**　滞納処分の執行を猶予したときの滞納者に対する通知書は別記第十三号様式による。

（**滞納処分執行猶予取消通知書**）

**第十三条**　滞納処分の執行猶予を取り消したときの滞納者に対する通知書は、別記第十四号様式による。

（**差押解除通知書**）

**第十四条**　差押を解除したときの滞納者に対する通知書は、別記第十五号様式による。

（**差押財産売却通知書**）

**第十五条**　差押財産を売却したときの通知書は、別記第十六号様式による。

（**差押財産抹消登記嘱託書**）

**第十六条**　差押財産の差押登記を抹消するための嘱託書は、別記第十七号様式による。

（**所有権移転登記嘱託書**）

**第十七条**　公売処分による所有権を移転したときの登記の嘱託書は、別記第十八号様式による。

（**計算書**）

**第十八条**　滞納処分を結了したとき滞納者に交付する計算書は、別記第十九号様式による。

（**調定及び収入報告書等**）

**第十九条**　局長及び所長（東京都会計事務規則第二条第二号及び第四号に規定する局長及び所長をいう。以下次条において同じ。）は、毎年度四半期ごとに、分担金等について別記第二十号様式による調定及び収入報告書並びに別記第二十一号様式による滞納整理実績報告書を作成し、当該四半期終了後十五日以内に財務局長に送付しなければならない。

（**滞納処分収入日計表**）

**第二十条**　局長及び所長は、滞納処分により分担金等及び当該分担金等に係る延滞金を徴収したときは、別記第二十二号様式による滞納処分収入日計表を調製しなければならない。

**付　則**

1　この規則は、昭和三十年十一月一日から施行する。

2　次に掲げる規則は、廃止する。

東京都中央卸売市場使用料、手数料その他収入金滞納処分事務手続規程（昭和二十九年三月東京都規則第二十六号）

東京都営住宅使用料滞納処分事務手続規程（昭和二十八年十月東京都規則第百六十九号）

3　この規則施行の際、現に発付されている書状は、それぞれこの規則の相当規定により発付されたものとみなす。

**附　則**（令三・三・三一規則一二四）（抄）

1　この規則は、公布の日から施行する。

**別記様式**〔略〕

# ○東京都債権管理条例

平二〇・三・三一
条例二五

## 第一章 総則

（目的）

**第一条** この条例は、東京都（以下「都」という。）が有する債権の徴収等に関し、必要な事項について定めることにより、債権管理の一層の適正化を図り、もって公正かつ円滑な行財政運営に資することを目的とする。

（定義）

**第二条** この条例において、次の各号に掲げる用語の意義は、当該各号に定めるところによる。

一 都の債権 金銭の給付を目的とする都の権利をいう。

二 都の私債権 都の債権のうち、公債権（地方自治法（昭和二十二年法律第六十七号。以下「法」という。）第二百三十一条の三第一項に規定する歳入に係る債権及び地方税法（昭和二十五年法律第二百二十六号）第一条第一項第四号に規定する地方税に係る債権をいう。）以外のものをいう。

三 条例等 条例並びに東京都規則、法第百三十八条の四第二項に規定する規程及び地方公営企業法（昭和二十七年法律第二百九十二号）第十条に規定する企業管理規程（以下「規則等」という。）をいう。

（他の条例等との関係）

**第三条** 都の債権の管理に関する事務の処理については、法令及び条例等に特別の定めがある場合を除くほか、この条例の定めるところによる。

（知事等の責務）

**第四条** 知事及び公営企業管理者は、法令及び条例等の規定に基づき、適切かつ効率的な債権の徴収等を行わなければならない。

2 知事は、都の債権の管理の適正化を図るため、債権の管理に関する事務の処理についての手続を整えるとともに、当該事務の処理について必要な調整を行うものとする。

（債権管理体制の整備）

**第五条** 知事及び公営企業管理者は、都の債権の管理に関する事務の状況を的確に把握するとともに、都の債権を適正に管理するための体制を整備するものとする。

## 第二章 私債権の徴収手続

（督促）

**第六条** 知事及び公営企業管理者は、都の私債権（法第二百四十条第四項に掲げる債権に該当するものを除く。次条から第十二条までにおいて同じ。）について、履行期限までに履行しない者があるときは、規則等に定めるところによりこれを督促しなければならない。

（強制執行等）

**第七条** 知事及び公営企業管理者は、都の私債権について、前条の規定による督促をした後相当の期間を経過してもなお履行されないときは、次の各号に掲げる措置をとらなければならない。ただし、第十条の措置をとる場合又は第十一条の規定により履行期限を延長する場合その他特別の事情があると認める場合は、この限りでない。

一 担保の付されている都の私債権（保証人の保証があるものを含む。）については、当該債権の内容に従い、その担保を処分し、若しくは競売その他の担保権の実行の手続をとり、又は保証人に対して履行を請求すること。

二 債務名義のある都の私債権（次号の措置により債務名義を取得したものを含む。）については、強制執行の手続をとること。

三 前二号に該当しない都の私債権（第一号に該当する都の私債権で同号の措置をとってなお履行されないものを含む。）については、訴訟手続（非訟事件の手続を含む。）により履行を請求すること。

（履行期限の繰上げ）

**第八条** 知事及び公営企業管理者は、都の私債権について履行期限を繰り上げることができる理由が生じたときは、遅滞なく、債務者に対し、履行期限を繰り上げる旨の通知をしなければならない。ただし、第十一条第一項各号のいずれかに該当する場合その他特に支障があると認める場合は、この限りでない。

（債権の申出等）

**第九条** 知事及び公営企業管理者は、都の私債権について、債務者が強制執行又は破産手続開始の決定を受けたこと等を知った場合において、法令の規定により都が債権者として配当の要求その他債権の申出をすることができるときは、直ちに、そのための措置をとらなければならない。

2 前項に規定するもののほか、知事及び公営企業管理者は、都の私債権を保全するため必要があると認めるときは、債務者に対し、担保の提供（保証人の保証を含む。）を求め、又は仮差押え若しくは仮処分の手続をとる等必要な措置をとらなければならない。

（徴収停止）

**第十条**　知事及び公営企業管理者は、都の私債権で履行期限後相当の期間を経過してもなお完全に履行されていないものについて、次の各号のいずれかに該当し、これを履行させることが著しく困難又は不適当であると認めるときは、以後その保全及び取立てをしないことができる。

一　法人である債務者がその事業を休止し、将来その事業を再開する見込みが全くなく、かつ、差し押さえることができる財産の価額が強制執行の費用を超えないと認められるとき。

二　債務者の所在が不明であり、かつ、差し押さえることができる財産の価額が強制執行の費用を超えないと認められるときその他これに類するとき。

三　債権金額が少額で、取立てに要する費用に満たないと認められるとき。

**（履行延期の特約等）**

**第十一条**　知事及び公営企業管理者は、都の私債権について、次の各号のいずれかに該当する場合においては、その履行期限を延長する特約又は処分をすることができる。この場合において、当該債権の金額を適宜分割して履行期限を定めることを妨げない。

一　債務者が無資力又はこれに近い状態にあるとき。

二　債務者が当該債務の全部を一時に履行することが困難であり、かつ、その現に有する資産の状況により、履行期限を延長することが徴収上有利であると認められるとき。

三　債務者について災害、盗難その他の事故が生じたことにより、債務者が当該債務の全部を一時に履行することが困難であるため、履行期限を延長することがやむを得ないと認められるとき。

四　損害賠償金又は不当利得による返還金に係る都の私債権について、債務者が当該債務の全部を一時に履行することが困難であり、かつ、弁済につき特に誠意を有すると認められるとき。

五　貸付金に係る都の私債権について、債務者が当該貸付金の使途に従って第三者に貸付けを行った場合において、当該第三者に対する貸付金に関し、第一号から第三号までのいずれかに該当する理由があることその他特別の事情により、当該第三者に対する貸付金の回収が著しく困難であるため、当該債務者がその債務の全部を一時に履行することが困難であるとき。

2　知事及び公営企業管理者は、履行期限後においても、前項の規定により履行期限を延長する特約又は処分をすることができる。この場合においては、既に発生した履行の遅滞に係る損害賠償金その他の徴収金（以下「損害賠償金等」という。）に係る都の私債権は、徴収すべきものとする。

**（免除）**

**第十二条**　知事及び公営企業管理者は、前条の規定により債務者が無資力又はこれに近い状態にあるため履行延期の特約又は処分をした都の私債権について、当初の履行期限（当初の履行期限後に履行延期の特約又は処分をした場合は、最初に履行延期の特約又は処分をした日）から十年を経過した後において、なお、債務者が無資力又はこれに近い状態にあり、かつ、弁済することができる見込みがないと認められるときは、当該債権及びこれに係る損害賠償金等を免除することができる。

2　前項の規定は、前条第一項第五号に掲げる理由により履行延期の特約をした貸付金に係る都の私債権で、同号に規定する第三者が無資力又はこれに近い状態にあることに基づいて当該履行延期の特約をしたものについて準用する。この場合における免除については、債務者が当該第三者に対する貸付金について免除することを条件としなければならない。

**（債権の放棄）**

**第十三条**　知事及び公営企業管理者は、都の私債権について消滅時効に係る時効期間が経過し、かつ、債務者が時効の援用をすると見込まれるときは、当該債権及びこれに係る損害賠償金等に係る私債権を放棄することができる。

**（報告）**

**第十四条**　知事は、前項の規定により都の私債権を放棄したときは、これを東京都議会に報告しなければならない。

## 第三章　雑則

**（委任）**

**第十五条**　この条例の施行に関し必要な事項は、規則等で定める。

**附　則**

この条例は、東京都規則で定める日〔平二〇・七・一〕から施行する。

# ○東京都債権管理条例施行規則

平二〇・六・三〇
規則一四三

最終改正 令四・三・三一規則一一二

（趣旨）

**第一条** この規則は、東京都債権管理条例（平成二十年東京都条例第二十五号。以下「条例」という。）の施行に関し必要な事項を定めるものとする。

（定義）

**第二条** この規則において、次の各号に掲げる用語の意義は、それぞれ当該各号に定めるところによる。

一 局 東京都組織規程（昭和二十七年東京都規則第百六十四号）第八条第一項に規定する本庁の局、室並びに住宅政策本部、中央卸売市場、警視庁、教育庁、人事委員会事務局、労働委員会事務局、監査事務局、選挙管理委員会事務局、収用委員会事務局、東京消防庁及び議会局をいう。

二 局長 東京都組織規程第九条第一項に規定する局長、同条第三項に規定する室長並びに住宅政策本部長、中央卸売市場長、警視総監、教育長、人事委員会事務局長、労働委員会事務局長、監査事務局長、選挙管理委員会事務局長、収用委員会事務局長、消防総監及び議会局長をいう。

（管理の分掌）

**第三条** 債権の管理は、その債権が発生した事務及び事業を所管する局の長が行うものとする。

（総合調整）

**第四条** 財務局長は、債権の管理の適正を期すため、その管理の手続に関し必要な事項を定め、状況を把握し、及び必要な調整を行う。

2 財務局長は、債権の管理の適正化を図るため、必要があると認めるときは、局長に対し、その所管に属する債権について、その状況に関する資料の提出及び報告を求め、実地について調査し、その結果に基づいて必要な措置を講ずべきことを求めることができる。

（債権管理台帳の整備）

**第五条** 局長は、その所管に属する債権を適正に管理するため、債権管理台帳を整備するものとする。

2 前項の台帳に記載する事項は、次に掲げるものとする。

一 債権の名称

二 債務者の氏名及び住所

三 債権の額

四 債権の発生及び徴収に係る履歴

五 前各号に掲げるもののほか、知事が必要と認める事項

（債権管理者の設置）

**第六条** 債権の管理を適正かつ円滑に行うため、局に債権管理者を置く。

2 債権管理者は、局の債権の管理に関する事務（以下「債権管理事務」という。）を主管する課の課長とする。

3 債権管理者は、上司の命を受け、局における債権管理事務で、おおむね次に掲げる事項を処理するものとする。

一 債権の状況を把握すること。

二 債権管理事務の処理を推進すること。

三 債権管理事務について必要な指導及び調整を行うこと。

（債権管理調整会議の設置）

**第七条** 債権の管理に関する庁内の連携及び情報の共有を図るため、債権管理調整会議を設置するものとする。

2 債権管理調整会議の設置及び運営について必要な事項は、知事が別に定める。

（督促）

**第八条** 条例第六条に規定する督促は、原則として納期限経過後二十日以内に行うものとする。

2 前項の督促においては、その督促の日から十五日以内において納付すべき期限を指定する。

（私債権の放棄）

**第九条** 条例第十三条の規定により私債権を放棄する場合は、局長は、あらかじめ財務局長及び主税局長に協議しなければならない。

（議会への報告）

**第十条** 条例第十四条の規定による東京都議会への報告は、私債権の種類、額その他知事が必要と認める事項について行うものとする。

（委任）

**第十一条** この規則の施行に関し必要な事項は、知事が別に定める。

**附 則**

この規則は、条例の施行の日から施行する。

**附 則**（令四・三・三一規則一一二）

この規則は、令和四年四月一日から施行する。ただし、第二条第一号の改正規定中「、病院経営本部」を削る部分及び同条第二号の改正規定中「、病院経営本部長」を削る部分は、同年七月一日から施行する。

# ○東京都補助金等交付規則

昭三七・九・二九
規則一四一

最終改正　昭四五・七・一一規則一三二

## 第一章　総則

（目的）

**第一条**　この規則は、補助金等の交付の申請、決定その他補助金等に係る予算の執行に関する基本的事項を規定することにより、補助金等に係る予算の執行の適正化を図ることを目的とする。

（定義）

**第二条**　この規則において「補助金等」とは、都がその公益上必要がある場合において、都以外の者に交付する補助金、負担金、利子補給金その他の給付金で相当の反対給付を受けないもの（知事が指定するものを除く。）をいう。

2　この規則において「補助事業等」とは、補助金等の交付の対象となる事務または事業をいう。

3　この規則において「補助事業者等」とは、補助事業等を行う者をいう。

（事務担当者の責務）

**第三条**　補助金等に係る予算の執行に当つては、補助金等が法令及び予算で定めるところに従つて、公正、かつ、有効に使用されるように努めなければならない。

（他の規程との関係）

**第四条**　補助金等に関しては、他に特別の定のあるものを除くほか、この規則の定めるところによる。

## 第二章　補助金等の交付の申請及び決定

（補助金等の交付の申請）

**第五条**　補助金等の交付に際しては、あらかじめ、補助金等の交付を受けようとする者（以下「申請者」という。）をして、次に掲げる事項を記載した申請書を提出させなければならない。

一　申請者の氏名及び住所（法人にあつては、名称及び所在地）

二　補助事業等の目的及び内容

三　補助事業等の経費の配分、経費の使用方法、補助事業等の完了の予定期日その他補助事業等の遂行に関する計画

四　交付を受けようとする補助金等の額及びその算出の基礎

五　その他必要と認める事項

2　前項の申請書には、次に掲げる事項を記載した書類を添付させなければならない。

一　申請者の営むおもな事業

二　申請者の資産及び負債に関する事項

三　補助事業等の経費のうち補助金等によつてまかなわれる部分以外の部分の負担者、負担額及び負担方法

四　補助事業等の効果

五　補助事業等に関して生ずる収入金に関する事項

六　その他必要と認める事項

3　補助事業等の目的及び内容により必要がないと認めるときは、第一項第三号の申請書に記載すべき事項の全部若しくは一部または前項の規定による添付書類に記載すべき事項の一部を省略させることができる。

（補助金等の交付の決定）

**第六条**　前条の補助金等の交付の申請があつたときは、当該申請に係る書類等の審査及び必要に応じて行う現地調査等により、当該申請に係る補助金等の交付が法令及び予算で定めるところに違反しないかどうか、補助事業等の目的及び内容が適正であるかどうか、金額の算定に誤りがないかどうか等を調査し、補助金等を交付すべきものと認めたときは、すみやかに補助金等の交付の決定をしなければならない。

2　前項の場合において、適正な交付を行うため必要があるときは、補助金等の交付の申請に係る事項につき修正を加えて補助金等の交付の決定をすることができる。

（補助金等の交付の条件）

**第七条**　前条の規定による交付の決定に当つては、法令及び予算で定める補助金等の交付の目的を達成するため必要があるときは、条件を付するものとする。

（決定の通知）

**第八条**　補助金等の交付の決定をしたときは、すみやかにその決定の内容及びこれに条件を付した場合にはその条件を申請者に通知しなければならない。

（申請の撤回）

**第九条**　前条の規定により通知する場合において、当該通知に係る補助金等の交付の決定の内容またはこれに付された条件に異議があるときは、当該通知受領後指定する期日までに、申請の撤回をすることができる旨を申請者に通知しなければならない。

（事情変更による決定の取消等）

**第十条**　補助金等の交付の決定をした場合において、その後の事情の変更により特別の必要が生じたときは、補助金等の交付の決定の全部若しくは一部を取り消し、またはその決定の内容若しくはこれに付した条件

を変更することができる。ただし、補助事業等のうちすでに経過した期間に係る部分については、この限りでない。

2　前項の規定により補助金等の交付の決定を取り消すことができる場合は、天災地変その他補助金等の交付の決定後生じた事情の変更により補助事業等の全部または一部を継続する必要がなくなつた場合に限る。

3　第一項の規定による補助金等の交付の決定の取消により特別に必要となつた事務または事業に対しては、次に掲げる経費に係る補助金等を交付することができる。

一　補助事業等に係る機械、器具及び仮設物の撤去その他の残務処理に要する経費

二　補助事業等を行うため締結した契約の解除により必要となつた賠償金の支払に要する経費

4　前項の補助金等の額の同項各号に掲げる経費の額に対する割合その他その交付については、第一項の規定による取消に係る補助事業等についての補助金等に準ずるものとする。

5　第八条の規定は、第一項の規定により措置した場合について準用する。

## 第三章　補助事業等の遂行等

（承認事項）

**第十一条**　補助事業者等が次の各号の一に該当する場合は、あらかじめ、承認を受けさせるものとする。ただし、第一号及び第二号に掲げる事項のうち軽微なものについては、この限りでない。

一　補助事業等に要する経費の配分を変更しようとするとき。

二　補助事業等の内容を変更しようとするとき。

三　補助事業等を中止し、または廃止しようとするとき。

（事故報告等）

**第十二条**　補助事業等が予定の期間内に完了しない場合または補助事業等の遂行が困難となつた場合においては、すみやかに補助事業者等をしてその理由その他必要な事項を書面により報告させなければならない。

2　前項の報告を受けたときは、その理由を調査し、すみやかに補助事業者等にその処理について適切な指示をしなければならない。

（状況報告）

**第十三条**　補助事業等の円滑適正な執行を図るため必要があるときは、補助事業者等をして補助事業等の遂行の状況に関し報告させなければならない。

（補助事業等の遂行命令等）

**第十四条**　補助事業者等が提出する報告、地方自治法（昭和二十二年法律第六十七号）第二百二十一条第二項の規定による調査等により、その者の補助事業等が補助金等の交付の決定の内容またはこれに付した条件に従つて遂行されていないと認めるときは、その者に対しこれらに従つて当該補助事業等を遂行すべきことを命じなければならない。

2　補助事業者等が前項の命令に違反したときは、その者に対し、当該補助事業等の一時停止を命ずることができる。

3　前項の規定により補助事業等の遂行の一時停止を命ずる場合においては、補助事業者等が当該補助金等の交付の決定の内容またはこれに付した条件に適合させるための措置を指定する期日までにとらないときは、第十八条第一項第三号の規定により当該補助金等の交付の決定の全部または一部を取り消す旨を、明らかにしなければならない。

（実績報告）

**第十五条**　補助事業等が完了したとき、または補助金等の交付の決定に係る会計年度が終了したときは、補助事業者等をして次に掲げる事項を記載した実績報告書を提出させなければならない。第十一条第三号の規定により廃止の承認をした場合も、また同様とする。

一　補助事業等の成果

二　補助金等に係る収支計算に関する事項

三　その他必要と認める事項

（補助金等の額の確定等）

**第十六条**　前条の規定により実績報告を受けた場合においては、実績報告書の審査及び必要に応じて行う現地調査等により、その報告に係る補助事業等の成果が補助金等の交付の決定の内容及びこれに付した条件に適合するものであるかどうかを調査し、適合すると認めたときは、交付すべき補助金等の額を確定し、当該補助事業者等に通知しなければならない。

（是正のための措置）

**第十七条**　前条の規定による調査の結果、補助事業等の成果が補助金等の交付の決定の内容及びこれに付した条件に適合しないと認めるときは、当該補助事業等につき、これに適合させるための処置をとるべきことを命ずることができる。

2　第十五条の規定は、前項の命令により補助事業者等が必要な処置をした場合について準用する。

## 第四章　補助金等の返還等

（決定の取消）

**第十八条**　補助事業者等が次の各号の一に該当した場合は、補助金等の交付の決定の全部または一部を取り消

することができる。

一　偽りその他不正の手段により補助金等の交付を受けたとき。

二　補助金等を他の用途に使用したとき。

三　その他補助金等の交付の決定の内容またはこれに付した条件その他法令またはこの規則に基く命令に違反したとき。

2　前項の規定は、補助事業等について交付すべき補助金等の額の確定があつた後においても適用があるものとする。

3　第八条の規定は、第一項の規定による取消をした場合について準用する。

（補助金等の返還）

**第十九条**　補助金等の交付の決定を取り消した場合において、補助事業等の当該取消に係る部分に関し、すでに補助金等が交付されているときは、期限を定めて、その返還を命じなければならない。

2　補助事業者等に交付すべき補助金等の額を確定した場合において、すでにその額をこえる補助金等が交付されているときは、期限を定めて、その返還を命じなければならない。

（違約加算金及び延滞金）

**第二十条**　第十八条第一項の規定により補助金等の交付の決定の全部または一部の取消をした場合において、補助金等の返還を命じたときは、補助事業者等をしてその命令に係る補助金等の受領の日から納付の日までの日数に応じ、当該補助金等の額（その一部を納付した場合におけるその後の期間については、既納額を控除した額）につき、年十・九五パーセントの割合で計算した違約加算金（百円未満の場合を除く。）を納付させなければならない。

2　補助事業者等に対し、補助金等の返還を命じた場合において、補助事業者等がこれを納期日までに納付しなかつたときは、納期日の翌日から納付の日までの日数に応じ、その未納付額につき、年十・九五パーセントの割合で計算した延滞金（百円未満の場合を除く。）を納付させなければならない。

（違約加算金の計算）

**第二十一条**　補助金等が二回以上に分けて交付されている場合における前条第一項の規定の適用については、返還を命じた額に相当する補助金等は、最後の受領の日に受領したものとし、当該返還を命じた額がその日に受領した額をこえるときは、当該返還を命ぜられた額に達するまで順次さかのぼりそれぞれの受領の日において受領したものとする。

2　前条第一項の規定により加算金の納付を命じた場合において、補助事業者等の納付した金額が返還を命じた補助金等の額に達するまでは、その納付金額は、まず当該返還を命じた補助金等の額に充てるものとする。

（延滞金の計算）

**第二十二条**　第二十条第二項の規定により延滞金の納付を命じた場合において、返還を命じた補助金等の未納付額の一部が納付されたときは、当該納付の日の翌日以後の期間に係る延滞金の計算の基礎となるべき未納付額は、その納付金額を控除した額によるものとする。

（他の補助金等の一時停止等）

**第二十三条**　補助事業者等に対し補助金等の返還を命じ、補助事業者等が当該補助金等、違約加算金または延滞金の全部または一部を納付しない場合において、その者に対して、同種の事務または事業について交付すべき補助金等があるときは、相当の限度においてその交付を一時停止し、または当該補助金等と未納付額とを相殺するものとする。

（財産処分の制限）

**第二十四条**　補助事業者等が補助事業等により取得し、または効用を増加した次に掲げる財産を、補助金等の交付の目的に反して使用し、譲渡し、交換し、貸し付け、または担保に供しようとするときは、あらかじめ知事の承認を受けさせなければならない。ただし、補助金等の交付の目的、交付額または当該財産の耐用年数を勘案して別に知事が定める期間を経過した場合は、この限りでない。

一　不動産

二　船舶

三　前二号に掲げるものの従物

四　立木

五　工作物、機械及び器具で、知事が指定するもの

六　前各号のほか、補助金等の交付の目的を達成するため特に必要があると認めるもの

付　則

（施行期日）

1　この規則は、昭和三十七年十月一日から施行する。

（適用除外）

2　この規則施行前に補助金等が交付され、または補助金等の交付の意思が表示されている事務または事業に関しては、この規則は適用しない。

附　則（昭四五・七・一一条例一三二）（抄）

1　この規則は、公布の日から施行する。

# ○東京都補助金等交付規則の施行について

昭三七・一二・一一
三七財主調発二〇

最終改正　平一五・八・一五　一五財主財三〇

昭和三十七年九月二十九日東京都規則第百四十一号をもつて、東京都補助金等交付規則が公布され、同年十月一日から施行された。

ついては、この処理に当つては、左記事項に留意のうえ、遺憾のないよう期せられたい。

この旨、命によつて通達する。

記

一　総則

(一)　この規則の目的

この規則の目的は、補助金等の交付の申請及び決定、補助事業等の遂行、補助金等の返還等補助金等に係る予算の執行に関する共通的基本的事項を規定することにより、補助行政を統一的、効率的に処理し、もつて補助金等に係る予算の執行の適正化を図ることにあること。

(二)　この規則の性格

この規則は、地方自治法施行令（昭和二十二年政令第十六号）第百七十三条の規定に基く都の財務に関する規則であるので、行政委員会をも拘束するものであるが、補助事業者等を直接規制するものではないので、補助事業者等を規制するためには規則に規定している事項を補助金等の交付の決定にあたり補助条件として付さなければならないものであること。

(三)　この規則と他の規則との関係

ある補助制度を定める規則の規定が第四条にいう「特別の定」として適用されるのは、この規則が(一)で述べたように補助行政に関する共通的基本的事項を規定している点からして、当該規定が、当該補助制度の特別の必要に基づくものである場合に限られること。

(四)　補助金等の定義

この規則の適用を受ける補助金等とは、第二条に明示しているとおり、都が公益上の必要により、都以外の者に対して交付する補助金、負担金、利子補給金その他の給付金で、相当の反対給付を受けないものであること。従つて、名称がたとえ分担金、交付金、助成金、奨励金等であつても、相当の反対給付を受けない給付金であれば、この補助金等として、この規則の適用を受けるものであること。

この場合、相当の反対給付とは通常の取引関係のそれであり、交付される補助金等と直接対価関係にある役務または物の給付をいうのである。従つて、補助金等の対象となる事務または事業が公益性をもつものでもその利益が直接都に帰属しないものは、都に相当の反対給付となすものとはいえないのである。

これに反し、各種の協議会の分担金、会費等、電気ガス税等の徴収委託に関する特別徴収義務者に対する交付金等は、相当の反対給付を伴うものであるので、この補助金等にはあたらないものである。

(五)　事務担当職員の責務

(1)　事務担当職員は、補助金等に係る予算の執行に当つては、補助金等が都民から徴収された税金その他貴重な財源でまかなわれるものであることに留意し、補助金等が法令及び予算で定めるところに従つて、公正かつ効率的に使用されるように努めなければならないこと。

(2)　事務担当職員は、補助金等の交付に関する一切の事務を不当に遅延させ、または補助金等の交付の目的を達成するため必要な限度をこえて、不当に補助事業者等に対し、干渉してはならないものであること。

二　補助金等の交付の申請及び決定

(一)　補助金等の交付の申請

補助金等の交付をする場合には、必ず補助金等の交付を希望する者から、申請書を提出させなければならないものであり、申請書の提出のない相手方に対しては、補助金等を交付する必要もないし、また交付してはならないこと。

また、申請書の記載事項及び添付書類について、第五条第三項の規定を適用して省略しようとする場合は、補助事業等の性質、補助金等の交付の相手方等をよく検討のうえ、慎重に行うべきこと。

(二)　補助金等の交付の決定

補助金等の交付の決定に当つては、第六条に規定する審査の方法及び審査の基準により慎重に審査するとともに、一の(五)に規定するところに従つて遺憾のないようにすること。

(三)　現地調査等の実施

第六条に規定する現地調査等については、原則として、新たに補助事業等を行おうとする者又は補助事業等として施設整備を行おうとする者に対しては、これを実施すること。また、現地調査等の結果については、必ず文書等（東京都文書管理規則（平成十一年東京都規則第二百三十七号）第二条第一号で規定する文書等をいう。以下同じ。）で記録し保存すること。

(四) 補助金等の交付の修正決定

補助金等の交付の申請が第六条に規定する審査の基準にてらして不満足である場合でも、当該申請の内容を一部修正すれば、充分期待する効果を挙げられるような場合は、従前のように申請を却下し、申請書の再提出を求めるよう、申請の内容を一部修正し、補助金等の交付を決定することの方がより適当であるので補助金等の修正決定ができるものとしたこと。

(五) 補助金等の交付の申請の撤回

補助金等の交付の決定の内容及び付された条件について、申請者に不服があり、補助事業等を遂行する意思をなくした場合は、補助制度の趣旨からして、申請の撤回を認めるほかないので、この規定を設けたものであること。しかし、補助金等に係る予算の適正な執行のためにはいつまでも申請者の一部に態度不明の者がいることは適当ではないので、撤回に期限を付すこととしたこと。この期限は原則として交付決定の日から十四日以内とすること。

三 補助条件

この規則で規定する事項は、一の(一)で述べたとおり、補助金等に係る予算の適正な執行のため必要な当該予算の執行についての共通的基本的事項であるので、補助金等の交付の決定に当つては、補助金等の交付の申請及び決定の手続等に関するものを除き、補助条件として付さなければならないものであること。ただし、補助金等の交付の目的、補助事業等の内容、法令等の規定等から、補助条件とすることが適当でないもの、重複して付することになるもの等については、補助条件として付さないことができるものであること。

また、この規則で規定する以外の事項でも個々の補助事業等についてその適正な遂行のため必要なものは、補助条件として付さなければならないものであること。

なお、個々の補助条件について注意すべきことは、次のとおりであること。

(一) 事情変更による交付決定の内容の変更、補助金等の交付決定後、交付決定の際の客観的条件が変化し、補助事業等の能率的、効果的遂行のため決定の内容を変更する必要がある場合は、補助事業者等の申請による内容の変更の手続によらず、一方的に決定の内容の変更を行うことができるものであること。

(二) 承認を要する事項は、第十一条に規定してあるとおりであるが、同条ただし書に規定する「軽微なもの」とは、補助金等の交付の目的、補助事業等の内容等から、当該補助事業等に実質的影響のない事項に限られるものであること。

(三) 状況報告は、補助事業等の進捗状況を適確に把握するためのものであるので適当な様式の書面により原則として四半期ごとに行なわせなければならないものであること。ただし、補助金等の交付決定額が百万円未満のものについては、適宜処理して差支えないものであること。

(四) 補助事業等の遂行命令及び遂行の一時停止命令

これらの命令は、後述する補助金等の交付決定の取消、補助金等の返還命令とともに、補助事業者等からの報告または自らの調査、検査等により補助事業等が補助金等の交付の決定の内容または条件のとおり行われてないと認められるとき補助金等の効率的使用のためにとるべき措置であるが、補助制度の目的からして、この措置により期待される是正がなされる見込がある場合は、充分活用されたいこと。

これらの命令は、第十三条に規定してあるとおり、(イ) 補助事業等の遂行命令、(ロ) 補助事業者等が(イ)の命令に従わないときの補助事業等の遂行の一時停止命令とであるが、後者の命令は補助事業者等をして指定した一時停止期間に補助事業等を補助金等の交付の決定の内容及び条件に適合して遂行する措置をとらしむるものであるので、そのような措置をとらなかつた場合は、交付の決定の全部または一部を取り消す旨明らかにしておかなければならないものであること。

(五) 実績報告書の提出

実績報告書は、補助事業等の成果が交付の決定の内容及び条件に適合したか否かを審査し、(イ) 補助金等の精算による補助制度の結了、(ロ) 是正措置、のいずれをとるかを判断するため提出させるのであるから、個々の補助制度について適確な判断ができるよう様式及び提出時期を定め、二部提出させること。

なお、実績報告書のみでは、判断の資料として不充分な場合は、必要な書類を添付せしめるものとすること。

(六) 補助金等の額の確定

(五)で述べた実績報告書を受理した場合、第十六条に規定する方法による調査の結果、補助事業等の成果が交付の決定の内容及び条件に適合すると認めるとき、交付すべき補助金等の額の確定をするものであること。

この場合、「適合する」とは、補助事業等の成果が、事業の内容、それに要する経費の見積及び負担割合等を決める決定の内容に完全に一致しなくても満足すべきものと認められることをいうのである。

従つて、適合すると認めた場合は、補助金等の交付に関する意思表示を変更する必要があるか否か、変更するとすればどのような変更を加える意思かを明らかにしなければならないのであり、これが確定という行為の意味であり、その内容として、当初の交付決定を変更しない旨の意思表示、補助金等の追加交付をなす旨の意思表示及び補助金等の一部を取り消す旨の意思表示とがある。

しかしながら、補助金等の追加交付の意思表示としての確定は、交付決定の補助金額を最高限度とし、それ以上増額せざる旨の意思表示である打切補助については行なえないものであること。

(七)　現地調査等の実施

第十六条に規定する現地調査等については、原則として、新たに補助事業等を行つた者又は補助事業等として施設整備を行つた者に対しては、これを実施すること。また、現地調査等の結果については、必ず文書等で記録し保存すること。

(八)　是正のための措置

実績報告書等による調査の結果、補助事業等の成果が、決定の内容及び条件に適合しないときは、適合させるための処置をとることを補助事業者等に命ずべきものであること。この場合、是正の措置をとることが無意味な場合等は、後述する交付決定の取消、補助金等の返還命令をなすべきものであること。

なお、是正の措置をとつた場合は、その結果を報告させるものであること。

(九)　交付決定の取消

(イ)　事情変更による交付決定の取消

補助金等の交付決定後、天災地変その他の事情の変更により、補助事業等を継続する必要がなくなつた場合においては、決定の取消を行うことができるものであること。

なお、この事情変更は、天災地変等の自然的条件の変化に限られず、補助事業等が他の事業と重複することになる等の変更もある。

この取消により特に必要となつた事務、事業については、補助金等の交付ができるものであり、また、取消に基づく補助金等の返還には違約加算金は付されないものであること。

(ロ)　補助事業者等の義務違反に基づく決定の取消

補助事業者等が、補助金等を他の用途に使用した場合、その他交付決定の内容及び条件等に違反した場合においては、交付の決定の取消を行うことができるものとしたこと。

なお、この取消は、補助金等の額の確定後においても行なえるものであること。

(十)　補助金等の返還

補助金等の交付の決定を取り消した場合において、当該取消に係る部分に関し補助金等が交付されているとき、また、補助金等の額を確定した場合においてその額をこえて補助金等が交付されているときは、期限を定めてその返還を命じなければならないのであるが、この場合の返還の期限については、返還すべき金額、返還の理由等を考慮して相当の期間とすること。

(土)　違約加算金及び延滞金

(イ)　違約加算金

違約加算金は、補助事業者等がその義務違反によつて補助金等の返還を命ぜられる場合に課するものであること。

(ロ)　延滞金

延滞金は、補助金等の返還を命ぜられた補助事業者等が命ぜられた期日までに補助金等を納付しなかつた場合に課するものであること。

(三)　他の補助金等の一時停止等

補助金等の返還、違約加算金等の納付を行なわなかつた場合、同種の事務または事業についての補助金等の交付の一時停止または当該補助金等との相殺ができるものであること。この場合「同種の事務または事業」とは、原則として、局単位の補助金等をいうものである。

(圭)　財産処分の制限

財産処分の制限は、補助事業等の完了後における補助金等の交付の目的の達成のために課するものであるので、その解除は、処分の制限の規定の趣旨からして慎重に行なうべきこと。

四　補助金等に関する事務の処理手続

補助金等に関する事務の処理は東京都処務規程その他別に定めるものによるほか、その特殊性から次に定める手続をとること。

(一)　第二条の規定に基づき、この規則の適用除外について知事の指定を受けようとする場合は、あらかじめ年度当初において財務局長を経て知事に申請すること。

(二)　次に掲げる場合においては、あらかじめ事案に応じ、知事決定事案については財務局長、局長決定事案については財務局主計部長、部長又は課長決定事案については財務局主計部予算担当課長に協議すること。

(イ) 第十条の規定に基づく措置をとるとき。

(ロ) 第十一条の規定に基づき承認するとき。

(ハ) 第十二条第二項の規定に基づく指示をするとき。

(ニ) 第十四条の規定に基づく措置をとるとき。

(ホ) 第十八条の規定に基づき補助金等の交付の決定を取り消すとき。

(ヘ) 第十九条の規定に基づき補助金等の返還を命ずるとき。

(ト) 第二十三条の規定に基づく措置をとるとき。

(チ) 第二十四条の規定に基づき承認するとき。

(三) 次に掲げる報告書をその定める期限までに財務局長に提出すること。

(イ) 補助金等交付決定報告書（別記第一号様式）
　各四半期終了後一月以内

(ロ) 補助事業等実績報告書（別記第二号様式）
　翌年六月末日

(四) 第十三条の規定により提出のあつた状況報告書を財務局長に供覧すること。

**附属様式**〔略〕

# ○東京都会計事務規則

昭三九・三・三一
規則八八

最終改正 令六・六・二八規則一二六

## 第一章 総則

**（通則）**

**第一条** 東京都（以下「都」という。）の会計事務に関しては、別に定めるものを除くほか、この規則の定めるところによる。

**（定義）**

**第二条** この規則において、次の各号に掲げる用語の意義は、それぞれ当該各号に定めるところによる。

一 局 東京都組織規程（昭和二十七年東京都規則第百六十四号）第八条第一項に規定する本庁の局、室並びに住宅政策本部、中央卸売市場、警視庁、教育庁、人事委員会事務局、労働委員会事務局、監査事務局、選挙管理委員会事務局、収用委員会事務局、東京消防庁及び議会局をいう。

二 局長 東京都組織規程第九条第一項に規定する局長、同条第三項に規定する室長並びに住宅政策本部長、中央卸売市場長、警視総監、教育長、人事委員会事務局長、労働委員会事務局長、監査事務局長、選挙管理委員会事務局長、収用委員会事務局長、消防総監及び議会局長をいう。

三 所 東京都予算事務規則（昭和四十年三月東京都規則第八十三号）第三条第一項第三号又は第二項第三号に規定する所をいう。

四 所長 前号に規定する所の長をいう。ただし、次の表の上欄に掲げる所にあつては、それぞれ当該下欄に掲げる者をいう。

| | |
|---|---|
| 東京都健康安全研究センター | 企画調整部長 |
| 東京都立北療育医療センター | 事務長 |
| 東京都立北療育医療センター城南分園<br>東京都立北療育医療センター城北分園 | 次長 |
| 東京都立府中療育センター | 事務長 |

五 歳入徴収者 第五条の規定により歳入の徴収に関する事務の委任を受けた者をいう。

六 収支命令者 第六条の規定により収入及び支出の命令に関する事務の委任を受けた者をいう。

七 雑部金 債権の担保として提出させ、又は法令の規定により都が保管する現金若しくは有価証券で、都の所有に属しないものをいう。

八 財務会計システム 都が行う財務会計に関する事務を電子情報処理組織によつて処理する情報処理システムをいう。

九 公共料金支払システム 都が行う電気料金、ガス料金、水道料金及び電話料金（以下「公共料金」という。）の支払に関する事務を電子情報処理組織によつて処理する情報処理システムをいう。

十 用品購入代金自動振替システム 用品（東京都用品調達基金条例（平成六年東京都条例第十八号）第

一条の用品をいう。以下同じ。）の購入代金の各会計からの支出及び用品調達基金への収入に関する事務を電子情報処理組織によつて振替整理する情報処理システムをいう。

十一　税務総合支援システム　都税及び特別法人事業税及び特別法人事業譲与税に関する法律（平成三十一年法律第四号。以下「特別法人事業税法」という。）に規定する特別法人事業税（以下「特別法人事業税」という。）並びにこれらに係る税外収入に関する事務を電子情報処理組織によつて処理する情報処理システムをいう。

十二　旅費システム　旅費に関する事務を電子情報処理組織によつて処理する情報処理システムをいう。

十三　契約請求システム　都が行う契約及び支出に関する事務並びにこれらに係る事業者との手続を電子情報処理組織によつて一体的に処理する情報処理システムをいう。

**（所の設置等に関する通知）**

**第三条**　局長は、その所管に属する本庁行政機関（東京都組織規程第五条に規定する本庁行政機関をいう。以下同じ。）、地方行政機関（東京都組織規程第六条に規定する地方行政機関をいう。以下同じ。）、学校、警察署、消防署等に新たに予算の配付をしようとするとき、又は所の名称に変更の生ずるときは、直ちにその旨を会計管理者に通知しなければならない。

**（会計事務の指導統括）**

**第四条**　会計事務の指導統括に関する事務は、会計管理者が行う。

2　会計管理者は、会計事務に関して必要があるときは、報告を求め、又は調査することができる。

**（歳入の徴収等に関する事務の委任）**

**第五条**　局又は所に属する歳入の徴収に関する事務（滞納処分、強制執行及び訴訟に関する事務並びに地方自治法（昭和二十二年法律第六十七号）第二百四十三条の二第一項の規定に基づき指定公金事務取扱者（同条第二項に規定する指定公金事務取扱者をいう。以下同じ。）に委託した徴収に関する事務を除く。）は、局長又は所長に委任する。歳出の誤払い又は過渡しとなつた金額及び資金前渡若しくは概算払をし、又は同条第一項の規定に基づき指定公金事務取扱者に支出の事務を委託した場合の精算残金に係る返納金の徴収に関する事務（強制執行及び訴訟に関する事務を除く。）についても、同様とする。

**（収支の命令に関する事務の委任）**

**第六条**　局又は所に属する収入及び支出（以下「収支」という。）の命令に関する事務は、次に掲げる者に委任する。

一　局にあつては、当該局の予算事務を主管する課長又は担当課長。ただし、総務局人事部の所管する事務のうち、恩給に関する事務については同部制度企画課長、旅費、退職手当及び児童手当その他の総務事務センターで取り扱う事務（第十条において単に「総務事務センターで取り扱う事務」という。）については同部職員事務課長、給料及び職員手当等（退職手当及び児童手当を除く。）に関する事務については同部人事システム担当課長

二　課を置く所にあつては、所の予算事務を主管する課長（これに相当する室長等を含む。第七十六条において同じ。）。ただし、都税及び特別法人事業税並びにこれらに係る税外収入の還付、充当及び特別法人事業税法第十四条に規定する委託納付（以下「委託納付」という。）に関する事務については都税総合事務センター還付管理課長とする。

三　課を置かない所にあつては、所長。ただし、次の表の上欄に掲げる所にあつては、それぞれ当該下欄に掲げる者

| | |
|---|---|
| 東京都立北療育医療センター<br>東京都立府中療育センター | 事務次長 |
| 東京都監察医務院 | 事務長 |
| 保健所出張所 | 副所長 |
| 教育庁出張所 | 副所長 |
| 東京都教育相談センター | 次長 |
| 東京都立学校の経営企画室に関する規程（昭和六十一年東京都教育委員会訓令第十号）別表に掲げる東京都立学校 | 経営企画課長 |
| 東京消防庁消防方面本部 | 副本部長 |

四　前三号に定める者が、出張又は休暇その他の理由により、その事務を行うことができないときは、別に局長が指定する者

2　収支命令者は、あらかじめその職氏名及び印鑑を会計管理者及び特別出納員に届け出なければならない。

**（保管有価証券の受入れ及び払出しの通知に関する事務の委任）**

**第六条の二** 局又は所に属する保管有価証券の受入れ及び払出しの通知に関する事務は、局長又は所長に委任する。

（特別出納員の設置）

**第七条** 局及び所（警視庁、東京消防庁及びこれらに所属する所を除く。以下この条において同じ。）に特別出納員一人を置く。

2 前項に定めるもののほか、局長は、特に必要があると認めるときは、その担任区分を定めて、局及び所に特別出納員を置くことができる。

3 第一項の特別出納員は、当該局又は所の予算事務を取り扱う課長代理をもつて充てる。ただし、東京都立学校設置条例（昭和三十九年東京都条例第百十三号）別表に掲げる東京都立学校（東京都立学校の経営企画室に関する規程別表に掲げる学校を除く。）にあつては、経営企画室長をもつて充てる。

4 第二項の特別出納員は、局長が、当該局又は所の課長代理のうちから任命する。

5 第一項又は第二項の特別出納員が、出張又は休暇その他の理由により、その事務を行うことができないときは、局長は、別に特別出納員を任命することができる。

6 特別出納員の任免があつたときは、局長は、その職氏名及び担任区分を、会計管理者に通知しなければならない。

（金銭出納員の設置）

**第八条** 局及び所に金銭出納員（以下「出納員」という。）一人を置く。

2 前項に定めるもののほか、局長は、必要があると認めるときは、その担任区分を定めて、局及び所に出納員を置くことができる。

3 第一項の出納員は、当該局又は所の予算事務を取り扱う課長代理（これに準ずる職にある者を含む。以下同じ。）をもつて充てる。ただし、局長は、必要があると認めるときは、当該局又は所の予算事務を取り扱う係員（課長代理以上の職にない者をいう。以下同じ。）又は予算事務以外の事務を取り扱う課長代理若しくは係員のうちから出納員を任命することができる。

4 第二項の出納員は、局長が、当該局又は所の課長代理又は係員のうちから任命する。ただし、局長は、必要があると認めるときは、当該局又は所の課長又は担当課長のうちから任命することができる。

5 出納員の任命があつたときは、局長は、その職氏名及び担任区分を、会計管理者に通知しなければならない。

（現金取扱員の設置）

**第九条** 局長及び所長は、次条第三項又は第四項の規定により出納員に委任された事務のうち現金（現金に代えて納付される証券を含む。以下同じ。）の出納又は有価証券の出納保管の事務を取り扱わせるため、現金取扱員を指定することができる。

2 局長又は所長は、現金取扱員を指定したときは、その職氏名及び担任区分を所属の出納員に通知しなければならない。

（会計管理者の事務の一部委任）

**第十条** 会計管理者は、特別出納員に、その所管に属する次に掲げる会計事務（職員の給与並びに給与に合算して支給する旅費及び児童手当に関するものを除く。）を委任する。

一 百万円未満の支出負担行為に係る収支命令の審査をすること（第二十三条第三項及び第二十四条の二第二項の収入命令、第四十二条の過誤納金還付並びに第八十八条第三項の用品の購入代金に関するものを除く。）。

二 前号に掲げるもののほか、百万円未満の振替収支命令の審査をすること。

三 百万円未満の歳入歳出外現金に係る支出命令の審査をすること（第百二十条の入札保証金及び公売保証金に関するものを除く。）。

2 会計管理者は、前項に規定するもののほか、次の各号に掲げる特別出納員に、それぞれ当該各号に掲げる会計事務を委任する。

一 主税局、都税事務所、都税総合事務センター及び支庁の特別出納員　所管に属する税務総合支援システムにより処理する支出命令及び振替収支命令の審査をすること。

二 総務局の特別出納員　総務事務センターで取り扱う事務についての支出命令及び振替収支命令の審査をすること。

3 会計管理者は、出納員に、その所管に属する次に掲げる会計事務を委任する。

一 現金の領収及び払込みをすること。

二 第四十二条に規定する過誤納金還付命令書の審査及びその支払をすること。

三 第百二十条の規定に基づく入札保証金及び公売保証金の受け払いをすること。

四 繰替払をすること。

五 有価証券の出納保管をすること。

4 会計管理者は、前項に規定するもののほか、次の各号に掲げる出納員に、それぞれ当該各号に掲げる会計事務を委任する。

一 主税局、都税事務所、都税支所及び支庁の出納員

都税及び特別法人事業税並びにこれらに係る延滞金、過少申告加算金、不申告加算金、重加算金及び滞納処分費の領収及び払込み（現金の領収及び払込みに限る。次号において同じ。）をすること。

二　都税総合事務センターの出納員　普通徴収の方法により徴収する自動車税及びこれに係る延滞金の領収及び払込みをすること。

三　警視庁の出納員　警察署に属する収入のうち、会計管理者が別に定める方法により徴収する、東京都情報公開条例（平成十一年東京都条例第五号）、個人情報の保護に関する法律施行条例（令和四年東京都条例第百三十号）及び警視庁関係手数料条例（平成十二年東京都条例第九十九号）に定める手数料の領収及び払込みをすること。

四　デジタルサービス局の出納員　デジタルサービス局長が指定する情報処理システムにより取り扱う使用料、手数料その他の歳入の領収及び払込みをすること。

（収支命令者の責任）

**第十一条**　収支命令者は、収支命令を発しようとするときは、歳入については予算科目の有無、歳出については配当、執行委任または配付の予算の有無を調査するほか、法令に適合するかどうかを調査しなければならない。

（支出命令書の送付期限）

**第十二条**　毎年度歳出に属する支出命令書は、翌年度の四月二十日までに会計管理者又は特別出納員に送付するものとする。ただし、次に掲げるものについては、この限りでない。

一　地方自治法施行令（昭和二十二年政令第十六号。以下「政令」という。）第百六十五条の六の支出に関する支出命令書

二　前号のほか、会計管理者が特に必要と認めた経費の支出に関する支出命令書

（会計管理者又は特別出納員の審査）

**第十三条**　会計管理者又は特別出納員は、収入命令書、支出命令書又は振替収支命令書を受けたときは、法令及び関係書類（当該関係書類に記載すべき事項を記録した旅費システムによる電磁的記録を含む。第五十一条において同じ。）に基づいて、その内容を審査しなければならない。この場合において、特に必要があると認めるときは、関係人に対する照会その他実地に調査を行うことができる。

2　会計管理者又は特別出納員は、前項の規定による審査において、次の各号のいずれかに該当する場合には、収支命令者に収入命令書、支出命令書又は振替収支命令書を返付しなければならない。

一　収入については予算科目に誤りがあるとき、支出については配当、執行委任若しくは配付の予算がないとき、又はそれらの目的に反するとき。

二　収支の内容が法令に反すると認めるとき。

三　収支の内容に過誤があるとき。

四　支出については、支出負担行為に係る債務が確定していないとき、又は当該債務が確定していることを確認できないとき。

（首標金額の表示）

**第十四条**　納税通知書、納入通知書、納付書、請求書、領収書、収入命令書、支出命令書その他金銭の収支に関する証拠書類の首標金額を表示するときは、アラビヤ数字を用い、その頭初に¥の記号（電子情報処理組織によつてこれらの書類を作成する場合にあつては、¥、*又は－（マイナス）の記号）を併記しなければならない。ただし、やむを得ない場合は、漢数字によることができる。

2　前項ただし書の場合において「一」、「二」、「三」又は「十」の数字は、「壱」、「弐」、「参」又は「拾」の字体を用い、その頭初に金の文字を併記しなければならない。

（コードの表示）

**第十四条の二**　収入命令書、支出命令書、納入通知書、納付書その他収支に関する証拠書類には、必要とするコードを表示しなければならない。

**第十五条**　削除

（金額、数量等の訂正）

**第十六条**　収入命令書、支出命令書、帳簿その他収支に関する証拠書類の金額、数量その他の記載事項は、改ざんすることができない。

2　収入命令書、支出命令書、帳簿その他収支に関する証拠書類の記載事項を訂正しようとするときは、訂正部分に二重線を引き、その上部又は右側に正書して、削除した文字は明らかに読むことができるようにしておかなければならない。ただし、財務会計システムに登録した内容（会計管理者において変更の登録をすることができる内容を除く。）については、訂正することができない。

3　前項の規定により訂正したときは、欄外に訂正の表示をし、作成者の認印を押さなければならない。

4　前項の規定にかかわらず、帳簿の記載事項を訂正したときは、訂正部分に記帳者の認印を押さなければならない。

（外国文の証書類）

**第十七条**　収支に関する証拠書類で外国文をもつて記載したものについては、その訳文を添付しなければなら

ない。

2　署名を慣習とする外国人の収支に関する証拠書類の自署は、記名押印とみなして処理することができる。

（収支命令の取消し）

**第十八条**　収支命令者は、収支命令の執行前に過誤その他の理由によつて命令を取り消す場合は、支出命令取消通知書又は振替収支命令取消通知書によつてこれを会計管理者又は特別出納員に通知しなければならない。

2　会計管理者又は特別出納員は、前項の規定により、収支命令の取消通知を受けたときは、直ちに収支命令の執行を停止し、当該命令書に「取消」を表示の上、支出命令取消通知書又は振替収支命令取消通知書を添えて収支命令者に返付しなければならない。

（執行不能）

**第十九条**　会計管理者は、収支命令が執行不能となつたときは、当該命令書に「執行不能」の表示をし、執行不能額調書を添えて、これを収支命令者に返付しなければならない。

（収支予定表）

**第二十条**　局長は、毎月の収支予定額を算定し、収支予定表により、前月の二十日までに会計管理者に通知しなければならない。

2　局長は、各四半期ごとの収支予定額を算定し、収支予定表により、各期開始の月の収支予定表とともに会計管理者に通知しなければならない。

（繰替運用）

**第二十一条**　会計管理者は、一般会計若しくは各特別会計の所属現金又は歳入歳出外現金に過不足があるときは、相互に繰替運用をすることができる。

## 第二章　収入

（歳入の調定）

**第二十二条**　歳入徴収者は、徴収すべき歳入の金額が確定したときは、直ちに当該歳入について調定しなければならない。

2　前項の調定は、分割して収入をするものにあつては、納付期限ごとに当該納付期限に係る金額について行わなければならない。ただし、数回分を同時に納入者に通知する必要があるものについては、この限りでない。

（歳入調定額の取扱い）

**第二十三条**　歳入徴収者は、歳入の調定をしたときは、直ちに収支命令者に、調定額、歳入科目その他必要とする項目を財務会計システムに登録させなければならない。ただし、同一の科目に属する歳入で、次に掲げるものについては、月の初日から末日までの間の調定を取りまとめ、翌月の初日から五日（東京都の休日に関する条例（平成元年東京都条例第十号）第一条第一項に定める東京都の休日は、当該期間に算入しない。第七十九条第一項第一号及び第八十一条第八項において同じ。）以内に登録させることができる。

一　第二十八条の規定による出納員の収納に係る歳入で、日々調定（一月に複数回収納することが見込まれる歳入について収納した日ごとに調定することをいう。）を行うもの

二　地方自治法第二百四十三条の二第一項の規定による委託に係る歳入

三　前二号に掲げるもののほか、会計管理者が特に認めるもの

2　前項ただし書に規定する歳入であつて、同項ただし書の期間内に同項の規定による登録をさせることが困難なものについては、歳入徴収者は、会計管理者と協議の上、当該登録の期限を変更することができる。

3　第一項の規定による登録は、会計管理者に対する収入命令とみなす。

（調定の取消し、更正）

**第二十四条**　過誤その他の理由によつて、調定の取消し又は更正をしたときは、前条の規定に準じて処理しなければならない。

（歳出の誤払い又は過渡しの取扱い）

**第二十四条の二**　歳入徴収者は、歳出の誤払い又は過渡しとなつた金額について戻入の決定をしたときは、直ちに収支命令者に、戻入額、歳出科目その他必要とする項目を財務会計システムに登録させなければならない。

2　前項の規定による登録は、会計管理者に対する収入命令とみなす。

（資金前渡等の精算残金の取扱い）

**第二十四条の三**　歳入徴収者は、資金前渡若しくは概算払をし、又は私人に支出の事務を委託した場合の精算残金について戻入の決定をしたときは、直ちに調定額通知書を用いて、収支命令者から会計管理者又は特別出納員に通知させなければならない。

2　前項の通知をするときは、資金前渡若しくは概算払又は私人への支出の事務の委託に係る戻入の内容及び経過を明らかにした決定文書その他の関係書類を会計管理者又は特別出納員に送付しなければならない。

3　会計管理者又は特別出納員は、第十三条第一項の規定による審査の終了後、第一項の調定額通知書及び前項の決定文書その他の関係書類に審査済の表示をして、収支命令者に返付しなければならない。

4　第一項の調定額通知書は、収入命令書とみなす。

（納入の通知）

**第二十五条**　歳入徴収者は、歳入を徴収しようとするときは、納入者に対して納入の通知をしなければならない。ただし、次に掲げるものを除く。

一　地方交付税、地方譲与税、補助金、都債及び滞納処分費

二　寄附金

三　前二号に掲げるもののほか、会計管理者が不要と認めたもの

2　前項の納入の通知は、納入通知書を作成し、これを納入者に送付して行う。ただし、納入通知書によることが困難なものについては、会計管理者と協議の上、口頭、掲示その他の方法により納入の通知をすることができる。

（納付書による収納）

**第二十六条**　次に掲げる場合には、納入者に納付書を使用させることができる。

一　前条第一項ただし書及び第二項ただし書の規定により、納入者に納入通知書を送付しない場合

二　既に納入通知書を送付した場合であつて、紛失、汚損その他の理由により当該納入通知書を使用することが困難な場合

（国から交付される支出金の取扱い）

**第二十七条**　国から交付される負担金、補助金、委託金その他の支出金（以下「支出金」という。）の受入れは、次の手続によらなければならない。

一　交付の決定通知に基づく受入額が確定したときは、主管の収支命令者は、納付書を直ちに会計管理者に送付すること。

二　支出金は、会計管理者が領収するものとすること。

（出納員の収納事務）

**第二十八条**　出納員は、歳入を収納したときは、領収書を納入者に交付しなければならない。ただし、第二十五条第二項ただし書の規定により徴収する歳入で、特に会計管理者の指定するものについては、領収書の発行を省略することができる。

2　出納員は、納入通知書又は納付書により収納した歳入については、前項の規定により交付する領収書に、東京都公印規程（昭和二十八年東京都規則第百五十八号）に定める公印に代えて領収日付印を押印することができる。

3　出納員は、次に掲げる歳入については、確実な金融機関に預金口座を設けて収納することができる。

一　地方自治法第二百三十一条の二の三第一項に規定する指定納付受託者（以下単に「指定納付受託者」という。）に納付させる歳入

二　預金口座を設けて収納する方法によらなければ事務の処理が困難である歳入で、会計管理者が特に必要と認めるもの

（出納員による収納金の払込み）

**第二十九条**　出納員は、その取り扱つた収納金を納付書によつて、即日（即日払い込むことができない場合には、金融機関の翌営業日）指定金融機関、指定代理金融機関又は公金収納取扱店（政令第百六十八条第六項の収納代理金融機関をいう。以下同じ。）に払い込まなければならない。

2　出納員は、収納金を毎日払い込むことが不適当と認める場合にあつては、前項の規定にかかわらず、証券により納付されたものを除き、一万円に達するまでの金額を取りまとめて払い込むことができる。

3　出納員は、歳入を収納したときは、収納金日報を作成し、歳入徴収者に報告しなければならない。

（釣銭等の留め置き）

**第三十条**　出納員は、歳入を収納する場合において、釣銭又は両替金を準備する必要があるときは、局長又は所長の定める金額の範囲内において、払い込むべき収納金のうちから必要な現金を留め置くことができる。

2　出納員は、第八十五条第一項の規定により繰替払をする場合において、あらかじめその資金を準備する特別の必要があるときは、局長の定める金額の範囲内において、払い込むべき当該同項各号の収納金のうちから必要な現金を留め置くことができる。

（口座振替による納付）

**第三十一条**　歳入徴収者は、納入者から口座振替の方法により歳入を納付する旨の申出があるときは、納入者が指定する金融機関に納入通知書を送付することができる。

2　歳入徴収者は、前項の規定による申出を受けたときは、納入者に、当該金融機関の承諾を得て、収納金口座振替納付届を提出させなければならない。ただし、会計管理者が指定する場合は、納入者の依頼により、当該金融機関が歳入徴収者に収納金口座振替納付届を提出することができる。

3　歳入徴収者は、納入者が口座振替により歳入を納付する方法を取り止める旨の申出があつたときは、収納金口座振替取消届を提出させなければならない。

（受領してはならない期日の証券）

**第三十二条**　出納員は、政令第百五十六条第一項第一号の規定による小切手等のうち、その権利の行使のため定められた期間内に支払のための提示又は支払の請求をすることができるものとして知事が別に定める期間を経過しているものは、受領してはならない。

（受領証券の取扱い）

**第三十三条**　出納員は、証券により歳入を収納するときは、納入者に、当該証券の裏面に納入者の住所及び氏名を記載の上、押印させなければならない。ただし、会計管理者が特に必要がないと認めるときは、この限りでない。

（不渡証券の処置）

**第三十四条**　出納員は、不渡となつた証券の返付を受けたときは、すみやかに、納入者に対し、証券不渡通知書によつて通知し、その証券を納入者に返付するとともに、さきに交付した領収書の返還を受けなければならない。この場合において、不渡金額を控除した額の領収書を納入者にあらたに交付しなければならない。

（不渡金額の整理）

**第三十五条**　会計管理者は、指定金融機関から証券不渡報告書を受けたときは、当日の収入金額から不渡金額を控除するとともに、不渡金額控除依頼書により指定金融機関に、不渡金額控除通知書及び不渡金額控除内訳書により歳入徴収者にその旨を通知しなければならない。

（不渡金額の徴収）

**第三十六条**　歳入徴収者は、不渡金額控除通知書を受けたときは、直ちに「証券不渡分」の表示をした納付書を納入者に交付し、現金を納付させなければならない。

（証券納付の表示）

**第三十七条**　出納員は、証券による納付があつたときは、納税通知書、納入通知書、納付書または納入書の各片に「証券受領」の表示をし、その金額が、収納金額の一部であるときは、表示のかたわらに、証券金額を付記しなければならない。

2　歳入徴収者は、証券による納付があつたときは「証券受領」と、その証券が不渡りとなつたときは「証券不渡」と、徴収簿中当該欄に記載しなければならない。ただし、電子情報処理組織によつて収入を管理する場合は、この限りでない。

（指定納付受託者による納付）

**第三十七条の二**　局長又は所長は、地方自治法第二百三十一条の二の三第一項の規定により指定納付受託者が歳入を納付しようとするときは、会計管理者が別に定めるところにより、あらかじめ会計管理者と協議しなければならない。協議の内容に変更が生じるときも同様とする。

2　局長又は所長は、地方自治法第二百三十一条の二の五第一項の規定により指定納付受託者に歳入を納付させるときは、会計管理者が別に定める方法により事務を処理するものとする。

**第三十七条の三**　局長又は所長は、次の表の上欄に掲げる場合には、それぞれ当該下欄に掲げる事項及びその他必要な事項を告示しなければならない。

| | |
|---|---|
| 指定納付受託者を指定したとき | 一　指定納付受託者の名称、住所又は事務所の所在地<br>二　指定納付受託者に納付させる歳入の内容<br>三　指定日 |
| 指定納付受託者の指定の内容を変更したとき | 一　指定納付受託者の名称、住所又は事務所の所在地<br>二　変更の内容<br>三　変更日 |
| 指定納付受託者の指定を取り消したとき | 一　指定納付受託者の名称、住所又は事務所の所在地<br>二　取消日 |

（会計管理者の収入事務）

**第三十八条**　会計管理者は、指定金融機関から納入済通知書を受けたときは、指定金融機関の収支報告書その他関係書類と照合し、所属年度、収入科目その他の内容を調査した上、納入済通知書送付書を作成しなければならない。

2　会計管理者は、前項の納入済通知書及び納入済通知書送付書を主管の歳入徴収者に送付しなければならない。

3　前項の規定にかかわらず、会計管理者は、事務の合理的な取扱いを図るため必要があるときは、局長と協議の上、納入済通知書及び納入済通知書送付書の送付方法を別に定めることができる。

**第三十八条の二**　会計管理者は、指定金融機関、指定代理金融機関又は公金収納取扱店から納入済通知書に記載すべき事項を記録した電磁的記録の送信を受けたときは、指定金融機関の収支報告書その他関係書類と照合し、所属年度、収入科目その他の内容を調査した上、当該納入済通知書に記載すべき事項を財務会計システムに登録しなければならない。

2　会計管理者は、前項の規定による登録をしたときは、主管の歳入徴収者にその旨を通知しなければならない。

（過誤納額の取扱い）

**第三十九条**　歳入徴収者は、歳入に過誤納があつたときは、直ちに収支命令者に、過誤納額、歳入科目その他必要とする項目を財務会計システムに登録させなければならない。ただし、会計管理者が必要がないと認めるものについては、この限りでない。

（収入額の更正等）

**第四十条** 歳入徴収者は、会計管理者から納入済通知書を受けた場合においては、納入済通知書送付書と照合しなければならない。

2 歳入徴収者は、前項の規定により照合した結果、納入済通知書送付書の記載事項が相違しているときは、収入額更正依頼（指示）書を収支命令者から会計管理者に送付させなければならない。この場合において、納入済通知書が他の局又は所に属するものであるときは、収入額更正依頼（指示）書に当該納入済通知書を添付しなければならない。

3 会計管理者は、前項前段の規定により収入額更正依頼（指示）書を受けたときは、収入額更正の処理を行つた後、収入額更正通知書により、収支命令者を経由して歳入徴収者に通知しなければならない。

4 会計管理者は、第二項後段の規定により収入額更正依頼（指示）書及び納入済通知書を受けたときは、収入額更正の処理を行つた後、収入額更正通知書に納入済通知書を添えて、正当な歳入徴収者に送付しなければならない。

（歳入欠損の取扱い）

**第四十一条** 歳入徴収者は、歳入に欠損となつたものがあるときは、直ちに収支命令者に、不納欠損額、歳入科目その他必要とする項目を財務会計システムに登録させなければならない。

2 歳入の欠損を取り消したときは、前項の規定に準じて処理しなければならない。

（過誤納金還付の特例）

**第四十二条** 収支命令者は、その所管に属する局又は所の出納員の取り扱つた収納金について過誤納があつたときは、還付すべき過誤納金と年度及び科目を同じくする収納金で、第二十九条第一項又は第二項の規定により払い込むまでの間、当該現金を使用できる場合に限り、当該出納員に対し過誤納金還付命令書を発行し、当該過誤納金の還付をさせることができる。

2 前項の規定により過誤納金還付命令書を受けた出納員は、納入者から領収書の引渡しを受け、払い込むべき年度及び科目を同じくする収納金のうちから還付しなければならない。

（収入未済の繰越し）

**第四十三条** 会計管理者及び歳入徴収者は、当該年度において調定したもので収入未済となつたものがあるときは、その未済額を翌年度に繰り越し、以下この例に従つて順次繰り越さなければならない。

**第四十四条** 削除

（歳入の徴収又は収納の委託）

**第四十四条の二** 局長又は所長は、地方自治法第二百四十三条の二第一項の規定により私人に歳入の徴収又は収納の事務を委託しようとするときは、会計管理者が別に定めるところにより、あらかじめ会計管理者と協議しなければならない。協議の内容に変更が生じるときも同様とする。

2 歳入の徴収又は収納の事務の委託を受けた者は、その徴収し、又は収納した歳入を、その内容を示す計算書（当該計算書に記載すべき事項を記録した電磁的記録を含む。）を添えて、納付書により、委託契約で定める期間内に指定金融機関、指定代理金融機関又は公金収納取扱店に払い込まなければならない。ただし、歳入を徴収し、又は収納する場合において、釣銭又は両替金を準備する必要があるときは、委託契約で定める金額の範囲内において、払い込むべき収納金のうちから必要な現金を留め置くことができる。

## 第三章 支出

（支出命令書の発行）

**第四十五条** 収支命令者は、支出命令書を発行しようとするときは、所属年度、支出科目、支出金額、債権者名及び印鑑の正誤並びに支出の内容が法令又は契約に違反する事実がないかどうかを調査し、債権者の請求書（当該請求書に記載すべき事項を記録した契約請求システムによる電磁的記録を含む。以下同じ。）を添付しなければならない。ただし、会計管理者が請求書を提出させる必要がないと認める場合は、支払額調書をもつてこれに代えることができる。

2 前項本文の規定にかかわらず、収支命令者は、当該請求書が契約請求システムにより提出された場合又は会計管理者が別に定める場合にあつては、印鑑の正誤の調査を省略することができる。

3 一件の証拠書類で支出命令書が二件以上にわたるものについては、当該証拠書類を主たる支出命令書に添付し、各支出命令書の摘要欄にその旨を付記しなければならない。

4 支払日が特定されている経費又は支払日を特定する必要がある経費については、支出命令書の支払予定年月日欄に当該支払日を表示しなければならない。

**第四十六条** 削除

（請求書または支払額調書の内訳）

**第四十七条** 支出命令書に添付する請求書または支払額調書には支出金額の計算の基礎を明らかにした内訳を明示させなければならない。ただし、会計管理者が指定する場合は、この限りでない。

（請求書の契印）

**第四十八条** 数葉をもつて一通とする請求書（契約請求

システムにより提出されたものを除く。）には、債権者に契印をさせなければならない。

（継続払・分割払）

**第四十九条**　月決め契約又は年度契約等により、継続支払又は分割支払をするものにあつては、収支命令者は、継続（分割）支払票を添付しなければならない。

2　継続支払又は分割支払をするもののうち次に掲げる要件のすべてに該当するものについては、第十三条、第四十五条、前項及び第五十一条の規定にかかわらず、会計管理者が別に定める方法により処理することができる。

一　二月以上の期間にわたり、物品を買い入れ若しくは借り入れ、役務の提供を受け、又は不動産を借り入れる契約で、一月当たりの対価の額が定められているものであること。

二　一科目かつ一事業による支出であること。

三　各回の支払金額がいずれも百万円未満であること。

四　第六十二条第一項ただし書に規定する支払手続を行う場合であること。

3　前二項に定めるもののほか、公共料金支払システムによる公共料金の一括処理については、会計管理者が別に定める方法により処理するものとする。

（債権者の確認、印鑑・代理権の調査）

**第五十条**　収支命令者は、債権者を確認し、その印鑑及び代理関係を調査しなければならない。

2　前項の規定にかかわらず、収支命令者は、当該請求書が契約請求システムにより提出された場合又は会計管理者が別に定める場合にあつては、印鑑の調査を省略することができる。

3　収支命令者は、債権者の印鑑を調査する場合は、権限を有する者の発する印鑑を証明すべき書類を提出させなければならない。ただし、契約書その他の書類により印鑑を調査することができる場合又はその他の方法により債権者を確認することができる場合は、この限りでない。

（支出命令書、関係書類の送付）

**第五十一条**　収支命令者は、支出命令書を発行したときは、支出の内容及び経過を明らかにした決定文書その他の関係書類とともに直ちに会計管理者又は特別出納員に送付しなければならない。

2　第二十四条の三第三項の規定は、前項の支出命令書及び決定文書その他の関係書類の返付について準用する。

**第五十二条**　削除

（会計管理者の支払）

**第五十三条**　会計管理者は、支払をするときは、債権者から領収書の引渡しを受けるとともに支払証を交付しなければならない。この場合において、会計管理者は、直ちに小切手を作成し、支払証と引換えにこれを債権者に交付しなければならない。

2　前項後段の規定にかかわらず、債権者の申出があるときは、会計管理者は、指定金融機関又は指定代理金融機関に支払通知書を交付して、現金で支払をさせることができる。

3　支払証の効力は、当日限りとする。ただし、失効した支払証については、再交付することができる。

4　会計管理者は、次に掲げる経費については、指定金融機関又は指定代理金融機関に払込支払通知書を交付し、当該収納機関へ払い込ませなければならない。

一　官公署等に対する支払金で、当該官公署等の収納機関に払い込む必要のあるもの

二　指定金融機関又は指定代理金融機関を収納機関とする払込書、振込書等により支出する経費

5　会計管理者は、指定金融機関又は指定代理金融機関が前項の払込みを終了したときは、当該金融機関に、領収者の発する領収書を提出させなければならない。

6　会計管理者は、第一項及び第五項の領収書を、支出命令書に添付しなければならない。

（支払事務取扱日等）

**第五十四条**　会計管理者の支払事務取扱日は、月曜日から金曜日まで（東京都の休日に関する条例第一条第一項第二号及び第三号に掲げる日を除く。）とする。ただし、会計管理者は、特に必要があると認めるときは、支払事務取扱日以外の日においても、支払事務を取り扱うことができる。

2　会計管理者の支払事務取扱時間は、午前九時から午後三時までとする。ただし、会計管理者は、特に必要があると認めるときは、支払事務取扱時間を臨時に変更することができる。

（債権者の領収印）

**第五十五条**　債権者の領収印は、請求書に押したものと同一のものでなければならない。ただし、請求者と領収者が異なる場合（支払額調書による場合を含む。）または紛失その他やむを得ない理由によつて改印を申し出た場合は、この限りでない。

2　前項ただし書の規定に該当する場合においては、第五十三条第四項に規定する場合を除き、会計管理者は、印鑑を証明すべき書類その他債権者を確認することができる書類を提出させなければならない。

3　会計管理者は、前項の印鑑を証明すべき書類その他債権者を確認することができる書類を、支出命令書に添付しなければならない。

（債権者の代理権の設定・解除）

**第五十六条**　会計管理者又は特別出納員は、支出命令書を受けた後においてその債権者の権利に代理権の設定又は解除が生じたときは、その事実を証明する書類を提出させなければならない。この場合において、代理権の設定又は解除の効果が二件以上の支出命令書に関係がある場合又は継続する場合は、一件の証明書によることができる。

2　会計管理者又は特別出納員は、前項の事実を証明する書類を、支出命令書に添付しなければならない。

（送金払）

**第五十七条**　会計管理者は、遠隔地にいる債権者に支払をする場合又は特に送金を必要と認める場合は、支払場所を指定し、指定金融機関又は指定代理金融機関に必要な資金を交付して送金の手続をさせることができる。

（送金手続）

**第五十八条**　会計管理者は、前条の規定により送金払をさせるときは、送金支払通知書及び送金通知書を作成し、指定金融機関又は指定代理金融機関に交付しなければならない。ただし、給与金を給与取扱者に送金する場合は、送金通知書の作成を省略することができる。

（多数送金の準備）

**第五十九条**　送金件数が多数ある場合は、前条の規定にかかわらず、あらかじめ、送金支払通知書を指定金融機関または指定代理金融機関に送付して、送金の準備を行わせなければならない。

（口座振替の方法による支払）

**第六十条**　会計管理者は、指定金融機関、指定代理金融機関、公金収納取扱店その他別に定める金融機関の店舗に、普通預金口座、当座預金口座、貯蓄預金口座又は別段預金口座を設けている債権者から申出があつたときは、指定金融機関又は指定代理金融機関に、口座振替の方法により支払をさせることができる。

（支払金口座振替依頼書の送付）

**第六十一条**　前条の規定による債権者の申出は、支払金口座振替依頼書により行わせなければならない。ただし、当該申出が会計管理者が別に定める電子情報処理組織を使用する方法により行われる場合は、この限りでない。

2　収支命令者は、前項の支払金口座振替依頼書を請求書に添付して会計管理者又は特別出納員に送付しなければならない。ただし、会計管理者が必要と認めるときは、支払金口座振替依頼書の添付を省略することができる。

（口座振替の方法による支払手続）

**第六十二条**　会計管理者は、口座振替により支払をするときは、口座振替支払通知書を作成し、指定金融機関又は指定代理金融機関に交付しなければならない。ただし、債権者の依頼により、当該債権者の預金口座に係る口座番号その他の口座情報を財務会計システムに登録して支払手続を行う場合にあつては、会計管理者において口座振替支払通知書を作成し、指定金融機関に交付するものとする。

2　前項本文の場合において、会計管理者は、口座振替通知書を作成し、直接債権者に送付しなければならない。ただし、前条第二項ただし書の場合にあつては、口座振替通知書の作成を省略することができる。

3　第五十九条の規定は、口座振替の方法による支払について準用する。

（資金決済の手続）

**第六十二条の二**　会計管理者は、第五十三条第二項の規定による現金での支払、同条第四項の規定による払込み、第五十八条の規定による送金払又は前条第一項の規定による口座振替払の方法による支払の手続を行つたときは、その日の支払の総額を記載した資金決済通知書を作成し、資金決済通知書受領書と引換えに指定金融機関又は指定代理金融機関に交付しなければならない。

（小切手の振出し）

**第六十三条**　会計管理者が振り出す小切手は、持参人払式とし、その小切手には、次に掲げる事項を記載しなければならない。

一　支払金額
二　年度及び会計
三　小切手番号
四　出納機関コード
五　その他必要な記載事項

2　小切手の券面金額を表示する場合は、刻み込み印字機を用い、文字の記載及び押印は、正確明りようにしなければならない。

（小切手帳及び印鑑の保管）

**第六十四条**　会計管理者は、小切手帳及びこれに使用する印鑑を、不正に使用されることのないように、それぞれ別の容器に厳重に保管しなければならない。

（小切手帳の数）

**第六十五条**　小切手帳は、年度ごとに、常時一冊を使用しなければならない。

（記載事項の訂正）

**第六十六条**　小切手の券面金額は、訂正してはならない。

2　小切手の券面金額以外の記載事項を訂正するとき

は、第十六条の規定にかかわらず、その訂正部分に二線を引き、その上部または右側に正書し、かつ、当該訂正箇所の上部の余白に訂正した旨及び訂正した文字の数を記載して、会計管理者の印を押さなければならない。

**（書損小切手等の取扱）**

**第六十七条**　書損、汚損、損傷等により小切手を使用することができなくなつたときは、当該小切手に斜線を引いたうえ、「廃き」と記載し、そのまま小切手帳に残しておかなければならない。

**（小切手番号）**

**第六十八条**　小切手番号は、一年度間（地方自治法第二百三十五条の五に規定する出納を閉鎖するまでの期間を含む。）を通ずる連続番号を使用しなければならない。

2　前条の規定により廃棄した小切手の番号は、使用してはならない。

**（振出年月日の記載及び押印の時期）**

**第六十九条**　小切手の振出年月日の記載及び押印は、当該小切手を債権者に交付するときにしなければならない。

**（小切手振出済通知）**

**第七十条**　会計管理者は、小切手を振り出したときは、一日分をまとめて小切手振出済通知書を作成し、指定金融機関に送付しなければならない。

**（小切手の使用状況の確認）**

**第七十一条**　会計管理者は、小切手の振出しに関する帳簿を備え、毎日、小切手帳の用紙枚数、小切手の振出枚数、小切手の廃棄枚数及び残存用紙の枚数その他必要な事項を記載し、記載内容とこれに該当する事実とに相違がないかどうかを確認しなければならない。

**（支払通知書の使用状況の確認）**

**第七十一条の二**　会計管理者は、支払通知書の発行に関する帳簿を備え、前条の規定に準じてその使用状況を確認しなければならない。

**（小切手の原符の整理）**

**第七十二条**　会計管理者は、振り出した小切手の原符は、証拠書類として整理し、保管しておかなければならない。

**（償還金の支払）**

**第七十三条**　会計管理者は、その振り出した小切手が、振出日付から一年を経過したため、その所持人から当該小切手を添えて償還の請求があつたときは、これを調査し、償還すべきものと認めるときは、その手続をとらなければならない。

2　前項の場合において、小切手所持人が、亡失により当該小切手を提出できないときは、会計管理者は、当該亡失小切手の除権決定の正本を提出させなければならない。

**（支払未済資金の整理）**

**第七十四条**　会計管理者は、振出日付から一年を経過し、指定金融機関においてまだ支払を終らない小切手については、指定金融機関から報告を受け、これを当該一年を経過した日の属する年度の歳入に組み入れる手続をとらなければならない。

**（異動の通知等）**

**第七十五条**　会計管理者は、その異動があつたときは、直ちにその旨及び異動の年月日並びに後任者の職氏名及び印鑑を指定金融機関に通知しなければならない。

**（資金前渡）**

**第七十六条**　次に掲げる経費は、局及び第六条第一項第二号の所にあつては課長、担当課長又は副本部長の、同項第三号ただし書の表の上欄に掲げる所にあつてはそれぞれ当該下欄に掲げる者の、その他の所にあつては所長の請求に基づき、必要な資金を前渡することができる。

一　非常災害のため即時支払を必要とする経費
二　犯罪の捜査若しくは犯則の調査又は被収容者若しくは被疑者の護送に要する経費
三　外国において支払をする経費
四　遠隔の地又は交通不便の地域において支払をする経費
五　船舶に属する経費
六　官公署に対して支払う経費
七　削除
八　都債の元利償還金
九　諸払戻金及び還付加算金
十　謝礼金、慰問金、報償金その他これらに類する経費
十一　社会保険料
十二　生活扶助費、生業扶助費その他これらに類する経費
十三　供託金
十四　削除
十五　賄費
十六　削除
十七　有料道路又は駐車場の利用に要する経費
十八　土地収用法（昭和二十六年法律第二百十九号）に基づく補償金及び加算金
十九　報奨金及び特別徴収交付金
二十　講習会又は研究会の参加費、資料代その他これらに類する経費
二十一　検査又は登録手数料その他これらに類する経

費

二十二　交際費

二十三　自動車損害賠償責任保険料

二十四　事業現場その他これに類する場所において、直接支払を必要とする経費

二十五　公共料金

二十六　電気通信役務の提供を受ける契約に基づき支払をする経費（電話料金を除く。）

二十七　二月以上の期間にわたり、物品を買い入れ若しくは借り入れ、役務の提供を受け、又は不動産を借り入れる契約で、単価又は一月当たりの対価の額が定められているものに基づき支払をする経費

二十八　前各号に掲げるもののほか、即時支払をしなければ物件の購入等が困難なものに要する経費

2　前項に規定する職員のほか、局長は、特に必要があると認めるときは、同項に規定する職員以外の職員又は他の地方公共団体の職員を指定し、その職氏名を会計管理者及び特別出納員に通知の上、その者に資金の前渡を受けさせることができる。

3　第一項各号に掲げる経費に係る資金は、その都度前渡する。

4　前項の規定にかかわらず、第一項各号に掲げる経費に係る資金で常時必要とするものは、月ごと（交通不便の地にあつては、三月分以内）の所要額を予定して、その範囲内において前渡することができる。

5　第一項各号に掲げる経費のほか、物件の購入等に要する経費（一件の支払金額が五万円以下のものとする。ただし、会計管理者が別に定める方法により支払う場合にあつてはこの限りでない。）は、前二項の規定にかかわらず、月ごとに三十万円（交通不便の地にあつては、三月ごとに九十万円）を限度として、必要な資金を前渡することができる。この場合において、局長は、特に必要があると認めるときは、会計管理者と協議の上、その額を増額することができる。

（前渡金の管理）

**第七十七条**　資金の前渡を受けた者は、その現金を確実な金融機関に預金しなければならない。

2　前項の規定にかかわらず、資金の前渡を受けた者は、直ちに支払を要する場合又は十万円以内の現金については、これを保管することができる。ただし、局長は、特に必要があると認めるときは、会計管理者と協議の上、十万円を超える現金を保管させることができる。

3　会計管理者は、資金の前渡を受けた者に対して、預金通帳、証拠書類又は現金出納簿について随時に調査し、又は現金の出納若しくは保管の状況について報告を求めることができる。

（前渡金支払上の原則）

**第七十八条**　資金の前渡を受けた者は、債権者から支払の請求を受けたときは、法令又は契約書等に基づき、その請求は正当であるか、資金の前渡を受けた目的に適合するかどうかを調査して、その支払をし、領収書の引渡しを受けなければならない。ただし、領収書の引渡しを受けることが困難なものについては、債権者その他の者の発行する支払を証明する書類をもつてこれに代えることができる。

（前渡金の精算）

**第七十九条**　資金の前渡を受けた者は、次に掲げるところにより精算をしなければならない。

一　前渡金支払精算書は、第七十六条第三項の規定による前渡金についてはその用件終了後五日以内に、同条第四項又は第五項に該当する前渡金についてはその支払期間経過後五日以内に作成し、収支命令者を経由してその用件終了後又は支払期間経過後十日以内に、会計管理者又は特別出納員に提出すること。

二　前渡金支払精算書には、前条に規定する領収書又は支払を証明する書類を添付すること。

三　前渡金支払精算書を提出するときは、同時に支払の内容及び経過を明らかにした決定文書その他の関係書類を会計管理者又は特別出納員に送付すること。

四　前三号の規定による精算が困難な前渡金については、局長は、会計管理者と協議の上、その精算方法を別に定めることができる。

2　前項の規定にかかわらず、第七十六条第一項第二十五号に掲げる経費については、会計管理者が特に認めるときは、精算を省略することができる。

3　第二十四条の三第三項の規定は、第一項第一号の前渡金支払精算書及び同項第三号の決定文書その他の関係書類の返付について準用する。

（精算残金の処理）

**第七十九条の二**　前渡金の精算残金は、納付書により、直ちに指定金融機関、指定代理金融機関又は公金収納取扱店に返納し、その領収書を前渡金支払精算書に添付しなければならない。ただし、第七十六条第四項又は第五項の規定による前渡金の精算残金については翌月又は次回に、同条第一項第二十二号の規定に基づく前渡金の精算残金については次回に繰越しをすることができる。

2　年度末に精算をした場合において、前項ただし書の精算残金を生じたときは、翌年度の相当歳出に振替をすることができる。

（資金前渡の制限）

**第八十条**　資金の前渡を受けた者で、第七十九条の規定による精算の終つていない者は、第七十六条第一項各号に掲げる同一の事項について、重ねて資金の前渡を受けることができない。ただし、同項第一号、第二号、第三号又は第八号に該当するもの及びその他緊急やむを得ないものについては、この限りでない。

2　第七十六条第四項又は第五項の規定による前渡金は、前項本文の規定にかかわらず、前月分又は前回分の精算終了前に、翌月分又は次回分の前渡を受けることができる。この場合において、前月分又は前回分の精算残金については、前条第一項ただし書の規定を適用しない。

3　第七十六条第四項又は第五項の規定による前渡金について、その月内に不足を生ずる見込のあるときは、その都度精算の上、新たに前渡を受けることができる。

（給与、旅費及び児童手当の支払）

**第八十一条**　職員に支給する給与、旅費及び児童手当の支払は、資金前渡による。

2　局長は、局又は所に属する給与事務、旅費事務又は児童手当事務（これらの事務のうち総務局に執行委任したものを含む。第四項において同じ。）を取り扱う課長代理又は係員のうちから、前項の支払事務を取り扱う者を指定する。

3　前項の規定により指定を受けた者を給与取扱者という。

4　給与取扱者が転退職その他の理由により、給与事務、旅費事務又は児童手当事務を取り扱うことができなくなつたときは、あらたに給与取扱者を指定しなければならない。

5　局長は、給与取扱者を指定したときは、その職氏名及び担任区分を会計管理者及び特別出納員に通知しなければならない。

6　会計管理者は、給与、旅費又は児童手当を支給する日に給与取扱者に当該資金を前渡しなければならない。ただし、次に掲げる職員の給与等については、支給する日の前に資金を前渡することができる。

一　島しよに勤務する職員の給与

二　都の区域外に勤務する職員の給与

三　特別区の存する区域以外の都の区域（島しよを除く。）に勤務する学校職員の給与

四　児童手当のうち会計管理者が認めるもの

7　給与取扱者は、次の各号により給与、旅費及び児童手当に係る前渡金の請求及び支払をしなければならない。

一　請求は、各人別の支給額を明らかにした仕訳書を添付して行うこと。ただし、電子計算組織によつて処理する給与の請求については、この限りでない。

二　支払は、支給表に各人の領収印を押させた上、行うこと。

8　収支命令者は、給与、旅費又は児童手当に係る支出命令書を、給与、旅費又は児童手当を支給する日の五日前までに会計管理者又は特別出納員に送付しなければならない。ただし、会計管理者が別に定める場合については、この限りでない。

9　給与、旅費及び児童手当に係る前渡金の精算は、省略するものとする。

10　前二項の規定にかかわらず、概算で支給する旅費については、第七十六条第三項に該当する前渡金の取扱いの例により処理するものとする。ただし、外国旅行以外に係る旅費の場合であつて、精算において追給又は返納を要しないときは、第七十九条第一項第一号の規定による前渡金支払精算書の作成及び会計管理者又は特別出納員への提出は省略するものとする。

11　教育長は、区市立学校（学校給食法（昭和二十九年法律第百六十号）第六条に規定する施設（以下「共同調理場」という。）を含む。）の都費負担職員の給与及び児童手当並びに島しよの区域の町村立学校（共同調理場を含む。）の都費負担職員の給与、旅費及び児童手当の支払事務を取り扱わせるため、それぞれ当該学校、区市教育委員会及び島しよの区域外の町村教育委員会の職員のうちから給与取扱者を指定することができる。

12　都議会議員の議員報酬及び各種行政委員会の委員その他の非常勤職員に対する報酬（以下これらを「報酬」という。）並びにこれらの者に対する費用弁償等の支払については、前各項の規定に準じて処理することができる。

13　第七十七条の規定は、給与取扱者の行う現金の管理について準用する。

（口座振替の方法による給与等の支払）

**第八十一条の二**　前条第一項及び第十二項の規定にかかわらず、職員等から申出があつたときは、口座振替の方法により給与、報酬、旅費又は児童手当の支払を行うことができる。ただし、当座預金口座（郵便貯金銀行に限る。）及び貯蓄預金口座については、この限りでない。

（返納金の領収等に関する事務の取扱いについての特例）

**第八十一条の三**　給与、旅費及び児童手当の誤払又は過渡となつた金額に係る返納金の領収及び払込に関する事務の取扱については、給与取扱者を第八条第二項に

規定する出納員とする。報酬、費用弁償等の誤払又は過渡となつた金額に係る返納金の領収及び払込に関する事務の取扱についても、また同様とする。

（**歳入に係る過誤納金の資金前渡**）

**第八十二条**　歳入の誤納または過納となつた金額を払い戻すため必要があるときは、その資金を前渡することができる。

2　前項の前渡金の取扱は、第七十六条第一項第九号の前渡金の取扱の例により処理するものとする。

（**概算払**）

**第八十三条**　次に掲げる経費については、概算払をすることができる。

一　旅費

二　官公署に対して支払う経費

三　削除

四　補助金、負担金及び交付金

五　社会保険診療報酬支払基金に対し支払う診療報酬

六　訴訟に要する経費

七　保険料

八　削除

九　生活保護法（昭和二十五年法律第百四十四号）及び児童福祉法（昭和二十二年法律第百六十四号）等の規定に基づき、委託して入所させる場合における当該委託に要する経費

十　土地又は家屋の購入によりその移転を必要とすることとなつた当該家屋又は物件の移転料

十一　事務、事業の用に供する土地、家屋又は物件の購入代金

十二　地方自治法第二百四十四条の二第三項の規定に基づき、都の施設の管理を行わせる場合における当該管理に要する経費

十三　前各号に掲げるもののほか、概算払により支払をしなければ契約することが困難であると認められる委託に要する経費で会計管理者が別に定めるもの

2　局長又は所長は、概算払を受けた者に、その用件終了後（分割して概算払をした場合にあつてはその都度）速やかに当該概算払の精算をさせ、納付書により、精算残金を返納させるとともに、計算の基礎を明らかにした精算書を提出させ、当該精算書を収支命令者を経由の上、会計管理者又は特別出納員に送付しなければならない。ただし、分割して概算払をした場合における精算残金については、返納させることなく、次回に繰り越させることができる。

3　局長又は所長は、会計管理者が別に定める電子情報処理組織を使用する方法により、前項本文の精算書を提出させることができる。

4　局長又は所長は、第二項の規定による精算手続を完了しなければ、同一の用件について、重ねて概算払をすることができない。ただし、次項の規定により精算を省略する場合にあつては、この限りでない。

5　局長又は所長は、第二項の規定にかかわらず、分割して概算払をする場合において、会計管理者が別に定めるものについては、その都度の精算を省略させることができる。この場合において、概算払を受けた者が現に有する残金は、返納させることなく、次回に繰り越させることができる。

6　第二十四条の三第三項の規定は第二項の精算書の返付について、第七十九条の二第二項の規定は概算払の精算残金の処理について準用する。

（**口座振替の方法により概算で支給する旅費の精算**）

**第八十三条の二**　前条第二項から第六項までの規定にかかわらず、第八十一条の二及び前条第一項第一号の規定に基づき口座振替の方法により概算で支給する旅費の精算は、次に掲げるところによらなければならない。

一　局長又は所長は、概算払を受けた者に、その用件終了後五日以内に当該概算払の計算の基礎を明らかにした精算書を提出させ、当該精算書を収支命令者を経由の上、その用件終了後十日以内に、会計管理者又は特別出納員に送付しなければならない。ただし、外国旅行以外に係る旅費の場合であつて、精算において追給又は返納を要しないときは、当該精算書の会計管理者又は特別出納員への送付は省略するものとする。

二　局長又は所長は、前号の精算書を送付するときは、同時に支払の内容及び経過を明らかにした決定文書その他の関係書類を会計管理者又は特別出納員に送付しなければならない。

三　概算払を受けた者は、精算残金について、納付書により、直ちに指定金融機関、指定代理金融機関又は公金収納取扱店に返納し、その領収書を第一号の精算書に添付しなければならない。

2　第二十四条の三第三項の規定は、前項第一号の精算書及び同項第二号の決定文書その他の関係書類の返付について準用する。

3　局長又は所長は、第一項各号の規定による精算手続を完了しなければ、同一の用件について、重ねて概算払をすることができない。ただし、緊急やむを得ないものについては、この限りでない。

（**前金払**）

**第八十四条**　次に掲げる経費については、前金払をすることができる。

一　官公署に対して支払う経費

二　削除
三　補助金、負担金、交付金及び委託費
四　前金で支払をしなければ契約することが困難な請負、買入れ又は借入れに要する経費
五　土地又は家屋の購入又は収用によりその移転を必要とすることとなつた家屋又は物件の移転料
六　事務、事業の用に供する土地、家屋又は物件の購入代金
七　定期刊行物の代価、定額制供給に係る電灯電力料及び日本放送協会に対し支払う受信料
八　外国で研究又は調査に従事する者に支払う経費
九　運賃
十　有価証券保管料
十一　保険料
十二　公共工事の前払金保証事業に関する法律（昭和二十七年法律第百八十四号）第五条の規定に基づき登録を受けた保証事業会社の保証に係る同法第二条第一項に定める公共工事に要する経費
十三　前各号に掲げるもののほか、前金で支払をしなければ事務の取扱いに支障を及ぼすような経費で会計管理者が特に認めるもの

（**繰替払**）

**第八十五条**　次に掲げる経費については、会計管理者は、局長の請求に基づき、出納員又は指定金融機関、指定代理金融機関若しくは公金収納取扱店に、当該各号の下欄に掲げる収納金のうちから繰替払をさせることができる。

| | |
|---|---|
| 一　歳入の徴収又は収納の委託手数料 | 当該委託により徴収又は収納した収入金 |
| 二　指定納付受託者に納付させる歳入に係る手数料 | 当該指定納付受託者が納付する歳入 |

2　出納員は、繰替払をしたときは、債権者の領収書その他の証拠となるべき書類を提出させなければならない。
3　会計管理者は、指定金融機関から繰替使用計算通知書を受けたときは、繰替使用計算書を作成し、局長又は所長に送付しなければならない。
4　出納員は、繰替払をしたときは、繰替使用計算書を作成し、局長又は所長に送付しなければならない。
5　局長又は所長は、前二項に規定する繰替使用計算書の送付があつたときは、収支命令者をして、振替収支命令書により、繰替使用額の補てんの手続をさせなければならない。

（**支出事務の委託**）

**第八十六条**　局長又は所長は、地方自治法第二百四十三条の二第一項の規定により私人に支出事務の委託をしようとするときは、会計管理者が別に定めるところにより、あらかじめ会計管理者と協議しなければならない。協議の内容に変更が生じるときも同様とする。
2　指定公金事務取扱者（支出事務の委託を受けた者に限る。以下この条において同じ。）に交付する資金の額は、毎回の所要見込額の範囲内とする。
3　第七十八条の規定は、指定公金事務取扱者の債権者に対する支払について準用する。
4　指定公金事務取扱者は、第二項の規定により交付された資金の支払を終了したときは、速やかに、債権者の領収書又は支払を証明する書類を添付した精算書を、支払の明細を示す書類とともに、収支命令者を経由の上、会計管理者又は特別出納員に提出しなければならない。
5　指定公金事務取扱者は、精算の結果、残金が生じたときは、納付書により、直ちに指定金融機関、指定代理金融機関又は公金収納取扱店に返納し、その領収書を前項の精算書に添付しなければならない。ただし、常時資金を必要とする支出事務の精算残金については、次回の所要見込額に充てるために、繰り越すことができる。

**第八十七条**　削除

## 第四章　振替収支

（**振替の範囲等**）

**第八十八条**　同一の局又は所に属する次に掲げる事項は、振替収支命令書によつて振替整理しなければならない。ただし、振替収支命令書の使用を不適当と認める場合においては、この限りでない。
一　各会計間又は同一会計内の収入支出
二　都と私人等との間の債権債務の相殺
三　年度又は科目の更正
四　各会計と歳入歳出外現金との間の収入支出
五　前各号に掲げるもののほか、特に会計管理者が指定した事項
2　前項に定めるもののほか、次に掲げる場合は、振替収支命令書によつて振替整理することができる。
一　第六十二条第一項ただし書の支払手続を行う場合において、源泉徴収所得税を控除するために、会計管理局以外の局又は所と会計管理局との間で、当該源泉徴収所得税の金額を各会計から支出し、歳入歳出外現金に収入する場合
二　税務総合支援システムにより、都税総合事務センターと主税局、都税事務所又は支庁との間で、過誤納等の理由により還付すべき金額を都税若しくは特別法人事業税又はこれらに係る税外収入に充当又は

3　委託納付する場合
前二項に定めるもののほか、用品の購入代金の各会計からの支出及び用品調達基金への収入は、用品購入代金自動振替システムにより、会計管理者が別に定める方法により振替整理するものとする。
4　振替日を特定する必要がある振替については、振替収支命令書の振替予定年月日欄に当該振替日を表示しなければならない。
5　第二十四条の三第三項の規定は、第一項の振替収支命令書の返付について準用する。

**第八十九条及び第九十条**　削除

## 第五章　削除

**第九十一条から第九十三条まで**　削除

## 第六章　財産の記録管理

（**公有財産、債権及び基金の増減異動通知**）
**第九十四条**　局長は、毎年度九月末日及び三月末日現在において、その所管に属する公有財産、債権（発生又は帰属と同時に調定するものを除く。）及び基金について公有財産増減異動通知書、債権増減異動通知書及び基金増減異動通知書を作成し、十月末日及び四月末日（公有財産のうち、電子計算組織によつて処理する土地及び建物並びに出資による権利に係るものについては、会計管理者が別に定める期日）までに会計管理者に通知しなければならない。
2　会計管理者は、特に必要があると認めるときは、随時前項に規定する増減異動通知書の提出を求めることができる。

**第九十五条**　削除

## 第七章　公有財産に属する有価証券

（**受入手続**）
**第九十六条**　局長または所長は、公有財産に属する有価証券の受入をしようとするときは、有価証券（公有財産）受入通知書を作成し、所属の出納員に送付しなければならない。
2　出納員は、前項の有価証券（公有財産）受入通知書を受けたときは、当該有価証券を受け入れなければならない。

（**整理、保管**）
**第九十七条**　第百十六条の規定は、出納員が行う公有財産に属する有価証券の整理について準用する。
2　出納員は、公有財産に属する有価証券の保管上必要があると認めるときは、金融機関への保護預けを会計管理者に依頼することができる。

（**払出手続**）
**第九十八条**　局長または所長は、公有財産に属する有価証券の払出をしようとするときは、有価証券（公有財産）払出通知書を作成し、所属の出納員に送付しなければならない。
2　出納員は、前項の有価証券（公有財産）払出通知書を受けたときは、当該有価証券を払い出さなければならない。

（**受払報告**）
**第九十八条の二**　出納員は、公有財産に属する有価証券の受入または払出しをしたときは、直ちに有価証券（公有財産）受入報告書または有価証券（公有財産）払出報告書を作成し、局長または所長に送付しなければならない。

## 第八章　帳簿諸表

（**会計管理者の記録管理**）
**第九十八条の三**　会計管理者は、歳入歳出予算の収支状況及び現金（第百十九条第一項の規定により送付を受けた現金を除く。）の受払状況を財務会計システムのデータファイルに記録して、整理しなければならない。

（**会計管理者の帳簿**）
**第九十九条**　会計管理者は、次の帳簿のうち必要なものを備えて、整理しなければならない。
一　支払通知書整理簿
二　小切手整理簿
三　現金・有価証券受払簿
四　委託証券整理簿
五　委託証券合計整理簿
六　公有財産整理簿
七　債権整理簿
八　基金整理簿

（**歳入徴収者の記録管理**）
**第九十九条の二**　歳入徴収者は、税外収入の徴収状況を財務会計システムのデータファイルに記録して整理するとともに、収入未済一覧表を備えなければならない。

（**歳入徴収者の帳簿**）
**第九十九条の三**　歳入徴収者は、前条の規定による記録管理を行うことができない場合は、税外収入徴収簿を備えて、税外収入の整理をしなければならない。

（**収支命令者の記録管理**）
**第九十九条の四**　収支命令者は、次に掲げる事項を財務会計システムのデータファイルに記録して、整理しなければならない。

一　歳入歳出予算の執行状況
二　前渡金、概算払及び支出事務の委託に係る精算状況
三　歳入歳出外現金の受払状況
四　貸借対照表に記載すべき資産、負債及び正味財産の状況
五　行政コスト計算書に記載すべき収入及び費用の状況
六　キャッシュ・フロー計算書に記載すべき収入及び支出の状況
七　正味財産変動計算書に記載すべき正味財産の状況

**（局長の保管する帳票）**

**第百条**　局長は、次に掲げる帳票を保管しなければならない。

一　歳入予算執行状況一覧表
二　歳出予算事業別執行状況一覧表

2　局長は、前項に規定する帳票の保管については、データファイルに記録保管することをもつて行うことができる。

**（出納員の帳簿）**

**第百一条**　出納員は、次の帳簿のうち、必要なものを備えて、整理しなければならない。

一　現金出納簿
二　有価証券（公有財産）受払簿
三　有価証券（公有財産）整理簿
四　保管有価証券受払簿
五　保管有価証券整理簿

2　出納員は、会計管理者が別に定めるところによつて、前項第一号の現金出納簿の整理を、データファイルに現金の出納を記録することをもつて行うことができる。

**（資金の前渡を受けた者の帳簿）**

**第百二条**　資金の前渡を受けた者（給与取扱者を含む。以下同じ。）は、現金出納簿を備えて、現金の出納を整理しなければならない。

2　前条第二項の規定は、前項の現金出納簿の整理について準用する。

**（帳簿の作成）**

**第百三条**　帳簿は、毎年度作成しなければならない。ただし、余白の多い帳簿については、年度区分を明確にして、継続使用することができる。

2　前項の帳簿の形式は、ルーズリーフ式とすることができる。

**（帳簿記載上の注意）**

**第百四条**　帳簿の記載は、収入命令書、支出命令書、財産の増減異動通知書その他の証拠となるべき書類によらなければならない。

2　前項に規定するもののほか、帳簿の記載に当たつては、次に掲げるところによらなければならない。

一　各口座の索引をつけること。
二　各欄の事項及び金額は、さかのぼつて記入しないこと。
三　毎月末に月計二月以上にわたるときは累計を記入すること。ただし、第九十九条第四号、第九十九条の三及び第百一条第一項第五号に規定する帳簿については、この限りでない。
四　残の欄に記入すべき金額がないときは、零と黒書し、予算額に対して収入額が超過したときは、その金額を赤書すること。

**（会計管理者の作成する表）**

**第百五条**　会計管理者は、毎月末現在による次の諸表を作成し、翌月二十日までに知事に提出しなければならない。

一　歳入歳出現計表
二　歳入計算表
三　歳出計算表
四　歳入歳出外現金受払表
五　現金受払表

**（指定金融機関又は指定代理金融機関との収支照合）**

**第百六条**　会計管理者は、収入金日計表及び支払金日計表を作成し、指定金融機関又は指定代理金融機関から受けた収支報告書と照合しなければならない。

2　会計管理者は、現金受払表の残高と指定金融機関から受けた収支統計報告書兼預金明細書とを照合しなければならない。

## 第九章　決算

**（決算資料等の作成）**

**第百七条**　局長は、その主管に属する局別科目別決算資料（歳入・歳出）を作成し、翌年度の六月二十日までに会計管理者に送付しなければならない。

2　局長は、その主管に属する款別決算の執行概要及び増減説明書を作成し、翌年度七月二十日までに会計管理者に送付しなければならない。

3　局長は、その主管に属する貸借対照表、行政コスト計算書、キャッシュ・フロー計算書及び正味財産変動計算書を、会計管理者が別に定める基準により会計別に作成し、翌年度八月十日までに会計管理者に送付しなければならない。

**（歳入歳出決算事項別明細書の作成）**

**第百八条**　会計管理者は、歳入歳出決算事項別明細書の作成については、次の各号によらなければならない。

一　科目は、歳入歳出予算事項別明細書と同一の区分によること。
二　予算の都議会議決番号または知事専決番号は、款ごとに記載すること。
三　地方自治法第二百十八条第四項の規定を適用したときは、その旨を款ごとに記載すること。
四　予算流用については、増減とも当該科目の備考欄に流用した科目及びその金額を記載すること。
五　歳入還付の未済金があるときは、当該科目の備考欄にその旨及び当該金額を記載すること。
六　予備費の補充については、補充した科目（款別）及び金額を予備費の備考欄に記載するとともに、補充により増額した科目の備考欄にその旨及び当該金額を記載すること。
七　継続費及び繰越事業に係る経費について生じた不用額については、その旨及び当該金額を備考欄に記載すること。

**（決算参考書の作成）**
**第百九条**　会計管理者は、決算を調製したときは、次に掲げる調書を作成し、知事に提出しなければならない。
一　各会計決算総括表
二　款別決算概要説明
三　局別款別予算決算一覧表
四　各会計節別予算決算一覧表
五　各会計別貸借対照表
六　各会計別行政コスト計算書
七　各会計別キャッシュ・フロー計算書
八　各会計別正味財産変動計算書

**（収支証拠書類の保管）**
**第百十条**　収支命令者は、返付を受けた支出命令取消通知書、振替収支命令取消通知書、調定額通知書、支出命令書、前渡金支払精算書、概算払に係る精算書及び振替収支命令書並びに送付を受けた収入額更正通知書並びにこれらに添付された書類を、必要な期間保管しなければならない。
2　収支命令の根拠となる関係書類は、決算認定が終わるまで、局及び所において保管しなければならない。

**（証拠書類の整理保管）**
**第百十一条**　会計管理者は、証拠書類（前条第一項に規定するものを除く。以下この条において同じ。）を執行月日ごとに整理して保管しなければならない。ただし、当該会計年度経過後にあつては、証拠書類の種類別及び執行月日順に編集して保管しなければならない。

## 第十章　雑部金

**（雑部金の年度区分）**
**第百十二条**　雑部金の出納は、会計年度をもつて区分しなければならない。
2　雑部金の出納の年度区分は、その受払を執行した日の属する年度による。

**（雑部金の整理区分）**
**第百十三条**　雑部金は、歳入歳出外現金と保管有価証券とに分類し、それぞれ次の区分によつて整理しなければならない。
一　保証金
1　入札保証金
2　公売保証金
3　契約保証金
4　住宅保証金
5　その他保証金
一　保管金
1　源泉徴収所得税
2　市町村民税（地方税法（昭和二十五年法律第二百二十六号）第一条第一項第九号の特別徴収によつて徴収された都民税、道府県民税、特別区民税及び市町村民税をいう。）
3　特別区たばこ税
4　徴収受託金
5　団体保険料
6　建設工事紛争処理費予納金
7　特例個人住民税（地方税法第一条第二項の規定により準用される同法第四十八条第一項の規定により徴収された地方団体の徴収金をいう。）
8　仮放置違反金（道路交通法（昭和三十五年法律第百五号）第五十　条の四第九項の規定により納付された放置違反金に相当する金額をいう。）
9　特別法人事業税及びこれに係る税外収入
10　森林環境税及びこれに係る税外収入
三　公売代金
1　差押物件公売代金
2　競売配当金
四　遺留金
1　遺留金
五　その他雑部
1　その他雑部

**（歳入歳出外現金の収納）**
**第百十四条**　歳入歳出外現金を収納しようとするときは、局長又は所長は、納入者に納付書を送付して納付させなければならない。
2　資金の前渡を受けた者が源泉徴収をしたときは、資金の前渡を受けた者は、納付書により、前条第二号1

に規定する源泉徴収所得税を納付しなければならない。

（保管有価証券の受入手続）

**第百十五条**　局長又は所長は、保管有価証券の受入れをしようとするときは、納入者から保管有価証券納付書を提出させ、これにより保管有価証券受入通知書を作成し、所属の出納員に送付しなければならない。

2　出納員は、前項の保管有価証券受入通知書を受けたときは、当該保管有価証券を受入れなければならない。

3　出納員は、保管有価証券の受入れについては、証券と引換えに納入者に対して、保管有価証券受領書を交付しなければならない。

（保管有価証券の払出手続）

**第百十五条の二**　局長又は所長は、保管有価証券還付請求書により保管有価証券の還付の請求を受けたときは、保管有価証券払出通知書を作成し、所属の出納員に送付しなければならない。

2　出納員は、前項の保管有価証券払出通知書を受けたときは、前条第三項の規定によつて交付した保管有価証券受領書の末尾に受領の旨を付記押印させ、これと引換えに証券を還付しなければならない。

（保管有価証券の整理）

**第百十六条**　保管有価証券は、額面金額によつて整理しなければならない。

（保管有価証券の利札の還付）

**第百十七条**　局長又は所長は、利札還付請求書により保管有価証券の利札の還付の請求を受けたときは、利札払出通知書を発行し、所属の出納員に送付しなければならない。この場合において、出納員は、受領書の引渡しを受けた上、利札の還付をしなければならない。

（保管有価証券の保管）

**第百十八条**　出納員は、保管有価証券を第百十三条の区分ごとに整理し確実に保管しなければならない。

2　出納員は、保管有価証券の保管上必要があると認めるときは、金融機関への保護預けを会計管理者に依頼することができる。

（送付を受けた現金等の整理手続）

**第百十九条**　局の課長及び所長は、現金または有価証券の送付を受けたときは、これに差出人の住所氏名を記載した送付書を添え、直ちに会計管理者に送付しなければならない。

2　会計管理者は、前項の規定により現金または有価証券の送付を受けたときは、現金・有価証券受払簿に登録のうえ受入保管して、課長または所長からの通知により払い出さなければならない。

3　会計管理者は、相当期間を経過しても課長または所長から前項の通知がないときは、その処理について課長または所長に照会しなければならない。

4　会計管理者は、送付を受けてから三月以上経過しても、なお、内容の不明なものについては、主管の収支命令者に、雑部金に収納する手続を執らせなければならない。

5　局長又は所長は、第一項の規定により、現金又は有価証券の整理をすることが困難であると認めるときは、会計管理者の承認を得て、所属の出納員に前各項の規定に準じて処理させることができる。

（入札保証金及び公売保証金取扱の特例）

**第百二十条**　入札保証金（入札期日に入札及び開札を行う場合に納付されるものに限る。）の取扱については、次の各号の規定により処理しなければならない。

一　出納員は、入札保証金納付書により、現金（この場合の小切手は、銀行振出又は銀行の支払保証のあるものに限る。）又は有価証券の納付を受けたときは、入札保証金領収書及び納付証明書を納入者に交付し、その現金又は有価証券は、確実に保管しなければならない。

二　開札が終了したときは、収支命令者は、直ちに納付証明書に入札保証金を還付すべき旨を付記押印し、これを出納員に送付して、領収書と引換に当該入札保証金を還付させなければならない。ただし、落札者に係る入札保証金については、収支命令者は、落札者確定通知書を出納員に送付して、有価証券を除き、当該入札保証金を納付書により指定金融機関又は指定代理金融機関に払い込ませなければならない。

2　前項第二号本文に規定する納付証明書は支出命令書とみなす。

3　前二項の規定は、入札（入札期日に入札及び開札を行うものに限る。）による公売に係る公売保証金の取扱いについて準用する。この場合において、第一項第二号中「落札者」とあるのは、「最高価申込者」と読み替えるものとする。

（都に帰属する雑部金）

**第百二十一条**　雑部金のうち都に帰属するものが生じたときは、歳入徴収者は、歳入に収入する手続をとらなければならない。

（雑部金の繰越し）

**第百二十二条**　年度末において雑部金があるときは、その金額を翌年度に繰り越し、以下この例に従つて順次繰り越さなければならない。

2　前項の規定により繰越しをしたときは、局長又は所長は、翌年度の四月十日までに雑部金繰越通知書を用いて、収支命令者から会計管理者に通知させなければならない。ただし、歳入歳出外現金に係るものについては、この限りでない。

**第百二十三条**　削除

**（準用規定）**

**第百二十四条**　この章に規定するもののほか、雑部金（保管有価証券を除く。）の取扱いについては、収入及び支出に関する規定を準用する。

## 第十一章　引継

**（特別出納員の事務引継）**

**第百二十五条**　特別出納員が異動したときは、十日以内に、前任者は、その事務を後任者に引き継がなければならない。

2　前項の規定による引継をしたときは、引継報告書を作成し、引継目録を添付の上、局長又は所長に提出しなければならない。

3　前任者が事故のため引継をすることができないときは、局長又は所長の命じた主事に、前二項の規定による事務の引継をさせなければならない。

**（出納員の事務引継）**

**第百二十六条**　出納員が異動したときは、十日以内に、前任者は、その事務を後任者に引き継がなければならない。

2　前項の引継をするときは、双方立会の上、帳簿及び関係書類と現金又は有価証券の照合をし、引継年月日及び引継完了の旨を帳簿に記入し、双方連署しなければならない。

3　前項の引継をしたときは、引継報告書を作成し、局長又は所長に提出しなければならない。

4　前条第三項の規定は、出納員の事務引継について準用する。この場合において、同項中「前二項」とあるのは「前三項」と読み替えるものとする。

**（組織変更に伴う事務引継）**

**第百二十七条**　出納員は、その所管に属する事務の全部または一部がその所属を異にしたときは、前条の規定に準じて引継をしなければならない。

2　前項の規定により事務の一部を引き継ぐ場合は、さらに次の明細書を添付しなければならない。

一　金銭（有価証券）事務引継明細書

二　金銭（有価証券）引継明細書

**（資金の前渡を受けた者の事務引継）**

**第百二十八条**　前二条の規定は、資金の前渡を受けた者の事務引継について準用する。

## 第十二章　検査

**（自己検査）**

**第百二十九条**　局長は、当該局及び所管に属する所の特別出納員、出納員、現金取扱員及び資金の前渡を受けた者の取扱に係る現金及び有価証券の出納保管その他の会計事務について、毎年度一回以上所属の主事のうちから検査員を命じて検査をさせなければならない。

2　局長は、必要があるときは、前項に規定する職員以外の職員の取扱に係る会計事務について検査をさせることができる。

3　局長は、検査員を任命するときは、同時に所属職員のうちから立会人を指定しなければならない。

4　第一項及び第二項の規定による検査は、会計管理者が別に定める方法により実施しなければならない。

5　局長は、毎年度、その年度開始前までに、第一項及び第二項の規定による検査について当該年度の実施計画を作成し、会計管理者の承認を得なければならない。

6　会計管理者は、必要があると認めるときは、局及び所を指定して、所属職員を立ち会わせることができる。

**（検査の対象期間）**

**第百三十条**　検査は、検査当日現在において、前回の検査以降のものについて行うものとする。

**第百三十一条**　削除

**（検査済の表示）**

**第百三十二条**　検査員は、検査終了後、検査年月日、検査終了の旨及びその職氏名を関係帳簿の最終頁に記載しなければならない。この場合、立会人は、職氏名を連記しなければならない。

**（検査報告）**

**第百三十三条**　検査員は、検査終了後十日以内に検査報告書を作成し、局長に報告しなければならない。ただし、検査中特に重要な事項と認めるものがあるときは、直ちにその事の経過に意見を付して、局長に報告しなければならない。

2　前項の報告を受けた局長は、意見を付して、直ちに会計管理者に通知しなければならない。

**（会計管理者の検査）**

**第百三十四条**　会計管理者は、必要があると認めるときは、所属の職員のうちから検査員を命じて、第百二十九条第一項又は第二項に規定する職員の取扱いに係る会計事務について、直接検査をすることができる。この場合において、特に必要があると認めるときは、関係人に対する照会その他実地に調査をすることができる。

2　会計管理者は、直接検査を実施しようとするときは、その対象、項目、日時及び場所並びに検査員の職氏名を、あらかじめ、局長に通知しなければならない。ただし、特に必要があると認めるときは、あらかじめ局長への通知をしないで直接検査を実施することができる。

3　前条第一項の規定は、前項の検査員による検査の結果報告について準用する。この場合において、前条第一項中「局長」とあるのは、「会計管理者」と読み替えるものとする。

4　会計管理者は、前項の規定により検査員から報告を受けたときは、その内容を関係局長に通知しなければならない。この場合において、報告を受けた内容に関して、関係局長において是正すべき事項があると認めるときは、当該関係局長に対し、当該事項の是正を求めることができる。

## 第十三章　監督責任

**（局長、所長の監督責任）**

**第百三十五条**　局長は、現金及び有価証券の出納保管その他の会計事務について、当該局及び所管に属する所の特別出納員、出納員、現金取扱員及び資金の前渡を受けた者を監督しなければならない。

2　所長は、現金及び有価証券の出納保管その他の会計事務について、当該所の特別出納員、出納員、現金取扱員及び資金の前渡を受けた者を監督しなければならない。

**（出納員の監督責任）**

**第百三十六条**　出納員は、現金及び有価証券の出納保管に関する事務について、所属の現金取扱員を監督しなければならない。

**（亡失、損傷の報告）**

**第百三十七条**　会計管理者、出納員、現金取扱員及び資金の前渡を受けた者は、その保管している現金、有価証券、小切手帳又は給与等に係る送金領収書について、亡失又は損傷があつたときは、直ちに亡失損傷報告書を作成し、局長に提出しなければならない。

2　局長は、前項の報告その他により当該局又は所管に属する所の現金、有価証券又は小切手帳について亡失又は損傷の事実を知つたときは、その事の経過に意見を付して、会計管理者を経由の上、知事に報告しなければならない。

## 第十四章　附属様式その他

**（様式）**

**第百三十八条**　この規則の施行について必要な書類、帳簿等の様式は、別記のとおりとする。ただし、会計管理者が特に必要と認めるものについては、別に定めるところによることができる。

**付　則**

1　この規則は、昭和三十九年四月一日から施行する。

2　従前の規定によつてなした手続その他の行為は、この規則によつてなしたものとみなす。

3　昭和三十九年度に係る財産の増減異動通知は、第六章の規定にかかわらず、当該年度分を取りまとめ、昭和四十年四月三十日までに出納長に通知するものとする。

4　昭和三十八年度の決算については、第九章の規定にかかわらず、なお従前の規定を適用する。

5　この規則施行上必要な書類、帳簿等は、昭和三十九年度に限り、残品を使用することができる。ただし、付属様式中第七号様式、第八号様式（甲、乙）及び第九号様式については、この限りでない。

6　平成二十三年度における子ども手当の支給等に関する特別措置法（平成二十三年法律第百七号）に規定する子ども手当の支給においては、第十条第一項、第八十一条の見出し、同条第一項、第二項、第四項、第六項から第九項まで及び第十一項、第八十一条の二並びに第八十一条の三中「児童手当」とあるのは「子ども手当」と、別記第二十六号様式乙備考中「児童手当」とあるのは「子ども手当」とそれぞれ読み替えて適用する。

7　第二条第十一号中「及び特別法人事業税及び特別法人事業譲与税に関する法律（平成三十一年法律第四号。以下「特別法人事業税法」という。）に規定する特別法人事業税（以下「特別法人事業税」という。）」とあるのは「、特別法人事業税及び特別法人事業譲与税に関する法律（平成三十一年法律第四号。以下「特別法人事業税法」という。）に規定する特別法人事業税（以下「特別法人事業税」という。）及び地方税法（昭和二十五年法律第二百二十六号）第四百四十二条第一号に規定する軽自動車税の環境性能割（以下「軽自動車税環境性能割」という。）」と、第六条第一項第二号ただし書及び第十条第四項第一号中「及び特別法人事業税」とあるのは「、特別法人事業税及び軽自動車税環境性能割」と、第八十八条第二項第二号中「若しくは特別法人事業税」とあるのは「、特別法人事業税若しくは軽自動車税環境性能割」と、第百十三条第二号中「10　森林環境税及びこれに係る税外収入」とあるのは「10　軽自動車税環境性能割及びこれに係る税外収入
11　森林環境税及びこれに係る税外収入」と読み替える。

**附　則**（令三・一二・二八規則三二五）

1　この規則は、令和四年一月四日から施行する。ただし、第六条第一項第一号ただし書及び第八十一条第二項の改正規定は、同月一日から施行する。

2　この規則による改正前の東京都会計事務規則（以下「旧規則」という。）第三十七条の三の規定により、地方税法等の一部を改正する法律（令和三年法律第七号）第六条による改正前の地方自治法（昭和二十二年法律第六十七号）第二百三十一条の二第六項に規定する指定代理納付者に係

る指定の変更又は取消しの告示を行う場合については、令和五年三月三十一日までの間は、なお従前の例による。

3　旧規則第三十七条の四の規定による申出があった場合の承認については、令和五年三月三十一日までの間は、なお従前の例による。この場合において、同条中「政令第百五十七条の二第二項」とあるのは、「地方税法施行令等の一部を改正する政令（令和三年政令第百七号）第四条の規定による改正前の地方自治法施行令（昭和二十二年政令第十六号）第百五十七条の二第二項」と読み替えるものとする。

附　則（令四・三・三一規則一一五）

1　この規則は、令和四年四月一日から施行する。ただし、第二条第一号の改正規定中「、病院経営本部」を削る部分及び同条第二号の改正規定中「、病院経営本部長」を削る部分並びに第六条第一項第三号の表東京都立神経病院の項を削る改正規定は、同年七月一日から施行する。

2　この規則による改正後の東京都会計事務規則第七十六条第五項の規定は、令和四年度の会計事務から適用し、令和三年度の会計事務については、なお従前の例による。

3　この規則の施行の際、この規則による改正前の東京都会計事務規則別記第三十八号様式甲及び同様式乙による用紙で、現に残存するものは、当分の間、なお使用することができる。

附　則（令六・三・二九規則一一一）

1　この規則は、令和六年四月一日から施行する。

2　この規則の施行の際、この規則による改正前の東京都会計事務規則別記第二十一号様式及び第三十三号様式による用紙で、現に残存するものは、当分の間、なお使用することができる。

附　則（令六・六・二八規則一二六）

この規則は、令和六年七月一日から施行する。

別記様式〔略〕

# ○東京都特別企業出納員事務取扱規則

昭三九・三・三一
規　則　八　七

最終改正　令四・三・三一規則五六

## 第一章　総則

（趣旨）

**第一条**　この規則は、地方公営企業法（昭和三十七年法律第二百九十二号）第二条第二項若しくは第三項又は地方公営企業法の一部を改正する法律（昭和四十一年法律第百二十号）附則第三条第二項の規定により地方公営企業法の財務規定等が適用される東京都地方公営企業の設置等に関する条例（昭和四十一年東京都条例第百四十七号）第一条第一項第八号から第十一号までに掲げる事業（以下「準公営企業」という。）の業務に係る公金の出納その他の会計に関し、特別企業出納員の設置及びその事務の取扱いについて必要な事項を定めるものとする。

（定義）

**第二条**　この規則において、次の各号に掲げる用語の意義は、当該各号に定めるところによる。

一　局長　都市整備局長、港湾局長及び中央卸売市場長をいう。

二　伝票発行者　別に定めるところにより準公営企業の業務に係る支払伝票の発行の事務を処理する者をいう。

（特別企業出納員の設置）

**第三条**　会計管理局に特別企業出納員一人をおく。

2　特別企業出納員は、会計管理局管理部長をもつて充てるものとする。

（会計事務の一部委任）

**第四条**　準公営企業の業務に係る公金の領収（国から交付される支出金の領収に限る。）、支払（別に定めるところにより企業出納員に委任したものを除く。）及び保管の事務は、特別企業出納員に委任する。

（異動通知等）

**第五条**　特別企業出納員の異動があつたときは、後任の特別企業出納員は、直ちに、その旨を出納取扱金融機関に通知しなければならない。特別企業出納員が小切手の振出並びに支払通知書、送金支払通知書及び口座振替支払通知書の発行に使用する印鑑を変更したときも、また同様とする。

（金額等の改ざん・訂正）

**第六条**　帳簿・支払通知書、出納日報その他会計に関する証拠書類の金額その他の記載事項は、改ざんすることができない。

2　帳簿、支払通知書、出納日報その他会計に関する証拠書類の記載事項を訂正するときは、訂正部分に二線を引き、その上部又は右側に正書して、削除した文字は明らかに読むことができるようにしておかなければならない。

3　前項の規定により訂正したときは、欄外に訂正の表示を明記し、訂正者の認印を押さなければならない。

4　前項の規定にかかわらず、帳簿の記載事項を訂正したときは、訂正部分に認印を押さなければならない。

（外国文の証拠書類）

**第七条**　会計に関する証拠書類で外国文をもつて記載したものについては、その訳文を添付しなければならない。

2　署名を慣習とする外国人の会計に関する証拠書類の自署は、記名押印とみなして処理することができる。

（出納日報等）

**第八条**　特別企業出納員は、毎日の公金の出納について、出納日報を作成し、局長に送付しなければならない。

2　特別企業出納員は、前項の出納日報の金額を月ごとに取りまとめて出納計算書を作成し、局長に送付しなければならない。

## 第二章　収入

（納入済通知書等の送付）

**第九条**　特別企業出納員は、出納取扱金融機関から納入済通知書及び払込済通知書を受けたときは、出納日報を添えて、これらを局長に送付しなければならない。

（不渡証券の通知）

**第十条**　特別企業出納員は、出納取扱金融機関から証券不渡報告書を受けたときは、証券不渡通知書を作成し、局長に送付しなければならない。

## 第三章　支払

（支払の基本手続）

**第十一条**　特別企業出納員は、支払伝票を受け、その支払をしようとするときは、債権者から領収書の引渡しを受けた上、支払証を交付しなければならない。この場合において、特別企業出納員は、直ちに小切手を作成し、支払証と引換えにこれを債権者に交付しなければならない。

（現金支払）

**第十二条**　前条後段の規定にかかわらず、債権者の申出があるときは、特別企業出納員は、出納取扱金融機関に支払通知書を交付して、現金で支払をさせることができる。

2　前項の場合においては、特別企業出納員は、会計ごとに、その日の現金支払総額を券面金額とする小切手を作成し、出納取扱金融機関に交付しなければならない。

（支払証の効力）

**第十三条**　支払証の効力は、当日限りとする。ただし、失効した支払証については、再交付することができる。

（支払の停止）

**第十四条**　特別企業出納員は、伝票発行者から支払伝票取消通知書を受けたときは、直ちにその支払を停止し、当該支払伝票に「取消」の表示をして伝票発行者に返付しなければならない。

（支払不能額の通知）

**第十五条**　特別企業出納員は、支払伝票について、その支払が不能となつたときは、直ちに当該支払伝票に「支払不能」の表示をし、支払不能額通知書に添えて、これを伝票発行者に返付しなければならない。

2　特別企業出納員は、集合の支払伝票の一部について、その支払が不能となつたときは、支払不能額通知書により、その旨を伝票発行者に通知しなければならない。

（支払事務取扱日等）

**第十六条**　特別企業出納員の支払事務取扱日は、月曜日から金曜日まで（東京都の休日に関する条例（平成元年東京都条例第十号）第一条第一項第二号及び第三号に掲げる日を除く。）とする。ただし、特別企業出納員は、特に必要があると認めるときは、支払事務取扱日以外の日においても、支払事務を取り扱うことができる。

2　特別企業出納員の支払事務取扱時間は、午前九時から午後三時までとする。ただし、特別企業出納員は、特に必要があると認めるときは、支払事務取扱時間を臨時に変更することができる。

（債権者の領収印）

**第十七条**　債権者の領収印は、請求書に押したものと同一のものでなければならない。ただし、請求者と領収者が異なる場合（支払額調書による場合を含む。）又は紛失その他やむを得ない理由によつて改印を申し出た場合は、この限りでない。

2　前項ただし書の規定に該当する場合においては、特別企業出納員は、印鑑を証明すべき書類その他債権者を確認することができる書類を提出させなければならない。

（債権者の代理権の設定・解除）

**第十八条**　特別企業出納員は、支払伝票を受けた後において、その債権者の権利に代理権の設定又は解除が生じたときは、その事実を証明する書類を提出させた上、代理人又は本人に対し支払をしなければならない。この場合において、代理権の設定又は解除の効果が、二件以上の支払伝票に関係がある場合又は継続する場合は、一件の証明書によることができる。

（官公署等に対する払込）

**第十九条**　特別企業出納員は、次の各号に掲げる経費については、出納取扱金融機関に小切手預り書と引換に「払込」の表示をした小切手を交付し、当該収納機関へ払い込ませなければならない。

一　官公署等に対する支払金で、当該官公署等の収納機関に払い込む必要のあるもの

二　出納取扱金融機関を収納機関とする払込書、振込書等により支出する経費

2　特別企業出納員は、出納取扱金融機関が前項の払込みを終了したときは、出納取扱金融機関をして、領収者の発する領収書を提出させなければならない。

（**送金手続**）

**第二十条**　特別企業出納員は、送金払をするときは、送金支払通知書及び送金通知書を作成し、これらを出納取扱金融機関に交付しなければならない。ただし、特にその必要がないと認めるときは、送金通知書の発行を省略することができる。

（**口座振替の方法による支払の手続**）

**第二十一条**　特別企業出納員は、口座振替の方法により支払をするときは、口座振替支払通知書を作成し、出納取扱金融機関に交付するとともに、口座振替通知書を作成し、直接債権者に送付しなければならない。ただし、特にその必要がないと認めるときは、口座振替通知書の発行を省略することができる。

（**送金資金の交付等**）

**第二十一条の二**　特別企業出納員は、送金払をするときまたは口座振替の方法による支払をするときは、「送金」または「口座振替」の表示をした小切手を作成し、小切手受領書と引換に、これを出納取扱金融機関に交付しなければならない。

2　前項の場合において、二人以上の債権者に対して同一の会計から支払をするときは、その合計額を券面金額とする小切手を振り出すことができる。

（**小切手の振出**）

**第二十二条**　特別企業出納員が振り出す小切手は、持参人払式とし、その小切手には、次に掲げる事項を記載しなければならない。

一　支払金額
二　事業年度
三　会計名
四　小切手番号及び振出年月日
五　前各号に掲げるもののほか、必要な事項

2　小切手の券面金額を表示する場合は、刻み込み印字機を用い、文字の記載及び押印は、正確明りようにしなければならない。

（**振出年月日の記載及び押印の時期**）

**第二十三条**　小切手の振出年月日の記載及び押印は、当該小切手を交付するときに行わなければならない。

（**小切手振出済通知**）

**第二十四条**　特別企業出納員は、その日の小切手の振出について、会計ごとに取りまとめて小切手振出済通知書を作成し、出納取扱金融機関に送付しなければならない。

（**小切手の記載事項の訂正**）

**第二十五条**　小切手の券面金額は、訂正してはならない。

2　小切手の券面金額以外の記載事項を訂正するときは、その訂正部分に二線を引き、その上部または右側に正書し、かつ、当該訂正部分の上部余白に訂正した旨及び訂正した文字の数を記載して、特別企業出納員の印を押さなければならない。

（**書損小切手等の取扱**）

**第二十六条**　書損、汚損、損傷等により小切手を使用することができなくなつたときは、当該小切手に斜線を引いたうえ、「廃き」と記載し、そのまま小切手帳に残しておかなければならない。

（**小切手帳の使用区分**）

**第二十七条**　小切手帳は、会計ごとに常時各一冊を使用しなければならない。

（**小切手番号**）

**第二十八条**　特別企業出納員は、あらたに小切手帳を使用しようとするときは、前条の規定による使用区分ごとに一事業年度間を通ずる一連番号を明記しなければならない。

2　第二十六条の規定により廃棄した小切手の番号は、使用してはならない。

（**小切手帳及び印鑑の保管**）

**第二十九条**　特別企業出納員は、小切手帳及びこれに使用する印鑑を、不正に使用されることのないように、それぞれ別の容器に厳重に保管しなければならない。

（**小切手の使用状況の確認**）

**第三十条**　特別企業出納員は、小切手・支払通知書整理簿により、毎日、小切手帳の用紙枚数、小切手の振出枚数、小切手の廃棄枚数及び残存用紙の枚数その他必要な事項を確認しなければならない。

（**支払通知書の使用状況の確認**）

**第三十条の二**　特別企業出納員は、支払通知書の発行に関し、小切手・支払通知書整理簿により、前条の規定に準じてその使用状況を確認しなければならない。

（**支払未済資金の整理**）

**第三十一条**　特別企業出納員は、振出日付から一年を経過し、出納取扱金融機関においてまだ支払を終らない小切手については、出納取扱金融機関からの通知に基き、小切手支払未済通知書を作成し、伝票発行者に送付したうえ、当座預金払出書を出納取扱金融機関に交付しなければならない。

（**償還金の支払**）

**第三十二条**　特別企業出納員は、その振り出した小切手が、振出日付から一年を経過したため、その所持人か

ら当該小切手を添えて償還の請求があつたときは、これを調査し、償還すべきものと認めるときは、その手続をとらなければならない。

2 前項の場合において、小切手所持人が亡失により当該小切手を提出できないときは、当該亡失小切手の除権決定の正本を提出させなければならない。

**(支払計算書の送付)**

**第三十三条** 特別企業出納員は、毎日の支払金額について、支払計算書を作成し、支払伝票の副本を添えて、これを局長に送付しなければならない。

## 第四章 現金の管理

**(預金の組替)**

**第三十四条** 特別企業出納員は、現金の効率的な運用を図るため必要があると認めるときは、出納取扱金融機関における預金について、普通預金から他の種類の預金へ組み替えることができる。

2 特別企業出納員は、現金の効率的な運用を図るため必要があると認めるときは、出納取扱金融機関以外の金融機関へ預金を組み替えることができる。

**(預金の組替え・組戻しの手続)**

**第三十五条** 特別企業出納員は、前条に規定する預金の組替えをしようとするとき、又は組み替えた預金の組戻しをしようとするときは、預金組替・組戻通知書を作成し、出納取扱金融機関に交付しなければならない。

**(預金受払高等の通知)**

**第三十六条** 特別企業出納員は、毎日の預金の受払高及び現在高について、預金受払高及び現在高通知書を作成し、局長に送付しなければならない。

**(預金明細帳の確認)**

**第三十七条** 特別企業出納員は、出納取扱金融機関から預金明細帳の正本及び副本の提出を受けたときは、その記載内容に相違がないかどうかを確認し、相違がないと認めるときは、副本を出納取扱金融機関に返付しなければならない。

## 第五章 金融機関の検査

**(金融機関の検査)**

**第三十八条** 特別企業出納員は、出納取扱金融機関及び収納取扱金融機関の公金の出納若しくは収納の事務及び預金の取扱について、自らまたは所属の職員のうちから検査員を命じて、これを検査しなければならない。

**(定期検査・臨時検査)**

**第三十九条** 特別企業出納員は、前条の規定による検査を実施するための方針を策定した上、毎年度これに基づく実施計画を定めて検査を行うものとする。

2 特別企業出納員は、前項に定める場合のほか、必要があると認めるときは、いつでも前条の規定による検査をすることができる。

**(検査の通知)**

**第四十条** 特別企業出納員は、第三十八条の検査を実施しようとするときは、その対象、日時及び場所並びに検査員の職氏名をあらかじめ出納取扱金融機関または収納取扱金融機関に通知しなければならない。ただし、前条第二項に規定する検査については、通知を省略することができる。

**(検査の報告)**

**第四十一条** 検査員は、検査を終了したときは、十日以内に、その結果を特別企業出納員に報告しなければならない。

2 前項の規定にかかわらず、検査員は、検査中特に重要な事項と認めるものがあるときは、直ちにその事の経過に意見を付して、特別企業出納員に報告しなければならない。

## 第六章 雑則

**(特別企業出納員の帳簿)**

**第四十二条** 特別企業出納員は、次に掲げる帳簿を備えて、その整理をしなければならない。

一 現金出納簿
二 支払金整理簿
三 小切手・支払通知書整理簿

**(事務引継)**

**第四十三条** 特別企業出納員の異動があつた場合においては、前任者は、十日以内にその事務を後任者に引継がなければならない。

2 前項の引継をするときは、双方立会のうえ、帳簿及び関係書類と現金の照合をし、引継年月日及び引継完了の旨を帳簿の最終頁に記入して双方がこれに連署しなければならない。

3 前項の引継をしたときは、引継報告書を作成し、会計管理局長に提出しなければならない。

4 前任者が死亡その他の事故によつて、引継ぎをすることができないときは、会計管理局長は、他の職員に前三項の規定による前任者の引継事務を処理させなければならない。

**(帳簿・書類の様式)**

**第四十四条** この規則の施行について必要な帳簿及び書類の様式は、別記のとおりとする。

付 則

この規則は、昭和三十九年四月一日から施行する。

**附　則**（令四・三・三一規則五六）

この規則は、令和四年七月一日から施行する。

**別記**

| | | |
|---|---|---|
| **第一号様式及び第二号様式** | 削除 | |
| **第三号様式** | 出納日報 | 第八条 |
| **第四号様式** | 出納計算書 | 第八条 |
| **第四号様式の二** | 証券不渡報告書 | 第十条 |
| **第五号様式** | 証券不渡通知書 | 第十条 |
| **第六号様式** | 支払証 | 第十一条 |
| **第七号様式** | 支払通知書 | 第十二条 |
| **第八号様式** | 支払不能額通知書 | 第十五条 |
| **第九号様式** | 削除 | |
| **第十号様式** | 送金支払通知書 | 第二十条 |
| **第十一号様式** | 送金通知書 | 第二十条 |
| **第十二号様式** | 口座振替支払通知書 | 第二十一条 |
| **第十三号様式** | 口座振替通知書 | 第二十一条 |
| **第十四号様式** | 小切手振出済通知書 | 第二十四条 |
| **第十五号様式** | 小切手支払未済通知書 | 第三十一条 |
| **第十六号様式** | 当座預金払出書 | 第三十一条 |
| **第十七号様式** | 支払計算書 | 第三十三条 |
| **第十八号様式** | 預金組替・組戻通知書 | 第三十五条 |
| **第十九号様式** | 削除 | |
| **第二十号様式** | 預金受払高及び現在高通知書 | 第三十六条 |
| **第二十一号様式** | 現金出納簿 | 第四十二条 |
| **第二十二号様式** | 支払金整理簿 | 第四十二条 |
| **第二十三号様式** | 小切手・支払通知書整理簿 | 第四十二条 |
| **第二十四号様式** | 引継報告書 | 第四十三条 |

**別記様式**〔略〕

# 第三章　契約

## ○議会の議決に付すべき契約及び財産の取得又は処分に関する条例

昭三九・三・三一
条例一四

最終改正　平二・三・三一条例七四

（趣旨）

**第一条**　議会の議決に付すべき契約及び財産の取得又は処分に関しては、この条例の定めるところによる。

（議会の議決に付すべき契約）

**第二条**　地方自治法（昭和二十二年法律第六十七号）第九十六条第一項第五号の規定により議会の議決に付さなければならない契約は、予定価格九億円以上の工事又は製造の請負とする。

（議会の議決に付すべき財産の取得又は処分）

**第三条**　地方自治法第九十六条第一項第八号の規定により議会の議決に付さなければならない財産の取得又は処分は、予定価格二億円以上の不動産若しくは動産の買入れ若しくは売払い（土地については、一件二万平方メートル以上のものに係るものに限る。）又は不動産の信託の受益権の買入れ若しくは売払いとする。

付　則

1　この条例は、昭和三十九年四月一日から施行する。

2　議会の議決を経又は住民の投票に付すべき財産及び営造物並びに議会の議決を経べき契約に関する条例（昭和二十四年五月東京都条例第五十四号）は、廃止する。

附　則（平二・三・三一条例七四）

この条例は、平成二年四月十日から施行する。

## ○東京都契約事務規則

昭三九・四・一
規則一二五

最終改正　令六・七・一規則一二七

### 第一章　総則

（通則）

**第一条**　東京都が締結する売買、貸借、請負その他の契約に関する事務に関しては、別に定がある場合を除くほか、この規則の定めるところによる。

（定義）

**第二条**　この規則において、次の各号に掲げる用語の意義は、それぞれ当該各号に定めるところによる。

一　局長　東京都組織規程（昭和二十七年東京都規則第百六十四号）第九条第一項に規定する局長、同条第三項に規定する室長並びに住宅政策本部長、中央卸売市場長、教育委員会教育長、警視総監、選挙管理委員会事務局長、監査事務局長、人事委員会事務局長、労働委員会事務局長、収用委員会事務局長、消防総監及び議会局長をいう。

二　所長　東京都予算事務規則（昭和四十年東京都規則第八十三号）第三条第一項第三号及び第二項第三号に規定する所の長をいう。ただし、同規則第十八条第一項及び第四十条第一項の規定により、知事が所の長以外の者を指定した場合は、その者をいう。

三　契約担当者　別に定めるところにより、知事からあらかじめ契約に関する事務を処理する権限を委任された者をいう。

四　資格審査システム　東京都が行う入札参加者の資格審査に関する事務を電子情報処理組織によつて処理する情報処理システムをいう。

五　電子入札システム　東京都が行う入札に関する事務を電子情報処理組織によつて処理する情報処理システムをいう。

六　入札情報サービス　東京都が行う入札に関する情報をインターネットを利用して提供するサービスをいう。

七　電子入札案件　財務局長が別に定めるところにより、電子入札システムにより処理することとされた契約案件をいう。

**（契約事務の総括）**

**第三条**　財務局長は、契約に関する事務の適正な執行を期するため、契約に関する事務の処理の制度を整え、契約に関する事務の処理手続を統一し、及び当該事務の処理について必要な調整をするものとする。

2　財務局長は、契約に関する事務の適正な執行を期するため必要があると認めるときは、局長又は所長に対し、その所掌事務に係る契約に関する事務の状況に関する報告を求め、実地に調査し、または当該事務の処理について必要な措置を講ずべきことを求めることができる。

## 第二章　一般競争入札

**（一般競争入札の参加者の資格の審査等）**

**第四条**　財務局長は、地方自治法施行令（昭和二十二年政令第十六号。以下「令」という。）第百六十七条の五第一項の規定により、知事が、一般競争入札に参加する者に必要な資格として、契約の種類及び金額に応じ、工事、製造又は販売等の実績、従業員の数、資本の額その他の経営の規模及び状況を要件とする資格を定めた場合においては、その定めるところにより、随時に、一般競争入札に参加しようとする者の申請を待つて、その者が当該資格を有するかどうかを審査し、資格を有すると認めた者又は資格がないと認めた者に対し、それぞれ必要な通知をしなければならない。ただし、必要があると認めるときは、期日を定めて一般競争入札に参加しようとする者の申請を待つて、当該審査及び通知をすることを妨げるものではない。

**（有資格者情報）**

**第五条**　財務局長は、前条の規定により一般競争入札に参加する者の資格を審査したときは、その資格を有する者に係る情報を資格審査システムに登録するものとする。

**（一般競争入札の参加者の資格等の公示）**

**第六条**　令第百六十七条の五第二項の規定により一般競争入札に参加する者に必要な資格を公示しようとするときは、第四条に規定する申請の時期及び方法、資格を有すると認める期間及び当該期間の更新手続その他資格の審査について必要な事項を併せて公示しなければならない。

2　前項の公示は、東京都公報に登載して行うものとする。

**（入札の公告）**

**第七条**　知事及び契約担当者（以下「契約担当者等」と総称する。）は、一般競争入札により契約を締結しようとする場合においては、次に掲げる事項について、その入札期日（電子入札案件にあつては、入札期間の末日をいう。以下同じ。）の前日から起算して十日前までに、東京都公報、入札情報サービス、掲示その他の方法により公告しなければならない。ただし、急を要する場合においては、法令に特別の規定がある場合を除くほか、その入札期日の前日から起算して五日前までとすることができる。

一　入札に付する事項

二　入札に参加する者に必要な資格に関する事項

三　契約条項を示す場所

四　入札の日時及び場所（電子入札案件にあつては、入札期間）

五　入札保証金に関する事項

六　電子入札案件である旨（電子入札案件の場合に限る。）

七　開札の日時及び場所（電子入札案件の場合に限る。）

八　前各号に掲げるもののほか、入札について必要な事項

2　前項の場合において、当該一般競争入札が令第百六十七条の十の二第一項及び第二項の規定により落札者を決定する一般競争入札（以下「総合評価一般競争入札」という。）であるときは、契約担当者等は、前項各号に掲げる事項のほか、次に掲げる事項について公告しなければならない。

一　総合評価一般競争入札の方法による旨

二　当該総合評価一般競争入札に係る申込みのうち価格その他の条件が東京都にとつて最も有利なものを決定するための基準（以下「落札者決定基準」という。）

三　開札の日時及び場所

**（入札保証金）**

**第八条**　契約担当者等は、一般競争入札により契約を締結しようとする場合においては、その競争に参加しようとする者をして、その者の見積る契約金額（単価に

よる入札にあつては、契約金額に予定数量を乗じて得た額とする。）の百分の三以上の入札保証金を納めさせなければならない。ただし、次に掲げる場合においては、その全部又は一部を納めさせないことができる。

一　一般競争入札に参加しようとする者が保険会社との間に東京都を被保険者とする入札保証保険契約を締結したとき。

二　令第百六十七条の五第一項の規定により知事が定めた資格を有する者による一般競争入札に付する場合において、その必要がないと認めるとき。

（入札保証金に代わる担保）

**第九条**　令第百六十七条の七第二項の規定により入札保証金の納付に代えて提出させることができる担保は、次に掲げるものとする。

一　国債

二　東京都債

三　銀行、株式会社商工組合中央金庫、農林中央金庫又は全国を地区とする信用金庫連合会の発行する債券（以下「金融債」という。）

四　削除

五　地方債（東京都債を除く。以下同じ。）

六　銀行が振り出し、又は支払保証をした小切手

七　契約担当者等が確実と認める社債

八　契約担当者等が確実と認める金融機関（出資の受入れ、預り金及び金利等の取締りに関する法律（昭和二十九年法律第百九十五号）第三条に規定する金融機関をいう。以下同じ。）が振り出し、又は支払保証をした小切手

九　銀行又は契約担当者等が確実と認める金融機関が引き受け又は保証若しくは裏書をした手形

十　銀行又は契約担当者等が確実と認める金融機関に対する定期預金債権

十一　銀行又は契約担当者等が確実と認める金融機関の保証

2　契約担当者等は、国債、東京都債、金融債、地方債又は契約担当者等が確実と認める社債を入札保証金に代わる担保として提供させる場合において、当該債券が、国債ニ関スル法律（明治三十九年法律第三十四号）の規定により登録された国債又は社債等登録法（昭和十七年法律第十一号）の規定により登録された東京都債、金融債、地方債又は契約担当者等が確実と認める社債であるときは、当該債券を質権の目的となしたことにつき、登録機関に登録させ、その登録済通知書又は登録済証の提出により債券の提供に代えさせることができる。

3　契約担当者等は、金融債、地方債又は契約担当者等が確実と認める社債を入札保証金に代わる担保として提供させる場合において、当該債券が記名債券であるときは、当該債券を質権の目的としたことにつき、社債原簿に記載させ、又は記録させなければならない。

4　契約担当者等は、第一項第十号の定期預金債権を入札保証金に代わる担保として提供させるときは、当該債権に質権を設定させ、当該債権に係る債務者である銀行又は契約担当者等が確実と認める金融機関の承諾を証する確定日付のある書面を提出させなければならない。

5　契約担当者等は、第一項第十一号の銀行又は契約担当者等が確実と認める金融機関の保証を入札保証金に代わる担保として提供させるときは、当該保証を証する書面を提出させ、その提出を受けたときは、遅滞なく当該保証をした銀行又は契約担当者等が確実と認める金融機関との間に保証契約を締結しなければならない。

（入札保証保険証券の提出）

**第十条**　契約担当者等は、一般競争入札に参加しようとする者が東京都を被保険者とする入札保証保険契約を締結したことにより、第八条第一号の規定により入札保証金を納めさせないときは、当該入札保証保険契約に係る保険証券を提出させなければならない。

（担保の価値）

**第十一条**　第九条第一項各号に掲げる担保の価値は、次の各号に掲げる担保について当該各号に定めるところによる。

一　国債、東京都債及び地方債　政府ニ納ムヘキ保証金其ノ他ノ担保ニ充用スル国債ノ価格ニ関スル件（明治四十一年勅令第二百八十七号）の例による金額

二　金融債及び契約担当者等が確実と認める社債　額面金額又は登録金額（発行価額が額面金額又は登録金額と異なるときは、発行価額）の八割に相当する金額

三　銀行又は契約担当者等が確実と認める金融機関が振り出し、又は支払保証をした小切手　小切手金額

四　銀行又は契約担当者等が確実と認める金融機関に対する定期預金債権　当該債権証書に記載された債権金額

五　銀行又は契約担当者等が確実と認める金融機関の保証　その保証する金額

六　銀行又は契約担当者等が確実と認める金融機関が引き受け、又は保証若しくは裏書をした手形　手形金額

（予定価格の作成）

**第十二条**　契約担当者等は、一般競争入札により契約を締結しようとするときは、その競争入札に付する事項の価格を、当該事項に関する仕様書、設計書等（当該仕様書、設計書等に記載すべき事項を記録した電磁的記録を含む。）によつて予定し、その予定価格を記載した書面（別記第一号様式）を封書にし、開札の際これを開札場所に置かなければならない。ただし、財務局長が別に定める契約においては、当該入札執行前にその予定価格を公表することができる。

2　前項の規定にかかわらず、電子入札案件にあつては、同項の規定により予定価格を記載した書面を封書にし開札の際これを開札場所に置くことに代えて、予定価格を電子入札システムに登録しなければならない。

**（予定価格の決定方法）**

**第十三条**　予定価格は、競争入札に付する事項の価格の総額について定めなければならない。ただし、一定期間継続してする製造、修理、加工、売買、供給、使用等の契約の場合においては、単価についてその予定価格を定めることができる。

2　予定価格は、契約の目的となる物件または役務について、取引の実例価格、需給の状況、履行の難易、数量の多寡、履行期間の長短等を考慮して適正に定めなければならない。

**（契約の内容に適合した履行がされないおそれがあるため最低価格の入札者を落札者としない場合の手続）**

**第十四条**　財務局長は、必要があるときは、知事の承認を得て、一般競争入札により工事又は製造その他についての請負の契約（以下「請負契約」という。）を締結しようとする場合において、予定価格の制限の範囲内で最低の価格をもつて申込をした者の当該申込に係る価格によつては、その者により当該契約の内容に適合した履行がされないおそれがあると認められる場合の基準を作成するものとする。

**第十五条**　契約担当者等は、一般競争入札により請負契約を締結しようとする場合において、予定価格の制限の範囲内で最低の価格をもつて申込をした者の当該申込に係る価格が、前条の基準に該当することとなつたときは、その者により当該契約の内容に適合した履行がされないおそれがあるかどうかについて調査しなければならない。

2　契約担当者は、前項の調査の結果、その者により当該契約の内容に適合した履行がされないおそれがあると認め、その者を落札者とせず、予定価格の制限の範囲内の価格をもつて申込をした他の者のうち、最低の価格をもつて申込をした者を落札者としようとするときは、あらかじめ財務局長に協議しなければならない。

**第十六条**　契約担当者等は、一般競争入札により請負契約を締結しようとする場合において、予定価格の制限の範囲内で最低の価格をもつて申込をした者の当該申込に係る価格によつてはその者により当該契約の内容に適合した履行がされないおそれがあると認め、令第百六十七条の十第一項の規定により、その者を落札者とせず、予定価格の制限の範囲内の価格をもつて申込をした他の者のうち、最低の価格をもつて申込をした者を落札者としたときは、直ちに、当該落札者及び最低の価格をもつて申込をした者で落札者とならなかつた者に必要な通知をするとともに、その他の入札者に対しては適宜の方法により落札の決定があつた旨を知らせなければならない。

**（公正な取引の秩序を乱すこととなるおそれがあるため最低価格の入札者を落札者としない場合の手続）**

**第十七条**　契約担当者は、一般競争入札により請負契約を締結しようとする場合において、予定価格の制限の範囲内で最低の価格をもつて申込をした者と契約を締結することが公正な取引の秩序を乱すこととなるおそれがあつて著しく不適当であると認め、その者を落札者とせず、予定価格の制限の範囲内の価格をもつて申込をした他の者のうち、最低の価格をもつて申込をした者を落札者としようとするときは、あらかじめ財務局長に協議しなければならない。

2　前条の規定は、契約担当者が前項の規定による手続を経て予定価格の制限の範囲内で最低の価格をもつて申込みをした者を落札者とせず、予定価格の制限の範囲内の価格をもつて申込みをした他の者のうち、最低の価格をもつて申込みをした者を落札者とした場合について準用する。

**（契約の内容に適合した履行がされないおそれがあるため落札者となるべき者を落札者としない場合等の手続）**

**第十七条の二**　第十四条から前条までの規定は、令第百六十七条の十の二第二項の規定により、落札者となるべき者を落札者とせず、予定価格の制限の範囲内の価格をもつて申込みをした他の者のうち、価格その他の条件が東京都にとつて最も有利なものをもつて申込みをした者を落札者とする場合について準用する。この場合において、第十四条及び第十五条第一項中「予定価格の制限の範囲内で最低の価格をもつて申込をした者」とあるのは「落札者となるべき者」と、同条第二項中「最低の価格をもつて申込をした者」とあるのは「価格その他の条件が東京都にとつて最も有利なものをもつて申込みをした者」と、第十六条中「予定価格の制限の範囲内で最低の価格をもつて申込をした者」

とあるのは「落札者となるべき者」と、「令第百六十七条の十第一項」とあるのは「令第百六十七条の十の二第二項」と、「最低の価格をもつて申込をした者を」とあるのは「価格その他の条件が東京都にとつて最も有利なものをもつて申込みをした者を」と、「最低の価格をもつて申込をした者で」とあるのは「価格その他の条件が東京都にとつて最も有利なものをもつて申込みをした者で」と、第十七条第一項中「予定価格の制限の範囲内で最低の価格をもつて申込をした者」とあるのは「落札者となるべき者」と、「最低の価格をもつて申込をした者を」とあるのは「価格その他の条件が東京都にとつて最も有利なものをもつて申込みをした者を」と、同条第二項中「前条」とあるのは「次条において準用する前条」と、「最低の価格をもつて申込みをした者」とあるのは「価格その他の条件が東京都にとつて最も有利なものをもつて申込みをした者」と読み替えるものとする。

**（最低制限価格の決定方法）**

**第十八条**　契約担当者等は、一般競争入札により請負契約を締結しようとする場合において、当該契約の内容に適合した履行を確保するため特に必要があると認め、令第百六十七条の十第二項の規定によりあらかじめ最低制限価格を設けようとするときは、予定価格の十分の七以上で、当該請負の予定価格を構成する材料費、労務費、諸経費等の割合その他の条件を考慮して当該請負ごとに適正に定めなければならない。

2　前項の規定により最低制限価格を定めたときは、その最低制限価格を記載した書面（別記第一号様式）を封書にし、予定価格を記載した書面とともに開札の際これを開札場所に置かなければならない。

3　前項の規定にかかわらず、電子入札案件にあつては、同項の規定により最低制限価格を記載した書面を封書にし予定価格を記載した書面とともに開札の際これを開札場所に置くことに代えて、最低制限価格を電子入札システムに登録しなければならない。

**（入札の無効）**

**第十九条**　契約担当者等は、一般競争入札に付した場合において、申込者の入札が次の各号のいずれかに該当するときは、当該入札を無効としなければならない。

一　入札に参加する資格がない者のした入札

二　定められた日時までに所定の入札保証金を納付しない者のした入札

三　郵便又は民間事業者による信書の送達に関する法律（平成十四年法律第九十九号）第二条第六項に規定する一般信書便事業者若しくは同条第九項に規定する特定信書便事業者による同条第二項に規定する信書便（以下「郵便等」という。）による入札を認めた場合において、その送付された入札書が定められた日時までに所定の場所に到着しないもの

四　入札書（電子入札案件にあつては、入札書に記載すべき事項を記録した電磁的記録を含む。以下この条及び第二十三条において同じ。）に記載され、又は記録された事項が不明なもの

五　入札書に署名及び記名押印のいずれもないもの（電子入札案件にあつては、入札書に署名及び記名押印のいずれもないもの又は財務局長が別に定める方法による署名若しくは記名押印に相当する電磁的記録のないもの）

六　同一事項の入札について二通以上の入札書を提出したものの入札で、その前後を判別できないもの又はその後発のもの

七　他人の代理を兼ね、又は二人以上の代理をしたものに係る入札

八　前各号に掲げるもののほか、特に指定した事項に違反したもの

**（入札無効理由の開示）**

**第二十条**　契約担当者等は、入札を無効とする場合においては、開札に立ち会つた入札者に対し、その面前で理由を明示して当該入札が無効である旨を知らせなければならない。

2　契約担当者等は、電子入札案件において入札を無効とする場合は、前項の規定にかかわらず、入札者に対し、当該入札が無効である旨及び当該入札が無効である理由を知らせるものとする。

**（再度入札の入札保証金）**

**第二十一条**　令第百六十七条の八第四項の規定により再度の入札をする場合においては、初度の入札に対する入札保証金の納付（入札保証金の納付に代えて提供された担保を含む。）をもつて再度の入札における入札保証金の納付があつたものとみなす。

**（入札結果の通知）**

**第二十二条**　契約担当者等は、開札した場合において落札者があるときは、その者の氏名（法人の場合はその名称）及び金額を、落札者がないときはその旨を開札に立ち会つた入札者に知らせなければならない。この場合において、落札者となつた者が開札に立ち会わなかつたときは、その者に落札者となつた旨を通知する。

2　契約担当者等は、電子入札案件において開札した場合に落札者があるときは、前項の規定にかかわらず、その者の氏名（法人の場合はその名称）及び金額を、落札者がないときはその旨を入札者に知らせるものとする。

（入札経過調書の作成）

**第二十三条**　契約担当者等は、開札した場合においては、入札の経過を明らかにした入札経過調書（別記第二号様式。総合評価一般競争入札又は令第百六十七条の十三において準用する令第百六十七条の十の二第一項及び第二項の規定により落札者を決定する指名競争入札（以下「総合評価指名競争入札」という。）の場合は、別記第二号様式の二）を作成し、当該入札に係る入札書その他の書類（当該書類に記載すべき事項を記録した電磁的記録を含む。）とともに保存しなければならない。

２　前項の規定にかかわらず、電子入札案件にあつては、同項に規定する入札経過調書を作成することに代えて、入札経過調書に記載すべき事項を記録した電磁的記録を作成しなければならない。

（入札保証金等の返還）

**第二十四条**　入札保証金または入札保証金の納付にかえて提供された担保は、落札者に対しては契約保証金の納付後（契約保証金の納付に代えて担保が提供される場合においては、当該担保の提供後）、その他の者に対しては落札者の決定後これを返還するものとする。

２　前項の規定にかかわらず、次に掲げる場合においては、当該各号に定めるところにより入札保証金を返還するものとする。ただし、落札者以外の者に対しては、この限りでない。

一　第四十条ただし書の規定により契約保証金の全部を納めさせないこととした場合においては、契約の確定後

二　第三十八条の規定により契約書の作成を省略し、かつ、第四十条ただし書の規定により契約保証金の全部を納めさせないこととした場合においては、第三十九条の規定による請書等の徴取後

（入札保証金に対する利息）

**第二十五条**　入札保証金に対しては、その受入期間につき利息を付さないものとする。

（再度入札の公告）

**第二十六条**　契約担当者等は、一般競争入札（総合評価一般競争入札を除く。）に付した場合において、入札者若しくは落札者がない場合又は落札者が契約を締結しない場合で、更に入札に付そうとするときは、第七条第一項の規定にかかわらず、同項各号に掲げる事項について、法令に特別の規定がある場合を除くほか、その入札期日の前日から起算して五日前までに、東京都公報、入札情報サービス、掲示その他の方法により公告しなければならない。

## 第三章　指名競争入札

（指名競争入札の参加者の資格の審査等）

**第二十七条**　第四条から第六条までの規定は、令第百六十七条の十一第二項の規定により知事が指名競争入札に参加する者に必要な資格を定めた場合について準用する。

２　前項の場合において、令第百六十七条の十一第二項の規定により知事が定めた資格が同第百六十七条の五第一項の規定により定めた資格と同一である等のため、前項において準用する第四条及び第五条の規定による資格の審査及び資格審査システムへの登録を要しないと認められるときは、当該資格の審査及び資格審査システムへの登録は行わず、第四条及び第五条の規定による資格の審査及び資格審査システムへの登録をもつてこれに代えるものとする。

（指名基準）

**第二十八条**　契約担当者等が、令第百六十七条の十一第二項の規定により知事が定めた資格を有する者のうちから指名競争入札に参加させようとする者を指名する場合の基準は、別に定める。ただし、第三十条の規定により東京都指名業者選定委員会の議を経なければならない工事の請負に係るものについては、この限りでない。

（競争参加者の指名）

**第二十九条**　契約担当者等は、指名競争入札により契約を締結しようとするときは、当該入札に参加することができる資格を有する者のうちから、当該入札に参加させようとする者をなるべく五人以上指名しなければならない。

２　前項の場合においては、契約担当者等は、第七条第一項各号に掲げる事項（同項第二号に掲げる事項を除く。）をその指名する者に通知しなければならない。

３　第一項の場合において、当該指名競争入札が総合評価指名競争入札であるときは、契約担当者等は、前項に規定する事項のほか、次に掲げる事項及び第七条第二項第三号に掲げる事項を通知しなければならない。

一　総合評価指名競争入札の方法による旨

二　当該総合評価指名競争入札に係る落札者決定基準

（東京都指名業者選定委員会への付議）

**第三十条**　契約担当者等（警視総監及び消防総監を除く。）は、予定価格が建築工事にあつては三億五千万円以上、土木工事にあつては二億五千万円以上、電気工事、管工事その他の設備工事にあつては四千万円以上の工事の請負に関して、前条第一項の規定により指名競争入札に参加させようとする者を指名しようとするときは、別に定める東京都指名業者選定委員会（以下「委員会」という。）の議を経なければならない。

2 前項の規定にかかわらず、知事が別に定める工事の請負については、その予定価格が同項に規定する金額を下回る場合においても、委員会の議を経なければならない。

**（入札保証金）**

**第三十一条** 契約担当者等は、指名競争入札により契約を締結しようとする場合においては、その競争に参加しようとする者に、その者の見積もる契約金額（単価による入札にあつては、契約金額に予定数量を乗じて得た額とする。）の百分の三以上の入札保証金を納めさせなければならない。ただし、次に掲げる場合においては、その全部又は一部を納めさせないことができる。

一 指名競争入札に参加しようとする者が保険会社との間に東京都を被保険者とする入札保証保険契約を締結したとき。

二 令第百六十七条の十一第二項の規定により知事が定めた資格を有する者による指名競争入札に付する場合等において、その必要がないと認めるとき。

**（一般競争入札に関する規定の準用）**

**第三十二条** 第九条から第二十五条までの規定は、指名競争入札の場合について準用する。

## 第四章 随意契約

**（予定価格の決定）**

**第三十三条** 契約担当者等は、随意契約によろうとするときは、あらかじめ第十三条の規定に準じて予定価格を定めなければならない。

**（見積書の徴取）**

**第三十四条** 契約担当者等は、随意契約によろうとするときは、契約条項その他見積りに必要な事項を示して、なるべく二人以上の者から見積書を徴さなければならない。ただし、法令により価格の定められている物件を買い入れるとき、その他その必要がないと認めるときは、この限りでない。

**（随意契約によることができる場合の予定価格の額）**

**第三十四条の二** 令第百六十七条の二第一項第一号の普通地方公共団体の規則で定める予定価格の額は、次の各号に掲げるとおりとする。

一 工事又は製造の請負 二百五十万円

二 財産の買入れ 百六十万円

三 物件の借入れ 八十万円

四 財産の売払い 五十万円

五 物件の貸付け 三十万円

六 前各号に掲げるもの以外のもの 百万円

**（見積経過調書の作成）**

**第三十四条の三** 契約担当者等は、第三十四条の規定により見積書を徴した場合においては、当該見積りの経過を明らかにした見積経過調書（別記第二号様式の三）を作成し、見積書その他の書類とともに保存しなければならない。ただし、東京都契約事務の委任等に関する規則（昭和三十九年東京都規則第百三十号）別記第十号様式の三、別記第十号様式の四甲又は別記第十号様式の四乙により起案する場合は、この限りでない。

**（随意契約の内容等の公表）**

**第三十四条の四** 契約担当者等は、令第百六十七条の二第一項第三号又は第四号の規定により随意契約を締結しようとするときは、第一号に掲げる事項を公表し、当該契約を締結したときは、第二号に掲げる事項を公表するものとする。ただし、令第百六十七条の二第一項第四号の規定による随意契約において、当該契約の履行が可能な者が一人である場合は、第一号に掲げる事項の公表を省略することができる。

一 契約内容、相手方の決定方法、選定基準、申込方法その他必要な事項

二 契約の締結状況その他必要な事項

## 第五章 せり売り

**（せり売りに付する手続）**

**第三十五条** 第四条から第十三条まで及び第二十四条から第二十六条までの規定は、せり売りの場合にこれを準用する。

## 第六章 契約の締結

**（契約書の作成）**

**第三十六条** 契約担当者等は、一般競争入札、指名競争入札若しくはせり売りにより落札者若しくは競落者が決定したとき、又は随意契約の相手方を決定したときは、遅滞なく次に掲げる事項を記載した契約書（契約内容を記録した電磁的記録を含む。次項及び第三項並びに第三十八条を除き、以下同じ。）を作成しなければならない。ただし、契約の性質又は目的により該当のない事項については、その記載を要しないものとする。

一 契約の目的

二 契約金額

三 履行期限

四 契約保証金に関する事項

五 契約履行の場所

六 契約代金の支払又は受領の時期及び方法

七 監督及び検査

八 履行の遅滞その他債務の不履行の場合における遅

延利息、違約金その他の損害金
九 危険負担
十 契約不適合責任
十一 契約に関する紛争の解決方法
十二 その他必要な事項

2 契約担当者等は、前項の契約書を作成する場合において、当該契約の相手方が隔地にあるときは、まず、その者に契約書の案を送付して記名押印させ、さらに当該契約書の案の送付を受けてこれに記名押印するものとする。

3 前項の場合において、記名押印が完了したときは、当該契約書の一通を当該契約の相手方に送付するものとする。

4 契約担当者等は、契約内容を記録した電磁的記録を作成するときは、地方自治法（昭和二十二年法律第六十七号）第二百三十四条第五項の規定による総務省令で定める措置を講ずるものとする。

（標準契約書）

**第三十七条** 財務局長は、知事の承認を得て、契約担当者が作成する契約書に関し、その標準となるべき書式を定めるものとする。

2 契約担当者は、前項の書式が定められたときは、当該書式に準拠して、前条第一項の契約書を作成するものとする。

（契約書の作成を省略することができる場合）

**第三十八条** 契約担当者等は、次に掲げる場合においては、第三十六条第一項の規定にかかわらず、契約書の作成を省略することができる。

一 工事又は製造その他についての請負又は委託で、契約金額が百五十万円未満のものをするとき。

二 物品の買入れで、契約金額が百五十万円未満のものをするとき。

三 物件の借入れで、契約金額が百五十万円未満のものをするとき。

四 せり売りに付するとき。

五 物件を売り払う場合において、買受人が代金を即納してその物件を引き取るとき。

六 第一号から第三号まで及び前号に該当するもののほか、随意契約による場合において、その必要がないと認めるとき。

（請書等の徴取）

**第三十九条** 契約担当者等は、前条の規定により契約書の作成を省略する場合においても、知事が指定する契約を除き、契約の適正な履行を確保するため、請書（別記第三号様式から別記第三号様式の七まで）その他これに準ずる書面を提出させるものとする。

（契約保証金）

**第四十条** 契約担当者等は、東京都と契約を締結する者に、契約金額（単価による契約にあつては、契約金額に予定数量を乗じて得た額とする。）の百分の十以上の契約保証金を納めさせなければならない。ただし、次に掲げる場合においては、その全部又は一部を納めさせないことができる。

一 契約の相手方が保険会社との間に東京都を被保険者とする履行保証保険契約を締結したとき。

二 法令に基づき延納が認められる場合において、確実な担保が提供されるとき。

三 物件を売り払う契約を締結する場合において、売払代金が即納されるとき。

四 前各号に定めるもののほか、令第百六十七条の五第一項の規定により知事が定めた資格を有する者による一般競争入札に付し、若しくは指名競争入札若しくはせり売りに付し、又は随意契約による場合において、その必要がないと認めるとき。

（契約保証金に代わる担保）

**第四十一条** 令第百六十七条の十六第二項において準用する令第百六十七条の七第二項の規定により契約保証金の納付に代えて提出させることができる担保は、次に掲げるものとする。

一 第九条第一項各号に掲げるもの

二 公共工事の前払金保証事業に関する法律（昭和二十七年法律第百八十四号）第二条第四項に規定する保証事業会社（以下「保証事業会社」という。）の保証

2 前項第二号に掲げる担保の価値は、その保証する金額とする。

（入札保証金の規定の準用）

**第四十一条の二** 第九条（第一項を除く。）から第十一条まで及び第二十五条の規定は、契約保証金について準用する。この場合において、第十条中「一般競争入札に参加しようとする者」とあるのは「契約の相手方」と、「入札保証保険契約」とあるのは「履行保証保険契約」と読み替えるものとする。

## 第七章 契約の履行

（売払代金の納付時期）

**第四十二条** 財産（公有財産を除く。以下本条において同じ。）の売払代金は、その引渡しの時までに完納させなければならない。ただし、東京都が売り払う目的をもつて取得し、生産し、または製造した財産（取得した財産に加工し、または修理を加えたものを含む。）を売り払う場合においては、一年以内の延納の特約をすることができる。

（貸付料の納付時期）

**第四十三条** 財産（公有財産を除く。）の貸付料は、他に特別の定がある場合を除くほか、前納させなければならない。ただし、その貸付期間が四月以上にわたるものについては、分割して定期に前納させることができる。

（前金払）

**第四十四条** 公共工事の前払金保証事業に関する法律第二条第一項に規定する公共工事については、当該公共工事に係る契約の相手方に対し、次の各号に掲げる区分に応じ当該各号に定める額の範囲内において、令附則第七条の規定により前金払をすることができる。

一 契約金額が七十二億円未満の場合 契約金額の三割（土木工事、建築工事及び設備工事については、四割）を超えない額（七億二千万円を限度とする。）

二 契約金額が七十二億円以上の場合 契約金額の一割を超えない額

2 前金払をした後において、設計変更その他の理由により契約金額を変更した場合において、その増減額が著しいため、前払金の額が不適当と認められるに至つたときは、当該変更後の金額に応じて前払金を追加払し、又は返還させることができる。

3 前払金の支払を受けた者が次の各号の一に該当する場合は、既に支払つた前払金を返還させるものとする。

一 保証事業会社との間の保証契約が解除されたとき。

二 都との間の契約が解除されたとき。

三 前払金を当該前払金に係る公共工事以外の経費の支払に充てたとき。

（部分払）

**第四十四条の二** 契約により、請負契約に係る既済部分又は物件の買入契約に係る既納部分に対し、その完済前又は完納前に代価の一部を支払う必要がある場合における当該支払金額は、請負契約にあつてはその既済部分に対する代価の十分の九、物件の買入契約にあつてはその既納部分に対する代価をこえることができない。ただし、性質上可分の請負契約に係る完済部分にあつては、その代価の全額までを支払うことができる。

2 前条の規定により前金払をした工事について、前項の規定により部分払をするときは、同項の規定により支払うべき金額から、前払金の額に契約金額に対する既済部分の代価の割合を乗じて得た額を控除して支払うものとする。

（中間前金払）

**第四十四条の三** 第四十四条第一項の規定により前金払をした土木工事、建築工事及び設備工事については、当該工事に係る契約の相手方に対し、次の各号に掲げる区分に応じ当該各号に定める額の範囲内において、令附則第七条の規定により、既にした前金払に追加してする前金払（以下「中間前金払」という。）をすることができる。

一 契約金額が七十二億円未満の場合 契約金額の二割を超えない額（三億六千万円を限度とする。）

二 契約金額が七十二億円以上の場合 契約金額の五分を超えない額

2 中間前金払をした後における中間前払金の追加払及び返還については、第四十四条第二項及び第三項の規定を準用する。

## 第八章 監督及び検査

（監督の職務と検査の職務の兼職禁止）

**第四十五条** 契約担当者等から検査を命ぜられた職員（以下「検査員」という。）の職務は、特別の必要がある場合を除き、契約担当者等から監督を命ぜられた職員（以下「監督員」という。）の職務と兼ねることができない。

（監督又は検査を円滑に実施するための約定）

**第四十六条** 契約担当者等は、監督又は検査の円滑な実施を図るため、必要があるときは、当該契約の相手方に監督又は検査に協力させるために必要な事項を約定しなければならない。

（監督員の一般的職務）

**第四十七条** 監督員は、必要があるときは、請負契約に係る仕様書及び設計書（当該仕様書及び設計書に記載すべき事項を記録した電磁的記録を含む。）に基づき、当該契約の履行に必要な細部設計図、原寸図等若しくは当該細部設計図等に記載すべき事項を記録した電磁的記録を作成し、又は契約の相手方が作成したこれらの書類（当該書類に記載すべき事項を記録した電磁的記録を含む。）を審査して承認の手続を執らなければならない。

2 監督員は、必要があるときは、請負契約の履行について、立会い、工程の管理その他の方法により監督をし、契約の相手方に必要な指示をするものとする。

3 監督員は、監督の実施に当つては、契約の相手方の業務を不当に妨げることのないようにするとともに、監督において特に知ることができたその者の業務上の秘密に属する事項は、これを他に漏らしてはならない。

（監督員の職務の特例）

**第四十七条の二** 局長は、第五十条第三項の規定にかかわらず、特に必要があるときは、請負契約について契約の相手方がその給付を行なうために使用する材料の検査を監督員に行なわせることができる。

**（監督員の報告）**

**第四十八条**　監督員は、監督の実施状況について、契約担当者等に対し、随時に必要な報告をしなければならない。

**（検査の一部省略）**

**第四十九条**　契約担当者等は、物件の買入れで、その単価が二十万円に満たないものをする場合において、その給付の完了後相当の期間内に当該物件につき破損、変質、性能の低下その他の事故が生じたときは、取替え、補修その他必要な措置を講ずる旨の特約があり、当該給付の内容が担保されると認められるときは、数量以外のものの検査を省略することができる。

**（検査員の一般的職務）**

**第五十条**　検査員は、請負契約についての給付の完了の確認（給付の完了前に代価の一部を支払う必要がある場合において行う当該請負の既済部分の確認を含む。）につき、契約書、仕様書及び設計書その他の関係書類（当該関係書類に記載すべき事項を記録した電磁的記録を含む。）に基づき、かつ、必要に応じ当該契約に係る関係職員の立会いを求め、当該給付の内容について検査を行なければならない。

2　検査員は、請負契約以外の契約についての給付の完了の確認（給付の完了前に代価の一部を支払う必要がある場合において行う物件の既納部分の確認を含む。）につき、契約書その他の関係書類（当該関係書類に記載すべき事項を記録した電磁的記録を含む。）に基づき、かつ、必要に応じ当該契約に係る関係職員の立会いを求め、当該給付の内容及び数量について検査を行わなければならない。ただし、財務局長が指定する契約については、この限りでない。

3　検査員は、前二項に定める契約について、契約の相手方がその給付を行うために使用する材料につき、仕様書、設計書その他の関係書類（当該関係書類に記載すべき事項を記録した電磁的記録を含む。）に基づき、その内容及び数量について検査を行わなければならない。

4　前三項の場合において必要があるときは、破壊若しくは分解または試験して検査を行うものとする。

**（検査調書の作成等）**

**第五十一条**　検査員は、前条第一項及び第二項の検査を完了した場合においては、次条に定める場合を除くほか、検査調書（別記第四号様式、別記第四号様式の二又は別記第四号様式の四）を作成し、その結果を契約担当者等に報告しなければならない。この場合において、その給付が当該契約の内容に適合しないものであるときは、その旨及びその措置についての意見を検査調書に記載しなければならない。

**（検査調書の作成を省略することができる場合）**

**第五十二条**　請負契約又は物件の買入れその他の契約に係る給付の完了の確認（給付の完了前に代価の一部を支払う必要がある場合において行うものを除く。）のための検査であつて、当該契約金額（単価による契約にあつては、契約金額に給付を受けた一回の数量を乗じて得た額とし、また委託契約で、分割して履行されるものについては、一回の履行に相当する額とする。）が二百万円未満の契約に係る検査調書の作成は、これを省略することができる。ただし、検査を行つた結果、その給付が当該契約の内容に適合しないものであるときは、この限りでない。

**（監督及び検査の実施細目）**

**第五十三条**　監督及び検査の実施についての細目は、別に定める。

## 第九章　特定調達契約に関する特例

**（定義）**

**第五十四条**　この章において、次の各号に掲げる用語の意義は、それぞれ当該各号に定めるところによる。

一　物品等　動産（現金及び有価証券を除く。）及び著作権法（昭和四十五年法律第四十八号）第二条第一項第十号の二に規定するプログラムで、特定調達契約に係るものをいう。

二　特定役務　二千十二年三月三十日ジュネーブで作成された政府調達に関する協定を改正する議定書によつて改正された千九百九十四年四月十五日マラケシュで作成された政府調達に関する協定の附属書I日本国の付表5に掲げるサービス又は同附属書I日本国の付表6に掲げる建設サービスに係る役務で、特定調達契約に係るものをいう。

三　調達契約　物品等又は特定役務の調達のため締結される契約（当該物品等又は当該特定役務以外の物品等又は役務の調達が付随するものを含み、民間資金等の活用による公共施設等の整備等の促進に関する法律（平成十一年法律第百十七号）第二条第二項に規定する特定事業（建設工事を除く。）にあつては、民間資金等の活用による公共施設等の整備等の促進に関する法律の一部を改正する法律（平成二十三年法律第五十七号）による改正前の同項に規定する特定事業を実施するため締結される契約に限る。）をいう。

四　一連の調達契約　特定の需要に係る一の物品等若

しくは特定役務又は同一の種類の二以上の物品等若しくは特定役務の調達のため締結される二以上の調達契約で、特定調達契約に係るものをいう。

五　特定調達契約　地方公共団体の物品等又は特定役務の調達手続の特例を定める政令（平成七年政令第三百七十二号。以下「特例政令」という。）の規定が適用される調達契約をいう。

六　競争入札　一般競争入札及び指名競争入札で、特定調達契約に係るものをいう。

（競争入札の参加者の資格等の公示）

**第五十五条**　競争入札に参加する者に必要な資格等を公示しようとするときは、第六条（第二十七条第一項において準用する場合を含む。）の規定にかかわらず、第六条に規定する事項のほか、調達をする物品等又は特定役務の種類及び資格に関する文書を入手するための手段を東京都公報に登載して公示しなければならない。

（一般競争入札の公告）

**第五十六条**　契約担当者等は、一般競争入札により特定調達契約を締結しようとするときは、第七条第一項の規定にかかわらず、同項各号に掲げる事項のほか、次に掲げる事項について、その入札期日の前日から起算して四十日前まで（一連の調達契約に関し、その最初の契約に係る入札の公告において、その後の契約に係る入札の公告を当該入札の二十四日前から三十九日前までの間のいずれかの期日までに行うことを示した場合には、当該その後の契約については、その示した期日まで）に、東京都公報に登載して公告しなければならない。ただし、急を要する場合においては、その入札期日の前日から起算して十日前までとすることができる。

一　郵便等による入札書の受領期限

二　一連の調達契約にあつては、当該一連の調達契約のうちの一の契約による調達後において調達が予定される物品等又は特定役務の名称、数量及びその入札の公告の予定時期並びに当該一連の調達契約のうちの最初の契約に係る入札の公告の日付

三　第四条に規定する申請の時期及び場所

四　第六十条に規定する文書の交付に関する事項

五　契約手続において使用する言語及び通貨に関する事項

六　入札の無効に関する事項

七　落札者の決定の方法

八　特定調達契約に関する事務を担当する組織の名称

2　第二十六条の規定は、前項の公告については、適用しない。

3　第一項に規定する公告については、日本語により記載するほか、次に掲げる事項を英語により記載しなければならない。

一　調達をする物品等又は特定役務の名称及び数量

二　工事場所又は履行場所

三　工期又は履行期間

四　契約手続において使用する言語及び通貨に関する事項

五　入札の日時

六　特定調達契約に関する事務を担当する組織の名称

4　第一項の場合において、当該一般競争入札が総合評価一般競争入札であるときは、契約担当者等は、同項の規定により公告をしなければならない事項のほか、第七条第二項各号に掲げる事項について公告しなければならない。

（指名競争入札の公示）

**第五十七条**　契約担当者等は、指名競争入札により特定調達契約を締結しようとするときは、前条第一項（第三号を除く。）の規定により公告しなければならない事項及び指名されるために必要な要件について、その入札期日の前日から起算して四十日前まで（一連の調達契約のうち最初の契約以外の契約に係る指名競争入札については、二十四日前まで）に、東京都公報に登載して公示しなければならない。ただし、急を要する場合においては、その入札期日の前日から起算して十日前までとすることができる。

2　前項の場合において、当該指名競争入札が総合評価指名競争入札であるときは、契約担当者等は、同項の規定により公示をしなければならない事項のほか、第七条第二項第三号及び第二十九条第三項各号に掲げる事項について公示しなければならない。

3　前条第三項の規定は、第一項に規定する公示について準用する。

（指名競争入札の参加者の指名）

**第五十八条**　契約担当者等は、指名競争入札により特定調達契約を締結しようとする場合において、第二十九条第二項及び第三項の規定による通知を行うときは、前条第一項に規定する公示を行つた日以後、その入札期日の前日から起算して四十日前まで（一連の調達契約のうち最初の契約以外の契約に係る指名競争入札については、二十四日前まで）に行わなければならない。ただし、急を要する場合においては、その入札期日の前日から起算して十日前までとすることができる。

2　前項の通知を行う場合において、契約担当者等は、第二十九条第二項及び第三項に規定する事項のほか、次に掲げる事項を通知しなければならない。

一　一連の調達契約にあつては、第五十六条第一項第二号に掲げる事項
二　契約手続において使用する言語

**（公告又は公示に係る競争入札に参加しようとする者の取扱い）**

**第五十九条**　財務局長は、第五十六条第一項に規定する公告又は第五十七条第一項に規定する公示を行つた日以後、当該競争入札に参加しようとする者から第四条（第二十七条第一項において準用する場合を含む。）に基づく申請があつたときは、第四条に規定する資格を有するかどうかについて、速やかに、審査を開始しなければならない。この場合において、開札の時までにその審査を終了できないおそれがあると認めるときは、あらかじめその旨を当該申請を行つた者（以下「申請者」という。）に通知しなければならない。

2　契約担当者等は、申請者から当該競争入札に係る入札書が前項の審査の終了前に提出された場合において、当該競争入札の開札の時までに当該審査を終了しなかつたとき、又は申請者について当該競争入札に参加する者に必要な資格がないと認めたとき、若しくは申請者を指名しなかつたときは、当該入札書を申請者に返還するものとする。

**（入札説明書の交付）**

**第六十条**　契約担当者等は、競争入札により契約を締結しようとするときは、当該競争入札に参加しようとする者に対し、その者の申請により、次に掲げる事項について説明する文書を交付するものとする。

一　第五十六条第一項若しくは第四項の規定により公告しなければならない事項又は第五十七条第一項若しくは第二項の規定により公示しなければならない事項（第五十六条第一項第三号及び第七号に掲げる事項を除く。）
二　調達をする物品等又は特定役務の仕様その他の事項
三　前払金に関する事項
四　開札に立ち会う者に関する事項
五　令第百六十七条の八第四項（令第百六十七条の十三において準用する場合を含む。）に規定する再度の入札に関する事項
六　特定調達契約に関する事務を担当する組織の名称及び所在地
七　契約手続において電子入札システムを用いる場合は、当該電子入札システムの使用に関する事項
八　前各号に掲げるもののほか、競争入札について必要な事項

**（郵便等による入札）**

**第六十一条**　契約担当者等は、競争入札により契約を締結しようとするときは、郵便等による入札を禁止してはならない。

**（落札者の決定の通知等）**

**第六十二条**　契約担当者等は、競争入札により落札者を決定した場合において、落札者とならなかつた入札者から請求があつたときは、落札者の氏名及び住所（法人の場合はその名称及び所在地）並びに落札金額並びに当該請求を行つた入札者が落札者とされなかつた理由を速やかに通知するものとする。

**（落札者等の公示）**

**第六十三条**　契約担当者等は、競争入札により落札者を決定したとき、又は特定調達契約につき随意契約により相手方を決定したときは、次に掲げる事項について、決定した日の翌日から起算して七十二日以内に、東京都公報に登載して公示しなければならない。

一　競争入札又は随意契約に係る物品等又は特定役務の名称及び数量
二　特定調達契約に関する事務を担当する組織の名称及び所在地
三　競争入札による落札者又は随意契約の相手方を決定した日
四　競争入札による落札者又は随意契約の相手方の氏名及び住所（法人の場合はその名称及び所在地）
五　競争入札による落札金額又は随意契約に係る契約金額
六　契約の相手方を決定した手続
七　競争入札の公告又は公示をした日
八　随意契約によることとした理由
九　前各号に掲げるもののほか、競争入札又は随意契約について必要な事項

**（競争入札に関する記録）**

**第六十四条**　契約担当者等は、競争入札により落札者を決定したときは、次に掲げる事項について、記録を作成し、保管するものとする。

一　入札者の入札金額
二　落札者の氏名（法人の場合はその名称）及び落札金額
三　無効とされた入札がある場合には、当該入札の内容及び無効とされた理由
四　前三号に掲げるもののほか、競争入札について必要な事項

**（随意契約に関する記録）**

**第六十五条**　契約担当者等は、特定調達契約につき随意契約により相手方を決定したときは、当該随意契約の内容及び随意契約によることとした理由について、記録を作成し、保管するものとする。

付　則

1　この規則は、公布の日から施行する。

2　この規則の施行前に改正前の東京都契約事務規則の規定に基き締結した契約で、この規則施行の日までにその給付が完了していないものについては、なお従前の例による。

3　この規則施行の際、改正前の東京都契約事務規則第百十二条第一項の規定により作成する検査証の用紙で現に残存するものについては、この規則第五十一条第一項の規定により作成する検査調書の用に供する用紙とみなし、昭和四十年三月三十一日までは、なお使用することができる。

附　則（令四・一〇・三一規則二一一）

1　この規則は、令和四年十一月一日から施行する。

2　この規則による改正後の東京都契約事務所規則の規定は、この規則の施行の日（以下「施行日」という。）以後に行われる公告その他の契約の申込みの誘引による契約について適用し、施行日前において行われた公告その他の契約の申込みの誘引による契約で施行日以後に入札執行されるものについては、なお従前の例による。

附　則（令六・四・一五規則一一四）

この規則は、令和六年七月一日から施行する。

附　則（令六・七・一規則一二七）

1　この規則は、令和六年十月一日から施行する。

2　この規則による改正後の東京都契約事務規則の規定は、この規則の施行の日（以下「施行日」という。）以後に行われる公告その他の契約の申込みの誘引による契約について適用し、施行日前において行われた公告その他の契約の申込みの誘引による契約で施行日以後に入札執行されるものについては、なお従前の例による。

**別記様式**〔略〕

## ○長期継続契約を締結することができる契約を定める条例

平一八・三・三一
条　例　二　二

（長期継続契約を締結することができる契約）

**第一条**　地方自治法施行令（昭和二十二年政令第十六号）第百六十七条の十七の規定に基づく長期継続契約を締結することができる契約は、物品を借り入れ、又は役務の提供を受ける契約で、次の各号に該当するものとする。

一　電子計算機を借り入れる契約その他の商慣習上複数年にわたり契約を締結することが一般的であると認められる契約のうち東京都規則及び地方公営企業法（昭和二十七年法律第二百九十二号）第十条に規定する企業管理規程（以下「規則等」という。）で定めるもの

二　庁舎等の設備保守に係る契約その他の翌年度以降にわたり経常的かつ継続的に役務の提供を受ける必要があると認められる契約のうち規則等で定めるもの

（委任）

**第二条**　前条に定めるもののほか、この条例の施行に関し必要な事項は、規則等で定める。

附　則

この条例は、平成十八年四月一日から施行する。

## ○長期継続契約を締結することができる契約を定める条例施行規則

平一八・三・三一
規　則　三　六

（趣旨）

**第一条**　この規則は、長期継続契約を締結することができる契約を定める条例（平成十八年東京都条例第二十二号。以下「条例」という。）の施行に関し必要な事項を定めることとする。

（長期継続契約を締結することができる契約）

**第二条**　条例第一条第一号に規定する規則で定める契約は、次に掲げる契約とする。

一　電子計算機、事務用機器及び業務用機器の借入れに関する契約

二　自動車の借入れに関する契約

三　前二号のほか財務局長が適当と認めた契約

2　条例第一条第二号に規定する規則で定める契約は、次に掲げる契約とする。

一　電子計算機、事務用機器及び業務用機器の保守に関する契約

二　電子計算機処理に係るプログラムの保守及び運用に関する契約

三　庁舎の電気暖冷房等設備保守及び通信施設保守に関する契約

四　機械警備に関する契約

五　複写サービスに関する契約

六　前各号のほか財務局長が適当と認めた契約

（契約期間）

**第三条**　長期継続契約の契約期間は、五年以内とする。ただし、財務局長が必要と認めたものは、その上限を超えて契約期間を定めることができる。

附　則

この規則は、平成十八年四月一日から施行する。

# ○東京都契約事務の委任等に関する規則

昭三九・四・一
規則一三〇

最終改正　令六・七・一規則一二八

## 第一章　総則

（通則）

**第一条**　知事の権限に属する契約に関する事務の委任及び契約に関する事務の処理の手続に関しては、別に定めがある場合を除くほか、この規則の定めるところによる。

（定義）

**第二条**　この規則において、次の各号に掲げる用語の意義は、それぞれ当該各号に定めるところによる。

一　局　東京都組織規程（昭和二十七年東京都規則第百六十四号）第八条第一項に規定する本庁の局、室並びに住宅政策本部、中央卸売市場及び東京消防庁をいう。

二　局長　東京都組織規程第九条第一項に規定する局長、同条第三項に規定する室長並びに住宅政策本部長、中央卸売市場長及び消防総監をいう。

三　所　東京都予算事務規則（昭和四十年東京都規則第八十三号）第三条第一項第三号及び第二項第三号に規定する所（東京都立学校設置条例（昭和三十九年東京都条例第百十三号）別表に掲げる都立学校及び警察署を除く。）をいう。

四　所長　前号に規定する所の長をいう。ただし、東京都予算事務規則第十八条第一項及び第四十条第一項の規定により、知事が所の長以外の者を指定した場合は、その者をいう。

五　用品　東京都用品調達基金条例施行規則（平成六年東京都規則第四十号）第四条の規定により知事がその種類を指定した用品をいう。

六　特定施設　水門（閘門を含む。）、陸閘及び排水機場をいう。

七　契約事務システム　都が行う契約に関する事務を電子情報処理組織によつて処理する情報処理システムをいう。

八　特定調達契約　地方公共団体の物品等又は特定役務の調達手続の特例を定める政令（平成七年政令第三百七十二号）の規定が適用される契約をいう。

九　長期継続契約　長期継続契約を締結することができる契約を定める条例（平成十八年東京都条例第二十二号）第一条の規定が適用される契約をいう。

## 第二章　委任事務

（委任する事務の範囲）

**第三条**　局の所掌に係る事項に関する契約のうち、次に掲げる契約に関する事務は、当該局の長（財務局長を除く。）に委任する。

一　予定価格が建築工事にあつては三億五千万円未満、土木工事（特定施設に係る工事（修繕に係るものを除く。）を除く。）並びに船舶の製造及び修繕にあつては二億五千万円未満の請負契約（知事が指定するものを除く。）

二　予定価格が四千万円未満の電気工事、管工事その他の設備工事（以下「設備工事」という。）の請負契約（特定施設に係る工事の請負契約（修繕に係るものを除く。）を除く。）
三　前号に定めるもののほか、ガス工事の請負契約
四　予定価格が二千万円未満の地質調査、測量、設計及び工事の監理業務の委託契約
2　前項に定めるもののほか、局の所掌に係る事項に関する契約のうち、次に掲げる契約に関する事務は、当該局の長に委任する。
一　予定価格が二千万円未満（長期継続契約にあつては、月額に十二を乗じて得た額又は年額が二千万円未満）の請負契約（印刷物の製作に係るものを除く。）、委託契約及び労働者派遣契約（労働者派遣事業の適正な運営の確保及び派遣労働者の保護等に関する法律（昭和六十年法律第八十八号）第二十六条第一項の労働者派遣契約をいう。以下同じ。）（特定調達契約を除く。）
二　前号に定めるもののほか、委託契約で、知事が指定する契約以外のもの及び修繕の請負契約（建物及び船舶の修繕に係るものを除く。）
三　予定価格が三千万円未満の物品の買入れ（用品に係るものを除く。）及び予定価格が一千五百万円未満の印刷物の製作（用品指定の印刷物の製作に係るものを除く。）に関する契約（特定調達契約を除く。）
四　前号に掲げるもののほか、図書、新聞、食品、燃料、動物及びタクシーの利用券の買入れに関する契約
五　物品の売払いに関する契約
六　東京都公有財産規則（昭和三十九年東京都規則第九十三号）第五条第一項の規定により処理する普通財産の売払い、交換、譲与及び貸付けに関する契約、同規則第五条第二項の規定により管理する事務・事業に関連して取得した普通財産の貸付けに関する契約、同規則第五条の二の規定により処理する知的財産権の売払い及び利用の許諾等に関する契約、同規則第七条第一項第一号及び第三号から第六号までの規定により管理する普通財産の貸付けに関する契約、同規則第七条第二項及び第七条の二の規定により処理する普通財産の売払い、交換、譲与及び貸付けに関する契約並びに同規則第二十九条の規定により処理する行政財産の貸付け及び地上権又は地役権の設定に関する契約
七　削除
八　物件の借入れに関する契約で、知事が指定する契約以外のもの
九　契約の性質又は目的によりその行為を秘密にする必要があるものに係る契約
十　保管に関する契約
十一　電気、ガス（プロパンガスを含む。）若しくは水の供給若しくは電気通信の役務の提供を受ける契約又は放送の受信契約で、知事が指定する契約以外のもの
十二　第五号及び第六号に掲げるもののほか、歳入の原因となる契約（不動産の売払い及び貸付け、土地の信託並びに民間資金等の活用による公共施設等の整備等の促進に関する法律（平成十一年法律第百十七号。以下「民間資金法」という。）第二十二条第一項に定める公共施設等運営権実施契約（以下「運営権実施契約」という。）に係るものを除く。）
3　前二項に定めるもののほか、局の所掌に係る事項に関する契約のうち、次に掲げる契約に関する事務は、当該局の長に委任する。
一　前二項に掲げる契約で、非常災害又は緊急事態の発生に際し、人命及び財産の保護のために必要なもの
二　前二項に掲げる契約で、国、地方公共団体その他公共団体を相手方とするもの

**第三条の二**　前条に定めるもののほか、都市整備局の所掌に係る事項に関する契約のうち、次に掲げる契約に関する事務は、都市整備局長に委任する。
一　道路、公園その他の公共用地の買入れに関する契約
二　公共事業の施行に伴う代替地の買入れ及び売払いに関する契約
三　鉄道、軌道、道路又は河川が交差する部分に係る道路の築造、河川の改修等に関する契約
四　物件の移転その他の損失補償に関する契約
五　多摩ニュータウン事業（相原・小山土地区画整理事業を含む。）区域内の事業用地及び保留地の売払いに関する紹介あつせん業務の委託契約

**第三条の三**　第三条に定めるもののほか、住宅政策本部の所掌に係る事項に関する契約のうち、次に掲げる契約に関する事務は、住宅政策本部長に委任する。
一　都営住宅用地、道路、公園その他の公共用地及び都営住宅用建物の買入れに関する契約
二　公共事業の施行に伴う代替地の買入れ及び売払いに関する契約
三　物件の移転その他の損失補償に関する契約
四　都営住宅に係る工事の監理業務の委託契約

**第四条**　第三条に定めるもののほか、環境局の所掌に係る事項に関する契約のうち、次に掲げる契約に関する事務は、環境局長に委任する。
一　産業廃棄物中間処理施設建設用地の買入れに関する契約

二　廃棄物の処分に関する契約

**第五条**　第三条に定めるもののほか、中央卸売市場の所掌に係る事項に関する契約のうち、市場事業の業務に係る用地の貸付けに関する契約に関する事務は、中央卸売市場長に委任する。

**第六条**　第三条に定めるもののほか、建設局の所掌に係る事項に関する契約のうち、次に掲げる契約に関する事務は、建設局長に委任する。

一　道路、公園その他の公共用地の買入れに関する契約

二　公共事業の施行に伴う代替地の買入れ及び売払いに関する契約

三　鉄道、軌道、道路又は河川が交差する部分に係る道路の築造、河川の改修等に関する契約

四　物件の移転その他の損失補償に関する契約

**第七条**　第三条に定めるもののほか、港湾局の所掌に係る事項に関する契約のうち、次に掲げる契約に関する事務は、港湾局長に委任する。

一　臨海地域開発事業及び港湾事業の業務に係る用地の買入れ、売払い、交換、譲与及び貸付けに関する契約

二　臨海地域開発事業及び港湾事業の業務に係る建物、工作物又は立木の買入れ、売払い、交換、譲与及び一時貸付けに関する契約

三　臨海地域開発事業の業務に係る用地の売払い及び貸付けの仲介に関する契約

**第八条**　第三条に定めるもののほか、東京消防庁の所掌に係る事項に関する契約のうち、次に掲げる契約に関する事務は、消防総監に委任する。

一　不動産の買入れ及びこれに伴う物件の移転その他の損失補償に関する契約

二　消防用特殊車、消防艇、航空機、消防用器材、被服その他の消防業務に必要なものの買入れ、修繕その他の請負、委託及び物件の借入れに関する契約

三　予定価格が一億二千万円未満の消防署、消防出張所、待機寮その他の消防活動に必要な施設の設備工事の請負契約（知事が指定するものを除く。）

**第九条**　削除

**第十条**　支庁の所掌に係る事項に関する契約に関する事務は、用品の買入れに係るものを除き、当該支庁の長に委任する。ただし、工事請負契約について、その給付の完了の確認（給付の完了前に代価の一部を支払う必要がある場合において行う工事の既済部分の確認を含む。）をするために行う必要な検査に関する事務は、予定価格が建築工事にあつては三億五千万円未満、土木工事にあつては二億五千万円未満、設備工事にあつては八千万円未満の工事請負契約（知事が指定するものを除く。）に係るものとする。

**第十一条**　所の所掌に係る事項に関する契約のうち、次の表の上欄に掲げる所の所掌に係る事項に関する契約に関する事務は、同表下欄に掲げるものに限り、当該所の長に委任する。ただし、用品の買入れ、用品指定の印刷物の製作及び特定施設の工事（修繕に係るものを除く。）に係る契約に関する事務については、この限りでない。

| | |
|---|---|
| 所の長に理事を充てている所 | 一　三億五千万円未満の建築工事及び二億五千万円未満の土木工事の請負契約（知事が指定するものを除く。）<br>二　四千万円未満の設備工事の請負契約<br>三　二千万円未満（長期継続契約にあつては、月額に十二を乗じて得た額又は年額が二千万円未満）の前二号以外の請負契約（印刷物の製作に係るものを除く。）、委託契約及び労働者派遣契約（特定調達契約を除く。）<br>四　三千万円未満の物品の買入れ及び一千五百万円未満の印刷物の製作に関する契約（特定調達契約を除く。） |
| 所の長に参事を充てている所（東京消防庁にあつては、奥多摩消防署以外の消防署をいう。） | 一　八百万円未満の工事の請負契約<br>二　六百万円未満（長期継続契約にあつては、月額に十二を乗じて得た額又は年額が六百万円未満）の前号以外の請負契約（印刷物の製作に係るものを除く。）、委託契約及び労働者派遣契約<br>三　三百万円未満の物品の買入れ及び印刷物の製作に関する契約 |
| 所の長に副参事を充てている所（東京消防庁にあつては、奥多摩消防署及びそ | 一　四百万円未満の工事の請負契約<br>二　三百万円未満（長期継続契約にあつては、月額に十二を乗じて得た額又は年額が三百 |

| | |
|---|---|
| の他の所をいう。） | 万円未満）の前号以外の請負契約（印刷物の製作に係るものを除く。）、委託契約及び労働者派遣契約<br>三　百五十万円未満の物品の買入れ及び印刷物の製作に関する契約 |

2　前項に定めるもののほか、所の所掌に係る事項に関する契約のうち、別表上欄に掲げる所については、同表下欄に掲げる契約に関する事務に限り、当該所の長に委任する。ただし、用品の買入れ、用品指定の印刷物の製作及び特定施設の工事（修繕に係るものを除く。）に係る契約に関する事務については、この限りでない。

3　前二項に定めるもののほか、所の所掌に係る事項に関する契約のうち、第三条第一項第三号、同条第二項第二号、第四号、第五号、第八号から第十二号まで及び同条第三項に掲げる契約に関する事務は、当該所の長に委任する。

**第十二条**　前条に定めるもののほか、東京都市街地整備事務所、東京都多摩ニュータウン整備事務所、東京都住宅建設事務所、東京都建設事務所、東京都公園緑地事務所及び東京都江東治水事務所の所掌に係る事項に関する契約のうち、次に掲げる契約に関する事務は、当該所の長に委任する。

一　不動産の買入れに関する契約

二　物件の移転その他の損失補償に関する契約

**（個別的委任）**

**第十三条**　局長は、特に必要があるときは、第三条第一項第一号、第二号及び第四号並びに同条第二項第一号及び第三号に掲げる契約で、その予定価格が当該各号に定める金額をこえるものにつき、財務局長を経て、知事に申請しその委任を受けることができる。

**第十四条**　所長は、特に必要があるときは、第十一条第一項及び第二項の規定により委任を受けた契約で、その予定価格が当該各項に定める金額をこえるものにつき、財務局長を経て、知事に申請し、その委任を受けることができる。

## 第三章　委任事務の処理

**（処理の原則）**

**第十五条**　局長及び所長は、第三条から第八条まで及び第十三条又は第十条から第十二条まで及び第十四条の規定により委任を受けた契約（以下「委任契約」という。）に関する事務の処理に当つては、法令その他の関係規程の定めるところに従い、当該契約の性質又は目的に応じて、最少の経費をもつて最大の効果を挙げるよう適実かつ厳正にこれを執行しなければならない。

**（監督及び検査）**

**第十六条**　局長及び所長は、その所属職員に命じて、第三条から第八条まで及び第十三条又は第十条から第十二条まで及び第十四条の規定に基づき締結した工事若しくは製造その他についての請負の契約（以下「請負契約」という。）又は物件の買入れその他の契約について、その適正な履行を確保するため又はその受ける給付の完了の確認（給付の完了前に代価の一部を支払う必要がある場合において行う当該請負の既済部分又は物件の既納部分の確認を含む。）をするため、必要な監督（当該請負に使用する材料の検査を除く。以下同じ。）及び検査（当該請負に使用する材料の検査を含む。以下本章において同じ。）を行わせなければならない。

2　前項の監督又は検査を命ぜられた職員は、その監督又は検査を、地方自治法施行令（昭和二十二年政令第十六号。以下「令」という。）第百六十七条の十五第一項又は第二項及び東京都契約事務規則（昭和三十九年四月東京都規則第百二十五号）その他の関係規程に基づき、厳正に執行しなければならない。

**第十七条**　局長及び所長は、特に必要があるときは、前条第一項の監督又は検査を他の局又は所の所属職員に行わせることができる。

2　局長及び所長は、前項の規定により監督又は検査をその所属職員以外の者に行わせる場合においては、あらかじめ、当該監督又は検査を行わせる職員が所属する局又は所の長に、当該監督又は検査に係る請負契約又は物件の買入れその他の契約の内容を示してその同意を経なければならない。

3　前項の規定により同意を求められた局長又は所長は、その事務・事業に格別の支障がない限り同意するものとする。

**第十八条**　前条の規定により局長又は所長がその所属職員以外の者に監督又は検査を行わせる場合においては、当該監督又は検査を行う職員は、当該契約を締結した局長又は所長の指揮監督を受けるものとする。

**（監督又は検査の委託）**

**第十九条**　局長及び所長は、第十六条第一項の契約について、特に専門的な知識又は技能を必要とすることその他の理由により、その所属職員によつて監督又は検査を行わせることが困難であり、又は適当でないと認められるときは、東京都の職員以外の者に委託して当該監督又は検査を行わせることができる。

**（監督又は検査を委託して行つた場合の確認）**

**第二十条**　局長及び所長は、前条の規定により、東京都の職員以外の者に委託して監督又は検査を行わせた場合においては、当該監督又は検査の結果を確認し、当該確認の結果を記載した書面又は当該書面に記載すべき事項を記録した電磁的記録を作成しなければならない。

**（契約書の内容調査）**

**第二十条の二**　局長及び所長は、委任契約で、仕様書、内訳書等の内容調査を行う必要があると認めるものについては、その所属職員に命じて行わせるものとする。

**（契約の内容変更の処理）**

**第二十条の三**　第三条第一項第一号、第二号及び第四号並びに第二項第一号及び第三号、第八条第三号並びに第十一条第一項及び第二項の規定により局長又は所長に委任した契約の内容の変更については、変更後の契約金額が各条に定める金額をこえる場合であつても、当該局長又は所長において処理するものとする。

## 第四章　補助執行事務の処理

**（財務局長に対する契約締結の請求）**

**第二十一条**　局長は、第三条第一項第一号、第二号及び第四号並びに同条第二項第一号及び第三号に掲げる契約で、その予定価格が当該各号に規定する金額を超えるもの、同項第八号及び第十一号に規定する知事が指定する契約、土地の信託に関する契約並びに民間資金法第五条第二項第五号に定める事業契約及び運営権実施契約を締結する必要があるときは、別記第一号様式又は当該様式に記載すべき事項を契約事務システムに登録すること（以下「別記第一号様式等」という。）によりその契約の締結を財務局長に請求しなければならない。ただし、第十三条の規定により委任を受けた場合は、この限りでない。

2　所長は、所の所掌に係る事項に関する契約のうち、第十一条第一項及び第二項に規定する契約で、その予定価格が、当該各項に規定する金額を超えるもの並びに同条第三項に規定する契約で、知事が指定するものを締結する必要があるときは、別記第一号様式等によりその契約の締結を財務局長に請求しなければならない。ただし、第十四条の規定により委任を受けた場合は、この限りでない。

3　局長及び所長は、特定施設に係る契約を締結する必要があるときは、別記第一号様式等によりその契約の締結を財務局長に請求しなければならない。

**第二十二条**　会計管理局長は、用品の購買をしようとするときは、別記第一号様式等によりその契約の締結を財務局長に請求しなければならない。

**（契約締結請求の必要書類）**

**第二十三条**　局長及び所長は、前二条の規定により財務局長に契約の締結を請求する場合は、その事務処理に必要な期間を考慮して、当該契約を履行させるために通常必要な期間を付するとともに、仕様書、図面その他の契約の締結に必要な書類又は当該書類に記載すべき事項を記録した電磁的記録を添付し、当該契約の履行につき疑義のないようにしなければならない。

**（指定理由）**

**第二十四条**　局長及び所長は、物品の買入れについて、第二十一条の規定により財務局長に契約の締結を請求する場合において、事務・事業の必要によりその種類を指定するときは、別記第二号様式又は当該様式に記載すべき事項を記録した電磁的記録によりその指定理由を明らかにしなければならない。

**（契約の締結等）**

**第二十五条**　財務局長は、第二十一条及び第二十二条の規定による契約の締結の請求を受けた工事又は製造その他についての請負、物件の買入れその他について、速やかに契約締結の手続をとらなければならない。

2　財務局長は、前項の契約について、競争入札、随意契約又はせり売りに付した場合において契約を締結するに至らなかつたときは、意見を付して、速やかに当該契約の締結を請求した局長又は所長にその旨を通知しなければならない。

**（契約不調の場合の措置）**

**第二十六条**　前条第二項の規定による通知を受けた局長及び所長は、設計内容の変更又は仕様内容の変更その他必要な手続を経て、契約の締結について財務局長に回答しなければならない。

**（関係書類の返付）**

**第二十七条**　財務局長は、契約が締結されたときは、契約書、入札書又は見積書その他の関係書類（当該関係書類に記載すべき事項を記録した電磁的記録を含む。）を、契約を締結するに至らなかつたときは、入札書又は見積書その他の関係書類を別記第三号様式又は当該様式に記載すべき事項を契約事務システムに登録することにより当該契約の締結を請求した局長又は所長に返付するものとする。

**（補助執行事務の監督）**

**第二十八条**　財務局長が締結の手続をとつた請負契約又は物件の買入れその他の契約について、その適正な履行を確保するため行う必要な監督は、当該契約の締結を請求した局長又は所長が行うものとする。

**第二十九条**　局長及び所長は、前条の監督をその所属職員に命じて行わせなければならない。

2　第十六条第二項の規定は、前項の規定により監督を命ぜられた職員について準用する。

**第三十条**　局長及び所長は、必要があるときは、第二十八条の監督を他の局又は所の所属職員に行わせることができる。

2　局長又は所長は、前項の規定により監督を行わせる場合においては、あらかじめ当該局又は所の長に協議しなければならない。

3　第一項の規定により監督を行う場合においては、当該監督を行う職員は、当該職員の所属する局又は所の長の指揮監督を受けるものとする。

**（監督を委託して行つた場合の確認）**

**第三十一条**　令第百六十七条の十五第四項の規定により東京都の職員以外の者に委託して監督を行わせた場合においては、当該監督の結果を確認し、当該確認の結果を記載した書面又は当該書面に記載すべき事項を記録した電磁的記録を作成しなければならない。

**（補助執行事務の材料検査）**

**第三十一条の二**　財務局長が締結の手続をとつた請負契約又は物件の買入れその他の契約について、契約の相手方がその給付を行うために使用する材料の検査（以下「材料検査」という。）は、当該契約の締結を請求した局長又は所長が行うものとする。

2　第二十九条及び第三十条の規定は、前項の規定により材料検査を行う場合について準用する。

**（完了届その他の関係書類の財務局長への送付）**

**第三十二条**　局長及び所長は、財務局長が締結の手続を執つた請負契約又は物件の買入れその他の契約について、別記第四号様式又は知事の定める項目を記載した納品書による給付の完了の届出（給付の完了前に代価の一部の支払を受けるための当該請負の既済部分又は物件の既納部分の確認を受けるための別記第五号様式による請求を含む。）を受理したときは、速やかに関係書類又は当該関係書類に記載すべき事項を記録した電磁的記録を財務局長に送付しなければならない。ただし、第三十四条第一項の規定により当該契約の締結を請求した局若しくは所の所属職員に検査を行わせることとしたもの並びに第三十五条第一項及び第三十六条の規定により当該契約の締結を請求した局又は所以外の局又は所の所属職員に検査を行わせることとしたものについては、この限りでない。

**（補助執行事務の検査）**

**第三十三条**　次に掲げる契約について、その受ける給付の完了の確認（給付の完了前に代価の一部を支払う必要がある場合において行う工事若しくは製造その他についての請負の既済部分又は物件の既納部分の確認を含む。）をするため行う必要な検査は、財務局長が行うものとする。

一　財務局長が締結の手続をとつた請負契約又は物件の買入れその他の契約

二　支庁の長が第十条の規定により締結した契約のうち、予定価格が建築工事にあつては三億五千万円以上、土木工事にあつては二億五千万円以上、設備工事にあつては八千万円以上の工事請負契約（第十条ただし書に規定する知事が指定するものを含む。）

2　財務局長は、前項の検査を、その所属職員に命じて行わせるものとする。

3　第十六条第二項の規定は、前項の規定により検査を命ぜられた職員について準用する。

**第三十四条**　財務局長は、必要があるときは、前条第一項の検査を、当該契約の締結を請求した局若しくは所の所属職員に行わせることができる。ただし、特定施設に係る工事の検査については、この限りでない。

2　前項の規定により検査を行う場合においては、その検査を行う職員は、当該職員の所属する局又は所の長の指揮監督を受けるものとする。

**第三十五条**　前条に規定するもののほか、財務局長は、特に必要があると認めるときは、第三十三条第一項第一号の検査を、当該契約の締結を請求した局又は所以外の局又は所の所属職員に行わせることができる。ただし、特定施設に係る工事の検査については、この限りでない。

2　財務局長は、前項の規定により検査を行わせる場合においては、あらかじめ、当該局又は所の長に協議しなければならない。

3　第一項の規定により検査を行う場合においては、当該検査を行う職員は、当該職員の所属する局又は所の長の指揮監督を受けるものとする。

**第三十六条**　財務局長は、必要があるときは、第三十三条第一項第一号の検査のうち、用品の買入れに係る検査を当該用品を請求した局又は所の所属職員に行わせることができる。この場合における検査の執行については、第三十四条第二項の規定を準用する。

**（検査を委託して行つた場合の確認）**

**第三十七条**　令第百六十七条の十五第四項の規定により東京都の職員以外の者に委託して第三十三条第一項の検査を行わせた場合においては、当該検査の結果を確認し、当該確認の結果を記載した書面又は当該書面に記載すべき事項を記録した電磁的記録を作成しなければならない。

**（検査区分の整理）**

**第三十八条**　財務局長は、第三十三条の規定により行う検査を直接検査、第三十四条から第三十六条までの規定により行う検査を間接検査として整理するものとする。

**（契約書の内容調査）**

**第三十八条の二**　財務局長が締結の手続をとつた契約で、財務局長が必要と認めるものに係る仕様書、内訳書等の内容調査は、当該契約の締結を請求した局長及び所長が、その所属職員に命じて行わせるものとする。

**（契約の内容変更等の処理）**

**第三十九条**　局長及び所長は、財務局長が締結の手続を執つた請負契約又は物件の買入れその他の契約について、その内容の変更又は解除を必要とするときは、別記第八号様式又は当該様式に記載すべき事項を記録した電磁的記録により関係書類又は当該関係書類に記載すべき事項を記録した電磁的記録を添えてその処理を財務局長に請求しなければならない。

2　財務局長は、前項の規定による請求を受けたときは、速やかにその手続を執り、当該手続が完了したときは、別記第九号様式又は当該様式に記載すべき事項を記録した電磁的記録により関係書類又は当該関係書類に記載すべき事項を記録した電磁的記録を当該請求をした局長又は所長に返付するものとする。

## 第五章　検査員の指定

**（直接検査を行う検査員）**

**第四十条**　財務局長は、直接検査を行わせる職員を、その所属職員のうちからあらかじめ検査員として指定しておくものとする。

**（委任事務に係る検査を行う検査員等）**

**第四十一条**　局長及び所長は、第十六条第一項の検査を行わせる職員を、その所属職員のうちからあらかじめ検査員として指定しておくものとする。

2　局長及び所長は、前項の規定により検査員を指定したときは、毎年四月一日現在において別記第九号様式の二による検査員報告書又は当該様式に記載すべき事項を記録した電磁的記録を作成し、その年の四月三十日までに財務局長に報告しなければならない。

3　局長及び所長は、間接検査を、第一項の規定により指定した検査員に行わせなければならない。

4　局長及び所長は、東京都契約事務規則第四十七条の二に定める場合を除き、第三十一条の二の規定により行う材料検査を、第一項の規定により指定した検査員に行わせなければならない。

## 第六章　雑則

**（契約に係る起案）**

**第四十二条**　請負契約若しくは物品の買入れの契約又は当該契約の内容の変更については、次の各号に掲げる区分に応じて、当該各号に定める様式により起案しなければならない。ただし、一般競争入札による契約については、この限りでない。

一　競争入札による契約　別記第十号様式

二　随意契約（一件の予定価格が百万円を超えるもの）　別記第十号様式の二及び別記第十号様式の三

三　随意契約（一件の予定価格が百万円以下のもの）　別記第十号様式の四甲

四　前三号の契約又は一般競争入札による契約の内容の変更　別記第十号様式の五

2　前項の規定にかかわらず、同項各号に規定する契約又は当該契約の内容の変更のうち、契約事務システムにより処理するものについては、当該各号に定める様式によらないで起案することができる。この場合において、第一項第三号に規定する契約については、別記第十号様式の四乙を用いることができる。

3　前二項の規定は、請負契約又は物品の買入れ以外の契約及び当該契約の内容の変更について準用する。

**（競争に参加させないことができる者についての通知）**

**第四十三条**　局長及び所長は、その所掌に係る事項に関する契約に関し、令第百六十七条の四第二項各号（第百六十七条の十一第一項において準用する場合を含む。以下この項において同じ。）のいずれかに該当すると認められる者があつたときは、次に掲げる事項を詳細に記載した書面又は当該書面に記載すべき事項を記録した電磁的記録により財務局長に通知しなければならない。

一　令第百六十七条の四第二項各号のいずれかに該当すると認められる者の住所、氏名（法人にあつては、法人名及び代表者名）、業種、経営の規模及び状況並びに当該局又は所における契約の実績

二　令第百六十七条の四第二項各号の該当条項及びその事実の詳細

2　財務局長は、前項の通知を受けた場合において、その通知に係る者が令第百六十七条の四第二項（第百六十七条の十一第一項において準用する場合を含む。）の規定に該当すると認めるときは、各局長及び所長に対し、その事実を記載した書面又は当該書面に記載すべき事項を記録した電磁的記録を送付するものとする。

**（契約締結状況の報告）**

**第四十四条**　局長及び所長は、第三条から第八条まで及

び第十三条又は第十条から第十二条まで及び第十四条の規定により締結した契約について、財務局長が別に定めるところにより、各四半期の処理状況を、当該四半期の終了後二十日以内に財務局長あて報告しなければならない。

(契約事務の記録整理)

**第四十五条** 局長及び所長は、別記第十二号様式又は別記第十二号様式の二による契約台帳を備え、契約に関する事務の処理について必要な事項を記録整理するものとする。

2 前項の規定にかかわらず、契約事務システムにより処理する契約案件にあつては、同項の規定により別記第十二号様式による契約台帳に記録整理することに代えて、契約に関する事務の処理に必要な事項を契約事務システムによつて管理するものとする。

**付 則**

1 この規則は、公布の日から施行する。

2 この規則施行前に東京都契約事務規則(昭和三十九年四月東京都規則第百二十五号)による改正前の東京都契約事務規則(以下「旧規則」という。)の規定に基き締結した契約で、この規則施行の日までにその給付が完了していないものについては、なお従前の例による。

3 この規則施行の際、旧規則及び廃止前の昭和二十四年十一月東京都訓令甲第百七十六号(東京都契約事務規則施行に必要な附属様式)の規定により作成した簿冊その他の書類の作成の用に供する用紙で現に残存するものについてこの規則に相当規定があるものについては、それぞれ当該相当規定による簿冊その他の書類の作成の用に供する用紙とみなし、昭和四十年三月三十一日までは、なお使用することができる。

**附 則**(令五・三・三一規則四四)

1 この規則は、令和五年四月一日から施行する。ただし、別表福祉保健局の項を削り、同表環境局の項の次に次のように加える改正規定は、同年七月一日から施行する。

2 この規則の施行の際、現にこの規則による改正前の東京都契約事務の委任等に関する規則の規定により局長及び所長が財務局長に契約の締結を請求しているものについては、なお従前の例による。

**附 則**(令六・三・二九規則九七)

この規則は、令和六年四月一日から施行する。

**附 則**(令六・七・一規則一二八)(抄)

1 この規則は、令和六年十月一日から施行する。

**別表**（第十一条関係）

| 所 | | 委任する事務の範囲 |
|---|---|---|
| 所属する局 | 名称等 | |
| 都市整備局 | 東京都市街地整備事務所 | 一 三億五千万円未満の建築工事及び二億五千万円未満の土木工事の請負契約（知事が指定するものを除く。）<br>二 四千万円未満の設備工事の請負契約<br>三 二千万円未満（長期継続契約にあつては、月額に十二を乗じて得た額又は年額が二千万円未満）の委託契約及び労働者派遣契約（特定調達契約を除く。）<br>四 三千万円未満の工事用原材料の買入れに関する契約（特定調達契約を除く。） |
| 住宅政策本部 | 住宅建設事務所 | 一 三億五千万円未満の建築工事及び二億五千万円未満の土木工事の請負契約（知事が指定するものを除く。）<br>二 四千万円未満の設備工事の請負契約<br>三 二千万円未満（長期継続契約にあつては、月額に十二を乗じて得た額又は年額が二千万円未満）の委託契約及び労働者派遣契約（特定調達契約を除く。）<br>四 前号に定めるもののほか、都営住宅に係る工事の監理業務の委託契約<br>五 三千万円未満の工事用原材料の買入れに関する契約（特定調達契約を除く。） |
| 環境局 | 東京都多摩環境事務所 | 一 自然公園事業及び近郊緑地事業の実施に係る工事のうち、三億五千万円未満の建築工事及び二億五千万円未満の土木工事の請負契約（知事が指定するものを除く。）<br>二 四千万円未満の自然公園事業及び近郊緑地事業の実施に係る設備工事の請負契約<br>三 二千万円未満（長期継続契約にあつては、月額に十二を乗じて得た額又は年額が二千万円未満）の自然公園事業及び近郊緑地事業の実施に係る委託契約（特定調達契約を除く。） |
| 福祉局 | 児童相談所<br>児童自立支援施設 | 所の利用者に係る被服の買入れに関する契約 |
| | 東京都立北療育医療センター<br>東京都立府中療育センター | 医薬品、保存血液、医用ガス及び診療材料の買入れに関する契約 |
| 保健医療局 | 東京都動物愛護相談センター | 飼料の買入れに関する契約 |
| 産業労働局 | 東京都森林事務所<br>東京都農業振興事務所 | 二億五千万円未満の土木工事の請負契約（知事が指定するものを除く。） |
| 建設局 | 建設事務所<br>東京都江東治水事務所<br>東京都土木技術支援・人材育成センター | 一 三億五千万円未満の建築工事及び二億五千万円未満の土木工事の請負契約（知事が指定するものを除き、東京都第一建設事務所にあつては、二億五千万円未満の船舶の製造及び修繕の請負契約を含む。）<br>二 四千万円未満の設備工事の請負契約<br>三 二千万円未満（長期継続契約にあつては、月額に十二を乗じて得た額又は年額が二千万円未満）の委託契約及び労働者派遣契約（特定調達契約を除く。）<br>四 三千万円未満の工事用原材料の買入れに関する契約（特定調達契約を除く。） |
| | 公園緑地事務所 | 一 三億五千万円未満の建築工事及び二億五千万円未満の土木工事の請負契約（知事が指定するものを除く。） |

| 局 | 事務所 | 契約 |
| --- | --- | --- |
| | | 二　四千万円未満の設備工事の請負契約<br>三　二千万円未満（長期継続契約にあっては、月額に十二を乗じて得た額又は年額が二千万円未満）の委託契約（特定調達契約を除く。）<br>四　飼料の買入れに関する契約<br>五　動物及びはく製の貸付けに関する契約<br>六　へい死動物の処分及び動物の交換に関する契約 |
| 港湾局 | 東京都東京港管理事務所<br>東京都東京港建設事務所 | 一　三億五千万円未満の建築工事及び二億五千万円未満の土木工事の請負契約（知事が指定するものを除き、東京都東京港建設事務所にあっては、二億五千万円未満の船舶の製造及び修繕の請負契約を含む。）<br>二　四千万円未満の設備工事の請負契約<br>三　二千万円未満（長期継続契約にあっては、月額に十二を乗じて得た額又は年額が二千万円未満）の委託契約及び労働者派遣契約（特定調達契約を除く。）<br>四　港湾埋立地の一時貸付契約（東京都東京港管理事務所に限る。） |

別記様式〔略〕

# ○東京都工事施行規程

昭四六・三・三一
訓令甲一五

最終改正 令四・三・三一訓令四六

## 第一章 総則

（目的）

**第一条** この規程は、東京都における工事の施行についての基本的な事項を定めることにより、工事の円滑かつ適正な施行を図ることを目的とする。

（用語の定義）

**第二条** この規程において、次の各号に掲げる用語の意義は、それぞれ当該各号に定めるところによる。

一 工事とは、次のものをいう。ただし、地方自治法（昭和二十二年法律第六十七号）第二百三十九条第一項に規定する物品に係るロに掲げる作業及びハに掲げる修繕を除く。

イ 土木工事、建築工事、電気設備工事、機械設備工事その他の工事及びこれに附帯する工事

ロ 製造、製作、運搬その他これに類する作業

ハ 工作物、船舶、機械等の修繕

二 局 東京都組織規程（昭和二十七年東京都規則第百六十四号。以下「組織規程」という。）第八条第一項に規定する本庁の局、室並びに住宅政策本部及び中央卸売市場をいう。

三 局長 組織規程第九条第一項に規定する局長、同条第三項に規定する室長並びに住宅政策本部長及び中央卸売市場長をいう。

四 部長 組織規程第十条第一項に規定する部長及びこれに準ずる職にある者並びに第六号に掲げる所のうち課を置く所の所長をいう。

五 課長 組織規程第十一条第一項に規定する課長及びこれに準ずる職にある者並びに次号に掲げる所の課長（課を置かない所にあつては、所長）をいう。

六 所 組織規程別表三に掲げる本庁行政機関（第二号に掲げるものを除く。）及び組織規程別表四に掲げる地方行政機関をいう。

七 監督員 東京都契約事務の委任等に関する規則（昭和三十九年東京都規則第百三十号）第十六条第一項若しくは第十七条第一項又は第二十九条第一項若しくは第三十条第一項の規定により工事の監督を命じられた職員をいう。

（工事の計画的な施行）

**第三条** 工事は、長期的計画、局長が策定する事業の計画等との整合を図りながら、効率的かつ経済的に行わなければならない。

2 工事の施行は、あらかじめ実施計画を作成し、円滑かつ迅速に進めなければならない。

3 前項の実施計画は、都市計画事業、公害防止計画事業等との調整を図り、局長が策定する事業の計画に基づいて、作成しなければならない。

（処理方針）

**第四条** 工事に関する事項は、当該事項を主管するそれぞれの課の課長（以下「工事主管課長」という。）が中心となつて処理するものとする。

2 工事主管課長は、工事施行の状況を全般的には握し、関係各方面との適切な連絡及び調整を行なうことにより、工事の円滑な進行に努めなければならない。

3 前二項の規定による工事に関する事項の処理は、この規程に特別の定めがある場合を除き、すべて東京都事案決定規程（昭和四十七年東京都訓令甲第十号）その他の規程に定める手続により行なわれなければならない。

（工事台帳の備付け）

**第五条** 工事主管課長は、工事台帳を備え、工事に関する事項を常に整理しておかなければならない。

（秘密の保持）

**第六条** 設計金額その他起工金額及びその内訳の秘密は、厳重に保持しなければならない。

## 第二章 請負工事

### 第一節 設計

（設計の指示）

**第七条** 局長は、施行する工事について、設計上の基本的な事項及び特に注意を要する事項を明示し、その所属職員に設計を行わせるものとする。

（設計書の構成等）

**第八条** 工事設計内容の確定手続は、次の書類から構成する設計書により行わなければならない。ただし、設計図面については、工事の種類又は規模により作成する必要がない場合その作成を省略することができる。

一 工事設計概括書

二 設計図面

三 工事仕様書

四 工事設計内訳書

五 その他局長が必要と認める書類

2 前項に定める工事設計内訳書は、工種別内訳書その他の局長が必要と認める書類をもつて構成する。

（設計基準）

**第九条** 設計は、別に局長が定める設計基準に基づき行

なうものとする。

2　前項の設計基準は、次に掲げる事項について規定するものとする。

一　設計上の注意事項

二　設計に関する技術的基準

三　積算に関する基準

四　その他必要な事項

（**工事仕様書**）

**第十条**　工事仕様書は、別に知事が定める標準仕様書によらなければならない。ただし、標準仕様書に定めのない事項又はこれによることが困難な事項については、この限りでない。

### 第二節　起工

（**起工**）

**第十一条**　工事主管課長は、工事の設計が完了したとき、又は当該工事の設計書が送付されたときは、次に掲げる事項に注意して、当該工事を施行するための決定（以下「起工」という。）手続を執らなければならない。

一　工事の施行の時期を予定されるものについては、その時期を失しないこと。

二　工事施行の時期、施設等の移設及び埋設その他工事の施行について関係方面と調整されていること。

三　工事現場付近の住民への周知、公害の防止措置その他事前に措置すべき事項について、措置されていること。

2　起工手続は、次の書類から構成する起工書により行わなければならない。

一　起案文書

二　工事設計書

三　その他起工に必要な書類

（**工事番号**）

**第十二条**　工事には、毎会計年度起工書起案の順序に従い、各課ごとに工事番号を付けなければならない。

2　前項の工事番号は、「何年度何課工事第何号」又は「何年度何工事第何号」の方法により表示しなければならない。

（**工期**）

**第十三条**　工期が日数により定められている場合の工期の終期は、東京都の休日に関する条例（平成元年東京都条例第十号）第一条第一項に規定する東京都の休日を除いて、暦に従い当該日数を数えた日とする。

（**起工書の送付**）

**第十四条**　工事の起工が決定したときは、工事主管課長は、遅滞なく起工書その他契約締結に必要な書類を契約事務の主管課長に送付しなければならない。

（**緊急起工の処理**）

**第十五条**　工事主管課長は、地震、暴風雨、豪雪、洪水、工事上の事故防止、公共の安全確保その他の理由により、緊急に工事を施行する必要が生じたときは、部長の指揮を受けて、この規程に定める手続によらないで処理することができる。ただし、事後直ちに定められた手続を執らなければならない。

### 第三節　工事の施行

（**工事実施前の措置**）

**第十六条**　工事主管課長は、工事実施前に次に掲げる事項についてあらかじめ措置しておかなければならない。

一　監督員に対する工事の監督その他工事の施行に必要な事項の指示をしておくこと。

二　工事の施行について関係先に通知する必要があるときは、通知をしておくこと。

三　工事の施行について関係行政機関の許可、認可、承認その他の処分又は手続を必要とする場合は、定められた処分を得、又は手続を終わらせておくこと。

四　工事の施行に必要な土地、水面等を使用する必要があるときは使用できるようにしておくこと。

五　工事の施行に支障となる施設等については、必要な措置をしておくこと。

六　受注者から提出された工事工程表を調査し、受注者と協議しておくこと。

七　公害の防止に必要な措置及び安全管理について受注者に指示しておくこと。

（**監督基準**）

**第十七条**　監督は、別に局長が定める監督基準に基づき行なうものとする。

2　前項の監督基準は、次に掲げる事項について規定するものとする。

一　監督上の注意事項

二　工事の監督方法

三　監督員が行う工事施行に付随した事務及びその処理方法

四　その他必要な事項

（**受注者提出書類処理基準**）

**第十八条**　監督員は、受注者から提出される書類を、別に局長が定める受注者提出書類処理基準に基づき処理するものとする。

2　前項の受注者提出書類処理基準は、様式及び処理方法を明確にして作成しなければならない。

（**工事月報**）

**第十九条**　工事主管課長は、工事着手後、毎月当該工事に係る工事月報をすみやかに、上司に提出しなければならない。

（**工事の中止及び中止解除**）

**第二十条**　工事主管課長は、工事の全部又は一部の施行を中止し、又は中止を解除する必要があると認めたときは、工事中止書又は工事中止解除書により直ちに必要な措置を講じなければならない。

2　工事主管課長は、前項の工事中止をしようとする場合、工事の中止が契約内容その他に重大な影響を及ぼすものについては、あらかじめ上司の指示を得なければならない。

3　工事主管課長は、地震、暴風雨、豪雪、洪水、工事上の事故防止、公共の安全確保その他の理由により緊急に措置する必要が生じたときは、前二項に定める手続によらないで処理することができる。ただし、事後定められた手続を執らなければならない。

（**事故報告**）

**第二十一条**　工事主管課長は、工事の施行中、地震、暴風雨、豪雪、洪水、予期し得ない工事上の事情変化その他により、工事に事故があつたときは、直ちにその実情を調査した上、必要な措置を講じ、上司に事故の報告をし、その指示を受けなければならない。

（**工事変更**）

**第二十二条**　工事主管課長は、工事の起工の内容を変更（以下「工事変更」という。）する必要があると認めたとき又は変更設計書が送付されたときは、すみやかに工事変更書により工事変更するための決定手続をとらなければならない。

2　第八条から第十一条まで、第十四条及び第十五条の規定は、前項の決定手続をとる場合に準用する。

3　第一項の規定にかかわらず次に掲げる工事変更以外の工事変更の決定手続を行う場合には、工期末（二会計年度以上にわたる工事にあつては各会計年度の末及び工期の末）までに一括して行うことができる。

一　工期変更を伴う工事変更

二　重要な構造、工法及び位置の変更を伴う工事変更

三　変更見込金額が請負金額の十パーセントに相当する額又は八百万円を超える工事変更

### 第四節　工事の完了

（**工事の完了**）

**第二十三条**　工事主管課長は、工事が完了し、受注者から完了届が提出されたときは、速やかに上司に報告しなければならない。

2　工事が完了したときは、工事主管課長は、工事の完了後の図面及び写真を作成しておかなければならない。ただし、工事の種類又は規模により作成する必要がないものについては、この限りでない。

（**工事成績評定**）

**第二十三条の二**　監督員は、工事が完了したときは、別に財務局長が定める統一基準により、当該工事に係る成績の評定を行わなければならない。

（**施設等の引継**）

**第二十四条**　工事主管課長は、工事の完了後、当該工事に係る書類を整理し、施設の引継が決定したときは、遅滞なく当該施設及び書類を施設管理者に実地立会のうえ引継がなければならない。

## 第三章　直営工事

（**工事担当者**）

**第二十五条**　工事主管課長は、工事の監督その他工事施行について必要な事項を処理させるため、工事現場に工事担当係員（以下「工事担当者」という。）を置く。ただし、工事の種類又は規模によりこれを置く必要がないものについてはこの限りでない。

（**着手報告**）

**第二十六条**　工事に着手するときは、工事担当者は、工事着手報告書及び工事工程表を作成して工事主管課長に報告しなければならない。ただし、工事の種類又は規模により工事工程表を作成する必要のない工事については、この限りでない。

（**工事工程表の整理**）

**第二十七条**　工事担当者は、工事着手後、常に工事の進行状況をは握し、工事工程表によりその実績を記入しておかなければならない。

（**清算**）

**第二十八条**　工事が完了したときは、工事主管課長は、すみやかに工事清算報告書に次の各号に掲げる書類を添えて上司に報告し、その承認を受けなければならない。

一　工事清算内訳書

二　工事の完了後の図面及び写真（ただし、工事の種類又は規模により作成する必要がないものについては、この限りでない。）

（**準用**）

**第二十九条**　前四条に定めるものを除くほか、直営工事については、第七条から第十七条までの規定及び第十九条から第二十四条までの規定を準用する。

## 第四章　設計等の委託

（**委託基準**）

**第三十条**　設計、測量、地質調査、監理その他工事の一部であつて当該工事から分離して処理できるものの委託（以下「設計等の委託」という。）は、別に局長が定める委託基準に基づき行なうものとする。

2 前項の委託基準は、次に掲げる事項について規定するものとする。
一 委託の注意事項
二 委託する業務の種別及び内容
三 積算に関する基準
四 その他必要な事項

（準用）
**第三十一条** 前条に定めるものを除くほか、設計等の委託については第七条から第二十四条までの規定を準用する。

## 第五章 他局への委任工事

（他局への施行委任）
**第三十二条** 局長は、工事の施行を他の局の長に委任することができる。

2 前項の規定により工事の施行を委任する場合は、工事施行委任書により行なうものとする。

（事業計画の事前協議）
**第三十三条** 局長は、その施行を委任する工事（以下「委任工事」という。）に係る事業の計画の策定に当っては、敷地関係、工事の規模・内容、予算関係その他必要な事項について、当該工事の施行の委任を受ける局の長（以下「工事施行受任局の長」という。）と協議するものとする。

2 委任工事の施行委任局が二以上にわたる場合の当該委任工事に係る事業計画の策定に当っては、関係局の長及び工事施行受任局の長の間において十分な調整を行なうものとする。

（施行委任前の措置）
**第三十四条** 局長は、他の局の長に委任工事に係る調査、設計を依頼する必要がある場合は、施設の計画、敷地周辺関係に関する事項、設計上の基本的事項及びその他必要な事項を明らかにするよう努めるものとする。

2 局長は、他の局の長に工事の施行を委任する場合は、次に掲げる事項についてあらかじめ工事施行受任局の長と協議するものとする。
一 工事現場付近住民に対する周知方法
二 工事の施行に必要な土地、水面等の確保
三 工事の施行に支障となる施設等の撤去又は移転

（工事変更）
**第三十五条** 委任された工事の施行の途中において、設計及び施行の内容を変更する必要があると認められるときは、関係局の長及び工事施行受任局の長の間において協議するものとする。

## 第六章 雑則

（別な方法による処理）
**第三十六条** 国、地方公共団体その他の公法人に委託して施行する工事その他特別の理由によりこの規程によることが困難であると局長が認めた工事については、別の方法により処理することができる。

（様式）
**第三十七条** この規程の施行について必要な様式は、別記のとおりとする。

（協議）
**第三十八条** 局長は、第九条の設計基準、第十七条の監督基準、第十八条の受注者提出書類処理基準又は第三十条の委託基準を制定し、又は改正しようとするときは、あらかじめ財務局長に協議するものとする。

（東京都工事関係基準協議会への付議）
**第三十九条** 財務局長は、前条の協議を受けた場合は、別に定める東京都工事関係基準協議会（以下「協議会」という。）に付議するものとする。ただし、別に知事が指定する事項については、この限りでない。

2 財務局長は、東京都の工事の施行水準の向上、工事の施行に係る各局間の統一等のため、調査審議の必要があると認める場合は、協議会に付議することができる。

（実施細目）
**第四十条** 局長は、この規程の施行について必要な実施細目を定めることができる。

### 附 則

（適用期日）
1 この訓令は、昭和四十六年四月一日から適用する。

（経過規定）
2 昭和四十六年四月一日から昭和四十七年三月三十一日までの間は、第九条、第十七条、第十八条及び第三十条の規定にかかわらず設計、監督、請負人提出書類の処理及び委託については、なお従前の例により処理することができるものとする。

3 この訓令適用の際、現に施行中の工事については、なお従前の例による。

**別記**〔略〕

# ○東京都検査事務規程

昭四三・七・一
訓令甲一七五

最終改正 令六・四・一五訓令三三

## 第一章 総則

（目的）

**第一条** この規程は、東京都契約事務規則（昭和三十九年東京都規則第百二十五号。以下「契約事務規則」という。）第五十三条の規定に基づき、東京都（以下「都」という。）が締結した工事若しくは製造その他についての請負契約又は物件の買入れその他の契約に係る検査の実施について必要な事項を定め、もつて検査の円滑かつ適正な執行を図ることを目的とする。

（用語の定義）

**第二条** この規程において、次の各号に掲げる用語の意義は、それぞれ当該各号に定めるところによる。

一 契約担当者 東京都契約事務の委任等に関する規則（昭和三十九年東京都規則第百三十号。以下「契約事務委任規則」という。）第三条から第十四条までの規定により、知事からあらかじめ契約に関する事務を処理する権限を委任された者をいう。

二 検査員 契約事務委任規則第四十条又は第四十一条第一項の規定を受けた検査員をいう。

三 課長 東京都組織規程（昭和二十七年東京都規則第百六十四号）第九条に規定する課長及びこれに準ずる職にある者並びに次号に掲げる所の課長（課を置かない所にあつては、所の長）をいう。

四 所 契約事務委任規則第二条第三号に規定する所をいう。

（検査の種類）

**第三条** 検査の種類は、次のとおりとする。

一 完了検査 工事又は製造の完成、物品の完納その他の給付の完了を確認するための検査

二 既済部分検査又は既納部分検査 給付の完了前に代価の一部を支払う必要がある場合において行なう工事若しくは製造の既済部分又は物件の既納部分の確認をするための検査

三 中間検査 工事又は製造の完成、物品の完納その他の給付の完了前において行なう性能又は仮組立状態その他の確認をするための検査

四 清算検査 契約を解除しようとする場合において行なう既済部分又は既納部分の確認をするための検査

五 材料検査 契約の相手方がその給付を行なうために使用する材料の確認をするための検査

（処理方針）

**第四条** 検査に関する事項は、すべて検査事務を主管する課の課長が中心となり、当該課又は所に所属する検査員により処理しなければならない。

## 第二章 検査員

（検査員の服務）

**第五条** 検査員は、検査の実施に当たつては、この規程に特別の定めがある場合を除き、地方自治法施行令（昭和二十二年政令第十六号）第百六十七条の十五第二項及び契約事務規則その他の関係規程に基づき、厳正にその職務を行なわなければならない。

2 検査員は、適正な検査を実施するために必要な知識及び技術の修得に努めなければならない。

3 検査員は、職務の執行に当たつて知り得た契約の相手方の業務上の秘密に属する事項は、これを他に漏らしてはならない。

（検査員の職務執行の回避の申出等）

**第六条** 検査員は検査を命じられた場合において、当該検査に係る契約の相手方と親族関係にあるときその他検査の公正を妨げる事情があると認めるときは、職務の執行を回避すべき旨を課長に申し出なければならない。

2 課長は、検査員から前項の申出があつたときは、申出に係る事情を調査し、必要な措置を講じなければならない。

（検査手続の更新）

**第七条** 検査開始後、検査結果の判定前に検査員の変更があつたときは、検査手続を更新しなければならない。ただし、変更後の検査員が検査手続を更新する必要がないと認めて課長の承認を得たときは、この限りでない。

## 第三章 検査の実施

### 第一節 通則

（検査に必要な書類の検査員に対する交付等）

**第八条** 契約担当者等（契約事務規則第七条に規定する契約担当者等をいう。以下同じ。）は、工事若しくは製造その他についての請負契約又は物件の買入れその他の契約を締結したときは、速やかに契約書、仕様書及び設計書その他の関係書類（当該関係書類に記載すべき事項を記録した電磁的記録を含む。）を検査員に交付するものとする。

2 前項の規定により関係書類の交付を受けたときは、

検査員は、あらかじめそれらの書類について検討し、検査の準備をしなければならない。

（検査命令）

**第九条**　契約担当者等は、次の各号のいずれかに該当する場合は、直ちに検査員に対し検査を命ずるものとする。

一　契約の相手方から給付の完了の届出があつたとき。

二　契約の相手方から工事若しくは製造の既済部分又は物件の既納部分につき、検査の願出があつた場合において、その請求を適当と認めるとき。

三　契約を解除しようとする場合において、検査をする必要があると認めるとき。

四　前三号のほか、契約担当者等において、中間検査をする必要があると認めるとき。

（検査の実施についての原則）

**第十条**　検査は、個別に、実地について行なうものとする。

（検査に事故を生じた場合における報告）

**第十一条**　検査員は、次の各号の一に該当する場合は、すみやかに課長に報告し、その指示を受けなければならない。

一　検査ができないとき。

二　検査に際し、契約の相手方が検査員の職務の執行を妨害したとき。

三　同一の検査につき二人以上の検査員が存する場合において、各検査員の意見が一致しないとき。

四　第十三条の規定により検査に立ち会う都の関係職員と意見が一致しないとき。

五　その他検査の実施について疑義が生じたとき。

## 第二節　検査の立会い

（契約の相手方に対する立会通知）

**第十二条**　検査員は、検査（材料検査を除く。以下本節において同じ。）をしようとするときは、原則として、契約の相手方又はその代理人に、あらかじめ検査の日時及び場所を書面その他の方法により通知して立会いを求めなければならない。

（関係職員に対する立会通知等）

**第十三条**　検査員は、検査をしようとするときは、必要に応じ関係職員に、あらかじめ検査の日時及び場所を書面その他の方法により通知して立会いを求めるものとする。

2　前項の規定により検査に立ち会う関係職員の区分は、次の各号に定めるところによるものとする。

一　工事又は製造の請負契約に係る検査については、当該請負契約の適正な履行を確保するため必要な監督をした職員（以下「監督員」という。）又は工事を主管する課長が指定する職員

二　物品の買入れ契約及び印刷の請負契約に係る検査については、当該物品（印刷物を含む。）を受け入れる物品出納員（東京都物品管理規則（昭和三十九年東京都規則第九十号）第八条第一項及び第二項に規定する物品出納員をいう。以下第三項において同じ。）及び契約担当者等が指定する職員

三　前各号以外の契約に係る検査については、契約担当者等が指定する職員

3　前項第二号の規定にかかわらず、同号の検査において必要があるときは、物品出納員に代えて、物品出納員以外の職員を立ち会わせることができる。

（立会職員の意見の陳述）

**第十四条**　前条の規定により検査に立ち会う都の職員（以下「立会職員」という。）は、検査の実施について意見を述べることができる。

2　前項の場合において、検査員の意見と一致しないとき又は検査の実施について疑義が生じたときは、立会職員は、その旨を所属の課長に報告し、その指示を受けなければならない。

（契約の相手方等が立ち会わない場合の検査の実施）

**第十五条**　第十二条の規定により契約の相手方又はその代理人に対し検査の立会いを求めた場合において、その者が正当な理由がなく検査に立ち会わないときは、その欠席のまま検査を執行することができる。

2　前項の場合において、契約の相手方又はその代理人から、検査の結果につき異議の申出があつても、これを採用しないものとする。

## 第三節　工事又は製造の請負契約に係る検査の実施

（通則）

**第十六条**　検査員は、工事又は製造の目的物について、契約書、仕様書及び設計書その他の関係書類（当該関係書類に記載すべき事項を記録した電磁的記録を含む。）により、これらに適合した施行がなされているかどうかを検査しなければならない。

（外部から明視できない部分の検査）

**第十七条**　検査員は、工事又は製造の目的物について、外部から明視できない部分があるときは、監督員の説明、写真その他の工事記録等により、当該部分の検査を行なうことができる。

（理化学試験）

**第十八条**　検査員は、仕様書に記載されたところにより、検査のため理化学試験を行なう必要があるときは、契約の相手方をして、試験研究機関の試験を受けさせなければならない。

2　検査員は、検査の実施に当たり特に理化学試験を行なう必要があると認めるときは、課長の承認を得て契約の相手方をして、試験研究機関の試験を受けさせなければならない。

3　前二項の場合において、検査員は、契約の相手方に試験委嘱指定書を交付しなければならない。

**（理化学試験における供試料の採取）**

**第十九条**　前条の規定により理化学試験を行なうときは、検査員は契約の相手方の立会いのうえ、供試料を採取して試験研究機関に送付しなければならない。

2　検査員は、前項の規定により採取した供試料について打刻又は封印しておかなければならない。

3　試験研究機関から供試料の補充の請求を受けたときは、前二項の規定に準じて供試料を採取して補充しなければならない。

**（理化学試験を行なう場合における検査の判定）**

**第二十条**　検査員は、第十八条の規定により理化学試験を行なうものに係る工事又は製造の請負契約に係る検査については、理化学試験の結果をまつて検査の判定をしなければならない。

**（試運転等を行なう場合における検査の判定）**

**第二十一条**　検査員は、検査にあたつて、据付、試運転その他の処置を必要とするときは、その結果をまつて検査の判定をしなければならない。

**（破壊又は分解検査）**

**第二十二条**　検査員は、検査にあたつて、工事又は製造の性質上特に必要があると認めるときは、課長の承認を得て工事の目的物の破壊又は分解の方法により検査を行なうことができる。

**（材料検査）**

**第二十三条**　検査員は、工事又は製造に使用する材料について、仕様書、設計書その他の関係書類（当該関係書類に記載すべき事項を記録した電磁的記録を含む。）により、これらに適合した材料であるかどうかを検査しなければならない。

2　検査員は、材料検査を完了した場合において、仕様書、設計書その他の関係書類（当該関係書類に記載すべき事項を記録した電磁的記録を含む。）に適合しない材料があるときは、契約の相手方に必要な指示を行うものとする。

**（材料検査の実施基準）**

**第二十四条**　検査員は、前条第一項の材料検査を、別に局長（契約事務委任規則第二条第二号に規定する局長をいう。）が定める材料検査の実施基準に基づき、試験、確認その他の方法により行なうものとする。

### 第四節　物品の買入れその他の契約に係る検査の実施

**（通則）**

**第二十五条**　検査員は、納入された物品について、契約書、仕様書その他の関係書類（当該関係書類に記載すべき事項を記録した電磁的記録を含む。）により、これらに適合した物品の納入がなされているかどうかを検査しなければならない。

**（抽出検査）**

**第二十六条**　検査員は、納入された物品が多量であるため、その全部を検査することが困難である場合において、その種類及び規格が同一であるときは、納入された物品の一部を抽出して検査することにより、全部の物品の検査結果を判定することができる。

**（店頭検査）**

**第二十七条**　物品の納入場所が数か所以上にわたり、又は遠隔地であるため、納入場所において検査を行うことが困難な場合における物品の買入れ契約に係る検査については、給付の完了前に契約の相手方の店舗、営業所その他これらに類する場所において、これを行うことができる。

2　検査員は、前項の場合において、検査に合格した物品について打刻又は封印その他の方法によりその旨を表示しておかなければならない。

**（工事又は製造の請負契約に係る検査の規定の準用）**

**第二十八条**　第十八条から第二十三条までの規定は、物品の買入れに係る検査について準用する。

**（その他の契約に係る検査についての準用）**

**第二十九条**　第二十五条から前条までの規定は、その他の契約に係る検査について準用する。

### 第五節　検査の完了

**（検査調書の作成等）**

**第三十条**　検査員は、検査（中間検査及び材料検査を除く。）を完了したときは、すみやかに検査調書二通を作成し、契約担当者等に報告しなければならない。

2　契約担当者等は、前項の報告を受けたときは、すみやかに検査結果の決定をし、その結果を検査調書により契約の相手方及び工事若しくは製造又は物品の買入れその他に関する事務を主管する課長にそれぞれ通知しなければならない。

3　検査員は、中間検査を完了したときは、すみやかに必要な事項について契約担当者等に報告しなければならない。

**（検査合格の表示及び不合格品の引取り）**

**第三十一条**　検査員は、物品の買入れに係る検査を完了したときは、合格品と不合格品とを区別し、合格品には合格の表示を行い、不合格品は契約の相手方に速やかに引き取らせなければならない。

**（手直し、引換え等）**

**第三十二条**　検査員は、検査を行つた給付の目的物について、手直し、補強又は引換えをさせる必要があると認めるときは、履行期限までに完了する見込みがある場合を除き、契約担当者等の承認を得て、一回に限り、期限を定めて契約の相手方に手直し、補強又は引換えをさせることができる。ただし、十日以内の期限を定めて手直し、補強又は引換えをさせる場合については、契約担当者等の承認を要しないものとする。

2　検査員は、前項の規定により手直し、補強又は引換えをさせたときは、その期限を検査調書に記載しなければならない。

**（手直し、引換え等の後の検査）**

**第三十三条**　手直し、補強又は引換えをさせた給付の目的物の検査については、当該部分のみの検査により合格又は不合格の判定をすることができる。

**（検査成績評定の実施）**

**第三十三条の二**　検査員は、工事請負契約又は東京都工事施行規程（昭和四十六年東京都訓令甲第十五号）第三十条に規定する委託契約に係る検査（清算検査及び材料検査を除く。）を完了したときは、財務局長が別に定めるところにより、速やかに検査成績の評定を行うものとする。

**（減価採用の場合における検査員の意見の聴取）**

**第三十四条**　契約担当者等は、物品の買入れその他に係る契約で、給付の目的物に契約の内容に適合しないものがあり、その程度が軽微である場合において、その使用に重大な支障がないと認められ、かつ、期限その他の条件から手直し、引換え等が困難と認められるため、相当の価額を減額のうえ採用しようとするときは、あらかじめ検査員の意見を聞かなければならない。

## 第四章　補則

**（検査の技術的基準）**

**第三十五条**　財務局長は、検査員が検査（材料検査を除く。）を行なうに当たつて必要な技術的基準を定めるものとする。

# 第四章　財　産

## ○財産の交換、譲与、無償貸付等に関する条例

昭三九・三・三一
条　例　一二五

最終改正　平一九・三・一六条例二四

**（通則）**

**第一条**　東京都（以下「都」という。）の財産（地方公営企業法（昭和二十七年法律第二百九十二号）の規定の全部または一部が適用される事業の業務に係る財産を除く。）は、別に定めるものを除くほか、この条例の定めるところにより、交換し、または適正な対価なくして譲渡し、若しくは貸し付けることができる。

**（普通財産の交換）**

**第二条**　普通財産は、次の各号の一に該当する場合は、都以外の者の所有する同一種類の財産その他必要とする財産と交換することができる。ただし、価額の差額が、その高価なものの四分の一をこえるときは、この限りでない。

一　都において公用または公共用に供するため、都以外の者の所有する財産を必要とするとき。

二　国または地方公共団体その他公共団体において、公用または公共用に供するため、都の普通財産を必要とするとき。

2　前項の規定により交換する場合において、その価額が等しくないときは、その差額を金銭で補足しなければならない。

**（普通財産の譲与または減額譲渡）**

**第三条**　普通財産は、次の各号の一に該当する場合は、無償で、または時価よりも低い価額で譲渡することができる。

一　国または地方公共団体その他公共団体において、公用または公共用に供するため、国または当該団体に譲渡するとき。

二　地方公共団体その他公共団体において、維持及び保存の費用を負担した行政財産の用途を廃止した場合において、当該用途の廃止によつて生じた普通財産を、当該団体に譲渡するとき。

三　寄付に係る行政財産の用途を廃止した場合において、当該用途の廃止によつて生じた普通財産を、その寄付者またはその相続人その他の包括承継人（以下「寄付者等」という。）に譲渡するとき。ただし、寄付を受けた時から二十年を経過したものについては、この限りでない。

四　行政財産の用途に代わるべき財産の寄付を受けたため、その用途を廃止した場合において、当該用途の廃止によつて生じた普通財産を、その寄付者等に譲渡するとき。

五　法律またはこれに基く政令により、国から無償で、または減額して譲渡された普通財産を、国に対する寄付者等に譲渡するとき。ただし、国に対する寄付の時から二十年を経過したものについては、この限りでない。

2　前項に規定する場合のほか、普通財産は、都の指導監督を受け、都の事務・事業を補佐し、または代行する団体において、補佐または代行する事務・事業の用に供するため、当該団体に譲渡するときは、時価よりも低い価額で譲渡することができる。

**（普通財産の無償若しくは減額貸付または貸付料の減免）**

**第四条**　普通財産は、次の各号の一に該当する場合は、無償で、または時価よりも低い貸付料で貸し付けることができる。

一　国または地方公共団体その他公共団体において、公用または公共用に供するとき。

二　前条第二項に掲げる団体において、同項に定める事務・事業の用に供するとき。

三　前各号のほか、特に必要があると認めるとき。

2　普通財産の貸付けを受けた者が、地震、水災、火災等の災害のため、当該財産を使用の目的に供し難いと認めるときは、その貸付料を減額または免除することができる。

**（権利金の減免）**

**第五条**　建物を貸し付ける場合または建物所有の目的で土地を貸し付ける場合において、当該貸付けが前条第一項第一号から第三号までに掲げるものであるときは、権利金を減額または免除することができる。

2　前項の規定は、堅固な工作物を設置する目的で土地を貸し付ける場合について準用する。

**（準用規定）**

**第六条**　第四条及び前条の規定は、行政財産を貸し付け、又はこれに地上権若しくは地役権を設定する場合及び普通財産を貸付け以外の方法により使用させる場合について準用する。

**（物品の交換）**

**第七条**　物品は、次の各号の一に該当する場合は、都以

外の者の所有する同一種類の動産と交換することができる。

一　物品に係る経費の低減を図るため、特に必要があると認めるとき。

二　都において使用するため、都以外の者の所有する動産を必要とするとき。

2　第二条第二項の規定は、前項の規定により交換する場合について準用する。

**（物品の譲与または減額譲渡）**

**第八条**　物品は、次の各号の一に該当する場合は、無償で、または時価よりも低い価額で譲渡することができる。

一　公益上の必要に基き、都以外の者に物品を譲渡するとき。

二　寄付に係る物品または工作物の用途を廃止した場合において、当該物品または工作物の解体若しくは撤去により生じた物品をその寄付者等に譲渡するとき。

**（物品の無償貸付または減額貸付）**

**第九条**　物品は、公益上の必要があるときは、都以外の者に無償で、または時価よりも低い価額で貸し付けることができる。

**付　則**

1　この条例は、昭和三十九年四月一日から施行する。

2　この条例施行前に、東京都都有財産条例（昭和二十九年三月東京都条例第十七号）の規定に基いて行つた普通財産の無償または時価よりも低い貸付料での貸付けで、この条例施行の際、現に貸し付けているものについては、この条例の相当規定によつて貸し付けたものとみなす。

**附　則**（平一九・三・一六条例二四）

この条例は、地方自治法の一部を改正する法律（平成十八年法律第五十三号）附則第一条第二号に掲げる地方自治法（昭和二十二年法律第六十七号）第二百三十八条の四の改正規定の施行の日〔平一九・三・一〕から施行する。

# 〇東京都行政財産使用料条例

昭三九・三・三一
条　例　二　六

改正　昭四一・一二・二七条例一三四

**（通則）**

**第一条**　地方自治法（昭和二十二年法律第六十七号）第二百二十五条の規定に基く東京都（以下「都」という。）の行政財産（地方公営企業法（昭和二十七年法律第二百九十二号）の規定の全部または一部が適用される事業の用に供する行政財産を除く。）の使用料（以下「使用料」という。）に関しては、この条例の定めるところによる。

**（使用料の額）**

**第二条**　使用料は、一月当りの額により算出するものとし、その額は、財産の種類及び使用の状況に応じ、次の各号に定めるところによる。

一　土地を使用させる場合には、当該土地の位置、形状、環境、使用の態様等を考慮して算定した当該土地の適正な価格に千分の二・五を乗じて得た額

二　建物を使用させる場合には、当該建物及びその敷地について、それぞれ次により算定した額を合計して得た額

㈠　建物の推定再建築費、耐用年数、経過年数、維持及び保存の状況、利用効率等を考慮して算定した当該建物の適正な価格に千分の六を乗じて得た額

㈡　建物の敷地に相当する面積の土地について、前号により算出した土地の使用料に相当する額

三　建物の一部を使用させる場合には、前号により算出した当該建物の全部についての使用料に相当する額に、当該建物の延べ面積に対する使用面積の割合を乗じて得た額

四　建物以外の工作物を使用させる場合には、当該工作物の種類に応じ、土地または建物の使用料の例により算出して得た額

五　船舶、航空機その他の動産を使用させる場合には、当該動産の推定再取得価格、耐用年数、経過年数、維持及び保存の状況等を考慮して算定した当該動産の適正な価格に千分の八・五を乗じて得た額

2　建物の一部を使用させる場合であつて、使用期間が一日に満たないときの使用料は、前項第三号の規定にかかわらず、適正な方法により算定した額とする。

**（日割計算）**

**第三条**　使用を開始する日が月の初日でない場合または使用を終了する日が月の末日でない場合における当該月の使用料は、日割計算とする。

**（使用料の最低限度額）**

**第四条**　第二条及び前条の規定により算出して得た一件の使用料の額が百円未満となる使用料は、これを百円とする。

**（使用料の減免）**

**第五条**　知事（教育委員会の管理する行政財産に係るものについては、教育委員会。以下同じ。）は、次の各号の一に該当する場合は、使用料を減額または免除することができる。

一　国または地方公共団体その他公共団体において、公用または公共用に供するため使用するとき。

二　都の指導監督を受け、都の事務・事業を補佐し、または代行する団体において、補佐または代行する事務・事業の用に供するため使用するとき。

三　行政財産の使用の許可を受けた者が、地震、水災、火災等の災害のため、当該財産を使用の目的に供し難いと認めるとき。

四　前各号のほか、特に必要があると認めるとき。

**（使用料の徴収方法）**

**第六条**　使用料は、行政財産の使用の許可を受けた者から、使用を開始する日までにその全額を徴収する。ただし、知事が特別の理由があると認めるときは、納付すべき期限を別に指定し、または分割して納付させることができる。

**（使用料の不還付）**

**第七条**　既納の使用料は、還付しない。ただし、公用または公共用に供するため行政財産の使用の許可を取り消したときその他特別の理由があると認めるときは、知事は、その全部または一部を還付することができる。

**付　則**

1　この条例は、昭和三十九年四月一日から施行する。

2　この条例施行の際、現に許可を受けて行政財産を使用している者の使用料については、その許可期間が満了するまでの間、なお従前の例による。

**付　則**（昭四一・一二・二七条例一三四）

1　この条例は、昭和四十二年一月一日から施行する。

2　この条例の施行の日の前日までに使用の許可をした行政財産の使用料に係る督促及び延滞金については、なお従前の例による。

# 〇東京都公有財産規則

昭三九・三・三一
規　則　九　三

最終改正　令五・一・三一規則三

## 第一章　総則

**（通則）**

**第一条**　東京都（以下「都」という。）の公有財産の取得、管理及び処分に関しては、別に定めるものを除くほか、この規則の定めるところによる。

**（定義）**

**第二条**　この規則において、次の各号に掲げる用語の意義は、当該各号に定めるところによる。

一　局　東京都組織規程（昭和二十七年東京都規則第百六十四号）第八条第一項に規定する本庁の局、室並びに住宅政策本部、中央卸売市場及び東京消防庁をいう。

二　局長　東京都組織規程第九条第一項に規定する局長、同条第三項に規定する室長並びに住宅政策本部長、中央卸売市場長及び消防総監をいう。

三　所管換　局長、議会局長及び警視総監（以下「局長等」という。）の間において、公有財産の所管を移すことをいう。

四　所属換　同一局長等の所管内において、公有財産の所属を移すことをいう。

五　財産情報システム　財務局長が管理する、電子計算機（演算装置、制御装置、記憶装置及び入出力装置からなる電子情報処理装置をいう。）を利用して

都の公有財産の登録等を行う情報処理システムをいう。

六　公有財産台帳　財産情報システムに記録された、局長等の所管に属する公有財産の価格その他の財務局長が別に定める公有財産の管理、運用等に必要な事項の電磁的記録をいう。

（**行政財産の管理の委任**）

**第三条**　東京都議会の用に供する財産の管理は、議会局長に、警察の用に供する財産の管理は、警視総監にそれぞれ委任する。

（**行政財産の管理の分掌**）

**第四条**　局の事務・事業の用に供する財産の管理は、当該局の長が行うものとする。

2　二以上の局の事務・事業の用に供する財産のうち、統一的に管理する必要があるもので知事が指定する財産の管理は、当該二以上の局の長のうち知事が指定する者が行うものとする。

（**普通財産の管理及び処分の分掌**）

**第五条**　地方自治法（昭和二十二年法律第六十七号。以下「法」という。）第二百三十八条第一項第六号から第八号までに掲げる種類の普通財産（知事が指定するものを除く。）の管理及び処分は、当該財産を取得した局の長が行うものとする。

2　法第二百三十八条第一項第一号から第四号までに掲げる種類の普通財産で、局の事務・事業に関連して取得したものの管理は、その事務・事業に関連がある間当該局の長が行うものとする。

（**知的財産権の管理及び処分の分掌**）

**第五条の二**　法第二百三十八条第一項第五号に掲げる種類の普通財産（以下「知的財産権」という。）の管理及び処分は、当該財産を取得した局の長が行うものとする。

（**総合調整**）

**第六条**　財務局長は、公有財産の管理及び処分の適正を期するため、公有財産に関する制度を整え、その増減、現在額及び現状を明らかにするため公有財産表を作成し、並びにその取得、管理及び処分について必要な調整を行う。

2　財務局長は、公有財産の効率的運用及び管理の適正を図るため、必要があると認めるときは、局長等に対し、その所管に属する公有財産について、その状況に関する資料又は報告を求め、実地について調査し、又はその結果に基いて必要な措置を講ずべきことを求めることができる。

（**行政財産の用途を廃止した場合における引継ぎ**）

**第七条**　局長は、その所管に属する行政財産の用途を廃止した場合は、当該用途の廃止によつて生じた普通財産を、直ちに財務局長に引き継がなければならない。ただし、次の各号のいずれかに該当する普通財産で、財務局長が必要があると認めるものについては、引き続き管理させることができる。

一　使用が困難な財産で取壊し等の目的で用途を廃止するもの

二　使用目的を変更するため、新たな目的に供するまで短期間管理する必要があるもの

三　交換の目的で用途を廃止するもの

四　信託の目的で用途を廃止するもの

五　地方公営企業法（昭和二十七年法律第二百九十二号）の規定の一部が適用される事業の用に供する財産で、その用途を廃止するもの

六　前各号のほか、財務局長において引継ぎを受けて管理することが技術上困難なもの及び財産の所在地等の関係から引継を受けることが著しく不適当と認められるもの

2　前項ただし書第一号及び第三号から第六号までに掲げる財産の処分は、同項ただし書の規定により当該財産を引き続き管理する局長が行うことができる。

（**事務・事業との関連がなくなつた普通財産の引継**）

**第七条の二**　局長は、第五条第二項の規定により管理する普通財産が当該局の事務・事業との関連がなくなつた場合は、当該財産を直ちに財務局長に引き継がなければならない。ただし、財務局長が必要があると認めるものについては、引き続き管理し又は処分させることができる。

（**普通財産の管理及び処分の委任**）

**第七条の三**　警察の用に供する財産の用途の廃止によつて生じた普通財産のうち、取壊し又は伐採の目的で用途を廃止した建物若しくは工作物又は立木の管理及び処分は、警視総監に委任する。

**第七条の四**　法第二百三十八条第一項第五号に掲げる種類の財産のうち、警察の事務に関係するものの取得及び管理は、警視総監に委任する。

（**組織の変更に伴う所管換**）

**第八条**　局長は、局の事務・事業の全部又は一部が他局に属することとなつたときは、その事務・事業の用に供する公有財産を、当該他の局の長に所管換しなければならない。

（**引継手続等**）

**第九条**　第七条又は第七条の二の規定により公有財産の引継ぎをしようとするときは、財産情報システムから出力される別記第一号様式による公有財産引継書に第十七条第二項の台帳附属資料を添付して行わなければならない。

2　前項の規定による引継ぎは、当該財産の所在する場所において、関係職員の立会いのうえ、行うものとする。ただし、立ち会う必要がないと認められる場合は、これを省略することができる。

3　前二項の規定により引継ぎを完了したときは、引継ぎを受けた局の長は、財産情報システムから出力される別記第二号様式による公有財産受領書を送付しなければならない。

4　前三項の規定は、公有財産を他の局長等に所管換する場合について準用する。ただし、別に知事が指定するものについては、この限りでない。

**（異なる会計間の所管換等）**

**第十条**　公有財産を、所属を異にする会計の間において所管換若しくは所属換し、又は所属を異にする会計に使用させるときは、当該会計の間において有償で整理するものとする。ただし、特別の理由があると認めるときは、この限りでない。

**（公営企業管理者への移管等）**

**第十一条**　前条の規定は、東京都公営企業組織条例（昭和二十七年九月東京都条例第八十一号）第二条第二項の規定に基く公営企業管理者に移管し、または使用させる場合について準用する。

## 第二章　取得

**（取得前の措置）**

**第十二条**　財産を買入れ若しくは交換により取得し、または財産の寄付を受けようとする場合において、当該財産について、物件または、特殊な義務を排除する必要があると認めるときは、必要な措置を講じ、支障なく取得の目的に供し得るようにしなければならない。

**（登記又は登録）**

**第十三条**　登記又は登録ができる財産を買入れ、交換、寄附その他の方法により取得したときは、速やかにその手続をしなければならない。ただし、登記又は登録をする必要がないと認められる場合は、これを省略することができる。

**（買受代金等の支払）**

**第十四条**　登記または登録ができる財産を買入れまたは交換により取得したときは、当該財産の引渡しを受け、かつ、登記または登録を完了した後、その他の財産を買入れまたは交換により取得したときは、当該財産の引渡しを受けた後でなければ、買受代金または交換差金を支払うことができない。ただし、特別の理由があると認めるときは、この限りでない。

## 第三章　管理

### 第一節　通則

**（注意義務）**

**第十五条**　局長等は、その所管に属する公有財産の管理について常に最善の注意を払い、経済的かつ効率的に利用されるようにしなければならない。

**（境界標の設置）**

**第十六条**　局長等は、その所管に属する土地について、当該土地とこれに隣接する土地との境界を明らかにしておくために、境界標を設置しておくものとする。

### 第二節　台帳

**（台帳の整備）**

**第十七条**　局長等は、その所管に属する公有財産について、法第二百三十八条第一項各号に掲げる種類（不動産にあつては、土地、建物、建物以外の工作物及び立木を、その種類とする。）の財産ごとに、価格その他の財務局長が別に定める公有財産の管理、運用等に必要な事項を財産情報システムに記録して公有財産台帳（以下「台帳」という。）を整備し、変動のあつた都度、補正しておかなければならない。ただし、別に知事が指定するものについては、この限りでない。

2　局長等は、前項の規定により台帳を整備する際には、台帳附属資料（台帳を整備した財産を管理するに当たり、台帳に附属させておくものとして財務局長が別に定める図面その他の資料をいう。以下同じ。）を保管しておかなければならない。

**第十八条**　削除

**（台帳価格）**

**第十九条**　台帳に登録すべき価格は、次の各号に掲げるところによる。

一　買入れ、建築、収用その他の有償の取得に係るものについては、買入価格、建築価格、補償金額その他の取得価格

二　前号に掲げるもの以外のもの及び前号の価格によることが適当でないと認められるものについては、適正な時価により評定した価格

2　法第二百三十八条第一項第六号及び第七号に掲げる種類の財産のうち、株式については発行価額、出資による権利については出資金額、その他のものについては額面金額を、それぞれ台帳に登録すべき価格とする。

**（台帳価格の改定）**

**第二十条**　前条に規定するところにより台帳に登録した価格は、毎年その年の三月三十一日の現況において、適正な時価をもつて評定した価格により改定しなければならない。ただし、価格を改定する必要がないと認めるものについては、この限りでない。

**（端数処理）**

**第二十一条** 前二条の場合において、台帳に登録すべき価格に一円未満の端数があるときは、その端数を切り捨てるものとする。

**(台帳記録の閲覧及び利用)**

**第二十一条の二** 局長等は、公有財産管理及び運用事務に資することを目的として、財産情報システムの記録について、財務局長が別に定める範囲内で閲覧及び利用できるものとする。

**(適用除外)**

**第二十二条** 都道の用に供し、又は供するものと決定した土地、施設又は工作物及び道路の附属物については、この節から第四節までの規定を適用しない。

**(委任)**

**第二十二条の二** この章に定めるもののほか、台帳整備事務に関し必要な事項は別に財務局長が定める。

### 第三節　損害の通知

**第二十三条及び第二十四条** 削除

**(損害の通知)**

**第二十五条** 局長等は、その所管に属する公有財産が、災害その他事故により滅失し、又は損傷したときは、直ちに、次に掲げる事項を財務局長に通知しなければならない。ただし、当該滅失又は損傷による損害の見積額が千万円以下であるときは、この限りでない。

一　財産の種類、所在及び数量

二　滅失又は損傷の日時及び原因

三　財産の被害の箇所及び数量並びに被害状況の写真

四　損害見積額及び復旧可能なものについては復旧見込額

五　損傷した財産の保全又は復旧のために執つた応急措置

### 第四節　総括主任及び管理主任

**(総括主任の設置等)**

**第二十六条** 公有財産の管理を適正かつ円滑に行うため、局、議会局及び警視庁（以下本節において「局等」という。）に公有財産総括主任（以下「総括主任」という。）をおく。

2　総括主任は、局等の公有財産管理事務を主管する課の課長（東京都組織規程第十一条第一項に規定する課長及びこれに準ずる職にある者をいう。以下本節において同じ。）とする。

3　局長等は、総括主任の異動があつたときは、その職、氏名等を速やかに財務局長に通知しなければならない。

**(管理主任の設置等)**

**第二十七条** 公有財産の管理を適正かつ円滑に行うため、公有財産を管理する課（これに相当する室を含む。以下本節において同じ。）又は所（本庁行政機関、地方行政機関、警察署及び消防署をいう。以下本節において同じ。）に公有財産管理主任（以下「管理主任」という。）を置く。ただし、局長等が管理主任を置く必要がないと認めるときは、この限りでない。

2　管理主任は、前項の課の課長（室長を置かない室にあつては、公有財産管理事務を担任する課長）又は前項の所の公有財産管理事務を主管する課の課長（課を置かない所にあつては、所長）とし、局長等が任免する。

**(総括主任及び管理主任の職務)**

**第二十八条** 総括主任は、上司の命を受け、局等における公有財産管理事務で、おおむね次に掲げる事項を処理するものとする。

一　公有財産の現状をは握すること。

二　公有財産管理事務の処理を推進すること。

三　当該局等に所属する課又は所の管理主任の取り扱う事務について必要な指導及び調整を行うこと。

四　電磁的記録の特性を踏まえた、当該局等の台帳の管理に関すること。

五　第二十一条の二の規定により財産情報システムから得た当該局等以外の所管に属する公有財産情報の漏えい防止その他の管理に関すること。

2　管理主任は、上司の命を受け、所属の課または所における公有財産管理事務で、おおむね次に掲げる事項を処理するものとする。

一　公有財産の使用並びに維持及び保存に関すること。

二　台帳の整備及び台帳附属資料の保管に関すること。

三　電磁的記録の特性を踏まえた、当該課又は所の台帳の管理に関すること。

四　第二十一条の二の規定により財産情報システムから得た当該課又は所以外の所管に属する公有財産情報の漏えい防止その他の管理に関すること。

### 第五節　行政財産の使用許可等

**(行政財産の貸付け及び地上権又は地役権の設定)**

**第二十九条** 行政財産は、法第二百三十八条の四第二項又は第三項（同条第四項において準用する場合を含む。）の規定に基づき、これを貸し付け、又は行政財産である土地に地上権若しくは地役権を設定することができる。

2　行政財産は、民間資金等の活用による公共施設等の整備等の促進に関する法律（平成十一年法律第百十七号）第六十九条第六項から第十項まで及び第七十条第五項から第八項までの規定に該当する場合は、これを貸し付けることができる。

3　行政財産は、港湾法（昭和二十五年法律第二百十八号）第五十五条第四項の規定に該当する場合は、これを貸し付けることができる。

4　前三項の規定により、行政財産を貸し付け、又は行政財産である土地に地上権若しくは地役権を設定する場合については、次節及び第四十七条の規定を準用する。

**（使用許可の範囲）**

**第二十九条の二**　行政財産は、次の各号の一に該当する場合は、法第二百三十八条の四第七項の規定に基づき使用を許可することができる。

一　国又は地方公共団体その他公共団体において、公用又は公共用に供するため使用するとき。

二　都の指導監督を受け、都の事務・事業を補佐し、又は代行する団体において、補佐又は代行する事務・事業の用に供するため使用するとき。

三　電気事業・ガス事業その他の公益事業の用に供するため使用させるとき。

四　職員及び学生、入院患者等施設を利用する者のため、食堂、売店等を経営させるとき。

五　隣接する土地の所有者又は使用者がその土地を利用するため、使用させることがやむを得ないと認められるとき。

六　災害その他緊急事態の発生により応急施設として短期間使用させるとき。

七　公の学術調査研究、公の施策等の普及宣伝その他公共目的のために行われる講演会、研究会等の用に短期間使用させるとき。

八　前各号のほか、特に必要があると認めるとき。

**（使用許可の期間）**

**第三十条**　行政財産の使用許可の期間は、一年をこえてはならない。ただし、電柱若しくは水道管、ガス管その他の埋設物を設置するため使用させるときその他特別の理由があると認めるときは、この限りでない。

**（使用許可の申請）**

**第三十一条**　行政財産の使用許可に際しては、あらかじめ行政財産を使用しようとする者（以下「申請者」という。）に、次に掲げる事項を記載した申請書を提出させなければならない。

一　申請者の氏名及び住所（法人にあつては、名称及び所在地）

二　使用しようとする財産の所在、種類及び数量

三　使用しようとする目的及び方法

四　使用しようとする期間

五　その他必要と認める事項

2　東京都行政財産使用料条例（昭和三十九年三月東京都条例第二十六号）第五条の規定に基き、使用料の減額または免除を受けようとする者からは、前項第一号及び第二号に掲げる事項並びに使用料の減額または免除を受けようとする理由を記載した申請書を提出させなければならない。

**（使用許可等）**

**第三十二条**　第二十九条の二の規定に基づき使用許可を決定したときは、速やかに次に掲げる事項を記載した行政財産使用許可書を申請者に交付しなければならない。ただし、記載する必要がないと認める事項については、省略することができる。

一　使用を許可する行政財産の名称、所在、種類、種目及び数量

二　使用許可の期間

三　使用料、延滞金及び使用料の不還付

四　使用の目的及び方法

五　使用上の制限

六　使用許可の取消又は変更

七　原状回復及び損害賠償の方法

八　光熱水費等の負担

九　有益費等の請求権の放棄

十　その他必要と認める事項

2　行政財産の使用を許可しないものと決定したときは、申請者に対し、速やかにその旨を通知しなければならない。

**（光熱水費等の負担）**

**第三十三条**　行政財産を使用する者に対しては、当該財産に付帯する電話、電気、ガス、水道等の諸設備の使用に必要な経費を負担させなければならない。

### 第六節　普通財産の貸付

**（貸付期間）**

**第三十四条**　普通財産の貸付けは、次に掲げる期間とする。

一　臨時設備の設置その他一時使用のため土地又は土地の定着物（建物を除く。）を貸し付けるときは、一年以内

二　建物の所有を目的とし、借地借家法（平成三年法律第九十号。以下「借地借家法」という。）第二十二条に規定する定期借地権（以下「定期借地権」という。）を設定して、土地及びその土地の定着物（建物を除く。）を貸し付けるときは、五十年

三　専ら事業の用に供する建物（居住の用に供するものを除く。）の所有を目的とし、借地借家法第二十三条に規定する事業用定期借地権等（以下「事業用定期借地権等」という。）を設定して、土地及びその土地の定着物（建物を除く。）を貸し付けるときは、五十年未満

四　前二号を除くほか、建物所有の目的で土地及びその土地の定着物（建物を除く。）を貸し付けるときは、三十年

五　前四号を除くほか、土地又は土地の定着物（建物を除く。）を貸し付けるときは、二十年以内

六　一時使用のため建物を貸し付けるときは、一年以内

七　借地借家法第三十八条に規定する期間の定めがある建物の賃貸借（以下「定期建物賃貸借」という。）により、建物を貸し付けるときは、五年以内

八　前二号を除くほか、建物を貸し付けるときは、五年以内

九　土地及び土地の定着物以外のものを貸し付けるときは、一年以内

2　前項の規定にかかわらず、同項第二号、第七号及び第八号に規定する貸付期間について、特に必要があると認めるときは、それぞれ当該各号に規定する期間を超えて貸し付けることができる。

3　第一項に規定する貸付期間は、同項第二号、第三号及び第七号の規定による貸付けを除くほか、更新することができる。この場合において、更新後の貸付期間は、同項に規定する期間を超えることができない。

4　第二項の規定により第一項第八号に規定する期間を超えて建物を貸し付ける場合の貸付期間は、更新することができる。この場合において、更新後の貸付期間は、五年を超えることができない。

5　第一項第一号及び第六号に規定する貸付期間は、第三項の規定により更新する場合においても、当初の貸付けの時から通算して二年を超えることができない。ただし、特に必要があると認めるときは、この限りでない。

（**貸付料の納付方法**）

**第三十五条**　貸付料は、毎月または毎年定期に納付させなければならない。ただし、貸付料の全部または一部を前納させることができる。

2　前項本文の規定にかかわらず、特に必要があると認めるときは、貸付料の全部又は一部を、指定する期日までに一括し、又は分割して納付させることができる。

（**借地権利金**）

**第三十六条**　建物所有の目的で土地を貸し付ける場合は、一時使用のため貸し付けるときを除き、権利金を徴収しなければならない。

2　前項の規定にかかわらず、定期借地権又は事業用定期借地権等を設定して土地を貸し付ける場合においては、権利金を徴収しない。

3　一般競争入札又は指名競争入札により第一項の普通財産を貸し付ける場合（定期借地権又は事業用定期借地権等を設定して土地を貸し付ける場合を除く。）は、権利金について入札に付さなければならない。

4　第一項及び前項の規定は、堅固な工作物を設置する目的で土地を貸し付ける場合について準用する。

（**保証金**）

**第三十六条の二**　定期借地権又は事業用定期借地権等を設定して土地を貸し付ける場合は、保証金として、次に掲げる金額を納めさせなければならない。ただし、特別の理由があると認めるときは、この限りでない。

一　定期借地権を設定する場合は、貸付料月額の三十月分以上に相当する金額

二　事業用定期借地権等を設定する場合は、貸付料月額の十二月分以上に相当する金額

2　保証金は、貸付期間が満了し、当該土地の引渡しを受けた後に、これを返還する。ただし、都において建物取壊費用等への充当があつた場合は、保証金の額からそれに要した費用を差し引いた額を返還する。

3　保証金には利子を付けない。

（**敷金又は借家権利金**）

**第三十六条の三**　建物を貸し付ける場合は、一時使用のため貸し付けるときを除き、貸付契約の締結の際に敷金を納めさせなければならない。ただし、特に必要があると認めるときは、敷金の全部又は一部を貸付契約の締結の後に納めさせることができる。

2　敷金の額は、貸し付ける建物の近傍類似の賃貸事例を考慮して定めなければならない。

3　敷金は、貸付期間が満了し、建物の明渡しを受けた後に、これを返還する。ただし、貸付契約の相手方において未納の貸付料その他の債務がある場合は、都は敷金を当該債務の弁済に充当し、敷金の額から当該充当に要した費用を差し引いた額を返還する。

4　敷金には、利子を付けない。

5　建物を貸し付ける場合において、当該貸付けが財産の交換、譲与、無償貸付等に関する条例（昭和三十九年東京都条例第二十五号）第四条第一項各号のいずれかに該当するときは、敷金を減額し、又は免除することができる。

6　第一項の規定にかかわらず、定期建物賃貸借により建物を貸し付けるときを除き、貸し付ける建物の所在する地域の取引慣行等から適当と認める場合においては、敷金を徴収しないで、権利金を徴収することができる。

7　第三十六条第三項の規定は、前項の権利金を徴収する場合について準用する。

（**権利金の徴収方法**）

**第三十七条**　権利金は、当該財産の引渡前に、その全額を徴収しなければならない。ただし、特別の理由があると認めるときは、五年以内の期間において延納の特約をすることができる。

2　前項の規定により延納の特約をする場合における利息及び担保については、第四十二条及び第四十三条の規定を準用する。この場合において、第四十二条第一項中「売払代金又は交換差金」とあるのは「権利金」と、同項第一号中「売買契約又は交換契約（以下本条において「売買契約等」という。）」とあるのは「貸付契約」と、「売買契約等を」とあるのは「貸付契約を」と、「売買契約の」とあるのは「貸付契約の」と読み替えるものとする。

**（督促）**

**第三十八条**　貸付料または権利金を納付期限までに納付しない者に対しては、納付期限経過後二十日以内に督促状を発行して督促しなければならない。

2　前項の督促状には、その発行の日から十五日以内において納付すべき期限を指定しなければならない。

**（延滞金）**

**第三十八条の二**　貸付料または権利金を前条第一項の納付期限までに納付しなかつた者については、その納付期限の翌日から納付の日までの日数に応じ、当該貸付料または権利金の金額につき、年十四・六パーセントの割合で計算した延滞金（百円未満の場合を除く。）を納付させなければならない。

**（用途指定の貸付け）**

**第三十九条**　一定の用途に供される目的をもつて普通財産を貸し付ける場合は、当該財産の貸付けを受ける者に対して、用途並びにその用途に供しなければならない期日及び期間を指定しなければならない。

**（測量実費の徴収）**

**第四十条**　普通財産の貸付けを受けた者が、当該財産について分割または境界標示のため測量を申し出た場合は、これに要する実費を徴収するものとする。

**（貸付け以外の方法による普通財産の使用）**

**第四十一条**　この節（法第二百三十八条の四第二項第五号に規定する施設の用に供させるために土地に地上権を設定する場合及び同項第六号に規定する施設の用に供させるために土地に地役権を設定する場合並びに知的財産権の利用の許諾等を行う場合にあつては、第三十四条を除く。）の規定は、貸付け以外の方法により普通財産を使用させる場合について準用する。

## 第四章　処分

**（売払代金等の延納の特約をする場合における利息及び担保）**

**第四十二条**　普通財産の売払代金又は交換差金について、地方自治法施行令（昭和二十二年政令第十六号）第百六十九条の七第二項の規定により延納の特約をする場合においては、次に掲げる率の利息を付さなければならない。

一　国、地方公共団体その他公共団体が当該財産を公用若しくは公共用に供する場合又は都の指導監督を受け、都の事務・事業を補佐し、若しくは代行する団体が当該財産を補佐し、若しくは代行する事務・事業の用に供する場合には、基準日（四月一日から六月三十日までに売買契約又は交換契約（以下本条において「売買契約等」という。）を締結するときは当該年の三月三十一日、七月一日から九月三十日までに売買契約等を締結するときは当該年の六月三十日、十月一日から十二月三十一日までに売買契約等を締結するときは当該年の九月三十日、一月一日から三月三十一日までに売買契約等を締結するときは当該年の前年の十二月三十一日とする。ただし、一般競争入札による売買契約の締結にあつては入札公告の日とする。）における財政融資資金（普通地方長期資金）の固定金利方式に基づく貸付利率

二　前号以外の場合には、同号の率に年一パーセントを加えて得た率

2　前項の延納の特約をする場合においては、次に掲げる担保を提供させなければならない。ただし、普通財産の譲渡を受けた者が、国又は他の地方公共団体であるときは、担保を提供させないことができる。

一　国債

二　東京都債

三　土地

四　建物

五　前各号に掲げるもののほか、確実と認める担保

3　前項の規定により担保を提供させる場合において、同項第一号及び第二号に掲げる財産については質権を、同項第三号及び第四号に掲げる財産については抵当権を設定させるものとする。

**（保証人）**

**第四十三条**　前条第二項に規定する担保を提供させることが著しく困難であると認める場合は、同項の担保に代えて、延納の特約に係る金額について弁済能力を有する保証人を立てさせなければならない。

2　前項の保証人が、同項に定める要件を欠くこととなつたときは、新たに保証人を立てさせなければならない。

**（売払代金等の督促及び延滞金）**

**第四十四条**　第三十八条及び第三十八条の二の規定は、

普通財産の売払代金及び交換差金の督促及び延滞金の徴収について準用する。

（用途指定の売払い等）

**第四十五条**　第三十九条の規定は、一定の用途に供させる目的で普通財産を譲与し、売り払い、又は信託する場合について準用する。

## 第五章　補則

（東京都公有財産管理運用委員会付議）

**第四十六条**　局長等は、次に掲げる措置を講じようとするときは、別に定める東京都公有財産管理運用委員会の議を経なければならない。ただし、別に知事が指定するものについては、この限りでない。

一　公有財産の管理及び処分に係る方針の策定に関すること。

二　行政財産の使用許可並びに使用料の減額及び免除に関すること。

三　行政財産の貸付け（行政財産である土地に地上権又は地役権を設定する場合を含む。）並びに貸付料及び権利金の減額及び免除並びに保証金の免除に関すること。

四　普通財産の貸付け（貸付け以外の方法により使用させる場合を含む。）並びに貸付料、権利金及び敷金の減額及び免除並びに保証金の免除に関すること。

五　普通財産の売払い及び譲与ならびに売払価格の減額に関すること。

六　普通財産の交換、出資及び支払手段としての使用に関すること。

七　普通財産の信託に関すること。

（価格または料金の決定）

**第四十七条**　普通財産の管理及び処分に係る予定価格並びに財産の取得に係る予定価格は、適正な時価により評定した額をもつて定めなければならない。

２　第三十六条第一項（同条第四項において準用する場合を含む。）に規定する権利金の予定価格は、貸し付ける土地の適正な時価に別に定める当該土地の適正な借地権割合を乗じて得た額とする。

３　第三十六条の三第六項に規定する権利金の予定価格は、貸し付ける建物の現在価格の百分の四十に相当する額と、当該建物の所在する土地について前項により算出した権利金の百分の四十に相当する額とを合計して得た額とする。

（知的財産権等の価格）

**第四十七条の二**　前条第一項の規定にかかわらず、知的財産権の処分に係る予定価格は、当該知的財産権の種類、市場の状況等を考慮して定めなければならない。

２　知的財産権の利用の許諾等その他の管理及び法第二百三十八条第一項第五号に掲げる種類の財産の取得に係る予定価格は、前項に規定するもののほか、利用の許諾等の条件、行政上の必要性等を考慮して定めなければならない。

（東京都財産価格審議会付議）

**第四十八条**　局長等は、前二条の予定価格（法第二百三十八条第一項第六号及び第七号に掲げる種類の財産の取得、管理及び処分に係る予定価格を除く。）並びに行政財産の使用料並びに行政財産の貸付け及び行政財産である土地の地上権又は地役権設定に係る予定価格の決定に際しては、東京都財産価格審議会の議を経なければならない。ただし、別に知事が指定するものについては、この限りでない。

### 付　則

（施行期日）

１　この規則は、昭和三十九年四月一日から施行する。

（経過規定）

２　この規則施行前に、東京都都有財産条例（昭和二十九年三月東京都条例第十七号）の規定に基いて行つた普通財産の貸付け（無償または時価よりも低い貸付料での貸付けを除く。）、売払い、私権の設定その他使用収益させる行為で、この規則施行の際、現に貸付中のものまたは分納若しくは延納中のものについては、なお従前の例による。

３　この規則施行前に、東京都都有財産条例の規定により臨時的使用を目的として一年以内の期間で貸し付けている普通財産で、特別の理由があると認めるものについては、当分の間、第三十四条第三項の規定にかかわらず、貸付期間を更新することができる。

４　第二十条の規定による台帳価格の最初の改定は、昭和三十九年三月三十一日の現状により行うものとする。

### 附　則（令五・一・三一規則三）

この規則は、令和五年二月一日から施行する。

**別記様式**〔略〕

# ○公有財産関係の条例及び規則の施行について（依命通達）

昭三九・四・一
三九財管一発一四九

最終改正　令五・二・一財財総四三三

財産の交換、譲与、無償貸付等に関する条例及び東京都行政財産使用料条例並びに東京都公有財産規則が、昭和三十九年四月一日から施行されたので、これらの条例及び規則の施行にあたつては、下記の事項に留意のうえ、遺憾のないよう期せられたい。

なお、所属職員に対しても、この通達の趣旨の周知徹底を図られたい。

この旨、命によつて通達する。

記

地方自治法（昭和二十二年法律第六十七号。以下「法」という。）及び地方自治法施行令（昭和二十二年政令第十六号。以下「政令」という。）の一部改正により地方公共団体の財務会計制度が大幅に改正され、昭和三十九年四月一日から全面的に施行された。これに伴い、東京都都有財産条例（昭和二十九年三月東京都条例第十七号）が廃止され、財産の交換、譲与、無償貸付等に関する条例（昭和三十九年三月東京都条例第二十五号）及び東京都行政財産使用料条例（昭和三十九年三月東京都条例第二十六号）並びに東京都公有財産規則（昭和三十九年三月東京都規則第九十三号）が制定された。

これらの条例及び規則は、法令の改正の趣旨に従い、従前における制度を改善し、公有財産の適正な管理及び効率的運用を図ろうとするものであるが、これらのうち、公有財産の取得、管理及び処分に関する一般的事項を規定する東京都公有財産規則（以下「規則」という。）の構成に従い、特に留意すべき事項について示すと、次のとおりである。

**第一**　総則に関する事項

一　規則の内容及び性格（第一条）

（一）　この規則は、法令及び条例に規定された事項を除き、都の公有財産の取得、管理及び処分に関する一般的、基本的事項を規定するものであり、その性格は、公有財産事務に従事する職員に対する訓令的規程であること。

なお、公営企業用資産の取得、管理及び処分並びに教育財産の管理については、地方公営企業法（昭和二十七年法律第二百九十二号）並びに地方教育行政の組織及び運営に関する法律（昭和三十一年法律第百六十二号）に基づき、地方公営企業管理者及び教育委員会が行うものであり、この規則の適用はないものであること。

（二）　この規則の対象である公有財産の範囲については、法第二百三十八条第一項に規定されているところであるが、同項第二号の船舶については、総トン数二十トン以上のものを公有財産として取り扱い、同項第五号の著作権については、著作権法（昭和四十五年法律第四十八号）上権利ありと認められるものであつても実質的に財産価値がなく、かつ、当該権利について第三者に譲渡し、又は第三者をして使用させることが予想できないものは、規則に定める取扱いを要しないものとすること。

二　行政財産の管理（第四条）

（一）　局の事務・事業の用に供する財産（行政財産）の管理は、従来どおり当該局長が行うものであるが、二以上の局の事務・事業の用に供する財産のうち統一的な管理が必要なものについては、知事が指定する局長が管理することとしたものであること。

（二）　統一的管理を必要とする財産及びこれを管理する局長についての知事の指定は、関係局長において協議の上、財務局長を経由して行われる申請に基づき行うものであること。なお、財務局長において必要があると認めるときは、関係局長の申請を待たずに指定することがあること。

三　普通財産の管理及び処分（第五条、第五条の二）

（一）　知的財産権、株式等（法第二百三十八条第一項第六号に掲げる種類の財産をいう。以下同じ。）、出資による権利及び財産の信託の受益権については、その性質上普通財産として整理し、その管理（有価証券の出納保管を除く。）及び処分は、当該財産を取得した（他の局長等から所管換を受けた場合を含む。）局の長が行うものとしたこと。

（二）　第五条第一項の規定により知事の指定する普通財産は、株式等のうち電信電話債券であること。

なお、局長は、電信電話債券を取得した場合は、直ちに財務局長に引き継ぐものとすること。

（三）　（一）以外の普通財産で局の事務・事業の執行上取得せざるをえなかつたもの等局の事務・事業に関連して取得した（他の局長等から所管換を受けた場合を含む。）財産の管理は、その事務・事業に関連がある間、当該局長が行うものとしたこと。

四　総合調整（第六条）

（一）　知事の権限に属する公有財産に関する総合調整

は、財務局長が行うこととしたものであること。

(二)　財務局長は、公有財産の取得、管理及び処分に係る調整を行うに当たり、公有財産の効率的活用を図らなければならないものであること。

(三)　公有財産の効率的取得及び取得後の管理の適正を図るため、局長等は、その所管する事務事業の用に供する公有財産を取得しようとするときは、あらかじめ財務局財産運用部総合調整課長（以下「総合調整課長」という。）に協議しなければならないものとすること。ただし、あらかじめ財務局長が定めるものについては、協議を省略できるものであること。

(四)　公有財産の効率的活用を図るため、局長は、その所管に属する公有財産について、信託による活用を検討しようとするときは、あらかじめ財務局財産運用部長に協議しなければならないものであること。

(五)　財務局長は、公有財産の効率的活用を図るため、局長がその所管に属する公有財産を信託しようとするときは、報告を求め、必要な指導及び監督を行うことができるものであること。

(六)　局長は、その所管に属する公有財産を信託したときは、信託財産について、その状況等に関する報告及び資料を毎年定期に、財務局長に提出しなければならないものであること。

また、財務局長が必要があると認め、信託財産について報告等を求めたときについても同様とするものであること。

(七)　局長は、信託契約期間満了に伴い返還される信託財産の取扱いについて、あらかじめ財務局長に協議しなければならないものであること。

五　普通財産の引継ぎ（第七条・第七条の二）

(一)　行政財産の用途廃止によって生じた普通財産は、財務局長に引き継ぐのが原則であるが、特定の財産について財務局長が必要と認めるときは、引き続き当該局長に管理させることができ、さらに当該局長に処分させることもできるものであること。

なお、引き続き当該局長に管理させ、又は処分させることについての決定は、後記第六の四(一)に定める用途廃止についての財務局財産運用部長協議の際に行うものであること。

(二)　局長は、第七条又は第七条の二の規定により普通財産を財務局長に引継ぎしようとするときは、あらかじめ総合調整課長及び財務局財産運用部活用促進課長に協議するものとすること。

六　組織の変更に伴う所管換（第八条）

「局の事務・事業の全部又は一部が他の局に属することとなつたとき」とは、東京都組織条例（昭和三十五年東京都条例六十六号）や東京都組織規程（昭和二十七年東京都規則第百六十四号）など、条例等の改正に伴つて局の事務・事業の全部又は一部が他の局に属することとなつたときをいい、この場合に行う所管換を組織の変更に伴う所管換というものであること。

七　引継手続等（第九条）

(一)　行政財産の用途廃止によつて生じた普通財産及び事務・事業と関連がなくなつた普通財産の引継ぎ並びに所管換は、原則として、当該財産の所在する場所において関係職員の立会いのうえ公有財産引継書（台帳附属資料を添付すること。）及び公有財産受領書の授受により行うものであること。

(二)　公有財産引継書の送付を受けた局長等が当該財産を受領することを決定したときは、別に引受日又は所管換日を定める場合を除き、当該決定日をもつて当該財産及び台帳を受領したものとし、財産情報システムに所管変更に関する登録を行うものとすること。

(三)　所管換とは、局長等の間において公有財産の所管を移すことをいうものであるが、行政財産の用途廃止によつて生じた普通財産及び事務・事業と関連がなくなつた普通財産の財務局長への引継ぎは、引継ぎ・引受けとして、所管換とは別に整理することとしたものであること。

(四)　本条第四項ただし書の規定により知事が指定するものは、組織の変更に伴う所管換であること。なお、この場合の処理方法は、別途財務局長において定める。

八　有償所管換等（第十条、第十一条）

(一)　所属を異にする会計間における公有財産の所管換若しくは所属換または使用は、原則として有償で整理すべきものであり、これは、公有財産の取扱いにおいて特別会計の独立性を乱さないための趣旨のものであるから、この場合の価格は、適正な評定価格で行うべきものであること。ただし、予算執行上その他やむを得ない理由があると認められる場合においては、これを無償にし、または両局間の協議による価格により処理することができるものであること。

(二)　公営企業管理者へ移管し、または使用させる場合についての処理は、(一)と同様であること。

## 第二　取得に関する事項

登記又は登録（第十三条）

ア　登記できる財産を取得した場合において当該財産が土地であるときは、速やかに登記の手続をしなければならないものであること。

イ　前記ア以外の登記できる財産を取得した場合において当該財産が第三者と区分所有する建物又は借地上の建物等、第三者と争いが生じるおそれがある財産であるときは、原則として登記の手続をする必要があること。

ウ　「登記する必要がないと認められる場合」とは、取得した財産について、第三者と争いが生じるおそれがないと認められる場合をいうもので、土地以外の財産を取得したときに適用できるものであること。

エ　登録できる財産を取得した場合において、法令等により登録が義務付けられているものを除き、第三者と争いが生じるおそれがないと認められるときは、登録を省略することができるものであること。

## 第三　管理に関する事項

一　注意義務（第十五条、第十六条）

局長等は、その所管の公有財産を良好の状態において管理することはもちろん、積極的に経済性を考慮して、効率的運用を図るよう努めるべきものであること。この場合、財務局長は、必要な支援を行うものとすること。

また、土地の管理については、都有地と隣接地との境界に境界標（原則として境界石）を設置しておき、境界不明による不法占拠等の事態が起ることのないよう留意すべきものであること。

二　公有財産台帳（総則）（第十七条）

(一)　公有財産台帳（以下「台帳」という。）は、公有財産管理のための基礎的帳簿としての性格をもつものであり、台帳の整備及び補正、登録内容の検証の事務は、原則として後記六に定める公有財産管理主任が所掌するものとし、財産情報システムの保守、管理及び運用については財務局財産運用部長が行うこととしたこと。

(二)　本条第一項ただし書の規定により知事の指定する公有財産は、地方公営企業法の規定の一部が適用される事業の用に供する財産、公共事業の施行に伴う代替地の売払に関する規則（昭和三十九年七月東京都規則第百七十九号）により売り払う代替地であること。

三　公有財産台帳（建物、立木、工作物及び従物）（第十七条）

(一)　建物

ア　建物とは、土地に構築された物体であって屋根及び周壁又はこれに類するものを有し、その目的とする用途に供しうる状態にある独立の不動産として登記できるもの及び建物の区分所有等に関する法律（昭和三十七年法律第六十九号）により、区分所有権の目的とする部分をいう。

イ　建物の従物とは、当該建物の便益のために付加された造作物、建物に付加された独立した物で建物からの分離がその重大な損傷を伴う程度に密接に結合された物及び法令等により備え付けが義務づけられた建物に不可欠なものをいう。

(二)　工作物

ア　公有財産の種類の一つである工作物とは、土地に人工的に構築され、その土地に定着した状態で一定の目的に継続的に使用される物体で、建物以外のものをいうものであること。

なお、土地に定着した状態とは、当該物体が土地と一体のものとして構築されている状態又は大規模な基礎工事により土地に定着している状態を指すものであること。

したがつて、当該物体の土地からの分離が当該物体に重大な損傷を与え、又は当該物体の固有の使用を不可能にする程度に土地に定着していることを要するものであり、その用法上、単に物体の動揺を防止するために地中に埋め込んだ場合、コンクリート、枕木等の基礎にボールト、釘等で固定した場合、簡易な基礎工事により土地に定着していて、位置の変動が容易にできる場合、解体　組立て及び復元が容易にできる場合等は、土地に定着している状態とはいえないものであること。

イ　次に掲げる工作物は、都有地以外の土地に存するものを除き、土地の一部として取り扱うものであること。

(ア)　土留、石垣、護岸等土地の維持及び管理を目的とする工作物

(イ)　取得時又は構築時における価格が百五十万円以下である工作物

ウ　土地の一部として取り扱う工作物については、土地の台帳に所要の事項を登録するものとすること。

エ　前記イに該当する工作物であつても、土地の一部として取り扱うことが困難であるものについては、工作物財産として工作物の台帳を整備することができるものであること。

㈢　立木

ア　公有財産の種類の一つである立木のうち、収益を目的として管理しているもの又は都有地以外の土地に存するものについては、次に掲げる種目（性質ごとに分けたもの）ごとに台帳に整理して管理するものであること。

㈠　森林又は原野にまとまつて生立している立木を「立木」として種目整理した立木

㈡　主として宅地等に生立している立木で、高木類（別表第一に定める立木をいう。）にあつては地上高一・二メートルの位置における幹の周囲が三十センチメートルを超えるもの、高木類以外の立木（別表第二に定める立木をいう。）にあつては一本当たりの価格が五万円を超えるものを「樹木」として種目整理した立木

㈢　用材として束をもつて取引の対象となる財産的価値のある竹を「竹」として種目整理した立木

イ　前記ア以外の立木は、土地の一部として取り扱うものとする。この場合において、前記アの各号に掲げる種目に該当するものについては、土地の台帳に所要の事項を登録するものとすること。

ウ　前記ア以外の立木であつても、土地の一部として取り扱うことが困難であるものについては、前記アに掲げる種目の立木と同様に立木財産として立木の台帳を整備することができるものであること。

エ　「立木」として種目整理した立木の台帳に登録する数量は、毎木調査若しくは標準地調査又はこれらに準ずる調査方法により算定するものであること。ただし、林分材積表、収穫表等がある場合は、これらを利用して数量を算定することができるものであること。

オ　立木の台帳に登録する数量の調査は、毎年行うものであること。

㈣　従物

公有財産の種類の一つである従物は、公有財産の効率的管理を図るため、単独の台帳で管理することなく、主物の台帳に整理し管理することとしたこと。

四　台帳価格（第十九条、第二十条）

㈠　台帳に登録すべき価格は、都における公有財産の経済的価値を把握する基礎価格となるため、正常な市場価格を基にした取得価格とし、これによることが困難なものについては適正な時価により評定した価格としたこと。この場合の適正な時価により評定した価格とは、財産を所管する局長等において、土地にあつては東京都基準地価格を、建物にあつては既存類似の財産の台帳価格を、特許権等又は著作権にあつては登録に要する費用を、財産の信託の受益権にあつては信託した財産の価格を、その他財産にあつては類似の財産の台帳価格等を基に算定した価格とするものであること。なお、著作権にあつては、当該著作権の登録を行わないため登録に要する費用が存在しない場合は、当該著作物の作成費用を価格とするものであること。

また、法令等により減額された価格で取得した財産にあつては、減額する前の価格とするものであること。

㈡　台帳に登録した価格は、常に適正な価格としておくため、原則として毎年改定することとし、適正な時価により評定することとしたこと。この場合の適正な時価により評定することとは、財産を所管する局長等において、土地にあつては東京都基準地価格の変動率を基に、建物及び工作物並びに船舶、浮標、浮桟橋及び浮ドック並びに航空機にあつては台帳価格から定額法（減価償却）により、立木のうち収益を目的として管理しているものにあつては相続税法（昭和二十五年法律第七十三号）による森林の立木価格を基に算定するものであること。

価格を改定する必要がないと認めるものとは、価格改定になじまない収益を目的とする立木以外の立木及び法第二百三十八条第一項第四号から第七号までの規定に掲げる種類の財産をいうものであること。ただし、株式等にあつては、その価格が著しく不相応となつた場合に時価あるいは相当な価格に減額できるものであること。

五　台帳記録の閲覧及び利用（第二十一条の二）

㈠　公有財産の一層の利活用促進と公有財産管理及び運用事務に資することを目的とし、局、議会局及び警視庁（以下「局等」という。）間における台帳の記録の共有化を図ることとし、他の局等の所管する台帳の記録についても閲覧できることとしたものであること。このため、他の局等の所管する台帳の記録を閲覧及び利用するに当たつては、この目的を超えた閲覧及び利用、又は部外者に対する情報の提供を行つてはならないものであること。

㈡　閲覧によつて得た台帳記録のうち、他の局等の

所管する台帳の記録を利用する場合にあっては、財務局及び当該台帳を所管する局等の公有財産総括主任の了承を得なければならないものであること。

六　総括主任及び管理主任（第二十六条～第二十八条）

（一）　公有財産管理の責任体制を強化し、事務の適正かつ円滑な執行を期するため、公有財産総括主任（以下「総括主任」という。）及び公有財産管理主任（以下「管理主任」という。）を設置することとしたこと。

（二）　総括主任は、局等における適正で、経済的かつ効率的な公有財産管理事務の処理を推進するとともに、管理主任を指導し、必要な調整を行うものであること。

　また、総括主任は、常に所管公有財産の現状を把握するように努めなければならないものであるとともに、当該局等の台帳の管理に当たつては、電磁的記録が消去や複製を容易に行い得るという特性があるものであるということを十分に踏まえ、その管理に当たること。特に、当該局等以外の所管に属する財産に関する財産情報システムから得られる公有財産情報の管理については、部外者への漏えいなどが生じることのないよう、万全を期さなければならないものであること。

　さらに、総括主任は、局等の公有財産管理に関する事案のうち、局長等決定を要するもの、東京都公有財産管理運用委員会の議を経ることを要するもの及び後記第六の四（一）に定める財務局財産運用部長協議を要するものについて必要な指導及び調整をするものとすること。

（三）　管理主任は、公有財産の使用並びに維持及び保存について、その経済性、効率性等に留意すること。

　また、当該課又は所の台帳の管理に当たつては、電磁的記録が消去や複製を容易に行い得るという特性があるものであるということを十分に踏まえ、その管理に当たること。特に、当該課又は所以外の所管に属する財産に関する財産情報システムから得られる公有財産情報の管理については、部外者への漏えいなどが生じることのないよう、万全を期さなければならないものであること。

（四）　総括主任の設置及び管理主任の任命に当たっては、次の事項に留意すること。

ア　総括主任の設置

　総括主任には、局等の公有財産管理事務を主管する課の課長を必ず充てるものとすること。

イ　管理主任の任命

(ア)　局長等は、公有財産を管理する課の課長（室長を置かない室にあつては公有財産管理事務を担任する課長）又は所の公有財産管理事務を主管する課の課長（課を置かない所にあつては所長）を管理主任として、原則として課又は所ごとに任命するものであること。

(イ)　「管理主任を置く必要がないと認めるとき」とは、課又は所の所管に属する公有財産の量が比較的少ない場合等をいうものであるが、この規定により公有財産を管理する課又は所に管理主任を設置しない場合は、当該課若しくは所を管理し、又は連絡を行う課若しくは所に当該公有財産を管理する管理主任を設置しなければならないものであること。

(ウ)　総括主任は、管理主任を兼務することができるものであること。

ウ　総括主任の設置の通知

　総括主任の設置についての財務局長への通知は、別記様式により行うこと。

七　行政財産の貸付け及び地上権又は地役権の設定（第二十九条）

（一）　局の事務・事業の用に供する行政財産を、規則第二十九条の規定に基づき、貸し付け、及び行政財産である土地に地上権若しくは地役権を設定する場合については、規則第四条の規定によりこれを管理する局長が行うものであること。

（二）　行政財産は、法第二百三十八条の四第二項若しくは第三項（同条第四項において準用する場合を含む。）の規定に基づき、その用途又は目的を妨げない限度において、貸し付け、又は私権を設定することができるものであるが、この場合においても、当該行政財産の管理上支障がないか、又は同条の四第二項第一号、第三号及び第四号の規定に基づき行政財産を貸し付けるとき並びに同条第三項に規定する当該特定施設を譲り受けようとする者に行政財産である土地を貸し付けるときは、当該行政財産の適正な方法による管理を行う上で適当と認められる者かどうかを判断して行うものであること。

　また、行政財産の貸付けに関する事務の取扱いについては、財務局長が別に定めるところにより、その適正を期さなければならないものであること。

（三）　（一）の場合における貸付期間、権利金の徴収及び算定方法、用途指定及び担保物権の設定等については、すべて普通財産を貸し付ける場合と同様の取扱いをすることとし、これに関する規定を準用するものであること。なお、地上権又は地役権の設定期間については、後記九の㈥アに規定する場合の例によるものとすること。

八　行政財産の使用許可

㈠　使用許可の範囲（第二十九条の二）

ア　行政財産は、法第二百三十八条の四第七項の規定に基づき、その用途又は目的を妨げない限度において、使用を許可することができるものであるが、この場合においても、第二十九条の二各号に列挙する場合に限り、使用許可できるものであること。

イ　「前各号のほか、特に必要があると認められるとき」とは、都の指導・監督を受けない団体が、実質的に都の事務・事業を補佐又は代行する場合に、その事務・事業の用に供するため使用させるとき、都に寄付する建物又は工作物を築造又は設置するため寄付しようとする者に使用させるとき等をいうもので、その処理にあたっては、慎重な配慮を要するものであること。

ウ　公の施設の管理を委託する場合、指定金融機関の事務室、新聞記者室、東京都職員互助組合事務所として公有財産を使用させる場合、又は都の施設に委託公衆電話（いわゆる赤電話）を設置させる場合等は、都の事務・事業遂行のため、あるいは契約の履行場所として都が提供するものであるから、行政財産の目的外使用の範囲に入らないものであること、一方、公の施設を本来の目的以外に使用させる場合、例えばその管理委託の内容となり得ない売店、食堂等の経営のため使用させる場合は、行政財産の使用許可として処理すべきものであること。

エ　行政財産の使用許可は、あくまで例外的な措置であるから、使用させる公有財産については、必要最小限にとどめ、原則として現状のまま使用させることとし、容易に原状回復ができる状態にしておく必要があること。

㈡　使用許可の期間（第三十条）

行政財産の使用許可の期間は、一年以内であること。ただし、電柱又は水道管、ガス管その他の埋設物を設置するため使用させる場合その他特別の理由があると認める場合、例えば、工期が一年以上にわたる工事の用地として使用させるとき、都有地（行政財産）の上空に高圧線の架設を認めるとき等使用目的からみて使用期間が長期にわたるものである場合は、例外的に一年を超えて使用を許可することができるが、この場合においても、使用目的及び設置される工作物等の規模、構造を考慮して処理すべきものであり、次の各号に掲げる期間を超えてはならないものであること。

ア　電柱若しくは水道管、ガス管その他の埋設物を設置するため使用させる場合又は都有地（行政財産）の上空に高圧線等の架設を認める場合　十年

イ　庁舎、公の施設等において、当該施設の職員、利用者等の利便に供する目的で、食堂、売店、理髪店、自動販売機、公衆電話、駐車場等を設置するために使用させる場合　三年

ウ　ア及びイに掲げる場合以外の場合　五年

なお、使用期間満了後、引き続き使用させる場合は、同一の条件であっても新規の使用許可として処理すべきものであること。

㈢　使用料の減免（使用料条例第五条）

ア　行政財産の使用料を減免できる場合については、東京都行政財産使用料条例（以下「使用料条例」という。）第五条各号に列挙されているが、このうち第四号に規定する「前各号のほか、特に必要があると認めるとき」とは、具体的な個々の事案について、使用目的及び地方公共団体としての都の立場等を考慮して特に減免の必要があると認める場合についてのみ適用すべきもので、次に掲げる場合等をいうものであること。

(ア)　都の指導・監督を受けない団体が、実質的に都の事務・事業を補佐又は代行する場合に、その事務・事業の用に供するため、土地、建物又は工作物を使用させるとき。

(イ)　都に寄附する建物又は工作物を築造又は設置するため、土地、建物又は工作物を使用させるとき。

(ウ)　工事請負契約、事業委託契約等による必要な限度内で、土地、建物、工作物又は船舶を使用させるとき。

(エ)　主として職員、学生、入院患者及び社会福祉施設に収容保護されている者の利便に供するため、低廉な価格又は料金で、食堂、売店等を経営させる目的で庁舎、学校、病院及び社会福祉施設の一部を使用させるとき。

(オ)　低廉な価格で清涼飲料水等を販売するため、自動販売機を設置させる目的で公用又は公共用施設の一部を使用させるとき。

(カ)　災害その他緊急事態の発生により応急施設として土地又は建物を臨時的に使用させるとき。

イ　使用料減額の割合については、使用目的の公共性、重要性及び都の事務・事業に及ぼす効果等を勘案して決定すべきものであること。また、災害等のため行政財産を使用できなかつた場合の減免は、当該財産を使用目的に供しえなかつた程度及び期間を考慮して決定すべきものであること。

(四)　使用料の徴収（使用料条例第六条）

ア　行政財産の使用料は、使用許可の全期間について、その期間の初日までに納入させるものであること。ただし、この全額前納の原則の例外として、特別の理由があると認めるときは、納付期限を別に指定して後納させ、または分割して納入させることができるものであること。

イ　「特別の理由があると認めるとき」とは、国、他の地方公共団体において予算措置等の理由から前納ができないとき、使用期間が長期にわたるとき、使用料の額が著しく多額で一時に納付させることが困難なとき等をいうものであること。

ウ　使用料に、使用許可する公有財産に付帯する電話、電気、ガス、水道等の諸設備の使用に必要な経費が含まれていない場合は、使用料のほかに、これらの経費を徴収しなければならないものであることに留意すること。

(五)　行政財産の使用許可（第三十二条）

ア　行政財産を使用しようとする者からは、定められた事項を記載した行政財産使用許可申請書を提出させ、審査の結果、使用許可を決定したときは、所定の事項を記載した行政財産使用許可書を交付し、また、使用を許可しないものと決定したときは、不許可の通知をしなければならないものであること。

イ　行政財産の使用許可は、全て行政処分として処理すべきものであるから、行政処分の付款として定める許可条件が重要な意味をもつものであることに十分留意すること。

また、使用許可及び使用料の徴収に関しての審査請求及び処分の取消しの訴えの提起について教示する必要があるものであること。

なお、不許可の通知をする場合においても、同様に審査請求及び処分の取消しの訴えの提起について教示する必要があること。

ウ　行政財産使用許可書の標準書式は、別紙第一のとおりとすること。

九　普通財産の貸付け

(一)　貸付期間更新の制限（第三十四条）

ア　一時使用の目的で土地等を貸し付けるに当たつては、その目的及び使用形態を精査し、使用を予定している期間における当該土地等の利用計画及びその使用に伴う他への影響等を十分に調査、確認のうえ貸し付けること。

イ　臨時設備その他一時使用のため土地又は土地の定着物（建物を除く。）を貸し付けるとき及び一時使用のため建物を貸し付けるときの貸付期間は、一年を超えることができないものとしたこと。

ウ　建物の所有を目的とし、借地借家法（平成三年法律第九十号。以下「借地借家法」という。）第二十二条に規定する定期借地権（以下「定期借地権」という。）を設定して、土地及びその土地の定着物（建物を除く。）を貸し付けるときの貸付期間は五十年とし、期間の更新はできないものであること。

また、本条第二項の規定により五十年を超える貸付期間を設定するに当たつては、当該土地等の利用計画等を考慮して、特に必要があると認める場合についてのみ適用すべきものであること。

なお、定期借地権の設定を目的とする契約は、公正証書によつて行うこと。

エ　専ら事業の用に供する建物（居住の用に供するものを除く。）の所有を目的とし、借地借家法第二十三条に規定する事業用定期借地権等（以下「事業用定期借地権等」という。）を設定して、土地及びその土地の定着物（建物を除く。）を貸し付けるときの貸付期間は、十年以上五十年未満の範囲内とし、期間の更新はできないものであること。

なお、事業用定期借地権等の設定を目的とする契約は、公正証書によつて行うこと。

オ　借地借家法第三十八条に規定する期間の定めがある建物の賃貸借（以下「定期建物賃貸借」という。）により建物を貸し付けるときの貸付期間は、五年以内とし、期間の更新はできないものであること。

また、本条第一項の規定により五年を超える貸付期間を設定するに当たつては、当該建物等の利用計画等を考慮して、特に必要があると認める場合についてのみ適用すべきものであること。

なお、定期建物賃貸借契約は、公正証書によって行うこと。

カ　一時使用のため建物を貸し付けるとき、及び定期建物賃貸借により建物を貸し付けるときを除くほか、建物を貸し付けるときの貸付期間は、五年以内とするものであること。

また、本条第二項の規定により五年を超える貸付期間を設定するに当たつては、当該建物等の利用計画等を十分に考慮して、ＰＦＩ事業の用に供する場合その他の特に必要があると認める場合についてのみ適用すべきものであること。

キ　一時使用の目的で貸し付けた場合の期間更新は、原則として当初の貸付時から通算して二年を超えてはならないものとしたこと。

なお、期間更新に当たつては、従来の使用状況、更新の必要性等について実地に調査するとともに、当該土地等の更新時における利用計画等を考慮して慎重に処理すること。

ク　本条第五項ただし書の「特に必要があると認めるとき」とは、当該一時使用の目的が公共性、公益性を有し、かつ、都としてその目的達成に真に協力する必要があるとき及び都が自ら公有財産を有効に活用するために土地又は土地の定着物（建物を除く。）を貸し付ける必要があるときをいうものであること。

なお、都が自ら公有財産を有効に活用するために土地又は土地の定着物（建物を除く。）を貸し付けた場合の期間の更新については、当初の貸付時から通算して五年を超えてはならないものであること。

ケ　本条第五項ただし書を運用するに当たつては、前記キの趣旨を十分に踏まえ、例外的な取扱いとして必要最小限の範囲にとどめるべきものであること。

コ　一時使用の目的であるにもかかわらず、毎年期間を更新して使用させることは、適正な貸付方法ではないが、昭和三十九年四月一日の時点において、現に、毎年更新して長期間貸し付けているので貸付関係を終了させることが困難であると認められるものについては、当分の間、例外的に更新ができるよう経過措置がとられていること（付則第三項）。

(二)　権利金の徴収（第三十六条、第三十七条）

ア　建物所有の目的で土地を貸し付ける場合には、一時使用のため貸し付けるとき又は定期借地権若しくは事業用定期借地権等を設定して土地を貸し付けるときを除き、従来より所定の権利金を徴収するものとされていたが、さらに堅固な工作物設置の目的で土地を貸し付ける場合についても、権利金相当額を徴収するものとしたこと。

イ　権利金は、延納の特約をする場合を除き、当該財産の引渡前にその全額を徴収しなければならないものであること。

特別の理由があると認められる場合には、五年以内の期間において延納の特約をすることができるが、権利金の性格上、安易に延納を認めることは妥当でないので、その処理については慎重な配慮を要するものであること。

ウ　延納を特約する場合における利息及び担保については、売払代金等の延納の場合と同様であること。

(三)　保証金の納付（第三十六条の二）

ア　建物の所有を目的とし、定期借地権を設定して、土地及びその土地の定着物（建物を除く。）を貸し付ける場合又は専ら事業の用に供する建物（居住の用に供するものを除く。）の所有を目的とし、事業用定期借地権等を設定して、土地及びその土地の定着物（建物を除く。）を貸し付ける場合には、権利金は徴収しないものとするが、土地の確実な返還、契約続行及び建物取壊費用充当等の担保として、規則第三十六条の二第一項ただし書の場合を除き、保証金を納めさせること。

イ　本条第一項に定める保証金の額は、貸し付ける土地の近傍類似の賃貸事例を考慮の上、当該土地を所管する局長等が決定すること。

ウ　保証金は、貸付期間が満了し、当該土地の引渡しを受けた後に、契約の相手方に返還するものであるが、都において建物取壊費用充当等があった場合においては、それに要した費用を差し引いた上で返還すること。

なお、保証金の返還に際しては利子は付けず、元金のみを返還すること。

エ　規則第三十六条の二第一項ただし書の「特別の理由があると認めるとき」とは、賃料や遅延違約金その他の貸付契約から生じる都に対する債務について、国又は地方公共団体が、保証金の額に相当する額の債務負担行為を設定することを約した協定等を都と締結するときをいうものであること。

(四) 敷金の納付（第三十六条の三）

ア　建物を貸し付ける場合は、一時使用のため貸し付けるときを除き、敷金を納めさせること。

イ　敷金の額は、適正な貸付料月額に適正な倍率を乗じた金額をもつて定めることとし、その適正な倍率については、貸し付ける建物の近傍類似の賃貸事例を考慮の上、当該建物を所管する局長等が決定すること。

ウ　「未納の貸付料その他の債務」とは、未納の貸付料及びその遅延利息だけでなく、契約終了後、建物明渡しまでに生ずる貸付料相当の損害金、都において原状回復に要した費用等当該賃貸借契約に関して都に対して負う一切の債務をいうものであること。

エ　敷金を未納の貸付料その他の債務の弁済に充当する場合は、敷金から充当額を差し引いた上で返還すること。

なお、敷金の返還に際しては利子を付けず、元金のみを返還すること。

オ　定期建物賃貸借により建物を貸し付けるときを除き、貸し付ける建物の所在する地域の類似の取引において権利金を徴収する慣行がある等の場合は、敷金を徴収せず、権利金を徴収できること。

カ　前項の権利金を徴収する慣行がある等の場合において、定期建物賃貸借により建物を貸し付けるときは、権利金相当額を敷金として納めさせること。

(五) 用途指定の貸付け（第三十九条）

ア　用途を指定して貸し付ける場合には、その用途並びにその用途に供しなければならない期日及び期間を当該貸付契約書に指定しておくものとすること。この場合、用途指定の期間は貸付期間中とすること。

なお、これらの財産のは握が容易に一覧できるよう配慮する必要があること。

イ　財産の交換、譲与、無償貸付等に関する条例（以下「交換条例」という。）第四条第一項及び第五条の規定により、貸付料を無償にし、または減額して貸し付ける場合及び権利金を減免して貸し付ける場合には、用途指定を付するものとすること。

(六) 貸付け以外の方法による普通財産の使用（第四十一条）

この節の規定は、次に該当する場合を除き、貸付け以外の方法により普通財産を使用させる場合に準用するものであること。

ア　法第二百三十八条の四第二項第五号に規定する施設の用に供させるため、土地に地上権を設定する場合及び同項第六号に規定する施設の用に供させるため、土地に地役権を設定する場合の設定期間については、当該施設の存続中とすること。

イ　知的財産権の利用の許諾等の期間については、権利の種類、実施等の目的、方法及びその他の許諾条件等を考慮し、慎重に設定すべきものであること。ただし、著作物の利用の許諾においては、許諾の期間を定めることに代えて、複製部数を限定する等の措置を執ることもできるものであること。

## 第四　処分に関する事項

一　普通財産の交換（交換条例第二条）

(一) 普通財産を交換できる場合は、都において必要があるとき、または国、地方公共団体その他公共団体において、公用、公共用に供するため、都の普通財産を必要とする場合に限られるものであること。

(二) 交換により取得し、または提供する財産の種類はその効用において同一種類のものであることを原則とし、同一種類以外の財産の交換は例外的な取扱いとするものであること。

(三) 交換差金について制限を設け、高価な財産の価額の四分の一をこえる差額を生ずる場合は、交換できないものとしたこと。

二　普通財産の譲与又は減額譲渡（交換条例第三条）

(一) 特別区及び都の区域内の市町村（以下「都内区市町村」という。）において公用又は公共用に供するための土地を、当該都内区市町村が設立した土地開発公社（以下「公社」という。）に当該都内区市町村に譲渡することを条件として譲渡する場合には、交換条例第三条第一項第一号の規定により、譲与又は減額譲渡できるものであること。

(二) (一)の場合の売払申請書には、公社が当該都内区市町村に譲渡する期限及び当該都内区市町村における利用計画を記載させるとともに、当該都内区市町村の副申書（当該団体における利用計画等を記載したもの）を添付させること。

(三) (一)の場合の土地売買契約は、都、公社及び当該都内区市町村の三者契約とすること。

また、用途指定については、公社が、売払申請書に記載した期限までに当該都内区市町村に当該土地を譲渡すること及び当該都内区市町村が、公社から当該土地を取得後、後記四の(三)に定める期間指定用途に供することを当該土地売買契約書に規定しておくものとすること。

(四)　公社が当該都内区市町村に当該土地を譲渡するまでの間、公社による当該土地への地上権、質権、使用貸借による権利、賃借権その他の使用及び収益を目的とする権利の設定（以下「地上権等の設定」という。）は、原則として認めないものであること。

必要やむを得ない事情により、公社が、当該土地に地上権等の設定を行おうとする場合には、事前に、書面による都の承認を必要とするものであること。

三　売払代金等の延納（第四十二条、第四十三条）

(一)　普通財産の売払い又は交換において、当該財産の引渡後に売払代金又は交換差金（以下「売払代金等」と総称する。）を納付させる延納制度については、政令第百六十九条の七第二項に規定されているところであるが、この運用は例外的な制度として必要最小限の範囲内にとどめるべきものであること。

(二)　規則第四十二条第一項に規定する売払代金等を延納するときの利息は、基準日（四月一日から六月三十日までに売買契約又は交換契約（以下「売買契約等」という。）を締結するときは当該年の三月三十一日、七月一日から九月三十日までに売買契約等を締結するときは当該年の六月三十日、十月一日から十二月三十一日までに売買契約等を締結するときは当該年の九月三十日、一月一日から三月三十一日までに売買契約等を締結するときは当該年の前年の十二月三十一日とする。ただし、一般競争入札による売買契約の締結にあっては入札公告の日とする。）における財政融資資金の管理及び運用の手続に関する規則（昭和四十九年大蔵省令第四十二号）第十五条に定める普通地方長期資金の固定金利方式に基づく貸付利率によるものであるが、この場合は、貸付期間を三十年間として設定する貸付利率を適用するものであること。

(三)　普通財産を一般競争入札または指名競争入札により売り払う場合にあつては、売払代金の延納は認めないものであること。ただし、予定価格が高額である場合または公益上の目的等に用途を指定して売り払う場合等であつて、かつ、売払代金を一時に納付させることが困難であると認められるときは、延納を認めることができるものであること。

なお、売払代金の即納を条件として入札を行つたときは、延納は認めないものであること。

(四)　普通財産を随意契約により売り払い、または交換する場合にあつては、売払いまたは交換の相手方の事業、収入、資産等の状況を調査し、売払代金等を一時に納付させることが困難であり、かつ、将来の納付が確実と認められるときに限り、売払代金等の延納を認めることができるものであること。

(五)　延納の特約がなされた売払代金等の第一回の納付金は、当該財産の引渡前に納付させなければならないものであり、その金額は売払代金等の一割以上に相当する額とするものであること。また、所有権移転登記は、当該財産を担保として提供させる場合または銀行が保証する場合を除き、売払代金等が完納されるまで留保するものとすること。

(六)　売払代金等について延納の特約をする場合は、原則として物的担保すなわち、国債、東京都債、土地、建物その他確実と認める担保を提供させなければならないものであるが、この場合の物的担保の取扱いについては、次に掲げる事項に留意すること。

ア　公売に付しても換価が非常に困難であると認められる財産または担保の実効がない程度に価額が低下するおそれがあると認められる財産は、担保として提供させないこと。

イ　担保として提供させる財産については、抵当権等の担保物権の設定の有無を調査し、原則として弁済の最優先順位を確保できる場合に限り、担保として提供させることができるものであること。この場合において、当該財産が登記できる財産であるときは、登記簿謄本を提供させること。

ウ　売払いまたは交換のために引き渡した財産を担保として提供させることができる場合は、当該財産のほかに適当な財産を担保として提供させることが困難である場合に限るものであること。

なお、当該財産がその形状または付近の状況により一宅地をなさない土地である場合は、隣接する土地が一宅地をなす土地（当該土地に隣接する土地をあわせて一宅地をなす場合を含む。）であり、かつ、隣接する土地とともに共同抵当権を設定させることができる場合を除き、担保として提供させることができないものであること。

エ　担保として提供させる財産が、滅失き損のおそれがある場合は、当該財産についてその所有者を被保険者とする損害保険契約を締結させ、被保険者の取得する保険金請求権について質権を設定させる必要があること。

オ　担保として提供させる財産は、延納代金（売払代金等から売り払い、又は交換する財産の引渡前に納付させる金額を控除した金額をいう。以下同じ。）の金額と当該延納代金に対する二年分の利息に相当する金額との合計額以上の担保価値を有するものであること。ただし、当該財産の担保価値がこれに満たない場合であつても、その不足額について後記(七)から(十二)までに定めるところにより、保証人を立てさせることができるときは、この限りでないものであること。

カ　担保として提供させる財産の担保価値は、国債、東京都債にあつては東京都契約事務規則（昭和三十九年四月東京都規則第百二十五号）第十一条第一号に規定する金額、土地、建物にあつては東京都契約事務規則に定める契約担当者等が時価により評定した価額の七割以内において決定する価額、その他のものにあつては契約担当者等が決定する価額とすること。

キ　土地または建物の担保の決定にあたつては、次に掲げる事項に留意すること。

(ア)　建物を担保として提供させる場合において、当該建物に借家権が設定されているときは、当該建物の価格は借家権価格相当額を控除した価格とすること。

(イ)　土地を担保として提供させる場合において、当該土地に建物があるとき、または地上権等が設定されているときは、当該土地の価格は借地権価格相当額、地上権価格相当額等を控除した価格とすること。

ク　売払代金等の延納期間中に担保物の担保価値が減少したと認められるときは増担保または代りの担保を、担保物が滅失したときは代りの担保を、それぞれ提供させなければならないものであること。

ケ　売払代金等が完納されたときは、遅滞なく担保解除の手続をしなければならないものであること。

(七)　物的担保の提供に代えて保証人を立てさせることができる場合は、確実な物的担保を提供させることが困難であると認められる場合で次の各号の一に該当するとき、または確実な金融機関を保証人として立てさせる場合に限るものであること。

ア　売払い又は交換における延納代金の金額と当該延納代金に対する二年分の利息に相当する金額との合計額（前記(六)オただし書の場合にあつては、不足額）が五百万円以下であるとき。

イ　その形状または付近の状況により一宅地をなさない土地を売り払う場合において、隣接する土地の所有者または使用者若しくは当該土地の占有者に売り払う以外に処分することができないと認められるとき。

(八)　保証人を立てさせる場合（確実な金融機関が保証する場合を除く。以下(九)、(十)、(十一)及び(十二)において同じ。）は、連帯保証契約を締結するものとすること。この場合においては、強制執行認諾の条件を付した公正証書を作成しておくものとすること。

(九)　保証人は、東京都の区域及びこれに隣接する県の区域内等で交通至便な場所に住所を有する者であり、かつ、債務を十分に担保できると認められる額の所得または固定資産を有する者であること。

(十)　所得または固定資産を有する者であつても、次の各号の一に該当する者は、原則として保証人となることができないものであること。

ア　売払いまたは交換の相手方の配偶者または同居の親族である者

イ　売払いまたは交換の相手方が会社またはその会社の役員のいずれか一方である場合において、保証しようとする者が他の一方である者

ウ　別に普通財産の売払代金等について都と延納の特約をしている者または延納の特約をする予定の者

エ　別に普通財産の売払代金等についてその支払いを保証するため、都の保証契約を締結し保証人となつている者または保証人となる予定の者

(十一)　保証人を立てさせる場合においては、住所及び人格を証明する書類として住民票抄本または資格証明書を、所得を証明する書類として所得証明書、住民税納税証明書等を、固定資産の額を証明する書類として固定資産課税台帳登録額証明書を提出させること。

(十二)　所得を有する保証人を立てさせる場合においては、その者の年齢、職業、事業等の状況から判断して延納の全期間にわたり同一程度の所得を継続的に確保できるかどうか検討する必要があること。

(十二)　固定資産を有する保証人を立てさせる場合においては、その固定資産について抵当権等の担保物権の設定の有無、換価処分の難易等を物的担保を提供させる場合に準じて調査する必要があること。

四　用途指定の売払い等（第四十五条）

(一)　用途指定の売払いにおいて留意すべき事項は、前記第三の九(五)アに示したものと同様であること。

用途を指定して信託する場合には、その用途並びにその用途に供しなければならない期日及び期間を当該信託契約書に指定しておくものとすること。

(二)　交換条例第三条第一項第一号及び第二項の規定により、時価よりも低い価格で売り払う場合には、用途指定を付するものとすること。また、同条第一項第一号の規定により譲与する場合についても同様であること。ただし、次に該当する場合は、用途指定を付さないことができるものであること。

ア　道路又は公共溝渠の用に供されている土地を、引き続き当該道路又は公共溝渠の敷地として使用させる場合で、特別区又は市町村に譲渡するとき。

イ　その形状又は付近の状況により一宅地をなさない土地で、公の施設の用に供されているものを、引き続き当該公の施設の敷地として使用させる場合で、特別区又は市町村に譲渡するとき。

ウ　耐用年数を経過していること又は老朽、損傷、一部の滅失等により効用の維持若しくは回復に過分の費用を要すると認められることのため、取壊しが相当であると認められる建物、工作物等を特別区又は市町村に譲渡するとき。

エ　公の施設の用に供されている工作物を、引き続き当該公の施設の用として使用させる場合で、特別区又は市町村に譲渡するとき。

オ　立木を特別区又は市町村に譲渡するとき。

(三)　用途指定の期間は、売払いの場合にあつては十年、譲与の場合にあつては二十年とするものであること。ただし、譲与する物件が建物、工作物等の場合にあつては、当該物件の耐用年数等を考慮して相当な期間を定めることができるものであること。

また、国の補助金等により取得した土地、建物で法令の規定に基づき用途の期間が指定されている当該物件を売払い又は譲与する場合、その用途指定の残存期間が売払いの場合にあつては十年、譲与の場合にあつては二十年を超えているときは、残存期間を用途指定の期間とすることができるものであること。

なお、次に該当する場合で、やむを得ないと認められるときは、譲受人の申請に基づき、指定した用途の変更又は廃止を承認することができるものであること。

ア　譲受人において、その財産を指定した用途以外の公用又は公共用に供する必要があるため、指定した用途を変更する必要があるとき。

イ　国又は地方公共団体その他公共団体において、公用又は公共用に供するため、国又は当該団体にその財産を譲渡する必要があるとき。

ウ　その他前記ア又はイに準ずるとき。

**第五**　契約事務の処理

ア　公有財産の買入れ、売払い、貸付け等に係る契約事務の処理については、この規則に定めるもののほか、東京都契約事務規則及び東京都契約事務の委任等に関する規則（昭和三十九年四月東京都規則第百三十号）の定めるところによるものであること。

イ　契約書の標準となるべき書式については、東京都契約事務規則第三十七条の規定により、別途財務局長において定めるものであること。

**第六**　その他に関する事項

一　運用委員会付議（第四十六条）

(一)　東京都公有財産管理運用委員会（以下「運用委員会」という。）に付議すべき事項は、行政財産の使用許可、行政財産の貸付け及び行政財産である土地の地上権又は地役権設定、普通財産の貸付け、売払い、譲与、交換、出資及び支払手段としての使用並びに普通財産の信託に関する事項とし、用途廃止、用途変更、所管換、改築、移築、移転等の内部処理事務については、付議事項から除外することとしたこと。

(二)　公有財産の管理及び処分に係る方針の策定を新たに付議事項としたこと。これは、公有財産の処理について総合的に調査・審議する必要があるもの及び数局に関連する事案で個別に調査審議することが不適当なもの等について、その方針について調査・審議するものであること。

(三)　本条ただし書の規定により運用委員会の付議を省略できるものについての知事の指定事項は、別紙第二のとおりであること。ただし、別紙第二に掲げる事項であつても、財務局長において必要がであると認めるときは、付議することができるものであること。

㈣　運用委員会における円滑かつ能率的な調査審議を図るため、局長等は、運用委員会に付議しようとするときは、あらかじめ総合調整課長に協議しなければならないものとすること。

二　価格又は料金の決定（第四十七条）

㈠　借地権利金の算定に際し、従来の「借地権利金算定表」を廃止したこと。

㈡　貸し付ける土地の「適正な借地権割合」は、原則として、所轄国税局の発行する財産評価基準書（以下「基準書」という。）に定める当該土地の借地権割合によることとする。ただし、次に掲げる場合においては、それぞれに定める割合をその「適正な借地権割合」とすることができる。

ア　路線価が付設されていない等により、貸し付ける土地の借地権割合を基準書により決定することが不可能な場合は、その近傍類似の土地について基準書の定める借地権割合

イ　前記アにおいて、貸し付ける土地の近傍類似の土地についても路線価が付設されていない等により、借地権割合を基準書により決定することが不可能な場合は、土地の鑑定評価について識見を有する者等の意見を考慮して定める借地権割合

ウ　貸し付ける土地の近傍において都が自ら行つた類似の取引事例に比し、不均衡が生じると認められるため、基準書による決定が不適当な場合は、その近傍取引事例の借地権割合

㈢　借地権割合については、貸し付ける土地を所管する局長等が、前記㈡により決定すること。

三　財産価格審議会付議（第四十八条）

株式等及び出資による権利を除き、普通財産の管理、処分及び財産の取得に係る予定価格並びに行政財産の使用料並びに行政財産の貸付け及び行政財産である土地の地上権又は地役権設定に係る予定価格の決定に際しては、東京都組織規程の定めるところにより、評価権限を有する財務局長等が評価した価格により、東京都財産価格審議会（以下「価格審議会」という。）に付議しなければならないことは従前どおりであるが、本条ただし書の規定により価格審議会の付議を省略できるものについての知事の指定する事項は、別紙第三のとおりであること。

また、財産の借受料についても、普通財産の管理及び処分に係る予定価格等と同様に価格審議会に付議するものであるが、付議を省略できるものについては、別紙第四のとおりであること。ただし、別紙第三、第四に掲げる事項であつても、財務局長が必要であると認めるときは、付議することができるものであること。

なお、所属を異にする会計間の所管換等及び公営企業管理者への移管等内部処理事務に係る価格又は料金については、付議を要しないものであること。

四　財務局財産運用部長協議

㈠　公有財産に関する事務の適正かつ効率的処理を図るため、局長等は、次に掲げる事項については、財務局財産運用部長に協議しなければならないものとすること。ただし、次に掲げる事項に該当する場合であつても、定例的、反復的に行われる事案にあつては、その包括的な処理方針について財務局財産運用部長に協議することができるものであること。この場合において、財務局財産運用部長は、当該処理方針に基づく個々の事案の処理については、協議を省略させることができるものであること。

ア　規則第四十六条ただし書の規定により知事が指定する事項に関すること（ただし、別紙第二の第一の三（㈠のうち電線が高圧電線である場合を除く。）、九、十、十三、十四、十五（駐車場の場合を除く。）、十六㈠、十八、十九㈠（使用許可をした日から五年未満の期間内に、使用期間満了に伴い、使用を許可する行政財産の種類、使用部分の位置及び数量並びに使用の目的及び方法を変えずに同一の相手方に対し改めて使用許可を行う場合に限る。）、二十（期間延長の合計が五年未満の場合に限る。）、二十一から二十四まで、第二中の三（㈠のうち電線が高圧電線である場合を除く。）、九、十、十四、十五（駐車場の場合を除く。）、十六㈠、十九㈠、二十から二十二まで並びに第六の五、七、八及び十の場合を除く。）。

イ　所管換（公営企業管理者又は教育委員会への移管を含む。）に関すること。ただし、組織の変更に伴う所管換の場合を除く。

ウ　行政財産の用途廃止又は用途変更に関すること。ただし、建物（都有地上に存するものに限る。）及び工作物のうち台帳価格が三百万円未満のもの、第三の三㈡イに該当する工作物並びに台帳価格が三百万円未満の立木及び第三の三㈢イに該当する立木の用途廃止に関することは除く。

エ　他の局長等への使用承認（公営企業管理者又は行政委員会への使用承認を含む。）に関する

こと。ただし、次に掲げる事項については、協議を省略することができる。

(ア) 土地に消防水利標識、公共基準点又は自動対外式除細動器（AED）を設置する場合で、かつ、一件当たりの面積が二平方メートル未満の場合

(イ) 土地に防火水槽を設置する場合で、かつ、一件当たりの面積が五十平方メートル未満の場合

(ウ) 一の建物について一の局長等へ使用承認する合計面積が五十平方メートル未満の場合

オ　権利金、売払代金又は交換差金の延納の特約に関すること。

カ　建物、工作物又は立木等の取壊し等に関すること。ただし、建物（都有地上に存するものに限る。）及び工作物のうち台帳価格が三百万円未満のもの、第三の三㈡イに該当する工作物並びに台帳価格が三百万円未満の立木及び第三の三㈢イに該当する立木に関することは除く。

キ　普通財産（財務局の所管に属するものを除く。）の分類替（普通財産を行政財産とすることをいう。）又は用途変更に関すること。ただし、建物（都有地上に存するものに限る。）及び工作物のうち台帳価格が三百万円未満のもの、第三の三㈡イに該当する工作物並びに台帳価格が三百万円未満の立木及び第三の三㈢イに該当する立木に関することは除く。

㈡　公有財産の管理及び処分並びに財産の取得及び借入れに係る価格及び料金の評定に関する事務の適正かつ効率的処理を図るため、局長等は、規則第四十八条ただし書の規定により知事が指定する事項については、財務局財産運用部長に協議しなければならないものとすること。ただし、次に掲げる事項については、この限りでないこと。

ア　別紙第三及び別紙第四に掲げる事項のうち財務局長が評価したもの

イ　次の表の上欄に掲げる事項のうち、それぞれ同表下欄に掲げるもの

| | 上欄 | 下欄 |
|---|---|---|
| 1 | 行政財産（土地に限る。以下この表において同じ。）に係る別紙第三の第一の一に掲げる使用料又は貸付料 | 再評価による当該財産の評価額（再評価した際の画地の加算及び減価が前回評定と同一のものに限る。）に基づいて算出した使用料又は貸付料で一件の月額が百万円未満のもの |
| 2 | 行政財産に係る別紙第三の第一の二に掲げる貸付料及び権利金 | 再評価による当該財産の評価額（再評価した際の画地の加算及び減価が前回評定と同一のものに限る。）が一億円未満の場合の貸付料及び権利金 |
| 3 | 普通財産（土地に限る。以下この表において同じ。）に係る別紙第三の第二の一に掲げる貸付料 | 再評価による当該財産の評価額（再評価した際の画地の加算及び減価が前回評定と同一のものに限る。）に基づいて算出した貸付料で月額が百万円未満のもの |
| 4 | 普通財産に係る別紙第三の第二の二に掲げる貸付料及び権利金 | 再評価による当該財産の評価額（再評価した際の画地の加算及び減価が前回評定と同一のものに限る。）が一億円未満の場合の貸付料及び権利金 |
| 5 | 普通財産に係る別紙第三の第四の一に掲げる交換価額 | 高価なものの評価額（再評価によるものであって、再評価した際の画地の加算及び減価が前回評定と同一のものに限る。）が一億円未満の場合の交換価額 |
| 6 | 別紙第三の第五の一㈠に掲げる区域に存する土地の買入れ又は売払い等に係る価額 | 再評価による当該土地、地上権設定又は地役権設定の評価額（再評価した際の画地の加算及び減価が前回評定と同一のものに限る。）が一億円未満の場合の買入れ又は売払い等に係る価額 |
| 7 | 別紙第三の第五の一㈡に掲げる区域に存する土地の買入れ又は売払い等に係る価額 | 再評価による当該土地、地上権設定又は地役権設定の評価額（再評価した際の画地の加算及び減価が前回評定と同一のものに限る。）が二千万円未満の場合の買入れ又は売払い等に係る価額 |

ウ　別紙第三の第七、第八及び第十に掲げるもの

五　財務局財産運用部長協議の省略事項の報告

四㈠において財務局財産運用部長協議が省略され

たものについては、局長等は、毎年度六月三十日までに前年度分を一括して財務局長へ報告すること。

**別記様式**〔略〕

別紙第１

番　号

東京都行政財産使用許可書

使用者　住所
氏名

　年　月　日付けで申請のあった東京都の行政財産の使用については、地方自治法（昭和22年法律第67号）第238条の4の規定に基づき、下記により許可する。

年　月　日

職　氏名

記

**（使用財産の表示）**

**第１**　使用を許可する財産（以下「使用財産」という。）は、次のとおりとする。

名称
所在
種類
種目
数量
使用部分　別添図面のとおり

**（使用期間）**

**第２**　使用期間は、　年　月　日から　年　月　日までとする。

**（使用料、延滞金及び使用料の不還付）**

**第３**　使用料は、金　円（月額　円）とし、東京都の発行する納入通知書により、その指定する納付期限までに、その指定する場所において納付しなければならない。

２　使用料を納付期限までに納付せず、かつ、期限を指定した督促を受けたときは、その納付期限の翌日から納付の日までの日数に応じ、当該使用料の金額（100円未満の端数があるときは、その端数額を切り捨てる。）につき年14.6パーセント（督促状に指定する期間までの日数については、年7.3パーセント）（年14.6パーセントの割合及び年7.3パーセントの割合は、各年の特例基準割合（当該年の前年に租税特別措置法（昭和32年法律第26号）第93条第2項の規定により告示された割合に年1パーセントの割合を加算した割合をいう。以下この項において同じ。）が年7.3パーセントの割合に満たない場合には、その年（以下「特例基準割合適用年」という。）中においては、年14.6パーセントの割合にあっては当該特例基準割合適用年における特例基準割合に年7.3パーセントの割合を加算した割合と、年7.3パーセントの割合にあっては当該特例基準割合に年1パーセントの割合を加算した割合（当該加算した割合が年7.3パーセントの割合を超える場合には、年7.3パーセントの割合）とする。）の割合で計算した延滞金を支払わなければならない。この場合において、年当たりの割合は、閏年の日を含む期間についても、365日の割合とする。

３　既納の使用料は、還付しない。

**（使用の目的及び方法）**

**第４**　使用者は、使用財産を、次に指定する目的及び方法により使用しなければならない。

使用目的
使用方法

**（使用上の制限）**

**第５**　使用者は、使用財産について、形質の変改をしてはならない。ただし、あらかじめ書面による承認を受けたときは、この限りでない。

２　使用者は、使用財産を第三者に使用させてはならない。

**（使用許可の取消し又は変更）**

**第６**　次の各号の一に該当するときは、使用許可の全部若しくは一部を取り消し、又は変更することがある。

(1)　使用財産を、公用又は公共用に供するため必要とするとき。

(2)　許可条件に違反したとき。

**（原状回復）**

**第７**　使用者は、使用期間が満了したとき、又は第６により使用許可を取り消されたときは、直ちに使用財産を原状に回復して返還しなければならない。また、この場合、使用者は一切の補償を請求することができない。

**（損害賠償）**

**第８**　使用者は、その責に帰する理由により使用財産の全部若しくは一部を滅失し、又は毀損したときは、その損害を賠償しなければならない。

２　前項に定める場合のほか、使用者は、この許可書に定める義務を履行しないため東京都に損害を与えたときは、その損害を賠償しなければならない。

**（光熱水費等の負担）**

**第９**　使用者は、使用財産に附帯する電話、電気、ガス、水道等の諸設備の使用に必要な経費を負担しなければならない。

**（有益費等の請求権の放棄）**

**第10**　使用者は、使用財産について支出した有益費、必要費その他の費用を請求することができない。

**（実地検査等）**

**第11**　東京都において必要があるときは、使用財産について随時実地に検査し、資料の提出又は報告を求め、その他その維持使用に関し指示することができる。

**（審査請求及び処分の取消しの訴えの教示）**

１　この決定に不服がある場合には、この決定があったことを知った日の翌日から起算して3月以内に、この決定を行った東京都知事、議会局長又は警視総監に対して審査請求をすることができる（この決定があったことを知った日の翌日から起算して3月以内であっても、この決定の日の翌日から起算して1年を経過すると審査請求をすることができなくなる。）。

２　この決定については、この決定があったことを知った日の翌日から起算して6月以内に、東京都を被告として（訴訟において東京都を代表する者は東京都知事となる。）、処分の取消しの訴えを提起することができる（この決定があったことを知った日の翌日から起算して6月以内であっても、この決定の日の翌日から起算して1年を経過すると処分の取消しの訴えを提起することができなくなる。）。ただし、1の審査請求をした場合には、当該審査請求に対する裁決があったことを知った日の翌日から起算して6月以内に、処分の取消しの訴えを提起することができる（当該審査請求に対する裁決があったことを知った日の翌日から起算して6月以内であっても、当該裁決の日の翌日から起算して1年を経過すると処分の取消しの訴えを提起することができなくなる。）。

別紙第二

東京都公有財産管理運用委員会に付議することを要しないもの

第一　行政財産の使用許可又は普通財産の貸付けで、次に掲げる場合

一　道路又は水路の用に供するため、国又は特別区若しくは市町村に土地又は工作物を使用させ、又は貸し付けるとき。

二　学校、児童遊園その他公共用に供するため、特別区又は市町村に、千平方メートル未満の土地を使用させ、又は貸し付けるとき。

三　次の工作物設置のため、国、特別区、市町村、郵便法（昭和二十二年法律第百六十五号）第三十八条第一項に規定する郵便差出箱設置者、電気通信事業法（昭和五十九年法律第八十六号）による電気通信事業者（同法第百十七条第一項の認定を受けた者に限る。）、電気事業法（昭和三十九年法律第百七十号）による電気事業者、ガス事業法（昭和二十九年法律第五十一号）によるガス事業者又は放送法（昭和二十五年法律第百三十二号）第百二十九条第一項に規定する登録一般放送事業者のうち有線電気通信設備を用いて同法第二条第十八号に規定するテレビジョン放送の業務を行うもの（ただし、難視聴対策等の公共的活用を図る目的で行う事業の用に供する場合に限る。）に、土地、建物若しくは工作物を使用させ、又は貸し付けるとき。

(一)　郵便差出箱、電話ボックス（建物内に公衆電話を設ける場合を含む。）、電柱（送電塔を除く。）、電線及び携帯電話等基地局（鉄塔等の堅固な工作物を除く。）

(二)　水道管、下水管、ガス管、ガス整圧器及び変圧塔

四　灯台、防災備蓄倉庫、防火貯水槽その他災害防止又は保安上の施設の用に供するため、国又は特別区若しくは市町村に土地、建物又は工作物を使用させ、又は貸し付けるとき。

五　都の指導監督を受け、都の事務・事業を補佐し、又は代行する団体において、補佐又は代行する事務・事業の用に供するため、百平方メートル未満の土地若しくは建物を使用させ、貸し付けるとき又は工作物を使用させ、貸し付けるとき。

六　都の指導監督を受けない団体が、実質的に都の事務・事業を補佐又は代行する場合に、その事務・事業の用に供するため、百平方メートル未満の土地若しくは建物を使用させ、貸し付けるとき又は工作物を使用させ、貸し付けるとき。

七　都営住宅の敷地内に設置された道路又は水道管若しくは下水管を、隣接する土地の所有者又は使用者に使用させるとき。

八　隣接する土地の所有者又は使用者がその土地を利用するための通路、足場設置等のために必要な範囲であって、使用させ、又は貸し付けることがやむを得ないと認める場合で一年以内の期間を限って土地、建物又は工作物を使用させ、又は貸し付けるとき。

九　災害その他緊急の必要により、三か月以内の期間を限って使用させ、又は貸し付けるとき。

十　都に寄附する物件の築造又は設置のため、土地、建物又は工作物を使用させ、又は貸し付けるとき。

十一　都が施行する工事の請負人が、その工事の用に供するため、土地、建物、工作物又は船舶を必要とする場合に、当該土地、建物、工作物又は船舶を使用させ、又は貸し付けるとき。

十二　国又は地方公共団体その他公共団体が施工する工事について当該団体又は工事の請負人が、その工事の用に供するため、土地、建物又は工作物を必要とする場合に、当該土地、建物又は工作物を使用させ、又は貸し付けるとき。

十三　講演会、研究会、展示会その他催し物等のため、一か月以内の期間を限って土地又は建物を使用させ、又は貸し付けるとき。

十四　公職選挙法（昭和二十五年法律第百号）の定めるところにより、特別区又は市町村の選挙管理委員会が設置するポスター掲示場、投票所及び開票所等のため、土地、建物及び工作物等を当該選挙管理委員会に使用させ、又は貸し付けるとき。

十五　主として職員又は施設利用者の利便に供するため、食堂、売店、理髪店、駐車場等を設置させる目的で土地、建物又は工作物を使用させ、又は貸し付けるとき。

十六　次に掲げる場合において、土地若しくは建物の一部を使用させ、又は貸し付けるとき。

(一)　自動販売機、洗濯機、乾燥機、無線タクシー呼出電話、複写機、募金箱、掲示板、現金自動支払機又は現金自動預入支払機を設置させる場合

(二)　(一)に類すると認められるものを設置させる場合

十七　土地の形状又は附近の状況により一宅地をなさない河岸地（東京市区改正条例（明治二十一年勅令第六十二号）により明治二十一年に国から下付を受けた土地）を隣接する土地の所有者又は使用者に貸し付けるとき。

十八　公共事業の施行に伴う代替地を、その売払契約締結後代金納入までの間、被補償者に貸し付けるとき。

十九　東京都公有財産管理運用委員会の議を経て使用許可した土地、建物又は工作物を改めて使用許可する場合で、次のいずれかに該当するとき。

(一)　使用許可期間満了に伴い、使用を許可する行政財産の種類、使用部分の位置及び数量並びに使用の目的及び方法を変えずに同一の相手方に対し改めて使用許可を行うとき。

(二)　使用部分の位置及び数量を変更するとき。（ただし、変更後の使用部分の数量が増加する場合は、増加数量の合計が東京都公有財産管理運用委員会の議を経た際における当初の使用部分の数量の三割を超えない場合に限る。）

(三)　使用許可期間満了後、一年を超えない期間内に、同一の相手方に対し同一の目的に使用させるため使用を許可するとき。（当該使用許可に係る使用部分の数量が当該同一の相手方に対する直前の使用許可の期間満了時の数量から増加する場合は、増加数量の合計が東京都公有財産管理運用委員会の議を経た際の使用部分

の数量の三割を超えないときに限る。）

二十　国又は地方公共団体の公用又は公共用に供するため、土地、建物及び工作物等を貸し付けたものについて、その更新を行うとき。

二十一　都営住宅用地内に公共施設及び公益的施設を設置するため、東京都公有財産管理運用委員会の議を経て使用許可又は貸付けした財産（建物所有の目的をもつて土地を貸し付けた場合を除く。）について、使用許可期間満了に伴い、使用を許可する行政財産の種類、使用部分の位置及び数量並びに使用の目的及び方法を変えずに同一の相手方に対し改めて使用許可を行うとき、又は貸付期間満了に伴い更新を行うとき。

二十二　職員団体本来の活動の用に供するため、一年以内の期間を限つて使用させ又は貸し付けた建物について、使用許可期間満了に伴い、使用を許可する行政財産の種類、使用部分の位置及び数量並びに使用の目的及び方法を変えずに同一の相手方に対し改めて使用許可を行うとき、又は貸付期間満了に伴い更新を行うとき。

二十三　建物所有の目的で、土地を二十年以上の期間をもつて貸し付けたことが契約書等により明白であるものについてその更新を行うとき。

二十四　当初から五年以上の期間をもつて貸し付けることが予定され、貸し付けた建物についてその更新（規則第三十四条第四項の規定による更新を除く。）を行うとき。

二十五　著作権に出版権を設定し、又は著作物の利用の許諾を与えるとき。

二十六　特許権、実用新案権及び意匠権の専用実施権（共有の特許権等に限る。）の設定及び通常実施権の許諾、商標権の通常使用権の許諾並びに植物の品種育成者権の通常利用権の許諾をする場合

二十七　評価額が二億円未満又は面積が二万平方メートル未満である土地を、一般競争入札又は公募抽せんにより貸し付けるとき。

二十八　前各号のほか、評価額が二億円未満の財産を貸し付けるとき。（貸付け以外の方法により使用させる場合を含む。）

**第二**　行政財産の貸付けで次に掲げる場合

一　第一の十六(一)に定めるものを設置させるため、十平方メートル未満の土地又は建物の一部を、一般競争入札により貸し付けるとき。

二　貸付の更新を行うとき。（ただし、当初の貸付け時において、期間の更新を可能とする東京都公有財産管理運用委員会の議を経た場合に限る。）

**第三**　第一の一から六まで、九から十一まで、十三から十六まで、十八から二十六まで、二十八及び第二に掲げる使用許可又は貸付け等についての使用料、権利金若しくは敷金の減免又は貸付料の無償若しくは減額（ただし、第一の十九から二十四まで及び第二については、使用料の減免又は貸付料の無償若しくは減額の条件に変更がない場合に限る。）

**第四**　一時貸付中の普通財産について、一年以内の期間を限つて行う期間の延長及び貸付料の無償又は減額

**第五**　土地を交換する場合において、いずれか大きい方の面積が、六百六十平方メートル未満で、かつ、高価なものの価額が二億円未満のものであるとき。

**第六**　普通財産の売払い又は譲与で次に掲げる場合

一　道路又は水路の用に供するため、特別区又は市町村に土地又は工作物を売り払い、又は譲与するとき。

二　道路又は水路の用に供するため、国に土地又は工作物を売り払うとき。

三　学校、児童遊園その他公共用に供するため、国又は特別区若しくは市町村に、その形状又は附近の状況により一宅地をなさない土地を売り払い、又は譲与するとき。

四　灯台、防災備蓄倉庫、防火貯水槽その他災害防止又は保安上の施設の用に供するため、国又は特別区若しくは市町村に土地、建物又は工作物を売り払い、又は譲与するとき。

五　公共事業の施行に伴う代替地を、被補償者に売り払うとき。

六　土地の形状又は附近の状況により一宅地をなさない土地を、隣接する土地の所有者又は使用者に売り払うとき。

七　都において取壊し等をした後の土地を利用するために、当該土地にある建物、工作物又は立木を取壊し等を条件として売り払うとき。

八　建物所有の目的で、二十年以上の期間をもつて貸し付けた（定期借地権又は事業用定期借地権等の設定による貸付けを除く。）ことが契約書等により明白である者に、当該土地を売り払うとき。

九　港湾審議会の議を経た港湾利用計画に基づき、港湾埋立地を一般競争入札又は指名競争入札により売り払うとき。

十　都行造林による立木を一般競争入札又は随意契約（東京都契約事務規則第三十四条の二第四号の規定によるものに限る。）により売り払うとき。

十一　評価額が二億円未満又は面積が二万平方メートル未満である土地を、一般競争入札又は公募抽せんにより売り払うとき。

十二　前各号のほか、評価額が二億円未満の財産を売り払い、又は譲与するとき。

**第七**　第六の一、三、四及び十二に掲げる売払いについての売払価格の減額

**第八**　第一から第七に掲げる場合のほか、東京都公有財産管理運用委員会の議を経て決定された処理方針に基づき具体的措置を講ずる場合

**別紙第三**

東京都財産価格審議会に付議することを要しないもの

**第一**　行政財産の使用料、貸付料又は権利金で、次に掲げるもの

一　使用料及び権利金を徴収しない貸付料については、一件の月額（減額するものにあつては、減額前の月額。以下同じ。）が二百万円未満のもの

二　権利金を徴収する貸付けについては、当該財産の評価額が二億円未満のものに係る貸付料及び権利金

第二　普通財産の貸付料又は権利金で、次に掲げるもの
一　権利金を徴収しない貸付けについては、一件の月額が二百万円未満の貸付料
二　権利金を徴収する貸付けについては、当該財産の評価額が二億円未満のものに係る貸付料及び権利金

第三　建物所有を目的として貸付中の土地にかかる名義書換承諾料、使用目的変更承諾料及び新増改築承諾料

第四　普通財産の交換価額で、次に掲げるもの
一　高価なものの評価額が二億円未満のものに係る交換価額
二　道路又は水路の付替えのため、国又は地方公共団体その他公共団体の所有する土地と交換する場合の交換価額

第五　財産の買入れ又は売払い等に係る価額で、次に掲げるもの
一　次の表の上欄に掲げる区域に存する土地の買入れ、売払い、地上権設定又は地役権設定に係る評価額が同表下欄に掲げるもの（当該土地が一団の土地の一部であつて、他の部分に同表下欄に掲げる評価額以上の土地を含む場合を除く。）

| 区域 | 評価額 |
|---|---|
| (一)　特別区、市（都の区域内のものに限る。）及び瑞穂町 | 二億円未満 |
| (二)　(一)以外の区域 | 四千万円未満 |

二　土地以外の不動産及び船舶、航空機等の動産で、一件（建物にあつては一棟、その他の物件にあつては同一の用途に供していた範囲のものを一件とする。以下次号において同じ。）の価額が三千万円未満の買入価額又は売払価額
三　取壊しを条件として売り払う建物、工作物等で、一件の価額が二百万円未満の売払価額

第六　削除

第七　都営住宅（建物に限る。）の分譲価額等法令で定められている価格又は料金

第八　東京都が行う公共住宅建設に関連する地域開発要綱（平成四年四月一日知事決定）に基づき、都営住宅に併存する施設を特別区又は市町村に売り払う場合の建物の価額

第九　地方公務員等共済組合法（昭和三十七年法律第百五十二号）第三条の規定に基づき設立された共済組合が、同組合と都との間に締結された都の職員住宅建設にかかる協定により、建設した建物及び工作物の買入価額等

第十　東京都の事業の施行に伴う損失補償基準第六十三条の規定により算出された土地等の価格

第十一　都が公共用地の取得に伴う損失補償基準要綱（昭和三十七年六月二十九日閣議決定）により評価を行う事業を委託した場合の土地等の価格

第十二　知的財産権の管理及び処分に係る価額で、次に掲げるもの
一　特許権及び実用新案権等の実施許諾に係る実施補償金並びに著作権の利用許諾に係る著作権使用料で、一件の価額が二千万円未満のもの
二　特許権、実用新案権等及び著作権の売払価額で一件三千万円未満のもの

第十三　都市計画法（昭和四十三年法律第百号）第五十七条及び第六十七条の規定に基づく土地、建物等の先買いに係る買入価額

第十四　削除

第十五　公有地の拡大の推進に関する法律（昭和四十七年法律第六十六号）第四条及び第五条の規定に基づく土地の先買いに係る買入価額

第十六　土地の買入れ又は売払いに係る価額で、一年以内に再評価したもののうち、画地の加算及び減価が前回評定と同一のもの

第十七　建物の買入れ又は売払いに係る価額で、一年以内に再評価したもののうち、評価条件及び算定方法が前回評定と同一のもの

第十八　不動産鑑定士の鑑定評価により売り払う土地等について、その評価額が二億円未満又はその面積が一件二万平方メートル未満のもの（財務局財産運用部で処理するもの及び多摩ニュータウン事業に係るものに限る。）

第十九　行政財産の使用料又は行政財産若しくは普通財産の貸付料のうち、当該財産を再評価した場合の使用料又は貸付料で、次に掲げるもの
一　国又は地方公共団体その他公共団体において、公用又は公共用に供するため、国又は当該地方公共団体その他公共団体に、一時的に、使用させ、又は貸し付ける場合の使用料又は貸付料
二　都の指導監督を受け、都の事務・事業を補佐し、又は代行する団体において、補佐し、又は代行する事務・事業の用に供するため、当該団体に、一時的に、使用させ、又は貸し付ける場合の使用料又は貸付料
三　一年以内に再評価した場合の使用料又は貸付料

第二十　一団の土地の一部分を買い入れることに伴い残地を買い入れる必要が生じた場合における当該残地の買入れに係る価額で、当該一団の土地の一部分の買入れに係る価額の評価に用いた路線価又は標準画地価格（東京都財産価格審議会の議を経て設定したものに限る。）を用いて評価したもの（当該路線価又は標準画地価格の設定後一年に満たない期間内に評価したものに限る。）

第二十一　土地区画整理法（昭和二十九年法律第百十九号）第百八条の規定に基づく保留地の処分について、施行者である都が処分価格を定めたものを、同じく都が買い入れる場合の買入価格

第二十二　貸付地上に契約の相手方が都の定めた仕様に基づき建てた建物等を都が買い入れる又は借り入れることを条件とした都有地の貸付契約に基づいて、都が当該建物等を買い入れる又は借り入れる場合の買入価額又は借入価額（予め締結した当該都有地の貸付契約書等において当該買入額又は借入額を定めている場合に限る。）

第二十三　都有地の貸付契約において、借受者の行う事業の収支等を勘案した貸付料改定を行うことを当該貸付契約書に定めている場合に、その定める方法により改定する貸付料

**別紙第四**

財産の借受料で東京都財産価格審議会に付議することを要しないもの

一　権利金を支払わない借受けについては、一件の月額が二百万円未満の借受料

二　権利金を支払う借受けについては、当該財産の評価額が二億円未満のものに係る借受料及び権利金

三　地代家賃統制令による賃借料相当額以下の借受料

四　一年以内に再評価した場合の借受料

五　契約の更新（定期借地権若しくは事業用定期借地権等の設定契約又は定期建物賃貸借契約の契約期間満了に伴い、再度契約を締結するものを含む。）に係るもので、従前と同一の借受料（従前の借受料に地価騰落相当のみの補正を行ったものは従前と同一の借受料とみなす。）

六　国又は地方公共団体が有する財産の借受料

**別表**〔略〕

# ○東京都物品管理規則

昭三九・三・三一
規　則　九　〇

最終改正　令三・三・三一規則二〇六

## 第一章　総則

（通則）

**第一条**　東京都（以下「都」という。）の物品の管理事務に関しては、別に定めるものを除くほか、この規則の定めるところによる。

（定義）

**第二条**　この規則において、次の各号に掲げる用語の意義は、当該各号に定めるところによる。

一　局　東京都会計事務規則（昭和三十九年三月東京都規則第八十八号。以下「会計事務規則」という。）第二条第一号に規定する「局」をいう。

二　局長　会計事務規則第二条第二号に規定する「局長」をいう。

三　部　第一号に規定する局の部及びこれに相当する組織をいう。

四　所　会計事務規則第二条第三号に規定する「所」をいう。

五　所長　会計事務規則第二条第四号に規定する「所長」をいう。

六　管理　物品の出納、保管、供用、区分替え及び不用品の処分をいう。

七　供用　物品をその用途に応じて、都において使用させることをいう。

八　削除

九　分類換え　物品を他の分類に移すことをいう。

十　所属換え　物品を他の物品出納員の所管に移すことをいう。

十一　区分換え　物品を他の区分に移すことをいう。

十二　財務会計システム　都が行う財務会計に関する事務を、電子情報処理組織によつて処理する情報処理システムをいう。

（物品の管理事務の指導統括）

**第三条**　物品の管理に関する事務の指導統括は、会計管理者が行う。

2　会計管理者は、物品の管理事務に関して必要があるときは、報告を求め、又は調査することができる。

（年度区分）

**第四条**　物品の出納は、会計年度をもつて区分しなければならない。

2　物品の出納の年度区分は、その出納を執行した日の属する年度による。

（物品の目的別分類）

**第五条**　物品は、その適正な供用を図るため、歳出予算で定める物品に係る経費の目的に従い、分類しなければならない。

2　前項の分類は、歳出予算の款別に行うものとする。

（物品の区分等）

**第六条**　物品は、次に掲げる区分に従い、品名別に整理しなければならない。

一　備品

二　消耗品

三　材料品

四　動物

五　不用品

六　借用動産

2　会計管理者は、前項に規定する物品の区分を明らかにするとともに、重要な物品（以下「重要物品」という。）を定めなければならない。

（財務会計システムでの管理）

**第六条の二**　前条第一項第一号に掲げる備品及び同項第四号に掲げる動物は、財務会計システムのデータファイルに記録して整理しなければならない。ただし、会計管理者が別に定める場合にあつては、この限りではない。

**第七条**　削除

（物品出納員の設置）

**第八条**　部、部を置かない局及び所に物品出納員（以下「出納員」という。）一人を置く。ただし、局長は、必要があると認めるときは、二以上の部に係る出納員を置くことができる。

2　前項に定めるもののほか、局長は、必要があると認めるときは、その担任区分を定めて、局、部及び所に出納員を置くことができる。

3　第一項の出納員は、当該局、部及び所の物品の契約事務又は調達事務を取り扱う課長代理（これに準ずる職にある者を含む。以下同じ。）をもつて充てる。ただし、局長は、必要があると認めるときは、当該局、部及び所の物品の契約事務若しくは調達事務を取り扱う係員（課長代理以上の職にない者をいう。以下同じ。）又は物品の契約事務若しくは調達事務以外の事務を取り扱う課長代理若しくは係員のうちから出納員を任命することができる。

4　第二項の出納員は、局長が当該局、部及び所の課長代理又は係員のうちから任命する。

5　局長は、第一項ただし書の規定に基づき設置した出納員及び前項の規定に基づき任命した出納員について、その職氏名及び担任区分を会計管理者に通知しなければならない。

（会計管理者の事務の一部委任）

**第九条**　会計管理者は、前条第一項及び第二項の出納員に、その所管に属する物品（基金に属する動産を含む。）の出納保管に関する事務を委任する。

（物品管理者の設置）

**第十条**　局の課及び所に物品管理者一人を置く。ただし、局長は、必要があると認めるときは、二以上の課に係る物品管理者を置くことができる。

2　前項に定めるもののほか、局長は、必要があると認めるときは、その担任区分を定めて、局の課、所の課、課に相当する事業所等又は所及び課に相当しない事業所等に物品管理者を置くことができる。

3　第一項の物品管理者は、局にあつては課長（局及び所の課並びにこれに相当する組織の長をいう。以下この条において同じ。）をもつて充て、所にあつては物品の契約事務又は調達事務を取り扱う課長をもつて充てる。

4　第二項の物品管理者は、局の課にあつては担当課長、所の課にあつては課長をもつて充て、課に相当する事業所等又は所及び課に相当しない事業所等にあつてはその長をもつて充てる。

5　局長は、必要があると認めるときは、前二項の課長に代えて、担当課長を物品管理者に充てることができる。

6　物品管理者は、物品の供用に関する事務を行うほか、会計管理者が別に定める場合を除き、出納員と協議の上、物品の品名を決定する。

（出納通知に関する事務の委任）

**第十一条**　局、部又は所に属する物品（基金に属する動産を含む。）の出納通知に関する事務は、前条第一項及び第二項の物品管理者に委任する。

（出納通知時の確認）

**第十二条**　物品管理者は、物品の出納、分類換え又は区分換えの通知をしようとするときは、分類、区分、品名、数量及び納品者又は受領者並びに出納の時期及び理由等が適正であることを確認した上で、当該通知をしなければならない。

（出納員の審査）

**第十三条**　出納員は、物品出納通知書、物品分類換通知書又は物品区分換通知書を受けたときは、その内容を審査し、次のいずれかに該当するときは、物品管理者にこれを返付しなければならない。

一　内容に過誤があるとき。

二　出納の数量が適正でないとき。

三　その他法令に違反するとき。

（記載事項の訂正）

**第十四条**　物品の管理に関する帳簿及び証拠書類の記載事項は、改ざんすることができない。

2　物品の管理に関する帳簿及び証拠書類の記載事項を訂正しようとするときは、会計管理者が別に定める方法によらなければならない。

## 第二章　物品の管理

### 第一節　出納手続

（物品の出納）

**第十五条**　物品の出納は、次の表の上欄に掲げる出納の区分ごとに、当該下欄に掲げる出納事由により行われるものとする。

| 出納の区分 | 出納事由 |
| --- | --- |
| 受入れ | 購入、製造の請負、製作の委託、用品の配送、工事請負に含まれる物品の取得、賃借、生産、発見、発生、贈与、寄附、交換、公有財産からの編入、拾得、寄託、返納、所属換え、集中購買、その他の事由 |
| 払出し | 供用、売払い、贈与、寄附、交換、借用動産の返却、寄託、廃棄、貸付、所属換え、集中購買、その他の事由 |

（出納通知）

**第十六条**　物品の出納に係る決定があつたとき又は物品の供用若しくは返納を行うときは、物品管理者は、物品出納通知書を出納員に送付しなければならない。

2　物品管理者は、会計管理者が別に定めるところにより、購入契約書、請書その他の関係書類の余白に物品の出納をする旨を付記し、押印したものを送付することをもつて、前項の出納通知に代えることができる。

（出納員の事務）

**第十七条**　出納員は、物品の納入又は引渡しがあるときは、物品出納通知書の内容に適合しているかどうかを確認して、当該物品を出納しなければならない。

2　出納員は、物品管理者に物品を払い出すときは、物品出納通知書に受領印を押させた上で、物品の引渡しをしなければならない。

3　出納員は、物品管理者以外の者に物品を払い出すときは、物品受領書を提出させた上で、物品の引渡しをしなければならない。ただし、物品受領書を提出させることが困難であると認める場合は、出納員の作成する引渡しを証明する書類をもつてこれに代えることができる。

**第十八条及び第十九条**　削除

### 第二節　保管

**（保管）**

**第二十条**　出納員は、その保管に係る物品を良好な状態で常に供用又は処分をすることができるように整理し、保管しなければならない。ただし、物品の保管上特に必要があると認めるときは、他の出納員その他の者に物品を寄託することができる。

2　出納員は、備品の保管に当たつては、当該備品に備品表示票を貼り付け、又は会計管理者が別に定める方法により、必要な表示をしなければならない。

3　第一項ただし書の規定により他の出納員に物品を寄託しようとするときは、関係の局長、所長及び出納員は、あらかじめ、協議しなければならない。

4　第一項ただし書の規定により物品を都以外の者に寄託しようとするときは、局長又は所長は、あらかじめ、会計管理者と協議しなければならない。ただし、会計管理者が別に定めるものは、この限りでない。

5　前二項の規定による物品の寄託の決定があつたときの手続については、会計管理者が別に定める。

**第二十一条**　削除

### 第三節　供用

**（供用）**

**第二十二条**　物品管理者は、物品を供用するときは、その使用目的に適合するように使用させなければならない。

**（他の物品管理者への供用）**

**第二十二条の二**　物品管理者は、事務又は事業に支障を及ぼさない限りにおいて、供用中の物品を一時的に他の物品管理者に供用させることができる。

2　前項の規定による供用の期間は、三月を限度とし、一回まで更新することができる。ただし、一会計年度を超えて供用させることはできない。

3　第一項の規定による他の物品管理者への供用の手続その他必要な事項については、会計管理者が別に定める。

**（使用者の責務）**

**第二十二条の三**　物品を使用する者（以下「使用者」という。）は、その適正かつ効率的な使用に努めなければならない。

**（回収及び返納）**

**第二十三条**　物品管理者は、物品を供用する必要がなくなつたとき、又は物品を供用することができなくなつたときは、直ちに当該物品を回収しなければならない。

2　物品管理者は、前項の規定により、物品の回収をしたときは、当該物品を出納員に返納しなければならない。

**（供用不適品の報告）**

**第二十四条**　物品管理者は、供用中の物品のうち修繕を要するものがあると認めるときは、その旨を局長又は所長に報告しなければならない。

**（供用備品等の管理）**

**第二十五条**　物品管理者は、備品を供用するときには第五十六条第三項の、動物を供用するときには同条第二項第二号の定める帳簿等を備えて整理しなければならない。

2　物品管理者は、金券類その他会計管理者が指定する物品については、第五十六条第二項第一号に定める物品受払簿を備え、その使用状況を明らかにしておかなければならない。

3　物品管理者は、備品の供用に当たつては、当該備品に備品表示票を貼り付け、又は会計管理者が別に定める方法により、必要な表示をしなければならない。

**（供用備品の状況確認及び実施計画の作成）**

**第二十六条**　出納員は、供用中の物品の状況を、第五十六条第三項の帳票その他の書類によつて、毎年度定期的に物品管理者に確認させなければならない。

2　物品管理者は、前項の物品のうち備品の状況を確認するための実施計画を毎年度作成し、出納員に提出しなければならない。

3　物品管理者は、前条第三項の規定による備品表示票の貼付け、第一項の規定による物品の状況の確認等を行うために、当該局の課又は所の職員を物品管理補助者として指定し、補助させることができる。

**第二十七条**　削除

### 第四節　分類換え

**（分類換えの決定）**

**第二十八条**　局長又は所長は、物品を効率的に供用するため必要があると認めるときは、その物品について分類換えをすることができる。

2　物品を他の会計に分類換えする場合は、有償とする。ただし、局長又は所長が特別の理由があると認めるときは、無償とすることができる。

**（分類換えの手続）**

**第二十九条**　物品の分類換えの際は、物品管理者は、物品分類換通知書を出納員に送付して、当該物品の分類換えの整理をさせなければならない。

### 第五節　所属換え等

**（所属換えのあつせん）**

**第二十九条の二**　局長又は所長は、当該局又は所の所属の出納員の保管に係る物品のうち、使用の見込みがなく、かつ、供用可能なものについては、会計管理者が別に定める場合を除き、所属換えのあっせんをしなければならない。

（所属換えの決定等）

**第三十条**　物品の所属換えをするときは、あらかじめ、関係の局長又は所長が協議して、それぞれ所属換えを決定しなければならない。ただし、同一の局若しくは所の内部における所属換えの場合又は次条の規定に基づく所属換えの場合は、関係の局長又は所長の協議は、これを要しない。

２　所属換えにより分類が異なることとなるときは、前項の規定による決定及び当該決定に伴う出納に係る手続は、前節に規定する分類換えの決定及び手続を兼ねるものとする。

（集中購買物品の所属換えに係る手続）

**第三十一条**　前条の規定にかかわらず、集中購買（特定の局、部又は所において、他の局、部又は所の出納員に所属換え又は直接引渡しにより引き渡すべきものを含め、物品を一括して購入することをいう。以下同じ。）により受け入れた物品の所属換えをするときは、当該物品を払い出す決定又は審議を行つた局の課又は所の物品管理者は、物品送付通知書を、所属換えを受ける物品管理者に送付しなければならない。

２　前項の物品送付通知書の送付を受けた物品管理者は、当該物品送付通知書を所属の出納員に送付しなければならない。

３　局長は、必要があると認めるときは、前二項の規定にかかわらず、集中購買により受け入れた物品の所属換えに係る手続を、別に定めることができる。

（集中購買物品の直接引渡しに係る手続）

**第三十二条**　集中購買により受け入れるべき物品で、他の局、部又は所の出納員に、直接納品させることが適当であると認められるものについては、前条に規定する所属換えに係る手続を要しないものとする。この場合において、集中購買に係る契約の請求の決定又は審議を行つた局の課又は所の物品管理者は、物品納入決定通知書を、当該物品を受け入れる物品管理者に送付しなければならない。

２　前項の物品納入決定通知書の送付を受けた物品管理者は、当該物品納入決定通知書を所属の出納員に送付しなければならない。

３　局長は、必要があると認めるときは、前二項の規定にかかわらず、集中購買により受け入れた物品の直接引渡しに係る手続を、別に定めることができる。

### 第六節　区分換え及び不用品の処分

（区分換えの決定）

**第三十三条**　局長又は所長は、当該局又は所に属する物品のうち、本来の用途に供することができないと認めるものがあるときは、他の区分に区分換えをしなければならない。この場合において、他の用途に供する見込みがないと認められるものについては、不用品に区分換えをしなければならない。

２　局長又は所長は、第二十九条の二の規定による所属換えのあつせんが不調となつたときは、当該物品を材料品又は不用品に区分換えをしなければならない。

（区分換えの手続）

**第三十四条**　物品の区分換えの際は、物品管理者は、物品区分換通知書を出納員に送付して、当該物品の区分換えの整理をさせなければならない。

（不用品の処分）

**第三十五条**　局長又は所長は、不用品を処分する場合にあつては、会計管理者が別に定める場合を除き、適正な対価による譲渡により行わなければならない。ただし、適正な対価による譲渡が困難であると認めるときは、当該不用品を廃棄することができる。

（廃棄等に係る手続の特例）

**第三十六条**　前三条の規定にかかわらず、供用中又は出納員の保管に係る物品が、破損等によりいかなる用途にも供することができず、かつ、適正な対価による譲渡を行うことができない場合にあつては、直ちに当該物品の不用品への区分換え及び廃棄をすることができる。この場合においては、会計管理者が別に定める区分換えの手続によるものとする。

### 第七節　その他の処理

（供用不適品の処理）

**第三十七条**　局長又は所長は、第二十四条の報告を受けたときは、第三十三条に規定する場合を除くほか、当該物品の修繕に必要な措置を講じなければならない。

２　出納員又は物品管理者は、前項の規定によりその保管又は供用中の物品を修繕する場合は、局長又は所長の通知に基づいて、契約の相手方から物品預り書を提出させた上、物品を引き渡さなければならない。

（物品の貸付け）

**第三十八条**　物品は、貸付けを目的とするものを除くほか、貸し付けてはならない。ただし、事務又は事業に支障を及ぼさないものについては、この限りでない。

２　前項ただし書の規定により貸し付ける場合の貸付けの期間は、特別の事情のない限り、三月を超えることができない。

３　出納員の保管に係る物品の貸付けの決定があつたときは、会計管理者が別に定めるところにより、物品の払出しをしなければならない。

4　物品管理者の供用に係る物品の貸付けについては、前条第二項の規定に準じて物品を引き渡さなければならない。

**（物品過不足の処理）**

**第三十九条**　出納員は、物品の性質によつて、歩減り、はかり増しその他これに類する過不足があつたときは、物品過不足調書によりその整理をし、その旨を局長又は所長及び出納員の属する局の課又は所の物品管理者に通知しなければならない。

**（残品の処理）**

**第四十条**　出納員は、年度末現在の保管物品については、繰越に係る出納通知があつたものとみなして、翌年度の同一の分類に繰り越して整理しなければならない。

2　事業の打切り、終了等の場合で、残品があるときは、分類換え又は所属換えをしたうえ、効率的に供用しなければならない。

**（出納手続の省略できる物品）**

**第四十一条**　次に掲げる物品については、出納手続を省略することができる。

一　賄品及び賄材料（貯蔵物品を除く。）
二　式典、会合等の催物の現場で消費する物品
三　新聞及び官報
四　前各号のほか、会計管理者がその出納手続を省略することを適当と認めたもの

**（重要物品の管理）**

**第四十二条**　会計管理者は、第六条第二項の規定により定める重要物品について、毎年度三月末日現在の状況を取りまとめて整理しなければならない。

## 第八節　材料品の特別整理

**（特別整理を要する材料品）**

**第四十三条**　工事に使用する材料品で、その費用の精算上特別の整理を必要とするものについては、この節の規定により整理しなければならない。

2　この節の規定は、製造、修繕等に使用する材料品で、その費用の精算上特別の整理を必要とするものについて準用する。

**（分類の特例）**

**第四十四条**　材料品は、受入価額を付して予算科目及び工事別に分類して整理しなければならない。ただし、受入価額が不明のものについては、購入見込価額によつて整理しなければならない。

**（材料品の供用）**

**第四十五条**　物品管理者が材料品を供用するときは、使用者から材料品使用伝票を提出させなければならない。

2　物品管理者は、使用者が材料品を使用する必要がなくなつたときは、直ちに材料品返還伝票を提出させるとともに、当該材料品を返還させなければならない。

**（物品管理者の帳簿）**

**第四十六条**　物品管理者は、物品受払簿を備え、材料品の受払を整理しなければならない。

**（材料品の供用実績の報告）**

**第四十七条**　物品管理者は、工事が終了したときは、その日から十日以内に材料品受払報告書を出納員に提出しなければならない。

## 第九節　削除

**第四十八条から第五十五条まで**　削除

## 第十節　帳簿諸表

**（出納員等の帳簿）**

**第五十六条**　出納員は、次に掲げる帳簿のうち必要なものを備えて、整理しなければならない。

一　消耗品出納簿
二　材料品出納簿
三　動物出納簿
四　不用品出納簿
五　借用動産出納簿
六　貸与品・寄託品整理簿

2　物品管理者は、次に掲げる帳簿等のうち必要なものを備えて、整理しなければならない。

一　物品受払簿
二　動物供用票

3　出納員及び物品管理者は、財務会計システムで処理する次に掲げる帳票のうち必要なものを備えて、管理しなければならない。

一　物品管理者別物品一覧表
二　物品管理者別品名別集計表
三　品名別取得年度一覧表
四　物品異動状況集計表

4　第一項第一号、第二号、第四号及び第五号に規定する帳簿については、会計管理者が別に定める場合にあつては、記帳を省略することができる。

5　出納員又は物品管理者は、会計管理者が別に定めるところによつて、第一項及び第二項に定める帳簿の備付け及び整理を、データファイルに物品の出納又は受払を記録することをもつて行うことができる。

**（帳簿等記載上の注意）**

**第五十七条**　前条第一項及び第二項に規定する帳簿等は、物品出納通知書、物品過不足調書、物品亡失報告書等により記載しなければならない。

2　前項のほか、帳簿の記載に当たつては、次に掲げるところによらなければならない。

一　各口座の索引を付けること。

二　各欄の事項及び金額は、遡つて記入しないこと。
三　年度末に年度計を記入し、繰越の整理をすること。

## 第三章　引継ぎ

（出納員等の事務引継ぎ）
**第五十八条**　出納員又は物品管理者が異動したときは、会計管理者が別に定めるところにより、前任者は速やかに、その事務を後任者に引き継がなければならない。
2　前項の規定による引継ぎをするときは、双方立会いの上、引継ぎ年月日及び引継ぎ完了の旨を帳簿に記入し、双方連署しなければならない。
3　前任者が事故のため引継ぎをすることができないときは、局長又は所長の指定した職員が前二項の規定による事務の引継ぎをしなければならない。

（組織変更に伴う事務引継ぎ）
**第五十九条**　局長又は所長は、組織の変更により、その所管に属する事務の全部又は一部に異動が生じるときは、異動前及び異動後の物品の明細を明らかにしておかなければならない。
2　前項の物品の明細は、出納員に提出しなければならない。
3　出納員又は物品管理者は、第一項による事務の異動があつたときは、前条の規定に準じて引継ぎをしなければならない。

## 第四章　検査

（自己検査）
**第六十条**　局長は、当該局及び所管に属する所の出納員及び物品管理者の取扱いに係る物品の管理事務並びに使用者の物品の使用状況について、毎年度一回以上所属の主事のうちから検査員を命じて検査をさせなければならない。
2　局長は、検査員を任命するときは、同時に所属職員のうちから立会人を指定しなければならない。
3　第一項の規定による検査は、会計管理者が別に定める方法により実施しなければならない。
4　局長は、毎年度、その年度開始前までに、第一項の規定による検査について当該年度の実施計画を作成し、会計管理者の承認を得なければならない。
5　会計管理者は、必要があると認めるときは、局、部及び所を指定して、第一項の規定による検査について、所属職員を立ち会わせることができる。

（検査の対象期間）
**第六十一条**　検査は、検査当日現在において、前回の検査以降のものについて行うものとする。

**第六十二条及び第六十三条**　削除

（検査報告）
**第六十四条**　検査員は、検査終了後十日以内に検査報告書により局長に報告しなければならない。ただし、検査中特に重要な事項と認めるものがあるときは、直ちにそのてん末に意見を付して、局長に報告しなければならない。
2　前項の報告を受けた局長は、意見を付して、直ちに会計管理者に通知しなければならない。

（会計管理者の検査）
**第六十五条**　会計管理者は、必要があると認めるときは、所属の職員のうちから検査員を命じて、第六十条第一項に規定する職員の取扱いに係る物品の管理事務について直接検査をすることができる。この場合において、特に必要があると認めるときは、関係人に対する照会その他実地に調査をすることができる。
2　会計管理者は、直接検査を実施しようとするときは、その対象、項目、日時及び場所並びに検査員の職氏名を、あらかじめ、局長に通知しなければならない。ただし、特に必要があると認めるときは、あらかじめ局長への通知をしないで直接検査を実施することができる。
3　前条第一項の規定は、前項の検査員による検査の結果報告について準用する。この場合、同条第一項中「局長」とあるのは、「会計管理者」と読み替えるものとする。
4　会計管理者は、前項の規定により検査員から報告を受けたときは、その内容を関係局長に通知しなければならない。この場合において、報告を受けた内容に関して、関係局長において是正すべき事項があると認めるときは、当該関係局長に対し、当該事項の是正を求めることができる。

## 第五章　監督責任

（局長、所長の監督責任）
**第六十六条**　局長は、物品の管理事務について、当該局及び所管に属する所の出納員及び物品管理者を監督しなければならない。
2　所長は、物品の管理事務について、当該所の出納員及び物品管理者を監督しなければならない。

（物品管理者の監督責任）
**第六十七条**　物品管理者は、供用中の物品について、その使用者を監督しなければならない。

（亡失、損傷の報告）
**第六十八条**　出納員、物品管理者及び使用者は、その保管し、又は使用している物品（基金に属する動産を含む。）について、亡失があつたときは物品亡失報告書を、損傷があつたときは物品損傷報告書を直ちに局長に提出しなければならない。

2　局長は、前項の報告その他により、当該局又は所管に属する所の物品（基金に属する動産を含む。）について、亡失又は損傷の事実を知つたときは、その事の経過に意見を付して、会計管理者を経由の上、知事に報告しなければならない。

### 第六章　附属様式その他

**（様式）**

**第六十九条**　この規則の施行について必要な書類、帳簿等の様式は、別記のとおりとする。ただし、会計管理者が特に必要と認めるものについては、別に定めるところによることができる。

**（この規則の規定を準用する動産）**

**第七十条**　この規則の規定は、占有動産及び基金に属する動産の管理事務について準用する。

**第七十一条**　削除

**（管理事務の例外措置）**

**第七十二条**　局長は、物品の管理事務において、この規則の規定により難いと認める場合は、会計管理者と協議の上、別の取扱いを定めることができる。

**（特別区に対する事務事業移管に伴う物品の管理事務の処理に関する特例）**

**第七十三条**　特別区に対する事務事業の移管に伴い特別区に譲渡する物品については、譲渡の決定をもつて不用品への区分換えの決定があつたものとみなす。

**付　則**

1　この規則は、昭和三十九年四月一日から施行する。

2　従前の規定によつてなした手続その他の行為は、この規則によつてなしたものとみなす。

3　東京都会計事務規則（昭和三十二年九月東京都規則第九十六号）の規定による金銭出納員であつた者が、この規則施行の際保管している収入証紙は、この規則施行の日に、当該金銭出納員の所属する局または所の収入証紙に係る事務を取り扱うため指定された証紙取扱者に引き継ぐものとする。ただし、証紙取扱者が指定されないため、引き継ぐことができない収入証紙は、この規則の規定に準じてこれを出納長に返納するものとする。

4　この規則施行上必要な書類及び帳簿は、昭和三十九年度に限り、残品を使用することができる。

**附　則**（令三・三・三一規則二〇六）（抄）

1　この規則は、令和三年四月一日から施行する。

**別記附属様式**〔略〕

## ○東京都基金管理条例

昭三九・三・三一
条　例　九　九

最終改正　平一四・一〇・二一条例一四四

**（趣旨）**

**第一条**　この条例は、地方自治法（昭和二十二年法律第六十七号）第二百四十一条第八項の規定に基づき、東京都の基金に属する現金及び有価証券の管理について、別に定めるものを除き、必要な事項を定めるものとする。

**（現金及び有価証券の管理）**

**第二条**　現金は、東京都の区域内に本店又は支店を有する銀行その他の金融機関へ預金をするものとする。ただし、必要があると認めるときは、元本補てんの契約をして信託することができる。

**第三条**　有価証券は、必要があると認めるときは、信託業務を営む銀行へ信託することができる。

**第四条**　現金及び有価証券は、必要があると認めるときは、確実かつ有利な有価証券または現金に換えることができる。

**（現金運用の特例）**

**第五条**　現金は、財政上必要があると認めるときは、確実な繰りもどしの方法、期間及び利率を定めて、歳計現金に繰り替え、または予算の範囲内において歳入に繰り入れることができる。

**（委任）**

**第六条**　この条例の施行について必要な事項は、知事が定める。

付　則

1　この条例は、昭和三十九年四月一日から施行する。

2　東京都基本財産条例（昭和二十二年十二月東京都条例第八十五号）は、廃止する。

附　則（平一四・一〇・二一条例一四四）

この条例は、公布の日から施行する。

# ○東京都財政調整基金条例

昭五五・三・二八
条　例　二　〇

最終改正　平九・三・三一条例一五

（設置）

**第一条**　年度間の財源の調整を図り、東京都の財政の健全な運営に資するため、東京都財政調整基金（以下「財政調整基金」という。）を設置する。

（積立て）

**第二条**　地方財政法（昭和二十三年法律第百九号）第四条の三第一項及び第七条第一項の規定によるほか、次の各号に掲げる場合は、当該各号に定めるところにより算定した額（以下「積立所要額」という。）を下らない額を財政調整基金に積み立てるものとする。

一　地方自治法（昭和二十二年法律第六十七号）第二百十一条第一項の規定による予算（以下「当初予算」という。）に計上された都税の額が前年度の当初予算に計上された都税の額（次の表において「前年度予算額」という。）を上回る場合　当該上回る額を次の表の上欄に掲げる額の区分によつて区分し、当該区分に応ずる下欄に掲げる率を順次適用して計算した額を合算した額

| 区　分 | 率 |
|---|---|
| 上回る額が前年度予算額の三パーセントを超え五パーセントまでの額 | 〇・〇三 |
| 上回る額が前年度予算額の五パーセントを超え十パーセントまでの額 | 〇・一〇 |
| 上回る額が前年度予算額の十パーセントを超え二十パーセントまでの額 | 〇・一五 |
| 上回る額が前年度予算額の二十パーセントを超える額 | 〇・二〇 |

二　当該年度において予算に計上された都税の額が当初予算に計上された都税の額（次の表において「当初予算額」という。）を上回る場合　当該上回る額を次の表の上欄に掲げる額の区分によつて区分し、当該区分に応ずる下欄に掲げる率を順次適用して計算した額を合算した額

| 区　分 | 率 |
|---|---|
| 上回る額が当初予算額の一パーセントまでの額 | 〇・一〇 |
| 上回る額が当初予算額の一パーセントを超え二パーセントまでの額 | 〇・二〇 |
| 上回る額が当初予算額の二パーセントを超え三パーセントまでの額 | 〇・三〇 |
| 上回る額が当初予算額の三パーセントを超える額 | 〇・四〇 |

2　前項に定めるほか、第一条に掲げる目的を達成するため必要な場合は、財政調整基金への積立てを行うことができる。

**第三条**　前条第一項第一号又は第二号の規定により財政調整基金への積立てを行う必要がある場合において、次の各号の一に該当するときは、積立所要額の全部又

は一部を財政調整基金に積み立てないことができる。

一　経済事情の著しい変動等により財源が著しく不足することが明らかであるとき。

二　積立所要額の全部又は一部を他の基金に積み立てることが必要であると知事が認めるとき。

（**積立額**）

**第四条**　財政調整基金として積み立てる額は、毎年度予算で定める。

（**運用益金の処理**）

**第五条**　財政調整基金の運用から生ずる収益は、東京都一般会計歳入歳出予算に計上して財政調整基金に繰り入れるものとする。

（**財政調整基金の処分**）

**第六条**　財政調整基金は、次の各号の一に掲げる場合に限り、その全部又は一部を処分することができる。

一　経済事情の著しい変動等により財源が著しく不足する場合において当該不足額を埋めるための財源に充てるとき。

二　災害により生じた経費の財源又は災害により生じた減収を埋めるための財源に充てるとき。

三　緊急に実施することが必要となつた大規模な土木その他の建設事業の経費その他必要やむを得ない理由により生じた経費の財源に充てるとき。

四　長期にわたる財源の育成のためにする財産の取得等のための経費の財源に充てるとき。

**附　則**

この条例は、昭和五十五年四月一日から施行する。ただし、第二条第一項第一号の規定は、昭和五十六年度における基金への積立てから適用する。

**附　則**（平九・三・三一条例一五）

1　この条例は、平成九年四月一日から施行する。

2　平成九年度及び平成十年度における東京都財政調整基金への積立てにおいては、この条例による改正後の東京都財政調整基金条例第二条第一項第一号の規定にかかわらず、同号に規定する都税の額には、地方税法（昭和二十五年法律第二百二十六号）第四条第二項第三号に掲げる地方消費税は算入しないものとする。

## ○公共事業の施行に伴う移転資金貸付条例

昭四八・三・三一
条　例　四　五

最終改正　平一三・三・三〇条例六五

（**目的**）

**第一条**　この条例は、公共事業の施行に伴い移転等が必要となつた者に対し、移転資金を貸し付けることにより、その者の生活再建を助成し、かつ、自主的な移転を促進し、もつて事業の進展を図ることを目的とする。

（**定義**）

**第二条**　この条例において、次の各号に掲げる用語の意義は、それぞれ当該各号に定めるところによる。

一　公共事業　知事又は都が、施行又は施行を委託している道路、下水道に関する事業、土地区画整理事業その他東京都規則で定める事業をいう。

二　移転等　建築物の購入、新築、改造、借入れ及び土地の購入、借入れ等の代替物件の取得並びに営業再開等のために必要な措置をいう。

三　移転資金　移転等に要する資金をいう。

四　補償契約　公共事業の施行に伴う土地若しくは物件の買収又は補償に関する契約等をいう。

五　移転補償金　補償契約にもとづく買収代金及び補償金のうち、対価補償及び移転補償の性格を有するもので、東京都規則で定めるものをいう。

（**貸付の対象**）

**第三条**　移転資金の貸付の対象とすることができる者

は、次の各号に掲げる要件が備わつていなければならない。

一　移転補償金に関する補償契約の対象者であること。

二　知事（東京都公営企業組織条例（昭和二十七年東京都条例第八十一号）により設置した局の所管する事業にあつては、当該事業の管理者。以下同じ。）が特に必要と認める場合を除き、補償契約を締結した日から一年を経過していないこと。

三　移転資金の調達が困難と認められること。

四　貸付金の償還及び利子の支払について、十分な能力を有すること。

2　前項第四号の要件を欠く者であつても、補償契約において一単位と認められるべき世帯員のうちに同号の要件をみたす者があり、かつ、この者と連帯して貸付を受けようとする場合には、両者を一件の貸付の対象とみなして貸し付けることができる。

3　補償契約において一単位と認められるべき世帯員のうちに、移転補償金に関する補償契約の対象となるべき者が数名ある場合には、これらの者を連帯させ、一件の貸付の対象とみなす。

**（移転資金の貸付額）**

**第四条**　移転資金の貸付額は、次のとおりとする。

一　貸付対象者に対する移転補償金に相当する額の二分の一（これに十万円未満の端数を伴うときは、切り上げて計算した額とする。）以内。ただし、最高限度額は、三千万円とする。

二　前号により算定した額が五百万円に満たないときは、総額が五百万円に達するまで増額することができる。

2　前項の規定による貸付金では移転等が特に困難な者で、知事が必要と認めるものに対しては、一千万円の範囲内の貸付額を加算することができる。

**（貸付の申込み）**

**第五条**　移転資金の貸付を受けようとする者は、東京都規則（東京都公営企業組織条例により設置した局の所管する事業にあつては、当該事業の管理者の定める管理規程。以下同じ。）で定める申込書を知事に提出しなければならない。

**（貸付の決定）**

**第六条**　知事は、前条の規定により申込みを受けたときは、審査のうえ貸付の可否並びに貸し付けるべき移転資金の額及び条件を査定し、ただちに申込者に対してその内容を通知する。

2　申込者は、前項の通知を受けた日から一週間以内に、文書をもつて承諾の意思表示をするものとする。

**（契約及び移転等の期限）**

**第七条**　前条の規定により貸付の決定を受けた者（以下「貸付決定者」という。）は、当該決定を受けた日から一か月以内に、移転資金の貸付に関する契約を締結しなければならない。

2　第十一条第一号ただし書又は第二号の規定により一時に全額の貸付を受けようとする貸付決定者は、知事の承認を得て、前項の契約の締結を省略することができる。この場合において、知事は、次条の契約の締結及び第九条の移転等の期限を指示するものとする。

**第八条**　貸付決定者は、前条の契約又は指示により定められた期限内に、知事と公正証書による債務弁済契約を締結しなければならない。

**第九条**　貸付決定者は、次の期限に従つて移転等をすめなければならない。

一　貸付の決定を受けた日から二か月以内に移転等に伴う代替物件取得のための契約を締結し、又は工事に着手すること。

二　貸付の決定を受けた日から一年以内で、第七条の契約又は指示により定められた期限内に、移転等を完了すること。

**第十条**　貸付決定者が第七条、第八条又は前条の期限に従うことができないときは、知事は、これを延期することができる。

**（交付の時期）**

**第十一条**　貸付金は、補償契約を締結した者に対し、次の各号のいずれかにより交付する。

一　物的担保を提供させる貸付については、第七条第一項の契約を締結し、第九条第一号の契約の締結又は工事の着手を確認したのち、貸付決定額の二分の一に相当する金額を、第十五条第一項の規定による担保を提供し、第八条の債務弁済契約を締結したのち、その残額を交付する。ただし、知事が必要と認めるときは、残額を交付すべきときに、一時に全額を交付することができる。

二　物的担保の提供を免除することとした貸付については、第八条の債務弁済契約を締結し、第九条第一号の契約を締結し、かつ、同号の工事の着手を確認したのち、一時に全額を交付する。

**（利息）**

**第十二条**　貸付金には、据置期間を経過した後、年五パーセント以内で規則で定める利率による利息を付するものとする。

**（償還方法）**

**第十三条**　貸付金は、貸付けを終えた日の属する月の翌月から二年間据え置き、以後二十年間以内の元利均等半年賦償還若しくは元利均等月賦償還又はこれらの併用による償還とする。ただし、期限前でも繰り上げて償還することができる。

（延滞利子）

**第十四条**　前条の規定による償還金及び第十八条の規定による返還金の弁済を怠つた者は、その弁済すべき元金に対し、延滞日数に応じ、年十四・六パーセントの割合で計算した延滞利子を支払わなければならない。

2　前項の規定にかかわらず、延滞利子の金額が五百円未満のときは、これを徴収しない。

（担保及び担保保全等）

**第十五条**　移転資金の貸付を受けた者は、知事が指示するところにより、移転等により取得した不動産の全部若しくは一部又は他の不動産を担保として提供し、これに都のための抵当権を設定しなければならない。ただし、知事が相当の理由があると認める場合は、他の物的担保をもつて、これにかえることができる。

2　前項の規定にかかわらず、貸付金額が五百万円以下で、知事が相当の理由があると認める者については、物的担保の提供を免除することができる。

3　知事は、必要と認めるときは、貸付金の全額を交付したのちにおいても、担保の提供を求め、又は追加担保を提供させることができる。

**第十六条**　移転資金の貸付を受けた者は、知事が指示するところにより、移転等によつて取得した建築物又は担保として提供した建築物について、貸付金の償還完了にいたるまでの間継続して火災保険契約を締結し、かつ、当該契約にもとづく保険金請求権について、都のために質権を設定しなければならない。

2　保険事故が発生したときは、知事は、前項の保険金を受領し、これを第十三条の償還期限及びすえ置き期間の規定にかかわらず、債務の弁済に充当することができる。

**第十七条**　貸付決定者は、第七条及び第八条の規定による契約を締結するときは、東京都規則で定めるところにより、一名以上の連帯保証人をたてなければならない。

（貸付決定の取消等）

**第十八条**　貸付の決定を受け、又は貸付金の交付を受けた者が次の各号のいずれかに該当したときは、知事は、すでに決定した貸付を取り消し、貸付契約を解除し、又は期限の利益を失わせて、期日を指定し、すでに交付した貸付金又は償還すべき元利金を一時に返還させることができる。

一　いつわりの申込みによつて貸付の決定を受けたとき。

二　第七条、第八条又は第十条に規定する契約の締結期限に違反したとき。

三　第九条又は第十条に規定する移転等の期限に違反したとき。

四　第十三条に規定する貸付金の償還又は第十四条に規定する延滞利子の支払を怠つたとき。

五　第十五条に規定する担保の提供又は第十六条に規定する火災保険金請求権に対する質権の設定をしなかつたとき。

六　前各号のほか、知事の指示に違反したとき。

（返還の特例等）

**第十九条**　知事は、貸付を受けた者が、災害その他その者の責めに帰することができない理由等により、償還が著しく困難となり、又は不能となつたときは、償還方法の変更を承認し、又は債務を減額し、若しくは免除することができる。

（費用負担）

**第二十条**　貸付決定者は、第七条及び第八条の規定による契約書作成のための費用、抵当権等の設定、変更及び抹消に要する費用を負担しなければならない。

（委任）

**第二十一条**　この条例の施行について必要な事項は、東京都規則で定める。

附　則

（施行期日）

1　この条例は、昭和四十八年四月一日から施行する。

（経過措置）

2　この条例の施行の際、すでに公共事業の施行に伴う建築物移転、土地購入等の資金貸付に関する条例（昭和三十五年東京都条例第四十八号）及び土地区画整理事業施行地区内の建築物の移転等に要する資金の貸付に関する条例（昭和三十三年東京都条例第二十号）の規定にもとづき、貸付決定を受けている者に係る貸付額、担保、貸付手続及び償還方法については、なお従前の例による。ただし、知事が必要と認めるものについては、その償還期限を通算二十年の範囲内で延伸することができる。

（既存の条例の廃止）

3　土地区画整理事業施行地区内の建築物の移転等に要する資金の貸付に関する条例は、廃止する。

附　則（平一三・三・三〇条例六五）

この条例は、平成十三年四月一日から施行する。

# ○公共事業の施行に伴う代替地の売払に関する規則

昭三九・七・二三
規則一七九

最終改正　令三・三・三一規則一九六

（目的）

**第一条**　この規則は、公共事業の施行に伴い、移転先地の必要な者に提供するため取得した土地（以下「代替地」という。）の売払に関し、東京都公有財産規則（昭和三十九年三月東京都規則第九十三号）の特例について規定し、公共事業の促進を図ることを目的とする。

（公共事業の範囲）

**第二条**　前条の公共事業とは、知事又は都が施行又は施行を委託している公共事業のうち、道路、河川、公園、住宅及び清掃に関する事業並びに市街地再開発事業をいうものとする。

（売払の対象）

**第三条**　代替地は、次の各号に掲げる要件を備えている者に対し売り払うことができる。

一　公共事業の施行地区内における自己使用の土地及び建物の所有者、自己使用の建物に係る借地権者（使用貸借により土地を使用する権利を有する者を含む。）または自己使用に係る借家権者であること。

二　公共事業の施行に伴う土地または物件の買収または補償に関する契約を締結した日から一年を経過していないこと。

三　公共事業の施行に伴い移転先地の入手が困難であると認められること。

2　公共事業の施行地区内における前項第二号及び第三号に掲げる要件を備えている者で、第一号に該当するもの以外の者について特に必要があると認めるときは、事情の許す範囲内において同項の規定にかかわらず代替地を売り払うことができる。

（売払面積）

**第四条**　前条に規定する者に売り払うことができる代替地の面積は、その者に支払う買収代金または補償金額（以下「補償金」と総称する。）で売り払うことができる面積の範囲内とする。ただし、次の各号の一に該当する場合は、この限りでない。

一　補償金の範囲内で算出した面積が過少なため一宅地として利用しがたいとき。

二　補償金の範囲内で算出した面積が、従前の土地の所有面積または使用面積に比べて著しく減少するとき。

三　補償金の範囲内で算出した面積で売り払うことにより残りの代替地が一宅地として利用しがたいとき。

四　前各号のほか、特に必要があると認めるとき。

2　前項の規定による代替地の面積は、従前の土地の所有面積または使用面積を考慮し、生活再建に必要な限度内とする。

（代替地台帳の整備）

**第五条**　代替地を取得した場合には、あらかじめその実状に応じて売払計画を定め、売払予定区画ごとに代替地台帳（別記第一号様式）を作成し、これに対照できるような一団地の分画図、実測図、案内図等を添付しておかなければならない。

2　前項の代替地台帳には、東京都財産価格審議会の評定を経て決定した代替地の売払価格を表示しておくものとする。

3　第一項の代替地台帳は、区画の分合、評価替、売払等の変動があつたつどこれを補正しておかなければならない。

（代替地台帳の縦覧）

**第六条**　前条の代替地台帳は、所定の場所に備え代替地の買受を希望する者の縦覧に供さなければならない。

（買受の申込）

**第七条**　代替地の買受の申込をしようとする者に対しては、買受を希望する代替地を指定した代替地買受申込書（別記第二号様式）を提出させなければならない。

（売払の決定及び通知）

**第八条**　前条の規定による申込を受けたときは、すみやかに審査し、売払の可否を決定しなければならない。

2　前項の規定により売払を決定した者に対しては、代替地売買契約書をその指定する期限内に作成することを条件として、代替地売払決定通知書（別記第三号様式）により通知するものとする。

3　第一項の規定により売り払わないことを決定した者に対しては、その旨を通知するものとする。

（売払代金の相殺）

**第九条**　都が支払うべき第四条の補償金があるときは、代替地の売払代金と相殺するものとする。

（代替地の使用）

**第十条**　代替地について売払契約を締結した者に対しては、第四条の補償金が代替地の売払代金以上の額となる場合で前条の規定に基く相殺を行うときに限りその売払代金の納入前において、これを使用させることができる。

附　則

（施行期日）

1　この規則は、公布の日から施行する。

（経過規定）

2　昭和三十九年四月一日以降この規則の施行前において公共事業の施行に伴う土地または物件の買収または補償に関する契約を締結した者は、第三条第二号の規定の適用については、この規則施行の日において契約を締結したものとみなし、この規則の定めるところにより代替地を売り払うことができる。

3　この規則施行の際、公共事業の施行に伴う代替地の売払に関する条例を廃止する条例（昭和三十九年三月東京都条例第二十八号）による廃止された公共事業の施行に伴う代替地の売払に関する条例（昭和三十六年十月東京都条例第九十二号）の規定に基き、代替地の売払を行つてきた事業について手続き中のものは、第二条の規定にかかわらず、この規則の定めるところにより、代替地を売り払うことができる。

4　昭和三十八年十月一日以降昭和三十九年三月三十一日までに公共事業の施行に伴う土地または物件の買収または補償に関する契約を締結した者に対しては、この規則の定めるところにより、その契約を締結した日から一年以内に限り代替地を売り払うことができる。

附　則（令三・三・三一規則一九六）（抄）

1　この規則は、公布の日から施行する。

別記様式〔略〕

# 第五章　土地収用

## ○東京都収用委員会事務局処務規程

昭四四・四・一
訓令甲一三

最終改正　令五・七・二四訓令三九

（趣旨）

**第一条**　この規程は、東京都収用委員会事務局の設置に関する規則（昭和四十四年東京都規則第五十号）第二条の規定に基づき、東京都収用委員会事務局（以下「事務局」という。）の内部組織について定めるほか、地方自治法（昭和二十二年法律第六十七号）第百八十条の二の規定に基づき、事務局の職員が補助執行することとされた事務の処理について定めるものとする。

（分課）

**第二条**　事務局に次の課を置く。

総務課
審理課

（分掌事務）

**第三条**　課の分掌事務は、次のとおりとする。

総務課

一　事務局所属職員の人事及び給与に関すること。
二　事務局事務に関する法規の調査及び解釈に関すること。
三　事務局の公文書類の収受、配布、発送、編集及び保存に関すること。
四　事務局の情報公開に係る連絡調整等に関すること。
五　事務局の個人情報の保護に係る連絡調整等に関すること。
六　公印の管理に関すること。
七　事務局の予算、決算及び会計に関すること。
八　委員会の会議に関すること（審理課に属するものを除く。）。
九　事務局事務の管理改善及び行政評価の実施に関すること。
十　事務局事務のデジタル関連施策の企画、調整及び推進に関すること。
十一　広報及び広聴に関すること。
十二　事務局事務の調整に関すること。
十三　収用手続の照会、相談及び調査に関すること。
十四　土地収用等の事件に係る土地、物件等の評価（審理課に属するものを除く。）及び評価に係る調整に関すること。
十五　審理課に属しないこと。

審理課

一　土地収用等の事件の処理に関すること。
二　前号の事件に係る委員会の審理及び会議に関すること。
三　第一号の事件に係る会議記録の作成及び保管に関すること。
四　土地収用等の事件に係る土地、物件等の損失補償の額の算定に関すること。
五　土地収用等の事件に係る鑑定命令を行う土地の更地価格及び借地権価格の評価に関すること。

（職）

**第四条**　事務局に事務局長を、課に課長を置く。

2　事務局に担当課長及び専門課長を置くことができる。
3　事務局長は、知事の承認を得て、課に課長代理を置く。
4　前三項に定めるもののほか、必要な職を置く。

（事務局長等の資格及び任免）

**第五条**　事務局長は、理事のうちから、知事が命ずる。

2　課長（担当課長を含む。以下同じ。）は、副参事のうちから、知事が命ずる。
3　専門課長は、専門副参事のうちから、知事が命ずる。
4　課長代理は、主事のうちから、事務局長が命ずる。

（事務局長等の職責）

**第六条**　事務局長は、上司の命を受け、事務局の事務を掌理し、所属職員を指揮監督する。

2　課長は、事務局長の命を受け、課の事務又は担任の事務をつかさどり、所属職員を指揮監督する。
3　専門課長は、事務局長の命を受け、専門分野につき担任の事務を処理する。
4　課長代理は、課長の命を受け、担任の事務をつかさどり、当該事務に係る職員を指揮監督する。
5　課長代理は、課長を補佐する。
6　前各項に定めるもの以外の職員は、上司の命を受け、事務に従事する。

（事務局長の決定対象事案）

**第七条**　事務局長の決定すべき事案は、おおむね次のとおりとする。

一　課長及びこれに準ずる職にある者の出張、職務に専念する義務の免除その他の服務に関すること。
二　職務上の秘密に属する事項の発表の許可に関すること。
三　成立した予算に係る事務局の事務事業についての執行計画の設定、変更及び廃止に関すること。
四　予定価格が八百万円以上の請負又は委託により行う工事、修繕、通信及び運搬に係る役務の提供に関すること。
五　予定価格が三百万円以上の物件の買入れ、売払い、貸付け及び借入れに関すること。
六　四十万円以上の補助金、分担金及び負担金の交付並びに寄附金の贈与に関すること。
七　重要な情報公開に関すること。
八　重要な保有個人情報の開示、訂正及び利用停止に関すること。
九　重要な事項に関する照会、回答、報告及び通知に関すること。
十　損害賠償額の決定及び和解に関すること。

（課長の決定対象事案）
**第八条**　課長の決定すべき事案は、おおむね次のとおりとする。
一　課長が指揮監督する職員の事務分掌、出張、休暇、超過勤務、休日勤務、週休日の変更及び職務に専念する義務の免除に関すること（課長代理の権限に属するものを除く。）。
二　予定価格が八百万円未満の請負又は委託により行う工事、修繕、通信及び運搬に係る役務の提供に関すること。
三　予定価格が三百万円未満の物件の買入れ、売払い、貸付け及び借入れに関すること。
四　四十万円未満の補助金、分担金及び負担金の交付並びに寄附金の贈与に関すること。
五　情報公開に関すること（重要なものを除く。）。
六　保有個人情報の開示、訂正及び利用停止に関すること（重要なものを除く。）。
七　照会、回答、報告及び通知に関すること（重要な事項に関するものを除く。）。
八　文書の受理に関すること。

（課長代理の決定対象事案）
**第九条**　課長代理の決定すべき事案は、おおむね次のとおりとする。
一　課長代理が指揮監督する職員の出張（宿泊を伴う場合を除く。）、休暇（年次有給休暇に係る時季の変更並びに介護休暇、病気休暇及び超勤代休時間を除く。）及び事故欠勤に関すること。
二　照会、回答、報告及び通知に関すること（簡易なものに限る。）。
三　文書の受理に関すること（簡易なものに限る。）。

（決定事案の細目）
**第十条**　事務局長は、前三条の規定により事務局長又は課長若しくは課長代理の決定の対象とされる事案の実施細目を定め、総務局長に報告しなければならない。

（準用）
**第十一条**　この規程に定めるものを除いては、東京都事案決定規程（昭和四十七年東京都訓令甲第十号）及び東京都収用委員会事案決定規程（平成九年東京都収用委員会訓令第一号）を準用する。

# 第四類

# 都民生活

# 第一章　福祉

## ○東京都福祉のまちづくり条例

平七・三・一六
条例三三

最終改正　平二一・三・三一条例三二

東京は、安全で快適な都市機能と豊かな自然を併せ持つ、日本の首都として発展を続けている。

私たち都民は、東京で生活するすべての人の基本的人権が尊重され、自由に行動し、社会参加できるやさしいまち東京の実現に向けて、これまで不断の努力を積み重ねてきた。

本格的な少子高齢社会が到来するなか、東京が世界に開かれた国際都市としてさらなる発展を続けるためには、東京に集うすべての人がありのままに、自らの意思で暮らし、社会参加をし、自己実現を図ることができる、そのような社会の実現に向け、ユニバーサルデザインの理念に立ったまちづくりを進めることが必要である。

私たち都民の願いは、誰もが住み慣れた地域に住み続け、働き、学び、遊ぶことができる一人ひとりの生活を支援する仕組みが地域で整い、社会のあらゆる分野に他者を思いやる心が行きわたったまちを築くことである。

福祉のまちづくりとは、そのような東京を現実のものとするための物心両面にわたる絶え間ない活動の集積である。

今、これまでの成果を未来につなぐとともに、新たな目標に向かってさらに一歩踏み出すことは、後世に対する都民すべての責務である。

私たち都民は、ユニバーサルデザインの理念の下、東京を高齢者、障害者、子ども、外国人などを含めたすべての人にとって、住みやすい、訪れやすいまちへと、発展させることをここに宣言し、この条例を制定する。

### 第一章　総則

（目的）

**第一条**　この条例は、福祉のまちづくりに関し、東京都（以下「都」という。）、事業者及び都民の責務を明らかにするとともに、福祉のまちづくりに関する施策の基本的な事項を定めることにより、都、特別区及び市町村（以下「区市町村」という。）、事業者並びに都民が相互に協働して福祉のまちづくりを推進し、もって高齢者や障害者を含めたすべての人（高齢者、障害者、子ども、外国人、妊産婦、傷病者その他の年齢、個人の能力、生活状況等の異なるすべての人をいう。）が安全で、安心して、かつ、快適に暮らし、又は訪れることができる社会の実現を図ることを目的とする。

（定義）

**第二条**　この条例において、次の各号に掲げる用語の意義は、それぞれ当該各号に定めるところによる。

一　ユニバーサルデザイン　年齢、性別、国籍、個人の能力等にかかわらず、できるだけ多くの人が利用できるよう生活環境その他の環境を作り上げることをいう。

二　福祉のまちづくり　ユニバーサルデザインの理念に基づき、高齢者や障害者を含めたすべての人が、安全で、安心して、かつ、快適に暮らし、又は訪れることができるまちづくりを推進するための取組をいう。

三　都市施設　病院、図書館、飲食店、ホテル、劇場、物品販売業を営む店舗、共同住宅、車両等（鉄道の車両、自動車その他の旅客の運送の用に供する機器で東京都規則（以下「規則」という。）で定めるものをいう。以下同じ。）の停車場を構成する施設、道路、公園その他の多数の者が利用する施設で規則で定めるものをいう。

四　整備基準　都市施設を高齢者や障害者を含めたすべての人が円滑に利用できるようにするための措置に関し、都市施設を所有し、又は管理する者の判断の基準となるべき事項として規則で定める事項をいう。

（都の責務）

**第三条**　都は、事業者及び都民の参加と協力の下に、福祉のまちづくりに関する基本的かつ総合的な施策を策定し、及び実施する責務を有する。

2　都は、福祉のまちづくりに関する施策に、事業者及び都民の意見を反映することができるよう必要な措置を講ずるものとする。

3　都は、事業者及び都民の福祉のまちづくりに関する活動並びに区市町村の福祉のまちづくりに関する施策の実施に対し、これらの者の福祉のまちづくりを推進する上で果たす役割の重要性にかんがみ、必要に応じて支援及び協力を行うよう努めるものとする。

（事業者の責務）

**第四条**　事業者は、その事業活動に関し、その所有し、又は管理する施設及び物品並びに提供するサービスについて、自ら福祉のまちづくりに努めるとともに、他の事業者と協力して福祉のまちづくりを推進する責務を有する。

2　事業者は、都がこの条例に基づき実施する福祉のまちづくりに関する施策に協力するよう努めなければならない。

3　事業者は、その事業の実施に当たり、高齢者や障害者を含めたすべての人の施設、物品又はサービスの円滑な利用を妨げないよう努めなければならない。

（**都民の責務**）

**第五条**　都民は、福祉のまちづくりについて理解を深め、自ら福祉のまちづくりに努めるとともに、相互に協力して福祉のまちづくりを推進する責務を有する。

2　都民は、都がこの条例に基づき実施する福祉のまちづくりに関する施策に協力するよう努めなければならない。

3　都民は、高齢者や障害者を含めたすべての人の施設、物品又はサービスの円滑な利用を妨げないよう努めなければならない。

（**福祉のまちづくりの総合的推進**）

**第六条**　都は、福祉のまちづくりが総合的かつ効果的に推進されることの重要性にかんがみ、事業者、都民、国及び区市町村が相互に有機的な連携を図ることができるようにするために必要な措置を講ずるよう努めるものとする。

## 第二章　施策の推進

### 第一節　基本的施策

（**計画の策定**）

**第七条**　知事は、福祉のまちづくりに関する施策の総合的かつ計画的な推進を図るための基本となる計画（以下「推進計画」という。）を策定するものとする。

2　推進計画は、次に掲げる事項について定めるものとする。

一　福祉のまちづくりに関する目標

二　福祉のまちづくりに関する施策の方向

三　前二号に掲げるもののほか、福祉のまちづくりに関する施策の総合的かつ計画的な推進を図るための重要事項

3　知事は、推進計画の策定に当たり、事業者及び都民の意見を聴くとともに、福祉のまちづくりに関する施策の評価を行い、その結果を推進計画に反映させるものとする。

4　知事は、推進計画を定め、又は変更したときは、遅滞なく、これを明らかにするものとする。

（**教育及び学習の振興等**）

**第八条**　都は、福祉のまちづくりに関する教育及び学習の振興並びに広報活動の充実により、福祉のまちづくりに関して、事業者及び都民が理解を深めるとともに、これらの者の自発的な活動が促進されるよう必要な措置を講ずるものとする。

（**情報の提供**）

**第九条**　都は、前条の福祉のまちづくりに関する事業者及び都民の理解の深化及び自発的な活動の促進に資するため、福祉のまちづくりの状況その他の福祉のまちづくりに関する必要な情報を適切に提供するものとする。

（**調査及び研究**）

**第十条**　都は、福祉のまちづくりに関する施策を効果的に推進するため、高齢者や障害者を含めたすべての人の円滑な利用又は移動に関する調査を実施するとともに、少子高齢社会に対応する住宅、福祉用具の研究開発及び普及の促進に関する法律（平成五年法律第三十八号）第二条に規定する福祉用具その他の施設及び物品に関する研究及び技術開発を促進し、並びにそれらの成果の普及を図るものとする。

（**事業者等に対する支援**）

**第十一条**　都は、事業者若しくは都民が福祉のまちづくりに関する活動を自発的に行うこととなるよう誘導し、又は区市町村が福祉のまちづくりに関する施策を推進することとなるよう支援するため、特に必要であると認めるときは、適正な助成その他の措置を講ずるよう努めるものとする。

（**表彰**）

**第十二条**　知事は、福祉のまちづくりの推進に関して著しい功績のあった者に対して、表彰を行うことができる。

### 第二節　情報の共有化のための取組

**第十三条**　事業者は、高齢者や障害者を含めたすべての人が、その所有し、又は管理する施設、物品若しくはサービスを円滑に利用するために必要かつ有益な情報（以下「必要とされる情報」という。）を適時に、かつ、適切に入手できるようにするため、必要とされる情報を自ら把握し、適切に提供するほか、必要な措置を講ずるよう努めなければならない。

### 第三節　都市施設の整備

（**整備基準への適合努力義務**）

**第十四条**　都市施設を所有し、又は管理する者（以下「施設所有者等」という。）は、当該都市施設を整備基準に適合させるための措置を講ずるよう努めなければならない。

2　整備基準は、次に掲げる事項について、都市施設の種類及び規模に応じて定めるものとする。

一　出入口の構造に関する事項

二　廊下及び階段の構造並びにエレベーターの設置に関する事項
三　車いすで利用できる便所及び駐車場に関する事項
四　案内標示及び視覚障害者誘導用ブロックの設置に関する事項
五　歩道及び公園の園路の構造に関する事項
六　前各号に掲げるもののほか、都市施設を円滑に利用できるようにするために必要な基幹的事項

3　施設所有者等は、高齢者や障害者を含めたすべての人が円滑に施設間を移動することができるようにするため、他の施設所有者等との連携を図り、自ら所有し、又は管理する都市施設とその周辺の都市施設とを一体的に整備するよう努めなければならない。

（**整備基準適合証の交付**）
**第十五条**　施設所有者等は、都市施設を整備基準に適合させているときは、規則で定めるところにより、知事に対し、整備基準に適合していることを証する証票（以下「整備基準適合証」という。）の交付を請求することができる。

2　知事は、前項の請求があった場合において、当該都市施設が整備基準に適合していると認めるときは、規則で定めるところにより、当該施設所有者等に対し、整備基準適合証を交付するものとする。

（**都の施設の先導的整備等**）
**第十六条**　都は、自ら設置する都市施設を整備基準に適合するよう率先して整備に努めるものとする。

2　知事は、国、区市町村その他規則で定める公共的団体（以下「国等」という。）に対し、これらが設置する都市施設の整備基準への適合に率先して努めるよう要請するものとする。

### 第四節　特定都市施設の整備

（**整備基準の遵守**）
**第十七条**　都市施設で規則で定める種類及び規模のもの（以下「特定都市施設」という。）の新設又は改修（建築物については、増築、改築、大規模の修繕、大規模の模様替え又は用途変更（用途を変更して特定都市施設にする場合に限る。）をいう。以下同じ。）をしようとする者（以下「特定整備主」という。）は、整備基準のうち特に守るべき基準として規則で定めるものを遵守するための措置を講じなければならない。

2　特定都市施設を所有し、又は管理する者（第二十条第一項に規定する既存特定都市施設所有者等を除く。）は、前項に規定する基準を遵守しなければならない。

（**届出**）
**第十八条**　特定整備主は、第十四条第二項各号に掲げる事項について、規則で定めるところにより、工事に着手する前に知事に届け出なければならない。ただし、法令又は都の他の条例により、整備基準に適合させるための措置と同等以上の措置を講ずることとなるよう定めている事項については、この限りでない。

2　前項の規定による届出をした者は、当該届出の内容の変更（規則で定める軽微な変更を除く。）をするときは、当該変更をする事項について、規則で定めるところにより、当該事項に係る部分の当該変更後の内容の工事を着手する前に知事に届け出なければならない。

（**指導及び助言**）
**第十九条**　知事は、特定整備主に対し、その特定都市施設（工事中のものを含む。以下同じ。）について第十四条第一項及び第三項並びに第十七条第一項に規定する措置の適確な実施を確保するため必要があると認めるときは、整備基準を勘案して特定都市施設の設計及び施工に係る事項について必要な指導及び助言をすることができる。

（**既存特定都市施設の状況の把握等**）
**第二十条**　この節の規定の施行の際現に存する特定都市施設（以下「既存特定都市施設」という。）を所有し、又は管理している者（以下「既存特定都市施設所有者等」という。）は、当該既存特定都市施設を整備基準に適合させるための措置の状況の把握に努めなければならない。

2　知事は、前条に定めるもののほか、既存特定都市施設所有者等に対し、既存特定都市施設について前項に規定する措置の適確な実施を確保するため特に必要があると認めるときは、当該既存特定都市施設の整備基準への適合状況を勘案し、必要な措置を講ずるよう指導及び助言をすることができる。

（**報告の徴収**）
**第二十一条**　知事は、特定整備主又は特定都市施設を所有し、若しくは管理する者（以下「特定整備主等」という。）に対し、規則で定めるところにより、第十九条及び前条第二項の規定の施行に必要な限度において、当該特定都市施設に係る第十七条の規定の遵守の状況及び整備基準への適合状況について、報告を求めることができる。

（**勧告**）
**第二十二条**　知事は、第十八条の規定による届出を行わずに同条に規定する工事に着手した者に対して、当該届出を行うべきことを勧告することができる。

2　知事は、特定整備主等が、正当な理由なく、第十七条の規定に違反していると認めるとき、又は特定整備主等の特定施設の新設若しくは改修に伴って講ずる第十四条第一項の規定に基づく措置が、正当な理由な

く、整備基準に照らして著しく不十分であると認めるときは、規則で定めるところにより、当該特定整備主等に対し、必要な措置を講ずることを勧告することができる。

（公表）

**第二十三条**　知事は、前条の規定による勧告を受けた者が正当な理由なく当該勧告に従わなかったときは、その旨を公表することができる。

2　知事は、前項の公表をしようとする場合は、前条の規定による勧告を受けた者に対し、意見を述べ、証拠を提示する機会を与えるものとする。

（特定都市施設に関する調査）

**第二十四条**　知事は、第十九条、第二十条第二項、第二十二条及び前条第一項の規定の施行に必要な限度において、その職員に、特定整備主等の同意を得て、特定都市施設に立ち入り、第十七条の規定の遵守の状況及び整備基準への適合状況について調査させることができる。

2　前項の規定による調査をする職員は、その身分を示す証明書を携帯し、特定整備主等その他の関係人に提示しなければならない。

### 第五節　車両、住宅等

（車両等の整備）

**第二十五条**　車両等を所有し、又は管理する者は、当該車両等について、高齢者や障害者を含めたすべての人が円滑に利用できるようにするための整備に努めなければならない。

（住宅の供給）

**第二十六条**　住宅を供給する事業者は、高齢者や障害者を含めたすべての人が円滑に利用できるようにするために配慮された住宅の供給に努めなければならない。

（福祉用具等の品質の向上等）

**第二十七条**　福祉用具を製造し、販売し、又は賃貸する事業者は、高齢者又は障害者で日常生活又は社会生活に身体の機能上の制限を受けるものその他日常生活又は社会生活に身体の機能上の制限を受ける者（以下「高齢者、障害者等」という。）の心身の特性及び置かれている環境を踏まえ、高齢者、障害者等が円滑に利用できるよう当該福祉用具の品質の向上、情報の提供その他必要な措置を講ずるよう努めなければならない。

2　前項に定めるもののほか、食器、家具、電化製品その他の日常生活で利用する物品を製造し、販売し、又は賃貸する事業者は、高齢者や障害者を含めたすべての人が円滑に利用できるようこれらの物品の使いやすさの向上、情報の提供その他必要な措置を講ずるよう努めなければならない。

## 第三章　東京都福祉のまちづくり推進協議会

**第二十八条**　都の区域における福祉のまちづくりの推進に関する基本的事項について知事の諮問に応じ調査審議させるため、その附属機関として、東京都福祉のまちづくり推進協議会（以下「協議会」という。）を置く。

2　協議会は、次に掲げる事項について調査審議する。

一　推進計画に関する事項

二　前号に掲げるもののほか、福祉のまちづくりの推進に関する基本的事項

3　協議会は、前項に規定する事項に関し、知事に意見を述べることができる。

4　協議会は、事業者、都民、学識経験を有する者及び関係行政機関の職員のうちから、知事が任命する委員三十人以内をもって組織する。

5　委員の任期は、二年とし、補欠の委員の任期は、前任者の残任期間とする。ただし、再任を妨げない。

6　特別の事項を調査審議するため必要があるときは、協議会に臨時委員を置くことができる。

7　専門の事項を調査するため必要があるときは、協議会に専門員を置くことができる。

8　委員、臨時委員及び専門員は、非常勤とする。

9　協議会は、専門の事項を審議するため必要があると認めるときは、部会を置くことができる。

10　第四項から前項までに定めるもののほか、協議会の組織及び運営に関し必要な事項は、知事が定める。

## 第四章　雑則

（適用除外）

**第二十九条**　都市施設の整備について、その存する場所の属する区市町村の条例により、整備基準に適合させるための措置と同等以上の措置を講ずることとなるよう定めている場合は、第十四条、第十五条及び第二章第四節の規定は、適用しない。

（国等に関する特例）

**第三十条**　国等及び都については、第十八条から第二十四条までの規定は適用しない。

2　知事は、国等に対し、特定都市施設の整備基準への適合状況その他必要と認める事項について報告を求めることができる。

（委任）

**第三十一条**　この条例に定めるもののほか、この条例の施行について必要な事項は、規則で定める。

### 附　則

（施行期日）
1　この条例は、平成七年四月一日から施行する。ただし、第三章、第四章、第二十六条及び第二十七条の規定は、公布の日から起算して一年六月を超えない範囲内において、規則で定める日〔平八・九・一五〕から施行する。

（社会環境の変化等に基づく所要の措置）
2　都は、社会環境の変化及びこの条例の規定の施行の状況その他の福祉のまちづくりの推進の状況を勘案し、必要があると認めるときは、この条例の規定について検討を加え、その結果に基づいて所要の措置を講ずるものとする。

**附　則**（平二一・三・三一条例三二）

1　この条例は、公布の日から施行する。ただし、第二条及び次項の規定は、平成二十一年十月一日から施行する。
2　第二条の規定による改正後の東京都福祉のまちづくり条例（以下「改正後の条例」という。）第十七条の規定は、前項ただし書に規定する日以後に改正後の条例第十八条の規定による届出をした者について適用する。

# ○東京都障害者への理解促進及び差別解消の推進に関する条例

平三〇・七・四
条　例　八　六

改正　令六・一〇・一一条例一三二

## 第一章　総則

（目的）
**第一条**　この条例は、障害を理由とする差別の解消の推進に関し、基本理念を定め、東京都（以下「都」という。）、都民及び事業者の責務を明らかにするとともに、障害を理由とする差別の解消の推進に関する法律（平成二十五年法律第六十五号。以下「法」という。）第十四条に規定する相談及び紛争の防止又は解決のための体制の整備（以下「体制整備」という。）並びに法第十五条に規定する啓発活動（以下「啓発活動」という。）の実施に関し必要な事項等を定めることにより、障害を理由とする差別を解消し、もって共生社会の実現に寄与することを目的とする。

（定義）
**第二条**　この条例において次の各号に掲げる用語の意義は、それぞれ当該各号に定めるところによる。
一　障害者　身体障害、知的障害、発達障害を含む精神障害、難病その他の心身の機能の障害（以下「障害」と総称する。）がある者であって、障害及び社会的障壁により継続的に日常生活又は社会生活に相当な制限を受ける状態にあるものをいう。
二　事業者　法第二条第七号に規定する事業者のうち、都の区域内において商業その他の事業を行う者をいう。
三　社会的障壁　法第二条第二号に規定する、障害がある者にとって日常生活又は社会生活を営む上で障壁となるような社会における事物、制度、慣行、観念その他一切のものをいう。
四　共生社会　障害の有無によって分け隔てられることなく、相互に人格と個性を尊重し合いながら共生する社会をいう。
五　障害の社会モデル　障害者が日常生活又は社会生活において受ける制限は、障害のみに起因するものではなく、社会的障壁と相対することによって生ずるものとする考え方をいう。

（基本理念）
**第三条**　障害を理由とする差別の解消は、次に掲げる事項を基本理念（以下「基本理念」という。）として推進するものとする。
一　全て都民は、障害の有無にかかわらず、等しく基本的人権を享有するかけがえのない個人として尊重されること。
二　全て障害者は、社会を構成する一員として社会、経済、文化その他あらゆる分野の活動に参加する機会が確保されること。
三　全て障害者は、可能な限り、言語（手話等を含む。）その他の意思疎通のための手段についての選択の機会が確保されるとともに、情報の取得又は利用のための手段についての選択の機会の拡大が図られること。

四　全て障害者は、障害のある女性が障害及び性別による複合的な原因により特に困難な状況に置かれる場合等、その性別、年齢等による複合的な原因により特に困難な状況に置かれる場合においては、その状況に応じた適切な配慮がなされること。

五　障害を理由とする差別の解消は、障害及び障害者に対する誤解、偏見その他理解の不足の解消が重要であることに鑑み、多様な人々により地域社会が構成されているという基本認識の下に、全ての都民が相互理解を進め、障害、障害者及び障害の社会モデルに関する理解を深めることを基本として推進すること。

**（都の責務）**

**第四条**　都は、基本理念にのっとり、障害を理由とする差別を解消するため、必要な体制整備を図るものとする。

2　都は、基本理念にのっとり、障害、障害者及び障害の社会モデルについて、都民及び事業者の関心と理解を深め、適切に行動するために必要な啓発活動を行うものとする。

**（都民及び事業者の責務）**

**第五条**　都民及び事業者は、基本理念にのっとり、障害、障害者及び障害の社会モデルについて自ら積極的に関心と理解を深めるとともに、都が実施する障害を理由とする差別の解消の推進に関する施策に協力するよう努めなければならない。

**（区市町村との連携）**

**第六条**　都は、体制整備及び啓発活動を実施するときは、特別区及び市町村（以下「区市町村」という。）との連携に努めなければならない。

2　都は、区市町村が体制整備及び啓発活動を実施するときは、情報の提供及び技術的助言その他必要な支援を行うよう努めなければならない。

## 第二章　障害を理由とする差別に関する相談及び紛争の防止又は解決のための体制等

### 第一節　障害を理由とする差別の禁止

**（障害を理由とする差別の禁止）**

**第七条**　都及び事業者は、その事務又は事業を行うに当たり、障害を理由として障害者でない者と不当な差別的取扱いをすることにより、障害者の権利利益を侵害してはならない。

2　都及び事業者は、その事務又は事業を行うに当たり、障害者から現に社会的障壁の除去を必要としている旨の意思の表明（知的障害、発達障害を含む精神障害等により本人による意思の表明が困難な場合には、障害者の家族、介助者等コミュニケーションを支援する者が本人を補佐して行う意思の表明を含む。）があった場合において、当該障害者と建設的な対話を行い、その実施に伴う負担が過重でないときは、障害者の権利利益を侵害することとならないよう、当該障害者の性別、年齢、障害の状態等に応じて、社会的障壁の除去の実施について必要かつ合理的な配慮をしなければならない。

### 第二節　障害を理由とする差別に関する相談体制

**（広域支援相談員）**

**第八条**　法第十四条の規定による相談に的確に応ずるため、広域支援相談員を置く。

2　広域支援相談員は、障害を理由とする差別の解消に関する知識及び経験を有する者のうちから、知事が任命する。

3　広域支援相談員は、次に掲げる職務を行う。

一　障害者及びその家族その他関係者並びに事業者からの障害を理由とする差別に関する相談に応じ、区市町村等と連携して、必要な助言、調査、情報の提供及び関係者間の調整を行うこと。

二　区市町村における障害を理由とする差別に関する相談の解決を支援するため、相互の連携を図るとともに、必要な助言、調査、情報の提供及び関係者間の調整を行うこと。

三　障害を理由とする差別に係る相談の情報の収集及び分析を行うこと。

4　広域支援相談員は、前項各号に掲げる職務を公正中立に行わなければならない。

### 第三節　障害を理由とする差別に関する紛争の防止又は解決のための体制

**（あっせんの求め）**

**第九条**　障害者並びにその家族及び後見人その他障害者を現に保護する者は、第七条各項の規定に違反する取扱いを受けたと認める場合で、第八条第三項の規定により相談を行い、当該相談について広域支援相談員が対応してもなおその解決が見込めないときは、知事に対し、紛争の解決のために必要なあっせんを求めることができる（以下「あっせんの求め」という。）。

2　前項の規定にかかわらず、次の各号のいずれかに該当する場合は、あっせんを求めることができない。

一　行政庁の処分又は職員の職務の執行に関する場合であって、他の法令等に基づく不服申立て又は苦情申立て等をすることができるとき。

二　障害者の雇用の促進等に関する法律（昭和三十五年法律第百二十三号）に規定する障害者に対する差

別の禁止に該当するとき。

三　同一の事案について、過去に前項の規定によるあっせんの求めを行ったことがあるとき。

四　障害者の家族及び後見人その他障害者を現に保護する者が前項の規定によるあっせんの求めを行う場合において、当該あっせんの求めが当該障害者の意に反するとき。

**（事実の調査）**

**第十条**　知事は、前条第一項の規定によるあっせんの求めがあったときは、その職員（広域支援相談員を含む。この条において同じ。）に、当該あっせんの求めがあった事案（以下「紛争事案」という。）に係る事実を調査させるものとする。

2　紛争事案の当事者（前条第一項の規定によるあっせんの求めを行った者及び当該あっせんの求めにおいて第七条各項の規定に違反する取扱いを行ったとされた事業者をいう。以下同じ。）その他関係者（以下「関係者」という。）は、正当な理由がある場合を除き、前項の調査に協力しなければならない。

3　第一項の調査を行う職員は、その身分を示す証明書を携帯し、関係者の請求があったときは、これを提示しなければならない。第十一条第五項の規定による調査をする場合も、同様とする。

**（あっせん）**

**第十一条**　知事は、前条第一項の調査の結果に基づき、都民への影響が大きい事案であり、紛争事案の解決のために必要があると認められるときは、次項各号に該当する場合を除き、東京都障害を理由とする差別解消のための調整委員会（以下「調整委員会」という。）にあっせんを付託するものとする。

2　調整委員会は、前項の規定によるあっせんの付託があったときは、次に掲げる場合を除き、あっせんを行うものとする。

一　紛争事案について、第九条第一項の規定に基づきあっせんの求めを行った者が、自らあっせんの求めを取り下げる意思を示した場合等、あっせんの必要がないと認めるとき。

二　紛争事案について、法第十四条の規定に基づき国又は他の地方公共団体が現に紛争の防止又は解決を図っている場合等、あっせんを行うことが適当でないと認めるとき。

3　調整委員会は、紛争事案の解決のために必要があると認めるときは、当該紛争事案の当事者及び関係者に対し、必要な調査を行うことができる。

4　第十条第三項前段の規定は、前項の調査について準用する。この場合において、同条第三項中「第一項」とあるのは「第十一条第三項」と、「職員」とあるのは「調整委員会の委員」と読み替えるものとする。

5　調整委員会は、必要があると認めるときは、知事に第三項の調査の全部又は一部を行わせることができる。この場合において、知事は、第十条第一項に規定する職員に当該調査を行わせるものとする。

6　紛争事案の当事者及び関係者は、正当な理由がある場合を除き、第三項の規定による調査（前項の規定により知事がその全部又は一部を行う場合を含む。次条において同じ。）に協力しなければならない。

7　調整委員会は、紛争事案の解決のため必要なあっせん案を作成し、これを紛争事案の当事者に提示するものとする。

8　あっせんは、次のいずれかに該当したときは、終了する。

一　あっせんにより紛争事案が解決したとき。

二　あっせんによっては紛争事案の解決の見込みがないと認めるとき。

9　調整委員会は、第二項各号に該当する場合としてあっせんを行わないこととしたとき又は前項の規定によりあっせんを終了したときは、その旨を知事に報告するものとする。

**（勧告）**

**第十二条**　調整委員会は、知事に対し、次の各号のいずれかに該当する場合は、事業者に対して、障害を理由とする差別の解消に必要な措置を講ずるよう勧告を求めることができる。

一　前条第二項の規定によりあっせんを行った場合において、当該事業者が、正当な理由なく、あっせん案を受諾せず、又は受諾したあっせん案に従わず、これを放置することが障害を理由とする差別の解消の推進に著しい支障があると認められるとき。

二　当該事業者が、正当な理由なく前条第三項の調査を拒み、妨げ、又は忌避したとき。

三　前条第三項の調査に対し、当該事業者が虚偽の資料を提出し、又は虚偽の説明を行ったとき。

2　知事は、前項の規定による勧告の求めがあった場合において、必要があると認めるときは、当該事業者に対して、障害を理由とする差別の解消に必要な措置を講ずるよう勧告することができる。

**（公表）**

**第十三条**　知事は、前条第二項の規定による勧告を受けた事業者が、正当な理由なく当該勧告に従わないときは、その旨を公表することができる。

2　知事は、前項の規定による公表に当たっては、あらかじめ、当該勧告を受けた事業者に対し、公表をしようとする旨を通知し、当該事業者又はその代理人の出席を求め、意見を述べ、証拠を提示する機会を与えなければならない。

3　知事は、第一項の規定による公表に当たっては、あらかじめ、第九条第一項の規定によるあっせんの求めを行った者及び調整委員会の意見を聴くことができる。

### 第四節　調整委員会

（**調整委員会**）

**第十四条**　あっせんの求めがあった事案の解決を図るため、公正中立な調査審議及びあっせんを行う知事の附属機関として、調整委員会を置く。

2　調整委員会は、紛争事案の公正中立な調査審議及びあっせんを行うことができ、障害者の権利擁護について優れた識見を有する者のうちから、知事が任命する十五名以内の委員で組織する。

3　委員の任期は二年とし、補欠の委員の任期は、前任者の在任期間とする。ただし、再任を妨げない。

4　委員は、非常勤とする。

5　委員は、職務上知り得た秘密を漏らしてはならない。その職を退いた後も同様とする。

6　第二項から前項までに定めるもののほか、調整委員会の組織及び運営に関し必要な事項は、知事が定める。

## 第三章　共生社会実現のための基本的施策

（**情報保障の推進**）

**第十五条**　都は、障害者が円滑に情報を取得し、意思疎通ができるようになることは、障害者だけでなく都民及び事業者にとっても必要であるという認識に基づき、手話、筆談、点字、拡大文字、読み上げ、分かりやすい表現その他障害者が分かりやすく利用しやすい方法（以下「障害者に配慮した方法」という。）による情報の提供が普及するよう必要な施策を講ずるものとする。

2　都は、関係機関と連携し、意思疎通を仲介する者の養成のために必要な施策を講ずるものとする。

3　都は、障害者が都政に関する情報を速やかに得ることができるよう、可能な限り、障害者に配慮した方法によって情報の提供を行うものとする。

（**言語としての手話の普及**）

**第十六条**　都は、独自の文法を持つ手話は一つの言語であるという認識に基づき、都民及び事業者において言語としての手話の認識を広げるとともに、手話の利用が普及するよう必要な施策を講ずるものとする。

（**教育の推進**）

**第十七条**　都は、障害、障害者及び障害の社会モデルに関する正しい知識を持つための教育が行われるよう、情報の提供その他必要な施策を講ずるものとする。

（**事業者による取組の支援**）

**第十八条**　都は、事業者による共生社会の実現に向けた自主的な取組を促進するため、先進事例の収集及び公表その他の情報の提供並びに技術的助言並びに障害者と事業者との連携の促進その他必要な施策を講ずるものとする。

## 第四章　雑則

（**委任**）

**第十九条**　この条例の施行に関し必要な事項は、東京都規則で定める。

（**罰則**）

**第二十条**　第十四条第五項の規定に違反して秘密を漏らした者は、一年以下の拘禁刑又は五十万円以下の罰金に処する。

**附　則**

1　この条例は、平成三十年十月一日から施行する。

2　都は、社会環境の変化及びこの条例の規定の施行の状況その他障害を理由とする差別の解消の推進の状況を勘案し、必要があると認めるときは、この条例の規定について検討を加え、その結果に基づいて所要の措置を講ずるものとする。

**附　則**（令六・一〇　一一条例一三二）

1　この条例は、令和七年六月一日から施行する。

2　この条例の施行前にした行為に対する罰則の適用については、なお従前の例による。

# ○東京都手話言語条例

令四・六・二二
条例一一〇

手話は、物の名前や抽象的な概念等を手指の動きや表情を使って視覚的に表現する独自の文法を持つ一つの言語であって、豊かな人間性を涵養し、知的かつ心豊かな生活を送るための言語活動の文化的所産である。

障害者の権利に関する条約では、言語は音声言語及び手話その他の形態の非音声言語をいうとされ、障害者基本法でも、手話が言語に含まれることが明記されている。

一方で、我が国では、過去の一時期にろう学校で手話の使用が事実上禁止されるなど、手話の使用について様々な制約を受けてきた歴史があり、手話が言語であることに対する理解が十分であるとは言えない。

こうした認識の下、手話を必要とする様々な世代の人々が、個々の特性に応じて言語として手話を獲得し、手話で学び、手話を学び、手話を使い、手話を守ることができる環境づくりを推進する必要がある。

ろう者、難聴者、中途失聴者など手話を必要とする者の意思疎通を行う権利が尊重され、安心して生活することができる共生社会の実現を目指し、この条例を制定する。

**（目的）**

**第一条**　この条例は、手話が独自の文法を持つ一つの言語であるという認識の下、手話に対する理解の促進及び手話の普及に関する基本理念を定め、東京都（以下「都」という。）の責務並びに都民及び事業者の役割を明らかにするとともに、都の施策を総合的かつ計画的に推進するために必要な基本的事項を定め、もってろう者、難聴者、中途失聴者など手話を必要とする者（以下「手話を必要とする者」という。）の意思疎通を行う権利が尊重され、安心して生活することができる共生社会の実現に寄与することを目的とする。

**（基本理念）**

**第二条**　手話に対する理解の促進及び手話の普及は、手話が独自の文法を持つ一つの言語であるという認識の下、一人一人が相互に人格と個性を尊重し合いながら、社会を構成する一員として社会、経済、文化その他あらゆる分野の活動に参画する機会が確保される共生社会の実現を旨として行われなければならない。

**（都の責務）**

**第三条**　都は、この条例の目的を達成するため、前条の基本理念（以下「基本理念」という。）にのっとり、手話を必要とする者の意思疎通を行う権利を尊重し、特別区及び市町村（以下「区市町村」という。）その他の関係機関と連携して、手話に対する理解の促進、手話の普及その他の手話を使用しやすい環境の整備を行うものとする。

2　都は、手話を必要とする者が都政に関する情報を速やかに取得することができるよう、手話を用いた情報発信を行うものとする。

**（都民及び事業者の役割）**

**第四条**　都民及び事業者は、この条例の目的及び基本理念について理解を深めるよう努めるものとする。

**（施策の推進）**

**第五条**　都は、基本理念にのっとり、手話を使用しやすい環境を整備するために必要な施策を総合的かつ計画的に推進するものとする。

**（学習機会の確保等）**

**第六条**　都は、都民及び事業者が手話を学習する機会を確保するよう努めるものとする。

2　都は、東京都職員が手話に関する理解を深め、手話を学習することができるよう、環境の整備に努めるものとする。

**（相談支援体制の整備及び拡充）**

**第七条**　都は、区市町村その他の関係機関と連携して、乳幼児期からの切れ目ない相談支援体制の整備及び拡充に努めるものとする。

**（手話通訳者の派遣のための人材確保、養成等）**

**第八条**　都は、手話を必要とする者が手話通訳者の派遣等による意思疎通を図るための支援を受けられるよう、区市町村その他の関係機関と連携して、手話通訳者及びその指導者の確保、養成並びに手話技術及び専門性の向上に努めるものとする。

**（事業者への支援）**

**第九条**　都は、事業者が行う、手話を必要とする者が働きやすい環境を整備するための取組に対して、必要な支援を行うよう努めるものとする。

**（学校における支援）**

**第十条**　都は、手話を必要とする幼児、児童又は生徒が通う学校において、個々の特性に応じて手話を獲得し、手話を学び、手話で学ぶことができるよう、次に掲げる措置を講ずるよう努めるものとする。

一　乳幼児期から手話を獲得し、又は習得するための切れ目ない学習環境を整備すること。

二　教員その他の手話の獲得又は習得を支援する者（以下この号において「教員等」という。）に対し、手話に関する理解を深め、手話を習得し、技能を向上させるための研修を実施するなど、手話に通じた教員等の確保のために必要な支援を行うこと。

三　手話を必要とする乳幼児、児童又は生徒の保護者等（保護者、祖父母、兄弟姉妹その他の生活を共にする者をいう。）に対し、手話に関する学習の機会を提供するとともに、教育に関する相談を受けるための環境を整備すること。

**（医療等サービスにおける環境整備）**

**第十一条**　都は、医療、介護、保健又は福祉に係るサービスを提供する者が行う、手話を必要とする者がサービスを利用しやすい環境を整備するための取組に対して、必要な施策を講ずるよう努めるものとする。

**（手話の普及啓発）**

**第十二条**　都は、手話に対する理解の促進及び手話の普及のための啓発活動を行うよう努めるものとする。

**（手話に関する調査研究等）**

**第十三条**　都は、手話の発展に資するため、大学等と連携して、調査研究の推進及びその成果の普及を支援するよう努めるものとする。

**（災害時における措置）**

**第十四条**　都は、災害その他の非常事態において、手話を必要とする者が必要な情報を迅速かつ的確に取得し、円滑に意思疎通を図ることができるよう、区市町村その他の関係機関と連携して、必要な措置を講ずるよう努めるものとする。

**（財政上の措置）**

**第十五条**　都は、手話に関する施策を推進するため、必要な財政上の措置を講ずるよう努めるものとする。

附　則

**（施行期日）**

1　この条例は、令和四年九月一日から施行する。

**（検討）**

2　この条例の施行後三年を経過した場合において、この条例の施行の状況及び手話を取り巻く状況等について検討し、時代の要請に適合するものとするために、必要な措置を講ずるものとする。

3　前項の検討を行うに当たっては、手話を必要とする者その他の関係者の意見を反映させるため、これらの者の意見を聴く機会を設けるものとする。

# ○東京都重度心身障害者手当条例

昭四八・六・一一
条　例　六　八

最終改正　平三〇・一二・二七条例一一四

**（目的）**

**第一条**　この条例は、心身に重度の障害を有するため、常時、複雑な介護を必要とする者に対し、重度心身障害者手当を支給することにより、これらの者の福祉の増進を図ることを目的とする。

**（支給要件）**

**第二条**　重度心身障害者手当（以下「手当」という。）は、東京都の区域内に住所を有する者であつて、心身に、別表に定める程度の重度の障害を有するもの（以下「重度心身障害者」という。）のうち、次の各号のいずれかに該当するものに支給する。

一　六十五歳未満の者

二　六十五歳以上の者であつて、六十五歳に達する日の前日までに第五条に規定する判定を受け、重度心身障害者であると認定されたことのあるもの（東京都規則（以下「規則」という。）に定める者を含む。）

2　前項の規定にかかわらず、次の各号のいずれかに該当する重度心身障害者には、手当は、支給しない。

一　規則に定める施設に入所している者

二　病院又は診療所（前号に規定する施設を除く。）に継続して三月を超えて入院している者

3　前項に定めるもののほか、次の各号に掲げる重度心

身障害者の区分に応じ、当該各号に定める者の前年の所得（一月から十月までの月分の手当については、前前年の所得とする。）が所得税法（昭和四十年法律第三十三号）に規定する同一生計配偶者及び扶養親族の有無及び数に応じて、規則で定める額を超えるときは、手当は、支給しない。

一　二十歳以上の重度心身障害者　当該重度心身障害者

二　二十歳未満の重度心身障害者　当該重度心身障害者の配偶者又は民法（明治二十九年法律第八十九号）第八百七十七条第一項に定める扶養義務者で主として当該重度心身障害者の生計を維持するもの

（手当の額）

**第三条**　手当は、月を単位として支給するものとし、その額は、一月につき、六万円とする。

（受給資格の認定）

**第四条**　手当の支給を受けようとする者は、知事に申請し、受給資格の認定を受けなければならない。

（判定）

**第五条**　前条の認定を受けようとする者は、規則の定めるところにより、別表に定める程度の重度の障害の状態にあるか否かについて、東京都心身障害者福祉センター条例（昭和四十三年東京都条例第十七号）により設置された東京都心身障害者福祉センターの長の判定（以下「判定」という。）を受けなければならない。

2　知事は、必要があると認めたときは、前条の認定を受け受給資格を得た者（以下「受給者」という。）に対し、その者が、現に、別表に定める程度の重度の障害の状態にあるか否かについて判定を受けさせることができる。

（支給期間等）

**第六条**　手当は、第四条の規定による認定の申請をした日の属する月から手当を支給すべき事由の消滅した日の属する月まで支給する。

2　手当の支給を受けようとする者が災害その他やむを得ない理由により第四条の規定による認定の申請をすることができなかつた場合において、当該理由がやんだ後十五日以内にその申請をしたときは、前項の規定にかかわらず、手当は、当該理由により認定の申請をすることができなくなつた日の属する月に認定の申請があつたものとみなし、その月から支給する。

3　手当は、月ごとに、前月分を支給する。ただし、第四条の規定による認定の申請のあつた日の属する月から、当該申請にかかる認定をした日の属する月までの分の手当は、当該認定をした日の属する月の翌月に支給する。

（受給資格の消滅）

**第七条**　受給資格は、受給者が次の各号のいずれかに該当するときは、消滅する。

一　死亡したとき。

二　第二条に規定する支給要件を備えなくなつたとき。

三　手当の支給を辞退したとき。

（手当の返還）

**第八条**　偽りその他不正の手段により手当の支給を受けた者があるときは、知事は、当該手当をその者から返還させることができる。

（届出）

**第九条**　受給者は、次の各号のいずれかに該当するときは、すみやかにその旨を知事に届け出なければならない。

一　住所を変更したとき。

二　第七条第二号及び第三号に該当するとき。

三　前各号のほか規則で定める事項に該当するとき。

（状況調査）

**第十条**　知事は、必要があると認めたときは、受給者又は同居の親族に対し、規則の定めるところにより、報告を求め、又は生活状況等について調査を行なうことができる。

（申請等の代行）

**第十一条**　第四条に規定する申請及び第九条に規定する届出は、当該行為を行なおうとする者に代つて、その者の父若しくは母又は父母がないか若しくは父母が介護しない場合においては、その者を介護している者が代つて行なうことができるものとする。手当の受領に関する行為についても、また同様とする。

（委任）

**第十二条**　この条例の施行について必要な事項は、規則で定める。

附　則

1　この条例は、昭和四十八年十月一日から施行する。ただし、附則第二項及び第三項の規定は、昭和四十八年八月一日から施行する。

2　昭和四十八年十月一日において手当の支給要件に該当すべき者は、同日前においても、同日にその要件に該当することを条件として、当該手当について第四条の認定の申請（第十一条の規定により代つて行なう申請を含む。）をすることができる。

3　前項に定める申請をした者は、第五条第一項に規定する判定を受けなければならない。

4　附則第二項の規定により認定の申請をした者が、この条例施行の際手当の支給要件に該当しているときは、第六条の規定の適用については、この条例施行の日において認定の申請があつたものとみなす。

5 この条例施行の際現に手当の支給要件に該当している者又はこの条例施行の後昭和四十九年三月二十八日までの間に手当の支給要件に該当するに至つた者が、同年三月三十一日までに第四条の認定の申請をしたときは、第六条の規定の適用については、手当の支給要件に該当するに至つた日（その日がこの条例施行の日より前であるときは、この条例施行の日）において認定の申請があつたものとみなす。

**附 則**（平一二・三・三一条例一一〇）

1 この条例は、平成十二年八月一日（以下「施行日」という。）から施行する。

2 この条例による改正前の東京都重度心身障害者手当条例（以下「改正前の条例」という。）により施行日の前日の属する月の分の重度心身障害者手当（以下「手当」という。）の支給を受けた者（以下「改正前の受給者」という。）については、この条例による改正後の東京都重度心身障害者手当条例（以下「改正後の条例」という。）第二条第一項の規定は適用せず、改正前の条例第二条第一項の規定はなお効力を有する。

3 改正前の受給者については、平成十二年八月から同年十月までの月分の手当に係る所得（改正後の条例第二条第三項の所得をいう。次項において同じ。）の額は、改正後の条例第二条第三項に規定する規則で定める額（以下「所得制限額」という。）を超えていないものとみなす。

4 改正前の受給者のうち、平成十二年十一月から平成十五年三月までの月分の手当に係る所得が所得制限額を超えるものについては、改正後の条例第二条第三項の規定にかかわらず、手当を支給するものとする。この場合において、次の表の上欄に掲げる月分の手当について、改正後の条例第三条中「六万円」とあるのは、それぞれ同表の下欄に掲げる額とする。

| 上欄 | 下欄 |
|---|---|
| 平成十三年四月分から平成十四年三月分まで | 四万円 |
| 平成十四年四月分から平成十五年三月分まで | 二万円 |

5 改正前の受給者のうち、平成十二年八月末日までに、病院又は診療所（改正後の条例第二条第二項第一号に規定する施設を除く。）に継続して三月を超えて入院することとなつたものについては、改正後の条例第二条第二項第二号の規定にかかわらず、同年九月までの月分の手当を支給する。

**附 則**（平三〇・一二・二七条例一一四）

1 この条例は、公布の日から施行する。

2 この条例による改正後の東京都重度心身障害者手当条例第二条第三項の規定は、平成三十一年十一月以後の月分の重度心身障害者手当（以下「手当」という。）の支給について適用し、同年十月以前の月分の手当の支給については、なお従前の例による。

**別表**〔略〕

## ○東京都心身障害者福祉手当に関する条例

昭四九・六・一七
条例六一

最終改正 平三〇・一二・二七条例一一五

**（目的）**

**第一条** この条例は、東京都と東京都の区域内に存する市町村（以下「市町村」という。）が一体となつて、心身障害者福祉手当支給制度の実現を図ることにより、心身障害者の福祉の増進に資することを目的とする。

**（東京都の措置）**

**第二条** 前条の目的を達成するため、東京都は、市町村が条例を制定して行う心身障害者福祉手当（以下「手当」という。）の支給に要する経費を負担する。

**（負担額）**

**第三条** 前条の規定により東京都が負担する経費の額は、市町村が別表に定める支給要件に従つて支給した場合における当該手当の総額に相当する額とする。

**（経費交付の条件）**

**第四条** 知事は、前二条の規定に基づき経費を交付する際に、手当の支給の実施について必要な範囲内において条件を付けることができるものとする。

**（報告及び調査）**

**第五条** 知事は、必要があると認めるときは、市町村の長に対して手当の支給に関して報告を求め、又は実地に調査することができる。

**（委任）**

**第六条**　この条例に定めるもののほか、この条例の施行について必要な事項は、東京都規則で定める。

**附　則**

1　この条例は、昭和四十九年十月一日から施行する。

2　昭和五十年二月二十八日以前において別表支給対象の欄に掲げる要件に該当していた者（以下「受給該当者」という。）が同日までに区市町村の条例の定めるところにより受給資格の認定（以下「認定」という。）の申請をしたときは、別表支給期間及び支払期月の欄については、受給該当者となつた日（この条例施行の日に受給該当者であつたものにあつてはこの条例施行の日）において認定の申請があつたものとみなす。

**附　則**（平三〇・一二・二七条例一一五）

1　この条例は、公布の日から施行する。

2　この条例による改正後の東京都心身障害者福祉手当に関する条例別表の規定は、平成三十一年八月以後の月分の心身障害者福祉手当（以下「手当」という。）の支給について適用し、同年七月以前の月分の手当の支給については、なお従前の例による。

別表（第三条関係）

| 支給対象 | 支給額 | 支給期間及び支払期月 | 支給制限 |
|---|---|---|---|
| 二十歳以上の者であつて、次の各号のいずれかに該当するもの（以下「障害者」という。）に支給する。ただし、障害者となつた年齢が六十五歳以上の者及び障害者となつた年齢が六十五歳未満の者で六十五歳に達する日の前日までに認定の申請を行わなかつたもの（東京都規則で定める事由により申請を行わなかつた者を除く。）には、支給しない。<br>一　知的障害者であつて、精神発育の遅滞の程度が中度以上であるもの<br>二　身体障害者であつて、身体の障害の程度が、身体障害者福祉法施行規則（昭和二十五年厚生省令第十五号）別表第五に定める身体障害者障害程度等級表のうち、二級以上であるもの<br>三　脳性麻痺又は進行性筋萎縮症を有する者 | 月額<br>一五、五〇〇円 | 一　手当は、認定の申請をした日の属する月から支給対象に該当しなくなつた日の属する月まで（他の市町村において当該他の市町村がこの条例による手当を、又は特別区において当該特別区がこれと同種の手当を支給した場合にあつては、その支給した月を除く。）支給する。<br>二　手当は、毎年、四月、八月及び十二月の三期に、それぞれの前月までの分を支払う。 | 支給対象の欄に掲げる者が、次の各号のいずれかに該当するときは、支給しない。<br>一　前年の所得（一月から七月までの月分の手当については、前前年の所得とする。）が、所得税法（昭和四十年法律第三十三号）に規定する同一生計配偶者及び扶養親族の有無及び数に応じて、東京都規則で定める額を超えるとき。<br>二　その者の東京都児童育成手当に関する条例（昭和四十四年東京都条例第百九号）別表支給対象の欄に定める保護者が、その者に係る同条例に基づく障害手当を受給しているとき。<br>三　東京都規則で定める施設に入所しているとき。 |

# ○心身障害者の医療費の助成に関する条例

昭四九・三・三〇
条例二〇

最終改正　平三〇・三・三〇条例二三

（目的）

**第一条**　この条例は、心身障害者に対し、医療費の一部を助成し、もつて心身障害者の保健の向上に寄与するとともに、心身障害者の福祉の増進を図ることを目的とする。

（対象者）

**第二条**　この条例による医療費の助成（以下「医療費の助成」という。）を受けることができる者（以下「対象者」という。）は、東京都の区域内に住所を有し（東京都規則で定める施設に入所する者にあつては、東京都規則で定めるところによる。）、別表に定める程度の障害を有する者（以下「重度障害者」という。）であつて、次の各号のいずれかに該当するものとする。ただし、重度障害者になつた年齢が六十五歳以上である者及び重度障害者になつた年齢が六十五歳未満である者で六十五歳に達する日の前日までに第四条に規定する申請を行わなかつたもの（東京都規則で定める事由により申請を行わなかつた者を除く。）は、対象者としない。

一　その者の疾病又は負傷について国民健康保険法（昭和三十三年法律第百九十二号）その他東京都規則で定める法令の規定により医療に関する給付が行われる者

二　前号に掲げる者に準ずる者であつて東京都規則で定めるもの

2　前項の規定にかかわらず、次の各号のいずれかに該当する者は、それぞれ当該各号に定める期間は、対象者としない。

一　所得（二十歳未満の者の場合にあつては、その者に係る国民健康保険法による世帯主又は組合員その他東京都規則で定める者（以下「世帯主等」という。）があるときは当該世帯主等の所得とし、その者に係る世帯主等がない場合（その者が世帯主等である場合を除く。）において主としてその者の生計を維持する扶養義務者（民法（明治二十九年法律第八十九号）に定める扶養義務者をいう。以下同じ。）があるときは当該扶養義務者の所得とする。）が、所得税法（昭和四十年法律第三十三号）に規定する同一生計配偶者及び扶養親族の有無及び数に応じて、東京都規則で定める額を超える者　当該所得のあつた年の翌年の九月一日から一年間

二　生活保護法（昭和二十五年法律第百四十四号）による保護を受けている者　保護を受けている間

三　中国残留邦人等の円滑な帰国の促進並びに永住帰国した中国残留邦人等及び特定配偶者の自立の支援に関する法律（平成六年法律第三十号）による支援給付を受けている者　支援給付を受けている間

四　東京都規則で定める施設に入所している者　入所している間

五　高齢者の医療の確保に関する法律（昭和五十七年法律第八十号）の規定による医療を受けることができる者（東京都規則で定める者を除く。）　当該医療を受けることができる間

六　他の地方公共団体（東京都内に存するものを除く。）の条例等の規定により次条の規定による助成に相当する給付を受ける者　給付を受けている間

3　前項第一号に規定する所得の範囲及びその額の計算方法は、東京都規則で定める。

（助成の範囲）

**第三条**　東京都は、対象者の疾病又は負傷について国民健康保険法その他の法令の規定により医療に関する給付が行われた場合における医療費（健康保険の療養に要する費用の額の算定方法によつて算定された額（当該法令の規定に基づきこれと異なる算定方法によることとされている場合においては、その算定方法によつて算定された額）を超える額を除く。以下同じ。）のうち、当該法令の規定によつて対象者又は対象者に係る国民健康保険法による世帯主若しくは健康保険法（大正十一年法律第七十号）による被保険者その他これに準ずる者が負担すべき額（以下「対象者等負担額」という。）から、高齢者の医療の確保に関する法律第六十七条第一項の規定の例により算定した一部負担金に相当する額その他の同法に規定する後期高齢者医療の被保険者が同法の規定により負担すべき額（食事療養標準負担額又は生活療養標準負担額を除く。）に相当する額（同法第五十六条第二号に規定する高額療養費を支給される場合に相当する場合にあつては、東京都規則で定める額）及び国民健康保険法その他の法令の規定により負担すべき食事療養標準負担額又は生活療養標準負担額の合計額（以下「一部負担金等相当額」という。）を控除した額を助成する。この場合において、一部負担金等相当額の算定に当たつては、高齢者の医療の確保に関する法律第六十七条第一項各号に掲げる場合の区分に応じ当該各号に定める割合にかかわらず、同項第一号に定める割合を乗じるものと

する。

2　前項の規定にかかわらず、東京都規則で定める者については、国民健康保険法その他の法令の規定により医療に関する給付が行われた場合における医療費のうち、対象者等負担額（食事療養標準負担額又は生活療養標準負担額を除く。）を助成する。

（**受給者証**）

**第四条**　医療費の助成を受けようとする対象者は、東京都規則で定めるところにより知事に申請し、当該助成を受ける資格を証する受給者証の交付を受けなければならない。

（**助成の方法**）

**第五条**　医療費の助成は、知事が開設者又は本人の同意を得た病院、診療所若しくは薬局又はその他の者（以下「病院等」という。）に、対象者が、受給者証を提示して、診療、薬剤の支給又は手当を受けた場合に、助成する額を当該病院等に支払うことによつて行うものとする。

2　前項の規定にかかわらず、知事が特別の理由があると認めるときは、対象者に支払うことにより医療費の助成を行うことができる。

（**一部負担金等相当額等の支払方法**）

**第五条の二**　前条第一項に規定する方法により医療費の助成を受ける対象者は、第三条第一項に規定する一部負担金等相当額を、高齢者の医療の確保に関する法律第六十七条及び厚生労働省令の規定の例により病院等に支払うものとする。

2　前項の規定にかかわらず、前条第一項に規定する方法により医療費の助成を受ける第三条第二項に規定する東京都規則で定める者は、同項の食事療養標準負担額又は生活療養標準負担額を、厚生労働省令の規定の例により病院又は診療所に支払うものとする。

（**届出義務**）

**第六条**　対象者（第四条の規定による申請を行つた者に限る。次項において同じ。）は、氏名又は住所を変更したときは、東京都規則で定めるところにより、その旨を速やかに知事に届け出なければならない。

2　対象者は、毎年八月三十一日までに、東京都規則で定めるところにより、前年の所得の状況を知事に届け出なければならない。

3　対象者は、医療費の助成事由が第三者の行為によつて生じた場合において当該助成事由に係る医療費の助成を受けたときは、その事実、当該第三者の氏名及び住所又は居所（氏名又は住所若しくは居所が明らかでないときは、その旨）並びに被害の状況を、東京都規則で定めるところにより、遅滞なく知事に届け出なければならない。ただし、同一の事由について、対象者が既に届け出ている場合は、この限りでない。

（**譲渡又は担保の禁止**）

**第七条**　医療費の助成を受ける権利は、譲渡し、又は担保に供してはならない。

（**損害賠償の請求権の譲渡**）

**第七条の二**　対象者は、医療費の助成事由が第三者の行為によつて生じた場合において当該助成事由に係る医療費の助成を受けたときは、東京都規則で定めるところにより、その助成の額の限度において、対象者が当該助成事由に係る第三者に対して有する損害賠償の請求権を東京都に譲渡するものとする。

2　対象者は、前項の規定により第三者に対して有する損害賠償の請求権を譲渡した場合は、東京都規則で定めるところにより、当該第三者にその旨を遅滞なく通知しなければならない。

（**助成費の返還等**）

**第八条**　知事は、医療費の助成を受けた者が次の各号のいずれかに該当するときは、その者から当該助成を受けた額の全部又は一部（第二号から第四号までの各号のいずれかに該当する場合にあつては、第三者の行為によつて生じた疾病又は負傷に係る医療費の助成の額を限度とする。）を返還させることができる。

一　偽りその他不正の行為によつて、医療費の助成を受けたとき。

二　第六条第三項の規定に違反して、同項の規定による届出を行わなかつたとき。

三　前条第一項の規定に違反して、損害賠償の請求権を譲渡しなかつたとき。

四　前条第二項の規定に違反して、損害賠償の請求権を譲渡した旨の通知を行わなかつたとき。

2　医療費の助成事由が第三者の行為によつて生じた場合において、対象者が第三者から同一の事由について損害賠償を受けたときは、知事は、その額の限度において、医療費の助成を行わず、又は助成した医療費を返還させることができる。

（**申請等の代行**）

**第九条**　第四条に規定する申請及び第六条に規定する届出は、対象者に代つて、世帯主等が行うことができるものとする。医療費の支払を受けることに関する行為についても、また同様とする。

（**委任**）

**第十条**　この条例に定めるもののほか、この条例の施行について必要な事項は、東京都規則で定める。

**附　則**

この条例は、東京都規則で定める日〔昭四九・七・一〕から施行する。

**附　則**（平三〇・三・三〇条例二三）

1　この条例は、平成三十一年一月一日（以下「施行日」という。）から施行する。ただし、第二条第二項第一号の改正規定は、公布の日から施行する。

2　この条例による改正後の心身障害者の医療費の助成に関する条例（以下「改正後の条例」という。）第二条第二項第一号の規定は、平成三十一年九月一日以後に行われる療養に係る医療費の助成を受けようとする者について適用し、同日前に行われた療養に係る医療費の助成を受けようとする者については、なお従前の例による。

3　改正後の条例別表の規定は、施行日以後における療養に係る医療費の助成について適用する。

4　施行日において年齢が六十五歳未満である者（平成三十一年六月三十日までに六十五歳に達する者に限る。）であって、施行日の前日において改正後の条例第二条第一項に規定する別表に定める程度の障害を有する者（障害者の区分が精神障害者である者に限る。以下「施行日前特定精神障害者」という。）であるものに対する同項ただし書の規定の適用については、同項ただし書中「六十五歳に達する日の前日」とあるのは、「平成三十一年六月三十日」とする。

5　改正後の条例第二条第一項ただし書の規定にかかわらず、施行日において年齢が六十五歳以上の者であって、施行日前特定精神障害者であるものは、同項に規定する対象者とする。ただし、平成三十一年六月三十日までに改正後の条例第四条に規定する申請を行わなかった者（東京都規則で定める事由により申請を行わなかった者を除く。）は、この限りでない。

**別表**（第二条関係）

| 障害者の区分 | 障害の程度 |
| --- | --- |
| 知的障害者 | 精神発育の遅滞の程度が重度以上のもの |
| 身体障害者 | 身体障害者福祉法施行規則（昭和二十五年厚生省令第十五号）の別表第五号に定める身体障害者障害程度等級表のうち、二級（心臓、じん臓、呼吸器、ぼうこう若しくは直腸、小腸、ヒト免疫不全ウイルスによる免疫又は肝臓の機能の障害にあつては三級）以上の障害のあるもの |
| 精神障害者 | 精神保健及び精神障害者福祉に関する法律施行令（昭和二十五年政令第百五十五号）第六条第三項に定める障害等級のうち、一級のもの |

# ○東京都こども基本条例

令三・三・三一
条例五一

こどもは、大いなる可能性を秘めたかけがえのない存在である。

社会の宝であるこどもは、また社会の一員でもあり、あらゆる場面において権利の主体として尊重される必要がある。

こどもの権利条約（児童の権利に関する条約をいう。以下同じ。）では、こどもに対するあらゆる差別の禁止、こどもの最善の利益の確保、生命・生存・発達への権利及びこどもの意見の尊重を一般原則としている。

全てのこどもが誰一人取り残されることなく、将来への希望を持って、伸び伸びと健やかに育っていく環境を整備していかなければならない。

「こどもを大切にする」視点から、こどもの権利条約の精神にのっとり、こどもの目線に立った政策を推進していくことは、様々な人が共に暮らす、多様性に富んだ国際都市東京の使命である。

また、新型コロナウイルス感染症は人々の生活に大きな変化をもたらし、とりわけこどもへの影響は顕著である。いかなる状況下においても、こどもの幸福を追求していくことが何より重要であり、東京都がなすべき責務を明らかにしなければならない。

こうした認識の下、こどもの笑顔があふれる社会の実現に向けた基本理念及び東京都が取り組むべき施策の基本となる事項を定め、こどもの健やかな成長に寄与することを目指し、この条例を制定する。

（目的）

**第一条**　この条例は、こどもの笑顔があふれる社会の実現に向けた基本理念及び東京都（以下「都」という。）が取り組むべき施策の基本となる事項を定めることにより、こどもの健やかな成長に寄与することを目的とする。

（定義）

**第二条**　この条例において「こども」とは、十八歳に満たない者をいう。なお、こどもに関する施策の実施に当たっては、次条の基本理念の実現を図る観点から、必要に応じて施策の対象とする範囲を定めるものとする。

（基本理念）

**第三条**　こどもは大いなる可能性を秘めたかけがえのない存在であるとの認識の下、こどもの権利条約の精神にのっとり、こどもを権利の主体として尊重し、こどもの最善の利益を最優先とすることで、全てのこどもが、今と将来への希望を持って伸び伸びと健やかに育っていけるよう、社会全体でこどもを育む環境を整備していかなければならない。

（こどもの権利）

**第四条**　都は、こどもの権利条約を踏まえ、こどもの生きる権利、育つ権利、守られる権利及び参加する権利をはじめとした、こどもの権利を尊重し、擁護するための施策を推進するものとする。

（こどもにやさしい東京の実現）

**第五条**　都は、社会全体でこどもを育み、こどもにやさしい東京を実現するため、こどもの目線に立った施策を率先して推進するものとする。

（こどもの安全安心の確保）

**第六条**　都は、こどもを犯罪、事故その他の危害から守るため、こどもの安全と安心の確保に必要な施策を推進するものとする。

（こどもの遊び場、居場所づくり）

**第七条**　都は、こどもが伸び伸びと健やかに育つことができるよう、特別区及び市町村（以下「区市町村」という。）と連携して、こどもが過ごしやすい遊び場や居場所づくりなど、環境の整備を図るものとする。

（こどもの学び、成長への支援）

**第八条**　都は、こどもの学ぶ意欲や学ぶ権利を尊重し、こどもの可能性を最大限に伸ばすことができるよう、一人一人の個性に着目し、自立性や主体性を育むために必要な環境の整備を図るとともに、こどもに寄り添ったきめ細かな支援に取り組むものとする。

（子育て家庭、こどもに寄り添った多面的支援）

**第九条**　都は、様々な不安や悩みに直面する子育て家庭を支援するため、特別な支援や配慮を要するこども及び社会的養育を必要とするこどもへの施策をはじめ、多様な子育てと働き方のための環境の整備、専門的な相談、情報提供その他の状況に応じた適切な取組等、多面的な支援に努めるものとする。

（こどもの意見表明と施策への反映）

**第十条**　都は、こどもを権利の主体として尊重し、こどもが社会の一員として意見を表明することができ、かつ、その意見が施策に適切に反映されるよう、環境の整備を図るものとする。

（こどもの参加の促進）

**第十一条**　都は、こどもが社会の一員として尊重され、年齢及び一人一人の発達段階に応じ、学校や地域社会等に参加することができるよう、必要な環境の整備を図るものとする。

（こどもの権利の広報・啓発）

**第十二条**　都は、こどもの権利及び利益の尊重に関する広報その他の啓発を推進するものとする。

（こどもからの相談への対応）

**第十三条**　都は、こどもの不安や悩みを解消できるよう、こどもからの相談に対応する体制の充実並びに家庭、学校、地域社会及び関係機関等との連携強化に努めるものとする。

（こどもの権利擁護）

**第十四条**　都は、こどもの健やかな成長を支援するため、権利侵害その他の不利益を受けた場合等において、専門的知見に基づいて適切かつ迅速にこどもの救済を図ることができるよう、国、区市町村その他の関係機関と連携し、社会状況の変化に応じ、こどもの権利及び利益を擁護するための体制の充実その他の必要な措置を講ずるものとする。

（こどもに関する計画の策定）

**第十五条**　都は、こどもに関する計画を策定するに当たっては、第三条の基本理念にのっとるものとする。

（こども施策を総合的に推進する体制の整備）

**第十六条**　都は、こどもに関する施策を総合的に推進するため、必要な体制を整備するものとする。

（財政上の措置）

**第十七条**　都は、こどもに関する施策を総合的に推進するため、必要な財政上の措置を講ずるよう努めるものとする。

附　則

（施行期日）

1　この条例は、令和三年四月一日から施行する。

（検討）

2　この条例の施行後三年を経過した場合において、この条例の施行の状況及びこどもを取り巻く状況等について検討し、時代の要請に適合するものとするために必要な措置を講ずるものとする。
3　前項の検討を行うに当たっては、こどもの意見を反映させるため、こどもの意見を聴く機会を設けるものとする。

# ○東京都子供への虐待の防止等に関する条例

平三一・三・二九
条例五〇

子供は、大いなる可能性を秘めたかけがえのない存在であり、あらゆる場面において権利の主体として尊重される必要がある。

子供への虐待は、子供の心に深い傷を残し、否応なくその輝きを奪い、時に、将来の可能性をも奪うものであり、何人も子供への虐待を行ってはならないことは、論をまたない。

しかしながら、核家族化、地域社会の人間関係の希薄化などを背景に、家庭や地域社会における養育力が低下することにより、保護者が子育てに困難を抱え、その結果虐待行為に至ることがある事実も受け止めなければならない。

そのため、都、区市町村及び関係機関等は、一層連携しながら子供と家庭を支援し、子供が家庭で健やかに成長できる環境づくりを進める不断の努力が求められている。

こうした認識の下、社会全体で虐待の防止に関する理解を深め、その防止に関する取組を推進し、虐待から子供を断固として守ることを目指し、この条例を制定する。

## 第一章　総則

（目的）

**第一条**　この条例は、子供を虐待から守ることに関し基本理念を定め、東京都（以下「都」という。）、都民、保護者及び関係機関等の責務を明らかにするとともに、児童虐待の防止等に関する法律（平成十二年法律第八十二号。以下「法」という。）第四条第一項から第五項までに規定する地方公共団体の責務を踏まえ、子供を虐待から守ることに関する施策の基本となる事項を定めることにより、子供を虐待から守る環境整備を進め、子供の権利利益の擁護と健やかな成長に寄与することを目的とする。

（定義）

**第二条**　この条例において、次の各号に掲げる用語の意義は、それぞれ当該各号に定めるところによる。

一　子供　十八歳に満たない者をいう。

二　保護者　親権を行う者、未成年後見人その他の者で、子供を現に監護するものをいう。

三　虐待　法第二条に規定する児童虐待をいう。

四　関係機関等　学校、児童福祉施設、病院、保健機関その他子供の福祉に業務上関係のある団体及び学校の教職員、児童福祉施設の職員、医師、歯科医師、保健師、助産師、看護師、弁護士その他子供の福祉に職務上関係のある者をいう。

五　子供家庭支援センター　子供と家庭に関する総合相談、子供家庭在宅サービス等の提供・調整、地域組織化等の事業を行う特別区及び市町村（以下「区市町村」という。）が設置する機関をいう。

六　事業者　都の区域内（以下「都内」という。）で事業を行う法人その他の団体若しくは事業を行う場合における個人又は都内の建物の所有者及び管理者であって、第四号に規定する関係機関等以外のものをいう。

七　子供の品位を傷つける罰　保護者が、しつけに際し、子供に対して行う、肉体的苦痛又は精神的苦痛を与える行為（当該子供が苦痛を感じていない場合を含む。）であって、子供の利益に反するものをいう。

2　前項に掲げるもののほか、この条例で使用する用語の意義は、児童福祉法（昭和二十二年法律第百六十四号）で使用する用語の例による。

（**基本理念**）

**第三条**　虐待は、子供への重大な権利侵害であり、心身の健やかな成長を阻害するものであるとの認識の下、社会全体でその防止が図られなければならない。

2　虐待の防止に当たっては、子供の年齢及び発達の程度に応じて、その意見を尊重するとともに、子供の安全及び安心の確保並びに最善の利益が最優先されなければならない。

（**都の責務**）

**第四条**　都は、法第四条第一項から第五項までの規定及び前条の基本理念にのっとり、虐待の防止に必要な体制整備その他必要な施策を行うものとする。

2　都は、虐待の防止に関し区市町村（子供家庭支援センターを含む。第七条第二項及び第十三条第二項において同じ。）及び関係機関等と連携するとともに、区市町村が実施する虐待の防止に関する施策への支援を行うものとする。

3　都は、法第四条第四項の規定に基づき虐待の防止、虐待を受けた子供の成長及び自立に対する理解並びに体罰等によらない子育ての推進に資する広報その他の啓発活動を行うものとする。

（**都民等の責務**）

**第五条**　都民及び事業者（以下「都民等」という。）は、子供を虐待から守ることに関する理解を深めるよう努めなければならない。

2　都民等は、法第八条第一項及び第二項の規定により区市町村長又は都の児童相談所若しくは都の福祉事務所（以下「児童相談所等」という。）の長が行う子供の安全の確認を行うための措置（以下「子供の安全確認措置」という。）に協力するよう努めなければならない。

3　都民等は、虐待を受けた子供（社会的養護の下で育った子供を含む。第十四条第二項において同じ。）が、地域社会において等しく愛護され、円滑に社会的自立ができるよう、虐待等に関する理解を深め、当該子供（当該子供が十八歳以上になった場合を含む。）に対して配慮するよう努めなければならない。

（**保護者等の責務**）

**第六条**　保護者は、子供の養育に係る第一義的な責任を負っていることを踏まえ、虐待が子供に与える重大な影響を認識し、子供の健全な成長を図らなければならない。

2　保護者は、体罰その他の子供の品位を傷つける罰を与えてはならない。

3　妊娠した者及び乳児又は幼児の保護者は、母子保健法（昭和四十年法律第百四十一号）第四条の規定を踏まえ、同法第十二条及び第十三条の規定に基づき区市町村が行う妊産婦又は乳児若しくは幼児に対する健康診査の受診勧奨に応じるよう努めなければならない。

4　保護者及びその同居人は、法第八条第一項及び第二項の規定により区市町村長又は児童相談所等の長が行う子供の安全確認措置に協力しなければならない。

5　保護者は、第十三条第二項の規定に基づく都の児童相談所による指導又は支援を受けた場合は、当該指導又は支援に従って必要な改善等を行わなければならない。

（**関係機関等の責務等**）

**第七条**　関係機関等は、虐待を発見しやすい立場にあることを自覚し、虐待の早期発見に努めなければならない。

2　関係機関等は、都、区市町村及び他の民間団体と連携し、虐待の防止に関する施策の推進に積極的に協力するよう努めなければならない。

3　関係機関等は、法第八条第一項及び第二項の規定により区市町村長又は児童相談所等の長が行う子供の安全確認措置に協力するよう努めなければならない。

## 第二章　虐待の未然防止

（**虐待の未然防止**）

**第八条**　都は、虐待を未然に防止するため、妊娠、出産及び子育てについて相談しやすい環境の整備その他の区市町村が実施する切れ目ない母子保健及び子育て支援に関する施策（障害児支援に関する施策を含む。）について、必要な支援を行うものとする。

2　都は、学校、学校の授業の終了後又は休業日における子供の活動場所等において、子供に対し、自身が守られるべき存在であることを認識するための啓発活動及び権利侵害に関する相談先等の情報提供を行うものとする。

3　都は、若年者に対し、予期しない妊娠に至らないための啓発活動及び妊娠、出産等に関する相談先等の情報提供を行うものとする。

4　都は、医療機関及び区市町村と連携し、予期しない妊娠をした者又は医療機関を受診していない妊婦に対し、必要な支援及び医療を受ける機会を確保させるための啓発活動及び情報提供を行うものとする。

## 第三章　虐待の早期発見及び早期対応

（通告しやすい環境づくり）

**第九条**　虐待を受けたと思われる子供を発見した者は、法第六条第一項の規定に基づき、速やかに、子供家庭支援センターその他の区市町村の通告受理機関又は児童相談所等に通告しなければならない。

2　都は、都民等及び関係機関等に対し、子供を守ること及び家庭への支援の契機である虐待通告を法第六条第一項の規定に基づき行わなければならないことを周知するとともに、虐待を受けたと思われる子供を発見した者が通告しやすい、又は虐待を受けた子供が自ら相談しやすい環境及び体制を整備するものとする。

3　児童相談所等の職員は、法第六条第一項の通告を受けた場合において、法第七条の規定に基づき、その職務上知り得た事項であって当該通告をした者を特定させるものを漏らしてはならない。

（子供の安全確認措置等）

**第十条**　児童相談所等の長は、次に掲げる場合は、法第八条第一項及び第二項の規定に基づき、速やかに子供の安全確認措置を講じなければならない。

一　法第六条第一項に規定する通告を受けた場合

二　子供本人、家族、親族等から虐待に係る相談があった場合

三　児童相談所等の長が虐待が発生しているおそれがあると自ら判断した場合

四　他の児童相談所から虐待に係る事案の移管を受けた場合又は区市町村からの送致を受けた場合若しくは都の福祉事務所からの送致を受けた場合

2　都の児童相談所長は、法第八条第二項第一号の規定による一時保護、法第八条の二第一項の規定による出頭要求、法第九条第一項の規定による立入りによる調査又は質問並びに法第九条の三第一項の規定による臨検又は捜索及び同条第二項の規定による調査又は質問（以下「臨検等」という。）について権限を行使する必要がある場合は、関係機関等の協力を得て、速やかに当該権限を行使しなければならない。

3　都は、虐待事案に的確に対応するため、警察と必要な情報を共有するものとする。

4　第一項又は第二項の規定により、都の児童相談所長は、子供の安全確認措置を行おうとする場合、一時保護を行おうとし、又は行わせようとする場合、立入りによる調査又は質問をさせようとする場合及び臨検等をさせようとする場合にあっては、法第十条第一項の規定に基づき、当該子供の住所又は居所の所在地を管轄する警察署長に対し援助を求めることができる。

5　都の児童相談所長は、前項の規定による援助を求める場合は、子供の安全の確認及び安全の確保に万全を期する観点から、法第十条第二項の規定に基づき、必要に応じ迅速かつ適切にこれを行わなければならない。

（児童相談所等の調査等）

**第十一条**　児童相談所等の長は、次に掲げるものに対し、虐待に係る子供又はその保護者の心身の状況、これらの者の置かれている環境その他虐待の防止等に係る当該子供、その保護者その他の関係者に関する情報の提供を求めることができる。この場合において、情報の提供を求められた者は、当該情報について、児童相談所等の長が虐待の防止等に関する事務又は業務の遂行に必要な限度で利用し、かつ、利用することに相当の理由があるときは、これを提供することができる。ただし、当該情報を提供することによって、当該情報に係る子供、その保護者その他の関係者又は第三者の権利利益を不当に侵害するおそれがあると認められるときは、この限りでない。

一　都及び区市町村の機関

二　関係機関等（前号に掲げるものを除く。）

三　事業者

2　児童相談所等の長は、前項の規定により情報を収集する場合において、虐待又はその防止等の対応の目的のために特に行うものであることを十分に踏まえ、その収集並びに当該情報の管理及び利用を適切に行わなければならない。

（連携及び情報共有等）

**第十二条**　都の児童相談所は、他の児童相談所から事案の移管を受け又は他の児童相談所に対し事案の移管を行う場合には、その緊急性又は重症度に応じ、的確な引継ぎを行わなければならない。

2　都の児童相談所は、児童相談所が専門的な知識及び技術を必要とする対応、一時保護又は施設入所若しくは里親等委託の措置等を行うこと並びに子供家庭支援センターが地域社会で子供と家庭への相談支援、子育て支援サービスの提供等を行うことを踏まえ、子供家庭支援センターその他の区市町村の機関と、密接に連携又は協働を進めるものとする。

3　都及び都の児童相談所は、虐待の早期発見及び早期対応並びに虐待を受けた子供とその保護者への支援のため、要保護児童対策地域協議会（以下「要対協」という。）を積極的に活用し、子供家庭支援センター、関係機関等その他虐待事案に関係する団体と、子供と家庭に関する必要な情報の共有を図るものとする。

4　都は、区市町村が設置する要対協の円滑な運営の確保及び活性化のため、必要な助言その他の支援を行う

ものとする。

## 第四章　虐待を受けた子供とその保護者への支援等

**（虐待を受けた子供とその保護者への支援等）**

**第十三条**　都は、虐待を受けた子供に対し、心身の健やかな成長を図るため、年齢、心身の状況等を十分考慮した支援及び教育を行うものとする。

2　都の児童相談所は、区市町村及び関係機関等と連携し、虐待を受けた子供の保護者に対し、子供の心身の健やかな成長にとって良好な家庭環境の形成若しくは適切な親子関係の構築又は再び虐待を行わないことについて、必要な指導及び支援を行うものとする。

## 第五章　社会的養護等

**（社会的養護及び自立支援）**

**第十四条**　都は、虐待を受けた子供の社会的養護の充実を図るため、里親制度の啓発活動、里親の育成及び里親等への委託の推進並びに乳児院、児童養護施設等の施設及び自立援助ホームその他社会的養護に関する事業の充実に努めるものとする。

2　都は、虐待を受けた子供の円滑な社会的自立のため、必要な支援及び広報その他の啓発活動を行うものとする。

## 第六章　人材育成等

**（人材育成）**

**第十五条**　都は、虐待に的確に対応するため、虐待の早期発見及び早期対応その他の虐待の防止に関する専門的な知識及び技術を有する職員を育成し、都の児童相談所の運営体制を適切に確保しなければならない。

2　都は、区市町村及び関係機関等における人材の育成を図るため、専門的な知識及び技術の修得に資する研修等を実施するものとする。

3　都は、地域社会で子育て支援や虐待の防止に取り組む民間団体への支援に努めるものとする。

**（虐待死亡事例等の検証）**

**第十六条**　都は、法第四条第五項の規定に基づく検証の結果を、児童相談所、子供家庭支援センターその他の子供の福祉に業務上関係のある機関において職務に従事する者の研修等に十分活用するなど、虐待による死亡事例等の重大事例の再発防止に関する取組を積極的に進めるものとする。

2　都は、法第四条第五項の規定に基づく検証を行うに当たっては、第十一条第一項の規定を準用する。この場合において、同項中「児童相談所等の長」とあるのは「都」と、「虐待に係る子供又はその保護者の心身の状況、これらの者の置かれている環境その他虐待の防止等に係る当該子供、その保護者その他の関係者に関する情報の提供」とあるのは「必要な情報の提供」と、「虐待の防止等に関する事務又は業務の遂行」とあるのは「検証」と、「情報に係る」とあるのは「事例に係る」と読み替えるものとする。

**（公表）**

**第十七条**　都は、毎年度、虐待の防止に関する施策の実施状況をインターネットの利用その他の方法により公表するものとする。

**附　則**

1　この条例は、平成三十一年四月一日から施行する。

2　都は、社会環境の変化及びこの条例の規定の施行の状況その他虐待の防止に関する取組の推進の状況を勘案し、必要があると認めるときは、この条例の規定について検討を加え、その結果に基づいて所要の措置を講ずるものとする。

# ○東京都児童育成手当に関する条例

昭四四・一〇・一五
条例一〇九

最終改正　平三〇・一二・二七条例一一三

（目的）

**第一条**　この条例は、東京都と東京都の区域内に存する市町村（以下「市町村」という。）が一体となつて、児童育成手当支給制度の実現を図ることにより、児童の福祉の増進に資することを目的とする。

（東京都の措置）

**第二条**　前条の目的を達成するため、東京都は、市町村が条例を制定して行う児童育成手当の支給に要する経費を負担する。

（負担額）

**第三条**　前条の規定により東京都が負担する経費の額は、市町村が別表に掲げる種類の児童育成手当を、それぞれの手当の種類について同表に定める支給要件に従つて支給した場合における当該児童育成手当の総額に相当する額とする。

（負担方法）

**第四条**　前二条の規定による経費の負担は、児童育成手当を支給する市町村がそれぞれの支払期月に支払うべき児童育成手当の合計額に相当する額を、それぞれの支払期月の前月末日までに、当該市町村に交付することによつて行うものとする。

（経費交付の条件）

**第五条**　知事は、前三条の規定に基づき経費を交付する際に、児童育成手当の支給の実施について必要な範囲内において条件を付することができるものとする。

（報告及び調査）

**第六条**　知事は、必要があると認めるときは、市町村の長に対して児童育成手当の支給に関して報告を求め、又は実地に調査することができる。

（委任）

**第七条**　この条例に定めるもののほか、この条例の施行について必要な事項は、知事が定める。

**附　則**（抄）

1　この条例は、昭和四十四年十二月一日から施行する。ただし、附則第二項の規定は、東京都規則で定める日〔昭四五・三・一〕から施行する。

**附　則**（平三〇・一二・二七条例一一三）

1　この条例は、公布の日から施行する。

2　この条例による改正後の東京都児童育成手当に関する条例別表の規定は、平成三十一年六月以後の月分の児童育成手当の支給について適用し、同年五月以前の月分の児童育成手当の支給については、なお従前の例による。

**別表**（第三条関係）

| 支給要件＼児童育成手当の種類 | 育成手当 | 障害手当 |
|---|---|---|
| 支給対象 | 父（母が児童を懐胎した当時婚姻の届出をしていないが、その母と事実上婚姻関係と同様の事情にあつた者を含む。以下同じ。）若しくは母が死亡し、若しくは東京都規則で定める程度の障害（以下「重度障害」という。）の状態となり、又は父母が婚姻（婚姻の届出をしていないが、事実上婚姻関係と同様の事情にある場合を含む。）を解消し、若しくはこれと同様の状態にある十八歳に達した日の属する年度の末日以前の児童（以下「育成手当支給要件児童」という。）を扶養する保護者に対し、当該育成手当支給要件児童について支給する。 | 二十歳未満の障害者（以下「障害手当支給要件児童」という。）を扶養する保護者に対し、当該障害手当支給要件児童について支給する。 |
| 支給額 | 育成手当支給要件児童一人について月額　一三、五〇〇円 | 障害手当支給要件児童一人について月額　一五、五〇〇円 |
| 支給期間及び支払期月 | 1　児童育成手当の支給は、保護者が受給申請をした日の属する月の翌月から支給対象に該当しなくなつた日の属する月まで行う。<br>2　児童育成手当は、毎年、二月、六月及び十月の三期に、それぞれの前月までの分を支払う。 | |
| 支給制限その他 | 1　児童育成手当は、保護者の前年の所得（一月から五月までの月分の児童育成手当については、前前年の所得とする。）が、その者の所得税法（昭和四十年法律第三十三号）に規定する同一生計配偶者及び扶養親族（以下「扶養親族等」という。）並びに当該保護者の扶養親族等でない児童で当該保護者が前年の十二月三十一日において生計を維持したものの有無及び数に応じて、東京都規則で定める額以上であるとき、又は育成手当支給要件児童若しくは障害手当支給要件児童が東京都規則で定める施設に入所しているときは、支給しない。<br>2　育成手当は、育成手当支給要件児童が父及び母と生計を同じくしているとき又は父及び当該父の配偶者（婚姻の届出をしていないが、事実上婚姻関係と同様の事情にある者を含む。以下同じ。）若しくは母及び当該母の配偶者と生計を同じくしているとき（当該育成手当支給要件児童が生計を同じくしている父又は母が重度障害の状態にあるときを除く。）は、支給しない。<br>3　保護者が育成手当及び障害手当の支給対象に該当するときは、各手当の支給額を合算した額を支給する。 | |

備考　この表において、次の各号に掲げる用語の意義は、当該各号に定めるところによる。

一　十八歳に達した日の属する年度の末日　十八歳に達した日以後における最初の三月三十一日をいう。

二　保護者　児童若しくは障害者を扶養（監護し、かつ、その生計を主として維持することをいう。以下同じ。）する父若しくは母又は父母に扶養されない児童又は障害者を扶養する者をいう。

三　障害者　次のいずれかに該当する者をいう。

ア　知的障害者であつて、精神発育の遅滞の程度が中度以上であるもの

イ　身体障害者であつて、身体の障害の程度が、身体障害者福祉法施行規則（昭和二十五年厚生省令第十五号）の別表第五号に定める身体障害者障害程度等級表のうち、二級以上であるもの

ウ　脳性麻痺又は進行性筋萎縮症を有する者

## 第二章　衛　生

# ○東京都保健所長委任規則

昭五〇・四・一
規則一三六

最終改正　令六・三・二八規則三七

**第一条**　地方自治法（昭和二十二年法律第六十七号）第百五十三条第一項及び地域保健法（昭和二十二年法律第百一号）第九条の規定により次に掲げる事項については、保健所長に委任する。ただし、重要又は異例に属する事項については、あらかじめ知事の指揮を受けなければならない。

一　削除

二　医療施設調査規則（昭和二十八年厚生省令第二十五号）第十条の二の規定による診療所に係る動態調査票の作成報告に関すること。

三　感染症の予防及び感染症の患者に対する医療に関する法律（平成十年法律第百十四号。以下この号において「法」という。）及び感染症の予防及び感染症の患者に対する医療に関する法律施行規則（平成十年厚生省令第九十九号。以下この号において「省令」という。）に基づく次に掲げる事務に関すること。

イ　法第十二条第一項（同条第十項において準用する場合を含む。）及び第八項の規定（法第四十四条の九第一項の規定に基づく政令において準用する場合及び法第五十三条第一項の規定に基づく政令において適用する場合を含む。）による届出の受理

ロ　法第十三条第一項及び第二項の規定（法第十三条第七項において及び法第四十四条の九第一項の規定に基づく政令において準用する場合並びに法第五十三条第一項の規定に基づく政令において適用する場合を含む。）による届出の受理

ハ　法第十四条第二項（法第四十四条の九第一項の規定に基づく政令において準用する場合及び法第五十三条第一項の規定に基づく政令において適用する場合を含む。）の規定による届出の受理

ニ　法第十五条第一項（法第四十四条の九第一項の規定に基づく政令において準用する場合及び法第五十三条第一項の規定に基づく政令において適用する場合を含む。）の規定による感染症の発生を予防し、又は感染症の発生の状況、動向及び原因を明らかにするための質問及び調査

ホ　法第十五条第三項（法第四十四条の九第一項の規定に基づく政令において準用する場合及び法第五十三条第一項の規定に基づく政令において適用する場合を含む。）の規定による検体若しくは感染症の病原体の提出又は検体の採取に応じるべきことの要求

ヘ　法第十五条第八項（法第四十四条の九第一項の規定に基づく政令において準用する場合及び法第五十三条第一項の規定に基づく政令において適用する場合を含む。）の規定による質問又は調査に応ずべきことの命令

ト　法第十五条第十項及び第十一項の規定（法第四十四条の九第一項の規定に基づく政令において準用する場合及び法第五十三条第一項の規定に基づく政令において適用する場合を含む。）による書面による通知及び書面の交付

チ　法第十五条の二第一項（法第四十四条の九第一項の規定に基づく政令において準用する場合及び法第五十三条第一項の規定に基づく政令において適用する場合を含む。）の規定による検疫所長からの通知に基づく質問及び調査

リ　法第十五条の三第一項（法第四十四条の九第一項の規定に基づく政令において準用する場合及び法第五十三条第一項の規定に基づく政令において適用する場合を含む。）の規定による検疫所長からの通知に基づく健康状態の報告の要求及び質問

ヌ　法第十五条の三第二項（法第四十四条の九第一項の規定に基づく政令において準用する場合及び法第五十三条第一項の規定に基づく政令において適用する場合を含む。）の規定による質問及び調査

ル　法第十六条第一項（法第四十四条の九第一項の規定に基づく政令において準用する場合及び法第五十三条第一項の規定に基づく政令において適用する場合を含む。）の規定による情報の公表

ヲ　法第十六条の二第一項（法第四十四条の九第一項の規定に基づく政令において準用する場合及び法第五十三条第一項の規定に基づく政令において適用する場合を含む。）の規定による必要な措置及び協力の要請

ワ　法第十六条の三第一項（法第四十四条の九第一項の規定に基づく政令において準用する場合及び法第五十三条第一項の規定に基づく政令において

適用する場合を含む。）の規定による検体の提出又は採取の勧告

カ　法第十六条の三第三項（法第四十四条の九第一項の規定に基づく政令において準用する場合及び法第五十三条第一項の規定に基づく政令において適用する場合を含む。）の規定による検体採取の措置

ヨ　法第十六条の三第五項及び第六項の規定（法第二十三条（法第二十六条において準用する場合を含む。）において、法第四十四条の九第一項の規定に基づく政令において、法第四十四条の十一第九項、法第四十五条第三項及び法第四十九条において準用する場合並びに法第五十三条第一項の規定に基づく政令において適用する場合を含む。）による書面による通知及び書面の交付

タ　法第十七条第一項及び第二項の規定（法第四十四条の九第一項の規定に基づく政令において準用する場合及び法第五十三条第一項の規定に基づく政令において適用する場合を含む。）による健康診断の勧告及び措置

レ　法第十八条第一項（法第四十四条の九第一項の規定に基づく政令において準用する場合及び法第五十三条第一項の規定に基づく政令において適用する場合を含む。）の規定による通知

ソ　法第十八条第三項（法第四十四条の九第一項の規定に基づく政令において準用する場合及び法第五十三条第一項の規定に基づく政令において適用する場合を含む。）の規定による確認請求の受理

ツ　法第十八条第四項（法第四十四条の九第一項の規定に基づく政令において準用する場合及び法第五十三条第一項の規定に基づく政令において適用する場合を含む。）の規定による確認

ネ　法第十八条第五項及び第六項の規定（法第四十四条の九第一項の規定に基づく政令において準用する場合及び法第五十三条第一項の規定に基づく政令において適用する場合を含む。）による感染症診査協議会の意見の聴取及び同協議会への報告

ナ　法第十九条第一項（法第二十六条において及び法第四十四条の九第一項の規定に基づく政令において準用する場合並びに法第五十三条第一項の規定に基づく政令において適用する場合を含む。）の規定による入院の勧告

ラ　法第十九条第二項（法第二十六条において及び法第四十四条の九第一項の規定に基づく政令において準用する場合並びに法第五十三条第一項の規定に基づく政令において適用する場合を含む。）の規定による説明

ム　法第十九条第三項及び第五項の規定（法第二十六条において及び法第四十四条の九第一項の規定に基づく政令において準用する場合並びに法第五十三条第一項の規定に基づく政令において適用する場合を含む。）による入院の措置

ウ　法第十九条第七項（法第二十六条において及び法第四十四条の九第一項の規定に基づく政令において準用する場合並びに法第五十三条第一項の規定に基づく政令において適用する場合を含む。）の規定による感染症診査協議会への報告

キ　法第二十条第一項から第五項までの規定（法第二十六条において及び法第四十四条の九第一項の規定に基づく政令において準用する場合並びに法第五十三条第一項の規定に基づく政令において適用する場合を含む。）による入院及び入院の期間の延長の勧告及び措置並びに感染症診査協議会の意見の聴取

ノ　法第二十条第六項（法第二十六条において及び法第四十四条の九第一項の規定に基づく政令において準用する場合並びに法第五十三条第一項の規定に基づく政令において適用する場合を含む。）の規定による説明、職員の指定、意見を述べる機会の付与及び日時等の通知

オ　法第二十条第七項及び第八項の規定（法第二十六条において及び法第四十四条の九第一項の規定に基づく政令において準用する場合並びに法第五十三条第一項の規定に基づく政令において適用する場合を含む。）による証拠及び聴取書の受理

ク　法第二十一条（法第二十六条において及び法第四十四条の九第一項の規定に基づく政令において準用する場合並びに法第五十三条第一項の規定に基づく政令において適用する場合を含む。）の規定による患者の移送

ヤ　法第二十二条（法第二十六条において及び法第四十四条の九第一項の規定に基づく政令において準用する場合並びに法第五十三条第一項の規定に基づく政令において適用する場合を含む。）の規定による退院の措置、病原体を保有していないことの確認の通知の受理、退院請求の受理及び病原体を保有していないことの確認

マ　法第二十四条第三項（法第四十四条の九第一項の規定に基づく政令において準用する場合及び法第五十三条第一項の規定に基づく政令において適用する場合を含む。）の規定による諮問及び意見の聴取

ケ　法第二十四条の二（法第二十六条において、法

第四十四条の九第一項の規定に基づく政令において及び法第四十九条の二において準用する場合並びに法第五十三条第一項の規定に基づく政令において適用する場合を含む。）の規定による苦情の申出の受理、職員の指定、苦情の内容の聴取、苦情の処理及び処理の結果の通知

フ　法第二十六条の三第一項（法第四十四条の三の五第六項において、法第四十四条の九第一項の規定に基づく政令において及び法第五十条の六第六項において準用する場合並びに法第五十三条第一項の規定に基づく政令において適用する場合を含む。）の規定による検体又は感染症の病原体の提出の命令

コ　法第二十六条の三第三項（法第四十四条の三の五第六項において、法第四十四条の九第一項の規定に基づく政令において及び法第五十条の六第六項において準用する場合並びに法第五十三条第一項の規定に基づく政令において適用する場合を含む。）の規定による検体又は感染症の病原体の収去

エ　法第二十六条の四第一項（法第四十四条の九第一項の規定に基づく政令において準用する場合及び法第五十三条第一項の規定に基づく政令において適用する場合を含む。）の規定による検体の提出又は採取に応ずべきことの命令

テ　法第二十六条の四第三項（法第四十四条の九第一項の規定に基づく政令において準用する場合及び法第五十三条第一項の規定に基づく政令において適用する場合を含む。）の規定による検体採取の措置

ア　法第二十七条（法第四十四条の九第一項の規定に基づく政令において準用する場合及び法第五十三条第一項の規定に基づく政令において適用する場合を含む。）の規定による感染症の病原体に汚染された場所等の消毒の命令、市町村への消毒の指示及び消毒の措置

サ　法第二十八条（法第四十四条の九第一項の規定に基づく政令において準用する場合並びに法第四十四条の四において及び法第五十三条第一項の規定に基づく政令において適用する場合を含む。）の規定によるねずみ族、昆虫等の駆除の命令、市町村への駆除の指示及び駆除の措置

キ　法第二十九条（法第四十四条の九第一項の規定に基づく政令において準用する場合及び法第五十三条第一項の規定に基づく政令において適用する場合を含む。）の規定による感染症の病原体に汚染された物件等の消毒等の命令、市町村への消毒の指示及び消毒、廃棄等の措置

ユ　法第三十条第一項（法第四十四条の九第一項の規定に基づく政令において準用する場合及び法第五十三条第一項の規定に基づく政令において適用する場合を含む。）の規定による死体の移動制限又は禁止

メ　法第三十条第二項（法第四十四条の九第一項の規定に基づく政令において準用する場合及び法第五十三条第一項の規定に基づく政令において適用する場合を含む。）の規定による埋葬の許可

ミ　法第三十五条第一項（法第四十四条の九第一項の規定に基づく政令において準用する場合並びに法第四十四条の四において及び法第五十三条第一項の規定に基づく政令において適用する場合を含む。）の規定による立入り、質問及び調査

シ　法第三十六条第一項（法第四十四条の九第一項の規定に基づく政令及び法第五十条第五項において準用する場合並びに法第四十四条の四において及び法第五十三条第一項の規定に基づく政令において適用する場合を含む。）の規定による書面による通知

ヱ　法第三十六条第二項（法第四十四条の九第一項の規定に基づく政令及び法第五十条第五項において準用する場合並びに法第四十四条の四において及び法第五十三条第一項の規定に基づく政令において適用する場合を含む。）の規定による書面の交付

ヒ　法第三十七条（法第四十四条の九第一項の規定に基づく政令において準用する場合及び法第五十三条第一項の規定に基づく政令において適用する場合を含む。）の規定による医療費の公費負担の申請の受理及び負担の決定並びに自己負担の認定（法第四十二条の規定による療養費の支給の申請の受理及び支給の決定並びに自己負担の認定を含む。）

モ　法第三十七条の二の規定による結核患者の医療に係る費用の負担の申請の受理、負担の決定及び感染症診査協議会の意見の聴取（法第四十二条の規定による療養費の支給の申請の受理及び支給の決定を含む。）

セ　法第四十四条の三第一項及び第二項の規定による報告及び協力の要請

ス　法第四十四条の三の五第三項の規定による検体又は病原体の全部又は一部の受領

ン　法第四十四条の三の六の規定による届出の受理

い　法第四十四条の十一第一項の規定による検体の

提出又は採取の勧告

ろ　法第四十四条の十一第三項の規定による検体採取の措置

は　法第四十五条第一項及び第二項の規定による新感染症に係る健康診断の勧告及び措置

に　法第四十六条第一項から第四項までの規定（法第四十九条において準用する場合を含む。）による新感染症の所見がある者の入院の勧告、措置及び期間の延長

ほ　法第四十六条第五項の規定による説明、職員の指定、意見を述べる機会の付与及び日時等の通知

へ　法第四十六条第六項及び第七項の規定による証拠及び聴取書の受理

と　法第四十七条の規定による新感染症の所見がある者の移送

ち　法第四十八条の規定による新感染症の所見がある者の退院の措置、退院をする者が新感染症を公衆にまん延させるおそれがない旨の病院の管理者からの意見の聴取、退院請求の受理及び退院請求に係る者が新感染症を公衆にまん延させるおそれがない旨の確認

り　法第五十条第一項の規定による新感染症に係る消毒その他の措置（法第三十一条から法第三十三条までに規定する措置を除く。）

ぬ　法第五十条の二第一項及び第二項の規定による報告及び協力の要請

る　法第五十条の六第三項の規定による検体又は病原体の全部又は一部の受領

を　法第五十条の七の規定による届出の受理

わ　法第五十三条の七第一項及び第二項の規定による健康診断実施者からの通報又は報告の受理

か　法第五十三条の十の規定による結核患者の居住地を管轄する保健所長への通知

よ　法第五十六条第一項（法第四十四条の九第一項の規定に基づく政令において準用する場合及び法第五十三条第一項の規定に基づく政令において適用する場合を含む。）の規定による通知の受理

た　省令第二十条の三第三項の規定による結核患者に対する患者票の交付

れ　省令第二十条の三第五項の規定による結核患者に係る変更届の受理

そ　省令第二十条の三第六項の規定による結核患者に係る患者票の返納の受理

つ　省令第二十三条の三第一項及び第二項の規定による書面による通知及び書面の交付

ね　省令第二十三条の四第一項及び第二項の規定による書面による通知及び書面の交付

な　省令第二十六条の二第一項及び第二項の規定による書面による通知及び書面の交付

ら　省令第二十六条の三第一項及び第二項の規定による書面による通知及び書面の交付

四　削除

五　削除

六　削除

七　削除

八　東京都在宅難病患者医療機器貸与事業の実施に関する規則（平成十二年東京都規則第九十六号）第五条（第七条第二項及び第八条第二項において準用する場合を含む。）の規定による医療機器貸与申請に係る審査及び決定並びに申請者に対する審査結果の通知

九　母子保健法（昭和四十年法律第百四十一号）第九条の規定による母子保健に関する知識の普及

十　健康増進法（平成十四年法律第百三号。以下この号において「法」という。）、健康増進法の一部を改正する法律（平成三十年法律第七十八号。以下この号において「改正法」という。）及び健康増進法施行規則等の一部を改正する省令（平成三十一年厚生労働省令第十七号。以下この号において「改正省令」という。）に基づく次に掲げる事務に関すること。

イ　法第十条第三項の規定による国民健康・栄養調査の執行に関する事務

ロ　法第二十二条の規定による法第二十条第一項の特定給食施設（以下この号において「特定給食施設」という。）の設置者に対する指導及び助言

ハ　法第二十三条第一項の規定による特定給食施設の設置者に対する勧告

ニ　法第二十三条第二項の規定による特定給食施設の設置者に対する命令

ホ　法第二十四条第一項の規定による報告の徴収、立入検査及び質問

ヘ　法第二十九条第一項の規定による法第二十七条第一項の特定施設等における喫煙の中止命令及び法第二十八条第四号に規定する特定施設の喫煙禁止場所からの退出命令

ト　法第三十一条の規定による法第三十条第一項の特定施設等の管理権原者等に対する指導及び助言

チ　法第三十八条第一項の規定による報告の徴収、立入検査及び質問

リ　法第六十一条第一項（法第六十三条第二項及び第六十六条第三項において準用する場合を含む。）の規定による特別用途食品、法第六十三条第一項

の承認を受けた食品及び食品として販売に供する物であつて健康保持増進効果等についての表示がされたもの（特別用途食品及び法第六十三条第一項の承認を受けた食品を除く。）に係る立入検査及び収去

ヌ　改正法附則第二条第五項の規定による報告の徴収、立入検査及び質問

ル　改正法附則第三条第三項の規定による報告の徴収、立入検査及び質問

ヲ　改正省令附則第二条第六項の規定による禁煙可能室の設置の届出の受理

ワ　改正省令附則第二条第七項の規定による喫煙可能室の変更の届出の受理

カ　改正省令附則第二条第八項の規定による喫煙可能室の廃止の届出の受理

十の二　東京都受動喫煙防止条例（平成三十年東京都条例第七十五号。以下この号において「条例」という。）及び東京都受動喫煙防止条例施行規則（平成三十一年東京都規則第九十五号。以下この号において「規則」という。）に基づく次に掲げる事務に関すること。

イ　条例第八条第二項の規定による同条第一項の既存特定飲食提供施設における喫煙の中止命令及び喫煙禁止場所からの退出命令

ロ　条例第十条の規定による条例第九条第一項の管理権原者等並びに同条第二項及び第三項の管理権原者に対する指導及び助言

ハ　条例第十二条第一項の規定による報告の徴収、立入検査及び質問

ニ　規則第三条第一項の規定による喫煙可能室の設置の届出の受理

十一　旅館業法（昭和二十三年法律第百三十八号。以下この号において「法」という。）、旅館業法施行規則（昭和二十三年厚生省令第二十八号。以下この号において「省令」という。）及び旅館業法施行細則（昭和三十二年東京都規則第百二十二号。以下この号において「規則」という。）に基づく次に掲げる事務に関すること。

イ　法第三条第一項の規定による営業の許可、同条第二項及び第三項の規定による営業の不許可並びに同条第四項の規定による意見の照会及び同条第五項の規定による通知

ロ　法第三条の二第一項の規定による譲渡により営業者の地位を承継する者の承認

ハ　法第三条の三第一項の規定による合併又は分割により営業者の地位を承継する者の承認

ニ　法第三条の四第一項の規定による相続により営業者の地位を承継する者の承認

ホ　法第七条第一項及び第二項の規定による報告の要求、立入検査及び質問

ヘ　法第七条の二各項の規定による必要な措置命令

ト　省令第四条の規定による申請書の記載事項の変更又は営業の停止若しくは廃止の届出の受理

チ　規則第六条の規定による浴槽の衛生措置の適用

十一の二　旅館業法施行条例（昭和三十二年東京都条例第六十三号）第十二条の規定による構造設備基準の適用除外

十二　興行場法（昭和二十三年法律第百三十七号）第五条第一項の規定による報告の要求及び立入検査

十三　興行場の構造設備及び衛生措置の基準等に関する条例（昭和五十九年東京都条例第八十四号。以下この号において「条例」という。）及び興行場の構造設備及び衛生措置の基準等に関する条例施行規則（昭和五十九年東京都規則第百五十六号。以下この号において「規則」という。）に基づく次に掲げる事務に関すること。

イ　条例第三条第一項の規定による営業の許可及び同条第二項の規定による条件の付与

ロ　条例第三条第三項の規定による営業者の地位の承継の届出の受理

ハ　条例第三条第四項の規定による申請書の記載事項若しくは届出事項の変更又は営業の停止若しくは廃止の届出の受理

ニ　条例第四条第二項の規定による国又は地方公共団体の同条第一項の手数料の減額又は免除申請の承認

ホ　条例第十五条の規定による基準の特例承認

ヘ　規則第二条第四項の規定による営業の不許可の通知

十四　公衆浴場法（昭和二十三年法律第百三十九号。以下この号において「法」という。）、公衆浴場法施行規則（昭和二十三年厚生省令第二十七号。以下この号において「省令」という。）及び公衆浴場法施行細則（昭和三十九年東京都規則第二百五十三号。以下この号において「規則」という。）に基づく次に掲げる事務に関すること。

イ　法第二条第一項の規定による営業（公衆浴場の設置場所の配置及び衛生措置等の基準に関する条例（昭和三十九年東京都条例第百八十四号）第三条第二項第一号に規定する公衆浴場の営業を除く。以下ハ及びニを除き、ヘまで同じ。）の許可並びに同条第二項の規定による不許可及びその通知

ロ　法第二条の二第二項の規定による営業者の地位の承継の届出の受理
ハ　法第四条ただし書の規定による患者の入浴の許可
ニ　法第六条第一項の規定による報告の要求及び立入検査
ホ　省令第四条の規定による申請書の記載事項若しくは届出事項の変更又は営業の停止若しくは廃止の届出の受理
ヘ　規則第三条の規定による営業開始届の受理
ト　規則第六条の規定による入浴の許可申請書の受理
チ　規則第七条の規定による浴槽の衛生措置の適用
十五　公衆浴場の設置場所の配置及び衛生措置等の基準に関する条例（以下この号において「条例」という。）に基づく次に掲げる事務に関すること。
イ　条例第二条第一項ただし書の規定による設置場所の配置の基準の特例承認
ロ　条例第三条第一項第六号ただし書の規定による基準の適用除外
ハ　条例第四条の規定による基準の特例承認
十六　理容師法（昭和二十二年法律第二百三十四号。以下この号において「法」という。）に基づく次に掲げる事務に関すること。
イ　法第十一条第一項の規定による理容所の開設の届出及び同条第二項の規定による変更又は廃止の届出の受理
ロ　法第十一条の二の規定による理容所の構造設備の検査及び確認
ハ　法第十一条の三第二項の規定による開設者の地位の承継の届出の受理
ニ　法第十三条第一項の規定による立入検査
十七　美容師法（昭和三十二年法律第百六十三号。以下この号において「法」という。）に基づく次に掲げる事務に関すること。
イ　法第十一条第一項の規定による美容所の開設の届出及び同条第二項の規定による変更又は廃止の届出の受理
ロ　法第十二条の規定による美容所の構造設備の検査及び確認
ハ　法第十二条の二第二項の規定による開設者の地位の承継の届出の受理
ニ　法第十四条第一項の規定による立入検査
十八　クリーニング業法（昭和二十五年法律第二百七号。以下この号において「法」という。）に基づく次に掲げる事務に関すること。
イ　法第五条第一項の規定による開設の届出、同条第二項の規定による営業の届出及び同条第三項の規定による変更又は廃止の届出の受理
ロ　法第五条の二の規定によるクリーニング所の構造設備の検査及び確認
ハ　法第五条の三第二項の規定による営業者の地位の承継の届出の受理
ニ　法第十条第一項の規定による立入検査
ホ　法第十条の二の規定による措置命令
十九　温泉法（昭和二十三年法律第百二十五号。以下この号において「法」という。）に基づく次に掲げる事務に関すること。
イ　法第十五条第一項の規定による許可
ロ　法第十六条第一項の規定による、許可を受けた地位の承継の承認
ハ　法第十七条第一項の規定による、許可を受けた地位の承継の承認
ニ　法第十八条第四項の規定による届出の受理及び同条第五項の規定による掲示内容の変更の命令
ホ　法第三十四条の規定による報告の徴収（温泉を湧出させる目的で土地を掘削する者に対するものを除き、公衆衛生上の見地から行うものに限る。）
ヘ　法第三十五条第　項の規定による立入検査及び関係人への質問（温泉を湧出させる目的で行う土地の掘削の工事の場所へのものを除き、公衆衛生上の見地から行うものに限る。）
二十　墓地、埋葬等に関する法律（昭和二十三年法律第四十八号。以下この号において「法」という。）に基づく次に掲げる事務に関すること。
イ　法第十八条第一項の規定による火葬場への立入検査及び墓地、納骨堂又は火葬場の管理者に対する報告の要求
ロ　法第十九条の規定による墓地、納骨堂又は火葬場の施設の整備改善命令
二十の二　墓地等の構造設備及び管理の基準等に関する条例（昭和五十九年東京都条例第百二十五号。以下この号において「条例」という。）及び墓地等の構造設備及び管理の基準等に関する条例施行規則（昭和六十年東京都規則第十七号。以下この号において「規則」という。）に基づく次に掲げる事務に関すること。
イ　条例第三条ただし書の規定による墓地、納骨堂又は火葬場（以下この項において「墓地等」という。）の経営主体の制限の緩和の承認
ロ　条例第四条第一項の規定による墓地等の経営の許可
ハ　条例第四条第二項の規定による墓地の区域又は

納骨堂若しくは火葬場の施設の変更の許可及び墓地等の廃止の許可並びに同項の規定による墳墓を設ける区域の変更の許可
ニ　条例第四条第三項の規定による条件の付与
ホ　条例第五条の規定による墓地又は火葬場の新設、変更又は廃止の許可があつたものとみなされる場合の届出の受理
ヘ　条例第六条第二項の規定による墓地の設置場所の制限の緩和の承認
ト　条例第七条第一項第四号ただし書及び第五号ただし書の規定による墓地の構造設備基準の制限の緩和の承認
チ　条例第十条第二項の規定による火葬場の設置場所の制限の緩和の承認
リ　条例第十四条第二項ただし書の規定による土葬禁止地域における土葬の許可
ヌ　条例第十六条第一項の規定による墓地等の建設等の計画に係る標識設置の届出の受理及び同条第二項の規定による申請予定者に対する指導
ル　条例第十七条第一項の規定による隣接住民等に対する説明の実施に係る報告の徴取及び同条第二項の規定による申請予定者に対する指導
ヲ　条例第十八条第一項の規定による申請予定者に対する指導及び同条第二項の規定による協議結果の報告の徴取
ワ　条例第二十条の規定による墓地等の新設又は変更に係る工事の完了の届出の受理
カ　条例第二十一条の規定による申請事項変更に係る届出の受理
ヨ　規則第十一条第四項の規定による標識の記載事項の変更の届出の受理
タ　規則第十三条第二項の規定による意見の申出の受理
二十一　水道法（昭和三十二年法律第百七十七号。以下この号において「法」という。）、水道法施行令（昭和三十二年政令第三百三十六号。以下この号において「令」という。）及び水道法施行細則（平成十六年東京都規則第百二号。以下この号において「規則」という。）に基づく次に掲げる事務に関すること。
イ　法第三十二条の規定による専用水道布設工事着手前の設計確認
ロ　法第三十三条第一項の規定による確認の申請書の受理及び同条第五項の規定による通知
ハ　法第三十三条第三項の規定による専用水道確認申請書の記載事項変更の届出の受理
ニ　法第三十四条の規定により準用される法第十三条第一項の規定による専用水道給水開始前の届出の受理
ホ　法第三十四条第一項の規定により準用される法第二十四条の三第二項の規定による専用水道の業務委託の届出の受理
ヘ　法第三十六条第一項の規定による専用水道施設の改善の指示
ト　法第三十六条第二項の規定による専用水道の技術管理者の変更の勧告
チ　法第三十六条第三項の規定による簡易専用水道の措置の指示
リ　令第十四条第一項及び第二項の規定により都道府県知事が行うこととされる法第三十九条第一項の報告の徴収及び立入検査並びに同条第二項又は第三項の規定による報告の徴収及び立入検査
ヌ　規則第十三条の規定による水道（水道用水供給）事業水道事務月報の受理
ル　規則第十八条第一項の規定による専用水道技術管理者設置報告書の受理
ヲ　規則第十八条第二項の規定による専用水道技術管理者変更報告書の受理
ワ　規則第十九条の規定による専用水道水道事務月報の受理
カ　規則第二十条の規定による専用水道緊急停止報告書の受理
ヨ　規則第二十二条の規定による専用水道廃止報告書の受理
タ　規則第二十三条第一項の規定による簡易専用水道給水開始報告書の受理
レ　規則第二十三条第二項の規定による簡易専用水道給水開始報告事項変更（廃止）報告書の受理
ソ　規則第二十四条第一項の規定による簡易専用水道受検報告書の受理
ツ　規則第二十四条第二項の規定による報告の徴収
二十二　東京都小規模貯水槽水道等における安全で衛生的な飲料水の確保に関する条例（平成十四年東京都条例第百六十九号。以下この号において「条例」という。）及び東京都小規模貯水槽水道等における安全で衛生的な飲料水の確保に関する条例施行規則（平成十四年東京都規則第二百九十三号。以下この号において「規則」という。）に基づく次に掲げる事務に関すること。
イ　条例第六条の規定による特定小規模貯水槽水道等の設置、変更又は廃止の届出の受理
ロ　条例第八条第一項の規定による報告の受理
ハ　条例第九条の規定による特定小規模貯水槽水道

等の設置者に対する指導及び助言

ニ　条例第十条の規定による特定小規模貯水槽水道等の設置者に対する改善の指示

ホ　条例第十二条第一項の規定による報告の徴収及び立入検査

ヘ　規則別表第二　十二の項の規定による水質検査事項の認定

二十三　プール等取締条例（昭和五十年東京都条例第二十二号。以下この号において「条例」という。）及びプール等取締条例施行規則（昭和五十年東京都規則第七十八号。以下この号において「規則」という。）に基づく次に掲げる事務に関すること。

イ　条例第三条第一項の規定による許可及び同条第四項の規定による条件の付与

ロ　条例第三条第三項の規定による経営届の受理

ハ　条例第三条の二第二項の規定による許可経営者の地位の承継の届出の受理

ニ　条例第四条ただし書の規定による国又は地方公共団体の同条の手数料の減額又は免除申請の承認

ホ　条例第七条第一項の規定による報告の徴収及び立入検査

ヘ　条例第八条の規定による措置命令

ト　規則第九条第一項の規定による変更届及び同条第二項の規定による再開（廃止）届の受理

チ　規則第十一条ただし書の規定による基準の特例の承認

リ　規則別表第二第二項第二号ただし書の規定による特例の承認

二十四　建築物における衛生的環境の確保に関する法律（昭和四十五年法律第二十号。以下この号において「法」という。）及び建築物における衛生的環境の確保に関する法律施行細則（平成十二年東京都規則第八十五号。以下この号において「規則」という。）に基づく次に掲げる事務に関すること。

イ　法第五条第一項（同条第二項において準用する場合を含む。）の規定による特定建築物に係る届出の受理

ロ　法第五条第三項の規定による特定建築物に係る変更等の届出の受理

ハ　法第七条第四項の規定による建築物環境衛生管理技術者免状の返納を命ずべき旨の厚生労働大臣への申出

ニ　法第十一条第一項の規定による報告の徴収、立入検査及び質問

ホ　法第十二条の規定による措置の命令並びに使用の停止及び制限

ヘ　法第十三条第二項の規定による国又は地方公共団体の公用又は公共の用に供する特定建築物に係る説明又は資料の提出の要求

ト　法第十三条第三項ただし書の規定による通知及び措置の勧告

チ　規則第四条の規定による防錆剤に係る届出の受理

リ　規則第五条の規定による飲料水貯水槽等の維持管理状況の報告の受理

二十五　食品衛生法（昭和二十二年法律第二百三十三号。以下この号において「法」という。）、食品衛生法施行令（昭和二十八年政令第二百二十九号。以下この号において「令」という。）、食品衛生法施行規則（昭和二十三年厚生省令第二十三号。以下この号において「省令」という。）、食品衛生法第五十八条第一項に規定する食品衛生上の危害が発生するおそれがない場合等を定める命令（令和元年内閣府・厚生労働省令第十一号。以下この号において「命令」という。）及び食品衛生法施行細則（昭和二十三年東京都規則第百三十号。以下この号において「規則」という。）に基づく次に掲げる事務に関すること。

イ　法第二十八条第一項の規定による報告の徴収、臨検検査及び無償収去

ロ　法第三十条第二項の規定による監視指導

ハ　法第四十八条第八項の規定による届出の受理

ニ　法第五十五条第一項の規定による営業の許可及び同条第三項の規定による条件の付与

ホ　法第五十六条第一項の規定による届出の受理（法第五十七条第三項において準用する場合を含む。）

ヘ　法第五十七条第一項の規定による届出の受理

ト　法第六条の規定に明らかに違反した場合における法第五十九条第一項の規定による食品又は添加物の廃棄その他食品衛生上の危害を除去するために必要な処置命令

チ　令第四条第三項の規定による試験品の採取及び同条第四項の規定による合格証の貼付

リ　省令第二条の二第一項の規定による健康被害情報の届出の受理

ヌ　省令第七十一条の規定による変更の届出の受理

ル　省令第七十一条の二の規定による廃業の届出の受理

ヲ　命令第二条の規定による回収の届出の受理

ワ　命令第三条の規定による変更の届出の受理

カ　命令第四条の規定による回収の終了の届出の受理

ヨ　規則第十七条第一項の規定による報告の徴収（同条第二項の規定による報告書の受理を含む。）
二十五の二　東京都食品安全条例（平成十六年東京都条例第六十七号）第二十一条第二項の規定による報告の要求、立入調査及び物件の提出要求
二十五の三　農林水産物及び食品の輸出の促進に関する法律（令和元年法律第五十七号。以下この号において「法」という。）に基づく次に掲げる事務に関すること。
イ　法第十五条第二項の規定による輸出証明書の発行
ロ　法第十七条第二項の規定による適合施設の認定の申請の受理及び認定通知の交付
ハ　法第五十三条第二項の規定による報告の要求若しくは物件の提出要求又は立入調査若しくは質問
ニ　法第五十三条第五項の規定による輸出証明書の発行の取消し
二十六　食品表示法（平成二十五年法律第七十号。以下この号において「法」という。）及び食品表示法第六条第八項に規定するアレルゲン、消費期限、食品を安全に摂取するために加熱を要するかどうかの別その他の食品を摂取する際の安全性に重要な影響を及ぼす事項等を定める内閣府令（平成二十七年内閣府令第十一号。以下この号において「府令」という。）に基づく次に掲げる事務に関すること。
イ　法第六条第八項の規定による消費者の生命若しくは身体に対する危害の発生若しくは拡大の防止を図るための措置命令又は業務の停止命令
ロ　法第八条第一項及び第二項の規定による報告の徴収、立入検査及び無償収去
ハ　法第十二条第三項の規定による申出に係る調査
ニ　府令第五条の規定による回収の届出の受理
二十七　米穀等の取引等に係る情報の記録及び産地情報の伝達に関する法律（平成二十一年法律第二十六号）第十条第一項並びに米穀等の取引等に係る情報の記録及び産地情報の伝達に関する法律施行令（平成二十一年政令第二百六十一号）第七条第一項第三号及び第四号の規定による米穀事業者等に対する報告の徴収及び米穀事業者等に関する立入検査
二十八　東京都ふぐの取扱い規制条例（昭和六十一年東京都条例第五十一号）第十七条第一項の規定による報告の要求及び立入検査
二十九　と畜場法（昭和二十八年法律第百十四号）第十七条第一項の規定による報告の徴収及び立入検査（同法第四条第一項の許可を受けた施設を除く。）
三十　食鳥処理の事業の規制及び食鳥検査に関する法律（平成二年法律第七十号。以下この号において「法」という。）に基づく次に掲げる事務に関すること。
イ　法第三条の規定による食鳥処理の事業の許可（法第十六条第一項に規定する食鳥処理業者（以下「小規模食鳥処理業者」という。）に係るものに限る。）
ロ　法第六条第一項の規定による変更の許可及び同条第三項の規定による変更の届出の受理（小規模食鳥処理業者に係るものに限る。）
ハ　法第七条第二項の規定による承継の届出の受理（小規模食鳥処理業者に係るものに限る。）
ニ　法第十二条第六項の規定による食鳥処理衛生管理者の配置等の届出の受理（小規模食鳥処理業者に係るものに限る。）
ホ　法第十四条の規定による休廃止等の届出の受理（小規模食鳥処理業者に係るものに限る。）
ヘ　法第十五条第一項から第三項までの規定による検査
ト　法第十六条第一項の規定による確認規定の認定、同条第二項の規定による確認規定の変更の認定、同条第七項の規定による確認状況の報告の受理並びに同条第八項の規定による確認規定の廃止届の受理及び廃止期日の決定
チ　法第十六条第九項の規定による指導及び助言
リ　法第十七条第一項第四号の規定による届出の受理
ヌ　法第十九条の規定に明らかに違反した場合における法第二十条第一号から第三号までの規定による命令及び措置
ル　法第三十六条第一項の規定による条件の付与及び変更（小規模食鳥処理業者に係るものに限る。）
ヲ　法第三十七条第一項の規定による報告の徴収
ワ　法第三十八条第一項の規定による立入検査、関係者への質問及び無償収去
三十一　削除
三十二　化製場等に関する法律（昭和二十三年法律第百四十号）第六条第一項（同法第八条において準用する場合を含む。）の規定による報告の要求及び立入検査
三十二の二　化製場等の構造設備の基準等に関する条例（昭和五十九年東京都条例第八十五号）第十二条第二項の規定による国又は地方公共団体の同条第一項第一号又は第二号の手数料の減額又は免除の申請の承認
三十三　動物質原料の運搬等に関する条例（昭和三十三年東京都条例第三号。以下この号において「条

例」という。）に基づく次に掲げる事務に関すること。
イ　条例第三条の規定による営業の許可
ロ　条例第四条第一項の規定による不許可及び同条第二項の規定による許可条件の付与
ハ　条例第五条の規定による変更の届出の受理
ニ　条例第六条の規定による変更の許可
ホ　条例第八条の規定による運搬容器の検査
ヘ　条例第九条の規定による運搬容器の検査証の交付
ト　条例第十条第二項の規定による運搬容器の検査
チ　条例第十一条第一項の規定による届出の受理及び同条第二項の規定による検査証の再交付
リ　条例第十五条の規定による休業又は廃業の届出の受理
ヌ　条例第十六条の規定による検査証の返納の受理
ル　条例第十八条第一項の規定による報告の要求、検査及び質問
ヲ　条例第十九条の規定による必要な処置命令又は運搬容器の使用停止
三十四　削除
三十五　医療法（昭和二十三年法律第二百五号。以下この号において「法」という。）、医療法施行令（昭和二十三年政令第三百二十六号。以下この号において「令」という。）及び医療法施行規則（昭和二十三年厚生省令第五十号。以下この号において「省令」という。）に基づく次に掲げる事務に関すること。
イ　法第五条第二項の規定による往診のみによつて診療に従事する医師若しくは歯科医師又は出張のみによつてその業務に従事する助産師に対する報告の徴収及び診療録、助産録その他の帳簿書類の提出命令
ロ　法第六条の八第一項の規定による医業、歯科医業若しくは助産師の業務又は診療所若しくは助産所に関する広告をした者に対する報告の徴収及び立入検査
ハ　法第六条の八第二項の規定による医業、歯科医業若しくは助産師の業務又は診療所若しくは助産所に関する広告をした者に対する広告の中止又は内容の是正命令
ニ　法第七条第一項の規定による診療所及び助産所の開設許可並びに同条第二項の規定による診療所及び助産所の病床数等の変更の許可
ホ　法第八条の規定による診療所及び助産所の開設届の受理
ヘ　法第八条の二第二項の規定による診療所及び助産所の休止届及び再開届の受理
ト　法第九条第一項の規定による診療所及び助産所の廃止届の受理並びに同条第二項の規定による診療所及び助産所の開設者の死亡又は失そうの届出の受理
チ　法第十二条第一項ただし書の規定による診療所及び助産所の開設者が他の者を管理者とすることの許可並びに同条第二項の規定による二箇所以上の診療所及び助産所の管理の許可
リ　法第十五条第三項及び省令第二十四条の二の規定による診療所における診療用エックス線装置の備付届の受理
ヌ　法第十五条第三項及び省令第二十五条の規定による診療所における診療用高エネルギー放射線発生装置の備付届の受理
ル　法第十五条第三項及び省令第二十六条の規定による診療所における診療用放射線照射装置の備付届の受理
ヲ　法第十五条第三項並びに省令第二十七条第一項及び第二項の規定による診療所における診療用放射線照射器具の備付届の受理
ワ　法第十五条第三項及び省令第二十七条第三項の規定による診療所における診療用放射線照射器具の翌年使用予定届の受理
カ　法第十五条第三項及び省令第二十七条の二の規定による診療所における放射性同位元素装備診療機器の備付届の受理
ヨ　法第十五条第三項及び省令第二十八条第一項の規定による診療所における診療用放射性同位元素又は陽電子断層撮影診療用放射性同位元素の備付届の受理
タ　法第十五条第三項及び省令第二十八条第二項の規定による診療所における診療用放射性同位元素又は陽電子断層撮影診療用放射性同位元素の翌年使用予定届の受理
レ　法第十五条第三項及び省令第二十九条第一項の規定による診療所における診療用エックス線装置に係る変更届及び診療所における診療用エックス線装置、診療用高エネルギー放射線発生装置、診療用放射線照射装置、診療用放射線照射器具又は放射性同位元素装備診療機器の廃止届の受理
ソ　法第十五条第三項及び省令第二十九条第二項の規定による診療所における診療用高エネルギー放射線発生装置、診療用放射線照射装置、診療用放射線照射器具、放射性同位元素装備診療機器、診療用放射性同位元素又は陽電子断層撮影診療用放

射性同位元素に係る変更届の受理

ツ　法第十五条第三項及び省令第二十九条第三項の規定による診療所における診療用放射性同位元素又は陽電子断層撮影診療用放射性同位元素の廃止届及び廃止後の措置届の受理

ネ　法第十八条ただし書の規定による診療所の専属薬剤師の免除

ナ　法第二十五条第一項の規定による診療所及び助産所に対する報告の徴収及び立入検査

ラ　法第二十五条第二項の規定による診療所及び助産所に対する診療録、助産録、帳簿書類その他の物件の提出命令並びに診療所及び助産所の開設者の事務所その他運営に関係のある場所への立入検査

ム　法第二十七条の規定による患者を入院させるための施設を有する診療所及び入所施設を有する助産所の使用前の検査及び許可証の交付

ウ　令第四条第一項の規定による診療所及び助産所の開設者の住所等の変更届の受理並びに同条第三項の規定による診療所及び助産所の変更届の受理

ヰ　令第四条の二第一項の規定による診療所及び助産所の開設届の受理並びに同条第二項の規定による診療所及び助産所に係る変更届の受理

三十六　死体解剖保存法（昭和二十四年法律第二百四号）第十九条第一項の規定による死体の全部又は一部の保存許可

三十七　あん摩マツサージ指圧師、はり師、きゆう師等に関する法律（昭和二十二年法律第二百十七号。以下この号において「法」という。）に基づく次に掲げる事務に関すること。

イ　法第八条第一項の規定による施術者に対する指示

ロ　法第九条の二の規定による施術所の開設、変更、休止、廃止及び再開の届出の受理

ハ　法第九条の三の規定による業務の開始、休止、廃止及び再開の届出の受理

ニ　法第九条の四の規定による都内に滞在して業務を行おうとするときの届出の受理

ホ　法第十条第一項の規定による施術者又は施術所の開設者に対する報告の要求及び臨検検査

ヘ　法第十二条の二第二項において準用する医業類似行為を業とすることができる者に係る同法第八条第一項の規定による施術者に対する指示

ト　法第十二条の二第二項において準用する医業類似行為を業とすることができる者の施術所に係る同法第九条の二の規定による施術所の開設、変更、休止、廃止及び再開の届出の受理

チ　法第十二条の二第二項において準用する法第九条の三及び第九条の四の規定による医業類似行為を業とすることができる者の施術所に係る届出の受理

リ　法第十二条の二第二項において準用する医業類似行為を業とすることができる者の施術所に係る同法第十条第一項の規定による報告の要求及び臨検検査

三十八　柔道整復師法（昭和四十五年法律第十九号。以下この号において「法」という。）に基づく次に掲げる事務に関すること。

イ　法第十八条第一項の規定による施術者に対する指示

ロ　法第十九条の規定による施術所の開設、変更、休止、廃止及び再開の届出の受理

ハ　法第二十一条第一項の規定による報告の要求及び立入検査

三十九　歯科技工士法（昭和三十年法律第百六十八号。以下この号において「法」という。）に基づく次に掲げる事務に関すること。

イ　法第二十一条の規定による歯科技工所の開設、変更、休止、廃止及び再開の届出の受理

ロ　法第二十七条第一項の規定による報告の徴収及び立入検査

四十　診療放射線技師法（昭和二十六年法律第二百二十六号。以下この号において「法」という。）及び行政事務の簡素合理化及び整理に関する法律（昭和五十八年法律第八十三号）第二十二条の規定による改正前の法（以下この号において「旧法」という。）に基づく次に掲げる事務に関すること。

イ　法第二十八条第二項の規定による照射録の提出及び検査（診療所に係るものに限る。）に関すること。

ロ　旧法第二十七条第二項の規定による照射録（診療エックス線技師が作成したものに限る。）の提出及び検査（診療所に係るものに限る。）に関すること。

四十一　医薬品、医療機器等の品質、有効性及び安全性の確保等に関する法律（昭和三十五年法律第百四十五号。以下この号において「法」という。）、医薬品、医療機器等の品質、有効性及び安全性の確保等に関する法律施行令（昭和三十六年政令第十一号。以下この号において「令」という。）、医薬品、医療機器等の品質、有効性及び安全性の確保等に関する法律施行規則（昭和三十六年厚生省令第一号。以下この号において「省令」という。）及び医薬品、医

療機器等の品質、有効性及び安全性の確保等に関する法律施行細則（昭和三十六年東京都規則第七十六号。以下この号において「規則」という。）に基づく次に掲げる事務に関すること。

イ　法第四条第一項及び第四項の規定による薬局の開設の許可及び許可の更新

ロ　法第七条第四項ただし書の規定による薬局の管理者の兼務許可及び規則第二条第三項の規定による兼務許可の廃止の届出の受理

ハ　法第十条第一項及び第二項の規定による薬局の廃止、休止、再開又は管理者等及び名称等の変更の届出の受理

ニ　法第十二条第一項及び第四項並びに令第八十条第一項第一号及び第八項の規定による薬局製造販売医薬品の製造販売業の許可及び許可の更新

ホ　法第十三条第一項、第二項、第四項及び第七項並びに令第八十条第一項第二号及び同条第八項の規定による薬局製造販売医薬品製造業の許可及び許可の更新

ヘ　法第十四条第一項及び第十五項並びに令第八十条第一項第一号の規定による薬局製造販売医薬品製造販売業の医薬品の製造販売に係る承認及び承認事項の一部変更の承認

ト　法第十四条第十六項及び令第八十条第一項第一号の規定による薬局製造販売医薬品製造販売業の医薬品の製造販売に係る承認事項の軽微な変更の届出の受理

チ　法第十四条の八及び令第八十条第八項の規定による薬局製造販売医薬品製造販売業の医薬品の製造販売に係る承認の承継の届出の受理

リ　法第十四条の九第一項及び令第八十条第一項第三号の規定による薬局製造販売医薬品の製造販売の届出の受理

ヌ　法第十四条の九第二項及び令第八十条第八項の規定による薬局製造販売医薬品の製造販売届出事項の変更の届出の受理

ル　法第十九条及び令第八十条第一項第四号の規定による薬局製造販売医薬品製造販売業及び薬局製造販売医薬品製造業の休廃止等の届出の受理

ヲ　法第二十四条第一項及び第二項の規定による同法第二十五条の医薬品販売業（配置販売業を除く。以下同じ。）の許可及び許可の更新

ワ　法第二十八条第四項ただし書の規定による店舗販売業の店舗管理者の兼務許可及び規則第三条第一項において準用する規則第二条第三項の規定による兼務許可の廃止の届出の受理

カ　法第三十五条第四項ただし書の規定による卸売販売業の営業所管理者の兼務許可及び規則第三条第二項において準用する規則第二条第三項の規定による兼務許可の廃止の届出の受理

ヨ　法第三十八条第一項及び第二項において準用する法第十条第一項及び第二項の規定による医薬品販売業の廃止、休止、再開又は管理者等及び名称等の変更の届出の受理

タ　法第三十九条第二項及び第六項の規定による高度管理医療機器又は特定保守管理医療機器（以下「高度管理医療機器等」という。）の販売業及び貸与業の許可及び許可の更新

レ　法第三十九条の二第二項ただし書の規定による高度管理医療機器等営業所管理者の兼務許可及び規則第三条第三項において準用する規則第二条第三項の規定による兼務許可の廃止の届出の受理

ソ　法第三十九条の三第一項の規定による管理医療機器（特定保守管理医療機器を除く。以下同じ。）の販売業及び貸与業の届出の受理

ツ　法第四十条第一項及び第二項において準用する法第十条第一項の規定による高度管理医療機器等又は管理医療機器の販売業及び貸与業の廃止、休止、再開又は管理者等の変更の届出の受理

ネ　法第六十九条第一項から第三項まで及び第六項の規定による薬局製造販売医薬品製造販売業者、薬局製造販売医薬品製造業者、薬局開設者、病院、診療所又は飼育動物診療施設の開設者、医薬品販売業者、高度管理医療機器等又は管理医療機器の販売業者及び貸与業者その他医薬品、医薬部外品、化粧品又は医療機器を業務上取り扱う者に対する報告の徴収並びにそれらの施設に対する立入検査、質問及び収去

ナ　法第六十九条第四項の規定による医薬品、医薬部外品、化粧品、医療機器若しくは再生医療等製品を輸入しようとする者若しくは輸入した者又は法第五十六条の二第一項に規定する確認の手続に係る関係者に対する報告の徴収並びに当該者の試験研究機関、医療機関、事務所その他必要な場所に対する立入り、帳簿書類その他の物件の検査、従業員その他の関係者に対する質問及び収去

ラ　法第七十二条第二項の規定による薬局製造販売医薬品製造業者に対する構造設備の改善命令及び使用禁止

ム　法第七十二条第四項の規定による薬局開設者、医薬品販売業者並びに高度管理医療機器等又は管理医療機器の販売業者及び貸与業者に対する構造設備改善の措置命令及び使用の禁止

ウ　法第七十二条の二第一項の規定による薬局開設者又は店舗販売業者に対する業務の体制の整備命令
キ　法第七十二条の二の二の規定による薬局開設者、医薬品販売業者又は高度管理医療機器等若しくは管理医療機器の販売業者若しくは貸与業者に対する遵守事項の改善措置命令
ノ　法第七十二条の五第一項の規定による違反広告（薬局開設者、医薬品販売業者又は高度管理医療機器等若しくは管理医療機器の販売業者若しくは貸与業者によるものに限る。以下この号において同じ。）に係る措置命令及び同条第二項の規定による違反広告に係る措置要請
オ　法第七十六条の八の規定による厚生労働大臣指定薬物若しくはその疑いがある物品を貯蔵し、若しくは陳列している者又はこれらの物を製造し、輸入し、販売し、授与し、貯蔵し、若しくは陳列した者からの報告の徴収、これらの者の店舗その他必要な場所に対する立入検査、関係者への質問及びこれらの物の収去
ク　法第七十九条の規定による許可又は承認の条件の付与及び変更
ヤ　令第二条の三の規定による薬局開設の許可証の書換え交付
マ　令第二条の四の規定による薬局開設の許可証の再交付
ケ　令第二条の四第三項及び第二条の五の規定による薬局開設の許可証の返納
フ　令第二条の十三の規定による薬局の総取扱処方箋数の届出の受理
コ　令第五条第一項、第二項及び第四項の規定による薬局製造販売医薬品製造販売業の許可証の書換え交付
エ　令第六条第一項、第二項及び第五項の規定による薬局製造販売医薬品製造販売業の許可証の再交付
テ　令第六条第四項及び第五項並びに第七条の規定による薬局製造販売医薬品製造販売業の許可証の返納の受理
ア　令第十二条第一項、第二項及び第四項の規定による薬局製造販売医薬品製造業の許可証の書換え交付
サ　令第十三条第一項、第二項及び第五項の規定による薬局製造販売医薬品製造業の許可証の再交付
キ　令第十三条第四項及び第五項並びに第十四条の規定による薬局製造販売医薬品製造業の許可証の返納の受理
ユ　令第四十五条の規定による医薬品販売業並びに高度管理医療機器等の販売業及び貸与業の許可証の書換え交付
メ　令第四十六条第一項及び第二項の規定による医薬品販売業並びに高度管理医療機器等の販売業及び貸与業の許可証の再交付
ミ　令第四十六条第三項及び第四十七条の規定による医薬品販売業並びに高度管理医療機器等の販売業及び貸与業の許可証の返納の受理
四十一の二　東京都薬物の濫用防止に関する条例（平成十七年東京都条例第六十七号）第十五条第一項の規定による立入調査、質問及び知事指定薬物等の収去
四十二　毒物及び劇物取締法（昭和二十五年法律第三百三号。以下この号において「法」という。）、毒物及び劇物取締法施行令（昭和三十年政令第二百六十一号。以下この号において「令」という。）及び毒物及び劇物取締法施行規則（昭和二十六年厚生省令第四号。以下この号において「省令」という。）に基づく次に掲げる事務に関すること。
イ　法第四条第一項及び第三項の規定による毒物又は劇物を販売する販売業の登録
ロ　法第七条第三項（同法第二十二条第四項において準用する場合を含む。）の規定による毒物又は劇物を販売する販売業者及び令第四十一条で定める事業を行う者であつてその業務上シアン化ナトリウム又は令第四十二条で定めるその他の毒物若しくは劇物を取り扱うもの（以下「業務上取扱者」という。）における毒物劇物取扱責任者の設置又は変更の届出の受理
ハ　法第十条第一項の規定による毒物又は劇物を販売する販売業者からの変更届又は廃止届の受理
ニ　法第十八条第一項（同法第二十二条第四項及び第五項において準用する場合を含む。）の規定による毒物又は劇物の販売業者及び業務上取扱者からの報告の徴収、その店舗、研究所その他業務上毒物又は劇物を取り扱う場所への立入検査、関係者への質問及び収去
ホ　法第十九条第一項の規定による毒物又は劇物を販売する販売業者の設備が厚生労働省令で定める基準に適合しなくなつた場合における必要な措置命令
ヘ　法第二十一条第一項の規定による毒物又は劇物を販売する販売業の登録が失効した場合の届出の受理
ト　法第二十二条第一項、第二項及び第三項の規定

による業務上取扱者の届出の受理

チ　令第三十五条第一項及び第二項の規定による毒物又は劇物を販売する販売業の登録票の書換交付

リ　令第三十六条第一項及び第二項の規定による毒物又は劇物を販売する販売業の登録票の再交付

ヌ　令第三十六条第三項及び第三十六条の二第一項の規定による毒物又は劇物を販売する販売業の登録票の返納の受理

四十三　麻薬及び向精神薬取締法（昭和二十八年法律第十四号。以下この号において「法」という。）及び麻薬及び向精神薬取締法施行規則（昭和二十八年厚生省令第十四号。以下この号において「省令」という。）に基づく次に掲げる事務に関すること。

イ　法第三条第一項の規定による麻薬小売業者の免許

ロ　法第七条の規定による麻薬小売業者の業務廃止等の届出の受理

ハ　法第八条又は第十条第二項の規定による麻薬小売業者の免許証の返納の受理

ニ　法第九条の規定による麻薬小売業者の免許証の記載事項変更の届出の受理及び書換え交付

ホ　法第十条第一項の規定による麻薬小売業者の免許証の再交付

ヘ　法第二十九条の規定による麻薬小売業者の麻薬の廃棄の届出の受理及び立会い

ト　法第三十五条第一項の規定による麻薬小売業者の麻薬の事故の届出の受理

チ　法第三十五条第二項の規定による麻薬小売業者の調剤済み麻薬の廃棄の届出の受理

リ　法第三十六条第一項及び第三項（同条第四項において準用する場合を含む。）の規定による麻薬小売業者又はその相続人等の現に所有する麻薬の届出及び麻薬の譲渡の届出の受理

ヌ　法第四十七条の規定による麻薬小売業者の届出の受理

ル　法第五十条第一項の規定による向精神薬卸売業者及び向精神薬小売業者（法第五十条の二十六第一項ただし書の規定による申出をした者に限る。）の免許

ヲ　法第五十条の四において準用する法第七条第一項及び第三項の規定による向精神薬卸売業者及び向精神薬小売業者（ルの免許を受けた者に限る。以下タまで及びウにおいて同じ。）の業務廃止等の届出の受理

ワ　法第五十条の四において準用する法第八条又は第十条第二項の規定による向精神薬卸売業者及び向精神薬小売業者の免許証の返納の受理

カ　法第五十条の四において準用する法第九条の規定による向精神薬卸売業者及び向精神薬小売業者の免許証の記載事項変更の届出の受理及び書換え交付

ヨ　法第五十条の四において準用する法第十条第一項の規定による向精神薬卸売業者及び向精神薬小売業者の免許証の再交付

タ　法第五十条の二十第四項の規定による向精神薬卸売業者及び向精神薬小売業者の向精神薬取扱責任者の届出の受理

レ　法第五十条の二十二第一項の規定による向精神薬卸売業者及び向精神薬小売業者（医薬品、医療機器等の品質、有効性及び安全性の確保等に関する法律の規定により薬局の開設の許可又は医薬品（同法第八十三条第一項に規定する医薬品を除く。）の卸売販売業の許可を受けた者に限る。以下同じ。）の向精神薬の事故の届出の受理

ソ　法第五十条の二十六第一項ただし書の規定による別段の申出の受理

ツ　法第五十条の三十八第一項の規定による麻薬小売業者、向精神薬卸売業者及び向精神薬小売業者からの報告の徴収並びにそれらの施設に係る立入検査、質問及び収去並びに麻薬（麻薬原料植物のうちパパヴェル・ブラクテアツム・リンドルに係るものに限る。ツにおいて同じ。）の取締り上必要な場合（栽培のおそれが認められないときに限る。）における、その他の関係者（麻薬取扱者及び向精神薬取扱者を除く。）からの報告の徴収並びに麻薬に関係ある場所に係る立入検査及び質問

ネ　法第五十条の三十八第一項の規定による麻薬施用者、麻薬管理者及び向精神薬取扱者である病院の開設者からの報告の徴収並びにこれらの者に係る麻薬業務所及び病院に係る立入検査、質問及び収去（第四十一号ネに規定する立入検査と同時に行う場合に限る。）

ナ　法第五十条の三十九の規定による向精神薬卸売業者及び向精神薬小売業者に対する向精神薬の保管又は廃棄の方法の変更その他必要な措置命令

ラ　法第五十条の四十の規定による向精神薬卸売業者及び向精神薬小売業者に対する向精神薬営業所の構造設備の改善命令及び使用禁止

ム　省令第一条の四の規定による麻薬小売業者の役員の変更の届出の受理

ウ　省令第十四条の四の規定による向精神薬卸売業者及び向精神薬小売業者の役員の変更の届出の受理

四十三の二　あへん法（昭和二十九年法律第七十一号。以下この号において「法」という。）に基づく事務のうち、法第四十四条第二項の規定によるけしがらの取締り上必要な場合（栽培のおそれが認められないときに限る。）における、その他の関係者（けし栽培者及び麻薬研究者を除く。）からの報告の徴収並びにけしがらに関係ある場所に係る立入検査及び質問

四十四　覚醒剤取締法（昭和二十六年法律第二百五十二号。以下この号において「法」という。）に基づく次に掲げる事務に関すること。

イ　法第三十条の十三の規定による法第三十条の七第七号に規定する薬局開設者が所有する覚醒剤原料の廃棄の届出の受理及び立会い

ロ　法第三十条の十四第一項の規定による法第三十条の七第七号に規定する薬局開設者の覚醒剤原料の事故の届出の受理

ハ　法第三十条の十四第二項の規定による薬局開設者の覚醒剤原料の廃棄の届出の受理

ニ　法第三十条の十四第三項の規定による薬局開設者の覚醒剤原料の譲受の届出の受理

ホ　法第三十条の十五第一項第二号の規定による法第三十条の七第七号に規定する薬局開設者が所有し、又は所持していた覚醒剤原料の報告の受理

ヘ　法第三十条の十五第二項の規定による法第三十条の七第七号に規定する薬局開設者の覚醒剤原料の譲渡の報告の受理

ト　法第三十条の十五第三項の規定による法第三十条の七第七号に規定する薬局開設者の覚醒剤原料の廃棄等に係る立会い及び指示

チ　法第三十一条の規定による法第三十条の七第七号に規定する薬局開設者その他関係者からの報告の徴収

リ　法第三十二条第二項の規定による法第三十条の十二第一項第四号に規定する薬局に対する立入検査及び収去並びに法第三十条の七第七号に規定する薬局開設者その他の関係者に対する質問

ヌ　法第三十二条第二項の規定による法第三十条の十二第一項第五号に規定する病院に係る立入検査及び収去並びに法第三十条の七第六号に規定する病院の開設者に対する質問（第四十一号ネに規定する立入検査と同時に行う場合に限る。）

四十五　有害物質を含有する家庭用品の規制に関する法律（昭和四十八年法律第百十二号）第七条第一項の規定による家庭用品の販売業者からの報告の徴収、その施設に対する立入検査、関係者への質問及び当該家庭用品の収去に関すること。

四十五の二　薬局等の行う医薬品の広告の適正化に関する条例（昭和五十三年東京都条例第三十一号）第七条第一項の規定による報告の徴収、立入調査及び関係人への質問

四十六　東京都事務手数料条例（昭和二十四年東京都条例第三十号）第五条の規定による国若しくは地方自治法第一条の三に規定する地方公共団体又は生活保護法により保護を受ける者の事務手数料減免申請の承認に関すること。

四十七　東京都保健医療局関係手数料条例（平成十二年東京都条例第八十七号。以下この号において「条例」という。）に基づく次に掲げる事務に関すること。

イ　条例第四条の規定による国若しくは地方自治法第一条の三に規定する地方公共団体又は生活保護法の規定により保護を受ける者の手数料減免申請の承認

ロ　条例別表十三の項に規定する手数料の徴収（島しよ保健所に限る。）

**第二条**　知事は、前条第三号ハ、ニ、ホ、ル、ヲ及びミ、第十号ロ、ハ、ニ、ホ、ヘ、チ、リ、ヌ及びル、第十号の二イ及びハ、第十一号ホ及びヘ、第十二号、第十四号ニ、第十五号ハ、第十六号ニ、第十七号ニ、第十八号ニ及びホ、第十九号ホ及びヘ、第二十号、第二十一号ヘ、チ及びリ、第二十二号ロからヘまで、第二十三号ホ及びヘ、第二十四号ハからトまで、第二十五号イ、ロ、ト及びヲからカまで、第二十五号の二から第二十七号まで、第二十八号、第二十九号、第三十号ヘ、チ、ヌ、ヲ及びワ、第三十二号、第三十三号ル及びヲ、第三十五号イ、第三十七号イ、ホ、ヘ及びリ、第三十八号イ及びハ、第三十九号ロ、第四十号、第四十一号ネ、ナ、ノ及びオ、第四十一号の二、第四十二号ニ、第四十三号ツ及びネ、第四十三号の二、第四十四号ト、リ及びヌ、第四十五号並びに第四十五号の二の事項については、特に必要と認めるときは、同条の規定にかかわらず、直接その権限を行うことができる。

**第三条**　この規則の施行について必要な事項は、別に知事が定める。

**附　則**

この規則は、公布の日から施行する。

**附　則**（令三・三・三一規則一八三）

1　この規則は、令和三年八月一日から施行する。ただし、次の各号に掲げる規定は、当該各号に定める日から施行する。

一　第一条第二十五号から第二十七号までの改正規定及び

第二条の改正規定（「及びキ」を「、ノ及びオ」に改める部分を除く。）並びに次項の規定　令和三年六月一日

二　附則第三項の規定　公布の日

2　東京都食品安全条例の一部を改正する条例（令和二年東京都条例第六十九号）附則第二項の規定によりなお効力を有することとされた同条例による改正前の東京都食品安全条例（平成十六年東京都条例第六十七号）第二十四条第一項の規定による指導、同条第二項の規定による報告の受理及び同条第四項の規定による指導については、前項第一号に掲げる改正規定による改正後の東京都保健所長委任規則（以下「六月改正後規則」という。）の規定にかかわらず、なお従前の例による。

3　保健所長は、食品衛生法等の一部を改正する法律（平成三十年法律第四十六号）附則第九条の規定に基づく準備行為を行う場合において、六月改正後規則第一条第二十五号へに規定する届出については、附則第一項第一号の規定にかかわらず、この規則の公布の日から受理することができる。この場合において、六月改正後規則第一条第二十五号へ中「法」とあるのは、「食品衛生法等の一部を改正する法律（平成三十年法律第四十六号）附則第九条の規定により同法第二条の規定の施行前に行われる同条による改正後の法」とする。

**附　則**（令五・一二・五規則一五二）

この規則は、令和五年十二月十三日から施行する。

**附　則**（令六・三・二八規則三七）

この規則は、令和六年四月一日から施行する。

# ○保健所使用条例

昭二一・八・三一
条　例　三　一

最終改正　平一八・三・三一条例九二

**第一条**　保健所は、地域保健法（昭和二十二年法律第百一号）の定めるところにより、公衆衛生の向上及び増進を図るために必要な指導及びこれに伴う治療を行う。

**第二条**　保健所において前条に掲げる指導及び治療を受ける者は、次の範囲内で知事が定める使用料及び手数料を納めなければならない。

一　使用料　健康保険法（大正十一年法律第七十号）第七十六条第二項に規定する厚生労働大臣が定めるところ（以下「厚生労働大臣が定める算定方法」という。）により算定した額の八割の額

二　手数料

㈠　診断書　一通　千五百円

㈡　証明書　一通　四百円

2　厚生労働大臣が定める算定方法に定めのないもの又は生活保護法（昭和二十五年法律第百四十四号）若しくは健康保険法その他の法令等により、前項の規定によることが不適当と認められるものについては、知事が別にこれを定める。

**第三条**　知事は、特別の事由があると認めたものに対しては、前条の使用料及び手数料は、これを減免することができる。

**第四条**　使用料及び手数料は、診療を受けまたは診断書等の交付を受けたつどこれを納めなければならない。ただし、知事は、特別の理由があると認めるときは、徴収を猶予することができる。

**第五条**　この条例の施行について必要な事項は、知事がこれを定める。

**附　則**

この条例は、昭和二十一年九月一日から、これを施行する。

**附　則**（平一八・三・三一条例九二）

この条例は、平成十八年四月一日から施行する。

# ○東京都受動喫煙防止条例

平三〇・七・四
条例七五

最終改正　令四・三・三一条例三九

## 第一章　総則

（目的）

**第一条**　この条例は、健康増進法（平成十四年法律第百三号。以下「法」という。）第六章及び第九章並びに健康増進法の一部を改正する法律（平成三十年法律第七十八号。以下「改正法」という。）附則第二条から第七条までに定めるもののほか、東京都（以下「都」という。）、都民及び保護者の責務を明らかにするとともに、都民が自らの意思で受動喫煙を避けることができる環境の整備を促進することにより、受動喫煙による都民の健康への悪影響を未然に防止することを目的とする。

（定義）

**第二条**　この条例において、次の各号に掲げる用語の意義は、それぞれ当該各号に定めるところによる。

一　喫煙　法第二十八条第二号に規定する喫煙をいう。

二　受動喫煙　法第二十八条第三号に規定する受動喫煙をいう。

三　特定施設　法第二十八条第四号に規定する特定施設をいう。

四　旅客運送事業自動車等　法第二十八条第八号に規定する旅客運送事業自動車等をいう。

五　特定屋外喫煙場所　法第二十八条第十三号に規定する特定屋外喫煙場所をいう。

六　都指定特定飲食提供施設　改正法附則第二条第二項に規定する既存特定飲食提供施設のうち、当該既存特定飲食提供施設で業務に従事する従業員（労働基準法（昭和二十二年法律第四十九号）第九条に規定する労働者（同居の親族のみを使用する事業又は事務所に使用される者及び家事使用人を除く。）をいう。）がいないものをいう。

（都の責務）

**第三条**　都は、受動喫煙による都民の健康への悪影響を未然に防止するための環境の整備に関する総合的な施策を策定し、及び実施する責務を有する。

2　都は、喫煙及び受動喫煙が健康に及ぼす悪影響について、意識の啓発や教育を通じた正しい知識の普及により、都民の理解を促進するように努めなければならない。

3　都は、前項に定めるもののほか、受動喫煙の防止に関するその他必要な施策について、都民、区市町村（特別区及び市町村をいう。第六条において同じ。）、多数の者が利用する施設（敷地を含む。以下同じ。）及び旅客運送事業自動車等の管理権原者（施設又は旅客運送事業自動車等の管理について権原を有する者をいう。以下同じ。）その他の関係者と連携し、及び協力して実施するよう努めなければならない。

（都民の責務）

**第四条**　都民は、喫煙及び受動喫煙が健康に及ぼす悪影響について理解を深めるとともに、他人に受動喫煙を生じさせることがないよう努めなければならない。

2　都民は、都が実施する受動喫煙の防止に関する施策に協力するよう努めなければならない。

（保護者の責務）

**第五条**　保護者は、いかなる場所においても、その監督保護に係る十八歳未満の者に対し、受動喫煙による健康への悪影響を未然に防止するよう努めなければならない。

（関係者の協力）

**第六条**　都、区市町村、多数の者が利用する施設及び旅客運送事業自動車等の管理権原者その他の関係者は、受動喫煙が生じないよう、受動喫煙を防止するための措置の総合的かつ効果的な推進を図るため、相互に連携を図りながら協力するよう努めなければならない。

**第七条**　削除

## 第二章　受動喫煙を防止するための措置

（既存特定飲食提供施設における喫煙の禁止等）

**第八条**　何人も、正当な理由がなくて、改正法附則第二条第二項に規定する既存特定飲食提供施設（都指定特定飲食提供施設を除く。以下単に「既存特定飲食提供施設」という。）においては、当該既存特定飲食提供施設の法第三十三条第三項第一号に規定する喫煙専用室及び改正法附則第三条第一項の規定により読み替えられた法第三十三条第三項第一号に規定する指定たばこ専用喫煙室以外の屋内の場所（改正法附則第二条第一項の規定により読み替えられた法第二十九条第一項第二号に規定する喫煙禁止場所を除く。以下「喫煙禁止場所」という。）で喫煙をしてはならない。

2　知事は、前項の規定に違反して喫煙をしている者に対し、喫煙の中止又は喫煙禁止場所からの退出を命ずることができる。

（管理権原者等の責務）

**第九条**　既存特定飲食提供施設の管理権原者等（管理権

原者及び施設の管理者をいう。以下同じ。）は、当該既存特定飲食提供施設の喫煙禁止場所に専ら喫煙の用に供させるための器具及び設備を喫煙の用に供することができる状態で設置してはならない。

2　都指定特定飲食提供施設における改正法附則第二条第一項の規定により読み替えられた法第三十三条第四項に規定する喫煙可能室設置施設の管理権原者は、都指定特定飲食提供施設に該当することを証明する書類として東京都規則（以下「規則」という。）で定めるものを備え、これを保存しなければならない。

3　法第二十八条第六号に規定する第二種施設のうち、飲食店、喫茶店その他設備を設けて客に飲食をさせる営業が行われる施設（法第三十三条第三項に規定する喫煙専用室設置施設等標識、改正法附則第二条第一項の規定により読み替えられた法第三十三条第三項に規定する喫煙可能室設置施設標識又は改正法附則第三条第一項の規定により読み替えられた法第三十三条第三項に規定する指定たばこ専用喫煙室設置施設等標識が掲示されている施設を除く。）の管理権原者は、当該施設の主たる出入口の見やすい箇所に、次に掲げる事項を記載した標識を掲示しなければならない。

一　当該施設の屋内又は内部の場所に喫煙をすることができる場所がない旨

二　その他規則で定める事項

4　児童福祉法（昭和二十二年法律第百六十四号）第三十九条第一項に規定する保育所並びに学校教育法（昭和二十二年法律第二十六号）第一条に規定する幼稚園、小学校、中学校、義務教育学校、高等学校、中等教育学校、特別支援学校及び高等専門学校並びにこれらに準ずる施設として規則で定めるものの管理権原者は、特定屋外喫煙場所を設けないよう努めなければならない。

**（管理権原者等に対する指導及び助言）**

**第十条**　知事は、前条第一項の管理権原者等及び同条第二項から第四項までの管理権原者に対し、同条各項に規定する施設における受動喫煙を防止するために必要な指導及び助言をすることができる。

**（既存特定飲食提供施設の管理権原者等に対する勧告、命令等）**

**第十一条**　知事は、既存特定飲食提供施設の管理権原者等が第九条第一項の規定に違反して器具又は設備を喫煙の用に供することができる状態で設置しているときは、当該管理権原者等に対し、期限を定めて、当該器具又は設備の撤去その他当該器具又は設備を喫煙の用に供することができないようにするための措置をとるべきことを勧告することができる。

2　知事は、前項の規定による勧告を受けた既存特定飲食提供施設の管理権原者等が、同項の期限内にこれに従わなかったときは、その旨を公表することができる。

3　知事は、第一項の規定による勧告を受けた既存特定飲食提供施設の管理権原者等が、その勧告に係る措置をとらなかったときは、当該管理権原者等に対し、期限を定めて、その勧告に係る措置をとるべきことを命ずることができる。

**（立入検査等）**

**第十二条**　知事は、この章の規定（第九条第四項を除く。）の施行に必要な限度において、特定施設の管理権原者等に対し、当該特定施設の喫煙禁止場所における専ら喫煙の用に供させるための器具及び設備の撤去その他の受動喫煙を防止するための措置の実施状況に関し報告をさせ、又はその職員に、特定施設に立ち入り、当該措置の実施状況若しくは帳簿、書類その他の物件を検査させ、若しくは関係者に質問させることができる。

2　前項の規定により立入検査又は質問をする職員は、その身分を示す証明書を携帯し、関係者に提示しなければならない。

3　第一項の規定による権限は、犯罪捜査のために認められたものと解釈してはならない。

**（適用関係）**

**第十三条**　第九条第四項に規定する施設の場所に同項に規定する施設以外の特定施設に該当する場所がある場合においては、当該場所については、同項に規定する施設の場所としてこの章の規定を適用する。

**（適用除外）**

**第十四条**　法第四十条第一項各号に規定する場所については、この章の規定（この条の規定を除く。以下この条において同じ。）は、適用しない。

2　特定施設の場所に法第四十条第一項各号に規定する場所に該当する場所がある場合においては、当該特定施設の場所（当該同項各号に規定する場所に該当する場所に限る。）については、この章の規定は、適用しない。

## 第三章　罰則

**（罰則）**

**第十五条**　第十一条第三項の規定に基づく命令に違反した者は、五万円以下の過料に処する。

**第十六条**　第八条第二項の規定に基づく命令に違反した者は、三万円以下の過料に処する。

**第十七条**　次の各号のいずれかに該当する者は、二万円以下の過料に処する。

一　第九条第二項の規定による書類を備え付けず、又は保存しなかった者

二　第十二条第一項の規定による報告をせず、若しくは虚偽の報告をし、又は同項の規定による検査を拒み、妨げ、若しくは忌避し、若しくは同項の規定による質問に対して答弁をせず、若しくは虚偽の答弁をした者

附　則

**（施行期日）**

**第一条**　この条例は、令和二年四月一日から施行する。ただし、次の各号に掲げる規定は、当該各号に定める日から施行する。

一　第一条、第二条（第一号から第三号までに限る。）、第三条から第七条まで、次条第一号及び附則第七条の規定　公布の日から起算して六月を超えない範囲内において規則で定める日〔平三一・一・一〕

二　第二条（第四号及び第五号に限る。）、第八条から第十二条まで及び第十四条の規定　令和元年九月一日までの間において規則で定める日〔平三一・九・一〕

**（指定たばこの適用除外）**

**第二条**　改正法附則第三条第一項に規定する指定たばこについては、当分の間、第八条第二項の規定は適用しない。

**（検討）**

**第三条**　都は、この条例の施行後五年を経過した場合において、この条例の規定の施行の状況について検討を加え、必要があると認めるときは、その結果に基づいて必要な措置を講ずるものとする。

附　則（令四・三・三一条例三九）

この条例は、令和四年四月一日から施行する。

# ○東京都食品安全条例

平一六・三・三一
条　例　六　七

最終改正　令二・六・一七条例六九

## 第一章　総則

**（目的）**

**第一条**　この条例は、食品の安全の確保に関し、基本理念を定め、並びに東京都（以下「都」という。）及び事業者の責務並びに都民の役割を明らかにするとともに、食品の安全の確保に関する基本的な施策及び健康への悪影響の未然の防止のための具体的な方策を推進することにより、食品の安全を確保し、もって現在及び将来の都民の健康の保護を図ることを目的とする。

**（定義）**

**第二条**　この条例において「食品」とは、全ての飲食物（医薬品、医療機器等の品質、有効性及び安全性の確保等に関する法律（昭和三十五年法律第百四十五号）に規定する医薬品、医薬部外品及び再生医療等製品を除く。）をいう。

2　この条例において「食品等」とは、食品並びに添加物（食品衛生法（昭和二十二年法律第二百三十三号）第四条第二項に規定する添加物をいう。）、器具（同条第四項に規定する器具をいう。）、容器包装（同条第五項に規定する容器包装をいう。）及び食品の原料又は材料として使用される農林水産物（以下単に「農林水産物」という。）をいう。

3　この条例において「生産」とは、農林水産物を生産し、又は採取することをいう。

4　この条例（前項を除く。）において「採取」とは、農林水産物以外の食品等を採取することをいう。

5　この条例において「生産資材」とは、農林漁業において使用される肥料、農薬、飼料、飼料添加物、動物用の医薬品その他の食品の安全性に影響を及ぼすおそれがある資材をいう。

6　この条例において「事業者」とは、食品等を生産し、採取し、製造し、輸入し、加工し、調理し、貯蔵し、運搬し、又は販売することを営む者、学校、病院その他の施設において継続的に不特定又は多数の者に食品を供与する者及び生産資材を製造し、輸入し、又は販売することを営む者をいう。

**（基本理念）**

**第三条**　食品の安全の確保は、事業者が、自ら取り扱う食品等の安全の確保又は自ら取り扱う生産資材が食品の安全性に及ぼす影響への配慮について第一義的責任を有していることを認識し、その責務を確実に遂行することを基礎として推進されなければならない。

2　食品の安全の確保は、食品等の生産から消費に至る一連の行程の各段階において、健康への悪影響を未然に防止する観点から、最新の科学的知見に基づき、適切に行われなければならない。

3　食品の安全の確保は、都、都民及び事業者が食品の安全の確保に関する情報及び意見の交流を通じて、それぞれの取組について相互に理解し、協力することにより行われなければならない。

**（都の責務）**

**第四条**　都は、前条に定める食品の安全の確保についての基本理念にのっとり、第二章に定めるところにより食品の安全の確保に関する施策を総合的かつ計画的に

推進する責務を有する。

（事業者の責務）

**第五条**　事業者は、その事業活動に関し、自主的な衛生管理を推進する責務を有する。

2　事業者は、自らが取り扱う食品等又は生産資材の特性に応じた食品の安全の確保に係る知識の習得に努めなければならない。

3　事業者は、自らが取り扱う食品等による健康への悪影響又は生産資材が食品等に用いられることによる健康への悪影響が発生し、又はそのおそれがある場合には、当該悪影響の発生又は拡大の防止に必要な措置を的確かつ迅速に講ずる責務を有する。

4　事業者は、自らが取り扱う食品等又は生産資材に関連し、食品の安全の確保に関する情報の正確かつ適切な提供及び公開並びに積極的な説明に努めなければならない。

5　事業者は、第三項に規定する措置及び前項に規定する情報の提供等に資するため、食品等の生産、製造、仕入れ、販売等に係る必要な情報又は生産資材の製造、輸入、販売等に係る必要な情報の記録及びその保管に努めなければならない。

6　事業者は、食品等への表示を行うに当たっては、正確かつ分かりやすい表示に努めなければならない。

7　事業者は、前各項に定めるもののほか、都が実施する食品の安全の確保に関する施策に協力する責務を有する。

（都民の役割）

**第六条**　都民は、食品の安全の確保に関する施策について意見を表明するように努めることによって、食品の安全の確保に積極的な役割を果たすものとする。

2　都民は、食品の安全の確保に関する知識と理解を深め、食品の選択に際し自ら合理的に行動できるよう努めるものとする。

3　都民は、食品の安全の確保に関する都の施策に協力するよう努めるものとする。

## 第二章　食品の安全の確保に関する基本的な施策

（食品安全推進計画）

**第七条**　知事は、食品の安全の確保に関する施策の総合的かつ計画的な推進を図るため、東京都食品安全推進計画（以下「推進計画」という。）を定めるものとする。

2　推進計画は、次に掲げる事項について定めるものとする。

一　食品の安全の確保に関する施策の方向

二　前号に掲げるもののほか、食品の安全の確保に関する重要事項

3　知事は、推進計画を定めるに当たっては、都民及び事業者の意見を反映することができるよう必要な措置を講ずるものとする。

4　知事は、推進計画を定めるに当たっては、あらかじめ第二十六条第一項に規定する東京都食品安全審議会の意見を聴かなければならない。

5　知事は、推進計画を定めたときは、遅滞なく、これを公表するものとする。

6　前三項の規定は、推進計画の変更について準用する。

7　知事は、推進計画に基づく施策の実施状況について公表するものとする。

（調査研究の推進）

**第八条**　都は、食品の安全の確保に関する施策を最新の科学的知見に基づき適切に実施するため、食品等の安全性に関する調査研究を行うとともに、食品等の生産、製造、試験及び検査に関する研究及び技術開発を推進し、並びにそれらの成果の普及を図るものとする。

（情報の収集、整理、分析及び評価の推進）

**第九条**　都は、食品による健康への悪影響を未然に防止するため、食品等の安全性に関する情報について収集及び整理を行うとともに、最新の科学的知見に基づく分析及び評価を行うものとする。

2　都は、前項の分析及び評価の結果を、食品の安全を確保するための施策に的確に反映させるものとする。

（食品等の生産から販売に至る監視、指導等）

**第十条**　都は、農林水産物の生産の行程での生産資材の適正な使用を図るため、農林水産物の生産に係る事業者その他の関係者への指導及び当該事業者の事業に係る施設又は場所に対する監視、生産資材の安全を確保するための検査その他の法令に基づく必要な措置を講ずるものとする。

2　都は、食品等の採取、製造、加工、調理、貯蔵、運搬及び販売の各行程において、食品の安全の確保を効果的に推進するため、流通の実態を踏まえ、食品等の採取、製造、輸入、加工、調理、貯蔵、運搬又は販売に係る事業者その他の関係者への指導及び当該事業者の事業に係る施設に対する監視、食品等の試験又は検査その他の法令又は他の条例に基づく必要な措置を講ずるものとする。

（指導、監視等の体制の整備）

**第十一条**　都は、食品の流通形態の大規模化及び広域化に対応して食品の安全の確保を図るため、特別区及び保健所を設置する市と連携して、前条第二項に規定す

る指導、監視等を都の区域内全域で広域的かつ機動的に実施するための体制を整備するものとする。

**（食品表示の適正化の推進）**

**第十二条**　都は、食品等の表示について法令の適正な運用を図るとともに、都民に食品等に関する情報を正確に伝達するために必要な措置を講ずるものとする。

**（事業者による自主的な衛生管理の推進）**

**第十三条**　都は、事業者による自主的な衛生管理の推進が食品の安全の確保において基本的な事項であるとの認識に基づき、事業者がその継続的かつ確実な実施に向けて行う自発的な取組を促進するよう、必要な措置を講ずるものとする。

**（生産から販売に至る各行程における情報の記録等）**

**第十四条**　都は、都民への食品の安全の確保に関する情報の的確な提供及び食品による健康への悪影響が発生した場合の原因究明に資するため、食品等の生産から販売に至る各行程における適切な情報の記録及びその保管並びに伝達について事業者による積極的な取組が促進されるよう、技術的な情報の提供その他の必要な措置を講ずるものとする。

**（事業者への技術的支援）**

**第十五条**　都は、前二条に定めるもののほか、食品の安全の確保に関する事業者の取組が適切に行われるよう、関係法令に関する情報その他の食品の安全を確保するための情報の提供その他の必要な技術的支援を講ずるものとする。

**（情報の共有化、意見の交流等の推進）**

**第十六条**　都は、都民及び事業者の食品の安全の確保に関する理解並びに都、都民及び事業者の食品の安全の確保に向けた取組の連携及び協力に資するため、食品の安全の確保に関する情報の共有化並びに情報及び意見の相互交流の推進に必要な措置を講ずるものとする。

**（教育及び学習の推進）**

**第十七条**　都は、都民及び事業者が、食品及び食生活の安全の確保に関する正確な知識に基づき、食品の安全の確保に関する取組を的確かつ合理的に行えるよう、教育及び学習の推進に必要な措置を講ずるものとする。

**（事業者による情報公開の促進）**

**第十八条**　都は、事業者が保有している食品の安全の確保に関する情報に関して、事業者による積極的な公開又は提供が促進されるよう、必要な措置を講ずるものとする。

**（都民及び事業者の意見の反映）**

**第十九条**　都は、第七条第三項に定めるもののほか、食品の安全の確保に関する施策に、都民及び事業者の意見を反映することができるよう、必要な措置を講ずるものとする。

**（特別区、市町村、国等との連携等）**

**第二十条**　都は、食品の安全の確保に関する施策の推進に当たって、特別区及び市町村との連携を図るとともに、必要に応じて、国又は他の地方公共団体と協力を図るものとする。

2　都は、食品の安全の確保を図るため必要があると認めるときは、国に対し意見を述べ、必要な措置を執るよう求めるものとする。

## 第三章　健康への悪影響の未然の防止

**（知事の安全性調査）**

**第二十一条**　知事は、食品による健康への悪影響を未然に防止するため、当該悪影響の起こり得る蓋然性及びその重大性の観点から必要と認めるときは、法令又は他の条例に定める措置を執る場合を除き、食品等に含まれることにより健康に悪影響を及ぼすおそれがある要因について、必要な調査を行うことができる。

2　知事は、前項に規定する調査の実施に必要な限度において、事業者又は事業者により構成される団体その他の関係者から報告を求め、その職員をしてそれらのものの事業所、事務所その他の事業に係る施設又は場所に立ち入って、食品等、生産資材、施設、設備、帳簿書類その他の物件を調査させ、又は試験若しくは検査を行うため必要な限度において、食品等、生産資材その他の物件の提出を求めることができる。

3　前項の規定により調査を行う職員は、その身分を示す証明書を携帯し、関係者に提示しなければならない。

4　知事は、食品の安全の確保を図るために必要があると認めるときは、第一項に規定する調査の経過及び結果を明らかにするものとする。

5　知事は、第一項に規定する調査の実施に当たっては、あらかじめ第二十七条第一項に規定する東京都食品安全情報評価委員会（以下この条及び次条において「情報評価委員会」という。）の意見を聴くものとする。ただし、健康への悪影響を未然に防止するため緊急を要する場合で、あらかじめ情報評価委員会の意見を聴くいとまがないときは、この限りでない。

6　前項ただし書の場合においては、知事は、第一項に規定する調査を行った後相当の期間内に、その旨を情報評価委員会に報告し、その意見を聴くものとする。

7　前二項に定めるもののほか、知事は、第一項に規定する調査に関し必要があると認めるときは、情報評価委員会の意見を聴くことができる。

8　都は、第二項の規定により事業者から物件を提出させたときは、正当な補償を行うものとする。
9　第二項の規定による権限は、犯罪捜査のために認められたものと解釈してはならない。

（措置勧告）
**第二十二条**　知事は、前条第一項に規定する調査の結果、食品による健康への悪影響を未然に防止するため必要があると認めるときは、法令又は他の条例に定める措置を執る場合を除き、事業者又は事業者により構成される団体その他の関係者に対し、健康への悪影響の防止に必要な措置を執るべきことを勧告するとともに、その旨を公表することができる。
2　知事は、前項の規定による勧告をしようとするときは、あらかじめ情報評価委員会の意見を聴くものとする。ただし、健康への悪影響を未然に防止するため緊急を要する場合で、あらかじめ情報評価委員会の意見を聴くいとまがないときは、この限りでない。
3　前項ただし書の場合においては、知事は、第一項の規定による勧告を行った後相当の期間内に、その旨を情報評価委員会に報告し、その意見を聴くものとする。
4　知事は、第一項の規定による勧告をしようとするときは、当該勧告に係る事業者又は事業者により構成される団体その他の関係者に対し、あらかじめ当該勧告に係る事案について意見を述べ、証拠を提示する機会を与えなければならない。

**第二十三条及び第二十四条**　削除

## 第四章　東京都食品安全審議会及び東京都食品安全情報評価委員会

（東京都食品安全審議会）
**第二十六条**　都における食品の安全の確保に関する施策について、知事の諮問に応じて調査審議するため、知事の附属機関として、東京都食品安全審議会（以下「審議会」という。）を置く。
2　審議会は、次に掲げる事項を調査審議する。
一　食品安全推進計画に関すること。
二　前号に掲げるもののほか、食品の安全の確保に関する基本的事項
3　審議会は、前項に規定する事項に関し、知事に意見を述べることができる。
4　審議会は、都民、事業者及び学識経験を有する者のうちから、知事が任命する二十五名以内の委員で組織する。
5　委員の任期は、二年とし、補欠の委員の任期は、前任者の残任期間とする。ただし、再任を妨げない。
6　特別の事項又は専門の事項を調査審議するため必要があるときは、審議会に臨時委員を置くことができる。
7　委員及び臨時委員は、非常勤とする。
8　審議会は、所掌事項の審議に際し、必要があると認めるときは、都民、事業者その他の関係者から意見又は説明を聴くことができる。
9　第四項から前項までに定めるもののほか、審議会の組織及び運営に関し必要な事項は、東京都規則（以下「規則」という。）で定める。

（東京都食品安全情報評価委員会）
**第二十七条**　食品等の安全性に関する情報について調査を行い、その結果を知事に報告するため、知事の附属機関として、東京都食品安全情報評価委員会（以下「情報評価委員会」という。）を置く。
2　情報評価委員会は、次に掲げる事項を調査し、知事に報告する。
一　食品等の安全性に関する情報の分析及び評価に関すること。
二　第二十一条第一項に規定する調査及び第二十二条第一項の規定による勧告に係る食品等の安全性に関すること。
三　前二号に掲げる事項について調査を行った結果に係る都、都民及び事業者の相互間の情報の共有化及び意見の交流の方法に関すること。
3　情報評価委員会は、都民及び学識経験を有する者のうちから、知事が任命する二十名以内の委員で組織する。
4　委員の任期は、二年とし、補欠の委員の任期は、前任者の残任期間とする。ただし、再任を妨げない。
5　専門の事項を調査するため必要があるときは、情報評価委員会に専門委員を置くことができる。
6　委員及び専門委員は、非常勤とする。
7　情報評価委員会は、所掌事項に係る調査を行うため必要があると認めるときは、学識経験を有する者から意見又は説明を聴くことができる。
8　第三項から前項までに定めるもののほか、情報評価委員会の組織及び運営に関し必要な事項は、規則で定める。

## 第五章　雑則

（環境への配慮）
**第二十八条**　都、都民及び事業者は、食品の安全の確保に関する取組を推進するに当たっては、当該取組が環境に及ぼす影響について配慮しなければならない。

（委任）
**第二十九条**　この条例に規定するもののほか、この条例

の施行について必要な事項は、規則で定める。

### 第六章　罰則

**（罰則）**

**第三十条**　第二十一条第二項の規定による報告をせず、若しくは虚偽の報告をし、又は同項の規定による調査若しくは物件の提出を拒み、妨げ、若しくは忌避した者は、二十万円以下の罰金に処する。

**（両罰規定）**

**第三十一条**　法人の代表者又は法人若しくは人の代理人、使用人その他の従業者が、その法人又は人の業務に関し、前条の違反行為をしたときは、行為者を罰するほか、その法人又は人に対しても、同条の罰金刑を科する。

**附　則**（抄）

**（施行期日）**

1　この条例は、平成十六年四月一日から施行する。ただし、第二十一条、第二十二条、第三十条及び第三十一条の規定は同年五月一日から、第二十三条及び第二十四条の規定は公布の日から起算して九月を超えない範囲内において規則で定める日〔平一六・一一・一〕から施行する。

**附　則**（令二・六・一七条例六九）

**（施行期日）**

1　この条例は、令和三年六月一日から施行する。

**（経過措置）**

2　この条例の施行前に、この条例による改正前の東京都食品安全条例（以下「旧条例」という。）第二十三条第一項の規定に基づき知事に報告があった場合については、旧条例第二十四条の規定は、この条例の施行の日以後も、なおその効力を有する。

## ○東京都薬物の濫用防止に関する条例

平一七・三・三一
条　例　六　七

最終改正　令六・一〇・一一条例一三八

### 第一章　総則

**（目的）**

**第一条**　この条例は、都内において、薬物が濫用され薬物による被害が深刻化している状況を踏まえ、東京都（以下「都」という。）が薬物の濫用を防止するための具体的な方策を推進することにより、薬物の濫用から青少年をはじめとする都民の健康と安全を守るとともに、都民が平穏にかつ安心して暮らすことができる健全な社会の実現を図ることを目的とする。

**（定義）**

**第二条**　この条例において「薬物」とは、次に掲げる物をいう。

一　覚醒剤取締法（昭和二十六年法律第二百五十二号）第二条第一項に規定する覚醒剤及び同条第五項に規定する覚醒剤原料

二　麻薬及び向精神薬取締法（昭和二十八年法律第十四号）第二条第一項第一号に規定する麻薬（同条第二項の規定により麻薬とみなされるものを含む。）、同条第一項第四号に規定する麻薬原料植物及び同項第六号に規定する向精神薬

三　あへん法（昭和二十九年法律第七十一号）第三条第一号に規定するけし、同条第二号に規定するあへん及び同条第三号に規定するけしがら

四　毒物及び劇物取締法施行令（昭和三十年政令第二百六十一号）第三十二条の二に規定するトルエン並びに酢酸エチル、トルエン又はメタノールを含有するシンナー（塗料の粘度を減少させるために使用される有機溶剤をいう。）、接着剤、塗料及び閉そく用又はシーリング用の充てん料

五　医薬品、医療機器等の品質、有効性及び安全性の確保等に関する法律（昭和三十五年法律第百四十五号）第二条第十五項に規定する厚生労働大臣の指定薬物

六　前各号に掲げるもののほか、これらと同等に、興奮、幻覚、陶酔その他これらに類する作用を人の精神に及ぼす物で、それを濫用することにより人の健康に被害が生じると認められるもの

**（都の責務）**

**第三条**　都は、この条例に定めるところにより、薬物の濫用防止に関する施策を総合的かつ計画的に推進する責務を有する。

**（都民の責務）**

**第四条**　都民は、薬物の危険性に関する知識と理解を深め、薬物の濫用を防止するよう努めなければならない。

2　都民は、薬物の濫用防止に関する都の施策に協力するよう努めなければならない。

### 第二章　薬物の濫用防止に関する基本的な施策

**（推進体制の整備）**

**第五条**　都は、薬物の濫用防止に関する施策の総合的かつ計画的な推進を図るため、必要な体制を整備するも

のとする。

2　知事及び東京都公安委員会（以下「公安委員会」という。）は、相互に連携し、及び協力して、薬物の濫用の防止に関し、必要な措置を講ずるものとする。

（調査研究の推進）

**第六条**　都は、薬物の濫用防止に関する施策を最新の科学的知見に基づき適切に実施するため、薬物の危険性に関する調査研究を行うとともに、薬物の試験及び検査に関する研究及び技術開発を推進し、並びにそれらの成果の普及を図るものとする。

（情報の収集、整理、分析及び評価の推進）

**第七条**　都は、薬物の濫用から都民の健康と安全を守るため、薬物の危険性に関する情報について収集及び整理を行うとともに、最新の科学的知見に基づく分析及び評価を行うものとする。

2　都は、前項の分析及び評価の結果を、薬物の濫用を防止するための施策に的確に反映させるものとする。

（情報の提供）

**第八条**　都は、薬物の濫用から都民の健康と安全を守るため、都民に必要な情報を提供するものとする。

（教育及び学習の推進）

**第九条**　都は、都民が薬物の危険性に関する正確な知識に基づき行動することができるよう、教育及び学習の推進に必要な措置を講ずるものとする。

（監視及び指導体制の整備）

**第十条**　都は、薬物の流通形態の多様化に対応して、薬物の濫用を防止するため、監視及び指導を効果的かつ適切に実施するための体制を整備するものとする。

（国等との連携等）

**第十一条**　都は、薬物の濫用を防止するための施策の推進に当たって、国、他の地方公共団体及び薬物の濫用防止を目的とする団体との連携及び協力を図るものとする。

2　都は、薬物の濫用を防止するため必要があると認めるときは、国に対し意見を述べ、必要な措置を執るよう求めるものとする。

## 第三章　薬物の濫用の規制

（知事指定薬物の指定）

**第十二条**　知事は、第二条第六号に掲げる薬物のうち、都内において現に濫用され、又は濫用されるおそれがあると認めるものを知事指定薬物として指定することができる。

2　知事は、前項の規定による指定をしようとするときは、あらかじめ第十九条第一項に規定する東京都薬物情報評価委員会の意見を聴くものとする。

3　第一項の規定による指定は、知事指定薬物の名称、指定の理由その他必要な事項を告示することによって行うものとする。

（知事指定薬物の指定の失効）

**第十三条**　前条第一項の規定による指定は、知事指定薬物が第二条第一号から第五号までに掲げる薬物に指定され、又は該当するに至ったときは、その効力を失うものとする。

2　知事は、前項の規定により知事指定薬物の指定が効力を失うときは、当該知事指定薬物の名称、失効の理由その他必要な事項を告示するものとする。

3　第二十一条から第二十四条までの規定は、第一項の規定による知事指定薬物の指定の失効前にした行為についても、これを適用する。

（販売等の禁止）

**第十四条**　何人も、次に掲げる行為をしてはならない。ただし、第一号から第四号までに掲げる行為については、正当な理由により行う場合として東京都規則（以下「規則」という。）で定める場合は、この限りでない。

一　知事指定薬物（知事指定薬物を含有する物又は植物を含む。以下同じ。）を製造し、又は栽培すること。

二　知事指定薬物を販売し、授与し、又は販売若しくは授与の目的で所持すること（都の区域外における販売又は授与の目的で所持する場合を含む。）。

三　知事指定薬物を販売又は授与の目的で広告すること。

四　知事指定薬物を所持し、購入し、若しくは譲り受け、又は使用すること（販売又は授与の目的で所持する場合を除く。）。

五　多数の人が集まって知事指定薬物をみだりに使用することを知って、その場所を提供し、又はあっせんすること。

（立入調査等）

**第十五条**　知事は、この条例の施行に必要な限度において、その職員をして、知事指定薬物又はこれに該当する疑いのある物（以下「知事指定薬物等」という。）を業務上取り扱う場所その他前条各号の行為に関係ある場所に立ち入って、調査させ、関係者に質問させ、又は試験のため必要な最少分量に限り知事指定薬物等を収去させることができる。

2　公安委員会は、この条例の施行に必要な限度において、東京都公安委員会規則（以下「公安委員会規則」という。）で定める警察職員をして、知事指定薬物等を業務上取り扱う場所その他必要な場所に立ち入って、調査させ、又は関係者に質問させることができる。

3　前二項の規定により立入調査を行う場合は、第一項の職員は規則で、前項の警察職員は公安委員会規則で定める様式による証票を携帯し、関係者の請求があったときは、これを提示しなければならない。

4　第一項及び第二項の規定による立入調査等の権限は、犯罪捜査のために認められたものと解釈してはならない。

**（警告）**

**第十六条**　知事は、次の各号のいずれかに該当する者に対し、警告を発することができる。

一　第十四条第一号の規定に違反して知事指定薬物を製造し、又は栽培した者

二　第十四条第二号の規定に違反して知事指定薬物を販売し、授与し、又は販売若しくは授与の目的で所持した者（都の区域外における販売又は授与の目的で所持した者を含む。）

三　第十四条第三号の規定に違反して知事指定薬物を販売又は授与の目的で広告した者

四　第十四条第四号の規定に違反して知事指定薬物をみだりに使用し、又は所持し、購入し、若しくは譲り受け、又は使用した者（販売又は授与の目的で所持した者を除く。）

五　第十四条第五号の規定に違反して場所を提供し、又はあっせんした者

2　前項各号（第四号を除く。）のいずれかに該当する者が、法人の代表者又は法人若しくは人の代理人、使用人その他の従業者であるときは、その法人又は人に対しても、同項の規定による警告を発することができる。

3　第一項の警告は、規則で定める様式による警告書を交付して行うものとする。

4　公安委員会は、警察職員が第十四条第五号の行為をした者を発見したときは、公安委員会規則で定めるところにより、知事に通知することができる。

**（販売中止等の命令）**

**第十七条**　知事は、前条第一項第一号から第四号までの規定による警告に従わない者に対し、知事指定薬物の製造、栽培、販売、授与、所持、広告、購入、譲受け若しくは使用の中止（以下「知事指定薬物の製造等の中止」という。）を命じ、又は知事指定薬物の回収若しくは廃棄その他必要な措置を執るべきことを命ずることができる。

2　知事は、次の各号のいずれかに該当するときは、前条第一項第一号から第四号までのいずれかに該当する者に対し、同項の規定による警告を発することなく、知事指定薬物の製造等の中止を命じ、又は知事指定薬物の回収若しくは廃棄その他必要な措置を執るべきことを命ずることができる。

一　薬物の濫用から都民の健康と安全を守るため緊急を要する場合で、前条第一項の規定による警告を発するいとまがないとき。

二　前条第一項第一号から第四号までのいずれかに該当する者が、過去に同項第一号から第四号までのいずれかの規定による警告を受けたことがあるとき。

**（緊急時における指定の特例）**

**第十八条**　知事は、第二条第六号に掲げる薬物の濫用により都民の健康に重大な被害が生じ、又は生じるおそれがあると認める場合であって、緊急を要し、あらかじめ第十九条第一項に規定する東京都薬物情報評価委員会の意見を聴くいとまがないときは、第十二条第二項の手続を経ないで、同条第一項の規定による指定（次項及び第十九条第二項第二号において単に「指定」という。）をすることができる。

2　知事は、前項の場合における指定を行ったときは、速やかに、その旨を第十九条第一項に規定する東京都薬物情報評価委員会に報告するものとする。

**（公安委員会の要請）**

**第十八条の二**　公安委員会は、第二条第六号に掲げる薬物に関し、公共の安全の維持のため必要があると認めるときは、公安委員会規則で定めるところにより、知事に対し、必要な措置を執るべきことを要請することができる。

## 第四章　東京都薬物情報評価委員会

**（東京都薬物情報評価委員会）**

**第十九条**　第二条第六号に掲げる薬物の危険性に関する情報について調査を行い、その結果を知事に報告するため、知事の附属機関として、東京都薬物情報評価委員会（以下「委員会」という。）を置く。

2　委員会は、次に掲げる事項を調査し、知事に報告する。

一　第十二条第一項の規定による指定に係る第二条第六号に掲げる薬物の危険性に関する情報の分析及び評価に関すること。

二　第十八条第一項の場合における指定に係る第二条第六号に掲げる薬物の危険性に関する情報の分析及び評価に関すること。

3　委員会は、学識経験を有する者のうちから、知事が任命する五名以内の委員で組織する。

4　委員の任期は、二年とし、補欠の委員の任期は、前任者の残任期間とする。ただし、再任を妨げない。

5　委員は、非常勤とする。

6 委員は、職務上知り得た秘密を漏らしてはならない。その職を退いた後も、同様とする。

7 委員会の行う調査の手続は、公開しない。

8 第三項から前項までに定めるもののほか、委員会の組織及び運営に関し必要な事項は、規則で定める。

### 第五章　雑則

（委任）

**第二十条** この条例に定めるもののほか、この条例の施行について必要な事項は、規則で定める。

### 第六章　罰則

（罰則）

**第二十一条** 第十七条の規定による命令（第十六条第一項第一号又は第二号に係るものに限る。）に違反した者は、二年以下の拘禁刑又は百万円以下の罰金に処する。

**第二十二条** 次の各号のいずれかに該当する者は、一年以下の拘禁刑又は五十万円以下の罰金に処する。

一 第十四条第一号又は第二号の規定に違反した者

二 第十七条の規定による命令（第十六条第一項第一号又は第二号に係るものを除く。）に違反した者

**第二十二条の二** 第十四条第三号又は第四号の規定に違反した者は、六月以下の拘禁刑又は三十万円以下の罰金に処する。

**第二十三条** 第十五条第一項若しくは第二項の規定による立入調査若しくは同条第一項の規定による収去を拒み、妨げ、若しくは忌避し、又はこれらの規定による質問に対して陳述をせず、若しくは虚偽の陳述をした者は、二十万円以下の罰金に処する。

（両罰規定）

**第二十四条** 法人の代表者又は法人若しくは人の代理人、使用人その他の従業者が、その法人又は人の業務に関して、前四条の違反行為をしたときは、行為者を罰するほか、その法人又は人に対しても、各本条の罰金刑を科する。

**附　則**

この条例は、平成十七年四月一日から施行する。ただし、第十四条から第十七条まで及び第六章の規定は、同年六月一日から施行する。

**附　則**（令六・六・一九条例一〇三）

この条例は、大麻取締法及び麻薬及び向精神薬取締法の一部を改正する法律（令和五年法律第八十四号）の施行の日〔令和五年一二月一三日から起算して一年を超えない範囲内において政令で定める日〕又はこの条例の公布の日のいずれか遅い日から施行する。

**附　則**（令六・一〇・一一条例一三八）

1 この条例は、令和七年六月一日から施行する。

2 この条例の施行前にした行為に対する罰則の適用については、なお従前の例による。

## ○薬局等の行う医薬品の広告の適正化に関する条例

昭五三・三・三一
条　例　三　一

最終改正　平二六・一〇・一〇条例一二七

（目的）

**第一条** この条例は、薬局等の行う医薬品の広告に関して、必要な事項を定めることにより、医薬品の過量消費及び濫用の助長の防止等を図り、もつて医薬品の適正使用を確保し、都民の保健衛生の維持、向上に資することを目的とする。

（定義）

**第二条** この条例において「薬局等」とは、医薬品、医療機器等の品質、有効性及び安全性の確保等に関する法律（昭和三十五年法律第百四十五号）に定める薬局及び医薬品の販売業をいう。

2 この条例において「営業者」とは、薬局等を営む者をいう。

3 この条例において「店頭広告」とは、看板、ネオンサイン、はり紙、はり札その他これらに類する広告であつて、薬局等の施設若しくは店舗又は事務所に附帯して行われるものをいう。

（適用上の注意）

**第三条** この条例の適用に当たつては、その本来の目的を逸脱して、これを濫用し、都民の権利を不当に侵害しないよう留意しなければならない。

（努力義務）

**第四条** 営業者は、医薬品の広告を行うに当たり、次の

各号に掲げる事項を広告するよう努めなければならない。ただし、店頭広告にあつては、この限りでない。
一　医薬品の効能、効果に関する事項
二　医薬品の副作用等使用に関する注意事項
三　医薬品の保管等取扱いに関する注意事項
2　営業者は、医薬品と医薬品以外のものを同一紙面で広告する場合は、医薬品と医薬品以外のものを明確に区別するよう努めなければならない。

（自主規制）
**第五条**　営業者は、いたずらに不安・不快の感じを与えることにより、不必要な医薬品の使用を促すおそれのある医薬品の広告を行わないよう努めなければならない。

（禁止事項）
**第六条**　営業者は、次の各号に掲げる医薬品の広告を行つてはならない。
一　医薬品の副作用に関し、安全性を誇張することにより、安易な使用を促す広告
二　医薬品について、化粧品的又は食品的用法を強調することにより、安易な使用を促す広告

（立入調査等）
**第七条**　知事は、前条の規定の施行に必要な限度において、営業者に対し、報告を求め、その職員をして、薬局等の施設若しくは店舗又は事務所に立ち入つて、広告物等について調査させ、又は関係人に質問させることができる。
2　前項の規定により立入調査又は質問を行う職員は、東京都規則（以下「規則」という。）で定める様式による証票を携帯し、関係人に提示しなければならない。

（勧告）
**第八条**　知事は、第六条の規定に違反している営業者があるときは、その者に対し、当該違反事項を是正するよう勧告することができる。
2　前項の規定による勧告は、規則で定める様式による勧告書を交付して行うものとする。
3　第一項の規定による勧告を受けた者は、速やかに、広告の中止又は回収等必要な措置をとらなければならない。

（意見の聴取）
**第九条**　知事は、前条第一項の規定による勧告をしようとするときは、当該勧告に係る営業者に対し、公開による意見の聴取を行わなければならない。
2　前項の場合において、知事は、意見の聴取の期日及び場所並びに事案の内容をその期日の一週間前までに、当該勧告に係る営業者に通知し、かつ、意見の聴取の期日及び場所を東京都公報により公告しなければならない。
3　意見の聴取に当たつては、当該勧告に係る営業者に対し、当該事案についてその者が意見を述べ、証拠を提示する機会を与えなければならない。
4　知事は、当該勧告に係る営業者又はその代理人が正当な理由がなくて意見の聴取の期日に出頭しないときは、第一項の規定にかかわらず、意見の聴取を行わないで前条第一項の規定による勧告をすることができる。

（公表）
**第十条**　知事は、営業者が第八条第一項の規定による勧告に従わない場合であつて、勧告の対象となつた事項が、都民の健康に危害を及ぼすおそれがあると認めるときは、その旨を公表することができる。
2　前項の規定による公表は、東京都公報への登載その他の方法により行うものとする。

（諮問）
**第十一条**　知事は、前条の規定による公表を行おうとするときは、あらかじめ、東京都薬事審議会の意見を聴かなければならない。

（委任）
**第十二条**　第七条第二項及び第八条第二項に定めるもののほか、この条例の施行について必要な事項は、規則で定める。

**附　則**
この条例は、公布の日から起算して三月を経過した日から施行する。

**附　則**（平二六・一〇・一〇条例一二七）
この条例は、平成二十六年十一月二十五日から施行する。

# ○大気汚染に係る健康障害者に対する医療費の助成に関する条例

昭四七・一〇・二六
条例一一七

最終改正　平二六・一〇・一〇条例一二三

（目的）

**第一条**　この条例は、大気汚染の影響を受けると推定される疾病にかかつた者に対し、医療費を助成することにより、その者の健康障害の救済を図ることを目的とする。

（疾病の範囲）

**第二条**　医療費の助成の対象となる疾病は、次の各号のいずれかに該当するもの及びその続発症とする。

一　慢性気管支炎
二　気管支ぜん息
三　ぜん息性気管支炎
四　肺気しゆ

（対象者）

**第三条**　医療費の助成の対象となる者は、次に掲げる要件を備えている者とする。

一　現に前条に規定する疾病にかかつている者
二　東京都の区域内に引き続き一年（三歳に満たない者にあつては、六月）以上住所を有する者
三　喫煙していない者
四　十八歳未満の者（十八歳の誕生日から同日の属する月の末日までの期間にある者を含む。）
五　前条に規定する疾病について国民健康保険法（昭和三十三年法律第百九十二号）その他東京都規則（以下「規則」という。）で定める法令（以下「医療保険各法」という。）の規定により医療に関する給付が行われる者

（認定申請）

**第四条**　医療費の助成を受けようとする者は、規則で定めるところにより、知事に申請しなければならない。

（認定）

**第五条**　知事は、前条の規定による申請があつたときは、大気汚染障害者認定審査会（以下「審査会」という。）の意見を聞いて、当該申請に係る疾病が大気汚染の影響を受けると推定される疾病である旨の認定（以下「認定」という。）を行う。

2　認定の有効期間は、前条の規定による申請を受理した日から起算して二年を経過した日以降の直近の誕生日の属する月の末日までを限度とする。

（認定期間の更新）

**第六条**　認定を受けた者が、前条第二項の規定による認定の有効期間の満了後も引き続き医療費の助成を受けようとするときは、規則で定めるところにより知事に申請しなければならない。

2　知事は、前項の規定による申請があつた場合において、必要と認めるときは、審査会の意見を聞いて、二年を限度として、認定の有効期間を更新することができる。

（医療券及び通知書）

**第七条**　知事は、認定又は前条第二項の規定による認定の有効期間の更新を受けた者（以下「被認定者」という。）に対し医療券を、認定又は認定の有効期間の更新を受けなかつた者に対しその旨を記載した通知書を規則で定めるところにより交付する。

2　被認定者が認定に係る疾病について病院若しくは診療所で医療を受け、又は薬局で投薬を受ける際は、病院、診療所又は薬局（以下「医療機関等」という。）に医療券を提示するものとする。

（助成の範囲）

**第八条**　東京都は、被認定者の認定に係る疾病について医療保険各法の規定により医療に関する給付が行われた場合における医療費（健康保険の療養に要する費用の額の算定方法によつて算定された額（当該法令の規定に基づきこれと異なる算定方法によることとされている場合においては、その算定方法によつて算定された額）を超える額を除く。）のうち、当該法令の規定によつて被認定者又は被認定者に係る国民健康保険法による世帯主若しくは健康保険法（大正十一年法律第七十号）による被保険者その他これに準ずる者（以下「被保険者等」という。）が負担すべき額から当該法令の規定によつて被保険者等が負担すべき入院時食事療養費に係る食事療養標準負担額又は入院時生活療養費に係る生活療養標準負担額を控除した額を助成する。

2　前項の規定にかかわらず、医療保険各法以外の法令、条例又は規則（以下「法令等」という。）の規定により国又は地方公共団体の負担による医療に関する給付が行われたときは、同項の医療費の助成の額から当該法令等の規定によつて行われた当該医療に関する給付の額を控除した額を助成する。

（助成の方法）

**第九条**　医療費の助成は、助成する額を被認定者に代わり医療機関等に支払うことによつて行う。

2　前項の規定にかかわらず、知事が特別の理由があると認めるときは、被認定者に支払うことにより医療費

の助成を行うことができる。

（届出義務）

**第十条** 被認定者は、氏名又は住所を変更したときは、規則で定めるところにより、その旨を速やかに知事に届け出なければならない。

（医療費の返還）

**第十一条** 知事は、偽りその他不正の手段により医療費の助成を受けた者があるとき、又は助成後に過誤額その他第八条に該当しない助成を受けた者があるときは、その者から当該助成を受けた額の全部又は一部を返還させることができる。

（委任）

**第十二条** この条例に規定するもののほか、この条例の施行について必要な事項は、規則で定める。

**附　則**

この条例は、公布の日から施行し、昭和四十七年十月一日から適用する。

**附　則**（平一九・一二・二六条例一三八）

改正　平二〇・三・三一条例六五

（施行期日）

1　この条例は、公布の日から起算して一年を超えない範囲内において東京都規則で定める日〔平二〇・八・一〕から施行する。ただし、次項から附則第六項までの規定は、公布の日から施行する。

（認定申請に関する経過措置）

2　この条例の施行の際、この条例による改正前の大気汚染に係る健康障害者に対する医療費の助成に関する条例（以下「旧条例」という。）第三条第三号に規定する要件を備えていない者で、この条例による改正後の大気汚染に係る健康障害者に対する医療費の助成に関する条例（以下「新条例」という。）第三条に規定する要件を備え、第五条第一項の規定による認定を受けようとするものは、この条例の施行の日（以下「施行日」という。）の属する月の三月前の月の初日から施行日の前日までの間においても、新条例第四条の規定による申請をすることができる。

3　前項の規定による新条例第五条第二項の規定の適用については、同項中「前条の規定による申請を受理した日」とあるのは「大気汚染に係る健康障害者に対する医療費の助成に関する条例の一部を改正する条例（平成十九年東京都条例第百三十八号）の施行の日」と読み替えるものとする。

4　前二項の規定にかかわらず、この条例の施行の際、旧条例第二条第二号に規定する気管支ぜん息及びその続発症により医療費の助成に係る認定を受けている者で、施行日の属する月の前月の初日から施行日の前日までの間に十八歳に達するものが、新条例の規定による医療費の助成の申請をする場合にあっては、施行日の属する月の三月前の月の初日から施行日の前日までの間においても、新条例第六条第一項に規定する認定期間の更新の申請とみなして、同項の申請をすることができる。

5　前項の規定による新条例第六条第一項の規定の適用については、同項中「認定を」とあるのは「大気汚染に係る健康障害者に対する医療費の助成に関する条例の一部を改正する条例（平成十九年東京都条例第百三十八号。以下「一部改正条例」という。）による改正前の大気汚染に係る健康障害者に対する医療費の助成に関する条例第五条第一項の規定による認定を」と、「前条第二項の規定による認定の有効期間の満了後も引き続き」とあるのは「一部改正条例の施行の日から」と読み替えるものとする。

6　附則第二項又は第四項の規定による申請を行った者に対する新条例第五条第一項の規定による認定、新条例第六条第二項の規定による認定の有効期間の更新、新条例第七条の規定による医療券及び通知書の交付並びにこれらに関し必要な手続その他の行為は、これらの規定の例により、この条例の施行日前においても行うことができる。

（見直し）

7　東京都は、この条例の施行後五年を経過した時点で新条例の施行の状況について検証し、その結果に基づき必要な見直しを行うものとする。

**附　則**（平二六・一〇・一〇条例一二三）

（施行期日）

1　この条例は、平成二十七年四月一日（以下「施行日」という。）から施行する。ただし、附則第四項及び第五項の規定は、公布の日から施行する。

（経過措置）

2　施行日前になされたこの条例による改正前の大気汚染に係る健康障害者に対する医療費の助成に関する条例（以下「旧条例」という。）第四条の規定による申請に対する認定については、この条例による改正後の大気汚染に係る健康障害者に対する医療費の助成に関する条例（以下「新条例」という。）第二条及び第三条の規定は適用せず、旧条例第二条及び第三条の規定は、なおその効力を有する。

3　施行日前になされた旧条例第六条第一項の規定による更新の申請（附則第六項に該当する者からの更新の申請を除く。以下「旧条例による更新の申請」という。）のうち、更新を受けようとする有効期間が施行日前に開始するものに対する認定の有効期間の更新については、新条例第二条及び第三条の規定は適用せず、旧条例第二条及び第三条の規定は、なおその効力を有する。

4　旧条例による更新の申請のうち、更新を受けようとする有効期間が施行日以後に開始するものについては、新条例第六条第一項の規定によってなされたものとみなす。

5　前項の規定による申請を行った者に対する新条例第六条第二項の規定による認定の有効期間の更新、新条例第七条第一項の規定による医療券及び通知書の交付並びにこれらに関し必要な手続その他の行為は、これらの規定の例により、施行日前においても行うことができる。

6　この条例の施行の際、現に旧条例第二条第一項に規定する気管支ぜん息及びその続発症により医療費の助成に係る認定を受けている者（附則第二項の規定により認定を受けた者を含む。）のうち、施行日の前日において満十八歳以上のものに対する医療費の助成については、当該者が施行日前から継続して助成を受ける間は、新条例第二条及び第三条の規定は適用せず、旧条例第二条及び第三条の規定は、なおその効力を有する。この場合において、平成三十年四月一日以後の医療に関する給付に係る新条例第八条第一項の規定の適用については、同項中「生活療養標準負担額」とあるのは、「生活療養標準負担額及び規則で定める自己負担額」とする。

7 この条例の施行の際、現に旧条例第二条第一項に規定する気管支ぜん息及びその続発症により医療費の助成に係る認定を受け、その有効期間内にある者（附則第二項の規定により認定を受けた者及び附則第三項の規定により認定の有効期間の更新を受けた者を含む。）のうち、施行日の前日において満十八歳に達しないものであって、当該有効期間内に満十八歳に達するものに対する医療費の助成については、当該有効期間の満了日までとする。

# ○東京都動物の愛護及び管理に関する条例

平一八・三・九
条例四

最終改正 令六・一〇・一一条例一三九

## 第一章 総則

（目的）

**第一条** この条例は、動物の愛護及び管理に関し必要な事項を定めることにより、都民の動物愛護の精神の高揚を図るとともに、動物による人の生命、身体及び財産に対する侵害を防止し、もって人と動物との調和のとれた共生社会の実現に資することを目的とする。

（都の責務）

**第二条** 都は、動物の愛護及び管理に関する法律（昭和四十八年法律第百五号。以下「法」という。）及びこの条例の目的を達成するため、法第六条に定めるところにより、動物の愛護及び管理に関する施策を推進するための計画を策定し、都民と協力して、実施するよう努めるものとする。

（区市町村の協力）

**第三条** 知事は、法及びこの条例の目的を達成するため、特別区及び市町村に対し、必要な協力を求めることができる。

（都民の責務）

**第四条** 都民は、人と動物との調和のとれた共生社会の実現に向けて、動物の愛護に努めるとともに、都が行う施策に協力するよう努めなければならない。

（飼い主の責務）

**第五条** 飼い主（動物の所有者以外の者が飼養し、又は保管する場合は、その者を含む。以下同じ。）は、動物の本能、習性等を理解するとともに、命あるものである動物の飼い主としての責任を十分に自覚して、動物の適正な飼養又は保管をするよう努めなければならない。

2 飼い主は、周辺環境に配慮し、近隣住民の理解を得られるよう心がけ、もって人と動物とが共生できる環境づくりに努めなければならない。

3 動物（犬及び猫を除く。）の所有者は、当該動物がみだりに繁殖してこれに適正な飼養を受ける機会を与えることが困難となるようなおそれがあると認める場合には、その繁殖を防止するため、生殖を不能にする手術その他の措置をするよう努めなければならない。

4 動物の所有者は、動物をその終生にわたり飼養するよう努めなければならない。

5 動物の所有者は、動物をその終生にわたり飼養することが困難となった場合には、新たな飼い主を見つけるよう努めなければならない。

（飼い主になろうとする者の責務）

**第六条** 飼い主になろうとする者は、動物の本能、習性等を理解し、飼養の目的、環境等に適した動物を選ぶよう努めなければならない。

## 第二章 動物の適正な飼養等

（動物飼養の遵守事項）

**第七条** 飼い主は、動物を適正に飼養し、又は保管するため、次に掲げる事項を守らなければならない。

一 適正にえさ及び水を与えること。

二 人と動物との共通感染症に関する正しい知識を持

ち、感染の予防に注意を払うこと。
三　動物の健康状態を把握し、異常を認めた場合には、必要な措置を講ずること。
四　適正に飼養又は保管することができる施設を設けること。
五　汚物及び汚水を適正に処理し、施設の内外を常に清潔にすること。
六　公共の場所並びに他人の土地及び物件を不潔にし、又は損傷させないこと。
七　異常な鳴き声、体臭、羽毛等により人に迷惑をかけないこと。
八　逸走した場合は、自ら捜索し、収容すること。

**（猫の所有者の遵守事項）**

**第八条**　猫の所有者は、法第三十七条第一項に掲げるもののほか、猫を屋外で行動できるような方法で飼養する場合には、みだりに繁殖することを防止するため、必要な措置を講ずるよう努めなければならない。

**（犬の飼い主の遵守事項）**

**第九条**　犬の飼い主は、次に掲げる事項を遵守しなければならない。
一　犬を逸走させないため、犬をさく、おりその他囲いの中で、又は人の生命若しくは身体に危害を加えるおそれのない場所において固定した物に綱若しくは鎖で確実につないで、飼養又は保管をすること。ただし、次のイから二までのいずれかに該当する場合は、この限りでない。
イ　警察犬、盲導犬等をその目的のために使用する場合
ロ　犬を制御できる者が、人の生命、身体及び財産に対する侵害のおそれのない場所並びに方法で犬を訓練する場合
ハ　犬を制御できる者が、犬を綱、鎖等で確実に保持して、移動させ、又は運動させる場合
ニ　その他逸走又は人の生命、身体及び財産に対する侵害のおそれのない場合で、東京都規則（以下「規則」という。）で定めるとき。
二　犬をその種類、健康状態等に応じて、適正に運動させること。
三　犬に適切なしつけを施すこと。
四　犬の飼養又は保管をしている旨の標識を、施設等のある土地又は建物の出入口付近の外部から見やすい箇所に掲示しておくこと。

**（特定動物等の飼い主の遵守事項）**

**第十条**　法第二十五条の二に規定する特定動物（以下「特定動物」という。）及び人の生命若しくは身体に危害を加えたことのある犬又は人に感染するおそれのある有害な病原体に汚染されている動物（以下「特定動物等」という。）の飼い主は、次に掲げる事項を遵守しなければならない。
一　特定動物等の行動に常に注意を払うとともに、定期的に施設等を点検すること。
二　地震、火災等の非常災害時における特定動物等を逸走させないための対策を講じておくこと。

**（適正飼養講習会等）**

**第十一条**　知事は、都民の動物の愛護及び適正な飼養等の推進のため、講習会の開催その他必要な措置を講じることができる。

**（動物愛護推進員）**

**第十二条**　知事は、動物の愛護及び適正な飼養等の推進について熱意と識見を有する都民のうちから、法第三十八条第一項の動物愛護推進員を委嘱するよう努めるものとする。

2　動物愛護推進員は、法第三十八条第二項に掲げるもののほか、次に掲げる活動を行う。
一　飼い主になろうとする者に対し、その求めに応じて、飼養等の目的、環境等に適した動物の選び方に関する必要な助言をすること。
二　飼い主に対し、その求めに応じて、動物の適正な飼養等の方法に関する必要な助言をすること。
三　前二号に掲げるもののほか、規則で定めること。

## **第三章**　第一種動物取扱業及び第二種動物取扱業の規制

**（第一種動物取扱業の登録）**

**第十三条**　法第十条第一項の登録を受けようとする者は、同条第二項による申請書に、法第二十二条第一項の動物取扱責任者が同条第三項の規定により都道府県知事が行う動物取扱責任者研修を受けていることを証する書類その他規則で定める書類を添えて、知事に提出しなければならない。

**（第一種動物取扱業者の責務）**

**第十四条**　法第十条第一項の登録を受けた者（以下「第一種動物取扱業者」という。）は、第一種動物取扱業者及び第二種動物取扱業者が取り扱う動物の管理の方法等の基準を定める省令（令和三年環境省令第七号。以下「基準省令」という。）第二条の基準を遵守するほか、営業を行う上において、その相手方である購入者、借受人、飼い主等に対し、当該動物の適正な飼養又は保管の方法について理解させるよう、必要な説明を行わなければならない。

**（動物取扱責任者の役割）**

**第十五条**　動物取扱責任者は、当該第一種動物取扱業においてこの条例又は法の規定に基づく命令若しくは処

分の違反が行われないように動物及び施設の管理に関わる者を監督しなければならない。

2　動物取扱責任者は、動物及び施設の管理に関しての不備又は不適事項を発見した場合は、当該第一種動物取扱業者に対して改善を進言しなければならない。

3　第一種動物取扱業者は、当該動物取扱責任者の動物及び施設の管理に関しての進言に対して速やかに対処し、改善するよう努めなければならない。

**（動物取扱責任者研修）**

**第十六条**　知事は、法第二十二条第三項の規定により、第一種動物取扱業の業務に必要な知識及び能力を付与し、又は資質を向上させるために動物取扱責任者研修（同条第四項の規定により委託を受けた者が実施する研修を含む。以下同じ。）を実施するものとする。

2　知事は、前項の研修の課程を修了した者に修了証を交付しなければならない。

3　第一項の研修の課程を修了した者は、動物の愛護及び管理に関する法律施行規則（平成十八年環境省令第一号。以下「法施行規則」という。）第九条第二号の能力を有するものとする。

**（第二種動物取扱業の届出）**

**第十六条の二**　法第二十四条の二の二の規定により第二種動物取扱業の届出をしようとする者は、法施行規則第十条の六第一項の届出書に、規則で定める書類を添えて、知事に提出しなければならない。

**（第二種動物取扱業者の責務）**

**第十六条の三**　法第二十四条の二の二の規定による届出をした者は、基準省令第三条の基準を遵守するほか、事業を行う上において、その相手方である譲受人、借受人、飼い主等に対し、当該動物の適正な飼養又は保管の方法について理解させるよう、必要な説明を行わなければならない。

## 第四章　特定動物の飼養又は保管

**（特定動物の飼養又は保管の許可）**

**第十七条**　法第二十六条の許可を受けようとする者は、あらかじめ、法施行規則第十五条の申請書に、規則で定める施設の基準を満たすことを証する書類を添えて、特定動物の種類ごとに知事に申請しなければならない。

2　法施行規則第十四条の許可の有効期間は、規則で定める。

**（変更の許可）**

**第十八条**　法第二十八条の許可を受けようとする者は、あらかじめ、法施行規則第十八条第一項の申請書に、規則で定める施設の基準を満たすことを証する書類を添えて、特定動物の種類ごとに知事に申請しなければならない。

**（許可の要件）**

**第十九条**　知事は、第十七条及び前条の許可の申請が、法第二十七条第一項各号及び規則で定めるもののほか、次の各号に掲げる要件に適合していると認めるときでなければ、当該許可をしてはならない。

一　申請者が、次のイ及びロに掲げる事項のいずれにも該当しないこと。

イ　精神の機能の障害により特定動物の飼養又は保管を適正に行うに当たって必要な認知、判断及び意思疎通を適切に行うことができない者

ロ　旅行による長期間不在等のため、特定動物を適正に飼養し、又は保管することができないと明らかに認められる者

二　自ら飼養又は保管をしない場合は、前号イ及びロに掲げる事項のいずれにも該当しない者をして飼養又は保管をさせるものであること。

**（許可の取消し）**

**第二十条**　知事は、特定動物を飼養し、又は保管する者が、法第二十九条各号に掲げるもののほか、前条に規定する許可の要件を満たさなくなった場合は、当該許可を取り消すことができる。

## 第五章　動物の引取り、収容等

**（犬又は猫の引取り）**

**第二十一条**　知事は、犬又は猫の引取りをその所有者から求められた場合において、当該所有者が継続して飼養することができないことについて、やむを得ない理由があると認めるときは、これを引き取るものとする。

2　知事は、前項の規定により犬又は猫を引き取るときは、日時、場所その他これを引き取るために必要な指示をすることができる。

3　知事は、所有者の判明しない犬又は猫の引取りを、その拾得者から求められた場合において、当該犬又は猫を引き取ることがやむを得ないと認めるときは、これを引き取るものとする。

**（犬の収容）**

**第二十二条**　知事は、飼い主が第九条第一号の規定に違反したため、逸走している犬があるときは、その職員をしてこれを収容させることができる。

2　職員は、収容しようとしている犬がその飼い主又はその他の者の土地、建物、船舶又は車両内に入った場合において、これを収容するためやむを得ないと認めるときは、合理的に必要と判断される限度において、その場所（人の住居を除く。）に立ち入ることができ

る。

（**負傷した犬、猫等の収容等**）

**第二十三条**　知事は、道路、公園、広場その他の公共の場所において、疾病にかかり、又は負傷している犬、猫その他規則で定める動物（以下「犬、猫等」という。）を発見した者から通報があった場合において、その所有者が判明しないときは、これを収容するものとする。

2　知事は、前項の規定により犬、猫等を収容したときは、治療その他必要な措置を講ずるものとする。

（**公示等**）

**第二十四条**　知事は、所有者の判明しない犬若しくは猫を引き取り、又は所有者の判明しない犬、猫等を収容したときは、当該動物の種類、収容等の日時、場所その他必要な事項を二日間公示するものとする。

2　知事は、第二十二条第一項の規定により収容した犬の所有者が判明しているときは、その所有者に対し、通知を受けた日から二日以内にこれを引き取るべき旨を通知するものとする。

3　知事は、所有者が第一項の公示期間満了の後二日以内に当該動物を引き取らないとき、及び所有者が前項の通知到達後二日以内に当該犬を引き取らないときは、これを処分することができる。

（**譲渡**）

**第二十五条**　知事は、第二十一条第一項若しくは第三項、第二十二条第一項又は第二十三条第一項の規定により引き取り、又は収容した犬、猫等を、その飼養を希望する者で、適正に飼養できると認めるものに譲渡することができる。

2　前項の規定による譲渡を求める者は、あらかじめ、その旨を知事に申し出なければならない。

（**野犬の駆除**）

**第二十六条**　知事は、野犬（飼い主のいない犬をいう。以下同じ。）が人の生命、身体若しくは財産を侵害し、又は侵害するおそれのある場合で、通常の方法によっては収容することが著しく困難であると認めるときは、一定の区域及び期間を定め、薬物等を使用して、これを駆除することができる。

2　知事は、前項の規定により野犬を駆除しようとするときは、当該区域及びその付近の住民に対して、あらかじめ、その旨を周知させるものとする。

（**人と動物との共通感染症の調査等**）

**第二十七条**　知事は、人と動物との共通感染症に関し、調査及び研究を行うとともに、その防疫措置について必要な対策を講ずるよう努めるものとする。

## 第六章　緊急時の措置等

（**緊急時の措置**）

**第二十八条**　飼い主は、その飼養し、又は保管する特定動物等が逸走したときは、直ちに、知事及び警察官にその旨を通報するとともに、当該特定動物等を捕獲するなど、人の生命、身体及び財産に対する侵害を防止するために必要な措置をとらなければならない。

2　知事は、前項の通報があった場合又は飼い主が直ちに判明しない特定動物等が逸走した場合で、人の生命、身体又は財産に対する急迫の侵害のおそれがあると認めるときは、その職員をして、当該特定動物等を捕獲し、又は殺処分させることができる。

（**事故発生時の措置**）

**第二十九条**　飼い主は、その飼養し、又は保管する動物が人の生命又は身体に危害を加えたときは、適切な応急処置及び新たな事故の発生を防止する措置をとるとともに、その事故及びその後の措置について、事故発生の時から二十四時間以内に、知事に届け出なければならない。

2　犬の飼い主は、その犬が人をかんだときは、事故発生の時から四十八時間以内に、その犬の狂犬病の疑いの有無について獣医師に検診させなければならない。

（**措置命令**）

**第三十条**　知事は、動物が人の生命、身体若しくは財産を侵害したとき、又は侵害するおそれがあると認めるときは、当該動物の飼い主に対し、次の各号に掲げる措置を命ずることができる。

一　施設を設置し、又は改善すること。

二　動物を施設内で飼養し、又は保管すること。

三　動物に口輪を付けること。

四　動物を殺処分すること。

五　前各号に掲げるもののほか、必要な措置

（**報告及び検査等**）

**第三十一条**　知事は、この条例の施行に必要な限度において、飼い主その他関係人から必要な報告を求め、又はその職員に施設その他動物の飼養若しくは保管に関係のある場所（人の住居を除く。）に立ち入り、施設その他の物件を検査させ、又は調査させることができる。

2　前項の規定による立入調査の権限は、犯罪捜査のために認められたものと解釈してはならない。

## 第七章　雑則

（**動物監視員**）

**第三十二条**　知事は、法第三十七条の三第一項の事務並びに第二十二条の規定による犬の収容及び前条の規定による立入検査又は調査その他の動物の愛護及び管理

に関する事務を行わせるため、動物監視員を置く。

2　動物監視員は、職員のうちから獣医師等動物の適正な飼養等に関し専門的な知識を有する者をもって充てる。

3　前項に定めるもののほか、動物監視員の資格その他動物監視員に関し必要な事項は、規則で定める。

4　動物監視員は、第一項に規定する犬の収容及び立入検査又は調査を行う場合には、その身分を示す証明書を携帯し、関係人にこれを提示しなければならない。

（動物愛護管理審議会）

**第三十三条**　動物の愛護及び管理に関する重要な事項について、知事の諮問に応じて調査及び審議を行わせるため、知事の附属機関として、東京都動物愛護管理審議会（以下「審議会」という。）を置く。

2　審議会は、二十人以内の委員で組織する。

3　前項の委員は、学識経験を有する者及び関係行政機関の職員のうちから知事が委嘱する。

4　委員の任期は二年とし、補欠の委員の任期は前任者の残任期間とする。ただし、再任を妨げない。

5　前各項に規定するもののほか、審議会の運営に関し必要な事項は、規則で定める。

（手数料等）

**第三十四条**　次の各号のいずれかに該当する者は、当該各号に定める額の範囲内で、規則で定める額の手数料を納付しなければならない。

一　法第十条第一項の規定により登録を申請する者

第一種動物取扱業登録申請手数料

(一)　申請する第一種動物取扱業の種別の数が一である場合　一万五千円

(二)　申請する第一種動物取扱業の種別の数が二以上である場合　一万五千円に一を超える第一種動物取扱業の種別の数に一万円を乗じて得た額を加算した額

二　法第十三条第一項の規定により登録の更新を申請する者

第一種動物取扱業登録更新申請手数料

(一)　申請する第一種動物取扱業の種別の数が一である場合　一万五千円

(二)　申請する第一種動物取扱業の種別の数が二以上である場合　一万五千円に一を超える第一種動物取扱業の種別の数に一万円を乗じて得た額を加算した額

三　法施行規則第二条第六項の規定により再交付を申請する者

第一種動物取扱業登録証再交付申請手数料　一件につき　二千八百円

四　第十六条により実施する動物取扱責任者研修を受講する者

動物取扱責任者研修手数料　二千五百円

五　法第二十六条第一項及び第十七条第一項の規定により許可を申請する者

特定動物飼養又は保管許可申請手数料　一件につき　五万一千円

六　法第二十八条第一項及び第十八条の規定により変更の許可を申請する者

特定動物飼養又は保管変更許可申請手数料　一件につき　五万一千円

七　法施行規則第十五条第六項の規定により再交付を申請する者

特定動物飼養又は保管許可証再交付申請手数料　一件につき　二千八百円

八　第二十一条第一項の規定により引取りを求める者

引取り手数料　一頭又は一匹につき　五千八百円

2　第二十一条第三項、第二十二条第一項又は第二十三条第一項の規定により知事が引き取り、又は収容した動物の返還を求める飼い主は、規則で定めるところにより、当該動物の飼養等に要した費用を納付しなければならない。

3　知事は、特別の理由があると認めるときは、規則で定めるところにより、第一項の手数料又は前項の飼養等に要した費用を減額し、又は免除することができる。

（適用除外）

**第三十五条**　第九条、第十一条から第二十四条まで、第二十六条、第二十九条、第三十条並びに前条第一項第八号、第二項及び第三項（同条第一項第八号又は第二項に係るものに限る。）の規定は、特定動物に関する部分を除き、八王子市の区域については、適用しない。

（委任）

**第三十六条**　この条例に規定するもののほか、この条例の施行について必要な事項は、規則で定める。

## 第八章　罰則

（罰則）

**第三十七条**　第三十条の規定により命ぜられた同条第四号の措置を行わなかった者は、一年以下の拘禁刑又は三十万円以下の罰金に処する。

**第三十八条**　第三十一条第一項の規定による報告をせず、若しくは虚偽の報告をし、又は同項の規定による立入検査若しくは調査を拒み、妨げ、若しくは忌避した者は、二十万円以下の罰金に処する。

**第三十九条**　次の各号の一に該当する者は、五万円以下の罰金に処する。

一　第二十八条第一項の規定による通報をしなかった者

二　第二十九条第二項の規定に違反して、犬を獣医師に検診させなかった者

三　第三十条の規定により命ぜられた同条第一号、第二号又は第三号の措置を行わなかった者

**第四十条**　次の各号の一に該当する者は、拘留又は科料に処する。

一　第九条第一号の規定に違反して、犬を飼養し、又は保管した者

二　第二十九条第一項の規定による届出をせず、又は虚偽の届出をした者

**（両罰規定）**

**第四十一条**　法人の代表者又は法人若しくは人の代理人、使用人その他の従業者が、その法人又は人の業務に関して、第三十七条から前条までの違反行為をしたときは、行為者を罰するほか、その法人又は人に対しても、各本条の罰金刑又は科料刑を科する。

**附　則**

1　この条例は、平成十八年六月一日（以下「施行日」という。）から施行する。ただし、附則第五項及び第六項の規定は、平成十八年四月一日から施行する。

2　この条例の施行前に、この条例による改正前の東京都動物の愛護及び管理に関する条例（以下「旧条例」という。）第二十一条による動物取扱主任者証の交付を受けた者は、施行日から一年間は、この条例による改正後の東京都動物の愛護及び管理に関する条例（以下「新条例」という。）第十六条第一項の規定による動物取扱責任者研修を受講したものとみなす。

3　動物の愛護及び管理に関する法律の一部を改正する法律（平成十七年法律第六十八号。以下「改正法」という。）附則第四条第一項に規定する経過措置の期間中に、この条例の施行前に旧条例第十一条第一項の登録がなされている者が、同項の登録が現になされている動物取扱業の種別に対する新条例第十三条に基づく登録の申請をした場合は、知事は当該申請に係る手数料を免除することができる。

4　改正法附則第五条の経過措置の期間中に、旧条例第二十五条第一項の許可を受けている者が、新条例第十七条による許可の申請をした場合において次に掲げるときは、知事は当該申請に係る手数料を免除することができる。

一　旧条例第三十一条第一項に規定する個体の登録（以下この項において「個体登録」という。）が現になされた動物の種類に対する許可を申請するとき。

二　旧条例第三十一条第一項第二号に該当する動物の種類に対する許可を申請するとき。

三　旧条例第三十一条第一項の登録を受けなければならない動物で、現に飼養していないため、同項に規定する個体登録がなされていない動物の種類に対する許可を申請するとき。ただし、旧条例第二十五条第一項の許可一件につき一種類の動物の種類に対する許可の申請に限る。

5　旧条例第三十一条第一項の許可を受けていない者で新条例第十七条の許可を申請しようとする者は、施行日前においても、同条の規定の例により、その許可の申請をすることができる。この場合において、第一項の規定にかかわらず、新条例第三十四条第一項第五号の定めるところにより、手数料を徴する。

6　知事は、前項の規定により許可の申請があった場合には、施行日前においても新条例第十七条及び第十九条の規定の例により、その許可をすることができる。この場合において、これらの規定の例により許可を受けたときは、施行日において新条例第十七条の規定により許可を受けたものとみなす。

7　この条例の施行の際現に旧条例の規定によりなされた申請、届出その他の手続又は旧条例の規定によりなされた指導、調査、検査その他の行為は、新条例の相当の規定に基づいてなされた手続又は行為とみなす。

8　この条例の施行日前に旧条例の規定によりなされた勧告、命令その他の処分は、新条例の相当の規定に基づいてなされた処分とみなす。

9　この条例の施行前にした行為に対する罰則の適用については、なお従前の例による。

**附　則**（平二六・一二・二六条例一七八）

**（施行期日）**

1　この条例は、平成二十七年四月一日から施行する。

**（経過措置）**

2　この条例の施行前に、この条例による改正前の東京都動物の愛護及び管理に関する条例（以下「旧条例」という。）第二十一条第一項又は第三項の規定により引取りを求められた場合及び旧条例第二十三条第一項の通報があった場合における引取り、収容等については、なお従前の例による。

3　前項の規定により引き取り、又は収容した動物に係る手数料又は飼養等に要した費用の納付については、なお従前の例による。

4　この条例の施行前に、旧条例第二十一条第三項、第二十二条第一項又は第二十三条第一項の規定により引き取り、又は収容した動物に係る手数料又は飼養等に要した費用の納付については、なお従前の例による。

5　この条例の施行前に、飼養し、又は保管する動物が人の生命又は身体に危害を加えた場合において、旧条例第二十九条第一項の規定による飼い主の届出義務については、なお従前の例による。

6　この条例の施行前に、犬が人をかんだ場合において、旧条例第二十九条第二項の規定による飼い主のその犬に係る検診義務については、なお従前の例による。

7　この条例の施行前にした行為及び前二項の規定によりなお従前の例によることとされる事項に係るこの条例の施行後にした行為に対する罰則の適用については、なお従前の例による。

**附　則**（令六・一〇・一一条例一三九）

1　この条例は、令和七年六月一日から施行する。

２　この条例の施行前にした行為に対する罰則の適用については、なお従前の例による。

# 第三章　労働・経済

## ○東京都立職業能力開発センター条例

昭四六・三・一七
条例四四

最終改正　令六・三・二九条例七一

### 第一章　総則

（趣旨）

**第一条**　この条例は、職業能力開発促進法（昭和四十四年法律第六十四号。以下「法」という。）の規定に基づき東京都立職業能力開発センター（以下「センター」という。）の設置及び管理、センターの行う普通職業訓練（第十四条を除き、以下「職業訓練」という。）の基準等に関し、必要な事項を定めるものとする。

（用語の意義）

**第二条**　この条例で使用する用語の意義は、法及び職業能力開発促進法施行規則（昭和四十四年労働省令第二十四号。以下「省令」という。）で使用する用語の例による。

### 第二章　センターの設置等

（設置）

**第三条**　法第十五条の七及び第九十二条に規定する業務を行うため、法第十六条第一項に規定する職業能力開発校として、センターを設置する。

（名称及び位置）

**第四条**　センターの名称及び位置は、次の表のとおりとする。

| 名称 | 位置 |
|---|---|
| 東京都立中央・城北職業能力開発センター | 東京都文京区後楽一丁目九番五号 |
| 東京都立中央・城北職業能力開発センターしごとセンター校 | 東京都千代田区飯田橋三丁目十番三号 |
| 東京都立中央・城北職業能力開発センター高年齢者校 | 東京都新宿区百人町三丁目二十五番一号 |
| 東京都立中央・城北職業能力開発センター板橋校 | 東京都板橋区舟渡二丁目二番一号 |
| 東京都立中央・城北職業能力開発センター赤羽校 | 東京都北区西が丘三丁目七番八号 |
| 東京都立城南職業能力開発センター | 東京都品川区東品川三丁目三十一番十六号 |
| 東京都立城南職業能力開発センター大田校 | 東京都大田区羽田旭町十番十一号 |
| 東京都立城東職業能力開発センター | 東京都足立区綾瀬五丁目六番一号 |
| 東京都立城東職業能力開発センター江戸川校 | 東京都江戸川区中央二丁目三十一番二十七号 |
| 東京都立多摩職業能力開発センター | 東京都昭島市東町三丁目六番三十三号 |
| 東京都立多摩職業能力開発センター八王子校 | 東京都八王子市台町一丁目十一番一号 |
| 東京都立多摩職業能力開発センター府中校 | 東京都府中市南町四丁目三十七番地二 |

（職業訓練の種類等）

**第五条**　センターの実施する職業訓練は、能力開発訓練（普通課程の職業訓練及び短期課程の職業訓練のうち、求職者に対して行うものをいう。以下同じ。）及び能力向上訓練（短期課程の職業訓練のうち、雇用労働者に対して行うものをいう。以下同じ。）とする。

2　前項に規定する職業訓練の区分、訓練科、入校者の定員及び訓練期間は、東京都規則（以下「規則」という。）で定める。

（センターの行う職業訓練とみなすことができる教育訓練）

**第六条**　法第十五条の七第三項の規定により、職業を転換しようとする労働者等に対する迅速かつ効果的な職業訓練を実施するため必要があるときは、同項に規定する施設により行われる教育訓練をセンターの行う職業訓練とみなすことができる。法第十六条第四項の規定により国から運営の委託を受けた障害者職業能力開発校の行う職業訓練とみなすことができる教育訓練についても同様とする。

（入校の許可）

**第七条**　センターに入校しようとする者は、規則に定めるところにより申請し、知事の許可を受けなければならない。

2　知事は、入校選考の結果に基づいて、入校を許可するものとする。ただし、規則で定める場合については、入校選考によらずに入校を許可することができる。

（授業料等）

**第八条**　センターにおける能力開発訓練（次項に定める職業訓練を除く。）について、入校選考を受けようとする者は入校選考料を、入校者は授業料を、次のとおり納付しなければならない。

一　入校選考料　千七百円

二　授業料　年額　十一万八千八百円

2　法第二十三条第一項第三号の規定により、無料とする職業訓練は、職業の転換を必要とする求職者その他厚生労働大臣が定める求職者に対して行う短期課程の職業訓練及び国の委託を受けて行う職業訓練とする。

3　センターにおいて能力向上訓練を受けようとする者は、一訓練八千百円の範囲内で知事の定める授業料を納付しなければならない。

（授業料の減免等）

**第九条**　前条の授業料は、知事が特別の理由があると認めたときは、その額を減額し、若しくは免除し、又はその徴収を猶予することができる。

（授業料等の不還付）

**第十条**　既納の授業料及び入校選考料は、還付しない。ただし、知事が特別の理由があると認めたときは、その全部又は一部を還付することができる。

（退校命令等）

**第十一条**　知事は、次の各号のいずれかに該当する場合は、退校、停学その他の懲戒処分を命ずることができる。

一　入校者が故意にセンターの設備又は物品を亡失、損傷又はセンター外に持ち出したとき。

二　入校者がセンターの秩序を乱したとき、又は乱すおそれがあると認められるとき。

三　その他訓練の受講を不適当と認めたとき。

（施設の使用）

**第十二条**　知事は、センターの施設を職業能力検定及び事業主等が行う職業訓練又はこれらに関連する研修会、講習会等に使用させることができる。ただし、次の各号の一に該当する場合は、この限りでない。

一　施設及び設備を損傷するおそれがあると認められるとき。

二　その他使用させることが、センターの業務に支障があると認められるとき。

2　前項の使用に関する使用料は、徴収しない。ただし、実費は、使用する者が負担するものとする。

## 第三章　センターの職業訓練の基準等

（職業訓練の基準）

**第十三条**　普通課程の職業訓練に係る法第十九条第一項の条例で定める基準は、次のとおりとする。

一　対象者　求職者であつて将来多様な技能及び当該技能に関する知識を有する労働者となるために必要な基礎的な技能及び当該技能に関する知識を習得しようとするもので、次のいずれかに該当するもの

イ　学校教育法（昭和二十二年法律第二十六号）による高等学校を卒業した者若しくは同法による中等教育学校を卒業した者又はこれらと同等以上の学力を有すると認められる者

ロ　学校教育法による中学校を卒業した者、同法による義務教育学校を卒業した者若しくは同法による中等教育学校の前期課程を修了した者又はこれらと同等以上の学力を有すると認められる者（以下「中学校卒業者等」という。）

二　教科　教科の科目が将来多様な技能及び当該技能に関する知識を有する労働者となるために必要な基礎的な技能及び当該技能に関する知識を習得させるために適切と認められるもの

三　実施方法　通信の方法によつて行う場合は、適切と認められる方法により、必要に応じて添削指導若しくは面接指導又はその両方を行うこと。

四　訓練期間　一年（中学校卒業者等を対象とする場合にあつては、二年）。ただし、中学校卒業者等以外を対象とする場合であつて、訓練の対象となる技能及び当該技能に関する知識の内容、訓練の実施体制等によりこれにより難い場合は、一年以上二年以下の期間内で当該訓練を適切に行うことができると認められる期間とすることができる。

五　訓練時間　一年につきおおむね千四百時間とし、かつ、教科の科目ごとの訓練時間を合計した時間（以下「総訓練時間」という。）を千四百時間以上（中学校卒業者等を対象とする場合にあつては、二千八百時間以上）とすること。ただし、中学校卒業

者等以外を対象とする場合であつて、訓練の実施体制等によりこれにより難い場合は、一年につきおおむね七百時間とすることができる。

六　設備　教科の科目に応じ当該科目の訓練を適切に行うことができると認められるもの

七　訓練生（訓練を受ける者をいう。以下同じ。）の数　訓練を行う一単位につき五十人以下

八　職業訓練指導員　訓練生の数、訓練の実施に伴う危険の程度及び指導の難易に応じた適切な数

九　試験　学科試験及び実技試験に区分し、訓練期間一年以内ごとに一回行うこと。ただし、最終の回の試験は、法第二十一条第一項に規定する技能照査をもつて代えることができる。

十　前各号に掲げるもののほか、規則で定める基準を満たすこと。

2　短期課程の職業訓練に係る法第十九条第一項の条例で定める基準は、次のとおりとする。

一　対象者　求職者又は雇用労働者であつて職業に必要な技能（高度の技能を除く。以下同じ。）及び当該技能に関する知識を習得しようとするもの

二　教科　教科の科目が職業に必要な技能及び当該技能に関する知識を習得させるために適切と認められるもの

三　実施方法　通信の方法によつて行う場合は、適切と認められる方法により、必要に応じて添削指導若しくは面接指導又はその両方を行うこと。

四　訓練期間　六月（訓練の対象となる技能及び当該技能に関する知識の内容、訓練の実施体制等によりこれにより難い場合にあつては、一年）以下の適切な期間

五　訓練時間　総訓練時間を十二時間以上とすること。

六　設備　教科の科目に応じ当該科目の訓練を適切に行うことができると認められるもの

七　前各号に掲げるもののほか、規則で定める基準を満たすこと。

**（職業訓練指導員の資格）**

**第十四条**　法第二十八条第一項の規定により、職業訓練指導員として条例で定める者は、都道府県知事の免許を受けた者又は次の各号のいずれかに該当する者（職業訓練指導員免許を受けた者及び職業訓練指導員試験において学科試験のうち指導方法に合格した者以外の者にあつては、省令第三十九条第一号の厚生労働大臣が指定する講習を修了した者に限る。）とする。

一　法第二十八条第一項に規定する普通職業訓練に係る教科（以下この条において単に「教科」という。）に関し、応用課程又は特定応用課程の高度職業訓練を修了した者で、その後一年以上の実務の経験を有するもの

二　教科に関し、専門課程又は特定専門課程の高度職業訓練を修了した者で、その後三年以上の実務の経験を有するもの

三　教科に関し、学校教育法による大学（短期大学を除く。）を卒業した者で、その後四年以上の実務の経験を有するもの

四　教科に関し、学校教育法による短期大学（同法による専門職大学の前期課程を含む。）又は高等専門学校を卒業した者（専門職大学の前期課程にあつては、修了した者）で、その後五年以上の実務の経験を有するもの

五　教科に関し、省令第四十六条の規定による職業訓練指導員試験の免除を受けることができる者

六　前各号に掲げる者と同等以上の能力を有すると認められる者として厚生労働大臣が定める者

## 第四章　雑則

**（委任）**

**第十五条**　この条例に定めるもののほか、この条例の施行について必要な事項は、規則で定める。

**附　則**

1　この条例は、昭和四十六年四月一日から施行する。

2　昭和四十六年三月三十一日において、この条例による改正前の東京都立専修職業訓練校条例に基づき設置された東京都立専修職業訓練校に入校している者は、この条例に基づき設置された訓練校に入校したものとみなす。

**附　則**（令六・三・二九条例七一）

この条例は、令和六年四月一日から施行する。

# ○東京都しごとセンター条例

平八・三・二九
条例六一

最終改正　令四・六・二二条例一〇二

（設置）

**第一条**　東京都における多様な雇用及び就業の促進を図り、もって職業生活の充実及び産業の発展に寄与するため、東京都しごとセンター（以下「センター」という。）を東京都千代田区飯田橋三丁目十番三号に設置する。

2　センターに支所として東京都立川市柴崎町三丁目九番二号に東京都しごとセンター多摩を置く。

（事業）

**第二条**　センターは、前条の目的を達成するため、次の事業を行う。

一　雇用及び就業に関する相談その他の援助に関すること。
二　雇用及び就業に係る能力の活用に関する相談その他の援助に関すること。
三　雇用及び就業の準備のための講習に関すること。
四　雇用及び就業に関する情報、資料等の収集及び提供に関すること。
五　センターの施設の提供に関すること。
六　前各号に掲げるもののほか、目的を達成するために必要な事業

**第三条**　削除

（休業日）

**第四条**　センターの休業日は、次のとおりとする。ただし、知事は、特に必要があると認めるときは、これを変更し、又は臨時に休業日を定めることができる。

一　日曜日
二　国民の祝日に関する法律（昭和二十三年法律第百七十八号）に規定する休日
三　一月二日及び同月三日
四　十二月二十九日から同月三十一日まで

2　前項の規定にかかわらず、第二条第五号に規定する事業は、同項第一号及び第二号に定める日（一月一日を除く。）にも行うことができるものとする。

（提供施設等の使用の承認）

**第五条**　雇用及び就業の促進並びに職業生活の充実に資する会議、講習会、講演会等を実施するために別表第一に掲げるセンターの施設及び附帯設備（以下「提供施設等」という。）を使用しようとする者は、規則に定めるところにより申請し、知事の承認を受けなければならない。

2　知事は、次の各号のいずれかに該当するときは、前項の使用の承認をしないことができる。

一　センターの秩序を乱すおそれがあると認められるとき。
二　センターの管理上支障があると認められるとき。
三　申請に係る提供施設等が、センターの事業を行うために必要であると認めるとき。
四　前三号に掲げるもののほか、知事が使用を不適当と認めるとき。

（専門業務施設の使用の承認）

**第六条**　知事は、雇用及び就業を促進し、センターの機能を増進する専門的業務を行うために別表第二に掲げるセンターの施設（以下「専門業務施設」という。）を使用しようとする者に対して、規則に定めるところにより、その使用を承認することができる。

2　専門業務施設の使用は、一年間の専用使用とする。ただし、知事が必要と認めるときは、使用期間を短縮することができる。

3　知事は、次の各号のいずれかに該当するときは、第一項の使用の承認をしないことができる。

一　申請に係る専門業務施設が、センターの事業を行うために必要であると認めるとき。
二　前号に掲げるもののほか、知事が使用を不適当と認めるとき。

（使用料）

**第七条**　第五条第一項又は第六条第一項の規定により使用の承認を受けた者（以下「使用者」という。）は、別表第一又は別表第二に定める額の範囲内において規則で定める額の使用料を前納しなければならない。ただし、知事が特別の理由があると認めるときは、使用料を後納することができる。

（使用権の譲渡等の禁止）

**第八条**　使用者は、使用の権利を譲渡し、又は転貸してはならない。

（施設等の変更禁止）

**第九条**　使用者は、使用の承認を受けたセンターの施設及び設備（以下「施設等」という。）に特別の設備をし、又は変更を加えてはならない。ただし、あらかじめ知事の承認を受けたときは、この限りでない。

（使用承認の取消し等）

**第十条**　知事は、次の各号のいずれかに該当するときは、使用の承認を取り消し、使用を制限し、又は使用の停止を命ずることができる。

一　使用の目的に違反して使用したとき。
二　この条例に違反し、又は知事の指示に従わなかっ

たとき。

三　災害その他の事故によりセンターの使用ができなくなったとき。

四　工事その他の都合により、知事が特に必要と認めるとき。

（原状回復の義務）

**第十一条**　使用者は、使用を終了したときは、使用した施設等を原状に回復しなければならない。前条の規定により使用の承認を取り消され、又は使用の停止を命ぜられたときも、同様とする。

（損害賠償の義務）

**第十二条**　入館者又は使用者が、資料等又は施設若しくは設備に損害を与えた場合は、知事が相当と認める損害額を賠償しなければならない。ただし、知事は、やむを得ない理由があると認めるときは、賠償額を減額し、又は免除することができる。

（使用料の減額及び免除）

**第十三条**　知事は、特別の理由があると認めるときは、提供施設等の使用料を減額し、又は免除することができる。

（使用料の不還付）

**第十四条**　既に納付した使用料は、還付しない。ただし、知事は、特別の理由があると認めるときは、その全部又は一部を還付することができる。

（指定管理者による管理）

**第十五条**　知事は、地方自治法（昭和二十二年法律第六十七号）第二百四十四条の二第三項の規定により、法人その他の団体であって知事が指定するもの（以下「指定管理者」という。）に、センターの管理に関する業務のうち、次に掲げるものを行わせることができる。

一　第二条各号に掲げる事業に関する業務

二　センターの施設等及び物品の維持管理（知事が指定する補修等を除く。以下同じ。）に関する業務

2　知事は、次に掲げる業務を指定管理者に行わせることができる。

一　第五条第一項の規定により、提供施設等の使用を承認し、又は同条第二項の規定により、同項第一号から第三号までのいずれかに該当すると認めるとき、若しくは使用を不適当と認めるときに使用の承認をしないこと。

二　第九条の規定により、センターの施設等に特別の設備をし、又は変更を加えることを承認すること。

三　第十条の規定により、同条第一号若しくは第三号に該当するとき、又は使用者がこの条例に違反し、若しくは指定管理者の指示に従わなかったときに、提供施設等の使用の承認を取り消し、使用を制限し、又は使用の停止を命ずること。

（指定管理者の指定）

**第十六条**　指定管理者としての指定を受けようとする者は、規則で定めるところにより、知事に申請しなければならない。

2　知事は、前項の規定による申請があったときは、次に掲げる基準により最も適切にセンターの管理を行うことができると認める者を指定管理者に指定するものとする。

一　前条第一項各号に掲げる業務について相当の知識及び経験を有する者を当該業務に従事させることができること。

二　安定的な経営基盤を有していること。

三　センターの効用を最大限に発揮するとともに、効率的な管理運営ができること。

四　職業安定法（昭和二十二年法律第百四十一号）その他の関係法令及び条例の規定を遵守し、適正な管理運営ができること。

五　前各号に掲げるもののほか、規則で定める基準

3　知事は、前項の規定による指定をするときは、効率的な管理運営を考慮し、指定の期間を定めるものとする。

（指定管理者の指定の取消し等）

**第十七条**　知事は、指定管理者が次の各号のいずれかに該当するときは、前条第二項の規定による指定を取り消し、又は期間を定めて管理の業務の全部若しくは一部の停止を命ずることができる。

一　管理の業務又は経理の状況に関する知事の指示に従わないとき。

二　前条第二項各号に掲げる基準を満たさなくなったと認めるとき。

三　第十九条第一項各号に掲げる管理の基準を遵守しないとき。

四　前三号に掲げるもののほか、当該指定管理者による管理を継続することが適当でないと認めるとき。

（指定管理者の公表）

**第十八条**　知事は、指定管理者を指定し、若しくは指定を取り消したとき、又は期間を定めて管理の業務の全部若しくは一部の停止を命じたときは、遅滞なくその旨を告示するものとする。

（管理の基準等）

**第十九条**　指定管理者は、次に掲げる基準により、センターの管理に関する業務を行わなければならない。

一　職業安定法その他の関係法令及び条例の規定を遵守し、適正な管理運営を行うこと。

二　利用者に対して適切なサービスの提供を行うこ

と。

三　センターの施設等及び物品の維持管理を適切に行うこと。

四　当該指定管理者が業務に関連して取得した利用者の個人に関する情報を適切に取り扱うこと。

2　知事は、次に掲げる事項について、指定管理者と協定を締結するものとする。

一　前項各号に掲げる基準に関し必要な事項

二　業務の実施に関する事項

三　事業の実績報告に関する事項

四　前三号に掲げるもののほか、センターの管理に関し必要な事項

**（委任）**

**第二十条**　この条例の施行について必要な事項は、規則で定める。

**附　則**

この条例は、平成八年四月一日から施行する。

**附　則**（平一九・三・一六条例五八）

1　この条例中第一条の規定及び次項の規定は平成十九年四月一日から、第二条の規定は同年八月一日から施行する。

2　第二条の規定による改正後の東京都しごとセンター条例第四条第一項の規定にかかわらず、支所については、知事が特に必要があると認めるときは、同項に掲げるもののほか、土曜日を休業日とすることができる。

**附　則**（令四・六・二二条例一〇二）

1　この条例は、令和四年十月一日から施行する。ただし、次項の規定は、同年七月一日から施行する。

2　この条例による改正後の東京都しごとセンター条例（以下「新条例」という。）第一条第二項の支所に係る新条例第五条第一項の提供施設等及び新条例第六条第一項の専門業務施設の使用に関し必要な手続その他の行為は、この条例の施行の日前においても行うことができる。

**別表第一**（第五条、第七条関係）

| 区分 | | 使用単位 | 使用料 |
|---|---|---|---|
| 施設 | 講堂 | 午前 | 九、一〇〇円 |
| | | 午後 | 一二、一〇〇円 |
| | | 夜間 | 一二、一〇〇円 |
| | セミナー室 | 午前 | 四、九〇〇円 |
| | | 午後 | 六、五〇〇円 |
| | | 夜間 | 六、五〇〇円 |
| 附帯設備 | 映写設備 | 一式一回 | 五、三〇〇円 |

備考

一　施設の使用単位は、午前は午前九時から正午まで、午後は午後一時から午後五時まで、夜間は午後五時三十分から午後九時三十分までとする。

二　日曜日及び国民の祝日に関する法律に規定する休日における施設の使用単位は、午前及び午後とする。

三　附帯設備の使用単位の一回は、施設の使用単位の午前、午後又は夜間に対応するものとする。

**別表第二**（第六条、第七条関係）

| 施設名 | 使用料 |
|---|---|
| 専門業務施設 | 一月一平方メートルにつき　四、三九八円 |

備考

一　使用期間に一月未満の端数があるときは、その端数を一月として計算するものとする。

二　使用面積に一平方メートル未満の端数があるときは、その端数を一平方メートルとして計算するものとする。

# ○東京都カスタマー・ハラスメント防止条例

令六・一〇・一一
条例一四〇

**（目的）**

**第一条**　この条例は、カスタマー・ハラスメントの防止に関し、基本理念を定め、東京都（以下「都」という。）、顧客等、就業者及び事業者の責務を明らかにするとともに、カスタマー・ハラスメントの防止に関する施策（以下「カスタマー・ハラスメント防止施策」という。）の基本的な事項を定めることにより、顧客等の豊かな消費生活、就業者の安全及び健康の確保並びに事業者の安定した事業活動を促進し、もって公正かつ持続可能な社会の実現に寄与することを目的とする。

**（定義）**

**第二条**　この条例において、次の各号に掲げる用語の意義は、それぞれ当該各号に定めるところによる。

一　事業者　都の区域内（以下「都内」という。）で事業（非営利目的の活動を含む。）を行う法人その他の団体（国の機関を含む。）又は事業を行う場合における個人をいう。

二　就業者　都内で業務に従事する者（事業者の事業に関連し、都の区域外でその業務に従事する者を含む。）をいう。

三　顧客等　顧客（就業者から商品又はサービスの提供を受ける者をいう。）又は就業者の業務に密接に関係する者をいう。

四　著しい迷惑行為　暴行、脅迫その他の違法な行為又は正当な理由がない過度な要求、暴言その他の不当な行為をいう。

五　カスタマー・ハラスメント　顧客等から就業者に対し、その業務に関して行われる著しい迷惑行為であって、就業環境を害するものをいう。

**（基本理念）**

**第三条**　カスタマー・ハラスメントは、顧客等による著しい迷惑行為が就業者の人格又は尊厳を侵害する等就業環境を害し、事業者の事業の継続に影響を及ぼすものであるとの認識の下、社会全体でその防止が図られなければならない。

2　カスタマー・ハラスメントの防止に当たっては、顧客等と就業者とが対等の立場において相互に尊重することを旨としなければならない。

**（カスタマー・ハラスメントの禁止）**

**第四条**　何人も、あらゆる場において、カスタマー・ハラスメントを行ってはならない。

**（適用上の注意）**

**第五条**　この条例の適用に当たっては、顧客等の権利を不当に侵害しないように留意しなければならない。

**（都の責務）**

**第六条**　都は、第三条に規定する基本理念（以下「基本理念」という。）にのっとり、顧客等、就業者及び事業者に対し、カスタマー・ハラスメントの防止に関する情報の提供、啓発及び教育、相談及び助言その他必要な施策を行うものとする。

**（顧客等の責務）**

**第七条**　顧客等は、基本理念にのっとり、カスタマー・ハラスメントに係る問題に対する関心と理解を深めるとともに、就業者に対する言動に必要な注意を払うよう努めなければならない。

2　顧客等は、都が実施するカスタマー・ハラスメント防止施策に協力するよう努めなければならない。

**（就業者の責務）**

**第八条**　就業者は、基本理念にのっとり、顧客等の権利を尊重し、カスタマー・ハラスメントに係る問題に対する関心と理解を深めるとともに、カスタマー・ハラスメントの防止に資する行動をとるよう努めなければならない。

2　就業者は、その業務に関して事業者が実施するカスタマー・ハラスメントの防止に関する取組に協力するよう努めなければならない。

**（事業者の責務）**

**第九条**　事業者は、基本理念にのっとり、カスタマー・ハラスメントの防止に主体的かつ積極的に取り組むとともに、都が実施するカスタマー・ハラスメント防止施策に協力するよう努めなければならない。

2　事業者は、その事業に関して就業者がカスタマー・ハラスメントを受けた場合には、速やかに就業者の安全を確保するとともに、当該行為を行った顧客等に対し、その中止の申入れその他の必要かつ適切な措置を講ずるよう努めなければならない。

3　事業者は、その事業に関して就業者が顧客等としてカスタマー・ハラスメントを行わないように、必要な措置を講ずるよう努めなければならない。

**（区市町村との連携）**

**第十条**　都は、カスタマー・ハラスメント防止施策の実施に当たっては、特別区及び市町村との連携を図るよう努めるものとする。

**（カスタマー・ハラスメントの防止に関する指針の作成）**

第十一条　都は、カスタマー・ハラスメントの防止に関する指針（以下「指針」という。）を定めるものとする。
2　指針においては、次に掲げる事項を定めるものとする。
一　カスタマー・ハラスメントの内容に関する事項
二　顧客等、就業者及び事業者の責務に関する事項
三　都の施策に関する事項
四　事業者の取組に関する事項
五　前各号に掲げるもののほか、カスタマー・ハラスメントを防止するために必要な事項
3　都は、指針を定め、又はこれを変更したときは、速やかに、これを公表するものとする。

**（財政上の措置）**
**第十二条**　都は、カスタマー・ハラスメント防止施策を推進するため、必要な財政上の措置を講ずるよう努めるものとする。

**（施策の推進）**
**第十三条**　都は、指針に基づき、次に掲げるカスタマー・ハラスメント防止施策を実施するものとする。
一　都の支援事業等に関する情報の提供
二　カスタマー・ハラスメントの防止に資する行動に関する啓発及び教育
三　就業環境に関する相談及び助言
四　消費生活に関する相談及び助言
五　就業者の安全及び健康の確保に関する相談及び助言
六　前各号に掲げるもののほか、カスタマー・ハラスメントを防止するために必要な施策
2　都は、カスタマー・ハラスメント防止施策を効果的に推進するため、カスタマー・ハラスメント防止施策の実施及び当該実施状況等の検証に当たっては、関係機関等の意見を聴き、施策に反映するよう努めるものとする。

**（事業者による措置等）**
**第十四条**　事業者は、顧客等からのカスタマー・ハラスメントを防止するための措置として、指針に基づき、必要な体制の整備、カスタマー・ハラスメントを受けた就業者への配慮、カスタマー・ハラスメント防止のための手引の作成その他の措置を講ずるよう努めなければならない。
2　就業者は、事業者が前項に規定するカスタマー・ハラスメント防止のための手引を作成したときは、当該手引を遵守するよう努めなければならない。

附　則

**（施行期日）**
1　この条例は、令和七年四月一日から施行する。

**（検討）**
2　都は、社会環境の変化及びこの条例の規定の施行の状況その他カスタマー・ハラスメントの防止に関する取組の状況を勘案し、必要があると認めるときは、この条例の規定について検討を加え、その結果に基づいて所要の措置を講ずるものとする。

# 〇東京都労働委員会事務局処務規程

昭四二・一〇・三一
訓令甲七二
最終改正　令五・七・二四訓令四〇

**（この規程の目的）**
**第一条**　この規程は、労働組合法施行令（昭和二十四年政令第二百三十一号）第二十五条の規定に基づき、東京都労働委員会事務局（以下「事務局」という。）の組織その他について定めるほか、地方自治法（昭和二十二年法律第六十七号）第百八十条の二の規定に基づき、事務局が補助執行することとされた事務の処理について定めることを目的とする。

**（分課）**
**第二条**　事務局に次の課を置く。
総務課
審査調整課

**（分掌事務）**
**第三条**　課の分掌事務は、次のとおりとする。
総務課
一　事務局所属職員の人事及び給与に関すること。
二　事務局事務に関する法規の調査及び解釈に関すること。
三　事務局の公文書類の収受、配布、発送、編集及び保存に関すること。
四　事務局の情報公開に係る連絡調整等に関すること。
五　事務局の個人情報の保護に係る連絡調整等に関

すること。
六 公印の管理に関すること。
七 委員相互間の連絡に関すること。
八 他の労働委員会との連絡調整に関すること。
九 事務局の予算、決算及び会計に関すること。
十 委員会及び事務局の秘書事務に関すること。
十一 あっせん員候補者の委嘱に関すること。
十二 総会及び公益委員会議等委員会の会議に関すること。
十三 会議記録の作成及び保管に関すること。
十四 委員会の施策及び制度に係る基礎的調査に関すること。
十五 資料及び統計の収集、整理及び保存に関すること。
十六 月報及び年報の刊行に関すること。
十七 事務局事務の総合調整に関すること。
十八 事務局事務の管理改善及び行政評価の実施に関すること。
十九 事務局事務のデジタル関連施策の企画、調整及び推進に関すること。
二十 広報及び広聴に関すること。
二十一 審査調整課に属しないこと。

審査調整課

一 労働組合の資格審査及び証明に関すること。
二 労働協約の地域的の一般的拘束力の適用に関すること。
三 不当労働行為に関する調査、審問、命令、裁判所に対する通知及び訴訟に関すること。
四 労働関係調整法（昭和二十一年法律第二十五号）第四十二条の規定による請求に関すること。
五 地方公営企業等の労働関係に関する法律（昭和二十七年法律第二百八十九号）第五条第二項の規定による認定及び告示に関すること。
六 労働争議のあっせん、調停及び仲裁に関すること。
七 争議行為の発生の届出の受理に関すること。
八 公益事業に係る争議行為の予告通知の受理に関すること。
九 労働争議の実情調査に関すること。
十 労働争議調整申請、不当労働行為申立て及び労働組合資格審査申請の手続の相談に関すること。

（職）

**第四条** 事務局に事務局長及び調整担当課長を、課に課長を置く。
2 事務局に担当課長及び専門課長を置くことができる。
3 事務局長は、知事の承認を得て、事務局の課に課長代理を置く。
4 前三項に定めるもののほか、必要な職を置く。

**（事務局長等の資格及び任免）**

**第五条** 事務局長は、理事のうちから、知事が命ずる。
2 課長（調整担当課長その他担当課長を含む。以下同じ。）は、副参事のうちから、知事が命ずる。
3 専門課長は、専門副参事のうちから、知事が命ずる。
4 課長代理は、主事のうちから、事務局長が命ずる。

**（事務局長等の職責）**

**第六条** 事務局長は、上司の命を受け、事務局の事務を掌理し、所属職員を指揮監督する。
2 課長は、事務局長の命を受け、課の事務又は担任の事務をつかさどり、所属職員を指揮監督する。
3 専門課長は、事務局長の命を受け、専門分野につき担任の事務を処理する。
4 課長代理は、課長を補佐する。
5 課長代理は、課長の命を受け、担任の事務をつかさどり、当該事務に係る職員を指揮監督する。
6 課長代理は、担任の事務の執行状況につき随時文書又は口頭をもって課長に報告するものとする。
7 前各項に定めるもの以外の職員は、上司の命を受け、事務に従事する。

**（事案決定の原則）**

**第七条** 事案の決定は、当該決定の結果の重大性に応じ、事務局長又は課長若しくは課長代理が行う。

**（事務局長の決定事案）**

**第八条** 事務局長の決定できる事案は、おおむね次のとおりとする。
一 課長及びこれに準ずる職にある者の出張、休暇、職務に専念する義務の免除その他の服務に関すること。
二 事務局所属職員の職務上の秘密に属する事項の発表の許可及び営利企業等の従事制限の解除に関すること。
三 成立した予算に係る事務局の運営に関する事務事業についての執行計画の設定、変更及び廃止に関すること。
四 予定価格が八百万円以上の請負又は委託により行う工事、修繕、通信及び運搬に係る役務の提供に関すること。
五 予定価格が三百万円以上の物件の買入れ、売払い、貸付け及び借入れに関すること。
六 重要な事項に関する報告及び通知に関すること。
七 損害賠償額の決定及び和解に関すること。

**（課長の決定事案）**

**第九条**　課長が決定できる事案は、おおむね次のとおりとする。

一　課長が指揮監督する職員の事務分掌、出張、休暇、超過勤務、休日勤務、週休日の変更及び職務に専念する義務の免除に関すること（課長代理の権限に属するものを除く。）。

二　予定価格が八百万円未満の請負又は委託により行う工事、修繕、通信及び運搬に係る役務の提供に関すること。

三　予定価格が三百万円未満の物件の買入れ、売払い、貸付け及び借入れに関すること。

四　報告及び通知に関すること（重要な事項に関するものを除く。）。

五　文書の受理に関すること。

**（課長代理の決定対象事案）**

**第十条**　課長代理の決定すべき事案は、おおむね次のとおりとする。

一　課長代理が指揮監督する職員の出張（宿泊を伴う場合を除く。）、休暇（年次有給休暇に係る時季の変更並びに介護休暇、病気休暇及び超勤代休時間を除く。）及び事故欠勤に関すること。

二　報告及び通知に関すること（簡易なものに限る。）。

三　文書の受理に関すること（簡易なものに限る。）。

**（決定事案の細目）**

**第十一条**　事務局長は、あらかじめ総務局長と協議し、第七条から前条までの規定により事務局長又は課長若しくは課長代理の決定の対象とされる事案の実施細目を定めなければならない。

**（事案の決定権の委譲）**

**第十二条**　事務局長は、第八条の規定により自己の決定の対象とされた事案のうち同一の態様で反復継続することが予想されるものについては、決定の基準を示して、課長に決定させることができる。

**（事案の決定の臨時代行）**

**第十三条**　第八条及び第九条の規定により次の表の上欄に掲げる者の決定の対象とされた事案（前条の規定により課長の決定の対象とされた事案を除く。）について至急に決定を行う必要がある場合であつて当該事案の決定を行う者が出張又は休暇その他の理由により不在であるときは、同表下欄に掲げる者がその決定に当たる。

| | |
|---|---|
| 事務局長 | 事務局長があらかじめ指定する課長 |
| 課長 | 課長があらかじめ指定する課長代理 |

2　第十条の規定により課長代理の決定の対象とされた事案について至急に決定を行う必要がある場合において当該課長代理が不在であるときは、課長が決定するものとする。

**（事案決定の例外措置）**

**第十四条**　次の表の上欄に掲げる者は、同表中欄に掲げる事案のうち当該事案決定の結果の重大性が自己の負い得る責任の範囲を超えると認めるものについては、その理由を明らかにして、同表下欄に掲げる者にその決定を求めることができる。

| | | |
|---|---|---|
| 事務局長 | 第八条の規定により事務局長の決定の対象とされた事案 | 知事 |
| 課長 | 第九条の規定により課長の決定の対象とされた事案 | 事務局長 |
| | 前条の規定により課長の決定の対象とされた事案 | 知事 |
| 課長代理 | 第十条の規定により課長代理の決定の対象とされた事案 | 課長 |
| | 前条の規定により課長代理の決定の対象とされた事案 | 事務局長 |

2　第八条、第九条、第十条、第十二条、前条及び前項の規定により事案の決定を行う者を、事案の決定権者という。

**（事案決定への関与）**

**第十五条**　事案の決定権者は、次の表の上欄に掲げる事案については、同表下欄に掲げる者に審議を行わせるものとする。

| | |
|---|---|
| 知事が決定する事案 | 事務局長 |
| 事務局長が決定する事案 | 主管に係る課長 |
| 課長が決定する事案 | 主管に係る課長代理 |

2　課長代理が決定する事案は、審議を行わないものとする。この場合において、当該事案を主管する課長代理以外の課長代理の主管し、又は担当する事務に直接影響を与えるものについては、自ら協議するものとする。

3　第一項に定める場合のほか、事案の決定権者は、次の表の上欄に掲げる事案については、同表中欄に掲げる者（その者の指定する者を含む。）に同表下欄に掲げる審査、協議その他の当該事案の決定に対する関与を行わせるものとする。

| | | |
|---|---|---|
| 知事が決定する事案 | 総務局総務部文書課長 | 審査 |
| 東京都公報に登載すべき事項に係る事案又は法規の解釈に関する事案 | 総務課長及び文書主任 | 審査 |
| 事務局長が決定する事案 | 文書主任及び主管に係る文書取扱主任 | 審査 |
| 課長又は課長代理が決定する事案 | 文書取扱主任（総務課にあつては文書主任） | 審査 |
| 決定の対象である事案を主管する課以外の事務局内の課の事務執行に直接影響を与える事案 | 事務執行に直接影響を受ける課の課長及び専門課長 | 協議 |
| 他の局の事務執行に直接影響を与える事案 | 事務執行に直接影響を受ける他の局の局長、部長又は課長若しくは課長代理 | 協議 |
| 予算事務規則（昭和四十年東京都規則第八十三号）その他の事務執行に関する規程又は通達（以下「事務執行規程等」という。）により協議その他の当該事案決定に対する関与が必要とされる事案 | 事務執行規程等に定める者 | 事務執行規程等に定める協議その他の当該事案決定に対する関与 |

（準用）

**第十六条**　この規定に定めるものを除いて、事務局の事務の処理については、東京都事案決定規程（昭和四十七年東京都訓令甲第十号）の相当規定を準用する。

**附　則**

この訓令は、昭和四十二年十一月一日から適用する。

# ○東京都立産業貿易センター条例

昭五八・三・二三
条例一六

最終改正　平二九・一二・二二条例九〇

（設置）

**第一条**　東京都における商工業及び貿易の振興を図るため、東京都立産業貿易センター（以下「センター」という。）を設置する。

（事業）

**第二条**　センターは、前条の目的を達成するため、次の事業を行う。

一　見本市、展示会等のための施設の利用公開

二　前号に掲げるもののほか、知事が必要と認める事業

（名称及び位置）

**第三条**　センターの名称及び位置は、次のとおりとする。

| 名称 | 位置 |
|---|---|
| 東京都立産業貿易センター浜松町館（以下「浜松町館」という。） | 東京都港区海岸一丁目七番一号 |
| 東京都立産業貿易センター台東館（以下「台東 | 東京都台東区花川戸二丁目六番五号 |

館」という。）

（センターの施設）
**第四条**　センターに置く施設は、次のとおりとする。

| 区分 | 施設 |
|---|---|
| 浜松町館 | 展示室　会議室 |
| 台東館 | 展示室　会議室 |

（施設の休場日）
**第五条**　センターの施設の休場日は、別表第一のとおりとする。ただし、知事は、特に必要があると認めるときは、これを変更し、又は臨時に休場日を定めることができる。

（施設の開場時間）
**第六条**　センターの施設の開場時間は、次のとおりとする。

| 区分 | 開場時間 |
|---|---|
| 浜松町館 | 午前九時から午後九時まで |
| 台東館 | 午前九時から午後九時まで |

2　知事は、特に必要があると認めるときは、前項の開場時間を変更し、又は展示室若しくは会議室の開場時間外の利用を認めることができる。

（利用手続等）
**第七条**　センターの施設を利用しようとする者は、東京都規則（以下「規則」という。）の定めるところにより申請し、知事の承認を受けなければならない。

2　次の各号の一に該当するときは、知事は、前項の利用の承認をしないことができる。
一　公の秩序又は善良の風俗を害するおそれがあると認められるとき。
二　センターの施設設備を損傷するおそれがあると認められるとき。
三　センターの管理上支障があると認められるとき。
四　前三号に掲げるもののほか、知事が利用を不適当と認めるとき。

（利用料金の額等）
**第八条**　前条第一項の承認を受けた者（以下「利用者」という。）は、規則で定めるところにより、指定管理者（第十六条第一項に規定する指定管理者をいう。以下この条から第十条までにおいて同じ。）に利用料金を納付しなければならない。

2　利用料金の額は、別表第二に定める額の範囲内において、あらかじめ知事の承認を得て、指定管理者が定める。

3　指定管理者は、必要があると認めるときは、あらかじめ知事の承認を得て、利用に係る予納金（以下「利用予納金」という。）を収受することができる。

4　利用予納金は、利用料金に充当するものとする。

5　利用料金は、指定管理者の収入とする。

6　指定管理者は、規則で定めるところにより、利用料金を減額し、又は免除することができる。

（利用料金の納付時期）
**第九条**　利用料金は、前納しなければならない。ただし、指定管理者が特別の理由があると認めたときは、後納することができる。

（利用料金の不還付）
**第十条**　指定管理者は、既納の利用料金を還付しないものとする。ただし、利用者の責めに帰することができない理由によりセンターの施設を利用できないと指定管理者が認めるときは、その全部又は一部を還付することができる。

（利用権の譲渡等の禁止）
**第十一条**　利用者は、利用の権利を譲渡し、又は転貸してはならない。

（造作の取付け等）
**第十二条**　利用者は、造作の取付けその他の原状変更をしようとするときは、規則の定めるところにより申請し、知事の承認を受けなければならない。

（利用承認の取消し等）
**第十三条**　次の各号のいずれかに該当するときは、知事は、利用の承認を取り消し、利用を制限し、又は利用の停止を命ずることができる。
一　利用の目的に違反して利用したとき。
二　この条例又は知事の指示に違反したとき。
三　災害その他の事故により利用できなくなつたとき。
四　工事その他の都合により、知事が特に必要と認めるとき。

（原状回復の義務）
**第十四条**　利用者は、利用を終了したときは、利用した施設及び附帯設備を直ちに原状に回復しなければならない。前条の規定により利用の承認を取り消され、又は利用の停止を命ぜられたときも、同様とする。

（損害賠償の義務）
**第十五条**　センターの施設設備に損害を与えた者は、その損害を賠償しなければならない。ただし、知事は、やむを得ない理由があると認めるときは、賠償額を減額し、又は免除することができる。

（指定管理者による管理）

**第十六条**　知事は、地方自治法（昭和二十二年法律第六十七号）第二百四十四条の二第三項の規定により、法人その他の団体であって知事が指定するもの（以下「指定管理者」という。）に、センターの管理に関する業務のうち、次に掲げるものを行わせることができる。

一　第二条各号に掲げる事業に関する業務

二　センターの施設、設備及び物品の維持管理（知事が指定する補修等を除く。以下同じ。）に関する業務

2　知事は、次に掲げる業務を指定管理者に行わせることができる。

一　第五条ただし書の規定により、臨時に休場日を定めること。この場合においては、あらかじめ知事の承認を得なければならない。

二　第六条第二項の規定により、臨時に開場時間を変更し、又は展示室若しくは会議室の開場時間外の利用を認めること。この場合においては、あらかじめ知事の承認を得なければならない。

三　第七条第一項の規定により、施設の利用を承認し、又は同条第二項の規定により、同項第一号から第三号までのいずれかに該当すると認めるとき、若しくは利用を不適当と認めるときに利用の承認をしないこと。

四　第十二条の規定により、造作の取付けその他の原状変更を承認すること。

五　第十三条の規定により、同条第一号若しくは第三号に該当するとき、又は利用者がこの条例若しくは指定管理者の指示に違反したときに、利用の承認を取り消し、利用を制限し、又は利用の停止を命ずること。

（指定管理者の指定）

**第十七条**　指定管理者としての指定を受けようとする者は、規則で定めるところにより、知事に申請しなければならない。

2　知事は、前項の規定による申請があったときは、次に掲げる基準により最も適切にセンターの管理を行うことができると認める者を指定管理者に指定するものとする。

一　前条第一項各号に掲げる業務について相当の知識及び経験を有する者を当該業務に従事させることができること。

二　安定的な経営基盤を有していること。

三　センターの効用を最大限に発揮するとともに、効率的な管理運営ができること。

四　中小企業基本法（昭和三十八年法律第百五十四号）その他の関係法令及び条例の規定を遵守し、適正な管理運営ができること。

五　前各号に掲げるもののほか、規則で定める基準

3　知事は、前項の規定による指定をするときは、効率的な管理運営を考慮し、指定の期間を定めるものとする。

（指定管理者の指定の取消し等）

**第十八条**　知事は、指定管理者が次の各号のいずれかに該当するときは、前条第二項の規定による指定を取り消し、又は期間を定めて管理の業務の全部若しくは一部の停止を命ずることができる。

一　管理の業務又は経理の状況に関する知事の指示に従わないとき。

二　前条第二項各号に掲げる基準を満たさなくなったと認めるとき。

三　第二十条第一項各号に掲げる管理の基準を遵守しないとき。

四　前三号に掲げるもののほか、当該指定管理者による管理を継続することが適当でないと認めるとき。

2　前項の規定により指定管理者の指定を取り消し、又は期間を定めて管理の業務の全部若しくは一部（利用料金の収受を含む場合に限る。）の停止を命じた場合等で、知事が臨時にセンターの管理運営を行うときに限り、新たに指定管理者を指定し、又は当該停止の期間が終了するまでの間、知事は、別表第二に定める額の範囲内において、知事が定める使用料を徴収する。

3　前項の場合にあっては、第八条第一項及び第六項、第九条並びに第十条の規定を準用する。この場合において、第八条第一項中「指定管理者（第十六条第一項に規定する指定管理者をいう。以下この条から第十条までにおいて同じ。）」とあるのは「知事」と、「利用料金」とあるのは「使用料」と、同条第六項中「指定管理者」とあるのは「知事」と、「利用料金」とあるのは「使用料」と、第九条中「利用料金」とあるのは「使用料」と、「指定管理者」とあるのは「知事」と、第十条中「指定管理者」とあるのは「知事」と、「利用料金」とあるのは「使用料」と、別表第二中「利用料金」とあるのは「使用料」と読み替えるものとする。

（指定管理者の公表）

**第十九条**　知事は、指定管理者を指定し、若しくは指定を取り消したとき、又は期間を定めて管理の業務の全部若しくは一部の停止を命じたときは、遅滞なくその旨を告示するものとする。

(管理の基準等)

第二十条 指定管理者は、次に掲げる基準により、センターの管理に関する業務を行わなければならない。

一 中小企業基本法その他の関係法令及び条例の規定を遵守し、適正な管理運営を行うこと。

二 利用者に対して平等かつ適切なサービスの提供を行うこと。

三 センターの施設、設備及び物品の維持管理を適切に行うこと。

四 当該指定管理者が業務に関連して取得した利用者の個人に関する情報を適切に取り扱うこと。

2 知事は、次に掲げる事項について、指定管理者と協定を締結するものとする。

一 前項各号に掲げる基準に関し必要な事項

二 業務の実施に関する事項

三 事業の実績報告に関する事項

四 前三号に掲げるもののほか、センターの管理に関し必要な事項

(委任)

第二十一条 この条例の施行について必要な事項は、規則で定める。

附 則

(施行期日)

1 この条例は、規則で定める日〔昭五八・六・一〕から施行する。

(東京都立産業会館条例等の廃止)

2 次に掲げる条例は、廃止する。

一 東京都立産業会館条例(昭和四十四年東京都条例第八十六号)

二 東京都立貿易センター条例(昭和四十四年東京都条例第百三十三号)

(経過措置)

3 前項第一号の規定による廃止前の東京都立産業会館条例(以下「旧条例」という。)に基づく東京都立産業会館台東館は、この条例に基づく東京都立産業貿易センター台東館となり、同一性をもつて存続するものとする。

4 この条例の施行の日前に旧条例の規定により行われた使用の申請、使用の承認その他の行為で、同日以後の利用に係るものは、この条例の相当規定により行われたものとみなす。

5 前項の規定により利用の承認を受けたものとみなされる者の使用料は、なお従前の例による。

附 則(平二九・一二・二二条例九〇)(抄)

改正 平三一・三・二九条例三五

(施行期日)

1 この条例は、東京都規則で定める日〔平三二・九・一四〕から施行する。ただし、第一条(第十七条及び第二十条の改正規定に限る。)、次項及び附則第三項の規定は公布の日から、第二条の規定は平成三十三年四月一日から施行する。

(準備行為)

2 第一条の規定を施行するために必要な指定管理者の指定及び同条の規定による改正後の東京都立産業貿易センター条例別表第二浜松町館の項の規定による施設等の使用に関し必要な手続その他の行為は、この条例の施行の日前においても行うことができる。

3 第二条の規定を施行するために必要な指定管理者の指定及び同条の規定による改正後の東京都立産業貿易センター条例別表第二台東館の項の規定による施設等の使用に関し必要な手続その他の行為は、同条の規定の施行の日前においても行うことができる。

別表第一(第五条関係)

| 区分 | 休場日 |
|---|---|
| 展示室<br>会議室 | 1 一月一日から同月三日まで<br>2 十二月二十九日から同月三十一日まで |

備考 日曜日若しくは土曜日又は国民の祝日に関する法律(昭和二十三年法律第百七十八号)に定める休日に浜松町館又は台東館の展示室の利用者がない場合は、その日は、当該浜松町館又は台東館の展示室及び会議室の休場日とすることができる。

別表第二(第八条、第十八条関係)

| 区分 | 施設及び附帯設備 | 利用料金 |
|---|---|---|
| 浜松町館 | 一 施設 | |
| | 1 展示室 | 一室一日につき 五八八、〇〇〇円 |
| | 2 会議室 | 一室一日につき 九四、四〇〇円 |
| | 二 附帯設備 | |
| | 1 展示台 | 一個一日につき 九〇円 |
| | 2 商談机 | 一個一日につき 八〇円 |
| | 3 商談いす | 一個一日につき 六五円 |
| | 4 放送設備 | 一式一日につき 一、五〇〇円 |
| | 5 高所作業台 | 一台一日につき 四、五〇〇円 |
| 台東館 | 一 施設 | |
| | 1 展示室 | 一室一日につき 四六九、二〇〇円 |
| | 2 会議室 | 一室一日につき |

| | | |
|---|---|---|
| | | 二〇、〇〇〇円 |
| 二 附帯設備 | | |
| 1 展示台 | 一個一日につき | 九〇円 |
| 2 商談机 | 一個一日につき | 八〇円 |
| 3 商談いす | 一個一日につき | 六五円 |
| 4 放送設備 | 一式一日につき | 一、五〇〇円 |

備考

一 この表において「一日」とは、午前九時から午後九時までをいい、この時間外の利用に係る利用料金の額は、浜松町館の展示室にあつては一室一時間につき一万四千五百円、浜松町館の会議室にあつては一室一時間につき二千三百二十円、台東館の展示室にあつては一室一時間につき九千五百円、台東館の会議室にあつては一室一時間につき四百三十円、浜松町館及び台東館の附帯設備にあつては無料とする。この場合において、利用時間数に一時間未満の端数があるときは、その端数が三十分以上のときは一時間とし、三十分未満のときは切り捨てる。

二 利用者が、電気、ガス又は水道を特別に使用したときは、これに要した実費を利用料金に加算する。

## ○東京都立多摩産業交流センター条例

令二・六・一七
条例七五

（設置）

**第一条** 多摩地域の持つ産業集積の強みを生かし、広域的な産業交流の中核機能を担うことにより、もつて東京都における産業の振興を図るため、東京都立多摩産業交流センター（以下「センター」という。）を東京都八王子市明神町三丁目十九番二号に設置する。

（事業）

**第二条** センターは、前条の目的を達成するため、次の事業を行う。

一 見本市、展示会等のための施設の利用公開に関すること。

二 中小企業者、研究機関、大学等及び行政機関の協働による産業振興を目的とした研究及び事業の支援に関すること。

三 中小企業者の広域的な産業交流を促進する事業の支援に関すること。

四 前三号に掲げるもののほか、目的を達成するために必要な事業

（施設）

**第三条** センターに置く施設は、展示室及び会議室とする。

（休場日）

**第四条** センターの施設の休場日は、別表第一のとおりとする。

2 知事は、特に必要があると認めるときは、前項の休場日を変更し、又は臨時に休場日を定めることができる。

（開場時間）

**第五条** センターの施設の開場時間は、午前九時から午後九時までとする。

2 知事は、特に必要があると認めるときは、前項の開場時間を変更し、又は開場時間外に展示室若しくは会議室を利用させることができる。

（利用手続等）

**第六条** センターの施設及び附帯設備（以下「施設等」という。）を利用しようとする者は、東京都規則（以下「規則」という。）で定めるところにより申請し、知事の承認を受けなければならない。

2 知事は、次の各号のいずれかに該当するときは、前項の承認をしないことができる。

一 公の秩序又は善良の風俗を害するおそれがあると認められるとき。

二 センターの施設等を損傷するおそれがあると認められるとき。

三 センターの管理上支障があると認められるとき。

四 申請に係る施設等が、センターの事業を行うために必要であると認めるとき。

五 前各号に掲げるもののほか、知事が利用を不適当と認めるとき。

（利用料金の額等）

**第七条** 前条第一項の規定により利用の承認を受けた者（以下「利用者」という。）は、指定管理者（第十五条第一項に規定する指定管理者をいう。以下この条から第九条までにおいて同じ。）にその利用に係る料金（以下「利用料金」という。）を納付しなければならない。

2 利用料金の額は、別表第二に定める額の範囲内において、あらかじめ知事の承認を得て、指定管理者が定める。
3 指定管理者は、必要があると認めるときは、あらかじめ知事の承認を得て、利用に係る予納金（以下「利用予納金」という。）を収受することができる。
4 利用予納金は、利用料金に充当するものとする。
5 利用料金は、指定管理者の収入とする。
6 指定管理者は、規則で定めるときは、利用料金を減額し、又は免除することができる。

（利用料金の納付時期）
**第八条** 利用料金は、前納しなければならない。ただし、指定管理者が特別の理由があると認めるときは、後納することができる。

（利用料金の不還付）
**第九条** 指定管理者は、既納の利用料金及び利用予納金を還付しないものとする。ただし、指定管理者が特別の理由があると認めるときは、その全部又は一部を還付することができる。

（利用権の譲渡等の禁止）
**第十条** 利用者は、利用の権利を譲渡し、又は転貸してはならない。

（造作の取付け等）
**第十一条** 利用者は、造作の取付けその他の原状変更をしようとするときは、規則で定めるところにより申請し、知事の承認を受けなければならない。

（利用承認の取消し等）
**第十二条** 知事は、次の各号のいずれかに該当するときは、利用の承認を取り消し、利用を制限し、又は利用の停止を命ずることができる。
一 利用の目的に違反して利用したとき。
二 この条例に違反し、又は知事の指示に従わなかったとき。
三 災害その他の事故によりセンターの施設等の利用ができなくなったとき。
四 工事その他の都合により、知事が特に必要と認めるとき。

（原状回復の義務）
**第十三条** 利用者は、利用を終了したときは、利用した施設等を直ちに原状に回復しなければならない。前条の規定により利用の承認を取り消され、又は利用の停止を命ぜられたときも、同様とする。

（損害賠償の義務）
**第十四条** センターの施設等に損害を与えた者は、その損害を賠償しなければならない。ただし、知事は、やむを得ない理由があると認めるときは、賠償額を減額し、又は免除することができる。

（指定管理者による管理）
**第十五条** 知事は、地方自治法（昭和二十二年法律第六十七号）第二百四十四条の二第三項の規定により、法人その他の団体であって知事が指定するもの（以下「指定管理者」という。）に、センターの管理運営に関する業務のうち、次に掲げるものを行わせることができる。
一 第二条各号に掲げる事業に関する業務
二 センターの施設等及び物品の維持管理（知事が指定する補修等を除く。以下同じ。）に関する業務
三 前二号に掲げるもののほか、知事が特に必要と認める業務
2 知事は、次に掲げる業務を指定管理者に行わせることができる。
一 第四条第二項の規定により、臨時に休場日を定めること。この場合においては、あらかじめ知事の承認を得なければならない。
二 第五条第二項の規定により、開場時間を変更し、又は展示室若しくは会議室の開場時間外の利用を認めること。この場合においては、あらかじめ知事の承認を得なければならない。
三 第六条第一項の規定により、利用の承認をすること又は同条第二項の規定により、同項第一号から第四号までのいずれかに該当するときその他利用を不適当と認めるときに、利用の承認をしないこと。
四 第十一条の規定により、造作の取付けその他の原状変更の承認をすること。
五 第十二条の規定により、同条第一号若しくは第三号に該当するとき、利用者がこの条例に違反し、若しくは指定管理者の指示に従わなかったとき、又は工事その他の都合により特に必要と認めるときに、利用の承認を取り消し、利用を制限し、又は利用の停止を命ずること。

（指定管理者の指定）
**第十六条** 指定管理者としての指定を受けようとする者は、規則で定めるところにより、知事に申請しなければならない。
2 知事は、前項の規定による申請があったときは、次に掲げる基準により最も適切にセンターの管理運営を行うことができると認める者を指定管理者に指定するものとする。
一 前条第一項各号に掲げる業務について相当の知識及び経験を有する者を当該業務に従事させることができること。
二 安定的な経営基盤を有していること。
三 センターの効用を最大限に発揮するとともに、効

率的な管理運営ができること。

四　関係法令及び条例の規定を遵守し、適正な管理運営ができること。

五　前各号に掲げるもののほか、規則で定める基準

3　知事は、前項の規定による指定をするときは、効率的な管理運営を考慮し、指定の期間を定めるものとする。

（**指定管理者の指定の取消し等**）

**第十七条**　知事は、指定管理者が次の各号のいずれかに該当するときは、前条第二項の規定による指定を取り消し、又は期間を定めて管理運営の業務の全部若しくは一部の停止を命ずることができる。

一　管理運営の業務又は経理の状況に関する知事の指示に従わないとき。

二　前条第二項各号に掲げる基準を満たさなくなったと認めるとき。

三　第十九条第一項各号に掲げる管理運営の基準を遵守しないとき。

四　前三号に掲げるもののほか、当該指定管理者による管理運営を継続することが適当でないと認めるとき。

2　前項の規定により指定管理者の指定を取り消し、又は期間を定めて管理運営の業務の全部若しくは一部（利用料金の収受を含む場合に限る。）の停止を命じた場合等で、知事が臨時にセンターの管理運営を行うときに限り、新たに指定管理者を指定し、又は当該停止の期間が終了するまでの間、知事は、別表第二に定める額の範囲内において、知事が定める使用料を徴収する。

3　前項の場合にあっては、第七条第一項、第三項、第四項及び第六項、第八条、第九条並びに別表第二の規定を準用する。この場合において、第七条第一項中「指定管理者（第十五条第一項に規定する指定管理者をいう。以下この条から第九条までにおいて同じ。）にその利用に係る料金（以下「利用料金」という。）」とあるのは「知事に使用料」と、同条第三項中「指定管理者」とあるのは「知事」と、「あらかじめ知事の承認を得て、利用に係る予納金（以下「利用予納金」という。）を収受する」とあるのは「予納金を徴収する」と、同条第四項中「利用予納金は、利用料金」とあるのは「予納金は、使用料」と、同条第六項中「指定管理者」とあるのは「知事」と、「利用料金」とあるのは「使用料」と、第八条中「利用料金」とあるのは「使用料」と、「指定管理者」とあるのは「知事」と、第九条中「指定管理者」とあるのは「知事」と、「利用料金及び利用予納金」とあるのは「使用料及び予納金」と、別表第二中「利用料金」とあるのは「使用料」と読み替えるものとする。

（**指定管理者の公表**）

**第十八条**　知事は、指定管理者を指定し、若しくは指定を取り消したとき、又は期間を定めて管理運営の業務の全部若しくは一部の停止を命じたときは、遅滞なくその旨を告示するものとする。

（**管理運営の基準等**）

**第十九条**　指定管理者は、次に掲げる基準により、センターの管理運営に関する業務を行わなければならない。

一　関係法令及び条例の規定を遵守し、適正な管理運営を行うこと。

二　利用者に対して平等かつ適切なサービスの提供を行うこと。

三　センターの施設等及び物品の維持管理を適切に行うこと。

四　当該指定管理者が業務に関連して取得した利用者の個人に関する情報を適切に取り扱うこと。

2　知事は、次に掲げる事項について、指定管理者と協定を締結するものとする。

一　前項各号に掲げる基準に関し必要な事項

二　業務の実施に関する事項

三　事業の実績報告に関する事項

四　前三号に掲げるもののほか、センターの管理運営に関し必要な事項

（**委任**）

**第二十条**　この条例の施行について必要な事項は、規則で定める。

**附　則**

（**施行期日**）

1　この条例は、規則で定める日から施行する。ただし、次項の規定は、公布の日から施行する。

（準備行為）

2　第十六条第二項の規定による指定管理者の指定その他の指定管理者によるセンターの管理運営に関し必要な行為並びに第六条第一項の規定による申請及び承認その他の施設等の利用に関し必要な行為は、この条例の施行の日前においても行うことができる。

**別表第一**（第四条関係）

| 区分 | 休場日 |
| --- | --- |
| 展示室<br>会議室 | 1　一月一日から同月三日まで<br>2　十二月二十九日から同月三十一日まで |

備考　日曜日若しくは土曜日又は国民の祝日に関する法律（昭和二十三年法律第百七十八号）に定める休日に

センターの施設の利用者がない場合は、その日は、センターの施設の休場日とすることができる。

**別表第二**（第七条、第十七条関係）

| 区分 | | 使用単位 | 利用料金 |
|---|---|---|---|
| 施設 | 展示室 | 一室一日 | 六四九、〇〇〇円 |
| | 会議室 | 一室一日 | 五四、〇〇〇円 |
| 附帯設備 | 展示台 | 一個一日 | 九〇円 |
| | 机 | 一個一日 | 八〇円 |
| | 椅子 | 一個一日 | 六五円 |
| | 放送設備 | 一式一日 | 一、五〇〇円 |
| | 高所作業台 | 一個一日 | 四、五〇〇円 |

備考
一　この表において「一日」とは、午前九時から午後九時までをいい、この時間外の利用に係る利用料金の額は、展示室にあっては一室一時間につき九千円、会議室にあっては一室一時間につき七百円、附帯設備にあっては無料とする。この場合において、利用時間数に一時間未満の端数があるときは、その端数が三十分以上のときは一時間とし、三十分未満のときは切り捨てる。
二　利用者が、電気又は水道を特別に使用したときは、これに要した実費を利用料金に加算する。

# 第四章　市　場

## ○東京都中央卸売市場条例

昭四六・一二・一
条例一四四

最終改正　令六・一〇・一一条例一四二

### 第一章　総則

（目的）

**第一条**　この条例は、東京都中央卸売市場（以下「市場」という。）に係る卸売市場法（昭和四十六年法律第三十五号。以下「法」という。）第四条第四項の規定に基づき業務規程に定める事項、その他の業務の運営及び施設の管理に関する事項並びに生鮮食料品等の品質管理及び流通改善のために必要な事項について定め、取引業務及び施設使用の適正化等を図ることにより、生鮮食料品等の円滑な供給を確保し、もつて都民の消費生活の安定に資することを目的とする。

（定義）

**第二条**　この条例において「卸売業者」とは、法第四十三条第一項の規定により市場内の用地、建物、設備その他の施設（以下「市場施設」という。）の使用の許可を受けて、その許可に係る市場において、当該市場に出荷される生鮮食料品等について、その出荷者から卸売のための販売の委託（食肉市場においては、家畜を解体し、枝肉として卸売をすることの委託を含む。）を受け、又は買い受けて、卸売をする者をいう。

2　この条例において「仲卸業者」とは、第四十三条第一項の規定により市場施設の使用の許可を受けて、その許可に係る市場内の店舗において、当該市場の卸売業者から卸売を受けた取扱品目に属する物品を仕分けし、又は調製して販売する者をいう。

3　この条例において「売買参加者」とは、第十二条第一項の規定により知事の承認を受け、その承認に係る市場に入場して当該市場におけるせり売又は入札の方法による卸売に参加する者をいう。

4　この条例において「関連事業者」とは、第四十三条第一項の規定により市場施設の使用の許可又は地方公営企業法施行令（昭和二十七年政令第四百三号）第二十六条の五の規定により市場事業に係る土地の貸付けを受けて、その許可等に係る市場内の店舗その他の施設において、生鮮食料品等の保管、貯蔵若しくは配送その他の流通を補完する業務、市場関係者の業務に直接必要な用品等の販売業務若しくは飲食の提供業務又は取扱物品の加工等の業務を行う者をいう。

5　この条例において「せり人」とは、卸売業者が生鮮食料品等の卸売をするとき、卸売場でせり売の方法により販売する業務に従事させるため、第三十五条第一項の規定により当該卸売業者が知事に届け出た者をいう。

6　この条例において「買出人」とは、仲卸業者から生鮮食料品等を買い受けて、市場外で販売する小売商業者等及び仲卸業者が販売する通常の取引単位で買い受ける需要者をいう。

7　この条例において「せり売」とは、せり人が卸売場で生鮮食料品等の卸売をするとき、公開の方法により仲卸業者及び売買参加者に競争させ、せりの方式により最高価格（消費税額及び地方消費税額に相当する額を含まない額とする。以下同じ。）の申込者に対して販売する方法をいう。

8　この条例において「入札」とは、卸売業者が卸売場で生鮮食料品等の卸売をするとき、書面を用い仲卸業者及び売買参加者に競争させ、最高価格の申込者に対して販売する方法をいう。

9　この条例において「相対取引」とは、卸売業者が卸売場で生鮮食料品等の卸売をするとき、販売価格及び数量について仲卸業者、売買参加者その他の買受人と交渉の上、販売する方法をいう。

10　この条例において「販売価格」とは、せり売若しくは入札又は相対取引により決定した価格をいう。

11　この条例において「卸売価格」とは、販売価格に東京都規則（以下「規則」という。）で定める率を乗じて得た額を加えた価格をいう。

（市場の名称及び位置）

**第三条**　市場の名称及び位置は、次のとおりとする。

| 名称 | 位置 |
|---|---|
| 東京都中央卸売市場豊島市場 | 東京都豊島区巣鴨五丁目一番五号 |
| 東京都中央卸売市場淀橋市場 | 東京都新宿区北新宿四丁目二番一号 |
| 東京都中央卸売市場足立市場 | 東京都足立区千住橋戸町五十番地 |

| 東京都中央卸売市場食肉市場 | 東京都港区港南二丁目七番十九号 |
|---|---|
| 東京都中央卸売市場板橋市場 | 東京都板橋区高島平六丁目一番五号 |
| 東京都中央卸売市場世田谷市場 | 東京都世田谷区大蔵一丁目四番一号 |
| 東京都中央卸売市場北足立市場 | 東京都足立区入谷六丁目三番一号 |
| 東京都中央卸売市場多摩ニュータウン市場 | 東京都多摩市永山七丁目四番地 |
| 東京都中央卸売市場葛西市場 | 東京都江戸川区臨海町三丁目四番一号 |
| 東京都中央卸売市場大田市場 | 東京都大田区東海三丁目二番一号 |
| 東京都中央卸売市場豊洲市場 | 東京都江東区豊洲六丁目六番一号 |

**（取扱品目）**

**第四条**　市場の取扱品目は、次に掲げる物品とする。

水産物　生鮮水産物、海そう及びこれらの加工品並びに知事が別に定めるその他の食料品等

青果物　野菜、果実及びこれらの加工品、つけ物、鳥卵（鳥肉、鳥卵及びこれらの加工品をいう。）並びに知事が別に定めるその他の食料品等

食肉　肉類及びその加工品並びに知事が別に定めるその他の食料品等

花き　花き及び知事が別に定めるその他の農産物等

2　市場ごとの取扱品目は知事が別に定める。

**（開場の期日）**

**第五条**　市場は、次条に規定する休業日を除き、毎日開場するものとする。

2　開場する日において、卸売業者、仲卸業者及び関連事業者は、それぞれその市場における業務を行わなければならない。

3　やむを得ない理由により、仲卸業者又は関連事業者が前項の業務を行うことができない場合は、規則で定めるところにより、あらかじめ知事に届け出なければならない。

**（市場休業日）**

**第六条**　市場の休業日は、市場の取扱品目ごとに、取引参加者（卸売業者、仲卸業者その他の卸売市場において売買取引を行う者をいう。以下同じ。）の意見を聴いて、知事が定める。ただし、休業日に卸売業者、仲卸業者及び関連事業者がその市場における業務（卸売の業務にあつては、せり売又は入札の方法による卸売を除く。）を行うことを妨げるものではない。

2　知事は、前条第一項及び前項の規定にかかわらず、都民の食生活への影響、市場業務に従事する者の労働条件、産地の出荷事情等を考慮し、休業日に臨時に開場し、又は開場日に臨時に休業することができる。

## 第二章　市場関係事業者

### 第一節　卸売業者

**（卸売業者の責務）**

**第七条**　卸売業者は、市場における卸売の業務を適正かつ健全に運営し、生鮮食料品等の集荷及び流通の合理化並びに品質管理の徹底を図り、公正明朗な取引を推進しなければならない。

**（名称変更等の届出）**

**第八条**　卸売業者は、次の各号のいずれかに該当するときは、遅滞なく、その旨を知事に届け出なければならない。

一　卸売の業務を開始し、休止し、又は再開したとき。

二　卸売の業務を廃止したとき。

三　名称又は住所を変更したとき。

四　資本金若しくは出資の額又は役員を変更したとき。

五　商号若しくは記号を使用し、又はこれらを変更したとき。

2　卸売業者又はその清算人は、次の各号のいずれかに該当するときは、遅滞なく、その旨を知事に届け出なければならない。

一　卸売業者が解散したとき。

二　卸売業者が破産手続開始の決定を受けたとき。

三　卸売業者が第四十二条第三項第一号に規定する者に該当することとなつたとき。

四　卸売業者の業務を執行する役員のうちに第四十三条第三項第三号に該当するものがあることとなつたとき。

五　卸売業者若しくはその業務を執行する役員がその業務若しくは職務に関して訴訟の当事者となつたとき、又はその判決があつたとき。

（せり人の責務）
第九条　せり人は、誠実、公正かつ迅速にその業務を処理しなければならない。

第二節　仲卸業者

（仲卸業者の責務）
第十条　仲卸業者は、市場における仲卸しの業務を適正かつ健全に運営し、取扱物品についての公正かつ妥当な評価及び流通の合理化並びに品質管理の徹底を図り、公正明朗な取引を推進しなければならない。

（名称変更等の届出）
第十一条　仲卸業者は、次の各号のいずれかに該当するときは、遅滞なく、その旨を知事に届け出なければならない。
一　仲卸しの業務を開始し、休止し、又は再開したとき。
二　仲卸しの業務を廃止したとき。
三　氏名若しくは名称又は住所を変更したとき。
四　法人である場合にあつては資本金若しくは出資の額又は役員を変更したとき。
五　商号若しくは記号を使用し、又はこれらを変更したとき。
六　法人である場合にあつては、常時売買に参加する者を変更したとき。
2　仲卸業者が死亡し、若しくは解散し、又は破産手続開始の決定を受けたときは、当該仲卸業者の相続人若しくは清算人又は当該仲卸業者は、規則で定めるところにより、遅滞なく、その旨を知事に届け出なければならない。

第三節　売買参加者

（売買参加者の承認）
第十二条　売買参加者になろうとする者は、知事の承認を受けなければならない。
2　前項の承認は、市場及び取扱品目ごとに行う。
3　第一項の承認を受けようとする者は、規則で定めるところにより、承認申請書を知事に提出しなければならない。
4　知事は、第一項の承認の申請が次に掲げる基準の全てに適合すると認めるときは、同項の承認をするものとする。
一　申請者が、申請前に市場の売買参加者の承認の取消しを受けたことのない者（取消しの日から起算して一年を経過した者を含む。）であること。
二　申請者が卸売の相手方として必要な資力、信用、知識及び経験を有するものであること。
三　申請者（申請者が法人である場合にあつては、その業務を執行する役員）が、暴力団員による不当な行為の防止等に関する法律（平成三年法律第七十七号）第二条第六号に規定する暴力団員（以下「暴力団員」という。）又は暴力団員でなくなつた日から五年を経過しない者（以下これらを「暴力団員等」という。）でないこと。
四　申請者が暴力団員等をその業務に従事させておらず、かつ、その業務の補助者として使用していないこと。
五　申請者がその業務活動について暴力団員等により支配を受けていないものであると認められること。

（承認の有効期間等）
第十三条　前条第一項の承認の有効期間は、当該承認の日から起算して五年とする。
2　前項の承認の有効期間（当該有効期間について、この項の規定により更新を受けたときにあつては、当該更新を受けた承認の有効期間）の満了後、引き続き卸売に参加しようとする者は、規則で定めるところにより、承認の有効期間の更新を受けなければならない。
3　知事は、前項の承認の有効期間の更新の申請があつた場合において、当該申請が前条第四項第一号及び第三号から第五号までに掲げる基準に適合していると認めるときは、当該承認の有効期間を更新するものとする。
4　前項の規定によりその更新をする場合における承認の有効期間は、当該更新前の承認の有効期間が満了する日の翌日から起算して五年とする。

（名称変更等の届出）
第十四条　売買参加者は、次の各号のいずれかに該当するときは、遅滞なく、その旨を知事に届け出なければならない。
一　卸売業者の行うせり売又は入札の方法による卸売に参加する業務を廃止したとき。
二　氏名若しくは名称又は住所を変更したとき。
三　商号若しくは記号を使用し、又はこれらを変更したとき。
四　法人である場合にあつては、代表者を変更したとき。
五　法人である場合にあつては、常時売買に参加する者を変更したとき。
2　売買参加者が死亡し、又は解散したときは、当該売買参加者の相続人又は清算人は、規則で定めるところにより、遅滞なく、その旨を知事に届け出なければならない。

（売買参加者の承認の取消し）
第十五条　知事は、売買参加者が第十二条第四項第一号若しくは第三号から第五号までのいずれかに規定する者に該当しないこととなつたとき、又は卸売の相手方として必要な資力若しくは信用を有しなくなつたときは、その承認を取り消すものとする。

### 第四節　関連事業者

**（関連事業者の責務）**

**第十六条**　関連事業者は、その業務を適正かつ健全に運営し、商品等の品質管理の徹底を図り、市場関係者に対しサービスの向上に努めなければならない。

**（関連事業者の取扱物品）**

**第十七条**　知事は、関連事業者の取扱物品の販売について適正な運営を確保するため特に必要があると認めるときは、関連事業者に対して、当該取扱物品の販売について必要な指示等をすることができる。

**（名称変更等の届出）**

**第十八条**　関連事業者は、次の各号のいずれかに該当するときは、遅滞なく、その旨を知事に届け出なければならない。

一　その業務を開始し、休止し、又は再開したとき。
二　その業務を廃止したとき。
三　氏名若しくは名称又は住所を変更したとき。
四　法人である場合にあつては資本金若しくは出資の額又は役員を変更したとき。
五　商号を変更したとき。

2　関連事業者が死亡又は解散したときは、当該関連事業者の相続人又は清算人は、規則で定めるところにより、遅滞なく、その旨を知事に届け出なければならない。

## 第三章　売買取引、決済の方法等

### 第一節　卸売市場の業務の方法

**（差別的取扱いの禁止）**

**第十九条**　知事は、市場の業務の運営に関し、取引参加者に対して、不当に差別的な取扱いをしてはならない。

**（卸売の数量、価格等の公表）**

**第二十条**　知事は、卸売業者から第三十三条の規定による報告を受けたときは、規則で定めるところにより、速やかに卸売の数量、価格その他規則で定める事項を公表するものとする。

**（売買取引の方法）**

**第二十一条**　市場において行う卸売については、規則で定める売買取引の方法によるものとする。

2　知事は、市場における適正かつ健全な売買取引を確保するため必要があると認めるときは、卸売における売買取引の方法その他必要な事項を指示することができる。

**（決済の方法）**

**第二十二条**　市場において取引参加者が売買取引を行う場合における支払期日、支払方法その他の決済の方法は、規則で定める。

### 第二節　取引参加者の遵守事項等

**（売買取引の原則）**

**第二十三条**　取引参加者は、市場において公正かつ効率的に売買取引を行わなければならない。

**（卸売業者による差別的取扱いの禁止）**

**第二十四条**　卸売業者は、市場における卸売の業務に関し、出荷者又は仲卸業者、売買参加者その他の買受人に対して、不当に差別的な取扱いをしてはならない。

**（卸売業者の卸売の方法）**

**第二十五条**　卸売業者は、第二十一条第一項に規定する方法により、卸売を行わなければならない。

**（卸売業者による売買取引の条件の公表）**

**第二十六条**　卸売業者は、規則で定めるところにより、その取扱品目その他売買取引の条件（売買取引に係る金銭の収受に関する条件を含む。）を公表しなければならない。

**（受託拒否の禁止）**

**第二十七条**　卸売業者は、その取扱品目に属する生鮮食料品等について市場における卸売のための販売の委託の申込みがあつた場合には、規則で定める正当な理由がある場合を除き、その引受けを拒んではならない。

**（決済の確保）**

**第二十八条**　取引参加者は、第二十二条に定められた方法により、決済を行わなければならない。

2　卸売業者は、市場における卸売のための販売の委託の引受けについて受託契約約款を定めた場合は、速やかに知事に届け出なければならない。当該受託契約約款の内容を変更したときも、同様とする。

3　卸売業者は、仲卸業者、売買参加者その他の買受人又はこれらの団体と決済に関して契約等を締結したときは、その内容を速やかに知事に届け出なければならない。当該契約等の内容を変更したときも、同様とする。

4　卸売業者は、仲卸業者、売買参加者その他の買受人が卸売業者から買い受けた物品の代金の支払を怠つたときは、速やかに知事に届け出なければならない。

**（卸売業者の事業報告書等の提出）**

**第二十九条**　卸売業者は、規則で定めるところにより、事業年度ごとに事業報告書を作成し、毎事業年度経過後九十日以内に知事に提出しなければならない。

2　卸売業者は、前項の事業報告書（出荷者が安定的な決済を確保するために必要な財務に関する情報として規則で定めるものが記載された部分に限る。）について、出荷者から閲覧の申出があつた場合には、規則で定める正当な理由がある場合を除き、これを拒んではならない。

3　卸売業者は、規則で定めるところにより、残高試算表を知事に提出しなければならない。

（卸売業者による売買取引の結果等の公表）

**第三十条**　卸売業者は、規則で定めるところにより、卸売の数量、価格その他の売買取引の結果（売買取引に係る金銭の収受の状況を含む。）等を定期的に公表しなければならない。

（仲卸業者及び売買参加者以外の者への卸売の報告等）

**第三十一条**　卸売業者は、市場における卸売の業務について、仲卸業者及び売買参加者以外の者に対して卸売をしたときは、規則で定めるところにより、知事に報告しなければならない。

2　卸売業者は、せり売又は入札の方法による卸売を行う場合には、仲卸業者及び売買参加者以外の者に卸売をしてはならない。ただし、せり売又は入札により生じた残品の卸売をする場合は、この限りでない。

（市場外にある生鮮食料品等の卸売の報告等）

**第三十二条**　卸売業者は、市場における卸売の業務について、当該市場内にある生鮮食料品等以外の生鮮食料品等の卸売をしたときは、規則で定めるところにより、知事に報告しなければならない。

2　卸売業者は、出荷された生鮮食料品等を市場外の場所に搬入して卸売をする場合、当該生鮮食料品等の保管場所について、規則で定めるところにより、知事の指定を受けなければならない。

3　前項の規定による指定を受けた卸売業者は、その指定を必要としなくなつたときは、規則で定めるところにより、遅滞なく、その旨を知事に届け出なければならない。

（卸売業者による売買取引の結果等の報告）

**第三十三条**　卸売業者は、規則で定めるところにより、卸売の数量、価格その他の売買取引の結果等を知事に報告しなければならない。

（卸売の記録の提出）

**第三十四条**　卸売業者は、取扱品目に属する物品の卸売をしたときは、当該物品の品名、数量その他規則で定める事項を記録しなければならない。

2　知事は、市場業務の適正かつ健全な運営を確保するため必要があると認めるときは、卸売業者に対して、前項の記録を提出させることができる。

3　前項の規定による記録の提出は、電子情報処理組織を使用する方法によることができる。

（せり人の届出等）

**第三十五条**　卸売業者は、規則で定めるところにより、市場において行う卸売のせり人について、知事に届け出なければならない。

2　知事は、前項の規定による届出があつた場合は、受理した日から三十日以内に、届出のあつたせり人に対して、せり人証を交付しなければならない。

3　卸売業者は、市場におけるせり売の業務を適正かつ円滑に行うため、知事が行う市場業務に係る法令等に関する講習をあらかじめせり人に受講させなければならない。

4　せり人は、せり売の業務に従事するときは、せり人証を携帯するとともに規則で定める記章を着用しなければならない。

5　卸売業者は、せり人がせり売の業務を行わなくなつた場合は、規則で定めるところにより、遅滞なく、その旨を知事に届け出なければならない。

（仲卸業者による卸売業者以外の者からの買入れ等の報告）

**第三十六条**　仲卸業者は、仲卸の業務を行う市場内において、当該市場の取扱品目に属する物品について、当該市場の卸売業者以外の者から買い入れて販売したときは、規則で定めるところにより、知事に報告しなければならない。

（仲卸業者の事業報告書の提出）

**第三十七条**　仲卸業者は、規則で定めるところにより、次の各号に掲げる区分に従い、当該各号に掲げる日現在において作成した事業報告書を当該日から起算して九十日を経過する日までに知事に提出しなければならない。

一　法人である仲卸業者　毎事業年度の末日

二　個人である仲卸業者　毎年十二月三十一日

（人の健康を損なうおそれのある物品の売買禁止）

**第三十八条**　知事は、人の健康を損なうおそれのある物品が市場に搬入されることがないよう努めなければならない。

2　何人も、人の健康を損なうおそれのある物品を市場において売買し、又は売買の目的をもつて所持してはならない。

3　知事は、前項に該当する物品があると認めるときは、その物品の売買を差し止め、又は市場外に持ち去ることを命ずることができる。

（売買取引の制限）

**第三十九条**　知事は、せり売又は入札の方法による卸売の場合において、談合その他不正な行為があると認めるときは、その売買（卸売業者にあつては委託の引受けを含む。）の差止め、又はせり直し若しくは再入札を命ずることができる。

（関連事業者の事業報告書の提出）

**第四十条**　関連事業者は、規則で定めるところにより、次の各号に掲げる区分に従い、当該各号に掲げる日現在において作成した事業報告書を当該日から起算して九十日を経過する日までに知事に提出しなければならない。
一　法人である関連事業者　毎事業年度の末日
二　個人である関連事業者　毎年十二月三十一日

**（物品の品質管理の方法）**
**第四十一条**　卸売業者、仲卸業者その他の市場関係者は、食品衛生法（昭和二十二年法律第二百三十三号）その他関係法令に即して市場の業務に係る物品の品質管理を行わなければならない。

**（安全・品質管理体制の整備）**
**第四十二条**　知事は、卸売業者、仲卸業者その他の市場関係者と連携し、物品の安全の確保及び衛生管理の向上を図るための体制の整備に努めなければならない。

## 第四章　市場施設の使用及び公開

### 第一節　市場施設の使用

**（市場施設の使用許可等）**
**第四十三条**　知事は、卸売業者、仲卸業者及び関連事業者に対して市場施設の使用を許可することができる。
2　知事は、特に必要があると認めるときは、売買参加者及び買出人の団体その他前項に規定する者以外の者に対しても市場施設の使用を許可することができる。
3　知事は、卸売業者として市場施設の使用の許可を受けようとする者が次の各号のいずれかに該当するときは、市場施設の使用の許可をしてはならない。
一　法人でないとき。
二　第六十四条第一項、第二項又は第四項の規定により市場施設の使用の許可の全部の取消しを受け、その取消しの日から起算して三年を経過しない者であるとき。
三　業務を執行する役員のうちに次のいずれかに該当する者があるとき。
イ　破産者で復権を得ないもの
ロ　拘禁刑以上の刑に処せられた者又は法の規定により罰金の刑に処せられた者で、その刑の執行を終わり、又はその刑の執行を受けることがなくなつた日から起算して三年を経過しないもの
ハ　暴力団員等であるもの
四　市場における卸売の業務を的確に遂行することができる資力、信用、知識及び経験を有する者でないとき。
五　暴力団員等をその業務に従事させ、又はその業務の補助者として使用しているとき。
六　その業務活動について暴力団員等により支配を受けているものであると認められるとき。
4　知事は、仲卸業者として市場施設の使用の許可を受けようとする者が次の各号のいずれかに該当するときは、市場施設の使用の許可をしてはならない。
一　破産者で復権を得ないものであるとき。
二　拘禁刑以上の刑に処せられた者又は法の規定により罰金の刑に処せられた者で、その刑の執行を終わり、又はその刑の執行を受けることがなくなつた日から起算して三年を経過しないものであるとき。
三　第六十四条第一項、第二項又は第四項の規定により市場施設の使用の許可の全部の取消しを受け、その取消しの日から起算して三年を経過しない者であるとき。
四　市場における仲卸しの業務を的確に遂行することができる資力、信用及び知識を有する者でないとき。
五　取扱品目についての市場取引業務に五年以上の経験を有していない者であるとき。
六　暴力団員等であるとき。
七　法人である場合にあつてはその業務を執行する役員のうちに第一号から第三号まで、第五号（当該法人の代表者に限る。）又は前号のいずれかに該当するものがあるとき。
八　暴力団員等をその業務に従事させ、又はその業務の補助者として使用しているとき。
九　その業務活動について暴力団員等により支配を受けている者であると認められるとき。
5　知事は、関連事業者として市場施設の使用の許可を受けようとする者が次の各号のいずれかに該当するときは、市場施設の使用の許可をしてはならない。
一　破産者で復権を得ないものであるとき。
二　拘禁刑以上の刑に処せられた者又は法の規定により罰金の刑に処せられた者で、その刑の執行を終わり、又はその刑の執行を受けることがなくなつた日から起算して三年を経過しないものであるとき。
三　第六十四条第一項、第二項又は第四項の規定により、市場施設の使用の許可の全部の取消しを受け、その取消しの日から起算して三年を経過しない者であるとき。
四　その業務を的確に遂行することができる資力、信用、知識及び経験を有する者でないとき。
五　暴力団員等であるとき。
六　法人である場合にあつてはその業務を執行する役員が、前号に該当する者であるとき。
七　暴力団員等をその業務に従事させ、又はその業務の補助者として使用しているとき。

八　その業務活動について暴力団員等により支配を受けている者であると認められるとき。

6　知事は、卸売業者にあつては第三項各号、仲卸業者にあつては第四項各号、関連事業者にあつては前項各号のいずれかに該当することを知つたときは、市場施設の使用の許可を取り消さなければならない。

7　知事は、第二項の許可について、次の各号のいずれかに該当するときは、市場施設の使用の許可をしてはならない。

一　申請者（申請者が法人である場合にあつては、その業務を執行する役員）が、暴力団員等であるとき。

二　申請者が暴力団員等をその業務に従事させ、又はその業務の補助者として使用しているとき。

三　申請者がその業務活動について暴力団員等により支配を受けている者であると認められるとき。

8　第一項の許可を受けた卸売業者、仲卸業者及び関連事業者は、第三章第二節に規定する取引参加者の遵守事項等（以下「遵守事項」という。）を遵守しなければならない。

**（転貸等の禁止）**

**第四十四条**　市場施設について使用の許可を受けた者（以下「使用者」という。）は、当該市場施設の全部若しくは一部を転貸し、又は他人に使用させてはならない。ただし、特別の理由により知事の承認を受けた場合は、この限りでない。

2　市場施設は、その本来の用途以外の用途に使用してはならない。ただし、特別の理由により知事の承認を受けた場合は、この限りでない。

**（現状変更の禁止）**

**第四十五条**　使用者は、知事の承認を受けないで、当該市場施設に建築、造作若しくは模様替をし、又は当該市場施設の現状に変更を加えてはならない。

2　使用者が知事の承認を受けて、当該市場施設に建築、造作若しくは模様替をし、又は施設の現状に変更を加えたときは、知事は、使用者に対して返還の際原状回復を命じ、又はこれに代わる費用の弁償を命ずることができる。

**（市場施設の返還）**

**第四十六条**　使用者の死亡、解散、廃業その他の理由により市場施設の使用資格が消滅したときは、相続人、清算人、代理人又は当該使用者は、知事の指定する期間内に自己の費用で当該市場施設を原状に復して返還しなければならない。ただし、知事の承認を受けた場合は、この限りでない。

**（使用許可の取消しその他の規制）**

**第四十七条**　知事は、次の各号のいずれかに該当するときは、使用者に対して、使用の許可の全部若しくは一部を取り消し、又は使用の制限若しくは停止その他必要な措置を命ずることができる。

一　業務の監督、災害の予防、公害の防止、交通の整理、衛生の確保その他市場の秩序の保持又は公共の利益保全のため特に必要があると認めるとき。

二　市場施設の使用の許可のときと著しく事情が変更し、その使用が不必要又は不適当と認められるに至つたとき。

三　その他市場の管理上必要があると認めるとき。

**（補修命令）**

**第四十八条**　知事は、故意又は過失により市場施設を滅失又は損傷した者に対して、その補修を命じ、又はその費用の弁償を命ずることができる。

**（使用料等）**

**第四十九条**　市場使用料は、別表第四又は別表第五の金額（面積、体積等を乗じる前の金額をいう。）に百分の百十を乗じて得た額（一円未満の端数があるときは、これを切り捨てる。）に、別表第四又は別表第五の各項に定めるところにより、面積、体積等を乗じて得た額の範囲内において、規則でこれを定める。ただし、別表第四又は別表第五の卸売業者売場使用料の項中卸売金額により算定する部分又は仲卸業者売場使用料の項若しくは関連事業者営業所使用料の項中販売金額により算定する部分に係る市場使用料については、当該各部分に定めるところにより、当該卸売金額又は販売金額から消費税額及び地方消費税額に相当する額を除いた額に千分の四を乗じて得た額（一円未満の端数があるときは、これを切り捨てる。）に百分の百十を乗じて得た額（一円未満の端数があるときは、これを切り捨てる。）の範囲内において、規則でこれを定める。

2　市場において使用する電力、電話、ガス、水道、暖房、冷房等の費用及びこれらの設備の維持等に要する費用で知事の指定するものは、使用者の負担とする。

3　第四十四条第二項ただし書の規定により市場施設を本来の用途以外の用途に使用するときは、知事は、使用者にその本来の用途の建物又は設備使用料に相当する額を納付させることができる。

4　月額による使用料については、使用期間が一月に満たない場合は、日割計算による。

5　第一項及び前項の規定により算出して得た一件の使用料の額が百円未満となる使用料は、これを百円とする。

6　既納の使用料は、これを返還しない。ただし、知事が相当の理由があると認めるときは、この限りでない。

7 この条例に定めるもののほか、使用料について必要な事項は、規則でこれを定める。

（使用料の減免）

**第五十条** 知事は、次の各号のいずれかに該当するときは、使用料を減免することができる。

一 使用者の責めに帰すことができない理由によつて市場施設を使用できないことが三日以上にわたつたとき。

二 第四十七条の規定により使用停止三日以上にわたつたとき。

三 使用者が国又は公共団体であるとき、又は知事が特別の理由があると認めるとき。

（保証金の預託）

**第五十一条** 卸売業者、仲卸業者及び関連事業者は、次条に定める保証金を預託した後でなければ、市場施設の使用を開始してはならない。

（保証金の額）

**第五十二条** 卸売業者の預託すべき保証金の額は、次の各号に掲げる当該卸売業者の最も取扱いが多い取扱品目の区分に応じ、当該各号に定める金額の範囲内で、規則で定める。

一 水　産　物 百二十万円以上二千四百万円以下

二 青　果　物 百二十万円以上千六百万円以下

三 食　　　肉 二百万円以上千二百万円以下

四 花　　　き 百二十万円以上千二百万円以下

2 仲卸業者の預託すべき保証金の額は、使用料月額の六倍の範囲内で、規則で定める。

3 関連事業者の預託すべき保証金の額は、使用料月額の六倍の範囲内で、規則で定める。

4 前三項の保証金は、規則で定める有価証券をもつて代用することができる。ただし、保証金の額が十万円に満たない場合は、この限りでない。

（保証金の追加預託）

**第五十三条** 保証金について差押、仮差押又は仮処分命令の送達があつたとき、国税滞納処分又はその例による差押があつたとき、預託すべき保証金の額が増額されたときその他保証金に不足を生じたときは、卸売業者、仲卸業者又は関連事業者は知事の指定する期間内に処分された金額又は不足金額に相当する金額を追加して預託しなければならない。

2 卸売業者、仲卸業者及び関連事業者は、前項の規定による預託を完了しない場合においては、指定期間経過後その預託を完了するまでは市場施設を使用することができない。

3 第一項の規定による預託については、前条第四項の規定を準用する。

（保証金の充当）

**第五十四条** 知事は、卸売業者、仲卸業者又は関連事業者が使用料その他市場に関して東京都に納付すべき金額の納付を怠つたときは、第五十二条の保証金をこれに充てることができる。

（保証金の返還）

**第五十五条** 保証金は、卸売業者、仲卸業者又は関連事業者が市場施設の使用資格を失つた日から六十日を経過した後でなければこれを返還しない。

### 第二節 市場施設の公開

（市場施設の公開）

**第五十六条** 知事は、生鮮食料品等の流通の改善に資する事業のため市場施設を都民に公開することができる。

（事業主体）

**第五十七条** 卸売業者、仲卸業者、売買参加者若しくは小売商業者等の団体、生産者団体、消費者団体又は地方公共団体は、生鮮食料品等の流通の改善に資する事業を市場内において行なうことができる。

（使用の手続）

**第五十八条** 前条の団体が市場施設を使用しようとするときは、知事の承認を受けなければならない。

2 知事は、前項の承認の申請が次の各号のいずれかに該当するときは、前項の承認をしてはならない。

一 市場の管理上支障があると認めるとき。

二 市場の取引業務の遂行に支障があると認めるとき。

三 市場の秩序を乱すおそれがあると認めるとき。

四 その他知事が不適当と認めるとき。

（公開する市場施設の範囲）

**第五十九条** 第五十七条に規定する団体が使用できる市場施設の範囲は、知事が許可をした市場施設以外の施設とするものとする。ただし、特別の理由により知事の承認を受けたときは、この限りでない。

（使用料）

**第六十条** 第五十八条第　項の承認を受けて市場施設を使用したときは、市場使用料は無料とする。

## 第五章 監督

（報告及び検査）

**第六十一条** 知事は、遵守事項を遵守させるために必要があると認めるときは、卸売業者、仲卸業者若しくは関連事業者に対して、その業務若しくは財産に関し報告若しくは資料の提出を求め、又はその職員に、卸売業者、仲卸業者若しくは関連事業者が第四十三条第一項の規定により使用の許可を受けた市場施設に立ち入り、その業務若しくは財産の状況若しくは帳簿、書類その他の物件を検査させることができる。

2　知事は、市場施設の適正な使用を確保するため必要があると認めるときは、使用者に対して、許可を受けた市場施設の使用に関し報告若しくは資料の提出を求め、又はその職員に、使用者が許可を受けた市場施設に立ち入り、その使用状況を検査させることができる。

3　前二項の規定により立入検査をする職員は、その身分を示す証明書を携帯し、関係人に提示しなければならない。

4　第一項又は第二項の規定による立入検査の権限は、犯罪捜査のために認められたものと解してはならない。

（指導及び助言）

**第六十二条**　知事は、遵守事項を遵守させるために必要があると認めるときは、取引参加者又は関連事業者に対して、その業務又は会計に関し必要な指導及び助言をすることができる。

2　知事は、市場施設の適正な使用を確保するため必要があると認めるときは、使用者に対して、市場施設の使用に関し必要な指導及び助言をすることができる。

（改善措置命令）

**第六十三条**　知事は、遵守事項を遵守させるために必要があると認めるときは、取引参加者又は関連事業者に対して、その業務又は会計に関し必要な改善措置をとるべき旨を命ずることができる。

2　知事は、市場施設の適正かつ効率的な使用を確保するため必要があると認めるときは、使用者に対して、当該使用者の市場施設の使用に関し必要な改善措置をとるべき旨を命ずることができる。

（監督処分）

**第六十四条**　知事は、卸売業者、仲卸業者、売買参加者、買受人（仲卸業者及び売買参加者を除く。以下この条において同じ。）、関連事業者、買出人又は出荷者が次の各号のいずれかに該当するときは、これらの者に対して当該行為の中止、変更その他違反を是正するため必要な措置を命じ、又は卸売業者に対しては五万円以下の過料を科し、第四十三条第一項の許可の全部若しくは一部を取り消し、又は六月以内の期間を定めて市場施設の使用の全部若しくは一部の停止を命じ、仲卸業者に対しては五万円以下の過料を科し、第四十三条第一項の許可の全部若しくは一部を取り消し、又は六月以内の期間を定めて市場施設の使用の全部若しくは一部の停止を命じ、売買参加者に対しては第十二条第一項の承認を取り消し、又は六月以内の期間を定めて市場への入場の停止を命じ、関連事業者に対しては第四十三条第一項の許可の全部若しくは一部を取り消し、又は六月以内の期間を定めて市場施設の使用の全部若しくは一部の停止を命じ、買受人、買出人又は出荷者に対しては六月以内の期間を定めて市場への入場の停止を命ずることができる。

一　第二十五条から第二十七条まで、第二十八条第二項若しくは第三項、第二十九条から第三十四条まで、第三十五条第一項若しくは第三項から第五項まで、第三十六条、第三十七条又は第四十条の規定に違反したとき。

二　前条第一項及び第二項の規定に基づく改善措置命令に違反したとき。

2　知事は、使用者が次の各号のいずれかに該当するときは、当該行為の中止、変更その他違反を是正するため必要な措置を命じ、一万円以下の過料を科し、第四十三条第一項及び第二項の許可の全部若しくは一部を取り消し、又は六月以内の期間を定めて市場施設の使用の全部若しくは一部の停止を命ずることができる。

一　市場の秩序若しくは公共の利益を害し、又は害するおそれがあると認められるとき。

二　市場施設の使用につき許可をした目的若しくは条件に違反し、又はその許可をした目的の達成が著しく困難と認められるに至つたとき。

三　故意又は過失によつて市場施設を滅失又は損傷したとき。

四　使用料その他この条例又はこの条例に基づく規則による東京都に対する納付金を納付しないとき。

五　前各号に掲げるもののほか、この条例若しくはこの条例に基づく規則又はこれらに基づく処分に違反したとき。

3　知事は、せり人が次の各号のいずれかに該当するときは、六月以内の期間を定めて市場への入場の停止を命ずることができる。

一　この条例若しくはこの条例に基づく規則又はこれらに基づく処分に違反したとき。

二　せり人がせり売に関して委託者又は仲卸業者若しくは売買参加者と気脈を通じ不当な処置をし、又はこれらの者をして談合その他の不正行為をさせたとき。

三　せり人がその職務に関して委託者又は仲卸業者若しくは売買参加者から金品その他の利益を収受したとき。

四　その他せり人として職務に公正を欠く行為があつたと認められるとき。

4　卸売業者、仲卸業者、売買参加者、買受人、関連事業者、買出人、出荷者又は使用者について、法人の代表者又は法人若しくは人の代理人、使用人その他の従業員が、その法人又は人の業務に関し、この条例若しくはこの条例に基づく規則又はこれらに基づく処分に違反する行為をしたときは、その行為者に対して六月以内の期間を定めて市場への入場を停止するほか、その卸売業者、仲卸業者、売買参加者、買受人、関連事業者、買出人、出荷者又は使用者に対しても第一項又は第二項の規定を適用する。

## 第六章　東京都中央卸売市場取引業務運営協議会

（運営協議会の設置）

**第六十五条**　市場における業務の運営に関し必要な事項を調査審議するため、知事の附属機関として東京都中央卸売市場取引業務運営協議会（以下「運営協議会」という。）を置く。

（所掌事項）

**第六十六条**　運営協議会は、この条例の規定によりその権限に属する事項を処理するほか、知事の諮問に応じ、次に掲げる事項を調査審議する。

一　市場の業務の運営に関すること。

二　市場における開場の期日に関すること。

三　市場における卸売の業務に係る売買取引及び決済の方法に関すること。

四　市場における卸売の業務に係る物品の品質管理の方法に関すること。

五　市場における卸売の業務を行う者及びその取扱品目に関すること。

六　市場における卸売の業務を行う者以外の関係事業者に関すること。

七　市場における公正かつ効率的な売買取引の確保に関すること。

八　市場の広報活動に関すること。

九　前各号に掲げるもののほか、必要な事項

2　運営協議会は、前項に規定する事項に関し、知事に意見を述べることができる。

（組織）

**第六十七条**　運営協議会は、委員二十八人以内で組織する。

2　前項の委員のほか、特別の事項を調査審議するため必要があるときは、運営協議会に臨時委員を置くことができる。

3　委員及び臨時委員は、卸売業者、仲卸業者、売買参加者その他の利害関係者及び学識経験を有する者のうちから、知事が委嘱する。

（委員の任期）

**第六十八条**　委員の任期は、二年とする。ただし、補欠の委員の任期は、前任者の残任期間とする。

2　委員は、再任されることができる。

3　委員は、非常勤とする。

（会長の選任及び権限）

**第六十九条**　運営協議会に会長を置き、委員の互選によつてこれを定める。

2　会長は、運営協議会を代表し、会務を総理する。

3　会長に事故があるときは、あらかじめ会長の指名する委員がその職務を代理する。

（招集）

**第七十条**　運営協議会は、会長が招集する。

（定足数及び表決数）

**第七十一条**　運営協議会は、委員及び議事に関係がある臨時委員の半数以上の出席がなければ会議を開くことができない。

2　協議会の議事は、出席した委員及び議事に関係ある臨時委員の過半数で決し、可否同数のときは、会長の決するところによる。

（部会）

**第七十二条**　会長が必要と認めるときは、運営協議会に部会を置くことができる。

2　部会は、会長の指名する委員及び臨時委員で組織する。

3　部会に部会長をおき、部会に属する委員のうちから互選する。

4　部会長は、部会の事務を掌理し、部会の経過及び結果を運営協議会に報告する。

（幹事及び書記）

**第七十三条**　運営協議会に幹事及び書記を置く。

2　幹事及び書記は、東京都職員のうちから、知事が命ずる。

3　幹事は、会長の命を受け、会務を処理する。

4　書記は、上司の命を受け、事務に従事する。

（市場別取引業務運営協議会への委任）

**第七十四条**　運営協議会に市場ごとに市場別取引業務運営協議会（以下「市場別運営協議会」という。）を置き、当該市場における第六十六条第一項各号に掲げる事項を調査審議させるものとする。

2　運営協議会は、市場別運営協議会の決議をもつてその決議とすることができる。

3　市場別運営協議会には、専門委員会として取扱品目別取引委員会（以下「取引委員会」という。）を置くものとし、市場別運営協議会が必要と認めるときは、その他の専門委員会を置くことができる。

4　市場別運営協議会は、取引委員会の決議をもつてその決議とすることができる。

（規則への委任）

**第七十五条**　前条に規定するもののほか、市場別運営協議会及び取引委員会の運営について必要な事項は、規則で定める。

## 第七章　雑則

**（災害時における生鮮食料品の確保）**

**第七十六条**　知事は、他の法令で定める場合のほか、災害の発生に備えて生鮮食料品を事前に確保するために特に必要があると認めるときは、卸売業者、仲卸業者又は関連事業者に対して、生鮮食料品の確保について必要な指示をすることができる。

**（清潔の保持及び環境改善の義務）**

**第七十七条**　市場関係者は、廃棄物の適正処理等市場の清潔を保持するための措置の実施に努めるとともに、排気ガス及び騒音の抑制等事業活動に伴う環境負荷の低減に努めなければならない。

**（市場施設の適正使用等）**

**第七十八条**　使用者は、規則で定めるところにより、市場施設を適正に使用するとともに、市場内の衛生を確保しなければならない。

2　何人も、ごみその他の廃棄物を市場内に持ち込み、又はその処理のため市場内でこれを焼却してはならない。

3　知事は、前二項の規定に違反した者に対して、施設の適正な使用及び市場内の衛生の確保のため必要な措置をとるべき旨を命ずることができる。

**（自動車の登録の義務）**

**第七十九条**　市場内で自動車（道路運送車両法（昭和二十六年法律第百八十五号）第二条第二項に規定する自動車であつて、同法第三条に規定する小型自動車及び軽自動車のうちそれぞれ二輪のものを除いたものをいう。以下同じ。）を使用しようとする者は、当該自動車について、あらかじめ知事の登録を受けなければならない。

2　前項の登録を受けようとする者は、規則で定めるところにより、登録申請書を知事に提出しなければならない。

3　知事は、自動車が第一項の規定に違反して使用されていると認めたときは、市場内における当該自動車の使用の中止を命ずることができる。

**（火災の予防）**

**第八十条**　使用者は、火気の使用及びその取扱いに十分注意するほか、火災の予防について常時必要な措置を講じておかなければならない。

**（労働条件についての報告等）**

**第八十一条**　知事は、市場業務の適正かつ健全な運営を確保するため必要があると認めるときは、使用者に対して、労働契約、労働時間、賃金等について報告又は資料の提出を求めることができる。

**（卸売の業務の代行）**

**第八十二条**　知事は、卸売業者が市場施設の使用の許可の取消しその他の行政処分を受け、又はその他の理由で卸売の業務を行うことができなくなつた場合には、当該卸売業者に対して販売の委託があり、又は委託の申込みのあつた物品について他の卸売業者に卸売の業務を行わせるものとする。

2　知事は、前項の卸売の業務を行なわせる卸売業者がいないか、又は他の卸売業者に行なわせることが不適当と認めるときは、自ら卸売の業務を行なうものとする。

3　前二項の規定は、市場に出荷された物品について受託する卸売業者がいない場合又は不明な場合について準用する。

**（営業行為の制限）**

**第八十三条**　卸売業者、仲卸業者及び関連事業者が、それぞれの市場施設の使用の許可に関する業務を行う場合及び知事が必要と認める場合を除くほか、市場内においては、物品の販売その他の営業行為をしてはならない。

2　知事は、前項の規定に違反した者に対しては、市場外に退去を命ずることができる。

**（市場への出入等に対する指示）**

**第八十四条**　市場への出入、市場施設の使用、商品の搬入、搬出及び市場内における運搬については、知事の指示に従わなければならない。

2　知事は、前項の指示に従わない者に対しては、市場への出入、市場施設の使用、商品の搬入、搬出及び市場内における運搬を禁止することができる。

**（市場の秩序の保持等）**

**第八十五条**　市場へ入場する者は、市場の秩序を乱し、又は公共の利益を害する行為を行なつてはならない。

2　知事は、市場の秩序の保持又は公共の利益の保全を図るため必要があると認めるときは、市場へ入場する者（車両を含む。）に対して、入場の制限その他適当な措置をとることができる。

**（許可等の制限又は条件）**

**第八十六条**　この条例の規定による許可又は承認には、制限又は条件を付することができる。

2　前項の制限又は条件は、許可又は承認に係る事項の確実な実施を図るため必要な最小限度のものに限り、かつ、許可又は承認を受けた者に不当な義務を課することとならないものでなければならない。

（許可等に関する意見聴取）

**第八十七条**　知事は、第十二条第一項の承認（第十三条第二項の規定による承認の有効期間の更新を含む。）若しくは第四十三条第一項若しくは同条第二項の許可（以下「許可等」という。）をしようとするとき、又は現に許可等を受けている者について、知事が特に必要があると認めるときは、第十二条第四項第三号から第五号まで、第十三条第三項、第十五条、第四十三条第三項第三号ハ、同項第五号及び第六号、同条第四項第六号から第九号まで、同条第五項第五号から第八号まで並びに同条第六項に規定する事由の有無について、警視総監の意見を聴くことができる。

（知事への意見）

**第八十八条**　警視総監は、許可等を受けようとする者又は現に許可等を受けている者について、第十二条第四項第三号から第五号まで、第十三条第三項、第十五条、第四十三条第三項第三号ハ、同項第五号及び第六号、同条第四項第六号から第九号まで、同条第五項第五号から第八号まで並びに同条第六項に規定する事由の有無について、知事に対し意見を述べることができる。

（施行規則の制定）

**第八十九条**　この条例の施行について必要な事項は、規則で定める。

**附　則**

**第一条**　この条例は、昭和四十七年一月一日から施行する。ただし、板橋市場及び世田谷市場に関する規定は規則で定める日から施行する。

**第二条**　東京都中央卸売市場業務規程（昭和二十三年東京都条例第百四十七号。以下「旧条例」という。）は、廃止する。

**第三条**　この条例の施行の際、現に旧条例第三十一条第一項の許可を受けて仲買人となつている者は、第二十四条第一項の許可を受けた仲卸業者とみなす。

**第四条**　この条例の施行の際、現に旧条例第三十八条の二の許可を受けて売買参加人となつている者は、第三十四条第一項の承認を受けた売買参加者とみなす。

**第五条**　この条例の施行の際、現に旧条例第三十九条の二の許可を受けて付属営業人となつている者は、第三十八条第一項の許可を受けた市場サービス業者とみなす。第三十七条に規定するサービス業務の種類と異なる種類についても、規則で定める期間は、同様とする。

**第六条**　この条例の施行の際、現に旧条例第四十三条の規定による市場施設の使用の指定を受けている者は、第八十八条の指定又は許可を受けた者とみなす。

**第七条**　この条例の施行の際、現に旧条例第二十八条第一項の承認を受けているせり人は、この条例の施行の日から三月を経過する日（その日までに第十五条第一項の登録又は登録の拒否の処分があつた者についてはその日）までの間は、第十五条第一項の登録を受けたせり人とみなす。

2　前項の規定により第十五条第一項の登録を受けたせり人とみなされた者については、第二十条の規定は適用しない。

**第八条**　附則第三条から前条までに規定するものを除くほか、この条例の施行前に旧条例又は旧条例に基づく規則によつてした処分、手続その他の行為は、この条例又はこの条例に基づく規則中にこれに相当する規定があるときは、この条例又はこの条例に基づく規則の相当規定によつてしたものとみなす。

**第九条**　この条例中板橋市場に関する規定が施行されるまでの間は表一に掲げる施設、世田谷市場に関する規定が施行されるまでの間は表二に掲げる施設は、第四条第二項の規定にかかわらず、豊島市場及び荏原市場のそれぞれに属する施設として存するものとする。

表一

| 名称 | 位置 | 面積（平方メートル） |
|---|---|---|
| 東京都中央卸売市場豊島市場板橋分場 | 東京都板橋区東山町五十二番地 | 四千五百五十七 |
| 東京都中央卸売市場豊島市場王子分場 | 東京都北区袋町二丁目三十二番地 | 四千五 |

表二

| 名称 | 位置 | 面積（平方メートル） |
|---|---|---|
| 東京都中央卸売市場荏原市場世田谷分場 | 東京都世田谷区三軒茶屋二丁目四番四号 | 四千七百四 |
| 東京都中央卸売市場荏原市場調布分場 | 東京都大田区雪谷大塚町十二番二十二号 | 六千七百四十八 |
| 東京都中央卸売市場荏原市場玉川分場 | 東京都世田谷区玉川用賀町　丁目百六十四番地 | 五千六百六十八 |

**第十条**　この条例の施行前にした行為に対する罰則の適用については、なお従前の例による。

**附　則**（令元・六・一六条例一三）

（施行期日）

1　この条例は、令和元年十月一日から施行する。ただし、第八十二条第一項の改正規定は、東京都規則で定める日〔令二・三・三一〕から施行する。

（経過措置）

2　この条例による改正後の東京都中央卸売市場条例（以下「新条例」という。）第九十四条第一項、別表第四及び別表第五の規定は、この条例の施行の日以後の使用に係る市場使用料について適用し、同日前の使用に係る市場使用料については、なお従前の例による。

3　新条例第八十二条第一項の規定は、附則第一項ただし書に規定する施行の日以後の委託に係る委託手数料について適用し、同日前の委託に係る委託手数料については、なお従前の例による。

**附　則**（令元・一二・二五条例九二）

（施行期日）

1　この条例は、令和二年六月二十一日から施行する。

（経過措置）

2　この条例の施行の際、現にこの条例による改正前の東京都中央卸売市場条例（以下「改正前の条例」という。）第十五条第一項の規定により登録を受けてせり人となっている者は、この条例による改正後の東京都中央卸売市場条例（以下「改正後の条例」という。）第三十五条第一項の届出があったせり人とみなす。

3　この条例の施行の際、現に改正前の条例第三十四条第一項の規定により承認を受けて売買参加者となっている者は、改正後の条例第十二条第一項の承認を受けた売買参加者とみなす。

4　この条例の施行の際、現に改正前の条例第八十八条第一項の規定により市場施設の使用の指定を受けた卸売業者、仲卸業者又は関連事業者は、改正後の条例第四十三条第一項の規定により当該市場施設の使用の許可を受けた卸売業者、仲卸業者又は関連事業者とみなす。

5　この条例の施行の際、現に改正前の条例第八十八条第二項の規定により市場施設の使用の許可を受けた者は、改正後の条例第四十三条第二項の規定により当該市場施設の使用の許可を受けた者とみなす。

6　改正前の条例第百三条第一項若しくは第四項の規定による卸売業者、仲卸業者若しくは関連事業者の業務の全部若しくは一部の停止又は同条第三項の規定によるせり人の業務の停止の処分で、この条例の施行の際現にその効力を有するものは、それぞれ改正後の条例第六十四条第一項若しくは第四項の規定による市場施設の使用の全部若しくは一部の停止又は同条第三項の規定による東京都中央卸売市場への入場の停止の処分とみなす。ただし、当該処分に期限が付されている場合においては、当該処分の期限は、改正前の条例の規定により処分がなされた日から起算するものとする。

7　附則第二項から前項までに規定するものを除くほか、この条例の施行の日前に、改正前の条例又は改正前の条例に基づく規則によってした処分、手続その他の行為は、改正後の条例又は改正後の条例に基づく規則中これに相当する規定があるときは、改正後の条例又は改正後の条例に基づく規則の相当規定によってしたものとみなす。

**附　則**（令六・一〇・一一条例一四二）

この条例は、令和七年六月一日から施行する。

**別表第一から別表第三まで**　削除

**別表第四**（第四十九条関係）

| 種別 | 食肉市場以外の市場 |
|---|---|
| 卸売業者売場使用料 | 卸売金額（販売価格に数量を乗じて得た額に消費税額及び地方消費税額に相当する額を加えた額とする。以下同じ。）から消費税額及び地方消費税額に相当する額を除いた額の千分の四に百分の百十を乗じて得た額及び次に掲げる売場の区分に応じ、当該各号に定める額<br>一　低温売場<br>一月一平方メートルにつき　六百九十五円<br>二　一以外の売場<br>一月一平方メートルにつき　五百五円 |
| 仲卸業者売場使用料 | 仲卸業者が第三十六条の規定により物品を買い入れて販売する場合は、その買入れ物品の販売金額（消費税額及び地方消費税額に相当する額を含む額とする。以下同じ。）から消費税額及び地方消費税額に相当する額を除いた額の千分の四に百分の百十を乗じて得た額及び一月一平方メートルにつき　千九百九十一円 |
| 関連事業者営業所使用料 | 販売金額（生鮮食料品等の販売に限る。）から消費税額及び地方消費税額に相当する額を除いた額の千分の四に百分の百十を乗じて得た額及び一月一 |

| | |
|---|---|
| | 平方メートルにつき　二千二百十円 |
| 事務室使用料 | 一月一平方メートルにつき　二千四十八円 |
| 集会所使用料 | 一回（三時間以内）につき　四千七百六十二円 |
| 荷さばき場使用料 | 一月一平方メートルにつき　五百五円 |
| 低温荷さばき場使用料 | 一月一平方メートルにつき　六百九十五円 |
| 作業所使用料 | 一月一平方メートルにつき千三百五円 |
| 低温作業所使用料 | 一月一平方メートルにつき　千四百九十五円 |
| バナナ発酵室使用料 | 一月一平方メートルにつき　千四百二十円 |
| 買荷保管所使用料 | 一月一平方メートルにつき　二百四十一円 |
| 桟橋使用料 | 総トン数一トンにつき二十四時間までごとに　十五円 |
| 倉庫使用料 | 一月一平方メートルにつき　九百五十三円 |
| 冷蔵庫使用料 | 一月一立方メートルにつき　千百六十二円 |
| 通過物使用料 | 一トンにつき　九千五百二十四円 |

| | |
|---|---|
| 車両置場使用料 | 一月一平方メートルにつき　六百二十九円 |
| その他の施設使用料 | 一月一平方メートルにつき　七百六十二円 |

**別表第五**（第四十九条関係）

| 種別 | 食肉市場 |
|---|---|
| 卸売業者売場使用料 | 卸売金額から消費税額及び地方消費税額に相当する額を除いた額の千分の四に百分の百十を乗じて得た額及び一月一平方メートルにつき　五百五円 |
| 仲卸業者売場使用料 | 仲卸業者が第三十六条の規定により物品を買い入れて販売する場合は、その買入れ物品の販売金額から消費税額及び地方消費税額に相当する額を除いた額の千分の四に百分の百十を乗じて得た額及び一月一平方メートルにつき　千九百九十一円 |
| 関連事業者営業所使用料 | 販売金額（生鮮食料品等の販売に限る。）から消費税額及び地方消費税額に相当する額を除いた額の千分の四に百分の百十を乗じて得た額及び一月一平方メートルにつき　二千二百十円 |
| 事務室使用料 | 一月一平方メートルにつき　二千四十八円 |
| 集会所使用料 | 一回（三時間以内）につき　四千七百六十二円 |
| 荷さばき場使用料 | 一月一平方メートルにつき　五百五円 |
| 作業所使用料 | 一月一平方メートルにつき　六百八十一円 |
| 冷蔵室使用料 | 一月一平方メートルにつき三千八百円 |
| 内臓取引室使用料 | 一月一平方メートルにつき　九百五円 |
| 倉庫使用料 | 一月一平方メートルにつき　九百五十三円 |
| 冷蔵庫使用料 | 一月一立方メートルにつき　千百六十二円 |
| 車両置場使用料 | 一月一平方メートルにつき　六百二十九円 |
| その他の施設使用料 | 一月一平方メートルにつき　七百六十二円 |

# ○東京都地方卸売市場条例

昭四六・一二・二七
条例一五四

最終改正　令元・一二・二五条例九三

## 第一章　総則

（目的）

**第一条**　この条例は、卸売市場法（昭和四十六年法律第三十五号。以下「法」という。）に基づき、東京都の区域内における地方卸売市場の認定及び監督等について定め、地方卸売市場の適正かつ健全な運営を確保することにより、生鮮食料品等の取引の適正化、流通の円滑化及び品質管理の徹底を図り、もつて都民の消費生活の安定に資することを目的とする。

（定義）

**第二条**　この条例において「生鮮食料品等」とは、野菜、果実、魚類、肉類等の生鮮食料品その他一般消費者が日常生活の用に供する食料品及び花きをいう。

2　この条例において「卸売市場」とは、生鮮食料品等の卸売のために開設される市場であつて、卸売場、自動車駐車場その他の生鮮食料品等の取引及び荷さばきに必要な施設を設けて継続して開場されるものをいう。

3　この条例において「地方卸売市場」とは、法第十三条第一項の規定により知事の認定を受けた卸売市場をいう。

4　この条例において「開設者」とは、地方卸売市場を開設する者をいう。

5　この条例において「卸売業者」とは、地方卸売市場において、当該市場に出荷される生鮮食料品等について、その出荷者から卸売のための販売の委託を受け、又は買い受けて、卸売をする者をいう。

## 第二章　地方卸売市場の認定

（欠格事由）

**第三条**　知事は、法第十四条において準用する法第五条に定めるもののほか、次の各号のいずれかに該当するときは、法第十三条第一項の認定又は法第十四条において読み替えて準用する法第六条の変更の認定（以下「認定等」という。）をしてはならない。

一　その業務を執行する役員が、暴力団員による不当な行為の防止等に関する法律（平成三年法律第七十七号）第二条第六号に規定する暴力団員（以下「暴力団員」という。）又は暴力団員でなくなつた日から五年を経過しない者（以下これらを「暴力団員等」という。）であるとき。

二　申請者が暴力団員等をその業務に従事させ、又はその業務の補助者として使用しているとき。

三　申請者がその業務活動について暴力団員等により支配を受けているものであると認められるとき。

（取扱品目）

**第四条**　地方卸売市場における取扱品目は、次に掲げる品目とする。

一　青果物　野菜、果実及びこれらの加工品並びに開設者が業務規程（法第十三条第三項に規定する業務規程をいう。以下同じ。）で定めるその他の生鮮食料品等

二　水産物　生鮮水産物及びその加工品並びに開設者が業務規程で定めるその他の生鮮食料品等

三　食肉　肉類及びその加工品並びに開設者が業務規程で定めるその他の生鮮食料品等

四　花き　花き及び開設者が業務規程で定めるその他の農産物等

## 第三章　業務についての監督等

（市況等に関する報告）

**第五条**　開設者は、東京都規則（以下「規則」という。）で定めるところにより、地方卸売市場において取り扱う生鮮食料品等についてその毎月の市況並びに卸売業者の卸売の数量及び金額（単価に数量を乗じて得た額の合計額に消費税額及び地方消費税額に相当する額を加えた額とする。）を知事に報告しなければならない。

（報告及び検査）

**第六条**　知事は、法及びこの条例の施行に必要な限度において、開設者若しくは卸売業者（卸売をする市場の開設者を兼ねている場合に限る。以下同じ。）に対し、その業務若しくは財産に関し報告若しくは資料の提出を求め、又はその職員に、開設者若しくは卸売業者の事務所その他の業務を行う場所に立ち入り、その業務若しくは財産の状況若しくは帳簿、書類その他の物件を検査させることができる。

2　前項の規定により立入検査をする職員は、規則で定めるところにより、その身分を示す証明書を携帯し、関係人に提示しなければならない。

3　第一項の規定による立入検査の権限は、犯罪捜査のために認められたものと解してはならない。

（指導及び助言）

**第七条**　知事は、地方卸売市場の開設に係る業務又は地方卸売市場における卸売の業務の適正かつ健全な運営を確保するため必要があると認めるときは、開設者又は卸売業者に対して、その業務又は会計に関し必要な指導及び助言をすることができる。

（**改善措置命令**）

**第八条**　知事は、地方卸売市場の開設に係る業務の適正かつ健全な運営を確保するため必要があると認めるときは、開設者に対し、当該業務又は会計に関し、必要な改善措置をとるべき旨を命ずることができる。

（**認定の取消し**）

**第九条**　知事は、開設者が次の各号のいずれかに該当することとなつたときは、法第十三条第一項の認定を取り消さなければならない。

一　その業務を執行する役員が、暴力団員等であるとき。

二　開設者が暴力団員等をその業務に従事させ、又はその業務の補助者として使用しているとき。

三　開設者がその業務活動について暴力団員等により支配を受けているものであると認められるとき。

## 第四章　雑則

（**助成**）

**第十条**　知事は、地方卸売市場の開設に係る業務の適正かつ健全な運営を図るために必要な助言、指導、資金の融通のあつせんその他の援助を行うことができる。

（**認定等に関する意見聴取**）

**第十一条**　知事は、認定等をしようとするとき、又は現に認定等を受けている者について知事が特に必要があると認めるときは、第三条各号又は第九条各号に規定する事由の有無について、警視総監の意見を聴くことができる。

（**知事への意見**）

**第十二条**　警視総監は、認定等を受けようとする者又は現に認定等を受けている者について、第三条各号又は第九条各号に規定する事由の有無について、知事に対し、意見を述べることができる。

（**施行規則の制定**）

**第十三条**　この条例の施行について必要な事項は、規則で定める。

### 附　則

（**施行期日**）

**第一条**　この条例は、昭和四十七年一月一日から施行する。

（**名称の使用制限についての経過措置**）

**第二条**　この条例の施行の際、現に地方卸売市場という文字をその名称中に用いている卸売市場については、第三条第二項の規定は、この条例の施行後三月間は、適用しない。

（**地方卸売市場に関する経過措置**）

**第三条**　この条例の施行の際、現に地方卸売市場を開設している者又は地方卸売市場において卸売の業務を行なつている者は、この条例の施行の日から一年間は、地方卸売市場の開設の許可又は地方卸売市場における卸売の業務の許可を受けないで、引き続きその業務を行なうことができる。その者がその期間内に法第五十五条又は法第五十八条第一項の許可の申請をした場合において、許可又は許可の拒否の処分のあるまでの間も、同様とする。

### 附　則（令元・一二・二五条例九三）

1　この条例は、令和二年六月二十一日から施行する。

2　この条例の施行の日前に、この条例による改正前の東京都地方卸売市場条例（以下「改正前の条例」という。）又は改正前の条例に基づく規則によってした処分、手続その他の行為は、この条例による改正後の東京都地方卸売市場条例（以下「改正後の条例」という。）又は改正後の条例に基づく規則中これに相当する規定があるときは、改正後の条例又は改正後の条例に基づく規則の相当規定によってしたものとみなす。

# ○東京都中央卸売市場処務規程

昭三一・四・一五
訓令甲一〇九

最終改正　令五・七・二四訓令四一

（掌理事項）

**第一条**　東京都中央卸売市場（以下「中央卸売市場」という。）は、東京都中央卸売市場条例（昭和四十六年東京都条例第百四十四号）に基づく中央卸売市場の管理運営に関する事務及び生鮮食料品等の取引に関する事務、同条例等に基づく東京都立芝浦屠場（以下「芝浦屠場」という。）の管理運営に関する事務並びに卸売市場法（昭和四十六年法律第三十五号）及び東京都地方卸売市場条例（昭和四十六年東京都条例第百五十四号）に基づく地方卸売市場の認定等に関する事務をつかさどる。

（分課）

**第二条**　中央卸売市場に次の部及び課を置く。

管理部
　総務課
　市場政策課
　財務課
事業部
　業務課
　施設課

（分掌事務）

**第三条**　部及び課の分掌事務は、次のとおりとする。

管理部
　総務課

一　中央卸売市場の組織及び定数に関すること。
二　中央卸売市場所属職員の人事及び給与に関すること。
三　中央卸売市場所属職員の福利厚生に関すること。
四　中央卸売市場事務事業に関する法規の調査及び解釈に関すること。
五　中央卸売市場の公文書類の収受、配布、発送、編集及び保存に関すること。
六　中央卸売市場の情報公開に係る連絡調整等に関すること。
七　中央卸売市場の個人情報の保護に係る連絡調整等に関すること。
八　行政処分に係る聴聞及び審査会に関すること。
九　卸売市場関係団体との連絡調整に関すること（他の部及び課に属するものを除く。）。
十　中央卸売市場事務事業のデジタル関連施策の企画、調整及び推進に関すること。
十一　中央卸売市場事務事業の広報及び広聴に関すること。
十二　生鮮食料品等流通実態普及事業の総合調整に関すること。
十三　中央卸売市場内の整理及び取締りに係る連絡調整に関すること。
十四　豊洲市場との連絡調整に関すること。
十五　中央卸売市場内他の部及び課に属しないこと。

市場政策課

一　中央卸売市場事務事業の企画及び総合調整に関すること。
二　市場施策の調査研究に関すること。
三　中央卸売市場及び芝浦屠場並びに地方卸売市場の経営計画に関すること（他の部及び課に属するものを除く。）。
四　中央卸売市場事務事業の進行管理に関すること。
五　中央卸売市場事務事業の管理改善及び行政評価の実施に関すること。
六　東京都卸売市場審議会に関すること。
七　中央卸売市場及び芝浦屠場の施設の整備に係る計画及び調整に関すること（他の部及び課に属するものを除く。）。
八　中央卸売市場内の衛生に係る連絡調整に関すること。

財務課

一　中央卸売市場の予算に関すること。
二　中央卸売市場の財政計画及び資金計画に関すること。
三　中央卸売市場の決算及び会計に関すること。
四　使用料、手数料その他歳入の調定及び徴収並びに保証金に関すること。
五　中央卸売市場の契約に関すること。
六　中央卸売市場の土地、建物その他設備の管理及び使用許可の総合調整に関すること。
七　中央卸売市場関係従事者の福利厚生の連絡調整に関すること。
八　中央卸売市場施設の公開に関すること。
九　築地市場跡地利用に係る計画及び調整に関すること。
十　築地市場跡地管理に関すること。

事業部

業務課

一　中央卸売市場関係業務に係る計画及び総合調整に関すること。

二　中央卸売市場取引業務運営協議会に関すること。

三　中央卸売市場関係業務の調査及び指導監督に関すること。

四　中央卸売市場卸売物品の日報の発行に関すること。

五　生鮮食料品等の安全及び表示の適正化に係る連絡調整に関すること。

六　生鮮食料品等の市況に関すること。

七　各種統計資料の作成に関すること。

八　業務系システムの管理及び運営に関すること。

九　中央卸売市場取扱物品の取引の連絡調整に関すること。

十　卸売市場関係業者及び団体との連絡調整に関すること。

十一　地方卸売市場に関すること（他の部に属するものを除く。）。

十二　中央卸売市場取引業務の巡回調査及び改善指導に関すること。

十三　中央卸売市場関係業者の検査、改善指導及び経営等支援に関すること。

十四　中央卸売市場関係業者の移転支援に係る調整及び支援の実施に関すること。

十五　部内他の課に属しないこと。

施設課

一　土地、建物その他の施設及び設備の工事の設計及び施行に関すること。

二　保全計画に基づく土地、建物その他の施設及び設備の維持に関すること。

三　築地市場跡地利用に係る土地、建物その他の施設の工事の設計及び施行に関すること。

（職）

**第四条**　中央卸売市場に市場長を、部に部長を、課に課長を置く。

2　中央卸売市場に市場政策担当部長を置く。

3　管理部に食肉事業推進担当課長を、事業部に経営支援担当課長を置く。

4　前三項に定めるもののほか、中央卸売市場に担当部長を、部に担当課長及び専門課長を置くことができる。

5　市場長は、知事の承認を得て、課に課長代理を置く。

6　前各項のほか、必要な職を置く。

（職員の資格及び任免）

**第五条**　市場長は、理事のうちから、知事が命ずる。

2　部長（担当部長を含む。以下同じ。）は、参事のうちから、知事が命ずる。

3　課長（担当課長を含む。次条から第九条までにおいて同じ。）は、副参事のうちから、知事が命ずる。

4　専門課長は、専門副参事のうちから、知事が命ずる。

5　課長代理は、主事のうちから、市場長が命ずる。

6　前各項以外の職員は、知事が配属する。

（職員の職責）

**第六条**　市場長は、産業労働局長（以下「局長」という。）の命を受け、中央卸売市場の事務をつかさどり、所属職員を指揮監督する。

2　部長は、市場長の命を受け、部の事務又は担任の事務をつかさどり、所属職員を指揮監督する。

3　課長は、部長の命を受け、課の事務又は担任の事務をつかさどり、所属職員を指揮監督する。

4　専門課長は、部長の命を受け、専門分野につき担任の事務を処理する。

5　課長代理は、課長の命を受け、担任の事務をつかさどり、当該事務に係る職員を指揮監督するとともに、課長を補佐し、担任の事務の執行状況につき随時文書又は口頭をもつて課長に報告するものとする。

6　前各項に定めるもの以外の職員は、上司の命を受け、事務に従事する。

（市場長の決定対象事案）

**第七条**　市場長の決定すべき事案は、おおむね次のとおりとする。

一　成立した予算に係る市場の事務事業についての執行計画の設定、変更又は廃止に関すること。

二　部長及びこれに準ずる職にある者の出張及び服務に関すること。

三　部長及びこれに準ずる職にある者並びに課長及びこれに準ずる職にある者の職務上の秘密に属する事項の発表の許可に関すること。

四　予定価格が三億五千万円以上の請負又は委託により行う工事、修繕、通信又は運搬に係る役務の提供に関すること。

五　予定価格が六千万円以上の物件の買入れ、売払い、貸付け又は借入れに関すること。

六　百万円以上の補助金、分担金及び負担金（法令によりその交付が義務付けられているもの及び市場長が部長又は豊洲市場、食肉市場若しくは大田市場の場長の決定によることが適当であると認めたものを除く。）の交付並びに寄附金の贈与に関すること。

七　重要な事項に関する報告、答申、進達及び副申に関すること。
八　重要な告示、公告、公表、通達、申請、照会、回答、諮問及び通知に関すること。
九　重要な許可、認可、免許、登録その他の行政処分に関すること。
十　審査請求及び訴訟に関すること。
十一　重要な広報及び広聴に関すること。
十二　重要な情報公開に関すること。
十三　重要な保有個人情報の開示、訂正及び利用停止に関すること。

**（部長の決定対象事案）**

**第八条**　部長の決定すべき事案は、おおむね次のとおりとする。
一　課長及びこれに準ずる職にある者の出張、休暇及び職務に専念する義務の免除に関すること。
二　課長及びこれに準ずる職以上の職にある者以外の職員の職務上の秘密に属する事項の発表の許可に関すること。
三　予定価格が八百万円以上三億五千万円未満の請負又は委託により行う工事、修繕、通信又は運搬に係る役務の提供に関すること。
四　予定価格が三百万円以上六千万円未満の物件の買入れ、売払い、貸付け又は借入れに関すること。
五　四十万円以上百万円未満の補助金、分担金及び負担金（法令によりその交付が義務付けられているもの及び市場長が部長の決定によることが適当であると認めたものにあつては、百万円以上のものを含む。）の交付並びに寄附金の贈与に関すること。
六　重要な事項に関する報告、答申、進達及び副申に関すること（市場長の指定する事案を除く。）。
七　重要な告示、公告、公表、通達、申請、照会、回答、諮問及び通知に関すること（市場長の指定する事案を除く。）。
八　重要な許可、認可、免許、登録その他の行政処分に関すること（市場長の指定する事案を除く。）。
九　審査請求及び訴訟に関すること（市場長の指定する事案を除く。）。
十　損害賠償額の決定及び和解に関すること。
十一　重要な広報及び広聴に関すること（市場長の指定する事案を除く。）。
十二　重要な情報公開に関すること（市場長の指定する事案を除く。）。
十三　重要な保有個人情報の開示、訂正及び利用停止に関すること（市場長の指定する事案を除く。）。

**（課長の決定対象事案）**

**第九条**　課長の決定すべき事案は、おおむね次のとおりとする。
一　課長が指揮監督する職員の事務分掌、出張、休暇、超過勤務、休日勤務、週休日の変更及び職務に専念する義務の免除に関すること（課長代理の権限に属するものを除く。）。
二　予定価格が八百万円未満の請負又は委託により行う工事、修繕、通信又は運搬に係る役務の提供に関すること。
三　予定価格が三百万円未満の物件の買入れ、売払い、貸付け又は借入れに関すること。
四　四十万円未満の補助金、分担金及び負担金の交付並びに寄附金の贈与に関すること。
五　報告、答申、進達及び副申に関すること（重要な事項に関するものを除く。）。
六　告示、公告、公表、通達、申請、照会、回答、諮問及び通知に関すること（重要なものを除く。）。
七　許可、認可、免許、登録その他の行政処分に関すること（重要なものを除く。）。
八　諸証明に関すること。
九　文書の受理に関すること。
十　広報及び広聴に関すること（重要なものを除く。）。
十一　情報公開に関すること（重要なものを除く。）。
十二　保有個人情報の開示、訂正及び利用停止に関すること（重要なものを除く。）。

**（課長代理の決定対象事案）**

**第十条**　課長代理の決定すべき事案は、おおむね次のとおりとする。
一　課長代理が指揮監督する職員の出張（宿泊を伴う場合を除く。）、休暇（年次有給休暇に係る時季の変更並びに介護休暇、病気休暇及び超勤代休時間を除く。）及び事故欠勤に関すること。
二　報告、答申、進達及び副申に関すること（簡易なものに限る。）。
三　申請、照会、回答、諮問及び通知に関すること（簡易なものに限る。）。
四　許可、認可、免許、登録その他の行政処分に関すること（簡易なものに限る。）。
五　諸証明に関すること（簡易なものに限る。）。
六　文書の受理に関すること（簡易なものに限る。）。

**（事業計画）**

**第十一条**　市場長は、毎年三月末日までに、翌年度の年間事業計画を定め、局長に報告しなければならない。

**（事業報告）**

**第十二条**　市場長は、中央卸売市場の事業に関して必要があるときは、局長に報告するものとする。

（市場の設置及び組織）

**第十三条**　中央卸売市場に次の市場を置く。

豊洲市場
食肉市場
大田市場
豊島市場
淀橋市場
足立市場
板橋市場
世田谷市場
北足立市場
多摩ニュータウン市場
葛西市場

2　豊洲市場に次の課を置く。

管理課
設備課
水産農産品課

3　食肉市場に次の課を置く。

管理課
設備課
業務衛生課
作業第一課
作業第二課

4　大田市場に次の課を置く。

市場管理課
業務課

（豊洲市場、食肉市場及び大田市場の各課の分掌事務）

**第十四条**　豊洲市場の各課の分掌事務は、次のとおりとする。

管理課

一　市場所属職員の人事及び給与に関すること。
二　市場の公文書類の収受、配布、発送、編集及び保存に関すること。
三　市場の予算、決算及び会計に関すること。
四　市場内の整理、取締り及び衛生に関すること。
五　土地、建物その他設備の管理及び使用許可に関すること。
六　岸壁さん橋設備の管理及び使用許可に関すること。
七　使用料、手数料その他歳入の調定及び徴収に関すること。
八　サービス業務の調査及び指導監督に関すること。
九　市場内他の課に属しないこと。

設備課

一　土地、建物その他の施設及び設備の工事の設計及び施行に関すること。
二　電気、電話、給水、排水等の設備の維持管理及び使用許可に関すること。

水産農産品課

一　取扱物品の取引に関すること。
二　関係業務の調査及び指導監督に関すること。
三　関係業者及び団体との連絡調整に関すること。
四　公正な取引の確保に関すること。
五　関係通過物の調査確認に関すること。
六　水産物及び青果物の市況に関すること。
七　卸売業者及び仲卸業者の売上高調査に関すること。
八　生鮮食料品等流通実態普及事業の実施に関すること。

2　食肉市場の各課の分掌事務は、次のとおりとする。

管理課

一　市場所属職員の人事及び給与に関すること。
二　市場の公文書類の収受、配布、発送、編集及び保存に関すること。
三　市場及び屠場会計の予算、決算及び会計に関すること。
四　市場及び芝浦屠場の整理、取締り及び衛生に関すること（他の課に属するものを除く。）。
五　市場及び芝浦屠場の土地、建物その他設備の管理及び使用許可に関すること。
六　市場及び芝浦屠場の使用料、手数料その他歳入の調定並びに徴収に関すること。
七　サービス業務の調査及び指導監督に関すること。
八　市場内他の課に属しないこと。

設備課

一　市場及び芝浦屠場の土地、建物その他設備の維持に関すること。
二　市場及び芝浦屠場の冷蔵庫、電気、電話、給水及び排水の設備の維持管理並びに使用許可に関すること。

業務衛生課

一　取扱物品の取引に関すること。
二　関係業務の調査及び指導監督に関すること。
三　関係業者及び団体との連絡調整に関すること。
四　公正な取引の確保に関すること。
五　関係通過物の調査確認に関すること。
六　畜産物の市況に関すること。
七　卸売業者及び仲卸業者の売上高調査に関すること。
八　市場所属職員への衛生知識の普及啓発に関すること。

九　市場及び芝浦屠場に係る衛生対策の企画、調整及び推進に関すること。
十　市場及び芝浦屠場における畜産物の食品衛生上の危害の発生を防止するために特に重要な工程を管理するための取組に関すること。
十一　大動物及び小動物の伝染病予防対策の調整に関すること。

作業第一課
一　大動物のと畜解体業務に関すること。
二　大動物の伝染病予防及び治療に関すること。
三　と畜の衛生保持に関すること。

作業第二課
一　小動物のと畜解体業務に関すること。
二　小動物の伝染病予防及び治療に関すること。

3　大田市場の各課の分掌事務は、次のとおりとする。

市場管理課
一　市場所属職員の人事及び給与に関すること。
二　市場の公文書類の収受、配布、発送、編集及び保存に関すること。
三　市場の予算、決算及び会計に関すること。
四　市場内の整理、取締り及び衛生に関すること。
五　土地、建物その他の設備の維持、管理及び使用許可に関すること。
六　使用料、手数料その他の歳入の調定及び徴収に関すること。
七　サービス業務の調査及び指導監督に関すること。
八　市場内他の課に属しないこと。

業務課
一　取扱物品の取引に関すること。
二　関係業務の調査及び指導監督に関すること。
三　関係業者及び団体との連絡調整に関すること。
四　公正な取引の確保に関すること。
五　関係通過物の調査確認に関すること。
六　水産物、青果物及び花きの市況に関すること。
七　卸売業者及び仲卸業者の売上高調査に関すること。
八　生鮮食料品等流通実態普及事業の実施に関すること。

（市場の職）
**第十五条**　市場に場長を、課に課長を置く。
2　市場に副場長を置くことができる。
3　副場長は、管理課長を兼ねるものとする。
4　市場長は、知事の承認を得て、課及び市場に課長代理を置く。
5　前各項（第三項を除く。）に定めるもののほか、必要な職を置く。

（市場職員の資格及び任免）
**第十六条**　場長（豊洲市場、食肉市場及び大田市場に限る。）は参事のうちから、副場長（豊洲市場及び食肉市場に限る。）は参事又は副参事のうちから、それぞれ知事が命ずる。
2　課長及び場長（豊島市場、淀橋市場、足立市場、板橋市場、世田谷市場、北足立市場、多摩ニュータウン市場及び葛西市場に限る。）は、副参事のうちから、知事が命ずる。
3　課長代理は、主事のうちから、市場長が命ずる。
4　前三項以外の職員は、中央卸売市場所属職員のうちから、市場長が配属する。

（市場職員の職責）
**第十七条**　場長は、市場長の命を受け、市場の事務をつかさどり、所属職員を指揮監督する。
2　副場長は、場長を補佐する。
3　課長は、場長（豊洲市場、食肉市場及び大田市場に限る。）の命を受け、課の事務をつかさどり、所属職員を指揮監督する。
4　課長代理は、場長（豊島市場、淀橋市場、足立市場、板橋市場、世田谷市場、北足立市場、多摩ニュータウン市場及び葛西市場に限る。以下この項において同じ。）又は課長の命を受け、担任の事務をつかさどり、当該事務に係る職員を指揮監督するとともに、場長又は課長を補佐し、担任の事務の執行状況につき随時文書又は口頭をもって場長又は課長に報告するものとする。
5　前各項に定めるもの以外の職員は、上司の命を受け、事務に従事する。

（場長の決定対象事案）
**第十八条**　豊洲市場、食肉市場及び大田市場の場長の決定すべき事案は、おおむね次のとおりとする。
一　場長が指揮監督する副場長及び課長の出張、休暇及び職務に専念する義務の免除に関すること。
二　場長が指揮監督する副場長及び課長以上の職にある者以外の職員の職務上の秘密に属する事項の発表の許可に関すること。
三　予定価格が四百万円以上八百万円未満の請負又は委託により行う工事、修繕、通信又は運搬に係る役務の提供に関すること。
四　予定価格が百五十万円以上三百万円未満の物件の買入れ、売払い、貸付け又は借入れに関すること。
五　四十万円以上百万円未満の補助金、分担金及び負担金（法令によりその交付が義務付けられているもの及び市場長が場長の決定によることが適当であると認めたものにあつては、百万円以上のものを含む。）の交付並びに寄附金の贈与に関すること。
六　重要な事項に関する報告、答申、進達及び副申に関すること。
七　重要な告示、公表、申請、照会、回答及び通知に関すること。
八　重要な許可、認可、免許、登録その他の行政処分に関すること。
2　豊島市場、淀橋市場、足立市場、板橋市場、世田谷市場、北足立市場、多摩ニュータウン市場及び葛西市場の場長の決定すべき事案は、おおむね次のとおりとする。
一　場長が指揮監督する職員の事務分掌、出張、休暇、超過勤務、休日勤務、週休日の変更及び職務に専念する義務の免除に関すること（課長代理の権限に属するものを除く。）。
二　予定価格が四百万円未満の請負又は委託により行う工事、修繕、通信又は運搬に係る役務の提供に関すること。
三　予定価格が百五十万円未満の物件の買入れ、売払い、貸付け又は借入れに関すること。
四　四十万円未満の補助金、分担金及び負担金（法令によりその交付が義務付けられているものにあつては、四十万円以上のものを含む。）の交付並びに寄附金の贈与に関すること。
五　報告、答申、進達及び副申に関すること（重要な事項に関するものを除く。）。
六　告示、公告、公表、通達、申請、照会、回答及び通知に関すること（重要なものを除く。）。
七　許可、認可、免許、登録その他の行政処分に関すること（重要なものを除く。）。
八　諸証明に関すること。
九　文書の受理に関すること。

**（市場の課長の決定対象事案）**

**第十九条**　市場の課長の決定すべき事案は、おおむね次のとおりとする。
一　課長が指揮監督する職員の事務分掌、出張、休暇、超過勤務、休日勤務、週休日の変更及び職務に専念する義務の免除に関すること（課長代理の権限に属するものを除く。）。
二　予定価格が四百万円未満の請負又は委託により行う工事、修繕、通信又は運搬に係る役務の提供に関すること。
三　予定価格が百五十万円未満の物件の買入れ、売払い、貸付け又は借入れに関すること。
四　四十万円未満の補助金、分担金及び負担金の交付並びに寄附金の贈与に関すること。
五　報告、答申、進達及び副申に関すること（重要な事項に関するものを除く。）。
六　告示、公告、公表、通達、申請、照会、回答及び通知に関すること（重要なものを除く。）。
七　許可、認可、免許、登録その他の行政処分に関すること（重要なものを除く。）。
八　諸証明に関すること。
九　文書の受理に関すること。

**（市場の課長代理の決定対象事案）**

**第二十条**　市場の課長代理の決定すべき事案は、おおむね次のとおりとする。
一　課長代理が指揮監督する職員の出張（宿泊を伴う場合を除く。）、休暇（年次有給休暇に係る時季の変更並びに介護休暇、病気休暇及び超勤代休時間を除く。）及び事故欠勤に関すること。
二　報告、答申、進達及び副申に関すること（簡易なものに限る。）。
三　申請、照会、回答及び通知に関すること（簡易なものに限る。）。
四　許可、認可、免許、登録その他の行政処分に関すること（簡易なものに限る。）。
五　諸証明に関すること（簡易なものに限る。）。
六　文書の受理に関すること（簡易なものに限る。）。

**（市場の事業計画及び事業報告等）**

**第二十一条**　場長は、毎年三月末日までに、翌年度の年間事業計画を定め、市場長の承認を受けなければならない。
2　場長は、毎月五日までに、次に掲げる事項について、市場長に報告しなければならない。
一　前月分の職員の勤務状況
二　前月分の事業の実績及び概要
3　前項の規定にかかわらず、場長は、重要又は異例に属する事項は、その都度市場長に報告しなければならない。

**（決定事案の細目）**

**第二十二条**　市場長は、この規程により市場長、部長、課長（担当課長を含む。）、課長代理、場長又は市場の課長若しくは課長代理の決定の対象とされた事案の実施細目を定め、産業労働局長に報告しなければならない。

**（中央卸売市場の処務細則）**

**第二十三条**　市場長は、中央卸売市場の処務細則を定めることができる。
2　場長は、あらかじめ市場長の承認を得て、市場の処務細則を定めることができる。

**（準用）**

**第二十四条**　この規程に定めるものを除いては、東京都事案決定規程（昭和四十七年東京都訓令甲第十号）を準用する。

# ○東京都立芝浦屠場条例

昭三九・三・三一
条例八五

最終改正　令元・六・二六条例一四

（設置）

**第一条**　食用に供する目的で獣畜のとさつ及び解体並びにこれに附帯する業務を行う施設として、東京都立芝浦屠場（以下「場」という。）を東京都港区港南二丁目七番十九号に設置する。

（使用）

**第二条**　場の施設を使用しようとする者は、知事の承認を受けなければならない。

（使用料）

**第三条**　場の使用の承認を受けた者（以下「使用者」という。）は、別表第一の各項に定める額（同表と畜使用料の部一の款にあつては頭数を乗じる前の額に百分の百十を乗じて得た額（一円未満の端数があるときは、これを切り捨てる。）に頭数を乗じて得た額を、同部二の款にあつては同部一の款に定める額（頭数を乗じる前の額をいう。）に百分の百十を乗じて得た額（一円未満の端数があるときは、これを切り捨てる。）に一・五を乗じて得た額（一円未満の端数があるときは、これを切り捨てる。）に頭数を乗じて得た額をいう。）の範囲内で知事が定める額の使用料（以下「使用料」という。）を納付しなければならない。

2　知事は、特別の理由があると認めるときは、使用料を減額または免除することができる。

（手数料）

**第四条**　家畜の治療または健康検査を依頼しようとする者は、別表第二の範囲内で知事が定める額の手数料（以下「手数料」という。）を納付しなければならない。

（使用料及び手数料の納付時期）

**第五条**　使用料及び手数料は、前納しなければならない。ただし、知事が特別の理由があると認めるときは、後納することができる。

（使用料及び手数料の不還付）

**第六条**　既納の使用料及び手数料は、還付しない。ただし、使用料については、知事が特別の理由があると認めるときは、その全部または一部を還付することができる。

（使用の取消）

**第七条**　使用者が次の各号のいずれかに該当するときは、知事は、第二条の規定による場の使用の承認を取り消すことができる。

一　使用の目的に反して使用したとき。

二　と畜場法（昭和二十八年法律第百十四号）又はこの条例若しくは知事の指示に違反したとき。

三　他の者の使用を妨害したとき。

四　前三号のほか、知事が必要と認めたとき。

（委任）

**第八条**　この条例の施行について必要な事項は、東京都規則で定める。

付　則

1　この条例は、昭和三十九年四月一日から施行する。

2　次に掲げる条例（以下「旧条例」という。）は、廃止する。

一　東京都立芝浦屠場使用条例（昭和二十二年四月東京都条例第二十四号）

二　東京都立芝浦屠場冷蔵庫使用条例（昭和二十二年四月東京都条例第二十五号）
三　東京都立芝浦屠場畜舎使用料及び手数料条例（昭和二十四年二月東京都条例第十四号）
3　従前の東京都立芝浦屠場は、この条例に基く東京都立芝浦屠場として、同一性をもつて存続するものとする。
4　この条例施行の際、現に旧条例の規定により使用している者については、なお、従前の例による。
5　この条例施行の際、現に旧条例の規定に基きなした申請その他の手続は、この条例の相当規定に基いてなされたものとみなす。

**附　則**（令元・六・二六条例一四）

この条例は、令和元年十月一日から施行する。

**別表第一**　使用料（第三条関係）

と畜使用料
一　普通と畜
牛（生後一年以上）一頭につき　一万一千四百二十九円
牛（生後一年未満）一頭につき二千二百八十六円
馬（生後一年以上）一頭につき　一万一千四百二十九円
馬（生後一年未満）一頭につき　五千四百八十六円
豚（枝肉重量百キログラム未満）一頭につき　千百四十三円
豚（枝肉重量百キログラム以上）一頭につき　千六百円
二　特別と畜
切迫と畜　普通と畜の一・五倍に相当する額
臨時と畜　普通と畜の一・五倍に相当する額
三　消毒料
と畜の際消毒の必要がある場合　実費

**別表第二**　手数料（第四条関係）

| | | |
|---|---|---|
| 投薬 | 一回につき | 実費 |
| 注射 | 一回につき | 千五十円 |
| 手術 | 一回につき | 実費 |
| 診断書・検案書 | 一通につき | 四百二十円 |

# 第五章 消費生活

## ○東京都消費生活条例

平六・一〇・六
条例一一〇

最終改正 平二七・三・三一条例二三

古来、人は、物を生産し、消費することによって、生存を維持し、生活を営んできた。

しかし、経済社会の進展は、消費生活に便利さや快適さをもたらす一方で、消費者と事業者との間に情報力、交渉力等の構造的な格差を生み出し、消費者の安全や利益を損なうさまざまな問題を発生させてきている。とりわけ、大消費地であり経済社会のグローバル化が進展している東京における消費者問題は、極めて複雑、多様であり、常に変容を続けている。

健康で安全かつ豊かな生活は、都民のすべてが希求するところである。その基盤となる消費生活に関し、事業者、消費者及び行政は、自ら又は連携して、自由・公正かつ環境への負荷の少ない経済社会の発展を促進しつつ、消費者の利益の擁護及び増進に努めていくことが強く求められている。

東京都は、消費者と事業者とは本来対等の立場に立つものであるとの視点から、事業活動の適正化を一層推進するとともに、消費者の自立性を高めるための支援を進めるなど、都民の意見の反映を図りつつ、総合的な施策の充実に努めるものである。

このため、都民の消費生活における消費者の権利を具体的に掲げ、その確立に向けて、実効性ある方策を講ずることを宣明する。この権利は、東京都はもとより都民の不断の努力によって、その確立を図ることが必要である。

事業者は、事業活動に当たって、消費者の権利を尊重し、消費生活に係る東京都の施策に協力する責務を有するものであり、また、消費者は、自らの消費生活において主体的に行動し、その消費行動が市場に与える影響を自覚して、社会の一員としての役割を果たすことが求められる。

このような認識の下に、健康で安全かつ豊かな生活を子孫に引き継ぐことを目指し、都民の消費生活の安定と向上のために、この条例を制定する。

### 第一章 総則

**（目的）**

**第一条** この条例は、都民の消費生活に関し、東京都（以下「都」という。）が実施する施策について必要な事項を定め、都民の自主的な努力と相まって、次に掲げる消費者の権利（以下「消費者の権利」という。）を確立し、もって都民の消費生活の安定と向上を図ることを目的とする。

一 消費生活において、商品又はサービスによって、生命及び健康を侵されない権利

二 消費生活において、商品又はサービスを適切に選択し、適正に使用又は利用をするため、適正な表示を行わせる権利

三 消費生活において、商品又はサービスについて、不当な取引条件を強制されず、不適正な取引行為を行わせない権利

四 消費生活において、事業者によって不当に受けた被害から、公正かつ速やかに救済される権利

五 消費生活を営むために必要な情報を速やかに提供される権利

六 消費生活において、必要な知識及び判断力を習得し、主体的に行動するため、消費者教育を受ける権利

**（定義）**

**第二条** この条例において、次の各号に掲げる用語の意義は、それぞれ当該各号に定めるところによる。

一 消費者 事業者が供給する商品又はサービスを使用し、又は利用して生活する者をいう。

二 事業者 商業、工業、サービス業その他の事業を行う者をいう。

三 商品 消費者が消費生活を営む上において使用する物をいう。

四 サービス 消費者が消費生活を営む上において使用し、又は利用するもののうち、商品以外のものをいう。

**（都の責務）**

**第三条** 都は、この条例に定める施策を通じて、消費者の権利を確立し、もって都民の消費生活の安定と向上を図るものとする。

2 都は、都民の参加と協力の下に、この条例に定める施策を実施するよう努めなければならない。

3 都は、消費生活の安定と向上に関する施策（以下「消費生活に関する施策」という。）に、都民の意見を反映することができるよう必要な措置を講ずるものとする。

4 都は、都民が消費者の権利を確立し、消費生活の安

定と向上を図るため自主的に推進する組織及び調査、研究、学習等の活動に対して、必要な援助及び協力を行うよう努めなければならない。

**（特別区及び市町村に対する協力）**

**第四条**　都は、次条第二項に定めるもののほか、特別区及び市町村（以下「区市町村」という。）が実施する消費生活に関する施策について、必要に応じ、情報の提供、調査の実施、技術的支援その他の協力を行うものとする。

**（国又は他の地方公共団体との相互協力）**

**第五条**　都は、消費生活に関する施策を実施するに当たり、必要に応じ、国又は他の地方公共団体に対して、情報の提供、調査の実施その他の協力を求めなければならない。

２　都は、国又は他の地方公共団体が実施する消費生活に関する施策について、情報の提供、調査の実施その他の協力を求められたときは、これに応ずるものとする。

**（国に対する措置要求等）**

**第六条**　知事は、前条第一項に定めるもののほか、都民の消費生活の安定と向上を図るため必要があると認めるときは、国に対し、意見を述べ、必要な措置をとるよう求めなければならない。

**（事業者の責務）**

**第七条**　事業者は、商品又はサービスの供給その他の事業活動を行うに当たり、消費者の権利を侵してはならない。

２　事業者は、事業活動を行うに当たり、常に法令を守るとともに、都がこの条例に基づき実施する施策に協力しなければならない。

３　事業者は、商品又はサービスの供給その他の事業活動を行うに当たり、自主的に、危害の防止、表示等の事業行為の適正化、事業活動に伴う消費者からの苦情の迅速かつ適切な処理等必要な措置をとるよう努めなければならない。

**（知事に対する申出）**

**第八条**　都民は、この条例の定めに違反する事業活動により、又はこの条例に定める措置がとられていないため、消費者の権利が侵されている疑いがあるときは、知事に対しその旨を申し出て、適当な措置をとるべきことを求めることができる。

２　知事は、前項の規定による申出があったときは必要な調査を行い、その申出の内容が事実であると認めるときはこの条例に基づく措置その他適当な措置をとるものとする。

３　知事は、都民の消費生活の安定と向上を図るため必要があると認めるときは、第一項の規定による申出の内容並びにその処理の経過及び結果を明らかにするものとする。

## 第二章　危害の防止

**（安全性に関する調査）**

**第九条**　知事は、必要と認める商品又はサービス（商品の原材料又は事業者がサービスを提供するために使用する物を含む。次条において同じ。）について、その安全性につき必要な調査を行うものとする。

**（危害に関する調査）**

**第十条**　知事は、商品又はサービスが消費者の健康を損ない、又は身体に危害を及ぼす疑いがあると認めるときは、速やかに必要な調査を行うものとする。

２　知事は、前項の調査を実施し、なお同項の疑いを解消することができないことにより必要があると認定したときは、当該商品又はサービスを供給する事業者に対し、資料の提出その他の方法により、当該商品又はサービスが当該危害に関して安全であることの立証をすべきことを求めることができる。

３　知事は、事業者が前項に規定する立証を行わない場合においてその理由がないと認定したとき、又は当該事業者が行った立証によっては当該危害に関して安全であることを十分に確認することができないと認定したときは、当該事業者に対し、再度立証をすべきことを要求することができる。

**（調査に関する情報提供）**

**第十一条**　知事は、消費者の健康及び身体の安全を確保するため必要があると認めるときは、前二条の規定による調査等の経過及び結果を明らかにするものとする。

**（危険な商品又はサービスの排除）**

**第十二条**　知事は、商品又はサービスがその欠陥により消費者の健康を損ない、若しくは損なうこととなり、又は身体に危害を発生させ、若しくは発生させることとなると認定したときは、法令に定める措置をとる場合を除き、当該商品又はサービスを供給する事業者に対し、その製造若しくは販売又は提供を中止すること、製造又は提供の方法を改善することその他必要な措置をとるべきことを勧告することができる。

**（緊急危害防止措置）**

**第十三条**　知事は、商品又はサービスがその欠陥により、消費者の生命又は身体について重大な危害を発生させ、又は発生させるおそれがある場合において、当該危害を防止するため緊急の必要があると認めるときは、法令に定める措置をとる場合を除き、直ちに当該商品又はサービスの名称、これを供給する事業者の住所及び氏名又は名称その他必要な事項を公表しなければならない。

2　前項の規定による公表があったときは、当該商品又はサービスを供給する事業者は、直ちにその製造若しくは販売又は提供の中止等必要な措置をとらなければならない。

**（危害防止のための表示）**

**第十四条**　知事は、商品の使用又はサービスの利用による消費者の生命又は身体に対する危害の発生を防止するため必要があると認めるときは、法令に定めがある場合を除き、商品又はサービスごとに、その危害について具体的内容、防止のための使用又は利用の方法その他の表示すべき事項、表示の方法その他表示に際し事業者が守るべき事項（以下「危害防止表示事項等」という。）を指定することができる。

2　事業者は、商品又はサービスを供給するに当たり、前項の規定により指定された危害防止表示事項等を守らなければならない。

## 第三章　表示、包装及び計量の適正化

**（表示等の調査）**

**第十五条**　知事は、必要と認める商品又はサービスについて、その表示、包装又は計量の実態等につき必要な調査を行うものとする。

2　知事は、消費者の商品又はサービスの適切な購入、適正な使用若しくは利用又は消費生活上の被害の防止のため必要があると認めるときは、前項の規定による調査の経過及び結果を明らかにするものとする。

**（品質等の表示）**

**第十六条**　知事は、消費者が商品を購入するに当たりその内容を容易に識別し、かつ、適正に使用するため必要があると認めるときは、法令に定めがある場合を除き、商品ごとに、その成分、性能、使用方法、供給する事業者の住所及び氏名又は名称その他の表示すべき事項、表示の方法その他表示に際し事業者が守るべき事項（以下「商品表示事項等」という。）を指定することができる。

2　知事は、消費者がサービスを購入するに当たりその内容若しくは取引条件を容易に識別し、かつ、適正に利用し、又は消費者の被害を防止するため必要があると認めるときは、法令に定めがある場合を除き、サービスごとに、その具体的内容、取引条件、提供する事業者の住所及び氏名又は名称その他の表示すべき事項、表示の方法その他表示に際し事業者が守るべき事項（以下「サービス表示事項等」という。）を指定することができる。

3　知事は、商品又はサービスが自動販売機その他これに類似する機械により供給される場合において、消費者がその商品又はサービスの内容及び取引条件を識別するため必要があると認めるときは、商品又はサービスごとに、商品表示事項等又はサービス表示事項等を指定することができる。

4　事業者は、商品又はサービスを供給するに当たり、前三項の規定により指定された商品表示事項等又はサービス表示事項等を守らなければならない。

**（品質等の保証表示）**

**第十七条**　知事は、必要があると認めるときは、商品又はサービスごとに、その品質、性能等を保証する旨の表示（以下「保証表示」という。）につき、保証期間、保証内容その他の表示すべき事項、表示の方法その他表示に際し事業者が守るべき事項（以下「保証表示事項等」という。）を指定することができる。

2　事業者は、商品又はサービスについて保証表示を行う場合には、前項の規定により指定された保証表示事項等を守らなければならない。

**（単位価格及び販売価格の表示）**

**第十八条**　知事は、消費者が商品を購入するに当たり、これを適切に選択するため必要があると認めるときは、商品ごとに質量、長さ、面積、体積等の単位当たりの価格を表示する方法及び表示に当たり使用する単位を指定することができる。

2　商品を消費者に販売する事業者のうち、知事の指定する業種、規模又は態様により事業を行う者は、商品を販売し、又は販売のために陳列するに当たり、前項の規定により指定された方法及び単位によりその単位当たりの価格及び販売価格を表示しなければならない。

**（適正包装の確保）**

**第十九条**　知事は、商品の包装（容器を用いる包装を含む。以下同じ。）について、内容品の保護、過大な又は過剰な包装の防止等のため必要があると認めるときは、法令に定めがある場合を除き、販売の際の包装について事業者が守るべき一般的基準を東京都規則（以下「規則」という。）で定めることができる。

2　知事は、前項に定めるもののほか、商品ごとに包装の基準を設定することができる。

3　事業者は、商品を包装するに当たり、第一項の規定により定められた一般的基準及び前項の規定により設定された基準を守らなければならない。

**（計量の適正化）**

**第二十条**　知事は、消費者が事業者との間の取引に際し、計量につき不利益を受けることがないようにするため、法令に定めがある場合を除き、商品又はサービ

スについて適正な計量の実施を確保するために必要な施策を講ずるものとする。

## 第四章　不適正な事業行為の是正等

### 第一節　価格に関する不適正な事業行為の是正

（価格等の調査）

**第二十一条**　知事は、必要と認める生活関連商品等（都民生活との関連性が高い商品、サービスその他のものをいう。以下同じ。）について、その価格の動向、需給状況、流通の実態等につき必要な調査を行うものとする。

（特別調査）

**第二十二条**　知事は、生活関連商品等の価格について、これが異常に上昇し、又は上昇するおそれがある場合その他の消費者に著しく不利益となるおそれがある場合において、必要があると認めるときは、当該生活関連商品等を特別の調査を要する生活関連商品等として指定することができる。

2　知事は、前項の規定により指定された生活関連商品等について、価格の上昇の原因、需給の状況その他必要な事項を速やかに調査しなければならない。

（不適正事業行為の是正勧告）

**第二十三条**　知事は、前条第二項の規定による調査の結果、生活関連商品等を供給する事業者が、その円滑な流通を妨げ、又は適正な利得を著しく超えることとなる価格で供給を行っていると認定したときは、当該事業者に対し、これらの行為を是正するため必要な措置をとるよう勧告することができる。

（調査等に関する情報提供）

**第二十四条**　知事は、価格の安定を図り、又は消費者の商品若しくはサービスの適切な選択を確保するため必要があると認めるときは、前三条の規定による調査等の経過及び結果を明らかにするものとする。

### 第二節　不適正な取引行為の防止

（不適正な取引行為の禁止）

**第二十五条**　知事は、事業者が消費者との間で行う取引（商品の購入、交換等を業として営む事業者が、消費者を相手方として商品の購入、交換等をする取引を含む。以下同じ。）に関して、次のいずれかに該当する行為を、不適正な取引行為として規則で定めることができる。

一　消費者を訪問し又は電話機、ファクシミリ装置その他の通信機器若しくは情報処理の用に供する機器を利用して広告宣伝等を行うことにより、消費者の意に反して、又は消費者にとって不適当な契約と認められるにもかかわらず若しくは消費者の判断力不足に乗じることにより、契約の締結を勧誘し、又は契約を締結させること。

二　法令又はこの条例に定める書面（当該書面に記載すべき事項を記録した電磁的記録を含む。）を消費者に交付する義務、広告における表示義務その他事業者が消費者に情報を提供する義務に違反して、契約の締結を勧誘し、又は契約を締結させること。

三　消費者に対し、取引の意図を隠し、商品若しくはサービスの品質、安全性、内容、取引条件、取引の仕組み等に関する重要な情報であって、事業者が保有し、若しくは保有し得るものを提供せず、若しくは誤信を招く情報を提供し、又は将来における不確実な事項について断定的判断を提供して、契約の締結を勧誘し、又は契約を締結させること。

四　消費者を威迫して困惑させ、又は迷惑を覚えさせるような方法で、若しくは消費者を心理的に不安な状態若しくは正常な判断ができない状態に陥らせ、契約の締結を勧誘し、又は契約を締結させること。

五　取引における信義誠実の原則に反し、消費者に不当な不利益をもたらすこととなる内容の契約を締結させること。

六　消費者又はその関係人を欺き、威迫して困惑させる等不当な手段を用いて、消費者又はその関係人に契約（契約の成立又はその内容について当事者間で争いのあるものを含む。）に基づく債務の履行を迫り、又は当該債務の履行をさせること。

七　契約若しくは法律の規定に基づく債務の完全な履行がない旨の消費者からの苦情に対し、適切な処理をせず、履行を不当に拒否し、若しくはいたずらに遅延させ、又は継続的取引において、正当な理由なく取引条件を一方的に変更し、若しくは消費者への事前の通知をすることなく履行を中止すること。

八　消費者の正当な根拠に基づく契約の申込みの撤回、契約の解除若しくは取消しの申出若しくは契約の無効の主張に際し、これらを妨げて、契約の成立若しくは存続を強要し、又は契約の申込みの撤回、契約の解除若しくは取消し若しくは契約の無効の主張が有効に行われたにもかかわらず、これらによって生じた債務の履行を不当に拒否し、又はいたずらに遅延させること。

九　商品若しくはサービスに係る取引を行う事業者又はその取次店等実質的な取引行為を行う者からの商品又はサービスに係る取引を条件又は原因として信用の供与をする契約若しくは保証を受託する契約（以下「与信契約等」という。）について、消費者の利益を不当に害することが明白であるにもかかわらず、その締結を勧誘し、若しくは締結させ、又は消費者の利益を不当に害する方法で与信契約等に基づく債務の履行を迫り、若しくは債務の履行をさせること。

2　事業者は、消費者と取引を行うに当たり、前項の規定により定められた不適正な取引行為を行ってはならない。

（重大不適正取引行為）

**第二十五条の二**　知事は、前条第一項に規定する行為における、次のいずれかに該当する行為を重大不適正取引行為とする。

一　契約の締結について勧誘をするに際し、又は契約の申込みの撤回若しくは解除を妨げるため、商品の性能その他契約における重要な事項として規則に定めるものにつき、不実のことを告げること。

二　契約の締結について勧誘をするに際し、商品の取引価格その他契約における重要な事項として規則に定めるものにつき、故意に事実を告げないこと。

三　契約を締結させ、又は契約の申込みの撤回若しくは解除を妨げるため、消費者を威迫して困惑させること。

（不適正な取引行為に関する調査）

**第二十六条**　知事は、第二十五条第一項に定める不適正な取引行為が行われている疑いがあると認めるときは、その取引の仕組み、実態等につき必要な調査を行うものとする。

（不適正な取引行為に関する情報提供）

**第二十七条**　知事は、不適正な取引行為による被害の発生及び拡大を防止するため必要があると認めるときは、前条の規定による調査の経過及び結果を明らかにするものとする。

## 第五章　消費者の被害の救済

（被害の救済のための助言、調査等）

**第二十八条**　知事は、消費者から事業者の事業活動により消費生活上の被害を受けた旨の申出があったときは、当該被害からの速やかな救済のために必要な助言、仲介によるあっせんその他の措置を講ずるものとする。

2　知事は、前項の措置を講ずるため必要があると認めるときは、当該被害に係る事業者その他の関係人に対し、資料の提出、報告又は説明の要求その他必要な調査を行うことができる。

（東京都消費者被害救済委員会）

**第二十九条**　前条第一項に規定する申出並びに区市町村及び消費者の利益の擁護を図るための活動を行う法人その他の団体であって知事が別に定めるものの依頼に係る事件のうち、都民の消費生活に著しく影響を及ぼし、又は及ぼすおそれのある紛争について、その公正かつ速やかな解決を図るため、あっせん、調停等を行う知事の附属機関として、東京都消費者被害救済委員会（以下「委員会」という。）を置く。

2　委員会は、次に掲げる者につき、知事が任命する委員二十八人以内をもって組織する。

一　学識経験を有する者　十六人以内

二　消費者　六人以内

三　事業者　六人以内

3　委員の任期は、二年とし、補欠の委員の任期は、前任者の残任期間とする。ただし、再任を妨げない。

4　特別の事項に係る紛争のあっせん、調停等を行うため必要があるときは、委員会に臨時委員を置くことができる。

5　専門の事項を調査するため必要があるときは、委員会に専門員を置くことができる。

6　委員、臨時委員及び専門員は、非常勤とする。

7　委員会は、部会を設置し、紛争のあっせん、調停等を行わせることができる。

8　委員会は、紛争を解決するため必要があると認めるときは、当事者、関係人等の出席及び資料の提出の要求その他紛争の解決に必要な調査を行うことができる。

9　第二項から前項までに定めるもののほか、委員会の組織及び運営に関し必要な事項は、知事が定める。

（事件の周知）

**第三十条**　知事は、紛争の解決を委員会に付託したときはその概要を、当該紛争が解決したとき又は解決の見込みがないと認めるときは審議の経過及び結果を明らかにして、同一又は同種の原因による被害の防止及び救済を図るものとする。

（消費者訴訟の援助）

**第三十一条**　知事は、事業者の事業活動により消費生活上の被害を受けた消費者（以下「被害者」という。）が、事業者を相手に訴訟を提起する場合又は事業者に訴訟を提起された場合で、次に掲げる要件（都民の消費生活に特に著しく影響を及ぼし、又は及ぼすおそれがあると知事が認めるときは、第一号に掲げる要件は除く。）を満たすときは、委員会の意見を聴いて、当該被害者に対し、当該訴訟に係る経費（以下「訴訟資金」という。）の貸付け、当該訴訟を維持するために必要な資料の提供その他訴訟活動に必要な援助を行うことができる。

一　当該訴訟に係る経費が被害額を超え、又は超えるおそれがあるため、自ら訴訟により被害の救済を求めることが困難なこと。
二　同一又は同種の原因による被害を受けた消費者が多数生じ、又は生ずるおそれがあること。
三　当該被害に係る紛争の解決が委員会の審議に付されていること。
四　当該被害者が、当該貸付けの申込みの日前三月以上引き続き都内に住所を有すること。

**(貸付けの範囲及び額)**

**第三十二条**　訴訟資金の貸付けの範囲は、当該訴訟の遂行に要する裁判手続費用、弁護士費用その他訴訟に要する費用及び権利の保全に要する費用並びに強制執行に要する費用（以下「訴訟等の費用」という。）とし、その額は、規則で定める。

**(貸付けの申込み)**

**第三十三条**　訴訟資金の貸付けを受けようとする者は、規則で定めるところにより、知事に申し込まなければならない。

**(貸付けの決定)**

**第三十四条**　知事は、前条の規定により申込みを受けたときは、委員会の意見を聴いて、訴訟資金の貸付けの適否及び範囲を決定するものとする。

**(貸付利率及び償還期限)**

**第三十五条**　前条の規定により決定された訴訟資金の貸付金（以下単に「貸付金」という。）は、無利子とし、その償還期限は、規則で定めるところによる。

**(貸付金の償還)**

**第三十六条**　訴訟資金の貸付けを受けた者（以下「借受者」という。）は、その償還期限が到来したときは、規則で定めるところにより、速やかに貸付金の全額を償還しなければならない。ただし、規則で定める要件に該当するときは、知事は、貸付金の即時償還を命ずることができる。

**(返還債務の免除)**

**第三十七条**　知事は、前条の規定にかかわらず、借受者が訴訟の結果、訴訟等の費用を償うことができないときその他やむを得ない理由により貸付金を償還することができないと認めるときは、貸付金の返還の債務の全部又は一部の償還を免除することができる。

**(違約金)**

**第三十八条**　第三十六条に規定する貸付金の償還を怠った者は、その償還すべき金額に対し、償還期限の翌日から償還の日までの日数に応じ、年十四・六パーセントの割合で計算して得た違約金を支払わなければならない。ただし、知事が特別の理由があると認めるときは、この限りでない。

## 第六章　情報の提供の推進

**(情報の提供等)**

**第三十九条**　知事は、この条例の他の規定に定めるもののほか、都民の消費生活の安定と向上を図るため、消費生活に関する情報を収集し、消費者に必要な情報を提供するものとする。

**(試験及び研究の結果の情報の提供)**

**第四十条**　知事は、必要と認める商品又はサービスについて試験及び研究を行い、それらの結果を明らかにするものとする。

## 第七章　消費者教育の推進

**(消費者教育の推進)**

**第四十一条**　都は、消費者が消費生活を営む上で、必要な知識及び判断力を習得し、主体的に行動し、並びにその行動が経済社会及び環境に及ぼす影響についての理解を深め、公正かつ持続可能な社会の形成に積極的に参画するため、消費者に対する教育に係る施策及びこれに準ずる啓発活動（以下「消費者教育」という。）を推進するものとする。

2　前項に規定する消費者教育の推進に関する基本的事項は、次に掲げるとおりとする。
一　幼児期から高齢期に至るまで各段階に応じて体系的に実施すること。
二　年齢、障害の有無その他の消費者の特性に配慮するとともに、学校、地域、家庭、職域その他の消費者教育が行われる場の特性に応じて、適切な方法によって実施すること。
三　消費者教育を推進する多様な主体と連携を図り、効果的に実施すること。

**(消費者の消費者教育への参画)**

**第四十一条の二**　消費者は、消費者の権利の確立及び公正かつ持続可能な社会の形成に向け、年齢、障害の有無その他の特性、様々な状況等に応じて、主体的に消費者教育に参画するものとする。

**(消費者団体の役割)**

**第四十一条の三**　消費者団体は、自主的な消費者教育に取り組むとともに、様々な場で行われる消費者教育に協力するよう努めるものとする。

**(事業者及び事業者団体の役割)**

**第四十一条の四**　事業者及び事業者団体は、自主的な消費者教育に取り組むとともに、都、区市町村等が実施する消費者教育に係る施策に協力するよう努めるものとする。

2　事業者及び事業者団体は、消費者への消費生活に関する有用な情報提供及び啓発活動に努めるものとする。

3　事業者は、その従業員に対する消費者教育の実施に努めるものとする。

（学習条件の整備）

**第四十二条**　都は、消費生活に関する消費者の自主的な学習の支援のために必要な条件の整備を行うものとする。

## 第八章　消費生活に関する施策の総合的な推進

（基本計画の策定）

**第四十三条**　知事は、消費生活に関する施策の総合的かつ計画的な推進を図るための基本となる計画（以下「基本計画」という。）を策定するものとする。

2　基本計画には、次に掲げる事項を定めるものとする。

一　消費生活に関する施策の大綱

二　前号に掲げるもののほか、消費生活に関する施策を推進するために重要な事項

3　知事は、基本計画を定め、又は変更したときは、遅滞なく、これを明らかにするものとする。

（総合的調整）

**第四十四条**　都は、都の消費生活に関する施策について総合的に調整し、及び推進するために必要な措置を講ずるものとする。

## 第九章　東京都消費生活対策審議会

（東京都消費生活対策審議会）

**第四十五条**　都民の消費生活の安定と向上に関する基本的事項を調査審議させるため、知事の附属機関として、東京都消費生活対策審議会（以下「審議会」という。）を置く。

2　知事は、次に掲げる場合には、審議会に諮問しなければならない。

一　第十条第二項の規定による認定をしようとするとき。

二　第十四条第一項、第十六条第一項から第三項まで又は第十七条第一項の規定による指定を行う商品若しくはサービスを選定し、又はその解除をしようとするとき。

三　第十八条第一項の規定による指定を行う商品を選定し、若しくはその解除をしようとするとき又は同条第二項の規定による指定をし、若しくはその変更若しくは解除をしようとするとき。

四　第十九条第一項、第二十五条第一項又は第二十五条の二の規定による規則の制定をし、又はその改正をしようとするとき。

五　第十九条第二項の規定による基準の設定を行う商品を選定し、又はその解除をしようとするとき。

六　基本計画の策定又は変更をしようとするとき。

3　審議会は、第一項に規定する基本的事項に関し、知事に意見を述べることができる。

4　審議会は、学識経験を有する者及び関係行政機関の職員のうちから、知事が任命する委員三十人以内をもって組織する。

5　委員の任期は、二年とし、補欠の委員の任期は、前任者の残任期間とする。ただし、再任を妨げない。

6　特別の事項を調査審議するため必要があるときは、審議会に臨時委員を置くことができる。

7　専門の事項を調査するため必要があるときは、審議会に専門員を置くことができる。

8　委員、臨時委員及び専門員は、非常勤とする。

9　審議会は、専門の事項を審議するため必要があると認めるときは、部会を置くことができる。

10　審議会は、所掌事項の審議に際し、必要に応じ都民の意見を聴くことができる。

11　第四項から前項までに定めるもののほか、審議会の組織及び運営に関し必要な事項は、知事が定める。

## 第十章　調査、勧告、公表等

（立入調査等）

**第四十六条**　知事は、第十条、第十二条から第十四条まで、第十六条から第十九条まで及び第二十二条の規定の施行に必要な限度において、事業者に対し、報告を求め、その職員をして、事業者の事務所、事業所その他その事業を行う場所に立ち入って、帳簿、書類、設備その他の物件を調査させ、若しくは事業者若しくはその従業員若しくは当該事業者の業務に従事する者（以下この条において「事業者等」という。）に質問させ、又は第十条に定める調査及び認定並びに第十二条に定める認定を行うため、必要最小限度の数量の商品又は当該事業者がサービスを提供するために使用する物若しくは当該サービスに関する資料（以下「商品等」という。）の提出を求めることができる。

2　知事は、事業者等が前項の規定による報告、商品等の提出若しくは立入調査を拒み、又は質問に対し答弁しなかったときは、事業者に対し、書面により、報告若しくは商品等の提出を要求し、又は立入調査若しくは質問に応ずべきことを要求することができる。

3　前項の書面には、要求に応じない場合においては、当該事業者の氏名又は名称その他必要な事項を公表する旨及び報告、商品等の提出、立入調査又は質問を必要とする理由を付さなければならない。

4　第一項及び第二項の規定により立入調査又は質問を

行う職員は、その身分を示す証明書を携帯し、事業者等に提示しなければならない。

5　都は、第一項及び第二項の規定により事業者から商品等を提出させたときは、正当な補償を行うものとする。

6　第一項又は第二項の規定による立入調査の権限は、犯罪捜査のために認められたものと解釈してはならない。

**第四十六条の二**　知事は、第二十六条及び第五十一条第一項の規定の施行に必要な限度において、事業者又は当該事業者と消費者との間で行う当該取引に密接に関係する者として次の各号のいずれかに該当すると知事が認める者（以下「密接関係者」という。）に対し、報告を求め、その職員をして、事業者若しくは密接関係者の事務所、事業所その他その事業を行う場所に立ち入って、帳簿、書類、設備その他の物件を調査させ、又は事業者若しくは密接関係者若しくはそれらの従業員若しくはそれらの業務に従事する者（以下この条において「事業者、密接関係者等」という。）に質問させることができる。

一　当該取引に関し、消費者の判断に影響を及ぼす重要な事項を消費者に告げ、又は表示する者

二　当該取引に誘引するため又は契約後において当該取引を継続させ、若しくは取引の内容を拡大させるためほかの商品若しくはサービスを消費者に供給する者

三　当該取引に関し、契約の締結若しくは解除又は債務の履行に係る行為を行う者

四　当該取引に関し、契約の締結、履行又は解除に係る関係書類を保有する者

五　当該取引に関し、当該事業者に対し、第二十五条第一項に規定する取引行為の方法等を教示する者

六　前各号に掲げるもののほか、規則で定める者

2　知事は、第二十六条及び第五十一条第一項の規定の施行に必要な限度において、事業者、密接関係者等に対し、書面により、報告を要求し、又は立入調査若しくは質問に応ずべきことを要求することができる。

3　前項の書面には、要求に応じない場合においては、当該事業者又は当該密接関係者の氏名又は名称その他必要な事項を公表する旨及び報告、立入調査又は質問を必要とする理由を付さなければならない。

4　第一項及び第二項の規定により立入調査又は質問を行う職員は、その身分を示す証明書を携帯し、事業者、密接関係者等に提示しなければならない。

5　第一項又は第二項の規定による立入調査の権限は、犯罪捜査のために認められたものと解釈してはならない。

6　知事は、第二十六条及び第五十一条第一項の規定の施行に必要な限度において、事業者との間で取引を行う者に対し、当該取引に関する事項について報告を求めることができる。

**（告示）**

**第四十七条**　知事は、第十四条第一項、第十六条第一項から第三項まで、第十七条第一項、第十八条第一項若しくは第二項若しくは第二十二条第一項の規定による指定をし、若しくはその変更若しくは解除をしたとき、又は第十九条第二項の規定による基準の設定をし、若しくはその変更若しくは廃止をしたときは、その旨を告示しなければならない。

**（指導及び勧告）**

**第四十八条**　知事は、第十四条第二項、第十六条第四項、第十七条第二項、第十八条第二項、第十九条第三項又は第二十五条第二項の規定に違反をしている事業者があるときは、その者に対し、当該違反をしている事項を是正するよう指導し、及び勧告することができる。

**（意見陳述の機会の付与）**

**第四十九条**　知事は、第十条第三項の規定による要求又は第二十三条若しくは前条の規定による勧告をしようとするときは、当該要求又は勧告に係る事業者に対し、当該事案について意見を述べ、証拠を提示する機会を与えなければならない。

**（公表）**

**第五十条**　知事は、事業者が第十条第三項若しくは第四十六条第二項の規定による要求又は第十二条、第二十三条若しくは第四十八条の規定による勧告に従わないときは、その旨を公表するものとする。

2　知事は、事業者又は密接関係者が第四十六条の二第二項の規定による要求に従わないときは、その旨を公表するものとする。

**（禁止命令）**

**第五十一条**　知事は、消費者被害の拡大防止のため特に必要があるものとして別表に定める取引について、次の各号のいずれかに該当するときは、その事業者に対し、一年以内の期間を限り、契約の締結について勧誘すること又は契約を締結することを禁止することを命ずることができる。

一　前条の規定による公表をされた後において、なお、正当な理由がなくてその勧告に係る措置をとらず、第二十五条の二の重大不適正取引行為をしたとき。

二　第二十五条の二の重大不適正取引行為をした場合において、消費者の利益が著しく害されるおそれが

あり、当該被害を防止するため緊急の必要があると認めるとき。

2　前項の規定による命令は、第二十五条の二の重大不適正取引行為について、消費者被害の拡大防止を図るために実施し得る法律の規定による指示、命令、登録の取消しその他の措置がある場合には、行わないものとする。

3　知事は、第二十五条の二第一号の重要な事項として規則で定めるもののうち規則で定めるものにつき不実のことを告げる行為をしたか否かを判断するため必要があると認めるときは、当該事業者に対し、期間を定めて、当該告げた事項の裏付けとなる合理的な根拠を示す資料の提出を求めることができる。この場合において、当該事業者が当該資料を提出しないときは、第一項の規定の適用については、当該事業者は、同号に掲げる事項につき不実のことを告げる行為をしたものとみなす。

4　知事は、第一項の規定による命令をしたときは、その旨を公表するものとする。

## 第十一章　雑則

（適用除外）

**第五十二条**　第二章の規定は、医薬品、医療機器等の品質、有効性及び安全性の確保等に関する法律（昭和三十五年法律第百四十五号）第二条第一項に規定する医薬品については、適用しない。

2　第二章から第五章までの規定は、次に掲げるものについては、適用しない。

一　医師、歯科医師その他これらに準ずる者により行われる診療行為及びこれに準ずる行為

二　商品、サービス及び生活関連商品等の価格で、法令に基づいて規制されているもの

3　第六章の規定は、前項第一号に掲げる行為については、適用しない。

## 第十二章　罰則

（委任）

**第五十三条**　この条例に規定するもののほか、この条例の施行について必要な事項は、規則で定める。

（過料）

**第五十四条**　第五十一条第一項の規定による知事の命令に違反した者は、五万円以下の過料に処する。

**第五十五条**　第五十一条第一項の規定の施行に必要な第四十六条の二第二項の規定による立入調査若しくは質問を拒み、妨げ、又は忌避した者は、三万円以下の過料に処する。

### 附　則

（施行期日）

1　この条例は、平成七年一月一日から施行する。

（東京都消費生活対策審議会条例等の廃止）

2　次に掲げる条例は、廃止する。

一　東京都消費生活対策審議会条例（昭和三十六年東京都条例第八十六号）

二　東京都消費者被害救済委員会条例（昭和五十年東京都条例第百三号）

三　東京都消費者訴訟資金貸付条例（昭和五十年東京都条例第百四号）

（経過措置）

3　この条例による改正前の東京都生活物資等の危害の防止、表示等の事業行為の適正化及び消費者被害救済に関する条例（以下「旧条例」という。）第二十九条の規定による東京都消費者被害救済委員会及び前項の規定による廃止前の東京都消費生活対策審議会条例第一条の規定による東京都消費生活対策審議会は、それぞれこの条例の規定による東京都消費者被害救済委員会及び東京都消費生活対策審議会となり、同一性をもって存続するものとする。

4　この条例の施行の際、現に旧条例第七条第一項の規定によりされている申出は、第八条第一項に規定する申出とみなす。

5　前項に規定する場合のほか、この条例の施行前に旧条例又は附則第二項の規定による廃止前の東京都消費生活対策審議会条例、東京都消費者被害救済委員会条例若しくは東京都消費者訴訟資金貸付条例の規定によってした処分、手続その他の行為は、この条例中にこれに相当する規定があるときは、この条例の規定によってした処分、手続その他の行為とみなす。

### 附　則（平二七・三・三一条例二二）

（施行期日）

1　この条例は、平成二十七年七月一日から施行する。ただし、第四十一条の改正規定及び同条の次に次の三条を加える改正規定は、同年四月一日から施行する。

（経過措置）

2　この条例による改正後の東京都消費生活条例第二十五条第二項、第二十五条の二、第四十六条の二、第四十八条、第五十条及び第五十一条の規定は、この条例の施行後にした行為について適用し、この条例の施行前にした行為については、なお従前の例による。

3　この条例の施行前にした行為に対する罰則の適用については、なお従前の例による。

**別表**（第五十一条関係）

一　消費者の住居においてサービス提供契約の申込みをし、又はサービス提供契約を締結することを請求した消費者に対して事業者が当該消費者の住居を訪問して行う取引であって、次に掲げるサービスに関して契約締結前にサービスの提供を行うことにより、消費者が契約締結を断ることが困難な状況を作り出す取引

㈠　衛生設備用品の修繕又は改良

㈡　物品の回収

二　雑誌、テレビ等に出演するために必要な技芸又は知識の教授に関する二月以上の継続的な役務提供に係る取引

三　契約を締結することを目的に、事業者の事務所、事業所その他その事業を行う場所を消費者が訪問して、サービス提供契約の申込みをし、又はサービス提供契約を締結する場合における次に掲げるサービスの取引

(一)　雑誌、テレビ等に出演する機会若しくは当該情報の提供又は出演する機会を得るための広告宣伝若しくは交渉の代行（特定商取引に関する法律（昭和五十一年法律第五十七号）第五十一条第一項に規定する業務提供誘引販売による取引を除く。）

(二)　精神の修養又は就職、起業等のための啓発若しくは知識の伝授

(三)　外国への留学若しくは外国における研修、就業等のあっせん又はその手続の代行

四　非宅地の土地に係る取引

# ○東京都消費生活条例施行規則（抄）

平六・一二・二六
規則二二五

最終改正　令五・一〇・二六規則一四四

## 第四章　不適正な取引行為

（条例第二十五条第一項第一号の不適正な取引行為）

**第五条の二**　条例第二十五条第一項第一号の規定に該当する不適正な取引行為は、次に掲げるものとする。

一　商品又はサービスに係る取引に際し、消費者の拒絶の意思表示にもかかわらず、消費者を訪問し、契約の締結を勧誘し、又は契約を締結させること。

二　商品又はサービスに係る取引に際し、消費者の拒絶の意思表示にもかかわらず、又はその意思表示の機会を明示的に与えることなく、消費者に対し電話機、ファクシミリ装置その他の通信機器若しくは情報処理の用に供する機器を利用して一方的に広告宣伝等を行うことにより、契約の締結を勧誘し、又は契約を締結させること。

三　商品又はサービスに係る取引に際し、消費者の知識、経験及び財産の状況に照らして不適当と認められる契約の締結を勧誘し、又は契約を締結させること。

四　商品又はサービスに係る取引に際し、高齢者その他の者の判断力の不足に乗じ、契約を締結させること。

（条例第二十五条第一項第二号の不適正な取引行為）

**第五条の三**　条例第二十五条第一項第二号の規定に該当する不適正な取引行為は、次に掲げるものとする。

一　商品又はサービスに係る取引に際し、法令又は条例に定める書面（当該書面に記載すべき事項を記録した電磁的記録を含む。）を消費者に交付する義務その他事業者が消費者に情報を提供する義務に違反し、契約の締結を勧誘し、又は契約を締結させること。

二　商品又はサービスに係る広告をするに際し、法令に定められた記載事項を表示しない広告により、契約の締結を勧誘すること。

三　特定商取引に関する法律施行規則（昭和五十一年通商産業省令第八十九号）第四十二条第一項に規定する電子契約（以下単に「電子契約」という。）の申込みに際し、当該電子契約に係る電子計算機の操作が当該電子契約の申込みとなることを、消費者が容易に認識できるように表示せずに、契約の締結を勧誘し、又は契約を締結させること。

四　電子契約の申込みに際し、消費者が申込みの内容を容易に確認し、及び訂正できるようにせずに、契約の締結を勧誘し、又は契約を締結させること。

五　申込みの様式が印刷された書面により契約の申込みを受ける場合において、当該書面の送付が申込みとなることを、消費者が容易に認識できるように当該書面に表示せずに、契約の締結を勧誘し、又は契約を締結させること。

（条例第二十五条第一項第三号の不適正な取引行為）

**第六条**　条例第二十五条第一項第三号の規定に該当する不適正な取引行為は、次に掲げるものとする。

一　商品若しくはサービスに係る取引の意図を明らかにせず、若しくは商品若しくはサービスの販売以外

のことを主要な目的であるかのように告げて、又はそのような広告等で消費者を誘引することにより、契約の締結を勧誘し、又は契約を締結させること。

二　商品又はサービスに関し、その品質、安全性、内容、取引条件、取引の仕組みその他の取引に関する重要な情報であって、事業者が保有し、又は保有し得るものを提供しないで、契約の締結を勧誘し、又は契約を締結させること。

三　商品又はサービスに係る取引に際し、消費者が契約締結の意思を決定する上で重要な事項について、事実と異なること若しくは誤信させるような事実を告げて、又は将来における不確実な事項について断定的判断を提供して、契約の締結を勧誘し、又は契約を締結させること。

四　商品又はサービスの品質、内容又は取引条件が実際のものよりも著しく優良又は有利であると消費者を誤信させるような表現を用いて、契約の締結を勧誘し、又は契約を締結させること。

五　商品又はサービスに係る取引、利用又は設置が法令等により義務付けられているかのように説明して、契約の締結を勧誘し、又は契約を締結させること。

六　自らを官公署、公共的団体若しくは著名な法人等の職員と誤信させるような言動等を用いて、又は官公署、公共的団体若しくは著名な法人若しくは個人の許可、認可、後援等の関与を得ていると誤信させるような言動等を用いて、契約の締結を勧誘し、又は契約を締結させること。

七　商品又はサービスに係る取引に際し、事業者の氏名若しくは名称若しくは住所について明らかにせず、又は偽って、契約の締結を勧誘し、又は契約を締結させること。

**（条例第二十五条第一項第四号の不適正な取引行為）**

**第七条**　条例第二十五条第一項第四号の規定に該当する不適正な取引行為は、次に掲げるものとする。

一　消費者を威迫して困惑させ、又は迷惑を覚えさせるような方法で、契約の締結を勧誘し、又は契約を締結させること。

二　消費者が依頼又は承諾していないにもかかわらず、消費者の住居等において商品又はサービスに係る取引を一方的に行って、あたかも契約が成立したかのように誤信させて、消費者を心理的に不安な状態若しくは正常な判断ができない状態に陥らせ、契約の締結を勧誘し、又は契約を締結させること。

三　消費者を訪問し、消費者が拒絶の意思を表示することを妨げるような方法で契約の締結を勧誘し、又は契約を締結させること。

四　消費者の年齢、収入等契約を締結する上で重要な事項について、事実と異なる内容の契約書等を作成して、執ように契約の締結を勧誘し、又は契約を締結させること。

五　路上その他の場所において消費者を呼び止め、消費者の意に反して、執ように説得し、又は消費者を威迫して困惑させ、その場で、又は営業所若しくはその他の場所へ誘引して、契約の締結を勧誘し、又は契約を締結させること。

六　商品又はサービスに係る取引を行う目的で、親切行為その他の無償又は著しい廉価のサービス又は商品の供給を行うことにより、消費者の心理的負担を利用して、執ように契約の締結を勧誘し、又は契約を締結させること。

七　商品又はサービスの取引に係る資金に関して、消費者からの要請がないにもかかわらず、貸金業者等からの借入れその他の信用の供与を受けることを勧めて、執ように契約の締結を勧誘し、又は契約を締結させること。

八　消費者の不幸を予言し、消費者の健康又は老後の不安その他の生活上の不安をことさらにあおる等消費者を心理的に不安な状態に陥らせる言動等を用いて、契約の締結を勧誘し、又は契約を締結させること。

九　商品又はサービスに係る取引に際し、当該消費者の情報又は当該消費者が従前にかかわった取引に関する情報を利用して、消費者を心理的に不安状態に陥らせ、過去の不利益が回復できるかのように告げ、又は害悪を受けることを予防し、若しくは現在被っている不利益が拡大することを防止するかのように告げて、契約の締結を勧誘し、又は契約を締結させること。

十　主たる取引目的以外の商品又はサービスを意図的に無償又は著しい廉価で供給すること等により、消費者を正常な判断ができない状態に陥れて、商品又はサービスに係る取引の契約の締結を勧誘し、又は契約を締結させること。

十一　消費者の意に反して、早朝若しくは深夜に、又は消費者が正常な判断をすることが困難な状態のときに、電話をし、又は訪問して、契約の締結を勧誘し、又は契約を締結させること。

**（条例第二十五条第一項第五号の不適正な取引行為）**

**第八条**　条例第二十五条第一項第五号の規定に該当する不適正な取引行為は、次に掲げるものとする。

一　法律の規定が適用される場合に比し、消費者の権利を制限し、又は消費者の義務を加重し、信義誠実の原則に反して消費者の利益を一方的に害する条項を設けた契約を締結させること。

二　契約に係る損害賠償額の予定、違約金又は契約の解除に伴う清算金の定めにおいて、消費者に不当に高額又は高率な負担を求める条項を設けた契約を締結させること。

三　消費者の契約の申込みの撤回、契約の解除若しくは取消し又は契約の無効の主張をすることができる権利を制限して、消費者に不当な不利益をもたらすこととなる条項を設けた契約を締結させること。

四　消費者が取引の意思表示をした主たる商品又はサービスと異なるものを記載して、消費者に不当な不利益をもたらすこととなる内容の契約書等を作成させること。

五　消費者にとって不当に過大な量の商品若しくはサービス又は不当に長期にわたって供給される商品若しくはサービスに係る取引を内容とする契約を締結させること。

六　当該契約に関する訴訟について、消費者に不当に不利な裁判管轄を定める条項を設けた契約を締結させること。

七　商品又はサービスに係る取引に伴って消費者が受ける信用がその者の返済能力を超えることが明白であるにもかかわらず、そのような信用の供与を伴った契約を締結させること。

八　債務不履行若しくは債務の履行に伴う不法行為により生じた消費者に対して事業者が負うべき損害賠償責任の全部若しくは一部を不当に免除し、又は引き渡された目的物が種類、品質若しくは数量に関して契約の内容に適合しないものであるときにおいて目的物の修補、代替物の引渡し若しくは不足分の引渡しにより事業者が履行の追完をする責任を一方的に免責させる条項を設けた契約を締結させること。

九　第三者によって、クレジットカード、会員証、パスワード等、商品又はサービスに係る取引を行う際の資格を証するものが不正に使用された場合に、消費者に不当に責任を負担させる条項を設けた契約を締結させること。

**（条例第二十五条第一項第六号の不適正な取引行為）**

**第九条**　条例第二十五条第一項第六号の規定に該当する不適正な取引行為は、次に掲げるものとする。

一　消費者、その保証人等法律上支払義務のある者（以下「消費者等」という。）を欺き、威迫して困惑させ、又は正当な理由なく早朝若しくは深夜に電話をし、若しくは訪問する等の不当な手段を用いて、債務の履行を迫り、又は債務の履行をさせること。

二　消費者等を欺き、威迫して困惑させ、又は迷惑を覚えさせるような方法で、預金の払戻し、生命保険の解約、借入れを受けること等により、消費者等に金銭を調達させ、債務の履行をさせること。

三　消費者等に対して、正当な理由がないにもかかわらず、消費者等に不利益となる情報を信用情報機関若しくは消費者等の関係人に通知し、又はインターネットその他の情報伝達手段を用いて情報を流布する旨の言動を用い、心理的圧迫を与えて、債務の履行を迫り、又は債務の履行をさせること。

四　契約の成立又は有効性について消費者等が争っているにもかかわらず、契約が成立し、又は有効であると一方的に主張して、強引に債務の履行を迫り、又は債務の履行をさせること。

五　消費者の関係人で法律上支払義務のないものに、正当な理由なく電話をし、又は訪問する等の不当な手段を用いて、契約に基づく債務の履行への協力を執ように要求し、又は協力をさせること。

六　事業者の氏名若しくは名称若しくは住所について明らかにせず、又は偽ったまま、消費者等に対して、強引に債務の履行を迫り、又は債務の履行をさせること。

**（条例第二十五条第一項第七号の不適正な取引行為）**

**第十条**　条例第二十五条第一項第七号の規定に該当する不適正な取引行為は、次に掲げるものとする。

一　履行期限を過ぎても契約に基づく債務の完全な履行をせず、消費者からの再三の履行の督促に対して適切な対応をすることなく、債務の履行を拒否し、又は引き延ばし、商品又はサービスを契約の趣旨に従って供給しないこと。

二　法令の規定等により消費者に認められている財務書類の閲覧権、事実又は情報の開示を請求できる権利等の行使を拒否し、閲覧、開示等を拒むこと。

三　継続的に商品又はサービスを供給する契約を締結した場合において、正当な理由なく取引条件を一方的に変更し、又は債務の履行が終了していないにもかかわらず消費者への事前の通知をすることなく履行を中止すること。

**（条例第二十五条第一項第八号の不適正な取引行為）**

**第十一条**　条例第二十五条第一項第八号の規定に該当する不適正な取引行為は、次に掲げるものとする。

一　消費者のクーリング・オフの権利の行使に際して、これを拒否し、若しくは黙殺し、威迫して困惑させ、又は術策、甘言等を用いて、当該権利の行使を妨げ、契約の成立又は存続を強要すること。

二　消費者のクーリング・オフの権利の行使に際して、口頭による行使を認めておきながら、後に書面又は電磁的記録によらないことを理由として、又は消費者のクーリング・オフの権利の行使を妨げる目的で消費者の自発的意思を待つことなく商品若しくはサービスの使用若しくは利用をさせて、契約の成立又は存続を強要すること。

三　消費者のクーリング・オフの権利の行使に際して、手数料、送料、サービスの対価等法令上根拠のない要求をして、当該権利の行使を妨げ、契約の成立又は存続を強要すること。

四　継続的に商品又はサービスを供給する契約を締結した場合において、消費者の正当な根拠に基づく中途解約の申出に対して、これを不当に拒否し、解約に伴う不当な違約金、損害賠償金等を要求し、又は威迫して困惑させる等して、契約の存続を強要すること。

五　前各号に掲げるもののほか、消費者の正当な根拠に基づく契約の申込みの撤回、契約の解除若しくは取消しの申出又は契約の無効の主張に際し、これを不当に拒否し、不当な違約金、損害賠償金等を要求し、又は威迫して困惑させる等して契約の成立又は存続を強要すること。

六　消費者のクーリング・オフの権利の行使その他契約の申込みの撤回、契約の解除若しくは取消し又は契約の無効の主張が有効に行われたにもかかわらず、法律上その義務とされる返還義務、原状回復義務、損害賠償義務等の履行を正当な理由なく拒否し、又は遅延させること。

2　前項第一号から第三号まで及び第六号に規定するクーリング・オフの権利とは、次に掲げる権利をいう。

一　特定商取引に関する法律（昭和五十一年法律第五十七号）第九条第一項、第九条の二第一項、第二十四条第一項、第四十条第一項、第四十八条第一項、第五十八条第一項及び第五十八条の十四第一項に規定する契約の申込みの撤回又は契約の解除を行う権利

二　前号に規定する法律以外の法令の規定又は契約により認められた権利で前二号に掲げる権利に類するもの

（条例第二十五条第一項第九号の不適正な取引行為）

**第十二条**　条例第二十五条第一項第九号の規定に該当する不適正な取引行為は、次に掲げるものとする。

一　立替払、債務の保証その他の与信に係る債権及び債務について、重要な情報を提供せず、又は誤信させるような表現を用いて、与信契約等の締結を勧誘し、又は与信契約等の締結をさせること。

二　与信が消費者の返済能力を超えることが明白であるにもかかわらず、与信契約等の締結を勧誘し、又は与信契約等の締結をさせること。

三　取引業者等（消費者との間で商品若しくはサービスを販売する事業者又はその取次店等実質的な取引行為を行う者をいう。以下同じ。）の行為が第五条の二から第八条までに規定するいずれかの行為に該当することを知りながら、又は与信に係る加盟店契約その他の提携関係にある取引業者等を適切に管理していれば、そのことを知り得べきであるにもかかわらず、与信契約等の締結を勧誘し、又は与信契約等の締結をさせること。

四　与信契約等において、取引業者等に対して生じている事由をもって消費者が正当な根拠に基づき支払を拒絶できる場合であるにもかかわらず、正当な理由なく電話をし、又は訪問する等の不当な手段を用いて、消費者若しくはその関係人に債務の履行を迫り、又は債務の履行をさせること。

（契約における重要な事項）

**第十二条の二**　条例第二十五条の二第一号に規定する契約における重要な事項は、次に掲げるものとする。

一　商品の種類、性能若しくは品質、効能、商標若しくは製造者名、取引数量及び必要数量又はサービスの種類、内容及び効果

二　商品又はサービスに係る取引価格

三　商品又はサービスに係る取引価格の支払いの時期及び方法

四　商品の引渡時期又はサービスの提供時期

五　商品若しくはサービスに係る当該取引の契約の申込みの撤回又は契約の解除に関する事項

六　消費者が商品又はサービスに係る当該取引の契約の締結を必要とする事情に関する事項

七　前各号に掲げるもののほか、商品又はサービスに係る当該取引の契約に関する事項であって、消費者の判断に影響を及ぼすこととなる重要なもの

2　条例第二十五条の二第二号に規定する契約における重要な事項は、前項第一号から第五号までに掲げるものとする。

## 附　則

（施行期日）

1　この規則は、平成七年一月一日から施行する。

（東京都消費者訴訟資金貸付条例施行規則等の廃止）

2　次に掲げる規則は、廃止する。

一　東京都消費者訴訟資金貸付条例施行規則（昭和五十年東京都規則第二百四十八号）

二　東京都適正包装の一般的基準に関する規則（昭和五十一年東京都規則第百十三号）

三　不適正な取引行為を定める規則（平成元年東京都規則第百三十九号）

**（経過措置）**

3　この規則の施行前に、この規則による改正前の東京都生活物資等の危害の防止、表示等の事業行為の適正化及び消費者被害救済に関する条例施行規則（昭和五十年東京都規則第二百四十七号。以下「旧規則」という。）又は附則第二項の規定による廃止前の東京都消費者訴訟資金貸付条例施行規則の規定によってした処分、手続その他の行為は、この規則中にこれに相当する規定があるときは、この規則の規定によってした処分、手続その他の行為とみなす。

4　この規則の施行の際、旧規則又は東京都消費者訴訟資金貸付条例施行規則の様式による用紙で、現に残存するものは、所要の修正を加え、なお使用することができる。

**附　則**（令五・四・一〇規則九五）

この規則は、公布の日から施行する。

**附　則**（令五・一〇・二六規則一四四）

この規則は、公布の日から施行する。

**別記様式**〔略〕

# 第六章　市民活動等

## ○特定非営利活動促進法施行条例

平一〇・一〇・八
条例九九

最終改正　令四・三・一〇条例一

（趣旨）

**第一条**　この条例は、特定非営利活動促進法（平成十年法律第七号。以下「法」という。）第二章、第三章及び第五章の施行に関し必要な事項を定めるものとする。

（設立の認証申請）

**第二条**　法第十条第一項の認証を受けようとする者は、東京都規則（以下「規則」という。）で定めるところにより、同項に掲げる書類を添付して、次に掲げる事項を記載した申請書を知事に提出するものとする。

一　申請者の氏名（法人にあっては、その名称及び代表者の氏名）及び住所（法人にあっては、その主たる事務所の所在地）又は居所

二　設立しようとする特定非営利活動法人の名称、代表者の氏名並びに主たる事務所及びその他の事務所の所在地

三　設立しようとする特定非営利活動法人の定款に記載された目的

2　法第十条第一項第二号ハ（法第二十三条第二項の適用を受ける場合及び法第三十四条第五項において準用する場合を含む。）に規定する書面は、次に掲げるとおりとする。

一　当該役員が住民基本台帳法（昭和四十二年法律第八十一号）の適用を受ける者である場合にあっては、同法第十二条第一項に規定する住民票の写し

二　当該役員が前号に該当しない者である場合にあっては、当該役員の住所又は居所を証する権限のある官公署が発給する文書

3　前項の規定にかかわらず、知事が住民基本台帳法第三十条の十一第一項の規定により地方公共団体情報システム機構から当該役員に係る機構保存本人確認情報の提供を受けるとき又は同法第三十条の十五第一項の規定により都道府県知事保存本人確認情報を利用するときは、第一項の規定による申請書には、前項第一号に掲げる書面を添付することを要しない。

（縦覧期間中の補正）

**第三条**　法第十条第四項に規定する条例で定める軽微なものは、内容の同一性に影響を与えない範囲の不備であり、かつ、客観的に明白な誤記、誤字又は脱字に係るものとする。

2　法第十条第三項の規定による補正を行う場合は、規則で定めるところにより、補正後の申請書又は書類を添付した補正書を知事に提出するものとする。

（社員総会の議事録）

**第三条の二**　社員総会の議事録は、書面又は電磁的記録（特定非営利活動促進法施行規則（平成二十三年内閣府令第五十五号）第二条に規定する電磁的記録をいう。）をもって作成するものとする。

2　法第十四条の九の規定により社員総会の決議があったものとみなされた場合には、当該社員総会の議事録は、次に掲げる事項を内容として作成するものとする。

一　社員総会の決議があったものとみなされた事項の内容

二　前号の事項の提案をした者の氏名又は名称

三　社員総会の決議があったものとみなされた日

四　議事録の作成に係る職務を行った者の氏名

（定款の変更の認証申請等）

**第三条の三**　法第二十五条第三項の認証を受けようとする特定非営利活動法人は、規則で定めるところにより、同条第四項に掲げる書類（所轄庁の変更を伴う定款変更の場合にあっては、法第二十六条第二項に掲げる書類）を添付した申請書を知事に提出するものとする。

2　法第二十五条第三項の認証を受けた特定非営利活動法人は、法第三十条の閲覧又は謄写の用に供するため、規則で定めるところにより、当該認証に係る変更後の定款を添付した提出書を知事に提出するものとする。

（定款の変更の届出）

**第三条の四**　法第二十五条第六項の規定による届出を行おうとする特定非営利活動法人は、規則で定めるところにより、同項に掲げる書類を添付した届出書を知事に提出するものとする。

（事業報告書等の提出）

**第四条**　法第二十九条の規定により、特定非営利活動法人は、毎事業年度初めの三月以内に、規則で定めるところにより、同条に掲げる書類を添付した提出書を知事に提出するものとする。

（事業報告書等の閲覧及び謄写）

**第五条**　法第三十条の規定による、閲覧させ、又は謄写させる場所は、東京都生活文化スポーツ局内とする。

2　法第三十条の規定により謄写させるときは、別表に定めるところにより謄写手数料を徴収する。

3　既納の謄写手数料は、還付しない。ただし、知事は、特別の理由があると認めるときは、その全部又は一部を還付することができる。

4　知事は、特別の理由があると認めるときは、謄写手数料を減額し、又は免除することができる。

5　前各項に定めるもののほか、法第三十条の規定による閲覧及び謄写に関し必要な事項は、規則で定める。

**（合併の認証申請）**

**第六条**　法第三十四条第三項の認証を受けようとする特定非営利活動法人は、規則で定めるところにより、同条第四項に掲げる書類を添付して、次に掲げる事項を記載した申請書を知事に提出するものとする。

一　合併しようとする各特定非営利活動法人の名称、代表者の氏名及び主たる事務所の所在地

二　合併後存続し、又は合併によって設立する特定非営利活動法人の名称、代表者の氏名並びに主たる事務所及びその他の事務所の所在地

三　合併後存続し、又は合併によって設立する特定非営利活動法人の定款に記載された目的

2　第二条第二項及び第三項並びに第三条の規定は、前項の申請書に添付する書類について準用する。

**（認定の申請）**

**第六条の二**　法第四十四条第一項の認定を受けようとする特定非営利活動法人は、規則で定めるところにより、同条第二項各号に掲げる書類を添付して、次に掲げる事項を記載した申請書を知事に提出するものとする。ただし、法第四十五条第一項第一号ハに掲げる基準に適合する特定非営利活動法人が申請をする場合には、法第四十四条第二項第一号に掲げる書類を添付することを要しない。

一　認定を受けようとする特定非営利活動法人の名称並びに主たる事務所及びその他の事務所の所在地

二　代表者の氏名

三　設立の年月日

四　認定を受けようとする特定非営利活動法人が現に行っている事業の概要

五　その他参考となるべき事項

**（認定の有効期間の更新申請）**

**第六条の三**　法第五十一条第二項の有効期間の更新を受けようとする法第四十四条第一項の認定を受けた特定非営利活動法人（以下「認定特定非営利活動法人」という。）は、規則で定めるところにより、法第五十一条第五項の規定において準用する法第四十四条第二項第二号及び第三号に掲げる書類を添付した申請書を知事に提出するものとする。ただし、これらの書類については、既に知事に提出されているものと内容に変更がないときは、その添付を省略することができる。

**（非所轄法人の定款の変更の届出等）**

**第六条の四**　第三条の四及び第四条の規定は、法第五十二条第一項の規定により認定特定非営利活動法人について法第二十五条第六項及び法第二十九条の規定を読み替えて適用する場合において、都及び他の道府県の区域内に事務所を設置する認定特定非営利活動法人のうち知事が所轄するもの以外のもの（以下「非所轄法人」という。）がこれらの規定による届出又は提出を知事にする場合に適用する。

2　法第五十二条第二項の規定により、非所轄法人が同項に掲げる書類の提出をするときは、規則で定めるところにより、提出書を知事に提出するものとする。

**（役員報酬規程等の提出）**

**第六条の五**　認定特定非営利活動法人は、法第五十五条第一項の規定により、毎事業年度初めの三月以内に、規則で定めるところにより、同項に掲げる書類を添付した提出書を知事に提出するものとする。

2　法第五十五条第二項の規定による法第五十四条第三項の書類の提出は、規則で定めるところにより、遅滞なく、知事に提出するものとする。

3　前二項の規定は、法第五十五条第一項又は第二項の規定により非所轄法人が知事に書類を提出する場合に適用する。

**（役員報酬規程等の閲覧及び謄写）**

**第六条の六**　法第五十六条の規定による、閲覧させ、又は謄写させる場所は、東京都生活文化スポーツ局内とする。

2　法第五十六条の規定により謄写させるときは、別表に定めるところにより謄写手数料を徴収する。

3　既納の謄写手数料は、還付しない。ただし、知事は、特別の理由があると認めるときは、その全部又は一部を還付することができる。

4　知事は、特別の理由があると認めるときは、謄写手数料を減額し、又は免除することができる。

5　前各項に定めるもののほか、法第五十六条の規定による閲覧及び謄写に関し必要な事項は、規則で定める。

**（特例認定の申請）**

**第六条の七**　法第五十八条第一項の特例認定を受けようとする特定非営利活動法人は、規則で定めるところにより、同条第二項において準用する法第四十四条第二項第二号及び第三号に掲げる書類を添付して、次に掲

げる事項を記載した申請書を知事に提出するものとする。

一　特例認定を受けようとする特定非営利活動法人の名称並びに主たる事務所及びその他の事務所の所在地
二　代表者の氏名
三　設立の年月日
四　特例認定を受けようとする特定非営利活動法人が現に行っている事業の概要
五　その他参考となるべき事項

**（認定特定非営利活動法人に関する規定の準用）**

**第六条の八**　第六条の四第一項の規定は法第六十二条において準用する法第五十二条第一項の規定により法第五十八条第一項の特例認定を受けた特定非営利活動法人（以下「特例認定特定非営利活動法人」という。）における法第二十五条第六項及び法第二十九条の規定を読み替えて適用する場合について、第六条の四第二項の規定は法第六十二条において準用する法第五十二条第二項に規定する書類の提出について、第六条の五の規定は法第六十二条において準用する法第五十五条の書類の提出について、第六条の六の規定は法第六十二条において準用する法第五十六条の規定による閲覧及び謄写について、それぞれ準用する。

**（合併の認定の申請）**

**第六条の九**　法第六十三条第一項の認定を受けようとする認定特定非営利活動法人又は同条第二項の認定を受けようとする特例認定特定非営利活動法人は、第六条第一項に規定する申請書の提出に併せて、規則で定めるところにより、法第六十三条第一項又は第二項の合併の認定を受けるための申請書を知事に提出するものとする。

**（電磁的記録による縦覧及び閲覧）**

**第七条**　法第十条第二項（法第二十五条第五項及び法第三十四条第五項において準用する場合を含む。）の規定による縦覧及び法第三十条の規定による閲覧を、情報通信技術を活用した行政の推進等に関する法律（平成十四年法律第百五十一号）第八条の規定により、書面等に係る電磁的記録に記録されている事項又は当該事項を記載した書類により行う場合に必要な事項は、規則で定める。

**（特定非営利活動法人が行う電磁的記録による保存）**

**第八条**　法第七十五条の規定により読み替えて適用される民間事業者等が行う書面の保存等における情報通信の技術の利用に関する法律（平成十六年法律第百四十九号。以下「電子文書法」という。）第三条第一項の条例で定める保存は、次に掲げる書面の保存とする。

一　法第十四条（法第三十九条第二項において準用する場合を含む。次条第一項において同じ。）の規定による財産目録の備置き
二　法第二十八条第一項の規定による事業報告書等並びに同条第二項の規定による役員名簿及び定款等の備置き
三　法第三十五条第一項の規定による貸借対照表及び財産目録の備置き
四　法第五十四条第一項（法第六十二条（法第六十三条第五項において準用する場合を含む。）及び法第六十三条第五項において準用する場合を含む。）の規定による書類の備置き
五　法第五十四条第二項及び第三項（これらの規定を法第六十二条において準用する場合を含む。次条第一項において同じ。）の規定による書類の備置き

2　特定非営利活動法人が、電子文書法第三条第一項の規定により、前項各号に掲げる書面の保存に代えて当該書面に係る電磁的記録の保存を行う場合に必要な事項は、規則で定める。

**（特定非営利活動法人が行う電磁的記録による作成）**

**第九条**　法第七十五条の規定により読み替えて適用される電子文書法第四条第一項の条例で定める作成は、次に掲げる書面の作成とする。

一　法第十四条の規定による財産目録の作成
二　法第二十八条第一項の規定による事業報告書等の作成
三　法第三十五条第一項の規定による貸借対照表及び財産目録の作成
四　法第五十四条第二項及び第三項の規定による書類の作成

2　特定非営利活動法人が、電子文書法第四条第一項の規定により、前項各号に掲げる書面の作成に代えて当該書面に係る電磁的記録の作成を行う場合に必要な事項は、規則で定める。

**（特定非営利活動法人が行う電磁的記録による縦覧等）**

**第十条**　法第七十五条の規定により読み替えて適用される電子文書法第五条第一項の条例で定める縦覧等は、次に掲げる書類の閲覧とする。

一　法第二十八条第三項の規定による書類の閲覧
二　法第四十五条第一項第五号（法第五十一条第五項及び法第六十三条第五項において準用する場合を含む。）の規定による書類の閲覧
三　法第五十二条第四項及び第五項並びに法第五十四条第四項（これらの規定を法第六十二条において準用する場合を含む。）の規定による書類の閲覧

2　特定非営利活動法人が、電子文書法第五条第一項の規定により、前項に規定する書面の閲覧に代えて当該

書面に係る電磁的記録に記録されている事項又は当該事項を記載した書類の縦覧等を行う場合に必要な事項は、規則で定める。

（委任）

**第十一条**　この条例に定めるもののほか、法第二章、第三章及び第五章並びにこの条例の施行について必要な事項は、規則で定める。

**附　則**

この条例は、平成十年十二月一日から施行する。

**附　則**（令三・三・三一条例一〇）

1　この条例は、令和三年六月九日（以下「施行日」という。）から施行する。

2　この条例による改正後の特定非営利活動促進法施行条例第六条の五第一項（同条例第六条の八において準用する場合を含む。）の規定は、特定非営利活動促進法（平成十年法律第七号）第二条第三項に規定する認定特定非営利活動法人又は同条第四項に規定する特例認定特定非営利活動法人（以下「認定特定非営利活動法人等」という。）が施行日以後に開始する事業年度において提出すべき書類について適用し、認定特定非営利活動法人等が施行日前に開始した事業年度において提出すべき書類については、なお従前の例による。

**附　則**（令四・三・一〇条例一）（抄）

（施行期日）

1　この条例は、令和四年四月一日から施行する。

**別表**（第五条、第六条の六関係）

| 手数料の名称 | 金　額 | 徴収時期 |
|---|---|---|
| 謄写手数料 | 文書の写し一枚につき十円 | 写しの交付のとき。 |

備考

一　用紙の両面に印刷された文書については、片面を一枚として算定する。

二　写しを交付する場合は、原則として日本産業規格A列三番までの用紙を用いる。

# 第五類

# 教育文化・青少年

# 第一章　教育行政

## ○東京都教育庁処務規則

昭四五・四・一
教育委員会規則三四

最終改正　令六・三・二九教育委員会規則八

（目的）

**第一条**　この規則は、地方教育行政の組織及び運営に関する法律（昭和三十一年法律第百六十二号）第十七条第二項の規定に基づき、東京都教育庁（以下「教育庁」という。）の組織その他に関し規定することを目的とする。

（分課）

**第二条**　教育庁の分課は、次のとおりとする。

総務部
　教育政策課
　総務課
　デジタル推進課
　契約管財課
　広報統計課
　法務監察課
都立学校教育部
　高等学校教育課
　特別支援教育課
　学校健康推進課
　営繕課
地域教育支援部
　管理課
　義務教育課
　生涯学習課
指導部
　管理課
　指導企画課
　義務教育指導課
　特別支援教育指導課
　高等学校教育指導課
グローバル人材育成部
　国際教育企画課
　国際交流教育課
人事部
　人事計画課
　選考課
　試験課
　職員課
　人事給与情報課
　勤労課
福利厚生部
　福利厚生課
　給付貸付課

（部及び課の長等）

**第三条**　部に部長を、課に課長を置く。

2　教育庁に次長、教育監及び技監を置くことができる。

3　教育庁に、東京都教育委員会教育長（以下「教育長」という。）が別に定めるところにより担当部長を置く。

4　部に、教育長が別に定めるところにより担当課長を置く。

5　人事部に主任管理主事を置く。

6　指導部及びグローバル人材育成部に主任指導主事を置く。

7　地域教育支援部に主任社会教育主事を置く。

8　人事部職員課に管理主事を置く。

9　前条第一項の分課に統括指導主事を置くことができる。

10　前条第一項の分課に、教育長が別に定めるところにより課長代理を置くことができる。

11　前条第一項の分課に指導主事を置くことができる。

（その他の職）

**第三条の二**　前条の職のほか、必要な職を置く。

（職員の職責）

**第四条**　次長は、教育長を補佐し、庁務を整理する。

2　教育監は、学校教育の専門的事項に関する事務につき、教育長を補佐し、これらの事務を整理する。

3　技監は、技術につき教育長を補佐する。

4　部長（第三条第三項の担当部長を含む。以下同じ。）は、教育長の命を受け、部の事務又は担当の事務をつかさどり、所属職員を指揮監督する。

5　課長（第三条第四項の担当課長を含む。以下同じ。）は、部長の命を受け、課の事務又は担任の事務をつかさどり、所属職員を指揮監督する。

6　主任管理主事は、人事部長の命を受け、学校に勤務する職員（学校給食法（昭和二十九年法律第百六十号）第六条に規定する施設に勤務する学校栄養職員を含む。以下同じ。）の人材の育成その他の人事に関する専門的事務を処理する。

7　主任指導主事は、指導部長又はグローバル人材育成部長の命を受け、学校教育に関する専門的事務を処理する。

8　主任社会教育主事は、地域教育支援部長の命を受け、生涯学習及び社会教育に関する専門的事務を処理する。

9　管理主事は、課長の命を受け、学校に勤務する職員の人材の育成その他の人事に関する専門的事務を処理する。

10　統括指導主事は、課長の命を受け、学校教育に関する専門的事務を処理する。

11　課長代理は、課長を補佐し、課長の命を受け、担任の事務をつかさどり、当該事務に係る職員を指揮監督し、担任の事務の執行状況につき随時文書又は口頭をもつて課長に報告するものとする。

12　指導主事は、課長又は統括指導主事の命を受け、学校教育に関する専門的事務を処理する。

13　前各項に定める職員以外の職員は、上司の命を受け、担任の事務に従事する。

**（各部、課等の分掌事務）**

**第五条**　教育庁各部、課等の分掌事務は、次のとおりとする。

総務部

教育政策課

一　教育行政の基本的な政策の策定に関すること。
二　重要施策の総合調整に関すること。
三　教育委員会の会議に関すること。
四　教育委員会への請願に関すること。
五　予算、決算及び会計に関すること。
六　教育庁及び教育機関（学校を除く。）の組織及び定数に関すること。
七　事務事業の管理改善に関すること。
八　事務事業の行政評価に関すること。
九　事務事業の進行管理に関すること。
十　教育庁の所管に係る政策連携団体の調整に関すること。
十一　人権教育及び同和教育に関する連絡調整に関すること。

総務課

一　秘書事務に関すること。
二　教育庁及び教育機関（学校を除く。）に勤務する職員の任免、給与その他人事及び福祉に関すること。
三　学校に勤務する事務職員等の任免、給与の決定その他人事に関すること。
四　規則、訓令、告示及び教育長の決定する文書の審査に関すること。
五　公文書の受発並びに記録、編集及び保存に関すること。
六　情報公開に係る連絡調整等に関すること。
七　個人情報の保護に係る連絡調整等に関すること。
八　公印に関すること。
九　法規の調査及び解釈に関すること。
十　表彰に関すること。
十一　教育に関する法人及び公益信託に関すること。
十二　教育事務所及び出張所との連絡に関すること。
十三　都議会との連絡に関すること。
十四　区市町村教育委員会との連絡に関すること。
十五　区市町村教育委員会に対する是正の要求等に関すること。
十六　庁中取締りに関すること。
十七　他の部及び課に属さないこと。

デジタル推進課

一　教育庁及び教育機関におけるデジタル関連施策の総合的な企画、調整及び推進に関すること。

契約管財課

一　物品購入、工事及びその他の契約に関すること。
二　物品の管理についての連絡調整に関すること。
三　教育財産の取得、管理及び処分についての連絡調整に関すること。
四　教育財産の管理の適正化に関すること。
五　都立学校の校地の設定及び変更に関すること。
六　教育機関（学校を除く。）及び教職員住宅の用地の設定に関すること。
七　都立学校の校地の管理保全に関すること。

広報統計課

一　教育行政に関する調査及び統計に関すること。
二　教育の広報及び広聴に関すること。
三　教育行政資料、教育に関する広報資料及び教育情報の収集整理に関すること。

法務監察課

一　事務事業の執行並びに教育庁及び教育機関に勤務する職員の服務についての指導監察に関すること。

二　教育庁及び教育機関の定例監査、行政監査及びその他の監査事務等の連絡調整に関すること。
三　訴訟及び和解に関すること。
四　行政不服審査に関すること。
五　係争のおそれのある事件についての法律的意見に関すること。

都立学校教育部
　高等学校教育課
一　都立の高等学校、中学校、中等教育学校及び小学校（以下「高等学校等」という。）の設置、管理及び廃止に関すること。
二　区市町村立の中等教育学校の設置及び廃止に関すること。
三　都立学校の学校経営に関する指導及び調整に関すること。
四　高等学校等の学級編制に関すること。
五　高等学校等の教具その他の設備の整備充実に関すること。
六　高等学校の通学区域に関すること。
七　高等学校等の入学者の選抜等に関すること（指導部に属するものを除く。）。
八　高等学校等の授業料等に関すること。
九　奨学生の募集に関すること。
十　高等学校等の情報化の推進に関すること。
十一　高等学校等の校舎その他の建物の建設及び造修の計画に関すること。
十二　高等学校等の校舎その他の建物の管理保全に関すること。
十三　産業教育施設設備の充実に関すること。
十四　東京都学校経営支援センターに関すること。
十五　部内他課に属さないこと。

特別支援教育課
一　特別支援学校の設置、管理及び廃止に関すること。
二　特別支援学校及び特別支援学級の学級編制に関すること。
三　特別支援学校及び特別支援学級の教具その他の設備の整備充実に関すること。
四　特別支援学校の通学区域に関すること。
五　特別支援学校の入学者の選考等に関すること（指導部に属するものを除く。）。
六　障害のある児童生徒等の就学及び入学の決定等に関すること。
七　都立の特別支援学校の授業料等に関すること。
八　都立の特別支援学校の情報化の推進に関すること。
九　都立の特別支援学校の校舎その他の建物の建設及び造修の計画に関すること。
十　都立の特別支援学校の校舎その他の建物の管理保全に関すること。

学校健康推進課
一　都立学校における健康教育の総合的な計画及び連絡調整に関すること。
二　都立学校における学校保健の総合的な計画、指導及び実施に関すること。
三　都立学校等における学校環境衛生の維持及び改善に関すること。
四　都立学校における児童、生徒等の健康推進及び健康管理の向上に関すること。
五　都立学校の学校管理下における児童、生徒等の負傷その他の災害に関する共済給付に関すること。
六　都立学校における学校給食の総合的な計画、指導及び実施に関すること。

営繕課
一　都立学校その他の教育機関及び職員住宅の建設並びに修繕の調整及び実施に関すること。
二　区市町村立学校の施設整備の技術指導及び技術調査に関すること。

地域教育支援部
　管理課
一　文化財の保存及び活用に関すること。
二　文化財保護審議会に関すること。
三　銃砲刀剣類の登録に関すること。
四　博物館の登録に関すること。
五　ユネスコに関すること。
六　社会教育施設の総合的計画に関すること。
七　東京都立図書館に関すること。
八　東京都立埋蔵文化財調査センターに関すること。
九　東京都埋蔵文化財センターとの連絡調整に関すること。
十　東京都立埋蔵文化財調査センターに係る指定管理者との連絡調整に関すること。
十一　東京都スポーツ文化事業団（昭和六十年十月一日に財団法人東京都教育振興財団という名称で設立された法人をいう。）に関すること（他の局に属するものを除く。）。
十二　部内他課に属さないこと。

義務教育課

一　区市町村立の小学校、中学校、義務教育学校、及び幼稚園の設置並びに廃止に関すること。
二　区市町村立の小学校、中学校、義務教育学校、中等教育学校及び幼稚園（以下「小学校等」という。）の管理に関すること。
三　小学校等の学級編制に関すること。
四　小学校等の教具その他の設備の整備充実に関すること。
五　区市町村立学校の施設整備の助成及び指導に関すること（都立学校教育部に属するものを除く。）。
六　区市町村立学校における健康教育の総合的な計画及び連絡調整に関すること。
七　区市町村立学校における学校保健の総合的な計画、指導及び実施に関すること。
八　区市町村立学校における学校環境衛生の維持及び改善に関すること。
九　区市町村立学校における児童、生徒等の健康推進及び健康管理の向上に関すること。
十　区市町村立学校における学校給食の総合的な計画、指導及び実施に関すること。
十一　東京都学校給食会（昭和三十二年十月一日に財団法人東京都学校給食会という名称で設立された法人をいう。）との連絡等に関すること。

生涯学習課

一　生涯学習及び社会教育の振興に係る総合的な計画、施策の推進、調査研究、指導助言及び連絡調整に関すること。
二　生涯学習審議会に関すること。
三　生涯学習及び社会教育の関係職員の研修に関すること。
四　社会教育関係団体の助成に関すること。
五　生涯学習に係る情報の提供に関すること。
六　生涯学習及び社会教育の振興に係る区市町村との連携に関すること。

指導部

管理課

一　指導事務の総合管理に関すること。
二　教科用図書の採択及び教材の取扱いに関すること。
三　東京都教職員研修センター及び東京都教育相談センターに関すること。
四　部内他課に属さないこと。

指導企画課

一　教育指導の企画及び調整に関すること。
二　特別活動等の指導に関すること。
三　生活指導に関すること。
四　安全教育及び情報教育の指導に関すること。
五　学校経営に関すること。
六　教育方針に関すること。
七　教育職員の研修の実施方針に関すること。
八　体育及び健康教育の指導に関すること。
九　へき地教育の指導に関すること。
十　高等学校等の入学者の選抜等についての専門的事項に関すること。
十一　部内他課に属さない教育方針の指導に関すること。

義務教育指導課

一　小学校等及び都立の小学校の教育課程に関すること。
二　小学校等及び都立の小学校の教育内容の指導に関すること。
三　進路指導に関すること。
四　道徳の指導に関すること。
五　教育評価に関すること。
六　環境教育の指導に関すること。

特別支援教育指導課

一　特別支援学校及び特別支援学級の教育課程に関すること。
二　特別支援学校及び特別支援学級の教育内容の指導に関すること。
三　進路指導に関すること。
四　教育評価に関すること。
五　障害のある児童生徒等の就学、入学等の相談に関すること。
六　特別支援学校の入学者の選考等についての専門的事項に関すること。
七　特別支援学校の生徒の就労支援に関すること。

高等学校教育指導課

一　高等学校等（都立の小学校を除く。）の教育課程に関すること。
二　高等学校等（都立の小学校を除く。）の教育内容の指導に関すること。
三　専門教育の指導に関すること。
四　定時制及び通信制教育の指導に関すること。

グローバル人材育成部

国際教育企画課

一　国際教育の企画及び調整に関すること。
二　日本語指導の企画及び調整に関すること。
三　部内他課に属さないこと。

国際交流教育課

一　教育に係る国際交流事業の企画及び調整に関すること。

人事部

人事計画課

一　学校に勤務する職員の定数管理に関する調査及び企画に関すること。

二　学校に勤務する職員の毎年度の定数に関すること。

三　学校に勤務する職員の給与等の経理に関すること（人事給与情報課に属するものを除く。）。

四　部内他課に属さないこと。

選考課

一　教育職員の免許に関すること。

二　教育職員等の選考に関すること。

試験課

一　試験問題の作成及び研究調査に関すること。

二　試験の結果の分析及びその有効性の判定に関すること。

職員課

一　教育職員等の任免その他の人事に関すること。

人事給与情報課

一　学校に勤務する職員の給与の決定（総務部総務課に属するものを除く。）及び支給に関すること（人事計画課に属するものを除く。）。

二　学校に勤務する職員の給与情報及び人事情報に関する管理並びに事務の開発等に関すること。

勤労課

一　学校に勤務する職員の人事管理に関する調査及び企画に関すること。

二　学校に勤務する職員の給与、勤務時間その他の勤務条件の取扱いについての企画に関すること。

三　学校に勤務する職員の職員団体に関すること。

福利厚生部

福利厚生課

一　学校に勤務する職員の福利厚生事業の企画及び連絡調整に関すること。

二　学校に勤務する職員の公務災害補償に関すること。

三　公立学校共済組合（以下「共済組合」という。）の予算、決算及び会計に関すること。

四　共済組合の契約及び物品の管理に関すること。

五　共済組合の保健事業に関すること。

六　共済組合に関すること（給付貸付課に属するものを除く。）。

七　教職員住宅の建設計画及び管理に関すること。

八　教育庁及び教育機関に勤務する職員の被服貸与に関すること。

九　学校に勤務する職員の健康管理及び健康相談に関すること。

十　学校に勤務する職員の福利、教養、文化及び体育に関すること。

十一　東京都人材支援事業団（平成元年三月三十一日に財団法人東京都福利厚生事業団という名称で設立された法人をいう。）との連絡調整に関すること。

十二　部内他課に属さないこと。

給付貸付課

一　共済組合の組合員の資格に関すること。

二　共済組合の各種給付事業に関すること。

三　共済組合の貸付けに関すること。

四　学校に勤務する職員（教員をもって充てる指導主事の職にある者を含む。）に係る退職手当に関すること。

五　恩給に関すること。

（部長不在のときの代行）

**第六条**　部長が不在のときは、部長があらかじめ指定する課長がその事務を代行する。

（課長不在のときの代行）

**第七条**　課長が不在のときは、課長があらかじめ指定する職員がその事務を代行する。

（報告）

**第八条**　前二条の規定により代行した事項のうち、重要なものについては、速やかに上司に報告し、又は関係文書を上司の閲覧に供しなければならない。

**附　則**（抄）

1　この規則は、公布の日から施行する。

2　この規則施行の際、現に事務局職員をもつて補する職にある者又は雇員若しくは傭員として命ぜられる職にある者は、別に辞令を発せられない限り、この規則に定める職に補せられ又は職を命ぜられた者とみなす。

**附　則**（平二七・三・三〇教育委員会規則二五）

この規則は、平成二十七年四月一日から施行する。ただし、この規則の施行の際、地方教育行政の組織及び運営に関する法律の一部を改正する法律（平成二十六年法律第七十六号）附則第二条第一項の規定の適用がある場合は、同項の規定の適用がある間、この規則による改正後の東京都教育庁処務規則第一条及び第八条の規定は適用せず、この規則による改正前の東京都教育庁処務規則第一条、第六条及び第九条の規定は、なおその効力を有する。

附　則（令六・三・二九教育委員会規則八）

この規則は、令和六年四月一日から施行する。

## ○地方教育行政の組織及び運営に関する法律第二十三条の規定に基づく職務権限の特例に関する条例

平二〇・三・三一
条　例　四　〇

改正　平二七・三・三一条例二八

地方教育行政の組織及び運営に関する法律（昭和三十一年法律第百六十二号）第二十三条第一項の規定に基づき、次に掲げる教育に関する事務は、知事が管理し、及び執行する。

一　スポーツに関すること（学校における体育に関することを除く。）。

二　文化に関すること（文化財の保護に関することを除く。）。

**附　則**

この条例は、平成二十年四月一日から施行する。

**附　則**（平二七・三・三一条例二八）

この条例は、平成二十七年四月一日から施行する。

## ○東京都教育委員会の事務処理の特例に関する条例

平一一・一二・二四
条　例　一　一　五

最終改正　令六・一〇・一一条例一二三

**（趣旨）**

**第一条**　この条例は、地方教育行政の組織及び運営に関する法律（昭和三十一年法律第百六十二号。以下「地教行法」という。）第五十五条第一項の規定に基づき、東京都教育委員会の権限に属する事務の一部を特別区（以下「区」という。）及び市町村が処理することとすることに関し必要な事項を定めるものとする。

**（区市町村が処理する事務の範囲等）**

**第二条**　次の表の上欄に掲げる事務は、それぞれ同表の下欄に掲げる区市町村が処理することとする。

一　学校職員の勤務時間、休日、休暇等に関する条例（平成七年東京都条例第四十五号。以下この項において「条例」という。）及び条例の施行のための東京都教育委員会規則（以下「教育委員会規則」という。）に基づく事務のうち、次に掲げるもの

イ　条例第四条第一項ただし書及び第二項並びに第五条第一項ただし書及び第二項の規定による区市町村立学校の職員（地教行法第三十七条第一項の県費負担

| | |
|---|---|
| 教職員をいう。以下同じ。）の正規の勤務時間の割振り及び週休日の指定<br>ロ　条例第七条及び第八条第一項の規定による区市町村立学校の職員の休憩時間及び休息時間の付与<br>ハ　条例第十一条の二第一項（同条第二項において準用する場合を含む。）の規定による育児又は介護を行う区市町村立学校の職員の深夜勤務の制限<br>ニ　条例第十一条の二の二第一項（同条第二項において準用する場合を含む。）の規定による育児又は介護を行う区市町村立学校の職員の超過勤務の免除<br>ホ　条例第十一条の三第一項（同条第二項において準用する場合を含む。）の規定による育児又は介護を行う区市町村立学校の職員の超過勤務の制限<br>ヘ　条例第十三条の規定による区市町村立学校の職員の休日の振替え | 各区市町村 |
| 二　地方公務員の育児休業等に関する法律（平成三年法律第百十号。以下「育児休業法」という。）に基づく事務のうち、次に掲げるもの<br>イ　育児休業法第二条第一項の規定による区市町村立学校の職員の育児休業の承認<br>ロ　育児休業法第十条第一項の規定による区市町村立学校の職員の育児短時間勤務の承認 | 各区市町村 |
| 三　市町村立学校職員給与負担法（昭和二十三年法律第百三十五号。以下「給与負担法」という。）に基づく事務のうち、次に掲げるもの<br>イ　給与負担法第一条の規定による区市町村立学校の職員の給料、旅費（東京都教育委員会主催の宿泊を要する研究集会を行う場合の旅費を除く。）その他の給与（退職手当を除く。）の支給。ただし、東京都教育委員会事務局の指導主事に充てられた職員に係るものを除く。<br>ロ　給与負担法第一条の規定による東京都公立学校校長職候補者及び教育管理職候補者の研修の旅費の支給<br>ハ　給与負担法第一条の規定による主幹教諭スキルアップ研修の旅費の支給<br>ニ　給与負担法第一条の規定による東京教師道場の旅費の支給<br>ホ　給与負担法第一条の規定による主任教諭任用前研修の旅費の支給 | 各区市、瑞穂町、日の出町、檜原村、奥多摩町 |
| 四　学校職員の給与に関する条例（昭和三十一年東京都条例第六十八号。以下この項において「条例」という。）に基づく事務のうち、次に掲げるもの。ただし、東京都教育委員会事務局の指導主事に充てられた職員に係るものを除く。<br>イ　条例第十三条の規定による区市町村立学校の職員の扶養手当の認定<br>ロ　条例第十六条第一項の規定による区市町村立学校の職員の給与の減額免除 | 各区市、瑞穂町、日の出町、檜原村、奥多摩町 |
| 五　児童手当法（昭和四十六年法律第七十三号）第十七条第一項の規定により読み替えて適用される同法第二章の規定及び同法施行のための東京都規則に基づく児童手当の認定及び支給 | 各区市、瑞穂町、日の出町、檜原村、奥多摩町 |
| 六　都立学校等に勤務する講師の報酬等に関する条例（昭和四十九年東京都条例第三十号。以下この項において「条例」という。）に基づく区市町村立の小学校、中学校、義務教育学校、中等教育学校の前期課程及び特別支援学校に勤務する講師の報酬等に係る事務のうち、次に掲げるもの<br>イ　条例第六条及び第十一条の規定による講師の報酬の支給<br>ロ　条例第七条第二項及び第十二条第二項の規定による講師の報酬の減額免除<br>ハ　条例第八条（条例第十三条に | 各区市、瑞穂町、日の出町、檜原村、奥多摩町 |

| | |
|---|---|
| おいて準用する場合を含む。）の規定による講師の費用弁償の支給<br>ニ　条例第八条の二（条例第十三条の二において準用する場合を含む。）の規定による講師の期末手当の支給<br>ホ　条例第八条の三（条例第十三条の三において準用する場合を含む。）の規定による講師の勤勉手当の支給 | |
| 七　非常勤職員の報酬等に関する条例（昭和三十一年東京都条例第五十六号。以下この項において「条例」という。）に基づく区市町村立の小学校、中学校、義務教育学校、中等教育学校の前期課程及び特別支援学校に勤務する会計年度任用職員（学校給食法（昭和二十九年法律第百六十号）第六条に規定する施設（以下「共同調理場」という。）に勤務する者を含む。）の報酬等に係る事務のうち、次に掲げるもの<br>イ　条例第三条第二項の規定による報酬の支給<br>ロ　条例第四条の規定による費用弁償の支給<br>ハ　条例第五条の規定による期末手当の支給<br>ニ　条例第六条の規定による勤勉手当の支給 | 各区市、瑞穂町、日の出町、檜原村、奥多摩町 |
| 八　地方公務員法（昭和二十五年法律第二百六十一号）第二十二条の二第一項に基づく、区市町村立学校の養護教諭、寄宿舎指導員、学校栄養職員（共同調理場に勤務する学校栄養職員を含む。以下同じ。）及び事務職員に欠員等が生じた場合における会計年度任用職員の採用 | 各区市、瑞穂町、日の出町、檜原村、奥多摩町 |
| 九　会計年度任用職員である区市町村立学校の養護教諭、寄宿舎指導員、学校栄養職員及び事務職員に係る労働者災害補償保険法（昭和二十二年法律第五十号）第三十条に規定する保険料の納付 | 各区市、瑞穂町、日の出町、檜原村、奥多摩町 |
| 十　給与負担法及び教育公務員特例法（昭和二十四年法律第一号。以下この項において「教特法」という。）に基づく事務のうち、次に掲げるもの<br>イ　給与負担法第一条及び教特法第二十三条の規定による初任者研修の実施<br>ロ　給与負担法第一条及び教特法第二十四条の規定による中堅教諭等資質向上研修の実施 | 各区市（八王子市を除く。）、瑞穂町、日の出町、檜原村、奥多摩町 |
| 十一　給与負担法及び地教行法に基づく事務のうち、次に掲げるもの<br>イ　給与負担法第一条及び地教行法第二十一条第八号の規定による区市町村立の小学校、中学校、義務教育学校及び特別支援学校の新規採用教員に対する研修の実施<br>ロ　給与負担法第一条及び地教行法第二十一条第八号の規定による新任教務主任研修の実施<br>ハ　給与負担法第一条及び地教行法第二十一条第八号の規定による主幹教諭研修の実施<br>ニ　給与負担法第一条及び地教行法第二十一条第八号の規定による東京都若手教員育成研修のうち、前項イに規定する研修以外のものの実施<br>ホ　給与負担法第一条及び地教行法第二十一条第八号の規定による主任教諭研修の実施 | 各区市（八王子市を除く。）、瑞穂町、日の出町、檜原村、奥多摩町 |
| 十二　教育公務員特例法附則第五条の規定による幼稚園の新規採用教員研修の実施 | 各区市、瑞穂町、日の出町、檜原村、奥多摩町 |
| 十三　教科書の発行に関する臨時措置法（昭和二十三年法律第百三十二号）第五条第一項の規定による教科書展示会の開催に係る会場の維持管理 | 各区市 |
| 十四　地教行法第二十一条第十七号の規定による教育に係る調査その他の統計事務のうち、調査表の配布、受理及び審査その他調査の実 | 各区市町村 |

| 施 | |
|---|---|
| 十五　学校教育法施行規則（昭和二十二年文部省令第十一号）第九十条第一項の規定による都立学校入学者選抜に係る成績一覧表を調査する委員会の運営 | 各区市 |
| 十六　学校教育法（昭和二十二年法律第二十六号）附則第八条及び同法施行のための教育委員会規則に基づく中学校通信教育の実施 | 千代田区 |

附　則

**（施行期日）**

1　この条例は、平成十二年四月一日から施行する。

**（処分、申請等に関する経過措置）**

2　この条例の施行の際第二条の表の上欄に掲げる事務に係るそれぞれの法令、条例又は規則（以下「法令等」という。）の規定により東京都教育委員会がした処分その他の行為で現にその効力を有するもの又はこの条例の施行の日（以下「施行日」という。）前に法令等の規定により東京都教育委員会に対してなされた申請その他の行為で、施行日以後においては同条の表の下欄に掲げる区市町村の教育委員会が管理し、及び執行することとなる事務に係るものは、施行日以後における法令等の適用については、当該区市町村の教育委員会のした処分その他の行為又は当該区市町村の教育委員会に対してなされた申請その他の行為とみなす。

附　則（令六・三・二九条例二七）

この条例は、令和六年四月一日から施行する。

附　則（令六・一〇・一一条例一二二）

1　この条例は、公布の日から施行する。

2　令和六年九月以前の月分の子ども・子育て支援法等の一部を改正する法律（令和六年法律第四十七号）附則第十三条第一項の規定によりなお従前の例によることとされた同法第十二条の規定による改正前の児童手当法（昭和四十六年法律第七十三号）附則第二条第一項の給付に係る事務については、なお従前の例による。

# ○学校職員の定数に関する条例

昭三一・九・二九
条　例　六　七

最終改正　令六・三・二九条例二八

**（定義）**

**第一条**　この条例において「学校職員」とは、都立学校及び東京都学校経営支援センターに勤務する職員並びに市町村立学校職員給与負担法（昭和二十三年法律第百三十五号）第一条及び第二条に規定する職員のうち常時勤務の者（以下「常時勤務職員」という。）、地方公務員の育児休業等に関する法律（平成三年法律第百十号）第十条第一項に規定する育児短時間勤務の職員（以下「育児短時間勤務職員」という。）及び地方公務員法（昭和二十五年法律第二百六十一号）第二十二条の四第一項に規定する短時間勤務の職を占める者（以下「定年前再任用短時間勤務職員」という。）をいう。

**（定数）**

**第二条**　学校職員の定数は、常時勤務職員数、育児短時間勤務職員の勤務時間総数に相当する常時勤務職員の数及び定年前再任用短時間勤務職員の勤務時間総数に相当する常時勤務職員の数の合計とし、次のとおりとする。

一　小学校（義務教育学校の前期課程を含む。）　三四、八三一人

二　中学校（義務教育学校の後期課程及び中等教育学校の前期課程を含む。）　一六、三八六人

三　高等学校（中等教育学校の後期課程及び東京都学校経営支援センターを含む。）　一〇、五五一人

四 特別支援学校 六、五〇六人
合 計 六八、二七四人

2 休職、併任、公務災害休業、育児休業、配偶者同行休業、大学院修学休業及び国、他の地方公共団体その他の団体における研修又は事務従事の場合の学校職員は、定数外とする。

3 休職、公務災害休業、育児休業及び配偶者同行休業の学校職員が復職した場合は、一年間を限り定数外とすることができる。

4 第一項の表に掲げる学校職員の定数のうち、定年前再任用短時間勤務職員をもって充てる数は、東京都教育委員会が定める。

（規則への委任）

**第三条** 前条第一項の学校職員の配分基準その他この条例の施行に関し必要な事項は、東京都教育委員会規則で定める。

付 則

1 この条例は、昭和三十一年十月一日から施行し、昭和三十一年四月一日から適用する。

2 平成二十二年四月一日から令和七年三月三十一日までの間は、初任教養のため、地方教育行政の組織及び運営に関する法律第二十一条第八号の規定により東京都教育委員会が行う研修受講中の小学校（義務教育学校の前期課程を含む。）の教員のうち五百人以内については、毎年度予算の範囲内で、定数外とすることができる。

附 則（令四・六・二二条例八九）

1 この条例は、令和五年四月一日から施行する。

2 地方公務員法の一部を改正する法律（令和三年法律第六十三号）附則第六条第一項又は第二項（これらの規定を同法附則第九条第三項の規定により読み替えて適用する場合を含む。）の規定により採用された職員は、この条例による改正後の学校職員の定数に関する条例第一条に規定する定年前再任用短時間勤務職員とみなす。

附 則（令六・三・二九条例二八）

この条例は、令和六年四月一日から施行する。

# ○学校職員の勤務時間、休日、休暇等に関する条例

平七・三・一六
条例四五

最終改正 令四・一〇・一七条例一一九

（趣旨）

**第一条** この条例は、地方公務員法（昭和二十五年法律第二百六十一号）第二十四条第五項及び地方教育行政の組織及び運営に関する法律（昭和三十一年法律第百六十二号）第四十二条の規定に基づき、学校職員の勤務時間、休日、休暇等に関し必要な事項を定めるものとする。

（職員の定義）

**第二条** この条例において、学校職員（以下「職員」という。）とは、次に掲げる者をいう。

一 都立学校の校長、副校長、教頭、主幹教諭、指導教諭、教諭、養護教諭、栄養教諭、助教諭、養護助教諭、講師（都立学校等に勤務する講師の報酬等に関する条例（昭和四十九年東京都条例第三十号）第二条第一項に規定する時間講師及び同条第二項に規定する日勤講師を除く。以下同じ。）、実習助手、寄宿舎指導員、事務職員、技術職員及び学校栄養職員

二 区市町村立の小学校、中学校、義務教育学校、中等教育学校の前期課程及び特別支援学校の校長（中等教育学校の前期課程にあっては、当該課程の属する中等教育学校の校長とする。）、副校長、教頭、主幹教諭、指導教諭、教諭、養護教諭、栄養教諭、助教諭、養護助教諭、講師、寄宿舎指導員、事務職員

及び学校栄養職員（学校給食法（昭和二十九年法律第百六十号）第六条に規定する施設の当該職員を含む。以下同じ。）

2　この条例において、教育職員とは、職員のうちから実習助手、寄宿舎指導員、事務職員、技術職員及び学校栄養職員を除いた者をいう。

（一週間の正規の勤務時間）

**第三条**　職員の正規の勤務時間は、休憩時間を除き、一週間について三十八時間四十五分とする。

2　地方公務員の育児休業等に関する法律（平成三年法律第百十号）第十条第三項の規定により同条第一項に規定する育児短時間勤務（以下「育児短時間勤務」という。）の承認を受けた職員（同法第十七条の規定による短時間勤務をすることとなった職員を含む。以下「育児短時間勤務職員等」という。）の正規の勤務時間は、前項の規定にかかわらず、休憩時間を除き、一週間について当該承認を受けた育児短時間勤務の内容（同条の規定による短時間勤務をすることとなった職員にあっては、同条の規定によりすることとなった短時間勤務の内容。以下「育児短時間勤務等の内容」という。）に従い、東京都教育委員会（以下「教育委員会」という。）が定める。

3　地方公務員法第二十二条の四第一項に規定する短時間勤務の職を占める職員（以下「定年前再任用短時間勤務職員」という。）の正規の勤務時間は、第一項の規定にかかわらず、休憩時間を除き、一週間について十五時間三十分から三十一時間までの範囲内で、教育委員会が別に定める。

4　教育委員会は、職務の性質により前三項の規定により難いときは、休憩時間を除き、東京都教育委員会規則（以下「教育委員会規則」という。）で定める期間につき一週間当たり三十八時間四十五分（定年前再任用短時間勤務職員にあっては、前項の規定に基づき定める時間）とする正規の勤務時間を、東京都人事委員会（以下「人事委員会」という。）の承認を得て、別に定めることができる。

（正規の勤務時間の割振り）

**第四条**　教育委員会は、暦日を単位として月曜日から金曜日までの五日間において、一日につき七時間四十五分の正規の勤務時間を割り振るものとする。ただし、育児短時間勤務職員等については一週間ごとの期間について当該育児短時間勤務等の内容に従い一日につき七時間四十五分を超えない範囲内で正規の勤務時間を割り振るものとし、定年前再任用短時間勤務職員については一週間ごとの期間について一日につき七時間四十五分を超えない範囲内で正規の勤務時間を割り振るものとする。

2　教育委員会は、職務の性質により特別の勤務形態によって勤務する必要のある職員については、前項の規定にかかわらず、正規の勤務時間の割振りを別に定めることができる。

3　前項の場合において、職員が二暦日にわたり継続する正規の勤務時間を割り振られたときは、当該勤務は、正規の勤務時間の始期の属する日の勤務とする。

（教育職員等の業務量の適切な管理等に関する措置）

**第四条の二**　教育委員会は、学校教育の水準の維持向上に資するため、公立の義務教育諸学校等の教育職員の給与等に関する特別措置法（昭和四十六年法律第七十七号）第七条に規定する指針に基づき、教育委員会の定めるところにより、教育職員、実習助手及び寄宿舎指導員（以下この条において「教育職員等」という。）が第十条に規定する正規の勤務時間及びそれ以外の時間において行う業務の量の適切な管理その他教育職員等の健康及び福祉の確保を図るための措置を講ずるものとする。

（週休日）

**第五条**　日曜日及び土曜日は、週休日（正規の勤務時間を割り振らない日をいう。以下同じ。）とする。ただし、教育委員会は、育児短時間勤務職員等については、必要に応じ、当該育児短時間勤務等の内容に従い、これらの日に加えて、月曜日から金曜日までの五日間において週休日を設けるものとし、定年前再任用短時間勤務職員については、日曜日及び土曜日に加えて、月曜日から金曜日までの五日間において週休日を設けることができる。

2　教育委員会は、職務の性質により特別の勤務形態によって勤務する必要のある職員については、前項の規定にかかわらず、四週間ごとの期間につき八日の週休日（育児短時間勤務職員等にあっては八日以上で当該育児短時間勤務等の内容に従った週休日、定年前再任用短時間勤務職員にあっては八日以上の週休日）を設けるものとする。ただし、職務の特殊性又は当該学校の特殊の必要（育児短時間勤務職員等にあっては、当該育児短時間勤務等の内容）により、これにより難い場合において、人事委員会の承認を得て、四週間を超えない期間につき一週間当たり一日以上の割合で週休日（育児短時間勤務職員等にあっては、四週間を超えない期間につき一週間当たり一日以上の割合で当該育児短時間勤務等の内容に従った週休日）を設けるときは、この限りでない。

（週休日の変更等）

**第六条**　教育委員会は、職員に前条の規定により週休日とされた日において特に勤務することを命ずる必要がある場合には、教育委員会規則の定めるところにより、第四条第一項又は第二項の規定により正規の勤務時間が割り振られた日（以下この条において「勤務日」という。）のうち教育委員会規則で定める期間内にある勤務日を週休日に変更して、当該勤務日に割り振られた正規の勤務時間を当該勤務することを命ずる必要がある日に割り振ることができる。

2　前項の規定にかかわらず、教育委員会は、教育職員、実習助手及び寄宿舎指導員に前項の期間内にある勤務日の勤務時間のうち四時間を当該勤務日に割り振ることをやめて当該四時間の勤務時間を当該勤務することを命ずる必要がある日に割り振ることができる。

3　前項に規定する場合において、第一項の期間内にある勤務日の勤務時間のうち既に四時間を当該勤務日に割り振ることをやめて当該四時間の勤務時間を当該勤務することを命ずる必要がある日に割り振っているときは、当該勤務日の勤務時間のうち三時間四十五分を当該勤務日に割り振ることをやめて当該三時間四十五分の勤務時間を当該勤務することを命ずる必要がある日（既に勤務時間を割り振られている日を除く。）に割り振ることができる。

（休憩時間）

**第七条**　教育委員会は、勤務時間が六時間を超える場合は少なくとも四十五分、八時間を超える場合は少なくとも一時間、継続して一昼夜にわたる場合は一時間三十分以上の休憩時間を、それぞれ勤務時間の途中に置かなければならない。

2　前項の場合において、教育委員会は、第四条第二項に規定する職員について、人事委員会の承認を得て、別に定めるところにより、休憩時間を置くことができる。

3　前二項に定めるもののほか、教育委員会は、職務の性質により特別の勤務を命ずる場合には、必要な休憩時間を与えることができる。

4　前三項の休憩時間は、職務の特殊性又は当該学校の特殊の必要がある場合は、教育委員会の定めるところにより、一斉に与えないことができる。

（休息時間）

**第八条**　教育委員会は、第四条第二項に規定する職員について、人事委員会の承認を得て、別に定めるところにより、正規の勤務時間のうちに、休息時間を置くものとする。

2　休息時間は、正規の勤務時間に含まれるものとし、これを与えられなかった場合においても繰り越さない。

（船員の勤務時間等の特例）

**第九条**　第三条から前条までの規定にかかわらず、船員法（昭和二十二年法律第百号）の適用を受ける職員が船舶に乗り組む場合の正規の勤務時間、週休日等については、人事委員会の承認を得て、教育委員会規則で定める。

（宿日直勤務）

**第十条**　教育委員会は、人事委員会（労働基準法（昭和二十二年法律第四十九号）別表第一第一号から第十号まで及び第十三号から第十五号までに掲げる事業にあっては、労働基準監督署長）の許可を受けて、第三条、第四条第一項及び第二項並びに第六条に規定する正規の勤務時間以外の時間において職員に設備等の保全、外部との連絡及び文書の収受を目的とする勤務その他の人事委員会の承認を得て教育委員会規則で定める断続的な勤務をすることを命ずることができる。ただし、当該職員が育児短時間勤務職員等である場合にあっては、公務運営に著しい支障が生ずると認められる場合として人事委員会の承認を得て教育委員会規則で定める場合に限り、当該断続的な勤務をすることを命ずることができる。

（超過勤務）

**第十一条**　教育委員会は、公務のため臨時又は緊急の必要がある場合には、職員に対し、前条に規定する正規の勤務時間以外の時間において同条に規定する断続的な勤務以外の勤務をすることを命ずることができる。ただし、当該職員が育児短時間勤務職員等である場合にあっては、公務運営に著しい支障が生ずると認められる場合として人事委員会の承認を得て教育委員会規則で定める場合に限り、同条に規定する正規の勤務時間以外の時間において同条に掲げる勤務以外の勤務をすることを命ずることができる。

（育児又は介護を行う職員の深夜勤務の制限）

**第十一条の二**　教育委員会は、小学校就学の始期に達するまでの子を養育する職員（当該職員の配偶者（届出をしないが事実上婚姻関係と同様の事情にある者を含む。以下同じ。）又は東京都オリンピック憲章にうたわれる人権尊重の理念の実現を目指す条例（平成三十年東京都条例第九十三号）第七条の二第二項の証明若しくは同条第一項の東京都パートナーシップ宣誓制度と同等の制度であると知事が認めた地方公共団体のパートナーシップに関する制度による証明を受けたパートナーシップ関係の相手方であって、同居し、かつ、生計を一にしているもの（以下単に「パートナーシップ関係の相手方」という。）で当該子の親であるものが、教育委員会規則で定める者に該当する場合を除く。）が当該子を養育するために請求した場合には、公務運営に支障がある場合を除き、午後十時から翌日の午前五時までの間（以下「深夜」という。）における勤務をさせてはならない。

2　前項の規定は、配偶者若しくはパートナーシップ関係の相手方若しくは二親等内の親族又は同一の世帯に属する者で疾病、負傷又は老齢により日常生活を営むことに支障があるもの（以下「要介護者」という。）を介護する職員について準用する。この場合において、同項中「小学校就学の始期に達するまでの子を養育する職員（当該職員の配偶者（届出をしないが事実上婚姻関係と同様の事情にある者を含む。以下同じ。）又は東京都オリンピック憲章にうたわれる人権尊重の理念の実現を目指す条例（平成三十年東京都条例第九十三号）第七条の二第二項の証明若しくは同条第一項の東京都パートナーシップ宣誓制度と同等の制度であると知事が認めた地方公共団体のパートナーシップに関する制度による証明を受けたパートナーシップ関係の相手方であって、同居し、かつ、生計を一にしているもの（以下単に「パートナーシップ関係の相手方」という。）で当該子の親であるものが、教育委員会規則で定める者に該当する場合を除く。）が当該子を養育」とあるのは、「次項に規定する要介護者のある職員が当該要介護者を介護」と読み替えるものとする。

3　前二項に規定するもののほか、育児又は介護を行う職員の深夜勤務の制限に関し必要な事項は、人事委員会の承認を得て、教育委員会規則で定める。

（育児又は介護を行う職員の超過勤務の免除）

**第十一条の二の二**　教育委員会は、三歳に満たない子を養育する職員が当該子を養育するために請求した場合には、公務運営に支障がある場合を除き、第十一条に規定する勤務（以下「超過勤務」という。）をさせてはならない。ただし、災害その他避けることのできない事由に基づく臨時の勤務の必要がある場合は、この限りでない。

2　前項の規定は、要介護者を介護する職員について準用する。この場合において、同項中「三歳に満たない子を養育する職員が当該子を養育」とあるのは、「要介護者のある職員が当該要介護者を介護」と読み替えるものとする。

3　前二項に規定するもののほか、育児又は介護を行う職員の超過勤務の免除に関し必要な事項は、人事委員会の承認を得て、教育委員会規則で定める。

（育児又は介護を行う職員の超過勤務の制限）

**第十一条の三**　教育委員会は、小学校就学の始期に達するまでの子を養育する職員が当該子を養育するために請求した場合には、公務運営に支障がある場合を除き、教育委員会規則で定める時間を超えて超過勤務をさせてはならない。ただし、災害その他避けることのできない事由に基づく臨時の勤務の必要がある場合は、この限りでない。

2　前項の規定は、要介護者を介護する職員について準用する。この場合において、同項中「小学校就学の始期に達するまでの子を養育する職員が当該子を養育」とあるのは「要介護者のある職員が当該要介護者を介護」と読み替えるものとする。

3　前二項に規定するもののほか、育児又は介護を行う職員の超過勤務の制限に関し必要な事項は、人事委員会の承認を得て、教育委員会規則で定める。

（超勤代休時間）

**第十一条の四**　教育委員会は、学校職員の給与に関する条例（昭和三十一年東京都条例第六十八号）第十七条第五項の規定により超過勤務手当を支給すべき職員が請求した場合には、教育委員会規則の定めるところにより、当該超過勤務手当の一部の支給に代わる措置の対象となるべき時間（以下「超勤代休時間」という。）として、教育委員会規則で定める期間内にある第四条第一項若しくは第二項、第六条又は第九条の規定により正規の勤務時間が割り振られた日（第十四条第一項において「勤務日等」という。）（次条に規定する休日及び第十四条に規定する代休日を除く。）に割り振られた勤務時間の全部又は一部を承認するものとする。

2　前項の規定により超勤代休時間を承認された職員は、当該超勤代休時間には、特に勤務することを命ぜられる場合を除き、正規の勤務時間においても勤務することを要しない。

（休日）

**第十二条**　次に掲げる日は、休日（特に勤務することを命ぜられる場合を除き、正規の勤務時間においても勤務することを要しない日をいう。次条以降において同じ。）とする。

一　国民の祝日に関する法律（昭和二十三年法律第百七十八号）に規定する休日

二　十二月二十九日から翌年の一月三日までの日（前号に掲げる日を除く。以下「年末年始の休日」という。）

三　国の行事の行われる日で、人事委員会の承認を得て、教育委員会規則で定める日

（休日の振替え）

**第十三条**　前条各号に掲げる日が週休日に当たるときは、同条の規定にかかわらず、その日は、休日としない。この場合（年末年始の休日である場合を除く。）において、第四条第二項の規定により正規の勤務時間の割振りを定められた職員については、その日に振り替えて、教育委員会規則で定めるところにより前条各

号に掲げる日以外の日を休日とする。

2　職員が二暦日にわたり継続する正規の勤務時間を割り振られた場合において、その正規の勤務時間の終期の属する日が、前条又は前項の規定による休日（年末年始の休日を除く。）に当たるときは、同条又は同項の規定にかかわらず、その日は、休日としない。この場合においては、その日に振り替えて、教育委員会規則で定めるところにより同条又は同項の規定により休日とされた日以外の日を休日とする。

（休日の代休日）

**第十四条**　教育委員会は、職員に休日に特に勤務することを命じた場合には、教育委員会規則で定めるところにより、当該休日前に、当該休日に代わる日（以下この条において「代休日」という。）として、勤務日等（第十一条の四の規定により超勤代休時間が承認された勤務日等、休日及びこの項の規定により指定された代休日を除く。）を指定することができる。

2　前項の規定により代休日を指定された職員は、代休日には、特に勤務することを命ぜられる場合を除き、正規の勤務時間においても勤務することを要しない。

（年次有給休暇）

**第十五条**　年次有給休暇は、一会計年度ごとの休暇とし、その日数は、一会計年度において、二十日（育児短時間勤務職員等及び定年前再任用短時間勤務職員にあっては、その者の勤務時間等を考慮し二十日を超えない範囲内で教育委員会規則で定める日数）とする。

2　前項の規定にかかわらず、当該年度の中途において新たにこの条例の適用を受けることとなった者その他教育委員会規則で定める者のその年度の年次有給休暇の日数は、その年度の在職期間、他の条例等の適用を受ける職員としてのその年度の在職期間中における年次有給休暇の残日数等を考慮し、教育委員会規則で定める。

3　教育委員会は、年次有給休暇を職員の請求する時季に与えなければならない。ただし、教育委員会は、請求された時季に年次有給休暇を与えることが職務に支障のある場合には、他の時季にこれを与えることができる。

4　前三項に規定するもののほか、年次有給休暇に関し必要な事項は、人事委員会の承認を得て、教育委員会規則で定める。

5　臨時的に任用された教育職員、実習助手、寄宿舎指導員、事務職員、技術職員（栄養士の業務に従事する者に限る。）及び学校栄養職員の任用期間中の年次有給休暇は、第一項及び第二項の規定にかかわらず、人事委員会の承認を得て、教育委員会規則で定める。

（病気休暇）

**第十六条**　教育委員会は、職員が疾病又は負傷（教育委員会規則で定める疾病又は負傷を除く。）のため療養する必要があり、勤務しないことがやむを得ないと認められる場合における休暇として、病気休暇を承認するものとする。

2　病気休暇に関しその期間その他の必要な事項は、人事委員会の承認を得て、教育委員会規則で定める。

（特別休暇）

**第十七条**　教育委員会は、職員が選挙権の行使、結婚、出産その他の特別の事由により、勤務しないことが相当である場合における休暇（以下「特別休暇」という。）として、公民権行使等休暇、妊娠出産休暇、妊娠症状対応休暇、早期流産休暇、母子保健健診休暇、妊婦通勤時間、育児時間、出産支援休暇、育児参加休暇、子どもの看護休暇、生理休暇、慶弔休暇、災害休暇、夏季休暇、長期勤続休暇、ボランティア休暇及び短期の介護休暇を承認するものとする。

2　特別休暇に関しその内容、期間その他の必要な事項は、人事委員会の承認を得て、教育委員会規則で定める。

（介護休暇）

**第十八条**　教育委員会は、職員が要介護者の介護をするため、勤務しないことが相当であると認められる場合における休暇として、介護休暇（前条に規定するものを除く。次項において同じ。）を承認するものとする。

2　介護休暇に関しその期間その他の必要な事項は、人事委員会の承認を得て、教育委員会規則で定める。

（介護時間）

**第十八条の二**　教育委員会は、職員が申請した場合において、当該職員が要介護者の介護をするため、勤務しないことが相当であると認められるときは、一日の勤務時間の一部について勤務しないこと（次項において「介護時間」という。）を承認するものとする。

2　介護時間に関しその期間その他の必要な事項は、人事委員会の承認を得て、教育委員会規則で定める。

（管理監督職員等に対する特例）

**第十九条**　教育委員会は、次に掲げる職員の勤務時間、休憩時間等については、第三条から第八条まで及び第十条から第十四条までの規定にかかわらず、人事委員会の承認を得て、別に定めることができる。

一　管理又は監督の地位にある職員

二　監視又は断続的業務に従事する職員で行政官庁の許可を受けたもの

（区市町村の職員に関する読替え）

**第二十条**　区市町村の職員については、第四条の二、第六条、第十条、第十一条、第十一条の二第一項、第十一条の二の二第一項、第十一条の三第一項、第十一条の四第一項、第十四条第一項、第十五条第三項、第十六条第一項、第十七条第一項、第十八条第一項及び第十八条の二第一項の規定中「教育委員会」とあるのは、「区市町村教育委員会」と読み替えて適用する。

（非常勤職員に対する特例）

**第二十条の二**　非常勤職員（定年前再任用短時間勤務職員を除く。）の勤務時間、休日、休暇等に関しては、第三条から前条までの規定にかかわらず、その職務の性質等を考慮し、人事委員会の承認を得て教育委員会規則で定める。

（委任）

**第二十一条**　この条例の施行に関し必要な事項は、人事委員会の承認を得て、教育委員会規則で定める。

**附　則**

（施行期日）

**第一条**　この条例は、平成七年四月一日から施行する。

（経過措置）

**第二条**　この条例の施行の際現にこの条例による改正前の学校職員の勤務時間、休日、休暇等に関する条例（以下「旧条例」という。）第三条第二項の規定に基づき定められている一週間の正規の勤務時間は、この条例による改正後の学校職員の勤務時間、休日、休暇等に関する条例（以下「新条例」という。）第三条第二項の規定に基づき定められたものとみなす。

2　この条例の施行の際現に旧条例第五条第一項ただし書に基づき定められている正規の勤務時間の割振りは、新条例第四条第二項の規定に基づき定められたものとみなす。

3　この条例の施行の際現に旧条例第四条第二項又は第三項の規定に基づき定められている勤務を要しない日は、新条例第五条第二項の規定に基づき定められた週休日とみなす。

4　この条例の施行の際現に旧条例第十七条第一項の規定に基づき他の日に振り替えられている勤務を要しない日は、新条例第六条の規定に基づき定められた週休日とみなす。

5　この条例の施行の際現に旧条例第八条の規定に基づき与えられている睡眠時間は、新条例第七条第二項の規定に基づく休憩時間とみなす。

6　この条例の施行の際現に旧条例第十八条の規定に基づき命ぜられている宿直勤務又は日直勤務は、新条例第十条の規定に基づき命ぜられた勤務とみなす。

7　この条例の施行の際現に旧条例第十六条の規定に基づき命ぜられている勤務は、新条例第十一条の規定に基づく勤務又は新条例第十二条から第十四条までの規定に基づき特に勤務することを命ぜられた場合の勤務とみなす。

8　この条例の施行の際現に旧条例第九条第二項又は第三項に基づき定められている休日は、新条例第十三条の規定に基づき定められたものとみなす。

9　この条例の施行の際現に旧条例第十七条第二項の規定に基づき与えられている代日休暇は、新条例第十四条第一項に基づき指定された日とみなす。

10　この条例の施行の際現に旧条例第十条第四項の規定に基づき承認されている年次休暇は、新条例第十五条第三項の規定に基づき承認された年次有給休暇とみなす。

11　この条例の施行の際現に旧条例第十一条から第十五条までの規定に基づき承認されている休暇は、新条例第十七条第一項の規定に基づき承認された特別休暇とみなす。

12　この条例の施行の際現に旧条例第二十一条の規定に基づき定められている勤務時間、休憩時間等は、新条例第十九条に基づき定められたものとみなす。

13　前各項に規定するもののほか、この条例（次条から附則第五条までの規定を除く。）の施行に伴い必要な経過措置は、教育委員会規則で定める。

**附　則**（令四・六・二二条例九〇）

1　この条例は、令和五年四月一日から施行する。

2　地方公務員法の一部を改正する法律（令和三年法律第六十三号）附則第六条第一項又は第二項（これらの規定を同法附則第九条第三項の規定により読み替えて適用する場合を含む。）の規定により採用された職員は、この条例による改正後の学校職員の勤務時間、休日、休暇等に関する条例第三条第三項に規定する定年前再任用短時間勤務職員とみなす。

**附　則**（令四・一〇・一七条例一一九）

この条例は、令和四年十一月一日から施行する。

# ○学校職員の給与に関する条例

昭三一・九・二九
条例六八

最終改正　令六・一〇・一一条例一二三

（この条例の目的）

**第一条**　この条例は、学校職員の職務と責任の特殊性に基き、学校職員の給与に関する事項を定めることを目的とする。

（職員の定義）

**第二条**　この条例において学校職員（以下「職員」という。）とは、次の各号に掲げる者をいう。

一　都立学校の校長、副校長、教頭、主幹教諭、指導教諭、教諭、養護教諭、栄養教諭、助教諭、養護助教諭、講師（常時勤務の者及び地方公務員法第二十二条の四第一項に規定する短時間勤務の職を占める者（以下「定年前再任用短時間勤務職員」という。）に限る。以下同じ。）、実習助手、寄宿舎指導員、事務職員、技術職員及び学校栄養職員

二　区市町村立の小学校、中学校、義務教育学校、中等教育学校の前期課程及び特別支援学校の校長（中等教育学校の前期課程にあつては、当該課程の属する中等教育学校の校長とする。）、副校長、教頭、主幹教諭、指導教諭、教諭、養護教諭、栄養教諭、助教諭、養護助教諭、講師、寄宿舎指導員、事務職員及び学校栄養職員（学校給食法（昭和二十九年法律第百六十号）第六条に規定する施設（以下「共同調理場」という。）の当該職員を含む。以下同じ。）

2　この条例において「教育職員」とは、職員のうちから実習助手、寄宿舎指導員、事務職員、技術職員及び学校栄養職員を除いた者をいう。

（給料）

**第三条**　給料は、学校職員の勤務時間、休日、休暇等に関する条例（平成七年東京都条例第四十五号。以下「勤務時間条例」という。）に規定する正規の勤務時間による勤務に対する報酬であつて、この条例に定める管理職手当、初任給調整手当、扶養手当、地域手当、住居手当、通勤手当、単身赴任手当、特殊勤務手当、へき地手当（第十五条の三第一項の規定による手当を含む。）、産業教育手当、定時制通信教育手当、超過勤務手当、休日給、夜勤手当、宿日直手当、管理職員特別勤務手当、期末手当、勤勉手当及び義務教育等教員特別手当を除いたものとする。

2　公務について生じた実費の弁償は、給与に含まない。

（現物給与）

**第四条**　東京都教育委員会（以下「教育委員会」という。）は、特に必要と認めたときは、職員に対し、宿舎、食事、被服及び生活に必要な施設またはこれに類する有価物を支給することができる。

2　前項に規定する現物の支給範囲、種類、数量及び支給方法については、東京都人事委員会（以下「人事委員会」という。）の承認を得て教育委員会規則で定める。

3　前二項により支給されたものは、これを給与の一部とし、別に条例で定めるところにより、その職員の給料額を調整する。

（給与の支払）

**第五条**　この条例に基く給与は、現金で直接職員に支払わなければならない。ただし、職員から申出のある場合には、口座振替の方法により支払うことができる。

（職務の級）

**第六条**　職員の職務は、その複雑、困難及び責任の度に基づきこれを給料表に定める職務の級に分類する。

2　前項の職務の分類の基準となるべき職務の内容は、別表第一に掲げる等級別基準職務表に定めるとおりとする。

（給料表）

**第七条**　給料表は、次の各号の区分に従い、当該各号に掲げる職員に適用する。

一　教育職給料表（別表第二）
　第二条に規定する教育職員、実習助手及び寄宿舎指導員

二　削除

三　事務職員給料表（職員の給与に関する条例（昭和二十六年東京都条例第七十五号）第五条第一項第一号イに規定する行政職給料表(一)を準用する。）　第二条に規定する事務職員

四　技術職員給料表

イ　技術職員給料表(一)（職員の給与に関する条例第五条第一項第一号イに規定する行政職給料表(一)を準用する。）
　第二条に規定する技術職員のうち医療業務に従事する技術職員（以下「医療職員」という。）以外の技術職員

ロ　技術職員給料表(二)（職員の給与に関する条例第五条第一項第五号イに規定する医療職給料表(一)を準用する。）
　医療職員のうち医師の業務に従事する技術職員

ハ　技術職員給料表(三)（職員の給与に関する条例第五条第一項第五号ロに規定する医療職給料表(二)を

準用する。）

医療職員のうち栄養士の業務に従事する技術職員及び学校栄養職員

二　技術職員給料表㈣（職員の給与に関する条例第五条第一項第五号ハに規定する医療職給料表㈢を準用する。）

医療職員のうち看護師及び准看護師の業務に従事する技術職員

2　教育委員会は、全ての職員の職を前条第二項に規定する等級別基準職務表及び人事委員会の定める基準に従い前項の給料表に掲げる職務の級のいずれかに格付けし、同項の給料表により給料を支給しなければならない。

**（初任給及び昇格昇給等の基準）**

**第八条**　新たに職員となつた場合並びに職員が一つの職務の級から他の職務の級に移つた場合及び一つの職から同じ職務の級の初任給の基準を異にする他の職に移つた場合の給料の基準は、人事委員会の承認を得て教育委員会規則で定める。

2　職員の昇給は、人事委員会の承認を得て教育委員会規則で定める日に、同日前で人事委員会の承認を得て教育委員会規則で定める期間におけるその者の勤務成績に応じて、行い、又は行わないものとする。

3　前項の規定により職員を昇給させるか否か及び昇給させる場合の昇給の号給数は、同項に規定する期間を良好な成績で勤務した職員の昇給の号給数を四号給とすることを標準として人事委員会の承認を得て教育委員会規則で定める基準に従い決定するものとする。

4　四月一日に五十五歳（人事委員会の承認を得て教育委員会規則で定める職員にあつては、五十六歳以上の年齢で人事委員会の承認を得て教育委員会規則で定めるもの）を超える職員に関する前項の規定の適用については、同項中「四号給」とあるのは、「零」とする。

5　職員の昇給は、その属する職務の級における最高の号給を超えて行うことができない。

6　職員の昇給は、予算の範囲内で行わなければならない。

7　職員を降給させる場合におけるその者の号給は、職員の分限に関する条例（昭和二十六年東京都条例第八十五号）第七条の規定に基づき、当該職員が降給した日の前日に受けていた号給より三号給下位の号給（当該受けていた号給が職員の属する職務の級の最低の号給の上位三号給以内の号給である場合にあつては、当該最低の号給）とする。

8　第二項から第五項まで及び前項の規定の実施について必要な基準は、人事委員会の承認を得て教育委員会規則で定める。

9　定年前再任用短時間勤務職員の給料月額は、その者に適用される給料表の定年前再任用短時間勤務職員の欄に掲げる基準給料月額のうち、その者の属する職務の級に応じた額に、勤務時間条例第三条第三項の規定により定められた当該定年前再任用短時間勤務職員の勤務時間を同条第一項に規定する勤務時間で除して得た数を乗じて得た額とする。

**第八条の二**　地方公務員の育児休業等に関する法律（平成三年法律第百十号）第十条第三項の規定による承認を受け、同条第一項に規定する育児短時間勤務をしている職員（同法第十七条の規定による短時間勤務をしている職員を含む。以下「育児短時間勤務職員等」という。）の給料月額は、第七条並びに前条第一項及び第三項の規定にかかわらず、これらの規定による給料月額に、勤務時間条例第三条第二項の規定により定められたその者の勤務時間を同条第一項に規定する勤務時間で除して得た数を乗じて得た額とする。

**（給料の支給方法）**

**第九条**　給料は、月の一日から末日までの期間（以下「給与期間」という。）につき、給料月額の全額を月一回に支給する。

2　給料の支給日は、給与期間のうち教育委員会の定める日とする。

**第十条**　新たに職員となつた者に対しては、その日から給料を支給し、昇給、降給等により給料額に異動を生じた者に対しては、その日から新たに定められた給料を支給する。ただし、離職した職員が即日他の職に任命されたときは、その日の翌日から給料を支給する。

2　職員が離職したときは、その日まで給料を支給する。

3　職員が死亡したときは、その月まで給料を支給する。ただし、まだその月の給料が支給されていない場合において、その者の在職期間中の行為が、地方公務員法第二十八条第四項の規定による失職に相当し、その月まで給料を支給することが、公務に対する都民の信頼を確保し、給料に関する制度の適正かつ円滑な実施を維持する上で重大な支障を生ずることが明らかであると認めるときは、教育委員会規則で定めるところにより、前項の規定を準用することができる。

4　前三項の規定により給料を支給する場合であつて、給与期間の初日から支給するとき以外のとき、又は給与期間の末日まで支給するとき以外のときは、その給料額はその給与期間の現日数から勤務時間条例第五条及び第六条第一項に規定する週休日並びに同条第二項及び第三項の規定により週休日となつた日の日数を差し引いた日数を基礎として日割りによつて計算する。

（給料の調整額）

**第十一条**　次の各号に規定する職員に対しては、その勤務の特殊性に基いて、給料表に掲げられている給料額につき適正な調整額表を定めることができる。

一　特別支援学校に勤務する教育職員

二　前号に掲げる者を除くほか、教育委員会が必要と認める職員

2　前項の規定による給料の調整額は、その調整前における給料月額の百分の二十五の範囲内で人事委員会の承認を得て教育委員会規則で定める。この場合において、調整額の支給を受ける者の範囲も、また同様とする。

（管理職手当）

**第十一条の二**　管理または監督の地位にある職員に対しては、その特殊性に基いて、管理職手当を支給する。

2　前項の管理職手当の額は、その者の属する職務の級における最高の号給の給料月額の百分の二十五を超えない額の範囲内で人事委員会の承認を得て教育委員会規則で定める。この場合において、管理職手当の支給を受ける者の範囲も、また同様とする。

（初任給調整手当）

**第十一条の三**　次の各号に掲げる職に新たに採用された職員には、当該各号に掲げる額を超えない範囲内の額を、第一号に掲げる職に係るものにあつては採用の日から四十年以内、第二号及び第三号に掲げる職に係るものにあつては採用の日から五年以内、第四号に掲げる職に係るものにあつては採用の日から三年以内の期間、採用の日（第一号及び第二号に掲げる職に係るものにあつては、採用後人事委員会の承認を得て教育委員会規則で定める期間を経過した日）から一年を経過するごとにその額を減じて初任給調整手当として支給する。

一　職員の給与に関する条例第五条第一項第五号イに規定する医療職給料表㈠の準用を受ける職員の職のうち、採用による欠員の補充が困難であると認められる職で人事委員会の承認を得て教育委員会規則で定めるもの　　月額　三十万六千九百円

二　職員の給与に関する条例第五条第一項第五号ハに規定する医療職給料表㈢の準用を受ける職員の職のうち、採用による欠員の補充が困難であると認められる職で人事委員会の承認を得て教育委員会規則で定めるもの　　月額　五千八百円

三　科学技術に関する専門的知識を必要とし、かつ、採用による欠員の補充が困難であると認められる職（前二号に掲げる職を除く。）で人事委員会の承認を得て教育委員会規則で定めるもの　　月額　二千五百円

四　前三号の職以外の職で専門的知識を必要とし、かつ、採用による欠員の補充について特別の事情があると認められるもので人事委員会の承認を得て教育委員会規則で定めるもの　　月額　千円

2　前項の職に在職する職員のうち、同項の規定により初任給調整手当を支給される職員との均衡上必要があると認められる職員には、同項の規定に準じて、初任給調整手当を支給する。

3　前二項の規定により初任給調整手当を支給される職員の範囲、初任給調整手当の支給期間及び支給額その他初任給調整手当の支給に関し必要な事項は、人事委員会の承認を得て教育委員会規則で定める。

（扶養手当）

**第十二条**　扶養手当は、扶養親族のある職員に対して支給する。

2　前項の扶養親族とは、次に掲げる者で他に生計のみちがなく主としてその職員の扶養を受けているものをいう。

一　配偶者（届出をしないが事実上婚姻関係と同様の事情にある者を含む。以下同じ。）又は東京都オリンピック憲章にうたわれる人権尊重の理念の実現を目指す条例（平成三十年東京都条例第九十三号）第七条の二第二項の証明若しくは同条第一項の東京都パートナーシップ宣誓制度と同等の制度であると知事が認めた地方公共団体のパートナーシップに関する制度による証明を受けたパートナーシップ関係の相手方であつて、同居し、かつ、生計を一にしているもの（以下単に「パートナーシップ関係の相手方」という。）

二　満二十二歳に達する日以後の最初の三月三十一日までの間にある子

三　満二十二歳に達する日以後の最初の三月三十一日までの間にある孫

四　満六十歳以上の父母及び祖父母

五　満二十二歳に達する日以後の最初の三月三十一日までの間にある弟妹

六　重度心身障害者

3　扶養手当の月額は、次の各号に掲げる扶養親族の区分に応じて、扶養親族一人につき当該各号に掲げる額を合計して得た額とする。

一　扶養親族たる配偶者又はパートナーシップ関係の相手方、父母等（前項第一号及び第三号から第六号までに掲げる者をいう。以下同じ。）　六千円（教育職給料表の適用を受ける職員のうちその属する職務の級が五級以上であるもの及び同表以外の給料表

の適用を受ける職員のうちその属する職務の級がこれに相当するものとして人事委員会の承認を得て教育委員会規則で定めるもの（以下「教育五級相当職員」という。）の扶養親族たる配偶者又はパートナーシップ関係の相手方、父母等　三千円）

二　扶養親族たる子（前項第二号に掲げる扶養親族たる子をいう。以下同じ。）　九千円

4　扶養親族たる子で満十五歳に達する日後の最初の四月一日から満二十二歳に達する日以後の最初の三月三十一日までの間にあるもの（以下「特定期間にある子」という。）がいる場合における扶養手当の月額は、前項の規定にかかわらず、四千円に当該特定期間にある子の数を乗じて得た額を同項の規定による額に加算した額とする。

**第十三条**　新たに職員となつた者に扶養親族がある場合又は職員に次の各号の一に該当する事実が生じた場合においては、その職員は、直ちにその旨を教育委員会に届け出なければならない。

一　新たに扶養親族たる要件を具備するに至つた者がある場合

二　扶養親族たる要件を欠くに至つた者がある場合

2　扶養手当の支給は、新たに職員となつた者に扶養親族がある場合においてはその者が職員となつた日、扶養親族がない職員に前項第一号に掲げる事実が生じた場合においてはその事実が生じた日の属する月の翌月（これらの日が月の初日であるときは、その日の属する月）から開始し、扶養手当を受けている職員が離職し、または死亡した場合においてはそれぞれその者が離職し、または死亡した日、扶養手当を受けている職員の扶養親族で同項の規定による届出に係るもののすべてについて同項第二号に掲げる事実が生じた場合においてはその事実が生じた日の属する月（これらの日が月の初日であるときは、その日の属する月の前月）をもつて終る。ただし、扶養手当の支給の開始については、同項の規定による届出が、これに係る事実の生じた日から十五日を経過した後にされたときは、その届出を受理した日の属する月の翌月（その日が月の初日であるときは、その日の属する月）から行うものとする。

3　扶養手当は、次の各号のいずれかに該当する事実が生じた場合においては、その事実が生じた日の属する月の翌月（その日が月の初日であるときは、その日の属する月）からその支給額を改定する。

一　扶養手当を受けている職員に更に第一項第一号に掲げる事実が生じた場合

二　扶養手当を受けている職員の扶養親族で第一項の規定による届出に係るものの一部について同項第二号に掲げる事実が生じた場合

三　扶養親族たる配偶者又はパートナーシップ関係の相手方、父母等で第一項の規定による届出に係るものがある教育五級相当職員が教育五級相当職員以外のものとなつた場合

四　扶養親族たる配偶者又はパートナーシップ関係の相手方、父母等で第一項の規定による届出に係るものがある教育五級相当職員以外のものが教育五級相当職員となつた場合

五　扶養親族たる子で第一項の規定による届出に係るもののうち特定期間にある子でなかつたものが特定期間にある子となつた場合

4　第二項ただし書の規定は、前項第一号に掲げる事実が生じた場合における扶養手当の支給額の改定について準用する。

**（地域手当）**

**第十三条の二**　地域手当は、民間における賃金、物価等に関する事情を考慮して、人事委員会の承認を得て教育委員会規則で定める地域に在勤する職員に支給する。

2　地域手当の月額は、給料、管理職手当及び扶養手当の月額の合計額の百分の二十の範囲内の額とする。

3　地域手当の支給額、支給方法その他地域手当の支給に関し必要な事項は、人事委員会の承認を得て教育委員会規則で定める。

**（住居手当）**

**第十三条の三**　住居手当は、次の各号のいずれかに該当する職員に支給する。

一　世帯主（これに準ずる者を含む。以下同じ。）である職員（公舎等で教育委員会規則で定めるものに居住する職員を除く。）のうち、満三十四歳に達する日以後の最初の三月三十一日までの間にある者で、自ら居住するため住宅（貸間を含む。次号において同じ。）を借り受け、月額一万五千円以上の家賃（使用料を含む。次号において同じ。）を支払つているもの

二　第十四条の二第一項又は第三項の規定により単身赴任手当を支給される職員で、世帯主であるもの（配偶者又はパートナーシップ関係の相手方（配偶者及びパートナーシップ関係の相手方のいずれもない職員にあつては、満十八歳に達する日以後の最初の三月三十一日までの間にある子。以下この条において同じ。）が、公舎等で教育委員会規則で定めるものに居住する職員を除く。）のうち、満三十四歳に達する日以後の最初の三月三十一日までの間にある者で、配偶者又はパートナーシップ関係の相手方

が居住するための住宅を借り受け、月額一万五千円以上の家賃を支払つているもの

2　住居手当の月額は、次の各号に掲げる職員の区分に応じて、当該各号に掲げる額（第一号に掲げる職員のうち第二号に掲げる職員でもあるものについては、第一号に掲げる額及び第二号に掲げる額の合計額）とする。

一　前項第一号に掲げる職員　一万五千円

二　前項第二号に掲げる職員　七千五百円

3　前二項に規定するもののほか、住居手当の支給に関し必要な事項は、人事委員会の承認を得て教育委員会規則で定める。

**（通勤手当）**

**第十四条**　通勤手当は、次に掲げる職員に支給する。

一　通勤のため交通機関または有料の道路（以下「交通機関等」という。）を利用してその運賃または料金（以下「運賃等」という。）を負担することを常例とする職員（交通機関等を利用しなければ通勤することが困難であると人事委員会で定める職員以外の職員であつて、交通機関等を利用しないで徒歩により通勤するものとした場合の通勤距離が片道二キロメートル未満であるもの及び第三号に掲げる職員を除く。）

二　通勤のため自転車その他の交通の用具で人事委員会の定めるもの（以下「自転車等」という。）を使用することを常例とする職員（自転車等を使用しなければ通勤することが著しく困難であると人事委員会で定める職員以外の職員であつて自転車等を使用しないで徒歩により通勤するものとした場合の通勤距離が片道二キロメートル未満であるもの及び次号に掲げる職員を除く。）

三　通勤のため交通機関等を利用してその運賃等を負担し、かつ、自転車等を使用することを常例とする職員（交通機関等を利用し、又は自転車等を使用しなければ通勤することが著しく困難であると人事委員会で定める職員以外の職員であつて、交通機関等を利用せず、かつ、自転車等を使用しないで徒歩により通勤するものとした場合の通勤距離が片道二キロメートル未満であるものを除く。）

2　通勤手当は、月の初日からその月以後の月の末日までの一箇月を単位として人事委員会が定める期間（以下「支給対象期間」という。）につき、教育委員会が定める日に支給する。

3　通勤手当の額は、次の各号に掲げる職員の区分に応じ、当該各号に定める額とする。

一　第一項第一号に掲げる職員　人事委員会の定めるところにより算出したその者の支給対象期間の通勤に要する運賃等の額に相当する額（以下「運賃等相当額」という。）。ただし、運賃等相当額を支給対象期間につき第一項各号に掲げる職員としての要件を満たすものとして手当が支給される月数（以下「支給月数」という。）で除して得た額が五万五千円を超えるときは、五万五千円に支給月数を乗じて得た額

二　第一項第二号に掲げる職員　別表第三に掲げる職員の区分及び自転車等の片道の使用距離の区分に応じて同表に定める額（定年前再任用短時間勤務職員及び育児短時間勤務職員等のうち、一箇月当たりの通勤回数を考慮して人事委員会が定める職員にあつては、その額から、その額に人事委員会が定める割合を乗じて得た額を減じた額）に支給月数を乗じて得た額

三　第一項第三号に掲げる職員　交通機関等を利用せず、かつ、自転車等を使用しないで徒歩により通勤するものとした場合の通勤距離、交通機関等の利用距離、自転車等の使用距離等の事情を考慮して人事委員会の定める区分に応じ、前二号に定める額の合計額（その額を支給月数で除して得た額が五万五千円を超えるときは、五万五千円に支給月数を乗じて得た額）、第一号に定める額又は前号に定める額

4　学校（都立学校並びに区市町村立の小学校、中学校、義務教育学校、中等教育学校、特別支援学校及び共同調理場をいう。以下この条及び次条において同じ。）を異にする異動又は在勤する学校の移転に伴い、通勤の実情に変更を生ずることとなつた職員で人事委員会が定めるもののうち、当該異動又は学校の移転の直前の住居（当該住居に相当するものとして人事委員会が定める住居を含む。）からの通勤のため、新幹線鉄道等の特別急行列車その他の交通機関等でその利用が人事委員会の定める基準に照らして通勤事情の改善に相当程度資するものであると認められるものを利用し、その利用に係る特別料金等（その利用に係る運賃等の額から運賃等相当額の算出の基礎となる運賃等に相当する額を減じて得た額をいう。以下同じ。）を負担することを常例とするものの通勤手当の額は、前項の規定にかかわらず、支給対象期間につき、人事委員会が定めるところにより算出したその者の通勤に要する特別料金等の額の二分の一に相当する額（その額を支給月数で除して得た額が二万円を超えるときは、二万円に支給月数を乗じて得た額）及び同項の規定による額の合計額とする。

5　前項の規定は、同項の規定による通勤手当を支給される職員との均衡上必要があると認められるものとし

て人事委員会が定める職員の通勤手当の額の算出について準用する。

6　前各項の規定に基づき通勤手当を支給される職員につき、支給対象期間中に所在地を異にする学校への異動その他の人事委員会規則で定める事由が生じた場合には、支給対象期間のうちこれらの事由が生じた後の期間、通勤の実情の変更等を考慮して人事委員会の定めるところにより算出した額を支給し、又は返納させるものとする。この場合において、当該職員の当該支給対象期間の通勤手当の額は、従前の手当額にこの項の規定により支給した額を加え、返納させた額を減じた額とする。

7　前各項に規定するもののほか、通勤の実情の変更に伴う支給額の改定その他通勤手当の支給、返納等に関し必要な事項は、教育委員会が定める。

**（単身赴任手当）**

**第十四条の二**　学校を異にする異動又は在勤する学校の移転に伴い、住居を移転し、父母の疾病その他の教育委員会規則で定めるやむを得ない事情により、同居していた配偶者と別居することとなつた職員で、当該異動又は学校の移転の直前の住居から当該異動又は学校の移転の直後に在勤する学校に通勤することが通勤距離等を考慮して教育委員会規則で定める基準に照らして困難であると認められるもののうち、単身で生活することを常況とする職員には、単身赴任手当を支給する。ただし、配偶者又はパートナーシップ関係の相手方の住居から在勤する学校に通勤することが、通勤距離等を考慮して教育委員会規則で定める基準に照らして困難であると認められない場合は、この限りでない。

2　単身赴任手当の月額は、三万円（教育委員会規則で定めるところにより算定した職員の住居と配偶者又はパートナーシップ関係の相手方の住居との間の交通距離等（以下単に「交通距離等」という。）が教育委員会規則で定める基準以上である職員にあつては、その額に、七万円を超えない範囲内で交通距離等の区分に応じて教育委員会規則で定める額を加算した額）とする。

3　第一項のほか、同項の規定による単身赴任手当を支給される職員との均衡上必要があると認められるものとして教育委員会規則で定める職員には、前二項の規定に準じて、単身赴任手当を支給する。

4　前三項に規定するもののほか、単身赴任手当の支給に関し必要な事項は、人事委員会の承認を得て教育委員会規則で定める。

**（特殊勤務手当）**

**第十五条**　著しく危険、不快、不健康又は困難な勤務その他著しく特殊な勤務で、給与上特別の考慮を必要とし、かつ、その特殊性を給料で考慮することが適当でないと認められるものに従事する職員には、その勤務の特殊性に応じて特殊勤務手当を支給する。

2　前項の特殊勤務手当の支給額は、当該職員の給料の百分の二十五を超えない範囲内において定める。ただし、職務の性質により特別の必要がある場合は、この限りでない。

3　特殊勤務手当の種類、支給される職員の範囲及び支給額については、別に条例で定める。

**（へき地手当等）**

**第十五条の二**　離島その他の生活の著しく不便な地に所在する学校及び共同調理場又はこれらに準ずる学校及び共同調理場として教育委員会が人事委員会の承認を得て定めるもの（以下「へき地学校等」という。）に勤務する職員には、へき地手当を支給する。

2　へき地学校等に勤務する職員に支給するへき地手当の月額は、当該職員の給料の月額と扶養手当の月額との合計額の百分の二十五を超えない範囲内で人事委員会の承認を得て教育委員会規則で定める。

3　前二項に規定するもののほか、へき地学校等の級別及びへき地手当と地域手当との調整その他へき地手当の支給に関し必要な事項は、人事委員会の承認を得て教育委員会規則で定める。

**第十五条の三**　異動又は採用により、へき地学校等に勤務することとなつた職員で、当該異動又は採用に伴つて住居を移転した職員（技術職員給料表(二)の適用を受ける職員を除く。）には、へき地手当に準ずる手当を支給する。

2　へき地手当に準ずる手当は、人事委員会の承認を得て教育委員会規則で定めるところにより、前項に定める異動又は採用に伴つて住居を移転した日から、当該異動又は採用の日から起算して三年に達する日までの期間（当該異動又は採用の日から三年を経過する際教育委員会が特に必要と認める職員にあつては、同日から起算して八年以内の期間）、当該職員の給料の月額と扶養手当の月額との合計額の百分の四を超えない範囲内で支給する。

3　定年前再任用短時間勤務職員でへき地学校等に勤務する者のうち、地方公務員法第二十二条の四第一項の規定により採用される前から引き続きへき地学校等に勤務するものにあつては、当該採用前における勤務と定年前再任用短時間勤務職員としての勤務とが引き続くものとみなして、前二項の規定を適用する。

4　前三項に規定するもののほか、へき地手当に準ずる手当の支給額その他へき地手当に準ずる手当の支給に関し必要な事項は、人事委員会の承認を得て教育委員会規則で定める。

（産業教育手当）

**第十五条の四**　農業、水産又は工業に関する課程を置く高等学校の副校長、教頭、主幹教諭、指導教諭、教諭、助教諭又は講師で、高等学校の農業若しくは農業実習、水産若しくは水産実習又は工業若しくは工業実習の教諭又は助教諭の免許状を有する者（教育職員免許法（昭和二十四年法律第百四十七号）附則第二項及び教育職員免許法の一部を改正する法律（昭和二十九年法律第百五十八号）附則第二項から第四項までの規定により高等学校の農業、農業実習、水産、水産実習、工業又は工業実習を担任する主幹教諭、指導教諭、教諭又は講師の職にあることができる者を含む。）が、当該農業、水産又は工業に関する課程において、実習を伴う農業、水産又は工業に関する科目を主として担任する場合は、その者に対して、その者の給料月額の百分の八に相当する額を超えない範囲内において、産業教育手当を支給する。

2　前項に規定する高等学校の実習助手であつて教育委員会規則で定めるものが、当該高等学校の農業、水産又は工業に関する課程において、実習を伴う農業、水産または工業に関する科目について教諭の職務を助ける場合には、その者に対し、同項の規定の例により、産業教育手当を支給する。

3　前二項に規定する産業教育手当の支給額、支給方法その他支給について必要な事項は、人事委員会の承認を得て教育委員会規則で定める。

（定時制通信教育手当）

**第十五条の五**　都立の高等学校で、定時制の課程又は通信制の課程を置くものの校長並びに定時制の課程に関する校務をつかさどる副校長及び当該校務を整理する教頭並びに本務として定時制の課程又は通信制の課程で行う教育に従事する主幹教諭、指導教諭、教諭、養護教諭、栄養教諭、助教諭、養護助教諭、講師及び実習助手には、その者の給料月額の百分の五に相当する額を超えない範囲内において、定時制通信教育手当を支給する。

2　前項の規定にかかわらず、第十一条の二の規定に基づき管理職手当の支給を受ける者の定時制通信教育手当の額は、その者の給料月額の百分の三に相当する額を超えない範囲内の額とする。

3　前二項に規定する定時制通信教育手当の支給額、支給方法その他支給について必要な事項は、人事委員会の承認を得て教育委員会規則で定める。

（給与の減額）

**第十六条**　職員が勤務しないときは、勤務時間条例第十一条の四第一項に規定する超勤代休時間及び休日（勤務時間条例第十二条及び第十三条の規定による休日並びに勤務時間条例第十四条第一項の規定により指定された代休日をいう。以下同じ。）である場合、勤務時間条例第十五条から第十七条までに規定する年次有給休暇、病気休暇（教育委員会規則で定める日数を限度とする。）及び特別休暇（生理休暇にあつては、教育委員会規則で定める日数を限度とする。）を承認され勤務しなかつた場合並びにその勤務しないこと及び給与の減額を免除することにつき教育委員会の承認のあつた場合を除き、その勤務しない一時間につき、第二十条に規定する勤務一時間当たりの給料等の額の合計額を減額して給与を支給する。

2　前項の承認の基準は、人事委員会の承認を得て教育委員会規則で定める。

（超過勤務手当）

**第十七条**　勤務時間条例第三条、第四条第一項及び第二項並びに第六条に規定する正規の勤務時間を超えて勤務時間条例第十一条の規定により勤務することを命ぜられた職員には、正規の勤務時間を超えて勤務した全時間に対して、勤務一時間につき第二十条に規定する勤務一時間当たりの給料等の額に正規の勤務時間を超えてした勤務の区分に応じてそれぞれ百分の百二十五から百分の百五十までの範囲内の割合（その勤務が午後十時から翌日の午前五時までの間である場合は、その割合に百分の二十五を加算した割合）を乗じて得た額の合計額を超過勤務手当として支給する。

2　前項の勤務の区分及び割合は、人事委員会の承認を得て教育委員会規則で定める。

3　定年前再任用短時間勤務職員及び育児短時間勤務職員等が、正規の勤務時間が割り振られた日（次条の規定により休日給が支給されることとなる日を除く。）において、正規の勤務時間を超えてした勤務のうち、その勤務の時間とその勤務をした日における正規の勤務時間との合計が七時間四十五分に達するまでの間の勤務に対する第一項の規定の適用については、同項中「正規の勤務時間を超えてした勤務の区分に応じてそれぞれ百分の百二十五から百分の百五十までの範囲内の割合」とあるのは、「百分の百」とする。

4　第一項の規定に定めるもののほか、勤務時間条例第三条の規定によりあらかじめ定められた一週間の正規の勤務時間を超えて勤務時間条例第五条の規定により週休日とされた日に勤務時間条例第六条の規定により正規の勤務時間を割り振られた職員には、当該正規の勤務時間に相当する時間（人事委員会の承認を得て教育委員会規則で定める時間を除く。）について、一時間につき、第二十条に規定する勤務一時間当たりの給料等の額に百分の二十五から百分の五十までの範囲内で人事委員会の承認を得て教育委員会規則で定める割合を乗じて得た額の合計額を超過勤務手当として支給する。

5　次の各号に規定する時間の合計が一箇月について六十時間を超えた職員には、その六十時間を超えて勤務した全時間に対して、第一項（第三項の規定により読み替えて適用する場合を含む。）及び前項の規定にかかわらず、勤務一時間につき、第二十条に規定する勤務一時間当たりの給料等の額に、当該各号に規定する時間に応じ、当該各号に規定する割合を乗じて得た額を超過勤務手当として支給する。

一　正規の勤務時間を超えて勤務することを命ぜられ、正規の勤務時間を超えてした勤務の時間　百分の百五十（その勤務が午後十時から翌日の午前五時までの間である場合は、百分の百七十五）

二　前項に規定する当該正規の勤務時間に相当する時間　百分の五十

6　勤務時間条例第十一条の四第一項に規定する超勤代休時間を承認された場合において、当該超勤代休時間に職員が勤務しなかつたときは、前項に規定する六十時間を超えて勤務した全時間のうち当該超勤代休時間の承認により代えられた超過勤務手当の支給に係る次の各号に規定する時間に対しては、当該時間一時間につき、第二十条に規定する勤務一時間当たりの給料等の額に、当該各号に規定する時間に応じ、当該各号に規定する割合を乗じて得た額の超過勤務手当を支給することを要しない。

一　前項第一号に規定する時間　百分の百五十（その時間が午後十時から翌日の午前五時までの間である場合は、百分の百七十五）から第二項に規定する教育委員会規則で定める割合（その時間が午後十時から翌日の午前五時までの間である場合は、その割合に百分の二十五を加算した割合）を減じた割合

二　前項第二号に規定する時間　百分の五十から第四項に規定する教育委員会規則で定める割合を減じた割合

7　第三項に規定する七時間四十五分に達するまでの間の勤務に係る時間について前二項の規定の適用がある場合における当該時間に対する前項の規定の適用については、同項第一号中「第二項に規定する教育委員会規則で定める割合」とあるのは「百分の百」とする。

**（休日給）**

**第十八条**　休日の勤務として正規の勤務時間中に勤務することを命ぜられた職員には、正規の勤務時間中に勤務した全時間に対して、勤務一時間につき、第二十条に規定する勤務一時間当たりの給料等の額に百分の百二十五から百分の百五十までの範囲内で人事委員会の承認を得て教育委員会規則で定める割合を乗じて得た額の合計額を休日給として支給する。ただし、勤務時間条例第十四条第一項の規定により、教育委員会が代休日を指定し当該代休日に勤務しなかつた場合には、休日給は支給しない。

**（夜勤手当）**

**第十九条**　正規の勤務時間として、午後十時から翌日の午前五時までの間に勤務することを命ぜられた職員には、その間に勤務した全時間に対して、勤務一時間につき、第二十条に規定する勤務一時間当たりの給料等の額に百分の二十五を乗じて得た額の合計額を夜勤手当として支給する。

**（勤務一時間当たりの給料等の額の算出）**

**第二十条**　第十六条第一項、第十七条第一項及び第四項から第六項まで並びに前二条に規定する勤務一時間当たりの給料等の額は、給料の月額及び人事委員会の承認を得て教育委員会規則で定める手当の月額のそれぞれに十二を乗じて得た額を、人事委員会の承認を得て教育委員会規則で定める年間の勤務時間でそれぞれ除して得た額とする。

**（宿日直手当）**

**第二十一条**　勤務時間条例第十条の規定による宿日直勤務を命ぜられた職員には、宿日直手当を支給する。

2　前項の宿日直勤務は、第十七条から第十九条まで及び次条の手当の対象となる勤務には含まれないものとする。

3　宿日直手当の支給額は、前二項に規定する勤務一回につき六千円を超えない範囲内において定める。

4　宿日直手当の支給対象となる勤務の種類、支給額その他宿日直手当の支給に関し必要な事項は、人事委員会の承認を得て教育委員会規則で定める。

**（管理職員特別勤務手当）**

**第二十一条の二**　第十一条の二の規定に基づき管理職手当の支給を受ける職員が臨時又は緊急の必要その他公務の運営の必要により週休日又は休日に勤務した場合は、当該職員には、管理職員特別勤務手当を支給する。ただし、勤務時間条例第十四条第一項の規定により、教育委員会が代休日を指定し当該代休日に勤務しなかつた場合は、この限りでない。

2　前項に規定する場合のほか、第十一条の二の規定に基づき管理職手当の支給を受ける職員が災害への対処その他の臨時又は緊急の必要により週休日又は休日以外の日の午前零時から午前五時までの間であつて正規の勤務時間以外の時間に勤務した場合は、当該職員に

は、管理職員特別勤務手当を支給する。

3　管理職員特別勤務手当の額は、次の各号に掲げる場合の区分に応じ、当該各号に定める額とする。

一　第一項に規定する場合　同項の勤務一回につき、一万二千円を超えない範囲内において人事委員会の承認を得て教育委員会規則で定める額（当該勤務に従事する時間等を考慮して教育委員会規則で定める勤務をした職員にあつては、この額に百分の百五十を乗じて得た額）

二　前項に規定する場合　同項の勤務一回につき、六千円を超えない範囲内において人事委員会の承認を得て教育委員会規則で定める額

4　前三項に規定するもののほか、管理職員特別勤務手当の支給に関し必要な事項は、人事委員会の承認を得て教育委員会規則で定める。

**（休職者等の給与）**

**第二十二条**　休職等となつた職員（次項に規定する職員を除く。）に対しては、休職等の期間中次の区分により給与を支給することができる。

一　教育公務員特例法（昭和二十四年法律第一号）第十四条及び公立の学校の事務職員の休職の特例に関する法律（昭和三十二年法律第百十七号）に掲げる事由に該当して休職されたときは、その休職期間中、これに給料、初任給調整手当、扶養手当、地域手当、住居手当、へき地手当及び義務教育等教員特別手当のそれぞれの百分の百

二　地方公務員法第二十八条第二項第一号に掲げる事由に該当して休職されたときは、その休職期間が満一年に達するまでは、これに給料、扶養手当、地域手当及び住居手当のそれぞれの百分の八十

三　地方公務員法第二十八条第二項第二号に掲げる事由に該当して休職されたときは、その休職期間中、これに給料、扶養手当、地域手当及び住居手当のそれぞれの百分の六十に相当する額以内の額

四　職員の分限に関する条例第二条第一項に掲げる事由に該当して休職されたときは、人事委員会規則で定める額

2　地方公務員法第五十五条の二第五項の規定により休職となつた職員又は教育公務員特例法第二十六条第一項の規定による大学院修学休業中の職員には、その休職又は大学院修学休業の期間中、いかなる給与も支給しない。

3　地方公務員の育児休業等に関する法律（平成三年法律第百十号）第二条第一項の規定による育児休業中の職員には、その育児休業の期間中、第二十四条及び第二十四条の二の給与を除くほか、この条例に定める給与は支給しない。

**（災害補償との関係）**

**第二十三条**　職員が公務上負傷し、若しくは疾病にかかり、又は通勤により負傷し、若しくは疾病にかかり、地方公務員災害補償法（昭和四十二年法律第百二十一号）の適用を受けて療養のため勤務しない期間については、第二十四条及び第二十四条の二の給与を除くほか、この条例に定める給与は支給しない。

**（期末手当）**

**第二十四条**　期末手当は、六月一日及び十二月一日（以下この条から第二十四条の二の三までにおいてこれらの日を「基準日」という。）にそれぞれ在職する職員（教育委員会が人事委員会の承認を得て定める職員を除く。）に対して、それぞれ基準日の属する月の教育委員会が人事委員会の承認を得て定める日（第二十四条の二の二から第二十四条の二の三までにおいてこれらの日を「支給日」という。）に支給する。これらの基準日前一箇月以内に退職し、又は死亡した職員（教育委員会が人事委員会の承認を得て定める職員を除く。）についても同様とする。

2　期末手当の額は、職員の給与月額に、次の表の上欄に掲げる職員の区分に応じて、同表の下欄に定める割合を乗じて得た額に、教育委員会が人事委員会の承認を得て定める支給割合を乗じて得た額とする。

| 職員の区分 | 割合 | |
|---|---|---|
| | 六月に支給する場合 | 十二月に支給する場合 |
| 一　前項に掲げる職員のうち二に掲げる職員以外のもの | 百分の百二十 | 百分の百二十 |
| 二　教育職給料表の適用を受ける職員のうちその属する職務の級が五級以上である職員又は事務職員給料表若しくは技術職員給料表㈠の適用を受ける職員のうちその属する職務の級が四級である職員（以下「教育五級等職員」と総称する。） | 百分の百 | 百分の百 |

3　定年前再任用短時間勤務職員に対する前項の規定の

適用については、同項の表一の項中「百分の百二十」とあるのは「百分の六十七・五」と、同表二の項中「百分の百」とあるのは「百分の五十七・五」とする。

4　次に掲げる職員に支給する期末手当に対する第二項の規定の適用については、同項中「給与月額」とあるのは「給与月額に、給料の月額及びこれに対する地域手当の月額の合計額に職務段階等を考慮して人事委員会の承認を得て教育委員会規則で定める職員の区分に応じて百分の二十を超えない範囲内で教育委員会が人事委員会の承認を得て定める割合を乗じて得た額（教育委員会が人事委員会の承認を得て定める管理又は監督の地位にある職員にあつては、その額に給料の月額に百分の二十を超えない範囲内で教育委員会が人事委員会の承認を得て定める割合を乗じて得た額を加算した額）を加算した額」とする。

一　教育職給料表の適用を受ける職員のうちその属する職務の級が三級以上である職員

二　教育職給料表以外の給料表の適用を受ける職員のうちその職務の複雑、困難及び責任の度等を考慮して前号に掲げる職員に相当する者として人事委員会の承認を得て教育委員会規則で定める職員

5　前各項に規定するものを除くほか、期末手当の支給に関し必要な事項は、人事委員会の承認を得て教育委員会規則で定める。

（**勤勉手当**）

**第二十四条の二**　勤勉手当は、基準日にそれぞれ在職する職員（教育委員会が人事委員会の承認を得て定める職員を除く。）に対し、その者の勤務成績に応じて、それぞれ基準日の属する月の教育委員会が人事委員会の承認を得て定める日に支給する。これらの基準日前一箇月以内に退職し、又は死亡した職員（教育委員会が人事委員会の承認を得て定める職員を除く。）についても、また同様とする。

2　勤勉手当の額は、職員の給与月額に、人事委員会の承認を得て教育委員会規則で定める基準に従つて教育委員会が定める支給割合を乗じて得た額とする。この場合において、教育委員会が支給する勤勉手当の額の総額は、次の各号に掲げる職員について、それぞれ当該各号に掲げる額を超えてはならない。

一　前項の職員のうち定年前再任用短時間勤務職員以外の職員　当該職員の給与月額に百分の百十二・五（教育五級等職員にあつては、百分の百三十二・五）を乗じて得た額の総額

二　前項の職員のうち定年前再任用短時間勤務職員　当該定年前再任用短時間勤務職員の給与月額に百分の五十五（教育五級等職員にあつては、百分の六十五）を乗じて得た額の総額

3　次に掲げる職員に支給する勤勉手当に対する前項の規定の適用については、同項中「給与月額」とあるのは「給与月額に、給料の月額及びこれに対する地域手当の月額の合計額に職務段階等を考慮して人事委員会の承認を得て教育委員会規則で定める職員の区分に応じて百分の二十を超えない範囲内で教育委員会が人事委員会の承認を得て定める割合を乗じて得た額（教育委員会が人事委員会の承認を得て定める管理又は監督の地位にある職員にあつては、その額に給料の月額に百分の十五を超えない範囲内で教育委員会が人事委員会の承認を得て定める割合を乗じて得た額を加算した額）を加算した額」とする。

一　教育職給料表の適用を受ける職員のうちその属する職務の級が三級以上である職員

二　教育職給料表以外の給料表の適用を受ける職員のうちその職務の複雑、困難及び責任の度等を考慮して前号に掲げる職員に相当する者として人事委員会の承認を得て教育委員会規則で定める職員

4　前三項に規定するもののほか、勤勉手当の支給に関し必要な事項は、人事委員会の承認を得て教育委員会規則で定める。

（**期末手当の不支給**）

**第二十四条の二の二**　次の各号のいずれかに該当する者には、第二十四条第一項の規定にかかわらず、当該各号の基準日に係る期末手当（第四号に掲げる者にあつては、その支給を一時差し止めた期末手当）は、支給しない。

一　基準日から当該基準日に対応する支給日の前日までの間に地方公務員法第二十九条の規定による懲戒免職の処分を受けた職員

二　基準日から当該基準日に対応する支給日の前日までの間に地方公務員法第二十八条第四項の規定により失職した職員

三　基準日前一箇月以内又は基準日から当該基準日に対応する支給日の前日までの間に離職した職員（前二号に掲げる者を除く。）で、その離職した日から当該支給日の前日までの間に拘禁刑以上の刑に処せられたもの

四　第二十四条の二の三第一項の規定により期末手当の支給を一時差し止める処分を受けた者（当該処分を取り消された者を除く。）で、その者の在職期間中の行為に係る刑事事件に関し拘禁刑以上の刑に処せられたもの

（**不支給特例**）

**第二十四条の二の二の二**　退職手当管理機関（職員の退職手当に関する条例（昭和三十一年東京都条例第六十

五号。以下「退職手当条例」という。）第十六条第二号に規定する退職手当管理機関（退職手当管理機関が二以上あるときは、最後の退職に係る機関）をいう。以下同じ。）は、次の各号のいずれかに該当する場合においては、第二十四条第一項の規定にかかわらず、当該基準日に係る期末手当を支給しないこととする処分を行うことができる。

一　退職手当管理機関が、基準日前一箇月以内又は基準日から当該基準日に対応する支給日の前日までの間に離職した職員（前条及び次号に掲げる者を除く。）に対し、まだ当該基準日に係る期末手当が支給されていない場合において、その者が在職期間中に懲戒免職等処分（退職手当条例第十六条第一号に規定する懲戒免職等処分をいう。以下次号において同じ。）を受けるべき行為をしたと認めたとき。

二　退職手当管理機関が、基準日前一箇月以内又は基準日から当該基準日に対応する支給日の前日までの間に死亡による退職をした職員（退職後死亡した者を含む。）に対し、まだ当該基準日に係る期末手当が支給されていない場合において、その者が在職期間中に懲戒免職等処分を受けるべき行為をしたと認めたとき。

2　退職手当管理機関は、前項の規定による処分を行う場合は、当該処分を受けるべき者に対し、当該処分の際、当該処分の事由を記載した説明書を交付しなければならない。

3　前二項に規定するもののほか、第一項の規定による処分に関し必要な事項は、人事委員会の承認を得て教育委員会規則で定める。

**（期末手当の一時差止め）**

**第二十四条の二の三**　退職手当管理機関は、支給日に期末手当を支給することとされていた職員で当該支給日の前日までに離職又は死亡したものが次の各号のいずれかに該当する場合は、当該期末手当の支給を一時差し止めることができる。

一　離職した日から当該支給日の前日までの間に、その者の在職期間中の行為に係る刑事事件に関して、その者が起訴（当該起訴に係る犯罪について拘禁刑以上の刑が定められているものに限り、刑事訴訟法（昭和二十三年法律第百三十一号）第六編に規定する略式手続によるものを除く。第三項第三号において同じ。）をされ、その判決が確定していない場合

二　離職した日から当該支給日の前日までの間に、その者の在職期間中の行為に係る刑事事件に関して、その者が逮捕された場合又はその者から聴取した事項若しくは調査により判明した事実に基づきその者に犯罪があると思料するに至つた場合であつて、その者に対し期末手当を支給することが、公務に対する都民の信頼を確保し、期末手当に関する制度の適正かつ円滑な実施を維持する上で支障を生ずると認めるとき。

三　離職又は死亡した日から当該支給日の前日までの間に、前条第一項の規定に該当する行為があると思料するに至つたとき。

2　前項の規定による期末手当の支給を一時差し止める処分（以下「一時差止処分」という。）を受けた者は、行政不服審査法（平成二十六年法律第六十八号）第十八条第一項本文に規定する期間が経過した後においては、当該一時差止処分後の事情の変化を理由に、退職手当管理機関に対し、その取消しを申し立てることができる。

3　退職手当管理機関は、一時差止処分について、次の各号のいずれかに該当するに至つた場合には、速やかに当該一時差止処分を取り消さなければならない。ただし、第三号に該当する場合において、一時差止処分を受けた者がその者の在職期間中の行為に係る刑事事件に関し現に逮捕されているときその他これを取り消すことが一時差止処分の目的に明らかに反すると認めるとき、又は第五号に該当する場合において、これを取り消すことが一時差止処分の目的に明らかに反すると認めるときは、この限りでない。

一　第一項第一号の規定により一時差止処分を受けた者（前条第一項の規定に該当する行為があると思料された場合を除く。次号及び第三号において同じ。）が当該一時差止処分の理由となつた行為に係る刑事事件に関し拘禁刑以上の刑に処せられなかつた場合

二　第一項第二号の規定により一時差止処分を受けた者について、当該一時差止処分の理由となつた行為に係る刑事事件につき公訴を提起しない処分があつた場合

三　第一項第二号の規定により一時差止処分を受けた者がその者の在職期間中の行為に係る刑事事件に関し起訴をされることなく当該一時差止処分に係る期末手当の基準日から起算して一年を経過した場合

四　第一項第三号の規定により一時差止処分を受けた者について、前条第一項の規定に該当する行為があると認められないことが明らかになつた場合

五　第一項第三号の規定により一時差止処分を受けた者について、前条第一項の規定に該当する行為があると認められることなく当該一時差止処分に係る期末手当の基準日から起算して一年を経過した場合

4　前項の規定は、退職手当管理機関が、一時差止処分後に判明した事実又は生じた事情に基づき、期末手当

の支給を差し止める必要がなくなつたとして当該一時差止処分を取り消すことを妨げるものではない。

5　退職手当管理機関は、一時差止処分を行う場合は、当該一時差止処分を受けるべき者に対し、当該一時差止処分の際、一時差止処分の事由を記載した説明書を交付しなければならない。

6　前各項に規定するもののほか、一時差止処分に関し必要な事項は、人事委員会の承認を得て教育委員会規則で定める。

（人事委員会による調査審議）

**第二十四条の二の四**　人事委員会は、退職手当管理機関の諮問に応じ、次項に規定する支給制限処分について調査審議する。

2　退職手当管理機関は、第二十四条の二の二第一項の規定による処分（以下この条において「支給制限処分」という。）を行おうとするときは、人事委員会に諮問しなければならない。

3　人事委員会は、第二十四条の二の二第一項第二号の規定による処分を受けるべき者から申立てがあつた場合には、当該処分を受けるべき者に口頭で意見を述べる機会を与えなければならない。

4　人事委員会は、必要があると認める場合には、支給制限処分に係る事件に関し、当該処分を受けるべき者又は退職手当管理機関にその主張を記載した書面又は資料の提出を求めること、適当と認める者にその知つている事実の陳述又は鑑定を求めることその他必要な調査をすることができる。

5　人事委員会は、必要があると認める場合には、支給制限処分に係る事件に関し、関係機関に対し、資料の提出、意見の開陳その他必要な協力を求めることができる。

6　前各項に規定するもののほか、支給制限処分についての調査審議に関し必要な事項は、人事委員会規則で定める。

（勤勉手当の不支給及び一時差止め等）

**第二十四条の二の五**　第二十四条の二の二から前条までの規定は、第二十四条の二の規定による勤勉手当の支給について準用する。この場合において、第二十四条の二の二及び第二十四条の二の二の二中「第二十四条第一項」とあるのは「第二十四条の二第一項」と、「支給日」とあるのは「支給日（同項に規定する教育委員会が人事委員会の承認を得て定める日をいう。以下この条から第二十四条の二の三までにおいて同じ。）」と読み替えるものとする。

（義務教育等教員特別手当）

**第二十四条の三**　義務教育諸学校（小学校、中学校、義務教育学校、中等教育学校の前期課程又は特別支援学校の小学部若しくは中学部をいう。）に勤務する教育職員等には、義務教育等教員特別手当を支給する。

2　義務教育等教員特別手当の月額は、八千五百七十円を超えない範囲内で、職務の級及び号給（定年前再任用短時間勤務職員にあつては、職務の級）の別に応じて、人事委員会の承認を得て教育委員会規則で定める。

3　高等学校等（高等学校、中等教育学校の後期課程又は特別支援学校の高等部若しくは幼稚部をいう。）に勤務する教育職員等については、第一項に規定する教育職員等との権衡上必要と認められる範囲内において、人事委員会の承認を得て教育委員会規則の定めるところにより、義務教育等教員特別手当を支給する。

4　第一項及び前項において「教育職員等」とは、校長、副校長、教頭、主幹教諭、指導教諭、教諭、助教諭その他の職員で人事委員会の承認を得て教育委員会規則で定めるものをいう。

5　前各項に規定するもののほか、義務教育等教員特別手当の支給に関し必要な事項は、人事委員会の承認を得て教育委員会規則で定める。

（特定職員についての適用除外）

**第二十四条の四**　第十七条から第十九条までの規定は、第十一条の二の規定に基づき管理職手当の支給を受ける職員には適用しない。

2　第八条第二項から第八項まで、第十一条の三から第十三条まで及び第十三条の三の規定は、定年前再任用短時間勤務職員には適用しない。

3　第十三条の三の規定は、教育職給料表の適用を受ける職員のうちその属する職務の級が五級以上である職員、事務職員給料表の適用を受ける職員のうちその属する職務の級が四級である職員及び技術職員給料表(一)の適用を受ける職員のうちその属する職務の級が四級である職員には適用しない。

（給与からの控除）

**第二十四条の五**　次に掲げるものは、職員に給与を支給する際、その給与から控除することができる。

一　都、特別区又は市町村が職員の居住の用に供する施設及びその駐車施設の使用料並びにその使用に必要な経費

二　東京都職員互助組合（以下「互助組合」という。）の組合費、互助組合の貸付金及び立替金に係る返還金及び利子並びに互助組合が取り扱う生命保険料、損害保険料及び火災共済事業の共済掛金

三　公益社団法人東京都教職員互助会の会費及び退職互助事業の積立金

四　特別区又は市町村に勤務する職員がその福利厚生

を目的として組織する団体で教育委員会が適当と認めたもの（以下「互助会」という。）の会費並びに互助会の貸付金及び立替金に係る返還金及び利子

五　教育委員会が適当と認めた団体取扱いに係る生命保険料及び損害保険料並びに生命共済事業及び火災共済事業の共済掛金

六　東京都職員信用組合及び中央労働金庫に対する貯蓄金並びにこれらの法人の貸付金に係る返還金及び利子

**（この条例の施行に関し必要な事項）**

**第二十五条**　この条例に定めるもののほか、この条例の施行に関し必要な事項は、人事委員会と協議して教育委員会規則で定める。

**付　則**

1　この条例は、昭和三十一年十月一日から施行する。

2　この条例の施行により、教育委員会規則で定めることとされている事項で、この条例施行の際存する従前の教育委員会の給与に関する訓令及び教育委員会によつてなされた給与に関する決定その他の手続は、この条例にていしよくするものを除くほか、教育委員会規則によつて別段の定がなされるまでの間、この条例の相当規定に基いてなされたものとみなす。

3　この条例中、第十七条、第十八条及び第十九条の適用については、当分の間、なお、従前の例による。

4　この条例施行の際、結核性疾患で休職中の事務職員及びこの条例施行後、結核性疾患で休職する事務職員の給与については、別に条例で定められるまでの間、なお、従前の例による。

5　職員の給与に関する条例（昭和二十六年六月東京都条例第七十五号）の一部を次のように改正する。

〔次のよう〕略

6　この条例中第二十四条から第二十四条の二の五までの規定は、地方公務員法第二十二条の二第一項第一号に掲げる職員には適用しない。

7　昭和五十四年四月一日以後において、第十一条の三第一項第三号又は第四号に掲げる職に新たに採用される職員には、当分の間、同項の規定は適用しない。

8　平成三十年四月一日から平成三十一年三月三十一日までの間、人事委員会の承認を得て教育委員会規則で定める場合における第十二条の規定の適用については、同条の規定にかかわらず、同条第三項及び第四項中「額とする」とあるのは「額の範囲において人事委員会の承認を得て教育委員会規則で定める額とする」とする。

9　当分の間、職員の給料月額は、当該職員が六十歳に達した日後における最初の四月一日（付則第十二項において「特定日」という。）以後、当該職員に適用される給料表の給料月額のうち、第七条第二項に規定する当該職員の属する職務の級並びに第八条第一項、第三項及び第四項の規定により当該職員の受ける号給に応じた額（給料の切替えに伴う経過措置として、この条例その他の条例の規定において、異なる給料月額の定めがある場合は当該給料月額）に百分の七十を乗じて得た額（当該額に、五十円未満の端数を生じたときはこれを切り捨て、五十円以上百円未満の端数を生じたときはこれを百円に切り上げるものとする。）とする。

10　前項の規定により職員を降給させる場合における第八条第七項の規定の適用については、同項中「とする。」とあるのは、「とする。ただし、付則第九項の規定により職員を降給させる場合は、同条の規定にかかわらず、同項の規定により降給させるものとする。」とする。

11　付則第九項の規定は、次に掲げる職員には適用しない。

一　臨時的に任用される職員その他の法律により任期を定めて任用される職員及び非常勤職員

二　職員の定年等に関する条例（昭和五十九年東京都条例第四号）第六条第二項第一号に掲げる職を占める職員

三　職員の定年等に関する条例第九条第一項又は第二項の規定により同条第一項に規定する異動期間（同項又は同条第二項の規定により延長された期間を含む。）を延長された同条例第六条第一項第一号又は第五号に掲げる職を占める職員

四　職員の定年等に関する条例第四条第一項又は第二項の規定により勤務している職員（同条例第二条に規定する定年退職日において付則第九項の規定が適用されていた職員を除く。）

12　地方公務員法第二十八条の二第一項に規定する他の職への降任をされた職員であつて、当該他の職への降任をされた日（以下この項及び付則第十四項において「異動日」という。）の前日から引き続き同一の給料表の適用を受ける職員のうち、特定日に付則第九項の規定により当該職員の受ける給料月額（以下この項において「特定日給料月額」という。）が異動日の前日に当該職員が受けていた給料月額に百分の七十を乗じて得た額（当該額に、五十円未満の端数を生じたときはこれを切り捨て、五十円以上百円未満の端数を生じたときはこれを百円に切り上げるものとする。以下この項において「基礎給料月額」という。）に達しないこととなる職員（人事委員会規則で定める職員を除く。）には、当分の間、特定日以後、付則第九項の規定により当該職員の受ける給料月額のほか、基礎給料月額と特定日給料月額との差額に相当する額を給料として支給する。

13　前項の規定による給料の額と当該給料を支給される職員の受ける給料月額との合計額が第七条第二項に規定する当該職員の属する職務の級における最高の号給の給料月額を超える場合における前項の規定の適用については、同項中「基礎給料月額と特定日給料月額」とあるのは、「第七条第二項に規定する当該職員の属する職務の級における最高の号給の給料月額と当該職員の受ける給料月額」とする。

14　異動日の前日から引き続き給料表の適用を受ける職員（付則第九項の規定の適用を受ける職員に限り、付則第十二項に規定する職員を除く。）であつて、同項の規定による給料を支給される職員との権衡上必要があると認められる職員には、当分の間、当該職員の受ける給料月額のほか、人事委員会規則で定めるところにより、付則第十二項

及び前項の規定に準じて算出した額を給料として支給する。

15　付則第十二項又は前項の規定による給料を支給される職員以外の付則第九項の規定の適用を受ける職員であつて、任用の事情を考慮して当該給料を支給される職員との権衡上必要があると認められる職員には、当分の間、当該職員の受ける給料月額のほか、人事委員会規則で定めるところにより、前三項の規定に準じて算出した額を給料として支給する。

16　付則第十二項又は前二項の規定による給料を支給される職員に対する第十一条第二項、第十五条の四第一項並びに第十五条の五第一項及び第二項の規定の適用については、これらの規定中「給料月額」とあるのは、「給料月額と付則第十二項、第十四項又は第十五項の規定による給料の額との合計額」とする。

17　付則第九項から前項までに定めるもののほか、付則第九項の規定による給料月額、付則第十二項の規定による給料その他付則第九項から前項までの規定の施行に関し必要な事項は、人事委員会規則で定める。

附　則（平二八・一二・二二条例一一〇）

**（施行期日等）**

**第一条**　この条例は、公布の日から施行する。ただし、第十二条及び第十三条の改正規定並びに附則第三条から第五条までの規定は、平成二十九年四月一日から施行する。

**第二条**　この条例による改正後の学校職員の給与に関する条例（以下「改正後の条例」という。）第二十四条の二第二項及び附則第六条の規定は、平成二十八年十二月一日から適用する。

**（号給の切替え）**

**第三条**　平成二十九年四月一日（以下「切替日」という。）における改正後の条例第七条第一項第三号に掲げる事務職員給料表及び第四号イに掲げる技術職員給料表㈠の適用を受ける職員に係る号給の切替えについては、職員の給与に関する条例の一部を改正する条例（平成二十八年東京都条例第百四号。以下「平成二十八年一部改正条例」という。）附則第三条及び附則別表の規定を準用する。この場合において、平成二十八年一部改正条例附則第三条中「職員の給与に関する条例」とあるのは「学校職員の給与に関する条例」と、「別表第一イに掲げる行政職給料表㈠の一級又は同表ロに掲げる行政職給料表㈡」とあるのは「第七条第一項第三号及び第四号イにおいて準用する職員の給与に関する条例（昭和二十六年東京都条例第七十五号）第五条第一項第一号イに規定する行政職給料表㈠」と読み替えるものとする。

**（給料の切替えに伴う経過措置）**

**第四条**　改正後の条例第七条第一項第三号に掲げる事務職員給料表及び第四号イに掲げる技術職員給料表㈠の適用を受ける職員に係る給料の切替えに伴う経過措置については、平成二十八年一部改正条例附則第四条及び第五条の規定を準用する。この場合において、平成二十八年一部改正条例附則第四条第一項中「人事委員会の定める職員及び任命権者」とあるのは「教育委員会」と、同条第二項及び第三項中「人事委員会の定めるところにより又は任命権者」とあるのは「教育委員会」と、附則第五条中「第六条の二第二項」とあるのは「第八条の二第二項」と、「職員の勤務時間、休日、休暇等に関する条例（平成七年東京都条例第十五号）第二条第二項」とあるのは「学校職員の勤務時間、休日、休暇等に関する条例（平成七年東京都条例第四十五号）第三条第二項」と読み替えるものとする。

**（平成三十年三月三十一日までの間における扶養手当に関する特例措置）**

**第五条**　平成二十九年四月一日から平成三十年三月三十一日までの間における改正後の条例第十二条第三項の規定の適用については、同項第一号中「配偶者、父母等（前項第一号及び第三号から第六号までに掲げる者をいう。以下同じ。）　六千円」とあるのは「配偶者　一万円」と、「三千円」とあるのは「八千円」と、同項中「二　扶養親族たる子（前項第二号に掲げる扶養親族たる子をいう。以下同じ。）　九千円」とあるのは

「二　扶養親族たる子（前項第二号に掲げる扶養親族たる子をいう。以下同じ。）で満十五歳に達する日以後の最初の三月三十一日までにあるもののうち一人（職員に配偶者のない場合に限る。）　一万円

三　扶養親族たる子のうち前号に該当するもの以外のもの　七千五百円

四　前項第三号から第六号までに掲げる者　六千円　」

とし、改正後の条例第十三条第一項の規定は適用せず、改正前の条例第十三条第一項の規定はなお効力を有し、改正後の条例第十三条第三項の規定の適用については、「においては、その」とあるのは「又は扶養手当を受けている職員について第一項第三号若しくは第四号に掲げる事実が生じた場合においては、これらの」と、「その日が」とあるのは「これらの日が」と、「配偶者、父母等」とあるのは「配偶者」とし、同条第四項の規定の適用については、「の改定」とあるのは「の改定（扶養親族たる子で第一項の規定による届出に係るものがある職員で配偶者のないものが扶養親族たる配偶者を有するに至つた場合における当該扶養親族たる子に係る扶養手当の支給額の改定を除く。）及び扶養手当を受けている職員のうち扶養親族たる子で同項の規定による届出に係るものがある職員が配偶者のない職員となつた場合における当該扶養親族たる子に係る扶養手当の支給額の改定」とする。

**（勤勉手当に関する特例措置）**

**第六条**　平成二十八年十二月に支給する勤勉手当に係る改正後の条例第二十四条の二第二項の規定の適用については、同項第一号中「百分の九十」とあるのは「百分の九十五」と、「百分の百十」とあるのは「百分の百十五」と、同項第二号中「百分の四十二・五」とあるのは「百分の四十五」と、「百分の五十二・五」とあるのは「百分の五十五」とする。

**（給与の内払）**

**第七条**　改正後の条例の規定を適用する場合においては、改正前の条例の規定に基づいて職員に支払われた給与は、改正後の条例の規定による給与の内払とみなす。

**（委任）**

**第八条**　附則第三条から前条までに定めるもののほか、この条例の施行に関し必要な事項は、教育委員会が人事委員会と協議して定める。

附　則（平二九・一二・二二条例一〇四）（抄）

**（施行期日等）**

**第一条**　この条例は、公布の日から施行する。ただし、第二十四条第二項の表、同条第四項第一号及び第二十四条の二第三項第一号の改正規定並びに付則に一項を加える改正規定並びに附則第三条から第七条までの規定は、平成三十年四月一日から施行する。

**第二条**　この条例による改正後の学校職員の給与に関する条例（以下「改正後の条例」という。）第二十四条の二第二項の規定及び附則第八条の規定は、平成二十九年十二月一日から適用する。

**（号給の切替え）**

**第四条**　前条の規定の施行に伴い平成三十年四月一日（以下「切替日」という。）に職務の級が切り替えられる職員（以下「特定職員」という。）の切替日における号給は、切替え後の職務の級の号給のうち、切替日の前日においてその者が属していた職務の級の号給における給料月額（以下「旧給料月額」という。）と同額又は直近上位の額の号給（旧給料月額が切替え後の職務の級の最高の号給の給料月額を超える場合は当該最高の号給）とする。

**（給料の切替えに伴う経過措置）**

**第五条**　切替日の前日から引き続き同一の給料表の適用を受ける特定職員のうち、切替日以降にその者の受ける給料月額が旧給料月額に達しないこととなる特定職員（東京都教育委員会（以下「教育委員会」という。）が東京都人事委員会（以下「人事委員会」という。）と協議して定める職員を除く。）には、給料月額のほか、その差額に相当する額を給料として支給する。

2　切替日の前日から引き続き給料表の適用を受ける特定職員（前項に規定する特定職員を除く。）について、同項の規定による給料を支給される特定職員との均衡上必要があると認められるときは、当該特定職員には、教育委員会が人事委員会と協議して定めるところにより、同項の規定に準じて、給料を支給する。

3　切替日以降に新たに給料表の適用を受けることとなった職員について、任用の事情等を考慮して前二項の規定による給料を支給される特定職員との均衡上必要があると認められるときは、当該職員には、教育委員会が人事委員会と協議して定めるところにより、前二項の規定に準じて、給料を支給する。

**第六条**　前条の規定による給料を支給される特定職員又は職員が地方公務員の育児休業等に関する法律（平成三年法律第百十号）第十条第三項の規定による承認を受け、同条第一項に規定する育児短時間勤務（同法第十七条の規定による短時間勤務を含む。）をしている場合の前条の規定による差額に相当する額は、同条の規定にかかわらず、改正後の条例第八条の二第二項の規定の適用前の給料月額と前条の規定による差額に相当する額との合計額に学校職員の勤務時間、休日、休暇等に関する条例（平成七年東京都条例第四十五号）第三条第二項の規定により定められたその者の勤務時間を同条第一項に規定する勤務時間で除して得た数を乗じて得た額から改正後の条例第八条の二第二項の規定による給料月額を減じた額とする。

**第七条**　前二条の規定による給料を支給される特定職員又は職員に関する改正後の条例第二十四条第四項及び第二十四条の二第三項の規定の適用については、これらの規定中「給料の月額」とあるのは、「給料の月額と学校職員の給与に関する条例の一部を改正する条例（平成二十九年東京都条例第百四号）附則第五条又は第六条の規定による差額に相当する額との合計額」とする。

**（勤勉手当に関する特例措置）**

**第八条**　平成二十九年十二月に支給する勤勉手当に係る改正後の条例第二十四条の二第二項の規定の適用については、同項第一号中「百分の九十五」とあるのは「百分の百」と、「百分の百十五」とあるのは「百分の百二十」と、同項第二号中「百分の四十五」とあるのは「百分の四十七・五」と、「百分の五十五」とあるのは「百分の五十七・五」とする。

**（給与の内払）**

**第九条**　改正後の条例の規定を適用する場合においては、この条例による改正前の学校職員の給与に関する条例の規定に基づいて職員に支払われた給与は、改正後の条例の規定による給与の内払とみなす。

**（委任）**

**第十条**　附則第三条から前条までに定めるもののほか、この条例の施行に関し必要な事項は、教育委員会が人事委員会と協議して定める。

附　則（平三〇・一一・二一条例一〇八）

**（施行期日等）**

**第一条**　この条例は、公布の日から施行する。ただし、第二十四条第二項の表、同条第三項及び別表第二の改正規定は、平成三十一年四月一日から施行する。

**第二条**　この条例による改正後の学校職員の給与に関する条例（以下「改正後の条例」という。）第二十四条の二第二項及び次条の規定は、平成三十年十二月一日から適用する。

**（勤勉手当に関する特例措置）**

**第三条**　平成三十年十二月に支給する勤勉手当に係る改正後の条例第二十四条の二第二項の規定の適用については、同項第一号中「百分の百五」とあるのは「百分の百十」と、「百分の百二十」とあるのは「百分の百二十五」と、同項第二号中「百分の四十七・五」とあるのは「百分の五十」と、「百分の五十七・五」とあるのは「百分の六十」とする。

**（給与の内払）**

**第四条**　改正後の条例の規定を適用する場合においては、この条例による改正前の学校職員の給与に関する条例の規定に基づいて職員に支払われた給与は、改正後の条例の規定による給与の内払とみなす。

**（委任）**

**第五条**　前二条に定めるもののほか、この条例の施行に関し必要な事項は、教育委員会が人事委員会と協議して定める。

附　則（令元・一二・二四条例六五）

（施行期日等）

**第一条**　この条例は、公布の日から施行する。ただし、別表第一の改正規定は、令和二年四月一日から施行する。

**第二条**　この条例による改正後の学校職員の給与に関する条例（以下「改正後の条例」という。）第二十四条の二第二項及び次条の規定は、令和元年十二月一日から適用する。

**（勤勉手当に関する特例措置）**

**第三条**　令和元年十二月に支給する勤勉手当に係る改正後の条例第二十四条の二第二項の規定の適用については、同項第一号中「百分の百二・五」とあるのは「百分の百五」と、「百分の百二十二・五」とあるのは「百分の百二十五」と、同項第二号中「百分の五十」とあるのは「百分の五十二・五」と、「百分の六十」とあるのは「百分の六十二・五」とする。

**（給与の内払）**

**第四条**　改正後の条例の規定を適用する場合においては、この条例による改正前の学校職員の給与に関する条例の規定に基づいて職員に支払われた給与は、改正後の条例の規定による給与の内払とみなす。

附　則（令四・六・二二条例九一）

**（施行期日）**

**第一条**　この条例は、令和五年四月一日から施行する。

**（職員の勤務延長に関する経過措置）**

**第二条**　この条例による改正後の学校職員の給与に関する条例（以下「改正後の条例」という。）付則第九項から第十七項までの規定は、地方公務員法の一部を改正する法律（令和三年法律第六十三号。以下「改正法」という。）附則第三条第五項又は第六項の規定により勤務している職員には適用しない。

**（定年退職者等の再任用に関する経過措置）**

**第三条**　改正法附則第四条第一項又は第二項の規定により採用された職員（以下「暫定再任用職員」という。）の給料月額は、当該暫定再任用職員が改正後の条例第二条第一項第一号に規定する定年前再任用短時間勤務職員（以下「定年前再任用短時間勤務職員」という。）であるものとした場合に適用される改正後の条例第七条第一項に規定する給料表の定年前再任用短時間勤務職員の欄に掲げる基準給料月額のうち、同条第二項に規定する当該暫定再任用職員の属する職務の級に応じた額とする。

2　改正法附則第六条第一項又は第二項の規定により採用された職員（以下「暫定再任用短時間勤務職員」という。）の給料月額は、当該暫定再任用短時間勤務職員が定年前再任用短時間勤務職員であるものとした場合に適用される改正後の条例第七条第一項に規定する給料表の定年前再任用短時間勤務職員の欄に掲げる基準給料月額のうち、同条第二項に規定する当該暫定再任用短時間勤務職員の属する職務の級に応じた額に、学校職員の勤務時間、休日、休暇等に関する条例（平成七年東京都条例第四十五号）第三条第三項の規定により定められた当該暫定再任用短時間勤務職員の勤務時間を同条第一項に規定する勤務時間で除して得た数を乗じて得た額とする。

3　暫定再任用職員又は暫定再任用短時間勤務職員でへき地学校等（改正後の条例第十五条の二第一項に規定するへき地学校等をいう。以下同じ。）に勤務する者のうち、地方公務員法（昭和二十五年法律第二百六十一号）第二十八条の六第一項の規定により退職した者若しくは同法第二十八条の七の規定により勤務した後退職した者で退職前から引き続きへき地学校等に勤務するもの又は定年前再任用短時間勤務職員として勤務した後定年退職日相当日（同法第二十二条の四第一項に規定する定年退職日相当日をいう。以下同じ。）に退職した者で退職前から引き続きへき地学校等に勤務するものにあっては退職前における勤務と暫定再任用職員又は暫定再任用短時間勤務職員の各任期における勤務とが引き続くものと、同法第二十二条の四第一項の規定により採用される前から引き続きへき地学校等に勤務していた定年前再任用短時間勤務職員であって、定年前再任用短時間勤務職員として勤務した期間中引き続きへき地学校等に勤務した後定年退職日相当日に退職した者で退職前から引き続きへき地学校等に勤務するものにあっては定年前再任用短時間勤務職員として採用される前にへき地学校等に勤務していた期間と退職前における勤務と暫定再任用職員又は暫定再任用短時間勤務職員の各任期における勤務とが引き続くものと、それ以外の者にあっては暫定再任用職員又は暫定再任用短時間勤務職員の各任期における勤務が引き続くものとみなして、改正後の条例第十五条の三第一項及び第二項の規定を適用する。

4　暫定再任用職員及び暫定再任用短時間勤務職員は、定年前再任用短時間勤務職員とみなして、改正後の条例第二十四条第三項、第二十四条の二第二項、第二十四条の三第二項及び第二十四条の四第二項の規定を適用する。

5　暫定再任用短時間勤務職員は、定年前再任用短時間勤務職員とみなして、改正後の条例第十四条第三項第二号及び第十七条第三項の規定を適用する。

6　前各項に定めるもののほか、暫定再任用職員及び暫定再任用短時間勤務職員に関し必要な事項は、人事委員会規則で定める。

附　則（令四・一二・二二条例一三七）

**（施行期日等）**

**第一条**　この条例は、公布の日から施行する。

**第二条**　この条例による改正後の学校職員の給与に関する条例（以下「改正後の条例」という。）別表第二の規定は令和四年四月一日から、改正後の条例第二十四条の二第二項及び附則第五条の規定は同年十二月一日から適用する。

**（令和四年四月一日から施行日の前日までの間における給料表の適用を異にする異動者等の号給の調整）**

**第三条**　令和四年四月一日からこの条例の施行の日（以下「施行日」という。）の前日までの間に新たに給料表の適用を受けることとなった職員及び給料表の適用を異にして異動した職員の当該適用の日又は異動の日における号給については、この条例による改正前の学校職員の給与に関する条例（以下「改正前の条例」という。）の規定が適用された場合との均衡上必要と認められる限度において、東京都教育委員会（以下「教育委員会」という。）が東京都人事委員会（以下「人事委員会」という。）と協議して定めるところにより、必要な調整を行うことができる。

（施行日から令和五年三月三十一日までの間における異動者等の号給の調整）

**第四条**　施行日から令和五年三月三十一日までの間において、新たに給料表の適用を受けることとなった職員及び給料表の適用を異にして異動した職員の当該適用の日又は異動の日における号給については、当該適用又は異動について、まず改正前の条例の規定が適用され、次いで当該適用の日又は異動の日から改正後の条例の規定が適用されるものとした場合との均衡上必要と認められる限度において、教育委員会が人事委員会と協議して定めるところにより、必要な調整を行うことができる。

（勤勉手当に関する特例措置）

**第五条**　令和四年十二月に支給する勤勉手当に係る改正後の条例第二十四条の二第二項の規定の適用については、同項第一号中「百分の百七・五」とあるのは「百分の百十二・五」と、「百分の百二十七・五」とあるのは「百分の百三十二・五」と、同項第二号中「百分の五十二・五」とあるのは「百分の五十五」と、「百分の六十二・五」とあるのは「百分の六十五」とする。

（給与の内払）

**第六条**　改正後の条例の規定を適用する場合においては、改正前の条例の規定に基づいて職員に支払われた給与は、改正後の条例の規定による給与の内払とみなす。

（委任）

**第七条**　附則第三条から前条までに定めるもののほか、この条例の施行に関し必要な事項は、教育委員会が人事委員会と協議して定める。

附　則（令五・一二・二六条例九二）（抄）

（施行期日等）

**第一条**　この条例は、公布の日から施行する。ただし、付則第六項の改正規定は、令和六年四月一日から施行する。

**第二条**　この条例による改正後の学校職員の給与に関する条例（以下「改正後の条例」という。）〔中略〕第二十四条の二第二項及び附則第五条の規定は同年十二月一日から適用する。

（令和五年四月一日から施行日の前日までの間における給料表の適用を異にする異動者等の号給の調整）

**第三条**　令和五年四月一日からこの条例の施行の日（以下「施行日」という。）の前日までの間に新たに給料表の適用を受けることとなった職員及び給料表の適用を異にして異動した職員の当該適用の日又は異動の日における号給については、この条例による改正前の学校職員の給与に関する条例（以下「改正前の条例」という。）の規定が適用された場合との均衡上必要と認められる限度において、東京都教育委員会（以下「教育委員会」という。）が東京都人事委員会（以下「人事委員会」という。）と協議して定めるところにより、必要な調整を行うことができる。

（施行日から令和六年三月三十一日までの間における異動者等の号給の調整）

**第四条**　施行日から令和六年三月三十一日までの間において、新たに給料表の適用を受けることとなった職員及び給料表の適用を異にして異動した職員の当該適用の日又は異動の日における号給については、当該適用又は異動について、まず改正前の条例の規定が適用され、次いで当該適用の日又は異動の日から改正後の条例の規定が適用されるものとした場合との均衡上必要と認められる限度において、教育委員会が人事委員会と協議して定めるところにより、必要な調整を行うことができる。

（勤勉手当に関する特例措置）

**第五条**　令和五年十二月に支給する勤勉手当に係る改正後の条例第二十四条の二第二項の規定の適用については、同項第一号中「百分の百十二・五」とあるのは「百分の百十七・五」と、「百分の百三十二・五」とあるのは「百分の百三十七・五」と、同項第二号中「百分の五十五」とあるのは「百分の五十七・五」と、「百分の六十五」とあるのは「百分の六十七・五」とする。

（給与の内払）

**第六条**　改正後の条例の規定を適用する場合においては、改正前の条例の規定に基づいて職員に支払われた給与は、改正後の条例の規定による給与の内払とみなす。

（委任）

**第七条**　附則第三条から前条までに定めるもののほか、この条例の施行に関し必要な事項は、教育委員会が人事委員会と協議して定める。

附　則（令六・一〇・一一条例一二三）

（施行期日）

1　この条例は、令和七年六月一日から施行する。

（経過措置）

2　刑法等の一部を改正する法律（令和四年法律第六十七号）及び刑法等の一部を改正する法律の施行に伴う関係法律の整理等に関する法律（令和四年法律第六十八号）並びにこの条例の施行前に犯した禁錮以上の刑（死刑を除く。）が定められている罪につき起訴をされた者は、この条例による改正後の学校職員の給与に関する条例第二十四条の二の三第一項（第一号に係る部分に限る。）及び第三項（第三号に係る部分に限る。）（これらの規定を同条例第二十四条の二の五において準用する場合を含む。）の規定の適用については、拘禁刑が定められている罪につき起訴をされた者とみなす。

別表第一・第二〔略〕

別表第三（第14条関係）

| 職員の区分 / 自転車等の片道の使用距離の区分 | 1　2及び3以外の職員 | 2　通勤不便な勤務庁に勤務する職員で人事委員会が定める事由に該当するもの | 3　身体に障害を有する職員で人事委員会が定めるところにより通勤が困難であると認められるもの |
|---|---|---|---|
| 5キロメートル未満 | 円<br>2,600 | 円<br>3,900 | 円<br>4,500 |
| 5キロメートル以上10キロメートル未満 | 3,000 | 5,300 | 6,200 |
| 10キロメートル以上15キロメートル未満 | 5,000 | 8,100 | 9,600 |
| 15キロメートル以上20キロメートル未満 | 7,000 | 10,900 | 13,000 |
| 20キロメートル以上25キロメートル未満 | 9,000 | 13,700 | 16,400 |
| 25キロメートル以上30キロメートル未満 | 11,000 | 16,400 | 19,800 |
| 30キロメートル以上35キロメートル未満 | 11,000 | 17,700 | 23,200 |
| 35キロメートル以上40キロメートル未満 | 13,000 | 20,100 | 26,600 |
| 40キロメートル以上45キロメートル未満 | 13,000 | 22,500 | 30,000 |
| 45キロメートル以上50キロメートル未満 | 14,000 | 24,300 | 31,800 |
| 50キロメートル以上55キロメートル未満 | 14,000 | 26,100 | 33,600 |
| 55キロメートル以上60キロメートル未満 | 15,000 | 27,900 | 35,400 |
| 60キロメートル以上 | 15,000 | 29,700 | 37,200 |

# 第二章　学校教育

## ○東京都立学校設置条例

昭三九・三・三一
条例一一三

最終改正　令六・一〇・一一条例一二四

（設置）

**第一条**　東京都に学校教育法（昭和二十二年法律第二十六号）第二条の規定に基づき、小学校、中学校、高等学校、中等教育学校及び特別支援学校（以下「都立学校」という。）を設置する。

（名称及び位置）

**第二条**　都立学校の名称及び位置は、別表のとおりとする。

（委任）

**第三条**　この条例の施行について必要な事項は、東京都教育委員会規則で定める。

付　則

1　この条例は、昭和三十九年四月一日から施行する。

2　従前の東京都立学校は、この条例による東京都立学校となり、同一性をもつて存続するものとする。

附　則（令六・一〇・一一条例一二四）

この条例は、公布の日から施行する。

**別表**（第二条関係）

一　小学校

| 名称 | 位置 |
|---|---|
| 東京都立立川国際中等教育学校附属小学校 | 立川市曙町三丁目十三番十五号 |

二　中学校

| 名称 | 位置 |
|---|---|
| 東京都立白鷗高等学校附属中学校 | 台東区元浅草三丁目十二番十二号 |
| 同　両国高等学校附属中学校 | 墨田区江東橋一丁目七番十四号 |
| 同　富士高等学校附属中学校 | 中野区弥生町五丁目二十一番一号 |
| 同　大泉高等学校附属中学校 | 練馬区東大泉五丁目三番一号 |
| 同　武蔵高等学校附属中学校 | 武蔵野市境四丁目十三番二十八号 |

三　高等学校

| 名称 | 位置 |
|---|---|
| 東京都立　一橋高等学校 | 千代田区東神田一丁目十二番十三号 |
| 同　日比谷高等学校 | 同　永田町二丁目十六番一号 |
| 同　晴海総合高等学校 | 中央区晴海一丁目二番一号 |
| 同　三田高等学校 | 港区三田一丁目四番四十六号 |
| 同　芝商業高等学校 | 同　海岸一丁目八番二十五号 |
| 同　六本木高等学校 | 同　六本木六丁目十六番三十六号 |
| 同　新宿高等学校 | 新宿区内藤町十一番地四 |
| 同　新宿山吹高等学校 | 同　山吹町八十一番地 |
| 同　戸山高等学校 | 同　戸山三丁目十九番一号 |
| 同　総合芸術高等学校 | 同　富久町二十二番一号 |
| 同　竹早高等学校 | 文京区小石川四丁目二番一号 |
| 同　向丘高等学校 | 同　向丘一丁目十一番十八号 |
| 同　工芸高等学校 | 同　本郷一丁目三番九号 |
| 同　浅草高等学校 | 台東区今戸一丁目八番十三号 |
| 同　上野高等学校 | 同　上野公園十番十四号 |
| 同　忍岡高等学校 | 同　浅草橋五丁目一番二十四号 |
| 同　白鷗高等学校 | 同　元浅草一丁目六番二十二号 |
| 同　蔵前工科高等学校 | 同　蔵前一丁目三番五十七号 |
| 同　墨田川高等学校 | 墨田区東向島三丁目三十四番十四号 |
| 同　日本橋高等学校 | 同　八広一丁目二十八番二十一号 |
| 同　本所高等学校 | 同　向島三丁目三十七番二十五号 |
| 同　両国高等学校 | 同　江東橋一丁目七番十四号 |
| 同　橘高等学校 | 同　立花四丁目二十九番七号 |
| 同　城東高等学校 | 江東区大島三丁目二十二番一号 |
| 同　東高等学校 | 同　東砂七丁目十九番二十四号 |
| 同　深川高等学校 | 同　東陽五丁目三十二番十九号 |
| 同　科学技術高等学校 | 同　大島一丁目二番三十一号 |
| 同　墨田工科高等学校 | 同　森下五丁目一番七号 |
| 同　江東商業高等学校 | 同　亀戸四丁目五十番一号 |
| 同　第三商業高等学校 | 同　越中島三丁目三番一号 |
| 同　大江戸高等学校 | 同　千石三丁目二番十一号 |
| 同　大崎高等学校 | 品川区豊町二丁目一番七号 |
| 同　小山台高等学校 | 同　小山三丁目三番三十二号 |
| 同　八潮高等学校 | 同　東品川三丁目二十七番二十二号 |
| 同　駒場高等学校 | 目黒区大橋二丁目十八番一号 |
| 同　目黒高等学校 | 同　祐天寺二丁目七番十五号 |
| 同　国際高等学校 | 同　駒場二丁目十九番五十九号 |
| 同　大森高等学校 | 大田区西蒲田二丁目二番一号 |
| 同　蒲田高等学校 | 同　蒲田本町一丁目一番三十号 |
| 同　田園調布高等学校 | 同　田園調布南二十七番一号 |
| 同　美原高等学校 | 同　大森東一丁目三十三番一号 |
| 同　雪谷高等学校 | 同　久が原一丁目十四番一号 |
| 同　六郷工科高等学校 | 同　東六郷二丁目十八番二号 |
| 同　大田桜台高等学校 | 同　中馬込三丁目十一番十号 |
| 同　つばさ総合高等学校 | 同　本羽田三丁目十一番五号 |
| 同　桜町高等学校 | 世田谷区用賀二丁目四番一号 |
| 同　千歳丘高等学校 | 同　船橋三丁目十八番一号 |
| 同　深沢高等学校 | 同　深沢七丁目三番十四号 |
| 同　松原高等学校 | 同　桜上水四丁目三番五号 |
| 同　芦花高等学校 | 同　粕谷三丁目八番一号 |
| 同　園芸高等学校 | 同　深沢五丁目三十八番一号 |
| 同　総合工科高等学校 | 同　成城九丁目二十五番一号 |

| | | |
|---|---|---|
| 同 | 世田谷泉高等学校 | 同　北烏山九丁目二十二番一号 |
| 同 | 世田谷総合高等学校 | 同　岡本二丁目九番一号 |
| 同 | 青山高等学校 | 渋谷区神宮前二丁目一番八号 |
| 同 | 広尾高等学校 | 同　東四丁目十四番十四号 |
| 同 | 第一商業高等学校 | 同　鉢山町八番一号 |
| 同 | 鷺宮高等学校 | 中野区若宮三丁目四十六番八号 |
| 同 | 富士高等学校 | 同　弥生町五丁目二十一番一号 |
| 同 | 武蔵丘高等学校 | 同　上鷺宮二丁目十四番一号 |
| 同 | 中野工科高等学校 | 同　野方三丁目五番五号 |
| 同 | 稔ヶ丘高等学校 | 同　上鷺宮五丁目十一番一号 |
| 同 | 荻窪高等学校 | 杉並区荻窪五丁目七番二十号 |
| 同 | 杉並高等学校 | 同　成田西四丁目十五番十五号 |
| 同 | 豊多摩高等学校 | 同　成田西二丁目六番十八号 |
| 同 | 西高等学校 | 同　宮前四丁目二十一番三十二号 |
| 同 | 農芸高等学校 | 同　今川三丁目二十五番一号 |
| 同 | 杉並工科高等学校 | 同　上井草四丁目十三番三十一号 |
| 同 | 杉並総合高等学校 | 同　下高井戸五丁目十七番一号 |
| 同 | 豊島高等学校 | 豊島区千早四丁目九番二十一号 |
| 同 | 文京高等学校 | 同　西巣鴨一丁目一番五号 |
| 同 | 千早高等学校 | 同　千早三丁目四十六番二十一号 |
| 同 | 飛鳥高等学校 | 北区王子六丁目八番八号 |
| 同 | 赤羽北桜高等学校 | 同　西が丘三丁目十四番二十号 |
| 同 | 王子総合高等学校 | 同　滝野川三丁目五十四番七号 |
| 同 | 桐ヶ丘高等学校 | 同　赤羽北三丁目五番二十二号 |
| 同 | 竹台高等学校 | 荒川区東日暮里五丁目十四番一号 |
| 同 | 荒川工科高等学校 | 同　南千住六丁目四十二番一号 |
| 同 | 板橋高等学校 | 板橋区大谷口一丁目五十四番一号 |
| 同 | 板橋有徳高等学校 | 同　徳丸二丁目十七番一号 |
| 同 | 大山高等学校 | 同　小茂根五丁目十八番一号 |
| 同 | 北園高等学校 | 同　板橋四丁目十四番一号 |
| 同 | 高島高等学校 | 同　高島平三丁目七番一号 |
| 同 | 北豊島工科高等学校 | 同　富士見町二十八番一号 |
| 同 | 井草高等学校 | 練馬区上石神井二丁目二番四十三号 |
| 同 | 大泉高等学校 | 同　東大泉五丁目三番一号 |
| 同 | 大泉桜高等学校 | 同　大泉町三丁目五番七号 |
| 同 | 石神井高等学校 | 同　関町北四丁目三十二番四十八号 |
| 同 | 田柄高等学校 | 同　光が丘二丁目三番一号 |

| | | |
|---|---|---|
| 同 | 練馬高等学校 | 同　春日町四丁目二十八番二十五号 |
| 同 | 光丘高等学校 | 同　旭町二丁目一番三十五号 |
| 同 | 練馬工科高等学校 | 同　早宮二丁目九番十八号 |
| 同 | 第四商業高等学校 | 同　貫井三丁目四十五番十九号 |
| 同 | 青井高等学校 | 足立区青井一丁目七番三十五号 |
| 同 | 足立高等学校 | 同　中央本町　丁目三番九号 |
| 同 | 足立新田高等学校 | 同　新田二丁目十番十六号 |
| 同 | 足立西高等学校 | 同　江北五丁目七番一号 |
| 同 | 足立東高等学校 | 同　大谷田二丁目三番五号 |
| 同 | 江北高等学校 | 同　西綾瀬四丁目十四番三十号 |
| 同 | 淵江高等学校 | 同　東保木間二丁目十番一号 |
| 同 | 足立工科高等学校 | 同　西新井四丁目三十番一号 |
| 同 | 小台橋高等学校 | 同　小台二丁目一番三十一号 |
| 同 | 葛飾野高等学校 | 葛飾区亀有一丁目七番一号 |
| 同 | 南葛飾高等学校 | 同　立石六丁目四番一号 |
| 同 | 農産高等学校 | 同　西亀有一丁目二十八番一号 |
| 同 | 本所工科高等学校 | 同　南水元四丁目二十一番一号 |
| 同 | 葛飾商業高等学校 | 同　新宿三丁目十四番一号 |
| 同 | 葛飾総合高等学校 | 同　南水元四丁目二十一番一号 |
| 同 | 江戸川高等学校 | 江戸川区松島二丁目三十八番一号 |
| 同 | 葛西南高等学校 | 同　南葛西一丁目十一番一号 |
| 同 | 小岩高等学校 | 同　本一色三丁目十番一号 |
| 同 | 小松川高等学校 | 同　平井一丁目二十七番十号 |
| 同 | 篠崎高等学校 | 同　東篠崎町一丁目十番一号 |
| 同 | 紅葉川高等学校 | 同　臨海町一丁目一番一号 |
| 同 | 葛西工科高等学校 | 同　一之江七丁目六十八番一号 |
| 同 | 片倉高等学校 | 八王子市片倉町千六百四十三番地 |
| 同 | 翔陽高等学校 | 同　館町千八十七番地百三十六 |
| 同 | 八王子北高等学校 | 同　楢原町八百一番 |
| 同 | 八王子拓真高等学校 | 同　台町三丁目二十五番一号 |
| 同 | 八王子東高等学校 | 同　高倉町六十八番一 |
| 同 | 富士森高等学校 | 同　長房町四百二十番地二 |
| 同 | 松が谷高等学校 | 同　松が谷十七百七十二番 |
| 同 | 八王子桑志高等学校 | 同　千人町四丁目八番一号 |
| 同 | 砂川高等学校 | 立川市泉町九百二十五番四 |
| 同 | 立川高等学校 | 同　錦町二丁目十三番五号 |
| 同 | 立川緑高等学校 | 同　錦町六丁目三番一号 |

| 名称 | 位置 |
|---|---|
| 同　武蔵高等学校 | 武蔵野市境四丁目十三番二十八号 |
| 同　武蔵野北高等学校 | 同　八幡町二丁目三番十号 |
| 同　多摩高等学校 | 青梅市裏宿町五百八十番地 |
| 同　青梅総合高等学校 | 同　勝沼一丁目六十番地一 |
| 同　府中高等学校 | 府中市栄町三丁目三番地一 |
| 同　府中西高等学校 | 同　日新町四丁目六番七 |
| 同　府中東高等学校 | 同　押立町四丁目二十一番地 |
| 同　農業高等学校 | 同　寿町一丁目十番地二 |
| 同　府中工科高等学校 | 同　若松町二丁目十九番地一 |
| 同　昭和高等学校 | 昭島市東町二丁目三番二十一号 |
| 同　拝島高等学校 | 同　拝島町四丁目十三番一号 |
| 同　神代高等学校 | 調布市若葉町一丁目四十六番地一 |
| 同　調布北高等学校 | 同　深大寺北町五丁目三十九番地一 |
| 同　調布南高等学校 | 同　多摩川六丁目二番地一 |
| 同　小川高等学校 | 町田市小川二丁目千二番地一 |
| 同　成瀬高等学校 | 同　成瀬七丁目四番一号 |
| 同　野津田高等学校 | 同　野津田町二千一番地 |
| 同　町田高等学校 | 同　中町四丁目二十五番三号 |
| 同　山崎高等学校 | 同　山崎町千四百五十三番地一 |
| 同　町田工科高等学校 | 同　忠生一丁目二十番地二 |
| 同　町田総合高等学校 | 同　木曽西三丁目五番地一 |
| 同　小金井北高等学校 | 小金井市緑町四丁目一番一号 |
| 同　小金井工科高等学校 | 同　本町六丁目八番九号 |
| 同　多摩科学技術高等学校 | 同　本町六丁目八番九号 |
| 同　小平高等学校 | 小平市仲町百十二番地 |
| 同　小平西高等学校 | 同　小川町一丁目五百二番九十五 |
| 同　小平南高等学校 | 同　上水本町六丁目二十一番一号 |
| 同　日野高等学校 | 日野市石田一丁目百九十番地一 |
| 同　日野台高等学校 | 同　大坂上四丁目十六番地の一 |
| 同　南平高等学校 | 同　南平八丁目二番三 |
| 同　東村山高等学校 | 東村山市恩多町四丁目二十六番地一 |
| 同　東村山西高等学校 | 同　富士見町五丁目四番地四十一 |
| 同　国分寺高等学校 | 国分寺市新町三丁目二番地の五 |
| 同　国立高等学校 | 国立市東四丁目二十五番地の一 |
| 同　第五商業高等学校 | 同　中三丁目四番地の一 |
| 同　福生高等学校 | 福生市北田園二丁目十一番地三 |
| 同　多摩工科高等学校 | 同　熊川二百十五番地 |
| 同　狛江高等学校 | 狛江市元和泉三丁目九番一号 |
| 同　東大和高等学校 | 東大和市中央三丁目九百四十五番地 |
| 同　東大和南高等学校 | 同　桜が丘三丁目四十四番八 |
| 同　清瀬高等学校 | 清瀬市松山三丁目一番五十六号 |
| 同　久留米西高等学校 | 東久留米市野火止二丁目一番四十四号 |
| 同　東久留米総合高等学校 | 同　幸町五丁目八番四十六号 |
| 同　上水高等学校 | 武蔵村山市大南四丁目六十二番地一 |
| 同　武蔵村山高等学校 | 同　中原一丁目七番地一 |
| 同　永山高等学校 | 多摩市永山五丁目二十二番地 |
| 同　若葉総合高等学校 | 稲城市坂浜千四百三十四番地三 |
| 同　羽村高等学校 | 羽村市羽字武蔵野四千百五十二番一 |
| 同　秋留台高等学校 | あきる野市平沢字石神戸百五十三番地四 |
| 同　五日市高等学校 | 同　五日市八百九十四番地 |
| 同　田無高等学校 | 西東京市向台町五丁目四番三十四号 |
| 同　保谷高等学校 | 同　住吉町五丁目八番二十三号 |
| 同　田無工科高等学校 | 同　向台町一丁目九番一号 |
| 同　瑞穂農芸高等学校 | 西多摩郡瑞穂町石畑二千二十七番地 |
| 同　大島高等学校 | 大島町元町字八重の水百二十七番地 |
| 同　大島海洋国際高等学校 | 同　差木地字下原九百九十六番地一 |
| 同　新島高等学校 | 新島村本村四丁目十番一号 |
| 同　神津高等学校 | 神津島村千六百二十番地 |
| 同　三宅高等学校 | 三宅村坪田四千五百八十六番地 |
| 同　八丈高等学校 | 八丈町大賀郷三千二十番地 |
| 同　小笠原高等学校 | 小笠原村父島字清瀬 |

四　中等教育学校

| 名称 | 位置 |
|---|---|
| 東京都立小石川中等教育学校 | 文京区本駒込二丁目二十九番二十九号 |
| 同　桜修館中等教育学校 | 目黒区八雲一丁目一番二号 |
| 同　南多摩中等教育学校 | 八王子市明神町四丁目二十番一号 |
| 同　立川国際中等教育学校 | 立川市曙町三丁目二十九番三十七号 |
| 同　三鷹中等教育学校 | 三鷹市新川六丁目二十一番二十一号 |

五 特別支援学校

| 名称 | 位置 |
|---|---|
| 東京都立文京盲学校 | 文京区後楽一丁目七番六号 |
| 同 八王子盲学校 | 八王子市台町三丁目十九番二十二号 |
| 同 葛飾盲学校 | 葛飾区堀切七丁目三十一番五号 |
| 同 大塚ろう学校 | 豊島区巣鴨四丁目二十番八号 |
| 同 葛飾ろう学校 | 葛飾区西亀有二丁目五十八番一号 |
| 同 中央ろう学校 | 杉並区下高井戸二丁目二十二番十号 |
| 同 小平特別支援学校 | 小平市小川西町二丁目三十三番一号 |
| 同 北特別支援学校 | 北区十条台一丁目一番一号 |
| 同 城南特別支援学校 | 大田区東六郷二丁目十八番十九号 |
| 同 村山特別支援学校 | 武蔵村山市緑が丘千四百六十番地一 |
| 同 八王子東特別支援学校 | 八王子市石川町三千二百四十六番一 |
| 同 大泉特別支援学校 | 練馬区大泉学園町九丁目三番一号 |
| 同 墨東特別支援学校 | 江東区猿江二丁目十六番十八号 |
| 同 青鳥特別支援学校 | 世田谷区下馬二丁目三十八番二十三号 |
| 同 王子特別支援学校 | 北区十条台一丁目八番四十一号 |
| 同 八王子特別支援学校 | 八王子市台町三丁目五番一号 |
| 同 しいの木特別支援学校 | 千葉県市原市椎津字椎木台二千五百九十番二 |
| 同 七生特別支援学校 | 日野市程久保八百四十三番地 |
| 同 高島特別支援学校 | 板橋区高島平三丁目七番二号 |
| 同 矢口特別支援学校 | 大田区矢口一丁目二十六番十号 |
| 同 羽村特別支援学校 | 羽村市五ノ神字武蔵野三百十九番地一 |
| 同 調布特別支援学校 | 調布市調布ケ丘一丁目一番二 |
| 同 小金井特別支援学校 | 小金井市桜町二丁目一番十四号 |
| 同 水元特別支援学校 | 葛飾区西水元五丁目二番一号 |
| 同 墨田特別支援学校 | 墨田区八広五丁目十番二号 |
| 同 江東特別支援学校 | 江東区東陽四丁目十一番四十五号 |
| 同 中野特別支援学校 | 中野区南台三丁目四十六番二十号 |
| 同 足立特別支援学校 | 足立区花畑七丁目二十三番十五号 |
| 同 清瀬特別支援学校 | 清瀬市中里四丁目七百八十八番地一 |
| 同 葛飾特別支援学校 | 葛飾区金町二丁目十四番一号 |
| 同 港特別支援学校 | 港区港南三丁目九番四十五号 |
| 同 石神井特別支援学校 | 練馬区石神井台八丁目二十番三十五号 |
| 同 白鷺特別支援学校 | 江戸川区東小松川四丁目五十番一号 |
| 同 板橋特別支援学校 | 板橋区高島平九丁目二十三番二十二号 |
| 同 田無特別支援学校 | 西東京市南町五丁目十五番五号 |
| 同 田園調布特別支援学校 | 大田区田園調布五丁目四十三番六号 |
| 同 南大沢学園 | 八王子市南大沢五丁目二十八番地 |
| 同 品川特別支援学校 | 品川区南品川六丁目十五番二十号 |
| 同 練馬特別支援学校 | 練馬区高松六丁目十七番一号 |
| 同 青山特別支援学校 | 港区南青山二丁目三十三番七十七号 |
| 同 城東特別支援学校 | 江東区大島六丁目七番三号 |
| 同 臨海青海特別支援学校 | 同 青海二丁目五番一号 |
| 同 八王子西特別支援学校 | 八王子市東浅川町五百四十六番地一 |
| 同 東久留米特別支援学校 | 東久留米市野火止二丁目一番十一号 |
| 同 八王子南特別支援学校 | 八王子市鑓水二丁目八十八番地一 |
| 同 久我山青光学園 | 世田谷区北烏山四丁目三十七番一号 |
| 同 立川学園 | 立川市栄町一丁目十五番地の七 |
| 同 町田の丘学園 | 町田市野津田町二千三番地一 |
| 同 多摩桜の丘学園 | 多摩市聖ケ丘一丁目十七番一 |
| 同 あきる野学園 | あきる野市上代継百二十三番地一 |
| 同 永福学園 | 杉並区永福一丁目七番二十八号 |
| 同 青峰学園 | 青梅市大門三丁目十二番地 |
| 同 府中けやきの森学園 | 府中市朝日町三丁目十四番地の一 |
| 同 志村学園 | 板橋区西台一丁目四十一番十号 |
| 同 鹿本学園 | 江戸川区本一色二丁目二十四番十一号 |
| 同 水元小合学園 | 葛飾区水元一丁目二十四番一号 |
| 同 花畑学園 | 足立区南花畑五丁目二十四番四十九号 |
| 同 光明学園 | 世田谷区松原六丁目三十八番二十七号 |
| 同 武蔵台学園 | 府中市武蔵台二丁目八番地の二十八 |

# ○東京都立学校の管理運営に関する規則

昭三五・四・一
教育委員会規則八

最終改正　令五・三・三一　教育委員会規則一三

## 第一章　総則

（目的）

**第一条**　この規則は、地方教育行政の組織及び運営に関する法律（昭和三十一年法律第百六十二号）第三十三条の規定に基づき、都立の小学校、中学校、高等学校、中等教育学校及び特別支援学校の管理運営に関し、必要な事項を定めることを目的とする。

（任務）

**第二条**　校長及び職員は、この規則及び他の法令等の定めるところに従い、適正にして円滑な学校の管理運営に努めなければならない。

## 第二章　高等学校

### 第一節　学期及び休業日

**第三条**　削除

（学期）

**第四条**　学年を分けて、次の三学期とする。

第一学期　四月一日から八月三十一日まで。

第二学期　九月一日から十二月三十一日まで。

第三学期　一月一日から三月三十一日まで。

2　前項の規定にかかわらず、校長の申出により前期及び後期の二学期とすることがある。

（休業日）

**第五条**　学校教育法施行令（昭和二十八年政令第三百四十号。以下「施行令」という。）第二十九条及び単位制高等学校教育規程（昭和六十三年文部省令第六号）第八条の規定に基づく高等学校の休業日は、次のとおりとする。

一　夏季休業日　七月二十一日から八月三十一日まで

二　冬季休業日　十二月二十六日から一月七日まで

三　春季休業日　三月二十六日から四月五日まで

四　開校記念日

五　都民の日条例（昭和二十七年九月東京都条例第七十五号）の規定する日

六　その他東京都教育委員会（以下「委員会」という。）が定める日

2　前条第二項により二学期とした場合は、前項にかかげるもののほか、校長の申出により特別の定をすることがある。

3　第一項の規定にかかわらず、春季休業日、水産及び農業に関する全日制の課程並びに定時制の課程の春季及び冬季休業日については、校長の申出により特別の定をすることがある。

4　休業日に授業を行い、または授業日に休業しようとするときは、校長は委員会の許可を受けなければならない。ただし、運動会、学芸会、遠足その他の年間行事計画に基づく恒常的行事の実施のため、休業日に授業を行いまたは授業日に休業しようとする場合は、あらかじめ届け出ることをもつて足りるものとする。

（臨時休業の報告）

**第六条**　学校教育法施行規則（昭和二十二年文部省令第十一号。以下「施行規則」という。）第百四条第一項で準用する施行規則第六十三条の規定による臨時休業の報告書には、次の事項を記載しなければならない。

一　臨時休業の期日

二　事　由

三　措　置

四　その他参考となる事項

### 第二節　職員及び経営企画室

（校長の職務）

**第七条**　学校教育法（昭和二十二年法律第二十六号。以下「法」という。）第六十二条で準用する法第三十七条第四項に規定する校長の職務は、おおむね次のとおりとする。

一　学校教育の管理、所属職員の管理、学校施設の管理及び学校事務の管理に関すること。

二　所属職員の職務上及び身分上の監督に関すること。

三　前各号に規定するもののほか、職務上委任または命令された事項に関すること。

2　校長は、所属職員に校務を分掌させることができる。

（統括校長）

**第七条の二**　学校に、委員会が別に定める基準に基づき、特に重要かつ困難な職責を担う校長の職として、統括校長を置くことができる。

（副校長）

**第八条**　学校に副校長を置く。

2　副校長は、校長を助け、命を受けて校務をつかさどり、及び校務を整理する。

3　副校長は、校長の命を受け、所属職員（第十二条の三に規定する経営企画室の所属職員を除く。以下次項及び第十条第三項において同じ。）を監督し、及び必要に応じ生徒の教育をつかさどる。

4　副校長がつかさどる校務は、所属職員の服務に関する事務の一部とし、その範囲は、委員会が別に定める。

5　法第六十二条で準用する法第三十七条第六項に規定する副校長が校長の職務を代理し、又は行う場合とは、次の場合とする。

一　職務を代理する場合　校長が海外出張、海外旅行、休職又は長期にわたる病気等で職務を執行することができない場合

二　職務を行う場合　校長が死亡、退職、免職又は失職により欠けた場合

6　前項の規定に基づき副校長が校長の職務を代理し、又は行う場合及びそれが終了した場合は、校長又は副校長は、委員会に報告しなければならない。

**第九条**　二人以上の副校長のいる学校の校長は、法第三十七条第六項に定める順序をあらかじめ委員会に報告しなければならない。

**（主幹教諭）**

**第十条**　学校に主幹教諭を置く。ただし、特別の事情のあるときは、主幹教諭を置かないことができる。

2　主幹教諭は、校長及び副校長を助け、命を受けて校務の一部を整理し、並びに生徒の教育をつかさどる。

3　主幹教諭は、担当する校務について、所属職員を監督する。

4　主幹教諭が担当する校務の範囲は、委員会が別に定める基準に基づき、校長が決定する。

5　校長は、前項の規定に基づき主幹教諭が担当する校務の範囲を決定したときは、委員会に報告しなければならない。

6　学校の実情に照らし必要があると認めるときは、校長及び副校長を助け、命を受けて校務の一部を整理し、並びに生徒の養護をつかさどる主幹教諭を置くことができる。

7　学校の実情に照らし必要があると認めるときは、校長及び副校長を助け、命を受けて校務の一部を整理し、並びに生徒の栄養の指導及び管理をつかさどる主幹教諭を置くことができる。

**（指導教諭）**

**第十条の二**　学校に指導教諭を置くことができる。

2　指導教諭は、生徒の教育をつかさどり、並びに教諭その他の職員に対して、教育指導の改善及び充実のために必要な指導及び助言を行う。

**（主任教諭等）**

**第十条の三**　学校に、特に高度の知識又は経験を必要とする教諭の職として、主任教諭を置くことができる。

2　学校に、特に高度の知識又は経験を必要とする養護教諭の職として、主任養護教諭を置くことができる。

3　学校に、特に高度の知識又は経験を必要とする栄養教諭の職として、主任栄養教諭を置くことができる。

**（主任）**

**第十条の四**　学校に教務主任、生活指導主任、進路指導主任、保健主任及び学年主任を置く。ただし、これらの主任の担当する校務を整理する主幹教諭を置くときその他特別の事情のあるときは、これらの主任を置かないことができる。

2　専門教育を主とする学科を置く学校には専門学科ごとに学科主任を置き、農業に関する専門教育を主とする学科を置く学校には農場主任を置く。ただし、これらの主任の担当する校務を整理する主幹教諭を置くときその他特別の事情のあるときは、学科主任又は農場主任を置かないことができる。

3　学校に教科主任を置く。ただし、特別の事情があるときは、教科主任を置かないことができる。

**第十条の五**　前条に規定する主任は、次の各号に掲げる主任ごとに、当該各号に定める事項について企画立案及び連絡調整に当たり、必要に応じて指導、助言を行うものとする。

一　教務主任　教務に関する事項

二　生活指導主任　生活指導に関する事項

三　進路指導主任　進路指導に関する事項

四　保健主任　保健に関する事項

五　学年主任　学年の教育活動に関する事項

六　学科主任　学科の教育活動に関する事項

七　農場主任　農場の教育活動に関する事項

八　教科主任　教科の教育活動に関する事項

**第十条の六**　第十条の四第一項及び第二項に規定する主任は、当該学校の教諭（保健主任については、養護教諭を含む。）の中から、校長の具申により、委員会が命ずる。ただし、特別の事情があるときは、指導教諭の中から、校長の具申により、委員会が命ずることができる。

2　第十条の四第三項に規定する教科主任は、当該学校の主幹教諭、指導教諭又は教諭の中から、校長の具申により、委員会が命ずる。

3　前項において、主幹教諭を教科主任に命ずる場合は、当該教科主任としての業務については、第十条第三項から第五項までの規定は適用しない。

4　第一項及び第二項に規定する主任の任期は、四月一日から翌年の三月三十一日までとし、再任を妨げない。

**第十条の七**　校長は、第十条の四に規定する主任のほか、必要に応じ、校務を分掌する主任等を置くことができる。

2　校長は、前項に規定する主任等を命じたとき、委員会に報告しなければならない。

3　前条第四項の規定は、前二項に規定する主任等に準用する。

**（事務職員等の職名）**

**第十一条**　法第六十条に規定する事務職員、技術職員その他必要な職員（以下「事務職員等」という。）の職名は、東京都立学校事務職員等の職名に関する規則（昭和四十八年東京都教育委員会規則第五十二号）その他の定めるところによる。

**（経営企画室の設置等）**

**第十二条**　学校に経営企画室（以下「室」という。）を置く。

2　室の事務は、経営、庶務、経理及び施設その他の事務とする。

3　前項のほか、室に関する必要な事項は、別に定めるところによる。

**（経営企画課長等）**

**第十二条の二**　室に経営企画課長又は経営企画室長を置く。

2　室に経営企画室長とは別に、課長代理を置くことができる。

**（経営企画室の所属職員）**

**第十二条の三**　室の所属職員は、第十一条に規定する事務職員等のうち、別に定める職員とする。

**（事務職員等の職責）**

**第十二条の四**　経営企画課長は、校長の命を受け、室の事務をつかさどり、所属職員を指揮監督する。

2　経営企画室長は、校長の命を受け、室の事務をつかさどり、当該事務に係る職員を指揮監督するとともに、校長を補佐し、室の事務の執行状況につき随時文書又は口頭をもつて校長に報告するものとする。

3　課長代理は、上司の命を受け、担任の事務をつかさどり、当該事務に係る職員を指揮監督するとともに、上司を補佐し、担任の事務の執行状況につき随時文書又は口頭をもつて上司に報告するものとする。

4　前三項に定めるもの以外の事務職員等は、上司の命を受け、事務に従事する。

**（事案の決定）**

**第十二条の五**　校長の権限に属する事務及び補助執行をする事務に係る事案の決定手続等については、委員会が別に定める。

**（企画調整会議）**

**第十二条の六**　学校に企画調整会議を置く。

2　企画調整会議は、校長の補助機関として、校務に関する企画立案及び連絡調整その他校長が必要と認める事項を取り扱う。

3　企画調整会議の構成員は、校長、副校長、経営企画室長（経営企画課長を置く学校にあつては、経営企画課長）、主幹教諭その他校長が必要と認めた者とする。

4　前三項に規定するもののほか、企画調整会議の組織及び運営について必要な事項は、校長が定める。

**（職員会議）**

**第十二条の七**　校長は、校務運営上必要と認めるときは、校長がつかさどる校務を補助させるため、職員会議を置くことができる。

2　職員会議は、次の各号に掲げる事項のうち、校長が必要と認めるものを取り扱う。

一　校長が学校の管理運営に関する方針等を周知すること。

二　校長が校務に関する決定等を行うに当たつて、所属職員等の意見を聞くこと。

三　校長が所属職員等相互の連絡を図ること。

3　職員会議は、校長が招集し、その運営を管理する。

4　前三項に掲げるもののほか、職員会議の組織及び運営について必要な事項は、校長が定める。

**（学校運営連絡協議会）**

**第十二条の八**　学校の管理運営に保護者、地域住民等の意向を的確に反映し、開かれた学校づくりを推進するため、学校に学校運営連絡協議会を置く。

2　前項に規定するもののほか、学校運営連絡協議会の設置に関して必要な事項は、委員会が別に定める。

**（管理運営規程）**

**第十二条の九**　校長は、適正かつ円滑な学校の管理運営を行うため、委員会が別に定める基準により管理運営規程を定めなければならない。

**（学校徴収金に関する事務処理）**

**第十二条の十**　校長は、保護者若しくは生徒（以下「保護者等」という。）又は学校職員及び保護者若しくは卒業生で構成する団体（以下「学校関係団体」という。）からの委任に基づき、次に掲げる経費等（以下「学校徴収金」という。）の収納、管理及び支出に関する事務を処理するものとする。

一　積立金、生徒会費等学習指導要領に定められた学校教育活動を行うために保護者等が負担する経費

二　学校給食法（昭和二十九年法律第百六十号）第十一条第二項、夜間課程を置く高等学校における学校給食に関する法律（昭和三十一年法律第百五十七号）第五条第二項又は特別支援学校の幼稚部及び高等部における学校給食に関する法律（昭和三十二年法律第百十八号）第五条第二項の規定に基づき保護者等が負担する経費

三　学校関係団体の会費

四　前三号に掲げるもののほか、校長が特に指定する経費

2　校長及び第七条第二項の規定に基づき学校徴収金に関する事務を分掌する職員は、委員会が別に定めるところにより、当該事務を適正に処理しなければならない。

### 第三節　学校経営計画

**（学校経営計画）**

**第十二条の十一**　校長は、学校の教育活動その他の学校運営を組織的かつ計画的に行うため、委員会が別に定めるところにより、学校経営計画を策定し、公表しなければならない。

2　校長は、委員会が別に定めるところにより、毎年度、学校経営計画の実施状況について評価し、その結果を公表しなければならない。

3　校長は、委員会が別に定めるところにより、毎年度、学校経営計画及びその実施状況を委員会に報告しなければならない。

4　前三項に規定するもののほか、学校経営計画の策定等に関して必要な事項は、委員会が別に定める。

**（部活動）**

**第十二条の十二**　学校は、教育活動の一環として部活動を設置及び運営するものとする。

2　校長は、所属職員（事務職員等を除く。）に部活動の指導業務を校務として分掌させることができる。

3　校長は、所属職員（事務職員等を除く。）以外の者に部活動の指導業務を委嘱することができる。

4　学校は、部活動の年間目標、指導方針、指導内容、指導方法等（以下「指導方針等」という。）を定め、前二項の規定に基づき部活動の指導業務を行う者は、当該部活動の指導方針等を当該部活動に参加する生徒及びその保護者に示さなければならない。

5　学校は、部活動が当該学校の施設で活動できない場合に、当該学校以外の施設を活動の拠点とすることができる。

### 第四節　教育課程及び教材の取扱い

**（教育課程の編成）**

**第十三条**　学校は、法にかかげる教育目標を達成するために、適正な教育課程を編成するものとする。

**（教育課程編成の基準）**

**第十四条**　学校が、教育課程を編成するに当たつては、学習指導要領及び委員会が別に定める基準による。

**（授業時間の割り振り）**

**第十四条の二**　学校は、委員会が別に定める基準に該当する場合を除き、所属する主幹教諭、指導教諭及び教諭の授業時間を、休業日を除くすべての曜日に割り振らなければならない。

**（連携型高等学校）**

**第十四条の三**　別表第一の上欄に掲げる高等学校（以下「連携型高等学校」という。）においては、施行規則第八十七条の規定により、それぞれ対応する同表の下欄に掲げる中学校（以下「連携型中学校」という。）における教育との一貫性に配慮した教育を施すものとする。

2　前項の規定により教育を施す場合は、連携型高等学校の校長は、あらかじめ連携型中学校の校長と協議するものとする。

**（教育課程の届出）**

**第十五条**　校長は、翌年度において実施する教育課程について、次の事項を毎年三月末日までに、委員会に届け出なければならない。

一　教育の目標

二　指導の重点

三　学年別各教科・科目及び各教科以外の教育活動の時間配当

四　年間行事計画

**（年間授業計画等の作成）**

**第十五条の二**　学校は、年間授業計画（年度ごとの各教科・科目及び各教科以外の教育活動に係る学年別の指導計画をいう。次項において同じ。）を、委員会が別に定めるところにより作成するものとする。

2　学校は、年間授業計画に配慮して、週ごとの指導計画を作成するものとする。

**（宿泊を伴う学校行事）**

**第十六条**　校長は、修学旅行、夏季施設その他の学校が計画する行事で宿泊を伴うものについては、委員会が別に定める基準により企画し、その実施期日十四日前までに、委員会に計画書を届け出なければならない。

**（教材の使用）**

**第十七条**　学校は、文部科学大臣の検定を経た教科用図書若しくは文部科学省が著作の名義を有する教科用図書又は法附則第九条に規定する図書（以下「教科書」という。）以外の図書その他の教材（以下「教材」という。）で、有益適切なものを使用し、教育内容の充実に努めるものとする。

**（教材の選定）**

**第十八条**　学校は教材を使用する場合、第十四条により編成する教育課程に準拠しかつ、次の各号の要件を具えるものを選定するものとする。

一　内容が正確中正であること。

二　学習の進度に即応していること。

三　表現が正確適切であること。

2　前項に規定する教材の選定に当つては、保護者の経

済的負担について、特に考慮しなければならない。

（**承認又は届出を要する教材**）

**第十九条**　校長は、教材を使用する場合、次項各号に規定するものを除き、使用開始期日三十日前までに、委員会の承認を求めなければならない。

2　校長は、学年又は学級全員若しくは特定の集団全員の教材として、次のものを継続使用する場合、使用開始期日十四日前までに委員会に届け出なければならない。

一　教科書と併せて使用する副読本、解説書その他の参考書

二　学習の過程又は休業日中に使用する各種の学習帳、練習帳、日記帳の類

**第五節**　生徒の取扱い

（**聴講生**）

**第二十条**　単位制高校に特定の科目を履修するため聴講生を置くことができる。

2　聴講生の取扱いについては別に定める。

（**指導要録及び抄本**）

**第二十一条**　施行規則第二十四条に規定する指導要録及びその抄本についての様式は、別に定める。

2　施行規則第二十四条に規定する指導要録の写及び抄本の送付は、生徒の進学又は転学後三十日以内にしなければならない。

（**出席簿**）

**第二十二条**　施行規則第二十五条に規定する生徒の出席簿の様式は、別に定める。

（**生徒の懲戒**）

**第二十三条**　法第十一条に規定する懲戒は、退学、停学、訓告、訓戒その他とする。

2　退学、停学または訓告は、校長が行い、訓戒その他の懲戒は、教育上必要な範囲内で校長が定める。

（**退学または停学の報告**）

**第二十四条**　前条に規定する退学または停学を行つたときは、校長は、次の事項を具してすみやかに委員会に報告しなければならない。

一　氏名及び学年

二　種類及び理由

三　年月日

（**原学年留め置き**）

**第二十五条**　学校において、生徒の平素の成績を評価した結果、各学年の課程の修了または卒業を認めることができないと判定したときは、校長は、その生徒を原学年に留め置くことができる。

2　前項の規定は、単位制高校には適用しない。

（**卒業証書等**）

**第二十六条**　施行規則第百四条第一項で準用する施行規則第五十八条に規定する卒業証書の様式は、別に定める。

2　単位制高校において、校長が特に必要と認めるときは、高等学校の一部の科目の単位を修得したと認める生徒に単位修得認定書を授与することができる。

3　単位修得認定書の様式は、校長が定める。

**第六節**　その他

（**表簿**）

**第二十七条**　学校において備えなければならない表簿は、施行規則第二十八条に規定するもののほか、次のとおりとする。

一　学校沿革誌

二　卒業証書授与台帳

三　旧職員履歴書綴

四　辞令交付簿

五　職員の人事に関する書類綴

六　公文書綴

七　統計資料綴

八　文書件名簿

九　諸願書届書綴

十　警備日誌

十一　学校要覧

2　前項の表簿の保存年限については、別に定める。

## 第三章　中学校

（**併設型中学校及び併設型高等学校の教育課程**）

**第二十七条の二**　別表第二の上欄に掲げる中学校（以下「併設型中学校」という。）及び同表の下欄に掲げる高等学校（以下「併設型高等学校」という。）においては、法第七十一条の規定により、中学校における教育と高等学校における教育を一貫して施すものとする。

2　前項の規定により教育を施す場合、教育課程の編成に当たつては、あらかじめ併設型中学校と併設型高等学校との間で協議するものとする。

（**入学等**）

**第二十七条の三**　中学校への入学は、施行規則第百十七条において準用する施行規則第百十条の規定により、別に定めるところにより行う入学者決定のための検査等に基づき、校長がこれを許可する。

2　編入学及び転学について必要な事項は、別に定める。

（**準用規定**）

**第二十七条の四**　第四条、第五条（第三項を除く。）、第六条から第十条の三まで、第十条の四第一項、第十条の五第一号から第五号まで、第十条の六第一項及び第四項、第十条の七から第十四条まで、第十五条から第

十八条まで、第十九条第二項、第二十一条から第二十四条まで、第二十五条第一項、第二十六条第一項並びに第二十七条の規定は、中学校に準用する。この場合において、第五条第一項中「第二十九条及び単位制高等学校教育課程（昭和六十三年文部省令第六号）第八条の規定に基づく高等学校」とあるのは「第二十九条の規定に基づく中学校」と、第六条中「第百四条第一項」とあるのは「第七十九条」と、第七条第一項及び第八条第五項中「第六十二条」とあるのは「第四十九条」と、第十一条中「第六十条」とあるのは「第四十九条で準用する法第三十七条」と、第十五条第三号及び第十五条の二第一項中「各教科・科目及び各教科以外の教育活動」とあるのは「各教科及び各教科以外の教育活動」と、第二十三条第一項中「退学、停学」とあるのは「退学」と、同条第二項中「退学、停学または訓告」とあるのは「退学又は訓告」と、第二十四条中「退学または停学」とあるのは「退学」と、第二十六条第一項中「第百四条第一項」とあるのは「第七十九条」と読み替えるものとする。

## 第四章　中等教育学校

（入学等）

**第二十七条の五**　中等教育学校への入学は、施行規則第百十条の規定により、別に定めるところにより行う入学者決定のための検査等に基づき、校長がこれを許可する。ただし、別表第三の下欄に掲げる中等教育学校（以下「併設型中等教育学校」という。）への入学は、同表上欄に掲げる小学校（以下「併設型小学校」という。）の児童については、当該検査を行わないものとする。

2　編入学及び転学について必要な事項は、別に定める。

（準用規定）

**第二十七条の六**　第四条、第五条（第三項を除く。）第六条から第十条の三まで、第十条の四第一項及び第三項、第十条の五第一号から第五号まで及び第八号、第十条の六から第十四条まで、第十六条から第十八条まで、第十九条第二項、第二十一条、第二十二条、第二十五条第一項、第二十六条第一項並びに第二十七条の規定は、中等教育学校に準用する。この場合において、第五条第一項中「第二十九条及び単位制高等学校教育規程（昭和六十三年文部省令第六号）第八条の規定に基づく高等学校」とあるのは「第二十九条の規定に基づく中等教育学校」と、第六条中「第百四条第一項」とあるのは「第百十三条」と、第七条第一項及び第八条第五項中「第六十二条」とあるのは「第七十九条」と、第十一条中「第六十条」とあるのは「第六十九条」と、第二十六条第一項中「第百四条第一項」とあるのは「第百十三条第一項」と読み替えるものとする。

2　第十五条、第十五条の二、第二十三条及び第二十四条の規定は、中等教育学校の前期課程に準用する。この場合において、第十五条第三号及び第十五条の二第一項中「各教科・科目及び各教科以外の教育活動」とあるのは「各教科及び各教科以外の教育活動」と、第二十三条第一項中「退学、停学」とあるのは「退学」と、同条第二項中「退学、停学または訓告」とあるのは「退学又は訓告」と、第二十四条中「退学または停学」とあるのは「退学」と読み替えるものとする。

3　第十四条の二、第十五条、第十五条の二、第十九条第一項、第二十三条及び第二十四条の規定は、中等教育学校の後期課程に準用する。

## 第五章　小学校

（併設型小学校及び併設型中等教育学校の教育課程）

**第二十八条**　併設型小学校及び併設型中等教育学校においては、小学校における教育と中等教育学校における教育との一貫性に配慮した教育を施すものとする。

2　前項の規定により教育を施す場合、教育課程の編成に当たつては、あらかじめ併設型小学校と併設型中等教育学校との間で協議するものとする。

（入学等）

**第二十九条**　小学校への入学は、別に定めるところにより行う入学者決定のための検査等に基づき、校長がこれを許可する。

2　編入学及び転学について必要な事項は、別に定める。

（準用規定）

**第三十条**　第四条、第五条（第三項を除く。）、第六条から第十条の三まで、第十条の四第一項、第十条の五第一号、第四号及び第五号、第十条の六第一項及び第四項、第十条の七から第十二条の十一まで、第十三条及び第十四条、第十五条から第十九条まで、第二十一条から第二十四条まで、第二十五条第一項、第二十六条第一項並びに第二十七条の規定は、小学校に準用する。この場合において、第五条第一項中「第二十九条及び単位制高等学校教育規程（昭和六十三年文部省令第六号）第八条の規定に基づく高等学校」とあるのは「第二十九条の規定に基づく小学校」と、第六条中「第百四条第一項で準用する施行規則第六十三条」とあるのは「第六十三条」と、第七条第一項中「第六十二条で準用する法第三十七条第四項」とあるのは「第三十七条第四項」と、第八条第三項中「生徒」とあるのは「児童」と、同条第五項中「法第六十二条で準用する法第三十七条第六項」とあるのは「法第三十七条第六項」と、第十条第二項、第六項及び第七項並びに第十条の二第二項中「生徒」とあるのは「児童」と、第十条の四第一項中「教務主任、生活指導主任、進路指導主任」とあるのは「教務主任」と、第十一条中「第六十条」とあるのは「第三十七条」と、第十二条の十第一項本文中「生徒」とあるのは「児童」と、第十二条の十第一項第一号中「積立金、生徒会費等」とあるのは「積立金等」と、第十五条第三号及び第十五条の二第一項中「各教科・科目及び各教科以外の教育活動」とあるのは「各教科及び各教科以外の教育活動」と、第二十一条第二項、第二十二条及び第二十三条の見出し中「生徒」とあるのは「児童」と、第二十三条第一項中「退学、停学、訓告、訓戒」とあるのは「退学、訓告、訓戒」と、同条第二項中「退学、停学または訓告」とあるのは「退学又は訓告」と、第二十四条中「退学または停学」とあるのは「退学」と、第二十五条第一項中「生徒」とあるのは「児童」と、第二十六条第一項中「第百四条第一項で準用する施行規則第五十八条」とあるのは「第五十八条」と読み替えるものとする。

**第三十一条及び第三十二条**　削除

## 第六章　特別支援学校

**（修業年限）**

**第三十三条**　特別支援学校の幼稚部及び専攻科の修業年限は、次のとおりとする。

一　幼稚部　二年

二　専攻科　二年

2　前項第一号の規定にかかわらず、幼稚部及び専攻科の修業年限を三年又は一年とすることができる。

**（学部主任）**

**第三十四条**　特別支援学校の小学部、中学部及び高等部に学部主任を置く。ただし、当該主任の担当する校務を整理する主幹教諭を置くときその他特別の事情のあるときは、これを置かないことができる。

2　学部主任は、部の教育活動に関する事項について企画立案及び連絡調整に当たり、必要に応じて指導、助言を行うものとする。

3　第十条の六第一項及び第四項の規定は、学部主任に準用する。

**第三十五条**　削除

**第三十六条**　削除

**（懲戒）**

**第三十七条**　特別支援学校の小学部及び中学部の児童及び生徒に対する法第十一条の懲戒は、訓告、訓戒その他とする。

2　前項の訓告は校長が行い、訓戒その他の懲戒は教育上必要な範囲内で校長が定める。

**（高等部入学者の選抜）**

**第三十七条の二**　施行規則第百三十五条第五項において準用する施行規則第九十条第一項から第三項までに規定する入学者の選抜に関する基準については、別に定める。

**（準用規定）**

**第三十八条**　第四条から第十条の三まで、第十条の四第一項（学年主任に係る規定を除く。）、第十条の五から第十四条の二まで、第十六条から第十九条まで、第二十一条、第二十二条及び第二十五条から第二十七条までの規定は、特別支援学校に準用する。この場合において、第八条第三項中「生徒」とあるのは「児童及び生徒」と読み替えるものとする。

2　第十五条及び第十五条の二の規定は、特別支援学校の幼稚部に準用する。この場合において、第十五条第三号中「学年別各教科・科目及び各教科以外の教育活動」とあるのは「環境の構成及び自立活動」と、第十五条の二中「年間授業計画」とあるのは「年間指導計画及び個別指導計画」と、「各教科・科目及び各教科以外の教育活動に係る学年別」とあるのは「環境の構成及び自立活動に係る幼稚部全体及び幼児別」と読み替えるものとする。

3　第十五条及び第十五条の二の規定は、特別支援学校の小学部及び中学部に準用する。この場合において第十五条第三号中「学年別各教科・科目及び各教科以外の教育活動」とあるのは「学年別各教科、道徳、特別活動、自立活動及び総合的な学習の時間（特別支援学校の小学部にあつては、知的障害者を教育する場合を除く。次条において同じ。）」と、第十五条の二中「年間授業計画」とあるのは「年間指導計画及び個別指導計画」と、「各教科・科目及び各教科以外の教育活動に係る学年別」とあるのは「各教科、道徳、特別活動、自立活動及び総合的な学習の時間に係る学年別並びに児童別及び生徒別」と読み替えるものとする。

4　第十五条、第十五条の二、第二十三条及び第二十四条の規定は、特別支援学校の高等部及び専攻科に準用する。この場合において、第十五条第三号中「学年別各教科・科目及び各教科以外の教育活動」とあるのは「学年別各教科・科目、特別活動、自立活動及び総合的な学習の時間（特別支援学校の高等部及び専攻科において知的障害者を教育する場合にあつては、学年別各教科、道徳、特別活動、自立活動及び総合的な学習の時間）」と、第十五条の二中「年間授業計画」とあるのは「年間指導計画及び個別指導計画」と、「各教科・科目及び各教科以外の教育活動に係る学年別」とあるのは「各教科・科目、特別活動、自立活動及び総合的な学習の時間（特別支援学校の高等部及び専攻科において知的障害者を教育する場合にあつては、各教科、道徳、特別活動、自立活動及び総合的な学習の時間）に係る学年別及び生徒別」と読み替えるものとする。

## 第七章　補則

（委任）

**第三十九条**　この規則の施行に関して必要な事項は、東京都教育委員会教育長が定める。

### 付　則

1　この規則は、昭和三十五年四月一日から施行する。

2　東京都公立学校の教育課程並びに教材の取扱に関する規則（昭和三十一年十月東京都教育委員会規則第十五号）は、廃止する。

3　東京都立新制高等学校主事に関する規程（昭和二十三年五月東京都訓令甲第六十五号）は、廃止する。

4　事務長を置かない学校については、当分の間校長があらかじめ指定する事務主事が事務長の職務を行う。

5　この規則施行の際、改正前の学校教育法施行細則（昭和三十年六月東京都教育委員会規則第九号）の規定により定められた様式は、この規則の各相当規定に基いて定められたものとみなす。

6　この規則施行の際、東京都公立学校の教育課程並びに教材の取扱に関する規則の規定により定められた基準並びになされた承認、届出等の手続は、この規則の各相当規定に基いて定められ、またはなされたものとみなす。

7　令和二年度における第四条第一項（第二十七条の四、第二十七条の六第一項及び第三十八条第一項において準用する場合を含む。）並びに第五条第一項第一号及び第二号（第二十七条の四及び第二十七条の六第一項において準用する場合を含む。）の規定の適用については、第四条第一項中「四月一日から八月三十一日まで」とあるのは「四月一日から八月二十三日まで」と、「九月一日から十二月三十一日まで」とあるのは「八月二十四日から十二月三十一日まで」と、第五条第一項第一号中「七月二十一日から八月三十一日まで」とあるのは「八月八日から八月二十三日まで」と、同項第二号中「十二月二十六日から一月七日まで」とあるのは「十二月二十六日から一月三日まで」とする。

8　令和二年度に限り、第三十八条第一項の規定にかかわらず、特別支援学校の夏季休業日は八月一日から八月二十三日まで、冬季休業日は十二月二十六日から一月五日までとする。

### 附　則（令五・三・三一教育委員会規則一三）

この規則は、令和五年四月一日から施行する。

**別表第一**（第十四条の三関係）

| 連携型高等学校 | 連携型中学校 |
| --- | --- |
| 東京都立新島高等学校 | 新島村立新島中学校<br>新島村立式根島中学校 |
| 東京都立三宅高等学校 | 三宅村立三宅中学校 |
| 東京都立芝商業高等学校 | 北区立十条富士見中学校<br>北区立飛鳥中学校 |
| 東京都立蔵前工科高等学校 | 台東区立浅草中学校 |
| 東京都立広尾高等学校 | 渋谷区立広尾中学校 |
| 東京都立永山高等学校 | 多摩市立諏訪中学校<br>多摩市立青陵中学校<br>多摩市立多摩永山中学校 |

**別表第二**（第二十七条の二関係）

| 中学校 | 高等学校 |
| --- | --- |
| 東京都立白鷗高等学校附属中学校 | 東京都立白鷗高等学校 |
| 東京都立両国高等学校附属中学校 | 東京都立両国高等学校 |
| 東京都立富士高等学校附属中学校 | 東京都立富士高等学校 |
| 東京都立大泉高等学校附属中学校 | 東京都立大泉高等学校 |

| 東京都立武蔵高等学校附属中学校 | 東京都立武蔵高等学校 |
|---|---|

別表第三（第二十七条の五関係）

| 小学校 | 中等教育学校 |
|---|---|
| 東京都立立川国際中等教育学校附属小学校 | 東京都立立川国際中等教育学校 |

# ○東京都いじめ防止対策推進条例

平二六・七・二
条例一〇三

改正 平二八・三・三一条例二八

（目的）

**第一条** この条例は、いじめの防止等のための対策について、基本理念を定め、東京都（以下「都」という。）、学校の設置者、学校及び学校の教職員並びに保護者の責務を明らかにするとともに、都の施策に関する基本的な事項を定めることにより、いじめの防止等のための対策を総合的かつ効果的に推進することを目的とする。

（定義）

**第二条** この条例において「いじめ」とは、児童等に対して、当該児童等が在籍する学校に在籍している等当該児童等と一定の人的関係にある他の児童等が行う心理的又は物理的な影響を与える行為（インターネットを通じて行われるものを含む。）であって、当該行為の対象となった児童等が心身の苦痛を感じているものをいう。

2 この条例において「いじめの防止等」とは、いじめの未然防止、いじめの早期発見及びいじめへの対処をいう。

3 この条例において「学校」とは、学校教育法（昭和二十二年法律第二十六号）第一条に規定する小学校、中学校、義務教育学校、高等学校、中等教育学校及び特別支援学校（幼稚部を除く。）であって、都及び区市町村（特別区及び市町村をいう。以下同じ。）が設置するもの並びに学校法人（私立学校法（昭和二十四年法律第二百七十号）第三条に規定する学校法人をいう。以下同じ。）が設置するもののうち知事が所轄するものをいう。

4 この条例において「児童等」とは、学校に在籍する児童又は生徒をいう。

5 この条例において「保護者」とは、親権を行う者（親権を行う者のないときは、未成年後見人）をいう。

（基本理念）

**第三条** いじめの防止等のための対策は、いじめが児童等の生命、心身の健全な成長及び人格の形成に重大な影響を及ぼすものであることに鑑み、全ての児童等が安心して学習その他の活動に取り組むことができるよう、学校の内外を問わずいじめが行われなくなるようにすることを旨として行われなければならない。

2 いじめの防止等のための対策は、児童等の生命及び心身を保護し、児童等をいじめから確実に守るとともに、児童等のいじめに関する理解を深め、児童等がいじめを知りながら放置することなく、いじめの解決に向けて主体的に行動できるようにすることを旨として行われなければならない。

3 学校におけるいじめの防止等のための対策は、いじめの防止等に関する取組を実効的に行うため、学校全体で組織的に取り組むことを旨として行われなければならない。

4 いじめの防止等のための対策は、学校に加え、都、区市町村、地域住民、家庭その他の関係者の連携の下、社会全体でいじめの問題を克服することを目指して行われなければならない。

（いじめの禁止）

**第四条**　児童等は、いじめを行ってはならない。

（**都の責務**）

**第五条**　都は、第三条に規定する基本理念（以下「基本理念」という。）にのっとり、区市町村並びにいじめの防止等に関係する機関及び団体と連携して、いじめの防止等のための対策を策定し、及び総合的かつ効果的に推進する責務を有する。

（**学校の設置者の責務**）

**第六条**　学校の設置者は、基本理念にのっとり、その設置する学校におけるいじめの防止等のために必要な措置を講ずる責務を有する。

（**学校及び学校の教職員の責務**）

**第七条**　学校及び学校の教職員は、基本理念にのっとり、当該学校に在籍する児童等の保護者、地域住民並びにいじめの防止等に関係する機関及び団体との連携を図りつつ、学校全体でいじめの未然防止及び早期発見に取り組むとともに、当該学校に在籍する児童等がいじめを受けていると思われるときは、適切かつ迅速に対処する責務を有する。

（**保護者の責務**）

**第八条**　保護者は、子の教育について第一義的責任を有するものであり、いじめが児童等の生命、心身の健全な成長及び人格の形成に重大な影響を及ぼすものであるとの認識の下、その保護する児童等がいじめを行うことのないよう、当該児童等に対し、規範意識を養うための指導その他の必要な指導を行うよう努めるものとする。

２　保護者は、その保護する児童等がいじめを受けた場合には、適切に当該児童等をいじめから保護するものとする。

３　保護者は、都、学校の設置者及びその設置する学校が講ずるいじめの防止等のための措置に協力するよう努めるものとする。

（**東京都いじめ防止対策推進基本方針**）

**第九条**　都は、いじめの防止等のための対策の基本的な考え方その他いじめの防止等のための対策の推進に必要な事項を東京都いじめ防止対策推進基本方針（以下「基本方針」という。）として定めるものとする。

２　基本方針は、いじめ防止対策推進法（平成二十五年法律第七十一号。以下「法」という。）第十二条の規定に基づくいじめの防止等のための対策を総合的かつ効果的に推進するための基本的な方針とする。

（**東京都いじめ問題対策連絡協議会**）

**第十条**　いじめの防止等に関係する機関及び団体の連携を図るため、法第十四条第一項の規定に基づき、学校、東京都教育委員会、東京都児童相談センター、東京法務局、警視庁その他の関係者により構成される東京都いじめ問題対策連絡協議会（以下この条において「協議会」という。）を置く。

２　協議会は、次に掲げる事項について協議する。

一　都、区市町村又は学校におけるいじめの防止等のための対策の推進に関する事項

二　いじめの防止等に関係する機関及び団体の連携に関する事項

三　その他いじめの防止等のための対策の推進に必要な事項

３　第一項に定めるもののほか、協議会の組織及び運営に関し必要な事項は、東京都教育委員会規則で定める。

（**東京都教育委員会いじめ問題対策委員会**）

**第十一条**　基本方針に基づく都におけるいじめの防止等のための対策を実効的に行うため、法第十四条第三項の規定に基づき、東京都教育委員会の附属機関として、東京都教育委員会いじめ問題対策委員会（以下この条において「対策委員会」という。）を置く。

２　対策委員会は、東京都教育委員会の諮問に応じ、いじめの防止等のための対策の推進について調査審議し、答申する。

３　対策委員会は、いじめの防止等のための対策の推進について、必要があると認めるときは、東京都教育委員会に意見を述べることができる。

４　対策委員会は、都立学校（東京都立学校設置条例（昭和三十九年東京都条例第百十三号）第一条に規定する都立学校をいう。）において法第二十八条第一項に規定する重大事態（以下「重大事態」という。）が発生した場合には、同項に規定する組織として同項に規定する調査（以下「法第二十八条調査」という。）を行い、その結果を東京都教育委員会に報告するものとする。

５　対策委員会は、学識経験を有する者、法律、心理、福祉等に関する専門的な知識を有する者等のうちから、東京都教育委員会が任命する委員十人以内をもって組織する。

６　委員の任期は二年とし、補欠の委員の任期は前任者の残任期間とする。ただし、再任を妨げない。

７　前二項に定めるもののほか、対策委員会の組織及び運営に関し必要な事項は、東京都教育委員会規則で定める。

（**東京都いじめ問題調査委員会**）

**第十二条**　知事は、法第三十条第一項又は法第三十一条第一項の規定による報告を受けた場合において、当該報告に係る重大事態への対処又は当該重大事態と同種の事態の発生の防止のため必要があると認めるとき

は、法第三十条第二項又は法第三十一条第二項の規定に基づき、知事の附属機関として、東京都いじめ問題調査委員会（以下この条において「調査委員会」という。）を置くことができる。

2　調査委員会は、知事の諮問に応じ、都若しくは学校法人又はそれらの設置する学校が行った法第二十八条調査の結果について、法第三十条第二項又は法第三十一条第二項に規定する調査（以下この条において「再調査」という。）を行う。

3　学校、学校の設置者その他の関係者は、再調査の適正かつ円滑な実施に協力するよう努めるものとする。

4　調査委員会は、学識経験を有する者、法律、心理、福祉等に関する専門的な知識を有する者等で、当該報告に係る法第二十八条調査を行った組織の構成員以外のもののうちから、知事が任命する委員十人以内をもって組織する。

5　委員の任期は、知事が任命したときから、再調査が終了するときまでとする。

6　調査委員会を設置したときは、知事は、これを東京都議会に報告する。

7　第四項及び第五項に定めるもののほか、調査委員会の組織及び運営に関し必要な事項は、東京都規則で定める。

（委任）

**第十三条**　この条例に定めるもののほか、この条例の施行に関し必要な事項は、知事又は東京都教育委員会が定める。

**附　則**

この条例は、公布の日から施行する。ただし、第十条から第十二条までの規定は、平成二十六年八月一日から施行する。

**附　則**（平二八・三・三一条例二八）

この条例は、平成二十八年四月一日から施行する。

## ○東京都いじめ問題対策連絡協議会規則

平二六・七・二
教育委員会規則一七

（趣旨）

**第一条**　この規則は、東京都いじめ防止対策推進条例（平成二十六年東京都条例第百三号。次条において「条例」という。）第十条第三項の規定に基づき、東京都いじめ問題対策連絡協議会（以下「協議会」という。）の組織及び運営に関し必要な事項を定めるものとする。

（所掌事項）

**第二条**　協議会は、次に掲げる事項について協議する。

一　都、区市町村（特別区及び市町村をいう。）又は学校（条例第二条第三項に規定する学校をいう。）におけるいじめの未然防止、いじめの早期発見及びいじめへの対処（この条において「いじめの防止等」という。）のための対策の推進に関する事項

二　いじめの防止等に関係する機関及び団体の連携に関する事項

三　その他いじめの防止等のための対策の推進に必要な事項

（組織）

**第三条**　協議会は、学校、東京都教育委員会、東京都児童相談センター、東京法務局、警視庁その他の関係者により構成される委員三十人以内をもって組織する。

2　協議会の委員は、東京都教育委員会教育長（第八条において「教育長」という。）が任命又は委嘱する。

（委員の任期）

**第四条**　委員の任期は二年とし、補欠の委員の任期は、前任者の残任期間とする。ただし、再任を妨げない。

（会長）

**第五条**　協議会に会長を置き、委員の互選によってこれを定める。

2　会長は、協議会を代表し、会務を総理する。

3　会長に事故があるとき、又は会長が欠けたときは、あらかじめ会長の指名する委員がその職務を代理する。

（会議及び議事）

**第六条**　協議会は、会長が招集する。

2　協議会は、委員の過半数が出席しなければ、開くことができない。

3　協議会の議事は、出席した委員の過半数で決し、可否同数のときは、会長の決するところによる。

（庶務）

**第七条**　協議会の庶務は、東京都教育庁において処理する。

（委任）

**第八条**　この規則に定めるもののほか、協議会の運営に関し必要な事項は、教育長が定める。

附　則

この規則は、平成二十六年八月一日から施行する。

## ○東京都教育委員会いじめ問題対策委員会規則

平二六・七・二
教育委員会規則一八

（趣旨）

**第一条**　この規則は、東京都いじめ防止対策推進条例（平成二十六年東京都条例第百三号）第十一条第七項の規定に基づき、東京都教育委員会いじめ問題対策委員会（以下「対策委員会」という。）の組織及び運営に関し必要な事項を定めるものとする。

（所掌事項）

**第二条**　対策委員会は、東京都教育委員会の諮問に応じ、東京都及び区市町村（特別区及び市町村をいう。）の教育委員会（次項において「教育委員会」という。）並びに都立学校（東京都立学校設置条例（昭和三十九年東京都条例第百十三号）第一条に規定する都立学校をいう。）及び区市町村立学校（次項において「公立学校」という。）のいじめの未然防止、いじめの早期発見及びいじめへの対処（次項において「いじめの防止等」という。）のための対策の推進について調査審議し、答申する。

2　対策委員会は、教育委員会及び公立学校のいじめの防止等のための対策の推進について、必要があると認めるときは、東京都教育委員会に意見を述べることができる。

3　対策委員会は、都立学校においていじめ防止対策推進法（平成二十五年法律第七十一号）第二十八条第一項に規定する重大事態が発生した場合には、同項に規定する組織として同項に規定する調査を行い、その結果を東京都教育委員会に報告するものとする。

（組織）

**第三条**　対策委員会は、学識経験を有する者、法律、心理、福祉等に関する専門的な知識を有する者等で構成される委員十人以内をもって組織する。

2　対策委員会の委員は、東京都教育委員会が任命又は委嘱する。

（委員の任期）

**第四条**　委員の任期は二年とし、補欠の委員の任期は、前任者の残任期間とする。ただし、再任を妨げない。

（委員長）

**第五条**　対策委員会に委員長を置き、委員の互選によりこれを定める。

2　委員長は、対策委員会を代表し、会務を総理する。

3　委員長に事故があるとき、又は委員長が欠けたときは、委員長があらかじめ指名する委員がその職務を代理する。

（会議及び議事）

**第六条**　対策委員会は、委員長が招集する。

2　対策委員会の会議は、委員の過半数が出席しなければ、開くことができない。

3　対策委員会の議事は、出席した委員の過半数で決し、可否同数のときは、委員長の決するところによる。

4　対策委員会が第二条第三項に規定する調査を行う場合の会議は、出席した委員の過半数で議決したときは、全部又は一部を公開しないことができる。

（意見等聴取）

**第七条**　対策委員会は、委員長が必要と認める場合は、委員以外の者を会議に出席させ、意見又は説明を聴取することができる。

（専門調査員）

**第八条**　専門事項を調査させるため必要があるときは、対策委員会に専門調査員を置くことができる。

（調査部会）

**第九条**　第二条第三項に規定する調査を行うに当たり必要があるときは、対策委員会に調査部会を置くことができる。

2　調査部会は、前項の調査に係る事案に利害関係を有する委員以外の委員及び専門調査員から、委員長が指名する三人以上をもって組織する。

3　調査部会に部会長を置き、委員のうちから、委員長がこれを指名する。

4　部会長は、調査部会の事務を掌理し、調査部会における調査の経過及び結果を対策委員会に報告する。

5　第六条第一項、第二項及び第四項の規定は、調査部会に準用する。この場合において、同条中「対策委員会」とあるのは「調査部会」と、同条第一項中「委員長」とあるのは「部会長」と、同条第二項及び第四項中「委員」とあるのは「委員及び専門調査員」と読み替えるものとする。

（秘密の保持）

**第十条**　委員及び専門調査員は、第六条第四項及び第九条第五項の規定により公開しないこととされた対策委員会及び調査部会の会議において職務上知り得た秘密を漏らしてはならない。その職を退いた後も、同様とする。

（庶務）

**第十一条**　対策委員会の庶務は、東京都教育庁において処理する。

（委任）

**第十二条**　この規則に定めるもののほか、対策委員会の運営に関し必要な事項は、東京都教育委員会教育長が定める。

附　則

この規則は、平成二十六年八月一日から施行する。

## ○東京都いじめ問題調査委員会規則

平二六・七・二
規　則　一〇三

最終改正　令四・三・三一規則七九

（趣旨）

**第一条**　この規則は、東京都いじめ防止対策推進条例（平成二十六年東京都条例第百三号）第十二条第七項の規定に基づき、東京都いじめ問題調査委員会（以下「委員会」という。）の組織及び運営に関し必要な事項を定めるものとする。

（委員長）

**第二条**　委員会に委員長を置き、委員の互選によりこれを定める。

2　委員長は、委員会を代表し、会務を総理する。

3　委員長に事故があるとき、又は委員長が欠けたときは、委員長があらかじめ指名する委員がその職務を代理する。

（会議及び議事）

**第三条**　委員会は、委員長が招集する。

2　委員会の会議は、委員の過半数が出席しなければ、開くことができない。

3　委員会の議事は、出席した委員の過半数で決し、可否同数のときは、委員長の決するところによる。

4　委員会の会議は、出席した委員の過半数で議決したときは、全部又は一部を公開しないことができる。

（意見等聴取）

**第四条**　委員会は、委員長が必要と認める場合は、委員以外の者を会議に出席させ、意見又は説明を聴取することができる。

（**専門調査員**）
**第五条**　専門の事項を調査させるため必要があるときは、委員会に専門調査員を置くことができる。

（**部会**）
**第六条**　委員会は、必要に応じて、委員会に部会を置くことができる。

2　部会は、委員長が指名する委員三人以上をもって組織する。

3　部会に部会長を置き、委員長がこれを指名する。

4　部会長は、部会の事務を掌理し、部会における調査の経過及び結果を委員会に報告する。

5　第三条第一項、第二項及び第四項の規定は、部会に準用する。この場合において、同条第一項中「委員会」とあるのは「部会」と、「委員長」とあるのは「部会長」と、同条第二項及び第四項中「委員会」とあるのは「部会」と読み替えるものとする。

（**秘密の保持**）
**第七条**　委員及び専門調査員は、第三条第四項（前条第五項において読み替えて準用する場合を含む。）の規定により公開しないこととされた委員会及び部会の会議において職務上知り得た秘密を漏らしてはならない。その職を退いた後も、同様とする。

（**庶務**）
**第八条**　委員会の庶務は、生活文化スポーツ局において処理する。

（**委任**）
**第九条**　この規則に定めるもののほか、委員会の運営に関し必要な事項は、委員長が委員会に諮って定める。

附　則

この規則は、平成二十六年八月一日から施行する。

**附　則**（令四・三・三一規則七九）

この規則は、令和四年四月一日から施行する。

# 第三章 生涯学習

## ○東京都立図書館条例

昭三九・三・三一
条例 一一二

最終改正 平二八・一〇・二〇条例九六

（設置）

**第一条** 東京都に図書館法（昭和二十五年法律第百十八号）第十条の規定に基き、東京都立図書館を設置する。

（名称及び位置）

**第二条** 東京都立図書館の名称及び位置は、次のとおりとする。

| 名称 | 位置 |
|---|---|
| 東京都立中央図書館 | 東京都港区南麻布五丁目七番十三号 |
| 東京都立多摩図書館 | 東京都国分寺市泉町二丁目二番二十六号 |

（協議会の設置）

**第三条** 図書館法第十四条の規定に基づき、東京都立中央図書館に東京都立図書館協議会（以下「協議会」という。）を置く。

（委員の任命の基準）

**第四条** 協議会の委員（以下「委員」という。）は、学校教育及び社会教育の関係者、家庭教育の向上に資する活動を行う者並びに学識経験のある者の中から、東京都教育委員会（以下「教育委員会」という。）が任命する。

（委員の定数）

**第五条** 委員の定数は、二十名以内とする。

（委員の任期）

**第六条** 委員の任期は二年とし、補欠委員の任期は前任者の残任期間とする。

2 教育委員会は、特別の理由があると認めるときは、任期中であつても委員を解任することができる。

（使用の承認）

**第七条** 別表に掲げる東京都立多摩図書館（以下「多摩図書館」という。）の施設及び附帯設備（以下「施設等」という。）を使用しようとする者は、東京都教育委員会規則（以下「規則」という。）に定めるところにより申請し、教育委員会の承認を受けなければならない。

2 教育委員会は、次の各号のいずれかに該当するときは、前項の使用の承認をしないことができる。

一 多摩図書館の秩序を乱すおそれがあると認められるとき。

二 多摩図書館の管理上支障があると認められるとき。

三 申請に係る施設等が、多摩図書館の事業を行うために必要であると認めるとき。

四 前三号に掲げるもののほか、教育委員会が使用を不適当と認めるとき。

（使用料）

**第八条** 前条第一項の規定により使用の承認を受けた者（以下「使用者」という。）は、別表に定める額の範囲内において規則で定める額の使用料を前納しなければならない。ただし、教育委員会が特別の理由があると認めるときは、使用料を後納することができる。

（使用権の譲渡等の禁止）

**第九条** 使用者は、使用の権利を譲渡し、又は転貸してはならない。

（施設等の変更禁止）

**第十条** 使用者は、施設等に特別の設備をし、又は変更を加えてはならない。ただし、あらかじめ教育委員会の承認を受けたときは、この限りでない。

（使用承認の取消し等）

**第十一条** 教育委員会は、次の各号のいずれかに該当するときは、使用の承認を取り消し、使用を制限し、又は使用の停止を命ずることができる。

一 使用の目的に違反したとき。

二 この条例に違反し、又は教育委員会の指示に従わなかつたとき。

三 善良の風俗を害するおそれがあると認められるとき。

四 災害その他の事故により、施設等の使用ができなくなつたとき。

五 工事その他の都合により、教育委員会が特に必要と認めるとき。

（原状回復の義務）

**第十二条** 使用者は、使用を終了したときは、使用した施設等を直ちに原状に回復しなければならない。前条の規定により使用の承認を取り消され、又は使用の停止を命ぜられたときも、同様とする。

**（損害賠償の義務）**

**第十三条**　東京都立図書館の図書館資料（図書館法第三条第一号に規定する図書館資料をいう。）又は施設若しくは附帯設備を損傷し、又は紛失した者は、教育委員会が相当と認める損害を賠償しなければならない。ただし、教育委員会は、やむを得ない理由があると認めるときは、賠償額を減額し、又は免除することができる。

**（使用料の減額及び免除）**

**第十四条**　教育委員会は、特別の理由があると認めるときは、第八条に規定する使用料を減額し、又は免除することができる。

**（使用料の不還付）**

**第十五条**　既に納付した第八条に規定する使用料は、還付しない。ただし、教育委員会は、特別の理由があると認めるときは、その全部又は一部を還付することができる。

**（委任）**

**第十六条**　この条例の施行について必要な事項は、規則で定める。

**付　則**

1　この条例は、昭和三十九年四月一日から施行する。

2　従前の東京都立図書館は、この条例による東京都立図書館となり、同一性をもつて存続するものとする。

**附　則**（平二八・一〇・二〇条例九六）

**（施行期日）**

1　この条例は、平成二十九年一月二十九日から施行する。

**（準備行為）**

2　この条例による改正後の東京都立図書館条例（以下「新条例」という。）第七条から第十一条まで、第十四条及び第十五条の規定による施設等の使用に関し必要な手続その他の行為は、この条例の施行の日前においても、新条例の例によりすることができる。

**別表**（第七条、第八条関係）

| 区分 | | 使用単位 | 使用料 |
|---|---|---|---|
| 施設 | セミナールーム | 午前 | 八、一〇〇円 |
| | | 午後 | 一〇、八〇〇円 |
| | | 夜間 | 八、一〇〇円 |
| | | 全日 | 二七、〇〇〇円 |
| | 講師控室 | 午前 | 三〇〇円 |
| | | 午後 | 四〇〇円 |
| | | 夜間 | 三〇〇円 |
| | | 全日 | 一、〇〇〇円 |
| 附帯設備 | 音響映像操作機器 | 一式一回 | 二、九〇〇円 |
| | 液晶モニター | 一台一回 | 一二〇円 |
| | プロジェクター | 一台一回 | 八四〇円 |
| | ワイヤレスマイクセット | 一式一回 | 二四〇円 |

備考

一　施設の使用単位は、午前は午前九時から正午まで、午後は午後一時から午後五時まで、夜間は午後六時から午後九時まで、全日は午前九時から午後九時までとする。

二　土曜日、日曜日及び国民の祝日に関する法律（昭和二十三年法律第百七十八号）に規定する休日における施設の使用単位は、午前及び午後とする。

三　講師控室又は附帯設備のみの単独使用は、認めない。

四　附帯設備の使用単位の一回は、施設の使用単位の午前、午後、夜間又は全日に対応するものとする。

# ○東京都江戸東京博物館条例

平四・一〇・一二
条例一四九

最終改正　平三〇・七・四条例八〇

（**設置**）

**第一条**　江戸及び東京の歴史と文化に関する資料を収集し、保管し、及び展示して、都民の利用に供するとともに、都民の江戸及び東京の歴史と文化に関する活動並びにそれを通した交流の場を提供し、もって都民の教養、学術及び文化の発展に寄与するため、東京都江戸東京博物館（以下「館」という。）を東京都墨田区横網一丁目四番一号に設置する。

（**事業**）

**第二条**　館は、前条の目的を達成するため、次の事業を行う。

一　江戸及び東京の歴史と文化に関する資料（建造物を含む。以下「資料」という。）の収集、保管、展示及び利用に関すること。

二　江戸及び東京の歴史と文化に関する講演会、講習会等の主催、広報、出版等の普及活動に関すること。

三　江戸及び東京の歴史と文化に関する調査及び研究に関すること。

四　館の施設の提供に関すること。

五　前各号に掲げるもののほか、目的を達成するために必要な事業

（**分館**）

**第三条**　館に分館を置く。

2　分館の名称及び位置は、次のとおりとする。

| 名称 | 位置 |
| --- | --- |
| 東京都江戸東京博物館分館江戸東京たてもの園 | 東京都小金井市桜町三丁目七番一号 |

（**休館日及び開館時間**）

**第四条**　館の休館日及び開館時間は、東京都規則（以下「規則」という。）で定める。

（**使用の承認**）

**第五条**　江戸及び東京の歴史と文化の振興に資する講演会、講習会、研究会、鑑賞会等を実施するために館の施設及び附帯設備（以下「施設等」という。）を使用しようとする者は、規則に定めるところにより申請し、知事の承認を受けなければならない。

2　知事は、次の各号のいずれかに該当するときは、前項の使用の承認をしないことができる。

一　館の秩序を乱すおそれがあると認められるとき。

二　館の管理上支障があると認められるとき。

三　申請に係る施設等を知事が必要と認める事業に使用するとき。

四　前三号に掲げるもののほか、知事が不適当と認めるとき。

（**利用料金等**）

**第六条**　前条第一項の承認を受けた者（以下「使用者」という。）及び館が展示する資料を観覧しようとする者は、指定管理者（第十五条第一項に規定する指定管理者をいう。以下この条から第八条までにおいて同じ。）に、その利用に係る料金（以下「利用料金」という。）を前納しなければならない。ただし、指定管理者が特別の理由があると認めるときは、後納することができる。

2　利用料金の額は、別表第一及び別表第二に定める額の範囲内において、あらかじめ知事の承認を得て、指定管理者が定める。

3　利用料金は、指定管理者の収入とする。

4　指定管理者は、必要があると認めるときは、あらかじめ知事の承認を得て、利用に係る予納金（以下「利用予納金」という。）を収受することができる。

5　利用予納金は、利用料金に充当するものとする。

（**利用料金の減額又は免除**）

**第七条**　指定管理者は、規則で定めるときその他指定管理者が特別の理由があると認めるときは、利用料金を減額し、又は免除することができる。

（**利用料金等の不還付**）

**第八条**　指定管理者は、既納の利用料金又は利用予納金を還付しないものとする。ただし、指定管理者は、正当な理由があるときその他特に必要があると認めるときは、その全部又は一部を還付することができる。

（**使用権の譲渡等の禁止**）

**第九条**　使用者は、使用の権利を譲渡し、又は転貸してはならない。

（**設備の変更禁止**）

**第十条**　使用者は、施設等に特別の設備をし、又は変更を加えてはならない。ただし、あらかじめ知事の承認を受けたときは、この限りでない。

（**使用承認の取消し等**）

**第十一条**　知事は、次の各号のいずれかに該当するときは、使用の承認を取り消し、使用を制限し、又は使用の停止を命ずることができる。

一　使用の目的に違反して使用したとき。

二　この条例に違反し、又は知事の指示に従わなかったとき。

三　善良の風俗を害するおそれがあると認められるとき。

四　災害その他の事故により館の使用ができなくなったとき。

五　工事その他の都合により、知事が特に必要と認めるとき。

（原状回復の義務）

**第十二条**　使用者は、使用を終了したときは、使用した施設等を直ちに原状に回復しなければならない。前条の規定により使用の承認を取り消され、又は使用の停止を命ぜられたときも、同様とする。

（損害賠償の義務）

**第十三条**　資料又は施設等に損害を与えた者は、その損害を賠償しなければならない。ただし、知事は、やむを得ない理由があると認めるときは、賠償額を減額し、又は免除することができる。

（入館の制限等）

**第十四条**　知事は、次の各号のいずれかに該当するときは、入館を禁じ、又は退館を命ずることができる。

一　他人に迷惑をかけ、又は資料若しくは館の施設設備を損壊するおそれがあると認めるとき。

二　前号のほか、館の管理上支障があると認めるとき。

（指定管理者による管理）

**第十五条**　知事は、地方自治法（昭和二十二年法律第六十七号）第二百四十四条の二第三項の規定により、法人その他の団体であって知事が指定するもの（以下「指定管理者」という。）に、館の管理運営に関する業務のうち、次に掲げるものを行わせることができる。

一　第二条各号に掲げる事業に関する業務

二　館の施設、設備及び物品の維持管理に関する業務

三　前二号に掲げるもののほか、知事が特に必要と認める業務

2　知事は、次に掲げる業務を指定管理者に行わせることができる。

一　第五条第一項の規定により、施設等の使用の承認をすること又は同条第二項の規定により、同項第一号若しくは第二号に該当するとき、施設等を必要と認める事業に使用するとき、その他使用を不適当と認めるときに、使用の承認をしないこと。

二　第十条ただし書の規定により、施設等に特別の設備をし、又は変更を加えることについて承認をすること。

三　第十一条の規定により、同条第一号、第三号若しくは第四号に該当するとき、使用者がこの条例に違反し、若しくは指定管理者の指示に従わなかったとき、又は工事その他の都合により特に必要と認めるときに、使用の承認を取り消し、使用を制限し、又は使用の停止を命ずること。

四　第十四条の規定により、同条各号に該当すると認めて、入館を禁じ、又は退館を命ずること。

3　前項第一号の業務を指定管理者が行う場合において、申請に係る施設等を知事が必要と認める事業に使用するときは、指定管理者は、使用の承認をしないことができる。

（指定管理者の指定）

**第十六条**　指定管理者としての指定を受けようとする者は、規則で定めるところにより、知事に申請しなければならない。

2　知事は、前項の規定による申請があったときは、次に掲げる基準により最も適切に館の管理運営を行うことができると認める者を指定管理者に指定するものとする。

一　前条第一項各号に掲げる業務について相当の知識及び経験を有する者を当該業務に従事させることができること。

二　安定的な経営基盤を有していること。

三　館の効用を最大限に発揮するとともに、効率的な管理運営ができること。

四　利用者のサービス向上を図ることができること。

五　関係法令及び条例の規定を遵守し、適正な管理運営ができること。

六　前各号に掲げるもののほか、規則で定める基準

3　知事は、前項の規定による指定をするときは、効率的な管理運営を考慮し、指定の期間を定めるものとする。

（知事の調査及び指示）

**第十七条**　知事は、館の管理運営の適正を期するため、指定管理者に対して、当該管理運営の業務又は経理の状況に関し定期に、若しくは必要に応じて臨時に報告を求め、実地について調査し、又は必要な指示をすることができる。

（指定管理者の指定の取消し等）

**第十八条**　知事は、指定管理者が次の各号のいずれかに該当するときは、第十六条第二項の規定による指定を取り消し、又は期間を定めて管理運営の業務の全部若しくは一部の停止を命ずることができる。

一　管理運営の業務又は経理の状況に関する知事の指示に従わないとき。

二　第十六条第二項各号に掲げる基準を満たさなくなったと認めるとき。

三　第二十条第一項各号に掲げる管理運営の基準を遵守しないとき。
四　前三号に掲げるもののほか、当該指定管理者による管理運営を継続することが適当でないと認めるとき。
2　前項の規定により指定管理者の指定を取り消し、又は期間を定めて管理運営の業務の全部若しくは一部（利用料金の収受を含む場合に限る。）の停止を命じた場合等で、知事が臨時に館の管理運営を行うときに限り、新たに指定管理者を指定し、又は当該停止の期間が終了するまでの間、知事は、別表第一又は別表第二に定める額の範囲内において、知事が定める使用料を徴収する。
3　前項の場合にあっては、第六条第一項、第四項及び第五項、第七条並びに第八条の規定を準用する。この場合において、第六条第一項中「指定管理者（第十五条第一項に規定する指定管理者をいう。以下この条から第八条までにおいて同じ。）」とあるのは「知事」と、「その利用に係る料金（以下「利用料金」という。）」とあるのは「使用料」と、「指定管理者が」とあるのは「知事が」と、同条第四項中「指定管理者」とあるのは「知事」と、「あらかじめ知事の承認を得て、利用に係る予納金（以下「利用予納金」という。）」とあるのは「予納金」と、「収受する」とあるのは「徴収する」と、同条第五項中「利用予納金は、利用料金」とあるのは「予納金は、使用料」と、第七条中「指定管理者」とあるのは「知事」と、「利用料金」とあるのは「使用料」と、第八条中「指定管理者」とあるのは「知事」と、「利用料金又は利用予納金」とあるのは「使用料又は予納金」と、別表第一及び別表第二中「利用料金」とあるのは「使用料」と読み替えるものとする。

（指定管理者の公表）
**第十九条**　知事は、指定管理者を指定し、若しくは指定を取り消したとき、又は期間を定めて管理運営の業務の全部若しくは一部の停止を命じたときは、遅滞なくその旨を告示するものとする。

（管理運営の基準等）
**第二十条**　指定管理者は、次に掲げる基準により、館の管理運営に関する業務を行わなければならない。
一　関係法令及び条例の規定を遵守し、適正な管理運営を行うこと。
二　都民の平等な利用を確保すること。
三　利用者に対して適切なサービスの提供を行うこと。
四　館の施設、設備及び物品の維持管理を適切に行うこと。
五　業務に関連して取得した利用者の個人に関する情報を適切に取り扱うこと。
六　前各号に掲げるもののほか、別途知事が定める管理運営に関する基準を満たすこと。
2　知事は、次に掲げる事項について、指定管理者と協定を締結するものとする。
一　前項各号に掲げる基準に関し必要な事項
二　業務の実施に関する事項
三　事業の実績報告に関する事項
四　前三号に掲げるもののほか、館の管理運営に関し必要な事項

（委任）
**第二十一条**　この条例の施行について必要な事項は、規則で定める。

附　則

この条例は、公布の日から起算して六月を超えない範囲内において規則〔平五・三・二六規則二〇〕で定める日〔平五・三・二八〕から施行する。

附　則（平三〇・七・四条例八〇）

（施行期日）
1　この条例は、東京都規則で定める日〔平三一・四・一〕から施行する。ただし、第六条、第八条及び第十八条第三項の改正規定は、公布の日から施行する。

（準備行為）
2　この条例による改正後の東京都江戸東京博物館条例別表第一の規定による施設等の使用に関し必要な手続その他の行為は、この条例の施行の日前においても行うことができる。

別表第一（第六条、第十八条関係）

| 区分 | | 使用単位 | 利用料金 |
|---|---|---|---|
| 施設 | 特別展示室 | 全日 | 八八、五二〇円 |
| | 大ホール | 午前 | 二三、一三〇円 |
| | | 午後 | 三〇、八三〇円 |
| | | 夜間 | 三〇、八三〇円 |
| | | 全日 | 七七、一一〇円 |
| | 小ホール | 午前 | 六、五九〇円 |
| | | 午後 | 八、七八〇円 |
| | | 夜間 | 八、七八〇円 |
| | | 全日 | 二二、九七〇円 |
| | 会議室 | 午前 | 八、三一〇円 |
| | | 午後 | 一一、〇八〇円 |
| | | 夜間 | 一一、〇八〇円 |
| | | 全日 | 二七、七二〇円 |
| | 学習室一 | 午前 | 二、六四〇円 |
| | | 午後 | 三、五二〇円 |
| | | 夜間 | 三、五二〇円 |
| | | 全日 | 八、八〇〇円 |
| | 学習室二 | 午前 | 二、〇八〇円 |
| | | 午後 | 二、七八〇円 |
| | | 夜間 | 二、七八〇円 |
| | | 全日 | 六、九五〇円 |
| | 大ホール楽屋一 | 午前 | 一、〇四〇円 |
| | | 午後 | 一、〇四〇円 |
| | | 夜間 | 一、〇四〇円 |
| | | 全日 | 三、一六〇円 |
| | 大ホール楽屋二 | 午前 | 一、〇四〇円 |
| | | 午後 | 一、〇四〇円 |
| | | 夜間 | 一、〇四〇円 |
| | | 全日 | 三、一六〇円 |
| | 大ホール楽屋三（和室） | 午前 | 一、〇二〇円 |
| | | 午後 | 一、〇二〇円 |
| | | 夜間 | 一、〇二〇円 |
| | | 全日 | 三、一一〇円 |
| | 小ホール楽屋一 | 午前 | 四五〇円 |
| | | 午後 | 四五〇円 |
| | | 夜間 | 四五〇円 |
| | | 全日 | 一、三七〇円 |
| | 小ホール楽屋二 | 午前 | 四五〇円 |
| | | 午後 | 四五〇円 |
| | | 夜間 | 四五〇円 |
| | | 全日 | 一、三七〇円 |
| | ロビー、エントランスホールその他の施設（規則で定める施設又は部分を除く。） | 一平方メートル全日 | 八八円 |
| 附帯設備 | 電源設備 | 一キロワット一回 | 一二〇円 |

備考

一　施設の使用単位は、午前は午前九時から正午まで、午後は午後一時から午後五時まで、夜間は午後六時から午後十時まで、全日は午前九時から午後十時までとする。

二　附帯設備の使用単位の一回は、施設の使用単位の午前、午後又は夜間に対応するものとする。

三　使用単位の時間を超えて使用する場合には、超過時間一時間（一時間に満たない端数は、これを一時間とする。）につき、使用を承認した使用単位の規定利用料金の一時間当たりの額の三割増相当額以内の超過利用料金を徴収することができる。

**別表第二**（第六条、第十八条関係）

一 本館 常設展

| 区分 | 利用料金（観覧）（一人一回につき） | |
|---|---|---|
| | 個人 | 団体（二十人以上） |
| 一般 | 一、一八〇円 | 九四〇円 |
| 高齢者（六十五歳以上の者をいう。備考三において同じ。）及び生徒 | 五九〇円 | 四七〇円 |

備考

一 常設展とは、常設展示室における展示をいう。

二 生徒とは、中学校及び高等学校の生徒並びにこれらに準ずる者をいう。ただし、中学校の生徒及びこれに準ずる者のうち、東京都の区域内に住所を有するもの並びに東京都の区域内に所在する中学校及びこれに準ずる学校に在学するものを除く。

三 一般とは、高齢者及び生徒（前号ただし書に規定する者を含む。）以外の者をいう。ただし、小学生及び学齢に達しない者を除く。

二 分館

| 区分 | 利用料金（観覧）（一人一回につき） | |
|---|---|---|
| | 個人 | 団体（二十人以上） |
| 一般 | 九〇〇円 | 七二〇円 |
| 高齢者（六十五歳以上の者をいう。備考二において同じ。）及び生徒 | 四五〇円 | 三六〇円 |

備考

一 生徒とは、中学校及び高等学校の生徒並びにこれらに準ずる者をいう。ただし、中学校の生徒及びこれに準ずる者のうち、東京都の区域内に住所を有するもの並びに東京都の区域内に所在する中学校及びこれに準ずる学校に在学するものを除く。

二 一般とは、高齢者及び生徒（前号ただし書に規定する者を含む。）以外の者をいう。ただし、小学生及び学齢に達しない者を除く。

# 〇東京都美術館条例

昭三九・三・三一
条例一一七

最終改正 平二二・三・三一条例三三

**（設置）**

**第一条** 都民のための美術の振興を図るため、東京都美術館（以下「館」という。）を東京都台東区上野公園八番三十六号に設置する。

**（事業）**

**第二条** 館は、前条の目的を達成するため、次の事業を行う。

一 美術作品その他の美術に関する資料（以下「美術作品等」という。）の収集、保管、展示及び利用に関すること。

二 美術に関する調査及び研究に関すること。

三 美術に関する図書の収集、保管及び利用に関すること。

四 美術に関する講演会、講習会等の主催及び援助に関すること。

五 館の使用に関すること。

六 前各号に掲げるもののほか、目的を達成するために必要な事業

**（使用の承認）**

**第三条** 文化の振興に資する展覧会、講演会、講習会、研究会及び美術の創作等のために、館の施設及び附帯設備（以下「施設等」という。）を使用しようとする者は、東京都規則（以下「規則」という。）に定めるところにより申請し、知事の承認を受けなければなら

ない。

2　知事は、次の各号のいずれかに該当するときは、前項の使用の承認をしないことができる。

一　館の秩序を乱すおそれがあると認められるとき。

二　館の管理上支障があると認められるとき。

三　申請に係る施設等を知事が必要と認める事業に使用するとき。

四　前三号に掲げるもののほか、知事が不適当と認めるとき。

**（利用料金等）**

**第四条**　前条第一項の承認を受けた者（以下「使用者」という。）は、指定管理者（第十三条第一項に規定する指定管理者をいう。以下この条から第六条までにおいて同じ。）に、その利用に係る料金（以下「利用料金」という。）を前納しなければならない。ただし、指定管理者が特別の理由があると認めるときは、後納することができる。

2　利用料金の額は、別表に定める額の範囲内において、あらかじめ知事の承認を得て、指定管理者が定めるものとする。

3　利用料金は、指定管理者の収入とする。

4　指定管理者は、必要があると認めるときは、あらかじめ知事の承認を得て、利用に係る予納金（以下「利用予納金」という。）を収受することができる。

5　利用予納金は、利用料金に充当するものとする。

**（利用料金の減額又は免除）**

**第五条**　指定管理者は、規則で定めるときその他指定管理者が特別の理由があると認めるときは、利用料金を減額し、又は免除することができる。

**（利用料金の不還付）**

**第六条**　指定管理者は、既納の利用料金又は利用予納金を還付しないものとする。ただし、指定管理者は、正当な理由があるときその他特に必要があると認めるときは、その全部又は一部を還付することができる。

**（使用権の譲渡禁止）**

**第七条**　使用者は、使用の権利を譲渡し、又は転貸してはならない。

**（施設等の変更禁止）**

**第八条**　使用者は、施設等に特別の設備をし、又は変更を加えてはならない。ただし、あらかじめ知事の承認を受けたときは、この限りでない。

**（使用の取消し等）**

**第九条**　次の各号のいずれかに該当するときは、知事は使用の承認を取り消し、又は使用を制限し、若しくは停止することができる。

一　使用の目的に違反したとき。

二　この条例又は知事の指示に違反したとき。

三　善良の風俗を害するおそれがあると認めたとき。

四　災害その他の事故により館の使用ができなくなったとき。

五　工事その他の都合により、知事が特に必要と認めたとき。

**（原状回復の義務）**

**第十条**　使用者は、使用を終了したときは、使用した施設等を原状に回復しなければならない。前条の規定により使用の承認を取り消され、又は使用を停止されたときも、同様とする。

**（賠償）**

**第十一条**　館に損害を与えた者は、その損害を賠償しなければならない。ただし、知事は、やむを得ない理由があると認めたときは、賠償額を減額し、又は免除することができる。

**（入館の制限及び退館）**

**第十二条**　次の各号のいずれかに該当するときは、知事は、入館を禁じ、又は退館をさせることができる。

一　他人に迷惑をかけ、又は展示品若しくは施設設備等を損壊するおそれがあると認めたとき。

二　前号のほか、管理上支障があると認めたとき。

**（指定管理者による管理）**

**第十三条**　知事は、地方自治法（昭和二十二年法律第六十七号）第二百四十四条の二第三項の規定により、法人その他の団体であって知事が指定するもの（以下「指定管理者」という。）に、館の管理運営に関する業務のうち、次に掲げるものを行わせることができる。

一　第二条各号に掲げる事業に関する業務

二　館の施設、設備及び物品の維持管理に関する業務

三　前二号に掲げるもののほか、知事が特に必要と認める業務

2　知事は、次に掲げる業務を指定管理者に行わせることができる。

一　第三条第一項の規定により、施設等の使用の承認をすること又は同条第二項の規定により、同項第一号若しくは第二号に該当するとき、施設等を必要と認める事業に使用するとき、その他使用を不適当と認めるときに、使用の承認をしないこと。

二　第八条ただし書の規定により、施設等に特別の設備をし、又は変更を加えることについて承認をすること。

三　第九条の規定により、同条第一号若しくは第四号に該当するとき、同条第三号に該当すると認めたとき、使用者がこの条例若しくは指定管理者の指示に違反したとき、又は工事その他の都合により特に必要と認めたときに、使用の承認を取り消し、又は使

用を制限し、若しくは停止すること。
四　第十二条の規定により、同条各号に該当すると認めて、入館を禁じ、又は退館をさせること。
3　前項第一号の業務を指定管理者が行う場合において、申請に係る施設等を知事が必要と認める事業に使用するときは、指定管理者は、使用の承認をしないことができる。

（**指定管理者の指定**）
**第十四条**　指定管理者としての指定を受けようとする者は、規則で定めるところにより、知事に申請しなければならない。
2　知事は、前項の規定による申請があつたときは、次に掲げる基準により最も適切に館の管理運営を行うことができると認める者を指定管理者に指定するものとする。
一　前条第一項各号に掲げる業務について相当の知識及び経験を有する者を当該業務に従事させることができること。
二　安定的な経営基盤を有していること。
三　館の効用を最大限に発揮するとともに、効率的な管理運営ができること。
四　利用者のサービス向上を図ることができること。
五　関係法令及び条例の規定を遵守し、適正な管理運営ができること。
六　前各号に掲げるもののほか、規則で定める基準
3　知事は、前項の規定による指定をするときは、効率的な管理運営を考慮し、指定の期間を定めるものとする。

（**知事の調査及び指示**）
**第十五条**　知事は、館の管理運営の適正を期するため、指定管理者に対して、当該管理運営の業務又は経理の状況に関し定期に、若しくは必要に応じて臨時に報告を求め、実地について調査し、又は必要な指示をすることができる。

（**指定管理者の指定の取消し等**）
**第十六条**　知事は、指定管理者が次の各号のいずれかに該当するときは、第十四条第二項の規定による指定を取り消し、又は期間を定めて管理運営の業務の全部若しくは一部の停止を命ずることができる。
一　管理運営の業務又は経理の状況に関する知事の指示に従わないとき。
二　第十四条第二項各号に掲げる基準を満たさなくなつたと認めるとき。
三　第十八条第一項各号に掲げる管理運営の基準を遵守しないとき。
四　前三号に掲げるもののほか、当該指定管理者による管理運営を継続することが適当でないと認めるとき。
2　前項の規定により指定管理者の指定を取り消し、又は期間を定めて管理運営の業務の全部若しくは一部（利用料金の収受を含む場合に限る。）の停止を命じた場合等で、知事が臨時に館の管理運営を行うときに限り、新たに指定管理者を指定し、又は当該停止の期間が終了するまでの間、知事は、別表に定める額の範囲内において、知事が定める使用料を徴収する。
3　前項の場合にあつては、第四条第一項、第四項及び第五項、第五条並びに第六条の規定を準用する。この場合において、第四条第一項中「指定管理者（第十三条第一項に規定する指定管理者をいう。以下この条から第六条までにおいて同じ。）」とあるのは「知事」と、「その利用に係る料金（以下「利用料金」という。）」とあるのは「使用料」と、「指定管理者が」とあるのは「知事が」と、同条第四項中「指定管理者」とあるのは「知事」と、「あらかじめ知事の承認を得て、利用に係る予納金（以下「利用予納金」という。）」とあるのは「予納金」と、「収受する」とあるのは「徴収する」と、同条第五項中「利用予納金は、利用料金」とあるのは「予納金は、使用料」と、第五条中「指定管理者」とあるのは「知事」と、「利用料金」とあるのは「使用料」と、第六条中「指定管理者」とあるのは「知事」と、「利用料金又は利用予納金」とあるのは「使用料又は予納金」と読み替えるものとする。

（**指定管理者の公表**）
**第十七条**　知事は、指定管理者を指定し、若しくは指定を取り消したとき、又は期間を定めて管理運営の業務の全部若しくは一部の停止を命じたときは、遅滞なくその旨を告示するものとする。

（**管理運営の基準等**）
**第十八条**　指定管理者は、次に掲げる基準により、館の管理運営に関する業務を行わなければならない。
一　関係法令及び条例の規定を遵守し、適正な管理運営を行うこと。
二　都民の平等な利用を確保すること。
三　利用者に対して適切なサービスの提供を行うこと。
四　館の施設、設備及び物品の維持管理を適切に行うこと。
五　業務に関連して取得した利用者の個人に関する情報を適切に取り扱うこと。
六　前各号に掲げるもののほか、別途知事が定める管理運営に関する基準を満たすこと。
2　知事は、次に掲げる事項について、指定管理者と協

定を締結するものとする。
一 前項各号に掲げる基準に関し必要な事項
二 業務の実施に関する事項
三 事業の実績報告に関する事項
四 前三号に掲げるもののほか、館の管理運営に関し必要な事項

（委任）
**第十九条** この条例の施行について必要な事項は、規則で定める。

**付 則**

1 この条例は、昭和三十九年四月一日から施行する。
2 東京都美術館使用条例（昭和二十一年十月東京都条例第四十二号）は、廃止する。
3 この条例施行の際、現に使用の承認を受けている者については、この条例による承認を受けたものとみなす。
4 従前の東京都美術館は、この条例による東京都美術館となり、同一性をもつて存続するものとする。

**附 則**（平二二・三・三一条例三三）

この条例は、平成二十二年四月五日から施行する。

**別表**（第四条、第十六条関係）

| 区分 | | 単位 | 金額 |
|---|---|---|---|
| 施設 | 公募展示室 | 全階全室一日 | 九一二、〇〇〇円 |
| | | 一室一日 | 七六、〇〇〇円 |
| | 企画展示室 | 一日 | 一九六、八八〇円 |
| | ギャラリー | 全室一日 | 一一八、四五〇円 |
| | | 一室一日 | 四一、二二〇円 |
| | 搬入出審査室 | 全室一日 | 二七〇、〇〇〇円 |
| | | 一室一日 | 六七、五〇〇円 |
| | 搬入出倉庫 | 全室一日 | 一一、七〇〇円 |
| | | 一室一日 | 三、九〇〇円 |
| | 展覧会事務室 | 全室一日 | 四九、九九〇円 |
| | | 一室一日 | 四、九〇〇円 |
| | 作品収納室 | 全室一日 | 四〇、五〇〇円 |
| | | 一室一日 | 四、五〇〇円 |
| | 講堂 | 一日 | 三五、二〇〇円 |
| | スタジオ | 全室一日 | 三五、二四〇円 |
| | | 一室一日 | 一五、二六〇円 |
| | ロビー、エントランスホールその他の施設（規則で定める施設又は部分を除く。） | 平方メートル一日 | 一〇〇円 |
| 附帯設備 | | 一台、一組、一式又は一キロワット一日 | 六、四〇〇円 |

# ○東京都現代美術館条例

平六・四・一
条例八一

最終改正 平一七・三・三一条例二八

（設置）

**第一条** 現代美術を中心とする美術作品その他の美術に関する資料を収集し、保管し、及び展示して、都民の利用に供するとともに、都民の美術に関する活動の場を提供し、もって都民の教養、学術及び文化の発展に寄与するため、東京都現代美術館（以下「館」という。）を東京都江東区三好四丁目一番一号に設置する。

（事業）

**第二条** 館は、前条の目的を達成するため、次の事業を行う。

一 現代美術を中心とする美術作品その他の美術に関する資料（以下「美術作品等」という。）の収集、保管、展示及び利用に関すること。

二 現代美術を中心とする美術に関する情報の提供、講演会等の主催、広報、出版等の普及活動に関すること。

三 現代美術を中心とする美術に関する調査及び研究に関すること。

四 館の施設の提供に関すること。

五 前各号に掲げるもののほか、目的を達成するために必要な事業

（使用の承認）

**第三条** 文化の振興に資する講演会、講座、研究会等を実施するために館の施設及び附帯設備（以下「施設等」という。）を使用しようとする者は、東京都規則（以下「規則」という。）に定めるところにより申請し、知事の承認を受けなければならない。

2 知事は、次の各号のいずれかに該当するときは、前項の使用の承認をしないことができる。

一 館の秩序を乱すおそれがあると認められるとき。

二 館の管理上支障があると認められるとき。

三 申請に係る施設等を知事が必要と認める事業に使用するとき。

四 前三号に掲げるもののほか、知事が不適当と認めるとき。

（利用料金）

**第四条** 前条第一項の承認を受けた者（以下「使用者」という。）及び館が展示する美術作品等を観覧しようとする者は、指定管理者（第十三条第一項に規定する指定管理者をいう。以下この条から第六条までにおいて同じ。）に、その利用に係る料金（以下「利用料金」という。）を前納しなければならない。ただし、指定管理者が特別の理由があると認めるときは、後納することができる。

2 利用料金の額は、別表第一及び別表第二に定める額の範囲内において、あらかじめ知事の承認を得て、指定管理者が定めるものとする。

3 利用料金は、指定管理者の収入とする。

（利用料金の減額又は免除）

**第五条** 指定管理者は、規則で定めるときその他指定管理者が特別の理由があると認めるときは、利用料金を減額し、又は免除することができる。

（利用料金の不還付）

**第六条** 指定管理者は、既納の利用料金を還付しないものとする。ただし、指定管理者は、正当な理由があるときその他特に必要があると認めるときは、その全部又は一部を還付することができる。

（使用権の譲渡等の禁止）

**第七条** 使用者は、使用の権利を譲渡し、又は転貸してはならない。

（設備の変更禁止）

**第八条** 使用者は、施設等に特別の設備をし、又は変更を加えてはならない。ただし、あらかじめ知事の承認を受けたときは、この限りでない。

（使用承認の取消し等）

**第九条** 知事は、次の各号のいずれかに該当するときは、使用の承認を取り消し、使用を制限し、又は使用の停止を命ずることができる。

一 使用の目的に違反して使用したとき。

二 この条例に違反し、又は知事の指示に従わなかったとき。

三 善良の風俗を害するおそれがあると認められるとき。

四 災害その他の事故により施設の使用ができなくなったとき。

五 工事その他の都合により、知事が特に必要と認めるとき。

（原状回復の義務）

**第十条** 使用者は、使用を終了したときは、使用した施設等を原状に回復しなければならない。前条の規定により使用の承認を取り消され、又は使用の停止を命ぜられたときも、同様とする。

（損害賠償の義務）

**第十一条** 美術作品等、施設又は設備に損害を与えた者は、その損害を賠償しなければならない。ただし、知事は、やむを得ない理由があると認めたときは、賠償

額を減額し、又は免除することができる。

（入館の制限等）

**第十二条**　知事は、次の各号のいずれかに該当するときは、入館を禁じ、又は退館を命ずることができる。

一　他人に迷惑をかけ、又は美術作品等、施設若しくは設備を損傷するおそれがあると認められるとき。

二　前号のほか、館の管理上支障があると認められるとき。

（指定管理者による管理）

**第十三条**　知事は、地方自治法（昭和二十二年法律第六十七号）第二百四十四条の二第三項の規定により、法人その他の団体であって知事が指定するもの（以下「指定管理者」という。）に、館の管理運営に関する業務のうち、次に掲げるものを行わせることができる。

一　第二条各号に掲げる事業に関する業務

二　館の施設、設備及び物品の維持管理に関する業務

三　前二号に掲げるもののほか、知事が特に必要と認める業務

2　知事は、次に掲げる業務を指定管理者に行わせることができる。

一　第三条第一項の規定により、施設等の使用の承認をすること又は同条第二項の規定により、同項第一号若しくは第二号に該当するとき、施設等を必要と認める事業に使用するとき、その他使用を不適当と認めるときに、使用の承認をしないこと。

二　第八条ただし書の規定により、施設等に特別の設備をし、又は変更を加えることについて承認をすること。

三　第九条の規定により、同条第一号、第三号若しくは第四号に該当するとき、使用者がこの条例に違反し、若しくは指定管理者の指示に従わなかったとき、又は工事その他の都合により特に必要と認めるときに、使用の承認を取り消し、使用を制限し、又は使用の停止を命ずること。

四　第十二条の規定により、入館を禁じ、又は退館を命ずること。

3　前項第一号の業務を指定管理者が行う場合において、申請に係る施設等を知事が必要と認める事業に使用するときは、指定管理者は、使用の承認をしないことができる。

（指定管理者の指定）

**第十四条**　指定管理者としての指定を受けようとする者は、規則で定めるところにより、知事に申請しなければならない。

2　知事は、前項の規定による申請があったときは、次に掲げる基準により最も適切に館の管理運営を行うことができると認める者を指定管理者に指定するものとする。

一　前条第一項各号に掲げる業務について相当の知識及び経験を有する者を当該業務に従事させることができること。

二　安定的な経営基盤を有していること。

三　館の効用を最大限に発揮するとともに、効率的な管理運営ができること。

四　利用者のサービス向上を図ることができること。

五　関係法令及び条例の規定を遵守し、適正な管理運営ができること。

六　前各号に掲げるもののほか、規則で定める基準

3　知事は、前項の規定による指定をするときは、効率的な管理運営を考慮し、指定の期間を定めるものとする。

（知事の調査及び指示）

**第十五条**　知事は、館の管理運営の適正を期するため、指定管理者に対して、当該管理運営の業務又は経理の状況に関し定期に、若しくは必要に応じて臨時に報告を求め、実地について調査し、又は必要な指示をすることができる。

（指定管理者の指定の取消し等）

**第十六条**　知事は、指定管理者が次の各号のいずれかに該当するときは、第十四条第二項の規定による指定を取り消し、又は期間を定めて管理運営の業務の全部若しくは一部の停止を命ずることができる。

一　管理運営の業務又は経理の状況に関する知事の指示に従わないとき。

二　第十四条第二項各号に掲げる基準を満たさなくなったと認めるとき。

三　第十八条第一項各号に掲げる管理運営の基準を遵守しないとき。

四　前三号に掲げるもののほか、当該指定管理者による管理運営を継続することが適当でないと認めるとき。

2　前項の規定により指定管理者の指定を取り消し、又は期間を定めて管理運営の業務の全部若しくは一部（利用料金の収受を含む場合に限る。）の停止を命じた場合等で、知事が臨時に館の管理運営を行うときに限り、新たに指定管理者を指定し、又は当該停止の期間が終了するまでの間、知事は、別表第一又は別表第二に定める額の範囲内において、知事が定める使用料を徴収する。

3　前項の場合にあっては、第四条第一項、第五条及び第六条の規定を準用する。この場合において、第四条第一項中「指定管理者（第十三条第一項に規定する指定管理者をいう。以下この条から第六条までにおいて

同じ。）」とあるのは「知事」と、「その利用に係る料金（以下「利用料金」という。）」とあるのは「使用料」と、「指定管理者が」とあるのは「知事が」と、第五条及び第六条中「指定管理者」とあるのは「知事」と、「利用料金」とあるのは「使用料」と、別表第一及び別表第二中「利用料金」とあるのは「使用料」と読み替えるものとする。

（指定管理者の公表）

**第十七条** 知事は、指定管理者を指定し、若しくは指定を取り消したとき、又は期間を定めて管理運営の業務の全部若しくは一部の停止を命じたときは、遅滞なくその旨を告示するものとする。

（管理運営の基準等）

**第十八条** 指定管理者は、次に掲げる基準により、館の管理運営に関する業務を行わなければならない。

一 関係法令及び条例の規定を遵守し、適正な管理運営を行うこと。

二 都民の平等な利用を確保すること。

三 利用者に対して適切なサービスの提供を行うこと。

四 館の施設、設備及び物品の維持管理を適切に行うこと。

五 業務に関連して取得した利用者の個人に関する情報を適切に取り扱うこと。

六 前各号に掲げるもののほか、別途知事が定める管理運営に関する基準を満たすこと。

2 知事は、次に掲げる事項について、指定管理者と協定を締結するものとする。

一 前項各号に掲げる基準に関し必要な事項

二 業務の実施に関する事項

三 事業の実績報告に関する事項

四 前三号に掲げるもののほか、館の管理運営に関し必要な事項

（委任）

**第十九条** この条例の施行について必要な事項は、規則で定める。

附 則

（施行期日）

1 この条例は、平成六年十月一日から施行する。

（供用開始）

2 館は、公布の日から起算して一年を超えない範囲内において規則で定める日〔平七・三・一九〕から供用を開始する。

附 則（平一七・三・三一条例二八）

1 この条例は、公布の日から施行する。

2 この条例による改正前の東京都現代美術館条例第四条から第六条まで及び第十三条の規定は、平成十八年九月一日（同日前にこの条例による改正後の東京都現代美術館条例第十四条第二項の規定により指定管理者の指定をした場合にあっては、当該指定の日）までの間は、なおその効力を有する。

**別表第一**（第四条、第十六条関係）

| 区分 | | 使用単位 | 利用料金 |
|---|---|---|---|
| 地下二階企画展示室 | | 全日 | 二五一、一〇〇円 |
| 一階企画展示室 | | 全日 | 一六二、〇〇〇円 |
| 三階企画展示室 | | 全日 | 一六七、四〇〇円 |
| 施設 | 講堂 | 午前 | 一四、八二〇円 |
| | | 午後 | 一九、七六〇円 |
| | | 夜間 | 一九、七六〇円 |
| | | 全日 | 四九、四一〇円 |
| | 研修室 | 午前 | 三、〇五〇円 |
| | | 午後 | 四、〇七〇円 |
| | | 夜間 | 四、〇七〇円 |
| | | 全日 | 一〇、一八〇円 |
| | エントランスホール及びサンクンガーデン（全面使用する場合に限る。） | 全日 | 三、〇〇〇、〇〇〇円 |
| | ロビー、エントランスホールその他の施設（右欄に掲げる場合及び規則で定める施設又は部分を除く。） | 一平方メートル 全日 | 一三五円 |
| 附帯設備 | | 一式、一台又は一キロワット 全日 | 五、〇〇〇円 |

備考
施設の使用単位は、午前は午前九時から正午まで、午後は午後一時から午後五時まで、夜間は午後六時から午後九時まで、全日は午前九時から午後九時までとする。

**別表第二**（第四条、第十六条関係）

常設展

| 区分 | 利用料金（一人一回につき） | |
|---|---|---|
| | 個人 | 団体（二十人以上） |
| 一般 | 一、一二〇円 | 八九〇円 |
| 高齢者（六十五歳以上の者をいう。備考三において同じ。）及び生徒 | 五六〇円 | 四四〇円 |

備考
一 常設展とは、常設展示室における展示をいう。
二 生徒とは、中学校及び高等学校の生徒並びにこれらに準ずる者をいう。ただし、中学校の生徒及びこれに準ずる者のうち、東京都の区域内に住所を有するもの並びに東京都の区域内に所在する中学校及びこれに準ずる学校に在学するものを除く。
三 一般とは、高齢者及び生徒（前号ただし書に規定する者を含む。）以外の者をいう。ただし、小学生及び学齢に達しない者を除く。

# ○東京都写真美術館条例

平二・三・三一
条例二〇

最終改正 平二二・三・三一条例三四

**（設置）**
**第一条** 都民のための写真及びその他の映像（以下「写真等」という。）に関する文化の振興を図るため、東京都写真美術館（以下「館」という。）を東京都目黒区三田一丁目十三番三号に設置する。

**（事業）**
**第二条** 館は、前条の目的を達成するため、次の事業を行う。
一 写真等の作品その他の写真等に関する資料（以下「作品等」という。）の収集、保管、展示及び利用に関すること。
二 写真等に関する調査及び研究に関すること。
三 写真等に関する図書の収集、保管及び利用に関すること。
四 写真等に関する講演会、講習会等の主催、広報、出版等の普及活動に関すること。
五 館の施設の提供に関すること。
六 前各号に掲げるもののほか、目的を達成するために必要な事業

**（休館日及び開館時間）**
**第三条** 館の休館日及び開館時間は、東京都規則（以下「規則」という。）で定める。

**（作品等の特別閲覧）**
**第四条** 館に所蔵されている作品等について、研究又は鑑賞のため、プリントスタディールームにおける閲覧（以下「特別閲覧」という。）をしようとする者は、規則に定めるところにより申請し、知事の承認を受けなければならない。
2 知事は、次の各号のいずれかに該当するときは、前項の特別閲覧の承認をしないことができる。
一 館の秩序を乱すおそれがあると認められるとき。
二 作品等の管理上支障があると認められるとき。
三 館の管理上支障があると認められるとき。
四 前三号に掲げる場合のほか、知事が不適当と認めるとき。

**（特別閲覧料）**
**第五条** 前条第一項の規定により承認を受けた者は、別表第一に定める額の特別閲覧料を前納しなければならない。

**（使用の承認）**
**第六条** 写真等に関する文化の振興に資する展覧会、講演会等を実施するために館の施設及び附帯設備（以下「施設等」という。）を使用しようとする者は、規則に定めるところにより申請し、知事の承認を受けなければならない。
2 知事は、次の各号のいずれかに該当するときは、前項の使用の承認をしないことができる。
一 館の秩序を乱すおそれがあると認められるとき。
二 館の管理上支障があると認められるとき。
三 申請に係る施設等を知事が必要と認める事業に使用するとき。
四 前三号に掲げる場合のほか、知事が不適当と認めるとき。

**（利用料金）**
**第七条** 前条第一項の承認を受けた者（以下「使用者」

という。）及び収蔵展（館の収蔵作品を中心とする展示をいう。）を観覧しようとする者は、指定管理者（第十六条第一項に規定する指定管理者をいう。以下この条から第九条までにおいて同じ。）に、その利用に係る料金（以下「利用料金」という。）を前納しなければならない。ただし、指定管理者が特別の理由があると認めるときは、後納することができる。

2　利用料金の額は、別表第二及び別表第三に定める額の範囲内において、あらかじめ知事の承認を得て、指定管理者が定める。

3　利用料金は、指定管理者の収入とする。

**（利用料金の減額又は免除）**

**第八条**　指定管理者は、規則で定めるときその他指定管理者が特別の理由があると認めるときは、利用料金を減額し、又は免除することができる。

**（利用料金の不還付）**

**第九条**　指定管理者は、既納の利用料金を還付しないものとする。ただし、指定管理者は、正当な理由があるときその他特に必要があると認めるときは、その全部又は一部を還付することができる。

**（使用権の譲渡等の禁止）**

**第十条**　使用者は、使用の権利を譲渡し、又は転貸してはならない。

**（施設等の変更禁止）**

**第十一条**　使用者は、施設等に特別の設備をし、又は変更を加えてはならない。ただし、あらかじめ知事の承認を受けたときは、この限りでない。

**（使用承認の取消し等）**

**第十二条**　知事は、次の各号のいずれかに該当するときは、使用の承認を取り消し、使用を制限し、又は使用の停止を命ずることができる。

一　使用の目的に違反して使用したとき。

二　この条例に違反し、又は知事の指示に従わなかったとき。

三　善良の風俗を害するおそれがあると認められるとき。

四　災害その他の事故により館の使用ができなくなったとき。

五　工事その他の都合により、知事が特に必要と認めるとき。

**（原状回復の義務）**

**第十三条**　使用者は、使用を終了したときは、使用した施設等を直ちに原状に回復しなければならない。前条の規定により使用の承認を取り消され、又は使用の停止を命ぜられたときも、同様とする。

**（損害賠償の義務）**

**第十四条**　作品等又は館の施設若しくは設備に損害を与えた者は、その損害を賠償しなければならない。ただし、知事は、やむを得ない理由があると認めるときは、賠償額を減額し、又は免除することができる。

**（入館の制限等）**

**第十五条**　知事は、次の各号のいずれかに該当するときは、入館を禁じ、又は退館を命ずることができる。

一　他人に迷惑をかけ、又は作品等若しくは館の施設若しくは設備を損壊するおそれがあると認めるとき。

二　前号に掲げる場合のほか、館の管理上支障があると認めるとき。

**（指定管理者による管理）**

**第十六条**　知事は、地方自治法（昭和二十二年法律第六十七号）第二百四十四条の二第三項の規定により、法人その他の団体であって知事が指定するもの（以下「指定管理者」という。）に、館の管理運営に関する業務のうち、次に掲げるものを行わせることができる。

一　第二条各号に掲げる事業に関する業務

二　館の施設、設備及び物品の維持管理に関する業務

三　前二号に掲げるもののほか、知事が特に必要と認める業務

2　知事は、次に掲げる業務を指定管理者に行わせることができる。

一　第四条第一項の規定により、特別閲覧の承認をすること又は同条第二項の規定により、同項第一号から第三号までのいずれかに該当するとき、若しくは不適当と認めるときに、特別閲覧の承認をしないこと。

二　第六条第一項の規定により、施設等の使用の承認をすること又は同条第二項の規定により、同項第一号若しくは第二号に該当するとき、施設等を必要と認める事業に使用するとき、その他使用を不適当と認めるときに、使用の承認をしないこと。

三　第十一条ただし書の規定により、施設等に特別の設備をし、又は変更を加えることについて承認をすること。

四　第十二条の規定により、同条第一号、第三号若しくは第四号に該当するとき、使用者がこの条例に違反し、若しくは指定管理者の指示に従わなかったとき、又は工事その他の都合により特に必要と認めるときに、使用の承認を取り消し、使用を制限し、又は使用の停止を命ずること。

五　第十五条の規定により、同条各号に該当すると認めて、入館を禁じ、又は退館を命ずること。

3　前項第二号の業務を指定管理者が行う場合において、申請に係る施設等を知事が必要と認める事業に使

用するときは、指定管理者は、使用の承認をしないことができる。

**(指定管理者の指定)**

**第十七条** 指定管理者としての指定を受けようとする者は、規則で定めるところにより、知事に申請しなければならない。

2 知事は、前項の規定による申請があったときは、次に掲げる基準により最も適切に館の管理運営を行うことができると認める者を指定管理者に指定するものとする。

一 前条第一項各号に掲げる業務について相当の知識及び経験を有する者を当該業務に従事させることができること。

二 安定的な経営基盤を有していること。

三 館の効用を最大限に発揮するとともに、効率的な管理運営ができること。

四 利用者のサービス向上を図ることができること。

五 関係法令及び条例の規定を遵守し、適正な管理運営ができること。

六 前各号に掲げるもののほか、規則で定める基準

3 知事は、前項の規定による指定をするときは、効率的な管理運営を考慮し、指定の期間を定めるものとする。

**(知事の調査及び指示)**

**第十八条** 知事は、館の管理運営の適正を期するため、指定管理者に対して、当該管理運営の業務又は経理の状況に関し定期に、若しくは必要に応じて臨時に報告を求め、実地について調査し、又は必要な指示をすることができる。

**(指定管理者の指定の取消し等)**

**第十九条** 知事は、指定管理者が次の各号のいずれかに該当するときは、第十七条第二項の規定による指定を取り消し、又は期間を定めて管理運営の業務の全部若しくは一部の停止を命ずることができる。

一 管理運営の業務又は経理の状況に関する知事の指示に従わないとき。

二 第十七条第二項各号に掲げる基準を満たさなくなったと認めるとき。

三 第二十一条第一項各号に掲げる管理運営の基準を遵守しないとき。

四 前三号に掲げるもののほか、当該指定管理者による管理運営を継続することが適当でないと認めるとき。

2 前項の規定により指定管理者の指定を取り消し、又は期間を定めて管理運営の業務の全部若しくは一部(利用料金の収受を含む場合に限る。)の停止を命じた場合等で、知事が臨時に館の管理運営を行うときに限り、新たに指定管理者を指定し、又は当該停止の期間が終了するまでの間、知事は、別表第二又は別表第三に定める額の範囲内において、知事が定める使用料を徴収する。

3 前項の場合にあっては、第七条第一項、第八条及び第九条の規定を準用する。この場合において、第七条第一項中「指定管理者(第十六条第一項に規定する指定管理者をいう。以下この条から第九条までにおいて同じ。)」とあるのは「知事」と、「その利用に係る料金(以下「利用料金」という。)」とあるのは「使用料」と、「指定管理者が」とあるのは「知事が」と、第八条及び第九条中「指定管理者」とあるのは「知事」と、「利用料金」とあるのは「使用料」と、別表第二及び別表第三中「利用料金」とあるのは「使用料」と読み替えるものとする。

**(指定管理者の公表)**

**第二十条** 知事は、指定管理者を指定し、若しくは指定を取り消したとき、又は期間を定めて管理運営の業務の全部若しくは一部の停止を命じたときは、遅滞なくその旨を告示するものとする。

**(管理運営の基準等)**

**第二十一条** 指定管理者は、次に掲げる基準により、館の管理運営に関する業務を行わなければならない。

一 関係法令及び条例の規定を遵守し、適正な管理運営を行うこと。

二 都民の平等な利用を確保すること。

三 利用者に対して適切なサービスの提供を行うこと。

四 館の施設、設備及び物品の維持管理を適切に行うこと。

五 業務に関連して取得した利用者の個人に関する情報を適切に取り扱うこと。

六 前各号に掲げるもののほか、別途知事が定める管理運営に関する基準を満たすこと。

2 知事は、次に掲げる事項について、指定管理者と協定を締結するものとする。

一 前項各号に掲げる基準に関し必要な事項

二 業務の実施に関する事項

三 事業の実績報告に関する事項

四 前三号に掲げるもののほか、館の管理運営に関し必要な事項

**(委任)**

**第二十二条** この条例の施行について必要な事項は、規則で定める。

**附　則**

この条例は、平成二年六月一日から施行する。

**附　則**（平二二・三・三一条例三四）

1　この条例は、平成二十二年四月一日から施行する。

2　この条例の施行の際、この条例による改正前の東京都写真美術館条例の規定により、既に使用の承認を受けている者の利用に係る料金については、なお従前の例による。

**別表第一**（第五条関係）

| 単位 | 特別閲覧料 |
| --- | --- |
| 一点一回 | 三四〇円 |

**別表第二**（第七条、第十九条関係）

| 区分 | | 使用単位 | 利用料金 |
| --- | --- | --- | --- |
| 施設 | 地下一階展示室 | 全日 | 九三、一〇〇円 |
| | 二階展示室 | 全日 | 七九、六九〇円 |
| | 三階展示室 | 全日 | 七九、六九〇円 |
| | ホール | 午前 | 一七、五二〇円 |
| | | 午後 | 二三、三七〇円 |
| | | 夜間 | 二三、三七〇円 |
| | | 全日 | 五八、四三〇円 |
| | 創作室 | 午前 | 六、〇三〇円 |
| | | 午後 | 八、〇四〇円 |
| | | 夜間 | 八、〇四〇円 |
| | | 全日 | 二〇、一二〇円 |
| | ロビー、エントランスホールその他の施設（規則で定める施設又は部分を除く。） | 一平方メートル全日 | 一六〇円 |
| 附帯設備 | ホール用同時通訳設備 | 一式一回 | 二、五〇〇円 |

| | | |
|---|---|---|
| ホール用ビデオプロジェクター | 一式一回 | 五、〇〇〇円 |
| 電源設備 | 一キロワット一回 | 一二〇円 |

備考

一　施設の使用単位は、午前は午前九時から正午まで、午後は午後一時から午後五時まで、夜間は午後六時から午後九時まで、全日は午前九時から午後九時までとする。

二　附帯設備の使用単位の一回は、施設の使用単位の午前、午後又は夜間に対応するものとする。

**別表第三**（第七条、第十九条関係）

| 区分 | 利用料金（観覧）（一人一回につき） | |
|---|---|---|
| | 個人 | 団体（二十人以上） |
| 一般 | 一、一二〇円 | 八九〇円 |
| 高齢者（六十五歳以上の者をいう。備考二において同じ。）及び生徒 | 五六〇円 | 四四〇円 |

備考

一　生徒とは、中学校及び高等学校の生徒並びにこれらに準ずる者をいう。ただし、中学校の生徒及びこれに準ずる者のうち、東京都の区域内に住所を有するもの並びに東京都の区域内に所在する中学校及びこれに準ずる学校に在学するものを除く。

二　一般とは、高齢者及び生徒（前号ただし書に規定する者を含む。）以外の者をいう。ただし、小学生及び学齢に達しない者を除く。

# ○東京都庭園美術館条例

令二・三・三一
条例二〇

（設置）
**第一条**　歴史的な価値を有する建造物である旧朝香宮邸を保存し、及び公開するとともに、その建物及び庭園を生かして美術作品その他の美術に関する資料（以下「美術作品等」という。）を展示することにより、もって都民の教養並びに学術及び文化の発展に寄与するため、東京都庭園美術館（以下「館」という。）を東京都港区白金台五丁目二十一番九号に設置する。

（事業）
**第二条**　館は、前条の目的を達成するため、次の事業を行う。
一　旧朝香宮邸の保存及び公開に関すること。
二　美術作品等の収集、保管、展示及び利用に関すること。
三　美術に関する講演会、講習会等の主催、広報、情報の提供、出版等の普及活動に関すること。
四　旧朝香宮邸及びアール・デコを中心とする美術に関する調査及び研究に関すること。
五　館の施設の提供に関すること。
六　前各号に掲げるもののほか、目的を達成するために必要な事業

（休館日及び開館時間）
**第三条**　館の休館日及び開館時間は、東京都規則（以下「規則」という。）で定める。

（使用の承認）
**第四条**　文化の振興に資する展覧会、講演会等を実施するために館の施設を使用しようとする者は、規則で定めるところにより申請し、知事の承認を受けなければならない。
2　知事は、次の各号のいずれかに該当するときは、前項の承認をしないことができる。
一　館の秩序を乱すおそれがあると認められるとき。
二　館の管理上支障があると認められるとき。
三　申請に係る施設を知事が必要と認める事業に使用するとき。
四　前三号に掲げる場合のほか、知事が不適当と認めるとき。

（利用料金）
**第五条**　前条第一項の規定により使用の承認を受けた者（以下「使用者」という。）並びに建物公開展（旧朝香宮邸及びその歴史並びにこれらに関連する美術作品等を紹介する展示をいう。）及び庭園を観覧しようとする者は、指定管理者（第十四条第一項に規定する指定管理者をいう。以下この条から第七条までにおいて同じ。）に、その利用に係る料金（以下「利用料金」という。）を前納しなければならない。ただし、指定管理者が特別の理由があると認めるときは、後納することができる。
2　利用料金の額は、別表第一及び別表第二に定める額の範囲内において、あらかじめ知事の承認を得て、指定管理者が定める。
3　利用料金は、指定管理者の収入とする。

（利用料金の減額又は免除）
**第六条**　指定管理者は、規則で定めるときその他指定管理者が特別の理由があると認めるときは、利用料金を減額し、又は免除することができる。

（利用料金の不還付）
**第七条**　指定管理者は、既納の利用料金を還付しないものとする。ただし、指定管理者は、正当な理由があるときその他特に必要があると認めるときは、その全部又は一部を還付することができる。

（使用権の譲渡等の禁止）
**第八条**　使用者は、使用の権利を譲渡し、又は転貸してはならない。

（施設の変更禁止等）
**第九条**　使用者は、施設に特別の設備をし、又は変更を加えてはならない。ただし、あらかじめ知事の承認を受けたときは、この限りでない。

（使用承認の取消し等）
**第十条**　知事は、次の各号のいずれかに該当するときは、使用の承認を取り消し、使用を制限し、又は使用の停止を命ずることができる。
一　使用の目的に違反して使用したとき。
二　この条例に違反し、又は知事の指示に従わなかったとき。
三　善良の風俗を害するおそれがあると認められるとき。
四　災害その他の事故により館の使用ができなくなったとき。
五　工事その他の都合により、知事が特に必要と認めるとき。

（原状回復の義務）
**第十一条**　使用者は、使用を終了したときは、使用した施設を直ちに原状に回復しなければならない。前条の規定により使用の承認を取り消され、又は使用の停止を命ぜられたときも、同様とする。

（損害賠償の義務）
**第十二条**　美術作品等又は館の施設若しくは設備に損害

を与えた者は、その損害を賠償しなければならない。ただし、知事は、やむを得ない理由があると認めるときは、賠償額を減額し、又は免除することができる。

**（入館の制限等）**

**第十三条**　知事は、次の各号のいずれかに該当するときは、入館を禁じ、又は退館を命ずることができる。

一　他人に迷惑をかけ、又は美術作品等若しくは館の施設若しくは設備を損壊するおそれがあると認めるとき。

二　前号に掲げる場合のほか、館の管理上支障があると認めるとき。

**（指定管理者による管理）**

**第十四条**　知事は、地方自治法（昭和二十二年法律第六十七号）第二百四十四条の二第三項の規定により、法人その他の団体であって知事が指定するもの（以下「指定管理者」という。）に、館の管理運営に関する業務のうち、次に掲げるものを行わせることができる。

一　第二条各号に掲げる事業に関する業務

二　館の施設、設備及び物品の維持管理に関する業務

三　前二号に掲げるもののほか、知事が特に必要と認める業務

2　知事は、次に掲げる業務を指定管理者に行わせることができる。

一　第四条第一項の規定により、使用の承認をすること又は同条第二項の規定により、同項第一号若しくは第二号に該当するとき、施設を必要と認める事業に使用するとき、その他使用を不適当と認めるときに、使用の承認をしないこと。

二　第九条ただし書の規定により、施設に特別の設備をし、又は変更を加えることについて承認をすること。

三　第十条の規定により、同条第一号、第三号若しくは第四号に該当するとき、使用者がこの条例に違反し、若しくは指定管理者の指示に従わなかったとき、又は工事その他の都合により特に必要と認めるときに、使用の承認を取り消し、使用を制限し、又は使用の停止を命ずること。

四　前条の規定により、同条各号に該当すると認めて、入館を禁じ、又は退館を命ずること。

3　前項第一号に掲げる業務を指定管理者が行う場合において、申請に係る施設を知事が必要と認める事業に使用するときは、指定管理者は、使用の承認をしないことができる。

**（指定管理者の指定）**

**第十五条**　指定管理者としての指定を受けようとする者は、規則で定めるところにより、知事に申請しなければならない。

2　知事は、前項の規定による申請があったときは、次に掲げる基準により最も適切に館の管理運営を行うことができると認める者を指定管理者に指定するものとする。

一　前条第一項各号に掲げる業務について相当の知識及び経験を有する者を当該業務に従事させることができること。

二　安定的な経営基盤を有していること。

三　館の効用を最大限に発揮するとともに、効率的な管理運営ができること。

四　利用者のサービス向上を図ることができること。

五　関係法令及び条例の規定を遵守し、適正な管理運営ができること。

六　前各号に掲げるもののほか、規則で定める基準

3　知事は、前項の規定による指定をするときは、効率的な管理運営を考慮し、指定の期間を定めるものとする。

**（知事の調査及び指示）**

**第十六条**　知事は、館の管理運営の適正を期するため、指定管理者に対して、当該管理運営の業務又は経理の状況に関し定期に、若しくは必要に応じて臨時に報告を求め、実地について調査し、又は必要な指示をすることができる。

**（指定管理者の指定の取消し等）**

**第十七条**　知事は、指定管理者が次の各号のいずれかに該当するときは、第十五条第二項の規定による指定を取り消し、又は期間を定めて管理運営の業務の全部若しくは一部の停止を命ずることができる。

一　管理運営の業務又は経理の状況に関する知事の指示に従わないとき。

二　第十五条第二項各号に掲げる基準を満たさなくなったと知事が認めるとき。

三　第十九条第一項各号に掲げる管理運営の基準を遵守しないとき。

四　前三号に掲げる場合のほか、当該指定管理者による管理運営を継続することが適当でないと知事が認めるとき。

2　前項の規定により指定管理者の指定を取り消し、又は期間を定めて管理運営の業務の全部若しくは一部（利用料金の収受を含む場合に限る。）の停止を命じた場合等で、知事が臨時に館の管理運営を行うときに限り、新たに指定管理者を指定し、又は当該停止の期間が終了するまでの間、知事は、別表第一又は別表第二に定める額の範囲内において、知事が定める使用料を徴収する。

3　前項の場合にあっては、第五条第一項、第六条、第

七条、別表第一及び別表第二の規定を準用する。この場合において、第五条第一項中「指定管理者（第十四条第一項に規定する指定管理者をいう。以下この条から第七条までにおいて同じ。）」とあるのは「知事」と、「その利用に係る料金（以下「利用料金」という。）」とあるのは「使用料」と、同項ただし書中「指定管理者」とあるのは「知事」と、第六条及び第七条中「指定管理者」とあるのは「知事」と、「利用料金」とあるのは「使用料」と、別表第一及び別表第二中「利用料金」とあるのは「使用料」と読み替えるものとする。

**（指定管理者の公表）**

**第十八条** 知事は、指定管理者を指定し、若しくは指定を取り消したとき、又は期間を定めて管理運営の業務の全部若しくは一部の停止を命じたときは、遅滞なくその旨を告示するものとする。

**（管理運営の基準等）**

**第十九条** 指定管理者は、次に掲げる基準により、館の管理運営に関する業務を行わなければならない。

一 関係法令及び条例の規定を遵守し、適正な管理運営を行うこと。

二 都民の平等な利用を確保すること。

三 利用者に対して適切なサービスの提供を行うこと。

四 館の施設、設備及び物品の維持管理を適切に行うこと。

五 業務に関連して取得した利用者の個人に関する情報を適切に取り扱うこと。

六 前各号に掲げるもののほか、別途知事が定める管理運営に関する基準を満たすこと。

2 知事は、次に掲げる事項について、指定管理者と協定を締結するものとする。

一 前項各号に掲げる管理運営の基準に関し必要な事項

二 業務の実施に関する事項

三 事業の実績報告に関する事項

四 前三号に掲げるもののほか、館の管理運営に関し必要な事項

**（委任）**

**第二十条** この条例の施行について必要な事項は、規則で定める。

附　則

**（施行期日）**

1 この条例は、令和三年四月一日から施行する。ただし、次項の規定は、公布の日から施行する。

**（準備行為）**

2 第十五条第二項の規定による指定管理者の指定その他の指定管理者による館の管理運営に関し必要な行為並びに第四条第一項の規定による申請及び承認その他の施設の使用に関し必要な行為は、この条例の施行の日前においても行うことができる。

**別表第一**（第五条、第十七条関係）

| 施設名 | | 使用単位 | 利用料金 |
|---|---|---|---|
| 本館（規則で定める施設又は部分を除く。） | | 全日 | 二〇四、六三〇円 |
| 新館 | ギャラリー一 | 午前 | 一八、七二〇円 |
| | | 午後 | 二四、九六〇円 |
| | | 夜間 | 二四、九六〇円 |
| | | 全日 | 六二、四一〇円 |
| | ギャラリー二 | 午前 | 一〇、二五〇円 |
| | | 午後 | 一三、六七〇円 |
| | | 夜間 | 一三、六七〇円 |
| | | 全日 | 三四、一八〇円 |
| | ロビーその他の施設（規則で定める施設又は部分を除く。） | 一平方メートル全日 | 二五九円 |

備考 施設の使用単位は、午前は午前九時から正午まで、午後は午後一時から午後五時まで、夜間は午後六時から午後九時まで、全日は午前九時から午後九時までとする。

**別表第二**（第五条、第十七条関係）

一 建物公開展

| 区分 | 利用料金（観覧）（一人一回につき） 個人 | 団体（二十人以上） |
|---|---|---|
| 一般 | 一、〇二〇円 | 八一〇円 |
| 高齢者（六十五歳以上の者をいう。備考二において同じ。）及び生徒 | 五一〇円 | 四〇〇円 |

備考

一 生徒とは、中学校及び高等学校の生徒並びにこれらに準ずる者をいう。ただし、中学校の生徒及びこれに準ずる者のうち、東京都の区域内に住所を有するもの並びに東京都の区域内に所在する中学校及びこれに準ずる学校に在学するものを除く。

二 一般とは、高齢者及び生徒（前号ただし書に規定する者を含む。）以外の者をいう。ただし、小学生及び学齢に達しない者を除く。

二 庭園

| 区分 | 利用料金（観覧）（一人一回につき） 個人 | 団体（二十人以上） |
|---|---|---|
| 一般 | 七七〇円 | 六一〇円 |
| 高齢者（六十五歳以上 | 三八〇円 | 三〇〇円 |

の者をいう。備考二において同じ。）及び生徒

備考

一 生徒とは、中学校及び高等学校の生徒並びにこれらに準ずる者をいう。ただし、中学校の生徒及びこれに準ずる者のうち、東京都の区域内に住所を有するもの並びに東京都の区域内に所在する中学校及びこれに準ずる学校に在学するものを除く。

二 一般とは、高齢者及び生徒（前号ただし書に規定する者を含む。）以外の者をいう。ただし、小学生及び学齢に達しない者を除く。

# ○東京文化会館及び東京芸術劇場条例

昭三六・三・三一
条例　三　三

最終改正　平二三・三・一八条例二八

## 第一章　総則

（設置）

**第一条**　都民のための音楽、演劇、歌劇、舞踊等の芸術文化の振興とその国際的交流を図るため、東京文化会館を東京都台東区上野公園五番四十五号に設置、東京芸術劇場を東京都豊島区西池袋一丁目八番一号に設置する。

（事業）

**第二条**　東京文化会館及び東京芸術劇場（以下「会館等」という。）は、前条の目的を達成するため、次の事業を行う。

一　東京文化会館

イ　施設の利用に関すること。

ロ　音楽、歌劇、舞踊等の芸術文化の振興に関すること。

ハ　音楽関係資料の収集、整理、展示及び利用に関すること。

ニ　イからハまでに掲げるもののほか、目的を達成するために必要な事業

二　東京芸術劇場

イ　施設の利用に関すること。

ロ　音楽、演劇、歌劇、舞踊等の芸術文化の振興に関すること。

ハ　音楽及び演劇関係資料の収集、整理、展示及び利用に関すること。

ニ　イからハまでに掲げるもののほか、目的を達成するために必要な事業

## 第二章　使用

（使用の承認）

**第三条**　会館等の施設及び附属設備（以下「施設等」という。）を使用しようとする者は、東京都規則（以下「規則」という。）に定めるところにより申請し、知事の承認を受けなければならない。

（利用料金等）

**第四条**　前条の承認を受けた者（以下「使用者」という。）は、指定管理者（第十三条第一項に規定する指定管理者をいう。以下この条から第六条までにおいて同じ。）に、その利用に係る料金（以下「利用料金」という。）を前納しなければならない。ただし、指定管理者が特別の理由があると認めるときは、後納することができる。

2　利用料金の額は、別表第一及び別表第二に定める額の範囲内において、あらかじめ知事の承認を得て、指定管理者が定めるものとする。

3　利用料金は、指定管理者の収入とする。

4　指定管理者は、必要があると認めるときは、あらかじめ知事の承認を得て、利用に係る予納金（以下「利用予納金」という。）を収受することができる。

5　利用予納金は、利用料金に充当するものとする。

（利用料金の減額又は免除）

**第五条**　指定管理者は、規則で定めるときその他指定管理者が特別の理由があると認めるときは、利用料金を減額し、又は免除することができる。

（利用料金の不還付）

**第六条**　指定管理者は、既納の利用料金又は利用予納金を還付しないものとする。ただし、指定管理者は、正当な理由があるときその他特に必要があると認めるときは、その全部又は一部を還付することができる。

（使用権の譲渡禁止）

**第七条**　使用者は、使用の権利を譲渡し、又は転貸してはならない。

（施設等の変更禁止）

**第八条**　使用者は、施設等に特別の設備をし、又は変更を加えてはならない。ただし、あらかじめ知事の承認を受けたときは、この限りでない。

（使用の不承認）

**第九条**　次の各号のいずれかに該当するときは、知事は使用の承認をしない。

一　秩序を乱すおそれがあると認めたとき。

二　管理上支障があると認めたとき。

三　申請に係る施設等を知事が必要と認める事業に使用するとき。

四　前三号に掲げるもののほか、知事が不適当と認めるとき。

（使用承認の取消し等）

**第十条**　次の各号のいずれかに該当するときは、知事は使用の承認を取り消し、又は使用を制限し、若しくは停止することができる。

一　使用の目的に違反したとき。

二　この条例又は知事の指示に違反したとき。

三　災害その他の事故により施設等の使用ができなくなつたとき。

四　工事その他の都合により、知事が特に必要と認めるとき。

（原状回復の義務）

**第十一条**　使用者は、使用を終了したときは、使用した施設等を原状に回復しなければならない。前条の規定により使用を停止され又は使用承認を取り消されたときもまた同様とする。

（賠償）

**第十二条**　施設等に損害を与えた者は、その損害を賠償しなければならない。ただし、やむを得ない理由があると認めるときは、知事は、賠償額を減額又は免除することができる。

（指定管理者による管理）

**第十三条**　知事は、地方自治法（昭和二十二年法律第六十七号）第二百四十四条の二第三項の規定により、法人その他の団体であつて知事が指定するもの（以下「指定管理者」という。）に、会館等の管理運営に関する業務のうち、次に掲げるものを行わせることができる。

一　第二条各号に掲げる事業に関する業務

二　会館等の施設、設備及び物品の維持管理に関する業務

三　前二号に掲げるもののほか、知事が特に必要と認める業務

2　知事は、次に掲げる業務を指定管理者に行わせることができる。

一　第三条の規定により、施設等の使用の承認をすること又は第九条の規定により、同条第一号若しくは第二号に該当すると認めたとき、施設等を必要と認める事業に使用するとき、その他使用を不適当と認めるときに、使用の承認をしないこと。

二　第八条ただし書の規定により、施設等に特別の設備をし、又は変更を加えることについて承認をすること。

三　第十条の規定により、同条第一号若しくは第三号に該当するとき、使用者がこの条例若しくは指定管理者の指示に違反したとき、又は工事その他の都合により特に必要と認めるときに、使用の承認を取り消し、又は使用を制限し、若しくは停止すること。

3　前項第一号の業務を指定管理者が行う場合において、申請に係る施設等を知事が必要と認める事業に使用するときは、指定管理者は、使用の承認をしないことができる。

（指定管理者の指定）

**第十四条**　指定管理者としての指定を受けようとする者は、規則で定めるところにより、知事に申請しなければならない。

2　知事は、前項の規定による申請があつたときは、次に掲げる基準により最も適切に会館等の管理運営を行うことができると認める者を指定管理者に指定するものとする。

一　前条第一項各号に掲げる業務について相当の知識及び経験を有する者を当該業務に従事させることができること。

二　安定的な経営基盤を有していること。

三　会館等の効用を最大限に発揮するとともに、効率的な管理運営ができること。

四　利用者のサービス向上を図ることができること。

五　関係法令及び条例の規定を遵守し、適正な管理運営ができること。

六　前各号に掲げるもののほか、規則で定める基準

3　知事は、前項の規定による指定をするときは、効率的な管理運営を考慮し、指定の期間を定めるものとする。

（知事の調査及び指示）

**第十五条**　知事は、会館等の管理運営の適正を期するため、指定管理者に対して、当該管理運営の業務又は経理の状況に関し定期に、若しくは必要に応じて臨時に報告を求め、実地について調査し、又は必要な指示をすることができる。

（指定管理者の指定の取消し等）

**第十六条**　知事は、指定管理者が次の各号のいずれかに該当するときは、第十四条第二項の規定による指定を取り消し、又は期間を定めて管理運営の業務の全部若しくは一部の停止を命ずることができる。

一　管理運営の業務又は経理の状況に関する知事の指示に従わないとき。

二　第十四条第二項各号に掲げる基準を満たさなくなつたと認めるとき。

三　第十八条第一項各号に掲げる管理運営の基準を遵守しないとき。

四　前三号に掲げるもののほか、当該指定管理者による管理運営を継続することが適当でないと認めるとき。

2　前項の規定により指定管理者の指定を取り消し、又は期間を定めて管理運営の業務の全部若しくは一部（利用料金の収受を含む場合に限る。）の停止を命じた場合等で、知事が臨時に会館等の管理運営を行うときに限り、新たに指定管理者を指定し、又は当該停止の期間が終了するまでの間、知事は、別表第一又は別表第二に定める額の範囲内において、知事が定める使用料を徴収する。

3　前項の場合にあつては、第四条第一項、第四項及び第五項、第五条並びに第六条の規定を準用する。この場合において、第四条第一項中「指定管理者（第十三

条第一項に規定する指定管理者をいう。以下この条から第六条までにおいて同じ。）」とあるのは「知事」と、「その利用に係る料金（以下「利用料金」という。）」とあるのは「使用料」と、「指定管理者が」とあるのは「知事が」と、同条第四項中「指定管理者」とあるのは「知事」と、「あらかじめ知事の承認を得て、利用に係る予納金（以下「利用予納金」という。）」とあるのは「予納金」と、「収受する」とあるのは「徴収する」と、同条第五項中「利用予納金は、利用料金」とあるのは「予納金は、使用料」と、第五条中「指定管理者」とあるのは「知事」と、「利用料金」とあるのは「使用料」と、第六条中「指定管理者」とあるのは「知事」と、「利用料金又は利用予納金」とあるのは「使用料又は予納金」と、別表第一及び別表第二中「利用料金」とあるのは「使用料」と読み替えるものとする。

（指定管理者の公表）

**第十七条**　知事は、指定管理者を指定し、若しくは指定を取り消したとき、又は期間を定めて管理運営の業務の全部若しくは一部の停止を命じたときは、遅滞なくその旨を告示するものとする。

（管理運営の基準等）

**第十八条**　指定管理者は、次に掲げる基準により、会館等の管理運営に関する業務を行わなければならない。

一　関係法令及び条例の規定を遵守し、適正な管理運営を行うこと。
二　都民の平等な利用を確保すること。
三　利用者に対して適切なサービスの提供を行うこと。
四　会館等の施設、設備及び物品の維持管理を適切に行うこと。
五　業務に関連して取得した利用者の個人に関する情報を適切に取り扱うこと。
六　前各号に掲げるもののほか、別途知事が定める管理運営に関する基準を満たすこと。

2　知事は、次に掲げる事項について、指定管理者と協定を締結するものとする。

一　前項各号に掲げる基準に関し必要な事項
二　業務の実施に関する事項
三　事業の実績報告に関する事項
四　前三号に掲げるもののほか、会館等の管理運営に関し必要な事項

## 第三章　委任

（委任）

**第十九条**　この条例の施行について必要な事項は、規則で定める。

### 付　則

この条例は、昭和三十六年四月一日から施行する。

### 附　則（平一七・三・三一条例三〇）

1　この条例は、公布の日から施行する。

2　この条例による改正前の東京文化会館及び東京芸術劇場条例第四条、第五条及び第十三条の規定は、平成十八年九月一日（同日前にこの条例による改正後の東京文化会館及び東京芸術劇場条例第十四条第二項の規定により指定管理者の指定をした場合にあっては、当該指定の日）までの間は、なおその効力を有する。

3　この条例の施行の日から前項に規定する日までの間、この条例による改正後の東京文化会館及び東京芸術劇場条例第六条の規定中「指定管理者」とあるのは「東京文化会館及び東京芸術劇場条例の一部を改正する条例（平成十七年東京都条例第三十号）附則第二項の規定により、なお効力を有することとされる同条例による改正前の東京文化会館及び東京芸術劇場条例第十三条第一項の規定により委託を受けた管理受託者」とする。

### 附　則（平二三・三・一八条例二八）

この条例は、平成二十三年四月一日から施行する。

**別表**〔略〕

# ○東京都スポーツ施設条例

平元・一二・二二
条例一〇九

最終改正　令六・三・二九条例二六

## 第一章　総則

（設置）

**第一条**　体育・スポーツ及びレクリエーションの普及振興を図り、都民の心身の健全な発達に寄与するため、東京都スポーツ施設（以下「スポーツ施設」という。）を設置する。

（名称及び位置）

**第二条**　スポーツ施設の名称及び位置は、次のとおりとする。

| 名称 | 位置 |
|---|---|
| 東京体育館 | 東京都渋谷区千駄ケ谷一丁目十七番一号 |
| 駒沢オリンピック公園総合運動場 | 東京都世田谷区駒沢公園一番一号 |
| 東京武道館 | 東京都足立区綾瀬三丁目二十番一号 |
| 有明テニスの森公園テニス施設 | 東京都江東区有明二丁目二番二十二号 |
| 若洲海浜公園ヨット訓練所 | 東京都江東区若洲三丁目一番一号 |
| 武蔵野の森総合スポーツプラザ | 東京都調布市西町二百九十番十一 |
| 海の森水上競技場 | 東京都江東区海の森三丁目六番四十四号 |
| 夢の島公園アーチェリー場 | 東京都江東区夢の島二丁目一番四号 |
| カヌー・スラロームセンター | 東京都江戸川区臨海町六丁目一番一号 |
| 大井ふ頭中央海浜公園ホッケー競技場 | 東京都品川区八潮四丁目一番十九号<br>東京都大田区東海一丁目二番一号 |
| 東京アクアティクスセンター | 東京都江東区辰巳二丁目二番一号 |
| 東京都パラスポーツトレーニングセンター | 東京都調布市西町三百七十六番三 |

（事業）

**第三条**　スポーツ施設は、第一条に定める目的を達成するため、次の事業を行う。

一　体育・スポーツ及びレクリエーションの活動のための施設を提供すること。

二　体育・スポーツ及びレクリエーションについて調査研究し、及び相談に応ずること。

三　体育・スポーツ及びレクリエーションに関する資料を収集し、整理し、及び一般の利用に供すること。

四　スポーツ施設を利用しての体育・スポーツ及びレクリエーションの指導及び普及を行うこと。

五　スポーツの適性、健康及び体力相談に関すること。

六　前各号に掲げるもののほか、目的を達成するために必要な事業

（休館日及び開場時間）

**第四条**　スポーツ施設の休館日及び開場時間は、東京都規則（以下「規則」という。）で定める。

## 第二章　使用

（使用の承認）

**第五条**　スポーツ施設の施設及び附属設備（以下「施設等」という。）を使用しようとする者は、規則で定めるところにより申請し、知事の承認を受けなければならない。

（使用の不承認）

**第六条**　次の各号のいずれかに該当するときは、知事は、使用の承認をしないものとする。

一　スポーツ施設の秩序を乱すおそれがあると認めたとき。

二　スポーツ施設の管理上支障があると認めたとき。

三　前二号に掲げる場合のほか、知事が必要と認めたとき。

（利用料金等）
**第七条**　第五条の承認を受けた者（以下「使用者」という。）（別表に掲げる施設等の使用の承認を受けた者に限る。）は、指定管理者（第十五条第一項に規定する指定管理者をいう。以下この条から第九条までにおいて同じ。）に、同表に規定する施設等の利用に係る料金（以下「利用料金」という。）を納付しなければならない。

2　利用料金の額は、別表に定める額の範囲内において、あらかじめ知事の承認を得て、指定管理者が定める。

3　利用料金は、指定管理者の収入とする。

4　指定管理者は、第五条の承認（別表に掲げる施設等の使用の承認に限る。）の前に、必要があると認めるときは、あらかじめ知事の承認を得て、利用に係る予納金（以下「利用予納金」という。）を納付させることができる。

5　利用予納金は、利用料金に充当するものとする。

（利用料金の減免）
**第八条**　指定管理者は、規則で定めるときその他指定管理者が特別の理由があると認めるときは、利用料金を減額し、又は免除することができる。

（利用料金等の不還付）
**第九条**　指定管理者は、既納の利用料金及び利用予納金を還付しないものとする。ただし、指定管理者は、正当な理由があるときその他特に必要があると認めるときは、その全部又は一部を還付することができる。

（使用権の譲渡禁止）
**第十条**　使用者は、使用の権利を譲渡し、又は転貸してはならない。

（施設等の変更禁止）
**第十一条**　使用者は、施設等に特別の設備をし、又は変更を加えてはならない。ただし、あらかじめ知事の承認を受けたときは、この限りでない。

（使用承認の取消し等）
**第十二条**　次の各号のいずれかに該当するときは、知事は、使用の承認を取り消し、又は使用を制限し、若しくは停止することができる。

一　使用の目的に違反したとき。
二　この条例又は知事の指示に違反したとき。
三　天候のため又は災害その他の事故により施設等の使用ができなくなったとき。
四　工事その他の都合により、知事が特に必要と認めたとき。

（原状回復の義務）
**第十三条**　使用者は、使用を終了したときは、設備を原状に回復しなければならない。前条の規定により使用を停止され、又は使用承認を取り消されたときも、同様とする。

（賠償）
**第十四条**　使用者は、使用に際し、施設等又は備品等に損害を与えた場合には、知事が相当と認める損害額を賠償しなければならない。ただし、知事がやむを得ない理由があると認めたときは、賠償額を減額し、又は免除することができる。

（指定管理者による管理）
**第十五条**　知事は、地方自治法（昭和二十二年法律第六十七号）第二百四十四条の二第三項の規定により、法人その他の団体であって知事が指定するもの（以下「指定管理者」という。）に、スポーツ施設の管理に関する業務のうち、次に掲げるものを行わせることができる。

一　第三条各号に掲げる事業に関する業務
二　施設、附属設備及び物品の維持管理及び修繕（知事が指定する修繕等を除く。以下同じ。）に関する業務
三　前二号に掲げるもののほか、知事が特に必要と認める業務

2　知事は、次に掲げる業務を指定管理者に行わせることができる。

一　第五条の規定により、施設等の使用を承認すること。
二　第六条の規定により、同条第一号若しくは第二号に該当すると認めたとき、又は必要と認めたときに、施設等の使用を承認しないこと。
三　第十二条の規定により、同条第一号若しくは第三号に該当するとき、使用者がこの条例若しくは指定管理者の指示に違反したとき、又は工事その他の都合により、特に必要と認めたときに、施設等の使用の承認を取り消し、又は使用を制限し、若しくは停止すること。

（指定管理者の指定）
**第十六条**　指定管理者としての指定を受けようとする者は、規則で定めるところにより、知事に申請しなければならない。

2　知事は、前項の規定による申請があったときは、次に掲げる基準により最も適切にスポーツ施設の管理を行うことができると認める者を指定管理者に指定するものとする。

一　前条第一項各号に掲げる業務について相当の知識及び経験を有する者を当該業務に従事させることができること。
二　安定的な経営基盤を有していること。

三　スポーツ施設の効用を最大限に発揮するとともに、効率的な管理運営ができること。
四　使用者へのサービス向上を図ることができること。
五　関係法令及び条例の規定を遵守し、適正な管理運営ができること。
六　前各号に掲げるもののほか、規則で定める基準
3　知事は、前項の規定による指定をするときは、効率的な管理運営を考慮し、指定の期間を定めるものとする。

**（指定管理者の指定の取消し等）**

**第十七条**　知事は、指定管理者が次の各号のいずれかに該当するときは、前条第二項の規定による指定を取り消し、又は期間を定めて管理の業務の全部若しくは一部の停止を命ずることができる。
一　管理の業務又は経理の状況に関する知事の指示に従わないとき。
二　前条第二項各号に掲げる基準を満たさなくなったと認めるとき。
三　第十九条第一項各号に掲げる管理の基準を遵守しないとき。
四　前三号に掲げるもののほか、当該指定管理者による管理を継続することが適当でないと認めるとき。
2　前項の規定により指定管理者の指定を取り消し、又は期間を定めて管理の業務の全部若しくは一部（利用料金の収受を含む場合に限る。）の停止を命じた場合等で、知事が臨時にスポーツ施設の管理運営を行うときに限り、新たに指定管理者を指定し、又は当該停止の期間が終了するまでの間、別表に定める額の範囲内において、知事が定める使用料を徴収する。
3　前項の場合にあっては、第七条第一項、第八条及び第九条の規定を準用する。この場合において、第七条第一項中「指定管理者」（第十五条第一項に規定する指定管理者をいう。以下この条から第九条までにおいて同じ。）」とあるのは「知事」と、「利用に係る料金（以下「利用料金」という。）」とあるのは「使用料」と、第八条中「指定管理者」とあるのは「知事」と、「利用料金」とあるのは「使用料」と、第九条中「指定管理者」とあるのは「知事」と、「利用料金及び利用予納金」とあるのは「使用料」と、別表中「利用料金」とあるのは「使用料」と読み替えるものとする。

**（指定管理者の公表）**

**第十八条**　知事は、指定管理者を指定し、若しくは指定を取り消したとき、又は期間を定めて管理の業務の全部若しくは一部の停止を命じたときは、遅滞なくその旨を告示するものとする。

**（管理の基準等）**

**第十九条**　指定管理者は、次に掲げる基準により、スポーツ施設の管理に関する業務を行わなければならない。
一　関係法令及び条例の規定を遵守し、適正な管理運営を行うこと。
二　使用者に対して適切なサービスの提供を行うこと。
三　施設、附属設備及び物品の維持管理及び修繕を適切に行うこと。
四　当該指定管理者が業務に関連して取得した使用者の個人に関する情報を適切に取り扱うこと。
2　知事は、次に掲げる事項について、指定管理者と協定を締結するものとする。
一　前項各号に掲げる基準に関し必要な事項
二　業務の実施に関する事項
三　事業の実績報告に関する事項
四　前三号に掲げるもののほか、スポーツ施設の管理に関し必要な事項

## 第三章　委任

**（委任）**

**第二十条**　この条例の施行について必要な事項は、知事が定める。

### 附　則

**（施行期日）**

1　この条例は、公布の日から施行する。

**（東京武道館の供用開始）**

2　東京武道館は、公布の日から起算して三月を超えない範囲内において東京都教育委員会規則で定める日から供用を開始する。

**（東京体育館及び駒沢オリンピック公園総合運動場の管理運営に関する条例等の廃止）**

3　次に掲げる条例は、廃止する。
一　東京体育館及び駒沢オリンピック公園総合運動場の管理運営に関する条例（昭和三十九年東京都条例第二百五号）
二　東京都立多摩スポーツ会館及び東京都立夢の島総合体育館の設置等に関する条例（昭和四十九年東京都条例第百三十五号）

**（経過措置）**

4　前項第一号の規定による廃止前の東京体育館及び駒沢オリンピック公園総合運動場の管理運営に関する条例（以下「旧条例第二百五号」という。）に基づく東京体育館及び駒沢オリンピック公園総合運動場並びに前項第二号の規定による廃止前の東京都立多摩スポーツ会館及び東京都立夢の島総合体育館の設置等に関する条例（以下「旧条例第百三十五号」という。）に基づく東京都立多摩スポーツ会館（陵北野球場を含む。以下同じ。）及び東京都立夢の島総合

体育館は、それぞれこの条例に基づく東京体育館、駒沢オリンピック公園総合運動場、東京都立多摩スポーツ会館及び東京都立夢の島総合体育館となり、同一性をもって存続するものとする。

5　この条例の施行の際、旧条例第二百五号又は旧条例第百三十五号の規定により現に駒沢オリンピック公園総合運動場、東京都立多摩スポーツ会館又は東京都立夢の島総合体育館の使用の承認を受けている者は、この条例の相当規定に基づいて使用の承認を受けたものとみなし、その使用料については、なお従前の例による。

6　この条例の施行の際、現に旧条例第二百五号に基づく東京体育館等運営審議会の委員である者は、その際にこの条例に基づく運営審議会の委員として委嘱されたものとみなし、その運営審議会の委員としての任期は、第十九条の規定にかかわらず、東京体育館等運営審議会の委員としての残任期間と同一の期間とする。

**附　則**（平二三・三・一八条例二九）

**（施行期日）**

1　この条例は、平成二十三年四月一日から施行する。

**（経過措置）**

2　東京都海上公園条例の一部を改正する条例（平成二十三年東京都条例第四十九号）による改正前の東京都海上公園条例（以下「改正前の海上公園条例」という。）に基づく有明テニスの森公園のテニスに係る施設及び若洲海浜公園ヨット訓練所は、この条例による改正後の東京都体育施設条例（以下「改正後の体育施設条例」という。）に基づく有明テニスの森公園テニス施設及び若洲海浜公園ヨット訓練所となり、それぞれ同一性をもって存続するものとする。

3　この条例の施行の日前に改正前の海上公園条例の規定によりなされた処分、手続その他の行為（有明テニスの森公園テニスに係る施設及び若洲海浜公園ヨット訓練所に係るものに限る。）は、それぞれ改正後の体育施設条例の相当規定によりなされたものとみなす。

**附　則**（平二九・三・三一条例一六）

**（施行期日）**

1　この条例は、平成二十九年四月一日から施行する。ただし、第二条の改正規定及び別表の改正規定（同表二の部㈠の款アの項の改正規定を除く。）は、東京都規則で定める日〔平二九・一一・二五〕から施行する。

**（経過措置）**

2　この条例の施行の際、この条例による改正前の東京都体育施設条例の規定により、既に納付すべきものとされているこの条例の施行の日以後の使用に係る利用料金（駒沢オリンピック公園総合運動場屋内球技場及び第一球技場の使用に係るものに限る。）については、なお従前の例による。

**（準備行為）**

3　この条例を施行するために必要な指定管理者の指定及びこの条例による改正後の東京都体育施設条例別表九の項の規定による施設等の使用に関し必要な手続その他の行為は、附則第一項の東京都規則で定める日前においても行うことができる。

**附　則**（平三一・三・二九条例二四）

**（施行期日）**

1　この条例は、平成三十一年四月一日から施行する。

**（経過措置）**

2　この条例の施行の際、第一条の規定による改正前の東京都体育施設条例の規定により、既に納付すべきものとされているこの条例の施行の日以後の使用に係る利用料金（駒沢オリンピック公園総合運動場硬式野球場の使用に係るものに限る。）については、なお従前の例による。

3　この条例の施行の際、第二条の規定による改正前の東京都体育施設条例の一部を改正する条例附則第二項の規定により、既に納付すべきものとされているこの条例の施行の日以後の使用に係る利用料金（夢の島公園アーチェリー場多目的広場の興行等使用に係るものに限る。）については、なお従前の例による。

**附　則**（令四・三・三一条例二五）

**（施行期日）**

1　この条例は、東京都規則で定める日〔令五・三・一〕から施行する。ただし、次の各号に掲げる規定は、当該各号に定める日から施行する。

一　別表十の部㈠の項並びに同表十三の部㈠の項及び㈡の項の改正規定並びに附則第三項の規定　公布の日

二　別表一の部㈠の項、同表二の部㈠の項及び同表十四の部㈡の項の改正規定並びに次項の規定　令和五年四月一日

**（経過措置）**

2　前項第二号に規定する改正規定の施行の際、当該改正規定による改正前の東京都体育施設条例の規定により、既に納付すべきものとされている同号に定める日以後の使用に係る利用料金（東京体育館メインアリーナ及びサブアリーナ並びに駒沢オリンピック公園総合運動場屋内球技場及び第一球技場の使用に係るものに限る。）については、なお従前の例による。

**（準備行為）**

3　この条例を施行するために必要な指定管理者の指定及びこの条例による改正後の東京都体育施設条例別表十五の項の規定による施設等の使用に関し必要な手続その他の行為は、この条例の施行の日前においても行うことができる。

**附　則**（令六・三・二九条例二六）（抄）

**（施行期日）**

1　この条例は、令和六年四月一日から施行する。〔ただし書略〕

**（準備行為）**

2　この条例を施行するために必要な指定管理者の指定及びこの条例による改正後の東京都スポーツ施設条例別表十六の項の規定による施設等の使用に関し必要な手続その他の行為は、前項ただし書の東京都規則で定める日前においても行うことができる。

別表（第七条、第十七条関係）

一　東京体育館

(一)　施設

ア　専用使用の場合の利用料金（貸切りの場合の利用料金をいう。以下同じ。）

| 施設の名称等 | | 使用単位 | 入場料の徴収又はこれに類する取扱いをしない場合 | 入場料の徴収又はこれに類する取扱いをする場合 |
|---|---|---|---|---|
| メインアリーナ | | 午前 | 四〇三、五一〇円 | 一、七九六、一八〇円 |
| | | 午後 | 四〇三、五一〇円 | 一、七九六、一八〇円 |
| | | 夜間 | 五六四、九一〇円 | 二、五一四、六五〇円 |
| | | 午前・午後 | 七三三、六四〇円 | 三、三六五、七七〇円 |
| | | 午後・夜間 | 八八〇、三七〇円 | 三、九一八、九二〇円 |
| | | 全日 | 一、一〇〇、四六〇円 | 四、八九八、六五〇円 |
| サブアリーナ | | 午前 | 四七、三〇〇円 | 二〇七、六〇〇円 |
| | | 午後 | 四七、三〇〇円 | 二〇七、六〇〇円 |
| | | 夜間 | 六六、三三〇円 | 二九〇、六三〇円 |
| | | 午前・午後 | 八六、〇〇〇円 | 三七七、四四〇円 |
| | | 午後・夜間 | 一〇三、二〇〇円 | 四五二、九三〇円 |
| | | 全日 | 一三九、〇〇〇円 | 五六六、一六〇円 |
| 陸上競技場 | | 二時間 | 六、〇〇〇円 | |
| 屋内プール | 五十メートルプール | 二時間 | 五〇、〇〇〇円 | 一四三、〇〇〇円 |
| | 二十五メートルプール | 二時間 | 九、〇〇〇円 | 三七、〇〇〇円 |
| 第一研修室 | | 二時間 | 八、〇〇〇円 | 八、〇〇〇円 |
| 第二研修室 | | 二時間 | 三、〇〇〇円 | 三、〇〇〇円 |
| 第三研修室又は第四研修室 | | 二時間 | 二、〇〇〇円 | 二、〇〇〇円 |
| 特別室 | | 一日 | 三〇、〇〇〇円 | 三〇、〇〇〇円 |
| 控室 | | 四時間 | 二、〇〇〇円 | 二、〇〇〇円 |
| ロビー、エントランスホールその他の施設（規則で定める施設又は部分を除く。） | | 一日一平方メートル | 一四〇円 | 一四〇円 |

イ　個人使用の場合の利用料金（一般公開の場合又は教室等に参加する場合の利用料金をいう。以下同じ。）

| 施設名 | 使用単位 | 利用料金 |
|---|---|---|
| メインアリーナ、サブアリーナ、第一研修室、第二研修室、第三研修室又は第四研修室 | 二時間 | 五八〇円 |
| 陸上競技場 | 二時間 | 三三〇円 |
| 屋内プール | 二時間 | 一、〇〇〇円 |
| トレーニングルーム | 二時間 | 六四〇円 |
| 健康体力相談室 | 一回 | 二、四七〇円 |

(二)　附属設備

| 設備名 | 使用単位 | 利用料金 | 備考 |
|---|---|---|---|
| 大型映像装置 | 一式四時間 | 六四、五〇〇円 | |

| | | | | |
|---|---|---|---|---|
| 放送設備 | メインアリーナ | 四時間 | 五、二〇〇円 | |
| | その他の施設 | 四時間 | 二、七〇〇円 | |
| 特別照明設備 | メインアリーナ | 四時間 | 八、六〇〇円 | 七五一ルクス以上 |
| | | 四時間 | 三、〇〇〇円 | 一、五〇一ルクス以上 |
| | その他の施設 | 四時間 | 一、七〇〇円 | 七五一ルクス以上 |
| 仮設席 | | 一日 | 四三、〇〇〇円 | 四、〇〇〇席 |
| 看板、横断幕、懸垂幕又は展示台 | | 一日一平方メートル | 三、三〇〇円 | |
| その他の附属設備 | | 一個、一箇所、一枚、一面又は一式四時間 | 一三五、〇〇〇円 | |

二　駒沢オリンピック公園総合運動場

(一)　施設

ア　専用使用の場合の利用料金

| 施設の名称等 | | 使用単位 | 入場料の徴収又はこれに類する取扱いをしない場合 | 入場料の徴収又はこれに類する取扱いをする場合 |
|---|---|---|---|---|
| 陸上競技場 | | 午前 | 八七、〇〇〇円 | 一九六、八七〇円 |
| | | 午後 | 九六、五三〇円 | 二一六、五七〇円 |
| | | 午前・午後 | 一七五、五〇〇円 | 三九三、七五〇円 |
| 屋内球技場 | | 午前 | 九九、三一〇円 | 三七五、九二〇円 |
| | | 午後 | 九九、三一〇円 | 三七五、九二〇円 |
| | | 夜間 | 一三九、〇三〇円 | 五二六、二八〇円 |
| | | 午前・午後 | 一八〇、五六〇円 | 六八三、四八〇円 |
| | | 午後・夜間 | 二二六、六七〇円 | 八二〇、一八〇円 |
| | | 全日 | 二七〇、八三〇円 | 一、〇二五、三三〇円 |
| 体育館（アリーナ） | | 午前 | 一三四、八三〇円 | 四一〇、七七〇円 |
| | | 午後 | 一三四、八三〇円 | 四一〇、七七〇円 |
| | | 夜間 | 一八八、七六〇円 | 五七五、〇七〇円 |
| | | 午前・午後 | 二四五、一四〇円 | 七四六、八四〇円 |
| | | 午後・夜間 | 二九四、一六〇円 | 八九六、三一〇円 |
| | | 全日 | 三六七、七〇〇円 | 一、一三〇、二六〇円 |
| 体育館（多目的室） | | 午前 | 三七、三三〇円 | 一一三、三一〇円 |
| | | 午後 | 三七、三三〇円 | 一一三、三一〇円 |
| | | 夜間 | 五二、二六〇円 | 一五八、四九〇円 |
| | | 午前・午後 | 六七、八七〇円 | 二〇五、八三〇円 |
| | | 午後・夜間 | 八一、四四〇円 | 二四七、〇〇〇円 |
| | | 全日 | 一〇一、八〇〇円 | 三〇八、七四〇円 |
| 第一球技場 | | 午前 | 五〇、三〇〇円 | 一九〇、六一〇円 |
| | | 午後 | 五五、三三〇円 | 二〇九、六七〇円 |
| | | 午前・午後 | 一〇〇、五九〇円 | 三八一、三三〇円 |
| 第二球技場 | | 午前 | 二五、〇〇〇円 | 三七、〇〇〇円 |
| | | 午後 | 三一、〇〇〇円 | 四六、〇〇〇円 |
| | | 夜間 | 四〇、〇四〇円 | 五九、二九〇円 |
| | | 午前・午後 | 五二、〇〇〇円 | 七七、〇〇〇円 |
| | | 午後・夜間 | 六二、四〇〇円 | 九二、四〇〇円 |

| | | | |
|---|---|---|---|
| | 全日 | 七六、〇〇〇円 | 一一五、五〇〇円 |
| テニスコート | 一面二時間 | 三、六〇〇円 | |
| 補助競技場 | 午前 | 一八、〇〇〇円 | 二三、七三〇円 |
| | 午後 | 一九、五〇〇円 | 二四、九九〇円 |
| | 夜間 | 二七、七二〇円 | 三四、九九〇円 |
| | 午前・午後 | 三六、〇〇〇円 | 四五、四五〇円 |
| | 午後・夜間 | 四三、二〇〇円 | 五四、五四〇円 |
| | 全日 | 五四、〇〇〇円 | 六八、一七〇円 |
| 軟式野球場 | 一面二時間 | 四、〇五〇円 | |
| 硬式野球場 | 二時間 | 一五、三〇〇円 | 四〇、四八〇円 |
| 弓道場（近的場） | 午前 | 一三、一三〇円 | 二九、〇五〇円 |
| | 午後 | 一三、一三〇円 | 二九、〇五〇円 |
| | 夜間 | 一八、三七〇円 | 四〇、六七〇円 |
| | 午前・午後 | 二三、八五〇円 | 五三、八一〇円 |
| | 午後・夜間 | 二八、六三〇円 | 六三、三七〇円 |

| | | | |
|---|---|---|---|
| | 全日 | 三五、七七〇円 | 七九、二一〇円 |
| プール | 二時間 | 三四、〇〇〇円 | |
| ロビー、エントランスホールその他の施設（規則で定める施設又は部分を除く。） | 一日一平方メートル | 五〇円 | 五〇円 |

イ　個人使用の場合の利用料金

| 施設名 | 使用単位 | 利用料金 |
|---|---|---|
| 陸上競技場、屋内球技場、第一球技場、第二球技場又は補助競技場 | 二時間 | 三三〇円 |
| 体育館 | 二時間 | 三一〇円 |
| 弓道場（近的場）又は弓道場（遠的場） | 二時間 | 一、〇〇〇円 |
| プール | 二時間 | 五五〇円 |
| トレーニングルーム | 二時間 | 六七〇円 |

(二)　附属設備

| 設備名 | 使用単位 | 利用料金 |
|---|---|---|
| 大型映像装置（陸上競技場） | 四時間 | 五五、〇〇〇円 |
| 大型映像装置（体育館） | 四時間 | 一六、〇〇〇円 |
| 放送設備 | 四時間 | 三、二〇〇円 |
| 特別照明設備 | 四時間 | 一一、〇〇〇円 |
| 仮設席 | 一日 | 五九、〇〇〇円 |
| 夜間照明設備（第二球技場又は補助競技場） | 一時間 | 三、四〇〇円 |
| 夜間照明設備（硬式野球場） | 一時間 | 五、一〇〇円 |
| 看板、横断幕、懸垂幕又は展示台 | 一日一平方メートル | 三、二〇〇円 |
| その他の附属設備 | 一個、一室、一箇所、一基又は一式四時間 | 六、八〇〇円 |

三　削除

四　削除

五　東京武道館

(一)　施設

ア　専用使用の場合の利用料金

| 施設の名称等 | 使用単位 | 入場料の徴収又はこれに類する取扱いをしない場合 | 入場料の徴収又はこれに類する取扱いをする場合 |
|---|---|---|---|
| | 午前 | 一四五、一四〇円 | 三九一、八六〇円 |
| | 午後 | 一四五、一四〇円 | 三九一、八六〇円 |
| | 夜間 | 二〇三、一九〇円 | 五四八、六〇〇円 |

| 施設 | 区分 | | |
|---|---|---|---|
| 大武道場 | 午前・午後 | 二六三、八八〇円 | 七一二、四七〇円 |
| | 午後・夜間 | 三一六、六五〇円 | 八五四、九六〇円 |
| | 全日 | 三九五、八一〇円 | 一、〇六八、七〇〇円 |
| 第一武道場 | 午前 | 二八、〇〇〇円 | 七四、〇〇〇円 |
| | 午後 | 二八、〇〇〇円 | 七四、〇〇〇円 |
| | 夜間 | 三八、〇〇〇円 | 一〇三、〇〇〇円 |
| | 午前・午後 | 五〇、〇〇〇円 | 一三四、〇〇〇円 |
| | 午後・夜間 | 六〇、〇〇〇円 | 一六〇、〇〇〇円 |
| | 全日 | 七四、〇〇〇円 | 二〇〇、〇〇〇円 |
| 第二武道場 | 午前 | 二八、八〇〇円 | 七七、八三〇円 |
| | 午後 | 二八、八〇〇円 | 七七、八三〇円 |
| | 夜間 | 四〇、三三〇円 | 一〇八、九七〇円 |
| | 午前・午後 | 五二、三六〇円 | 一四一、五一〇円 |
| | 午後・夜間 | 六二、八三〇円 | 一六九、八一〇円 |
| | 全日 | 七八、五三〇円 | 二一二、二六〇円 |
| | 午前 | 一〇、一九〇円 | 二二、五五〇円 |
| | 午後 | 一〇、一九〇円 | 二二、五五〇円 |

| 施設 | 区分 | | |
|---|---|---|---|
| 弓道場（近的場） | | | |
| | 夜間 | 一四、二六〇円 | 三一、五七〇円 |
| | 午前・午後 | 一八、五三〇円 | 四一、〇〇〇円 |
| | 午後・夜間 | 二二、二三〇円 | 四九、二〇〇円 |
| | 全日 | 二七、七七〇円 | 六一、五〇〇円 |
| 弓道場（遠的場） | 午前 | 九、五七〇円 | 二一、一九〇円 |
| | 午後 | 九、五七〇円 | 二一、一九〇円 |
| | 夜間 | 一三、四〇〇円 | 二九、六七〇円 |
| | 午前・午後 | 一七、四〇〇円 | 三八、五三〇円 |
| | 午後・夜間 | 二〇、八八〇円 | 四六、二四〇円 |
| | 全日 | 二六、一〇〇円 | 五七、七九〇円 |
| 特別室 | 一日 | 三〇、〇〇〇円 | 三〇、〇〇〇円 |
| 研修室 | 二時間 | 四、七三〇円 | 八、九一〇円 |
| ロビー、エントランスホールその他の施設（規則で定める施設又は部分を除く。） | 一日一平方メートル | 一八〇円 | 一八〇円 |

イ　個人使用の場合の利用料金

| 施設名 | 使用単位 | 利用料金 |
|---|---|---|
| 大武道場、第一武道場、第二武道場又は研修室 | 二時間 | 七八〇円 |
| 弓道場（近的場）又は弓道場（遠的場） | 二時間 | 七八〇円 |
| トレーニングルーム | 二時間 | 七八〇円 |

㈡　附属設備

| 設備名 | 使用単位 | 利用料金 | 備考 |
|---|---|---|---|
| 放送設備（大武道場） | 四時間 | 一、〇〇〇円 | |
| 特別照明設備（大武道場） | 四時間 | 三、七〇〇円 | 七五〇ルクス以上 |
| 看板、横断幕、懸垂幕又は展示台 | 一日一平方メートル | 三、二〇〇円 | |
| その他の附属設備 | 一個、一箇所、一枚、一面又は一式四時間 | 一三五、〇〇〇円 | |

六　削除

七　有明テニスの森公園テニス施設

㈠　施設

| | 利用料金 |
|---|---|

| 施設の名称等 | 使用単位 | 入場料の徴収又はこれに類する取扱いをしない場合 | 入場料の徴収又はこれに類する取扱いをする場合 |
|---|---|---|---|
| テニスコート | 一面一時間 | 一、八〇〇円 | 三、〇九〇円 |
| インドアコート | 一面一時間 | 五、四〇〇円 | 九、四〇〇円 |
| ショーコート | 一時間 | 七、五〇〇円 | 三〇、〇三〇円 |
| ショーコート附属施設（競技会議室、審判員室、更衣室又は会議室） | 一室一時間 | 五四〇円 | 五四〇円 |
| 有明コロシアム | 一時間 | 一五七、五〇〇円 | 三七一、二五〇円 |
| 有明コロシアム附属施設（第一審判員室、第二審判員室、第一会議室、第二会議室、更衣室、厨房、ダイニングルーム、来賓室、来賓関係者室、多目的室、報道関係者ブース、報道関係者室又は別棟ラウンジ） | 一室一時間 | 五、三八〇円 | 五、三八〇円 |
| 会議室 | 一室一時間 | 一、一七〇円 | 一、一七〇円 |
| ロビー、エントランスホールその他の施設（規則で定める施設又は部分を除く。） | 一日一平方メートル | 一四〇円 | 一四〇円 |

(二) 附属設備

| 設備名 | 使用単位 | 利用料金 |
|---|---|---|
| 電光表示装置 | 一時間 | 四、六五〇円 |
| 放送設備 | 一時間 | 四、六五〇円 |
| 特別照明設備 | 一時間 | 四、六五〇円 |
| 仮設席（十脚一組） | 一組一時間 | 四、六五〇円 |
| 夜間照明設備 | 一時間 | 四、〇五〇円 |
| 看板、横断幕又は懸垂幕 | 一日一平方メートル | 三、三〇〇円 |
| その他の附属設備 | 一日一点 | 二、〇〇〇円 |

八 若洲海浜公園ヨット訓練所

| 施設名 | 使用単位 | 利用料金 |
|---|---|---|
| ヨット訓練所 | 一人一日 | 七、〇〇〇円 |

九 武蔵野の森総合スポーツプラザ

(一) 施設

ア 専用使用の場合の利用料金

| 施設の名称等 | 使用単位 | 入場料の徴収又はこれに類する取扱いをしない場合 | 入場料の徴収又はこれに類する取扱いをする場合 |
|---|---|---|---|
| メインアリーナ | 午前 | 五〇六、〇〇〇円 | 二、〇三三、〇〇〇円 |
| | 午後 | 五〇六、〇〇〇円 | 二、〇三三、〇〇〇円 |
| | 夜間 | 七〇八、〇〇〇円 | 二、八三一、〇〇〇円 |
| | 午前・午後 | 九一〇、〇〇〇円 | 三、六七六、〇〇〇円 |
| | 午後・夜間 | 一、一〇四、〇〇〇円 | 四、四一二、〇〇〇円 |
| | 全日 | 一、三七九、〇〇〇円 | 五、五一四、〇〇〇円 |
| | 午前 | 二八九、〇〇〇円 | 五七七、〇〇〇円 |

| | | | |
|---|---|---|---|
| サブアリーナ | 午後 | 二八九、〇〇〇円 | 五七七、〇〇〇円 |
| | 夜間 | 四四四、〇〇〇円 | 八〇八、〇〇〇円 |
| | 午前・午後 | 五三五、〇〇〇円 | 一、〇四九、〇〇〇円 |
| | 午後・夜間 | 六三〇、〇〇〇円 | 一、二五九、〇〇〇円 |
| | 全日 | 七八七、〇〇〇円 | 一、五七三、〇〇〇円 |
| 屋内プール | 二時間 | 四〇、〇〇〇円 | 八〇、〇〇〇円 |
| 第一会議室 | 二時間 | 九〇〇円 | 九〇〇円 |
| 第二会議室 | 二時間 | 一、一〇〇円 | 一、一〇〇円 |
| 第三会議室又は第四会議室 | 二時間 | 一、九〇〇円 | 一、九〇〇円 |
| 特別室 | 一日 | 五〇、〇〇〇円 | 五〇、〇〇〇円 |
| 控室 | 四時間 | 七〇〇円 | 七〇〇円 |
| 多目的スペース | 四時間 | 五、五〇〇円 | 五、五〇〇円 |
| ロビー、エントランスホールその他の施設（規則で定める施設又は部分を除く。） | 一日一平方メートル | 一四〇円 | 一四〇円 |

イ　個人使用の場合の利用料金

| 施設名 | 使用単位 | 利用料金 |
|---|---|---|
| 屋内プール | 二時間 | 一、〇〇〇円 |
| トレーニングルーム | 二時間 | 六〇〇円 |

(二)　附属設備

| 設備名 | | 使用単位 | 利用料金 | 備考 |
|---|---|---|---|---|
| 大型映像装置 | | 一式四時間 | 四三、六〇〇円 | |
| 放送設備 | メインアリーナ | 四時間 | 二、四〇〇円 | |
| | その他施設 | 四時間 | 二、四〇〇円 | |
| 特別照明設備 | メインアリーナ | 四時間 | 三一、五〇〇円 | 一、五〇一ルクス以上 |
| 仮設席 | | 一日 | 三五四、六〇〇円 | 一、四四〇席 |
| 可動畳 | | 一日 | 一三〇、八〇〇円 | 四基 |
| 看板、横断幕、懸垂幕又は展示台 | | 一日一平方メートル | 三、三〇〇円 | |
| その他の附属設備 | | 一個、一箇所、一枚、一面又は一式四時間 | 一三五、〇〇〇円 | |

十　海の森水上競技場

(一)　施設

ア　専用使用の場合の利用料金

| 施設の名称等 | | 使用単位 | 入場料の徴収又はこれに類する取扱いをしない場合 | 入場料の徴収又はこれに類する取扱いをする場合 |
|---|---|---|---|---|
| 競技コース | 二、〇〇〇メートルコースとして使用する場合 | 一時間 | 二一、七八〇円 | 四三、五五〇円 |
| | 一、〇〇〇メートルコースとして使用する場合 | 一時間 | 一〇、八九〇円 | 二一、七八〇円 |
| 競技コース附属施設（アライナーズハット、タ | | 一時間 | 六五〇円 | 六五〇円 |

| | | | | |
|---|---|---|---|---|
| イミングハット又はスターターズハット） | | | | |
| 水門 | | 一時間 | 一六、六三〇円 | 三三、二五〇円 |
| グランドスタンド棟 | 第一会議室 | 一時間 | 一、三〇〇円 | 一、三〇〇円 |
| | 第二会議室 | 一時間 | 一、一一〇円 | 一、一一〇円 |
| | 第三会議室 | 一時間 | 一、一〇〇円 | 一、一〇〇円 |
| | 第四会議室 | 一時間 | 四、九七〇円 | 四、九七〇円 |
| | ラウンジ | 一時間 | 四、九五〇円 | 四、九五〇円 |
| フィニッシュタワー棟 | 第一会議室、第二会議室又は第三会議室 | 一時間 | 二、〇三〇円 | 二、〇三〇円 |
| 艇庫棟 | 会議室 | 一時間 | 五、三三〇円 | 五、三三〇円 |
| | ドーピングコントロール室 | 一時間 | 一、七八〇円 | 一、七八〇円 |
| | 食堂 | 一時間 | 七、一九〇円 | 七、一九〇円 |
| | A宿泊室 | 一室一泊 | 二九、六〇〇円 | 二九、六〇〇円 |
| | B宿泊室 | 一室一泊 | 七四、四〇〇円 | 七四、四〇〇円 |
| 第二艇庫棟 | 第一多目的室 | 一時間 | 六二〇円 | 六二〇円 |
| | 第二多目的室 | 一時間 | 二六〇円 | 二六〇円 |
| | 艇庫 | 一月 | 一、二三五、〇〇〇円 | 一、二三五、〇〇〇円 |
| | トレーニングルーム | 一時間 | 四、六九〇円 | 四、六九〇円 |
| ロビー、エントランスホールその他の施設（規則で定める施設又は部分を除く。） | | 一日一平方メートル | 五〇円 | 五〇円 |

イ　個人使用の場合の利用料金

| 施設名 | | 使用単位 | 利用料金 |
|---|---|---|---|
| 競技コース（持込利用） | | 二時間 | 三、一三〇円 |
| | ボート又はカヌー（一人漕ぎ） | 二時間 | 六、三一〇円 |
| | ボート又はカヌー（二人漕ぎ） | 二時間 | 六、六四〇円 |
| 競技コース（貸艇利用） | ボート又はカヌー（四人漕ぎ） | 二時間 | 七、〇七〇円 |
| | ボート（八人漕ぎ） | 二時間 | 一〇、三九〇円 |
| | ドラゴンボート | 二時間 | 五、九〇〇円 |
| 艇庫棟 | 艇庫 | 一艇一月 | 一五、〇〇〇円 |
| | トレーニングルーム | 二時間 | 四六〇円 |
| | 更衣室 | 一回 | 五三〇円 |
| | 宿泊室A | 一人一泊 | 七、四〇〇円 |
| | 宿泊室B | 一人一泊 | 四、六五〇円 |
| 第二艇庫棟 | 艇庫 | 一艇一月 | 一五、〇〇〇円 |
| | トレーニングルーム | 二時間 | 四六〇円 |
| | 更衣室 | 一回 | 三〇〇円 |

(二)　附属設備

| 設備名 | 使用単位 | 利用料金 |
|---|---|---|
| 夜間照明設備 | 一時間 | 四、三八〇円 |
| 看板、横断幕、懸垂幕又は展示台 | 一日一平方メートル | 三、三〇〇円 |
| | 一個、一箇所、一枚、一艇、一張、一 | |

| 施設の名称 | 使用単位 | 入場料の徴収又はこれに類する取扱いをしない場合 | 入場料の徴収又はこれに類する取扱いをする場合 |
|---|---|---|---|
| その他の附属設備 | 一台、一本又は一式　一時間又は一回 | 四九、三八〇円 | |

十一　夢の島公園アーチェリー場

(一)　施設

ア　専用使用の場合の利用料金

| 施設の名称 | 使用単位 | 入場料の徴収又はこれに類する取扱いをしない場合 | 入場料の徴収又はこれに類する取扱いをする場合 |
|---|---|---|---|
| 多目的広場（アーチェリー利用） | 一時間 | 一〇、三三〇円 | 三〇、四三〇円 |
| 倉庫 | 一日　一平方メートル | 一七円 | 一七円 |

イ　興行等使用の場合の利用料金

| 施設の名称 | 使用単位 | 利用料金 |
|---|---|---|
| 多目的広場（興行使用） | 一日　一平方メートル | 六八円 |
| 多目的広場（その他の使用） | 一日　一平方メートル | 三四円 |

(二)　附属設備

| 設備名 | 使用単位 | 利用料金 |
|---|---|---|
| 看板、横断幕、懸垂幕又は展示台 | 一日　一平方メートル | 三、三〇〇円 |
| その他の附属設備 | 一個、一箇所、一枚、一台又は一式　一時間 | 五、三三〇円 |

十二　カヌー・スラロームセンター

(一)　施設

ア　専用使用の場合の利用料金

| 施設の名称等 | 使用単位 | 入場料の徴収又はこれに類する取扱いをしない場合 | 入場料の徴収又はこれに類する取扱いをする場合 |
|---|---|---|---|
| 競技施設 | 二時間 | 一六九、三〇〇円 | 三三八、五九〇円 |
| 会議室 | 二時間 | 四、六二〇円 | 四、六二〇円 |
| 第一多目的室又は第二多目的室 | 二時間 | 一、三三〇円 | 一、三三〇円 |
| トレーニングルーム | 二時間 | 四、七七〇円 | 四、七七〇円 |
| ロビー、エントランスホールその他の施設（規則で定める施設又は部分を除く。） | 一日　一平方メートル | 五〇円 | 五〇円 |

イ　個人使用の場合の利用料金

| 施設名 | 使用単位 | 利用料金 |
|---|---|---|
| 競技施設 | 二時間 | 五、一三〇円 |
| 艇庫 | 一艇　一月 | 八、〇〇〇円 |
| トレーニングルーム | 二時間 | 四三〇円 |

(二)　附属設備

| 設備名 | 使用単位 | 利用料金 |
|---|---|---|
| 夜間照明設備 | 一時間 | 四、六八〇円 |
| 看板、横断幕、懸垂幕又は展示台 | 一日　一平方メートル | 三、三〇〇円 |
| その他の附属設備 | 一個、一箇所、一枚、一艇又は一式　一時間 | 三五、六四〇円 |

十三　大井ふ頭中央海浜公園ホッケー競技場

(一)　施設

| 施設の名称等 | 使用単位 | 入場料の徴収又はこれに類する取扱いをしない場合 | 入場料の徴収又はこれに類する取扱いをする場合 |
|---|---|---|---|
| メインピッチ | 一時間 | 二一、二五〇円 | 四二、四九〇円 |

| | | | | |
|---|---|---|---|---|
| メインピッチ附属施設 | 第一会議室 | 一時間 | 九九〇円 | 九九〇円 |
| | 第二会議室 | 一時間 | 五六〇円 | 五六〇円 |
| | 多目的室 | 一時間 | 二、九〇〇円 | 二、九〇〇円 |
| | 特別室 | 一時間 | 二、四四〇円 | 二、四四〇円 |
| サブピッチ | | 一時間 | 一五、八六〇円 | 三一、七二〇円 |
| サブピッチ附属施設 | 第一会議室 | 一時間 | 一、一九〇円 | 一、一九〇円 |
| | 第二会議室又は第三会議室 | 一時間 | 四三〇円 | 四三〇円 |
| 多目的コート | | 一時間 | 五、一五〇円 | 五、一五〇円 |
| ロビー、エントランスホールその他の施設（規則で定める施設又は部分を除く。） | | 一日一平方メートル | 五〇円 | 五〇円 |

㈡　附属設備

| 設備名 | 使用単位 | 利用料金 |
|---|---|---|
| 電光表示装置 | 一時間 | 四、七〇〇円 |
| 放送設備 | 一時間 | 一、七二〇円 |
| 夜間照明設備 | 一時間 | 一〇、〇九〇円 |
| 看板、横断幕、懸垂幕又は展示台 | 一日一平方メートル | 三、三〇〇円 |
| 追加照明設備 | 一時間 | 一〇、九九〇円 |
| その他の附属設備 | 一個、一室、一箇所、一基又は一式一時間 | 一、七〇〇円 |

十四　東京アクアティクスセンター

㈠　施設

ア　専用使用の場合の利用料金

| 施設の名称等 | 使用単位 | 入場料の徴収又はこれに類する取扱いをしない場合 | 入場料の徴収又はこれに類する取扱いをする場合 |
|---|---|---|---|
| メインプール | 二時間 | 二三六、五六〇円 | 四七三、一一〇円 |
| ダイビングプール | 二時間 | 五二、四四〇円 | 一〇三、八七〇円 |
| サブプール | 二時間 | 七一、三一〇円 | 一四二、四一〇円 |
| 飛び込み用トレーニングルーム | 二時間 | 五、一三〇円 | 五、一三〇円 |
| 第一会議室 | 二時間 | 四、〇八〇円 | 四、〇八〇円 |
| 第二会議室 | 二時間 | 三、三二〇円 | 三、三二〇円 |
| ロビー、エントランスホールその他の施設（規則で定める施設又は部分を除く。） | 一日一平方メートル | 七〇円 | 七〇円 |

イ　個人使用の場合の利用料金

| 施設名 | 使用単位 | 利用料金 |
|---|---|---|
| メインプール、ダイビングプール及びサブプール | 二時間 | 一、五〇〇円 |
| トレーニングルーム | 二時間 | 六二〇円 |

㈡　附属設備

| 設備名 | | 使用単位 | 利用料金 |
|---|---|---|---|
| 放送設備 | メインプール及びダイビングプール | 二時間 | 九、〇五〇円 |
| | サブプール | 二時間 | 四、四二〇円 |
| 看板、横断幕、懸垂幕又は展示台 | | 一日一平方メートル | 三、三〇〇円 |
| | メインアリーナ中央 | 二時間 | 五三、八三〇円 |

| | | | |
|---|---|---|---|
| 大型映像装置 | メインアリーナ南側 | 二時間 | 四一、二五〇円 |
| | サブアリーナ | 二時間 | 一〇、八五〇円 |
| その他の附属設備 | | 一個、一箇所、一枚又は一式 二時間 | 二、〇〇〇円 |

十五 東京都パラスポーツトレーニングセンター

(一) 専用使用の場合の利用料金

| 施設の名称等 | 使用単位 | 利用料金 |
|---|---|---|
| 体育室 | 四時間 | 一七、一三〇円 |
| トレーニング室 | 四時間 | 二、九八〇円 |
| 多目的室 | 四時間 | 四、二九〇円 |
| 小多目的室 | 四時間 | 二、四七〇円 |
| 小体育室一 | 四時間 | 一、八九〇円 |
| 小体育室二 | 四時間 | 二、八四〇円 |
| 多目的スタジオ | 四時間 | 二、九三〇円 |
| 集会室 | 一室二時間 | 九九〇円 |
| ロビー、エントランスホールその他の施設（規則で定める施設又は部分を除く。） | 一日一平方メートル | 七〇円 |

(二) 個人使用の場合の利用料金

| 施設名 | 使用単位 | 利用料金 |
|---|---|---|
| トレーニング室 | 二時間 | 九三〇円 |

備考

1 使用単位の午前、午後及び夜間は、それぞれ四時間とする。

2 使用単位の時間を超えて使用する場合には、超過時間一時間（一時間に満たない端数は、これを一時間とする。）につき、使用を承認した使用単位の規定利用料金の一時間当たりの額の三割増相当額以内の超過利用料金を徴収することができる。

3 使用時間の前後に接続する時間について使用時間と合わせて、又は使用時間を区切って使用する場合の利用料金の額は、あらかじめ知事の承認を得て、指定管理者が定める額とする。

4 健康体力相談室の使用単位の一回とは、相談（測定を含む。）一回をいう。

5 その他の附属設備とは、バレーボール用フロアーマット、テニス用フロアーマット、電光得点表示装置等をいう。

6 附属設備の使用単位の四時間は、施設の使用単位の午前、午後又は夜間に対応するものとする。

＊ 本条例の改正中、東京都規則で定める日から施行される部分については、一部改正法の形式で掲載しました。

**○東京都体育施設条例の一部を改正する条例（抄）**

令六・三・二九
条例 二六

東京都体育施設条例（平成元年東京都条例第百九号）の一部を次のように改正する。

第二条〔中略〕の表〔中略〕東京都パラスポーツトレーニングセンターの項の次に次のように加える。

| | |
|---|---|
| 東京辰巳アイスアリーナ | 東京都江東区辰巳二丁目八番十号 |

別表十五の項の次に次のように加える。

十六 東京辰巳アイスアリーナ

(一) 施設

ア 専用使用の場合の利用料金

| 施設の名称等 | 使用単位 | 入場料の徴収又はこれに類する取扱いをしない場合 | 入場料の徴収又はこれに類する取扱いをする場合 |
|---|---|---|---|
| メインリンク | 一時間 | 三八、〇二〇円 | 一五二、〇六〇円 |
| サブリンク | 一時間 | 一六、二三〇円 | 六四、九二〇円 |

| | | | |
|---|---|---|---|
| 会議室 | 一時間 | 一〇、二九〇円 | 一〇、二九〇円 |
| 第一控室 | 一時間 | 九六〇円 | 九六〇円 |
| 第二控室 | 一時間 | 六、一三〇円 | 六、一三〇円 |
| 第三控室 | 一時間 | 九六〇円 | 九六〇円 |
| 特別室 | 一日 | 三四、〇七〇円 | 三四、〇七〇円 |
| 多目的室 | 一時間 | 三二、〇四〇円 | 三二、〇四〇円 |
| ロビー、エントランスホールその他の施設（規則で定める施設又は部分を除く。） | 一日一平方メートル | 九〇円 | 九〇円 |

イ　個人使用の場合の利用料金

| 施設名 | 使用単位 | 利用料金 |
|---|---|---|
| メインリンク及びサブリンク | 一回 | 一、二九〇円 |

㈡　附属設備

| 設備名 | 使用単位 | 利用料金 |
|---|---|---|
| 大型映像装置（北側） | 一時間 | 一〇、三三〇円 |
| 大型映像装置（西側） | 一時間 | 一五、三九〇円 |
| 放送設備 | 一時間 | 五〇〇円 |
| 競技システム | 一時間 | 三、七四〇円 |
| スケート靴 | 一回 | 四一〇円 |
| 看板、横断幕、懸垂幕又は展示台 | 一日一平方メートル | 三、二〇〇円 |
| その他の附属設備 | 一個、一箇所、一枚、一面又は一式一時間 | 三一、五一〇円 |

附　則（抄）

（施行期日）

1　この条例は、令和六年四月一日から施行する。ただし、第二条の表東京都パラスポーツトレーニングセンターの項の次に次のように加える改正規定及び別表十五の項の次に次のように加える改正規定は、東京都規則で定める日から施行する。

# ○東京都スポーツ施設条例施行規則

平一九・三・三〇
規　則　七　六

最終改正　令六・二・二九規則四五

（休館日）

**第一条**　東京都スポーツ施設（第十二条第二号並びに第十三条第一号及び第二号を除き、以下「スポーツ施設」という。）の休館日は、別表一のとおりとする。ただし、知事は、特に必要があると認めるときは、これを変更することができる。

2　前項の規定にかかわらず、指定管理者（東京都スポーツ施設条例（平成元年東京都条例第百九号。以下「条例」という。）第十五条第一項に規定する指定管理者をいう。以下同じ。）は、利用者の利便の向上を図るため必要があり、かつ、前項のただし書の規定により知事が行う休館日の変更を待ついとまがないと認めるときは、スポーツ施設の休館日を臨時に変更することができる。

3　指定管理者は、前項の規定によりスポーツ施設の休館日を臨時に変更したときは、速やかに知事に報告しなければならない。

（開場時間）

**第二条**　スポーツ施設の開場時間は、別表二のとおりとする。ただし、知事は、特に必要があると認めるときは、これを変更することができる。

2　前項の規定にかかわらず、指定管理者は、利用者の利便の向上を図るため必要があり、かつ、同項のただし書の規定により知事が行う開場時間の変更を待ついとまがないと認めるときは、スポーツ施設の開場時間を臨時に変更することができる。

3　指定管理者は、前項の規定によりスポーツ施設の開場時間を臨時に変更したときは、速やかに知事に報告しなければならない。

（**専用使用の取扱いをしない日等**）

**第三条**　知事は、スポーツ施設の施設について専用使用の取扱いをしない日及び時間を指定することができる。

（**使用申込み**）

**第四条**　スポーツ施設の施設及び附属設備（以下「施設等」という。）を使用しようとする者は、使用申込書を別表三に定める申込期間内（知事が使用する場合は、この限りでない。）に知事に提出し、承認を受けなければならない。

2　前項の規定にかかわらず、施設等を使用しようとする者は、知事が指定する電子情報処理組織（知事の使用に係る電子計算機（入出力装置を含む。以下同じ。）と施設等を使用しようとする者の使用に係る電子計算機又は電話機とを電気通信回線で接続した電子情報処理組織をいう。）を利用して同項の使用申込書に記載すべき事項を知事に送信することによって、同項の使用申込書の提出に代えることができる。

3　専用使用をしない場合で、スポーツ施設の施設を使用しようとする者は、前二項の規定にかかわらず、使用券の交付を受けることにより、承認を受けたものとする。

（**使用の承認**）

**第五条**　知事は、前条第一項の規定により施設等の使用の承認をしたときは、使用承認書を交付するものとする。

2　前項に定める使用承認書は、使用者が施設等を使用するときに提示しなければならない。

（**利用料金等の承認の申請**）

**第六条**　指定管理者は、条例第七条第二項の承認を受けようとするときは、利用料金承認申請書（別記第一号様式）を、知事に提出しなければならない。

2　指定管理者は、条例第七条第四項の承認を受けようとするときは、利用予納金承認申請書（別記第二号様式）を知事に提出しなければならない。

（**利用料金の減額又は免除**）

**第七条**　条例第八条の規定により利用料金を減額し、又は免除することができる場合（第一号から第四号まで、第七号及び第八号に掲げる場合については、専用使用をする場合に限り、第五号及び六号に掲げる場合については、専用使用をしない場合に限る。）は、次に定めるとおりとする。ただし、第一号から第四号までに掲げる場合の超過利用料金及び附属設備の利用料金については、この限りでない。

一　東京都若しくは東京都教育委員会又は区市町村若しくは区市町村教育委員会が主催する運動競技等に使用するとき。　五割

二　都内の幼稚園、小学校、中学校、高等学校、中等教育学校又は特別支援学校の主催により幼児、児童又は生徒が行う運動競技等の学校教育活動に使用するとき。　五割

三　知事が認めるアマチュアスポーツ団体が運動競技大会のために使用するとき。　五割

四　官公署が公益のために使用するとき。　二割五分

五　身体障害者福祉法（昭和二十四年法律第二百八十三号）に規定する身体障害者手帳を提示する者、都が発行する愛の手帳若しくは道府県が発行する療育手帳を提示する者又は精神保健及び精神障害者福祉に関する法律（昭和二十五年法律第百二十三号）に規定する精神障害者保健福祉手帳を提示する者及びこれらの者の付添者が、知事が別に定める施設を使用するとき。　免除

六　前号に規定する者が、宿泊室を使用するとき。　二割五分

七　知事が国民の祝日に関する法律（昭和二十三年法律第百七十八号）第二条に規定するスポーツの日に、その記念行事のために使用するとき。　免除

八　東京都又は東京都教育委員会が主催する体育・スポーツ及びレクリエーションに関する講習会又は研修会に使用するとき。　免除

九　前各号に掲げるもののほか、施策上特に必要があるものとして知事が別に定める事由に該当するとき。

（**専用使用をすることができない施設又は部分**）

**第八条**　条例別表の規則で定める施設又は部分とは、次に掲げるものをいう。

一　事務室

二　機械室

三　階段

四　前三号に掲げるもののほか、使用させることによりスポーツ施設の管理運営に支障が生じると知事が認めるもの

（**使用日の変更**）

**第九条**　条例第十二条第三号及び第四号の規定により使用者が施設等の使用ができなくなったときその他知事が特別の理由があると認めたときは、使用者の申請に基づき使用日を変更することができる。

（使用者の義務）

**第十条**　施設等の使用者は、すべて知事の指示に従わなければならない。

（指定管理者に関する準用規定）

**第十一条**　第四条、第五条、第九条及び前条の規定は、条例第十五条第二項の規定により同項各号に規定する業務を指定管理者が行う場合に準用する。この場合において、第四条第一項中「知事に」とあるのは「指定管理者に」と、「知事の」とあるのは「指定管理者の」と、同条第二項中「知事の」とあるのは「指定管理者の」と、「知事に」とあるのは「指定管理者に」と、第五条、第九条及び前条中「知事」とあるのは「指定管理者」と読み替えるものとする。

（指定管理者の申請）

**第十二条**　条例第十六条第一項の規定による申請は、指定管理者指定申請書（別記第三号様式）に、次に掲げる書類を添付して提出することにより行うものとする。

一　事業計画書
二　スポーツ施設又はこれに類する施設の管理運営に関する業務実績を記載した書類
三　定款、規約又はこれらに類するもの
四　法人の登記事項証明書（法人の場合に限る。）
五　貸借対照表及び損益計算書又はこれらに類するもの
六　団体の組織、沿革その他事業の概要を記載した書類
七　前各号に掲げるもののほか、知事が必要と認める書類

（指定管理者の指定の基準）

**第十三条**　条例第十六条第二項第六号の規則で定める基準は、次に掲げるものとする。

一　スポーツ施設又はこれに類する施設における良好な管理運営の実績を有すること。
二　スポーツ施設の管理運営に係る技術及び能力の指導育成体制が整備されていること。
三　前二号に掲げるもののほか、スポーツ施設の適正な管理運営を行うために知事が定める基準

（使用料の徴収に関する準用規定）

**第十四条**　第七条の規定は、条例第十七条第二項の規定により使用料を徴収する場合に準用する。この場合において、第七条中「利用料金を」とあるのは「使用料を」と、「超過利用料金及び附属設備の利用料金」とあるのは「超過使用料及び附属設備の使用料」と読み替えるものとする。

（委任）

**第十五条**　この規則の施行について必要な事項は、東京都生活文化スポーツ局長が定める。

附　則

この規則は、平成十九年四月一日から施行する。

附　則（平二九・三・三一規則三一）

1　この規則は、平成二十九年四月一日から施行する。ただし、別表一、別表二及び別表三の改正規定（別表三　一の部駒沢オリンピック公園総合運動場の項の改正規定を除く。）は、東京都体育施設条例の一部を改正する条例（平成二十九年東京都条例第十六号）の附則第一項ただし書に規定する規則で定める日〔平二九・一一・二五〕から施行する。

2　武蔵野の森総合スポーツプラザの使用に係る優先受付及び一般受付の申込みで、前項ただし書に規定する日から平成三十一年三月三十一日までの使用に係るものの申込期間については、この規則による改正後の東京都体育施設条例施行規則別表三の規定にかかわらず、知事が別に定める。

附　則（平三〇・三・三〇規則二二）

1　この規則は、東京都体育施設条例の一部を改正する条例（平成三十年東京都条例第十七号）の附則第一項に規定する規則で定める日（以下「施行日」という。）から施行する。

2　この規則による改正後の東京都体育施設条例施行規則（以下「改正後の規則」という。）第四条第一項の規定による申込みで、施行日から平成三十二年三月三十一日までの海の森水上競技場、カヌー・スラロームセンター及び大井ふ頭中央海浜公園ホッケー競技場の使用に係るもの、施行日から平成三十二年十月三十一日までの夢の島公園アーチェリー場の使用に係るもの並びに施行日から平成三十三年三月三十一日までの東京アクアティクスセンターの使用に係るものの申込期間は、改正後の規則別表三の規定にかかわらず、知事が別に定める。

附　則（令四・三・三一規則四一）

1　この規則は、東京都体育施設条例の一部を改正する条例（令和四年東京都条例第二十五号）附則第一項に規定する規則で定める日〔令五・三・一〕（以下「施行日」という。）から施行する。ただし、次の各号に掲げる規定は、当該各号に定める日から施行する。

一　別表一大井ふ頭中央海浜公園ホッケー競技場の項、別表二大井ふ頭中央海浜公園ホッケー競技場の項及び別表三の改正規定（二の部東京アクアティクスセンターの項の次に次のように加える改正規定を除く。）並びに附則第三項の規定　公布の日
二　第十五条の改正規定　令和四年四月一日

2　この規則（前項各号に掲げる改正規定を除く。）による改正後の東京都体育施設条例施行規則第四条第一項の規定による申込みで、施行日から令和六年三月三十一日までの間の東京都パラスポーツトレーニングセンターの使用に係るものの申込期間は、同規則別表三の規定にかかわらず、知事が別に定める。

3　附則第一項第一号に掲げる改正規定による改正後の東京都体育施設条例施行規則第四条第一項の規定による申込みで、同号に定める日から令和四年九月三十日までの間の大

井ふ頭中央海浜公園ホッケー競技場メインピッチ及びサブピッチの使用に係るもの並びに同号に定める日から令和五年三月三十一日までの間の海の森水上競技場宿泊室及び大井ふ頭中央海浜公園ホッケー競技場多目的コートの使用に係るものの申込期間は、同規則別表二の規定にかかわらず、知事が別に定める。

**附　則**（令六・三・二九規則四五）（抄）

1　この規則は、令和六年四月一日から施行する。ただし、別表一の改正規定（

「

| 東京辰巳国際水泳場 | メインプール<br>ダイビングプール<br>サブプール<br>会議室 | | | 毎月第三月曜日。ただし、その日が休日に当たるときは、その翌日 | |
|---|---|---|---|---|---|

」

を削る部分を除く。）、別表二東京都パラスポーツトレーニングセンターの項の次に次のように加える改正規定、別表三　一の部東京アクアティクスセンターの項の次に次のように加える改正規定及び別表三　二の部東京都パラスポーツトレーニングセンターの項の次に次のように加える改正規定は、東京都体育施設条例の一部を改正する条例（令和六年東京都条例第二十六号）附則第一項ただし書に規定する規則で定める日（以下「施行日」という。）から施行する。

**別表一**（第一条関係）

| 施設名 | 種別 | 休館日 | | | 備考 |
|---|---|---|---|---|---|
| | | 年始 | 年末 | 施設等の整備日 | |
| 東京体育館 | メインアリーナ<br>サブアリーナ<br>陸上競技場<br>トレーニングルーム<br>健康体力相談室<br>研修室<br>屋内プール | 一月一日から同月三日まで | 十二月二十八日から同月三十一日まで | 毎月第三月曜日。ただし、その日が国民の祝日に関する法律に規定する休日（以下「休日」という。）に当たるときは、その翌日 | |
| 駒沢オリンピック公園総合運動場 | 体育館<br>屋内球技場<br>弓道場<br>トレーニングルーム | | | 毎月第三月曜日。ただし、その日が休日に当たるときは、その翌日 | |
| | プール | | | 毎月第一月曜日及び第三月曜日。ただし、その日が休日に当たるときは、その翌日 | 開場期間は、七月一日から九月十五日まで |
| 東京武道館 | 大武道場<br>第一武道場<br>第二武道場<br>弓道場<br>研修室<br>トレーニングルーム | | | 毎月第三月曜日。ただし、その日が休日に当たるときは、その翌日 | |
| | その他の施設 | | | 一箇月につき五日を超えない範囲において、知事が別に指定する日 | |
| 有明テニスの森公園テニス施設 | テニスコート<br>インドアコート<br>ショーコート（ショーコート附属施設を含む。以下同じ。） | 一月一日 | 十二月三十一日 | 一箇月につき五日を超えない範囲において、知事が別に指定する日 | |

| | | | | |
|---|---|---|---|---|
| | 有明コロシアム（有明コロシアム附属施設を含む。以下同じ。）<br>会議室 | | | |
| 若洲海浜公園ヨット訓練所 | ヨット訓練所 | 一月一日から同月三日まで | 十二月二十九日から同月三十一日まで | 毎週火曜日。ただし、その日が休日に当たるときは、その翌日 |
| 武蔵野の森総合スポーツプラザ | メインアリーナ<br>サブアリーナ<br>屋内プール<br>会議室<br>多目的スペース<br>トレーニングルーム | 一月一日から同月三日まで | 十二月二十八日から同月三十一日まで | 毎月第三月曜日。ただし、その日が休日に当たるときは、その翌日 |
| 海の森水上競技場 | 競技コース（競技コース附属施設を含む。以下同じ。）<br>水門<br>会議室<br>ラウンジ<br>ドーピングコントロール室<br>食堂<br>艇庫<br>トレーニングルーム<br>更衣室<br>宿泊室<br>多目的室 | 一月一日から同月三日まで | 十二月二十九日から同月三十一日まで | 一箇月につき五日を超えない範囲において、知事が別に指定する日 |
| 夢の島公園アーチェリー場 | 多目的広場<br>倉庫 | 一月一日から同月三日まで | 十二月二十九日から同月三十一日まで | 一箇月につき五日を超えない範囲において、知事が別に指定する日 |
| カヌー・スラロームセンター | 競技施設<br>会議室<br>艇庫<br>トレーニングルーム<br>多目的室 | 一月一日から同月三日まで | 十二月二十九日から同月三十一日まで | 一箇月につき五日を超えない範囲において、知事が別に指定する日 |
| 大井ふ頭中央海浜公園ホッケー競技場 | メインピッチ（メインピッチ附属施設を含む。以下同じ。）<br>サブピッチ（サブピッチ附属施設を含む。以下同じ。）<br>多目的コート | 一月一日 | 十二月三十一日 | 一箇月につき五日を超えない範囲において、知事が別に指定する日 |
| 東京アクアティクスセンター | メインプール<br>ダイビングプール<br>サブプール<br>飛び込み用トレーニングルーム<br>会議室<br>トレーニングルーム | 一月一日から同月三日まで | 十二月二十九日から同月三十一日まで | 毎月第三月曜日。ただし、その日が休日に当たるときは、その翌日 |
| 東京都パラスポーツトレーニングセンター | 体育室<br>トレーニング室<br>多目的室<br>小多目的室<br>小体育室<br>多目的スタジオ<br>集会室 | 一月一日から同月三日まで | 十二月二十九日から同月三十一日まで | 一箇月につき五日を超えない範囲において、知事が別に指定する日 |
| | | | | |

別表二（第二条関係）

| 施設名 | 種別 | 開場時間 |
|---|---|---|
| 東京体育館 | メインアリーナ<br>サブアリーナ<br>陸上競技場<br>屋内プール<br>研修室<br>トレーニングルーム<br>健康体力相談室 | 午前九時から午後九時まで |
| 駒沢オリンピック公園総合運動場 | 陸上競技場 | 四月一日から十月三十一日までの間は、午前八時三十分から午後七時まで<br>十一月一日から翌年三月三十一日までの間は、午前八時三十分から午後五時まで |
| | 体育館<br>屋内球技場<br>トレーニングルーム | 午前九時から午後九時まで |
| | 第一球技場 | 四月一日から十月三十一日までの間は、午前八時三十分から午後七時まで<br>十一月一日から翌年三月三十一日までの間は、午前八時三十分から午後五時まで |
| | 第二球技場<br>補助競技場 | 午前八時三十分から午後九時まで |
| | テニスコート<br>軟式野球場 | 四月一日から九月三十日までの間は、午前八時三十分から午後六時三十分まで<br>十月一日から翌年三月三十一日までの間は、午前八時三十分から午後四時三十分まで |
| | 硬式野球場 | 四月一日から十月三十一日までの間は、午前八時三十分から午後九時まで<br>十一月一日から翌年三月三十一日までの間は、午前八時三十分から午後四時三十分まで |
| | 弓道場 | 午前九時から午後九時まで |
| | プール | 七月一日から同月十九日までの間及び九月一日から同月十五日までの間は、午前十時から午後五時まで<br>七月二十日から八月三十一日までの間は、午前十時から午後八時まで |
| 東京武道館 | 大武道場<br>第一武道場<br>第二武道場<br>弓道場<br>研修室<br>トレーニングルーム | 午前九時から午後九時まで |
| 東京辰巳国際水泳場 | メインプール<br>ダイビングプール<br>サブプール<br>会議室 | 午前九時から午後九時まで |
| 有明テニスの森公園テニス施設 | テニスコート（夜間照明設備を備えているもの） | 四月一日から十月三十一日までの間は、午前九時から午後九時まで<br>十一月一日から翌年三月三十一日までの間は、午前九時から午後五時まで |
| | テニスコート（夜間照明設備を備えていないもの） | 午前九時から午後四時まで |
| | インドアコート<br>ショーコート<br>有明コロシアム<br>会議室 | 午前九時から午後九時まで |
| 若洲海浜公園ヨット訓練所 | ヨット訓練所 | 午前九時から午後五時まで |
| 武蔵野の森総合スポーツプラザ | メインアリーナ<br>サブアリーナ<br>屋内プール<br>会議室<br>多目的スペース<br>トレーニングルーム | 午前九時から午後九時まで |
| 海の森水上競技場 | 競技コース<br>水門<br>会議室<br>ラウンジ<br>ドーピングコントロール室<br>食堂 | 午前九時から午後五時まで |

| | | |
|---|---|---|
| | 艇庫<br>トレーニングルーム<br>更衣室<br>多目的室 | |
| | 宿泊室 | 午後四時から翌日午前十時まで |
| 夢の島公園アーチェリー場 | 多目的広場<br>倉庫 | 午前九時から午後五時まで |
| カヌー・スラロームセンター | 競技施設<br>会議室<br>艇庫<br>トレーニングルーム<br>多目的室 | 午前九時から午後五時まで |
| 大井ふ頭中央海浜公園ホッケー競技場 | メインピッチ<br>サブピッチ<br>多目的コート | 午前九時から午後九時まで |
| 東京アクアティクスセンター | メインプール<br>ダイビングプール<br>サブプール<br>飛び込み用トレーニングルーム<br>会議室<br>トレーニングルーム | 午前九時から午後九時まで |
| 東京都パラスポーツトレーニングセンター | 体育室<br>トレーニング室<br>多目的室<br>小多目的室<br>小体育室<br>多目的スタジオ<br>集会室 | 午前九時から午後九時まで |

**別表三**（第四条関係）

一　優先受付

| 施設名 | 種別 | 申込期間 |
|---|---|---|
| 東京体育館 | メインアリーナ<br>サブアリーナ<br>屋内プール<br>研修室 | 使用月の属する年度の前々年度の三月三十一日まで |
| 駒沢オリンピック公園総合運動場 | 陸上競技場<br>屋内球技場<br>体育館<br>第一球技場<br>第二球技場<br>補助競技場<br>硬式野球場 | 使用月の属する年度の前年度の六月三十日まで |
| 東京武道館 | 大武道場<br>第一武道場<br>第二武道場<br>弓道場<br>研修室 | 使用月の属する年度の前年度の六月三十日まで |
| 東京辰巳国際水泳場 | メインプール<br>ダイビングプール<br>サブプール<br>会議室 | 使用月の属する年度の前年度の六月三十日まで |
| 有明テニスの森公園テニス施設 | テニスコート<br>インドアコート<br>ショーコート<br>有明コロシアム<br>会議室 | 使用月の属する年度の前年度の十月三十一日まで |
| 武蔵野の森総合スポーツプラザ | メインアリーナ<br>サブアリーナ<br>屋内プール<br>会議室<br>多目的スペース | 使用月の属する年度の前々年度の三月三十一日まで |
| 海の森水上競技場 | 競技コース<br>水門<br>会議室<br>ラウンジ<br>ドーピングコントロール室<br>食堂<br>宿泊室<br>多目的室<br>艇庫<br>トレーニングルーム<br>ロビー、エントランスホールその他の施設（第八条に規定する施設又は部分を除く。） | 使用月の属する年度の前年度の六月三十日まで |
| 夢の島公園アーチェリー場 | 多目的広場<br>倉庫 | 使用月の十六月前の月の末日まで |
| カヌー・スラロームセ | 競技施設<br>会議室 | 使用月の属する年度の前年度の六月三十日まで |

| | | |
|---|---|---|
| ンター | 多目的室<br>トレーニングルーム | |
| 大井ふ頭中央海浜公園ホッケー競技場 | メインピッチ<br>サブピッチ<br>多目的コート | 使用月の属する年度の前年度の六月三十日まで |
| 東京アクアティクスセンター | メインプール<br>ダイビングプール<br>サブプール<br>飛び込み用トレーニングルーム<br>会議室 | 使用月の属する年度の前年度の六月三十日まで |

備考

1　優先受付は、世界大会、全国大会、東京都大会等に使用する場合の受付とする。（武蔵野の森総合スポーツプラザ及び海の森水上競技場については、これら以外の大規模行事を含む。）

2　附属設備の申込期間は、各施設の申込期間と同じものとする。

二　一般受付

| 施設名 | 種別 | 申込期間 |
|---|---|---|
| 東京体育館 | メインアリーナ<br>サブアリーナ<br>研修室<br>陸上競技場<br>屋内プール | 使用月の六月前の月の初日から |
| 駒沢オリンピック公園総合運動場 | 陸上競技場<br>屋内球技場<br>体育館<br>第一球技場<br>第二球技場<br>補助競技場<br>硬式野球場<br>弓道場 | 使用月の六月前の月の初日から。ただし、硬式野球場を軟式野球のために使用する場合は、使用月の二月前の月の初日から |
| | テニスコート<br>軟式野球場<br>プール | 使用月の二月前の月の初日から |
| 東京武道館 | 大武道場<br>第一武道場<br>第二武道場<br>弓道場<br>研修室 | 武道に関する競技に使用する場合は使用月の六月前の月の初日から、それ以外に使用する場合は使用月の六月前の月の十五日から |
| 有明テニスの森公園テニス施設 | テニスコート<br>インドアコート<br>ショーコート<br>有明コロシアム<br>会議室 | 使用月の前月の初日から |
| 若洲海浜公園ヨット訓練所 | ヨット訓練所 | 使用月の前月の初日から |
| 武蔵野の森総合スポーツプラザ | メインアリーナ<br>サブアリーナ<br>屋内プール<br>会議室<br>多目的スペース | 使用月の六月前の月の初日から |
| 海の森水上競技場 | 競技コース<br>水門<br>会議室<br>ラウンジ<br>ドーピングコントロール室<br>食堂<br>宿泊室<br>多目的室<br>艇庫<br>トレーニングルーム | 使用月の六月前の月の初日から |
| 夢の島公園アーチェリー場 | 多目的広場<br>倉庫 | 使用月の十二月前の月の初日から |
| カヌー・スラロームセンター | 競技施設<br>会議室<br>多目的室<br>トレーニングルーム | 使用月の六月前の月の初日から |
| 大井ふ頭中央海浜公園ホッケー競技場 | メインピッチ<br>サブピッチ<br>多目的コート | 使用月の六月前の月の初日から |
| 東京アクアティクスセンター | メインプール<br>ダイビングプール<br>サブプール<br>飛び込み用トレーニングルーム<br>会議室 | 使用月の六月前の月の初日から |
| 東京都パラスポーツトレーニングセンター | 体育室<br>トレーニング室<br>多目的室<br>小多目的室<br>小体育室<br>多目的スタジオ | パラスポーツの競技力向上を目的とした活動に使用する場合は使用月の六月前の月の初日から、パラスポーツに使用する場合は使用月の三月前の月の初日から、 |

| | | |
|---|---|---|
| | 集会室 | それら以外に使用する場合は使用月の二月前の月の初日から |

備考

1　一般受付は、優先受付以外の受付とする。

2　附属設備の申込期間は、各施設の申込期間と同じものとする。

3　ロビー、エントランスホールその他の施設（第八条に規定する施設又は部分を除く。）の申込期間は、知事が別に定める。

4　有明テニスの森公園テニス施設の申込期間は、知事が別に定める場合は、この限りでない。

**別記**〔略〕

**＊　本規則の改正中、東京都体育施設条例の一部を改正する条例（令和六年東京都条例第二十六号）附則第一項ただし書に規定する規則で定める日から施行される部分については、一部改正法の形式で掲載しました。**

## ○東京都体育施設条例施行規則の一部を改正する規則（抄）

令六・三・二九
規則四五

東京都体育施設条例施行規則（平成十九年東京都規則第七十六号）の一部を次のように改正する。

別表一中〔中略〕

「

| | | | | |
|---|---|---|---|---|
| 東京都パラスポーツトレーニングセンター | 体育室<br>トレーニング室<br>多目的室<br>小多目的室<br>小体育室<br>多目的スタジオ<br>集会室 | 一月一日から同月三日まで | 十二月二十九日から同月三十一日まで | 一箇月につき五日を超えない範囲において、知事が別に指定する日 |

」

を

「

| | | | | |
|---|---|---|---|---|
| 東京都パラスポーツトレーニングセンター | 体育室<br>トレーニング室<br>多目的室<br>小多目的室<br>小体育室<br>多目的スタジオ<br>集会室 | 一月一日から同月三日まで | 十二月二十九日から同月三十一日まで | 一箇月につき五日を超えない範囲において、知事が別に指定する日 |
| 東京辰巳アイスアリーナ | メインリンク<br>サブリンク<br>会議室<br>控室<br>多目的室 | 一月一日 | 十二月三十一日 | 毎月第三月曜日。ただし、その日が休日に当たるときは、その翌日 |

」

に改める。

別表二東京辰巳国際水泳場の項を削り、同表東京都パラスポーツトレーニングセンターの項の次に次のように加える。

| | | |
|---|---|---|
| 東京辰巳アイスアリーナ | メインリンク<br>サブリンク<br>会議室<br>控室<br>多目的室 | 午前零時から午後十二時まで |

別表三　一の部東京辰巳国際水泳場の項を削り、同部東京アクアティクスセンターの項の次に次のように加える。

| | | |
|---|---|---|
| 東京辰巳アイスアリーナ | メインリンク<br>サブリンク<br>会議室<br>控室<br>多目的室 | 使用月の属する年度の前々年度の三月三十一日まで |

別表三　二の部〔中略〕東京都パラスポーツトレーニングセンターの項の次に次のように加える。

| | | |
|---|---|---|
| 東京辰巳アイスアリーナ | メインリンク<br>サブリンク<br>会議室<br>控室<br>多目的室 | 使用月の六月前の月の初日から |

**附　則**（抄）

1　この規則は、令和六年四月一日から施行する。ただし、別表一の改正規定（

「

| | | | | |
|---|---|---|---|---|
| 東京辰巳国際水泳場 | メインプール<br>ダイビングプール<br>サブプール<br>会議室 | | 毎月第三月曜日。ただし、その日が休日に当たるときは、その翌日 | |

」

を削る部分を除く。）、別表二東京都パラスポーツトレーニングセンターの項の次に次のように加える改正規定、別表三　一の部東京アクアティクスセンターの項の次に次のように加える改正規定及び別表三　二の部東京都パラスポーツトレーニングセンターの項の次に次のように加える改正規定は、東京都体育施設条例の一部を改正する条例（令和六年東京都条例第二十六号）附則第一項ただし書に規定する規則で定める日（以下「施行日」という。）から施行する。

2　前項ただし書に規定する改正規定による改正後の東京都スポーツ施設条例施行規則第四条第一項の規定による申込みで、施行日から令和九年三月三十一日までの間の東京辰巳アイスアリーナの使用に係るものの申込期間は、同規則別表三の規定にかかわらず、知事が別に定める。

# 第四章　文化

## ○東京都文化振興条例

昭五八・一〇・七
条例四六

改正　平一八・一二・二二条例一五六

### 第一章　総則

（目的）

**第一条**　この条例は、民主的で文化的な国家を建設して世界の平和と人類の福祉に貢献しようとする日本国憲法の精神にのつとり、文化の振興に関する東京都（以下「都」という。）の施策の基本を明らかにすることによつて、都民が東京の自然及び歴史的風土に培われた、国際都市にふさわしい個性豊かな文化を創造することに寄与し、もつて都民生活の向上に資することを目的とする。

（基本原則）

**第二条**　都は、都民が文化の担い手であることを認識し、その自主性と創造性を最大限に尊重する。

2　都は、この条例の運用に当たつては、文化の内容に介入し、又は干渉することのないよう十分留意しなければならない。

（都の責務）

**第三条**　都は、文化の振興を図るための施策（以下「文化振興のための施策」という。）の体系を明らかにするとともに、必要な組織を整備し、文化振興のための施策を総合的かつ効果的に推進するものとする。

2　都は、都が行う施策に文化の視点を取り入れるよう努めるものとする。

3　都は、文化振興のための施策に広く都民の創意を反映させるよう努めるものとする。

（区市町村との関係）

**第四条**　都は、文化の振興に関して特別区及び市町村（以下「区市町村」という。）が果たす役割の重要性にかんがみ、区市町村との協力及び連携に努めるものとする。

2　都は、文化振興のための施策について、区市町村が行う文化の振興に関する施策と相互に調整を図り、その効果的推進に努めるものとする。

3　都は、区市町村が行う文化の振興に関する施策について、必要な援助、助成及び助言を行うことができる。

（民間団体等との関係）

**第五条**　都は、文化振興のための施策を進めるに当たつては、国又は地方公共団体以外のもの（以下「民間団体等」という。）が行う文化活動に支障を及ぼさないよう十分留意するとともに、民間団体等の協力を求め、又はその有する人材、情報その他の能力を活用するよう努めるものとする。

### 第二章　文化振興のための施策

#### 第一節　文化活動の促進

（芸術文化の振興）

**第六条**　都は、芸術文化活動を行う個人又は団体に対する援助、助成その他の芸術文化の振興を図るために必要な措置を講ずるよう努めるものとする。

（伝統的文化の保存、継承及び活用）

**第七条**　都は、東京に伝わる文化財その他の伝統的文化が、将来にわたり適切に保存、継承され、文化創造のために活用されるように、援助、助成その他の必要な措置を講ずるよう努めるものとする。

（自主的文化活動の促進）

**第八条**　都は、都民の自主的な文化活動を促進するため、これに取り組む個人又は団体に対して、活動の場及び情報の提供その他の必要な措置を講ずるよう努めるものとする。

（生涯学習の機会及び場の提供）

**第九条**　都は、生涯学習が文化を支える重要な活動であることにかんがみ、都民がその生涯の各時期を通じて自主的に学習するための機会及び場の提供その他の必要な措置を講ずるよう努めるものとする。

（青少年のための施策）

**第十条**　都は、青少年が豊かな人間性を形成し、創造的文化活動の担い手となることに資するため、青少年に対し広く文化に接するための機会及び場を提供する等必要な措置を講ずるよう努めるものとする。

（行事の実施）

**第十一条**　都は、都民が文化に親しみ、広く文化についての理解と関心を深め、文化創造の意欲を高める契機となるような行事を行うものとする。

（文化情報の収集及び提供）

**第十二条**　都は、広く文化に関する情報の収集に努め、都民が必要に応じてこれらの情報を利用できるよう必要な措置を講ずるものとする。

（顕彰）

**第十三条**　都は、文化の振興に寄与し、その業績が顕著であると認められるものの顕彰その他の文化に関する顕彰の制度を設けるものとする。

第二節　文化環境の整備

**（文化の視点にたつたまちづくり）**

**第十四条**　都は、都市空間そのものが文化の表現であり、文化創造の場であるという視点にたつて、まちづくりに関する施策を推進するよう努めるものとする。

2　都は、自然景観及び歴史的景観の保存と創出並びに調和のとれた都市景観の形成に努めるものとする。

3　都は、その設置する公共施設が文化性を備えるよう設計、意匠等に配慮するものとする。

**（文化施設の整備等）**

**第十五条**　都は、必要な文化施設を体系的に整備するとともに、既存の公共施設を文化活動の場として活用するよう努めるものとする。

第三節　国際文化交流の推進

**（国際文化交流の推進）**

**第十六条**　都は、我が国の首都及び国際都市として、都民と世界の諸都市の市民との相互理解を深めるため、国際的な文化交流の推進に努めるものとする。

第四節　東京芸術文化評議会

**（東京芸術文化評議会）**

**第十七条**　文化振興のための施策を総合的かつ効果的に推進することを目的に、専門的な見地から調査審議するため、知事の附属機関として、東京芸術文化評議会（以下「評議会」という。）を置く。

2　評議会は、文化振興のための施策について、知事の諮問に応じて意見を述べるものとする。

3　評議会は、文化振興のための施策について、必要があると認めるときは、知事に意見を述べることができる。

4　知事は、文化振興のための施策を進めるに当たり、前二項の意見を尊重するものとする。

5　評議会は、文化振興に関し識見を有する者のうちから、知事が任命する評議員十五人以内をもつて組織する。

6　評議員の任期は、二年とし、補欠の評議員の任期は、前任者の残任期間とする。ただし、再任を妨げない。

7　評議会は、特定の事項を調査審議するため必要があると認めるときは、専門委員又は部会を置くとともに、関係者から意見を聴くことができる。

8　評議員及び専門委員は、非常勤とする。

9　第五項から前項までに定めるもののほか、評議会の組織及び運営に関し必要な事項は、知事が定める。

**附　則**

この条例は、公布の日から施行する。

**附　則**（平一八・一二・二二条例一五六）

この条例は、公布の日から施行する。

# 〇東京都名誉都民条例

昭二七・九・二七
条　例　七　六

改正　昭三三・四・一条例三四

**（目的）**

**第一条**　この条例は、社会文化の興隆に功績があつた者に対し、その功績をたたえ、もつて都民敬愛の対象として顕彰することを目的とする。

**（称号を贈る条件）**

**第二条**　公共の福祉を増進し、又は学術、技芸の進展に寄与し、もつて都民の生活及び文化に貢献し、その功績が卓絶で都民の尊敬を受ける者又は都に引続き十年以上居住している者若しくは引続き二十年以上居住したことのある者で、広く社会文化に貢献し、又は都の発展、都民生活の向上に尽すいし、その功績が卓絶で都民が郷土の誇りとして尊敬する者に対しては、この条例の定めるところにより東京都名誉都民（以下「名誉都民」という。）の称号を贈ることができる。

2　前条の目的を達成するため、特に必要があると認めるときは、前項に定める居住期間を短縮することができる。

**（選定）**

**第三条**　名誉都民は、知事が都議会の同意を得て選定する。

**（顕彰）**

**第四条**　名誉都民の事績は、都の公報で公示し、顕彰する。

**（待遇及び特典）**

**第五条**　名誉都民に対しては、知事の定めるところにより待遇及び特典を与えることができる。

**（称号の取消）**

**第六条**　名誉都民が本人の責に帰すべき行為により著しく名誉を失い、都民の尊敬を受けなくなつたと認めたときは、知事は、都議会の同意を得て、名誉都民の称号を取り消すことができる。

2　前項によつて名誉都民でなくなつた者は、その取消の日から第五条の規定によつて与えられた待遇及び特典を失う。

**（特別名誉都民）**

**第七条**　知事は、親善その他の目的で都の賓客として、来訪した外国人に対し、第二条及び第三条の規定にかかわらず特に名誉都民の称号を贈ることができる。

**（この条例施行の細目）**

**第八条**　この条例施行に関して必要な事項は、知事が別に定める。

**附　則**

この条例は、公布の日から施行する。

**附　則**（昭三三・四・一条例三四）

この条例は、公布の日から施行する。

# ○東京都栄誉賞表彰規則

平一六・九・八
規則二六三

最終改正　令四・三・三一規則八七

**（目的）**

**第一条**　この規則は、特に顕著な業績により、広く都民に敬愛され、社会に明るい夢と希望と活力を与え、東京都の名を高めた者に対し、東京都栄誉賞（以下「栄誉賞」という。）を贈ってこれを表彰することにより、その栄誉をたたえることを目的とする。

**（表彰者）**

**第二条**　栄誉賞の表彰は、東京都知事（以下「知事」という。）が行う。

**（表彰の対象者）**

**第三条**　表彰は、業績が特に優れ、顕著であったと認められる都民に対して行う。

2　前項の規定にかかわらず、知事が特に必要があると認めるときは、都民以外の者に対し、表彰を行うことができる。

**（欠格条項）**

**第四条**　次の各号のいずれかに該当する者は、表彰を受けることができない。

一　この規則により、既に同一の事績で表彰を受けている者

二　刑事事件に関して、現に起訴されている者又は刑に処せられた者（刑の消滅した者を除く。）

三　その他表彰することが適当でないと認められる者

**（被表彰者の選定）**

**第五条**　被表彰者の選定は、知事が行う。

**（表彰の方法）**

**第六条**　表彰は、表彰状を贈呈して行い、副賞を添えるものとする。

**（表彰の時期）**

**第七条**　表彰は、随時行う。

**（表彰の事務）**

**第八条**　表彰に関する事務は、生活文化スポーツ局において行う。

**（委任）**

**第九条**　この規則の施行について必要な事項は、別に定める。

**附　則**

この規則は、公布の日から施行する。

**附　則**（令四・三・三一規則八七）

この規則は、令和四年四月一日から施行する。

# ○東京都知事顕彰に関する規則

昭六一・四・七
規則八五

最終改正　平二九・三・三一規則四三

（目的）

**第一条**　この規則は、広く都民生活を守るため、人々の師表となる行為をなし、もつて道義の高揚に著しく貢献した者に対する東京都知事顕彰（以下「顕彰」という。）について、必要な事項を定めることを目的とする。

（顕彰者）

**第二条**　顕彰は、東京都知事（以下「知事」という。）が行う。

（顕彰の対象）

**第三条**　顕彰は、次の各号のいずれかに該当する者に対して行う。

一　東京都の区域の内外において、他人の生命又は財産を守るために、自己の生命の危険を顧みず行う献身的な行為（以下「献身的行為」という。）をしたと認められる都民

二　都民以外の者であつて、都の区域内において献身的行為と同様の行為をしたと認められるもの

三　前二号に掲げる者のほか、知事が特に必要があると認めた者

（被顕彰者の選定）

**第四条**　被顕彰者の選定は、知事が行う。

（顕彰の方法）

**第五条**　顕彰は、顕彰メダル及び顕彰状を授与して行う。

2　顕彰に当たつては、見舞金を添えることができる。

3　顕彰を受けた者の氏名及び事績は、東京都公報に登載して公表する。

（顕彰の事務）

**第六条**　顕彰に関する事務は、政策企画局において行う。

（実施細目）

**第七条**　この規則の実施に関して必要な事項は、別に定める。

附　則

この規則は、公布の日から施行する。

附　則（平二九・三・三一規則四三）

この規則は、平成二十九年四月一日から施行する。

# ○東京都表彰規則

昭四七・七・一〇
規則一七四

最終改正　令四・三・三一規則九〇

## 第一章　総則

（目的）

**第一条**　この規則は、別に定めるものを除き、東京都の表彰について必要な事項を定め、都民の生活と文化の向上に特に功労があつたものの事績を表彰することにより、都民の福祉増進に資することを目的とする。

## 第二章　表彰

（表彰）

**第二条**　知事は、次に掲げる区分により、東京都の区域において（都民が第五号の規定に係る行為を東京都の区域以外の区域で行つたときは、この限りでない。）顕著な功績又は模範として推奨するに価する業績若しくは徳行のあつたものを表彰する。

一　地方自治の発達に関するもの

イ　地域活動功労

ロ　消防・災害対策功労

ハ　統計功労

ニ　税務功労

二　生活の安定と環境に関するもの

イ　福祉・医療・衛生功労

ロ　環境功労

三　教育の振興と文化の向上に関するもの

イ　教育功労
ロ　文化功労
ハ　スポーツ振興功労
四　産業の発展と技術の発達に関するもの
イ　労働精励
ロ　産業振興功労
ハ　都市づくり功労
ニ　技術振興功労
五　徳行に関するもの
イ　善行

（欠格条項）
**第三条**　次の各号のいずれかに該当するときは、表彰を受けることができない。
一　刑事事件に関して、現に起訴されている者又は刑に処せられた者（刑の消滅した者を除く。）であるとき。
二　その他表彰することが適当でないと認められるとき。

（再表彰）
**第四条**　この規則又は東京都青少年の健全な育成に関する条例（昭和三十九年東京都条例第百八十一号）による表彰を受けたもの及び勲章又は褒章を受章した者については、表彰しないものとする。ただし、これらの表彰又は受章の対象となつた事績とは異なる事績がある場合は、この限りでない。

（表彰の方法）
**第五条**　表彰は、表彰状を贈呈して行い、副賞を添えるものとする。
2　表彰を受けたものの氏名又は名称及び事績の概要は、東京都公報に登載して公表する。

（表彰の時期）
**第六条**　表彰は、毎年十月一日に行なう。ただし、知事が必要があると認めたときは、随時又は別に定める日に行なうことができる。

## 第三章　表彰手続

（表彰候補者の推薦等）
**第七条**　第二条に定める表彰の区分に対応する事務を担任する局等の長（東京都組織規程（昭和二十七年東京都規則第百六十四号）第九条第一項に定める局長、同条第三項に定める室長並びに住宅政策本部長、中央卸売市場長、東京都公営企業組織条例（昭和二十七年東京都条例第八十一号）第二条に定める管理者、教育長、警視総監、選挙管理委員会事務局長、監査事務局長、人事委員会事務局長、労働委員会事務局長、収用委員会事務局長、消防総監及び議会局長をいう。以下「局長等」という。）は、表彰候補者があるときは、その事績を精査し、知事に内申するものとする。

（提出書類）
**第八条**　前条に定める内申をする場合は、知事が必要と認める書類を添付しなければならない。

（異動報告）
**第九条**　第七条に定める内申をした後において、身分関係等に異動があつたときは、局長等は、遅滞なくその旨を知事に通知しなければならない。

（被表彰者の決定）
**第十条**　知事は、第七条に定める内申があつたときは、東京都表彰審査会の議により、表彰を受けるもの（以下「被表彰者」という。）を決定するものとする。

## 第四章　表彰審査会

（設置及び所掌事項）
**第十一条**　表彰の適正を期するため、政策企画局に東京都表彰審査会（以下「審査会」という。）を置く。
2　審査会は、表彰候補者について被表彰者として適当であるか否かを審査するものとする。

（構成）
**第十二条**　審査会は、知事及び次の職にある者をもつて構成する。
一　副知事
二　教育長
三　政策企画局長
四　政策企画局総務部長

（付議手続）
**第十三条**　審査会の議案は、政策企画局総務部秘書課長が整理の上、提出するものとする。ただし、知事が必要があると認めたときは、知事が別に定める課長等（東京都組織規程第十一条第一項に規定する課長又は同条第二項に規定する担当課長をいう。）が整理の上、提出することができる。

（運営）
**第十四条**　審査会は、知事が主宰する。ただし、持廻りによつて審査する場合は、この限りでない。

（庶務）
**第十五条**　審査会の庶務は、政策企画局総務部において処理する。

## 第五章　補則

（委任）
**第十六条**　表彰候補者の推薦基準その他この規則の実施に関して必要な事項は、別に定める。

附　則

1　この規則は、公布の日から施行する。

2　東京都表彰審査会規程（昭和二十八年東京都告示第百九号の二）は、廃止する。

3　この規則による改正前の東京都表彰規則により行なつた表彰は、この規則により行なつた表彰とみなす。

**附　則**（令四・三・三一規則九〇）

この規則は、令和四年四月一日から施行する。ただし、「、病院経営本部長」を削る部分は、同年七月一日から施行する。

# 第五章　青少年

## ○東京都青少年の健全な育成に関する条例

昭三九・八・一
条例一八一

最終改正　令六・一〇・一一条例一二一

われら都民は、次代の社会をになうべき青少年が、社会の一員として敬愛され、かつ、良い環境のなかで心身ともに健やかに成長することをねがうものである。

われら都民は、家庭及び勤労の場所その他の社会における正しい指導が、青少年の人格の形成に寄与するところきわめて大なることを銘記しなければならない。

われら都民は、心身ともに健全な青少年を育成する責務を有することを深く自覚し、青少年もまた社会の成員としての自覚と責任をもつて生活を律するように努めなければならない。

### 第一章　総則

**（目的）**

**第一条**　この条例は、青少年の環境の整備を助長するとともに、青少年の福祉を阻害するおそれのある行為を防止し、もつて青少年の健全な育成を図ることを目的とする。

**（定義）**

**第二条**　この条例において、次の各号に掲げる用語の意義は、それぞれ当該各号に定めるところによる。

一　青少年　十八歳未満の者をいう。

二　図書類　販売若しくは頒布又は閲覧に供する目的をもつて作成された書籍、雑誌、文書、図画、写真、ビデオテープ及びビデオディスク並びにコンピュータ用のプログラム又はデータを記録したシー・ディー・ロムその他の電磁的方法による記録媒体並びに映写用の映画フィルム及びスライドフィルムをいう。

三　自動販売機等　物品の販売又は貸付けに従事する者と客とが直接に対面（電気通信設備を用いて送信された画像によりモニター画面を通して行うものを除く。）をすることなく、販売又は貸付けをすることができる自動販売機又は自動貸出機をいう。

四　広告物　屋内又は屋外で公衆に表示されるものであつて、看板、立看板、はり紙及びはり札並びに広告塔、広告板、建物その他の工作物に掲出され、又は表示されたもの並びにこれらに類するものをいう。

**（適用上の注意）**

**第三条**　この条例の適用に当たつては、その本来の目的を逸脱して、これを濫用し、都民の権利を不当に侵害しないように留意しなければならない。

**（青少年の人権等への配慮）**

**第三条の二**　この条例の適用に当たつては、青少年の人権を尊重するとともに、青少年の身体的又は精神的な特性に配慮しなければならない。

**（都の責務）**

**第四条**　都は、青少年を健全に育成するために必要な施策を講ずるものとする。

2　都は、都民、区市町村、事業者及び都民又は事業者で構成する団体並びに青少年の健全な育成にかかわる団体と協働して、前項の施策を推進するための体制を整備するものとする。

3　都は、区市町村その他の公共団体又は公共的団体が青少年の健全な育成を図ることを目的として行う事業について、これを指導し、助成するように努めるものとする。

4　知事は、毎年、青少年の健全な育成に関する都の施策の内容を都民に公表しなければならない。

**（保護者の責務）**

**第四条の二**　保護者（親権を行う者、後見人その他の者で青少年を現に保護監督するものをいう。以下同じ。）は、青少年を健全に育成することが自らの責務であることを自覚して、青少年を保護し、教育するように努めるとともに、青少年が健やかに成長することができるように努めなければならない。

2　保護者は、青少年の保護又は育成にかかわる行政機関から、児童虐待等青少年の健全な育成が著しく阻害されている状況について、助言又は指導を受けた場合は、これを尊重し、その状況を改善するために適切に対応するように努めなければならない。

**（都民の申出）**

**第四条の三**　都民は、青少年を健全に育成する上で有益であると認めるもの又は青少年の健全な育成を阻害するおそれがあると認めるものがあるときは、その旨を知事に申し出ることができる。

### 第二章　優良図書類等の推奨等

**（優良図書類等の推奨）**

**第五条**　知事は、次に掲げるもので、東京都規則で定める基準に該当し、青少年を健全に育成する上で有益であると認めるものを推奨することができる。

一　図書類で、その内容が特にすぐれていると認められるもの

二　映画、演劇、演芸及び見せもの（以下「映画等」という。）で、その内容が特にすぐれていると認められるもの

三　がん具その他これに類するもの（以下「がん具類」という。）で、その構造または機能が特にすぐれていると認められるもの

**（携帯電話端末等の推奨）**

**第五条の二**　知事は、携帯電話端末又はＰＨＳ端末（これらの端末において利用可能な特定の機能があらかじめ付加された状態のものを含む。）で、青少年がインターネットを利用して青少年の健全な育成を阻害するおそれがある情報を得ることがないよう必要な配慮を行つていることその他の東京都規則で定める基準に該当し、青少年の健全な育成に配慮していると認めるものを、青少年の年齢に応じて推奨することができる。

2　知事は、インターネット接続機器（インターネットと接続する機能を有する機器であつて青少年により使用されるものをいう。）に利用者が付加することができる機能で、青少年のインターネットの利用に伴う危険性の除去に資するものとして、東京都規則で定める基準に該当し、青少年を健全に育成する上で有益であると認めるものを推奨することができる。

3　知事は、前二項の規定による推奨をしようとするときは、東京都規則で定めるところにより、業界に関係を有する者、青少年の保護者、学識経験を有する者その他の関係者の意見を聴かなければならない。

**（表彰）**

**第六条**　知事は、青少年の健全な育成を図る上で必要があると認めるときは、次の各号に掲げるものを表彰することができる。

一　青少年を健全に育成するために積極的に活動し、その功績が特に顕著であると認められるもの

二　青少年又は青少年の団体で、その行動が他の模範になると認められるもの

三　第五条の規定により知事が推奨した図書類、映画等及びがん具類で、特に優良であると認められるものを作成し、公衆の観覧に供し、又はこれらに関与したもの

四　次条の規定による自主規制を行つた者で、青少年の健全な育成に寄与するところが特に大であると認められるもの

## 第三章　不健全な図書類等の販売等の規制

**（図書類等の販売等及び興行の自主規制）**

**第七条**　図書類の発行、販売又は貸付けを業とする者並びに映画等を主催する者及び興行場（興行場法（昭和二十三年法律第百三十七号）第一条の興行場をいう。以下同じ。）を経営する者は、図書類又は映画等の内容が、次の各号のいずれかに該当すると認めるときは、相互に協力し、緊密な連絡の下に、当該図書類又は映画等を青少年に販売し、頒布し、若しくは貸し付け、又は観覧させないように努めなければならない。

一　青少年に対し、性的感情を刺激し、残虐性を助長し、又は自殺若しくは犯罪を誘発し、青少年の健全な成長を阻害するおそれがあるもの

二　漫画、アニメーションその他の画像（実写を除く。）で、刑罰法規に触れる性交若しくは性交類似行為又は婚姻を禁止されている近親者間における性交若しくは性交類似行為を、不当に賛美し又は誇張するように、描写し又は表現することにより、青少年の性に関する健全な判断能力の形成を妨げ、青少年の健全な成長を阻害するおそれがあるもの

**（がん具類の販売等の自主規制）**

**第七条の二**　がん具類の製造又は販売を業とする者は、がん具類の構造又は機能が、青少年に対し、性的感情を刺激し、残虐性を助長し、又は自殺若しくは犯罪を誘発し、青少年の健全な成長を阻害するおそれがあると認めるときは、相互に協力し、緊密な連絡の下に、当該がん具類を青少年に販売し、又は頒布しないように努めなければならない。

**（刃物の販売等の自主規制）**

**第七条の三**　刃物（銃砲刀剣類所持等取締法（昭和三十三年法律第六号）第二条第二項に規定する刀剣類を除く。以下同じ。）の製造又は販売を業とする者は、刃物の構造又は機能が、青少年又はその他の者の生命又は身体に対し、危険又は被害を誘発するおそれがあると認めるときは、相互に協力し、緊密な連絡の下に、当該刃物を青少年に販売し、又は頒布しないように努めなければならない。

**（不健全な図書類等の指定）**

**第八条**　知事は、次に掲げるものを青少年の健全な育成を阻害するものとして指定することができる。

一　販売され、若しくは頒布され、又は閲覧若しくは観覧に供されている図書類又は映画等で、その内容が、青少年に対し、著しく性的感情を刺激し、甚だしく残虐性を助長し、又は著しく自殺若しくは犯罪を誘発するものとして、東京都規則で定める基準に

該当し、青少年の健全な成長を阻害するおそれがあると認められるもの

二　販売され、若しくは頒布され、又は閲覧若しくは観覧に供されている図書類又は映画等で、その内容が、第七条第二号に該当するもののうち、強姦等の著しく社会規範に反する性交又は性交類似行為を、著しく不当に賛美し又は誇張するように、描写し又は表現することにより、青少年の性に関する健全な判断能力の形成を著しく妨げるものとして、東京都規則で定める基準に該当し、青少年の健全な成長を阻害するおそれがあると認められるもの

三　販売され、又は頒布されているがん具類で、その構造又は機能が東京都規則で定める基準に該当し、青少年の健全な成長を阻害するおそれがあると認められるもの

四　販売され、又は頒布されている刃物で、その構造又は機能が東京都規則で定める基準に該当し、青少年又はその他の者の生命又は身体に対し、危険又は被害を誘発するおそれがあると認められるもの

2　前項の指定は、指定するものの名称、指定の理由その他必要な事項を告示することによつてこれを行わなければならない。

3　知事は、前二項の規定により指定したときは、直ちに関係者にこの旨を周知しなければならない。

**（指定図書類の販売等の制限）**

**第九条**　図書類の販売又は貸付けを業とする者及びその代理人、使用人その他の従業者並びに営業に関して図書類を頒布する者及びその代理人、使用人その他の従業者（以下「図書類販売業者等」という。）は、前条第一項第一号又は第二号の規定により知事が指定した図書類（以下「指定図書類」という。）を青少年に販売し、頒布し、又は貸し付けてはならない。

2　図書類の販売又は貸付けを業とする者及び営業に関して図書類を頒布する者は、指定図書類を陳列するとき（自動販売機等により図書類を販売し、又は貸し付ける場合を除く。以下この条において同じ。）は、青少年が閲覧できないように東京都規則で定める方法により包装しなければならない。

3　図書類販売業者等は、指定図書類を陳列するときは、東京都規則で定めるところにより当該指定図書類を他の図書類と明確に区分し、営業の場所の容易に監視することのできる場所に置かなければならない。

4　何人も、青少年に指定図書類を閲覧させ、又は観覧させないように努めなければならない。

**（表示図書類の販売等の制限）**

**第九条の二**　図書類の発行を業とする者（以下「図書類発行業者」という。）は、図書類の発行、販売若しくは貸付けを業とする者により構成する団体で倫理綱領等により自主規制を行うもの（以下「自主規制団体」という。）又は自らが、次の各号に掲げる基準に照らし、それぞれ当該各号に定める内容に該当すると認める図書類に、青少年が閲覧し、又は観覧することが適当でない旨の表示をするように努めなければならない。

一　第八条第一項第一号の東京都規則で定める基準　青少年に対し、性的感情を刺激し、残虐性を助長し、又は自殺若しくは犯罪を誘発し、青少年の健全な成長を阻害するおそれがあるもの

二　第八条第一項第二号の東京都規則で定める基準　漫画、アニメーションその他の画像（実写を除く。）で、刑罰法規に触れる性交若しくは性交類似行為又は婚姻を禁止されている近親者間における性交若しくは性交類似行為を、不当に賛美し又は誇張するように、描写し又は表現することにより、青少年の性に関する健全な判断能力の形成を妨げ、青少年の健全な成長を阻害するおそれがあるもの

2　図書類販売業者等は、前項に定める表示をした図書類（指定図書類を除く。以下「表示図書類」という。）を青少年に販売し、頒布し、又は貸し付けないように努めなければならない。

3　図書類発行業者は、表示図書類について、青少年が閲覧できないように東京都規則で定める方法により包装するように努めなければならない。

4　図書類販売業者等は、表示図書類を陳列するとき（自動販売機等により図書類を販売し、又は貸し付ける場合を除く。）は、東京都規則で定めるところにより当該表示図書類を他の図書類と明確に区分し、営業の場所の容易に監視することのできる場所に置くように努めなければならない。

5　何人も、青少年に表示図書類を閲覧させ、又は観覧させないように努めなければならない。

**（表示図書類に関する勧告等）**

**第九条の三**　知事は、指定図書類のうち定期的に刊行されるものについて、当該指定の日以後直近の時期に発行されるものから表示図書類とするように自主規制団体又は図書類発行業者に勧告することができる。

2　知事は、図書類発行業者であつて、その発行する図書類が第八条第一項第一号又は第二号の規定による指定（以下この条において「不健全指定」という。）を受けた日から起算して過去一年間にこの項の規定による勧告を受けていない場合にあつては当該過去一年間に、過去一年間にこの項の規定による勧告を受けている場合にあつては当該勧告を受けた日（当該勧告を受

けた日が二以上あるときは、最後に当該勧告を受けた日）の翌日までの間に、不健全指定を六回受けたもの又はその属する自主規制団体に対し、必要な措置をとるべきことを勧告することができる。

3 知事は、前項の勧告を受けた図書類発行業者の発行する図書類が、同項の勧告を行つた日の翌日から起算して六月以内に不健全指定を受けた場合は、その旨を公表することができる。

4 知事は、前項の規定による公表をしようとする場合は、第二項の勧告を受けた者に対し、意見を述べ、証拠を提示する機会を与えなければならない。

5 知事は、表示図書類について、前条第二項から第四項までの規定が遵守されていないと認めるときは、図書類販売業者等又は図書類発行業者に対し、必要な措置をとるべきことを勧告することができる。

**（東京都青少年健全育成協力員）**

**第九条の四** 知事は、都民の協力を得て、第九条及び第九条の二の規定による指定図書類及び表示図書類の陳列がより適切に行われるように、知事が定めるところにより、東京都青少年健全育成協力員を置くことができる。

**（指定映画の観覧の制限）**

**第十条** 興行場において、第八条第一項第一号又は第二号の規定により知事が指定した映画（以下「指定映画」という。）を上映するときは、当該興行場を経営する者及びその代理人、使用人その他の従業者は、これを青少年に観覧させてはならない。

2 何人も、青少年に指定映画を観覧させないように努めなければならない。

**（指定演劇等の観覧の制限）**

**第十一条** 興行場において、第八条第一項第一号又は第二号の規定により知事が指定した演劇、演芸又は見せもの（以下「指定演劇等」という。）を上演し、又は観覧に供するときは、当該興行場を経営する者及びその代理人、使用人その他の従業者は、これを青少年に観覧させてはならない。

**（観覧等の制限の掲示）**

**第十二条** 指定映画または指定演劇等を上映し、上演し、または観覧に供している興行場を経営する者は、当該興行場の入口の見やすいところに、東京都規則で定める様式による掲示をしておかなければならない。

**（指定がん具類の販売等の制限）**

**第十三条** がん具類の販売を業とする者及びその代理人、使用人その他の従業者並びに営業に関してがん具類を頒布する者及びその代理人、使用人その他の従業者は、第八条第一項第三号の規定により知事が指定したがん具類（以下「指定がん具類」という。）を青少年に販売し、又は頒布してはならない。

2 何人も、青少年に指定がん具類を所持させないように努めなければならない。

**（指定刃物の販売等の制限）**

**第十三条の二** 何人も、第八条第一項第四号の規定により知事が指定した刃物（以下「指定刃物」という。）を青少年に販売し、頒布し、又は貸し付けてはならない。

2 何人も、青少年に指定刃物を所持させないように努めなければならない。

**（自動販売機等管理者の設置等）**

**第十三条の三** 自動販売機等による図書類又は特定がん具類（性的感情を刺激するがん具類で、性具その他の性的な行為の用に供するがん具類及び性器を模したがん具類をいう。以下同じ。）の販売又は貸付けを業とする者（以下「自動販売機等業者」という。）は、自動販売機等ごとに、当該自動販売機等の管理を行う者（以下「自動販売機等管理者」という。）を置かなければならない。

2 自動販売機等管理者は、東京都内に住所を有し、当該自動販売機等の管理を適正に行うことができる者でなければならない。

3 自動販売機等により図書類又は特定がん具類を販売し、又は貸し付けようとする者は、販売又は貸付けを開始する日の十五日前までに、当該自動販売機等ごとに、東京都規則で定めるところにより、次に掲げる事項を知事に届け出なければならない。

一 氏名又は名称、住所及び電話番号
二 自動販売機等の機種及び製造番号
三 自動販売機等の設置場所
四 自動販売機等管理者の氏名、住所及び電話番号
五 前各号に掲げるもののほか、東京都規則で定める事項

4 前項の規定による届出をした者は、同項各号に掲げる事項に変更があつたとき、又は当該届出に係る自動販売機等の使用を廃止したときは、その変更があつた日又は廃止した日から十五日以内に、東京都規則で定めるところにより、その旨を知事に届け出なければならない。

5 第三項の規定による届出をした者は、東京都規則で定めるところにより、当該届出に係る自動販売機等の見やすい箇所に、自動販売機等業者及び自動販売機等管理者の氏名又は名称、住所その他東京都規則で定める事項を明確に表示しなければならない。前項の規定による変更の届出をしたときも、同様とする。

**（自動販売機等への指定図書類等の収納禁止等）**

**第十三条の四**　自動販売機等業者は、指定図書類又は指定がん具類（特定がん具類であるものに限る。）を自動販売機等に収納してはならない。

2　自動販売機等業者及び自動販売機等管理者は、当該自動販売機等業者の設置する自動販売機等に収納されている図書類又は特定がん具類が指定図書類又は指定がん具類となつたときは、直ちに当該指定図書類又は指定がん具類を撤去しなければならない。

**（自動販売機等に対する措置）**

**第十三条の五**　自動販売機等業者は、表示図書類若しくは第八条第一項第一号若しくは第二号の東京都規則で定める基準に準ずる内容の図書類（指定図書類を除く。）又は特定がん具類（指定がん具類を除く。）を収納している自動販売機等について、青少年が当該図書類又は特定がん具類を観覧できず、かつ、購入し、又は借り受けることができないように東京都規則で定める措置をとらなければならない。

**（自動販売機等の設置に関する距離制限）**

**第十三条の六**　自動販売機等業者は、学校教育法（昭和二十二年法律第二十六号）第一条に規定する学校（大学及び幼稚園を除く。）の敷地の周囲百メートルの区域内においては、前条に規定する自動販売機等を設置しないように努めなければならない。

**（自動販売機等に関する適用除外）**

**第十三条の七**　前四条の規定は、他の法令により青少年を客として入場させることが禁止され、かつ、外部から図書類又は特定がん具類を購入し、又は借り受けることができない場所に設置される自動販売機等については適用しない。

**（自動販売機等業者等への勧告）**

**第十三条の八**　知事は、自動販売機等業者又は自動販売機等管理者に対し、当該自動販売機等業者が設置し、又は当該自動販売機等管理者が管理する自動販売機等に係る図書類又は特定がん具類の販売又は貸付けの状況が、青少年の健全な成長を阻害するおそれがあると認めるときは、販売若しくは貸付けの方法又は自動販売機等の設置場所について、必要な措置をとるべきことを勧告することができる。

**（有害広告物に対する措置）**

**第十四条**　知事は、広告物の形態又はその広告の内容が、青少年に対し、著しく性的感情を刺激し、又は甚だしく残虐性を助長するものとして、東京都規則で定める基準に該当し、青少年の健全な成長を阻害するおそれがあると認めるときは、当該広告物の広告主又はこれを管理する者に対し、当該広告物の形態又は広告の内容の変更その他必要な措置を命ずることができる。

**（質受け及び古物買受けの制限）**

**第十五条**　質屋（質屋営業法（昭和二十五年法律第百五十八号）第一条第二項に規定する質屋をいう。以下同じ。）は、青少年から物品（次条第一項に規定する物を除く。）を質に取つて金銭を貸し付けてはならない。

2　古物商（古物営業法（昭和二十四年法律第百八号）第二条第三項に規定する古物商をいう。以下同じ。）は、青少年から古物（次条第一項に規定する物を除く。）を買い受けてはならない。

3　前二項の規定は、青少年が保護者の委託を受け、又は保護者の同行若しくは同意を得て、物品の質入れ又は古物の売却をするものと認められるときは、適用しない。

4　何人も、正当な理由がある場合を除き、青少年から質入れ又は古物の売却の委託を受けないように努めなければならない。

**（着用済み下着等の買受け等の禁止）**

**第十五条の二**　何人も、青少年から着用済み下着等（青少年が一度着用した下着又は青少年のだ液若しくはふん尿をいい、青少年がこれらに該当すると称した下着、だ液又はふん尿を含む。以下この条において同じ。）を買い受け、売却の委託を受け、又は着用済み下着等の売却の相手方を青少年に紹介してはならない。

2　何人も、前項に規定する行為が行われることを知つて、その場所を提供してはならない。

**（青少年への勧誘行為の禁止）**

**第十五条の三**　何人も、青少年に対し、次に掲げる行為を行つてはならない。

一　青少年が一度着用した下着又は青少年のだ液若しくはふん尿を売却するように勧誘すること。

二　性風俗関連特殊営業（風俗営業等の規制及び業務の適正化等に関する法律（昭和二十三年法律第百二十二号。以下「風適法」という。）第二条第五項に規定する性風俗関連特殊営業をいう。）において客に接する業務に従事するように勧誘すること。

三　接待飲食等営業（風適法第二条第四項に規定する接待飲食等営業のうち、同条第一項第一号に該当する営業をいう。）の客となるように勧誘すること。

**（深夜外出の制限）**

**第十五条の四**　保護者は、通勤又は通学その他正当な理由がある場合を除き、深夜（午後十一時から翌日午前四時までの時間をいう。以下同じ。）に青少年を外出させないように努めなければならない。

2　何人も、保護者の委託を受け、又は同意を得た場合その他正当な理由がある場合を除き、深夜に青少年を連れ出し、同伴し、又はとどめてはならない。

3　何人も、深夜に外出している青少年に対しては、その保護及び善導に努めなければならない。ただし、青少年が保護者から深夜外出の承諾を得ていることが明らかである場合は、この限りでない。

4　深夜に営業を営む事業者及びその代理人、使用人その他の従業者は、当該時間帯に、当該営業に係る施設内及び敷地内にいる青少年に対し、帰宅を促すように努めなければならない。

**（深夜における興行場等への立入りの制限等）**

**第十六条**　次に掲げる施設を経営する者及びその代理人、使用人その他の従業者は、深夜においては、当該施設に青少年を立ち入らせてはならない。

一　興行場

二　設備を設けて客にボウリング、スケート又は水泳を行わせる施設

三　個室を設けて当該個室において客に専用装置による伴奏音楽に合わせて歌唱を行わせる施設

四　設備を設けて客に主に図書類の閲覧若しくは観覧又は電気通信設備によるインターネットの利用を行わせる施設（図書館法（昭和二十五年法律第百十八号）第二条第一項に規定する図書館を除く。）

2　前項各号に掲げる施設を経営する者は、深夜において営業を営む場合は、当該営業の場所の入口の見やすいところに、東京都規則で定める様式による掲示をしておかなければならない。

**（立入調査）**

**第十七条**　知事が指定した知事部局の職員は、この条例の施行に必要な限度において、図書類の販売若しくは貸付けを業とする者の営業の場所又は営業に関して図書類を頒布する者の営業の場所に営業時間内において立ち入り、調査を行い、又は関係者に質問し、若しくは資料の提出を求めることができる。

2　知事が指定した知事部局の職員及び警視総監が指定した警察官は、この条例の施行に必要な限度において、次に掲げる場所に営業時間（第六号に掲げる営業の場所にあつては、深夜における営業時間とする。）内において立ち入り、調査を行い、又は関係者に質問し、若しくは資料の提出を求めることができる。

一　興行場

二　がん具類若しくは刃物の販売を業とする者の営業の場所又は営業に関してがん具類若しくは刃物を頒布する者の営業の場所

三　自動販売機等業者の営業の場所

四　質屋又は古物商の営業の場所

五　第十五条の二第一項に規定する行為を行うために提供されている場所

六　前条第一項第二号から第四号までに掲げる施設を経営する者の営業の場所

3　前二項の場合において、知事が指定した知事部局の職員は東京都規則で、警視総監が指定した警察官は東京都公安委員会規則で定める様式による証票を携帯し、あらかじめ、これを関係者に提示しなければならない。

4　第一項及び第二項の規定による立入調査の権限は、犯罪捜査のために認められたものと解釈してはならない。

**（警告）**

**第十八条**　前条第一項の知事が指定した知事部局の職員は、次の各号のいずれかに該当する者に対し、警告を発することができる。

一　第九条第一項の規定に違反して青少年に指定図書類を販売し、頒布し、又は貸し付けた者

二　第九条第二項の規定に違反して同項の規定による包装を行わなかつた者

三　第九条第三項の規定に違反して同項の規定による陳列を行わなかつた者

2　前条第二項の知事が指定した知事部局の職員及び警視総監が指定した警察官は、次の各号のいずれかに該当する者に対し、警告を発することができる。

一　第十条第一項の規定に違反して青少年に指定映画を観覧させた者

二　第十一条の規定に違反して青少年に指定演劇等を観覧させた者

三　第十三条第一項の規定に違反して青少年に指定がん具類（特定がん具類であるものに限る。）を販売し、又は頒布した者

四　第十三条の三第五項の規定に違反して表示を怠つた者

五　第十三条の四第一項又は第二項の規定に違反して自動販売機等に指定図書類又は指定がん具類を収納し、又は撤去しなかつた者

六　第十三条の五の規定に違反して同条に規定する措置をとらなかつた者

七　第十五条第三項の規定に該当する場合を除き、同条第一項の規定に違反して青少年から物品を質に取つて金銭を貸し付けた者

八　第十五条第三項の規定に該当する場合を除き、同条第二項の規定に違反して青少年から古物を買い受けた者

九　第十五条の三の規定に違反して同条各号に掲げるいずれかの行為を行つた者

十　第十二条又は第十六条第二項の規定に違反して掲示を怠つた者

3　第一項各号及び前項第一号から第九号までの各号のいずれかに該当する者が、法人の代表者又は法人若しくは人の代理人、使用人その他の従業者であるときは、その法人又は人及びこれらの代理人に対しても、これらの項の規定による警告を発することができる。

4　第一項各号及び第二項第一号から第九号までの警告は、知事が指定した知事部局の職員が行う場合は東京都規則で、警視総監が指定した警察官が行う場合は東京都公安委員会規則で定める様式による警告書を交付して行うものとする。

（審議会への諮問）

**第十八条の二**　知事は、第五条の規定による推奨をし、第八条の規定による指定をし、又は第十四条の規定による措置を命じようとするときは、第十九条に規定する東京都青少年健全育成審議会の意見を聴かなければならない。

2　知事は、前項の規定により、東京都青少年健全育成審議会の意見を聴くときは、第七条から第七条の三までに規定する自主規制を行つている団体があるときは、必要に応じ、当該団体の意見を聴かなければならない。

## 第三章の二　青少年の性に関する健全な判断能力の育成

（青少年の性に関する保護者等の責務）

**第十八条の三**　保護者及び青少年の育成にかかわる者（以下「保護者等」という。）は、異性との交友が相互の豊かな人格のかん養に資することを伝えるため並びに青少年が男女の性の特性に配慮し、安易な性行動により、自己及び他人の尊厳を傷つけ、若しくは心身の健康を損ね、調和の取れた人間形成が阻害され、又は自ら対処できない責任を負うことのないよう、慎重な行動をとることを促すため、青少年に対する啓発及び教育に努めるとともに、これらに反する社会的風潮を改めるように努めなければならない。

2　保護者等は、青少年のうち特に心身の変化が著しく、かつ、人格が形成途上である者に対しては、性行動について特に慎重であるよう配慮を促すように努めなければならない。

3　保護者は、青少年の性的関心の高まり、心身の変化等に十分な注意を払うとともに、青少年と性に関する対話を深めるように努めなければならない。

（青少年の性に関する都の責務）

**第十八条の四**　都は、青少年の性に関する健全な判断能力の育成を図るとともに、当該判断能力が形成途上であることに起因して、青少年の健全な育成が阻害されないように、普及啓発、教育、相談等の施策の推進に努めるものとする。

（安易な性行動を助長する情報を提供しないための自主的な取組）

**第十八条の五**　青少年に対して情報の提供を行うことを業とする者は、青少年の安易な性行動をいたずらに助長するなど青少年の性に関する健全な成長を阻害するおそれがある情報を提供することのないよう、自主的な取組に努めなければならない。

（青少年に対する反倫理的な性交等の禁止）

**第十八条の六**　何人も、青少年とみだらな性交又は性交類似行為を行つてはならない。

（青少年に児童ポルノ等の提供を求める行為の禁止）

**第十八条の七**　何人も、青少年に対し、次に掲げる行為を行つてはならない。

一　青少年に拒まれたにもかかわらず、当該青少年に係る児童ポルノ等（児童買春、児童ポルノに係る行為等の規制及び処罰並びに児童の保護等に関する法律（平成十一年法律第五十二号）第二条第三項に規定する児童ポルノ（以下単に「児童ポルノ」という。）又は同法第七条第二項に規定する電磁的記録その他の記録をいう。次号において同じ。）の提供を行うように求めること。

二　青少年を威迫し、欺き、若しくは困惑させ、又は青少年に対し対償を供与し、若しくはその供与の約束をする方法により、当該青少年に係る児童ポルノ等の提供を行うように求めること。

## 第三章の三　児童ポルノ及び青少年を性欲の対象として扱う図書類等に係る責務

（児童ポルノの根絶等に向けた都の責務等）

**第十八条の八**　都は、事業者及び都民と連携し、児童ポルノを根絶するための環境の整備に努める責務を有する。

2　都民は、児童ポルノを根絶することについて理解を深め、その実現に向けた自主的な取組に努めるものとする。

3　都は、みだりに性欲の対象として扱われることにより、心身に有害な影響を受け自己の尊厳を傷つけられた青少年に対し、当該青少年がその受けた影響から回復し、自己の尊厳を保つて成長することができるよう、支援のための措置を適切に講ずるものとする。

（青少年を性欲の対象として扱う図書類等に係る保護者

等の責務）

**第十八条の九**　保護者等は、児童ポルノ及び青少年のうち十三歳未満の者であつて衣服の全部若しくは一部を着けない状態又は水着若しくは下着のみを着けた状態（これらと同等とみなされる状態を含む。）にあるものの扇情的な姿態を視覚により認識することができる方法でみだりに性欲の対象として描写した図書類（児童ポルノに該当するものを除く。）又は映画等において青少年が性欲の対象として扱われることが青少年の心身に有害な影響を及ぼすことに留意し、青少年が児童ポルノ及び当該図書類又は映画等の対象とならないように適切な保護監督及び教育に努めなければならない。

2　事業者は、その事業活動に関し、青少年のうち十三歳未満の者が前項の図書類又は映画等の対象とならないように努めなければならない。

3　知事は、保護者又は事業者が青少年のうち十三歳未満の者に係る第一項の図書類又は映画等で著しく扇情的なものとして東京都規則で定める基準に該当するものを販売し、若しくは頒布し、又はこれを閲覧若しくは観覧に供したと認めるときは、当該保護者又は事業者に対し必要な指導又は助言をすることができる。

4　知事は、前項の指導又は助言を行うため必要と認めるときは、保護者及び事業者に対し説明又は資料の提出を求めることができる。

## 第三章の四　インターネット利用環境の整備

**（インターネット利用に係る都の責務）**

**第十八条の十**　都は、インターネットの利用に関する青少年の健全な判断能力の育成を図るため、普及啓発、教育等の施策の推進に努めるものとする。

2　都は、青少年がインターネットの利用に伴う危険性及び過度の利用による弊害について適切に理解し、これらの除去に必要な知識を確実に習得できるようにするため、青少年に対して行われるインターネットの利用に関する啓発についての指針を定めるものとする。

**（インターネット利用に係る事業者の責務）**

**第十八条の十一**　青少年有害情報フィルタリングソフトウェア（青少年が安全に安心してインターネットを利用できる環境の整備等に関する法律（平成二十年法律第七十九号。以下「青少年インターネット環境整備法」という。）第二条第九項に規定する青少年有害情報フィルタリングソフトウェアをいう。以下同じ。）を開発する事業者及び青少年有害情報フィルタリングサービス（同条第十項に規定する青少年有害情報フィルタリングサービスをいう。以下同じ。）を提供する事業者は、青少年のインターネットの利用により青少年の売春、犯罪の被害、いじめ等様々な問題が生じている実態を踏まえ、その開発する青少年有害情報フィルタリングソフトウェア又はその提供する青少年有害情報フィルタリングサービスの性能及び利便性の向上を図るように努めなければならない。

2　青少年インターネット環境整備法第三十条第一号のフィルタリング推進機関並びに同条第二号及び第六号の民間団体は、青少年のインターネットの利用により青少年の売春、犯罪の被害、いじめ等様々な問題が生じている実態を踏まえ、その業務を通じ、青少年有害情報フィルタリングソフトウェア及び青少年有害情報フィルタリングサービスの性能の向上及び利用の普及が図られるように努めるものとする。

3　インターネット接続役務提供事業者（青少年インターネット環境整備法第二条第六項に規定するインターネット接続役務提供事業者をいう。）は、インターネット接続役務（同条第五項に規定するインターネット接続役務をいう。）に係る契約を締結するに当たつては、当該契約の相手方に対し、青少年の利用の有無を確認し、利用者に青少年が含まれる場合には、青少年有害情報フィルタリングサービスを提供している旨を告知し、その利用を勧奨するように努めなければならない。

4　第十六条第一項第四号に掲げる施設を経営する者は、青少年が当該施設に備え付けられた機器によりインターネットを利用する場合には、青少年がインターネットを適正に利用できるように、青少年有害情報フィルタリングソフトウェアを利用した機器又は青少年有害情報フィルタリングサービスの提供を受けた機器の提供に努めなければならない。

5　青少年のインターネットの利用に関係する事業を行う者は、インターネットの利用に関する青少年の健全な判断能力の育成を図るため、その利用に伴う危険性及び過度の利用による弊害並びにこれらの除去に必要な知識について青少年が適切に理解できるようにするための啓発に努めるものとする。

**（携帯電話端末等による青少年有害情報の閲覧防止措置）**

**第十八条の十二**　保護者は、青少年インターネット環境整備法第十五条ただし書の規定により青少年有害情報フィルタリングサービスを利用しない旨の申出をするとき又は青少年インターネット環境整備法第十六条ただし書の規定により青少年有害情報フィルタリング有効化措置を講ずることを希望しない旨の申出をするときは、東京都規則で定めるところにより、保護者が携帯電話インターネット接続役務提供事業者（青少年インターネット環境整備法第二条第八項に規定する携帯電話インターネット接続役務提供事業者をいう。）が提供するインターネットの利用状況に関する事項の閲覧を可能とする役務を利用すること等により青少年がインターネット上の青少年有害情報（青少年インターネット環境整備法第二条第三項に規定する青少年有害情報をいう。）を閲覧することがないように適切に監督することその他の東京都規則で定める正当な理由その他の事項を記載した書面（当該事項を記録した電磁的記録を含む。第三項において同じ。）を携帯電話インターネット接続役務提供事業者等（青少年インターネット環境整備法第十三条第一項に規定する携帯電話インターネット接続役務提供事業者等をいう。以下同じ。）に提出しなければならない。

2　携帯電話インターネット接続役務提供事業者等は、青少年インターネット環境整備法第十四条の規定により、青少年又は保護者に対し、同条に規定する事項を説明するときは、併せて、インターネットを不適切に利用することにより、青少年が違法な行為をし、又は自己若しくは他人に対し有害な行為をするおそれがあることその他の東京都規則で定める事項を説明するとともに、これらの事項を記載した説明書を交付しなければならない。

3　携帯電話インターネット接続役務提供事業者等は、第一項の規定により保護者から提出を受けた書面に記載又は記録をされた事項を、東京都規則で定めるところにより、保存しなければならない。

4　知事は、携帯電話インターネット接続役務提供事業者等が第二項又は前項の規定に違反していると認めるときは、当該携帯電話インターネット接続役務提供事業者等に対し、必要な措置をとるべきことを勧告することができる。

5　知事は、携帯電話インターネット接続役務提供事業者等が前項の規定による勧告に従わなかつたときは、その旨を公表することができる。

6　知事は、前項の規定により公表しようとするときは、第四項の勧告を受けた携帯電話インターネット接続役務提供事業者等に対し、意見を述べ、証拠を提示する機会を与えなければならない。

7　知事が指定した知事部局の職員は、第二項から第五項までの規定の施行に必要な限度において、当該携帯電話インターネット接続役務提供事業者等の営業又は事業の場所に営業時間内において立ち入り、調査を行い、又は関係者に質問し、若しくは資料の提出を求めることができる。

**（インターネット利用に係る保護者等の責務）**

**第十八条の十三**　保護者は、青少年有害情報フィルタリングソフトウェア又は青少年有害情報フィルタリングサービスの利用により、青少年がインターネットを適正に利用できるように努めるとともに、青少年がインターネットを利用して違法な行為をし、又は自己若しくは他人に対し有害な行為をすることを防ぐため、青少年のインターネットの利用状況を適切に把握し、青少年のインターネットの利用を的確に管理するように努めなければならない。

2　保護者等は、家庭、地域その他の場において、インターネットの利用に関する青少年の健全な判断能力の育成を図るため、自らもインターネットの利用に伴う危険性及び過度の利用による弊害についての理解並びにこれらの除去に必要な知識の習得に努めるとともに、これらを踏まえて青少年とともにインターネットの利用に当たり遵守すべき事項を定めるなど適切な利用の確保に努めるものとする。

3　都は、青少年がインターネットを利用して違法な行為をし、又は自己若しくは他人に対し有害な行為をした場合におけるその保護者に対し、必要に応じ、再発防止に資する情報の提供その他の支援を行うように努めるものとする。

## 第四章　東京都青少年健全育成審議会

**（設置）**

**第十九条**　第十八条の二第一項の規定に基づく知事の諮問に応じ、調査し、審議するため、東京都青少年健全育成審議会（以下「審議会」という。）を置く。

**（組織）**

**第二十条**　審議会は、次の各号に掲げる者につき、知事が任命または委嘱する委員二十人以内をもつて組織する。

一　業界に関係を有する者　三人以内
二　青少年の保護者　三人以内
三　学識経験を有する者　八人以内
四　関係行政機関の職員　三人以内
五　東京都の職員　三人以内

2　専門の事項を調査するため必要があるときは、審議会に専門委員を置くことができる。

**（委員及び専門委員の任期）**

**第二十一条**　前条第一項第一号から第三号までの委員の任期は、二年とし、補欠の委員の任期は、前任者の残任期間とする。

2　専門委員の任期は、当該専門の事項に関する調査が終了するまでとする。

（会長）

**第二十二条**　審議会に会長を置き、委員の互選によつてこれを定める。

2　会長は、審議会を代表し、会務を総理する。

3　会長に事故があるときは、あらかじめ、会長の指名する委員がその職務を代理する。

（招集）

**第二十三条**　審議会は、知事が招集する。

（定足数及び表決数）

**第二十四条**　審議会は、委員の半数以上の出席がなければ、会議を開くことができない。

2　審議会の議事は、出席した委員（会長である委員（第二十二条第三項の規定により会長の職務を代理する委員を含む。）を除く。）の過半数で決し、可否同数のときは、会長の決するところによる。

（小委員会）

**第二十四条の二**　会長は、審議会の定めるところにより、第八条の規定による指定に関する事項について必要があると認めるときは、第十八条の二第一項の規定に基づく知事の諮問に応じて当該事項を調査し、審議するための小委員会を審議会に置くものとする。

2　小委員会は、会長（第二十二条第三項の規定により会長の職務を代理する委員を含む。以下この条において同じ。）及び会長が審議会の委員のうちから第二十条第一項各号に掲げる区分ごとに指名する委員五人をもつて組織する。

3　小委員会に委員長を置き、会長をもつて充てる。

4　小委員会は、委員長が招集する。

5　委員長は、小委員会を代表し、会務を掌理する。

6　審議会は、その定めるところにより、小委員会の議決をもつて審議会の議決とすることができる。

7　前条の規定は、小委員会の定足数及び表決数について準用する。

## 第五章　罰則

（罰則）

**第二十四条の三**　第十八条の六の規定に違反した者は、二年以下の拘禁刑又は百万円以下の罰金に処する。

**第二十四条の四**　次の各号の一に該当する者は、五十万円以下の罰金に処する。

一　第十五条の二第一項の規定に違反する行為をすることを業として行つた者

二　第十五条の二第二項の規定に違反した者

**第二十五条**　第十八条第一項各号、同条第二項第一号から第三号まで若しくは第五号から第九号まで又は同条第三項の規定による警告（同条第二項第四号に係る場合を除く。）に従わず、なお、第九条第一項、第二項若しくは第三項、第十条第一項、第十一条、第十三条第一項（特定がん具類に関して適用される場合に限る。）、第十三条の四第一項若しくは第二項、第十三条の五、第十五条第一項若しくは第二項又は第十五条の三の規定に違反した者は、三十万円以下の罰金に処する。

**第二十六条**　次の各号の一に該当する者は、三十万円以下の罰金に処する。

一　第十三条第一項の規定に違反して、青少年に指定がん具類（特定がん具類を除く。）を販売し、又は頒布した者

二　第十三条の二第一項の規定に違反した者

三　第十四条の規定による知事の措置命令に従わなかつた者

四　第十五条の二第一項の規定に違反した者（第二十四条の四第一号に該当する場合を除く。）

五　第十五条の四第二項の規定に違反して、深夜に十六歳未満の青少年を連れ出し、同伴し、又はとどめた者

六　第十六条第一項の規定に違反した者

七　第十八条の七の規定に違反した者

**第二十六条の二**　次の各号の一に該当する者は、二十万円以下の罰金に処する。

一　第十三条の三第三項若しくは第四項の規定に違反して、届出をせず、又は虚偽の届出をした者

二　第十七条第一項の規定による知事が指定した知事部局の職員の立入調査又は同条第二項の規定による知事が指定した知事部局の職員若しくは警視総監が指定した警察官の立入調査を拒み、妨げ、又は忌避した者及びこれらの項の規定による質問に対して虚偽の陳述をし、又は資料の提出の要求に応ぜず、若しくは虚偽の資料を提出した者

**第二十七条**　第十八条第二項第四号又は同条第三項の規定による警告（同号に係る場合に限る。）に従わず、なお、第十三条の三第五項の規定に違反した者は、十万円以下の罰金に処する。

**第二十八条**　第九条第一項、第十条第一項、第十一条、第十三条第一項、第十三条の二第一項、第十五条第一項若しくは第二項、第十五条の二第一項若しくは第二項、第十五条の三、第十五条の四第二項又は第十六条第一項の規定に違反した者は、当該青少年の年齢を知らないことを理由として、第二十四条の四、第二十五条又は第二十六条第一号、第二号若しくは第四号から第六号までの規定による処罰を免れることができない。ただし、過失のないときは、この限りでない。

（両罰規定）

**第二十九条**　法人の代表者又は法人若しくは人の代理人、使用人その他の従業者が、その法人又は人の業務に関して、第二十四条の四から第二十七条までの違反行為をしたときは、行為者を罰するほか、その法人又は人に対しても、各本条の刑を科する。

**（青少年についての免責）**

**第三十条**　この条例に違反した者が青少年であるときは、この条例の罰則は、当該青少年の違反行為については、これを適用しない。

### 第六章　雑則

**（委任）**

**第三十一条**　この条例に定めるもののほか、この条例の施行について必要な事項は、東京都規則で定める。

**付　則**

この条例は、公布の日から起算して二月を経過した日から施行する。

**附　則**（平二九・一二・二二条例七四）

1　この条例は、平成三十年二月一日から施行する。ただし、第十八条の七の改正規定（同条を第十八条の十一とする部分を除く。）及び第十八条の七の二の改正規定（同条を第十八条の十二とする部分を除く。）は、青少年が安全に安心してインターネットを利用できる環境の整備等に関する法律の一部を改正する法律（平成二十九年法律第七十五号）の施行の日又はこの条例の公布の日のいずれか遅い日〔平三〇・二・一〕から施行する。

2　この条例による改正後の東京都青少年の健全な育成に関する条例第十八条の十二第四項から第七項までの規定は、第十八条の七の二の改正規定（同条を第十八条の十二とする部分を除く。）の施行の日以後にした契約について適用し、同日前にした契約については、なお従前の例による。

3　この条例の施行前にした行為に対する罰則の適用については、なお従前の例による。

**附　則**（令六・一〇・一一条例一二一）

1　この条例は、令和七年六月一日から施行する。

2　この条例の施行前にした行為に対する罰則の適用については、なお従前の例による。

## ○東京都青少年の健全な育成に関する条例施行規則

平一六・三・三一
規　則　九　八

最終改正　令五・三・三一規則四八

### 第一章　総則

**（定義）**

**第一条**　この規則において、次の各号に掲げる用語の意義は、それぞれ当該各号に定めるところによる。

一　関係局等の長　政策企画局長、総務局長、生活文化スポーツ局長、福祉局長、産業労働局長、建設局長、港湾局長、子供政策連携室長、生活文化スポーツ局生活安全担当局長、教育長、警視総監及び消防総監をいう。

二　表彰候補者　東京都青少年の健全な育成に関する条例（昭和三十九年東京都条例第百八十一号。以下「条例」という。）第六条各号のいずれかに該当すると認められるものをいう。

三　被表彰者　表彰を受けるべきものをいう。

### 第二章　優良図書類等の推奨及び表彰手続

**（優良図書類等の推奨の基準）**

**第二条**　条例第五条の東京都規則で定める基準は、次の各号のいずれかに該当するものであることとする。

一　青少年の社会に対する良識と倫理観を育てるものであること。

二　青少年が知識を身につけ、教養を深めていくことに役立つものであること。
三　青少年の人を慈しみ、大切にする心を育てるものであること。
四　青少年の美しいものに対する感性を磨き、育てるものであること。
五　青少年の思考力、批判力又は観察力を養うものであること。
六　前各号に掲げるもののほか、青少年の健全な心身の成長に資するものであること。

（**携帯電話端末等の推奨の基準**）

**第二条の二**　条例第五条の二第一項の東京都規則で定める基準は、次に掲げる要件を全て満たすものであることとする。

一　次に掲げる区分に応じ、それぞれ当該区分に定める要件を全て満たし、青少年の利用に関して青少年の健全な育成に配慮していると認められる携帯電話端末又はＰＨＳ端末（これらの端末において利用可能な特定の機能があらかじめ付加された状態のものを含む。以下同じ。）であること。

イ　青少年が専ら保護者等（保護者（条例第四条の二第一項に規定する保護者をいう。以下同じ。）及び青少年の育成に関わる者をいう。以下同じ。）との連絡のために携帯電話端末又はＰＨＳ端末を利用する時期（おおむね小学生程度）

(1)　青少年が携帯電話端末又はＰＨＳ端末を利用して保護者の望まない相手と連絡を取ることを防止できること。

(2)　青少年による携帯電話端末又はＰＨＳ端末での連絡を取るための利用において、青少年の家庭の状況に応じてその利用を最小限にとどめられること。

(3)　青少年が携帯電話端末又はＰＨＳ端末を利用してウェブサイトを利用することができないこと。

(4)　連絡を取るための機能以外の機能がないこと又は青少年の家庭の状況に応じて青少年の健全な育成を図る観点から必要が認められない機能を保護者が適切に制限できること。

(5)　保護者等による保護又は監護を可能とする機能があること。

ロ　青少年がインターネットの利用について学習している時期（おおむね中学生以上）

(1)　青少年が携帯電話端末又はＰＨＳ端末を利用して青少年に有害な影響を及ぼすおそれのある相手と連絡を取ることを防止できること。

(2)　青少年の家庭の状況に応じて青少年による携帯電話端末又はＰＨＳ端末の深夜の利用を適切に制限できるとともに、青少年の生活習慣を乱すような携帯電話端末又はＰＨＳ端末の利用及び依存的な利用を抑止できること。

(3)　保護者が、利用者である青少年のプライバシーに配慮しつつ、必要に応じて青少年の携帯電話端末又はＰＨＳ端末の利用状況を適切に把握することができること。

(4)　青少年有害情報（青少年が安全に安心してインターネットを利用できる環境の整備等に関する法律（平成二十年法律第七十九号。以下「青少年インターネット環境整備法」という。）第二条第三項に規定する青少年有害情報をいう。以下同じ。）の閲覧を制限するために、青少年が、携帯電話端末又はＰＨＳ端末のインターネットを利用して、青少年有害情報フィルタリングサービス（同条第十項に規定する青少年有害情報フィルタリングサービスをいう。以下同じ。）を利用できること。

(5)　連絡を取るための機能若しくはウェブサイトを利用するための機能以外の機能がないこと又は青少年の家庭の状況に応じて青少年の健全な育成を図る観点から必要が認められない機能を保護者が適切に制限できること。

二　前号に掲げる要件に該当する機能が一括して提供されていること又は当該機能を保護者が容易に設定できるようにされていること。

三　第一号に掲げる要件に該当する機能を確保するため、その機能を設定し、又は変更する場合には、必ず保護者が関与する仕組みが確保されていること。

2　条例第五条の二第二項の東京都規則で定める基準は、次に掲げる要件を全て満たすものであることとする。

一　次に掲げる要件のいずれかを満たすものであること。

イ　インターネット上で青少年が当該青少年に係る児童ポルノ等（条例第十八条の七第一号に規定する児童ポルノ等をいう。）の提供を求められた場合に、青少年の未成熟な判断能力を補う、又は保護者等による保護若しくは監護を可能とするなど、青少年による児童ポルノ等の作成又は提供の防止に資するものであること。

ロ　インターネット上で青少年が自殺若しくは刑罰法規に触れる行為の実行を勧められ、又はそそのかされた場合に、青少年の未成熟な判断能力を補う、又は保護者等による保護若しくは監護を可能とするなど、青少年の自殺又は犯罪の防止に資するものであること。
ハ　インターネット上で青少年がいじめを受けた場合に、青少年の未成熟な判断能力を補う、又は保護者等による保護若しくは監護を可能とするなど、いじめの防止に資するものであること。
ニ　イ、ロ及びハに掲げるもののほか、青少年のインターネットの利用に伴う危険性の除去に資すると知事が認めるものであること。
二　青少年のプライバシーに配慮されているものであること。
三　サイバーセキュリティ（サイバーセキュリティ基本法（平成二十六年法律第百四号）第二条に規定するサイバーセキュリティをいう。）に配慮されているものであること。
四　青少年に広く利用されるように配慮されているものであること。
五　その他知事が必要と認める要件を備えていること。

**（検討委員会の設置）**
**第二条の三**　条例第五条の二第三項の規定により意見を聴取するために、東京都推奨携帯電話端末等検討委員会（以下「検討委員会」という。）を置く。

**（検討委員会の構成）**
**第二条の四**　検討委員会は、次に掲げる者につき、生活文化スポーツ局生活安全担当局長が任命又は委嘱する委員十六人以内をもって構成する。
一　業界に関係を有する者　三人以内
二　青少年の保護者　三人以内
三　教育関係者　三人以内
四　学識経験を有する者　三人以内
五　関係行政機関の職員　二人以内
六　東京都の職員　二人以内

**（委員の任期）**
**第二条の五**　前条第一号から第四号までの委員の任期は、二年とし、補欠の委員の任期は、前任者の残任期間とする。ただし、再任を妨げない。

**（検討委員会の庶務）**
**第二条の六**　検討委員会の庶務は、生活文化スポーツ局都民安全推進部都民安全課において処理する。

**（表彰候補者の推薦等）**
**第三条**　区市町村長は、条例第六条第一号又は第二号に該当すると認められる表彰候補者があるときは、その事績を精査し、知事に推薦することができる。
2　関係局等の長は、その所管する事務に関連し、広域活動を行っているもので、条例第六条第一号又は第二号に該当すると認められる表彰候補者があるときは、その事績を精査して知事に内申し、又は推薦することができる。
3　生活文化スポーツ局生活安全担当局長は、条例第六条第三号又は第四号に該当すると認められる表彰候補者があるときは、その事績を精査し、知事に内申するものとする。

**（提出書類）**
**第四条**　前条の規定による推薦又は内申をする場合は、表彰候補者に係る次に掲げる書類を提出するものとする。
一　推薦調書
二　前号に掲げるもののほか、知事が必要と認める書類

**（被表彰者の決定）**
**第五条**　知事は、第三条の規定による推薦又は内申があったときは、第十条第一項に規定する青少年健全育成表彰審査会の審査を経て、被表彰者を決定する。

**（欠格条項）**
**第六条**　次の各号のいずれかに該当するものは、表彰を受けることができない。
一　条例又は東京都表彰規則（昭和四十七年東京都規則第百七十四号）の規定により、既に表彰を受けているもの
二　表彰の対象となる行為を東京都の区域外で行ったもの。ただし、東京都の区域内に住所を有する者又は事務所を有する団体で条例第六条第二号の規定に係る行為を行ったものを除く。
三　刑事事件に関して現に起訴されている者又は刑に処せられた者。ただし、刑の消滅した者を除く。
四　前三号に掲げるもののほか、知事が表彰することが適当でないと認めるもの

**（再表彰）**
**第七条**　前条第一号の規定にかかわらず、既に表彰を受けているものが次の各号のいずれかに該当するときは、新たな事績に限り表彰することができる。
一　東京都表彰規則により表彰されたものであるとき。
二　条例第六条第二号に係る表彰を受けたものであるとき。

**（表彰の方法）**
**第八条**　表彰は、表彰状を授与して行い、副賞を添えるものとする。
2　表彰を受けたものの氏名又は名称及び事績は、東京都公報に登載して公表する。

**（表彰の時期等）**
**第九条**　表彰は、毎年一回、知事が定める時期に行う。

**（審査会の設置及び所掌事項）**
**第十条**　表彰の適正を期するため、生活文化スポーツ局に青少年健全育成表彰審査会（以下「審査会」という。）を置く。
2　審査会は、表彰候補者について被表彰者としての適格性を審査する。

**（審査会の構成）**
**第十一条**　審査会は、次の職にある者をもって構成する。
一　生活文化スポーツ局生活安全担当局長
二　政策企画局総務部長
三　生活文化スポーツ局都民安全推進部長
四　福祉局子供・子育て支援部長
五　産業労働局雇用就業部長
六　東京消防庁防災部長
2　知事は、前項に定める者のほか、次の職にある者を東京都教育委員会又は東京都公安委員会と協議の上、審査会に加えることができる。
一　教育庁地域教育支援部長
二　警視庁生活安全部少年育成課長

**（審査会の付議手続）**
**第十二条**　審査会の議案は、生活文化スポーツ局都民安全推進部都民安全課長が作成の上、提出するものとする。

**（審査会の運営）**
**第十三条**　審査会は、生活文化スポーツ局生活安全担当局長が主宰する。ただし、持ち回りによって審査する場合は、この限りでない。

**（審査会の庶務）**
**第十四条**　審査会の庶務は、生活文化スポーツ局都民安全推進部都民安全課において処理する。

## 第三章　不健全な図書類等の販売等の規制

**（指定図書類、指定映画等の基準）**
**第十五条**　条例第八条第一項第一号の東京都規則で定める基準は、次の各号に掲げる種別に応じ、当該各号に定めるものとする。
一　著しく性的感情を刺激するもの　次のいずれかに該当するものであること。
イ　全裸若しくは半裸又はこれらに近い状態の姿態を描写することにより、卑わいな感じを与え、又は人格を否定する性的行為を容易に連想させるものであること。
ロ　性的行為を露骨に描写し、又は表現することにより、卑わいな感じを与え、又は人格を否定する性的行為を容易に連想させるものであること。
ハ　電磁的記録媒体に記録されたプログラムを電子計算機等を用いて実行することにより、人に卑わいな行為を擬似的に体験させるものであること。
ニ　イからハまでに掲げるもののほか、その描写又は表現がこれらの基準に該当するものと同程度に卑わいな感じを与え、又は人格を否定する性的行為を容易に連想させるものであること。
二　甚だしく残虐性を助長するもの　次のいずれかに該当するものであること。
イ　暴力を不当に賛美するように表現しているものであること。
ロ　残虐な殺人、傷害、暴行、処刑等の場面又は殺傷による肉体的苦痛若しくは言語等による精神的苦痛を刺激的に描写し、又は表現しているものであること。
ハ　電磁的記録媒体に記録されたプログラムを電子計算機等を用いて実行することにより、人に残虐な行為を擬似的に体験させるものであること。
ニ　イからハまでに掲げるもののほか、その描写又は表現がこれらの基準に該当するものと同程度に残虐性を助長するものであること。
三　著しく自殺又は犯罪を誘発するもの　次のいずれかに該当するものであること
イ　自殺又は刑罰法規に触れる行為を賛美し、又はこれらの行為の実行を勧め、若しくはそそのかすような表現をしたものであること。
ロ　自殺又は刑罰法規に触れる行為の手段を、模倣できるように詳細に、又は具体的に描写し、又は表現したものであること。
ハ　電磁的記録媒体に記録されたプログラムを電子計算機等を用いて実行することにより、人に刑罰法規に触れる行為を擬似的に体験させるものであること。
2　条例第八条第一項第二号の東京都規則で定める基準は、次の各号のいずれかに該当するものであることとする。
一　性交又は性交類似行為（以下「性交等」という。）のうち次に掲げる行為を、当該行為が社会的に是認されているものであるかのように描写し若しくは表現し、又は当該行為の場面を、みだりに、著しく詳細に若しくは過度に反復して描写し若しくは表現することにより、閲覧し、又は観覧する青少年の当該行為に対する抵抗感を著しく減ずるものであること。
イ　刑法（明治四十年法律第四十五号）第百七十六条から第百七十九条まで、第百八十一条又は第二

百四十一条の規定の違反行為

ロ　児童買春、児童ポルノに係る行為等の規制及び処罰並びに児童の保護等に関する法律（平成十一年法律第五十二号）第四条の規定の違反行為

ハ　児童福祉法（昭和二十二年法律第百六十四号）第三十四条第一項第六号の規定に違反する行為

ニ　条例第十八条の六の規定に違反する行為

二　近親者間（民法（明治二十九年法律第八十九号）第七百三十四条から第七百三十六条までの規定により、婚姻をすることができない者の間をいう。）における性交等を、当該性交等が社会的に是認されているものであるかのように描写し若しくは表現し、又は当該性交等の場面を、みだりに、著しく詳細に若しくは過度に反復して描写し若しくは表現することにより、閲覧し、又は観覧する青少年の当該性交等に対する抵抗感を著しく減ずるものであること。

三　電磁的記録媒体に記録されたプログラムを電子計算機等を用いて実行することにより、人に前二号に掲げる性交等に該当する行為を擬似的に体験させるものであること。

（指定がん具類の基準）

**第十六条**　条例第八条第一項第三号の東京都規則で定める基準は、次の各号のいずれかに該当するものであることとする。

一　弾丸、矢その他の物を発射するのに適し、又はその物自体が投げるのに適した構造を有するもので、物を発射し、又はそのものを投げることにより、人を殺傷するおそれが高いものであること。

二　火薬その他の爆発性の物質を内包する構造を有するもので人を殺傷するおそれが高いものであること。

三　特定がん具類のうち、性器を模した物で卑わいな感じを与える構造を有するもの又は性具若しくはこれと同様の機能を有するものであること。

四　第一号及び第二号に掲げるもののほか、構造又は機能がこれらの基準に該当するものと同程度に青少年の心身に危害を及ぼすおそれがあると認められるものであること。

（指定刃物の基準）

**第十七条**　条例第八条第一項第四号の東京都規則で定める基準は、容易に人を殺傷し得る機能を有するもので、かつ、次の各号のいずれかに該当するものであることとする。

一　通常刃物のさや以外の用途に使用する物の形状をしたさやに刃体を収納する構造を有するものであること。

二　折りたたみ式ナイフのうち、刃体と柄との結合部の軸を中心として二つの柄が分かれて回転することにより、刃体が現れ、又は収納することができる構造を有するものであること。

三　刃体と柄が固定されたナイフのうち、鎬（しのぎ）を境にその両側に刃が付いている構造を有するものであること。

（指定図書類等の包装の方法）

**第十八条**　条例第九条第二項及び第九条の二第三項の東京都規則で定める方法は、次の各号のいずれかに該当するものとする。

一　ビニール袋等により指定図書類又は表示図書類（以下「指定図書類等」という。）全体の包装を行うこと。

二　伸縮しない材質のひもにより十字掛け又はたすき掛けを指定図書類等に行うこと。

三　前二号に掲げるもののほか、指定図書類等を容易に閲覧できない方法と知事が認める方法

（指定図書類等の区分陳列の方法）

**第十九条**　条例第九条第二項及び第九条の二第四項の規定により指定図書類等を他の図書類と明確に区分する方法は、次の各号のいずれかの措置をとり、かつ、指定図書類等を陳列する場所（第一号に規定する措置をとる場合にあっては当該場所の入口、第三号に規定する措置をとる場合にあっては当該仕切り板の表面）の見やすい箇所に、容易に判読できる色調及び大きさの文字を使用して、当該場所に陳列されている図書類は、青少年に販売し、頒布し、若しくは貸し付け、又は閲覧させ、若しくは観覧させることが制限されている旨の掲示をすることとする。

一　営業の場所に、間仕切り、ついたてその他の方法により容易に見通すことのできない場所を設け、当該場所に指定図書類等を陳列すること。

二　指定図書類等を、他の図書類を陳列する陳列棚の外周から六十センチメートル以上離れた陳列棚に陳列すること。

三　陳列棚の指定図書類等を陳列しようとする各棚板の前面と直交する鉛直面上に、当該棚板の前面から十センチメートル以上張り出した仕切り板（透視できない材質及び構造のものとする。）を設け、指定図書類等を、仕切り板と仕切り板との間に陳列すること。

四　指定図書類等を、床面から百五十センチメートル以上の高さの位置に、背表紙のみが見えるようにしてまとめて陳列すること。

五　前各号に掲げるもののほか、指定図書類等が他の図書類と明確に区分されていると知事が認める方法

**（表示図書類に係る勧告の方法）**

**第二十条**　条例第九条の三第一項の規定による勧告は、勧告書（別記第一号様式）を交付して行うものとする。

2　条例第九条の三第二項の規定による勧告は、勧告書（別記第一号様式の二）を交付して行うものとする。

3　条例第九条の三第五項の規定による勧告は、勧告書（別記第二号様式及び第三号様式）を交付して行うものとする。

**（図書類発行業者の公表）**

**第二十条の二**　条例第九条の三第三項の規定による公表は、次に掲げる事項を広く都民に周知する方法により行うものとする。

一　図書類発行業者の氏名又は名称及び住所

二　勧告の内容

三　前二号に掲げるもののほか、知事が必要と認める事項

**（図書類発行業者の意見陳述の機会の付与）**

**第二十条の三**　条例第九条の三第四項の意見を述べ、証拠を提示する機会（以下「意見陳述の機会」という。）における その方法は、知事が口頭ですることを認めた場合を除き、意見及び証拠を記載した書面（以下「意見書」という。）を提出して行うものとする。

2　知事は、条例第九条の三第二項の規定による勧告を受けた者に対し意見陳述の機会を与えるときは、意見書の提出期限（口頭による意見陳述の機会の付与を行う場合には、その日時）までに相当な期間をおいて、当該勧告を受けた者に対し、次に掲げる事項を書面により通知するものとする。

一　公表しようとする内容

二　公表の根拠となる条例等の条項

三　公表の原因となる事実

四　意見書の提出先及び提出期限（口頭による意見陳述の機会の付与を行う場合には、その旨並びに出頭すべき日時及び場所）

3　前項の規定による通知を受けた者（以下「当事者」という。）又はその代理人は、やむを得ない事情のある場合には、知事に対し、意見書の提出期限の延長又は出頭すべき日時若しくは場所の変更を申し出ることができる。

4　知事は、前項の規定による申出又は職権により、意見書の提出期限を延長し、又は出頭すべき日時若しくは場所を変更することができる。

5　知事は、当事者に口頭による意見陳述の機会を与えたときは、当事者又はその代理人の陳述の要旨を記載した書面を作成するものとする。

6　代理人は、その代理権を証する書面を、意見書の提出期限又は出頭すべき日時までに知事に提出しなければならない。

7　知事は、当事者又はその代理人が正当な理由なく意見書の提出期限内に意見書を提出せず、又は出頭すべき日時に口頭による意見陳述をしなかったときは、条例第九条の三第三項の規定による公表をすることができる。

**（観覧等の制限の掲示の様式）**

**第二十一条**　条例第十二条の東京都規則で定める様式及び条例第十六条第二項の東京都規則で定める様式は、それぞれ別記第四号様式及び第五号様式とする。

**（自動販売機等の設置の届出）**

**第二十二条**　条例第十三条の三第三項の規定による届出は、自動販売機等設置届出書（別記第六号様式）に、次に掲げる書類を添えて行わなければならない。

一　自動販売機等業者の住民票の写し（法人の場合にあっては、登記事項証明書）又はこれらに代わる書類

二　自動販売機等の設置場所の付近の見取図及び配置図

三　自動販売機等管理者の住民票の写し又はこれに代わる書類

2　条例第十三条の三第三項第五号の東京都規則で定める事項は、次に掲げる事項とする。

一　自動販売機等業者が法人の場合は、その代表者の氏名

二　自動販売機等の設置場所の提供者の氏名、住所及び電話番号

三　販売又は貸付けの区分

四　自動販売機等に収納する物の種類

五　第二十六条第一項第一号の措置の種類

六　第二十六条第一項第二号の措置の状況

七　販売又は貸付けを開始しようとする年月日

**（自動販売機等の変更の届出）**

**第二十三条**　条例第十三条の三第四項の規定による変更の届出は、自動販売機等変更届出書（別記第七号様式）に、前条第一項各号に掲げる書類のうち当該変更に係るものを添えて行わなければならない。

**（自動販売機等の廃止の届出）**

**第二十四条**　条例第十三条の三第四項の規定による廃止の届出は、自動販売機等廃止届出書（別記第八号様式）により行わなければならない。

**（自動販売機等への表示）**

**第二十五条**　条例第十三条の三第五項の規定による表示は、別記第九号様式により行わなければならない。

2　条例第十三条の三第五項の東京都規則で定める事項

は、次に掲げる事項とする。
一　自動販売機等業者が法人の場合は、代表者の氏名
二　自動販売機等業者の連絡先の電話番号
三　自動販売機等設置の届出に係る届出番号

（自動販売機等に対する措置の方法）

**第二十六条**　条例第十三条の五の東京都規則で定める措置は、次に掲げるものとする。
一　次のいずれかの措置により、青少年が、自動販売機等に収納された条例第十三条の五に規定する図書類及び特定がん具類（以下「収納物」という。）を観覧できないようにすること。
イ　反射率五十パーセント以上のハーフミラーを自動販売機等の陳列窓ガラスの全面にちょう付し、その可視光線透過率を十五パーセント以下とした上で、当該自動販売機等の内部の照明を消灯し、収納物が外部から見えないようにすること。
ロ　液晶フィルタを自動販売機等の陳列窓ガラスの全面に設置した上で、当該液晶フィルタに電圧を加えないことにより、収納物が外部から見えないようにすること。
ハ　自動販売機等の陳列窓ガラスと収納物との間に、不透明な遮へい物を設置することにより、収納物が外部から見えないようにすること。
ニ　自動販売機等が設置されている場所が、建築物（建築基準法（昭和二十五年法律第二百一号）第二条第一号に規定する建築物をいう。以下同じ。）の内部である場合（当該建築物の居室（同条第四号に規定する居室をいう。以下同じ。）の内部である場合を除く。）にあっては当該建築物の出入口を、建築物の居室の内部である場合にあっては当該居室又は当該建築物の出入口を常時施錠すること。ただし、建築物又は居室の内部からは常時解錠されている状態であること。
ホ　イからニまでに掲げるもののほか、青少年が収納物を観覧できないと知事が認める措置をとること。
二　運転免許証、旅券その他官公署が発行した顧客の年齢を示す書類（自動販売機等業者が当該書類により顧客の年齢を確認した上で顧客に会員証等を発行している場合は、当該会員証を含む。）により顧客の年齢を確認することによって、常時、収納物の販売又は貸付けを管理できる装置を設置し、かつ、稼動させることによって青少年が収納物を購入し、又は借り受けることができないようにすること。

2　前項第二号の装置により、顧客が青少年ではないと確認された場合は、自動販売機等業者は、同項第一号に規定する措置を、当該顧客が収納物を購入し、又は借り受けるために要する時間内に限り、解除することができる。

3　自動販売機等業者は、第一項第二号に規定する方法により年齢を確認する場合において、運転免許証、旅券その他官公署が発行した顧客の年齢を示す書類に氏名、住所、顔写真その他の個人が特定される情報が記載されていたときは、当該情報を記録しないように努めなければならない。

（自動販売機等に係る勧告の方法）

**第二十七条**　条例第十三条の八の規定による勧告は、勧告書（別記第十号様式）を交付して行うものとする。

（有害広告物の基準）

**第二十八条**　条例第十四条の東京都規則で定める基準は、次の各号に掲げる種別に応じ、当該各号に定めるものとする。
一　著しく性的感情を刺激するもの　次のいずれかに該当するものであること。
イ　全裸若しくは半裸又はこれらに近い状態の姿態を描写することにより、卑わいな感じを与え、又は人格を否定する性的行為を容易に連想させるものであること。
ロ　性的行為を露骨に描写し、又は表現することにより、卑わいな感じを与え、又は人格を否定する性的行為を容易に連想させるものであること。
ハ　イ及びロに掲げるもののほか、その描写又は表現がこれらの基準に該当するものと同程度に卑わいな感じを与え、又は人格を否定する性的行為を容易に連想させるものであること。
二　甚だしく残虐性を助長するもの　次のいずれかに該当するものであること。
イ　暴力を不当に賛美するように表現しているものであること。
ロ　残虐な殺人、傷害、暴行、処刑等の場面又は殺傷による肉体的苦痛若しくは言語等による精神的苦痛を刺激的に描写し、又は表現しているものであること。
ハ　イ及びロに掲げるもののほか、その描写又は表現がこれらの基準に該当するものと同程度に残虐性を助長するものであること。

（立入調査の証票の様式）

**第二十九条**　条例第十七条第三項に規定する東京都規則で定める様式は、別記第十一号様式とする。

2　条例第十八条の十二第七項に規定する調査を行う際に知事が指定した知事部局の職員が携帯し、関係者に提示する証票の様式は、別記第十一号様式の二とする。

（警告書の様式）

**第三十条**　条例第十八条第四項に規定する東京都規則で定める様式は、別記第十二号様式とする。

**（青少年を性欲の対象として扱う図書類等の基準）**

**第三十条の二**　条例第十八条の九第三項の東京都規則で定める基準は、次の各号のいずれかに該当するものであることとする。

一　衣服の一部を着けず、又は水着若しくは下着（以下「水着等」という。）のみを着けた状態（これらと同等とみなされる状態を含む。以下同じ。）にある青少年のうち十三歳未満の者の性器、肛門若しくは乳首（以下「性器等」という。）若しくはその周辺部（陰部、臀部及び乳房をいう。以下同じ。）を殊更に強調し、又はその衣服若しくは水着等の上から認識できるように性器等若しくはその周辺部の形状を殊更に浮き立たせた姿態を視覚的に描写したものであること。

二　飲食物その他の物品を用いること等により、衣服の一部を着けず、又は水着等のみを着けた状態にある青少年のうち十三歳未満の者を相手方とする又は当該青少年による性交等を容易に連想させる姿態を視覚的に描写したものであること。

三　衣服の一部を着けず、若しくは水着等のみを着けた状態にある青少年のうち十三歳未満の者の性器等若しくはその周辺部を他人が触り（その衣服又は水着等の上から触る場合を含む。）、又は衣服の一部を着けず、若しくは水着等のみを着けた状態にある青少年のうち十三歳未満の者が他人の性器等若しくはその周辺部を触る（当該他人の衣服又は水着等の上から触る場合を含む。）姿態を視覚的に描写したものであること。

四　前三号に掲げるもののほか、衣服の全部若しくは一部を着けず、又は水着等のみを着けた状態にある青少年のうち十三歳未満の者の姿態を視覚的に描写したものであって、その描写がこれらの基準に該当するものと同程度に扇情的なものであること。

## 第三章の二　携帯電話端末等による青少年有害情報の閲覧防止措置

**（保護者が青少年有害情報フィルタリングサービスを利用しない申出をする際に提出する書面の記載事項）**

**第三十条の三**　条例第十八条の十二第一項の規定による書面の提出は、次に掲げる事項を記載した書面（当該事項を記録した電磁的記録を含む。以下この項において同じ。）により行うものとする。

一　書面を提出する保護者の住所、氏名及び電話番号

二　役務提供契約（青少年インターネット環境整備法第十三条第一項に規定する役務提供契約をいう。以下同じ。）に係る携帯電話端末等（青少年インターネット環境整備法第二条第七項に規定する携帯電話端末等をいう。）の電話番号

三　次項各号の正当な理由

2　条例第十八条の十二第一項の東京都規則で定める正当な理由は、次の各号に定めるものとする。

一　携帯電話インターネット接続役務（青少年インターネット環境整備法第二条第七項に規定する携帯電話インターネット接続役務をいう。以下同じ。）の提供を受ける青少年が就労している場合において、青少年有害情報フィルタリングサービスを利用し、又は青少年有害情報フィルタリング有効化措置（青少年インターネット環境整備法第十六条に規定する青少年有害情報フィルタリング有効化措置をいう。以下同じ。）を講ずることで当該青少年の業務に著しい支障を生ずること。

二　携帯電話インターネット接続役務の提供を受ける青少年が心身に障害を有し、又は疾病にかかっている場合において、青少年有害情報フィルタリングサービスを利用し、又は青少年有害情報フィルタリング有効化措置を講ずることで当該青少年の日常生活に著しい支障を生ずること。

三　保護者が、携帯電話インターネット接続役務提供事業者（青少年インターネット環境整備法第二条第八項に規定する携帯電話インターネット接続役務提供事業者をいう。以下同じ。）が提供するインターネットの利用状況に関する事項の閲覧を可能とする役務を利用すること等により、青少年がインターネット上の青少年有害情報を閲覧することがないように適切に監督すること。

四　前三号に準ずる正当な理由

**（携帯電話インターネット接続役務提供事業者等が説明すべき事項）**

**第三十条の四**　条例第十八条の十二第二項の東京都規則で定める事項は、次に掲げる事項とする。

一　インターネットを不適切に利用することにより、青少年が違法な行為をし、又は自己若しくは他人に対し有害な行為をするおそれがあること。

二　保護者がインターネットの利用状況に関する事項を閲覧することを可能とする役務その他の青少年がインターネット上の青少年有害情報を閲覧することがないよう保護者が適切に監督するために有益な役務であって当該携帯電話インターネット接続役務提供事業者が提供することが可能なものの内容

三　保護者が青少年有害情報フィルタリングサービス

を利用しない旨の申出をする場合又は青少年有害情報フィルタリング有効化措置を講ずることを希望しない旨の申出をする場合には、条例第十八条の十二第一項に規定する正当な理由その他の事項を記載した書面を提出する義務があること。

（保護者が青少年有害情報フィルタリングサービスを利用しない申出等をする際に提出する書面の保存方法）
**第三十条の五**　条例第十八条の十二第三項の規定による保存は、次に掲げる方法により行うものとする。
一　保護者から提出を受けた書面（電磁的記録を含む。次号において同じ。）を保存すること。
二　保護者から提出を受けた書面に記載又は記録をされた事項を、当該書面以外の書面（電磁的記録を含む。）に記載し又は記録し、保存すること。
2　条例第十八条の十二第三項の規定による保存の期間は、役務提供契約が終了し若しくは解除された日又は当該役務提供契約に係る青少年が満十八歳に達する日のいずれか早い日までの間とする。

（携帯電話インターネット接続役務提供事業者等に係る勧告の方法）
**第三十条の六**　条例第十八条の十二第四項の規定による勧告は、勧告書（別記第十三号様式）を交付して行うものとする。

（携帯電話インターネット接続役務提供事業者等の公表）
**第三十条の七**　第二十条の二の規定は、条例第十八条の十二第五項の規定による公表について準用する。この場合において、第二十条の二中「第九条の三第三項」とあるのは「第十八条の十二第五項」と、同条第一号中「図書類発行業者」とあるのは「携帯電話インターネット接続役務提供事業者等」と読み替える。

（携帯電話インターネット接続役務提供事業者等の意見陳述の機会の付与）
**第三十条の八**　第二十条の三の規定は、条例第十八条の十二第六項の意見陳述の機会におけるその方法について準用する。この場合において、第二十条の三第二項中「第九条の三第二項」とあるのは「第十八条の十二第四項」と、同条第七項中「第九条の三第三項」とあるのは「第十八条の十二第五項」と読み替える。

## 第四章　東京都青少年健全育成審議会

（審議会の庶務）
**第三十一条**　条例第十九条の東京都青少年健全育成審議会の庶務は、生活文化スポーツ局都民安全推進部若年支援課において処理する。

## 第五章　雑則

（補則）
**第三十二条**　この規則の施行について必要な事項は、知事が別に定める。

附　則（抄）

1　この規則は、平成十六年四月一日から施行する。〔ただし書略〕

附　則（令五・三・三一規則四八）

この規則は、令和五年七月一日から施行する。

別記様式〔略〕

# ○特定異性接客営業等の規制に関する条例

平二九・三・三一
条　例　三　〇

最終改正　令六・一〇・一一条例一五八

（目的）
**第一条**　この条例は、特定異性接客営業及び特定衣類着用飲食店営業について必要な規制を行うとともに、これらの営業に係る特定の行為を禁止すること等により、青少年の健全な育成を阻害する行為及び青少年を被害者とする犯罪を防止することを目的とする。

（定義）
**第二条**　この条例において、次の各号に掲げる用語の意義は、それぞれ当該各号に定めるところによる。
一　青少年　十八歳未満の者をいう。
二　特定異性接客営業　店舗型特定異性接客営業及び無店舗型特定異性接客営業をいう。
三　店舗型特定異性接客営業　次のいずれかに掲げる営業であって、青少年が客に接する業務に従事していることを明示し、若しくは連想させるものとしていう。）で定める文字、数字その他の記号、映像、写真若しくは絵を営業所の名称、広告若しくは宣伝に用いるもの又は青少年が客に接する業務に従事していることを明示し、若しくは連想させるものとして公安委員会規則で定める衣服を客に接する業務に従事する者が着用するもので、青少年に関する性的好奇心をそそるおそれがあるもの（風俗営業等の規制及び業務の適正化等に関する法律（昭和二十三年法律第百二十二号。以下「法」という。）第二条第一項に規定する風俗営業、同条第六項に規定する店舗型性風俗特殊営業又は同条第十一項に規定する特定遊興飲食店営業に該当するものを除く。）をいう。

イ　店舗を設け、当該店舗において専ら異性の客に接触し、又は接触させる役務を提供する営業

ロ　店舗を設け、当該店舗において専ら客に異性の人の姿態を見せる役務を提供する営業

ハ　店舗を設け、当該店舗において専ら異性の客の接待（法第二条第三項に規定する接待をいう。第五号ニにおいて同じ。）をする役務を提供する営業（イに該当する営業を除く。）

ニ　喫茶店、バーその他設備を設けて客に飲食をさせる営業で、客に接する業務に従事する者が専ら異性の客に接するもの

四　店舗型特定異性接客営業者　東京都の区域内において営業所を設けて店舗型特定異性接客営業を営む者をいう。

五　無店舗型特定異性接客営業　次のいずれかに掲げる営業であって、青少年が客に接する業務に従事していることを明示し、若しくは連想させるものとして公安委員会規則で定める文字、数字その他の記号、映像、写真若しくは絵を広告若しくは宣伝に用いるもの又は青少年が客に接する業務に従事していることを明示し、若しくは連想させるものとして公安委員会規則で定める衣服を客に接する業務に従事する者が着用するもので、青少年に関する性的好奇心をそそるおそれがあるもの（法第二条第七項に規定する無店舗型性風俗特殊営業に該当するものを除く。）をいう。

イ　専ら異性の客に接触し、又は接触させる役務を提供する営業で、当該役務を行う者を、その客の依頼を受けて派遣することにより営むもの

ロ　専ら客に異性の人の姿態を見せる役務を提供する営業で、当該役務を行う者を、その客の依頼を受けて派遣することにより営むもの

ハ　専ら異性の客に同伴する役務を提供する営業（イ又はロに該当する営業を除く。）

ニ　専ら異性の客の接待をする役務を提供する営業で、当該役務を行う者を、その客の依頼を受けて派遣することにより営むもの（イ又はハに該当する営業を除く。）

六　無店舗型特定異性接客営業者　東京都の区域内において事務所若しくは受付所（前号イからニまでに規定する役務の提供以外の客に接する業務を行うための施設をいう。以下同じ。）を設けて、若しくは東京都の区域内及び区域外に事務所及び受付所を設けないで東京都の区域内に住所を有して、又は客の依頼に応じて派遣される同号イからニまでに規定する役務を行う者と当該客とが接する場所を東京都の区域内に設定して無店舗型特定異性接客営業を営む者をいう。

七　特定異性接客営業者　店舗型特定異性接客営業者及び無店舗型特定異性接客営業者をいう。

八　特定衣類着用飲食店営業　喫茶店、バーその他設備を設けて客に飲食をさせる営業のうち、水着、下着その他の公安委員会規則で定める衣服を客に接する業務に従事する者が着用することによって、客の性的好奇心をそそるおそれがあるもの（法第二条第一項に規定する風俗営業、同条第十一項に規定する特定遊興飲食店営業又は第二号に規定する特定異性接客営業に該当するものを除く。）をいう。

九　特定衣類着用飲食店営業者　東京都の区域内において営業所を設けて特定衣類着用飲食店営業を営む者をいう。

**（都の責務）**

**第三条**　都は、特定異性接客営業及び特定衣類着用飲食店営業に関し、この条例の目的を達するため、必要な施策を講ずるものとする。

**（都民の責務）**

**第四条**　都民は、この条例の目的を達するため、都が行う前条の施策に協力するよう努めるものとする。

**（青少年の教育又は育成に携わる者の責務）**

**第五条**　青少年の教育又は育成に携わる者は、青少年に対し、特定異性接客営業及び特定衣類着用飲食店営業が青少年の健全な育成を阻害するおそれのあるものであることを認識させるとともに、当該営業に関わることのないよう指導、助言その他の必要な措置を講ずるよう努めるものとする。

**（特定異性接客営業の届出）**

**第六条**　東京都の区域内において営業所を設けて店舗型特定異性接客営業を営もうとする者は、営業を開始しようとする日の十日前までに、店舗型特定異性接客営業の種別（第二条第三号イからニまでに規定する店舗型特定異性接客営業の種別をいう。第三号において同じ。）に応じて、営業所ごとに、公安委員会規則で定めるところにより、次に掲げる事項を東京都公安委員会（以下「公安委員会」という。）に届け出なければならない。

一　氏名又は名称及び住所並びに法人にあっては、その代表者の氏名

二　営業所の名称及び所在地

三　店舗型特定異性接客営業の種別
四　営業所の構造及び設備の概要
五　営業所における業務の実施を統括管理する者の氏名及び住所
六　前各号に掲げるもののほか、公安委員会規則で定める事項

2　東京都の区域内において事務所若しくは受付所を設けて、又は東京都の区域内及び区域外に事務所及び受付所を設けないで東京都の区域内に住所を有して無店舗型特定異性接客営業を営もうとする者は、営業を開始しようとする日の十日前までに、無店舗型特定異性接客営業の種別（第二条第五号イから二までに規定する無店舗型特定異性接客営業の種別をいう。第四号において同じ。）に応じて、公安委員会規則で定めるところにより、次に掲げる事項を公安委員会に届け出なければならない。
一　氏名又は名称及び住所並びに法人にあっては、その代表者の氏名
二　当該営業につき広告又は宣伝をする場合に当該営業を示すものとして使用する呼称（当該呼称が二以上ある場合にあっては、それら全部の呼称）
三　事務所の所在地
四　無店舗型特定異性接客営業の種別
五　客の依頼を受ける方法
六　客の依頼を受けるための電話番号その他の連絡先
七　受付所又は待機所（客の依頼を受けて派遣される第二条第五号イから二までに規定する役務を行う者を待機させるための施設をいう。第十六条第二項第二号において同じ。）を設ける場合にあっては、その旨及びこれらの所在地
八　前各号に掲げるもののほか、公安委員会規則で定める事項

3　前二項の規定による届出をした者は、当該届出に係る特定異性接客営業を廃止したとき、又は前二項各号（第一項第三号及び前項第四号を除く。）に掲げる事項（第一項第二号に掲げる事項にあっては、営業所の名称に限る。）に変更があったときは、その日から起算して十日以内に、公安委員会規則で定めるところにより、廃止又は変更に係る事項を公安委員会に届け出なければならない。

4　第一項又は第二項の規定による届出をした者（同項の規定による届出をした者にあっては、東京都の区域内に受付所を設けて営む場合に限る。）は、青少年が当該届出に係る営業所又は受付所に立ち入ってはならない旨を、公安委員会規則で定めるところにより、営業所又は受付所の入口に表示しなければならない。

**（特定異性接客営業に係る営業所等の設置禁止区域）**

**第七条**　特定異性接客営業者は、東京都の区域内にある次に掲げる施設の敷地（これらの用に供するものと決定した土地を含む。）の周囲二百メートルの区域並びに都市計画法（昭和四十三年法律第百号）第八条第一項第一号に規定する第一種低層住居専用地域、第二種低層住居専用地域、第一種中高層住居専用地域、第二種中高層住居専用地域、第一種住居地域、第二種住居地域、準住居地域及び田園住居地域（以下「営業所等設置禁止区域」と総称する。）内においては、営業所又は受付所を設置してはならない。
一　学校教育法（昭和二十二年法律第二十六号）第一条に規定する学校（大学を除く。）
二　児童福祉法（昭和二十二年法律第百六十四号）第七条第一項に規定する児童福祉施設
三　図書館法（昭和二十五年法律第百十八号）第二条第一項に規定する図書館
四　医療法（昭和二十三年法律第二百五号）第一条の五第一項に規定する病院及び同条第二項に規定する診療所（患者を入院させるための施設を有するものに限る。）

2　前項の規定は、同項の規定の適用の際、現に前条第一項又は第二項（受付所を設けて営む場合に限る。）の規定による届出をして特定異性接客営業を営んでいる者の当該営業所又は当該受付所については、適用しない。

**（特定異性接客営業者及び特定衣類着用飲食店営業者の禁止行為）**

**第八条**　店舗型特定異性接客営業者及び特定衣類着用飲食店営業者は、次に掲げる行為をしてはならない。
一　青少年を客に接する業務に従事させること。
二　青少年を営業所に客として立ち入らせること。

2　無店舗型特定異性接客営業者は、次に掲げる行為をしてはならない。
一　青少年を客に接する業務に従事させること。
二　受付所を設けて営む場合にあっては、青少年を受付所に客として立ち入らせること。
三　青少年を客とすること。

**（広告及び宣伝の規制）**

**第九条**　何人も、営業所等設置禁止区域内においては、特定異性接客営業に係る広告物（常時又は一定の期間継続して公衆に表示されるものであって、看板、立看板、はり紙及びはり札並びに広告塔、広告板、建物その他の工作物等に掲出され、又は表示されたもの並びにこれらに類するものをいう。以下同じ。）を表示し、又は特定異性接客営業に係る広告若しくは宣伝の用に供される文書、図画その他の物品（以下「広告文書

等」という。）を配布してはならない。

2　前項の規定は、第七条第二項の規定により同条第一項の規定を適用しないこととされる特定異性接客営業者が当該特定異性接客営業の営業所又は受付所の外周又は内部に広告物を表示する場合及び当該営業所又は当該受付所の内部において広告文書等を配布する場合については、適用しない。

3　第一項の規定は、同項の規定の適用に関する第七条第一項の規定の適用の際、特定異性接客営業者が現に表示している広告物（当該適用の際、現に第六条第一項又は第二項の届出をして特定異性接客営業を営む者が表示するものに限る。）については、当該適用の日から一月を経過する日までの間は、適用しない。

4　特定異性接客営業者は、その営業について広告又は宣伝をするときは、公安委員会規則で定めるところにより、青少年がその営業所又は受付所に立ち入ってはならない旨（無店舗型特定異性接客営業者にあっては、客となってはならない旨）を明らかにしなければならない。

**（勧誘行為等の禁止）**

**第十条**　何人も、特定異性接客営業及び特定衣類着用飲食店営業に関し、次に掲げる行為をしてはならない。

一　青少年に対して客となるように勧誘すること。

二　青少年に対して客に接する業務に従事するよう勧誘すること。

三　前二号に掲げる行為のほか、青少年に対して広告文書等を配布すること。

四　客となるよう青少年に勧誘させること。

五　客に接する業務に従事するよう青少年に勧誘させること。

六　前二号に掲げる行為のほか、広告文書等を青少年に配布させること。

**（指示）**

**第十一条**　公安委員会は、特定異性接客営業者若しくは特定衣類着用飲食店営業者又はそれらの代理人、使用人その他の従業者（以下「代理人等」という。）が当該営業に関し、第六条、第八条、第九条第一項若しくは第四項、前条、第十三条第四項若しくは第十五条の規定に違反したとき、第十六条第一項の規定による報告若しくは資料の提出を拒み、若しくは同項の規定による報告若しくは資料の提出について虚偽の報告をし、若しくは虚偽の資料を提出したとき、又は同条第二項の規定による当該職員の質問に対して答弁をせず、若しくは虚偽の答弁をし、若しくは立入り若しくは検査を拒み、妨げ、若しくは忌避したときは、当該特定異性接客営業者又は当該特定衣類着用飲食店営業者に対し、青少年の健全な育成を阻害する行為又は青少年を被害者とする犯罪を防止するため必要な指示をすることができる。

**（営業の停止等）**

**第十二条**　公安委員会は、次に掲げるときは、特定異性接客営業者又は特定衣類着用飲食店営業者に対し、六月を超えない範囲内で期間を定めて当該営業の全部又は一部の停止を命ずることができる。

一　特定異性接客営業者又は特定衣類着用飲食店営業者が前条の規定による指示又は第十七条の規定による命令に従わなかったとき。

二　特定異性接客営業者若しくは特定衣類着用飲食店営業者又はそれらの代理人等が当該営業に関し次のいずれかに該当する行為をしたとき。

イ　第二十条（同条第二項第一号を除く。）の違反行為

ロ　刑法（明治四十年法律第四十五号）第百七十五条又は第百八十三条の罪に当たる違法な行為

ハ　売春防止法（昭和三十一年法律第百十八号）第五条から第十三条までに規定する罪に当たる違法な行為

ニ　児童福祉法第三十四条第一項第六号又は第九号の規定に違反する行為

ホ　労働基準法（昭和二十二年法律第四十九号）第五十六条第一項又は第六十一条第一項若しくは第六十二条第二項（労働者派遣事業の適正な運営の確保及び派遣労働者の保護等に関する法律（昭和六十年法律第八十八号）第四十四条第二項の規定により適用される場合を含む。）の規定に違反する行為

ヘ　児童買春、児童ポルノに係る行為等の規制及び処罰並びに児童の保護等に関する法律（平成十一年法律第五十二号）第四条から第八条まで（第七条第一項を除く。）の罪に当たる違法な行為

ト　東京都青少年の健全な育成に関する条例（昭和三十九年東京都条例第百八十一号）第十八条の六の規定に違反する行為

2　公安委員会は、前項の場合において、当該特定異性接客営業者が営業所等設置禁止区域に営業所又は受付所を設けて当該営業を営んでいる者であるときは、その者に対し、前項の規定による停止の命令に代えて、当該営業所又は当該受付所を用いて営む特定異性接客営業の廃止を命ずることができる。

**（標章の貼付け）**

**第十三条**　公安委員会は、前条第一項の規定により特定異性接客営業又は特定衣類着用飲食店営業の停止を命じたときは、公安委員会規則で定めるところにより、

当該命令に係る施設の出入口の見やすい場所に、公安委員会規則で定める様式の標章を貼り付けるものとする。

2 前条第一項の規定による命令を受けた者は、次の各号に掲げる事由のいずれかがあるときは、公安委員会規則で定めるところにより、前項の規定により標章を貼り付けられた施設について、標章を取り除くべきことを申請することができる。この場合において、公安委員会は、標章を取り除かなければならない。

一 当該施設を当該特定異性接客営業又は当該特定衣類着用飲食店営業の用以外の用に供しようとするとき。

二 当該施設を取り壊そうとするとき。

三 当該施設を増築し、又は改築しようとする場合であって、やむを得ないと認められる理由があるとき。

3 第一項の規定により標章を貼り付けられた施設について、当該命令に係る特定異性接客営業者又は特定衣類着用飲食店営業者から当該施設を買い受けた者その他当該施設の使用について権原を有する第三者は、公安委員会規則で定めるところにより、標章を取り除くべきことを申請することができる。この場合において、公安委員会は、標章を取り除かなければならない。

4 何人も、第一項の規定により貼り付けられた標章を破壊し、又は汚損してはならず、また、当該施設に係る前条第一項に規定する命令の期間を経過した後でなければ、これを取り除いてはならない。

**（聴聞の特例）**

**第十四条** 公安委員会は、第十二条第一項の規定により営業の停止を命じ、又は同条第二項の規定により営業の廃止を命じようとするときは、東京都行政手続条例（平成六年東京都条例第百四十二号。以下「行政手続条例」という。）第十三条第一項の規定による意見陳述のための手続の区分にかかわらず、聴聞を行わなければならない。

2 公安委員会は、聴聞を行うに当たっては、その期日の一週間前までに、行政手続条例第十五条第一項の規定による通知をし、かつ、聴聞の期日及び場所を公示しなければならない。

3 公安委員会は、前項の通知を行政手続条例第十五条第三項に規定する方法によって行う場合においては、同条第一項の規定により聴聞の期日までにおくべき相当の期間は、二週間を下回ってはならない。

4 第一項の聴聞の期日における審理は、公開により行わなければならない。

**（従業員名簿）**

**第十五条** 特定異性接客営業者及び特定衣類着用飲食店営業者（法第三十三条の規定により届出をしている者を除く。）は、公安委員会規則で定めるところにより、営業所、事務所又は受付所を設けた場所（無店舗型特定異性接客営業者であって、事務所及び受付所がない者にあっては住所）ごとに、従業員名簿を備え、これに当該営業に係る業務に従事する者の住所、氏名その他公安委員会規則で定める事項を記載しなければならない。ただし、営業所、事務所又は受付所を設けた場所ごとに、労働基準法第百七条に規定する労働者名簿を備え付けている場合は、これを従業員名簿に代えることができる。

**（報告及び立入り）**

**第十六条** 公安委員会は、この条例の施行に必要な限度において、特定異性接客営業者及び特定衣類着用飲食店営業者に対し、その業務に関して報告又は資料の提出を求めることができる。

2 警察職員は、この条例の施行に必要な限度において、次に掲げる場所に立ち入り、帳簿、書類その他の物件を検査し、又は関係者に質問することができる。ただし、第一号又は第三号に掲げる営業所に設けられている個室その他これに類する施設で客が在室するものについては、この限りでない。

一 店舗型特定異性接客営業の営業所

二 無店舗型特定異性接客営業の事務所、受付所又は待機所

三 特定衣類着用飲食店営業の営業所

3 前項の規定により警察職員が立ち入るときは、その身分を示す証明書を携帯し、関係者に提示しなければならない。

4 第二項の規定による権限は、犯罪捜査のために認められたものと解してはならない。

**（警察官による中止命令）**

**第十七条** 警察官は、特定異性接客営業に関し、第九条第一項又は第十条第三号若しくは第六号の規定に違反する行為をしている者に対し、当該違反行為を中止することを命ずることができる。

2 警察官は、特定衣類着用飲食店営業に関し、第十条第三号又は第六号の規定に違反する行為をしている者に対し、当該違反行為を中止することを命ずることができる。

**（経過措置）**

**第十八条** この条例の規定に基づき公安委員会規則を制定し、又は改廃する場合においては、その公安委員会規則で、その制定又は改廃に伴い合理的に必要と判断される範囲内において、所要の経過措置（罰則に関す

る経過措置を含む。）を定めることができる。

（委任）

**第十九条**　この条例に定めるもののほか、この条例の施行に関して必要な事項は、公安委員会規則で定める。

（罰則）

**第二十条**　第十二条の規定による公安委員会の命令に違反した者は、一年以下の拘禁刑又は百万円以下の罰金に処する。

2　次の各号のいずれかに該当する者は、六月以下の拘禁刑又は五十万円以下の罰金に処する。

一　第七条第一項の規定に違反した者

二　第八条第一項又は第二項第一号若しくは第二号の規定に違反した者

三　第十七条の規定による警察官の命令に違反した者

3　次の各号のいずれかに該当する者は、三十万円以下の罰金に処する。

一　第六条第一項又は第二項の規定に違反して届出をせず、又は虚偽の届出をした者

二　第十条第一号、第二号、第四号又は第五号の規定に違反した者

4　次の各号のいずれかに該当する者は、二十万円以下の罰金に処する。

一　第六条第三項の規定に違反して届出をせず、又は虚偽の届出をした者

二　第十三条第四項の規定に違反した者

三　第十五条の規定に違反して従業員名簿を備えず、又はこれに必要な記載をせず、若しくは虚偽の記載をした者

四　第十六条第一項の規定による報告若しくは資料の提出を拒み、若しくは同項の規定による報告若しくは資料の提出について虚偽の報告をし、若しくは虚偽の資料を提出し、又は同条第二項の規定による当該職員の質問に対して答弁をせず、若しくは虚偽の答弁をし、若しくは立入り若しくは検査を拒み、妨げ、若しくは忌避した者

（年齢の知情）

**第二十一条**　第八条第一項若しくは第二項第一号若しくは第二号又は第十条各号に掲げる行為をした者は、当該青少年の年齢を知らないことを理由として、前条第二項第二号若しくは第三号又は第三項第二号の規定による処罰を免れることができない。ただし、当該青少年の年齢を知らないことに過失がないときは、この限りでない。

（両罰規定）

**第二十二条**　法人の代表者又は法人若しくは人の代理人、使用人その他の従業者が、その法人又は人の業務に関し、第二十条の違反行為をしたときは、その行為者を罰するほか、その法人又は人に対し、同条の罰金刑を科する。

**附　則**

（施行期日）

1　この条例は、平成二十九年七月一日から施行する。

（経過措置）

2　この条例の施行の際、現に特定異性接客営業を営んでいる者については、第六条第一項又は第二項に規定する特定異性接客営業を営もうとする者とみなして、同条の規定を適用する。この場合において、同条第一項又は第二項中「営業を開始しようとする日の十日前」とあるのは「平成二十九年八月三十一日」とする。

3　前項の規定により第六条第一項又は第二項の規定による届出をした者の当該営業については、第七条第一項の規定は適用しない。

4　この条例の施行の際、現に表示されている特定異性接客営業に係る広告物については、この条例の施行の日から平成二十九年九月三十日までの間は、第九条第一項の規定は適用しない。

5　附則第三項の規定により第七条第一項の規定を適用しないこととされる特定異性接客営業の営業所又は受付所の外周又は内部に広告物を表示する場合及び当該営業所又は当該受付所の内部において広告文書等を配布する場合については、第九条第一項の規定は適用しない。

**附　則**（令五・七・一二条例七五）

1　この条例は、令和五年七月十三日から施行する。

2　この条例による改正後の特定異性接客営業等の規制に関する条例第十二条の規定は、この条例の施行後にした行為について適用し、この条例の施行前にした行為については、なお従前の例による。

**附　則**（令六・一〇・一一条例一五八）

1　この条例は、令和七年六月一日から施行する。

2　この条例の施行前にした行為に対する罰則の適用については、なお従前の例による。

# 第六類

# 都市整備

# 第一章　都市計画

## ○東京都屋外広告物条例

昭二四・八・二七
条例一〇〇

最終改正　令六・三・一三条例三

### 第一章　総則

（目的等）

**第一条**　この条例は、屋外広告物及び屋外広告業について、屋外広告物法（昭和二十四年法律第百八十九号。以下「法」という。）の規定に基づく規制、都民の創意による自主的な規制その他の必要な事項を定め、もつて良好な景観を形成し、若しくは風致を維持し、又は公衆に対する危害を防止することを目的とする。

2　この条例の適用に当たつては、国民の政治活動の自由その他国民の基本的人権を不当に侵害しないように留意しなければならない。

（定義）

**第二条**　この条例において、次の各号に掲げる用語の意義は、それぞれ当該各号に定めるところによる。

一　屋外広告物　法第二条第一項に規定する屋外広告物（以下「広告物」という。）をいう。

二　屋外広告業　法第二条第二項に規定する屋外広告業をいう。

三　広告主　広告物を表示し、又は広告物を掲出する物件（以下「掲出物件」という。）を設置することを決定し、自ら又は屋外広告業を営む者その他の事業者（以下「屋外広告業者等」という。）に委託する等により、当該広告物を表示し、又は当該掲出物件を設置する者をいう。

（都の責務）

**第三条**　東京都（以下「都」という。）は、この条例の目的を達成するため、広告物に関する施策を策定し、及び実施する責務を有する。

2　都は、前項の施策の円滑な実施を図るため、広告主、屋外広告業者等、国並びに特別区及び市町村との適切な連携を図るものとする。

（都民の責務）

**第四条**　都民は、都がこの条例に基づき実施する広告物に関する施策について理解を深めるとともに、これに協力するよう努めるものとする。

（広告主及び屋外広告業者等の責務）

**第五条**　広告主は、この条例の規定及び自らの創意による自主的な規制を遵守するとともに、広告物の表示又は掲出物件の設置を委託した屋外広告業者等に、この条例の規定を遵守させるために必要な措置を講じる責務を有する。

2　広告主は、都がこの条例に基づき実施する広告物に関する施策に協力するよう努めるものとする。

3　屋外広告業者等は、広告主と連携し、この条例の規定及び自らの創意による自主的な規制を遵守する責務を有する。

4　屋外広告業者等は、都がこの条例に基づき実施する広告物に関する施策に協力するよう努めるものとする。

### 第二章　広告物等の制限

（禁止区域）

**第六条**　次に掲げる地域又は場所に、広告物を表示し、又は掲出物件を設置してはならない。

一　都市計画法（昭和四十三年法律第百号）第八条第一項第一号の規定により定められた第一種低層住居専用地域、第二種低層住居専用地域、第一種中高層住居専用地域、第二種中高層住居専用地域及び田園住居地域並びに同項第十二号の規定により定められた都市緑地法（昭和四十八年法律第七十二号）第十二条の規定による特別緑地保全地区。ただし、知事の指定する区域を除く。

二　都市計画法第八条第一項第六号の規定により定められた景観地区のうち知事の指定する区域、景観法（平成十六年法律第百十号）第七十四条第一項の規定により指定された準景観地区であつて同法第七十五条第一項に規定する条例により規制を受ける地域のうち知事の指定する区域、景観法の施行に伴う関係法律の整備等に関する法律（平成十六年法律第百十一号）第一条の規定による改正前の都市計画法第八条第一項第六号の規定により定められた美観地区（以下「旧美観地区」という。）及び都市計画法第八条第一項第七号の規定により定められた風致地区。ただし、旧美観地区及び風致地区にあつては、知事の指定する区域を除く。

三　森林法（昭和二十六年法律第二百四十九号）第二十五条第一項第十一号の規定により保安林として指定された森林のある地域

四　文化財保護法（昭和二十五年法律第二百十四号）第二十七条又は第七十八条第一項の規定により指定

された建造物及びその周囲で知事の定める範囲内にある地域並びに同法第百九条第一項若しくは第二項又は第百十条第一項の規定により指定され、又は仮指定された地域並びに指定され、又は仮指定されたもの及びその周囲で知事の定める範囲内にある地域

五　歴史的又は都市美的価値を有する建造物及びその周囲並びに文化財庭園など歴史的価値の高い施設の周辺地域で知事の定める範囲内にある地域

六　古墳、墓地、火葬場及び葬儀場並びに社寺、仏堂及び教会の境域

七　国又は公共団体の管理する公園、緑地、運動場、動物園、植物園、河川、堤防敷地及び橋台敷地

八　自然公園法（昭和三十二年法律第百六十一号）第二十条第一項の規定により指定された国立公園及び国定公園の特別地域並びに同法第七十三条第一項の規定により指定された東京都立自然公園の特別地域

九　学校、病院、公会堂、図書館、博物館、美術館等の建造物の敷地及び官公署の敷地内

十　道路、鉄道及び軌道の路線用地。ただし、第八条第二号に掲げる地域を除く。

十一　前号の路線用地に接続する地域で、知事の定める範囲内にあるもの。ただし、第八条第二号に掲げる地域を除く。

十二　前各号に掲げるもののほか、別に知事の定める地域

**（禁止物件）**

**第七条**　次に掲げる物件には、広告物を表示し、又は掲出物件を設置してはならない。

一　橋（橋台及び橋脚を含む。）、高架道路、高架鉄道及び軌道

二　道路標識、信号機及びガードレール

三　街路樹及び路傍樹

四　景観法第十九条第一項の規定により指定された景観重要建造物及び同法第二十八条第一項の規定により指定された景観重要樹木

五　郵便差出箱、信書便差出箱、公衆電話ボックス、送電塔、テレビ塔、照明塔、ガスタンク、水道タンク、煙突及びこれらに類するもの

六　形像及び記念碑

七　石垣及びこれに類するもの

八　前各号に掲げるもののほか、特に良好な景観を形成し、又は風致を維持するために必要なものとして知事の指定する物件

2　次に掲げる物件には、はり紙（ポスターを含む。以下同じ。）、はり札等（法第七条第四項前段に規定するはり札等をいう。以下同じ。）、広告旗（同項前段に規定する広告旗をいう。以下同じ。）、又は立看板等（同項前段に規定する立看板等をいう。以下同じ。）を表示し、又は設置してはならない。

一　電柱、街路灯柱及び消火栓標識

二　アーチの支柱及びアーケードの支柱

**（許可区域）**

**第八条**　次に掲げる地域又は場所（第六条各号に掲げる地域又は場所を除く。）に広告物を表示し、又は広告物を掲出する物件を設置しようとする者は、知事の許可を受けなければならない。

一　特別区、市及び町の区域

二　道路、鉄道及び軌道の路線用地並びにこれらに接続する地域で、知事の定める範囲内にある地域

三　自然公園法第五条第一項又は第二項の規定により指定された国立公園又は国定公園の区域及び同法第七十二条の規定により指定された東京都立自然公園の区域

四　景観法第八条第二項第一号に規定する景観計画の区域のうち、知事の指定する区域

**（地区計画等の区域における基準）**

**第九条**　知事は、都市計画法第四条第九項に規定する地区計画等の区域（同法第十二条の五第二項第一号に規定する地区整備計画、密集市街地における防災街区の整備の促進に関する法律（平成九年法律第四十九号）第三十二条第二項第一号に規定する特定建築物地区整備計画、同項第二号に規定する防災街区整備地区整備計画、地域における歴史的風致の維持及び向上に関する法律（平成二十年法律第四十号）第三十一条第二項第一号に規定する歴史的風致維持向上地区整備計画、幹線道路の沿道の整備に関する法律（昭和五十五年法律第三十四号）第九条第二項第一号に規定する沿道地区整備計画又は集落地域整備法（昭和六十二年法律第六十三号）第五条第三項に規定する集落地区整備計画（以下「地区整備計画等」という。）が定められている区域に限る。）において、当該地区整備計画等の内容として定められた広告物又は掲出物件（以下「広告物等」という。）に関する事項が、良好な景観を形成し、又は風致を維持し、かつ、公衆に対する危害を防止するものであると認める場合は、当該事項を、この条例の規定による当該区域に係る広告物等の基準として東京都規則（以下「規則」という。）で定めることができる。

**第十条**　削除

**（広告誘導地区等における基準）**

**第十一条**　知事は、良好な景観を形成し、又は風致を維持するために必要であると認める場合には、一定の区域を広告誘導地区として指定し、当該区域における広

告物等の形状、面積、色彩、意匠その他表示の方法に関する事項を誘導方針として定めることができる。

2　前項に規定する広告誘導地区において、土地、建築基準法（昭和二十五年法律第二百一号）第二条第一号に規定する建築物（以下「建築物」という。）、工作物又は広告物等の所有者又はこれらを使用する権利を有する者は、前項に規定する誘導方針に即して、規則で定めるところにより、広告物等の形状、面積、色彩、意匠その他表示の方法に関する事項を合意書として定めることができる。

3　知事は、前項の規定により定められた合意書の内容又は東京のしゃれた街並みづくり推進条例（平成十五年東京都条例第三十号）第二十七条第二項の規定により承認された街並み景観ガイドラインの内容として定められた広告物等の事項が、良好な景観を形成し、又は風致を維持し、かつ、公衆に対する危害を防止するために特に必要であると認める場合には、当該事項を、この条例の規定による当該区域に係る広告物等の基準として規則で定めることができる。

（広告協定地区）

**第十二条**　一定の区域内の土地、建築物、工作物又は広告物等の所有者又はこれらを使用する権利を有する者は、良好な地域環境を形成するため、当該区域内の広告物等の形状、面積、色彩、意匠その他表示の方法の基準に関する協定（以下この条において「広告協定」という。）を締結したときは、広告協定書を作成し、その代表者によつて、知事に提出して、当該区域について広告協定地区として指定するよう求めることができる。

2　知事は、前項の規定による申請があつた場合において、当該広告協定が良好な地域環境の形成に寄与すると認めるときは、当該区域を広告協定地区として指定することができる。

3　知事は、前項の規定により広告協定地区を指定するときは、あらかじめ当該区域の存する特別区、市及び町の長の意見を聴かなければならない。

4　知事は、第二項の規定により広告協定地区を指定したときは、当該広告協定をした者に対し、良好な地域環境を形成するため必要な措置をとるべきことを指導し、又は助言することができる。

5　第一項及び第二項の規定は、広告協定地区の変更又は廃止について準用する。

（プロジェクションマッピング活用地区）

**第十二条の二**　まちづくりの推進を図る活動等を行うことを目的とする一般社団法人又は一般財団法人、特定非営利活動促進法（平成十年法律第七号）第二条第二項の特定非営利活動法人その他規則で定める団体（以下「まちづくり団体等」という。）は、地域の特性に応じたプロジェクションマッピング（建築物その他の工作物等に光で投影する方法により表示される広告物をいう。以下同じ。）の活用を図るため、規則で定めるところにより、一定の区域をプロジェクションマッピング活用地区（以下「活用地区」という。）に指定するよう知事に申請することができる。

2　前項の規定による申請は、次に掲げる事項を定めたプロジェクションマッピング活用計画（以下「活用計画」という。）の案を添えて行わなければならない。

一　活用地区の名称、位置及び区域

二　プロジェクションマッピングの活用に係る方針

三　プロジェクションマッピングの表示の場所、位置、形状、規模、色彩その他表示の方法に関する基準（以下「表示基準」という。）

四　表示基準が適用される建築物その他の工作物等

五　その他規則で定める事項

3　まちづくり団体等は、活用計画の案を作成しようとするときは、説明会を開催する等活用地区の住民の意見を反映させるよう努めなければならない。

4　知事は、第一項の規定による申請があつた場合において、当該申請に係る活用計画の案の内容が知事が別に定める基準を満たすものと認めるときは、当該活用計画の案に掲げる区域を活用地区として指定することができる。

5　知事は、前項の規定により活用地区を指定するときは、あらかじめ当該活用地区に係る区域の存する特別区及び市町村の長の意見を聴かなければならない。

6　まちづくり団体等は、第四項の規定により指定された活用地区に係る活用計画の内容を変更（軽微な変更を除く。）しようとするときは、規則で定めるところにより、その旨を知事に申請しなければならない。

7　第三項から第五項までの規定は、前項の規定による申請について準用する。

8　まちづくり団体等は、第四項の規定により指定された活用地区を廃止しようとするときは、規則で定めるところにより、その旨を知事に届け出なければならない。

9　前各項に定めるもののほか、活用地区の指定に関し必要な事項は、知事が別に定める。

**（禁止区域若しくは禁止物件又は許可区域に許可を受けずに表示又は設置をすることができる広告物等）**

**第十三条**　次に掲げる広告物等は、第六条から第八条までの規定にかかわらず、表示し、又は設置することができる。ただし、第二号から第六号まで及び第八号に掲げる広告物等については、規則で定める基準に適合するものでなければならない。

一　他の法令の規定により表示する広告物等

二　国又は公共団体が公共的目的をもつて表示する広告物等

三　公益を目的とした集会、行事、催物等のために表示するはり紙、はり札等、広告旗、立看板等、広告幕（網製のものを含む。以下同じ。）及びアドバルーン

四　公益上必要な施設又は物件に寄贈者名を表示する広告物

五　自己の氏名、名称、店名若しくは商標又は自己の事業若しくは営業の内容を表示するため、自己の住所、事業所、営業所又は作業場に表示する広告物等（以下「自家用広告物」という。）

六　自己の管理する土地又は物件に、管理者が管理上必要な事項を表示する広告物等

七　冠婚葬祭、祭礼等のために表示する広告物等

八　公益を目的とした行事、催物等のために表示するプロジェクションマッピングで、公益性を有するもの

**（禁止区域又は許可区域に許可を受けずに表示又は設置をすることができる広告物等）**

**第十四条**　次に掲げる広告物等は、第六条及び第八条の規定にかかわらず、表示し、又は設置することができる。ただし、第一号、第二号及び第四号に掲げる広告物等については、規則で定める基準に適合するものでなければならない。

一　講演会、展覧会、音楽会等のために表示する広告物等

二　電車又は自動車の外面を利用する広告物等

三　人、動物、車両（電車及び自動車を除く。）、船舶等に表示する広告物

四　塀又は工事現場の板塀若しくはこれに類する仮囲いに表示する広告物

**（禁止区域に許可を受けて表示又は設置をすることができる広告物等）**

**第十五条**　次に掲げる広告物等は、第六条の規定にかかわらず、知事の許可を受けたときは、規則で定める基準により、表示し、又は設置することができる。

一　自己の氏名、名称、店名又は商標を表示するため、自己の住所、事業所、営業所又は作業場に表示する広告物等

二　規則で定める道標、案内図板等の広告物等で、公共的目的をもつて表示するもの

三　電柱、街路灯柱等を利用して表示する広告物等で、公衆の利便に供することを目的とするもの

四　電車又は自動車の外面を利用する広告物等

五　知事の指定する専ら歩行者の一般交通の用に供する道路の区域に表示又は設置をする広告物等

六　規則で定める公益上必要な施設又は物件に表示する広告物等

七　第六条第四号及び第五号（同条第一号から第三号まで及び第六号から第十一号までに掲げる地域又は場所を除く。）並びに同条第十二号に掲げる地域のうち、知事が特に指定する地域に表示又は設置をする規則で定める非営利目的のための広告板

**（沿道、沿線等の禁止区域に許可を受けて表示又は設置をすることができる広告物等）**

**第十六条**　次に掲げる広告物等（前三条及び次条に規定するものを除く。）は、第六条の規定にかかわらず、知事の許可を受けたときは、同条第十号及び第十一号に掲げる地域（同条第一号から第九号まで及び第十二号に掲げる地域又は場所を除く。）に表示し、又は設置することができる。ただし、第一号に掲げる広告物等の許可の基準は、規則で定める。

一　第六条第十号に規定する道路の路線用地及び同条第十一号に規定する道路の路線用地に接続する地域で、かつ、都市計画法第七条第一項の規定により定められた市街化調整区域に表示し、又は設置する広告物等

二　第六条第十一号に掲げる地域に表示し、又は設置する広告物等で、当該広告物等を表示し、又は設置する当該地域の路線用地から展望できないもの（前号に掲げるものを除く。）

**（非営利広告物等の表示）**

**第十七条**　規則で定める非営利目的のためのはり紙、はり札等、広告旗、立看板等、広告幕及びアドバルーン（次項において「非営利広告物等」という。）は、第六条の規定にかかわらず、同条第一号、第四号、第五号、第十号及び第十一号（同条第二号、第三号及び第六号から第九号までに掲げる地域又は場所を除く。）並びに同条第十二号に掲げる地域に表示し、又は設置することができる。

2　非営利広告物等は、第八条の規定にかかわらず、同条各号に掲げる地域又は場所に表示し、又は設置することができる。

**（告示）**

**第十八条**　知事は、第六条第一号ただし書、第二号、第四号、第五号、第十一号若しくは第十二号、第七条第一項第八号、第八条第二号若しくは第四号、第十一条第一項、第十二条第一項、第十二条の二第四項又は第十五条第五号若しくは第七号の規定により区域を指定し、地域を定め、若しくは物件を指定したとき、又は

これらを変更し、若しくは廃止したときは、その旨を告示しなければならない。

（**禁止広告物等**）

**第十九条**　何人も、形状、規模、色彩、意匠その他表示の方法が景観又は風致を害するおそれのある広告物等を表示し、又は設置してはならない。

2　何人も、次に掲げる広告物等を表示し、又は設置してはならない。

一　腐朽し、腐食し、又は破損しやすい材料を使用した危険な広告物等

二　構造又は設置の方法が危険な広告物等

三　風圧又は地震その他の震動若しくは衝撃により容易に破損し、落下し、倒壊する等のおそれのある広告物等

四　信号機又は道路標識等に類似し、又はこれらの効用を妨げるなど、道路交通の安全を阻害するおそれのある広告物等

（**管理義務**）

**第二十条**　広告主、広告主から委託を受けて広告物等を表示し、若しくは設置する者若しくは広告物等の所有者、占有者その他当該広告物等について権原を有する者（第四章において「所有者等」という。）又は当該広告物等の管理者（以下「広告物の表示者等」という。）は、広告物等に関し、補修その他必要な管理を行い、良好な状態に保持しなければならない。

（**規格の設定**）

**第二十一条**　次に掲げる広告物等について、知事がその表示又は設置の場所、位置、形状、規模、色調等について、規則で定める規格を設けたときは、当該広告物等は、これらの規格によらなければならない。

一　広告塔

二　広告板

三　立看板等

四　はり紙

五　はり札等

六　広告旗

七　建築物の壁面を利用する広告物等

八　建築物から突出する形式の広告物等

九　電柱又は街路灯柱を利用する広告物等

十　道路に沿い、又は鉄道及び軌道の沿線に設置する広告物等

十一　電車又は自動車の外面を利用する広告物等

十二　プロジェクションマッピング

十三　前各号に掲げるもののほか、特に良好な景観形成又は風致の維持に必要なものとして規則で定める広告物等

2　都市計画法第八条第一項第一号の規定により定められた第一種住居地域又は第二種住居地域内に表示する広告物等（自家用広告物及び第十四条第四号に規定する広告物を除く。）の表示面積は、前項の規定にかかわらず、規則で定める基準に適合するものでなければならない。

3　第八条第四号の規定により指定された区域に表示する広告物等のうち、景観法第八条第一項の景観計画に同条第二項第四号イの規定により定めた事項については、前二項の規定にかかわらず、規則で定める基準に適合するものでなければならない。

4　第十二条の二第四項の規定により指定された活用地区に表示するプロジェクションマッピング（同条第二項第四号に規定する建築物その他の工作物等に表示されるものに限る。）は、前三項の規定にかかわらず、当該活用地区の表示基準に適合するものでなければならない。

（**広告物等の総表示面積の規制**）

**第二十二条**　都市計画法第八条第一項第一号の規定により定められた近隣商業地域及び商業地域内にある高さが十メートルを超える建築物に表示する各広告物等（広告物の表示期間が七日以内のもの又は第十二条の二若しくは第十三条第八号に規定するプロジェクションマッピングのうち規則で定めるものを除く。）の表示面積の合計は、一建築物の壁面面積に応じて規則で定める基準により算定した面積を超えてはならない。

## 第三章　広告物等の許可

（**許可の申請**）

**第二十三条**　第八条、第十五条又は第十六条の規定による許可を受けようとする者は、規則で定める申請書（以下「許可申請書」という。）正副二通を知事に提出しなければならない。

（**許可の期間及び条件**）

**第二十四条**　知事は、この条例の規定による許可をするに当たつては、許可の期間を定めるほか、良好な景観を形成し、若しくは風致を維持し、又は公衆に対する危害を予防するために必要な条件を付することができる。

2　前項の許可の期間（以下「許可期間」という。）は、二年を超えることができない。

（**屋外広告物管理者の設置**）

**第二十五条**　この条例の規定による許可に係る広告物等で規則で定めるものを表示し、又は設置する者は、規則で定める屋外広告物管理者を置かなければならない。

（**許可期間等の表示**）

**第二十六条**　この条例の規定による許可を受けた者は、住所、氏名、許可期間等について、知事の定めるところに従い表示しておかなければならない。

（変更及び継続の許可）

**第二十七条**　この条例の規定による許可を受けた後、その広告物の表示の内容に変更を加え、又はその広告物等を改造し、若しくは移転しようとするときは、規則で定める場合を除き、更に知事の許可を受けなければならない。

2　許可期間満了後更に継続して広告物等を表示し、又は設置しようとするときは、当該許可期間満了の日までに、更に知事の許可を受けなければならない。この場合において、当該許可の申請は、当該許可期間満了の日の十日前までに行わなければならない。

3　第二十三条及び第二十四条の規定は、前二項の規定による許可について準用する。

（除却の義務）

**第二十八条**　広告物の表示者等は、許可期間その他の適法な表示期間又は設置期間が満了したときは、直ちに広告物等を除却しなければならない。

（許可申請手数料）

**第二十九条**　この条例の規定による許可を受けようとする者は、申請の際、別表に掲げる額の手数料を納付しなければならない。ただし、政治資金規正法（昭和二十三年法律第百九十四号）第六条第一項の規定による届出を経た政治団体がはり紙、はり札等、広告旗、立看板等、広告幕及びアドバルーンを表示し、又は設置するための許可を受けようとするときは、この限りでない。

2　既納の手数料は、還付しない。ただし、知事が特別の事由があると認めるときは、この限りでない。

（許可の特例）

**第三十条**　知事は、第六条から第八条まで、第二十一条又は第二十二条の規定にかかわらず、景観又は風致の向上に資し、かつ、公衆に対する危害を及ぼすおそれのない広告物等で、特にやむを得ないと認めるものについては、当該広告物等の表示又は設置を許可することができる。この場合においては、あらかじめ第五十六条に規定する東京都広告物審議会の議を経るものとする。

2　第二十三条から前条までの規定は、前項の規定による許可について準用する。

## 第四章　監督

（許可の取消し及び行政措置命令）

**第三十一条**　この条例の規定による許可を受けた広告物等が、景観若しくは風致を著しく害し、若しくは公衆に対して危害を及ぼすおそれがあると認められるに至つたとき、又は許可申請書に虚偽の事項があつたときは、知事は、その許可を取り消し、又は当該広告物の表示者等に対してこれらの改修、移転、除却その他必要な措置を命ずることができる。

**第三十二条**　この条例又はこの条例に基づく規則に違反した広告物等があるときは、知事は、当該広告物の表示者等に対して当該広告物等の表示若しくは設置の停止を命じ、又は五日以上の期限を定め、改修、移転、除却その他必要な措置を命ずることができる。

2　知事は、前項の規定による措置を命じようとする場合において、当該広告物の表示者等を過失がなくて確知することができないときは、これらの措置を自ら行い、又はその命じた者若しくは委任した者に行わせることができる。ただし、掲出物件を除却する場合においては、五日以上の期限を定め、その期限までにこれを除却すべき旨及びその期限までに除却しないときは、知事又はその命じた者若しくは委任した者が除却する旨を公告しなければならない。

（公表）

**第三十三条**　知事は、前条第一項の規定による命令を受けた広告物の表示者等が、正当な理由なく当該命令に従わなかつたときは、その旨を公表することができる。

2　知事は、前項の規定による公表をしようとする場合は、当該命令を受けた者に対し、意見を述べ、証拠を提示する機会を与えるものとする。

（広告物等を保管した場合の公告）

**第三十四条**　知事は、第三十二条第二項又は法第七条第四項の規定により広告物等を除却し、又は除却させたときは、当該広告物等を保管しなければならない。ただし、除却し、又は除却させた広告物等がはり紙である場合は、この限りでない。

2　知事は、前項の規定により広告物等を保管したときは、当該広告物等の所有者等に対し当該広告物等を返還するため、次に掲げるもののうち必要な事項を公告しなければならない。

一　公告の日
二　当該広告物等を除却した日時
三　当該広告物等の放置されていた場所
四　当該広告物等の名称又は種類及び数量
五　当該広告物等の表示内容
六　当該広告物等の保管開始日及び保管場所
七　前各号に掲げるもののほか、保管した広告物等を返還するため必要と認められる事項

3　前項の規定による公告は、次に掲げる方法により行

わなければならない。

一　前項各号に掲げる事項を、公告の日から起算して十四日間（法第七条第四項の規定により除却された広告物等にあつては、二日間）、規則で定める場所に掲示すること。

二　法第八条第三項第二号に規定する特に貴重な広告物等については、前号に規定する期間が満了しても、なお当該広告物等の所有者等の氏名及び住所（法人にあつては、名称、代表者の氏名及び主たる事務所の所在地）等を確知することができないときは、その公告の要旨を東京都公報に登載すること。

4　知事は、前項に規定する方法による公告を行うとともに、規則で定める保管物件一覧表を規則で定める場所に備え付け、かつ、これを関係者に自由に閲覧させなければならない。

**（保管した広告物等の売却又は廃棄）**

**第三十五条**　知事は、前条第一項の規定により保管した広告物等が滅失し、若しくは破損するおそれがあるとき、又は同条第二項第一号の公告の日から次の各号に掲げる広告物等の区分に従い当該各号に定める期間を経過してもなお当該広告物等を返還することができない場合において、次条に定める評価の方法により評価した価額に比し、その保管に不相当な費用又は手数を要するときは、当該広告物等を売却し、その売却した代金を保管することができる。

一　法第七条第四項の規定により除却された広告物等　二日

二　法第八条第三項第二号に規定する特に貴重な広告物等　三月

三　前二号に掲げる広告物等以外の広告物等　十四日

2　知事は、次条の規定により評価した広告物等の価額が著しく低い場合において、前項の規定による広告物等の売却につき買受人がないとき、又は売却しても買受人がないことが明らかであるときは、当該広告物等を廃棄することができる。

3　第一項の規定により売却した代金は、売却に要した費用に充てることができる。

4　前条第二項第一号の公告の日から起算して六月を経過してもなお同条第一項の規定により保管した広告物等（第一項の規定により売却した代金を含む。以下この項及び第三十八条において同じ。）を返還することができないときは、当該広告物等の所有権は、当該広告物等を保管する都に帰属するものとする。

**（保管した広告物等の価額の評価）**

**第三十六条**　第三十四条第一項の規定により保管した広告物等の価額の評価は、取引の実例価格、当該広告物等の使用期間、損耗の程度その他広告物等の価額の評価に関する事情を勘案して行うものとする。この場合において、知事は、必要があると認めるときは、広告物等の価額の評価に関し、専門的知識を有する者の意見を聴くことができる。

**（保管した広告物等を売却する場合の手続）**

**第三十七条**　第三十五条第一項の規定による保管した広告物等の売却については、規則で定める方法によるものとする。

**（保管した広告物等を返還する場合の手続）**

**第三十八条**　知事は、第三十四条第一項の規定により保管した広告物等を当該広告物等の所有者等に返還するときは、返還を受ける者にその氏名及び住所（法人にあつては、名称、代表者の氏名及び主たる事務所の所在地）を証するに足りる書類を提示させる等の方法によつてその者が当該広告物等の返還を受けるべき所有者等であることを証明させ、かつ、規則で定める受領書と引換えに返還するものとする。

## 第五章　屋外広告業

**（屋外広告業の登録）**

**第三十九条**　東京都の区域内において屋外広告業を営もうとする者は、知事の登録を受けなければならない。

2　前項の登録の有効期間は、五年とする。

3　前項の有効期間の満了後引き続き屋外広告業を営もうとする者は、当該有効期間の満了の日までに、更新の登録を受けなければならない。この場合において、当該登録の申請は、当該有効期間の満了の日の三十日前までにしなければならない。

4　前項の更新の登録の申請があつた場合において、第二項の有効期間の満了の日までにその申請に対する処分がなされないときは、従前の登録は、同項の有効期間の満了後もその処分がなされるまでの間は、なお効力を有する。

5　前項の場合において、更新の登録がなされたときは、当該登録の有効期間は、従前の登録の有効期間の満了の日の翌日から起算するものとする。

**（登録の申請）**

**第四十条**　前条第一項又は第三項の規定により登録を受けようとする者（以下「登録申請者」という。）は、規則で定めるところにより、次に掲げる事項を記載した登録申請書を知事に提出しなければならない。

一　商号、氏名及び住所（法人にあつては、名称、代表者の氏名及び主たる事務所の所在地）

二　東京都の区域内において営業を行う営業所の名称及び所在地

三　法人にあつては、その役員（業務を執行する社

員、取締役、執行役又はこれらに準ずる者をいう。以下同じ。）の氏名

四　未成年者である場合にあつては、その法定代理人の氏名及び住所

五　第二号の営業所ごとに置かれる業務主任者（第四十八条に規定する業務主任者をいう。第四十二条において同じ。）の氏名及び所属する営業所の名称

2　前項の登録申請書には、登録申請者が第四十二条第一項各号のいずれにも該当しない者であることを誓約する書面その他規則で定める書類を添付しなければならない。

（登録の実施）

**第四十一条**　知事は、前条の規定による書類の提出があつた場合は、次条第一項の規定により登録を拒否するときを除くほか、遅滞なく、規則で定めるところにより、次に掲げる事項を屋外広告業者登録簿に登録しなければならない。

一　前条第一項各号に掲げる事項

二　登録年月日及び登録番号

2　知事は、前項の規定による登録をしたときは、遅滞なく、その旨を登録申請者に通知しなければならない。

（登録の拒否）

**第四十二条**　知事は、登録申請者が次の各号のいずれかに該当するとき、又は第四十条第一項の登録申請書若しくはその添付書類のうちに重要な事項について虚偽の記載があり、若しくは重要な事実の記載が欠けているときは、その登録を拒否しなければならない。

一　第五十二条第一項の規定により登録を取り消され、その処分のあつた日から二年を経過しない者

二　屋外広告業者（第三十九条第一項又は第三項の登録を受けて屋外広告業を営む者をいう。以下同じ。）で法人であるものが第五十二条第一項の規定により登録を取り消された場合において、その処分のあつた日前三十日以内にその屋外広告業者の役員であつた者でその処分のあつた日から二年を経過しないもの

三　第五十二条第一項の規定により営業の停止を命ぜられ、その停止の期間が経過しない者

四　この条例又はこの条例に基づく処分に違反して罰金の刑に処せられ、その執行を終わり、又は執行を受けることがなくなつた日から二年を経過しない者

五　屋外広告業に関し成年者と同一の行為能力を有しない未成年者でその法定代理人が前各号又は次号のいずれかに該当するもの

六　法人でその役員のうちに第一号から第四号までのいずれかに該当する者があるもの

七　第四十条第一項第二号の営業所ごとに業務主任者を置いていない者

2　知事は、前項の規定により登録を拒否したときは、遅滞なく、その理由を示して、その旨を申請者に通知しなければならない。

（登録事項の変更の届出）

**第四十三条**　屋外広告業者は、第四十条第一項各号に掲げる事項に変更があつたときは、規則で定めるところにより、その日から三十日以内に、その旨を知事に届け出なければならない。

2　知事は、前項の規定による届出を受理した場合は、当該届出に係る事項が前条第一項第五号から第七号までのいずれかに該当するときを除き、届出があつた事項を屋外広告業者登録簿に登録しなければならない。

3　第四十条第二項の規定は、第一項の規定による届出について準用する。

（屋外広告業者登録簿の閲覧）

**第四十四条**　知事は、屋外広告業者登録簿を一般の閲覧に供しなければならない。

（廃業等の届出）

**第四十五条**　屋外広告業者が次の各号のいずれかに該当することとなつた場合においては、当該各号に定める者は、その日（第一号の場合にあつては、その事実を知つた日）から三十日以内に、その旨を知事に届け出なければならない。

一　死亡した場合　その相続人

二　法人が合併により消滅した場合　その法人を代表する役員であつた者

三　法人が破産手続開始の決定により解散した場合　その破産管財人

四　法人が合併及び破産手続開始の決定以外の理由により解散した場合　その清算人

五　東京都の区域内において屋外広告業を廃止した場合　屋外広告業者であつた個人又は屋外広告業者であつた法人を代表する役員

2　屋外広告業者が前項各号のいずれかに該当するに至つたときは、当該屋外広告業者の登録は、その効力を失う。

（登録の抹消）

**第四十六条**　知事は、屋外広告業者の登録がその効力を失つたとき、又は第五十二条第一項の規定により屋外広告業者の登録を取り消したときは、屋外広告業者登録簿から当該屋外広告業者の登録を抹消しなければならない。

（講習会）

**第四十七条**　知事は、規則で定めるところにより、広告

物等の表示及び設置に関し必要な知識を修得させることを目的とする講習会（以下「講習会」という。）を開催しなければならない。

2　知事は、規則で定めるところにより、講習会の運営に関する事務を他の者に委託することができる。

3　講習会を受けようとする者は、四千九百円の講習手数料を納付しなければならない。

4　前三項に定めるほか、講習会に関し必要な事項は、規則で定める。

（業務主任者の設置）

**第四十八条**　屋外広告業者は、第四十条第一項第二号の営業所ごとに、次に掲げる者のうちから業務主任者を置き、次項に定める業務を行わせなければならない。

一　法第十条第二項第三号イに規定する登録試験機関が広告物等の表示及び設置に関し必要な知識について実施する試験に合格した者

二　前条第一項の講習会の課程を修了した者

三　他の道府県又は地方自治法（昭和二十二年法律第六十七号）第二百五十二条の十九第一項の指定都市若しくは同法第二百五十二条の二十二第一項の中核市の行う講習会の課程を修了した者

四　職業能力開発促進法（昭和四十四年法律第六十四号）に基づく職業訓練指導員免許所持者、技能検定合格者又は職業訓練修了者であつて広告美術仕上げの職種に係るもの

五　知事が、規則で定めるところにより、前各号に掲げる者と同等以上の知識を有するものと認定した者

2　業務主任者は、次に掲げる業務を総括するものとする。

一　この条例その他広告物等の表示及び設置に関する法令の規定の遵守に関すること。

二　広告物等の表示又は設置に関する工事の適正な施工その他広告物等の表示又は設置に係る安全の確保に関すること。

三　第五十条の帳簿に記載する事項のうち、規則で定めるものの記載に関すること。

四　前三号に掲げるもののほか、業務の適正な実施の確保に関すること。

（標識の掲示）

**第四十九条**　屋外広告業者は、規則で定めるところにより、第四十条第一項第二号の営業所ごとに、公衆の見やすい場所に、商号、氏名又は名称、登録番号その他規則で定める事項を記載した標識を掲げなければならない。

（帳簿の備付け等）

**第五十条**　屋外広告業者は、規則で定めるところにより、第四十条第一項第二号の営業所ごとに帳簿を備え、その営業に関する事項で規則で定めるものを記載し、これを保存しなければならない。

（屋外広告業を営む者に対する指導、助言及び勧告）

**第五十一条**　知事は、東京都の区域内で屋外広告業を営む者に対し、良好な景観を形成し、若しくは風致を維持し、又は公衆に対する危害を防止するために必要な指導、助言及び勧告を行うことができる。

（登録の取消し又は営業の停止）

**第五十二条**　知事は、屋外広告業者が次の各号のいずれかに該当するときは、その登録を取り消し、又は六月以内の期間を定めてその営業の全部若しくは一部の停止を命ずることができる。

一　不正の手段により屋外広告業の登録を受けたとき。

二　第四十二条第一項第二号又は第四号から第七号までのいずれかに該当することとなつたとき。

三　第四十三条第一項の規定による届出をせず、又は虚偽の届出をしたとき。

四　この条例又はこの条例に基づく処分に違反したとき。

2　第四十二条第二項の規定は、前項の規定による処分をした場合に準用する。

（監督処分簿の備付け等）

**第五十三条**　知事は、規則で定める屋外広告業者監督処分簿を備え、これを規則で定める閲覧所において一般の閲覧に供しなければならない。

2　知事は、前条第一項の規定による処分をしたときは、前項の屋外広告業者監督処分簿に、当該処分の年月日、内容その他規則で定める事項を登載しなければならない。

（報告及び検査）

**第五十四条**　知事は、東京都の区域内で屋外広告業を営む者に対して、良好な景観を形成し、若しくは風致を維持し、又は公衆に対する危害を防止するために必要があると認めるときは、その営業につき、必要な報告をさせ、又はその職員をして営業所その他営業に関係のある場所に立ち入り、帳簿、書類その他の物件を検査し、若しくは関係者に質問させることができる。

2　前項の規定により立入検査をする職員は、その身分を示す証明書を携帯し、関係者の請求があつたときは、これを提示しなければならない。

3　第一項の規定による立入検査又は質問の権限は、犯罪捜査のために認められたものと解釈してはならない。

（登録申請手数料）

**第五十五条**　第三十九条第一項の規定により登録を受け

ようとする者は申請の際一万円の登録手数料を、同条第三項の規定により更新の登録を受けようとする者は申請の際五千円の更新の登録手数料を、それぞれ納付しなければならない。

2 既納の手数料は、還付しない。ただし、知事が特別の事由があると認めるときは、この限りでない。

## 第六章 東京都広告物審議会

（審議会の設置）

**第五十六条** 広告物の規制の適正を図るため、知事の附属機関として東京都広告物審議会（以下「審議会」という。）を置く。

（所掌事務）

**第五十七条** 審議会は、この条例によりその権限に属させられた事項を調査審議するとともに、知事の諮問に応じ、広告物に関する重要な事項を調査審議して答申する。

2 知事は、次に掲げる場合には、審議会の意見を聴かなければならない。

一 第六条第一号ただし書、第二号、第四号、第五号、第十一号若しくは第十二号、第七条第一項第八号、第八条第二号若しくは第四号、第十一条第一項、第十二条第二項又は第十二条の二第四項の規定により区域を指定し、地域を定め、又は物件を指定しようとするとき。

二 第九条、第十一条第三項、第二十一条又は第二十二条の規定により規格を設け、又は基準を定めようとするとき。

（組織）

**第五十八条** 審議会は、次に掲げる者につき知事が任命し、又は委嘱する委員二十三人以内をもつて組織する。

一 学識経験を有する者　十一人以内
二 広告主の代表　二人以内
三 広告業者の代表　三人以内
四 関係行政機関の職員　三人以内
五 東京都職員　四人以内

（委員の任期）

**第五十九条** 前条第一号から第三号までの委員の任期は、二年とし、補欠委員の任期は、前任者の残任期間とする。ただし、再任を妨げない。

（会長の選任及び権限）

**第六十条** 審議会に会長を置き、第五十八条第一号の委員のうちから、委員の選挙によつてこれを定める。

2 会長は、審議会を代表し、会務を総理する。

3 会長に事故があるときは、あらかじめ会長の指名する委員がその職務を代理する。

（招集）

**第六十一条** 審議会は、知事が招集する。

（専門委員）

**第六十二条** 専門の事項を調査するため必要があるときは、審議会に専門委員を置くことができる。

2 専門委員は、学識経験を有する者のうちから、知事が委嘱する。

（定足数及び表決数）

**第六十三条** 審議会は、委員の半数以上の出席がなければ会議を開くことができない。

2 審議会の議事は、出席委員の過半数で決し、可否同数のときは、会長の決するところによる。

3 審議会の運営その他必要な事項は、規則で定める。

（小委員会）

**第六十四条** 第十二条の二第四項の規定による活用地区の指定に関する事項又は第三十条第一項の規定による広告物等の許可に関する事項を調査審議するため必要があるときは、審議会に小委員会を置くことができる。

2 小委員会は、第五十八条第一号の委員のうちから会長が指名する委員五人をもつて組織する。

3 審議会は、小委員会の議決をもつて審議会の議決とすることができる。

## 第七章 雑則

（報告等の徴取）

**第六十五条** 知事は、この条例の施行に必要な限度において、広告物の表示者等から報告又は資料の提出を求めることができる。

（立入検査等）

**第六十六条** 知事は、この条例の施行に必要な限度において、その職員に、広告物等の存する土地又は建築物に立ち入り、広告物等を検査し、又は広告物の表示者等に対する質問を行わせることができる。

2 前項の規定による立入検査又は質問をする職員は、その身分を示す証明書を携帯し、関係人に提示しなければならない。

3 第一項の規定による立入検査又は質問の権限は、犯罪捜査のために認められたものと解釈してはならない。

（中核市の適用除外）

**第六十六条の二** この条例の規定は、八王子市の区域における屋外広告物及び屋外広告業については、適用しない。

**（景観行政団体である区市町村が処理する事務の範囲等）**

**第六十六条の三**　法第三条から第五条まで、第七条及び第八条の規定に基づく条例の制定及び改廃の事務は、町田市が処理することとする。

**（委任）**

**第六十七条**　この条例に規定するもののほか、この条例の施行について必要な事項は、規則で定める。

## 第八章　罰則

**（罰金）**

**第六十八条**　次の各号の一に該当する者は、三十万円以下の罰金に処する。

一　第六条又は第七条第一項の規定に違反した者（第六条各号に掲げる地域若しくは場所又は第七条第一項各号に掲げる物件にはり紙、はり札等、広告旗又は立看板等を表示し、又は設置した者を除く。）

二　第八条の許可を受けないで、広告物等を表示し、又は設置した者

三　第十九条第二項の規定に違反した者

四　第二十七条第一項の許可を受けないで、表示の内容に変更を加え、又は広告物等を改造し、若しくは移転した者

五　第三十一条又は第三十二条第一項の規定による命令に違反した者

六　第三十九条第一項又は第三項の登録を受けないで屋外広告業を営んだ者

七　不正の手段により第三十九条第一項又は第三項の登録を受けた者

八　第五十二条第一項の規定による営業の停止の命令に違反した者

**第六十九条**　次の各号の一に該当する者は、二十万円以下の罰金に処する。

一　第四十三条第一項の規定による届出をしなかつた者

二　第四十三条第一項の規定による届出について虚偽の届出をした者

三　第四十八条第一項の規定に違反した者

四　第五十四条第一項の規定による報告をせず、若しくは虚偽の報告をし、又は同項の規定による検査を拒み、妨げ、若しくは忌避し、若しくは質問に対して答弁をせず、若しくは虚偽の答弁をした者

五　第六十五条の規定による報告又は資料の提出を求められて、報告若しくは資料の提出をせず、又は虚偽の報告若しくは資料の提出をした者

六　第六十六条第一項の規定による検査を拒み、妨げ、若しくは忌避し、又は質問に対して答弁をせず、若しくは虚偽の答弁をした者

**（両罰規定）**

**第七十条**　法人の代表者又は法人若しくは人の代理人、使用人その他の従業者が、その法人又は人の業務に関して前二条の違反行為をしたときは、行為者を罰するほか、その法人又は人に対しても各本条の刑を科する。

**（過料）**

**第七十一条**　次の各号の一に該当する者は、五万円以下の過料に処する。

一　第六条第十号に掲げる地域及び当該地域に設置された物件にはり紙、はり札等、広告旗又は立看板等を表示し、又は設置した広告物の表示者等

二　第四十五条第一項の規定による届出を怠つた者

三　第四十九条の標識を掲げない者

四　第五十条の規定に違反して、帳簿を備えず、帳簿に記載せず、若しくは虚偽の記載をし、又は帳簿を保存しなかつた者

**附　則**

1　この条例は、屋外広告物法施行の日から施行する。

2　この条例施行の際、従前の規則によつて許可を受けてあるものについては、その許可期間を限り、この条例の規定により許可を受けたものとみなす。

3　この条例施行の際、従前の規則により許可を受け現に存する広告物又はこれを掲出する物件で、この条例により新にその表示又は掲出を禁止されるものについては、この条例施行の日から一ケ年以内を限り、存続することができる。

4　この条例施行前にした広告物取締規則に違反する行為に対する制限の適用に関しては、なお従前の例による。

**附　則**（令二・三・三一条例二六）

1　この条例は、令和二年七月一日から施行する。

2　この条例の施行の際、現にこの条例による改正前の東京都屋外広告物条例（以下「改正前の条例」という。）の規定により許可を受けて表示されている広告物で、その規格がこの条例による改正後の東京都屋外広告物条例第二十一条の規定に適合しないものの規格については、その許可期間に限り、なお従前の例による。

3　この条例の施行の際、現に改正前の条例の規定によりなされている広告物の許可の申請に係る手数料については、なお従前の例による。

**附　則**（令六・三・三一条例三）

1　この条例は、令和六年十月一日から施行する。

2　この条例の施行前にした行為に対する罰則の適用については、なお従前の例による。

別表（第二十九条関係）

| 広告物の種類 | 単位 | 額 |
|---|---|---|
| 広告塔 | 面積五平方メートルまでごとにつき | 三千二百二十円 |
| 広告板 | 同右 | 三千二百二十円 |
| プロジェクションマッピング | 同右 | 三千二百二十円（ただし、面積千平方メートルを超えるものにあっては、六十四万四千円） |
| 小型広告板 | 一枚につき | 四百円 |
| はり紙　はり札等 | 五十枚までごとにつき | 二千二百五十円 |
| 広告旗 | 一本につき | 四百五十円 |
| 立看板等 | 一枚につき | 四百五十円 |
| 電柱又は街路灯柱の利用広告 | 同右 | 三百十円 |
| 標識利用広告 | 同右 | 二百十円 |
| 宣伝車 | 一台につき | 四千九百五十円 |
| バス又は電車の車体利用広告で長方形の枠を利用する方式によるもの | 一枚につき | 六百十円 |
| 前記以外の車体利用広告 | 一台につき | 千九百五十円 |
| アドバルーン | 一個につき | 二千八百五十円 |
| 広告幕 | 一張につき | 九百九十円 |
| アーチ | 一基につき | 一万六百三十円 |
| 装飾街路灯 | 同右 | 五千十円 |
| 店頭装飾 | 同右 | 一万九千八百円 |

# ○東京都景観条例

平一八・一〇・一二
条例一三六

改正　平二三・一二・二二条例八七

## 第一章　総則

（目的）

**第一条**　この条例は、良好な景観の形成に関し、景観法（平成十六年法律第百十号。以下「法」という。）の規定に基づく景観計画の策定や行為の規制等について必要な事項を定めるとともに、東京都（以下「都」という。）、都民及び事業者の責務を明らかにするほか、大規模建築物等の建築等に係る事前協議の制度を整備することなどにより、地形、自然、まち並み、歴史、文化等に配慮した都市づくりを総合的に推進し、もって美しく風格のある東京を形成し、都民が潤いのある豊かな生活を営むことができる社会の実現を図ることを目的とする。

（定義）

**第二条**　この条例において、次の各号に掲げる用語の意義は、それぞれ当該各号に定めるところによる。

一　都市計画　都市計画法（昭和四十三年法律第百号）第四条第一項の都市計画をいう。

二　都市づくりの計画　都市計画法第六条の二第一項の都市計画区域の整備、開発及び保全の方針のほか、都市づくりに関し都が実施する施策に係る方針及び計画をいう。

三　景観資源　東京を特徴付ける特色ある景観を形成

する施設、地域及び名勝地をいう。

四　公共事業　特別区及び市町村（以下「区市町村」という。）、都、国並びに東京都規則（以下「規則」という。）で定める公共的団体が施行する土木建築に関する事業をいう。

五　大規模建築物等　建築基準法（昭和二十五年法律第二百一号）第二条第一号の建築物（以下「建築物」という。）及び工作物（建築物を除く。以下同じ。）のうち次に掲げるものをいう。

イ　地盤面からの高さが、特別区の区域にあっては六十メートル、市町村の区域にあっては四十五メートルを超えるもの

ロ　次の(1)から(5)までに掲げる都市計画の決定若しくは変更、(6)の許可（規則で定める建築物に係る許可に限る。）又は(7)の事業に伴い建築されるもの

(1)　都市計画法第八条第一項第三号の高度利用地区

(2)　都市計画法第八条第一項第四号の特定街区

(3)　都市計画法第八条第一項第四号の二の都市再生特別地区

(4)　都市計画法第十二条第一項第四号の市街地再開発事業

(5)　都市計画法第十二条の五第三項の再開発等促進区を定める地区計画

(6)　建築基準法第五十九条の二第一項に規定する敷地内に広い空地を有する建築物の容積率等の特例、同法第八十六条第三項若しくは第四項に規定する一の敷地とみなすこと等による制限の緩和又は同法第八十六条の二第二項若しくは第三項の規定に基づく一敷地内認定建築物若しくは一敷地内許可建築物以外の建築物の建築に関する特例

(7)　前各号に掲げるもののほか、知事が良好な景観の形成に必要と認める事業で規則に定めるもの

（基本理念）

**第三条**　良好な景観は、国内外の人々の来訪を促し、交流を活発化させ、新たな産業、文化等の活動を創出することにかんがみ、活力ある都市の発展につながるよう、その整備及び保全が図られなければならない。

2　良好な景観の形成は、先人から受け継いだ自然、歴史、文化等の保全のみならず、都市づくり等を通じて、新たに美しく魅力あふれる景観を創出し、都市としての価値を高めていくことを旨として、行わなければならない。

3　良好な景観は、地域の魅力の向上に加えて、広域的に都市としての魅力を高めていくものであることにかんがみ、首都の形成に資するよう、都及び都民、事業者、区市町村等の連携及び協力の下に、その形成に向けて一体的な取組がなされなければならない。

（都の責務）

**第四条**　都は、法第二条に定める基本理念及び前条に定める基本理念（以下これらを「基本理念」という。）にのっとり、都全域における良好な景観の形成を推進するための総合的な施策を策定し、及び実施する責務を有する。

2　都は、都市づくりの計画の策定及びこれに基づく事業の実施に当たっては、良好な景観の形成の推進に関し先導的役割を担うよう努めるものとする。

3　都は、良好な景観の形成に関する施策に都民及び事業者の意見を反映することができるよう必要な措置を講ずるものとする。

4　都は、基本理念にのっとり、良好な景観の形成を総合的かつ効果的に推進するために、都民、事業者、区市町村及び国が相互に有機的な連携を図ることができるよう必要な措置を講ずるものとする。

5　都は、良好な景観の形成に関する啓発、知識の普及等を通じて、基本理念に対する都民及び事業者の理解を深めるよう努めなければならない。

（事業者の責務）

**第五条**　事業者は、基本理念にのっとり、土地の利用等の事業活動に関し、良好な景観の形成に自ら努めなければならない。

2　事業者は、都がこの条例に基づき実施する良好な景観の形成に関する施策に協力するよう努めなければならない。

（都民の責務）

**第六条**　都民は、基本理念にのっとり、良好な景観の形成に関する理解を深め、自ら良好な景観の形成に努めるとともに、相互に協力して良好な景観の形成を推進する責務を有する。

2　都民は、都がこの条例に基づき実施する良好な景観の形成に関する施策に協力するよう努めなければならない。

（区市町村との協議）

**第七条**　知事は、良好な景観の形成を総合的かつ効果的に推進するために必要があると認めるときは、関係区市町村の長に対し、協議を求めることができる。

2　知事は、区市町村の長から、良好な景観の形成を推進するために必要な協議を求められたときは、これに応ずるものとする。

## 第二章　景観計画の策定等

（景観計画）

**第八条**　知事は、景観計画の区域（法第八条第二項第一号の景観計画の区域をいう。以下同じ。）内において、次に掲げる地区を定めることができる。

一　景観基本軸

二　景観形成特別地区

2　前項第一号の景観基本軸（以下「景観基本軸」という。）は、次に掲げる特徴的な景観が連続する地域のうち、東京における良好な景観の形成を推進する上で、特に重点的に取り組む必要がある二以上の区市町村にまたがる地区とする。

一　河川、上水、運河又は海に沿った地域

二　山地、丘陵地又は崖線に沿った地域

三　道路、鉄道等の交通施設に沿った地域

3　第一項第二号の景観形成特別地区（以下「景観形成特別地区」という。）は、次に掲げる景観資源を含む地域のうち、東京における良好な景観の形成を推進する上で、特に重点的に取り組む必要がある地区とする。

一　文化財庭園など歴史的価値の高い施設及びその周辺地域

二　水辺の周辺など観光振興を図る上で特に重要な地域

三　前二号に掲げるもののほか、別に知事の定める地域

4　景観基本軸及び景観形成特別地区における法第八条第二項第二号の良好な景観の形成のための行為の制限に関する事項は、景観基本軸又は景観形成特別地区ごとに定めることができる。

（策定の手続）

**第九条**　知事は、景観計画を定めようとするときは、あらかじめ、第三十五条の東京都景観審議会の意見を聴かなければならない。

2　前項の規定は、景観計画の変更（規則で定める軽微な変更を除く。）について準用する。

## 第三章　行為の規制等

### 第一節　届出対象行為等

（届出事項等）

**第十条**　法第十六条第一項各号の行為をしようとする者は、規則で定めるところにより知事に届け出なければならない。

2　法第十六条第一項第四号の条例で定める行為は、次に掲げる行為とする。

一　土地の開墾、土石の採取、鉱物の掘採その他の土地の形質の変更

二　屋外における土石、廃棄物（廃棄物の処理及び清掃に関する法律（昭和四十五年法律第百三十七号）第二条第一項の廃棄物をいう。以下同じ。）、再生資源（資源の有効な利用の促進に関する法律（平成三年法律第四十八号）第二条第四項の再生資源をいう。以下同じ。）その他の物件の堆積

三　水面の埋立て又は干拓

3　法第十六条第七項第十一号の条例で定める行為は、次に掲げる行為とする。

一　仮設の建築物の新築、増築、改築若しくは移転、外観を変更することとなる修繕若しくは模様替又は色彩の変更

二　農業、林業又は漁業を営むために行う土地の形質の変更

三　屋外における土石、廃棄物、再生資源その他の物件の堆積で、次に掲げるもの

イ　農業、林業又は漁業を営むために行うもの

ロ　堆積の期間が三十日を超えて継続しないもの

四　他の法令又は条例の規定に基づき、許可若しくは認可を受け、又は届出若しくは協議をして行う行為のうち、良好な景観の形成のための措置が講じられるものとして規則で定めるもの

五　法第十六条第一項各号に規定する届出を要する行為（同項第二号に掲げる行為にあっては規則で定める工作物に係る行為に限る。）で、規則で定める規模以下のもの

4　前項第五号の規則で定める工作物及び規則で定める規模は、景観計画の区域内において定められた地区ごとに定めることができる。

（特定届出対象行為）

**第十一条**　法第十七条第一項の条例で定める行為は、次に掲げる行為とする。

一　建築物の新築、増築、改築若しくは移転、外観を変更することとなる修繕若しくは模様替又は色彩の変更（以下「建築等」という。）

二　工作物の新設、増築、改築若しくは移転、外観を変更することとなる修繕若しくは模様替又は色彩の変更

（景観計画の区域内における指導）

**第十二条**　知事は、景観計画において法第八条第二項第二号の良好な景観の形成のための行為の制限に関する事項を定めたときは、当該行為の制限に適合しない行為をしようとする者又はした者に対し、当該行為の制限に適合させるため、必要な措置をとるよう指導することができる。

（勧告の手続等）

**第十三条** 知事は、法第十六条第三項の規定による勧告をしようとするときは、あらかじめ、第三十五条の東京都景観審議会の意見を聴かなければならない。

2 知事は、法第十六条第三項の規定による勧告を受けた者が正当な理由なくその勧告に従わないときは、その旨を公表することができる。

3 知事は、前項の規定による公表をしようとする場合は、当該勧告を受けた者に対し、意見を述べ、証拠を提示する機会を与えなければならない。

（変更命令等の手続）

**第十四条** 知事は、法第十七条第一項又は第五項の規定により必要な措置を命じようとするときは、あらかじめ、第三十五条の東京都景観審議会の意見を聴かなければならない。

（区市町村における適用除外）

**第十五条** 法第七条第一項の規定により景観行政団体となった区市町村の景観計画の区域については、第八条から前条までの規定及び第二十九条から第三十一条までの規定は適用しない。

第二節　公共事業

（公共事業景観形成指針）

**第十六条** 知事は、公共事業に係る良好な景観の形成のための指針（以下「公共事業景観形成指針」という。）を定めるものとする。

2 知事は、公共事業景観形成指針を定めようとするときは、あらかじめ、第三十五条の東京都景観審議会の意見を聴かなければならない。

3 知事は、公共事業景観形成指針を定めたときは、これを公表しなければならない。

4 前二項の規定は、公共事業景観形成指針の変更（規則で定める軽微な変更を除く。）について準用する。

（公共事業景観形成指針への適合）

**第十七条** 公共事業を施行しようとする者又は施行している者（以下「公共事業の施行者」という。）は、公共事業景観形成指針に適合するよう努めなければならない。

（公共事業の施行者に対する助言）

**第十八条** 知事は、公共事業の施行者から申出があり、かつ、良好な景観の形成のために必要であると認めるときは、当該公共事業の施行者その他規則で定める者に対し、助言をすることができる。

2 知事は、前項に規定する助言をする場合において、第三十五条の東京都景観審議会に意見を求めることができる。

第三節　大規模建築物等の建築等に係る事前協議

（大規模建築物等景観形成指針）

**第十九条** 知事は、大規模建築物等の建築等に係る良好な景観の形成を推進するための指針（以下「大規模建築物等景観形成指針」という。）を定めるものとする。

2 知事は、大規模建築物等景観形成指針を定めようとするときは、あらかじめ、第三十五条の東京都景観審議会の意見を聴かなければならない。

3 知事は、大規模建築物等景観形成指針を定めたときは、これを公表しなければならない。

4 前二項の規定は、大規模建築物等景観形成指針の変更（規則で定める軽微な変更を除く。）について準用する。

（事前協議）

**第二十条** 第二条第五号ロ(1)から(5)までに掲げる都市計画の決定若しくは変更を提案しようとする者、同号ロ(6)の許可を受けようとする者又は同号ロ(7)の事業を行おうとする者は、あらかじめ、規則で定めるところにより知事に協議しなければならない。

（事前協議の指導等）

**第二十一条** 知事は、前条の規定による協議があったときは、大規模建築物等景観形成指針に基づき、当該協議をした者に対し、必要な指導又は助言をすることができる。

2 知事は、前条の規定による協議があったときは、第三十五条の東京都景観審議会に意見を求めることができる。

3 知事は、良好な景観を形成するために必要があると認めるときは、大規模建築物等の建築等をしようとする者に対し、必要な報告を求めることができる。

## 第四章　歴史的建造物の保存と歴史的景観の形成

（都選定歴史的建造物の選定）

**第二十二条** 知事は、歴史的な価値を有する建造物（以下「歴史的建造物」という。）であって、次に掲げる要件のいずれかに該当する建造物で、東京における良好な景観の形成を推進する上で重要なものを東京都選定歴史的建造物（以下「都選定歴史的建造物」という。）に選定することができる。ただし、文化財保護法（昭和二十五年法律第二百十四号）第二十七条第一項、第七十八条第一項若しくは第百九条第一項の規定により指定されたもの、同法第五十七条第一項の規定により登録されたもの、東京都文化財保護条例（昭和五十一年東京都条例第二十五号）第四条第一項、第二十六条第一項若しくは第三十三条第一項の規定により指定されたもの又は文化財保護法第百八十二条第二項に規定する指定を区市町村が行ったもの（以下これらを「選定対象外建造物」という。）及び法第十九条第一項の景観重要建造物（以下「景観重要建造物」という。）を除く。

一　東京の歴史及び文化を特徴付けているもの

二　地域の象徴となっているもの

三　多くの都民に親しまれており、地域の個性を形成する核となっているもの

2　知事は、都選定歴史的建造物を選定しようとするときは、あらかじめ、当該建造物の存する区市町村の長の意見を聴くものとする。

3　知事は、都選定歴史的建造物を選定しようとするときは、あらかじめ、第三十五条の東京都景観審議会の意見を聴かなければならない。

4　知事は、都選定歴史的建造物を選定しようとするときは、あらかじめ、当該建造物の所有者及び権原に基づく占有者（以下「所有者等」という。）の同意を得なければならない。

5　知事は、都選定歴史的建造物を選定したときは、その旨を当該都選定歴史的建造物の存する区市町村の長及び当該都選定歴史的建造物の所有者等に通知するものとする。

6　知事は、都選定歴史的建造物を選定したときは、その旨を告示しなければならない。

（**選定の解除**）

**第二十三条**　知事は、都選定歴史的建造物について保存のための措置を講ずる必要がなくなった場合その他特別の事情があると認めるときは、都選定歴史的建造物の選定を解除することができる。

2　知事は、前項の規定により都選定歴史的建造物の選定を解除しようとするときは、あらかじめ、都選定歴史的建造物の所有者等の意見を聴くものとする。

3　前条第二項、第三項、第五項及び第六項の規定は、第一項の規定による選定の解除について準用する。

**第二十四条**　知事は、都選定歴史的建造物が選定対象外建造物又は景観重要建造物となったときは、都選定歴史的建造物の選定を解除するものとする。

2　第二十二条第五項及び第六項の規定は、前項の規定による選定の解除について準用する。

（**都選定歴史的建造物の保存**）

**第二十五条**　都選定歴史的建造物の所有者等は、当該都選定歴史的建造物の良好な景観の形成における価値を尊重し、その保存に努めなければならない。

（**滅失又はき損**）

**第二十六条**　都選定歴史的建造物の所有者は、当該都選定歴史的建造物の全部又は一部が滅失し、又はき損したときは、規則で定めるところにより、その旨を知事に届け出なければならない。

（**現状変更**）

**第二十七条**　都選定歴史的建造物の現状を変更しようとする者は、規則で定めるところにより、あらかじめ、その旨を知事に届け出なければならない。ただし、規則で定める維持の措置又は非常災害のために必要な応急措置として行う場合は、この限りでない。

2　前項ただし書に規定する非常災害のために必要な応急措置により都選定歴史的建造物の現状を変更した者は、規則で定めるところにより、その旨を知事に届け出なければならない。

3　知事は、第一項の規定による届出に係る都選定歴史的建造物の現状の変更が良好な景観の形成における価値を損なうと認めるときは、当該届出をした者に対し、必要な指導又は助言をすることができる。

4　第二十二条第三項の規定は、前項に規定する指導及び助言について準用する。

（**所有者又は占有者の変更**）

**第二十八条**　都選定歴史的建造物の所有者又は権原に基づく占有者が変更したときは、新たな所有者又は権原に基づく占有者は、速やかにその旨を知事に届け出なければならない。

2　都選定歴史的建造物の所有者等は、氏名若しくは名称又は住所若しくは所在地を変更したときは、速やかにその旨を知事に届け出なければならない。

（**景観重要建造物の指定等の手続**）

**第二十九条**　第二十二条第三項の規定は、法第十九条第一項の規定により景観重要建造物を指定しようとする場合、法第二十二条第一項の規定により現状変更の許可をしようとする場合、同条第三項の規定により条件を付そうとする場合、法第二十三条第一項の規定により原状回復又はこれに代わるべき必要な措置を命じようとする場合、法第二十六条の規定により管理に関する命令又は勧告をしようとする場合及び法第二十七条第一項の規定により指定の解除をしようとする場合（法第十九条第三項の建造物に該当するに至ったときを除く。）について準用する。

**第三十条**　第二十六条及び第二十八条の規定は、景観重要建造物について準用する。

（**景観重要建造物の管理の方法の基準**）

**第三十一条**　法第二十五条第二項の管理の方法の基準は、次のとおりとする。

一　景観重要建造物の修繕は、原則として当該修繕前の外観を変更することのないようにすること。

二　消火器の設置その他の防災上の措置を講ずること。

三　景観重要建造物の滅失を防ぐため、その敷地、構造及び建築設備の状況を定期的に点検すること。
四　前三号に掲げるもののほか、景観重要建造物の良好な景観の保全のため必要な管理の方法の基準として規則で定めるもの

**（歴史的景観形成の指針等）**

**第三十二条**　知事は、都選定歴史的建造物その他の歴史的建造物、史跡又は名勝のうち、これらを含む周辺の良好な景観（以下「歴史的景観」という。）の形成に特に重大な影響を与えるものを、特に景観上重要な都選定歴史的建造物等（以下「特に景観上重要な都選定歴史的建造物等」という。）として定めることができる。

2　知事は、特に景観上重要な都選定歴史的建造物等の歴史的景観の形成を推進するための指針（以下「歴史的景観形成の指針」という。）を定めるものとする。

3　知事は、特に景観上重要な都選定歴史的建造物等を定めたとき又は歴史的景観形成の指針を定めたときは、これを公表しなければならない。

4　第二十二条第三項の規定は、特に景観上重要な都選定歴史的建造物等を定める場合又は歴史的景観形成の指針を定める場合において準用する。

5　前二項の規定は、特に景観上重要な都選定歴史的建造物等の解除及び歴史的景観形成の指針の変更について準用する。

**（歴史的景観形成の指針の配慮）**

**第三十三条**　法第十六条第一項の規定による届出を行おうとする者は、歴史的景観形成の指針に配慮するよう努めなければならない。

**（都選定歴史的建造物等の保存並びに歴史的景観の形成のための支援及び助成）**

**第三十四条**　知事は、都民又は事業者が都選定歴史的建造物及び景観重要建造物（景観行政団体となった区市町村の長が指定した景観重要建造物を除く。）を保存し、又は歴史的景観を形成するに当たり必要があると認めるときは、技術的支援、適正な助成その他の措置を講ずることができる。

## 第五章　東京都景観審議会

**（東京都景観審議会）**

**第三十五条**　この条例の規定により定められた事項及び知事の諮問する良好な景観の形成に関する重要事項を調査審議させるため、知事の附属機関として東京都景観審議会（以下「審議会」という。）を置く。

2　審議会は、前項に規定する事項に関し、知事に意見を述べることができる。

3　審議会は、知事が任命する委員二十人以内をもって組織する。

4　委員の任期は、二年とし、再任を妨げない。ただし、補欠の委員の任期は、前任者の残任期間とする。

5　専門の事項を調査審議させるため、審議会に専門部会及び専門員を置くことができる。

6　専門部会は、知事が委員のうちから選任する者五人以内と委員以外から選任する専門員五人以内とをもって構成する。

7　委員及び専門員は、非常勤とする。

8　審議会は、第十三条第一項、第十四条、第二十一条第二項及び第二十二条第三項（第二十三条第三項、第二十七条第四項、第二十九条及び第三十二条第四項（同条第五項において準用する場合を含む。）において準用する場合を含む。）の規定については、専門部会の議決をもって審議会の議決とすることができる。

9　第三項から前項までに定めるもののほか、審議会の組織及び運営に関し必要な事項は、規則で定める。

## 第六章　雑則

**（表彰）**

**第三十六条**　知事は、良好な景観の形成に関して著しい功績のあった者を表彰することができる。

**（委任）**

**第三十七条**　この条例に定めるもののほか、この条例の施行について必要な事項は、規則で定める。

## 附　則

**（施行期日）**

1　この条例は、平成十九年四月一日から施行する。ただし、第九条及び附則第九項の規定については、公布の日から施行する。

**（経過措置）**

2　この条例の施行の際、改正前の東京都景観条例（以下「旧条例」という。）第十六条の規定による届出をした者についての当該届出に係る旧条例の規定の適用については、なお従前の例による。

3　この条例の施行の際、旧条例第二十五条第一項の規定により定められた公共事業の景観づくり指針は、この条例第十六条第一項の規定により定められた公共事業景観形成指針とみなす。

4　この条例の施行の際、旧条例第二十九条第一項の規定により選定された都選定歴史的建造物は、この条例第二十二条第一項の規定により選定された都選定歴史的建造物とみなす。

5　この条例の施行の際、旧条例第三十六条第一項の規定により定められた都選定歴史的建造物等は、この条例第三十二条第一項の規定により定められた特に景観上重要な都選定歴史的建造物等とみなす。

6　この条例の施行の際、旧条例第三十六条第一項の規定に

より定められた歴史的景観保全の指針は、この条例第三十二条第二項の規定により定められた歴史的景観形成の指針とみなす。

7　この条例の施行の際、旧条例第四十四条第一項の規定により置かれた東京都景観審議会は、この条例第三十五条第一項の規定により置かれた東京都景観審議会となり、同一性をもって存続するものとする。

8　この条例の施行の際、旧条例第四十四条第三項の規定により東京都景観審議会の委員に任命された者は、この条例第三十五条第三項の規定により東京都景観審議会の委員に任命された者とみなし、その任期は、同条第四項の規定にかかわらず、平成二十年五月三十一日までとする。

9　この条例の公布の日から平成十九年三月三十一日までの間におけるこの条例第九条第一項の規定の適用については、同項の規定にかかわらず、現に存する東京都景観審議会の意見を聴くものとする。

**附　則**（平二三・一二・二二条例八七）

この条例は、公布の日から施行する。

# ○東京のしゃれた街並みづくり推進条例

平一五・三・一四
条例三〇

最終改正　平二三・一二・二二条例八八

## 第一章　総則

（目的）

**第一条**　この条例は、都市計画法（昭和四十三年法律第百号）等の適切な運用を図りながら、東京都民（以下「都民」という。）、事業者及びまちづくり団体（以下「都民等」という。）の意欲と創意工夫をいかして、個性豊かで魅力のあるしゃれた街並みを形成するための制度を整備することにより、都民等による主体的な都市づくりを推進し、もって都市の再生を進め、東京の魅力の向上に資することを目的とする。

（定義）

**第二条**　この条例において、次の各号に掲げる用語の意義は、それぞれ当該各号に定めるところによる。

一　都市計画　都市計画法第四条第一項の都市計画をいう。

二　街区　道路、河川、鉄道等で囲まれた地域的なまとまりのある土地の区域をいう。

三　街区再編まちづくり　街区ごとに、その一体性を保ちながら細分化された敷地の統合若しくは狭あいな道路の付替え等を行うこと又は街区に存する未利用地若しくは低利用地（周辺地域の土地の利用状況と比較してその利用の程度が著しく低い土地をいう。）とその周辺との一体的な開発を行うこと（以下「街区再編」という。）により、市街地の計画的な再編整備を進め、個性豊かで魅力のある街並みを形成することをいう。

四　建築物　建築基準法（昭和二十五年法律第二百一号）第二条第一号の建築物をいう。

五　地区計画　都市計画法第十二条の四第一項第一号の地区計画をいう。

六　土地所有者等　都市計画法第二十一条の二第一項に規定する土地所有者等をいう。

七　街並み景観づくり　街並み景観を保全し、修復し、又は創造することをいう。

八　建築行為等　建築物その他の工作物の新築、増築、改築及び外観の変更並びに土地の区画形質の変更をいう。

（都の責務）

**第三条**　東京都（以下「都」という。）は、都民等がこの条例に基づき実施される都市づくりに参加するための条件を整備し、都民等による主体的な都市づくりを推進するために必要な措置を講ずるよう努めるものとする。

2　都は、この条例に基づく施策の円滑な実施を図るため、都市計画の決定等特別区及び市町村（以下「区市町村」という。）が行う都市づくりに係る施策と相互に調整を図り、区市町村との適切な連携により、都市づくりを推進するよう配慮しなければならない。

3　都は、区市町村がこの条例の趣旨を踏まえて行う都市づくりに係る施策について、必要な支援及び協力を行うよう努めるものとする。

4　都は、都市づくりに係る施策を総合的かつ効果的に推進するため、都市の状況、都市づくりに係る施策の実施状況その他都市づくりに関する情報を収集するとともに、調査及び研究を実施し、その結果を公表するよう努めるものとする。

（都民の責務）

**第四条**　都民は、この条例に基づく都市づくりについて理解を深め、相互に協力して都民等による主体的な都市づくりを推進するよう努めなければならない。

2　都民は、都がこの条例に基づき実施する都民等による主体的な都市づくりの推進に係る施策に協力するよう努めなければならない。

（事業者の責務）

**第五条**　事業者は、その事業活動に当たっては、都民等による主体的な都市づくりの推進に寄与するよう努めなければならない。

2　事業者は、都がこの条例に基づき実施する都民等による主体的な都市づくりの推進に係る施策に協力するよう努めなければならない。

## 第二章　街区再編まちづくり制度

（街並み再生地区の指定等）

**第六条**　知事は、土地利用の状況その他の東京都規則（以下「規則」という。）で定める基準に該当する土地の区域のうち、街区再編まちづくりを行う必要性が特に高いと認められる地区を街並み再生地区に指定するものとする。この場合において、知事は、街並み再生地区の名称、位置、区域及び面積を定めるものとする。

2　知事は、街並み再生地区を指定するときは、当該地区における街並み形成の方向性を明らかにするため、街並み再生方針を定めるものとする。

3　街並み再生方針には、次に掲げる事項を定めるものとする。

一　街並み再生地区の整備の目標

二　街区再編まちづくりにより整備すべき公共施設（都市計画法第四条第十四項に規定する公共施設をいう。以下この章において同じ。）その他公益的施設に関する事項

三　個性豊かで魅力のある街並み形成のために必要となる建築物等の配置、形態、用途等に関する基本的事項

四　個性豊かで魅力のある街並みの実現に向けて講ずべき措置

五　その他街並み再生地区における街並み形成の方向性を明らかにするために必要なものとして規則で定める事項

4　前三項の規定による街並み再生地区及び当該地区に係る街並み再生方針は、都市計画法第六条の二第一項の規定により都が定める都市計画区域の整備、開発及び保全の方針、同法第十八条の二第一項の規定により区市町村が定める都市計画に関する基本的な方針その他の都市計画に関する方針を踏まえたものでなければならない。

5　都は、街並み再生地区において、街区再編まちづくりを誘導するための都市計画を適切に定めるとともに、街区再編に関する事業の進ちょく状況に合わせ、都市計画の段階的な運用を行う等都民等による主体的な街区再編まちづくりを推進するために必要な方策を講ずるものとする。

**（区市町村の長による求め）**

**第七条**　区市町村の長は、当該区市町村における個性豊かで魅力のある都市づくりに係る施策の推進のため必要があると認めるときは、知事に対し、街並み再生地区及び街並み再生方針の内容となるべき事項を示して街並み再生地区の指定及び街並み再生方針の策定を求めることができる。

2　知事は、前項の求めがあったときは、当該求めを踏まえ、街並み再生地区を指定し、及び街並み再生方針を定めることができる。

**（区市町村の長の意見聴取）**

**第八条**　知事は、街並み再生地区を指定し、及び当該地区に係る街並み再生方針を定めようとするときは、あらかじめ当該地区が存することとなる区市町村（以下この章において「関係区市町村」という。）の長の意見を聴き、その意見を尊重しなければならない。

**（公表）**

**第九条**　知事は、街並み再生地区を指定し、及び当該地区に係る街並み再生方針を定めたときは、その旨を公表するとともに、関係区市町村の長に通知しなければならない。

**（街並み再生地区の区域等又は街並み再生方針の変更）**

**第十条**　前三条の規定は、街並み再生地区の区域等又は街並み再生方針を変更する場合について準用する。

**（再開発等促進区を定める地区計画の決定）**

**第十一条**　都は、街並み再生地区において、街並み再生方針に適合した街区再編のための事業を促進する必要があると認めるときは、当該街並み再生地区の全部又は一部の区域について、都市計画法第十二条の五第三項に規定する再開発等促進区（特別区の存する区域内に存するもので、かつ、面積が三ヘクタールを超えるものに限る。）を定める地区計画を都市計画に定めるものとする。

2　前項の規定による再開発等促進区を定める地区計画に関する都市計画法第十二条の五第二項第一号に規定する地区整備計画（以下「地区整備計画」という。）は、都民等による主体的な街区再編まちづくりを推進するため、原則として、同法第二十一条の二第一項若しくは第二項の規定による都市計画の変更の提案又は第十四条第一項の規定による地区整備計画の案の内容となるべき事項の申出に基づき、都市計画に定めるものとする。

**（計画提案の規模要件の緩和）**

**第十二条**　前条第一項の規定により再開発等促進区を定める地区計画が定められた区域において、街区再編のための事業を行おうとする土地所有者等又はまちづくりの推進を図る活動を行うことを目的とする特定非営利活動促進法（平成十年法律第七号）第二条第二項の特定非営利活動法人、一般社団法人若しくは一般財団法人その他の営利を目的としない法人、独立行政法人都市再生機構、地方住宅供給公社若しくは都市計画法第二十一条の二第二項の国土交通省令で定める団体（以下「まちづくり法人等」という。）が、都に対して、同条第一項又は第二項の規定により当該地区計画に関する地区整備計画を都市計画に定めるための提案（以下「計画提案」という。）を行う場合においては、都市計画法施行令（昭和四十四年政令第百五十八号）第十五条ただし書の規定により条例で定める当該計画提案のできる一団の土地の区域の規模は、〇・一ヘクタールとする。

**（計画提案に係る地区整備計画の決定等に関する処理期間）**

**第十三条**　都は、計画提案が行われたときは、当該計画提案が行われた日から八月以内に当該計画提案を踏まえた地区整備計画を都市計画に定め、又は都市計画法第二十一条の五第一項の規定による当該計画提案をし

た者に対する都市計画を定める必要がないと判断した旨の通知をしなければならない。

2　計画提案に係る地区整備計画を都市計画に定めるため、区市町村の定める都市計画の決定又は変更が必要となる場合は、前項の規定は適用しない。

**（地区整備計画の案の内容となるべき事項の申出）**

**第十四条**　第十一条第一項の規定により再開発等促進区を定める地区計画が定められた区域において、街区再編のための事業を行おうとする土地所有者等又はまちづくり法人等は、次のいずれにも該当する場合には、規則で定めるところにより、都に対して当該地区計画に関する地区整備計画の案の内容となるべき事項を申し出ること（以下「案の申出」という。）ができる。

一　当該地区計画に関する地区整備計画の案の内容となるべき一団の土地の区域の規模が〇・一ヘクタール未満であるため、計画提案を行うことができないとき。

二　当該地区計画に関する地区整備計画の案の内容となるべき事項の対象となる土地（国又は地方公共団体の所有している土地で公共施設の用に供されているものを除く。）の区域内の土地所有者等の三分の二以上の同意（同意した者が所有するその区域内の土地の地積と同意した者が有する借地権の目的となっているその区域内の土地の地積との合計が、その区域内の土地の総地積と借地権の目的となっている土地の総地積との合計の三分の二以上となる場合に限る。）を得ているとき。

2　都は、案の申出があった場合において、当該案の申出に係る地区整備計画の案の内容となるべき事項が街並み再生方針に適合し、かつ、街並み再生地区における街区再編まちづくりの計画的な促進のため必要があると認めるときは、当該案の申出を踏まえた再開発等促進区を定める地区計画に関する地区整備計画を都市計画に定めるための手続を進めるものとする。

3　都は、案の申出があった場合において、当該案の申出を踏まえた再開発等促進区を定める地区計画に関する地区整備計画を都市計画に定める必要がないと判断したときは、遅滞なく、その旨及びその理由を、当該案の申出を行った者に通知しなければならない。

**（地区整備計画の廃止の申出）**

**第十五条**　計画提案又は案の申出を踏まえて定められた再開発等促進区を定める地区計画に関する地区整備計画の区域における土地所有者等又はまちづくり法人等は、次のいずれにも該当する場合には、規則で定めるところにより、都に対して当該地区整備計画を廃止するため、地区計画を変更することを申し出ること（以下「廃止の申出」という。）ができる。

一　都市計画法第二十一条第二項において準用する同法第二十条第一項の規定により当該地区整備計画を定める再開発等促進区を定める地区計画の変更が告示された日から五年を経過しているとき。

二　当該地区整備計画の対象となる土地（国又は地方公共団体の所有している土地で公共施設の用に供されているものを除く。）の区域内の土地所有者等の過半数の同意（同意した者が所有するその区域内の土地の地積と同意した者が有する借地権の目的となっているその区域内の土地の地積との合計が、その区域内の土地の総地積と借地権の目的となっている土地の総地積との合計の二分の一を超える場合に限る。）を得ているとき。

2　都は、廃止の申出があった場合において、廃止の申出に係る地区整備計画に係る街区再編のための事業の実施状況等を勘案して当該地区整備計画を廃止する必要があると判断したときは、遅滞なく、当該地区整備計画を定める再開発等促進区を定める地区計画を変更するための手続を進めるものとする。

3　都は、廃止の申出があった場合において、当該地区整備計画を廃止する必要がないと判断したときは、遅滞なく、その旨及びその理由を、当該廃止の申出を行った者に通知しなければならない。

**（区市町村に対する支援等）**

**第十六条**　都は、街並み再生地区の区域において、区市町村が街区再編まちづくりを行うため必要な都市計画を定めようとするときは、当該地区に係る街並み再生方針と区市町村が定める都市計画とが調和を保つよう、必要な技術的支援及び協力を行うものとする。

**（既定の地区計画等が存する場合の措置）**

**第十七条**　知事が街並み再生地区を指定し、又は変更しようとする区域に、都が定めた再開発等促進区を定める地区計画が既に存する場合において、都は、必要があると認めるときは、当該街並み再生地区に係る街並み再生方針と当該再開発等促進区を定める地区計画との調和を図るための措置を講ずるものとする。

2　知事が街並み再生地区を指定し、又は変更しようとする区域に、区市町村が定めた地区計画等（都市計画法第十二条の四第一項各号に掲げる計画をいう。）が既に存する場合においては、都は、区市町村と協力して、必要な措置を講ずるよう努めるものとする。

**（都民等に対する支援）**

**第十八条**　知事は、第十一条第一項の規定により再開発等促進区を定める地区計画が定められた区域において、街区再編のための事業を行おうとする都民等の主体的な取組を誘導するため、技術的支援、街並み再生方針の趣旨を踏まえた都市再開発法（昭和四十四年法律第三十八号）の運用その他の措置を講ずるよう努めるものとする。

**（東京都建築安全条例の特例）**

**第十九条**　第十一条第一項の規定により定められた再開発等促進区を定める地区計画に関する地区整備計画に適合する建築物については、東京都建築安全条例（昭和二十五年東京都条例第八十九号）第四条第三項及び第十条の三ただし書の適用については、これらの規定中「建築物の周囲の空地の状況その他土地及び周囲の状況により」とあるのは「街並み再生地区内において、再開発等促進区を定める地区計画に関する地区整備計画に適合することにより」と読み替えるものとする。

２　前項の規定は、第六条第一項の規定により指定された街並み再生地区において区市町村が再開発等促進区を定める地区計画に関する地区整備計画を定めている場合において、当該地区整備計画が街並み再生方針に適合しているときは、当該地区整備計画に適合する建築物について準用する。

## 第三章　街並み景観づくり制度

**（街並み景観重点地区の指定）**

**第二十条**　知事は、次の各号のいずれかに該当する区域のうち、個性豊かで魅力のある街並み景観づくりを一体的に推進する必要性が特に高いと認められるものを、街並み景観重点地区（以下「重点地区」という。）に指定するものとする。

一　東京の歴史的又は文化的な特色を継承し、特徴のある街並み景観を備えている地区

二　幹線道路の沿道

三　都市計画法第八条第一項第四号の特定街区、同法第十二条の五第三項の規定により再開発等促進区を定める地区計画その他規則で定める一団の土地

２　知事は、前項の規定により重点地区を指定しようとするときは、あらかじめ当該重点地区の存することとなる区市町村（以下この章において「関係区市町村」という。）の長の意見を聴かなければならない。

３　知事は、第一項の規定により重点地区を指定したときは、その旨を公表するとともに、関係区市町村の長に通知しなければならない。

**（重点地区の変更等）**

**第二十一条**　前条第二項及び第三項の規定は、重点地区を変更し、又は廃止する場合について準用する。

**（街並み景観準備協議会の結成）**

**第二十二条**　重点地区の住民、土地所有者等その他重点地区において街並み景観づくりを推進しようとする者は、規則で定めるところにより、自らが主体的に運用し、かつ、次条から第三十八条までの規定により知事の支援等を受けることができる当該重点地区において個性豊かで魅力のある街並み景観づくりを行うために必要となる基本的な方針（以下「街並み景観ガイドライン」という。）を定めるため、街並み景観準備協議会（以下「準備協議会」という。）を共同して結成することができる。ただし、一の土地所有者以外に土地に関する権利を有する者が存しない場合には、当該土地所有者は単独で準備協議会を設置することができる。

２　前項の規定により準備協議会の結成又は設置をしたときは、その代表者は、規則で定めるところにより、その旨を知事に届け出なければならない。

**（街並みデザイナーの選任）**

**第二十三条**　準備協議会が第二十五条第一項に規定する街並み景観ガイドラインの案を作成しようとするときは、当該準備協議会の代表者は、知事に、当該準備協議会と共同して街並み景観ガイドラインの案の作成に当たる者（以下「街並みデザイナー」という。）の選任を申請するものとする。

２　知事は、前項の規定による申請があった場合において、当該準備協議会が街並み景観ガイドラインの案を作成することができる団体であると認めるときは、当該準備協議会の意見を聴いて、次条第一項に規定する街並みデザイナー候補者名簿に登載された者の中から、当該準備協議会と共同して街並み景観ガイドラインの案を作成する街並みデザイナーを選任するものとする。

３　知事は、前項の規定により選任された街並みデザイナーが、次の各号のいずれかに該当するに至ったときは、準備協議会の意見を聴いて、街並みデザイナー候補者名簿に登載された者の中から、当該街並みデザイナーに代わる街並みデザイナーを選任するものとする。

一　自らその任を辞したとき。

二　街並みデザイナー候補者名簿から削除されたとき。

三　街並みデザイナーとしての任を遂行できなくなったと知事が認めるとき。

**（街並みデザイナー候補者名簿）**

**第二十四条**　知事は、街並みデザイナー候補者名簿を作成し、公表するものとする。

２　街並みデザイナー候補者名簿への登載を希望する個人又は法人は、規則で定めるところにより、知事に申請しなければならない。

3　知事は、前項の規定による申請があった場合において、当該申請をした個人又は法人が、建築意匠又は都市景観に関する専門知識を有することその他規則で定める要件を満たすと認めるときは、街並みデザイナー候補者名簿に登載するものとする。

4　知事は、前項の規定により街並みデザイナー候補者名簿に登載された者が、規則で定める要件を満たさなくなったときは、その者を街並みデザイナー候補者名簿から削除するものとする。

**（街並み景観ガイドラインの案の作成）**

**第二十五条**　準備協議会は、個性豊かで魅力のある街並み景観づくりを一体的に推進するため、第二十三条第二項又は第三項の規定により選任された街並みデザイナーと共同して、街並み景観ガイドラインの案を作成するものとする。

2　前項の街並み景観ガイドラインの案には、次に掲げる事項を定めるものとする。

一　街並み景観ガイドラインの名称
二　街並み景観ガイドラインの対象となる重点地区の名称、位置、区域及び面積
三　街並み景観づくりの目標
四　建築物の配置、形態及び外観等に関する基準
五　建築行為等を行うための計画の策定から建築行為等の実施に至るまでの間における建築行為等を行おうとする者との協議の方法
六　その他規則で定める事項

3　準備協議会は、街並み景観ガイドラインの案を作成しようとするときは、説明会の開催等重点地区内の住民の意見を反映させるよう努めなければならない。

4　準備協議会は、街並み景観ガイドラインの案を作成しようとするときは、関係区市町村の長及び当該重点地区内に存する道路、公園、河川その他規則で定める公共施設の管理者又は管理者となるべき者の意見を聴くものとする。

5　準備協議会は、前二項の規定による住民並びに関係区市町村の長及び公共施設の管理者又は管理者となるべき者（以下この条において「関係者」という。）の意見を尊重するものとする。

6　準備協議会は、街並み景観ガイドラインの案を作成したときは、関係者にその旨を周知するものとする。

**（まちづくり団体の登録）**

**第二十六条**　準備協議会は、作成した街並み景観ガイドラインの案について次条第二項の規定による知事の承認を受けようとするときは、あらかじめ街並み景観づくりを行うまちづくり団体として、第三十九条第一項の規定により登録を受け、街並み景観協議会（以下「協議会」という。）とならなければならない。

**（街並み景観ガイドラインの承認）**

**第二十七条**　協議会は、街並み景観ガイドラインの案について、知事の承認を受けようとするときは、規則で定めるところにより申請しなければならない。

2　知事は、前項の規定による申請があった場合においては、あらかじめ関係区市町村の長及び公共施設の管理者又は管理者となるべき者の意見を聴いて、当該街並み景観ガイドラインの案が、当該重点地区において個性豊かで魅力のある街並み景観づくりを一体的に推進するために必要な要件を備えていると認めるときは、当該重点地区に係る街並み景観ガイドラインとして承認するものとする。この場合において、知事は当該申請を行った協議会にその旨を通知するものとする。

3　知事は、第一項の規定による申請があった場合において、当該街並み景観ガイドラインの案が、当該重点地区において個性豊かで魅力のある街並み景観づくりを一体的に推進するために必要な要件を備えていると認められないときは、当該重点地区に係る街並み景観ガイドラインとして承認しないものとする。この場合において、知事は、遅滞なく、当該申請を行った協議会にその旨を通知するものとする。

4　知事は、第二項の規定による街並み景観ガイドラインの承認をしたときは、次に掲げる事項を告示するものとする。

一　街並み景観ガイドラインの名称
二　街並み景観ガイドラインの対象となる重点地区の名称、位置、区域及び面積
三　建築物の配置、形態及び外観等に関する基準の概要
四　協議会の名称、代表者の氏名及び主たる事務所の所在地
五　その他規則で定める事項

**（街並み景観ガイドラインの変更）**

**第二十八条**　第二十三条、第二十五条及び前条の規定は、街並み景観ガイドラインの内容を変更する場合について準用する。

**（協議会に関する事項の変更）**

**第二十九条**　協議会は、その名称、代表者の氏名又は主たる事務所の所在地を変更したときは、規則で定めるところにより知事に届け出なければならない。

2　知事は、前項の規定による変更の届出があったときは、第二十七条第四項第一号、第二号、第四号及び第五号に掲げる事項を告示するものとする。

**（重点地区内における建築行為等の誘導）**

**第三十条**　街並み景観ガイドラインの対象となる重点地

区内で建築行為等を行おうとする者は、当該建築行為等の計画を街並み景観ガイドラインに適合させるよう努めるとともに、街並み景観ガイドラインの定めるところにより、あらかじめ当該街並み景観ガイドラインを運用する協議会と協議を行うよう努めなければならない。

2　協議会は、協議を受けた建築行為等の計画が街並み景観ガイドラインに適合していると認めるときは、その旨を建築行為等を行おうとする者に通知するものとする。

3　協議会は、協議を受けた建築行為等の計画が街並み景観ガイドラインに適合していないと認めるときは、当該建築行為等を行おうとする者に対し、当該計画を街並み景観ガイドラインに適合させるように修正を求めるものとする。

**（知事への報告）**

**第三十一条**　協議会は、前条第三項に規定する修正を求めた後、なお当該建築行為等の計画が街並み景観ガイドラインに適合するに至らないときは、知事に対し、その旨を報告することができる。

2　協議会は、前条第一項に規定する協議を経ない建築行為等が計画されていることを知ったときは、当該建築行為等を行おうとする者に対し、協議を行うよう求めるものとする。

3　協議会が前項の規定により協議を求めた場合において、当該建築行為等を行おうとする者が求めに応じないときは、協議会は、知事に対し、その旨を報告することができる。

**（指導及び助言）**

**第三十二条**　知事は、前条第一項若しくは第三項の規定による報告を受けた場合又は自ら第三十条第一項に規定する協議を経ない建築行為等が計画されていることを知った場合において、当該重点地区において個性豊かで魅力のある街並み景観づくりを一体的に推進する観点から街並み景観ガイドラインの確実な運用を確保する必要があると認めるときは、当該建築行為等を行おうとする者に対し、必要な指導又は助言を行うものとする。

2　知事は、前項の指導又は助言を行うために必要があると認めるときは、当該街並み景観ガイドラインの案の作成に当たった街並みデザイナーの意見を聴くことができる。

3　知事は、第一項の規定により指導又は助言を行ったときは、その旨を協議会に通知するものとする。

**（報告の聴取）**

**第三十三条**　知事は、前条第一項の規定による指導又は助言を受けた者及び協議会に対し、知事が指導又は助言を行った後における協議の状況について報告を求めることができる。

**第三十四条**　削除

**（街並み景観ガイドラインの承認の取消し）**

**第三十五条**　知事は、街並み景観ガイドラインを運用するべき協議会が次に掲げる事由のいずれかに該当するに至ったときは、当該協議会に係る街並み景観ガイドラインの承認を取り消すものとする。

一　第四十三条の規定により登録団体の登録を抹消されたとき。

二　街並み景観ガイドラインの適切な運用を継続することが困難な状況に至ったと認められるとき。

2　知事は、前項の規定により街並み景観ガイドラインの承認を取り消したときは、その旨を告示するものとする。

**（街並み景観ガイドラインの運用状況の報告）**

**第三十六条**　協議会は、毎年度の街並み景観ガイドラインの運用状況について、規則で定めるところにより、知事に報告するものとする。

**（重点地区内における公共事業）**

**第三十七条**　知事は、街並み景観ガイドラインの対象となっている重点地区内で公共施設の設置に係る事業（以下「公共事業」という。）を施行するときは、当該街並み景観ガイドラインに配慮しなければならない。

2　知事は、国、区市町村その他規則で定める公共的団体が、街並み景観ガイドラインの対象となっている重点地区において公共事業を施行しようとする場合において、個性豊かで魅力のある街並み景観づくりを一体的に推進するために必要があると認めるときは、当該公共事業を施行しようとする者に対し、街並み景観ガイドラインに配慮するよう協力を求めるものとする。

**（都民等に対する支援）**

**第三十八条**　知事は、個性豊かで魅力のある街並み景観づくりを一体的に推進するため、準備協議会、協議会又は街並み景観ガイドラインの対象となっている重点地区において建築行為等を行おうとする者に対し、技術的支援その他の措置を講ずるよう努めるものとする。

## 第四章　まちづくり団体の登録制度

**（まちづくり団体の登録）**

**第三十九条**　知事は、個性豊かで魅力のある街並みの形成を促進するため、この条例に基づき街並み景観づくりその他の地域の特性をいかし魅力を高める規則で定めるまちづくり活動（以下「地域まちづくり活動」という。）を主体的に行う団体をまちづくり団体として登録するものとする。
2　前項の規定により登録を受けようとする団体は、規則で定めるところにより、知事に申請しなければならない。
3　知事は、前項の規定による申請があった場合において、当該申請を行った団体が、次に掲げる要件のいずれにも該当すると認めるときは、次条第一項の規定により拒否する場合を除き、規則で定めるところにより登録簿に登録し、当該団体にその旨を通知するものとする。
一　団体が実施しようとしている活動が、地域まちづくり活動に該当すると認められるとき。
二　団体が特定非営利活動促進法第二条第二項の特定非営利活動法人その他規則で定める法人格を有するとき。
三　その他地域まちづくり活動の内容に応じて規則で定める要件に該当するとき。
4　前項の規定による登録の有効期間は、三年とする。

**（登録の拒否）**
**第四十条**　知事は、前条第二項の規定による申請を行った団体が次の各号のいずれかに該当するときは、登録簿への登録を拒否するものとする。
一　第四十三条第二号又は第三号に該当することにより登録を抹消され、その登録の抹消の日から三年を経過していないとき。
二　その他規則で定める要件に該当するとき。
2　知事は、前項の規定により登録を拒否したときは、遅滞なく、その旨を当該団体に通知しなければならない。

**（登録内容の変更）**
**第四十一条**　登録簿に登録された団体（以下「登録団体」という。）は、登録内容に変更があったときは、規則で定めるところにより、直ちにその旨及びその内容を知事に届け出なければならない。

**（登録の更新）**
**第四十二条**　第三十九条第四項の有効期間の満了後引き続き知事の登録を受けようとする登録団体は、規則で定めるところにより、当該有効期間が満了する日の三十日前までに登録の更新の申請を行わなければならない。
2　第三十九条第三項及び第四十条の規定は、前項の登録の更新の申請について準用する。

**（登録の抹消）**
**第四十三条**　知事は、登録団体が次に掲げる事由のいずれかに該当するに至ったときは、当該登録団体の登録を抹消するものとする。
一　規則で定めるところにより、解散等の届出が行われたとき又は解散等に該当する事実が判明したとき。
二　偽りその他不正の手段により登録を受けたことが判明したとき。
三　登録団体の行っている活動が申請内容と著しく異なることが判明したとき。
四　その他規則で定める要件に該当するとき。

**（活動状況の報告）**
**第四十四条**　登録団体は、規則で定めるところにより、当該登録団体が行う地域まちづくり活動の状況を知事に報告しなければならない。

**（地域まちづくり活動の促進）**
**第四十五条**　知事は、規則に定めるところにより、登録団体が行う地域まちづくり活動に対し、当該活動を促進するために必要な方策を講ずるものとする。

## 第五章　雑則

**（委任）**
**第四十六条**　この条例に定めるもののほか、この条例の施行について必要な事項は、規則で定める。

**附　則**

1　この条例は、平成十五年十月一日から施行する。
2　都は、この条例の施行後五年以内に、この条例の施行の状況について検討を加え、その結果に基づいて必要な措置を講ずるものとする。

**附　則**（平二三・一二・二二条例八八）

この条例は、公布の日から施行する。

# ○東京都都市計画の提案に関する規則

平一五・三・二〇
規則七七

最終改正 令元・六・二八規則二七

（趣旨）

**第一条** この規則は、都市計画法（昭和四十三年法律第百号）第二十一条の二第一項若しくは第二項又は都市再生特別措置法（平成十四年法律第二十二号）第三十七条第一項の規定による都市計画の決定又は変更の提案（以下「計画提案」という。）に関し必要な事項を定めるものとする。

（提出図書）

**第二条** 計画提案を行おうとする者は、都市計画法施行規則（昭和四十四年建設省令第四十九号）第十三条の四第一項第一号又は都市再生特別措置法施行規則（平成十四年国土交通省令第六十六号）第七条第一号の都市計画の素案として次に掲げる図書を知事に提出しなければならない。

一 当該計画提案に係る都市計画を定める区域を明らかにした図面

二 都市計画法その他の法令の規定により当該計画提案に係る都市計画に定めることとされている事項の内容を記載した書類

三 都市計画の提案に係る理由書

四 当該計画提案に係る都市計画を定めた後も都市の環境又は機能が確保できることを示した書類（都市の環境又は防災、交通、衛生等の都市の機能に支障がないことを示すため特に必要と認められる場合に限る。）

2 計画提案を行おうとする者は、都市計画法施行規則第十三条の四第一項第二号又は都市再生特別措置法施行規則第七条第四号に規定する同意を得たことを証する書類として次に掲げる図書を知事に提出しなければならない。

一 当該計画提案に係る都市計画の素案の対象となる土地の区域内の土地の所有権又は建物の所有を目的とする対抗要件を備えた地上権若しくは賃借権（臨時設備その他一時使用のため設定されたことが明らかなものを除く。以下「借地権」という。）を有する者（以下「土地所有者等」という。）の一覧表及び当該計画提案に係る都市計画の素案に同意した土地所有者等の同意の意思を示す書類

二 当該計画提案の対象となる土地の公図の写し及び登記事項証明書並びに借地権を有する者が当該借地権の目的である土地の上に有する建物の登記事項証明書（借地権の登記がない場合に限る。）

三 別記様式による計画提案に係る土地所有者等に対する説明状況報告書

3 都市計画法第二十一条の二第二項の規定により計画提案を行おうとする法人は、当該法人の登記事項証明書及び定款又は寄附行為を知事に提出しなければならない。

4 都市計画法施行規則第十三条の三の要件に該当するものとして都市計画法第二十一条の二第二項の規定による計画提案を行おうとする団体は、次に掲げるいずれかの図書を知事に提出しなければならない。

一 都市計画法施行規則第十三条の三第一号イに規定する開発行為を行うに当たり当該団体が交付を受けた許可証の写し

二 都市計画法施行規則第十三条の三第一号ロに規定する開発行為について当該団体が施行者であることを証する書類

5 都市計画法第二十一条の二第一項又は第二項の規定による計画提案を行おうとする者は、事業を行うため当該事業が行われる土地の区域について都市計画の決定又は変更を必要とするときは、都市計画法施行規則第十三条の四第二項に規定する書面を知事に提出することができる。

6 第一項に掲げる図書は、当該計画提案を受けた日の翌日から、当該計画提案を踏まえた都市計画を定める告示の日又は都市計画法第二十一条の五第一項若しくは都市再生特別措置法第四十条第一項の規定により当該計画提案を踏まえた都市計画を定める必要がないと判断した旨及びその理由の通知をする日まで、閲覧に供するものとする。

（手続の進行状況に関する情報提供）

**第三条** 知事は、当該計画提案に係る都市計画を定める手続の進行状況を考慮し必要と認められる場合は、当該計画提案を行った者に対し、手続の進行状況に関する情報を提供するものとする。

（提案者に対する協力要請）

**第四条** 知事は、計画提案を行った者に対し、第二条第一項から第四項までに掲げる図書以外の図書の提出その他必要な協力を求めることができる。

附 則

この規則は、公布の日から施行する。

附 則（令元・六・二八規則二七）（抄）

1 この規則は、令和元年七月一日から施行する。

別記様式（第二条関係）〔略〕

# 第二章　建　築

## ○東京における緊急輸送道路沿道建築物の耐震化を推進する条例

平二三・三・一八
条　例　三　六

最終改正　平三一・三・二九条例三一

阪神・淡路大震災では、建築物の倒壊や火災により多数の人々が尊い命を落とし、道路、鉄道等の都市基盤も大きな損害を被るなど、甚大な被害と混乱が生じ、都市における大地震の危険性が露呈し、我々都民にも多くの教訓を残した。

建築物が地震により倒壊した場合、少なからず道路、隣地等の周囲に影響を及ぼす。倒壊した建築物が道路を閉塞すれば、震災時の避難、消火活動等を妨げることになりかねないが、特に、都市においては、建築物が密集していることにより倒壊時の影響は大きなものとなる。

そのため、都市における建築物の所有者は、耐震性能を確保する社会的責務を有していることを自覚し、この責務を全うするためには、耐震性能が明らかでない建築物について耐震診断を行い、耐震性能が不十分な場合には耐震改修等を行うことが不可欠である。

とりわけ、幹線道路は、大地震の発生時に救急救命活動の生命線となり、緊急支援物資の輸送、復旧及び復興の大動脈となるため、東京都は主要な幹線道路を緊急輸送道路に指定して整備を進めてきたが、沿道の建築物が倒壊し、道路を閉塞してしまえば、その効果も無に帰しかねない。

東京は、日本の首都として政治、経済、文化等の中枢を占め、極めて重要な役割を果たしているが、首都直下地震の切迫性も指摘されている中、こうした緊急輸送道路沿道の建築物の耐震化が十分に進んできたとはいい難い状況にある。大地震の発生に対し、被害を最小限に抑え、迅速な復旧等を図るべく震災時における緊急輸送道路の機能を確保することが喫緊の課題となっている。

東京都は、都民や東京に集う人々の生命と財産を守り、首都東京の機能を維持するという決意を表明するとともに、基礎的な地方公共団体である特別区及び市町村との役割分担の下、都民と連携して緊急輸送道路沿道の建築物の耐震化を推進するため、この条例を制定する。

### 第一章　総則

**（目的）**

**第一条**　この条例は、震災時における避難、救急消火活動、緊急物資の輸送及び復旧復興活動を支える緊急輸送道路の機能を確保するため、沿道建築物が地震により倒壊して緊急輸送道路を閉塞することがないよう、沿道建築物の耐震化を推進する措置を講ずることにより沿道建築物の地震に対する安全性の向上を図り、もって都民の生命、身体及び財産を保護することを目的とする。

**（定義）**

**第二条**　この条例において、次の各号に掲げる用語の意義は、それぞれ当該各号に定めるところによる。

一　緊急輸送道路　建築物の耐震改修の促進に関する法律（平成七年法律第百二十三号）第五条第三項第三号の規定により緊急輸送道路として東京都耐震改修促進計画に記載された道路をいう。

二　沿道建築物　建築物のいずれかの部分の高さが東京都規則（以下「規則」という。）で定める高さを超えるもの（昭和五十六年六月一日以後に新築の工事に着手したものを除く。）であって、その敷地が緊急輸送道路に接するものをいう。

三　耐震診断　第六条第一項の指針に定める方法により地震に対する安全性を評価することをいう。

四　耐震改修　第六条第一項の指針に定める地震に対する安全性の基準に適合させることを目的として、増築、改築、修繕若しくは模様替又は敷地の整備をすることをいう。

五　耐震改修等　耐震改修を行い、又は全部を除却し、若しくは一部を除却し、若しくは全部若しくは一部を移転して建築物のいずれの部分の高さも規則で定める高さ以下のものとすることをいう。

六　耐震化　耐震診断を実施して第六条第一項の指針に定める地震に対する安全性の基準に適合することを明らかにすること又は耐震改修等を実施することをいう。

**（都の責務）**

**第三条**　東京都（以下「都」という。）は、震災時における緊急輸送道路の機能を確保するため、広域的な観点から、緊急輸送道路の機能及び重要性並びに沿道建築物の耐震化の公共性に関する啓発及び知識の普及に努め、沿道建築物の耐震化を促進する施策を総合的に推進するものとする。

**（区市町村との連携）**

**第四条**　都は、この条例の施行に当たっては、特別区及び市町村（以下「区市町村」という。）と緊密な連携を保ち、その理解と協力を得るよう努めるとともに、区市町村の実施する沿道建築物の耐震化の促進に関する施策を支援するものとする。

**（所有者の責務）**

**第五条**　沿道建築物の所有者は、地震により当該沿道建築物が倒壊し、緊急輸送道路を閉塞した場合における被害の影響の広範さに鑑み、自らの社会的責任を認識して当該沿道建築物の耐震化に努めるものとする。

**（占有者の責務）**

**第五条の二**　沿道建築物の占有者は、地震により当該沿道建築物が倒壊し、緊急輸送道路を閉塞した場合における被害の影響の広範さに鑑み、当該沿道建築物の所有者が行う当該沿道建築物の耐震化の実現に向けて協力するよう努めるものとする。

## 第二章　耐震化指針及び特定緊急輸送道路の指定

**（沿道建築物の耐震化指針）**

**第六条**　知事は、沿道建築物の耐震化の実施について技術的な指針（以下「耐震化指針」という。）を定めなければならない。

2　耐震化指針においては、次に掲げる事項を定めるものとする。

一　地震に対する安全性を評価する方法

二　地震に対する安全性の基準

三　その他地震に対する安全性に関すること。

3　知事は、耐震化指針を定め、又はこれを変更したときは、速やかに、これを告示しなければならない。

**（特定緊急輸送道路の指定）**

**第七条**　知事は、緊急輸送道路のうち特に沿道建築物の耐震化を図る必要があると認めるもの（以下「特定緊急輸送道路」という。）を指定することができる。

2　知事は、特定緊急輸送道路を指定しようとするときは、規則で定めるところにより、あらかじめ当該特定緊急輸送道路の存する区市町村の長の意見を聴かなければならない。

3　知事は、特定緊急輸送道路を指定したときは、これを告示しなければならない。この場合において、当該特定緊急輸送道路に係る第十二条第一項第一号に規定する日についても、併せてこれを告示しなければならない。

4　前三項の規定は、特定緊急輸送道路の指定の解除について準用する。

## 第三章　耐震化に係る施策の推進

**（耐震化状況の報告）**

**第八条**　前条第一項の規定に基づく特定緊急輸送道路の指定の効力が生じる日における当該特定緊急輸送道路に係る沿道建築物（以下「特定沿道建築物」という。）の所有者（所有者と管理者とが異なる場合においては、管理者。次項並びに第十条第二項及び第六項において同じ。）は、同日から三箇月以内に、当該特定沿道建築物について、耐震診断又は耐震改修の実施状況その他の地震に対する安全性に関する事項を、規則で定める報告書により知事に報告しなければならない。ただし、第十条第二項又は第六項の規定に基づく報告をする場合は、この限りでない。

2　前項の報告書に記載した事項に変更が生じた場合は、所有者は、変更が生じた日から三十日以内に、規則で定める報告書により、その旨を知事に報告しなければならない。ただし、第十条第二項又は第六項の規定に基づく報告をする場合は、この限りでない。

**（耐震化状況報告に関する指導等）**

**第九条**　知事は、特定沿道建築物の所有者又は管理者（以下「所有者等」という。）に対し、前条各項の規定による報告について必要な指導及び助言をすることができる。

**（特定沿道建築物の耐震化）**

**第十条**　特定沿道建築物の所有者は、当該特定沿道建築物について次に掲げる者のうちいずれかの者が行う耐震診断を実施しなければならない。ただし、当該特定沿道建築物について、既に次に掲げる者が行う耐震診断を実施している場合又は耐震改修を実施している場合は、この限りでない。

一　建築基準法（昭和二十五年法律第二百一号）第七十七条の二十一第一項に規定する指定確認検査機関

二　建築士法（昭和二十五年法律第二百二号）第三条から第三条の三までの規定に基づき当該特定沿道建築物と同種同等の建築物を設計することができる一級建築士、二級建築士又は木造建築士

三　住宅の品質確保の促進等に関する法律（平成十一年法律第八十一号）第五条第一項に規定する登録住宅性能評価機関

四　地方自治法（昭和二十二年法律第六十七号）第一条の三第一項に規定する地方公共団体

五　前各号に掲げる者のほか、耐震診断を行う能力がある者として規則で定めるもの

2　特定沿道建築物の所有者は、当該特定沿道建築物について前項に規定する耐震診断を実施した場合は、耐震診断の実施が完了した日として規則で定める日から三十日以内に、規則で定める報告書により、その旨を

知事に報告しなければならない。

3　耐震化指針に定める地震に対する安全性の基準に適合しない特定沿道建築物の所有者は、当該特定沿道建築物について耐震改修等を実施するよう努めなければならない。

4　前項に規定する特定沿道建築物の所有者は、当該特定沿道建築物の占有者に対し、当該特定沿道建築物が耐震化指針に定める地震に対する安全性の基準に適合しない旨を通知するよう努めなければならない。

5　第三項に規定する特定沿道建築物の占有者は、当該特定沿道建築物の所有者に対し、当該特定沿道建築物の耐震改修等の実現に向けた協力を求めるよう努めなければならない。

6　特定沿道建築物の所有者は、当該特定沿道建築物について耐震改修等を実施した場合又は当該特定沿道建築物が火災、震災、水災、風災その他の災害により滅失し、若しくは損壊して建築物のいずれの部分の高さも規則で定める高さ以下のものとなった場合は、耐震改修等の実施が完了した日として規則で定める日又は当該特定沿道建築物が滅失し、若しくは損壊した日から三十日以内に、規則で定める報告書により、その旨を知事に報告しなければならない。

**（沿道建築物の耐震化に関する指導及び指示）**

**第十一条**　知事は、震災時における救急消火活動、緊急物資の輸送及び復旧復興活動を支える緊急輸送道路の機能を確保する上で必要があると認めるときは、当該沿道建築物の所有者等に対し、当該沿道建築物の耐震化について必要な指導及び助言をすることができる。

2　知事は、震災時における救急消火活動、緊急物資の輸送及び復旧復興活動を支える緊急輸送道路の機能を確保する上で、沿道建築物について必要な耐震診断が実施されていないと認めるときは、当該沿道建築物の所有者に対し、期限を定めて、耐震診断を実施するよう必要な指示をすることができる。

**（耐震診断を実施しない場合の公表）**

**第十二条**　知事は、震災時における救急消火活動、緊急物資の輸送及び復旧復興活動を支える緊急輸送道路の機能を確保するため、次の各号のいずれかに該当するときは、当該特定沿道建築物について必要な耐震診断が実施されていない旨及び当該特定沿道建築物の所在地その他の当該特定沿道建築物を表示するために必要なものとして規則で定める事項を公表することができる。

一　特定緊急輸送道路ごとに知事が別に定める日までに、正当な理由がなく必要な耐震診断を実施しないとき。

二　前条第二項の規定に基づく指示を受けた特定沿道建築物の所有者が、当該指示に係る期限経過後も、正当な理由がなく必要な耐震診断を実施しないとき。

2　知事は、前項の規定による公表をしようとするときは、規則で定めるところにより事前に当該特定沿道建築物の所有者に意見書の提出その他の方法により意見を述べる機会を与えるものとする。

**（特定沿道建築物の耐震診断実施命令）**

**第十三条**　知事は、第十一条第二項に規定する指示を受けた特定沿道建築物の所有者が、当該指示に係る期限経過後も、なお正当な理由がなく必要な耐震診断を実施しない場合であって、震災時における救急消火活動、緊急物資の輸送及び復旧復興活動を支える緊急輸送道路の機能を確保するため特に必要と認めるときは、当該所有者に対し、期限を定めて、当該指示に係る耐震診断を実施すべきことを命ずることができる。

**（特定沿道建築物の耐震改修等実施指示）**

**第十四条**　知事は、特定沿道建築物が耐震化指針に定める地震に対する安全性の基準に適合していないと認める場合であって、震災時における救急消火活動、緊急物資の輸送及び復旧復興活動を支える緊急輸送道路の機能を確保するため特に必要と認めるときは、当該特定沿道建築物の所有者に対し、当該特定沿道建築物について耐震改修等を実施するよう指示することができる。

2　知事は、前項の規定による指示を受けた特定沿道建築物の所有者が、正当な理由がなく、当該指示に従わなかったときは、規則で定める事項を公表することができる。

**（占有者への助言等）**

**第十四条の二**　知事は、第十一条第一項に規定する指導又は助言の対象となった沿道建築物の占有者に対し、当該沿道建築物の耐震化に関する情報を提供する等必要な助言をすることができる。

2　前条第一項の規定による指示の対象となった特定沿道建築物の占有者は、当該特定沿道建築物の所有者が行う当該特定沿道建築物の耐震改修等の実現に向けて協力するよう努めなければならない。

3　知事は、前条第一項の規定による指示の対象となった特定沿道建築物の占有者に対し、当該特定沿道建築物の所有者が行う当該特定沿道建築物の耐震改修等の実現に向けた協力について必要な指導及び助言をすることができる。

**（立入検査等）**

**第十五条**　知事は、第八条各項並びに第十条第二項及び第六項に定めるもののほか、第十一条第二項及び第十二条から第十四条までの規定の施行に必要な限度において、沿道建築物の所有者等に対し、沿道建築物の地震に対する安全性に係る事項に関し報告させ、又はその職員に、沿道建築物、沿道建築物の敷地若しくは沿道建築物の工事現場に立ち入り、沿道建築物、沿道建築物の敷地、建築設備、建築材料、書類その他の物件を検査させることができる。

2　知事は、前条第三項の規定の施行に必要な限度において、特定沿道建築物の占有者に対し、当該特定沿道建築物の耐震改修等の実現に向けた協力に係る事項に関し報告させることができる。

3　第一項の規定により立入検査をする職員は、その身分を示す証明書を携帯し、関係者の求めに応じて提示しなければならない。

4　第一項の規定による立入検査の権限は、犯罪捜査のために認められたものと解釈してはならない。

（助成）

**第十六条**　知事は、沿道建築物の所有者に対し、当該沿道建築物の耐震化に要する費用について、必要な助成を行うことができる。

（耐震化状況の公表等）

**第十七条**　知事は、第八条各項並びに第十条第二項及び第六項の規定による報告並びに第十五条第一項の規定による報告及び検査に基づき、特定沿道建築物の耐震化の状況を、規則で定めるところにより公表するものとする。

2　知事は、沿道建築物の耐震化を促進させるために必要があると認めるときは、沿道建築物の耐震診断又は耐震改修等の実施状況その他の当該沿道建築物に関する情報を、建築物の耐震改修の促進に関する法律第二条第三項に定める所管行政庁に提供することができる。

## 第四章　雑則

（委任）

**第十八条**　この条例に定めるもののほか、この条例の施行について必要な事項は、規則で定める。

## 第五章　罰則

（罰金）

**第十九条**　次の各号のいずれかに該当する者は、五十万円以下の罰金に処する。

一　第八条各項又は第十条第二項若しくは第六項の規定による報告書に虚偽の記載をした者

二　第十三条の規定による耐震診断の実施命令に違反した者

三　第十五条第一項の規定による報告について虚偽の報告をし、又は同項の規定による検査を拒み、妨げ、若しくは忌避した者

（両罰規定）

**第二十条**　法人の代表者又は法人若しくは人の代理人、使用人その他の従業者が、その法人又は人の業務に関し、前条の違反行為をしたときは、行為者を罰するほか、その法人又は人に対しても同条の罰金刑を科する。

（過料）

**第二十一条**　第八条第一項、第十条第二項又は第十五条第一項の規定に基づく報告をしなかった者は、五万円以下の過料に処する。

附　則

この条例は、平成二十三年四月一日から施行する。ただし、次の各号に掲げる規定は、当該各号に定める日から施行する。

一　第八条、第十九条第一号（第八条各項に係るものに限る。）、第二十条及び第二十一条（第八条第一項に係るものに限る。）の規定　平成二十三年十月一日

二　第十条、第十一条第二項、第十二条から第十五条まで、第十七条、第十九条第一号（第八条各項に係るものを除く。）、第二号及び第三号並びに第二十一条（第八条第一項に係るものを除く。）の規定　平成二十四年四月一日

附　則（平三一・三・二九条例三一）

この条例は、平成三十一年七月一日から施行する。

# ○高齢者、障害者等が利用しやすい建築物の整備に関する条例

平一五・一二・二四
条例一五五

最終改正 令五・三・三一条例二六

（趣旨）

**第一条** この条例は、高齢者、障害者等の移動等の円滑化の促進に関する法律（平成十八年法律第九十一号。以下「法」という。）第十四条第三項の規定に基づく特別特定建築物に追加する特定建築物その他必要な事項等について、定めるものとする。

（定義）

**第二条** この条例における用語の意義は、法及び高齢者、障害者等の移動等の円滑化の促進に関する法律施行令（平成十八年政令第三百七十九号。以下「令」という。）の例による。

（特別特定建築物に追加する特定建築物）

**第三条** 法第十四条第三項の条例で定める特定建築物は、次に掲げるものとする。

一 学校（令第五条第一号に規定する特定建築物を除く。）

二 共同住宅

三 老人ホーム、保育所、福祉ホームその他これらに類するもの（令第五条第九号に規定する特定建築物を除く。）

四 体育館、水泳場、ボーリング場その他これらに類する運動施設（令第五条第十一号に規定する特定建築物を除く。）

五 料理店

（建築の規模）

**第四条** 法第十四条第三項の条例で定める特別特定建築物（前条に規定する特定建築物を含む。以下同じ。）の建築（用途の変更をして特別特定建築物にすることを含む。以下同じ。）の規模は、別表第一の上欄に掲げる特別特定建築物ごとに、それぞれ同表の下欄に掲げる床面積の合計（増築若しくは改築又は用途の変更の場合にあっては、当該増築若しくは改築又は用途の変更に係る部分の床面積の合計。以下同じ。）とする。

2 前項の規模に満たない特別特定建築物の建築については、当該特別特定建築物の床面積の合計と当該特別特定建築物と同一敷地内に存する他の特別特定建築物の床面積の合計との合計が二千平方メートル以上となる場合は、前項の規模を満たしているものとみなす。

（建築物移動等円滑化基準）

**第五条** 法第十四条第三項の規定により建築物移動等円滑化基準に付加する事項は、次の各号に掲げる建築物の区分に応じ、それぞれ当該各号に掲げるものとする。

一 次号に掲げる建築物以外の特別特定建築物　次条から第十三条までに定めるもの

二 条例対象小規模特別特定建築物　令第十条第一項の基準によるもの及び次条から第十三条までに定めるもの

（階段）

**第六条** 不特定かつ多数の者が利用し、又は主として高齢者、障害者等が利用する階段のうち一以上は、次に掲げるものでなければならない。

一 踊場に手すりを設けること。

二 けあげの寸法は十八センチメートル以下、踏面の寸法は二十六センチメートル以上とすること。

三 階段の幅（当該階段の幅の算定に当たっては、手すりの幅は十センチメートルを限度としてないものとみなす。）は、百二十センチメートル以上とすること。

2 前項の規定は、令第十八条第二項第五号に定める基準を満たすエレベーター及びその乗降ロビーを併設する場合には、適用しない。ただし、主として高齢者、障害者等が利用する階段については、この限りでない。

（便所）

**第七条** 不特定かつ多数の者が利用し、又は主として高齢者、障害者等が利用する便所を設ける場合には、床の表面を粗面とし、又は滑りにくい材料で仕上げなければならない。

2 前項の便所のうち一以上（男子用及び女子用の区別があるときは、それぞれ一以上）は、次の各号に掲げる区分に応じ、当該各号に定めるものでなければならない。

一 別表第二の上欄に掲げる特別特定建築物の建築の規模が、それぞれ同表の下欄に掲げる床面積の合計である場合　ベビーチェアその他の乳幼児を座らせることができる設備を設けた便房を一以上設け、当該便房及び便所の出入口には、その旨の表示を行うこと。

二 別表第二の上欄に掲げる特別特定建築物の建築の規模が、床面積の合計千平方メートル以上である場合　ベビーベッドその他の乳幼児のおむつ交換ができる設備を設け、当該便所の出入口には、その旨の

表示を行うこと（他におむつ交換ができる場所を設ける場合を除く。）。

（**浴室等**）

**第八条**　不特定かつ多数の者が利用し、又は主として高齢者、障害者等が利用する浴室又はシャワー室（以下「浴室等」という。）を設ける場合には、床の表面を粗面とし、又は滑りにくい材料で仕上げなければならない。

2　浴室等のうち一以上（男子用及び女子用の区別があるときは、それぞれ一以上）は、次に掲げるものでなければならない。

一　浴槽、シャワー、手すり等が適切に配置されていること。

二　車椅子使用者が円滑に利用することができるよう十分な空間が確保されていること。

三　出入口は、次に掲げるものであること。

イ　幅は、八十五センチメートル以上とすること。

ロ　戸を設ける場合には、自動的に開閉する構造その他の車椅子使用者が容易に開閉して通過できる構造とし、かつ、その前後に高低差がないこと。

（**駐車場**）

**第九条**　不特定かつ多数の者が利用し、又は主として高齢者、障害者等が利用する駐車場に車椅子使用者用駐車施設を設ける場合には、当該車椅子使用者用駐車施設又はその付近に、令第十八条第一項第三号に規定する経路についての誘導表示を設けなければならない。

（**移動等円滑化経路等**）

**第十条**　令第十八条第一項の移動等円滑化経路（以下単に「移動等円滑化経路」という。）は、次に掲げるものでなければならない。

一　当該移動等円滑化経路を構成する出入口は、次に掲げるものであること。

イ　幅は、八十五センチメートル以上とすること（ロに掲げるもの並びにエレベーターの籠（人を乗せ昇降する部分をいう。以下同じ。）及び昇降路の出入口に設けられるものを除く。）。

ロ　直接地上へ通ずる出入口の幅は、百センチメートル以上とすること。

二　当該移動等円滑化経路を構成する廊下等は、次に掲げるものであること。

イ　幅は、百四十センチメートル以上とすること。

ロ　階段の下端に近接する廊下等の部分（不特定かつ多数の者が利用し、又は主として視覚障害者が利用するものに限る。）には、点状ブロック等を敷設すること（主として自動車の駐車の用に供する施設に設ける場合又は点状ブロック等の敷設が施設の利用に特に支障を来す場合を除く。）。

ハ　別表第三に掲げる特別特定建築物で、床面積の合計が五千平方メートル以上のものにあっては、授乳及びおむつ交換のできる場所を一以上設け、ベビーベッド、椅子等の設備を適切に配置するとともに、その付近に、その旨の表示を行うこと（他に授乳及びおむつ交換のできる場所を設ける場合を除く。）。

三　当該移動等円滑化経路を構成する傾斜路（階段に代わり、又はこれに併設するものに限る。）は、次に掲げるものであること。

イ　幅は、階段に代わるものにあっては百四十センチメートル以上とすること。

ロ　勾配は、十二分の一を超えないこと。

ハ　手すりを設けること（令第十三条第一号に規定する手すりが設けられている場合を除く。）。

ニ　両側に側壁又は立ち上がりを設けること。

ホ　傾斜路の始点及び終点には、車椅子が安全に停止することができる平坦な部分を設けること。

四　当該移動等円滑化経路を構成するエレベーターの籠及び昇降路の出入口の幅は、当該エレベーターを設ける特別特定建築物の床面積の合計が五千平方メートルを超える場合にあっては、九十センチメートル以上とすること。

五　当該移動等円滑化経路を構成する敷地内の通路は、次に掲げるものであること。

イ　幅は、百四十センチメートル以上とすること。

ロ　傾斜路は、次に掲げるものであること。

(1)　幅は、段に代わるものにあっては百四十センチメートル以上とすること。

(2)　勾配は、二十分の一を超えないこと。

(3)　手すりを設けること。

(4)　両側に側壁又は立ち上がりを設けること。

(5)　傾斜路の始点及び終点には、車椅子が安全に停止することができる平坦な部分を設けること。

2　建築物（幼稚園、保育所、母子生活支援施設及び理髪店、クリーニング取次店、質屋、貸衣装屋その他これらに類するサービス業を営む店舗を除く。）に、直接地上へ通ずる出入口のある階（以下「地上階」という。）又はその直上階若しくは直下階のみに利用居室を設ける場合には、道等から当該利用居室までの経路（当該地上階とその直上階又は直下階との間の上下の移動に係る部分に限る。）のうち一以上を、令第十八条第二項各号及び前項各号の基準に適合させなければならない。

3　前項に掲げる経路又はその一部が、移動等円滑化経路又はその一部となる場合にあっては、当該前項に掲げる経路又はその一部については、同項の規定は適用しない。

4　移動等円滑化経路を構成する敷地内の通路が地形の特殊性により第一項第五号の規定によることが困難である場合における同項及び第二項の規定は、令第十八条第一項第一号における「道又は公園、広場その他の空地（以下「道等」という。）」を、「当該建築物の車寄せ」として適用する。

**（共同住宅）**

**第十一条**　共同住宅においては、道等から各住戸（地上階又はその直上階若しくは直下階のみに住戸がある共同住宅にあっては、地上階にあるものに限る。以下同じ。）までの経路のうち一以上を、多数の者が円滑に利用できる経路（以下この条において「特定経路」という。）にしなければならない。

2　特定経路は、次に掲げるものでなければならない。

一　当該特定経路上に階段又は段を設けないこと（傾斜路又はエレベーターその他の昇降機を併設する場合を除く。）。

二　当該特定経路を構成する出入口は、次に掲げるものであること。

イ　幅は、八十センチメートル以上とすること。

ロ　戸を設ける場合には、自動的に開閉する構造その他の車椅子使用者が容易に開閉して通過できる構造とし、かつ、その前後に高低差がないこと。

三　当該特定経路を構成する廊下等は、令第十一条の規定によるほか、次に掲げるものであること。

イ　幅は、百二十センチメートル以上とすること。

ロ　五十メートル以内ごとに車椅子の転回に支障がない場所を設けること。

ハ　戸を設ける場合には、自動的に開閉する構造その他の車椅子使用者が容易に開閉して通過できる構造とし、かつ、その前後に高低差がないこと。

四　当該特定経路を構成する傾斜路（階段に代わり、又はこれに併設するものに限る。）は、令第十三条の規定によるほか、次に掲げるものであること。

イ　幅は、階段に代わるものにあっては百二十センチメートル以上、階段に併設するものにあっては九十センチメートル以上とすること。

ロ　勾配は、十二分の一（高さが十六センチメートル以下のものにあっては、八分の一）を超えないこと。

ハ　高さが七十五センチメートルを超えるものにあっては、高さ七十五センチメートル以内ごとに踏幅が百五十センチメートル以上の踊場を設けること。

ニ　両側に側壁又は立ち上がりを設けること。

ホ　傾斜路の始点及び終点には、車椅子が安全に停止することができる平坦な部分を設けること。

五　当該特定経路を構成するエレベーター（次号に規定するものを除く。以下この号において同じ。）及びその乗降ロビーは、次に掲げるものであること。

イ　籠は、各住戸、車椅子使用者用便房又は車椅子使用者用駐車施設がある階及び地上階に停止すること。

ロ　籠及び昇降路の出入口の幅は、八十センチメートル以上とすること。

ハ　籠の奥行きは、百十五センチメートル以上とすること。

ニ　乗降ロビーは、高低差がないものとし、その幅及び奥行きは、百五十センチメートル以上とすること。

ホ　籠内及び乗降ロビーには、車椅子使用者が円滑に利用することができる位置に制御装置を設けること。

ヘ　籠内に、籠が停止する予定の階及び籠の現在位置を表示する装置を設けること。

ト　乗降ロビーに、到着する籠の昇降方向を表示する装置を設けること。

六　当該特定経路を構成する特殊な構造又は使用形態のエレベーターその他の昇降機は、令第十八条第二項第六号の規定により国土交通大臣が定める構造とすること。

七　当該特定経路を構成する敷地内の通路は、令第十六条の規定によるほか、次に掲げるものであること。

イ　幅は、百二十センチメートル以上とすること。

ロ　五十メートル以内ごとに車椅子の転回に支障がない場所を設けること。

ハ　戸を設ける場合には、自動的に開閉する構造その他の車椅子使用者が容易に開閉して通過できる構造とし、かつ、その前後に高低差がないこと。

ニ　傾斜路は、次に掲げるものであること。

(1)　幅は、段に代わるものにあっては百二十センチメートル以上、段に併設するものにあっては九十センチメートル以上とすること。

(2)　勾配は、十二分の一（高さが十六センチメートル以下のものにあっては、八分の一）を超えないこと。

(3)　高さが七十五センチメートルを超えるもの（勾配が二十分の一を超えるものに限る。）にあっては、高さ七十五センチメートル以内ごとに踏幅が百五十センチメートル以上の踊場を設けること。

(4) 両側に側壁又は立ち上がりを設けること。

(5) 傾斜路の始点及び終点には、車椅子が安全に停止することができる平坦な部分を設けること。

3 当該特定経路を構成する敷地内の通路が地形の特殊性により前項第七号の規定によることが困難である場合における前二項の規定の適用については、第一項中「道等」とあるのは、「当該共同住宅の車寄せ」とする。

4 特定経路となるべき経路又はその一部が移動等円滑化経路若しくはその一部又は前条第二項に規定する経路若しくはその一部となる場合にあっては、当該特定経路となるべき経路又はその一部については、前三項の規定は適用しない。

**（ホテル又は旅館）**

**第十一条の二** ホテル又は旅館（風俗営業等の規制及び業務の適正化等に関する法律（昭和二十三年法律第百二十二号）第二条第六項第四号に規定する営業の用に供する施設及び旅館業法（昭和二十三年法律第百三十八号）第二条第三項に規定する簡易宿所営業の施設を除く。以下この条及び次条において同じ。）においては、道等及び車椅子使用者用駐車施設から車椅子使用者用客室以外の各客室（以下「一般客室」という。）までの経路のうち一以上を、階段又は段を設けない経路（以下この条において「宿泊者特定経路」という。）にしなければならない。ただし、前条第二項第四号に規定する傾斜路、同項第五号に規定するエレベーター又は同項第六号に規定する昇降機を併設する場合は、この限りでない。

2 ホテル又は旅館の一般客室は、次に掲げるものでなければならない。ただし、和室部分については、この限りでない。

一 一般客室の出入口の幅は、八十センチメートル以上とすること。

二 一般客室内の一以上の便所及び一以上の浴室等の出入口の幅は、七十五センチメートル以上（一般客室の床面積（和室部分及び同一客室内に複数の階がある場合における当該一般客室の出入口のある階の部分以外の部分の床面積を除く。第四号において同じ。）が十五平方メートル未満の場合にあっては、七十センチメートル以上）とすること。

三 一般客室内（同一客室内に複数の階がある場合には、当該一般客室の出入口のある階の部分に限る。）には階段又は段を設けないこと。ただし、次のイからハまでに掲げる場合に応じ、当該イからハまでに定める部分を除く。

イ 同一客室内に複数の階がある場合　当該一般客室の出入口のある階とその直上階又は直下階との間の上下の移動に係る階段又は段の部分

ロ 勾配が、十二分の一を超えない傾斜路を併設する場合　当該傾斜路が併設された階段又は段の部分

ハ 浴室等の内側に防水上必要な最低限の高低差を設ける場合　当該高低差の部分

四 第二号の規定に該当する便所及び浴室等の出入口に接する通路その他これに類するもの（当該出入口に接して脱衣室、洗面所その他これらに類する場所が設けられている場合にあっては、当該出入口を除く当該場所の一以上の出入口及びこれに接する通路その他これに類するもの）の幅は、百センチメートル以上（一般客室の床面積が十五平方メートル未満の場合にあっては、八十センチメートル以上）とすること。

3 当該宿泊者特定経路を構成する敷地内の通路が地形の特殊性により第一項の規定によることが困難である場合における同項の規定の適用については、同項中「道等」とあるのは、「当該ホテル又は旅館の車寄せ」とする。

4 宿泊者特定経路となるべき経路又はその一部が移動等円滑化経路若しくはその一部又は第十条第二項に規定する経路若しくはその一部となる場合にあっては、当該宿泊者特定経路となるべき経路又はその一部については、第一項及び前項の規定は適用しない。

**（増築等に関する適用範囲）**

**第十二条** 建築物の増築又は改築（用途の変更をして特別特定建築物にすることを含む。以下「増築等」という。）をする場合には、第六条から第十条まで（共同住宅にあっては第六条から第十一条まで、前条第一項に規定するホテル又は旅館にあっては第六条から第十条まで及び前条の規定）は、次に掲げる建築物の部分に限り、適用する。

一 当該増築等に係る部分

二 道等から前号に掲げる部分にある利用居室、共同住宅の各住戸又は前条第一項に規定するホテル又は旅館の一般客室までの一以上の経路を構成する出入口、廊下等、階段、傾斜路、エレベーターその他の昇降機及び敷地内の通路

三 不特定かつ多数の者が利用し、又は主として高齢者、障害者等が利用する便所

四 第一号に掲げる部分にある利用居室（当該部分に利用居室が設けられていないときは、道等）から車

椅子使用者用便房（前号に掲げる便所に設けられるものに限る。）までの一以上の経路を構成する出入口、廊下等、階段、傾斜路、エレベーターその他の昇降機及び敷地内の通路

五　不特定かつ多数の者が利用し、又は主として高齢者、障害者等が利用する駐車場

六　車椅子使用者用駐車施設（前号に掲げる駐車場に設けられるものに限る。）から第一号に掲げる部分にある利用居室（当該部分に利用居室が設けられていないときは、道等）又は前条第一項に規定するホテル又は旅館の一般客室までの一以上の経路を構成する出入口、廊下等、階段、傾斜路、エレベーターその他の昇降機及び敷地内の通路

**（公立小学校等に関する読替え）**

**第十二条の二**　公立小学校等についての第六条から第九条まで及び前条の規定の適用については、これらの規定中「不特定かつ多数の者が利用し、又は主として高齢者、障害者等が利用する」とあるのは「多数の者が利用する」と、前条中「特別特定建築物」とあるのは「公立小学校等」とする。

**（条例で定める特定建築物に関する読替え）**

**第十三条**　第三条の規定により特別特定建築物に追加した特定建築物に対する第六条から第九条まで及び第十二条の規定の適用については、これらの規定中「不特定かつ多数の者が利用し、又は主として高齢者、障害者等が利用する」とあるのは「多数の者が利用する」とする。

**（制限の緩和）**

**第十四条**　第三条から第十二条までの規定は、知事がこれらの規定によることなく高齢者、障害者等若しくは多数の者が建築物特定施設を円滑に利用できると認める場合又は建築物若しくはその敷地の形態上やむを得ないと認める場合は、適用しないことができる。

**附　則**

１　この条例は、平成十六年七月一日から施行する。

２　この条例の施行の際、現に建築又は修繕若しくは模様替の工事中の特別特定建築物については、第四条から第十二条までの規定は適用しない。

３　この条例の施行の際、現に存する特別特定建築物で、高齢者、身体障害者等が円滑に利用できる特定建築物の建築の促進に関する法律施行令の一部を改正する政令（平成十五年政令第九号）附則第二条に規定する政令で指定する類似の用途相互間における用途の変更をするものについては、この条例の規定は適用しない。

**附　則**（平三一・三・二九条例四九）

**（施行期日）**

１　この条例は、平成三十一年九月一日から施行する。ただし、第八条第二項、第九条、第十条第一項、第十一条第二項及び第十二条第四号の改正規定並びに同条第六号の改正規定（「車いす使用者用駐車施設」を「車椅子使用者用駐車施設」に改める部分に限る。）は、公布の日から施行する。

**（経過措置）**

２　この条例による改正後の高齢者、障害者等が利用しやすい建築物の整備に関する条例（以下「改正後の条例」という。）第十一条の二及び第十二条の規定は、この条例の施行後に着手する建築（用途の変更をして特別特定建築物にすることを含む。以下この項において同じ。）及び当該建築をした特別特定建築物の維持について適用し、この条例の施行前に着手した建築及び当該建築をした特別特定建築物の維持については、なお従前の例による。

３　この条例の施行の際、現に存する特別特定建築物で、高齢者、障害者等の移動等の円滑化の促進に関する法律施行令（平成十八年政令第三百七十九号）附則第四条第五号に掲げる類似の用途相互間における用途の変更をするものについては、改正後の条例第十一条の二及び第十二条の規定は適用しない。

**（検討）**

４　知事は、この条例の施行後三年以内に、改正後の条例の規定の施行状況、高齢者、障害者等の施設の利用状況、国が定めるホテル又は旅館における高齢者、障害者等の円滑な移動等に配慮した建築設計標準等国の施策の推進状況その他社会環境の変化を勘案し、当該規定について検討を加え、その結果に基づき、速やかに所要の措置を講ずるものとする。

**附　則**（令五・三・二二条例二六）

**（施行期日）**

１　この条例は、令和五年十月一日から施行する。

**（経過措置）**

２　この条例による改正後の高齢者、障害者等が利用しやすい建築物の整備に関する条例（以下「改正後の条例」という。）第十一条の二の規定は、この条例の施行後に着手する建築（用途の変更をして特別特定建築物にすることを含む。以下この項において同じ。）及び当該建築をした特別特定建築物の維持について適用し、この条例の施行前に着手した建築及び当該建築をした特別特定建築物の維持については、なお従前の例による。

３　この条例の施行の際、現に存する特別特定建築物で、高齢者、障害者等の移動等の円滑化の促進に関する法律施行令（平成十八年政令第三百七十九号）附則第四条第五号に掲げる類似の用途相互間における用途の変更をするものについては、改正後の条例第十一条の二の規定は適用しない。

**別表第一**（第四条関係）

| 特別特定建築物 | 床面積の合計 |
| --- | --- |
| 学校 | |

| | |
|---|---|
| 病院又は診療所（患者の収容施設を有するものに限る。） | |
| 集会場（一の集会室の床面積が二百平方メートルを超えるものに限る。）又は公会堂 | |
| 保健所、税務署その他不特定かつ多数の者が利用する官公署 | |
| 老人ホーム、保育所、福祉ホームその他これらに類するもの | |
| 老人福祉センター、児童厚生施設、身体障害者福祉センターその他これらに類するもの | |
| 博物館、美術館又は図書館 | |
| 車両の停車場又は船舶若しくは航空機の発着場を構成する建築物で旅客の乗降又は待合いの用に供するもの | |
| 公衆便所 | |
| 診療所（患者の収容施設を有しないものに限る。） | 五百平方メートル以上 |
| 百貨店、マーケットその他の物品販売業を営む店舗 | |
| 飲食店 | |
| 郵便局又は理髪店、クリーニング取次店、質屋、貸衣装屋、銀行その他これらに類するサービス業を営む店舗 | |
| 自動車の停留又は駐車のための施設（一般公共の用に供されるものに限る。） | |
| 劇場、観覧場、映画館又は演芸場 | 千平方メートル以上 |
| 集会場（すべての集会室の床面積が二百平方メートル以下のものに限る。） | |
| 展示場 | |
| ホテル又は旅館 | |
| 体育館、水泳場、ボーリング場その他これらに類する運動施設又は遊技場 | |
| 公衆浴場 | |
| 料理店 | |

備考　床面積の合計の欄に定めのない特別特定建築物は、規模にかかわらず、建築物移動等円滑化基準に適合させなければならないものとする。

**別表第二**（第七条関係）

| 特別特定建築物 | 床面積の合計 |
|---|---|
| 幼稚園 | |
| 病院又は診療所（患者の収容施設を有するものに限る。） | |
| 集会場（一の集会室の床面積が二百平方メートルを超えるものに限る。）又は公会堂 | |
| 保健所、税務署その他不特定かつ多数の者が利用する官公署 | 二百平方メートル以上 |
| 老人ホーム、保育所、福祉ホームその他これらに類するもの | |
| 老人福祉センター、児童厚生施設、身体障害者福祉センターその他これらに類するもの | |
| 博物館、美術館又は図書館 | |
| 診療所（患者の収容施設を有しないものに限る。） | 五百平方メートル以上 |
| 百貨店、マーケットその他の物品販売業を営む店舗 | |
| 飲食店 | |
| 郵便局又は理髪店、クリーニング取次店、質屋、貸衣装屋、銀行その他これらに類するサービス業を営む店舗 | |
| 展示場 | 千平方メートル以上 |
| ホテル又は旅館 | |
| 体育館、水泳場、ボーリング場その他これらに類する運動施設又は遊技場 | |

**別表第三**（第十条関係）

| | |
|---|---|
| 病院又は診療所（患者の収容施設を有するものに限 | |

| |
|---|
| る。） |
| 保健所、税務署その他不特定かつ多数の者が利用する官公署 |
| 集会場（一の集会室の床面積が二百平方メートルを超えるものに限る。）又は公会堂 |
| 百貨店、マーケットその他の物品販売業を営む店舗 |
| ホテル又は旅館 |
| 博物館、美術館又は図書館 |
| 展示場 |

# ○東京都建築安全条例

昭二五・一二・七
条　例　八　九

最終改正　令四・六・二二条例一〇九

## 第一章　総則

### 第一節　趣旨

**（趣旨）**

**第一条**　建築基準法（以下「法」という。）第四十条（法第八十八条第一項において準用する場合を含む。以下同じ。）による建築物の敷地、構造及び建築設備並びに工作物に関する制限の付加、法第四十三条第三項による建築物の敷地及び建築物と道路との関係についての制限の付加、建築基準法施行令（昭和二十五年政令第三百三十八号。以下「令」という。）第百二十八条の三第六項による地下街に関する令と異なる定め並びに令第百四十四条の四第二項による道に関する令と異なる基準については、この条例の定めるところによる。

### 第一節の二　適用区域

**（適用区域）**

**第一条の二**　第四条、第十条の二、第十条の三、第二十二条、第四十一条及び第八十二条の規定は、都市計画区域及び準都市計画区域内に限り適用する。

### 第一節の三　適用除外

**（適用除外）**

**第一条の三**　特別区及び市町村（以下「区市町村」という。）が法第四十条、法第四十三条第三項、令第百二十八条の三第六項及び令第百四十四条の四第二項の規定に基づき制定する条例（以下「区市町村条例」という。）により、この条例と同等以上の制限の付加等を講ずることとなるよう定めている場合は、当該区市町村条例の規定に相当するこの条例の規定は、当該区市町村の区域内においては、適用しない。

### 第二節　敷地及び道路

**（角敷地の建築制限）**

**第二条**　幅員がそれぞれ八メートル未満の道路が交わる角敷地（隅角が百二十度以上の場合を除く。）は、敷地の隅を頂点とする長さ二メートルの底辺を有する二等辺三角形の部分を道路状に整備しなければならない。

2　前項に規定する部分には、建築物を突き出して建築し、又は交通上支障がある工作物を築造してはならない。ただし、道路状の面からの高さが四・五メートルを超える部分については、この限りでない。

3　前二項の規定は、次の各号のいずれかに該当する場合において、知事が交通の安全上支障がないと認めるときは、適用しない。

一　第一項に規定する道路のうち一以上が、法第四十二条第三項の規定により水平距離が指定された道路で、かつ、専ら歩行者の通行の用に供するものである場合

二　第一項に規定する道路と角敷地との高低差が著しいために、道路状に整備することが困難な場合

**（路地状敷地の形態）**

**第三条**　建築物の敷地が路地状部分のみによつて道路（都市計画区域外の建築物の敷地にあつては、道とする。以下同じ。）に接する場合には、その敷地の路地

状部分の幅員は、路地状部分の長さに応じて、次の表に掲げる幅員以上としなければならない。ただし、建築物の配置、用途及び構造、建築物の周囲の空地の状況その他土地及び周囲の状況により知事が安全上支障がないと認める場合は、この限りでない。

| 敷地の路地状部分の長さ | 幅員 |
|---|---|
| 二十メートル以下のもの | 二メートル |
| 二十メートルを超えるもの | 三メートル |

2　耐火建築物及び準耐火建築物以外の建築物で延べ面積（同一敷地内に二以上の建築物がある場合は、それらの延べ面積の合計とする。）が二百平方メートルを超えるものの敷地に対する前項の規定の適用については、同項の表中「二メートル」とあるのは「三メートル」と、「三メートル」とあるのは「四メートル」とする。

**（路地状敷地の建築制限）**

**第三条の二**　前条第一項に規定する敷地で路地状部分の幅員が四メートル未満のものには、階数（主要構造部が耐火構造の地階を除く。第七条において同じ。）が三（耐火建築物、準耐火建築物又は壁、柱、床その他の建築物の部分及び外壁開口部設備（令第百三十六条の二第一号イの外壁開口部設備をいう。以下同じ。）について知事が定めた構造方法を用いる建築物の場合は、四）以上の建築物を建築してはならない。

**（建築物の敷地と道路との関係）**

**第四条**　延べ面積（同一敷地内に二以上の建築物がある場合は、その延べ面積の合計とする。）が千平方メートルを超える建築物の敷地は、その延べ面積に応じて、次の表に掲げる長さ以上道路に接しなければならない。

| 延べ面積 | 長さ |
|---|---|
| 千平方メートルを超え、二千平方メートル以下のもの | 六メートル |
| 二千平方メートルを超え、三千平方メートル以下のもの | 八メートル |
| 三千平方メートルを超えるもの | 十メートル |

2　延べ面積が三千平方メートルを超え、かつ、建築物の高さが十五メートルを超える建築物の敷地に対する前項の規定の適用については、同項中「道路」とあるのは、「幅員六メートル以上の道路」とする。

3　前二項の規定は、建築物の周囲の空地の状況その他土地及び周囲の状況により知事が安全上支障がないと認める場合においては、適用しない。

**（長屋の主要な出入口と道路との関係等）**

**第五条**　長屋の各戸の主要な出入口は、道路に面して設けなければならない。ただし、次のいずれかに該当する場合は、この限りでない。

一　その出入口の前面に、幅員三メートル（出入口が道路に面しない住戸の床面積の合計が三百平方メートル以下（当該住戸がいずれも床面積四十平方メートルを超える場合は、四百平方メートル以下）で、かつ、当該住戸の数が十以下の場合は、二メートル）以上の通路で、道路に三十五メートル以内で避難上有効に通ずるものを設けた場合

二　その出入口の前面に、幅員四メートル以上の通路で、道路に避難上有効に通ずるものを設けた場合

2　長屋の各戸の居住の用に供する居室のうち一以上は、次に定めるところによらなければならない。

一　道路又は道路に避難上有効に通ずる幅員五十センチメートル以上の通路に面する窓その他の避難上有効な開口部（前項に定める主要な出入口を除く。）を設けること。

二　前号の開口部を避難階以外の階に設ける場合は、当該居室に避難上有効なバルコニー又は器具等を設けること。

3　前二項の規定は、建築物の周囲の空地の状況その他土地及び周囲の状況により知事が安全上支障がないと認める場合においては、適用しない。

4　木造建築物等である長屋（耐火建築物又は準耐火建築物を除く。）にあつては、主要な出入口が第一項の通路のみに面する住戸の数は、三を超えてはならない。

### 第三節　がけ

**（がけ）**

**第六条**　この条にいうがけ高とは、がけ下端を過ぎる二分の一こう配の斜線をこえる部分について、がけ下端よりその最高部までの高さをいう。

2　高さ二メートルを超えるがけの下端からの水平距離ががけ高の二倍以内のところに建築物を建築し、又は建築敷地を造成する場合は、高さ二メートルを超える擁壁を設けなければならない。ただし、次の各号のいずれかに該当する場合は、この限りでない。

一　斜面のこう配が三十度以下のもの又は堅固な地盤を切つて斜面とするもの若しくは特殊な構法による

もので安全上支障がない場合

二　がけ上に建築物を建築する場合において、がけ又は既設の擁壁に構造耐力上支障がないとき。

三　がけ下に建築物を建築する場合において、その主要構造部が鉄筋コンクリート造若しくは鉄骨鉄筋コンクリート造であるか、又は建築物の位置が、がけより相当の距離にあり、がけの崩壊に対して安全であるとき。

3　前項の規定により設ける擁壁の構造は、令第百四十二条第一項の規定によるほか、土の摩擦角が三十度以下（土質が堅固で支障がない場合は、四十五度以下）であつて、基礎と地盤との摩擦係数が〇・三以下（土質が良好で支障がない場合は、〇・五以下）の場合にも安全でなければならない。

4　擁壁等には、次の各号に定める排水のための措置を講じなければならない。

一　擁壁には、壁面の面積三平方メートル以内ごとに耐水材料を用いた水抜穴を設けること。

二　擁壁には、水抜穴の裏面の周辺その他必要な箇所に砂利等の透水性の層を設けること。

三　擁壁の上部の地表面（傾斜面を含む。）には、雨水及び汚水の浸透を防ぐための不透水性の層又は排水施設等を設けること。

**（擁壁の位置）**

**第六条の二**　擁壁の基礎の底部は、がけの下端を過ぎるこう配三十度以内の良好な地盤に達しなければならない。ただし、構造計算又は地盤調査その他の方法により、そのがけの全体が構造耐力上安全であることが確かめられた場合においては、この限りでない。

### 第四節　防災構造

**（三階以上の階に設ける居室）**

**第七条**　法第二十二条第一項の規定により指定する区域内においては、三階以上の階に居室を有する建築物は、木造建築物等としてはならない。ただし、次に掲げる建築物については、この限りでない。

一　耐火建築物又は準耐火建築物

二　階数が三の建築物で、延べ面積が五百平方メートル以下であり、かつ、壁、柱、床その他の建築物の部分及び外壁開口部設備について知事が定めた構造方法を用いるもの

**（避難施設の設置）**

**第七条の二**　建築物の階が、次の各号のいずれかに該当する場合においては、その階から避難階又は地上に通ずる二以上の直通階段を設けなければならない。

一　建築物の避難階の直下階である令第百二十一条第一項第三号に掲げる用途に供する階でその階に客席、客室その他これらに類するものを有し、かつ、その階の居室の床面積の合計が百平方メートル（主要構造部が準耐火構造であるか、又は不燃材料で造られている建築物については二百平方メートル）以下のもの

二　建築物の地下二階以上五階以下の階のうち、避難階及びその直上階以外の階を風俗営業等の規制及び業務の適正化等に関する法律（昭和二十三年法律第百二十二号）第二条第一項各号に掲げる営業に係るもの（令第百二十一条第一項第三号イに該当するものを除く。）又は飲食店の用途に供するものでその階に客席を有し、かつ、その階の居室の床面積の合計が百平方メートル（主要構造部が準耐火構造であるか、又は不燃材料で造られている建築物については二百平方メートル）以下のもの

2　次の各号に掲げる階ごとに、当該各号に定める避難施設を設けたときは、前項の規定は適用しない。

一　前項第一号に掲げる階　その階から避難階又は地上に通ずる令第百二十三条の規定に適合する直通階段

二　前項第二号に掲げる階　その階が地階の場合にあつてはその階から避難階又は地上に通ずる令第百二十三条の規定に適合する直通階段、それ以外の階の場合にあつてはその階から避難階若しくは地上に通ずる令第百二十三条第二項若しくは第三項の規定に適合する直通階段又はその階から避難階若しくは地上に通ずる直通階段及び次に掲げる基準に適合するバルコニー

イ　バルコニーの位置は、その階の各部分と避難上有効に連絡するものとすること。

ロ　バルコニーには、固定式のタラップその他避難上有効な設備を設置し、避難階又は地上に安全に避難できるものとすること。

ハ　バルコニーの奥行きは、七十五センチメートル以上とし、幅は一・五メートル以上とすること。

ニ　屋内からバルコニーに通ずる開口部の幅は七十五センチメートル以上、高さは百二十センチメートル以上、下端の床面からの高さは八十センチメートル以下とすること。

ホ　屋内からバルコニーに通ずる開口部に設ける施錠装置は、室内からかぎを用いることなく解錠できるもの（火災により煙が発生した場合に自動的に解錠するものを含む。）とすること。

ヘ　バルコニーは、外気に開放されていること。

ト　バルコニーは、鉄造又は法第二条第七号の二に規定する準耐火構造とし、かつ、構造耐力上安全なものとすること。

（建築物の構造）

**第七条の三**　知事は、東京都震災対策条例（平成十二年東京都条例第二百二号）第十三条第二項第二号に規定する整備地域その他の災害時の危険性が高い地域のうち、特に震災時に発生する火災等による危険性が高い区域を指定する。

2　前項の規定により知事が指定する区域の準防火地域内においては、延べ面積が五百平方メートルを超える建築物は耐火建築物又は壁、柱、床その他の建築物の部分及び外壁開口部設備が令第百三十六条の二第一号イ若しくはロに定める技術的基準に適合するもので、法第六十一条の規定に基づき国土交通大臣が定めた構造方法を用いるもの若しくは国土交通大臣の認定を受けたものとし、その他の建築物は耐火建築物、準耐火建築物又は壁、柱、床その他の建築物の部分及び外壁開口部設備が令第百三十六条の二第一号イ若しくはロ、第二号イ若しくはロ若しくは第五号に定める技術的基準に適合するもので、法第六十一条の規定に基づき国土交通大臣が定めた構造方法を用いるもの若しくは国土交通大臣の認定を受けたものとしなければならない。ただし、門又は塀で、高さ二メートル以下のもの又は建築物（木造建築物等を除く。）に附属するものについては、この限りでない。

3　法第三条第二項の規定により前項の規定の適用を受けない建築物（木造の建築物にあつては、外壁及び軒裏が防火構造のものに限る。）を増築し、又は改築する場合においては、次に掲げるもの以外のものについて、同項の規定を適用する。

一　増築及び改築に係る部分の床面積の合計（当該増築又は改築に係る建築物が同一敷地内に二以上ある場合においては、これらの増築又は改築に係る部分の床面積の合計）が、五十平方メートルを超えないこと。

二　増築又は改築後における階数が二以下であること。

三　増築又は改築に係る部分の外壁及び軒裏が、防火構造であること。

4　法第三条第二項の規定により第二項の規定の適用を受けない建築物の大規模の修繕、大規模の模様替又は用途を変更する場合においては、同項の規定は適用しない。

5　建築物が、第一項の規定により知事が指定する区域の準防火地域とこれ以外の地域（防火地域を除く。）にわたる場合においては、その全部について第二項の規定を適用する。ただし、その建築物が、当該区域の準防火地域外において防火壁で区画されている場合においては、その防火壁外の部分については、この限りでない。

6　建築物が、第一項の規定により知事が指定する区域の準防火地域と防火地域にわたる場合においては、その全部について防火地域内の建築物に関する規定を適用する。ただし、その建築物が、防火地域外において防火壁で区画されている場合においては、その防火壁外の部分については、第二項の規定を適用する。

（直通階段からの避難経路）

**第八条**　法又はこの条例の規定により主要構造部を耐火構造としなければならない建築物で、地階又は三階以上の階に居室を有するものは、避難階における直通階段から屋外への出口に至る経路のうち屋内の部分（以下この項及び次項において「避難階の屋内避難経路」という。）を、道路まで有効に避難できるように、屋内の他の部分と耐火構造の壁又は法第二条第九号の二ロに定める防火設備で令第百十二条第十八項第二号に定めるもので区画しなければならない。ただし、次のいずれかに該当する建築物の部分については、この限りでない。

一　直通階段（令第百十二条第十項ただし書に該当するものに限る。）に接続する避難階の屋内避難経路

二　避難階の屋内避難経路であつて、スプリンクラー設備、水噴霧消火設備、泡消火設備その他これらに類するもの（第二十五条第一号において「スプリンクラー設備等」という。）で自動式のもの及び令第百二十六条の三の規定に適合する排煙設備（以下「排煙設備」という。）を設け、その部分の壁及び天井（天井のない場合においては、屋根）の室内に面する部分（回り縁、窓台その他これらに類する部分を除く。）の仕上げを準不燃材料でし、かつ、避難上支障がないもの

2　前項本文の規定により避難階の屋内避難経路を区画する場合は、当該避難階の屋内避難経路に面して設けられる次のいずれかに該当する建築物の部分その他これらと同等以上に火災の発生のおそれが少ない用途に供する部分で避難上支障がないものを当該避難階の屋内避難経路に含むことができる。

一　管理事務室、守衛室その他当該建築物を管理する者が常時勤務する室（こんろその他火を使用する設備又は器具を設けないものに限る。）

二　便所

三　ダクトスペースの部分で避難階の屋内避難経路と耐火構造の壁又は法第二条第九号の二ロに定める防火設備で区画したもの

四　集合郵便受けを用いた郵便物の受取及び投かんの用に供する部分

3　法若しくはこの条例の規定により主要構造部を準耐火構造としなければならない建築物又は壁、柱、床その他の建築物の部分及び外壁開口部設備が令第百三十六条の二第一号ロ若しくは第二号ロに定める技術的基準に適合する建築物であつて、法第六十一条の規定に基づき国土交通大臣が定めた構造方法を用いるもの若しくは国土交通大臣の認定を受けたもので、地階又は三階以上の階に居室を有するものについては、前二項の規定を準用する。この場合において、これらの規定中「耐火構造の」とあるのは、「準耐火構造の」と読み替えるものとする。

### 第五節　仮設建築物等の適用の除外

**（仮設建築物等に対する適用の除外）**

**第八条の二**　この条例の規定は、法第八十五条第六項及び第七項に規定する仮設興行場等、法第八十七条の三第六項に規定する興行場等並びに同条第七項に規定する特別興行場等については、適用しない。

### 第六節　一定の複数建築物に対する制限の特例等

**（一定の複数建築物に対する制限の特例）**

**第八条の三**　法第八十六条第一項から第四項まで又は法第八十六条の二第一項から第三項までの規定により認定又は許可を受けた建築物に対する第二条から第五条まで、第十条から第十条の三まで（第三十三条第二項において準用する場合を含む。）、第十条の四第一項第一号及び第三号並びに同条第四項、第十七条（第七十三条第一項において準用する場合を含む。）、第十九条第一項第二号並びに同条第二項及び第三項（第三十七条又は第七十三条第一項において準用する場合を含む。）、第二十二条、第二十三条、第二十七条（第三十三条第二項において準用する場合を含む。）、第二十八条（第三十三条第二項において準用する場合を含む。）、第三十一条第四号、第三十三条第一項、第四十一条、第四十六条第一項第二号並びに同条第二項及び第三項並びに第五十条第二項の規定の適用については、これらの建築物は、同一敷地内にあるものとみなす。

**（一定の複数建築物に対する外壁の開口部に対する制限の特例）**

**第八条の四**　第十条の五第一項、第二十九条、第三十八条第一項及び第五十一条第一項第一号の規定の適用においては、法第八十六条の四の規定により耐火建築物とみなされた建築物又は令第百三十六条の二第一号に規定する建築物で、主要構造部が同号イに定める技術的基準に適合し、かつ、外壁開口部設備が同号イただし書に該当するものは耐火建築物と、法第八十六条の四の規定により準耐火建築物とみなされた建築物又は令第百三十六条の二第二号に規定する建築物で、主要構造部が同号イに定める技術的基準に適合し、かつ、外壁開口部設備が同条第一号イただし書に該当するものは準耐火建築物とみなす。

### 第七節　階避難安全性能を有する建築物の階等に対する適用の除外

**（階避難安全性能等を有する建築物の階に対する適用の除外）**

**第八条の五**　令第百二十九条第二項に定める階避難安全性能を有する建築物の階又は令第百二十九条の二第三項に定める全館避難安全性能を有する建築物の階については、第十条の八並びに第十二条及び第十三条（それぞれ小学校（義務教育学校の前期課程を含む。以下同じ。）に限る。）、第十四条第一項、第十五条（専修学校及び各種学校に限り、かつ、階段に係る部分を除く。）、第二十条（第七十三条第一項の規定により準用する場合を含む。）、第二十五条第二号、第二十六条、第四十三条第一号から第四号まで、第四十四条、第四十七条第一項、第四十八条、第四十九条並びに第七十二条（階段に係る部分を除く。）の規定は、適用しない。

**（全館避難安全性能を有する建築物に対する適用の除外）**

**第八条の六**　令第百二十九条の二第三項に定める全館避難安全性能を有する建築物については、第八条、第十条の四第一項、第十条の四の二、第十一条、第四十五条第一号及び第二号、第四十六条第一項第三号及び第四号、第五十条第二項並びに第五十一条第二号から第四号までの規定は、適用しない。

**（別の建築物とみなす部分）**

**第八条の六の二**　令第百十七条第二項に規定する建築物の部分は、この節の規定の適用については、それぞれ別の建築物とみなす。

### 第八節　自動回転ドア

**（適用の範囲）**

**第八条の七**　この節の規定は、建築物に設ける自動回転ドアであつて、固定外周部の内側の直径又は短径が三メートルを超えるもの（以下この節において「自動回転ドア」という。）に適用する。ただし、専ら工場又は研究所（製品開発、技術開発等のための研究を行う施設をいう。）の用途に供する建築物に設ける自動回転ドアについては、第八条の九から第八条の十七までの規定は適用しない。

**（用語の定義）**

**第八条の八**　この節において、次の各号に掲げる用語の意義は、それぞれ当該各号に定めるところによる。

一　ドア羽根　自動回転ドアの回転する戸をいう。
二　戸先　ドア羽根の外周側の端部をいう。
三　固定外周部　自動回転ドアの外周に設けられる壁状の部分をいう。
四　固定方立　固定外周部の方立（開口部の両端に取り付けられた縦材をいう。以下同じ。）のうち、ドア羽根の回転方向にあるものをいう。

（**自動回転ドアの設置を禁止する施設**）
**第八条の九**　専ら幼稚園、小学校又は児童福祉施設等（令第十九条第一項に規定する児童福祉施設等をいう。以下同じ。）の用途に供する建築物には、自動回転ドアを設けてはならない。

（**最大回転速度**）
**第八条の十**　自動回転ドアの戸先の最大回転速度は、毎秒六十五センチメートル以下としなければならない。
2　前項の規定にかかわらず、専ら病院又は診療所の用途に供する建築物に設ける自動回転ドアにあつては、当該自動回転ドアの戸先の最大回転速度は毎秒五十センチメートル以下としなければならない。

（**低速運転装置**）
**第八条の十一**　自動回転ドアには、随時戸先の回転速度を毎秒三十五センチメートル以下とすることができる装置を設けなければならない。ただし、戸先の最大回転速度が毎秒三十五センチメートル以下である自動回転ドアについては、この限りではない。

（**駆け込み防止さく**）
**第八条の十二**　自動回転ドアの両側の開口部には、次に掲げる要件に該当するさくを設けなければならない。
一　高さが一・一メートル以上、幅が五十センチメートル以上であり、格子状である場合は、すき間の横幅が十センチメートル以下であること。
二　固定方立から発し、自動回転ドアの開口部の両端に位置する方立間を結んだ直線と垂直に交差する直線（以下「基準線」という。）上又は基準線と交差する線上で基準線との交点を含む位置にあること。
三　さくの幅のうち五十センチメートル以上が、基準線上又はさくと基準線との交点より開口部側の範囲に位置すること。
四　固定方立とさくとの間の最短の距離は、十センチメートル以下であること。
五　さくと自動回転ドアとの位置関係及び距離は、自動回転ドアの両側において同一であること。

（**自動式の引き戸の併設**）
**第八条の十三**　自動回転ドアを設ける場合においては、次に掲げる要件に該当する引き戸（以下「併設引き戸」という。）を設けなければならない。
一　固定外周部と隣接し、利用者が容易にその存在を認識できる位置にあること。
二　自動的に開閉する構造であること。
三　開口の幅が一メートル以上であること。
四　前後の床に高低差がないこと。
2　法第三条第二項の規定により前項の規定の適用を受けない建築物の増築、改築、大規模の修繕又は大規模の模様替をする場合で、構造上の制約その他の理由により新たに併設引き戸を設けることができないときは、前項の規定にかかわらず、次の各号のいずれかの措置を講じなければならない。
一　当該建築物内における前項第一号の位置以外の位置に、同項第二号から第四号までに規定する構造の引き戸が設けられている場合は、当該引き戸までの方向及び距離を表示した看板等を建築物内及び敷地内に設けること。
二　当該建築物内における前項第一号の位置以外の位置に、同項第二号から第四号までに規定する構造の引き戸を新たに設け、当該引き戸までの方向及び距離を表示した看板等を建築物内及び敷地内に設けること。
3　第一項及び前項第二号の規定にかかわらず、建築物の構造上の制約により併設引き戸及び前項第二号の引き戸を設けることができない場合において、第一項各号の要件に該当する戸であつて、車いす使用者が容易に開閉して通過できるものを設けたときは、併設引き戸又は前項第二号の引き戸を設けることを要しない。

（**緩衝材**）
**第八条の十四**　自動回転ドアの戸先又は固定方立には、緩衝材（ゴムその他これに類する材料で造られた物で、戸先と固定方立との間に人体が挟まれた場合に、人体への衝撃を軽減するものをいう。）を設けなければならない。

（**滑り・つまずき対策等**）
**第八条の十五**　自動回転ドアの床並びにドア羽根及び固定外周部のガラス面は、次に掲げる要件に該当するものとしなければならない。
一　ドア羽根が回転する範囲（以下「回転範囲」という。）の床の表面は、水平であること。
二　回転範囲の床の表面は、粗面とし、又は滑りにくい材料で仕上げてあること。
三　回転範囲の床とその周囲の部分の床とが、色の明度の差等により容易に識別でき、回転範囲の床に歩行者の進行方向が表示されていること。
四　回転範囲の床の周囲の部分の床に歩行者の進入方向が表示されていること。
五　ドア羽根及び固定外周部のガラス面には、注意喚起のため又は当該ガラス面を識別するための表示がされていること。

（非常停止装置）

**第八条の十六**　自動回転ドアには、次に掲げる要件に該当する非常停止装置を設けなければならない。

一　ボタンを押すことにより、ドア羽根の回転を停止させ、かつ、手動によつてドア羽根を回転させ、又は折りたたむことができる状態になること。

二　ボタンは、自動回転ドアの両側の開口部に近接した位置に、それぞれ一個以上あること。

三　ボタンは、自動回転ドアの外部の歩行者が容易にその存在を認識し、操作できる位置にあり、かつ、床面から六十センチメートル以上、一・一メートル以下の高さにあること。

四　ボタンには、誤作動防止用のカバーが取り付けられていること。

五　前号のカバーの大きさは直径三センチメートル以上の円が内接することができるものであり、当該カバーの周囲には赤色で「非常停止ボタン」の表示がされていること。

（自動停止装置）

**第八条の十七**　自動回転ドアは、異常が生じた場合に自動的にドア羽根が停止し、かつ、手動によつてドア羽根を回転させ、又は折りたたむことができる構造としなければならない。

（安全の確認）

**第八条の十八**　自動回転ドアを設けた建築物の所有者（所有者と管理者とが異なる場合においては、管理者）は、当該自動回転ドアについて、毎年一回以上、自動回転ドアを製造し、又は供給する者に点検させ、その結果の報告を受け、安全上支障がないことを確認しなければならない。

## 第九節　特殊の構造方法又は建築材料等の適用の除外

（適用の除外）

**第八条の十九**　法第三十八条に規定する建築物について、この条例の規定に適合するものと同等以上の効力があると知事が認める場合においては、当該規定は適用しないことができる。

# 第二章　特殊建築物

## 第一節　通則

（適用の範囲）

**第九条**　この章の規定は、次に掲げる用途に供する特殊建築物に適用する。

一　学校、博物館、美術館又は図書館

二　共同住宅、寄宿舎又は下宿（以下「共同住宅等」という。）

三　物品販売業（物品加工修理業を含む。以下同じ。）を営む店舗（百貨店及びマーケットを含む。以下同じ。）又は飲食店（喫茶店を含む。以下同じ。）で、これらの用途に供する部分の床面積の合計が二百平方メートルを超えるもの

三の二　勝馬投票券発売所、場外車券売場その他これらに類するもの

四　自動車車庫、自動車駐車場若しくは自動車修理工場（自動車整備場を含む。以下同じ。）で、これらの用途に供する部分の床面積の合計が五十平方メートルを超えるもの、自動車洗車場（スチームクリーナー又は原動機を用いる洗浄機を使用するものに限る。以下同じ。）、自動車教習所、自動車ターミナル（自動車ターミナル法（昭和三十四年法律第百三十六号）第二条第四項に規定する自動車ターミナルをいう。以下同じ。）又はタクシー、ハイヤー等の営業所（敷地内に自動車の駐車の用に供する部分を有するものに限る。以下同じ。）（以下「自動車車庫等」という。）

五　ホテル、旅館又は簡易宿所（以下「ホテル等」という。）

六　公衆浴場

七　劇場、映画館、演芸場、観覧場、公会堂、集会場（不特定多数の人の集会の用に供する建築物で、一の集会室の床面積が二百平方メートルを超えるものに限る。以下同じ。）その他これらに類するもの（以下「興業場等」という。）

八　病院又は診療所（患者の収容施設があるものに限る。以下同じ。）

九　児童福祉施設等

十　展示場で、その用途に供する部分の床面積の合計が二百平方メートルを超えるもの

十一　遊技場、ダンスホール、キャバレー、ナイトクラブ、料理店、バー又はカラオケボックスで、これらの用途に供する部分の床面積の合計が二百平方メートルを超えるもの

十二　倉庫で、その用途に供する部分の床面積の合計が二百平方メートルを超えるもの、荷貨物集配所又は卸売市場

十三　工場（自動車修理工場、自動車洗車場及び次号に掲げるものを除く。以下同じ。）で、作業場の床面積の合計が五十平方メートルを超えるもの又は自動車修理工場（第四号に掲げるものを除く。）

十四　レディミクストコンクリート製造場、アスファルトコンクリート製造場又は砕石場その他砂、砂

利、セメント等の製造場若しくは加工場で、建設工事現場以外に設置するもの

十五　体育館、ボーリング場、水泳場、スケート場、スキー場又はスポーツ練習場で、これらの用途に供する部分の床面積の合計が二百平方メートルを超えるもの

十六　ガソリンスタンド若しくは液化石油ガススタンド又は危険物の貯蔵場若しくは処理場（建築物内で貯蔵し、又は処理する危険物の数量が令第百十六条で定める数量以上のものに限る。以下同じ。）

十七　映画スタジオ又はテレビスタジオで、これらの用途に供する部分の床面積の合計が二百平方メートルを超えるもの

**（路地状敷地の制限）**

**第十条**　特殊建築物は、路地状部分のみによつて道路に接する敷地に建築してはならない。ただし、次に掲げる建築物については、この限りでない。

一　路地状部分の幅員が十メートル以上で、かつ、敷地面積が千平方メートル未満である建築物

二　階数が三以下であつて、延べ面積が二百平方メートル以下で、かつ、住戸又は住室の数が十二を超えない共同住宅で、路地状部分の長さが二十メートル以下であるもの

三　前条第六号又は第十三号に掲げる用途に供する建築物で、その敷地の路地状部分の幅員が四メートル以上で、かつ、路地状部分の長さが二十メートル以下であるもの

四　前三号に掲げるもののほか、建築物の周囲の空地の状況その他土地及び周囲の状況により知事が安全上支障がないと認める建築物

**（前面道路の幅員）**

**第十条の二**　次の表に掲げる用途に供する特殊建築物の敷地は、用途に応じて、同表に掲げる幅員以上の道路に接し、かつ、当該道路に面して当該敷地の自動車の出入口を設けなければならない。ただし、建築物の周囲の空地の状況その他土地及び周囲の状況により知事が安全上支障がないと認める場合は、この限りでない。

| | 用途 | 幅員 |
|---|---|---|
| (い) | 一　博物館又は美術館（床面積が二百平方メートルを超えるものに限る。）<br>二　自動車車庫、自動車駐車場、自動車修理工場（床面積が五十平方メートルを超えるものに限る。）、自動車洗車場又は自動車教習所<br>三　タクシー又はハイヤーの営業所（タクシー又はハイヤーの駐車の用に供する部分の床面積の合計が五百平方メートル未満のものに限る。）<br>四　展示場<br>五　倉庫又は荷貨物集配所<br>六　体育館（学校に附属するものを除く。）<br>七　ガソリンスタンド（石油類の貯蔵能力が五万リットル以下のものに限る。）<br>八　液化石油ガススタンド（液化石油ガスの貯蔵能力が三十五トン以下のものに限る。）<br>九　危険物の貯蔵場又は処理場 | 六メートル |
| (ろ) | 一　自動車ターミナル<br>二　タクシー、ハイヤー等の営業所（(い)項第三号に掲げるものを除く。）<br>三　卸売市場<br>四　レディミクストコンクリート製造場又はアスファルトコンクリート製造場<br>五　ボーリング場<br>六　ガソリンスタンド（(い)項第七号に掲げるものを除く。）<br>七　液化石油ガススタンド（(い)項第八号に掲げるものを除く。） | 十二メートル |

2　前項の表に掲げる用途以外の用途に供する建築物に附属する自動車車庫又は自動車駐車場が、次のいずれかに該当する場合においては、同項の規定は、適用しない。

一　自動車車庫又は自動車駐車場の用途に供する部分の床面積の合計が二百平方メートル以下の場合において、その敷地に設ける自動車の出入口が幅員四メートル以上の道路に面し、かつ、交通の安全上支障がないとき。

二　自動車車庫又は自動車駐車場の用途に供する部分の床面積の合計が三百平方メートル以下の場合において、その敷地に設ける自動車の出入口が幅員五メ

ートル以上の道路に面するとき。

三　自動車車庫又は自動車駐車場の用途に供する部分の床面積の合計が四百平方メートル以下の場合において、その敷地に設ける自動車の出入口が幅員四メートル以上の道路に面し、かつ、その道路とその道路に沿つた敷地の一部とが幅員六メートル（当該床面積の合計が三百平方メートル以下のものの敷地にあつては、五メートル）以上の道路状をなし、当該道路状をなす部分が他の幅員六メートル（当該床面積の合計が三百平方メートル以下のものの敷地にあつては、五メートル）以上の道路に有効に通ずるとき。

3　共同住宅又は寄宿舎の用途に供する建築物に附属する自動車車庫又は自動車駐車場に対する前項の規定の適用については、同項中「二百平方メートル」とあるのは「三百平方メートル」と、「三百平方メートル」とあるのは「四百平方メートル」と、「四百平方メートル」とあるのは「五百平方メートル」とする。

**（道路に接する部分の長さ）**

**第十条の三**　特殊建築物の敷地は、その用途に供する部分の床面積の合計に応じて、次の表に掲げる長さ以上道路（前条の規定の適用を受ける特殊建築物の敷地にあつては、同条の規定により接しなければならない道路）に接しなければならない。

| 特殊建築物の用途に供する部分の床面積の合計 | 長さ |
| --- | --- |
| 五百平方メートル以下のもの | 四メートル |
| 五百平方メートルを超え、千平方メートル以下のもの | 六メートル |
| 千平方メートルを超え、二千平方メートル以下のもの | 八メートル |
| 二千平方メートルを超えるもの | 十メートル |

2　前項の規定は、次に掲げる建築物については、適用しないことができる。

一　第十条第二号に規定する共同住宅

二　前号に掲げるもののほか、建築物の周囲の空地の状況その他土地及び周囲の状況により知事が安全上支障がないと認める建築物

**（避難階における直通階段からの出口等）**

**第十条の四**　第九条第三号、第三号の二、第五号から第十一号まで又は第十五号に掲げる用途に供する特殊建築物で、これらの用途に供する部分を三階以上の階又は地下二階以下の階に設けるものの直通階段の避難階における出口は、次のいずれかに面して設けなければならない。

一　道路

二　第八条第一項本文（同条第三項において準用する場合を含む。）の規定により区画され、又は同条第一項各号の規定に該当する一・二メートル以上の幅を有する廊下その他の通路

三　道路に避難上有効に通ずる屋外に十分に開放された幅員一メートル以上の通路（第四項において「屋外避難通路」という。）

2　前項に規定する特殊建築物で、階数が三で延べ面積が二百平方メートル未満のものに設ける同項第二号の廊下その他の通路の区画については、次の各号に掲げる通路の区分に応じ、当該各号に定めるものとすることができる。

一　三階又は地下二階以下の階を第九条第八号又は第九号（入所する者の寝室があるものに限る。）に掲げる用途に供する建築物に設ける通路　当該通路と屋内の他の部分とを間仕切壁又は法第二条第九号の二ロに定める防火設備で令第百十二条第十八項第二号に定めるもの（居室、倉庫その他これらに類する部分にスプリンクラー設備その他これに類するものを設けた建築物にあつては、当該防火設備又は同条第十一項ただし書に定める十分間防火設備）で区画すること。

二　三階又は地下二階以下の階を第九条第五号又は第九号（入所する者の寝室があるものを除く。）に掲げる用途に供する建築物に設ける通路　当該通路と屋内の他の部分とを間仕切壁又は戸（ふすま、障子その他これらに類するものを除く。）で令第百十二条第十八項第二号に定めるもので区画すること。

3　第一項に規定する特殊建築物で、避難階、避難階の直上階及び避難階の直下階におけるこれらの用途に供する部分の床面積の合計が千平方メートルを超えるものには、屋外への出口を避難上有効に二以上設けなければならない。

4　前項の出口は、一以上を道路に、その他のものを道路又は屋外避難通路に面するように設けなければならない。

**第十条の四の二**　三階を第九条第二号に掲げる用途に供する特殊建築物で、階数が三で延べ面積が二百平方メートル未満のもの（第八条第一項及び第三項に規定する建築物を除く。）については、第八条第一項及び第

二項の規定を準用する。この場合において、これらの規定中「耐火構造の壁」とあるのは「間仕切壁」と、「法第二条第九号の二ロに定める防火設備」とあるのは「戸（ふすま、障子その他これらに類するものを除く。）」と読み替えるものとする。

（**耐火建築物等としなければならない特殊建築物**）

**第十条の五**　第九条第五号、第八号又は第九号に掲げる用途に供する特殊建築物（同条第九号にあつては、自ら避難することが困難な者が入所する施設があるものに限る。）は、次に定める構造としなければならない。

一　二階におけるこれらの用途に供する部分の床面積の合計が四百平方メートルを超える場合は、耐火建築物とし、かつ、これらの用途に供する部分をその他の部分と耐火構造の床若しくは壁又は令第百十二条第十八項第二号に定める特定防火設備で区画すること。

二　二階におけるこれらの用途に供する部分の床面積の合計が二百平方メートルを超える場合（前号の適用がある場合を除く。）は、耐火建築物又は準耐火建築物とし、かつ、これらの用途に供する部分をその他の部分と準耐火構造の床若しくは壁又は法第二条第九号の二ロに定める防火設備で令第百十二条第十八項第二号に定めるもので区画すること。

2　次に掲げる基準に適合する建築物については、前項の規定は適用しない。

一　主要構造部が令第百十条第一号に定める技術的基準に適合する建築物で、法第二十七条第一項の規定に基づき国土交通大臣が定めた構造方法を用いるもの又は国土交通大臣の認定を受けたもの

二　外壁の開口部のうち令第百十条の二各号に掲げるものに、令第百九条に規定する防火設備（その構造が令第百十条の三に定める技術的基準に適合するもので、法第二十七条第一項の規定に基づき国土交通大臣が定めた構造方法を用いるもの又は国土交通大臣の認定を受けたものに限る。）を設けたもの

**第十条の六**　削除

（**らせん階段の禁止**）

**第十条の七**　特殊建築物に設ける直通階段は、らせん階段としてはならない。ただし、避難階の直上階のみに通ずるもの、第九条第十二号、第十四号若しくは第十六号に掲げる用途に供する特殊建築物に設けるもの又はその踏面の最小寸法が令第二十三条第一項の規定に適合するものについては、この限りでない。

（**行き止まり廊下等の禁止**）

**第十条の八**　第九条第一号、第三号、第三号の二、第五号、第七号から第十一号まで又は第十五号に掲げる用途に供する特殊建築物の避難階以外の階においては、廊下その他の通路（耐火建築物の廊下その他の通路で直接外気に開放されているものを除く。）を行き止まり状としてはならない。ただし、行き止まり状の部分の先端付近に避難上有効なバルコニーを設けたもの又は行き止まり状の部分に接するそれぞれの居室の出入口から十メートル以内に直通階段を設けたものについては、この限りでない。

（**特別避難階段等の設置**）

**第十一条**　建築物の高さが三十一メートルを超える部分を第九条第二号、第五号、第七号から第九号まで又は第十一号に掲げる用途（同条第九号に掲げる用途にあつては、自ら避難することが困難な者が入所する施設があるものに限る。）に供する場合には、その部分に通ずる直通階段のうち一以上を特別避難階段とし、その他のものを屋外に設ける避難階段（以下「屋外避難階段」という。）としなければならない。

2　前項の規定は、主要構造部が耐火構造である建築物が、次に掲げる部分を除き、床面積の合計百平方メートル（共同住宅の住戸にあつては、二百平方メートル）以内ごとに耐火構造の床若しくは壁又は特定防火設備（直接外気に開放されている階段室に面する換気のための窓で開口面積が〇・二平方メートル以下のものに設けられる鉄製網入ガラス入りの戸及び昇降機の昇降路の戸で特定防火設備と同様の構造を有し、網入ガラス入りのものを含む。第一号において同じ。）で区画され、かつ、前項の直通階段が、令第百二十三条第一項の規定に適合するもの（屋内と当該階段の階段室とが直接外気に開放されている廊下を通じて連絡するものに限る。）又は同条第二項の規定に適合するものである場合には、適用しない。

一　階段室の部分、昇降機の昇降路の部分（当該昇降機の乗降のための乗降ロビーの部分を含む。）又は廊下その他避難の用に供する部分で、耐火構造の床若しくは壁又は特定防火設備で区画されたもの

二　自転車置場又は自動車車庫若しくは自動車駐車場（泡消火設備その他これに類するもので自動式のもの及び排煙設備を設けたものに限る。）の部分で、耐火構造の床若しくは壁又は特定防火設備で区画されたもの

3　建築物が開口部のない耐火構造の床又は壁で区画されている場合においては、その区画された部分は、前二項の規定の適用については、それぞれ別の建築物とみなす。

（**外壁等の防火構造**）

**第十一条の二**　法第二十二条第一項の規定により指定する区域内にある木造建築物等である特殊建築物で、階

数が二であり、かつ、第九条各号に掲げる用途に供する部分の床面積の合計が二百平方メートルを超えるものは、その外壁及び軒裏で延焼のおそれのある部分を防火構造としなければならない。

**（階段下の火を使用する室の禁止）**

**第十一条の三**　特殊建築物の調理室、浴室等常時火を使用する設備又は器具を設けた室は、階段の直下に設けてはならない。ただし、その室の壁及び天井の室内に面する部分の仕上げを不燃材料でし、かつ、その下地を不燃材料で造ったものについては、この限りでない。

**（遮音間仕切り壁の設置）**

**第十一条の四**　第九条第二号に掲げる用途（共同住宅を除く。）又は同条第五号に掲げる用途に供する特殊建築物の主たる用途に供する居室相互間又はこれらの各室とその他の部分との間仕切り壁は、令第二十二条の三に定める遮音上有効な構造としなければならない。

### 第二節　学校

**（四階以上に設ける教室等の禁止）**

**第十二条**　小学校及び特別支援学校並びにこれらに類する専修学校及び各種学校の用途に供する特殊建築物の四階以上の階には、教室その他の児童又は生徒が使用する居室（以下この条及び次条において「教室等」という。）を設けてはならない。ただし、次に掲げる要件に該当する場合（特別支援学校並びにこれに類する専修学校及び各種学校については、知的障害のある児童又は生徒が利用する部分に限る。）は、この限りでない。

一　教室等及びこれから地上に通ずる廊下その他の通路（排煙上有効に外気に開放されている通路を除く。）に排煙設備を設けていること。

二　各階の居室の壁（床面からの高さが一・二メートル以下の部分を除く。）及び天井（天井のない場合においては、屋根。以下この号において同じ。）の室内に面する部分（回り縁、窓台その他これらに類する部分を除く。以下この号において同じ。）の仕上げを難燃材料でし、かつ、その居室から地上に通ずる主たる廊下、階段その他の通路の壁及び天井の室内に面する部分の仕上げを準不燃材料でしていること。

三　各階の教室等の各部分から直通階段の一に至る歩行距離又は避難階の教室等の各部分から屋外の出口の一に至る歩行距離が三十メートル以下であること。

**（教室等の出入口）**

**第十三条**　学校の教室等には、廊下、広間その他これらに類するもの又は屋外に面して二以上の出入口を設けなければならない。ただし、次のいずれかに該当する居室については、この限りでない。

一　床面積が四十平方メートル以下のもの

二　バルコニーその他これに類するものが避難上有効に設けられているもの

**（排煙設備及び非常用の照明装置の設置）**

**第十四条**　専修学校又は各種学校の用途に供する特殊建築物には、令第百十六条の二第一項第二号の規定に適合する窓その他の開口部を有しない教室及びこれから地上に通ずる廊下その他の通路（排煙上有効に直接外気に開放されている通路を除く。）に排煙設備を設けなければならない。

2　専修学校、各種学校又は夜間において授業を行う課程を置く学校の用途に供する特殊建築物においては、その教室及びこれから地上に通ずる廊下、階段その他の通路（採光上有効に直接外気に開放されている通路を除く。）に、令第百二十六条の五の規定に適合する非常用の照明装置を設けなければならない。

3　前二項の規定は、当該用途に供する部分が避難階若しくは避難階の直上階にある場合又は当該用途に供する部分の床面積の合計が五百平方メートル以下の場合は、適用しない。

**（内装制限）**

**第十五条**　特別支援学校、専修学校又は各種学校の用途に供する特殊建築物は、これらの用途に供する居室の壁（床面からの高さが一・二メートル以下の部分を除く。）及び天井（天井のない場合においては、屋根。以下この条において同じ。）の室内に面する部分（回り縁、窓台その他これらに類する部分を除く。以下この条において同じ。）の仕上げを難燃材料でし、かつ、その居室から地上に通ずる主たる廊下、階段その他の通路の壁及び天井の室内に面する部分の仕上げを準不燃材料でしなければならない。ただし、これらの用途に供する部分が避難階若しくは避難階の直上階にある場合又はこれらの用途に供する部分の床面積の合計が五百平方メートル以下の場合は、この限りでない。

### 第三節　共同住宅等

**（共同住宅等の構造）**

**第十六条**　共同住宅等で、その用途に供する部分の床面積の合計が二百平方メートルを超えるものを、飲食店、キャバレー、ナイトクラブ、料理店、バー、カラオケボックスその他これらに類する用途に供する部分の上階に設ける場合は、主要構造部を準耐火構造としなければならない。

2　共同住宅等で、二階におけるその用途に供する部分の床面積の合計が二百平方メートルを超えるものは、前項の規定の適用がある場合を除き、二階の床を準耐火構造とし、又は一階の室の壁及び天井の室内に面する部分の仕上げを不燃材料でし、かつ、その下地を不燃材料で造らなければならない。

（共同住宅等の主要な出入口と道路）

**第十七条**　共同住宅等の主要な出入口は、道路に面して設けなければならない。ただし、次のいずれかに該当する場合は、この限りでない。

一　その出入口の前面に、共同住宅の住戸若しくは住室、寄宿舎の寝室又は下宿の宿泊室（以下「住戸等」という。）の床面積の合計に応じて、次の表に定める幅員以上の通路等で、道路に二十メートル以内で避難上有効に通ずるものを設けた場合

| 住戸等の床面積の合計 | 幅員 |
| --- | --- |
| 百平方メートル以下のもの | 一・五メートル |
| 百平方メートルを超え、三百平方メートル以下のもの | 二メートル |
| 三百平方メートルを超えるもの | 三メートル |

この表において、住戸等の床面積の合計の欄の数値は、耐火建築物にあつては、この表に定める数値の二倍とする。

二　その出入口の前面に、幅員が四メートル以上（長さが三十五メートルを超える場合は、六メートル以上）の通路等で、道路に避難上有効に通ずるものを設けた場合

三　その出入口の前面に公園、広場その他これらに類するものがある場合で、これらに避難上有効に通ずると知事が認めるとき。

（二以上の直通階段の設置及び構造）

**第十八条**　木造建築物等である共同住宅等（耐火建築物又は準耐火建築物を除く。）の避難階以外の階で、住戸等の数が六を超えるものには、その階から避難階又は地上に通ずる二以上の直通階段を設けなければならない。

2　前項の直通階段の構造は、次の各号に定めるところによらなければならない。

一　けあげの寸法は二十センチメートル以下とし、踏面の寸法は二十四センチメートル以上とすること。

二　階段及び踊場の幅は、一・二メートル（屋外階段にあつては、九十センチメートル）以上とすること。

（共同住宅等の居室）

**第十九条**　共同住宅の住戸若しくは住室の居住の用に供する居室のうち一以上、寄宿舎の寝室又は下宿の宿泊室は、次に定めるところによらなければならない。

一　床面積（下宿については、附室の部分を除く。）を七平方メートル以上とすること。

二　次のイ又はロの窓を設けること。

イ　道路に直接面する窓

ロ　窓先空地（通路その他の避難上有効な空地又は特別避難階段若しくは地上に通ずる幅員九十センチメートル以上の専用の屋外階段（次項において「専用屋外階段」という。）に避難上有効に連絡する下階の屋上部分で、住戸等の床面積の合計に応じて、次の表に定める幅員以上のものをいう。次項において同じ。）に直接面する窓

| 住戸等の床面積の合計 | 幅員 |
| --- | --- |
| 百平方メートル以下のもの | 一・五メートル |
| 百平方メートルを超え、三百平方メートル以下のもの | 二メートル |
| 三百平方メートルを超え、五百平方メートル以下のもの | 三メートル |
| 五百平方メートルを超えるもの | 四メートル |

この表において、住戸等の床面積の合計の欄の数値は、耐火建築物にあつては、この表の数値の二倍とする。

三　避難階以外の階には、避難上有効なバルコニー又は器具等を設けること。

2　前項第二号ロの窓を設けた場合は、窓先空地（下階の屋上部分にあつては、その特別避難階段又は専用屋外階段とする。）から道路、公園、広場その他これらに類するもの（以下「道路等」という。）までを幅員二メートル（住戸等の床面積の合計が二百平方メートル以下の場合にあつては、一・五メートル）以上の屋外通路（屋外に十分開放され、かつ、避難上有効に区画された通路を含む。）で避難上有効に連絡させなければならない。ただし、特別避難階段が避難階の廊下その他避難の用に供する部分に通ずる場合は、この限

りでない。

3　第一項第二号ロ及び前項の住戸等の床面積の合計には、次に掲げる部分の床面積は、算入しないものとする。

一　第一項第一号、第二号イ及び第三号の規定に適合する一以上の居住の用に供する居室を有する共同住宅の住戸又は住室の部分

二　第一項第一号、第二号イ及び第三号の規定に適合する寄宿舎の寝室又は下宿の宿泊室の部分

**（廊下の構造）**

**第二十条**　共同住宅の用途に供する階で、その階における居室の床面積の合計が百平方メートルを超えるものの共用の廊下は、両側に居室がある廊下としてはならない。ただし、次に掲げる要件のいずれかに該当する場合は、この限りでない。

一　建築物の主要構造部が耐火構造又は令第百十二条に規定する一時間準耐火基準に適合する準耐火構造（以下「一時間準耐火構造」という。）であること。

二　その階における住戸又は住室の数が六以下であること。

2　寄宿舎又は下宿の用途に供する階で、その階におけるこれらの用途に供する部分の居室の床面積の合計が百平方メートルを超えるものの廊下（三室以下の専用のものを除く。）は、両側に居室がある廊下としてはならない。ただし、次に掲げる要件のいずれかに該当する場合は、この限りでない。

一　建築物の主要構造部が耐火構造又は一時間準耐火構造であること。

二　その階における寝室又は宿泊室の数が六以下であること。

3　寄宿舎又は下宿の用途に供する階で、その階におけるこれらの用途に供する部分の居室の床面積の合計が百平方メートルを超え、二百平方メートル以下のものの廊下（三室以下の専用のものを除く。）の幅は、一・二メートル以上としなければならない。

**（寄宿舎又は下宿の制限の緩和）**

**第二十一条**　寄宿舎又は下宿の用途に供する特殊建築物又は建築物の部分で、次の各号のいずれかに該当するもの（以下「防火上支障がない建築物等」という。）については、第十一条の四の規定は、適用しないことができる。

一　令第百十二条第三項に規定する自動スプリンクラー設備等設置部分（以下「自動スプリンクラー設備等設置部分」という。）その他防火上支障がないものとして国土交通大臣が定める部分

二　令第百十四条第二項の規定による防火上主要な間仕切壁を設置し、かつ、前号の国土交通大臣が定める部分の要件のうち、住宅用防災報知設備若しくは自動火災報知設備又は連動型住宅用防災警報器を設置した部分

2　第十九条第一項第一号の規定は、次に掲げる要件に該当し、かつ、安全上及び衛生上支障がないと知事が認める建築物又は建築物の部分については、適用しないことができる。

一　寄宿舎又は下宿に用途を変更するものであること。

二　防火上支障がない建築物等であること。

三　当該建築物の形態上その他の事情によりやむを得ないものであること。

3　防火上支障がない建築物等で、次に掲げる要件に該当する場合は、第十条、第十条の三並びに第二十条第二項及び第三項の規定は、適用しないことができる。

一　当該建築物の階数が三以下であること。

二　当該建築物の延べ面積が二百平方メートル以下であること。

三　避難階以外の階における寄宿舎の寝室又は下宿の宿泊室の数が六以下であること。

四　寄宿舎の寝室又は下宿の宿泊室の数が十二以下（自動スプリンクラー設備等設置部分は除く。）であること。

4　第十九条第一項第二号の規定は、前項に定める要件に該当する防火上支障がない建築物等で、次の各号のいずれかに該当する窓を設けており、かつ、当該窓が道路等又は道路等まで避難上有効に連絡させた幅員五十センチメートル以上の屋外通路に直接面する場合については、適用しないことができる。

一　各居室から直接屋外へ通ずる窓

二　第十七条に規定する主要な出入口のほか、各居室から避難上有効に連絡させた共用の部分（火災その他非常の場合に避難の用に供する部分となるものを含む。以下「共用の部分」という。）を各階に設け、当該共用の部分から直接屋外へ通ずる窓

5　第十九条第一項第二号の規定は、第三項に定める要件に該当する防火上支障がない建築物等のうち、当該建築物の階数が二以下であって、当該建築物の延べ面積が百平方メートル以下で、かつ、寄宿舎の寝室又は下宿の宿泊室の数が六以下の場合は、適用しないことができる。

6　第十九条第一項第三号の規定は、第三項に定める要件に該当する防火上支障がない建築物等で、共用の部分に避難上有効なバルコニー又は器具等（避難階以外の階に限る。）を設けた場合については、適用しないことができる。

7　防火上支障がない建築物等（第三項各号に定める要件に該当するものを除く。次項において同じ。）のうち、居室の床面積の合計が百平方メートル以下の階、居室の床面積の合計百平方メートル以内ごとに準耐火構造の壁若しくは法第二条第九号の二ロに規定する防火設備で区画されている部分又は自動スプリンクラー設備等設置部分（以下これらを「一の区画」という。）内の各階ごとに共用の部分を設け、かつ、当該共用の部分に第十九条第一項第二号の規定による窓及び同項第三号の規定による避難上有効なバルコニー又は器具等を設けた場合における第十八条、第十九条及び前条の規定の適用については、第十八条第一項及び第十九条中「住戸等」とあるのは「一の区画及び共同住宅の住戸又は住室」と、第十九条第一項中「寄宿舎の寝室又は下宿の宿泊室」とあるのは「寄宿舎の寝室若しくは下宿の宿泊室又は一の区画内にある共用の部分」と、同項第一号中「床面積」とあるのは「寄宿舎の寝室又は下宿の宿泊室の床面積」と、同条第三項第二号中「第一項第一号、第二号イ及び第三号の規定に適合する寄宿舎の寝室又は下宿の宿泊室」とあるのは「一の区画内に第一項第二号イの規定に適合する共用の部分がある場合に限り、当該一の区画」と、前条第二項第二号中「その階における」とあるのは「一の区画内にある当該一の区画の専用の廊下で、かつ、当該一の区画内にある」と読み替えるものとする。

8　前条第三項の規定は、一の区画（防火上支障がない建築物等のうち、居室の床面積の合計が百平方メートル以下の階を除く。）内にある当該一の区画の専用の廊下にあつては、適用しないことができる。

### 第四節　物品販売業を営む店舗及び飲食店

**（敷地と道路との関係）**

**第二十二条**　物品販売業を営む店舗又は飲食店の用途に供する建築物で、これらの用途に供する部分の床面積の合計が三千平方メートルを超えるもの（以下「大規模店舗」という。）の敷地は、道路に二辺以上接し、又は敷地の外周の長さの三分の一以上が道路に接しなければならない。ただし、建築物の周囲の空地の状況その他土地及び周囲の状況により知事が安全上支障がないと認める場合は、この限りでない。

**（出入口）**

**第二十三条**　大規模店舗の主要な出入口は、道路又は敷地内の避難上有効な空地に面して、避難上有効に二以上設けなければならない。

2　前項の規定により設けた主要な出入口の前面には、間口が出入口の幅の二倍以上で、奥行きが五メートル以上、かつ、高さが三・五メートル以上の寄り付き、空地その他これらに類するものを設けなければならない。

**（屋上広場）**

**第二十四条**　令第百二十六条第二項の規定により設ける百貨店の屋上広場は、次に定めるところによらなければならない。ただし、知事が安全上支障がないと認めた場合は、この限りでない。

一　屋上広場の面積の合計は、当該建築物の建築面積の二分の一以上とし、かつ、屋上広場が二以上ある場合にあつては、そのうちの一の面積は、当該建築物の建築面積の三分の一以上とし、その他のものの面積は、それぞれ二百平方メートル以上とすること。

二　避難上障害となる建築物又は工作物を設けないこと。

三　特別避難階段に避難上有効に通ずること。

四　屋上広場の床の耐火性能は、通常の火災による火熱が一時間加えられた場合に、構造耐力上支障のある変形、溶融、破壊その他の損傷を生じないものであり、かつ、令第百七条第二号に定める技術的基準に適合するものであること。

**（連続式店舗の構造）**

**第二十五条**　連続式店舗（建築物（第七十三条の十八に規定する建築物の地下の部分に該当するものを除く。）の同一階において、共用の廊下に面して、それぞれ独立して区画された物品販売業を営む店舗又は飲食店の集合をいう。）は、次に定める構造としなければならない。

一　床面積の合計五百平方メートル（スプリンクラー設備等で自動式のものを設けた場合は、千平方メートル）以内ごとに耐火構造若しくは一時間準耐火構造の床若しくは壁又は令第百十二条第十八項第二号に定める特定防火設備で区画すること。

二　地下二階以下の居室の各部分から避難階又は地上に通ずる直通階段の一に至る歩行距離は、三十メートル以下とすること。

**（連続式店舗の廊下）**

**第二十六条**　連続式店舗が面する廊下は、次に定める構造とし、直通階段（避難階の場合は、外部への出口とする。）まで有効に通じさせなければならない。ただし、その階における床面積の合計が五百平方メートル以下のものについては、この限りでない。

一　両側に店舗を有する廊下の幅は三メートル以上とし、その他の廊下の幅は二メートル以上とすること。

二　天井の高さは、二・七メートル以上とすること。

三　床は、勾配を二十分の一以下とし、かつ、段を設けないこと。

### 第五節　自動車車庫等

（敷地から道路への自動車の出入口）

**第二十七条**　自動車車庫等の用途に供する建築物の敷地には、自動車の出入口を次に掲げる道路のいずれかに面して設けてはならない。ただし、交通の安全上支障がない場合は、第五号を除き、この限りでない。

一　道路の交差点若しくは曲がり角、横断歩道又は横断歩道橋（地下横断歩道を含む。）の昇降口から五メートル以内の道路

二　勾配が八分の一を超える道路

三　道路上に設ける電車停留場、安全地帯、橋詰め又は踏切から十メートル以内の道路

四　児童公園、幼稚園、小学校、特別支援学校、児童福祉施設、老人ホームその他これらに類するものの出入口から二十メートル以内の道路

五　前各号に掲げるもののほか、知事が交通上支障があると認めて指定した道路

（前面空地）

**第二十八条**　自動車車庫等の敷地からの自動車の出入口は、道路との境界線から二メートル後退した自動車の車路の中心線において、道路の中心線に直角に向かつて、左右それぞれ六十度以上前面道路の通行の見通しができる空地又は空間を有しなければならない。ただし、交通の安全上支障がない場合は、この限りでない。

2　自動車を昇降させる設備を設ける自動車車庫等における当該設備の出入口は、奥行き及び幅員がそれぞれ六メートル以上（長さが五メートル以下の自動車用の設備にあつては、それぞれ五・五メートル以上とする。）の空地又はこれに代わる車路に面して設けなければならない。

（耐火建築物又は準耐火建築物としなければならない自動車車庫等）

**第二十九条**　自動車車庫等の用途に供する特殊建築物で、その用途に供する部分（自動車が出入りする部分に限る。次項において同じ。）の床面積の合計が三百平方メートル（平家建ての場合は、六百平方メートル）を超えるものは、耐火建築物としなければならない。ただし、専ら次に掲げる要件に該当する自走式自動車車庫又は自走式自動車駐車場（駐車の用に供する部分への移動を自動車を運転して走行することにより行う形式の自動車車庫又は自動車駐車場をいう。以下同じ。）の用途に供する特殊建築物にあつては、準耐火建築物とすることができる。

一　階数が二以下であること。

二　他の建築物に接続されていないこと。

三　各階のすべての外周部分に、次に掲げる要件に該当する直接外気に接する開口部を設け、かつ、当該開口部の各階における面積の合計が、それぞれ当該階の床面積の百分の五以上であること。

イ　天井、はりその他これらに類するものに接していること。

ロ　高さ五十センチメートル以上であること。

ハ　常時開放されていること。

四　短辺の長さが五十五メートル以下であること。

2　前項の規定の適用がない建築物の一部に自動車車庫等を設ける場合において、その用途に供する部分を避難階以外の階に設け、又はその用途に供する部分の直上に二以上の階（居室を有するものに限る。）を設けるときは、その建築物は、耐火建築物としなければならない。ただし、自動車車庫等の用途に供する部分が次に掲げる要件に該当する場合は、この限りでない。

一　建築物の避難階のみに設けられていること。

二　床面積の合計が百五十平方メートル未満であること。

三　主要構造部が耐火構造であり、かつ、自動車車庫等の用途に供する部分とその他の部分とを耐火構造の床若しくは壁又は令第百十二条第十八項第二号に定める特定防火設備で区画していること。

（他の用途部分との区画）

**第三十条**　前条の規定により耐火建築物としなければならない建築物は、自動車車庫等の用途に供する部分とその他の部分とを耐火構造の床若しくは壁又は令第百十二条第十八項第二号に定める特定防火設備で区画しなければならない。

2　建築物の一部に自動車車庫等を設けるもの（前条第二項ただし書又は前項の規定の適用を受けるものを除く。）は、自動車車庫等の用途に供する部分とその他の部分とを準耐火構造の床若しくは壁又は法第二条第九号の二ロに定める防火設備で区画しなければならない。

（一般構造及び設備）

**第三十一条**　自動車車庫等の用途に供する建築物又は建築物の部分（自動車が出入りする部分に限る。）の構造及び設備は、次に定めるところによらなければならない。

一　床及び排水施設は、耐水材料をもつて構成すること。

二　床が地盤面下にある場合には、二方面以上の外気に通ずる適当な換気口又はこれに代わる設備を設けること。

三　傾斜路の縦断面勾配は六分の一以下とし、かつ、

路面は粗面とし、又は滑りにくい材料で仕上げること。

四　延焼のおそれのある部分に外壁の開口部を設ける場合は、法第二条第九号の二ロに定める防火設備を設けること。

五　避難階以外の階に設ける場合は、避難階若しくは地上に通ずる直通階段又はこれに代わる設備を設けること。

**（大規模の自動車車庫又は自動車駐車場の構造及び設備）**

**第三十二条**　自動車車庫又は自動車駐車場で、格納又は駐車の用に供する部分の床面積の合計が五百平方メートル以上のものの構造及び設備は、前条に定めるもののほか、次に定めるところによらなければならない。ただし、これらの構造又は設備と同等以上の効力があると知事が認める場合は、この限りでない。

一　車路の幅員は、二方通行の場合にあつては五・五メートル以上、一方通行の場合にあつては三・五メートル（当該車路に接して駐車料金の徴収施設が設けられており、かつ、歩行者の通行の用に供しない部分にあつては、二・七五メートル）以上とすること。

二　車路の屈曲部の内のり半径は五メートル以上とすること。ただし、ターンテーブルが設けられている場合は、この限りでない。

三　格納又は駐車の用に供する部分の床から天井又ははり下までの高さは、二・一メートル以上、車路の部分においては、二・三メートル以上とすること。

四　床面積一平方メートルごとに毎時十四立方メートル以上の換気量を有する換気設備を設けること。ただし、換気に有効な窓その他の開口部を設け、その開口面積が各階における床面積の十分の一以上である場合は、この限りでない。

五　自動車の出入口には警報装置を設けること。

六　避難階以外の階に設ける場合は、前条第五号の規定にかかわらず、避難階又は地上に通ずる直通階段を設け、避難階段とすること。

七　自動車運搬用エレベーターは、自動車の格納又は駐車の用に供する部分の床面積の合計（昇降機によらないで格納又は駐車できる部分の床面積を除く。）千平方メートル以内ごとに一の割合で設けること。

**（屋上を自動車の駐車の用に供する建築物）**

**第三十三条**　建築物の屋上を自動車の駐車の用に供する場合においては、延焼のおそれのある部分への駐車を防止できる構造の車止め等を当該屋上に設けなければならない。ただし、令第百九条第二項の規定により防火設備とみなされるものを設けた部分については、この限りでない。

２　前項の自動車の駐車の用に供する建築物又は建築物の部分については、第十条から第十条の三まで、第二十七条、第二十八条、第三十一条（第二号及び第四号を除く。）並びに前条第一号、第五号及び第七号の規定を準用する。

**（適用の除外）**

**第三十四条**　第二十九条、第三十一条第四号、第三十二条第四号及び第六号並びに前条の規定は、法第八十四条の二の規定により政令で指定する簡易な構造の建築物又は建築物の部分で同条の規定により政令で定める基準に適合するものについては、適用しない。

２　第二十九条、第三十一条第四号及び前条第一項の規定は、これらの規定に相当する法の規定について、法第六十八条の十の規定により認定を受けた型式に適合する建築材料を用いる建築物又は認定を受けた型式に適合する建築物の部分を有する建築物（準耐火建築物の技術的基準に関する規定に適合するものであることの認定を受けた型式に適合する自走式自動車車庫又は自走式自動車駐車場にあつては、第二十九条第一項各号の規定に該当するものに限る。）については、適用しない。

**第三十五条及び第三十六条**　削除

### 第六節　ホテル等

**（簡易宿所の宿泊室）**

**第三十七条**　簡易宿所の宿泊の用に供する居室については、第十九条（第一項第一号を除く。）の規定を準用する。この場合において、同条第一項中「住戸等」とあるのは「宿泊室」と、「三メートル」とあり、及び「四メートル」とあるのは「二メートル」と、同条第二項中「住戸等」とあるのは「宿泊室」と、同条第三項中「住戸等」とあるのは「宿泊室」と、「第一項第一号、第二号イ」とあるのは「第一項第二号イ」と読み替えるものとする。

### 第七節　公衆浴場

**（耐火建築物としなければならない公衆浴場）**

**第三十八条**　公衆浴場の用に供する建築物は、耐火建築物とし、かつ、他の用途に供する部分とを耐火構造の床若しくは壁又は令第百十二条第十八項第二号に定める特定防火設備で区画しなければならない。ただし、平家建ての場合は、この限りでない。

２　次に掲げる基準に適合する建築物については、前項本文の規定は適用しない。

一　主要構造部が令第百十条第一号に定める技術的基準に適合する建築物で、法第二十七条第一項の規定

に基づき国土交通大臣が定めた構造方法を用いるもの又は国土交通大臣の認定を受けたもの

二　外壁の開口部のうち令第百十条の二各号に掲げるものに、令第百九条に規定する防火設備（その構造が令第百十条の三に定める技術的基準に適合するもので、法第二十七条第一項の規定に基づき国土交通大臣が定めた構造方法を用いるもの又は国土交通大臣の認定を受けたものに限る。）を設けたもの

**（ボイラー室等の構造）**

**第三十九条**　ボイラー室等（公衆浴場の浴室に給湯するために火を使用する室等をいう。）は、耐火構造の床若しくは壁又は特定防火設備で区画しなければならない。

## 第八節　興行場等

**（客席の定員）**

**第四十条**　この節の規定において興行場等の客席の定員を算定する方法は、次に定めるところによるものとする。

一　個人別に区画されたいす席を設ける部分については、当該部分にあるいす席の数に対応する数値とする。

二　長いす式のいす席を設ける部分については、当該いす席の正面の幅を四十センチメートルで除して得た数値とする。

三　ます席又は桟敷席を設ける部分については、当該部分の床面積を〇・三平方メートルで除して得た数値とする。

四　立ち席を設ける部分については、当該部分の床面積を〇・二平方メートルで除して得た数値とする。

2　前項第二号から第四号までの規定により算定して得た数値に一未満の端数がある場合は、その端数を一に切り上げるものとする。

**（敷地と道路との関係）**

**第四十一条**　興行場等の敷地は、客席の定員に応じて次の表に掲げる幅員以上の道路に敷地の外周の長さの六分の一以上を接しなければならない。ただし、建築物の配置、用途及び構造、建築物の周囲の空地の状況その他土地及び周囲の状況により知事が安全上支障がないと認める場合は、この限りでない。

| 客席の定員 | 幅員 |
|---|---|
| 三百人以下のもの | 四メートル |
| 三百一人以上六百人以下のもの | 六メートル |
| 六百一人以上千二百人以下のもの | 八メートル |
| 千二百一人以上二千四百人以下のもの | 十二メートル |
| 二千四百一人以上のもの | 十六メートル |

2　一の建築物内にある二以上の興行場等がそれぞれ耐火構造の床若しくは壁又は令第百十二条第十八項第二号に定める特定防火設備で区画され、かつ、それぞれの主要な出入口が他の道路に面する場合における前項の規定の適用については、同項中「客席の定員」とあるのは、「区画されたそれぞれの興行場等における客席の定員のうち最大のもの」とする。

3　前項の規定は、区画されたそれぞれの興行場等の主要な出入口が、それぞれの興行場等について第一項の規定を適用した場合に接しなければならない道路の幅員以上の道路に面していないときは、適用しない。

**（前面空地）**

**第四十二条**　興行場等の主要な出入口の前面には、〇・一平方メートルに客席の定員の数を乗じて得た面積以上の空地を設けなければならない。

2　耐火建築物である興行場等の前面に設けられる寄付きで、次に掲げる要件に適合するものは、前項の規定の適用については、空地とみなす。

一　柱又は壁の類を有しないこと。

二　四・五メートル以上の高さを有すること。

**（客席部の出入口）**

**第四十三条**　興行場等の各階の客席部の出入口は、次に定めるところによらなければならない。

一　出入口は、客席の定員に応じて次の表に定める数以上設けること。

| 客席の定員 | 出入口の数 |
|---|---|
| 二百五十人以下のもの | 二 |
| 二百五十一人以上五百人以下のもの | 三 |
| 五百一人以上千人以下のもの | 四 |
| 千一人以上二千人以下のもの | 五 |
| 二千一人以上のもの | 六 |

二　出入口は、避難上有効に配置すること。

三　出入口の幅は、一・二メートル以上とすること。
四　出入口の幅の合計は、〇・八センチメートルに客席の定員の数を乗じて得た数値以上とすること。
五　出入口の床面は、これに接する廊下及び客席内の通路の床面と同じ高さとすること。

（客用の廊下）
**第四十四条**　興行場等の客用の廊下は、次に定めるところによらなければならない。
一　客席の定員が三百一人以上の階には、その客席の両側及び後方に互いに連絡する廊下を設け、客席に通ずる出入口を設けること。
二　廊下の幅は、客席の定員が五百人以下の場合は一・二メートル以上とし、五百一人以上の場合は一・二メートルに五百人を超える百人以内ごとに十センチメートルを加えた数値以上とすること。
三　廊下の幅は、避難する方向に向かつて狭くしないこと。
四　床に高低がある場合は、次によること。
イ　勾配は、十分の一以下とすること
ロ　階段状とするときは、段を連続させることとし、二段以下としないこと。

（階段の構造）
**第四十五条**　興行場等の階段は、次に定めるところによらなければならない。
一　直通階段は、避難上有効に配置すること。
二　直通階段の幅の合計は、〇・八センチメートルに客席の定員の数を乗じて得た数値以上とすること。
三　階段には、回り段を設けないこと。

（屋外へ通ずる出入口等）
**第四十六条**　興行場等の屋外へ通ずる出入口は、次に定めるところによらなければならない。
一　避難上有効に二以上配置すること。
二　出入口のうち、一以上は第四十一条第一項の規定により接しなければならない道路に、その他のものは屋外の通路に面すること。
三　幅は、一・二メートル以上とすること。
四　幅の合計は、〇・八センチメートルに客席の定員の数を乗じて得た数値以上とすること。
2　出入口が面する屋外の通路の幅員は、その通路を使用する出入口の幅の合計以上としなければならない。
3　前項の通路は、道路に避難上有効に通ずるように設けなければならない。

（客席内の構造）
**第四十七条**　興行場等の客席内の通路（次項において「通路」という。）は、互いに連絡するものとし、行き止まり状としてはならない。ただし、花道がある場合は、この限りでない。
2　通路に高低がある場合は、次に定めるところによらなければならない。
一　通路の勾配は、十分の一以下とすること。ただし、長さが三メートル以下で有効な滑り止めを付けたものにあつては、その勾配を八分の一以下とすることができる。
二　段を設ける場合は、けあげを八センチメートル以上十八センチメートル以下とし、踏面を二十六センチメートル以上とすること。
3　興行場等の客席の段床を縦断する通路の高低差が三メートルを超える場合は、その高低差三メートル以内ごとに横通路を設けなければならない。
4　立ち席の前面、主階以外の階に設ける客席の前面及び高さが五十センチメートルを超える段床に設ける客席の前面には、高さが七十五センチメートル以上の手すりを設けなければならない。ただし、客席の前面については、広い幅の手すり壁を設ける場合は、この限りでない。

（客席部と舞台部との区画）
**第四十八条**　舞台の床面積の合計が百平方メートルを超える興行場等は、客席部と舞台部（花道その他これに類するものを除く。以下同じ。）との境界に区画（上階の床又は屋根裏まで達する耐火構造の壁で区画するとともに、その開口部に煙感知器と連動して自動的に閉鎖する構造の法第二条第九号の二ロに定める防火設備又はこれと同等以上の防火性能を有する設備を設けたものに限る。次項において同じ。）を設けなければならない。ただし、次に掲げる場合は、この限りでない。
一　映画館又は観覧場その他これらに類するもので、火災の発生のおそれがない場合
二　客席と舞台の区画が困難な場合において、舞台上部にスプリンクラー設備（開放型スプリンクラーヘッドを設けたものに限る。次項において同じ。）及び令第百二十六条の三に規定する構造に準じた構造を有する機械式の排煙設備（排煙機については、一分間に舞台の床面積一平方メートルにつき二立方メートル以上の空気を排出する能力を有するものに限る。）を設けているとき。
2　客席部と舞台部との境界に区画を設けた場合において、当該区画の客席側の部分の上部にスプリンクラー設備を設けたときは、当該部分に床面積百平方メートル以内の舞台を設けることができる。この場合において、当該舞台の部分については、前項の規定を適用しない。
3　舞台の床面積の合計が三百平方メートルを超える興

行場等については、第一項の開口部に設けるべき設備は、煙感知器及び熱感知器と連動して自動的に閉鎖する構造の特定防火設備又はこれと同等以上の性能を有する設備とする。

**（客席とその他の部分との区画）**

**第四十九条** 客席とその他の部分（舞台部を除く。）とは、耐火構造の床、準耐火構造の壁又は法第二条第九号の二ロに定める防火設備で令第百十二条第十八項に定めるもので区画しなければならない。ただし、用途上やむを得ない場合は、当該防火設備に吸音材又は遮音材を張り付けることができる。

**（舞台と舞台部の各室との区画等）**

**第五十条** 舞台と舞台部の各室とは、準耐火構造の界壁又は法第二条第九号の二ロに定める防火設備で令第百十二条第十八項に定めるもので区画しなければならない。

2 舞台部には、道路又は道路等に避難上有効に通ずる幅員一メートル以上の通路に面して、避難の用に供する屋外へ通ずる出入口を一以上設けなければならない。

**（主階が避難階以外にある興行場等）**

**第五十一条** 主階が避難階以外にある興行場等は、次に定めるところによらなければならない。

一 耐火建築物とし、かつ、他の用途に供する部分とを耐火構造の床若しくは壁又は令第百十二条第十八項第二号に定める特定防火設備で区画すること。

二 避難階又は地上に通ずる直通階段のうち、一以上を特別避難階段又は屋外避難階段とし、その他のものを避難階段とすること。

三 主階が地階にある興行場等は、客席の定員を五百人以下とし、かつ、階数は一とすること。ただし、客席部の各部分から地上に通ずる階段の一に至る歩行距離が三十メートル以下であり、その階段を特別避難階段又は屋外避難階段とした場合は、この限りでない。

四 主階を避難階から数えて五以上の階に設ける場合は、避難の用に供することができる屋上広場を設け、二以上の避難階段又は特別避難階段によりこれに通ずること。ただし、避難階に通ずる全ての階段を特別避難階段とした場合は、この限りでない。

**（興行場等の制限の緩和）**

**第五十二条** この節の規定は、知事が安全上及び防火上支障がないと認める場合は、適用しないことができる。

### 第九節 削除

**第五十三条から第七十一条まで** 削除

### 第十節 その他の特殊建築物

**（病院等の内装）**

**第七十二条** 耐火建築物及び準耐火建築物以外の病院又は診療所は、その用途に供する居室の壁（床面からの高さが一・二メートル以下の部分を除く。）及び天井（天井のない場合においては、屋根。次項において同じ。）の室内に面する部分（回り縁、窓台その他これらに類する部分を除く。次項において同じ。）の仕上げを準不燃材料でしなければならない。

2 前項の病院又は診療所でその用途に供する部分の床面積の合計が二百平方メートル未満のものは、その用途に供する居室から地上に通ずる主たる廊下、階段その他の通路の壁及び天井の室内に面する部分の仕上げを準不燃材料でしなければならない。

**（児童福祉施設等）**

**第七十三条** 児童福祉施設等のうち、母子生活支援施設、老人ホーム等居住若しくは寄宿の用に供する建築物又は建築物の部分については、第十六条から第二十条までの規定を準用する。

2 児童福祉施設等（自ら避難することが困難な者が入所する施設に限る。）については、前条の規定を準用する。

## 第三章 地下街等

### 第一節 地下街

**（用語の定義）**

**第七十三条の二** この章において次の各号に掲げる用語の意義は、それぞれ当該各号に定めるところによる。

一 地下街 地下工作物内に設けられた、一般公共の歩行の用に供する道（以下「地下道」という。）及び当該地下道に面し、これと機能上一体となつた店舗、事務所、倉庫その他これらに類する施設（移動可能なもの、仮設的なもの及び地下工作物の管理運営の用に供するものを除く。次号及び第七十三条の十九において「地下道に面し、これと機能上一体となつた店舗等の施設」という。）からなる地下施設をいう。

二 地下の構え 地下道に面し、これと機能上一体となつた店舗等の施設で、一の用途又は使用上不可分の関係にある二以上の用途に供する一の区画をいう。

**（地下街に設けてはならない施設）**

**第七十三条の三** 次に掲げる施設は、地下街に設けてはならない。

一 住宅、共同住宅、寄宿舎、ホテル、旅館又は下宿その他これらに類する居住又は宿泊の用に供するもの

二　学校、病院又は診療所（患者の収容施設のないものを除く。）その他これらに類するもの

三　工場又は作業場（店舗に附属する軽微なものを除く。）

四　劇場、映画館、演芸場、観覧場、公会堂又は集会場

五　令第百十六条第一項の表に掲げる火薬類又はその他の危険物（同表最下欄に掲げる数量の十分の一以下のもの及び建築設備用のものを除く。）の貯蔵場又は処理場

（地下の構えと地下道との関係）

**第七十三条の四**　地下の構えは、令第百二十八条の三第一項第一号、第三号、第五号及び第六号の規定に該当するほか、次の各号に該当する地下道に二メートル以上接しなければならない。ただし、公衆便所、公衆電話所その他これらに類するものにあつては、その接する長さを二メートル未満とすることができる。

一　幅員が、地下の構え又は地下道に通ずる建築物の地下の部分（以下「地下の構え等」という。）に両側で接することになるものにあつては六メートル以上、その他のものにあつては五メートル以上であること。

二　天井までの高さが三メートル以上で、かつ、天井から下方に突出した垂れ壁及び道路工作物その他これに類するものの突出部分の下端までの高さが二・五メートル以上であること。

三　段がないこと及び勾配が二十分の一以下であること。

四　各部分から地上の道路、公園、広場その他これらに類するもの（以下「地上の道路等」という。）に避難上有効に通ずる直通階段（これに代わる傾斜路を含む。）の一に至るまでの歩行距離が、三十メートル以下であること。

（地下道の直通階段）

**第七十三条の五**　前条第四号の直通階段は、次の各号に定めるところによらなければならない。

一　幅（近接して設ける二以上のもので、それぞれの幅が一・五メートル以上あるものにあつては、それらの幅の合計）は、当該地下道の幅員以上とすること。

二　けあげの寸法は十八センチメートル以下とし、踏面の寸法は二十六センチメートル以上とすること。

三　傾斜路は、十分の一以下の勾配とし、かつ、表面を粗面とすること又は滑りにくい材料で仕上げること。

四　地下三層以下の層にある地下道に通ずるものについては、特別避難階段とすること。

（地下の構えの防火区画）

**第七十三条の六**　地下の構えは、令第百二十八条の三第二項、第三項及び第五項の規定に適合する区画を行わなければならない。

（地下の構えの各部分から地下道等までの歩行距離）

**第七十三条の七**　地下の構えの各部分から地下道への出入口に至る歩行距離は、三十メートル以下としなければならない。ただし、当該地下の構えに地上の道路等に避難上有効に通ずる専用の直通階段（これに代わる傾斜路を含む。以下「専用直通階段」という。）が設けられており、地下の構えの各部分から専用直通階段又は地下道への出入口に至る歩行距離が三十メートル以下である場合は、この限りでない。

2　倉庫その他これに類する用途に供する地下の構え（居室の部分を除く。）について、前項の規定を適用する場合には、同項中「三十メートル以下」とあるのは、「五十メートル以下」とする。

（専用直通階段）

**第七十三条の八**　前条第一項ただし書の専用直通階段は、次の各号に定めるところによらなければならない。

一　幅は、一・五メートル以上とすること。ただし、地下の構えの床面積の合計が三百平方メートル以下の場合は、一・二メートル以上とすることができる。

二　けあげの寸法は十八センチメートル以下とし、踏面の寸法は二十六センチメートル以上とすること。

三　傾斜路は、十分の一以下の勾配とし、かつ、表面を粗面とすること又は滑りにくい材料で仕上げること。

（地下街と他の地下工作物等との区画）

**第七十三条の九**　地下街は、他の地下工作物及び建築物の地下の部分と、耐火構造の床若しくは壁又は令第百十二条第十八項第二号に定める特定防火設備で区画しなければならない。

（店舗に接する地下道及び出入口階段ホール）

**第七十三条の十**　地下街において、店舗の用途に供する地下の構え（その床面積の全ての合計が千平方メートル以下のものを除く。）に接する地下道は、その各部分から地上部分が見通せる構造の天井の開口部、出入口その他これらに類するものにより、地上に開放するものでなければならない。ただし、次の各号に該当する地下道の出入口の階段ホール（以下「出入口階段ホール」という。）を設ける場合は、この限りでない。

一　地下道の末端に設けてあること。

二　長さ四十メートルを超える地下道においては、そ

の各部分からの歩行距離二十メートル以内に設けてあること。

三　地上の道路等に直接面する出入口を有し、かつ、地下道からこれに通ずる直通階段を設けてあること。

四　前号の直通階段の幅（同一の出入口階段ホールに設ける二以上のもので、それぞれの幅が二・五メートル以上のものにあつては、それらの幅の合計）が、当該地下道の幅員以上であること。

五　第三号の出入口の幅（出入口が二以上ある場合は、それぞれの出入口の幅の合計）が、当該地下道の幅員以上であること。

六　建築物内又は建築物に接して設ける場合は、当該建築物の他の部分又は当該接する建築物と耐火構造の床若しくは壁又は令第百十二条第十八項第二号に定める特定防火設備で区画されていること。

2　二以上の層の各地下道に通ずる出入口階段ホールで、火災が発生した場合に、令第百十二条第十八項第二号に定める特定防火設備の閉鎖により地下の各層専用の避難経路（耐火構造の床若しくは壁又は同号に定める特定防火設備で他の部分と区画されているものに限る。）を形成することができる構造となつているものの直通階段については、第七十三条の五第四号及び第七十三条の六（令第百二十八条の三第五項に係る部分に限る。）の規定は、適用しない。

**（地下道の直通階段に接する出入口の禁止）**

**第七十三条の十一**　地下の構えは、地下道の直通階段の部分（踊場を含む。）又は直通階段（出入口階段ホール内及び第七十三条の十七の階段ホール内の直通階段を除く。）の下端から三メートル以内の部分に出入口を設けてはならない。ただし、公衆便所、公衆電話所その他これらに類するものにあつては、この限りでない。

**第二節　地下街に設ける建築設備**

**（機械換気設備）**

**第七十三条の十二**　地下街には、次の各号に掲げる床面積（地下の構えの床面積及び地下道の面積のすべての合計。次条において同じ。）の区分に応じ、当該各号に定める機械換気設備（予備電源を有するものに限る。）を設けなければならない。

一　床面積が千平方メートルを超える場合　換気上有効な給気機及び排気機を有する機械換気設備（次号及び次条において「第一種換気設備」という。）

二　床面積が千平方メートル以下の場合　第一種換気設備又は換気上有効な給気機及び排気口を有する機械換気設備

2　前項の機械換気設備は、各地下の構え内の居室の部分及び地下道に均等の効果を及ぼすものでなければならない。

**（換気量）**

**第七十三条の十三**　前条の機械換気設備は、床面積一平方メートルごとに毎時三十立方メートル以上の新鮮な外気を供給する能力を有するものでなければならない。

2　前項の換気量と同量の換気能力を有する空気調和設備を使用する場合にあつては、同項の規定にかかわらず、新鮮な外気の供給量を毎時十立方メートル以上とすることができる。

3　第一種換気設備を設けるときは、常に給気量は、排気量以上としなければならない。

4　各地下の構えには、給気口又は排気口を設けなければならない。

**（専用の排気設備）**

**第七十三条の十四**　地下街に設ける調理室及び地下街に附属して設ける蓄電池室（密閉型蓄電池を使用するものを除く。）には、専用の排気設備を設けなければならない。

**第三節　地下道に通ずる建築物の地下の部分**

**（建築物の地下の部分と地下道との関係）**

**第七十三条の十五**　建築物の地下の部分が地下道に通ずる場合は、当該地下道は、当該建築物の地下の部分に通ずる部分から三十メートル以内の部分において、令第百二十八条の三第一項第一号、第三号及び第六号の規定に該当するほか、第七十三条の四各号に該当するものでなければならない。

**（建築物の地下の部分と地下道等との区画）**

**第七十三条の十六**　建築物の地下の部分は、当該建築物の地下の部分が接する地下道及び他の建築物の地下の部分と、耐火構造の床若しくは壁又は令第百十二条第十八項第二号に定める特定防火設備で区画しなければならない。

**（階段ホールの設置）**

**第七十三条の十七**　地下道に通ずる建築物の地下の部分（床面積の合計が五百平方メートルを超えるものに限る。）は、次の各号に該当する階段ホール（以下「階段ホール」という。）により地下道に通ずるものでなければならない。ただし、地下道に通ずる部分に近接して階段ホールを設ける場合は、この限りでない。

一　階段ホールとこれに接する建築物の他の部分とは、耐火構造の床若しくは壁又は令第百十二条第十八項第二号に定める特定防火設備で区画されていること。

二　地上の道路等に直接通ずる直通階段を設けてある

こと。

三　前号の直通階段の幅は、当該建築物が地下道に通ずる部分の出入口の幅（その幅が六メートル以上の場合は、六メートル）以上であること。

四　第二号の直通階段の蹴上げの寸法は十八センチメートル以下であり、踏面の寸法は二十六センチメートル以上であること。

2　階段ホールが地下道に接する部分については、第七十三条の九及び前条の規定は、適用しない。

**（建築物の地下の部分における地下街の規定の準用）**

**第七十三条の十八**　階段ホールによらずに地下道に通ずる建築物の地下の部分については、第七十三条の六（令第百二十八条の三第五項の規定に係る部分に限る。）、第七十三条の十及び第七十三条の十一の規定を準用する。この場合において、「地下の構え」とあるのは「地下の構え等」と読み替えるものとする。

### 第四節　地下工作物内に設ける自動車車庫等の施設

**（専用直通階段の設置）**

**第七十三条の十九**　地下工作物内に設ける自動車車庫、自動車駐車場、倉庫その他これらに類する施設（地下道に面し、これと機能上一体となつた店舗等の施設並びに移動可能なもの、仮設的なもの及び地下工作物の管理運営の用に供するものを除く。以下本条において「地下工作物内に設ける自動車車庫等の施設」という。）は、二以上の専用直通階段を設けなければならない。

2　地下工作物内に設ける自動車車庫等の施設の各部分から専用直通階段の一に至る歩行距離は、三十メートル以下としなければならない。ただし、居室以外の各部分からの歩行距離については、五十メートル以下とすることができる。

3　第一項の専用直通階段については、第七十三条の八の規定を準用する。この場合において、「地下の構え」とあるのは「地下工作物内に設ける自動車車庫等の施設」と読み替えるものとする。

### 第五節　制限の緩和

**（制限の緩和）**

**第七十三条の二十**　この章の規定は、知事が安全上、防火上及び衛生上支障がないと認める場合には、適用しないことができる。

## 第四章　建築設備

**（耐火構造等を貫通する建築設備）**

**第七十四条**　この条例の規定（第三章の規定を除く。）により耐火構造又は準耐火構造としなければならない床又は壁（外壁を除く。）を管又は風道が貫通する場合は、令第百十二条第十九項又は第二十項の規定に適合する構造としなければならない。この場合において、第八条の規定により区画する耐火構造の壁を貫通する風道に設ける防火設備は、令第百十二条第十項の規定により防火区画を貫通する風道に設ける防火設備の構造方法によらなければならない。

**（風道）**

**第七十五条**　法又はこの条例の規定により内装の制限を受ける建築物の部分に設ける換気、暖房又は冷房の設備の風道は、室内に面する部分を不燃材料で造らなければならない。

2　空気調和設備の外気を取り入れる風道には、風量測定のための測定口を設けなければならない。

**第七十六条及び第七十七条**　削除

**（共同住宅に設けるエレベーターの構造）**

**第七十八条**　共同住宅に設けるエレベーターのかご及び昇降路の出入口の戸には、かごの中を見通すことができる窓を設けなければならない。ただし、安全上支障がない場合は、この限りでない。

2　共同住宅の用途に供する部分の床面積の合計が三千平方メートルを超える建築物で、五階以上の階に共同住宅の住戸又は住室があるものにエレベーター（荷物用のものを除く。）を設ける場合は、一以上を奥行き（トランク付きのものにあつては、トランク部分を含む。）二メートル以上としなければならない。ただし、建築物の構造により居住者の安全上支障がない場合は、この限りでない。

**第七十九条**　削除

**（エレベーターの機械室等）**

**第八十条**　エレベーターの機械室等は、次に定める構造としなければならない。

一　機械室に至る通路及び階段の幅は七十センチメートル以上とし、高さは一・八メートル以上とすること。

二　鉄骨造の建築物に設ける機械室及び昇降路の露出した主要構造部に施す防火被覆は、飛散しない材料及び工法とすること。

三　非常用エレベーターの機械室とその他のエレベーターの機械室とは、耐火構造の壁で区画すること。

**（エスカレーターの吹き抜け）**

**第八十一条**　エスカレーターの設置により生ずる吹き抜き部分は、次に定める構造としなければならない。

一　安全上必要なさく又は網等を設けること。

二　法第二条第九号の二ロに定める防火設備を設ける場合には、当該防火設備に近接した位置に天井面から三十センチメートル以上下方に突出した垂れ壁を設けること。

## 第五章　道に関する基準

（道路位置の指定基準）

**第八十二条**　道に関する基準は、令第百四十四条の四第一項の規定によるほか、道が法第四十二条第一項から第五項までの規定による道路又は道の境界線と同一平面で交差し、若しくは接続し、又は屈曲する箇所（交差、接続又は屈曲により生ずる内角が六十度未満の場合に限る。）が、角地の隅角を頂点とする底辺二メートルの二等辺三角形の部分を道に含むすみ切りを設けたものであることとする。

## 第六章　罰則

**第八十三条**　第二条（第三項を除く。）、第三条第一項、第三条の二、第四条第一項、第五条、第七条から第七条の三まで、第八条第一項（同条第三項又は第十条の四の二において準用する場合を含む。）、第八条の九から第八条の十七まで、第十条（第三十三条第二項において準用する場合を含む。）、第十条の二第一項（第三十三条第二項において準用する場合を含む。）、第十条の三（第三十三条第二項において準用する場合を含む。）、第十条の四、第十条の五第一項、第十条の七、第十条の八、第十一条第一項、第十一条の二から第十一条の四まで、第十二条、第十三条、第十四条（第三項を除く。）、第十五条、第十六条（第七十三条第一項において準用する場合を含む。）、第十七条（第七十三条第一項において準用する場合を含む。）、第十八条第一項（第七十三条第一項において準用する場合を含む。）若しくは第二項（第七十三条第一項において準用する場合を含む。）、第十九条第一項（第三十七条又は第七十三条第一項において準用する場合を含む。）若しくは第二項（第三十七条又は第七十三条第一項において準用する場合を含む。）、第二十条第一項（第七十三条第一項において準用する場合を含む。）若しくは第三項（第七十三条第一項において準用する場合を含む。）、第二十二条から第二十六条まで、第二十七条（第三十三条第二項において準用する場合を含む。）、第二十八条（第三十三条第二項において準用する場合を含む。）、第二十九条、第三十条、第三十一条（第三十三条第二項において準用する場合を含む。）、第三十二条（第三十三条第二項において準用する場合を含む。）、第三十三条第一項、第三十八条第一項、第三十九条、第四十一条第一項、第四十二条第一項、第四十三条から第四十七条まで、第四十八条（第二項を除く。）、第四十九条から第五十一条まで、第七十二条（第七十三条第二項において準用する場合を含む。）、第七十三条の三、第七十三条の六（第七十三条の十八において準用する場合に限る。）、第七十三条の八（第七十三条の十九第三項において準用する場合に限る。）、第七十三条の九、第七十三条の十第一項（第七十三条の十八において準用する場合を含む。）、第七十三条の十一（第七十三条の十八において準用する場合を含む。）、第七十三条の十二から第七十三条の十六まで、第七十三条の十七第一項、第七十三条の十九（第三項を除く。）、第七十四条、第七十五条、第七十八条、第八十条又は第八十一条の規定に違反した建築物又は建築設備の設計者（設計図書を用いないで工事を施工し、又は設計図書に従わないで工事を施工した場合は、その建築物又は建築設備の施工者）は、二十万円以下の罰金に処する。

2　第六条（第一項を除く。）及び第六条の二の規定に違反した工作物の設計者（設計図書を用いないで工事を施工し、又は設計図書に従わないで工事を施工した場合においては、その工作物の施工者）は、十万円以下の罰金に処する。

3　前二項に規定する違反があった場合において、その違反が建築主、工作物の築造主又は建築設備の設置者の故意によるものであるときは、その設計者又は工事施工者を罰するほか、その建築主、工作物の築造主又は建築設備の設置者に対して前二項の刑を科する。

4　法人の代表者又は法人若しくは人の代理人、使用人その他の従業者がその法人又は人の業務に関して、前三項の違反行為をした場合においては、その行為者を罰するほか、その法人又は人に対して各本項の罰金刑を科する。

**附　則**

この条例は、公布の日から施行する。

**附　則**（令四・六・二二条例一〇九）

この条例は、地域の自主性及び自立性を高めるための改革の推進を図るための関係法律の整備に関する法律（令和四年法律第四十四号）附則第一条第二号に規定する日〔令四・五・三一〕又はこの条例の公布の日のいずれか遅い日から施行する。

# 〇東京都日影による中高層建築物の高さの制限に関する条例

昭五三・七・一四
条例六三

最終改正 令五・三・三一条例二四

（趣旨）

**第一条** この条例は、建築基準法（昭和二十五年法律第二百一号。以下「法」という。）第五十六条の二第一項の規定に基づき、日影による中高層の建築物（法別表第四(い)欄に掲げる地域の区分に応じ、同表(ろ)欄に掲げる建築物をいう。）の高さの制限に関して必要な事項を定めるものとする。

（用語の定義）

**第二条** この条例において、次の各号に掲げる用語の意義は、それぞれ当該各号に定めるところによる。

一 第一種低層住居専用地域、第二種低層住居専用地域、第一種中高層住居専用地域、第二種中高層住居専用地域、第一種住居地域、第二種住居地域、準住居地域、田園住居地域、近隣商業地域又は準工業地域 それぞれ、都市計画法（昭和四十三年法律第百号）第八条第一項第一号に掲げる第一種低層住居専用地域、第二種低層住居専用地域、第一種中高層住居専用地域、第二種中高層住居専用地域、第一種住居地域、第二種住居地域、準住居地域、田園住居地域、近隣商業地域又は準工業地域をいう。

二 容積率 都市計画法第八条第三項第二号イの規定により、都市計画で定める建築物の延べ面積の敷地面積に対する割合をいう。

三 高度地区 都市計画法第八条第一項第三号に掲げる高度地区をいう。

四 対象区域 法第五十六条の二第一項の規定により、法別表第四(い)欄の各項に掲げる地域のうちから次条の規定により指定された区域をいう。ただし、次に掲げる地区及び区域を除く。

イ 都市計画法第八条第一項第三号の規定により定められた高度利用地区

ロ 都市計画法第十二条の四第一項第一号の規定により定められた地区計画又は幹線道路の沿道の整備に関する法律（昭和五十五年法律第三十四号。以下「沿道整備法」という。）第九条第一項の規定により定められた沿道地区計画の区域（都市計画法第十二条の八又は沿道整備法第九条の四の規定により建築物の容積率の最高限度等が地区整備計画又は沿道地区整備計画に定められている区域のうち、法第六十八条の二第一項の規定による条例で、建築物の容積率の最低限度（沿道地区整備計画において沿道整備法第九条第六項第二号の建築物の沿道整備道路に係る間口率の最低限度及び建築物の高さの最低限度が定められている場合にあつては、これらの最低限度）、建築物の建蔽率の最高限度及び建築物の建築面積の最低限定に関する制限並びに壁面の位置の制限（市街地の環境の向上を図るため必要な場合で、地区整備計画又は沿道地区整備計画に定められたものに限る。）が定められている区域に限る。）

ハ 都市計画法第十二条の四第一項第一号の規定により定められた地区計画、密集市街地における防災街区の整備の促進に関する法律（平成九年法律第四十九号。以下「密集市街地整備法」という。）第三十二条第一項の規定により定められた防災街区整備地区計画又は沿道整備法第九条第一項の規定により定められた沿道地区計画の区域（都市計画法第十二条の五又は沿道整備法第九条の六の規定により壁面の位置の制限等が地区整備計画、防災街区整備地区整備計画又は沿道地区整備計画に定められている区域のうち、法第六十八条の二第一項の規定による条例で、壁面の位置の制限並びに建築物の高さの最高限度及び建築物の敷地面積の最低限度に関する制限が定められている区域に限る。）

ニ 都市計画法第十二条の五第三項の規定により定められた再開発等促進区又は沿道整備法第九条第三項の規定により定められた沿道再開発等促進区の区域（都市計画法第十二条の五第二項第一号に規定する地区整備計画又は沿道整備法第九条第二項第一号に規定する沿道地区整備計画が定められている区域に限る。）

五 規制値 法第五十六条の二第一項の規定により、法別表第四(に)欄の各号のうちから次条の規定により指定された号をいう。

六 測定面 法第五十六条の二第一項の規定により、法別表第四(は)欄の各項に掲げる平均地盤面からの高さのうちから次条の規定により指定されたものをいう。

（対象区域、規制値及び測定面）

**第三条** 対象区域は、別表第一地域欄の各項に掲げる地域のうち、当該地域の区分に応じ同表容積率欄及び高度地区欄に掲げる容積率及び高度地区が定められている区域（同表三の項及び五の項にあつては、高度地区が定められていない区域を含む。）とし、その規制値及び測定面は、同表対象区域欄に掲げる地域、容積率及び高度地区の区分に応じ、それぞれ同表規制値欄及び測定面欄に掲げるものとする。

2　前項の規定にかかわらず、次の各号に掲げる区域にあつては、それぞれ当該各号に定めるところによる。

一　別表第二区域欄の各項に掲げる区域のうち、同表地域地区欄の当該各項に掲げる地域、容積率及び高度地区が定められている区域（高度地区については、定められていない区域を含む。）は、対象区域としない。

二　別表第三区域欄の各項に掲げる区域のうち、同表地域地区欄の当該各項に掲げる地域、容積率及び高度地区が定められている区域（高度地区については、定められていない区域を含む。）の規制値は、それぞれ同表規制値欄の当該各項に掲げるものとする。

三　前項の規定により定められた対象区域（第一号に規定する区域を除く。）のうち、別表第四区域欄の各項に掲げる区域で、同表地域地区欄の当該各項に掲げる地域及び高度地区が定められているものの測定面は、それぞれ同表測定面欄の当該各項に掲げるものとする。

3　前二項の規定によるほか、別表第五区域欄の各項に掲げる区域のうち、同表地域地区欄の当該各項に掲げる地域、容積率及び高度地区が定められている区域（高度地区については、定められていない区域を含む。）は対象区域とし、その規制値及び測定面は、それぞれ同表規制値欄及び測定面欄の当該各項に掲げるものとする。

**（補則）**

**第四条**　知事は、別表第二、別表第三及び別表第五の区域欄に掲げる区域のうち、町又は字の地内の区域については、その範囲を表示する図書を作成し、住民の縦覧に供する。

**附　則**

この条例は、公布の日から起算して三月を超えない範囲内において東京都規則で定める日〔昭五三・一〇・一二〕から施行する。

**附　則**（令五・三・三一条例二四）

この条例は、東京都規則で定める日〔令五・四・二八〕から施行する。

**別表第一**（第三条関係）

対象区域、規制値及び測定面

| | 対象区域 | | | 規制値 | 測定面 |
|---|---|---|---|---|---|
| | 地域 | 容積率 | 高度地区 | | |
| 一 | 第一種低層住居専用地域、第二種低層住居専用地域又は田園住居地域 | 十分の五、十分の六又は十分の八 | 第一種高度地区 | (一) | 一・五メートル |
| | | 十分の十又は十分の十五 | 第一種高度地区又は第二種高度地区 | (二) | |
| | | 十分の二十 | 第一種高度地区又は第二種高度地区 | (三) | |
| 二 | 第一種中高層住居専用地域又は第二種中高層住居専用地域 | 十分の十又は十分の十五 | 第一種高度地区又は第二種高度地区 | (一) | 四メートル |
| | | 十分の二十 | 第一種高度地区又は第二種高度地区 | (一) | 四メートル |
| | | | 第三種高度地区 | (二) | 六・五メートル |
| | | 十分の二 | 第二種高度地区 | (一) | 四メートル |

| 区域 | 用途地域 | 容積率 | 高度地区 | 号 | 時間 |
|---|---|---|---|---|---|
| | | 十 | 第三種高度地区 | (二) | 六・五メートル |
| | | 十分の十又は十分の十五 | 第一種高度地区又は第二種高度地区 | (一) | 四メートル |
| 三 | 第一種住居地域、第二種住居地域又は準住居地域 | 十分の二十 | 第一種高度地区、第二種高度地区又は指定なし | (一) | 四メートル |
| | | | 第三種高度地区 | | 六・五メートル |
| | | 十分の三十 | 第二種高度地区 | (一) | 四メートル |
| | | | 第三種高度地区 | (二) | 六・五メートル |
| | | | 指定なし | | 四メートル |
| | | 十分の十又は十分の十五 | 第一種高度地区又は第二種高度地区 | (一) | 四メートル |
| | | | | | 四メ |

| 区域 | 用途地域 | 容積率 | 高度地区 | 号 | 時間 |
|---|---|---|---|---|---|
| 四 | 近隣商業地域 | 十分の二十 | 第二種高度地区 | (一) | ートル |
| | | | 第三種高度地区 | | 六・五メートル |
| | | 十分の三十 | 第二種高度地区 | (一) | 四メートル |
| | | | 第三種高度地区 | (二) | 六・五メートル |
| 五 | 準工業地域 | 十分の十又は十分の十五 | 第一種高度地区又は第二種高度地区 | (一) | 四メートル |
| | | 十分の二十 | 第一種高度地区又は第二種高度地区 | (一) | 四メートル |
| | | | 第三種高度地区 | | 六・五メートル |
| | | | 指定なし | (二) | 四メートル |
| | | | 第二種高度地区 | (一) | 四メートル |

| 容積率 | 高度地区 | 号 | 時間 |
|---|---|---|---|
| 十分の三十 | 第三種高度地区 | (二) | 六・五メートル |

備考　高度地区の欄中「第一種高度地区」、「第二種高度地区」又は「第三種高度地区」（以下「各高度地区」という。）には、それぞれ当該各高度地区に係る北側の前面道路又は隣地との関係についての建築物の各部分の高さの最高限度と併せて建築物の絶対高さ制限が定められた高度地区を含む。

**別表第二**（第三条関係）
別表第一による対象区域から除く区域

| | 区域 | 地域地区 | | |
|---|---|---|---|---|
| | | 地域 | 容積率 | 高度地区 |
| 一 | 千代田区のうち、紀尾井町、麴町六丁目、神田三崎町一丁目、神田駿河台二丁目、神田駿河台四丁目、神田淡路町二丁目及び外神田二丁目の各地内の区域 | 第一種住居地域 | 十分の三十 | 指定なし |
| 二 | 千代田区のうち、紀尾井町及び永田町二丁目の各地内の区域 | 第二種住居地域 | 十分の三十 | 指定なし |

| | | | | |
|---|---|---|---|---|
| 三 | 港区のうち、南青山一丁目及び海岸一丁目の各地内の区域 | 第一種住居地域 | 十分の二十 | 指定なし |
| 四 | 港区六本木一丁目の地内の区域 | 第二種住居地域 | 十分の三十 | 第三種高度地区 |
| 五 | 港区の全域 | 準工業地域 | 十分の二十 | 指定なし |
| 六 | 文京区のうち、本郷一丁目、本郷二丁目、本郷三丁目及び湯島一丁目の各地内の区域 | 第一種住居地域 | 十分の三十 | 指定なし |
| 七 | 台東区のうち、上野二丁目及び上野公園の各地内の区域 | 第一種中高層住居専用地域 | 十分の三十 | 第三種高度地区 |
| 八 | 墨田区のうち、東駒形二丁目、押上三丁目、京島二丁目、京島三丁目、文花一丁目、文花三丁目、立花三丁目、立花四丁目及び立花五丁目の各地内の区域 | 近隣商業地域 | 十分の三十 | 第三種高度地区 |
| 九 | 墨田区のうち、八広六丁目、立花三丁目、立花四丁目及び立花六丁目の各地内の区域 | 準工業地域 | 十分の三十 | 第三種高度地区 |
| 十 | 江東区大島六丁目の地内の区域 | 第一種中高層住居専用地域 | 十分の三十 | 第三種高度地区 |
| 十一 | 江東区の全域 | 第一種住居地域 | 十分の二十 | 指定なし |
| 十二 | 江東区のうち、豊洲四丁目及び大島六丁目の各地内の区域 | 第一種住居地域 | 十分の三十 | 第三種高度地区 |
| 十三 | 江東区清澄三丁目の地内の区域 | 第一種住居地域 | 十分の三十 | 指定なし |
| 十四 | 江東区の全域 | 第二種住居地域 | 十分の三十 | 指定なし |
| 十五 | 江東区の全域 | 近隣商業地域 | 十分の三十 | 第三種高度地区 |
| 十六 | 江東区の全域 | 準工業地域 | 十分の二十 | 指定なし |
| 十七 | 江東区のうち、三好三丁目、三好四丁目、白河三丁目、白河四丁目、古石場二丁目、古石場三丁目、住吉一丁目、住吉二丁目、木場二丁目、東陽三丁目、東陽四丁目、東陽五丁目、亀戸三丁目、亀戸七丁目、亀戸九丁目、大島二丁目、大島三丁目及び大島七丁目の各地内の区域 | 準工業地域 | 十分の三十 | 第三種高度地区 |
| 十八 | 品川区のうち、西品川一丁目、広町二丁目、大崎一丁目、勝島二丁目、勝島三丁目、大井一丁目、八潮二丁目及び八潮三丁目の各地内の区域 | 準工業地域 | 十分の二十 | 指定なし |
| 十九 | 大田区のうち、東海二丁目、東海三丁目、羽田空港一丁目、羽田空港二丁目及び羽田空港三丁目の各地内の区域 | 準工業地域 | 十分の二十 | 指定なし |
| 二十 | 中野区のうち、丸山一丁目、丸山二丁目、野方一丁目、野方二丁目、野方三丁目、野方四丁目、野方五丁目、野方六丁目、大和町一丁目、大和町二丁目、若宮三丁目、白鷺一丁目、白鷺二丁目、白鷺三丁目、鷺宮三丁目、鷺宮四丁目及び上鷺宮一丁目の各地内の区域 | 近隣商業地域 | 十分の三十 | 第三種高度地区 |

| 二十一 | 北区滝野川一丁目の地内の区域 | 近隣商業地域 | 十分の三十 | 第三種高度地区 |
|---|---|---|---|---|
| 二十二 | 北区上中里一丁目の地内の区域 | 第一種住居地域 | 十分の三十 | 指定なし |
| 二十三 | 荒川区のうち、南千住三丁目及び南千住八丁目の各地内の区域 | 第一種住居地域 | 十分の二十 | 第三種高度地区 |
| 二十四 | 荒川区のうち、南千住六丁目及び荒川八丁目の各地内の区域 | 第一種住居地域 | 十分の二十 | 指定なし |
| 二十五 | 荒川区西日暮里六丁目の地内の区域 | 近隣商業地域 | 十分の三十 | 第三種高度地区 |
| 二十六 | 荒川区のうち、南千住三丁目、南千住四丁目及び南千住七丁目の各地内の区域 | 準工業地域 | 十分の二十 | 第三種高度地区 |
| 二十七 | 荒川区南千住四丁目の地内の区域 | 準工業地域 | 十分の二十 | 指定なし |
| 二十八 | 荒川区のうち、南千住四丁目、東日暮里三丁目、東日暮里四丁目、東日暮里六丁目、西日暮里二丁目及び西日暮里六丁目の各地内の区域 | 準工業地域 | 十分の三十 | 第三種高度地区 |
| 二十九 | 板橋区のうち、志村二丁目、志村三丁目、小豆沢三丁目、東坂下一丁目、東坂下二丁目、坂下一丁目、坂下二丁目、坂下三丁目、舟渡一丁目、舟渡二丁目及び舟渡三丁目の各地内の区域 | 近隣商業地域 | 十分の三十 | 第三種高度地区 |
| 三十 | 板橋区高島平九丁目の地内の区域 | 準工業地域 | 十分の三十 | 第三種高度地区 |
| 三十一 | 足立区のうち、綾瀬二丁目、綾瀬三丁目、大谷田一丁目、大谷田二丁目、大谷田三丁目、大谷田五丁目、佐野一丁目、佐野二丁目、神明三丁目、千住四丁目、千住五丁目、千住旭町、日ノ出町、六木一丁目、六木二丁目、六木三丁目及び六木四丁目の各地内の区域 | 第一種住居地域 | 十分の三十 | 第三種高度地区 |
| 三十二 | 足立区のうち、伊興本町二丁目、東伊興二丁目、東伊興三丁目、東伊興四丁目、南花畑一丁目、南花畑二丁目、南花畑三丁目及び南花畑四丁目の各地内の区域 | 第一種住居地域 | 十分の三十 | 指定なし |
| 三十三 | 足立区のうち、伊興一丁目、栗原四丁目、西加平一丁目、西竹の塚一丁目、南花畑一丁目、南花畑二丁目、南花畑三丁目及び南花畑四丁目の各地内の区域 | 準住居地域 | 十分の三十 | 指定なし |
| 三十四 | 足立区のうち、足立一丁目、足立四丁目、千住一丁目、千住二丁目、千住三丁目、千住四丁目、千住五丁目、千住旭町、千住河原町、千住橋戸町、千住仲町、日ノ出町、本木一丁目及び本木二丁目の各地内の区域 | 近隣商業地域 | 十分の三十 | 第三種高度地区 |
| 三十五 | 足立区のうち、梅島三丁目、梅田八丁目、千住曙町及び本木二丁目の各 | 準工業地域 | 十分の二十 | 第三種高度地区 |

| | | | | |
|---|---|---|---|---|
| | 地内の区域 | | | |
| 三十六 | 足立区のうち、足立四丁目、入谷三丁目、入谷四丁目、入谷五丁目、入谷七丁目、入谷八丁目、入谷九丁目、梅田二丁目、加賀二丁目、鹿浜五丁目及び本木一丁目の各地内の区域 | 準工業地域 | 十分の三十 | 第三種高度地区 |
| 三十七 | 江戸川区のうち、西小岩四丁目及び西小岩五丁目の各地内の区域 | 第一種住居地域 | 十分の三十 | 第三種高度地区 |
| 三十八 | 江戸川区の全域 | 第一種住居地域 | 十分の三十 | 指定なし |
| 三十九 | 江戸川区のうち、西小岩三丁目及び西小岩四丁目の各地内の区域 | 近隣商業地域 | 十分の三十 | 第三種高度地区 |
| 四十 | 江戸川区東葛西三丁目の地内の区域 | 準工業地域 | 十分の二十 | 第二種高度地区 |
| 四十一 | 江戸川区小松川一丁目の地内の区域 | 準工業地域 | 十分の三十 | 第三種高度地区 |
| 四十二 | 八王子市のうち、追分町、千人町三丁目、日吉町、元本郷町三丁目、元本郷町四丁目、大横町、本町、元横山町二丁目、新町、明神町四丁目、万町、暁町一丁目、中野山王一丁目、中野山王二丁目、中野上町一丁目、中野上町二丁目、中野上町四丁目、中野上町五丁目、大和田町三丁目、大和田町四丁目、大和田町五丁目、大和田町六丁目及び並木町の各地内の区域 | 近隣商業地域 | 十分の三十 | 第三種高度地区 |

備考　高度地区の欄中「第二種高度地区」又は「第三種高度地区」には、それぞれ当該高度地区に係る北側の前面道路又は隣地との関係についての建築物の各部分の高さの最高限度と併せて建築物の絶対高さ制限が定められた高度地区を含む。

**別表第三**（第三条関係）

別表第一による規制値と異なる規制値とする区域

| | 区域 | 地域地区 | | | 規制値 |
|---|---|---|---|---|---|
| | | 地域 | 容積率 | 高度地区 | |
| 一 | 港区の全域 | 第一種中高層住居専用地域 | 十分の二十 | 第三種高度地区 | (一) |
| 二 | 港区のうち、南麻布五丁目、西麻布四丁目、六本木二丁目、赤坂六丁目、赤坂八丁目、南青山四丁目、南青山七丁目、北青山二丁目及び白金台五丁目の各地内の区域 | 第一種中高層住居専用地域 | 十分の三十 | 第三種高度地区 | (一) |
| 三 | 港区のうち、南青山一丁目及び南青山二丁目の各地内の区域 | 第二種中高層住居専用地域 | 十分の二十 | 第三種高度地区 | (一) |
| 四 | 港区のうち、虎ノ門四丁目、虎ノ門五丁目、西麻布一丁目、六本木一丁目、六本木四丁目、六本木五丁目、六本木七丁目、麻布台三丁目、麻布十番一丁目、赤坂七丁目、赤坂九丁目、南青山一丁目、南青山二丁目、南青山三丁目、南青山四丁目、南青 | 第二種中高層住居専用地域 | 十分の三十 | 第三種高度地区 | (一) |

| | | | | | |
|---|---|---|---|---|---|
| | 山五丁目及び南青山六丁目の各地内の区域 | | | | |
| 五 | 港区三田四丁目の地内の区域 | 第一種住居地域 | 十分の二十 | 第三種高度地区 | (二) |
| 六 | 港区のうち、東麻布二丁目、東麻布三丁目、麻布狸穴町、南麻布一丁目、南麻布三丁目、南麻布四丁目、南麻布五丁目、元麻布三丁目、西麻布二丁目、西麻布四丁目、六本木二丁目、六本木五丁目、六本木七丁目、赤坂四丁目、北青山二丁目、北青山三丁目、三田三丁目、三田四丁目、高輪一丁目、高輪二丁目、高輪三丁目、白金台一丁目、白金台二丁目、白金台三丁目及び白金台四丁目の各地内の区域 | 第一種住居地域 | 十分の三十 | 第三種高度地区 | (一) |
| 七 | 港区のうち、芝公園三丁目、芝公園四丁目及び東麻布一丁目の各地内の区域 | 第二種住居地域 | 十分の二十 | 指定なし | (二) |
| 八 | 港区のうち、虎ノ門五丁目、東麻布一丁目、東麻布二丁目、麻布台一丁目、麻布台二丁目、麻布台三丁目、麻布狸穴町、六本木一丁目、六本木三丁目、六本木六丁目、赤坂四丁目、赤坂六丁目、赤坂七丁目、赤坂八丁目、南青山一丁目、北青山三丁目、三田三丁目、三田四丁目、高輪二丁目、高輪三丁目、高輪四丁目及び白金台一丁目の各地内の区域 | 第二種住居地域 | 十分の三十 | 第三種高度地区 | (一) |
| 九 | 港区のうち、麻布台二丁目、東麻布二丁目、南麻布三丁目、六本木七丁目、赤坂六丁目、赤坂七丁目、赤坂八丁目、赤坂九丁目及び高輪二丁目の各地内の区域 | 近隣商業地域 | 十分の三十 | 第三種高度地区 | (一) |
| 十 | 港区のうち、南麻布二丁目、三田五丁目、白金三丁目及び白金五丁目の各地内の区域 | 準工業地域 | 十分の三十 | 第三種高度地区 | (一) |
| 十一 | 新宿区の全域 | 第一種低層住居専用地域 | 十分の十 | 第一種高度地区 | (一) |
| 十二 | 新宿区のうち、下落合二丁目、下落合三丁目、下落合四丁目及び中落合二丁目の各地内の区域 | 第一種低層住居専用地域 | 十分の十五 | 第一種高度地区 | (一) |
| 十三 | 文京区のうち、目白台一丁目及び関口一丁目の各地内の区域 | 第一種低層住居専用地域 | 十分の十五 | 第一種高度地区 | (三) |
| | 文京区のうち、小石川二丁目、小石川四丁目、白山一丁目、白山二丁目、白山四丁目、白山五丁目、千石二丁目、千石三丁 | | | | |

| 十四 | 十五 | |
|---|---|---|
| 目、千石四丁目、小日向三丁目、小日向四丁目、大塚二丁目、大塚五丁目、大塚六丁目、目白台一丁目、音羽二丁目、本郷四丁目、本郷五丁目、本郷六丁目、西片一丁目、西片二丁目、向丘一丁目、向丘二丁目、弥生一丁目、弥生二丁目、根津一丁目、千駄木三丁目、千駄木四丁目、本駒込一丁目及び本駒込二丁目の各地内の区域 | 文京区のうち、小日向四丁目、大塚一丁目、本郷五丁目、本郷六丁目、根津一丁目、根津二丁目、千駄木二丁目及び千駄木三丁目の各地内の区域 | 台東区のうち、 |
| 第一種住居地域 | 近隣商業地域 | |
| 十分の三十 | 十分の三十 | |
| 第三種高度地区 | 第三種高度地区 | |
| (一) | (一) | |

| 十六 | 十七 | 十八 | 十九 | 二十 | 二 |
|---|---|---|---|---|---|
| 谷中二丁目、谷中三丁目、谷中五丁目及び谷中七丁目の各地内の区域 | 台東区のうち、上野桜木二丁目、谷中二丁目、谷中三丁目、谷中四丁目、谷中五丁目、谷中六丁目及び谷中七丁目の各地内の区域 | 墨田区立花一丁目の地内の区域 | 墨田区のうち、東向島二丁目、墨田二丁目、墨田五丁目及び京島一丁目の各地内の区域 | 墨田区の全域 | 江東区のうち、清澄二丁目、清澄三丁目、猿江二丁目、住吉二丁目、大島四丁目、大島五丁目、大島六丁 |
| 第一種住居地域 | 近隣商業地域 | 第一種住居地域 | 近隣商業地域 | 準工業地域 | 第一種 |
| 十分の三十 | 十分の三十 | 十分の三十 | 十分の二十 | 十分の二十 | |
| 第三種高度地区 | 第三種高度地区 | 第三種高度地区 | 第三種高度地区 | 第三種高度地区 | |
| (一) | (一) | (一) | (二) | (二) | |

| 一十 | 二十二 |
|---|---|
| 目、北砂五丁目、東砂二丁目、東砂八丁目、南砂二丁目、南砂三丁目、南砂四丁目及び南砂六丁目の各地内の区域 | 江東区のうち、清澄一丁目、清澄二丁目、清澄三丁目、平野一丁目、平野二丁目、佐賀二丁目、福住二丁目、深川一丁目、深川二丁目、冬木、千石一丁目、千石二丁目、千石三丁目、海辺、扇橋三丁目、東陽五丁目、東陽六丁目、東陽七丁目、北砂一丁目、北砂六丁目、北砂七丁目、東砂一丁目、東砂四丁目、東砂七丁目、南砂一丁目、南砂二丁目、南砂四丁目、南砂五丁目及び南砂六丁目の各地内の区域 |
| 住居地域 | 準工業地域 |
| 十分の三十 | 十分の三十 |
| 第三種高度地区 | 第三種高度地区 |
| (一) | (一) |

| | | | | | |
|---|---|---|---|---|---|
| 二十三 | 品川区東五反田五丁目の地内の区域 | 第一種中高層住居専用地域 | 十分の二十 | 第二種高度地区 | (二) |
| 二十四 | 品川区のうち、上大崎一丁目、上大崎二丁目、東五反田四丁目及び東五反田五丁目の各地内の区域 | 第一種中高層住居専用地域 | 十分の三十 | 第三種高度地区 | (一) |
| 二十五 | 品川区のうち、北品川一丁目、北品川二丁目、北品川三丁目、北品川四丁目、北品川五丁目、北品川六丁目、南品川一丁目、南品川四丁目、上大崎一丁目、上大崎二丁目、上大崎三丁目、東五反田一丁目、東五反田三丁目、東五反田四丁目、東五反田五丁目、西五反田八丁目、大崎二丁目、大崎三丁目、大崎四丁目、東大井四丁目、東大井五丁目、東大井六丁目、大井四丁目、小山台一丁目、小山二丁目、小山三丁目、小山四丁目、小山五丁目、荏原一丁目、荏原二丁目、荏原三丁目、荏原四丁目、荏原五丁目、荏原六丁目、荏原七丁目及び旗の台一丁目の各地内の区域 | 第一種住居地域 | 十分の三十 | 第三種高度地区 | (一) |
| 二十六 | 品川区のうち、西五反田四丁目、西五反田五丁目、西五反田六丁目、小山台一丁目、小山一丁目、小山二丁目、荏原一丁目、荏原二丁目、荏原四丁目、荏原五丁目及び荏原六丁目の各地内の区域 | 準工業地域 | 十分の三十 | 第三種高度地区 | (一) |
| 二十七 | 目黒区のうち、中目黒二丁目、三田一丁目、三田二丁目及び目黒一丁目の各地内の区域 | 第一種住居地域 | 十分の三十 | 第三種高度地区 | (一) |
| 二十八 | 目黒区目黒一丁目の地内の区域 | 準工業地域 | 十分の三十 | 第二種高度地区 | (二) |
| 二十九 | 大田区のうち、蒲田二丁目及び蒲田三丁目の各地内の区域 | 第一種住居地域 | 十分の三十 | 第三種高度地区 | (一) |
| 三十 | 大田区のうち、南馬込一丁目、南馬込二丁目、南馬込三丁目、南馬込四丁目、南馬込五丁目、北馬込二丁目、田園調布一丁目及び田園調布二丁目の各地内の区域 | 近隣商業地域 | 十分の二十 | 第二種高度地区 | (二) |
| 三十一 | 世田谷区のうち、宮坂三丁目、経堂一丁目、桜上水五丁目、駒沢四丁目、奥沢三丁目、等々力三丁目、等々力七丁目、上野毛一丁目、中町三丁目、上用賀五丁目、上用賀六丁目、玉川二丁目、瀬田一丁目、瀬田四丁 | 第一種低層住居専用地域 | 十分の十 | 第一種高度地区 | (三) |

| | | | | | |
|---|---|---|---|---|---|
| | 目、玉川台二丁目、深沢一丁目、深沢五丁目、深沢六丁目、千歳台三丁目、船橋一丁目及び船橋四丁目の各地内の区域 | | | | |
| 三十二 | 世田谷区のうち、北沢三丁目、下馬六丁目、駒沢五丁目及び等々力七丁目の各地内の区域 | 第一種低層住居専用地域 | 十分の十五 | 第一種高度地区 | (三) |
| 三十三 | 世田谷区のうち、玉川台一丁目及び玉川台二丁目の各地内の区域 | 第二種低層住居専用地域 | 十分の十五 | 第一種高度地区 | (三) |
| 三十四 | 世田谷区のうち、太子堂二丁目、宮坂三丁目、上馬二丁目、上馬四丁目、駒沢二丁目、駒沢三丁目、千歳台三丁目、千歳台四丁目、千歳台五丁目、船橋二丁目、船橋四丁目、船橋六丁目、船橋七丁目、八幡山一丁目、八幡山二丁目、砧三丁目、砧四丁目及び砧六丁目の各地内の区域 | 第一種中高層住居専用地域 | 十分の二十 | 第二種高度地区 | (二) |
| 三十五 | 世田谷区の全域 | 第一種中高層住居専用地域 | 十分の三十 | 第二種高度地区 | (二) |
| 三十六 | 世田谷区のうち、上馬二丁目及び千歳台三丁目の各地内の区域 | 第二種中高層住居専用地域 | 十分の二十 | 第二種高度地区 | (二) |
| 三十七 | 世田谷区のうち、池尻三丁目、三宿一丁目、太子堂二丁目、太子堂四丁目、若林一丁目、船橋四丁目、船橋六丁目、船橋七丁目、八幡山一丁目、八幡山二丁目、南烏山四丁目、南烏山五丁目、砧四丁目及び砧六丁目の各地内の区域 | 第一種住居地域 | 十分の二十 | 第二種高度地区 | (二) |
| 三十八 | 世田谷区池尻三丁目の地内の区域 | 近隣商業地域 | 十分の二十 | 第二種高度地区 | (二) |
| 三十九 | 世田谷区太子堂二丁目の地内の区域 | 近隣商業地域 | 十分の二十 | 第三種高度地区 | (二) |
| 四十 | 世田谷区のうち、池尻三丁目、宮坂三丁目、祖師谷三丁目、砧八丁目及び南烏山四丁目の各地内の区域 | 近隣商業地域 | 十分の三十 | 第二種高度地区 | (二) |
| 四十一 | 世田谷区八幡山二丁目の地内の区域 | 準工業地域 | 十分の二十 | 第二種高度地区 | (二) |
| 四十二 | 渋谷区神宮前四丁目の地内の区域 | 第一種中高層住居専用地域 | 十分の二十 | 第二種高度地区 | (二) |
| 四十三 | 渋谷区本町三丁目の地内の区域 | 第二種中高層住居専用地域 | 十分の三十 | 第三種高度地区 | (一) |
| | 渋谷区のうち、恵比寿二丁目、恵比寿三丁目、恵比寿四丁目、東一丁目、東二丁目、東三丁目、上原一丁目、西原一丁 | | | | |

| | | | | | |
|---|---|---|---|---|---|
| 四十四 | 目、西原二丁目、西原三丁目、元代々木町、大山町、初台一丁目、初台二丁目、本町一丁目、本町二丁目、本町三丁目、本町四丁目、本町五丁目、本町六丁目、笹塚二丁目、笹塚三丁目、幡ケ谷一丁目、幡ケ谷二丁目、幡ケ谷三丁目、神宮前三丁目、神宮前四丁目、神宮前五丁目及び神宮前六丁目の各地内の区域 | 第一種住居地域 | 十分の三十 | 第三種高度地区 | (一) |
| 五十四 | 渋谷区のうち、恵比寿二丁目及び恵比寿三丁目の各地内の区域 | 準工業地域 | 十分の三十 | 第三種高度地区 | (一) |
| 六十四 | 中野区のうち、上鷺宮二丁目及び上鷺宮五丁目の各地内の区域 | 第一種低層住居専用地域 | 十分の八 | 第一種高度地区 | (三) |
| 七十四 | 中野区のうち、弥生町五丁目、東中野二丁目、東中野三丁目、上高田一丁目、松が丘一丁目、松が丘二丁目、江原町三丁目、江古田一丁目、江古田二丁目、江古田四丁目、丸山一丁目、丸山二丁目、野方四丁目、野方五丁目、大和町二丁目、大和町三丁目、大和町四丁目、白鷺一丁目、白鷺二丁目、鷺宮二丁目、鷺宮三丁目、鷺宮四丁目、上鷺宮一丁目及び上鷺宮二丁目の各地内の区域 | 第一種低層住居専用地域 | 十分の十五 | 第一種高度地区 | (三) |
| 八十四 | 中野区のうち、弥生町二丁目、弥生町四丁目、東中野一丁目、東中野四丁目及び大和町一丁目の各地内の区域 | 第一種中高層住居専用地域 | 十分の二十 | 第一種高度地区 | (二) |
| 九十四 | 中野区のうち、上高田二丁目、新井一丁目、新井二丁目、新井三丁目、新井四丁目、新井五丁目、松が丘一丁目、松が丘二丁目、野方一丁目、野方二丁目、上鷺宮三丁目及び上鷺宮五丁目の各地内の区域 | 第一種中高層住居専用地域 | 十分の二十 | 第二種高度地区 | (二) |
| 十五 | 中野区のうち、南台二丁目、南台三丁目、南台四丁目、弥生町一丁目、弥生町三丁目、弥生町四丁目、弥生町六丁目、本町一丁目、本町二丁目、本町四丁目、本町五丁目、本町六丁目、中央一丁目、中央二丁目、中央三丁目、中央四丁目、中央五丁目、中野一丁目、中野二丁目、中野三丁目、野方一丁目、大和町一丁目、白鷺二丁目、白鷺三丁目及び鷺宮四丁目の各地内の区域 | 第一種中高層住居専用地域 | 十分の二十 | 第二種高度地区 | (三) |

| | | | | | |
|---|---|---|---|---|---|
| 五十一 | 中野区のうち、弥生町六丁目、本町一丁目、本町二丁目、本町五丁目、中央一丁目及び東中野一丁目の各地内の区域 | 第一種中高層住居専用地域 | 十分の二十 | 第三種高度地区 | (三) |
| 五十二 | 中野区のうち、東中野一丁目及び東中野三丁目の各地内の区域 | 第二種中高層住居専用地域 | 十分の二十 | 第二種高度地区 | (二) |
| 五十三 | 中野区のうち、弥生町五丁目、本町四丁目、東中野四丁目、上高田一丁目、上高田二丁目、新井一丁目、新井二丁目、野方三丁目、野方四丁目及び野方六丁目の各地内の区域 | 第一種住居地域 | 十分の二十 | 第二種高度地区 | (二) |
| 五十四 | 中野区のうち、弥生町一丁目及び弥生町二丁目の各地内の区域 | 第一種住居地域 | 十分の二十 | 第三種高度地区 | (二) |
| 五十五 | 中野区のうち、弥生町一丁目、新井三丁目、新井四丁目、松が丘一丁目、松が丘二丁目、江原町三丁目、鷺宮四丁目、鷺宮五丁目、鷺宮六丁目、上鷺宮一丁目、上鷺宮二丁目、上鷺宮四丁目及び上鷺宮五丁目の各地内の区域 | 第一種住居地域 | 十分の三十 | 第三種高度地区 | (一) |
| 五十六 | 中野区のうち、中央二丁目、中央三丁目、東中野三丁目、中野一丁目及び野方三丁目の各地内の区域 | 近隣商業地域 | 十分の三十 | 第二種高度地区 | (二) |
| 五十七 | 中野区のうち、南台一丁目、南台二丁目、南台三丁目、南台四丁目、南台五丁目、弥生町一丁目、弥生町三丁目、本町五丁目、中央一丁目、上高田一丁目、上高田二丁目、上高田三丁目、上高田四丁目、上高田五丁目、新井一丁目、新井二丁目、新井三丁目、新井五丁目、沼袋一丁目、沼袋二丁目、沼袋三丁目、沼袋四丁目、松が丘一丁目、松が丘二丁目、江原町一丁目、江原町二丁目、江原町三丁目、江古田一丁目、江古田二丁目、江古田三丁目、江古田四丁目、丸山一丁目、丸山二丁目、野方四丁目、野方五丁目、野方六丁目、大和町一丁目、大和町二丁目、大和町三丁目、大和町四丁目、若宮一丁目、若宮二丁目、若宮三丁目、鷺宮一丁目、鷺宮二丁目、鷺宮三丁目、上鷺宮一丁目、上鷺宮三丁目及び上鷺宮四丁目の各地内の区域 | 近隣商業地域 | 十分の三十 | 第三種高度地区 | (一) |
| 五十八 | 中野区東中野五丁目の地内の区域 | 準工業地域 | 十分の二十 | 第二種高度地区 | (二) |

| | | | | | |
|---|---|---|---|---|---|
| 五十九 | 杉並区の全域 | 第一種低層住居専用地域 | 十分の十 | 第一種高度地区 | (一) |
| 六十 | 豊島区のうち、駒込二丁目、駒込三丁目、西巣鴨三丁目、上池袋一丁目、上池袋二丁目、東池袋五丁目、南池袋一丁目、南池袋二丁目、南池袋三丁目、西池袋四丁目、西池袋二丁目、西池袋三丁目、西池袋五丁目、池袋一丁目、池袋二丁目、池袋三丁目、池袋四丁目、池袋本町一丁目、高田一丁目、目白二丁目及び目白三丁目の各地内の区域 | 第一種住居地域 | 十分の三十 | 第三種高度地区 | (一) |
| 六十一 | 北区赤羽北三丁目の地内の区域 | 第一種中高層住居専用地域 | 十分の二十 | 第二種高度地区 | (二) |
| 六十二 | 北区のうち、西が丘一丁目、上滝野川六丁目、上中里三丁目、中里一丁目、中里二丁目、中里三丁目、東田端一丁目、田端一丁目、田端二丁目、田端三丁目、田端四丁目、田端五丁目及び田端六丁目の各地内の区域 | 第一種住居地域 | 十分の三十 | 第三種高度地区 | (一) |
| 六十三 | 北区のうち、王子一丁目、豊島二丁目、堀船一丁目、岸町二丁目、中十条二丁目、中十条三丁目、十条仲原一丁目、十条仲原二丁目、上十条一丁目、上十条二丁目、上十条三丁目、上十条四丁目、神谷二丁目、神谷三丁目、西が丘一丁目、赤羽西三丁目、赤羽西四丁目、志茂三丁目、志茂四丁目、滝野川一丁目、滝野川二丁目、滝野川三丁目、滝野川五丁目、滝野川六丁目、西ケ原一丁目、西ケ原二丁目、西ケ原三丁目、西ケ原四丁目、上中里一丁目、上中里二丁目及び上中里三丁目の各地内の区域 | 近隣商業地域 | 十分の三十 | 第三種高度地区 | (一) |
| 六十四 | 北区桐ヶ丘一丁目の地内の区域 | 準工業地域 | 十分の二十 | 第二種高度地区 | (二) |
| 六十五 | 北区のうち、堀船三丁目及び堀船四丁目の各地内の区域 | 準工業地域 | 十分の二十 | 第三種高度地区 | (二) |
| 六十六 | 北区の全域 | 準工業地域 | 十分の二十 | 指定なし | (一) |
| 六十七 | 北区上中里三丁目の地内の区域 | 準工業地域 | 十分の三十 | 第三種高度地区 | (一) |
| 六十八 | 荒川区のうち、西日暮里四丁目及び西日暮里五丁目の各地内の区域 | 第一種住居地域 | 十分の三十 | 第三種高度地区 | (一) |
| 六十九 | 荒川区のうち、南千住六丁目及び西尾久八丁目の各地内の区域 | 準工業地域 | 十分の二十 | 第三種高度地区 | (二) |

| 番号 | 区域 | 地域 | | 高度地区 | |
|---|---|---|---|---|---|
| 七十 | 板橋区のうち、常盤台一丁目及び常盤台二丁目の各地内の区域 | 第一種低層住居専用地域 | 十分の十 | 第一種高度地区 | (一) |
| 七十一 | 板橋区のうち、板橋一丁目、板橋三丁目、板橋四丁目、加賀一丁目、加賀二丁目、南町、稲荷台、仲宿、氷川町、栄町、中板橋、仲町、弥生町、本町、大和町、双葉町、富士見町、常盤台一丁目、南常盤台二丁目、清水町、蓮根三丁目、高島平一丁目、高島平二丁目、高島平三丁目及び高島平七丁目の各地内の区域 | 第一種住居地域 | 十分の三十 | 第三種高度地区 | (一) |
| 七十二 | 板橋区のうち、栄町、常盤台一丁目及び南常盤台一丁目の各地内の区域 | 第二種住居地域 | 十分の三十 | 第三種高度地区 | (一) |
| 七十三 | 板橋区のうち、西台二丁目、蓮根一丁目、蓮根二丁目、四葉二丁目、徳丸七丁目、徳丸八丁目、高島平一丁目、高島平二丁目及び高島平三丁目の各地内の区域 | 準住居地域 | 十分の三十 | 第三種高度地区 | (一) |
| 七十四 | 板橋区のうち、南町、稲荷台、大山西町、幸町、双葉町、大谷口上町、大谷口北町、大谷口二丁目、小茂根二丁目、常盤台二丁目、常盤台一丁目、常盤台二丁目、常盤台四丁目、南常盤台二丁目、上板橋一丁目、西台二丁目、西台三丁目、坂下一丁目、坂下二丁目、蓮根一丁目、蓮根二丁目、前野町二丁目、前野町三丁目、前野町四丁目、前野町六丁目、東山町、東新町二丁目、赤塚一丁目、赤塚三丁目、赤塚六丁目、赤塚七丁目、成増二丁目、成増三丁目、徳丸一丁目、徳丸二丁目、徳丸三丁目、徳丸四丁目、徳丸六丁目、徳丸七丁目、高島平一丁目及び高島平二丁目の各地内の区域 | 近隣商業地域 | 十分の三十 | 第三種高度地区 | (一) |
| 七十五 | 板橋区のうち、大原町、小豆沢一丁目、小豆沢二丁目、志村一丁目、東坂下一丁目、東坂下二丁目、坂下三丁目、蓮根三丁目、舟渡二丁目、三園二丁目、新河岸一丁目、新河岸二丁目及び新河岸三丁目の各地内の区域 | 準工業地域 | 十分の二十 | 第二種高度地区 | (二) |
| 七十六 | 板橋区のうち、中丸町、南町及び幸町の各地内の区域 | 準工業地域 | 十分の三十 | 第三種高度地区 | (一) |
| 七十七 | 足立区のうち、平野一丁目及び一ツ家一丁目の各地内の区域 | 第一種低層住居専用地域 | 十分の十五 | 第二種高度地区 | (三) |

| | | | | | |
|---|---|---|---|---|---|
| 七十八 | 足立区のうち、栗原一丁目、栗原三丁目、島根一丁目、島根三丁目、西加平一丁目、西加平二丁目及び一ツ家四丁目の各地内の区域 | 第一種中高層住居専用地域 | 十分の二十 | 第二種高度地区 | (二) |
| 七十九 | 足立区のうち、足立二丁目、足立三丁目、島根一丁目、島根二丁目、島根三丁目、島根四丁目、竹の塚二丁目、竹の塚三丁目、西綾瀬二丁目、西綾瀬三丁目、西綾瀬四丁目、六月一丁目及び六月二丁目の各地内の区域 | 第一種中高層住居専用地域 | 十分の二十 | 第二種高度地区 | (三) |
| 八十 | 足立区のうち、竹の塚二丁目、東和一丁目及び東綾瀬一丁目の各地内の区域 | 第一種中高層住居専用地域 | 十分の三十 | 第三種高度地区 | (三) |
| 八十一 | 足立区大谷田四丁目の地内の区域 | 第二種中高層住居専用地域 | 十分の二十 | 第二種高度地区 | (二) |
| 八十二 | 足立区のうち、足立四丁目、江北二丁目、中央本町一丁目及び中央本町二丁目の各地内の区域 | 第一種住居地域 | 十分の二十 | 第二種高度地区 | (二) |
| 八十三 | 足立区西新井栄町二丁目の地内の区域 | 近隣商業地域 | 十分の三十 | 第三種高度地区 | (一) |
| 八十四 | 足立区のうち、梅島一丁目、梅島二丁目、梅島三丁目、梅田一丁目、梅田三丁目、梅田八丁目、扇一丁目、江北二丁目、鹿浜一丁目、関原一丁目、西新井栄町二丁目、堀之内一丁目、本木一丁目、本木西町及び本木南町の各地内の区域 | 準工業地域 | 十分の二十 | 第三種高度地区 | (二) |
| 八十五 | 足立区宮城一丁目の地内の区域 | 準工業地域 | 十分の三十 | 第三種高度地区 | (一) |
| 八十六 | 葛飾区の全域 | 第一種中高層住居専用地域 | 十分の二十 | 第二種高度地区 | (二) |
| 八十七 | 葛飾区のうち、堀切二丁目、新小岩一丁目、東新小岩三丁目、東新小岩四丁目、東新小岩五丁目、立石一丁目、立石六丁目、立石七丁目、立石八丁目、東立石三丁目、東立石四丁目、青戸一丁目、青戸二丁目、青戸三丁目、青戸五丁目、青戸六丁目及び青戸七丁目の各地内の区域 | 第一種住居地域 | 十分の二十 | 第二種高度地区 | (二) |
| 八十八 | 葛飾区立石五丁目の地内の区域 | 第二種住居地域 | 十分の二十 | 第二種高度地区 | (二) |
| | 葛飾区のうち、堀切一丁目、堀切二丁目、堀切三丁目、堀切四丁目、立石二丁目、立石三丁目、立石四丁目、立石五丁目、立石六丁目、立石七丁目、東立石二丁目、東立石三丁目、東立石四丁目、青戸三丁 | | | | |

| | | | | |
|---|---|---|---|---|
| 八十九 | 目、青戸四丁目、青戸六丁目、青戸七丁目、東新小岩一丁目、東新小岩二丁目、東新小岩三丁目、東新小岩五丁目、東新小岩六丁目、東新小岩七丁目、東新小岩八丁目、西新小岩三丁目、西新小岩四丁目、西新小岩五丁目、亀有三丁目、白鳥一丁目、お花茶屋二丁目、お花茶屋三丁目、宝町一丁目、宝町二丁目、四つ木一丁目、四つ木二丁目、四つ木三丁目、四つ木四丁目、四つ木五丁目、東四つ木三丁目、東四つ木四丁目及び奥戸一丁目の各地内の区域 | 準工業地域 | 十分の二十 | 第二種高度地区 | (二) |
| | 江戸川区のうち、北小岩四丁目、北小岩五丁目、北小岩六丁目、北小岩七丁目、北小岩八丁目、 | | | | |

| | | | | |
|---|---|---|---|---|
| 九十 | 目、西小岩一丁目、西小岩二丁目、東小岩二丁目、東小岩三丁目、東小岩四丁目、南小岩一丁目、南小岩二丁目、南小岩四丁目、南小岩五丁目、南小岩六丁目、鹿骨一丁目、鹿骨四丁目、鹿骨五丁目、鹿骨六丁目、上一色二丁目、上一色三丁目、興宮町、一之江二丁目、一之江五丁目、西一之江一丁目、西一之江二丁目、西一之江三丁目、西一之江四丁目及び船堀七丁目の各地内の区域 | 第一種中高層住居専用地域 | 十分の十五 | 第二種高度地区 | (二) |
| 九十一 | 江戸川区のうち、鹿骨一丁目、鹿骨五丁目、鹿骨六丁目及び船堀七丁目の各地内の区域 | 第二種中高層住居専用地域 | 十分の十五 | 第二種高度地区 | (二) |
| | | 第一種中高層住居専 | | | |

| | | | | |
|---|---|---|---|---|
| 九十二 | 江戸川区の全域 | 用地域又は第一種中高層住居専用地域 | 十分の二十 | 第二種高度地区 | (二) |
| 九十三 | 江戸川区松島四丁目の地内の区域 | 第一種住居地域 | 十分の二十 | 第二種高度地区 | (二) |
| 九十四 | 江戸川区のうち、臨海町一丁目、臨海町二丁目、臨海町五丁目及び臨海町六丁目の各地内の区域 | 準工業地域 | 十分の二十 | 第二種高度地区 | (二) |
| 九十五 | 八王子市の全域 | 第一種低層住居専用地域 | 十分の十 | 第一種高度地区 | (一) |
| 九十六 | 武蔵野市の全域 | 第一種低層住居専用地域又は第二種低層住居専用地域 | 十分の十 | 第一種高度地区 | (一) |
| 九十七 | 清瀬市のうち、元町一丁目及び野塩五丁目の各地内の区域 | 第一種中高層住居専用地域 | 十分の二十 | 第二種高度地区 | (二) |

| | | | | | |
|---|---|---|---|---|---|
| 八十九 | 多摩市のうち、関戸一丁目及び関戸二丁目の各地内の区域 | 第一種低層住居専用地域 | 十分の八 | 第一種高度地区 | (二) |
| 九十九 | 多摩市関戸一丁目の地内の区域 | 第二種中高層住居専用地域 | 十分の十五 | 第一種高度地区 | (二) |
| 百 | 多摩市関戸二丁目の地内の区域 | 第二種住居地域 | 十分の二十 | 第二種高度地区 | (二) |

備考　高度地区の欄中各高度地区には、それぞれ当該各高度地区に係る北側の前面道路又は隣地との関係についての建築物の各部分の高さの最高限度と併せて建築物の絶対高さ制限が定められた高度地区を含む。

**別表第四**（第三条関係）

別表第一による測定面と異なる測定面とする区域

| | 区域 | 地域地区 地域 | 地域地区 高度地区 | 測定面 |
|---|---|---|---|---|
| 一 | 港区の全域 | 第一種中高層住居専用地域、第二種中高層住居専用地域、第一種住居地域、第二種住居地域、近隣商業地域又は準工業地域 | 第三種高度地区 | 四メートル |
| 二 | 新宿区のうち、戸山三丁目及び大久保三丁目の全域 | 第一種住居地域 | 第三種高度地区 | 四メートル |
| 三 | 文京区の全域 | 第一種中高層住居専用地域、第二種中高層住居専用地域、第一種住居地域、第二種住居地域、近隣商業地域又は準工業地域 | 第三種高度地区 | 四メートル |
| 四 | 台東区のうち、谷中一丁目、谷中二丁目、谷中三丁目、谷中四丁目、谷中五丁目、谷中六丁目、谷中七丁目、上野桜木一丁目、上野桜木二丁目、上野公園、池之端一丁目、池之端二丁目、池之端三丁目及び池之端四丁目の全域 | 第一種中高層住居専用地域、第二種中高層住居専用地域、第一種住居地域、第二種住居地域又は近隣商業地域 | 第三種高度地区 | 四メートル |
| 五 | 墨田区の全域 | 第一種住居地域又は準工業地域 | 第三種高度地区 | 四メートル |
| 六 | 江東区の全域 | 第一種中高層住居専用地域、第一種住居地域、第二種住居地域、準住居地域又は準工業地域 | 第三種高度地区 | 四メートル |
| 七 | 品川区の全域 | 第一種中高層住居専用地域又は第一種住居地域 | 第三種高度地区 | 四メートル |
| 八 | 品川区のうち、都市計画法第八条第一項第二号に掲げる特別用途地区に指定された区域の全域 | 準工業地域 | 第三種高度地区 | 四メートル |
| 九 | 目黒区の全域 | 第一種中高層住居専用地域、第二種中高層住居専用地域、第一種住居地域、第二種住居地域、近隣商業地域又は準工業地域 | 第三種高度地区 | 四メートル |
| 十 | 大田区の全域 | 第一種住居地域、第二種住居地域、準住居地域、近隣商業地域又は準工業地域 | 第三種高度地区 | 四メートル |
| | | 第一種中高層住 | | |

| | | | | |
|---|---|---|---|---|
| 十一 | 世田谷区の全域 | 居専用地域、第二種中高層住居専用地域、第一種住居地域、第二種住居地域、準住居地域、近隣商業地域又は準工業地域 | 第三種高度地区 | 四メートル |
| 十二 | 渋谷区の全域 | 第二種中高層住居専用地域、第一種住居地域、第二種住居地域、準住居地域、近隣商業地域又は準工業地域 | 第三種高度地区 | 四メートル |
| 十三 | 中野区の全域 | 第一種中高層住居専用地域、第二種中高層住居専用地域又は第一種住居地域 | 第三種高度地区 | 四メートル |
| 十四 | 杉並区の全域 | 第一種中高層住居専用地域、第二種中高層住居専用地域、第一種住居地域、第二種住居地域又は準住居地域 | 第三種高度地区 | 四メートル |
| 十五 | 豊島区の全域 | 第一種中高層住居専用地域、第一種住居地域、第二種住居地域、近隣商業地域又は準工業地域 | 第三種高度地区 | 四メートル |
| 十六 | 北区の全域 | 第一種中高層住居専用地域、第一種住居地域、第二種住居地域、近隣商業地域又は準工業地域 | 第三種高度地区 | 四メートル |
| 十七 | 板橋区の全域 | 第一種中高層住居専用地域、第二種中高層住居専用地域、第一種住居地域、第二種住居地域、準住居地域、近隣商業地域又は準工業地域 | 第三種高度地区 | 四メートル |
| 十八 | 練馬区の全域 | 第一種住居地域、第二種住居地域、準住居地域、近隣商業地域又は準工業地域 | 第三種高度地区 | 四メートル |
| 十九 | 足立区のうち、小台一丁目、小台二丁目、千住一丁目、千住二丁目、千住三丁目、千住四丁目、千住五丁目、千住曙町、千住旭町、千住東一丁目、千住東二丁目、千住大川町、千住河原町、千住寿町、千住桜木一丁目、千住桜木二丁目、千住関屋町、千住龍田町、千住中居町、千住仲町、千住橋戸町、千住緑町一丁目、千住緑町二丁目、千住緑町三丁目、千住宮元町、千住元町、千住柳町、日ノ出町、宮城一丁目、宮城二丁目、柳原一丁目及び柳原二丁目を除く全域 | 第一種中高層住居専用地域、第一種住居地域、第二種住居地域、準住居地域、近隣商業地域又は準工業地域 | 第三種高度地区 | 四メートル |
| 二十 | 葛飾区の全域 | 第一種住居地域、第二種住居地域、近隣商業地域又は準工業地域 | 第三種高度地区 | 四メートル |
| | | 第一種中高層住居専用地域、第 | | |

| 二十一 | 江戸川区の全域 | 第二種中高層住居専用地域、第一種住居地域、近隣商業地域又は準工業地域 | 第三種高度地区 | 四メートル |
|---|---|---|---|---|
| 二十二 | 立川市の全域 | 近隣商業地域 | 第三種高度地区 | 四メートル |
| 二十三 | 武蔵野市の全域 | 近隣商業地域 | 第三種高度地区 | 四メートル |
| 二十四 | 三鷹市の全域 | 第一種住居地域又は近隣商業地域 | 第三種高度地区 | 四メートル |
| 二十五 | 青梅市の全域 | 近隣商業地域 | 第三種高度地区 | 四メートル |
| 二十六 | 府中市の全域 | 第一種住居地域、準住居地域又は近隣商業地域 | 第三種高度地区 | 四メートル |
| 二十七 | 調布市の全域 | 近隣商業地域 | 第三種高度地区 | 四メートル |
| 二十八 | 町田市の全域 | 第一種住居地域又は近隣商業地域 | 第三種高度地区 | 四メートル |
| 二十 | 小金井市の全 | 近隣商業地域 | 第三種高 | 四メート |

| 九 | 域 | | 度地区 | ル |
|---|---|---|---|---|
| 三十 | 小平市の全域 | 第一種中高層住居専用地域又は近隣商業地域 | 第三種高度地区 | 四メートル |
| 三十一 | 国分寺市の全域 | 近隣商業地域 | 第三種高度地区 | 四メートル |
| 三十二 | 国立市の全域 | 第一種住居地域、近隣商業地域又は準工業地域 | 第三種高度地区 | 四メートル |
| 三十三 | 福生市の全域 | 近隣商業地域 | 第三種高度地区 | 四メートル |
| 三十四 | 狛江市の全域 | 近隣商業地域又は準工業地域 | 第三種高度地区 | 四メートル |
| 三十五 | 多摩市の全域 | 第二種住居地域又は近隣商業地域 | 第三種高度地区 | 四メートル |
| 三十六 | 羽村市の全域 | 近隣商業地域 | 第三種高度地区 | 四メートル |
| 三十七 | あきる野市の全域 | 第二種住居地域、準住居地域又は近隣商業地域 | 第三種高度地区 | 四メートル |

| 三十八 | 西東京市の全域 | 第二種中高層住居専用地域、第一種住居地域、近隣商業地域又は準工業地域 | 第三種高度地区 | 四メートル |
|---|---|---|---|---|

備考　高度地区の欄中「第三種高度地区」には、当該高度地区に係る北側の前面道路又は隣地との関係についての建築物の各部分の高さの最高限度と併せて建築物の絶対高さ制限が定められた高度地区を含む。

**別表第五**（第三条関係）

別表第一による対象区域に加えて対象区域とする区域並びにその規制値及び測定面

| | 区域 | 地域地区：地域 | 地域地区：容積率 | 地域地区：高度地区 | 規制値 | 測定面 |
|---|---|---|---|---|---|---|
| 一 | 新宿区のうち、四谷三丁目、四谷三栄町、四谷坂町、若葉一丁目、南元町、荒木町、愛住町、片町、西早稲田一丁目、西早稲田二丁目、高田馬場三丁目及び高田馬場四丁目の各地内の区域 | 第一種住居地域 | 十分の四十 | 第三種高度地区 | (二) | 六・五メートル |

| | | | | | | |
|---|---|---|---|---|---|---|
| 二 | 新宿区のうち、新宿六丁目、早稲田鶴巻町及び戸塚町一丁目の各地内の区域 | 第二種住居地域 | 十分の四十 | 第三種高度地区 | (二) | 六・五メートル |
| 三 | 文京区のうち、小石川五丁目及び大塚三丁目の各地内の区域 | 第一種住居地域 | 十分の四十 | 第三種高度地区 | (二) | 四メートル |
| 四 | 文京区のうち、小石川四丁目及び小石川五丁目の各地内の区域 | 第二種住居地域 | 十分の四十 | 第三種高度地区 | (二) | 四メートル |
| 五 | 文京区のうち、小石川四丁目、小石川五丁目、白山三丁目、千石二丁目、大塚三丁目及び関口一丁目の各地内の区域 | 準工業地域 | 十分の四十 | 第三種高度地区 | (二) | 四メートル |
| 六 | 世田谷区南烏山五丁目の地内の区域 | 近隣商業地域 | 十分の三十 | 指定なし | (二) | 四メートル |
| 七 | 北区王子二丁目の地内の区域 | 近隣商業地域 | 十分の三十 | 指定なし | (一) | 四メートル |
| 八 | 北区のうち、王子一丁目、王子二丁目、王子六丁目、豊島一丁目、豊島二丁目、赤羽一丁目、赤羽西一丁目、赤羽西二丁目及び赤羽西四丁目の各地内の区域 | 近隣商業地域 | 十分の三十 | 指定なし | (二) | 四メートル |
| 九 | 北区のうち、東田端一丁目、東田端二丁目及び田端一丁目の各地内の区域 | 準工業地域 | 十分の三十 | 指定なし | (二) | 四メートル |
| 十 | 板橋区のうち、西台一丁目及び若木三丁目の各地内の区域 | 第一種中高層住居専用地域 | 十分の十五 | 第三種高度地区 | (二) | 四メートル |

備考　高度地区の欄中「第三種高度地区」には、当該高度地区に係る北側の前面道路又は隣地との関係についての建築物の各部分の高さの最高限度と併せて建築物の絶対高さ制限が定められた高度地区を含む。

# ○東京都中高層建築物の建築に係る紛争の予防と調整に関する条例

昭五三・七・一四
条例六四

最終改正　平二九・一二・二二条例八二

（目的）

**第一条**　この条例は、中高層建築物の建築に係る計画の事前公開並びに紛争のあつせん及び調停に関し必要な事項を定めることにより、良好な近隣関係を保持し、もつて地域における健全な生活環境の維持及び向上に資することを目的とする。

（定義）

**第二条**　この条例において、次の各号に掲げる用語の意義は、それぞれ当該各号に定めるところによる。

一　中高層建築物　高さが十メートルを超える建築物（第一種低層住居専用地域、第二種低層住居専用地域及び田園住居地域（都市計画法（昭和四十三年法律第百号）第八条第一項第一号に掲げる第一種低層住居専用地域、第二種低層住居専用地域及び田園住居地域をいう。）にあつては、軒の高さが七メートルを超える建築物又は地階を除く階数が三以上の建築物）をいう。

二　紛争　中高層建築物の建築に伴つて生ずる日照、通風及び採光の阻害、風害、電波障害等並びに工事中の騒音、振動等の周辺の生活環境に及ぼす影響に関する近隣関係住民と建築主との間の紛争をいう。

三　建築主　中高層建築物に関する工事の請負契約の注文者又は請負契約によらないで自らその工事をする者をいう。
四　近隣関係住民　次のイ又はロに掲げる者をいう。
イ　中高層建築物の敷地境界線からその高さの二倍の水平距離の範囲内にある土地又は建築物に関して権利を有する者及び当該範囲内に居住する者
ロ　中高層建築物による電波障害の影響を著しく受けると認められる者

（知事の責務）
**第三条**　知事は、紛争を未然に防止するよう努めるとともに、紛争が生じたときは、迅速かつ適正に調整するよう努めなければならない。

（当事者の責務）
**第四条**　建築主は、紛争を未然に防止するため、中高層建築物の建築を計画するに当たつては、周辺の生活環境に及ぼす影響に十分配慮するとともに、良好な近隣関係を損なわないよう努めなければならない。
2　建築主及び近隣関係住民は、紛争が生じたときは、相互の立場を尊重し、互譲の精神をもつて、自主的に解決するよう努めなければならない。

（標識の設置等）
**第五条**　建築主は、中高層建築物を建築しようとするときは、近隣関係住民に建築に係る計画の周知を図るため、当該建築敷地の見やすい場所に、東京都規則（以下「規則」という。）で定めるところにより標識を設置しなければならない。
2　建築主は、前項の規定により標識を設置したときは、速やかにその旨を規則で定めるところにより、知事に届け出なければならない。

（説明会の開催等）
**第六条**　建築主は、中高層建築物を建築しようとする場合において、近隣関係住民からの申出があつたときは、建築に係る計画の内容について、説明会等の方法により、近隣関係住民に説明しなければならない。
2　知事は、必要があると認めるときは、建築主に対し、前項の規定により行つた説明会等の内容について報告を求めることができる。

（あつせん）
**第七条**　知事は、建築主と近隣関係住民の双方から紛争の調整の申出があつたときは、あつせんを行う。
2　知事は、前項の規定にかかわらず、建築主又は近隣関係住民の一方から調整の申出があつた場合において、相当な理由があると認めるときは、あつせんを行うことができる。
3　知事は、当事者間をあつせんし、双方の主張の要点を確かめ、紛争が解決されるよう努めなければならない。

（あつせんの打切り）
**第八条**　知事は、当該紛争について、あつせんによつては紛争の解決の見込みがないと認めるときは、あつせんを打ち切ることができる。

（調停）
**第九条**　知事は、前条の規定によりあつせんを打ち切つた場合において、必要があると認めるときは、当事者に対し、調停に移行するよう勧告することができる。
2　知事は、前項に規定する勧告をした場合において、当事者の双方がその勧告を受諾したときは、調停を行う。
3　知事は、前項の規定にかかわらず、当事者の一方が第一項に規定する勧告を受諾した場合において、相当な理由があると認めるときは、調停を行うことができる。
4　知事は、調停を行うに当たつて必要があると認めるときは、調停案を作成し、当事者に対し、期間を定めてその受諾を勧告することができる。
5　知事は、調停を行うに当たつては、東京都建築紛争調停委員会（以下「調停委員会」という。）の意見を聴かなければならない。

（調停の打切り）
**第十条**　知事は、当事者間に合意が成立する見込みがないと認めるときは、調停を打ち切ることができる。
2　前条第四項の規定による勧告が行われた場合において、定められた期間内に当事者の双方から受諾する旨の申出がないときは、当該調停は打ち切られたものとみなす。

（調停委員会）
**第十一条**　知事の附属機関として、調停委員会を置く。
2　調停委員会は、第九条第五項の規定による知事の意見の求めに応じ、必要な調査審議を行い意見を述べるとともに、知事の諮問に応じて、紛争の予防と調整に関する重要事項について調査審議する。
3　調停委員会は、法律、建築又は環境等の分野に関し優れた知識及び経験を有する者のうちから知事が委嘱する委員十五人以内をもつて組織する。
4　委員の任期は、二年とし、再任されることを妨げない。ただし、補欠の委員の任期は、前任者の残任期間とする。
5　調停委員会に会長を置き、委員の互選によつて定める。
6　会長は、会務を総理し、調停委員会を代表する。
7　会長に事故があるときは、あらかじめその指名する委員が、その職務を代理する。

8　調停委員会は、知事が招集する。
9　会議は、委員の半数以上の出席がなければ開くことができない。
10　会議の議事は、出席した委員の過半数で決し、可否同数のときは、会長の決するところによる。
11　前二項の規定にかかわらず、第九条第五項の規定による調停委員会の意見は、会長が事案ごとに指名する三人以上の委員の合意によることができる。

（出頭）
**第十二条**　知事は、あつせん又は調停のため必要があると認めるときは、当事者の出頭を求め、その意見を聴くことができる。

（関係図書の提出）
**第十三条**　知事は、あつせん又は調停のため必要があると認めるときは、当事者に対し、関係図書の提出を求めることができる。

（工事着手の延期等の要請）
**第十四条**　知事は、あつせん又は調停のため必要があると認めるときは、建築主に対して、期間を定めて工事の着手の延期又は工事の停止を要請することができる。

（公表）
**第十五条**　知事は、第十二条の規定による出頭若しくは第十三条の規定による関係図書の提出を求め、又は前条の規定による工事の着手の延期若しくは工事の停止の要請をした場合において、その求め又は要請を受けた者がその求め又は要請に正当な理由がなく従わないときは、その旨を公表することができる。

（委任）
**第十六条**　この条例に規定するものを除くほか、この条例の施行について必要な事項は、規則で定める。

**附　則**

1　この条例は、公布の日から起算して三月を超えない範囲内において規則で定める日〔昭五三・一〇・一二〕から施行する。
2　次に掲げる中高層建築物については、この条例は適用しない。
一　特別区の存する区域内の中高層建築物で、その新築、改築又は増築に関して、法律並びにこれに基づく命令及び東京都条例の規定による知事の許可を必要としないもののうち、延べ面積が一万平方メートル以下のもの
二　建築基準法（昭和二十五年法律第二百一号）第四条第一項又は第二項の規定により建築主事を置く市の区域内の中高層建築物

**附　則**（平二九・一二・二二条例八二）

この条例は、平成三十年四月一日から施行する。

# 第三章 環境

## ○東京都環境基本条例

平六・七・二〇
条例九二

最終改正 平一五・一〇・一四条例一二七

人間は、限りない自然の恵みの下で生命を育んできた。

しかし、近時の科学技術の発達により、私たちの生活が便利で活力に満ちたものとなる一方で、資源及びエネルギーが大量に消費され、自然の生態系にまで影響が及ぶこととなり、私たちの生命及び生活の基盤である地球の環境が脅かされるまでに至っている。

私たちの住む東京では、歴史的地域的特性を生かしながら人間性豊かな都市と快適な都市環境をつくる努力が重ねられてきたが、人口の集中及び産業の集積が進み、都市活動が活発化したことに伴い、かつてない環境への負荷がもたらされてきている。

もとより、すべての都民は、良好な環境の下に、健康で安全かつ快適な生活を営む権利を有するとともに、恵み豊かな環境を将来の世代に引き継ぐことができるよう環境を保全する責務を担っている。

また、都民の福祉の向上を図ることを使命とする東京都は、現在及び将来の都民が健康で安全かつ快適な生活を営む上で欠くことのできない良好な環境を確保する責務を有するものである。

東京都は、これまで、環境行政の基本として、東京における公害を防止絶滅し、自然の破壊をくい止め、その回復を図るための施策を積極的に進めてきた。今後、さらに、環境への負荷の少ない都市を実現し、これを将来の世代に引き継ぐため、都民とともにより総合的計画的な取組を行うことが必要である。

このような認識の下に、人と自然とが共生することができる豊かな環境を保全し、創造するとともに、環境への負荷の少ない持続的な発展が可能な東京をつくりあげていくために、ここに、この条例を制定する。

### 第一章 総則

**(目的)**

**第一条** この条例は、環境の保全について、基本理念を定め、並びに東京都（以下「都」という。）、特別区及び市町村（以下「区市町村」という。）、事業者並びに都民の責務を明らかにするとともに、環境の保全に関する施策の基本的な事項を定めることにより、環境の保全に関する施策を総合的かつ計画的に推進し、もって現在及び将来の都民が健康で安全かつ快適な生活を営む上で必要とする良好な環境を確保することを目的とする。

**(定義)**

**第二条** この条例において「環境への負荷」とは、人の活動により環境に加えられる影響であって、環境の保全上の支障の原因となるおそれのあるものをいう。

2 この条例において「公害」とは、環境の保全上の支障のうち、事業活動その他の人の活動に基づく生活環境の侵害であって、大気の汚染、水質の汚濁、土壌の汚染、騒音、振動、地盤の沈下、悪臭等によって、人の生命若しくは健康が損なわれ、又は人の快適な生活が阻害されることをいう。

**(基本理念)**

**第三条** 環境の保全は、都民が健康で安全かつ快適な生活を営む上で必要とする良好な環境を確保し、これを将来の世代へ継承していくことを目的として行われなければならない。

2 環境の保全は、人と自然とが共生し、環境への負荷の少ない持続的な発展が可能な都市を構築することを目的として、すべての者の積極的な取組によって行われなければならない。

3 地球環境の保全は、すべての事業活動及び日常生活において推進されなければならない。

**(都の責務)**

**第四条** 都は、環境の保全を図るため、次に掲げる事項に関し基本的かつ総合的な施策を策定し、及び実施する責務を有する。

一 公害の防止に関すること。

二 大気、水、土壌、動植物等からなる自然環境の保全に関すること。

三 野生生物の種の保存その他の生物の多様性の確保に関すること。

四 人と自然との豊かな触れ合いの確保、良好な景観の保全、歴史的文化的遺産の保全等に関すること。

五 資源の循環的な利用、エネルギーの有効利用及び廃棄物の減量に関すること。

六 地球の温暖化の防止、オゾン層の保護等の地球環境の保全に関すること。

七 前各号に掲げるもののほか、環境への負荷の低減に関すること。

2 都は、環境の保全を図る上で区市町村が果たす役割の重要性にかんがみ、区市町村が行う環境の保全のための施策を支援するよう努めるものとする。

（区市町村の責務）

**第五条**　区市町村は、環境の保全を図るため、その区域の自然的社会的条件に応じた施策を策定し、及び実施する責務を有する。

（事業者の責務）

**第六条**　事業者は、事業活動を行うに当たっては、環境への負荷の低減に努めるとともに、その事業活動に伴って生ずる公害を防止し、又は自然環境を適正に保全するため、その責任において必要な措置を講ずる責務を有する。

2　事業者は、その事業活動に係る製品その他の物が使用され、又は廃棄されることによる環境への負荷の低減に資するために必要な情報の提供に努めなければならない。

3　前項に定めるもののほか、事業者は、物の製造、加工又は販売その他の事業活動を行うに当たっては、その事業活動に係る製品その他の物が使用され、又は廃棄されることによる環境への負荷の低減に資するために必要な措置を講ずるよう努めなければならない。

4　前三項に定めるもののほか、事業者は、その事業活動に関し、環境の保全に自ら努めるとともに、都又は区市町村が実施する環境の保全に関する施策に協力する責務を有する。

（都民の責務）

**第七条**　都民は、その日常生活において、環境への負荷の低減並びに公害の防止及び自然環境の適正な保全に努めなければならない。

2　前項に定めるもののほか、都民は、環境の保全に自ら努めるとともに、都又は区市町村が実施する環境の保全に関する施策に協力する責務を有する。

（東京都環境白書）

**第八条**　知事は、環境の保全に関する施策の総合的な推進に資するとともに、都民に環境の状況、環境の保全に関する施策の実施状況等を明らかにするため、東京都環境白書を定期的に作成し、公表するものとする。

## 第二章　環境の保全に関する基本的施策

（環境基本計画）

**第九条**　知事は、環境の保全に関する施策の総合的かつ計画的な推進を図るため、東京都環境基本計画（以下「環境基本計画」という。）を定めなければならない。

2　環境基本計画は、次に掲げる事項について定めるものとする。

一　環境の保全に関する目標

二　環境の保全に関する施策の方向

三　環境の保全に関する配慮の指針

四　前三号に掲げるもののほか、環境の保全に関する重要事項

3　知事は、環境基本計画を定めるに当たっては、都民の意見を反映することができるよう必要な措置を講ずるものとする。

4　知事は、環境基本計画を定めるに当たっては、あらかじめ東京都環境審議会及び区市町村の長の意見を聴かなければならない。

5　知事は、環境基本計画を定めたときは、遅滞なく、これを公表しなければならない。

6　前三項の規定は、環境基本計画の変更について準用する。

（施策の策定等に当たっての義務）

**第十条**　都は、環境に影響を及ぼすと認められる施策を策定し、及び実施するに当たっては、環境基本計画との整合を図るものとする。

2　都は、都の環境の保全に関する施策について総合的に調整し、及び推進するために必要な措置を講ずるものとする。

（環境影響評価の措置）

**第十一条**　都は、環境に著しい影響を及ぼすおそれのある事業について環境の保全に適正な配慮がなされるように、その事業の実施が環境に及ぼす影響を事前に評価するために必要な措置を講ずるものとする。

（規制の措置）

**第十二条**　都は、公害を防止するため、公害の原因となる行為に関し、必要な規制の措置を講じなければならない。

2　都は、自然環境の保全を図るため、自然環境の適正な保全に支障を及ぼすおそれがある行為に関し、必要な規制の措置を講じなければならない。

3　前二項に定めるもののほか、都は、環境の保全上の支障を防止するため、必要な規制の措置を講ずるよう努めるものとする。

（誘導的措置）

**第十三条**　都は、事業者又は都民が自らの行為に係る環境への負荷の低減のための施設の整備その他の適切な措置をとることとなるよう誘導することにより環境の保全上の支障を防止するため、特に必要があるときは、適正な助成その他の措置を講ずるよう努めるものとする。

2　都は、事業者又は都民が自らの行為に係る環境への負荷を低減させることとなるよう誘導することにより環境の保全上の支障を防止するため、適正な経済的負担を課する措置について調査及び研究を行い、その結

果、その措置が特に必要であるときは、そのために必要な措置を講ずるよう努めるものとする。

**（環境の保全に関する施設の整備等）**

**第十四条** 都は、廃棄物及び下水の処理施設、自動車等の走行により発生する公害を防止する施設その他の環境の保全上の支障の防止に資する施設の整備を図るため、必要な措置を講ずるものとする。

2 都は、公園、緑地その他の公共的施設の整備その他の自然環境の適正な整備及び健全な利用のための事業を推進するため、必要な措置を講ずるものとする。

**（資源の循環的な利用等の推進）**

**第十五条** 都は、環境への負荷の低減を図るため、都民及び事業者による資源の循環的な利用、エネルギーの有効利用及び廃棄物の減量が促進されるよう必要な措置を講ずるものとする。

2 都は、環境への負荷の低減を図るため、都の施設の建設及び維持管理その他の事業の実施に当たって、資源の循環的な利用、エネルギーの有効利用及び廃棄物の減量に努めなければならない。

**（都民の意見の反映）**

**第十六条** 都は、環境の保全に関する施策に、都民の意見を反映することができるよう必要な措置を講ずるものとする。

**（情報の提供）**

**第十七条** 都は、環境の保全に資するため、第二十一条第二項に定めるもののほか、環境の保全に関する必要な情報を適切に提供するよう努めるものとする。

**（環境学習の推進）**

**第十八条** 都は、都民及び事業者が環境の保全についての理解を深めるとともに、これらの者による自発的な環境の保全に関する活動が促進されるように、人材の育成その他の必要な措置を講じ、環境の保全に関する学習の推進を図るものとする。

**（都民等の自発的な活動の促進）**

**第十九条** 都は、前条に定めるもののほか、都民、事業者又はこれらの者で構成する民間の団体による自発的な環境の保全に関する活動が促進されるよう必要な措置を講ずるものとする。

**（調査及び研究の実施等）**

**第二十条** 都は、環境の保全に関する施策を適正に実施するため、公害の防止、自然環境の保全、地球環境の保全その他の環境の保全に関する事項について、情報の収集に努めるとともに、科学的な調査及び研究の実施並びに技術の開発及びその成果の普及に努めなければならない。

**（監視、測定等）**

**第二十一条** 都は、環境の状況を的確に把握するとともに、そのために必要な監視、測定等の体制を整備するものとする。

2 都は、前項の規定により把握した環境の状況を公表するものとする。

**（公害に係る紛争の処理及び健康障害の救済）**

**第二十二条** 都は、公害に係る紛争について迅速かつ適正な解決を図るとともに、公害に係る健康障害の救済を図るために必要な措置を講ずるものとする。

**（国及び他の地方公共団体との協力）**

**第二十三条** 都は、環境の保全を図るための広域的な取組を必要とする施策について、国及び他の地方公共団体と協力して、その推進に努めるものとする。

## 第三章 地球環境の保全の推進等

**第二十四条** 都は、地球の温暖化の防止、オゾン層の保護等の地球環境の保全に資する施策を積極的に推進するものとする。

2 都は、国等と連携し、環境の保全に関する情報の提供、技術の活用等により、環境の保全に関する国際協力の推進に努めるものとする。

## 第四章 東京都環境審議会及び東京都環境保全推進委員会

**（東京都環境審議会）**

**第二十五条** 環境基本法（平成五年法律第九十一号）第四十三条の規定に基づき、都の区域における環境の保全に関して、基本的事項を調査審議させるため、知事の附属機関として、東京都環境審議会（以下「審議会」という。）を置く。

2 審議会は、次に掲げる事項を調査審議する。

一 環境基本計画に関すること。

二 法令の規定（廃棄物の処理及び清掃に関する法律（昭和四十五年法律第百三十七号）第五条の五第三項を除く。）によりその権限に属させられた事項

三 前二号に掲げるもののほか、環境の保全に関する基本的事項

3 審議会は、前項に規定する事項に関し、知事に意見を述べることができる。

4 審議会は、知事が任命する四十二人以内の委員で組織する。

5 委員の任期は、二年とし、補欠の委員の任期は、前任者の残任期間とする。ただし、再任を妨げない。

6 特別の事項を調査審議するため必要があるときは、審議会に臨時委員を置くことができる。

7 専門の事項を調査するため必要があるときは、審議会に調査委員を置くことができる。

8 委員、臨時委員及び調査委員は、非常勤とする。

9 第四項から前項までに定めるもののほか、審議会の組織及び運営に関し必要な事項は、東京都規則（以下「規則」という。）で定める。

（**東京都環境保全推進委員会**）

**第二十六条** 知事その他の都の機関の環境の保全に関する施策について調査等を行い、その結果を知事に報告させるため、知事の附属機関として、東京都環境保全推進委員会（以下「委員会」という。）を置く。

2 委員会は、次に掲げる者につき、知事が任命する委員百人以内をもって組織する。

一 区市町村の長の推薦を受けた者 七十人以内

二 民間の団体の推薦を受けた者 三十人以内

3 委員の任期は、二年とし、補欠の委員の任期は、前任者の残任期間とする。ただし、再任を妨げない。

4 委員は、非常勤とする。

5 前三項に定めるもののほか、委員会の組織及び運営に関し必要な事項は、規則で定める。

**附　則**

（**施行期日**）

1 この条例は、公布の日から施行する。ただし、第二十五条、次項及び附則第三項の規定は平成六年八月一日から、第二十六条の規定は平成七年一月一日から施行する。

（**東京都公害対策審議会条例の廃止**）

2 東京都公害対策審議会条例（昭和三十五年東京都条例第七十四号）は、廃止する。

3 第二十五条の施行の日の前日において前項の規定による廃止前の東京都公害対策審議会条例第三条第一項の規定による東京都公害対策審議会の委員である者は、その任期の末日までの間、第二十五条第四項に規定する委員とみなす。

**附　則**（平一五・一〇・一四条例一二七）

この条例は、公布の日から施行する。

# ○東京都省エネルギーの推進及びエネルギーの安定的な供給の確保に関する条例

平二三・七・八
条例六七

最終改正 令五・三・三一条例三九

（**目的**）

**第一条** この条例は、首都機能の維持及び発展のために欠かすことのできない電気を始めとしたエネルギーの重要性を踏まえ、省エネルギーの推進及びエネルギーの安定的な供給の確保について、東京都（以下「都」という。）、都民及び事業者（以下「都民等」という。）の責務を明らかにするとともに、基本理念その他必要な事項を定めることで、災害に強く環境負荷の少ない世界に誇れる省エネルギー型の都市づくりを推進していくことを目的とする。

（**定義**）

**第二条** この条例において、次の各号に掲げる用語の意義は、それぞれ当該各号に定めるところによる。

一 エネルギー エネルギーの使用の合理化及び非化石エネルギーへの転換等に関する法律（昭和五十四年法律第四十九号）第二条第一項に規定するエネルギーをいう。

二 省エネルギー エネルギーの使用の節約及び効率化を図ることをいう。

（**基本理念**）

**第三条** 省エネルギーの推進及びエネルギーの安定的な

供給の確保は、次に掲げる事項を基本理念として取り組まなければならない。

一　省エネルギーに関する意識の向上を図り、省エネルギーを推進すること。

二　災害時においてもエネルギーの安定的な供給を確保できる体制の構築を目指し、必要な対策を速やかに行っていくこと。

（都の責務）

**第四条**　都は、前条に定める基本理念にのっとり、次に掲げる事項を総合的かつ計画的に推進する責務を有する。

一　省エネルギーの推進に関する短期的な行動計画及び長期的な総合計画を策定し、これらに基づく施策を実施すること。

二　都民等に対し、省エネルギーの推進に関する情報を積極的に提供するとともに、環境教育を始めとするあらゆる行政上の施策を通じて省エネルギーに関する意識の向上を図ること。

三　公共施設の整備その他の事業を実施する場合等において、省エネルギーに取り組むとともに、省エネルギー技術の普及を図るなど、その先導的役割を果たすこと。

四　地域冷暖房システム（建物の冷暖房や給湯に使用するための蒸気、温水又は冷水を専用の熱供給プラントから複数の建物に供給するシステムをいう。）の周辺地域への積極的な情報提供と必要な施策を実施するとともに、コージェネレーションシステム（発電と同時に発生した排熱を利用して、給湯、暖房等を行うエネルギー供給システムをいう。）との複合システムを積極的に検証し、都民等に情報を提供するなど、発電等で生じる排熱の有効利用を促進すること。

五　エネルギーの安定的な供給を確保するため、災害時に備えた公共施設の自家発電機能の検証、整備等を行うほか、必要な施策を実施すること。

（都民等の責務）

**第五条**　都民等は、その日常生活及び事業活動において、省エネルギーの推進に自ら積極的に努めるものとする。

2　都民等は、都が実施する省エネルギーの推進に関する施策に協力するよう努めるものとする。

（連携及び協力）

**第六条**　都は、省エネルギーの推進及びエネルギーの安定的な供給の確保に関して、国並びに特別区及び市町村その他の地方公共団体並びに都民等と連携及び協力を図るよう努めるものとする。

（技術的支援等）

**第七条**　都は、都民等の省エネルギーに関する取組を促進するため、必要な技術的支援その他の措置を講ずるとともに、予算の範囲内において、必要な措置を講ずるよう努めるものとする。

（指導及び助言）

**第八条**　知事は、省エネルギーを推進するため必要があると認めるときは、都民等に対し、必要な指導及び助言をすることができる。

（委任）

**第九条**　この条例に定めるもののほか、この条例の施行について必要な事項は、東京都規則で定める。

**附　則**

この条例は、公布の日から起算して三月を超えない範囲内において東京都規則で定める日〔平二三・七・一九〕から施行する。

**附　則**（令五・三・三一条例三九）

この条例は、令和五年四月一日から施行する。

# ○都民の健康と安全を確保する環境に関する条例

平一二・一二・二二
条例二一五

最終改正　令六・一〇・一一条例一四五

## 第一章　総則

（目的）

**第一条**　この条例は、他の法令と相まって、環境への負荷を低減するための措置を定めるとともに、公害の発生源について必要な規制及び緊急時の措置を定めること等により、現在及び将来の都民が健康で安全かつ快適な生活を営む上で必要な環境を確保することを目的とする。

（定義）

**第二条**　この条例において次の各号に掲げる用語の意義は、それぞれ当該各号に定めるところによる。

一　環境への負荷　事業活動その他の人の活動により環境に加えられる影響であって、環境の保全上の支障の原因となるおそれのあるものをいう。

二　公害　環境の保全上の支障のうち、事業活動その他の人の活動に基づく生活環境の侵害であって、大気の汚染、水質の汚濁、土壌の汚染、騒音、振動、地盤の沈下、悪臭等によって、人の生命若しくは健康が損なわれ、又は人の快適な生活が阻害されることをいう。

三　地球温暖化　事業活動その他の人の活動に伴って発生する温室効果ガスが大気中の温室効果ガスの濃度を増加させることにより、地球全体として、地表、大気及び海水の温度が追加的に上昇する現象をいう。

四　温室効果ガス　二酸化炭素その他東京都規則（以下「規則」という。）で定める物質をいう。

四の二　温室効果ガスの排出　人の活動に伴って発生する温室効果ガスを大気中に排出し、放出し、若しくは漏出させ、又は他人から供給された電気若しくは熱（燃料又は電気を熱源とするものに限る。）を使用することをいう。

四の三　再生可能エネルギー　太陽光、風力その他規則で定めるエネルギーをいう。

四の四　脱炭素化　温室効果ガスの排出の量と吸収作用の保全及び強化により吸収される温室効果ガスの吸収の量との間の均衡を保つことができるようにすることをいう。

四の五　気候変動　地球温暖化その他の気候の変動をいう。

五　地域冷暖房　一定の地域における冷房、暖房又は給湯の用に供するため、冷凍機、ボイラー等の熱源機器を設置している施設において製造した冷水、温水又は蒸気を導管を通じて複数の建築物（建築基準法（昭和二十五年法律第二百一号）第二条第一号に規定する建築物をいう。以下同じ。）に搬送し熱を供給する仕組みをいう。

六　自動車　道路運送車両法（昭和二十六年法律第百八十五号）第二条第二項に規定する自動車をいう。

七　工場　別表第一に掲げる工場をいう。

八　指定作業場　別表第二に掲げる作業場等（工場に該当するものを除く。）をいう。

九　規制基準　事業活動その他の活動を行う者が遵守すべきばい煙、粉じん、有害ガス、汚水、騒音、振動及び悪臭の発生に係る許容限度をいう。

十　ばい煙　燃料その他の物の燃焼に伴い発生するいおう酸化物及び窒素酸化物並びに燃料その他の物の燃焼又は熱源としての電気の使用に伴い発生するばいじんをいう。

十一　有害ガス　人の健康に障害を及ぼす物質のうち気体状又は微粒子状物質（ばい煙を除く。）で別表第三に掲げるものをいう。

十二　有害物質　人の健康に障害を及ぼす物質のうち水質又は土壌を汚染する原因となる物質で別表第四に掲げるものをいう。

十三　公共用水域　河川、湖沼、港湾、沿岸海域その他公共の用に供される水域及びこれに接続する公共溝渠、かんがい用水路その他公共の用に供される水路（下水道法（昭和三十三年法律第七十九号）第二条第三号及び第四号に規定する公共下水道及び流域下水道であって、同条第六号に規定する終末処理場を設置しているもの（その流域下水道に接続する公共下水道を含む。）を除く。）をいう。

（知事の責務）

**第三条**　知事は、この条例の定めるところにより、環境への負荷の低減のための必要な措置並びに公害の発生源について必要な規制及び緊急時の措置を講ずるほか、その施策を事業者及び都民と連携して実施し、環境への負荷の低減及び公害の防止に努めることにより、良好な生活環境を保全し、もって都民の健康で安全かつ快適な生活を営む上で必要な環境を確保しなければならない。

2　知事は、公害の発生源、発生原因及び発生状況を常時監視するとともに、その結果明らかになった公害の状況を都民に公表しなければならない。

3　知事は、環境への負荷の低減及び公害の防止に係る技術の開発及びその成果の普及を行うよう努めるとともに、小規模の事業者が環境への負荷を低減し、及び公害を防止するために行う施設の整備等について必要な助成措置を講ずるよう努めなければならない。

4　知事は、自らが事業活動を行う場合には、環境への負荷の低減及び公害の防止に資する行動を率先してとるよう努めなければならない。

（**事業者の責務**）

**第四条**　事業者は、その事業活動に伴って生ずる環境への負荷の低減及び公害の防止のために必要な措置を講ずるとともに、知事が行う環境への負荷の低減及び公害の防止に関する施策に協力しなければならない。

2　事業者は、環境への負荷の低減及び公害の防止のために従業者の訓練体制その他必要な管理体制の整備に努めるとともに、その管理に係る環境への負荷の状況について把握し、並びに公害の発生源、発生原因及び発生状況を常時監視しなければならない。

（**都民の責務**）

**第五条**　都民は、日常生活その他の活動において環境への負荷を低減し、及び公害の発生を防ぐよう努めるとともに、知事が行う環境への負荷の低減及び公害の防止に関する施策に協力しなければならない。

## 第二章　環境への負荷の低減の取組

### 第一節　地球温暖化の対策の推進

（**都内温室効果ガス排出状況の公表**）

**第五条の二**　知事は、毎年、都内における温室効果ガスの総排出量の状況を公表するものとする。

（**事業者等との連携及び情報提供**）

**第五条の三**　知事は、事業者、事業者で構成する団体等と連携して、温室効果ガスの排出の抑制のための施策を推進するとともに、温室効果ガスの排出の抑制のための知見及び技術の普及を図るため、情報の提供その他の措置を講じるものとする。

（**地球温暖化対策指針の作成**）

**第五条の四**　知事は、事業活動に伴い温室効果ガスの排出を行っている事業者（以下「温室効果ガス排出事業者」という。）が、地球温暖化の対策を推進するための指針（以下「地球温暖化対策指針」という。）を定めるものとする。

2　地球温暖化対策指針は、科学的知見、技術水準その他の事情を勘案して作成するものとし、必要に応じて改定するものとする。

3　知事は、地球温暖化対策指針を定め、又は改定したときは、その内容を公表するものとする。

（**地球温暖化対策の推進**）

**第五条の五**　温室効果ガス排出事業者は、地球温暖化対策指針に基づき、地球温暖化の対策を推進しなければならない。

2　温室効果ガス排出事業者は、地球温暖化の対策を推進するため、地球温暖化対策指針に定める組織体制の整備及び温室効果ガスの排出の量の把握に努めなければならない。

3　温室効果ガス排出事業者は、地球温暖化対策指針に基づき、その事業活動に係る他の温室効果ガス排出事業者が実施する前二項の措置について、協力するよう努めなければならない。

（**勧告**）

**第五条の六**　知事は、温室効果ガス排出事業者が、前条第一項の規定による地球温暖化の対策の推進が地球温暖化対策指針に照らして著しく不十分であるときは、当該事業者に対し必要な措置をとることを勧告することができる。

2　知事は、前項の規定による勧告を行おうとする場合においては、あらかじめ専門的知識を有する者の意見を聴くものとする。

### 第二節　大規模事業所からの温室効果ガス排出量の削減

#### 第一款　温室効果ガス排出量の削減

（**用語の定義**）

**第五条の七**　この節及び次節において、次の各号に掲げる用語の意義は、それぞれ当該各号に定めるところによる。

一　温室効果ガス排出量　温室効果ガスである物質ごとに、温室効果ガス排出事業者の事業活動に伴う温室効果ガスの排出の量として規則で定める方法により算定される当該物質の量に当該物質の地球温暖化係数（温室効果ガスである物質ごとに地球温暖化をもたらす程度の二酸化炭素に係る当該程度に対する比を示す数値として国際的に認められた知見に基づき規則で定める係数をいう。）を乗じて得た量をいう。

二　特定温室効果ガス　温室効果ガス排出量の削減が特に必要な温室効果ガスとして規則で定めるものをいう。

三　その他ガス　特定温室効果ガス以外の温室効果ガスをいう。

四　特定温室効果ガス排出量　特定温室効果ガスに係る温室効果ガス排出量をいう。

五　その他ガス排出量　その他ガスに係る温室効果ガス排出量をいう。

六　事業所　建物又は施設（専ら住居の用に供するものを除く。以下「建物等」という。）（エネルギー管理の連動性を有する複数の建物等がある場合は、これらを一の建物等とみなし、建物等（当該みなされた建物等を含む。）の規則で定める所有者がその近隣に建物等を所有する場合で規則で定めるものは、当該近隣の建物等を合わせて一の建物等とみなす。）をいう。

七　エネルギー管理の連動性　事業活動に係るエネルギー（貨物又は旅客の輸送の用に供されるエネルギーを除く。）の一体的な管理が可能な状態として規則で定める状態にあることをいう。

八　指定地球温暖化対策事業所　次に掲げる事業所をいう。

ア　地球温暖化の対策を特に推進する必要がある事業所として、次条第一項の規定により知事が指定する、前年度の温室効果ガスの排出の状況が規則で定める要件に該当した事業所（第九条の二第一項に規定する特定エネルギー供給事業者の特定エネルギーの供給に係る規則で定める事業所を除く。）

イ　アの事業所に係る事業所区域の変更（第五条の八の二第二項に規定する事業所区域の変更をいう。次号において同じ。）があったときに、引き続き地球温暖化の対策を特に推進する必要がある事業所として同条第三項の規定により知事が指定する事業所

九　特定地球温暖化対策事業所　指定地球温暖化対策事業所のうち、次に掲げる事業所をいう。

ア　特定温室効果ガス排出量を削減する必要がある事業所として、次条第三項の規定により知事が指定する、規則で定める年度以降において、前年度の温室効果ガスの排出の状況が規則で定める期間連続して前号アの要件に該当した事業所

イ　アの事業所に係る事業所区域の変更があったときに、引き続き特定温室効果ガス排出量を削減する必要がある事業所として第五条の八の二第三項の規定により知事が指定する事業所

十　削減計画期間　都内全体の特定地球温暖化対策事業所からの特定温室効果ガス排出量の削減の程度を知事が確認するものとして規則で定める期間ごとの各期間をいう。

十一　削減義務期間　各削減計画期間内において、特定地球温暖化対策事業所に該当する年度から当該削減計画期間の終了年度（第五条の十八の規定により終了年度が変更された場合にあっては、当該変更後の終了年度）までをいう。

十二　排出総量　一の特定地球温暖化対策事業所における特定温室効果ガス年度排出量（一年度の特定温室効果ガス排出量をいう。以下同じ。）の削減義務期間における合計をいう。

十三　基準排出量　一の特定地球温暖化対策事業所において、特定温室効果ガス年度排出量との増減を比較する基準となる量をいう。

十四　削減義務率　一の特定地球温暖化対策事業所において、基準排出量に対して特定温室効果ガス年度排出量を削減すべき割合をいう。

十五　削減義務量　削減義務期間の年度ごとに、基準排出量（第五条の十四第二項の規定により基準排出量が変更された年度については、その変更後の量。次号において同じ。）に削減義務率を乗じて得た量を、当該削減義務期間において合計した量をいう。

十六　排出削減量　削減義務期間の各年度の基準排出量を合算して得た量から排出総量を減じて得た量をいう。

十七　義務充当　第五条の十一第一項第一号のその他ガス削減量又は同項第二号の振替可能削減量を同項の義務の履行に充てるものとして第五条の十九第一項に規定する削減量口座簿に記録することをいう。

**（指定地球温暖化対策事業所の指定等）**

**第五条の八**　知事は、前年度の温室効果ガスの排出の状況が前条第八号の規則で定める要件に該当する事業所を指定地球温暖化対策事業所として指定するものとする。

2　事業所を所有している事業者（住居の用に供する部分のみを所有するものを除く。以下この条から第五条の九までにおいて同じ。）（当該事業者以外にも当該事業所の事業活動に伴う温室効果ガスの排出について責任を有する者として規則で定める者がある場合において、当該者が、規則で定めるところにより、知事に届け出た場合においては　当該届出者。以下この節において「所有事業者等」という。）は、当該事業所の前年度の温室効果ガスの排出の状況が前条第八号の規則で定める要件に該当するときは、特定温室効果ガスの排出の状況に関し、前年度の特定温室効果ガス年度排出量その他の規則で定める事項を、規則で定めるところにより、第五条の十一第四項の規定による検証の結果を添えて、知事に届け出なければならない。ただし、指定地球温暖化対策事業所については、この限りでない。

3　知事は、前条第九号の特定地球温暖化対策事業所の要件に該当する事業所を、特定地球温暖化対策事業所として指定するものとする。

4　知事は、第一項又は前項の指定を行ったときは、規則で定めるところにより、その旨を当該指定に係る事業所を所有している事業者（第二項の温室効果ガスの排出について責任を有する者の届出をした者がある場合にあっては、当該届出者を含む。）に通知するものとする。

（**事業所区域の変更**）

**第五条の八の二**　指定地球温暖化対策事業所に係る事業所の区域は、第五条の七第六号の規定にかかわらず、その指定の後に事業所の分割（エネルギー管理の連動性又は所有の状況の変更に伴い同号の規定により一の建物等とみなされる建物等の数が減少することをいう。以下「事業所分割」という。）又は事業所の統合（エネルギー管理の連動性又は所有の状況の変更に伴い同号の規定により一の建物等とみなされる建物等の数が増加することをいう。以下「事業所統合」という。）があっても変更がないものとする。ただし、事業所統合に係る建物等が、規則で定める要件に該当する場合は、この限りでない。

2　指定地球温暖化対策事業所の所有事業者等（以下「指定地球温暖化対策事業者」という。）は、当該指定地球温暖化対策事業所に事業所分割又は事業所統合（前項ただし書に規定する場合を除く。以下「事業所区域の変更」という。）があったときは、事業所区域の変更の後の状況に応じて、新たな指定地球温暖化対策事業所又は特定地球温暖化対策事業所の指定をし、又はその指定を取り消すべきことを、当該指定又は指定の取消しに係る全ての事業所の所有事業者等であって規則で定める者と連名で（指定地球温暖化対策事業者と当該規則で定める者とが合わせて一の者となる場合にあっては単独で）、事業所区域の変更の前の指定地球温暖化対策事業所ごとの前年度の特定温室効果ガス年度排出量についての第五条の十一第四項の規定による検証の結果を添えて、規則で定めるところにより、知事に申請することができる。

3　知事は、前項の規定による申請があった場合において、事業所区域の変更があったと認めたときは、事業所区域の変更の後の状況に応じて、事業所区域の変更に係る規則で定める事業所を新たな指定地球温暖化対策事業所（規則で定める場合にあっては、特定地球温暖化対策事業所）として指定し、又は第五条の十第三項第三号若しくは第四号の規定により指定を取り消すものとする。

4　知事は、前項の規定によりとるべき措置を決定したときは、その旨を規則で定めるところにより、当該措置に係る事業所を所有している事業者（前条第二項の温室効果ガスの排出について責任を有する者の届出をした者がある場合にあっては、当該届出者を含む。）に通知するものとする。

（**指定地球温暖化対策事業者の変更等**）

**第五条の九**　指定地球温暖化対策事業者は、次に掲げる事項に変更があったときは、その日から三十日以内に、規則で定めるところにより、その旨を知事に届け出なければならない。

一　指定地球温暖化対策事業者の氏名又は住所（法人にあっては、名称、代表者の氏名又は主たる事務所の所在地）

二　指定地球温暖化対策事業所の名称又は所在地

三　指定地球温暖化対策事業所を所有している事業者（指定地球温暖化対策事業者を除く。）の氏名又は住所（法人にあっては、名称、代表者の氏名又は主たる事務所の所在地）

2　指定地球温暖化対策事業者の変更があった場合において、当該変更の後の指定地球温暖化対策事業者（以下この条において「新事業者」という。）は、その日から三十日以内に、規則で定めるところにより、その旨を知事に届け出なければならない。

3　前項の規定による届出があった場合において、新事業者から、当該変更の前の特定温室効果ガス排出量（第六条の規定により知事に提出されている排出量を除く。以下この条において「前事業者排出量」という。）が把握できない旨の申請があり、かつ、知事がこれをやむを得ないものと認めたときは、知事は、当該変更の前の指定地球温暖化対策事業者（以下この条において「前事業者」という。）に対し、前事業者排出量の報告を求めることができる。

4　前事業者は、前項の規定により前事業者排出量の報告を求められたときは、規則で定めるところにより、第五条の十一第四項の規定による検証の結果を添えて、これを知事に報告しなければならない。

（**指定の取消し**）

**第五条の十**　指定地球温暖化対策事業者は、次に掲げるときは、規則で定めるところにより、その旨を知事に届け出なければならない。

一　指定地球温暖化対策事業所における事業活動が廃止され、又はその全部が休止されたとき。

二　指定地球温暖化対策事業所が、当該事業所における事業活動の規模が著しく縮小されたものとして規則で定める要件に該当したとき。

三　指定地球温暖化対策事業所の前年度の温室効果ガスの排出の状況が、規則で定める期間連続して第五条の七第八号の要件に該当しなかったとき。

2　前項の規定にかかわらず、同項第二号又は第三号の規定に基づく届出を行った後、再度当該各号に該当することとなった指定地球温暖化対策事業者にあっては、当該各号の規定に基づく届出を行うことを要しない。

３　知事は、次の各号に掲げる場合は、当該各号に定める指定を取り消すものとする。

一　指定地球温暖化対策事業所（特定地球温暖化対策事業所を除く。）が第一項各号に該当すると認めた場合　当該指定地球温暖化対策事業所に係る第五条の八第一項又は第五条の八の二第三項の規定による指定

二　特定地球温暖化対策事業所が第一項各号に該当すると認め、かつ、第五条の十八の規定による変更後の次条第一項の義務の履行を確認した場合　当該特定地球温暖化対策事業所に係る第五条の八第一項及び第三項又は第五条の八の二第三項の規定による指定

三　指定地球温暖化対策事業所（特定地球温暖化対策事業所を除く。）について、第五条の八の二第三項の規定により事業所区域の変更があったと認めた場合　当該指定地球温暖化対策事業所に係る第五条の八第一項又は第五条の八の二第三項の規定による指定

四　特定地球温暖化対策事業所について、第五条の八の二第三項の規定により事業所区域の変更があったと認め、かつ、第五条の十八の規定による変更後の次条第一項の義務の履行を確認した場合　当該特定地球温暖化対策事業所に係る第五条の八第一項及び第三項又は第五条の八の二第三項の規定による指定

**（特定地球温暖化対策事業所の温室効果ガス排出量の削減）**

**第五条の十一**　特定地球温暖化対策事業所の所有事業者等（以下「特定地球温暖化対策事業者」という。）は、削減義務期間ごとに、当該特定地球温暖化対策事業所における算定排出削減量（排出削減量に、第一号の量及び第二号の量を加え、第三号の量を減じて得た量をいう。以下同じ。）を、当該削減義務期間終了後の規則で定める日までに、削減義務量以上としなければならない。

一　当該特定地球温暖化対策事業所において、規則で定める期間におけるその他ガス排出量の削減量として規則で定める量を超過した量のうち規則で定める方法により算定される量について知事が認め、発行する量（以下「その他ガス削減量」という。）について、義務充当が行われたときは、その量

二　特定地球温暖化対策事業者が、当該特定地球温暖化対策事業所において、規則で定める期間における次に掲げる取得及び移転（以下「振替」という。）が可能な削減量（以下「振替可能削減量」という。）を取得し、当該振替可能削減量について義務充当が行われたときは、次に掲げる量のうち義務充当を行った量に、当該量の種類に応じ、それぞれ規則で定める換算率を乗じて得た量を合算して得た量（ウ及びカのうち規則で定める量の合計については、規則で定める量を上限とする。）

ア　超過削減量（排出削減量のうち、規則で定める量について知事が認め、発行する量（規則で定める量を上限とする。）をいう。以下同じ。）

イ　都内削減量（指定地球温暖化対策事業所以外の都内の事業所等（事業所又は事業所内に設置する事務所、営業所等をいう。以下この節及び次節において同じ。）（当該事業所等に係る第八条の二十三の地球温暖化対策報告書が知事に提出された場合に限る。）における特定温室効果ガス排出量の削減量として規則で定める方法により算定する量について知事が認め、発行する量をいう。以下同じ。）

ウ　都外削減量（規則で定める都外の事業所等における特定温室効果ガス排出量の削減量として規則で定める方法により算定する量について知事が認め、発行する量をいう。以下同じ。）

エ　環境価値換算量（電気等の環境価値（再生可能エネルギーであって、規則で定めるものを変換して得られる電気又は熱が有する地球温暖化及びエネルギーの枯渇の防止に貢献する価値をいう。）の保有量として規則で定める方法により算定する量（以下「電気等環境価値保有量」という。）を規則で定める方法により特定温室効果ガス排出量の削減量に換算した量について知事が認め、発行する量をいう。以下同じ。）

オ　前期超過削減量（当該削減義務期間より前の削減義務期間における超過削減量をいう。以下同じ。）

カ　その他削減量（この条例以外で認められた温室効果ガス排出量の削減量（この条例以外で認められた電気等環境価値保有量をエに規定する規則で定める方法により特定温室効果ガス排出量の削減量に換算した量を含む。）のうち、規則で定めるものに限る。以下同じ。）

三　特定地球温暖化対策事業者が、自らの特定地球温暖化対策事業所における超過削減量について、他に移転したとき、又は後の削減義務期間におけるこの項の義務の履行に充てることに利用したときは、当

該移転又は利用の量

2　特定地球温暖化対策事業者は、前項の義務を履行するに当たっては、振替可能削減量の取得に優先して、当該特定地球温暖化対策事業所の温室効果ガス排出量の削減に努めなければならない。

3　義務充当が行われた振替可能削減量を削減義務の履行に充てること以外の規則で定める用途に利用したときは、当該義務充当は、その効力を失う。

4　特定温室効果ガス年度排出量、基準排出量（第五条の十三第一項第四号の規定により定める場合を除く。）、その他ガス削減量、都内削減量、都外削減量及び電気等環境価値保有量は、当該量の算定の方法、算定に用いる情報、算定された量の値その他の規則で定める事項が規則で定める基準に適合することについて、知事の登録を受けた者（以下「登録検証機関」という。）が行う検証を受けたものでなければならない。

**（削減義務率）**

**第五条の十二**　削減義務率は、削減計画期間ごとに、専門的知識を有する者の意見を聴いて、事業所の特性を勘案して規則で定める区分ごとに規則で定めるものとする。これを変更しようとするときも、同様とする。

**（基準排出量の決定）**

**第五条の十三**　知事は、特定地球温暖化対策事業所ごとに、次の各号に掲げる区分に応じ、当該各号に定める量を基準排出量として定めるものとする。

一　最初の削減計画期間の開始の日前に既に特定地球温暖化対策事業所に該当している事業所（第四号に該当する場合を除く。）　最初の削減計画期間開始前の規則で定める期間における当該特定地球温暖化対策事業所の標準的な特定温室効果ガス年度排出量に相当する量として規則で定める方法により算定する量

二　最初の削減計画期間の開始の日以後に特定地球温暖化対策事業所に該当した事業所（次号又は第四号に該当する場合を除く。）　次に掲げる量のいずれかから特定地球温暖化対策事業者が選択する量

ア　削減義務期間開始前の規則で定める期間における当該特定地球温暖化対策事業所の標準的な特定温室効果ガス年度排出量に相当する量として、当該事業所の特性を勘案して規則で定める方法により算定する量（当該期間における特定地球温暖化対策事業所における地球温暖化の対策の推進の程度が知事が別に定める基準に適合する場合に限る。）

イ　事業所の用途、規模等について当該特定地球温暖化対策事業所と同じ特性を有する事業所の標準的な特定温室効果ガス年度排出量に相当する量として規則で定める方法により算定する量

三　第五条の十第一項第二号に規定する要件（規則で定めるものに限る。以下この号において「本要件」という。）に該当し、同条第三項第二号の規定による指定の取消しを受けた事業所（その該当した年度以降に同条第一項各号（本要件を除く。）に該当した事業所を除く。）であって、同条第一項の規定により知事に届け出た年度の前年度が属する削減計画期間の次の削減計画期間の終了年度までに特定地球温暖化対策事業所に再度該当した事業所　次に掲げる量のいずれかから特定地球温暖化対策事業者が選択する量

ア　前号アに規定する量

イ　前号イに規定する量

ウ　削減義務期間の終了年度の当該事業所の基準排出量（知事が別に定める期間において次条第一項に規定する状況の変更があったときは、当該状況の変更に応じた適切な量に変更する方法として規則で定める方法により算定した量）

四　事業所区域の変更に伴い新たに特定地球温暖化対策事業所として指定を受けた事業所　当該特定地球温暖化対策事業所の区域に含まれる事業所区域の変更の前の各事業所の区域における標準的な特定温室効果ガス年度排出量に相当する量として規則で定める方法により算定する量を合計した量

2　基準排出量は、前項各号に定める方法によることが困難であると認められる場合は、知事が認める方法により算定する量とする。

3　特定地球温暖化対策事業者は、次に掲げる事項を記載した申請書を、規則で定めるところにより、第五条の十一第四項の規定による検証の結果を添えて、知事に提出し、基準排出量の決定を申請しなければならない。

一　算定した基準排出量

二　第一項第二号及び第三号の事業所にあっては、これらの号に規定する選択の内容

三　前二号に定めるもののほか、基準排出量の算定に必要な事項として規則で定める事項

4　前項の規定にかかわらず、第五条の八の二第二項の規定による申請を行う者の場合にあっては、当該申請を行う者が、当該申請と併せて前項の申請書を、規則で定めるところにより知事に提出し、基準排出量の決定を申請しなければならない。

5　知事は、基準排出量を決定したときは、その旨を規則で定めるところにより、申請者に通知しなければならない。

（事業所の用途変更等による基準排出量の変更）

**第五条の十四**　特定地球温暖化対策事業者は、当該特定地球温暖化対策事業所について、特定地球温暖化対策事業所の用途、規模、エネルギーの供給等の状況の変更の程度が著しいものとして規則で定める状況の変更があったときは、規則で定めるところにより、基準排出量の変更を知事に申請しなければならない。

2　知事は、前項の状況の変更があったことを認めたときは、当該特定地球温暖化対策事業所の規則で定める期間の基準排出量を、当該状況の変更に応じた適切な量に変更する方法として規則で定める方法により算定した量に変更するものとする。

3　知事は、前項の規定により基準排出量を変更したときは、その旨を、規則で定めるところにより、申請者に通知しなければならない。

（優良特定地球温暖化対策事業所）

**第五条の十五**　特定地球温暖化対策事業者は、当該特定地球温暖化対策事業所が地球温暖化の対策の推進の程度が特に優れた事業所として知事が別に定める基準に適合するときは、規則で定めるところにより、次条の規定による検証の結果を添えて、その旨を知事に申請することができる。

2　特定地球温暖化対策事業所が前項の基準に適合することを知事が認めたときは、当該特定地球温暖化対策事業所の超過削減量の上限は、同項の基準に適合する期間のうち規則で定める期間について、第五条の十一第一項第二号アの規定にかかわらず、規則で定める量とする。

3　知事は、特定地球温暖化対策事業所が第一項の基準に適合しなくなったことを認めたときは、その認めた日の属する年度の翌年度に、その認定を取り消すものとする。

4　知事は、前項の規定により認定を取り消したときは、規則で定めるところにより、その旨を当該特定地球温暖化対策事業所に係る特定地球温暖化対策事業者に通知するものとする。

（基準適合の検証）

**第五条の十六**　前条第一項の地球温暖化の対策の推進の程度は、同項の知事が別に定める基準に適合することについて、登録検証機関が行う検証を受けたものでなければならない。

（災害時等における特例）

**第五条の十七**　知事は、災害その他やむを得ない事情により、特定地球温暖化対策事業者が第五条の十一第一項の義務を履行することが特に困難と認めたときは、当該特定地球温暖化対策事業者の特定地球温暖化対策事業所の削減義務量を減少させることができる。

（事業所の廃止等による削減義務期間の変更等）

**第五条の十八**　知事は、特定地球温暖化対策事業所について、第五条の十第一項各号に該当し、又は第五条の八の二第三項の規定により事業所区域の変更があったと認めたときは、当該特定地球温暖化対策事業所の削減義務期間の終了年度を、次の各号に掲げる区分に応じ、当該各号に定める年度に変更し、削減義務量を当該終了年度の変更後の削減義務期間に応じた量に変更するものとする。

一　第五条の十第一項第一号に該当するとき。　特定地球温暖化対策事業所における事業活動が廃止され、又はその全部が休止された日の属する年度の前年度（同号に該当する年度と同項第二号に規定する事業活動の規模の縮小があった年度（以下この条において「規模縮小年度」という。）の翌年度又は同項第三号に規定する期間の最後の年度（以下この条において「最後の年度」という。）の翌年度とが同一の年度となる場合にあっては、次号又は第三号に規定するところによる。）

二　第五条の十第一項第二号に該当するとき。　次に掲げる年度のいずれかから特定地球温暖化対策事業者が選択する年度（規模縮小年度の翌年度において、当該特定地球温暖化対策事業所が同項第一号に該当する場合にあっては、ア又はイに定める年度のいずれかから当該特定地球温暖化対策事業者が選択する年度）

ア　規模縮小年度の前年度

イ　規模縮小年度

ウ　規模縮小年度の属する削減計画期間の終了年度

三　第五条の十第一項第三号に該当するとき。　次に掲げる年度のいずれかから特定地球温暖化対策事業者が選択する年度（最後の年度の翌年度において、当該特定地球温暖化対策事業所が同項第一号に該当する場合にあっては、ア又はイに定める年度のいずれかから当該特定地球温暖化対策事業者が選択する年度）

ア　最後の年度の前年度

イ　最後の年度

ウ　最後の年度の属する削減計画期間の終了年度

四　事業所区域の変更があったとき。　第五条の八の二第二項の規定による申請を行った年度の前年度

2　前項の規定にかかわらず、知事は、第五条の十第一項第二号又は第三号に該当した特定地球温暖化対策事業所に係る事業所について、当該特定地球温暖化対策事業者により前項第二号又は第三号の規定による選択がなされなかった場合は、当該特

定地球温暖化対策事業所の削減義務期間の終了年度を、同項第二号ア又は第三号アの年度に変更するものとする。

（削減量口座簿の作成等）

**第五条の十九**　知事は、削減量口座簿を作成し、振替可能削減量等の管理（振替可能削減量又はその他ガス削減量の発行、取得、保有及び移転並びに義務充当及び第八条の五第一項第二号の充当記録をいう。以下同じ。）を行うための口座（以下「管理口座」という。）を開設するものとする。

2　削減量口座簿は、次に掲げる口座に区分する。

一　知事の管理口座

二　指定地球温暖化対策事業者の指定地球温暖化対策事業所に係る管理口座（以下「指定管理口座」という。）

三　前二号以外の管理口座（以下「一般管理口座」という。）

3　指定管理口座は指定地球温暖化対策事業所ごとに、一般管理口座は規則で定める単位ごとに開設するものとする。

4　この節に定めるもののほか、管理口座の記録事項その他の削減量口座簿の管理に関し必要な事項については、規則で定める。

（振替可能削減量の帰属）

**第五条の二十**　振替可能削減量の帰属は、この節の規定による削減量口座簿の記録により定まるものとする。

（管理口座の開設）

**第五条の二十一**　知事は、第五条の八第一項又は第五条の八の二第三項の規定による指定を行う際に、当該指定に係る事業所の指定管理口座を開設し、その旨及び当該指定管理口座において振替可能削減量等の管理を行うために必要な事項を、規則で定めるところにより、当該事業所の所有事業者等に通知するものとする。

2　知事は、第五条の九第二項の規定による届出があった場合は、当該届出による変更の後の指定地球温暖化対策事業者に係る指定管理口座において振替可能削減量等の管理を行うために必要な事項を、規則で定めるところにより、当該変更の後の指定地球温暖化対策事業者に通知するものとする。

3　一般管理口座により振替可能削減量等の管理を行おうとする者は、知事による一般管理口座の開設を受けなければならない。

4　一般管理口座は、規則で定める者に限り開設を受けることができるものとする。

5　一般管理口座の開設を受けようとする者は、一般管理口座の開設について、その氏名及び住所（法人にあっては、名称、代表者の氏名及び主たる事務所の所在地）その他規則で定める事項を記載した申請書を、規則で定めるところにより、知事に提出しなければならない。

6　知事は、前項の規定による申請があった場合には、当該申請書又はその添付書類のうちに重要な事実の記載が欠けているときを除き、遅滞なく、一般管理口座を開設しなければならない。

7　知事は、前項の規定により一般管理口座を開設したときは、遅滞なく、当該一般管理口座において振替可能削減量等の管理を行うために必要な事項を当該一般管理口座の開設を受けた者に通知しなければならない。

8　管理口座の開設を受けた者（以下「口座名義人」という。）は、その氏名又は住所（法人にあっては、名称、代表者の氏名又は主たる事務所の所在地）その他規則で定める事項に変更があったときは、規則で定めるところにより、その旨を知事に届け出なければならない。ただし、第五条の九第一項第一号の規定による届出があったときは、当該届出事項については、この限りでない。

（一般管理口座の更新）

**第五条の二十一の二**　一般管理口座は、規則で定める期間ごとに、その開設を受けた者が、知事による一般管理口座の更新を受けなければ、当該期間の経過によって、知事により廃止されるものとする。ただし、当該開設を受けた者が当該期間の満了の日において指定地球温暖化対策事業者その他規則で定める者である場合における一般管理口座については、この限りでない。

2　前項の規定による更新を受けようとする者は、規則で定める期間内に、一般管理口座の更新について、その氏名及び住所（法人にあっては、名称、代表者の氏名及び主たる事務所の所在地）その他規則で定める事項を記載した申請書を、規則で定めるところにより、知事に提出しなければならない。

3　知事は、前項の規定による申請があった場合には、当該申請書又はその添付書類のうちに重要な事実の記載が欠けているときを除き、一般管理口座を更新しなければならない。

4　第二項の規定による申請があった場合において、第一項の期間の満了の日までにその申請に対する一般管理口座の更新がなされないときは、当該一般管理口座は、当該期間の満了後もその更新がなされるまでの間は、なお引き続き知事により開設されているものとする。

（振替可能削減量の振替等の申請）

**第五条の二十二**　振替可能削減量の振替並びに振替可能削減量及びその他ガス削減量の発行及び義務充当は、知事が、削減量口座簿において、規則で定めるところにより、当該振替可能削減量又はその他ガス削減量についての減少又は増加の記録をすることにより行うものとする。

2　振替可能削減量の振替の申請は、当該振替によりその管理口座において振替可能削減量の減少の記録がされる口座名義人が、規則で定めるところにより、知事に対して行わなければならない。

3　前項の規定にかかわらず、その他削減量が記録されている削減量口座簿以外の口座その他これに類似するものから削減量口座簿へ振替可能削減量の振替を行う場合にあっては、当該振替の申請は、当該振替によりその管理口座において振替可能削減量の増加の記録がされる口座名義人が、規則で定めるところにより、知事に対して行わなければならない。

4　振替可能削減量の発行の申請は、当該発行によりその管理口座において振替可能削減量の増加の記録がされる口座名義人が、規則で定めるところにより、知事に対して行わなければならない。この場合において、都内削減量、都外削減量及び電気等環境価値保有量については、第五条の十一第四項の規定による検証の結果を添えて行わなければならない。

5　振替可能削減量の義務充当の申請は、当該義務充当に係る特定地球温暖化対策事業者が、規則で定めるところにより、知事に対して行わなければならない。

6　その他ガス削減量の発行及び義務充当の申請は、当該義務充当に係る特定地球温暖化対策事業者が、第五条の十一第四項の規定による検証の結果を添えて、規則で定めるところにより、知事に対して行わなければならない。

（振替可能削減量等の抹消等）

**第五条の二十三**　知事は、前条第二項の規定に基づく振替によりその管理口座において増加の記録を受けた口座名義人が悪意又は重大な過失により振替可能削減量を取得したときは、当該振替可能削減量を抹消することができる。

2　前条第三項の規定による振替可能削減量の振替又は同条第四項の規定による振替可能削減量若しくは同条第六項の規定によるその他ガス削減量の発行の申請について虚偽があったときは、知事は、既に増加の記録があった振替可能削減量又はその他ガス削減量の全部又は一部を削減量口座簿から抹消することができる。

3　指定地球温暖化対策事業者以外の者による都内削減量、都外削減量、電気等環境価値保有量又はその他削減量に係る申請に虚偽があったとき、当該申請の内容に係る知事による調査を当該申請に係る口座名義人が拒んだときその他不正な行為によって振替可能削減量の増加の記録を受けた指定地球温暖化対策事業者以外の者があるときは、知事は、次に掲げる措置をとることができる。

一　その旨を公表すること。

二　当該口座名義人の管理口座を閉鎖すること。

（管理口座に記録されている事項の証明の申請）

**第五条の二十三の二**　管理口座の口座名義人は、知事に対し、当該管理口座に記録されている事項のうち、規則で定める事項を証明した書面の交付を、規則で定めるところにより申請することができる。

2　知事は、前項の規定による申請があったときは、その申請者に対し、規則で定めるところにより、当該申請に係る事項を証明した書面を交付するものとする。

（削減量口座簿に係る手数料）

**第五条の二十三の三**　次の各号に掲げる者は、当該各号に定める額の手数料を納付しなければならない。

一　第五条の二十一第五項の規定による一般管理口座の開設の申請をしようとする者（指定地球温暖化対策事業者その他規則で定める者を除く。）　一口座につき一万三千四百円

一の二　第五条の二十一の二第二項の規定による一般管理口座の更新の申請をしようとする者　一口座につき一万二千四百円

二　前条第一項の規定による管理口座に記録されている事項を証明した書面の交付を申請しようとする者　一通につき四百円

2　知事は、特別の理由があると認めるときは、前項の手数料を減額し、又は免除することができる。

（削減目標の設定）

**第五条の二十四**　指定地球温暖化対策事業者は、指定地球温暖化対策事業所ごとに、規則で定めるところにより、温室効果ガス排出量の削減を進めるための定量的な目標（以下「削減目標」という。）を定めるものとする。

2　特定地球温暖化対策事業者は、削減目標のうち、特定地球温暖化対策事業所の算定排出削減量に係る目標について、削減義務量以上の目標値を設定しなければならない。

（温室効果ガス排出量等の把握）

**第五条の二十五**　指定地球温暖化対策事業者は、毎年度、指定地球温暖化対策事業所ごとに、前年度における次に掲げる量を把握しなければならない。

一　特定温室効果ガス年度排出量

二　その他ガス年度排出量（一年度のその他ガス排出

量をいう。以下この節において同じ。）

三　特定温室効果ガス年度排出量の削減に用いた再生可能エネルギーを変換して得られる電気及び熱の量（規則で定める方法により算定する量をいう。以下この節において同じ。）

四　一年度の非化石燃料（化石燃料等（原油、石油ガス、可燃性天然ガス及び石炭並びにこれらから製造される製品をいう。）以外であって、知事が別に指定する燃料をいう。以下この節において同じ。）の使用量

（地球温暖化対策計画書の作成等）

**第六条**　指定地球温暖化対策事業者は、毎年度、指定地球温暖化対策事業所ごとに、次に掲げる事項を記載した計画書（以下「地球温暖化対策計画書」という。）を、地球温暖化対策指針に基づき作成し、第六号の量については、第五条の十一第四項の規定による検証の結果を添えて、規則で定めるところにより、知事に提出しなければならない。ただし、第五条の八第二項の規定により検証の結果が既に提出されているときは、同号の量について検証の結果を添えることは要しない。

一　第五条の十一第一項の義務の履行の状況（特定地球温暖化対策事業所に限る。）

二　当該計画の期間

三　削減目標

四　削減目標を達成するための温室効果ガス排出量の削減等の措置の計画

五　前号の措置の実施状況

六　前条第一号の特定温室効果ガス年度排出量（第五条の八の二第三項の規定による指定が行われた年度を除く。）

七　前条第二号のその他ガス年度排出量

八　前条第三号の特定温室効果ガス年度排出量の削減に用いた再生可能エネルギーを変換して得られる電気及び熱の量

九　前条第四号の一年度の非化石燃料の使用量

十　次条第一項の統括管理者及び同条第二項の技術管理者の氏名

十一　その他地球温暖化の対策に関して規則で定める事項

（統括管理者等の選任等）

**第六条の二**　指定地球温暖化対策事業者は、規則で定めるところにより、指定地球温暖化対策事業所ごとに、規則で定める基準に従って、次に掲げる職務を行う者（以下「統括管理者」という。）を選任しなければならない。

一　当該事業所における地球温暖化の対策の実施状況の把握

二　当該事業所における従業員への地球温暖化の対策に関する指導及び監督

三　当該事業所の指定地球温暖化対策事業者への意見の申出

四　前三号に掲げるもののほか、当該事業所において地球温暖化の対策のために必要な業務

2　指定地球温暖化対策事業者は、規則で定めるところにより、指定地球温暖化対策事業所ごとに、規則で定める基準に従って、次に掲げる者に対する技術的助言を行う者（以下「技術管理者」という。）を選任しなければならない。

一　当該指定地球温暖化対策事業者

二　当該事業所の統括管理者

三　前二号に掲げるもののほか、当該事業所において地球温暖化の対策に係る者

3　指定地球温暖化対策事業者は、地球温暖化の対策の推進に関し、当該事業所の統括管理者の意見及び技術管理者の技術的助言を尊重しなければならない。

4　統括管理者は、地球温暖化の対策の推進に関し、当該事業所の技術管理者の技術的助言を尊重しなければならない。

5　指定地球温暖化対策事業所の従業員は、地球温暖化の対策の推進に関する当該事業所の統括管理者の指導に従わなければならない。

（テナント等事業者との協力推進体制等）

**第七条**　指定地球温暖化対策事業者は、その指定地球温暖化対策事業所の全部又は一部を賃借権その他の権原に基づき事務所、営業所等として使用して事業活動を行う温室効果ガス排出事業者（以下「テナント等事業者」という。）がいる場合においては、当該テナント等事業者と協力して地球温暖化の対策を推進するための体制（以下「協力推進体制」という。）を整備しなければならない。

2　指定地球温暖化対策事業所における事業活動に伴う温室効果ガス排出量の相当程度大きな部分を占めるテナント等事業者として規則で定めるもの（以下「特定テナント等事業者」という。）は、前項の協力推進体制に参画しなければならない。

3　特定テナント等事業者以外のテナント等事業者は、第一項の協力推進体制に参画するよう努めなければならない。

4　テナント等事業者は、指定地球温暖化対策事業者が第五条の二十五の規定により行う温室効果ガス排出量等の把握及び特定地球温暖化対策事業者が第五条の十一第一項の義務を履行するために行う温室効果ガス排

出量の削減に協力しなければならない。

5　特定テナント等事業者は、毎年度、地球温暖化の対策に関し、規則で定める事項を記載した計画書（以下「特定テナント等地球温暖化対策計画書」という。）を、地球温暖化対策指針に基づき作成し、規則で定めるところにより、指定地球温暖化対策事業者を経由して知事に提出しなければならない。

6　特定地球温暖化対策事業所に係る特定テナント等事業者は、特定テナント等地球温暖化対策計画書に基づき、地球温暖化の対策を推進しなければならない。

**（地球温暖化対策計画の公表）**

**第八条**　指定地球温暖化対策事業者は、地球温暖化対策計画書を提出したときは、規則で定めるところにより、遅滞なくその内容を公表しなければならない。

2　知事は、地球温暖化対策計画書又は特定テナント等地球温暖化対策計画書の提出があったときは、規則で定めるところにより、その内容を公表するものとする。

**（地球温暖化対策計画書の評価等）**

**第八条の二**　知事は、地球温暖化対策計画書又は特定テナント等地球温暖化対策計画書の提出があったときは、その内容について、知事が別に定める基準に基づき、評価し、優良であると認める指定地球温暖化対策事業者又は特定テナント等事業者について表彰することができる。

2　知事は、前項の規定による評価について、規則で定めるところにより、その内容を公表するものとする。

**（指導及び助言）**

**第八条の三**　知事は、特定テナント等事業者又はテナント等事業者に対し、第七条第四項の規定による協力又は同条第六項の規定による地球温暖化の対策の推進について、必要な指導及び助言を行うことができる。

**（勧告）**

**第八条の四**　知事は、指定地球温暖化対策事業者又はテナント等事業者が、次の各号のいずれかに該当するときは、当該事業者に対し必要な措置をとることを勧告することができる。

一　第七条第一項の規定による整備をしなかったとき。

二　第七条第二項の規定による参画をしなかったとき。

三　第七条第五項の規定による提出をしなかったとき。

四　第八条第一項の規定による公表をしなかったとき。

五　正当な理由なく前条の規定による指導及び助言に従わず、かつ、第七条第四項の規定による協力又は同条第六項の規定による地球温暖化の対策の推進が著しく不十分であるとき。

2　知事は、前項第五号の規定による勧告を行おうとする場合においては、あらかじめ専門的知識を有する者の意見を聴くものとする。

**（措置命令）**

**第八条の五**　知事は、特定地球温暖化対策事業者又は特定地球温暖化対策事業者であった者（以下「特定地球温暖化対策事業者等」という。）が第五条の十一第一項の義務を履行できなかったと認めるときは、当該特定地球温暖化対策事業者等に対し、相当の期限を定めて、第一号の量と第二号の量を同量にすることを命ずることができる。

一　第五条の十一第一項の算定排出削減量が削減義務量に不足した量に、当該不足の量に十分の三を上限として規則で定める値を乗じて得た値を加えた量

二　命令があった日の属する削減義務期間（第五条の十八の規定により削減義務期間が変更された場合その他の規則で定める場合にあっては、規則で定める期間）における算定排出削減量であって、知事が認める量のうち、充当記録（当該命令の履行に充てるものとして規則で定める手続により第五条の十九第一項の削減量口座簿に記録することをいう。以下同じ。）を行った量

2　前項の規定による命令があった場合において、当該命令があった日の属する削減義務期間における当該特定地球温暖化対策事業者等の第五条の十一第一項の義務に係る算定排出削減量は、充当記録を行った量のうち知事が認める量を減じた値とする。

3　第一項の規定による命令があった場合において、特定地球温暖化対策事業者等が当該命令の内容を履行しないときは、知事は、当該特定地球温暖化対策事業者等に代わって、同項第二号の量が同項第一号の量に不足する量と同量の振替可能削減量について充当記録を行うことができる。

4　知事は、前項の規定による充当記録の実施のために費用を負担したときは、当該費用については、特定地球温暖化対策事業者等に負担を求めることができる。

### 第二款　登録検証機関

**（検証機関の登録）**

**第八条の六**　第五条の十一第四項又は第五条の十六の検証の業務（以下「検証業務」という。）を行おうとする者は、検証業務に関し規則で定める区分（以下「登録区分」という。）ごとに、知事の登録を受けなければならない。

2　前項の登録の有効期間は、三年とする。ただし、知

事が別に定める基準に適合することを知事が認めた者の更新の登録の有効期間は、五年とする。

3　前項の有効期間の満了後引き続き検証業務を行おうとする者は、第一項の登録を更新する登録を受けなければならない。

4　前項の更新の登録の申請があった場合において、第二項の有効期間の満了の日までにその申請に対する登録又は登録の拒否の処分がなされないときは、従前の登録は、同項の有効期間の満了後もその処分がなされるまでの間は、なお効力を有する。

5　前項の場合において、更新の登録がなされたときは、当該登録の有効期間は、従前の登録の有効期間の満了の日の翌日から起算するものとする。

**（検証機関の登録の申請）**

**第八条の七**　前条第一項の規定による登録又は同条第三項の規定による更新の登録を受けようとする者（以下「検証機関登録申請者」という。）は、規則で定めるところにより、次に掲げる事項を記載した申請書を知事に提出しなければならない。

一　法人の名称、代表者の氏名及び主たる事務所の所在地

二　登録区分

三　検証業務を行う営業所の名称及び所在地

四　役員（業務を執行する社員、取締役、執行役又はこれらに準ずる者をいう。以下同じ。）の氏名

五　第三号の営業所ごとに置かれる検証主任者（第八条の十三第一項に規定する検証主任者をいう。）の氏名及び所属する営業所の名称

2　前項の申請書には、検証機関登録申請者が第八条の九第一項各号のいずれにも該当しない者であることを誓約する書面その他の規則で定める書類を添付しなければならない。

**（検証機関の登録の実施）**

**第八条の八**　知事は、前条第一項の規定による申請書の提出があったときは、次条第一項の規定により登録を拒否するときを除くほか、遅滞なく、規則で定めるところにより、次に掲げる事項を登録検証機関登録簿に記載して、登録しなければならない。

一　登録年月日、登録番号及び登録区分

二　登録を受けた法人の名称、代表者の氏名及び主たる事務所の所在地

三　その他規則で定める事項

2　知事は、前項の規定による登録をしたときは、遅滞なく、規則で定めるところにより、その旨を検証機関登録申請者に通知しなければならない。

3　知事は、規則で定めるところにより、第一項の登録検証機関登録簿を一般の閲覧に供しなければならない。

**（検証機関の登録の拒否）**

**第八条の九**　知事は、検証機関登録申請者が次の各号のいずれかに該当するとき、又は第八条の七第一項の申請書若しくはその添付書類のうちに重要な事実の記載が欠けているときは、その登録を拒否しなければならない。

一　第八条の十三第一項又は第三項に規定する要件を欠くとき。

二　この節の規定又はこの節の規定に基づく処分に違反して罰金の刑に処せられ、その執行を終わり、又は執行を受けることがなくなった日から二年を経過しないとき。

三　第八条の十九第一項の規定により登録を取り消され、その処分のあった日から二年を経過しないとき。

四　第八条の十九第一項の規定により検証業務の停止を命ぜられ、その停止の期間が経過しないとき。

五　その役員のうちに次のいずれかに該当する者があるとき。

ア　第二号に該当する者

イ　第八条の十九第一項の規定により登録を取り消された登録検証機関において、その処分のあった日前三十日以内にその役員であった者であって、その処分のあった日から二年を経過しないもの

ウ　検証業務に関し成年者と同一の行為能力を有しない未成年者でその法定代理人が第二号から第四号まで又はイのいずれかに該当するもの

2　知事は、前項の規定により登録を拒否したときは、遅滞なく、規則で定めるところにより、その理由を示して、その旨を当該検証機関登録申請者に通知しなければならない。

**（検証機関の登録事項の変更の届出）**

**第八条の十**　登録検証機関は、第八条の七第一項各号に掲げる事項（登録区分を除く。）に変更があったときは、規則で定めるところにより、その日から三十日以内に、その旨を知事に届け出なければならない。

2　知事は、前項の規定による届出を受理した場合は、当該届出に係る事項が前条第一項第一号又は第五号に該当するときを除き、届出があった事項を登録検証機関登録簿に登録しなければならない。

3　第八条の七第二項の規定は、第一項の規定による届出について準用する。

**（検証機関の廃業等の届出）**

**第八条の十一**　登録検証機関が次の各号のいずれかに該当することとなった場合においては、当該各号に定め

る者は、その日から三十日以内に、その旨を、規則で定めるところにより、知事に届け出なければならない。

一　法人が合併により消滅した場合　その法人を代表する役員であった者

二　法人が破産手続開始の決定により解散した場合　その破産管財人

三　法人が合併及び破産手続開始の決定以外の理由により解散した場合　その清算人

2　登録検証機関は、検証業務の全部又は一部を休止し、又は廃止しようとするときは、あらかじめ、その旨を、規則で定めるところにより、知事に届け出なければならない。

3　登録検証機関が第一項各号のいずれかに該当するに至ったとき、又は都内における検証業務の全部を廃止したときは、当該登録検証機関の登録は、その効力を失う。

**（検証機関の登録の抹消）**

**第八条の十二**　知事は、登録検証機関の登録がその効力を失ったとき、又は第八条の十九第一項の規定により登録検証機関の登録を取り消したときは、登録検証機関登録簿から当該登録検証機関の登録を抹消しなければならない。

**（検証主任者の設置等）**

**第八条の十三**　登録検証機関は、第八条の七第一項第三号の営業所ごとに、検証業務を行う能力を有する者として登録区分ごとに規則で定めるもののうちから規則で定める人数以上の検証主任者を置き、次項に定める業務を行わせなければならない。

2　前項の検証主任者は、次に掲げる業務を総括するものとする。

一　検証業務がこの条例若しくはこの条例に基づく規則又はこれらに基づく処分に違反して行われていないことの確認に関すること。

二　検証業務の実施の計画の立案に関すること。

三　検証業務の実施により得られた証拠に基づく結論の決定に関すること。

四　前三号に掲げるもののほか、検証業務の適正な実施の確保に関すること。

3　登録検証機関は、検証業務の信頼性の確保のため、次に掲げる措置をとらなければならない。

一　検証業務の管理及び精度の確保に関する文書を作成すること。

二　前号の文書に記載されたところに従い検証業務の管理及び精度の確保を行う部門を検証業務を行う部門と別に置くこと。

**（検証業務の実施等）**

**第八条の十四**　登録検証機関は、検証業務を行うことを求められたときは、正当な理由がある場合を除き、遅滞なく、検証業務を行わなければならない。

2　登録検証機関は、公正に、かつ、規則で定める方法により検証業務を行わなければならない。

3　登録検証機関は、検証業務を実質的に支配している者その他の当該登録検証機関と著しい利害関係を有する事業者として規則で定めるものが設置している事業所について、検証業務を行ってはならない。

**（検証機関の秘密保持義務）**

**第八条の十五**　登録検証機関の役員若しくはその職員又はこれらの職にあった者は、検証業務に関して知り得た秘密を漏らしてはならない。

**（検証業務規程）**

**第八条の十六**　登録検証機関は、検証業務に関する規程（以下「検証業務規程」という。）を定め、検証業務の開始前に、知事に届け出なければならない。これを変更しようとするときも、同様とする。

2　検証業務規程には、検証業務の実施方法、検証業務に関する料金その他の規則で定める事項を定めておかなければならない。

**（帳簿の備付け等）**

**第八条の十七**　登録検証機関は、第八条の七第一項第三号の営業所ごとに帳簿を備え、その業務に関し規則で定める事項を記載し、当該帳簿及び検証業務に係る規則で定める資料を、規則で定めるところにより、保存しなければならない。

**（財務諸表等の備置き及び閲覧等）**

**第八条の十八**　登録検証機関は、毎事業年度経過後三月以内に、その事業年度の財産目録、貸借対照表及び損益計算書又は収支計算書並びに事業報告書（以下「財務諸表等」という。）を作成し、五年間事業所に備え置かなければならない。

2　指定地球温暖化対策事業者その他の利害関係人は、登録検証機関の業務時間内は、いつでも、次に掲げる請求をすることができる。ただし、第二号の請求をするに当たっては、登録検証機関の定めた費用を支払わなければならない。

一　財務諸表等の閲覧又は謄写の請求

二　前号の書面の謄本又は抄本の請求

**（検証機関の登録の取消し等）**

**第八条の十九**　知事は、登録検証機関が次の各号のいずれかに該当するときは、その登録を取り消し、又は六月以内の期間を定めてその検証業務の全部若しくは一部の停止を命ずることができる。

一　不正の手段により第八条の六第一項又は第三項の

登録を受けたとき。

二　第八条の九第一項第二号又は第五号に該当することとなったとき。

三　第八条の十第一項の規定による届出をせず、又は虚偽の届出をしたとき。

四　第八条の十一第一項又は第二項の規定による届出をせず、又は虚偽の届出をしたとき。

五　第八条の十四第三項の規定に違反したとき。

六　第八条の十六第一項の規定による届出をせず、又は虚偽の届出をしたとき。

七　第八条の十七の規定に違反して第八条の七第一項第三号の営業所ごとに帳簿を備えず、帳簿に記載せず、若しくは虚偽の記載をし、又は帳簿若しくは資料を規則で定めるところにより保存しなかったとき。

八　前条第一項の規定に違反したとき。

九　次条又は第八条の二十一の規定による命令に違反したとき。

2　知事は、前項の規定により登録を取り消した場合において、取消しの日までに実施された検証について取消しの効力の及ぶ範囲を限定することができる。

3　第八条の九第二項の規定は、第一項の規定による処分をした場合に準用する。

（**適合命令**）

**第八条の二十**　知事は、登録検証機関が第八条の十三第一項又は第三項の規定に違反していると認めるときは、当該登録検証機関に対し、相当の期限を定めて、当該規定に適合するため必要な措置をとるべきことを命ずることができる。

（**改善命令**）

**第八条の二十一**　知事は、登録検証機関が第八条の十四第一項又は第二項の規定に違反していると認めるときは、当該登録検証機関に対し、相当の期限を定めて、検証業務を行うべきこと又は検証業務の方法その他の業務の方法の改善に関し必要な措置をとるべきことを命ずることができる。

（**公示**）

**第八条の二十二**　知事は、次の場合には、その旨及び規則で定める事項を公示しなければならない。

一　第八条の八第一項の規定による登録をしたとき。

二　第八条の十第一項の規定による届出があったとき（第八条の七第一項第三号に掲げる事項に変更があったときに限る。）。

三　第八条の十一第一項又は第二項の規定による届出があったとき。

四　第八条の十九第一項の規定により登録検証機関の登録を取り消し、又は検証業務の全部若しくは一部の停止を命じたとき。

## 第二節の二　中小規模事業所からの温室効果ガス排出量の削減

（**地球温暖化対策報告書の作成等**）

**第八条の二十三**　その設置している事業所等（定型的な約款による契約に基づき、特定の商標、商号その他の表示を使用させ、商品の販売又は役務の提供に関する方法を指定し、かつ、継続的に経営に関する指導を行う事業であって、当該約款に、当該事業に加盟する者（以下「加盟者」という。）が設置している事業所等における温室効果ガスの排出に関する事項であって規則で定めるものに係る定めがあるもの（以下「連鎖化事業」という。）を行う者について、その加盟者が設置している当該連鎖化事業に係る全ての事業所等を含む。以下この条において同じ。）（事業活動に伴う温室効果ガス排出量が相当程度の範囲にあるものとして規則でその規模の上限及び下限を定める事業所等に限る。）における事業活動に伴う温室効果ガス排出量が相当程度多い事業者として規則で定める要件に該当した事業者（以下「地球温暖化対策事業者」という。）は、当該要件に該当した年度以降、毎年度、次に掲げる事項を記載した報告書（以下「地球温暖化対策報告書」という。）を、地球温暖化対策指針に基づき作成し、規則で定めるところにより、知事に提出しなければならない。ただし、当該地球温暖化対策報告書の内容により、当該要件に該当しないことを知事が確認することができた場合にあっては、この限りでない。

一　当該事業所等ごとの規則で定める温室効果ガスに係る前年度の温室効果ガス排出量

二　地球温暖化対策指針に定める事業所等におけるエネルギーの使用の削減に係る達成すべき水準及び再生可能エネルギーの利用の拡大に係る達成すべき水準に基づく、当該事業所等ごと又は全ての当該事業所等におけるエネルギーの使用の削減及び再生可能エネルギーの利用の拡大に係る目標

三　前号の目標に係る前年度の達成状況

四　当該事業所等ごと又は全ての当該事業所等における地球温暖化の対策の取組状況

五　その他地球温暖化の対策に関して知事が必要と認める事項

2　温室効果ガス排出事業者は、毎年度、その設置している事業所等（その規模が前項の上限以下の事業所等に限り、同項の規定により地球温暖化対策報告書が提出された事業所等を除く。）ごとに、地球温暖化対策報告書を、地球温暖化対策指針に基づき作成し、規則で定めるところにより、知事に提出することができ

る。

３　地球温暖化対策事業者等（地球温暖化対策事業者及び前項の規定により地球温暖化対策報告書を提出した者をいう。以下同じ。）は、地球温暖化対策事業者等が実施すべき地球温暖化の対策として地球温暖化対策指針に定める対策を推進しなければならない。

４　地球温暖化対策事業者等は、第一項第二号に規定する目標の達成に努めなければならない。

（**地球温暖化対策報告書の公表**）

**第八条の二十四**　地球温暖化対策事業者は、前条第一項の地球温暖化対策報告書を提出したときは、規則で定めるところにより、遅滞なくその内容を公表しなければならない。

２　知事は、前条第一項又は第二項の地球温暖化対策報告書の提出があったときは、規則で定めるところにより、その内容を公表するものとする。

（**指導及び助言**）

**第八条の二十五**　知事は、地球温暖化対策事業者等に対し、第八条の二十三第三項の規定による地球温暖化の対策の実施について、必要な指導及び助言を行うことができる。

（**勧告**）

**第九条**　知事は、地球温暖化対策事業者が、第八条の二十三第一項の規定による地球温暖化対策報告書の提出をしなかったときは、当該事業者に対し、期限を定めてその期間内に提出することを勧告することができる。

２　知事は、地球温暖化対策事業者等が、正当な理由なく前条の規定による指導及び助言に従わず、かつ、第八条の二十三第三項の規定による対策の推進が地球温暖化対策指針に照らして著しく不十分であるときは、当該地球温暖化対策事業者等に対し、必要な措置をとるべきことを勧告することができる。

３　知事は、前項の規定による勧告を行おうとする場合においては、あらかじめ専門的知識を有する者の意見を聴くものとする。

## 第二節の三　エネルギー供給事業における環境への負荷の低減

（**エネルギー環境計画指針の作成**）

**第九条の二**　知事は、都内に規則で定めるエネルギー（以下「特定エネルギー」という。）を供給している事業者のうち規則で定めるもの（以下「特定エネルギー供給事業者」という。）が、特定エネルギーの供給において地球温暖化の対策を推進するため、再生可能エネルギーを変換して得られる特定エネルギー（以下「再生可能特定エネルギー」という。）の供給の拡大その他の方法による温室効果ガスの排出の量の抑制に係る措置及び目標その他規則で定める事項についての指針（以下「エネルギー環境計画指針」という。）を定めるものとする。

２　エネルギー環境計画指針は、科学的知見、技術水準その他の事情を勘案して作成するものとし、必要に応じて改定するものとする。

３　知事は、エネルギー環境計画指針を定め、又は改定したときは、その内容を公表するものとする。

（**エネルギー環境計画書の作成等**）

**第九条の三**　特定エネルギー供給事業者は、毎年度、都内への特定エネルギーの供給に関し、次に掲げる地球温暖化の対策に関する事項を定めた計画書（以下「エネルギー環境計画書」という。）を、エネルギー環境計画指針に基づき作成し、規則で定めるところにより、知事に提出しなければならない。

一　規則で定める単位当たりの特定エネルギーの供給に伴い排出される温室効果ガスの量の抑制に係る措置及び目標

二　特定エネルギーの供給の量に対する再生可能特定エネルギーの供給の量の割合の拡大に係る措置及び目標

三　その他地球温暖化の対策に関して規則で定める事項

２　前項の規定によりエネルギー環境計画書を提出した者は、規則で定める事項の変更をした場合に限り、規則で定めるところにより、その旨を知事に届け出ることができる。

（**エネルギー環境計画書に基づく地球温暖化の対策の推進**）

**第九条の四**　特定エネルギー供給事業者は、エネルギー環境計画書に基づき、前条第一項第一号及び第二号に規定する目標の達成その他の地球温暖化の対策の推進に努めなければならない。

（**エネルギー状況報告書の作成等**）

**第九条の五**　特定エネルギー供給事業者は、毎年度、次に掲げる事項を記載した報告書（以下「エネルギー状況報告書」という。）を、エネルギー環境計画指針に基づき作成し、規則で定めるところにより、知事に提出しなければならない。

一　前年度の特定エネルギーの供給に伴い排出された温室効果ガスの量

二　前年度の規則で定める単位当たりの特定エネルギーの供給に伴い排出された温室効果ガスの量

三　前年度の特定エネルギーの供給の量に対する再生可能特定エネルギーの供給の量の割合

四　エネルギー環境計画書に基づく地球温暖化の対策

に関して規則で定める事項

（**エネルギー環境計画書等の公表**）

**第九条の六**　特定エネルギー供給事業者は、次に掲げる書面を提出したときは、規則で定めるところにより、遅滞なくその内容を公表しなければならない。

一　第九条の三第一項のエネルギー環境計画書

二　前条のエネルギー状況報告書

2　知事は、前項各号に掲げる書面の提出があったときは、規則で定めるところにより、その内容を公表するものとする。

（**勧告**）

**第九条の七**　知事は、特定エネルギー供給事業者が、次の各号のいずれかに該当するときは、特定エネルギー供給事業者に対し必要な措置をとることを勧告することができる。

一　第九条の三第一項又は第九条の五の規定による提出をしなかったとき。

二　前条第一項の規定による公表をしなかったとき。

**第二節の四**　削除

**第十条から第十七条まで**　削除

**第二節の五**　地域における脱炭素化の推進

（**開発事業者の責務**）

**第十七条の二**　一の区域において一又は二以上の建築物の新築、増築又は改築（以下「新築等」という。）を行う事業（以下「開発事業」という。）をしようとする者（以下「開発事業者」という。）は、当該開発事業を行う区域における脱炭素化の推進について必要な措置を講じ、環境への負荷の低減に努めなければならない。

（**特定開発区域等脱炭素化指針の作成**）

**第十七条の三**　知事は、大量かつ高密度なエネルギー需要を発生させるものとして規則で定める規模の開発事業（以下「特定開発事業」という。）をしようとする者（以下「特定開発事業者」という。）、特定開発事業を行う区域（以下「特定開発区域」という。）及びその周辺の地域（以下これらを「特定開発区域等」という。）に熱又は熱と併せて電気の供給を行う事業者（以下「地域エネルギー供給事業者」という。）、地域エネルギー供給事業者の供給対象となる者並びに特定開発区域等における脱炭素化の推進に関わるその他事業者が、特定開発事業によって生じる環境への負荷の低減を図るための特定開発区域等における脱炭素化の推進に関する指針（以下「特定開発区域等脱炭素化指針」という。）を定めるものとする。

2　特定開発区域等脱炭素化指針は、科学的知見、技術水準その他の事情を勘案して作成するものとし、必要に応じて改定するものとする。

3　知事は、特定開発区域等脱炭素化指針を定め、又は改定したときは、その内容を公表するものとする。

（**特定開発区域等脱炭素化方針の作成等**）

**第十七条の四**　特定開発事業者は、特定開発事業を行おうとするときは、特定開発区域等脱炭素化指針に基づき、脱炭素化の推進に向けた規則で定める目標値の設定並びに規則で定める設備等の導入及びエネルギーの利用等に関する取組についての検討を行わなければならない。

2　特定開発事業者は、規則で定めるところにより、次に掲げる事項を記載した特定開発区域等における脱炭素化の推進に関する事項を定めた方針（以下「特定開発区域等脱炭素化方針」という。）を、特定開発区域等脱炭素化指針に基づき作成し、規則で定める日までに、知事に提出しなければならない。

一　前項に規定する目標値の設定を踏まえた温室効果ガスの削減方針

二　前項に規定する検討を踏まえた設備等の導入及びエネルギーの利用等に関する取組についての基本方針

三　第一号に規定する削減方針及び前号に規定する基本方針に基づき特定開発事業者が取り組む事項

四　前各号に掲げるもののほか、規則で定める事項

（**特定開発区域等脱炭素化方針の変更の届出**）

**第十七条の五**　特定開発事業者は、前条第二項の規定により提出した特定開発区域等脱炭素化方針の内容を変更しようとするときは、規則で定めるところにより、速やかにその旨を知事に届け出なければならない。ただし、規則で定める場合については、この限りでない。

（**特定開発区域等脱炭素化方針の公表**）

**第十七条の六**　特定開発事業者は、第十七条の四第二項の規定により特定開発区域等脱炭素化方針を提出したとき、又は前条の規定により変更の届出をしたときは、規則で定めるところにより、その内容を公表しなければならない。

2　知事は、第十七条の四第二項の規定による特定開発区域等脱炭素化方針の提出又は前条の規定による変更の届出があったときは、規則で定めるところにより、その内容を公表するものとする。

（**特定開発区域等脱炭素化報告書の提出等**）

**第十七条の七**　特定開発事業者は、第十七条の四第二項各号に掲げる事項を記載した特定開発区域等脱炭素化方針の取組状況の実績に関する報告書（以下「特定開発区域等脱炭素化報告書」という。）を、特定開発区域等脱炭素化指針に基づき作成し、規則で定めるとこ

ろにより、知事に提出しなければならない。

（特定開発区域等脱炭素化報告書の公表）

**第十七条の八**　特定開発事業者は、前条の規定により特定開発区域等脱炭素化報告書を提出したときは、規則で定めるところにより、その内容を公表しなければならない。

2　知事は、前条の規定により特定開発区域等脱炭素化報告書の提出があったときは、規則で定めるところにより、その内容を公表するものとする。

（地域エネルギー供給事業者の脱炭素化の推進に係る措置）

**第十七条の九**　地域エネルギー供給事業者は、特定開発区域等脱炭素化指針に基づき、特定開発区域内の建築物（次条第三項に規定する同意が得られたときは、同項に規定する建築物を含む。以下同じ。）へのエネルギーの供給に関し、脱炭素化の推進について必要な措置を講じなければならない。

（地域エネルギー供給計画書の作成等）

**第十七条の十**　特定開発事業者は、特定開発事業において地域冷暖房その他複数の建築物への熱の供給と併せて一又は二以上の建築物に電気を供給する仕組みを導入することとなる場合には、特定開発区域等脱炭素化指針に基づき、次に掲げる事項を記載した特定開発区域内の建築物へのエネルギーの供給に関する計画書（以下「地域エネルギー供給計画書」という。）を作成し、規則で定める日までに、規則で定めるところにより、知事に提出しなければならない。

一　地域エネルギー供給事業者の氏名及び住所（法人にあっては、名称、代表者の氏名及び主たる事務所の所在地）

二　エネルギー供給を行う区域

三　利用するエネルギーの種類及び量

四　供給するエネルギーの種類及び量並びに熱媒体の種類

五　供給するエネルギーの効率の値

六　前各号に定めるもののほか、規則で定める事項

2　前項の規定にかかわらず、特定開発事業者は、当該特定開発事業者以外の者を同項第一号の地域エネルギー供給事業者としたときは、地域エネルギー供給計画書を当該地域エネルギー供給事業者に作成させることができる。

3　特定開発事業者は、地域エネルギー供給計画書を作成するときは、特定開発区域に隣接し、又は近接して存する建築物の所有者又は管理者及び特定開発区域に隣接し、又は近接して建築物の新築等をしようとする者の同意を得て、当該建築物を含めた地域エネルギー供給計画書を作成することができる。

4　特定開発事業者は、地域エネルギー供給計画書の作成に当たり、その計画の区域に隣接し、又は近接する区域における他の地域エネルギー供給事業者（以下「他の地域エネルギー供給事業者」という。）があるときは、特定開発区域等脱炭素化指針に基づき、供給する熱の相互利用について検討しなければならない。

（地域エネルギー供給計画書の変更）

**第十七条の十一**　前条第一項の規定により地域エネルギー供給計画書を提出した者は、同項第一号に掲げる事項の変更をしたときは、遅滞なくその旨を、規則で定めるところにより、知事に届け出なければならない。

2　前条第一項の規定により地域エネルギー供給計画書を提出した者は、同項第二号から第六号までに掲げる事項の変更をしようとするときは、あらかじめ、当該変更しようとする事項について記載した計画書を作成し、規則で定めるところにより、知事に提出しなければならない。

3　前条の規定は、前項の規定による変更について準用する。

（地域エネルギー供給計画書の公表）

**第十七条の十二**　特定開発事業者は、第十七条の十第一項若しくは前条第二項の規定により地域エネルギー供給計画書を提出したとき、又は同条第一項の規定により変更の届出をしたときは、規則で定めるところにより、その内容を公表しなければならない。

2　知事は、第十七条の十第一項若しくは前条第二項の規定による地域エネルギー供給計画書の提出又は同条第一項の規定による変更の届出があったときは、規則で定めるところにより、その内容を公表するものとする。

（エネルギー供給の開始の届出）

**第十七条の十三**　地域エネルギー供給事業者は、第十七条の十第一項又は第十七条の十一第二項の規定により作成された地域エネルギー供給計画書に係るエネルギーの供給を開始したときは、その旨を、規則で定めるところにより、規則で定める日までに、知事に届け出なければならない。

（地域エネルギー供給実績報告書の提出等）

**第十七条の十四**　地域エネルギー供給事業者は、第十七条の十第一項各号に掲げる事項を記載した特定開発区域内の建築物へのエネルギー供給の実績に関する報告書（以下「地域エネルギー供給実績報告書」という。）を、特定開発区域等脱炭素化指針に基づき作成し、規則で定めるところにより、知事に提出しなければならない。

（地域エネルギー供給実績報告書の公表）

**第十七条の十五**　地域エネルギー供給事業者は、前条の規定により地域エネルギー供給実績報告書を提出したときは、規則で定めるところにより、その内容を公表しなければならない。

2　知事は、前条の規定により地域エネルギー供給実績報告書の提出があったときは、規則で定めるところにより、その内容を公表するものとする。

**（脱炭素化の推進に関わるその他事業者の協力等）**

**第十七条の十六**　特定開発区域等においてエネルギーが生じる事業活動を行う事業者（以下「エネルギー利用に係る事業者」という。）は、特定開発区域等脱炭素化指針に基づき、第十七条の四第一項の規定により特定開発事業者が行う設備の導入についての検討及び地域エネルギー供給事業者が行うエネルギーの利用に協力しなければならない。

2　他の地域エネルギー供給事業者は、特定開発区域等脱炭素化指針に基づき、第十七条の十第四項の規定による特定開発事業者が供給しようとする熱の相互利用についての検討及び地域エネルギー供給事業者が供給する熱の相互利用に協力しなければならない。

3　地域エネルギー供給事業者に熱を提供する設備で、熱と併せて電気を提供する設備（以下「熱電併給設備」という。）を設置しようとする事業者は、特定開発区域等脱炭素化指針に基づき、熱を提供しようとする地域エネルギー供給事業者の熱需要に応じた熱の損失の少ない最適な規模の熱電併給設備を設置するよう努めなければならない。

4　熱電併給設備の所有者又は管理者は、地域エネルギー供給事業者に対して熱を提供するに当たり、特定開発区域等脱炭素化指針に基づき、当該熱電併給設備による効率的な熱の提供に努めなければならない。

5　地域エネルギー供給事業者からエネルギー供給を受ける建築物の新築等をしようとする者及びその所有者又は管理者並びにその建築物を使用する事業者（以下「エネルギー供給受入者」という。）は、特定開発区域等脱炭素化指針に基づき、地域エネルギー供給事業者が行う脱炭素化の推進に係る措置に協力しなければならない。

**（地域冷暖房区域の指定）**

**第十七条の十七**　知事は、特定開発事業者又は地域エネルギー供給事業者からの申請に基づき、地域エネルギー供給計画書又は地域エネルギー供給実績報告書に記載するエネルギー供給を行う区域において、冷房又は暖房及び給湯の用に供される熱の量のいずれかが規則で定める量以上になるものと予測される場合において、当該区域に供給するエネルギーの効率の値及び第十七条の十第一項第六号の規則で定める事項が規則で定める基準を満たしていると認めるときは、当該区域を地域冷暖房区域として指定することができる。

2　知事は、前項の規定による地域冷暖房区域の指定に当たり、専門的知識を有する者の意見を聴くものとする。

3　知事は、地域冷暖房区域の指定に当たり次に掲げる者に対し、区域指定についての説明を行うものとする。

一　指定しようとする区域内に規則で定める規模を超える建築物の新築等をしようとする者

二　指定しようとする区域内に存する規則で定める規模を超える建築物の所有者又は管理者

三　指定しようとする区域を管轄する特別区の区長及び市町村長

4　前項各号に定める者は、規則で定める期限までに知事に意見を申し出ることができる。

5　知事は、第一項の規定により地域冷暖房区域を指定するときは、第二項及び前項の意見を勘案するものとする。

6　知事は、第一項の規定により地域冷暖房区域を指定したときは、規則で定めるところにより、その内容を公示しなければならない。

**（地域冷暖房区域の変更）**

**第十七条の十八**　知事は、前条第一項の規定により指定した地域冷暖房区域について、特定開発事業者又は地域エネルギー供給事業者からの申請に基づき、地域冷暖房区域の変更を行うことができる。

2　前条の規定は、前項の規定により変更を行う場合に準用する。この場合において、同条第一項の規定中「地域エネルギー供給計画書又は地域エネルギー供給実績報告書に記載するエネルギー供給を行う区域」とあるのは「変更後の地域冷暖房区域」と読み替えるものとし、新たな区域を地域冷暖房区域に追加するときにあっては同条第三項の規定の適用は追加する区域に限るものとし、地域冷暖房区域が減少するときにあっては同項第一号及び第二号の規定は適用せず、同項第三号の規定中「指定しようとする区域」とあるのは「指定を取り消そうとする区域」と読み替えるものとする。

**（地域冷暖房区域の指定の取消し）**

**第十七条の十九**　知事は、第十七条の十七第一項の規定により指定され、又は前条第一項の規定により変更された地域冷暖房区域に係るエネルギーの供給の状況が次に掲げる場合のいずれかに該当するときは、当該地域冷暖房区域の指定を取り消すことができる。

一　地域エネルギー供給実績報告書において、エネルギー供給の効率の値が規則で定める期間、規則で定める基準を下回り、改善の見込みがないとき。

二　地域エネルギー供給実績報告書において、熱の供給量が規則で定める期間、第十七条の十七第一項の規則で定める熱の量を下回り、回復の見込みがないとき。

三　地域エネルギー供給事業者が、当該地域冷暖房区域へのエネルギー供給を廃止したとき。

四　地域冷暖房区域の指定の公示後、地域エネルギー供給事業者が、規則で定める期間、エネルギー供給を行わないとき。

五　地域エネルギー供給実績報告書において、規則で定めるところにより第十七条の十第一項第六号の規則で定める事項に係る第十七条の十七第一項の規則で定める基準を満たさなくなったとき。

2　知事は、前項の取消しに当たっては、あらかじめ、次に掲げる者の意見を聴くものとする。

一　専門的知識を有する者

二　取消しに係る地域冷暖房区域を管轄する特別区の区長及び市町村長

3　知事は、第一項の規定により地域冷暖房区域の指定を取り消したときは、その旨を公示しなければならない。

**（熱供給の受入検討義務）**

**第十七条の二十**　第十七条の十七第一項の規定により知事が指定し、又は第十七条の十八第一項の規定により知事が変更した地域冷暖房区域において、規則で定める規模を超える建築物の新築等をしようとする者及び規則で定める規模を超える建築物に設置されている規則で定める熱源機器の更新をしようとする当該建築物の所有者又は管理者（以下「熱供給の受入検討建築主等」という。）は、特定開発区域等脱炭素化指針に基づき、当該地域冷暖房区域に係る地域エネルギー供給事業者とその供給する熱の受入れについて協議し、検討しなければならない。

2　熱供給の受入検討建築主等は、規則で定めるところにより、前項の協議及び検討結果を、知事に届け出なければならない。

**（指導及び助言）**

**第十七条の二十一**　知事は、特定開発事業者、地域エネルギー供給事業者、エネルギー利用に係る事業者、他の地域エネルギー供給事業者、熱電併給設備を設置しようとする事業者、熱電併給設備の所有者若しくは管理者、エネルギー供給受入者又は熱供給の受入検討建築主等が行う次に掲げる事項が特定開発区域等脱炭素化指針に照らして不十分であると認めるときは、これらの者に対し、特定開発区域等脱炭素化指針に基づき、必要な指導及び助言をすることができる。

一　第十七条の四第一項の規定による目標値の設定及び検討

二　第十七条の九の規定による措置

三　第十七条の十第四項の規定による検討

四　第十七条の十六第一項、第二項又は第五項の規定による協力

五　第十七条の十六第三項の規定による設置

六　第十七条の十六第四項の規定による提供

七　前条第一項の規定による協議又は検討

**（勧告）**

**第十七条の二十二**　知事は、特定開発事業者、地域エネルギー供給事業者又は熱供給の受入検討建築主等が、次の各号のいずれかに該当するときは、これらの者に対し必要な措置をとることを勧告することができる。

一　第十七条の四第二項、第十七条の五、第十七条の七、第十七条の十第一項、第十七条の十一第一項若しくは第二項、第十七条の十三、第十七条の十四又は第十七条の二十第二項の規定による提出又は届出をしなかったとき。

二　第十七条の六第一項、第十七条の八第一項、第十七条の十二第一項又は第十七条の十五第一項の規定による公表をしなかったとき。

三　正当な理由なく前条第一号（目標値の設定に係る部分に限る。）、第二号又は第七号（協議に係る部分に限る。）の規定による指導及び助言に従わず、かつ、特定開発区域等脱炭素化指針に照らして、地域における脱炭素化を推進するための措置が著しく不十分であるとき。

2　知事は、前項第三号の規定による勧告を行おうとする場合においては、あらかじめ専門的知識を有する者の意見を聴くものとする。

### 第三節　建築物に係る環境配慮の措置

**（建築主等の責務）**

**第十八条**　建築主等（建築物の新築等をしようとする者（以下「建築主」という。）並びに自らが定めた建築物の構造及び設備に関する規格に基づく建築物（以下「規格建築物」という。）を新たに建設する工事を業として請け負う者（以下「建設請負事業者」という。）をいう。次条第一項において同じ。）は、同項に規定する指針で定めるところにより、当該建築物及びその敷地（以下「建築物等」という。）に係るエネルギーの使用の合理化及び再生可能エネルギーへの転換、資源の適正利用、生物の多様性の保全、気候変動への適応並びに電気を動力源とする自動車に充電する設備（以下「電気自動車充電設備」という。）の整備（以下

これらを「建築物等に係る環境配慮」という。）について必要な措置を講じ、環境への負荷の低減に努めなければならない。

2　新築の建築物の購入又は賃借をしようとする者は、当該建築物等に係る環境配慮について理解を深め、環境への負荷の低減に努めなければならない。

**（配慮指針の作成等）**

**第十九条**　知事は、建築主等が、当該建築物等に起因する環境への負荷の低減を図るため、エネルギーの使用の合理化及び再生可能エネルギーへの転換、資源の適正利用、生物の多様性の保全並びに気候変動への適応に係る措置について配慮すべき事項、当該措置についての取組状況の評価、エネルギーの使用の合理化に関する性能の基準（以下「省エネルギー性能基準」という。）に適合するための措置、誘導すべき省エネルギー性能基準、再生可能エネルギーを利用する設備の設置等に係る基準（以下「再生可能エネルギー利用設備設置基準」という。）に適合するための措置、誘導すべき再生可能エネルギー利用設備設置基準、電気自動車充電設備の整備に係る基準（以下「電気自動車充電設備整備基準」という。）に適合するための措置、誘導すべき電気自動車充電設備整備基準その他の事項についての指針（以下「配慮指針」という。）を定めるものとする。

2　配慮指針は、科学的知見、技術水準その他の事情を勘案して作成するものとし、必要に応じて改定するものとする。

3　知事は、配慮指針を定め、又は改定したときは、その内容を公表するものとする。

4　知事は、新築の建築物の購入又は賃借をしようとする者が、当該建築物等に起因する環境への負荷の低減を図るため、当該者に対し、建築物等に係る環境配慮に関する情報の提供を行うものとする。

**（配慮指針に基づく環境配慮の措置）**

**第二十条**　規則で定める規模以上の建築物（規則で定める種類の建築物を除く。以下「特定建築物」という。）の新築等をしようとする者（以下「特定建築主」という。）は、当該特定建築物及びその敷地（以下「特定建築物等」という。）について、配慮指針に基づき適切な環境への配慮のための措置を講じなければならない。

**（特定建築物における省エネルギー性能基準の順守）**

**第二十条の二**　特定建築主は、配慮指針で定めるところにより、当該特定建築物（規則で定める用途の部分に限る。）について、規則で定める省エネルギー性能基準に適合するよう措置を講じなければならない。

**（特定建築物等における再生可能エネルギー利用設備設置基準の順守）**

**第二十条の三**　特定建築主は、配慮指針で定めるところにより、当該特定建築物（規則で定める種類の建築物を除く。）及びその敷地について、規則で定める再生可能エネルギー利用設備設置基準に適合するよう措置を講じなければならない。

**（特定建築物等における電気自動車充電設備整備基準の順守）**

**第二十条の四**　特定建築主は、配慮指針で定めるところにより、当該特定建築物等について、規則で定める電気自動車充電設備整備基準に適合するよう措置を講じなければならない。

**（建築物環境計画書の作成等）**

**第二十一条**　特定建築主は、規則で定めるところにより、特定建築物等について、次に掲げる事項を記載した環境への配慮のための措置についての計画書（以下「建築物環境計画書」という。）を作成し、規則で定める日までに、知事に提出しなければならない。

一　建築主の氏名及び住所（法人にあっては、名称、代表者の氏名及び主たる事務所の所在地）

二　建築物等の名称及び所在地

三　建築物等の概要

四　エネルギーの使用の合理化及び再生可能エネルギーへの転換、資源の適正利用、生物の多様性の保全並びに気候変動への適応に係る環境への配慮のための措置

五　前号に掲げる措置についての取組状況の評価

六　第二十条の二の規定による省エネルギー性能基準に対する適合状況

七　第二十条の三の規定による再生可能エネルギー利用設備設置基準に対する適合状況

八　前条の規定による電気自動車充電設備整備基準に対する適合状況

九　前各号に掲げるもののほか、規則で定める事項

**（建築物環境計画書の任意提出）**

**第二十一条の二**　建築主（特定建築主を除く。）は、規則で定めるところにより、建築物（規則で定める種類の建築物を除く。）及びその敷地について、前条の建築物環境計画書を作成し、知事に提出することができる。

2　第二十条の規定は、前項の規定により建築物環境計画書を提出する者について準用する。

**（建築物環境計画書の公表）**

**第二十一条の三**　知事は、第二十一条又は前条第一項の規定による建築物環境計画書の提出があったときは、規則で定めるところにより、その内容を公表するもの

とする。

（建築物環境計画書の変更等の届出）

**第二十二条**　第二十一条又は第二十一条の二第一項の規定により建築物環境計画書を提出した建築主は、当該建築物環境計画書を提出してから当該建築物等に係る工事が完了するまでの間に、第二十一条第一号又は第三号から第九号までに掲げる事項の変更をしようとするときは、規則で定める日までに、規則で定めるところにより、その旨を知事に届け出なければならない。ただし、規則で定める場合については、この限りでない。

2　第二十一条又は第二十一条の二第一項の規定により建築物環境計画書を提出した建築主は、当該建築物環境計画書を提出してから当該建築物等に係る工事が完了するまでの間に、当該建築物等の新築等を中止したときは、規則で定めるところにより、その旨を速やかに知事に届け出なければならない。

3　知事は、第一項の規定による届出があったときは、規則で定めるところにより、その内容を公表するものとする。

（工事完了の届出等）

**第二十三条**　第二十一条又は第二十一条の二第一項の規定による建築物環境計画書の提出（前条第一項の規定による変更の届出を含む。）を行った建築主（以下「計画書等提出建築主」という。）は、建築物等の新築等に係る工事（前条第一項の変更する事項に係る工事を含む。）が完了したときは、規則で定めるところにより、その旨を知事に届け出なければならない。

2　知事は、前項の規定による届出があったときは、規則で定めるところにより、その内容を公表するものとする。

（表示基準及び評価書作成基準の作成）

**第二十三条の二**　知事は、建築物のうち、その全部又は一部が構造上数個の部分に区分され、それぞれの部分を独立して住居の用に供することができる建築物（以下「マンション」という。）及びその敷地に係る第二十一条第五号の取組状況の評価のうち規則で定めるものが示す当該マンション及びその敷地の環境への配慮に係る性能（以下「マンション環境性能」という。）の評価を記載した標章（以下「マンション環境性能表示」という。）の表示方法その他の事項に関する基準（以下「表示基準」という。）を定めるものとする。

2　知事は、特定建築物（住居の用に供する部分以外の規則で定める用途の部分に限る。）及びその敷地（以下「非住宅用途特定建築物等」という。）に係る第二十一条第五号の取組状況の評価のうち規則で定めるものが示す当該特別大規模特定建築物等の環境への配慮のための措置に関する性能の評価を記載した書面（以下「環境性能評価書」という。）の作成方法その他の事項に関する基準（以下「評価書作成基準」という。）を定めるものとする。

3　知事は、表示基準及び評価書作成基準を定め、又は改定したときは、その内容を公表するものとする。

（特定マンションの環境性能の表示等）

**第二十三条の三**　規則で定める規模のマンション（以下「特定マンション」という。）に係る第二十一条の規定による建築物環境計画書の提出（第二十二条第一項の規定による変更の届出を含む。）を行った特定建築主（以下「特定マンション建築主」という。）は、当該特定マンションの販売若しくは賃貸を目的とした規則で定める広告をしようとするとき、又は他人に販売若しくは賃貸若しくはそれらの媒介の委託を行った場合において当該販売若しくは賃貸若しくはそれらの媒介の委託を受けた者（以下「マンション販売等受託者」という。）が販売若しくは賃貸を目的とした規則で定める広告をしようとするときは、規則で定める日までの間、表示基準に基づき、当該広告中にマンション環境性能表示を表示し、又はマンション販売等受託者をして表示させなければならない。ただし、規則で定める広告については、表示し、又は表示させることを省略することができる。

2　前項に規定する場合において、マンション販売等受託者は、特定マンション建築主が行うマンション環境性能表示の表示に協力しなければならない。

3　特定マンション建築主は、最初に第一項の規定による表示をし、又は表示をさせたときは、規則で定める日までに、規則で定めるところにより、その旨を知事に届け出なければならない。

4　知事は、前項の規定による届出があったときは、規則で定めるところにより、その内容を公表するものとする。

（マンションの環境性能の任意表示）

**第二十三条の三の二**　マンションに係る計画書等提出建築主（以下「マンション建築主」という。）（特定マンション建築主を除く。）は、当該マンションの販売若しくは賃貸を目的とした規則で定める広告をしようとするとき、又は他人に販売若しくは賃貸若しくはそれらの媒介の委託を行った場合においてマンション販売等受託者が販売若しくは賃貸を目的とした規則で定める広告をしようとするときは、規則で定める日までの間、表示基準に基づき、当該広告中にマンション環境性能表示を表示し、又はマンション販売等受託者をして表示させることができる。

2　前条第一項（ただし書に限る。）から第四項までの規定は、前項の規定によりマンション環境性能表示を表示し、又はマンション販売等受託者をして表示させるマンション建築主について準用する。

**（環境性能評価書の作成等）**

**第二十三条の四**　特定建築主又は特定建築物に係る第二十三条第一項の規定による工事の完了の届出を行った特定建築主（規則で定めるものに限る。以下「特定建築物工事完了届出者」という。）は、非住宅用途特定建築物等について、規則で定める日までの間、評価書作成基準に基づき環境性能評価書を作成し、次の各号に掲げる場合の区分に応じ、当該各号に掲げる者に対し、売却、賃貸又は信託の受益権の譲渡をしようとする際に、環境性能評価書を交付しなければならない。ただし、規則で定める場合については交付を省略することができる。

一　特別大規模特定建築物等の全部又は一部を売却する場合　買受人

二　特別大規模特定建築物等の全部又は一部を賃貸する場合　賃借人

三　特別大規模特定建築物等の全部又は一部に係る信託の受益権を譲渡する場合　譲受人

2　特定建築主又は特定建築物工事完了届出者は、前項の規定による環境性能評価書の交付を行ったときは、規則で定める日までに、規則で定めるところにより、その旨を知事に対して届け出なければならない。

**（マンション環境性能及び環境性能評価書の説明）**

**第二十三条の五**　マンション建築主及びマンション販売等受託者は、マンションを販売し、又は賃貸しようとするときは、当該マンションを購入し、又は賃借しようとする者に対し、当該マンション及びその敷地に係るマンション環境性能の内容を説明するよう努めなければならない。

2　特定建築主又は特定建築物工事完了届出者は、環境性能評価書を交付するときは、前条第一項各号に掲げる者に対して、当該環境性能評価書の内容を説明するよう努めなければならない。

**（マンション環境性能表示及び環境性能評価書の変更）**

**第二十三条の六**　第二十三条の三第一項の規定によりマンション環境性能表示を表示し、又は表示させた特定マンション建築主及び第二十三条の三の二第一項の規定によりマンション環境性能表示を表示し、又は表示させたマンション建築主（以下「マンション環境性能表示建築主」という。）は、当該各項の規定によりマンション環境性能表示を表示し、又は表示させた後、当該マンション環境性能表示の内容に変更が生じた場合において、変更後のマンション環境性能表示を表示し、又は表示させたときは、規則で定める日までに、規則で定めるところにより、その旨を知事に届け出なければならない。

2　マンション環境性能表示建築主は、第二十三条の三第一項又は第二十三条の三の二第一項の規定によりマンション環境性能表示を表示し、又は表示させた後、第二十一条第一項第一号又は第二号に掲げる事項に変更が生じたときは、速やかに、規則で定めるところにより、その旨を知事に届け出なければならない。

3　知事は、前二項の規定による届出があったときは、規則で定めるところにより、その内容を公表するものとする。

4　マンション環境性能表示建築主及びマンション販売等受託者は、第一項の変更が生じたときは、マンションを購入し、若しくは賃借しようとする者又は購入し、若しくは賃借した者に対して、当該変更の内容を説明するよう努めなければならない。

5　特定建築主又は特定建築物工事完了届出者は、環境性能評価書を交付した後に、当該環境性能評価書の内容に変更が生じたときは、当該環境性能評価書を交付した者に、変更後の環境性能評価書の交付及び当該変更の内容の説明を行うよう努めなければならない。

**（中小規模特定建築物における省エネルギー性能基準の順守）**

**第二十三条の七**　特定供給事業者（建設請負事業者又は規格建築物を新築し、これを分譲し、若しくは賃貸することを業として行う者（以下これらを「建物供給事業者」という。）であって、建物供給事業者が一年間に都内において新たに建設し、若しくは新築する当該規格に基づく規則で定める規模未満の建築物（規則で定める種類の建築物を除く。以下「中小規模特定建築物」という。）の延べ面積の合計が規則で定める値以上であるもの又は規則で定めるところにより申請を行ったもの（規則で定めるところにより知事から承認を受けたものに限る。）をいう。以下同じ。）は、配慮指針で定めるところにより、当該中小規模特定建築物（規則で定める用途の部分に限る。次項において同じ。）について、規則で定める省エネルギー性能基準に適合するよう措置を講じなければならない。

2　特定供給事業者は、当該中小規模特定建築物について、配慮指針で定める誘導すべき省エネルギー性能基準に適合するための措置を講じるよう努めなければならない。

**（中小規模特定建築物等における再生可能エネルギー利用設備設置基準の順守）**

**第二十三条の八**　特定供給事業者は、配慮指針で定めるところにより、当該中小規模特定建築物（規則で定める種類の建築物を除くことができる。次項において同じ。）及びその敷地について、規則で定める再生可能エネルギー利用設備設置基準に適合するよう措置を講じなければならない。

2　特定供給事業者は、当該中小規模特定建築物及びその敷地について、配慮指針で定める誘導すべき再生可能エネルギー利用設備設置基準に適合するための措置を講じるよう努めなければならない。

（中小規模特定建築物等における電気自動車充電設備整備基準の順守）

**第二十三条の九**　特定供給事業者は、配慮指針で定めるところにより、当該中小規模特定建築物及びその敷地（以下「中小規模特定建築物等」という。）について、規則で定める電気自動車充電設備整備基準に適合するよう措置を講じなければならない。

2　特定供給事業者は、当該中小規模特定建築物等について、配慮指針で定める誘導すべき電気自動車充電設備整備基準に適合するための措置を講じるよう努めなければならない。

（中小規模特定建築物等に係る措置に関する説明等）

**第二十三条の十**　特定供給事業者は、中小規模特定建築物等に係るエネルギーの使用の合理化及び再生可能エネルギーへの転換並びに電気自動車充電設備の整備に係る措置に関して、当該中小規模特定建築物の新築をしようとする者又は当該中小規模特定建築物の購入若しくは賃借をしようとする者（規則で定める者に限る。次項において同じ。）に対し、規則で定める事項を、規則で定めるところにより書面（電磁的記録を含む。以下この条において同じ。）を交付し、説明しなければならない。

2　建物供給事業者（特定供給事業者を除く。）は、前項に規定する措置に関して、当該中小規模特定建築物の新築をしようとする者又は当該中小規模特定建築物の購入若しくは賃借をしようとする者に対し、規則で定める事項を、規則で定めるところにより書面を交付し、説明するよう努めなければならない。

3　前二項の規定による説明をした者は、当該説明において交付した書面の写しを規則で定める日まで保管しなければならない。

（建築物環境報告書の作成等）

**第二十三条の十一**　特定供給事業者は、毎年度、新たに建設し、又は新築しようとした中小規模特定建築物等について、次に掲げる事項を記載した環境への配慮のための措置についての報告書（以下「建築物環境報告書」という。）を作成し、規則で定めるところにより、知事に提出しなければならない。

一　建物供給事業者の氏名及び住所（法人にあっては、名称、代表者の氏名及び主たる事務所の所在地）

二　都内において新たに建設し、又は新築しようとした中小規模特定建築物の延べ面積の合計

三　第二十三条の七第一項及び第二項の規定による省エネルギー性能基準に対する適合状況

四　第二十三条の八第一項及び第二項の規定による再生可能エネルギー利用設備設置基準に対する適合状況

五　第二十三条の九第一項及び第二項の規定による電気自動車充電設備整備基準に対する適合状況

六　前条第一項の規定による説明の実施状況

七　前各号に掲げるもののほか、規則で定める事項

2　知事は、前項の規定による建築物環境報告書の提出を受けたときは、同項各号に掲げる事項の状況について調査することができる。

3　特定供給事業者は、前項の規定による調査に協力しなければならない。

4　特定供給事業者は、第一項の規定による建築物環境報告書に係る中小規模特定建築物等について、規則で定める書類等を規則で定める日まで保管しなければならない。

（建築物環境報告書の任意提出）

**第二十三条の十二**　建物供給事業者（特定供給事業者を除く。）は、規則で定めるところにより、前条第一項の建築物環境報告書を作成し、知事に提出することができる。この場合において、同項の規定の適用については、同項第六号中「前条第一項」とあるのは「前条第二項」とする。

2　前条第二項から第四項までの規定は、前項の規定により建築物環境報告書を提出する者について準用する。この場合において、同条第二項中「前項」とあるのは「次条第一項」と、「同項各号」とあるのは「前項各号」と、同条第三項中「特定供給事業者」とあるのは「建物供給事業者」と、同条第四項中「特定供給事業者」とあるのは「建物供給事業者（特定供給事業者を除く。）」と、「第一項」とあるのは「次条第一項」と読み替えるものとする。

（建築物環境報告書の公表）

**第二十三条の十三**　知事は、第二十三条の十一第一項又は前条第一項の規定による建築物環境報告書の提出があったときは、規則で定めるところにより、規則で定める事項を公表するものとする。

（指導及び助言）

**第二十四条**　知事は、建築主に対し、当該建築物等について第二十条（第二十一条の二第二項で準用する場合を含む。）に規定する措置の的確な実施を確保するため必要があると認めるときは、環境への配慮のための措置について必要な指導及び助言を行うことができる。

2　知事は、マンション建築主、特定マンション建築主、マンション環境性能表示建築主又はマンション販売等受託者に対し、そのマンションについて第二十三条の三第一項若しくは第二項（第二十三条の三の二第二項で準用する場合を含む。）、第二十三条の三の二第一項、第二十三条の五第一項又は第二十三条の六第四項に規定する措置の的確な実施を確保するため必要があると認めるときは、当該マンション及びその敷地に係るマンション環境性能表示の表示又はマンション環境性能の内容の説明に係る事項について必要な指導及び助言を行うことができる。

3　知事は、特定建築主又は特定供給事業者に対し、その特定建築物等又は中小規模特定建築物等について第二十条の二から第二十条の四まで、第二十三条の七第一項、第二十三条の八第一項又は第二十三条の九第一項に規定する措置の的確な実施を確保するため必要があると認めるときは、当該特定建築物等又は中小規模特定建築物等の省エネルギー性能基準、再生可能エネルギー利用設備設置基準又は電気自動車充電設備整備基準への適合に係る事項について必要な指導及び助言を行うことができる。

4　知事は、特定建築主又は特定建築物工事完了届出者に対し、その非住宅用途特定建築物等について第二十三条の四第一項、第二十三条の五第二項又は第二十三条の六第五項に規定する措置の的確な実施を確保するため必要があると認めるときは、環境性能評価書の作成若しくは交付又は内容の説明に係る事項について必要な指導及び助言を行うことができる。

5　知事は、建物供給事業者に対し、中小規模特定建築物等について第二十三条の十各項に規定する措置の的確な実施を確保するため必要があると認めるときは、当該中小規模特定建築物等におけるエネルギーの使用の合理化及び再生可能エネルギーへの転換並びに電気自動車充電設備の整備に係る措置に関する説明等に係る事項について必要な指導及び助言を行うことができる。

（勧告）

**第二十五条**　知事は、建築物環境計画書若しくは建築物環境報告書の提出を行うべき者又は第二十二条第一項若しくは第二項、第二十三条第一項、第二十三条の三第三項（第二十三条の三の二第二項で準用する場合を含む。）、第二十三条の四第二項若しくは第二十三条の六第一項若しくは第二項の規定による届出を行うべき者が、正当な理由なく、建築物環境計画書若しくは建築物環境報告書の提出又は当該届出を行わない場合は、その者に対し、相当の期間を定めて、当該建築物環境計画書若しくは建築物環境報告書の提出又は当該届出を行うことを勧告することができる。

2　知事は、建築主が、正当な理由なく前条第一項の規定による指導及び助言に従わず、かつ、当該建築物等の環境への配慮のための措置が配慮指針に照らして著しく不十分であると認めるときは、当該建築主に対し、必要な措置を講ずることを勧告することができる。

3　知事は、マンション環境性能表示建築主が、正当な理由なく前条第二項の規定による指導及び助言（第二十三条の三第一項に規定する措置に係るものに限る。）に従わず、かつ、第二十三条の三の二第一項の規定による表示が表示基準に照らして著しく不十分であると認めるときは、当該マンション環境性能表示建築主に対し、必要な措置を講ずることを勧告することができる。

4　知事は、特定建築主又は特定供給事業者が、正当な理由なく前条第三項の規定による指導及び助言に従わず、かつ、第二十条の二から第二十条の四まで、第二十三条の七第一項、第二十三条の八第一項又は第二十三条の九第一項に規定する措置が省エネルギー性能基準、再生可能エネルギー利用設備設置基準又は電気自動車充電設備整備基準に照らして著しく不十分であると認めるときは、当該特定建築主又は特定供給事業者に対し、必要な措置を講ずることを勧告することができる。

5　知事は、特定建築主又は特定建築物工事完了届出者が、正当な理由なく前条第四項の規定による指導及び助言（第二十三条の四第一項に規定する措置に係るものに限る。）に従わず、かつ、第二十三条の四第一項の規定による交付を行わないとき又は交付する環境性能評価書が評価書作成基準に照らして著しく不十分であると認めるときは、当該特定建築主又は特定建築物工事完了届出者に対し、必要な措置を講ずることを勧告することができる。

6　知事は、建物供給事業者が、正当な理由なく前条第五項の規定による指導及び助言に従わず、かつ、第二十三条の十第一項及び第三項の規定による説明等が著しく不十分であると認めるときは、当該建物供給事業者に対し、必要な措置を講ずることを勧告することができる。

### 第三節の二　家庭用電気機器等に係る温室効果ガスの排出の削減

（家庭用電気機器等の設置者等の責務）

**第二十五条の二**　家庭用電気機器等（一般消費者が通常生活の用に供する電気機器その他の機械器具で、エネルギー使用に伴う温室効果ガスの排出の量が相当程度多くなるおそれのあるものをいう。以下同じ。）を使用している者は、エネルギーの使用の合理化又は再生可能エネルギーの利用に努めなければならない。

2　家庭用電気機器等を設置しようとする者は、エネルギーの使用の合理化その他地球温暖化の防止に係る性能（再生可能エネルギーの利用によるものを含む。以下この条、次条並びに第二十五条の六第三項及び第四項において同じ。）が優れている家庭用電気機器等の設置に努めなければならない。

3　知事は、エネルギーの使用の合理化その他地球温暖化の防止に係る性能が優れている家庭用電気機器等に関する情報の提供に努めなければならない。

（家庭用電気機器等販売事業者の責務）

**第二十五条の三**　家庭用電気機器等を販売する事業者（以下「家庭用電気機器等販売事業者」という。）は、当該家庭用電気機器等を購入しようとする者に対し、当該家庭用電気機器等に係るエネルギーの使用の合理化その他地球温暖化の防止に係る性能についての情報を提供するよう努めなければならない。

（相対評価方法等基準の作成）

**第二十五条の四**　知事は、家庭用電気機器等のうち、規則で定めるもの（以下「特定家庭用機器」という。）のエネルギーの使用の合理化に関する性能に係る相対的評価（以下「相対評価」という。）の方法その他の基準（以下「相対評価方法等基準」という。）を定めるものとする。

2　知事は、相対評価方法等基準を定め、又は改定したときは、その内容を公表するものとする。

（省エネルギー性能等の表示）

**第二十五条の五**　一の販売店において特定家庭用機器を規則で定める台数以上陳列して販売する家庭用電気機器等販売事業者（以下「特定家庭用機器販売事業者」という。）は、当該販売店において、当該規則で定める台数以上陳列する特定家庭用機器について、相対評価その他の規則で定めるエネルギーの使用の合理化その他地球温暖化の防止に係る性能等（以下「省エネルギー性能等」という。）を示す事項を記載した知事が定める書面を、相対評価方法等基準に基づき作成し、当該特定家庭用機器の見やすい位置に掲出しなければならない。

2　一の販売店において特定家庭用機器を前項の規則で定める台数未満陳列して販売する家庭用電気機器等販売事業者は、当該販売店において、当該規則で定める台数未満陳列する特定家庭用機器に前項に規定する書面を掲出することができる。

（特定家庭用機器製造等事業者等の責務）

**第二十五条の六**　特定家庭用機器の製造又は輸入の事業を行う者（以下「特定家庭用機器製造等事業者」という。）は、当該特定家庭用機器を販売店において陳列して販売する家庭用電気機器等販売事業者に対し、当該特定家庭用機器について、省エネルギー性能等を示す事項の情報を提供するよう努めなければならない。

2　知事は、特定家庭用機器製造等事業者に対し、当該特定家庭用機器製造等事業者が製造し、又は輸入した特定家庭用機器に係る省エネルギー性能等を示す事項について、報告を求めることができる。

3　第一項に定めるほか、家庭用電気機器等の製造又は輸入の事業を行う者は、家庭用電気機器等について、エネルギーの使用の合理化その他地球温暖化の防止に係る性能についての情報を提供するよう努めなければならない。

4　家庭用電気機器等の製造の事業を行う者は、エネルギーの使用の合理化その他地球温暖化の防止に係る性能が優れている家庭用電気機器等の開発に努めなければならない。

（指導及び助言）

**第二十五条の七**　知事は、特定家庭用機器販売事業者及び第二十五条の五第二項の規定により書面を掲出する家庭用電気機器等販売事業者に対し、特定家庭用機器の省エネルギー性能等を示す事項を記載した書面の掲出に関し、必要な指導及び助言を行うことができる。

（勧告）

**第二十五条の八**　知事は、特定家庭用機器販売事業者が、正当な理由なく前条の規定による指導及び助言に従わず、かつ、第二十五条の五第一項の規定による書面の掲出を行っていないと認めるときは、当該特定家庭用機器販売事業者に対し、必要な措置を講ずることを勧告することができる。

### 第四節　削除

**第二十六条及び第二十七条**　削除

## 第三章　自動車に起因する環境への負荷の低減の取組及び公害対策

### 第一節　自動車環境管理計画書

（自動車環境管理計画書の作成等）

**第二十八条**　都内（島しょ地域に存する町村の区域を除く。以下この章において同じ。）の事業所における規則で定める台数以上の自動車（道路運送車両法（以下この章において「法」という。）第三条により定められる小型自動車及び軽自動車のうちそれぞれ二輪のものを除く。）の使用者（道路交通法（昭和三十五年法律第百五号）第七十四条に規定する使用者をいう。以下「特定事業者」という。）は、知事が別に定める自動車がもたらす環境への負荷を低減するための指針に基づき、規則で定めるところにより、自動車の使用を合理化するための措置等の事項を記載した計画書（以下「自動車環境管理計画書」という。）を作成し、知事に提出しなければならない。

2　特定事業者は、自動車環境管理計画書の内容を変更したときは、当該変更した事項について記載した計画書を、規則で定めるところにより、知事に提出しなければならない。

（実績の報告）

**第二十九条**　特定事業者は、毎年度、自動車環境管理計画書に記載された事項に係る前年度の実績を記載した報告書（以下「実績報告書」という。）を、知事が別に定めるところにより、知事に提出しなければならない。

（指導及び助言）

**第三十条**　知事は、自動車環境管理計画書及び実績報告書の内容が第二十八条第一項の指針に照らして不十分であると認めるときは、自動車がもたらす環境への負荷を低減するための措置に係る事項について、必要な指導及び助言を行うことができる。

（自動車環境管理計画書及び実績報告書の公表）

**第三十一条**　知事は、特定事業者から自動車環境管理計画書又は実績報告書の提出があったときは、その内容を公表することができる。

（勧告）

**第三十二条**　知事は、自動車環境管理計画書又は実績報告書を正当な理由なく提出しない者に対し、期限を定めてその期間内に提出することを勧告することができる。

（自動車環境管理者の選任）

**第三十三条**　特定事業者は、次に掲げる職務を行う自動車環境管理者を一名選任し、知事に届け出なければならない。

一　自動車環境管理計画書に記載された事項の実施状況の把握

二　自動車環境管理計画書に記載された事項に係る自動車の運行等に従事する者への指導及び監督

三　前二号に掲げるもののほか、自動車がもたらす環境への負荷を低減するために必要な業務

2　特定事業者は、自動車環境管理者を変更した場合は、知事に届け出なければならない。

第二節　自動車から発生する排出ガス及び温室効果ガス対策

（自動車等の使用及び利用の抑制の努力義務）

**第三十三条の二**　自動車又は法第二条第三項に規定する原動機付自転車（以下「自動車等」という。）を使用し、又は利用する者は、事業、日常生活その他の活動において、自動車等の効率的な使用又は利用や公共交通機関への利用転換などにより、自動車等の使用又は利用を抑制するよう努めなければならない。

（低公害・低燃費車等の使用及び利用の努力義務）

**第三十四条**　自動車等を使用し、又は利用する者は、排出ガスを発生しないか、若しくは排出ガスの発生量が相当程度少なく、かつ、燃費性能（エネルギーの消費量との対比における自動車の性能として規則で定めるものをいう。以下同じ。）が相当程度高いものとして知事が指定する自動車（以下「低公害・低燃費車」という。）又は排出ガスの発生量がより少なく、かつ、燃費性能がより高い自動車等を使用するよう努めなければならない。

2　自動車等を使用し、又は利用する者は、排出ガスの発生量が相当程度大きいものとして知事が指定する自動車を使用し、又は利用しないように努めなければならない。

（低公害・低燃費車の導入義務）

**第三十五条**　自動車の使用者（自動車の賃貸等を業とする者にあっては、所有者とする。）のうち規則で定める自動車を規則で定める台数以上事業の用に供する者は、次に掲げる区分の割合を、それぞれ規則で定める割合以上としなければならない。

一　事業の用に供する自動車の台数に対する低公害・低燃費車（知事が別に定める自動車に限る。次号において「特定低公害・低燃費車」という。）の台数の割合

二　事業の用に供する自動車のうち規則で定める乗用車の台数に対する特定低公害・低燃費車のうち知事が別に定める乗用車の台数の割合

（勧告）

**第三十六条**　知事は、正当な理由なく、前条の規定に違反して低公害・低燃費車の導入を怠った者に対して、必要な措置を講ずることを勧告することができる。

（粒子状物質排出基準の遵守等）

**第三十七条**　自動車（法第三条により定められる軽自動車及び二輪の小型自動車を除く。）の使用者（道路交通法第七十四条に規定する使用者をいう。以下この章において「運行責任者」という。）は、別表第五に掲

げる自動車のうち軽油を燃料とする自動車として法第五十八条に基づき有効な自動車検査証の交付を受けた自動車（以下「特定自動車」という。）で、都内の粒子状物質による大気汚染の深刻な状況にかんがみ定める別表第六の上欄に掲げる自動車の種別ごとに同表の中欄に掲げる測定の方法により測定された粒子状物質の量が、それぞれ同表の下欄に掲げる自動車から排出される粒子状物質の量の許容限度（以下「粒子状物質排出基準」という。）を超えて粒子状物質を排出するものを、都内において運行し、又は運行させてはならない。

2　特定自動車から排出される粒子状物質の量は、次の各号に掲げる特定自動車ごとに当該各号に掲げる値を維持しているものとみなす。ただし、別表第六の中欄に掲げる測定の方法により測定された値が別にあるときは、この限りでない。

一　法第七十五条の規定による型式の指定（以下「型式指定」という。）を受けている特定自動車（第三号に掲げるものを除く。）　その指定の際の判定をされたときの粒子状物質の量

二　型式指定を受けていない特定自動車で法第五十九条に基づく新規検査又は法第七十一条に基づく予備検査（法第十六条の規定により抹消登録を受けた特定自動車及び法第六十九条第四項の規定により自動車検査証が返納された特定自動車に係るものを除き、法第七十五条の二第一項の規定によりその型式について指定を受けた一酸化炭素等発散防止装置を備えた特定自動車にあっては道路運送車両法施行規則（昭和二十六年運輸省令第七十四号）第六十二条の五の検査。以下「新規検査等」という。）を受けたもの（次号に掲げるものを除く。）　当該特定自動車が法第四条に基づく登録を受けた日において当該特定自動車と同じ種別の自動車について型式指定を受けるときに適用される法第四十一条第一項に基づく粒子状物質の技術基準に定められた平均値（平均値が定められていないときのものにあっては知事が別に定める値）

三　法に基づき自動車の種別に応じた粒子状物質の技術基準が初めて施行された日前に型式指定又は新規検査等を受けている特定自動車　当該特定自動車と同じ種別の自動車について法第四十一条第一項に基づき初めて定められた粒子状物質の技術基準に相当するものとして知事が別に定める値

3　知事が指定する粒子状物質を減少させる装置（以下「粒子状物質減少装置」という。）を装着した特定自動車については、粒子状物質排出基準に適合する特定自動車とみなす。

4　粒子状物質減少装置を装着した特定自動車の運行責任者は、当該特定自動車の走行距離、運行時の状態等から判断した適切な時期に、粒子状物質減少装置の点検をし、及び必要な整備をしなければならない。

（猶予期間）

**第三十八条**　前条第一項の規定は、特定自動車が初めて法第四条の規定により登録を受けた日から起算して七年間は、当該特定自動車について適用しない。ただし、知事は別表第五の五の項に掲げる自動車について、別の期間を定めることができる。

（荷主等の義務）

**第三十九条**　反復継続して貨物又は旅客の運送等を委託する者で、当該委託を受ける者の特定自動車の運行に相当程度関与すると認められるもの（以下「荷主等」という。）は、当該委託を受ける者が第三十七条に規定する事項を遵守するよう適切な措置を講じなければならない。

（勧告）

**第四十条**　知事は、荷主等が前条の規定に違反していると認めるときは、当該荷主等に対し、必要な措置をとることを勧告することができる。

（粒子状物質減少装置の指定）

**第四十一条**　知事は、粒子状物質を減少させる装置の製作又は販売をする者等からの申請により、粒子状物質を減少させる装置として適当と認められるものを粒子状物質減少装置又は粒子状物質減少装置の型式として指定することができる。

2　知事は前項の規定により指定するときは、あらかじめ粒子状物質を減少させる装置について専門的知識を有する者の意見を聴かなければならない。

3　知事は、第一項の規定により指定を受けた粒子状物質減少装置又は粒子状物質減少装置の型式について、指定を受けたときの性能を保持することが困難になったと認めるときは、あらかじめ粒子状物質を減少させる装置について専門的知識を有する者の意見を聴いて、その指定を取り消すことができる。この場合において、知事は、取消しの日までに装着された装置について取消しの効力の及ぶ範囲を限定することができる。

（運行禁止命令等）

**第四十二条**　知事は、粒子状物質排出基準に適合しない特定自動車が都内において運行されていると認めるときは、当該特定自動車の都内における運行責任者に対して、当該特定自動車の都内における運行禁止を命ずることができる。

2　前項の命令をした場合において、命令を受けた者か

ら当該特定自動車が粒子状物質排出基準に適合することを証するものが提出され、かつ知事がこれを適当と認めたときは、知事は、同項の規定による命令を解除するものとする。

（自動車等の適正整備の努力義務）

**第四十三条**　自動車等を使用する者は、その自動車等を適正に整備することにより、自動車等から発生する排出ガス及び排出する温室効果ガスを最少限度にとどめるよう努めなければならない。

（建設作業機械等を使用する者等の義務）

**第四十四条**　ブルドーザー等の建設機械、フォークリフト等の産業機械、農耕用トラクター等の農業機械であって法第四条に基づく自動車としての登録を受けていないもの（以下「建設作業機械等」という。）を使用する者その他建設作業機械等の整備について責任を有する者又は運転者は、建設作業機械等からの排出ガスの発生量及び温室効果ガスの排出の量を可能な限り減少させるよう努めなければならない。

（自動車製造者の開発努力義務）

**第四十五条**　自動車等を製造する者（以下「自動車製造者」という。）は、低公害・低燃費車の開発に努めなければならない。

（低公害・低燃費車の販売実績の報告）

**第四十六条**　知事は、過去に法第四条に基づく登録を受けていない自動車（以下「新車」という。）の販売を、都内において業とする者（以下「自動車販売者」という。）に対し、低公害・低燃費車のうち知事が別に定める自動車の販売実績について報告を求めることができる。

（自動車販売者による環境情報の説明義務）

**第四十七条**　自動車販売者は、特定自動車の運行に係る義務、低公害・低燃費車の使用に係る義務その他この章に規定する義務の遵守に関し必要な事項及びその販売する新車の排出ガスの量、騒音の大きさ、燃費性能その他規則で定める事項（以下「環境情報」という。）を記載した書面等を、その販売事業所に備え置くとともに、新車を購入しようとする者に対してその書面を交付し、当該新車の環境情報について説明を行わなければならない。

（勧告）

**第四十八条**　知事は、正当な理由なく、自動車販売者が前条の規定に違反していると認めるときは、当該自動車販売者に対して必要な措置を講ずることを勧告することができる。

（自動車整備事業者による整備結果の説明の努力義務）

**第四十九条**　自動車等の整備を業とする者（以下「自動車整備事業者」という。）は、自動車等の整備を行うときは、排出ガスを低減させるために当該自動車等に備えられた装置を点検し、その結果を当該自動車等の整備を依頼した者に対して説明するとともに、その適正な管理について必要な助言を行うよう努めなければならない。

（自動車等排出ガスの調査）

**第五十条**　知事は、環境への影響を把握するため、自動車等から発生する排出ガスの状況及び大気中の濃度について調査しなければならない。

（大気汚染地域の指定等）

**第五十一条**　知事は、自動車等から排出される排出ガスにより、常時著しい大気の汚染が発生している地域があるときは、当該地域を大気汚染地域として指定するとともに、道路の管理を行う者その他の関係者と協力して、当該地域の大気の汚染を解消するための計画を策定し、これに基づき必要な措置を講ずるものとする。

### 第三節　エコドライブ

（エコドライブの努力義務）

**第五十一条の二**　自動車等を運転する者は、その自動車等から発生する排出ガス及び排出する温室効果ガスを最少限度にとどめるための適切な運転及び適正な管理（以下「エコドライブ」という。）を行うよう努めなければならない。

2　自動車等を事業の用に供する者は、その管理する自動車等の運転者に対して、エコドライブを行わせるために適切な措置を講じるよう努めなければならない。

（自動車等を運転する者の義務）

**第五十二条**　自動車等を運転する者は、自動車等を駐車し、又は停車するときは、当該自動車等の原動機の停止（以下「アイドリング・ストップ」という。）を行わなければならない。ただし、規則で定める場合はこの限りでない。

（事業者の義務）

**第五十三条**　自動車等を事業の用に供する者は、その管理する自動車等の運転者に対して、前条に規定する事項を遵守するよう適切な措置を講じなければならない。

（駐車場の設置者等の周知義務）

**第五十四条**　規則で定める規模以上の駐車場の設置者及び管理者は、当該駐車場を利用する者に対し、アイドリング・ストップを行うよう、必要な事項を表示したものの掲出等の方法により周知しなければならない。

（外部電源設備の設置努力義務）

**第五十五条**　冷蔵等の装置を有する貨物自動車の貨物の積卸しをする施設の設置者は、当該貨物自動車のアイドリング・ストップ時における冷蔵機能等を維持するための外部電源設備を設置するよう努めなければならない。

（**勧告**）

**第五十六条** 知事は、第五十二条から第五十四条までの規定に違反している者があると認めるときは、その者に対し、必要な措置をとることを勧告することができる。

### 第四節 燃料規制等

（**温室効果ガスの排出の削減に寄与する燃料の開発等の努力義務**）

**第五十六条の二** 自動車又は建設作業機械等に使用される燃料（以下この条において「自動車等燃料」という。）を製造する者は、適切な原料を使用し、かつ、温室効果ガスの排出の削減に寄与する自動車等燃料（以下「温暖化対策燃料」という。）の開発に努めるとともに、当該温暖化対策燃料を販売する者に対し、当該温暖化対策燃料について、温室効果ガスの削減効果等に関する情報を提供するよう努めなければならない。

2 温暖化対策燃料を販売する者は、当該温暖化対策燃料を購入しようとする者に対し、当該温暖化対策燃料について、温室効果ガスの削減効果等に関する情報を提供するよう努めなければならない。

3 自動車等燃料を使用する者は、温暖化対策燃料を使用するよう努めなければならない。

（**粒子状物質等を増大させる燃料の使用禁止**）

**第五十七条** 運行責任者及び建設作業機械等を事業の用に供する者は、その自動車又は建設作業機械等からの排出ガスに含まれる粒子状物質等の量を増大させる燃料として規則で定めるものを都内において自動車又は建設作業機械等の燃料に使用してはならない。

（**使用禁止命令**）

**第五十八条** 知事は、前条の規定に違反すると認めるときは、運行責任者又は建設作業機械等を事業の用に供する者に対して、当該燃料を自動車又は建設作業機械等の燃料として都内において使用しないことを命ずることができる。

（**粒子状物質等を増大させる燃料の販売禁止**）

**第五十九条** 建設作業機械等に使用される燃料を販売する者は、第五十七条に規定する燃料を、都内において建設作業機械等の燃料用として販売してはならない。

（**販売禁止命令**）

**第六十条** 知事は、前条の規定に違反すると認めるときは、当該燃料を建設作業機械等の燃料用として都内において販売しないことを命ずることができる。

（**自動車用又は建設作業機械等用の燃料の検査**）

**第六十一条** 知事は、必要があると認めるときは、関係職員に、検査の用に供するため、自動車若しくは建設作業機械等で使用されている燃料又は建設作業機械等用として販売の用に供されている燃料について必要最少限度の数量を無償で収去させることができる。

（**自動車用又は建設作業機械等用の燃料の調査**）

**第六十二条** 知事は、環境への影響を把握するため、自動車用又は建設作業機械等用の燃料の製造、販売又は使用の状況について調査しなければならない。

2 自動車又は建設作業機械等に使用される燃料を製造し、若しくは販売し、又は使用する者は、前項の規定に基づく調査に協力しなければならない。

### 第五節 自動車の騒音及び振動対策

（**低騒音車等の使用努力義務**）

**第六十三条** 自動車等を使用する者は、騒音の発生が相当程度少ない自動車等（以下「低騒音車」という。）又は騒音の発生がより少ない自動車等を使用するよう努めなければならない。

（**自動車等を使用する者の努力義務**）

**第六十四条** 自動車等を使用する者は、その自動車等を適正に整備し、及び適切に運転することにより、自動車等から発生する騒音及び振動を最小限度にとどめるよう努めなければならない。

（**自動車製造者の開発努力義務**）

**第六十五条** 自動車製造者は、低騒音車の開発に努めなければならない。

（**自動車等を販売する者の努力義務**）

**第六十六条** 自動車等の販売を業とする者は、低騒音車の普及又は利用の促進に努めるとともに、自動車等を購入しようとする者に対し、当該自動車等から発生する騒音を低減させるため、その適正な管理について必要な助言を行うよう努めなければならない。

（**自動車整備事業者による整備結果の説明の努力義務**）

**第六十七条** 自動車整備事業者は、自動車等の整備を行うときは、騒音を低減させるために当該自動車等に備えられた装置を点検し、その結果を当該自動車等の整備を依頼した者に対して説明するとともに、その適正な管理について必要な助言を行うよう努めなければならない。

## 第四章 工場公害対策等

### 第一節 工場及び指定作業場の規制

（**規制基準の遵守等**）

**第六十八条** 工場又は指定作業場を設置している者は、当該工場又は指定作業場から、規制基準（規制基準を定めていないものについては、人の健康又は生活環境に及ぼすおそれのない程度）を超えるばい煙、粉じん、有害ガス、汚水、騒音、振動又は悪臭の発生（汚水については、地下への浸透を含む。第七十四条及び第九十五条を除き、以下同じ。）をさせてはならない。

２　前項の規制基準（東京都の区域に適用する大気汚染防止法（昭和四十三年法律第九十七号）第四条第一項に規定する排出基準及び水質汚濁防止法（昭和四十五年法律第百三十八号）第三条第三項に規定する排水基準で、工場又は指定作業場に係るものを含む。）は、別表第七に掲げるとおりとする。

**（燃料の基準の遵守等）**

**第六十九条**　工場又は指定作業場を設置している者は、いおう酸化物による大気の汚染が著しい地域として規則で定める地域において燃料を使用し、又は当該地域以外の地域において規則で定める量以上の燃料を使用するときは、規則で定める基準（いおうの燃料中における含有率をいう。）に適合する燃料を使用しなければならない。ただし、燃料を使用する者が基準に適合する燃料を取得することについて困難な事由がある場合として知事が認める場合は、この限りでない。

２　前項の規定により基準に適合する燃料を使用している者については、いおう酸化物に係る規制基準は適用しない。

**（集じん装置の設置）**

**第七十条**　工場又は指定作業場を設置している者で、規則で定めるばい煙を発生する施設（以下「ばい煙施設」という。）を設置しているものは、規則で定めるところにより、ばいじんを除去する装置（以下「集じん装置」という。）を設置しなければならない。

**（粉じんを発生する施設の構造基準等）**

**第七十一条**　工場又は指定作業場を設置している者は、規則で定める粉じんを発生する施設を設置するときは、当該施設の構造を規則で定める基準に適合させ、並びに当該施設の使用及び管理の方法につき規則で定める基準を遵守しなければならない。

**（有害ガス取扱施設の構造基準等）**

**第七十二条**　有害ガスを取り扱う工場又は指定作業場を設置している者は、規制基準を超える有害ガスの大気中への排出又は漏出を防止するため、有害ガス取扱施設（貯蔵施設を含む。）の構造を規則で定める基準に適合させ、並びに当該有害ガス取扱施設の使用及び管理の方法につき規則で定める基準を遵守しなければならない。

**（炭化水素系物質の排出防止）**

**第七十三条**　工場又は指定作業場を設置している者で、規則で定める炭化水素系物質を貯蔵する施設等を設置しているものは、貯蔵等に伴う当該物質の排出を防止するために必要な設備を設置しなければならない。

**（汚水に係る有害物質除害設備の設置）**

**第七十四条**　有害物質を取り扱う工場又は指定作業場（一日当たり通常百立方メートル以上の汚水を公共用水域に排出するものに限る。）を設置している者は、有害物質を取り扱う作業に伴い生じる汚水（以下「作業汚水」という。）と作業汚水以外の水との混合（作業汚水と他の作業汚水との混合を含む。）をして、公共用水域に排出するときは、混合する前の作業汚水につき、当該作業汚水に含まれる有害物質の量が規則で定める基準を超えないようにするために必要な設備を設置しなければならない。ただし、混合した後の汚水につき、設備を設置することが適当な場合として知事が認める場合は、この限りでない。

**（有害物質取扱施設の地下浸透防止の構造基準等）**

**第七十五条**　有害物質を取り扱う工場又は指定作業場を設置している者は、規制基準を超える汚水に含まれる有害物質の地下への浸透を防止するため、有害物質取扱施設の構造を規則で定める基準に適合させ、並びに当該有害物質取扱施設の使用及び管理の方法につき規則で定める基準を遵守しなければならない。

**（地下水の揚水施設の構造基準及び揚水量の制限）**

**第七十六条**　地盤沈下の防止の対策が必要な地域として規則で定める地域内において、工場又は指定作業場を設置している者は、地下水の利用を目的として、地下水を揚水するための揚水施設（動力を用いて地下水を揚水するための施設であって規則で定める規模以上の施設に限る。以下同じ。）を設置するときは、当該工場又は指定作業場内にある揚水施設の揚水機の吐出口の断面積（当該工場又は指定作業場内にある揚水施設の揚水機の吐出口が二以上となるときは、すべての吐出口の断面積の合計。以下この条において同じ。）の上限を二十一平方センチメートルとし、揚水機の吐出口の断面積が六平方センチメートルを超える場合はストレーナーの位置を、揚水機の吐出口の断面積が六平方センチメートル以下の場合は揚水機の出力を規則で定める基準に適合させなければならない。

２　前項に規定する揚水施設のうち揚水機の吐出口の断面積が六平方センチメートル以下の揚水施設で、地下水を揚水する者は、規則で定める揚水量を超えて地下水を揚水してはならない。

３　次に掲げる揚水施設については、前二項の規定は、適用しない。

一　工業用水法（昭和三十一年法律第百四十六号）第三条第一項に規定する政令で定める地域において同項の規定による許可の対象となる井戸及び建築物用

地下水の採取の規制に関する法律（昭和三十七年法律第百号）第四条第一項に規定する政令で指定された地域において同項の規定による許可の対象となる揚水設備
二　温泉法（昭和二十三年法律第百二十五号）第十一条第一項の規定による許可の対象となる動力装置を有する揚水施設
三　水道法（昭和三十二年法律第百七十七号）第六条第一項の規定に基づき水道事業経営の認可を受けた者が設置する揚水施設
四　公衆浴場（公衆浴場法（昭和二十三年法律第百三十九号）第一条第一項に規定する公衆浴場をいう。以下同じ。）で、浴室の床面積の合計が百五十平方メートル以下のものに設置される公衆浴場の用に供する揚水施設
五　河川法（昭和三十九年法律第百六十七号）が適用され、又は準用される河川の河川区域内の地下水の揚水施設
六　非常災害用等公益上必要と知事が認める揚水施設
七　地下水に代えて他の水源を確保することが困難であると知事が認める場合に設置する揚水施設

**（へい等の設置）**

**第七十七条**　工場又は指定作業場においては、第六十八条第一項に規定する規制基準が適用されない一時的な作業等に伴って発生する騒音、振動又は粉じんを防止するために必要なへいその他の設備を設けなければならない。

**（位置の制限）**

**第七十八条**　別表第八に掲げる工場は、学校（学校教育法（昭和二十二年法律第二十六号）第一条に規定する学校をいう。以下同じ。）（幼稚園並びに建築基準法第四十八条第十二項ただし書及び同条第十三項ただし書の規定により特定行政庁が許可した学校を除く。以下この条において同じ。）又は病院（医療法（昭和二十三年法律第二百五号）第一条の五第一項に規定する病院をいう。以下同じ。）（建築基準法第四十八条第十二項ただし書及び同条第十三項ただし書の規定により特定行政庁が許可した病院を除く。以下この条において同じ。）の敷地の周囲百メートルの区域内に設置してはならない。ただし、学校若しくは病院が工場の設置後に設置されたとき、又は周囲の状況等から知事が支障がないと認めるときは、この限りでない。

**（自動車の出入口の制限）**

**第七十九条**　次に掲げる工場又は指定作業場の自動車の出入口は、幅員十二メートル以上の道路に接しなければならない。ただし、周囲の状況等から知事が支障がないと認めるときは、この限りでない。
一　レディミクストコンクリート工場
二　アスファルトコンクリート工場
三　ガソリンスタンド（危険物の規制に関する政令（昭和三十四年政令第三百六号）第三条第一号に規定する給油取扱所をいう。以下同じ。）であって、石油類の貯蔵能力が五万リットル以上のもの
四　液化石油ガススタンド（液化石油ガス保安規則（昭和四十一年通商産業省令第五十二号）第二条第一項第二十号に規定する設備を有する事業所をいう。以下同じ。）であって、液化石油ガスの貯蔵能力が三十五トン以上のもの
五　材料置場（建設工事の用に供する土砂、石材、木材、鉄材等及び建設工事により生じた残土を置くために継続的に使用する場所（工場又は建設工事現場内のものを除く。）をいう。以下同じ。）で、面積が千平方メートル以上のもの
六　自動車ターミナル（自動車ターミナル法（昭和三十四年法律第百三十六号）第二条第四項に規定する自動車ターミナル（貨物の積卸しのためのものに限る。）をいう。以下同じ。）

**（屋外作業の制限）**

**第八十条**　工場においては、作業の性質上やむを得ない場合を除き、屋外で騒音、振動又は粉じんを発生させる作業をしてはならない。

**（工場の設置の認可）**

**第八十一条**　工場を設置しようとする者は、あらかじめ、規則で定めるところにより、知事の認可を受けなければならない。
2　前項の規定による認可を受けようとする者は、次に掲げる事項を記載した申請書を知事に提出しなければならない。
一　氏名及び住所（法人にあっては、名称、代表者の氏名及び主たる事務所の所在地）
二　工場の名称及び所在地
三　業種並びに作業の種類及び方法
四　建物及び施設の構造及び配置
五　ばい煙、粉じん、有害ガス、汚水、騒音、振動又は悪臭の防止の方法
六　自動車の出入口が接する道路の幅員
七　前各号に掲げるもののほか、知事が必要と認める事項
3　知事は、前項の規定による申請書の提出があった場合において、当該申請に係る工場から発生するばい煙、粉じん、有害ガス、汚水、騒音、振動及び悪臭が第六十八条第一項に規定する規制基準を超えず、当該工場において使用される燃料及び当該工場に設置され

る施設が第六十九条第一項に規定する基準及び第七十条から第七十七条までの規定に適合し、当該工場の位置が第七十八条の規定に違反せず、並びに当該工場の自動車の出入口が第七十九条の規定に適合するときは、第一項の認可をしなければならない。

4　知事は、第一項の規定による認可をするに当たっては、公害の防止のため必要な限度において、条件を付することができる。

（工場の変更の認可）

**第八十二条**　既に設置している工場に係る前条第二項第三号から第五号までに掲げる事項を変更しようとする者は、あらかじめ、規則で定めるところにより、知事の認可を受けなければならない。ただし、軽微な変更であって規則で定めるものについては、この限りでない。

2　前条第二項から第四項までの規定は、前項の規定による認可について準用する。

（手数料）

**第八十三条**　第八十一条第一項又は前条第一項の規定による認可を申請しようとする者は、次の各号の区分による手数料を納付しなければならない。

一　工場の設置の場合　一件につき二万二百円の範囲内で規則で定める額

二　工場の変更の場合　一件につき七千六百円

2　知事は、工場の設置又は変更が公害の防止を目的とするものであるときその他特別の理由があると認めるときは、前項の手数料を減額し、又は免除することができる。

（完成届、認定及び使用開始の制限）

**第八十四条**　第八十一条第一項又は第八十二条第一項の規定による認可を受けた者は、当該認可に係る工場の設置又は変更（工事を伴うものに限る。）の工事が完成したときは、その日から十五日以内に、規則で定めるところにより、その旨を知事に届け出なければならない。

2　知事は、前項の規定による届出があった場合においては、当該届出に係る工場が認可の内容及び条件に適合しているかどうかについて検査し、その検査の結果適合していると認めるときは、その旨を認定しなければならない。

3　第八十一条第一項又は第八十二条第一項の規定による認可を受けた者は、第一項の規定による届出をする必要がある場合は、前項の規定による知事の認定を受けた後でなければ、当該届出に係る工場又は工場の変更部分の使用を開始してはならない。

（表示板の掲出）

**第八十五条**　第八十一条第一項の規定による認可を受けた者は、規則で定めるところにより、氏名（法人にあっては、名称及び代表者の氏名）、工場の名称、認可年月日、公害の防止に関する遵守事項その他知事が必要と認める事項を記載した表示板を、当該工場の公衆の見やすい場所に掲出しておかなければならない。

（現況届）

**第八十六条**　別表第八に掲げる工場を設置している者は、第八十一条第一項の規定による認可又は第八十二条第一項の規定による直近の認可を受けた日から起算して三年を経過するごとに当該経過した日から三十日以内に、規則で定めるところにより、次に掲げる事項を知事に届け出なければならない。

一　氏名及び住所（法人にあっては、名称、代表者の氏名及び主たる事務所の所在地）

二　工場の名称及び所在地

三　建物及び施設の状況

四　ばい煙、粉じん、有害ガス、汚水、騒音、振動又は悪臭の発生状況及びその防止の方法

五　前各号に掲げるもののほか、知事が必要と認める事項

（変更届及び廃止届）

**第八十七条**　第八十一条第一項の規定による認可を受けた者は、当該認可に係る同条第二項第一号若しくは第二号に掲げる事項に変更があったとき、又は当該認可に係る工場を廃止したときは、その日から三十日以内に、規則で定めるところにより、その旨を知事に届け出なければならない。

（承継）

**第八十八条**　第八十一条第一項の規定による認可を受けた者から当該認可に係る工場を譲り受け、又は借り受けた者は、当該工場に係る当該認可を受けた者の地位を承継する。

2　第八十一条第一項の規定による認可を受けた者について相続、合併又は分割（当該認可に係る工場を承継させるものに限る。）があったときは、相続人、合併後存続する法人若しくは合併により設立した法人又は分割により当該工場を承継した法人は、当該認可を受けた者の地位を承継する。

3　前二項の規定により第八十一条第一項の規定による認可を受けた者の地位を承継した者は、その日から三十日以内に、規則で定めるところにより、その旨を知事に届け出なければならない。

（指定作業場の設置の届出）

**第八十九条**　指定作業場を設置しようとする者は、あらかじめ、規則で定めるところにより、次に掲げる事項を知事に届け出なければならない。

一　氏名及び住所（法人にあっては、名称、代表者の氏名及び主たる事務所の所在地）
二　指定作業場の名称及び所在地
三　指定作業場の種類及び作業の方法
四　建物又は施設の構造又は配置
五　ばい煙、粉じん、有害ガス、汚水、騒音、振動又は悪臭の防止の方法
六　自動車の出入口が接する道路の幅員
七　前各号に掲げるもののほか、知事が必要と認める事項

**（指定作業場の変更の届出）**

**第九十条**　既に設置している指定作業場に係る前条第三号から第五号までに掲げる事項を変更しようとする者は、あらかじめ、規則で定めるところにより、その旨を知事に届け出なければならない。

**（計画変更命令）**

**第九十一条**　知事は、前二条の規定による届出があった場合において、当該届出に係る指定作業場が次の各号のいずれかに該当するおそれがあると認めるときは、当該届出を受理した日から三十日（次条第二項の規定により同条第一項の期間を短縮したときは当該短縮期間）以内に限り、当該届出をした者に対し、当該届出に係る指定作業場におけるばい煙、粉じん、有害ガス、汚水、騒音、振動若しくは悪臭の防止の方法、地下水の揚水の方法、建物若しくは施設の構造若しくは配置、自動車の出入口の位置、作業の方法若しくは燃料の質に関する計画の変更又は当該指定作業場の設置若しくは変更に関する計画の廃止を命ずることができる。

一　ばい煙、粉じん、有害ガス、汚水、騒音、振動又は悪臭が第六十八条第一項に規定する規制基準を超えるとき。
二　使用する燃料が第六十九条第一項に規定する基準に適合しないとき。
三　第七十条に規定する集じん装置を設置しないとき。
四　第七十一条に規定する基準に適合しない粉じんを発生する施設を設置するとき。
五　有害ガス取扱施設の構造が第七十二条に規定する基準に違反するとき。
六　第七十三条に規定する炭化水素系物質の排出防止の設備を設置しないとき。
七　第七十四条に規定する汚水に係る有害物質除害設備を設置しないとき。
八　有害物質取扱施設の構造が第七十五条に規定する基準に違反するとき。
九　地下水の揚水施設の構造等が第七十六条第一項に規定する基準に違反するとき。
十　第七十七条に規定するへいその他の必要な設備を設けないとき。
十一　自動車の出入口が第七十九条の規定に違反するとき。

**（実施の制限）**

**第九十二条**　第八十九条又は第九十条の規定による届出をした者は、当該届出が受理された日から三十日を経過した後でなければ、当該届出に係る指定作業場を設置し、又は当該届出に係る事項を変更してはならない。

2　知事は、第八十九条又は第九十条の規定による届出に係る事項の内容が相当であると認めるときは、前項に規定する期間を短縮することができる。

**（準用規定）**

**第九十三条**　第八十七条の規定は、第八十九条の規定による届出をした者について準用する。この場合において、第八十七条中「当該認可に係る同条第二項第一号若しくは第二号に掲げる事項」とあるのは「当該届出に係る第八十九条第一号若しくは第二号に掲げる事項」と、「当該認可に係る工場」とあるのは「当該届出に係る指定作業場」と読み替えるものとする。

2　第八十八条の規定は、第八十九条の規定による届出をした者から当該届出に係る指定作業場を譲り受け、若しくは借り受け、又は相続、合併若しくは分割により取得した者について準用する。

**（ばい煙濃度の測定等）**

**第九十四条**　工場又は指定作業場を設置している者で、当該工場又は指定作業場のばい煙施設からばい煙を大気中に排出するものは、規則で定めるところにより当該ばい煙施設から排出するばい煙の濃度を測定し、その結果を記録しておかなければならない。

**（水質の測定等）**

**第九十五条**　工場又は指定作業場を設置している者で、当該工場又は指定作業場から汚水を公共用水域に排出するものは、規則で定めるところにより、当該工場又は指定作業場から排出する汚水の水質について測定し、その結果を記録しておかなければならない。

**（測定の指示）**

**第九十六条**　知事は、前二条の規定によるほか、環境の保全上必要があると認めるときは、工場又は指定作業場を設置している者に対し、当該工場又は指定作業場から発生するおそれのあるばい煙、粉じん、有害ガス、汚水、騒音、振動又は悪臭について測定を指示し、その結果を報告するよう求めることができる。

**（揚水量の測定等）**

**第九十七条**　都内（島しょ地域に存する町村の区域を除く。第百三十五条において同じ。）において工場又は指定作業場を設置している者は、規則で定める規模以上の揚水施設により地下水を揚水するときは、規則で定めるところにより、水量測定器を設置し、地下水の揚水量を記録し、及び知事に報告しなければならない。ただし、工事等に伴う一時的な揚水であると知事が認める場合は、この限りでない。

**（事故届等）**

**第九十八条**　工場又は指定作業場を設置している者は、事故により当該工場又は指定作業場から人の健康又は生活環境に障害を及ぼし、又は及ぼすおそれのあるばい煙、粉じん、有害ガス、汚水、騒音、振動又は悪臭を発生させた場合は、直ちに応急の措置を講ずるとともに、事故の状況及び講じた措置の概要を知事に通報し、規則で定めるところにより、次に掲げる事項を知事に届け出なければならない。

一　氏名及び住所（法人にあっては、名称、代表者の氏名及び主たる事務所の所在地）
二　工場の名称及び所在地
三　被害の発生年月日
四　被害者の氏名及び住所
五　被害の内容及び原因並びに被害の防止の措置
六　前各号に掲げるもののほか、知事が必要と認める事項

2　前項の規定による届出をした者は、同項の事故の発生の日から三十日以内に、同項の事態の再発防止のための措置に関する計画を知事に提出しなければならない。

3　前項の規定により計画を提出した者は、当該計画に係る措置を完了したときは、速やかにその旨を知事に届け出なければならない。

4　知事は、第一項に規定する場合において、工場又は指定作業場を設置している者が同項の応急の措置を講じていないと認めるときは、これらの者に対し、応急の措置を講ずることを命ずることができる。

**（ばい煙等の減少計画）**

**第九十九条**　知事は、必要があると認めるときは、工場を設置している者に対し、規則で定めるところにより、ばい煙、粉じん、有害ガス、汚水、騒音、振動又は悪臭の減少のための措置に関する計画の提出を求めることができる。

**（改善勧告）**

**第百条**　知事は、工場又は指定作業場から発生する騒音、振動又は悪臭が第六十八条第一項に規定する規制基準を超え、かつ、当該工場又は指定作業場の周辺の生活環境に支障を及ぼしていると認めるときは、当該工場又は指定作業場を設置している者に対し、期限を定めて、生活環境に及ぼす支障を解消するために必要な限度において、騒音、振動及び悪臭の防止方法を改善し、又は施設の使用方法若しくは配置を変更することを勧告することができる。

**（地下水使用合理化のための施設の改善勧告等）**

**第百一条**　知事は、揚水施設（工場又は指定作業場以外において設置されているものを含む。）で規則で定める規模以上のものを設置している者が、地下水の揚水の目的、代替水の供給の状況等により、地下水の使用を合理化し、若しくは地下水の揚水に代えて工業用水道若しくは水道により水の供給を受けることが適当であると認めるとき、又は雨水を利用することが適当であると認めるときは、当該揚水施設を設置している者に対し、施設等を改善し、地下水の揚水を代替水に転換することを勧告することができる。

**（改善命令等）**

**第百二条**　知事は、工場又は指定作業場が次の各号のいずれかに該当すると認めるときは、当該工場又は指定作業場を設置している者に対し、期限を定めて、当該工場又は指定作業場におけるばい煙、粉じん、有害ガス、汚水、騒音、振動若しくは悪臭の防止の方法、地下水の揚水の方法、建物若しくは施設の構造若しくは配置、自動車の出入口の位置若しくは出入方法、作業の方法又は燃料の質の改善を命ずることができる。

一　第六十八条第一項に規定する規制基準を超えるばい煙、粉じん、有害ガス又は汚水を発生させているとき。
二　第六十九条第一項に規定する基準に適合しない燃料を使用しているとき。
三　第七十条に規定する集じん装置を設置していないとき。
四　第七十一条に規定する基準に適合しない粉じんを発生する施設を設置し、又は同条に規定する基準に違反して当該施設を使用し、若しくは管理しているとき。
五　第七十二条に規定する基準に適合しない有害ガス取扱施設を設置し、又は同条に規定する基準に違反して当該施設を使用し、若しくは管理しているとき。
六　第七十三条に規定する炭化水素系物質の排出防止の設備を設置していないとき。
七　第七十四条に規定する汚水に係る有害物質除害設備を設置していないとき。
八　第七十五条に規定する基準に適合しない有害物質取扱施設を設置し、又は同条に規定する基準に違反

して当該施設を使用し、若しくは管理しているとき。

九　第七十六条第一項に規定する基準に適合しない揚水施設により地下水を揚水しているとき、又は同条第二項に規定する基準を超える地下水量を揚水しているとき。

十　第七十七条に規定するへいその他の必要な設備を設けていないとき。

十一　工場の位置が第七十八条の規定に違反しているとき。

十二　自動車の出入口が第七十九条の規定に違反しているとき。

十三　第八十条の規定に違反して屋外作業をしているとき。

十四　第八十一条第四項（第八十二条第二項の規定により準用する場合を含む。）の規定による条件に違反しているとき。

十五　騒音、振動及び悪臭について、第百条の規定による勧告を受けた者がその勧告に従わないとき。

2　知事は、前項の改善命令によっては同項各号に掲げる違反を直ちに改善させることができないと認めるときは、同項の規定により改善命令を行うほか、当該工場又は指定作業場における作業の一時停止を命ずることができる。

（**認可の取消し等**）

**第百三条**　知事は、前条第一項の規定による命令を受けた者で工場を設置しているものが当該命令に従わないとき、又は工場を設置している者が第八十二条第一項の規定による認可を受けないで当該工場に係る第八十一条第二項第三号から第五号までに掲げる事項を変更したときは、当該工場の設置の認可を取り消し、又は当該工場における作業の一時停止を命ずることができる。

2　知事は、第八十一条第一項の規定による認可を受けないで工場を設置している者又は前項の規定により工場の設置の認可を取り消された者に対し、当該工場の移転又は操業の停止を命ずることができる。

（**工業用水等の供給停止の要請**）

**第百四条**　知事は、前条の規定による命令その他の処分に従わないで操業する工場から発生するばい煙、粉じん、有害ガス、汚水、騒音、振動又は悪臭が著しく人の健康又は生活環境に障害を及ぼし、かつ、他の手段によっては当該工場の操業を停止させることが困難であると認めるときは、工業用水道事業者（工業用水道事業法（昭和三十三年法律第八十四号）第二条第五項に規定する工業用水道事業者をいう。）、水道事業者（水道法第三条第五項に規定する水道事業者をいう。）等に対し、当該工場に供給する工業用水、業務用の水道水等の全部又は一部の供給を停止することを要請するものとする。

2　知事は、前項の規定による要請を行うに当たっては、当該要請が公害の防止のためにやむを得ないものに限るとともに、工場を設置している者等の日常生活に著しい支障とならないよう配慮しなければならない。

（**公害防止管理者の設置及び届出**）

**第百五条**　規則で定める規模以上の工場を設置している者は、公害防止管理者を選任し、作業の方法、施設の維持等について当該工場から公害を発生させないよう監督を行わせなければならない。

2　前項に規定する工場を設置している者は、同項の公害防止管理者を選任したときは、規則で定めるところにより、速やかに、その旨を知事に届け出なければならない。同項の公害防止管理者を解任したときも、同様とする。

（**公害防止管理者の資格等**）

**第百六条**　前条第一項の公害防止管理者は、規則に定める工場の区分に従い、規則で定める講習を修了した者又は知事が規則で定めるところによりこれらと同等の知識及び技能を有すると認めた者で、規則で定める事項について知事の登録を受けたもののうちから選任しなければならない。

（**受講手数料等**）

**第百七条**　前条に規定する講習又は登録を受けようとする者は、次の各号に掲げる区分に応じ、当該各号に掲げる額の範囲内で規則で定める額の手数料を納付しなければならない。

一　講習　八千二百円

二　登録　千四百円

### **第二節**　化学物質の適正管理

（**化学物質の適正管理**）

**第百八条**　知事は、放射性物質を除く元素及び化合物（以下「化学物質」という。）を取り扱う事業者による化学物質の管理の適正化、環境への排出の抑制、有害性の少ない代替物質への転換及び事故の防止（以下「化学物質の適正管理」という。）等の確保を図るため、当該事業者が化学物質を適正に管理するために行うべき措置等を示した指針（以下「化学物質適正管理指針」という。）を定め、公表するものとする。

2　化学物質を取り扱う事業者は、化学物質適正管理指針に基づき、その事業所における化学物質の使用量、製造量、製品としての出荷量並びに特定化学物質の環境への排出量の把握等及び管理の改善の促進に関する法律（平成十一年法律第八十六号）第五条第一項に規定する排出量及び移動量（以下「使用量等」という。）を把握するとともに、化学物質の適正な管理に努めなければならない。

**（化学物質に関する情報提供等）**

**第百九条**　知事は、化学物質の性状、取扱方法、代替物質等に関する情報を収集し、その提供に努めなければならない。

2　化学物質を製造し、又は販売する者は、前項の情報を有するときは、その提供に努めるとともに、環境の保全上支障を及ぼすことの少ない化学物質の開発及びその利用の促進に努めなければならない。

**（適正管理化学物質の使用量等の報告）**

**第百十条**　工場及び指定作業場を設置している者で、規則で定める量以上の適正管理化学物質（性状及び使用状況等から特に適正な管理が必要とされる化学物質として規則で定めるものをいう。以下同じ。）を取り扱うもの（以下「適正管理化学物質取扱事業者」という。）は、事業所ごとに、毎年度、その前年度の当該適正管理化学物質ごとの使用量等の把握を行い、規則で定めるところにより知事に報告しなければならない。

2　前項の場合において、特定化学物質の環境への排出量の把握等及び管理の改善の促進に関する法律第五条第二項の規定により、主務大臣に排出量等の届出を行った者は、その届出を行った事項については、当該届出を行った年度における前項の報告を要しない。

**（化学物質管理方法書の作成等）**

**第百十一条**　適正管理化学物質取扱事業者は、化学物質を適正に管理するための方法書（以下「化学物質管理方法書」という。）を作成しなければならない。

2　適正管理化学物質取扱事業者のうち規則で定める規模以上の事業所を設置するものは、事業所ごとに化学物質管理方法書を作成し、又は変更したときは、規則で定めるところにより、遅滞なく知事に提出しなければならない。

**（化学物質の適正な管理の指導等）**

**第百十二条**　知事は、化学物質の適正管理の確保を図るため、第百十条第一項に基づく適正管理化学物質の使用量等の報告及び化学物質管理方法書の作成に関し、当該適正管理化学物質取扱事業者に対し、必要に応じ指導及び助言を行うものとする。

### 第三節　土壌及び地下水の汚染の防止

**（土壌汚染対策指針の作成等）**

**第百十三条**　知事は、規則で定める有害物質（以下「特定有害物質」という。）による土壌の汚染又はこれに起因する地下水の汚染が、人の健康に支障を及ぼすことを防止するため、土壌汚染の調査及び対策に係る方法等を示した指針（以下「土壌汚染対策指針」という。）を定め、公表するものとする。

**（土壌汚染の除去等の措置の計画書作成に関する指示等）**

**第百十四条**　知事は、次の各号のいずれにも該当するときは、工場又は指定作業場を設置している者で、特定有害物質を取り扱い、又は取り扱ったもの（以下「有害物質取扱事業者」という。）に対し、期限その他の規則で定める事項を示して、土壌汚染対策指針に基づき、規則で定めるところにより、土壌汚染の除去等の措置の計画書（以下「土壌地下水汚染対策計画書」という。）を作成し、これを提出すべきことを指示することができる。

一　有害物質取扱事業者が、特定有害物質により規則で定める基準（以下「汚染土壌処理基準」という。）を超え、又は超えることが確実であると認められる土壌汚染を生じさせたとき。

二　当該土壌汚染の生じた土地の状況が、土壌汚染により人の健康に係る被害が生じ、又は生ずるおそれがある場合として規則で定める場合に該当するとき。

2　知事は、前項の規定により指示を受けた者が、提出の期限までに土壌地下水汚染対策計画書を提出しないときは、その者に対し、期限を定めて土壌地下水汚染対策計画書を提出すべきことを命ずることができる。

3　第一項又は前項の規定による土壌地下水汚染対策計画書（以下この条において「第百十四条計画書」という。）を提出した者は、当該第百十四条計画書に従って土壌汚染の除去等の措置を講じなければならない。

4　知事は、第百十四条計画書を提出した者が、措置を講ずべき期限までに当該第百十四条計画書に従って土壌汚染の除去等の措置を講じていないと認めるときは、その者に対し、期限を定めて当該措置を講ずべきことを命ずることができる。

5　第百十四条計画書を提出した者は、当該第百十四条計画書に記載された土壌汚染の除去等の措置が完了したときは、その旨を知事に届け出なければならない。

**（地下水汚染地域における土壌等の汚染状況の調査要請等）**

**第百十五条**　知事は、特定有害物質による地下水の汚染が認められる地域があるときは、当該地域内の有害物質取扱事業者に対し、土壌汚染対策指針に基づき、規則で定めるところにより、当該工場又は指定作業場の敷地内の特定有害物質による土壌等の汚染状況の調査

（以下「汚染状況調査」という。）を実施し、及びその結果を報告するよう求めることができる。ただし、将来にわたり地下水の利用の見込みがない土地として規則で定める要件に該当するときは、この限りでない。

2　知事は、前項の規定による汚染状況調査の結果、当該敷地内の土壌の特定有害物質の濃度が汚染土壌処理基準を超える場合で、かつ、当該敷地内の土壌汚染が規則で定める基準に該当するときは、当該汚染状況調査の結果を報告した者に対し、期限その他の規則で定める事項を示して、土壌汚染対策指針に基づき、規則で定めるところにより、土壌地下水汚染対策計画書を作成し、これを提出すべきことを指示することができる。ただし、当該土壌汚染が、当該報告した者が生じさせたものでないことが明らかであると知事が認めるときは、この限りでない。

3　知事は、前項の規定により指示を受けた者が、提出の期限までに土壌地下水汚染対策計画書を提出しないときは、その者に対し、期限を定めて土壌地下水汚染対策計画書を提出すべきことを命ずることができる。

4　第二項又は前項の規定による土壌地下水汚染対策計画書（以下この条において「第百十五条計画書」という。）を提出した者は、当該第百十五条計画書に従って土壌汚染の除去等の措置を講じなければならない。

5　知事は、第百十五条計画書を提出した者が、措置を講ずべき期限までに当該第百十五条計画書に従って土壌汚染の除去等の措置を講じていないと認めるときは、その者に対し、期限を定めて当該措置を講ずべきことを命ずることができる。

6　第百十五条計画書を提出した者は、当該第百十五条計画書に記載された土壌汚染の除去等の措置が完了したときは、その旨を知事に届け出なければならない。

**（工場等の廃止又は施設等の除却時の義務）**

**第百十六条**　次の各号に掲げる者は、土壌汚染対策指針に基づき、規則で定めるところにより、それぞれ当該各号に定める土地の汚染状況調査を実施し、規則で定める日までにその結果を知事に報告しなければならない。ただし、第一号に掲げる者が、規則で定めるところにより、申請を行い、当該土地が特定有害物質による土壌の汚染により人の健康に係る被害が生ずるおそれがなく、かつ、当分の間汚染状況調査の実施が困難な状況にある旨の知事の確認を受けたときは、この限りでない。

一　工場等廃止者（有害物質取扱事業者であった者で工場又は指定作業場を廃止したものをいう。以下同じ。）　当該工場又は指定作業場の敷地であった土地

二　施設等除却者（有害物質取扱事業者であって、工場又は指定作業場の全部又は規則で定める主要な施設等を除却しようとするものをいう。以下同じ。）　当該除却に伴い土壌の掘削を行う土地

2　前項ただし書の確認を受けた者（その者の地位を承継した者を含む。次項において同じ。）は、当該確認に係る土地の利用状況、土地の所有者等（土地の所有者、管理者又は占有者をいう。以下同じ。）その他規則で定める事項の変更について、規則で定めるところにより知事に届け出なければならない。

3　知事は、次の各号のいずれかに該当するときは、第一項ただし書の確認に係る土地の全部又は一部について当該確認を取り消すものとする。

一　当該土地の全部又は一部が同項ただし書の確認の要件を満たさない状況になったとき。

二　同項ただし書の確認を受けた者が前項に規定する届出をせず、又は虚偽の届出を行ったとき。

4　知事は、第一項の規定による汚染状況調査の結果、当該土地の土壌の特定有害物質の濃度が汚染土壌処理基準を超える場合で、かつ、当該土地が次の各号のいずれかに該当するときは、工場等廃止者又は施設等除却者に対し、期限その他の規則で定める事項を示して、土壌汚染対策指針に基づき、規則で定めるところにより、土壌地下水汚染対策計画書を作成し、これを提出すべきことを指示することができる。ただし、当該土壌汚染が、当該工場等廃止者又は施設等除却者が生じさせたものでないことが明らかであると知事が認めるときは、この限りでない。

一　当該土地の状況が、土壌汚染により人の健康に係る被害が生じ、又は生ずるおそれがある場合として規則で定める場合に該当するとき。

二　当該土壌汚染が規則で定める基準に該当するとき（将来にわたり地下水の利用の見込みがない土地として規則で定める要件に該当するときを除く。）。

5　知事は、前項の規定により指示を受けた者が、提出の期限までに土壌地下水汚染対策計画書を提出しないときは、その者に対し、期限を定めて土壌地下水汚染対策計画書を提出すべきことを命ずることができる。

6　第四項又は前項の規定による土壌地下水汚染対策計画書（以下この条において「第百十六条計画書」という。）を提出した工場等廃止者又は施設等除却者は、当該第百十六条計画書に従って土壌汚染の除去等の措置を講じなければならない。

7　知事は、第百十六条計画書を提出した工場等廃止者又は施設等除却者が、措置を講ずべき期限までに当該第百十六条計画書に従って土壌汚染の除去等の措置を

講じていないと認めるときは、その者に対し、期限を定めて当該措置を講ずべきことを命ずることができる。

8　第百十六条計画書を提出した工場等廃止者又は施設等除却者は、当該第百十六条計画書に記載された土壌汚染の除去等の措置が完了したときは、その旨を知事に届け出なければならない。

9　第一項及び第四項から前項までの規定にかかわらず、工場等廃止者又は施設等除却者が、汚染状況調査の実施若しくは報告、第百十六条計画書の作成若しくは提出又は土壌汚染の除去等の措置若しくは当該措置が完了した旨の届出を行わずに、当該土地の譲渡（借地の場合にあっては、当該土地の返還をいう。以下同じ。）をしたときは、当該譲渡を受けた者も、当該汚染状況調査の実施及び報告、第百十六条計画書の作成及び提出並びに土壌汚染の除去等の措置及び当該措置が完了した旨の届出（当該土地の譲渡をした際、工場等廃止者又は施設等除却者が行っていないものに限る。）を行わなければならない。

10　知事は、前項（次条第二項において準用する場合を含む。）に規定する土地の譲渡を受けた者がいることを知ったときは、当該土地の譲渡を受けた者に対し、当該工場又は指定作業場において取り扱っていた特定有害物質の種類その他の規則で定める事項を通知するものとする。

11　土地の所有者等（工場等廃止者、施設等除却者及び第九項の譲渡を受けた者を除く。）が汚染状況調査又は土壌汚染の除去等の措置を行った場合（工場等廃止者、施設等除却者又は第九項の譲渡を受けた者が、第一項、第六項又は第九項の規定に基づく汚染状況調査又は土壌汚染の除去等の措置を行わない場合に限る。）において、当該汚染状況調査又は土壌汚染の除去等の措置が当該各項に規定する方法により行われたものであると知事が認めるときは、当該各項の規定による汚染状況調査又は土壌汚染の除去等の措置があったものとみなす。

**（有害物質取扱事業者による自主調査）**

**第百十六条の二**　有害物質取扱事業者（第百十五条第一項、前条第一項又は第百十七条第二項の規定の適用を受ける者を除く。）は、土壌汚染対策指針に基づき、規則で定めるところにより、当該工場又は指定作業場の敷地内の汚染状況調査を実施したときは、その結果を知事に報告することができる。

2　前条第四項から第九項までの規定は、前項の報告をした有害物質取扱事業者について準用する。この場合において、前条第四項中「第一項」とあるのは「第百十六条の二第一項」と、「工場等廃止者又は施設等除却者」とあるのは「有害物質取扱事業者」と、前条第五項中「前項」とあるのは「第百十六条の二第二項において準用する第百十六条第四項」と、前条第六項中「第四項又は前項」とあるのは「第百十六条の二第二項において準用する第百十六条第四項又は第五項」と、「第百十六条計画書」とあるのは「第百十六条の二計画書」と、「工場等廃止者又は施設等除却者」とあるのは「有害物質取扱事業者」と、前条第七項及び第八項中「第百十六条計画書」とあるのは「第百十六条の二計画書」と、「工場等廃止者又は施設等除却者」とあるのは「有害物質取扱事業者」と、前条第九項中「第一項及び第四項から前項まで」とあるのは「第百十六条の二第二項において準用する第百十六条第四項から第八項まで」と、「工場等廃止者又は施設等除却者」とあるのは「有害物質取扱事業者」と、「汚染状況調査の実施若しくは報告、第百十六条計画書」とあり、及び「汚染状況調査の実施及び報告、第百十六条計画書」とあるのは「第百十六条の二計画書」と読み替えるものとする。

**（工場等の敷地又は工場等の存した土地の改変時における汚染地改変者の義務）**

**第百十六条の三**　次の各号に掲げる土地において、土壌の特定有害物質の濃度が汚染土壌処理基準を超えている土地の切り盛り、掘削その他の規則で定める行為（以下「汚染地の改変」という。）を行う者（以下「汚染地改変者」という。）は、土壌汚染対策指針に基づき、規則で定めるところにより、当該汚染地の改変に伴う汚染の拡散等を防止するための計画書（以下「汚染拡散防止計画書」という。）を作成し、知事に提出しなければならない。ただし、次条第一項の規定の適用を受ける者にあっては、この限りでない。

一　第百十五条第一項の規定による汚染状況調査の結果、当該敷地内の土壌汚染が同条第二項の規則で定める基準に該当しなかった土地

二　第百十六条第一項の規定による汚染状況調査の結果、同条第四項ただし書に該当した土地又は同項各号のいずれにも該当しなかった土地

三　第百十四条第三項若しくは第四項、第百十五条第四項若しくは第五項、第百十六条第六項、第七項若しくは第九項（前条第二項においてこれらの規定を準用する場合を含む。）、第百十六条第十一項又は次項の規定により措置が講じられた土地

2　前項の規定による汚染拡散防止計画書を提出した者は、当該汚染拡散防止計画書に従って汚染拡散防止の措置を講じなければならない。

3　第一項の規定による汚染拡散防止計画書を提出した

者は、当該汚染拡散防止計画書に記載された汚染拡散防止の措置が完了したときは、その旨を知事に届け出なければならない。

（土地の改変時における改変者の義務）

**第百十七条**　規則で定める面積以上の土地における土地の切り盛り、掘削その他の規則で定める行為（以下「土地の改変」という。）を行う者（以下「土地改変者」という。）は、土壌汚染対策指針に基づき、当該土地の改変を行う土地における過去の特定有害物質の取扱事業場の設置状況その他の規則で定める事項について調査し、その結果を知事に届け出なければならない。

2　知事は、前項の調査の結果、当該土地の土壌が汚染され、又は汚染されているおそれがあると認めるときは、土地改変者に対し、土壌汚染対策指針に基づき、規則で定めるところにより、当該土地の汚染状況調査を実施し、その結果を報告するよう求めることができる。

3　土地改変者は、前項の規定による汚染状況調査の結果、当該土地の土壌の特定有害物質の濃度が汚染土壌処理基準を超えていることが判明したときは、土地の改変に伴う汚染の拡散等を防止するため、土壌汚染対策指針に基づき、規則で定めるところにより、汚染拡散防止計画書を作成し、知事に提出しなければならない。

4　知事は、前項の規定による汚染拡散防止計画書の提出を受けた場合において、当該土地の土壌汚染が第百十四条第一項第二号の規則で定める場合に該当するときは、当該提出をした者に対し、その旨を通知し、計画の変更を求めることができる。

5　第三項の規定による汚染拡散防止計画書を提出した者は、当該汚染拡散防止計画書（前項の規定により変更した場合にあっては、変更後の汚染拡散防止計画書。次項において同じ。）に従って汚染拡散防止の措置を講じなければならない。

6　第三項の規定による汚染拡散防止計画書を提出した者は、当該汚染拡散防止計画書に記載された汚染拡散防止の措置が完了したときは、その旨を知事に届け出なければならない。

7　次に掲げる土地において、汚染地改変者は、当該汚染地の改変に伴う汚染の拡散等を防止するため、土壌汚染対策指針に基づき、規則で定めるところにより、汚染拡散防止計画書を作成し、知事に提出しなければならない。ただし、第一項の規定の適用を受ける者にあっては、この限りでない。

一　第二項の規定による汚染状況調査が実施された土地のうち、第五項の汚染拡散防止の措置を要しなかった土地

二　第五項（次項において準用する場合を含む。）の規定により措置が講じられた土地

8　第五項及び第六項の規定は、前項の汚染地改変者について準用する。この場合において、第五項中「第三項」とあるのは「第七項」と、「当該汚染拡散防止計画書（前項の規定により変更した場合にあっては、変更後の汚染拡散防止計画書。次項において同じ。）」とあるのは「当該汚染拡散防止計画書」と、第六項中「第三項」とあるのは「第七項」と読み替えるものとする。

（記録の保管、引継等）

**第百十八条**　第百十四条から前条までの規定に基づく調査を行った者、措置に係る計画書を作成した者又は措置を行った者（その者の地位を承継した者を含む。）にあっては当該調査、計画書又は措置の内容について、第百十六条第一項ただし書の確認を受けた者（その者の地位を承継した者を含む。）にあっては工場又は指定作業場において取り扱っていた特定有害物質その他の操業時の状況について、土地の所有者等と共有するとともに、記録を作成し、保管し、及び必要に応じて土地の所有者等にこれを引き継がなければならない。

2　土地の所有者等（その者の地位を承継した者を含む。）は、前項の規定により共有した調査、計画書若しくは措置の内容等又は引き継がれた記録について、当該土地における土地改変者又は汚染地改変者に対して適切に提供しなければならない。

（台帳の調製等）

**第百十八条の二**　知事は、第百十四条から第百十七条までの規定に基づく調査、計画書、措置等について、規則で定めるところにより、所在地その他の規則で定める事項を記載した台帳を調製し、これを保管しなければならない。

2　前項に規定する台帳は、公開し、一般の閲覧に供するものとする。

（調査、措置等に係る指導及び助言並びに情報収集等）

**第百十九条**　知事は、有害物質取扱事業者、工場等廃止者、施設等除却者、第百十六条第一項の廃止又は除却に係る土地の譲渡を受けた者、土地の所有者等、汚染地改変者又は土地改変者がこの節の規定に基づき行う調査、措置等に関し、必要に応じ指導及び助言を行うものとする。

2　知事は、第百十四条第一項第二号に規定する規則で定める場合（第百十七条第四項に規定する場合を含む。）又は第百十六条第四項第一号に規定する規則で

定める場合（第百十六条の二第二項において準用する場合を含む。）に該当することを判断するために必要があると認めるときは、人の健康に係る被害が生ずるおそれに関する情報を有する関係行政機関に対する情報提供の要請その他の手段により情報を収集するとともに、当該情報を整理し、保存し、及び適切に提供するよう努めるものとする。

（**勧告等**）

**第百二十条**　知事は、第百十四条第五項、第百十五条第六項、第百十六条第一項、第八項（第百十六条の二第二項において準用する場合を含む。）及び第九項（第百十六条の二第二項において準用する場合を含む。）、第百十六条の三各項並びに第百十七条第一項、第三項、第五項（第八項において準用する場合を含む。）、第六項（第八項において準用する場合を含む。）及び第七項に違反をしている者があるときは、その者に対し、当該違反をしている事項を是正するため必要な措置をとることを勧告することができる。

２　知事は、第百十六条第一項の規定に違反している者に対する勧告を行ったときは、同項に規定する汚染状況調査の対象となっている土地の場所及びその範囲について、公表することができる。

３　知事は、前項の公表をしようとする場合は、当該土地の所有者に対し、意見を述べ、証拠を提示する機会を与えるものとする。

（**費用の負担**）

**第百二十一条**　第百十六条第九項（第百十六条の二第二項において準用する場合を含む。）、第百十六条の三及び第百十七条の場合において、工場等廃止者又は施設等除却者（第百十六条の二第二項において準用する場合にあっては有害物質取扱事業者）から、第百十六条第一項の廃止若しくは除却に係る土地又は第百十六条の二第一項の汚染状況調査を実施した土地の譲渡を受けた者、土地改変者又は汚染地改変者が、汚染状況調査、措置等を実施したときは、当該調査、措置等に要した費用を、当該汚染をした者に請求することを妨げるものではない。

（**土地の所有者等の協力義務**）

**第百二十一条の二**　第百十四条から第百十七条までの規定に基づき調査、措置等を実施する者が当該土地の所有者等と異なる場合においては、当該土地の所有者等は、当該調査、措置等の実施に協力しなければならない。

（**適用除外**）

**第百二十二条**　第百十三条から前条までの規定は、次に掲げる土壌については適用しない。

一　農用地の土壌の汚染防止等に関する法律（昭和四十五年法律第百三十九号）第二条第一項に規定する農用地の土壌

二　汚染の原因が専ら自然的条件であることが明らかであると認められる場所（汚染の原因が、専ら自然的条件によるものと同程度に汚染された土砂に由来すると認められる埋立地を含む。）の土壌

三　前二号に掲げるもののほか、法令により特定有害物質の処分等を目的として設置されている施設の存する土地の土壌

２　前項第二号の規定にかかわらず、第百十三条から前条までの規定は、前項第二号の土壌については、当該場所からの土壌の搬出に伴う汚染拡散防止に必要な限度において適用する。

### 第四節　建設工事に係る規制

（**建設工事等に係る遵守事項**）

**第百二十三条**　建築物その他の施設等の建設（土地の造成を含む。）、解体又は改修の工事を行う者は、当該工事に伴い発生する騒音、振動、粉じん又は汚水（公共用水域に排出するものに限る。以下この節において同じ。）により、人の健康又は生活環境に障害を及ぼさないよう努めなければならない。

２　石綿を含む建設材料（以下「石綿含有材料」という。）を使用する建築物その他の施設の解体又は改修の工事を施工する者は、知事が定める作業上の遵守事項（以下この節において「遵守事項」という。）に従って工事を施工し、及び規則で定めるところにより石綿の飛散の状況について監視を行わなければならない。

（**石綿含有建築物解体等工事に係る届出等**）

**第百二十四条**　石綿含有材料（規則で定めるものに限る。以下同じ。）を使用する建築物その他の施設で、規則で定める面積以上の石綿含有材料を使用する壁面、天井その他の部分を有するもの又は規則で定める面積以上の延べ面積等を有するものの解体又は改修の工事（以下「石綿含有建築物解体等工事」という。）の発注者（工事（他の者から請け負ったものを除く。）の注文者をいう。）又は石綿含有建築物解体等工事を請負契約によらないで自ら施工する者は、当該石綿含有建築物解体等工事の開始の日前十四日までに規則で定めるところにより、当該石綿含有建築物解体等工事に係る石綿の飛散防止方法の詳細及び飛散の状況の監視その他の計画（以下「飛散防止方法等計画」という。）を知事に届け出なければならない。

２　知事は、前項の規定による届出があった場合において、飛散防止方法等計画が規則又は遵守事項に従っていないと認めるときは、その届出をした者に対し、当

該飛散防止方法等計画を規則又は遵守事項に従ったものに変更することを勧告することができる。

（**改善勧告及び改善命令**）

**第百二十五条**　知事は、別表第九に掲げる建設作業（以下「指定建設作業」という。）に伴い発生する騒音（騒音規制法（昭和四十三年法律第九十八号）第二条第三項に規定する特定建設作業に係るものを除く。以下この条において同じ。）、振動（振動規制法（昭和五十一年法律第六十四号）第二条第三項に規定する特定建設作業に係るものを除く。以下この条において同じ。）、粉じん又は第百二十三条第一項に規定する工事に伴い発生する汚水が規則で定める基準を超え、かつ、当該指定建設作業若しくは当該工事の行われる場所の周辺の生活環境が著しく損なわれると認めるとき、又は石綿含有建築物解体等工事を施工する者が遵守事項に従わないで工事を施工していると認めるときは、それらの事態を排除するため、指定建設作業若しくは当該工事又は石綿含有建築物解体等工事を施工する者に対し、期限を定めて、騒音、振動、粉じん若しくは汚水の防止の方法若しくは作業の方法を改善し、又は指定建設作業の作業時間を変更することを勧告することができる。

2　知事は、前項の規定による勧告を受けた者がその勧告に従わないで指定建設作業若しくは第百二十三条第一項に規定する汚水を排出する工事又は石綿含有建築物解体等工事を施工しているときは、期限を定めて、同項の事態を排除するために必要な限度において、騒音、振動、粉じん若しくは汚水の防止の方法若しくは作業の方法を改善し、又は指定建設作業の作業時間を変更することを命ずることができる。

### 第五節　特定行為の制限

（**廃棄物等の焼却行為の制限**）

**第百二十六条**　何人も、廃棄物等を焼却するときは、ダイオキシン類（ダイオキシン類対策特別措置法（平成十一年法律第百五号）第二条第一項に規定するダイオキシン類をいう。）等による人の健康及び生活環境への支障を防ぐために、小規模の廃棄物焼却炉（火床面積〇・五平方メートル未満であって、焼却能力が一時間当たり五十キログラム未満の廃棄物焼却炉をいう。以下同じ。）により、又は廃棄物焼却炉を用いずに、廃棄物等を焼却してはならない。ただし、規則で定める小規模の廃棄物焼却炉による焼却及び伝統的行事等の焼却行為については、この限りでない。

（**小規模燃焼機器の設置**）

**第百二十七条**　規則で定める規模のボイラー及び内燃機関等の燃焼機器を設置しようとする者は、窒素酸化物及び二酸化炭素の排出量の少ない機器を設置するように努めなければならない。

2　知事は、窒素酸化物及び二酸化炭素の排出量が少ないと認められる機器等に関する情報の提供に努めなければならない。

（**小型の船舶から排出されるし尿の適正処理**）

**第百二十八条**　主に東京湾の内湾を周遊し、食品衛生法（昭和二十二年法律第二百三十三号）第五十五条第一項の規定に基づく営業の許可を受けて、船内で飲食を供する船舶（乗船定員十人以上百人未満のものに限る。）の所有者及び管理者（以下「船舶の所有者等」という。）は、規則で定める水域において、水質の保全と水辺の利用の快適性を確保するため、し尿を無処理のまま船外に排出してはならない。

2　船舶の所有者等は、前項の規定を遵守するため、当該船舶に規則で定める装置を設置しなければならない。

3　船舶の所有者等は、前項の装置により回収したし尿を適切な方法によって処理しなければならない。

（**拡声機の使用制限**）

**第百二十九条**　住居の環境が良好である区域又は学校若しくは病院の周辺の区域で規則で定める区域においては、規則で定める場合を除き、商業宣伝を目的として拡声機を使用してはならない。

2　航空機（航空法（昭和二十七年法律第二百三十一号）第二条第一項に規定する航空機をいう。）から機外に向けて、商業宣伝を目的として拡声機を使用してはならない。

3　前二項に規定するもののほか、商業宣伝を目的として拡声機を使用する者は、拡声機の使用方法、使用時間等に関し、規則で定める事項を遵守しなければならない。

**第百三十条**　何人も、直接に屋外に騒音を発する状態で拡声機を使用してはならない。ただし、公共のために使用する場合、前条第三項に規定する規則で定める事項を遵守して行われる商業宣伝を目的として使用する場合その他規則で定める場合は、この限りでない。

（**音響機器等の使用制限**）

**第百三十一条**　食品衛生法施行令（昭和二十八年政令第二百二十九号）第三十五条第一号に規定する飲食店営業を営む者は、午後十一時から翌日の午前六時までの間は、当該営業を営む場所において、カラオケ装置（伴奏音楽等を収録したテープ等を再生し、これに合わせてマイクロホンを使って歌唱等ができるように構成された装置をいう。）その他規則で定める音響機器（以下「音響機器等」という。）を使用し、又は使用させてはならない。ただし、音響機器等から発する音が防音対策を講ずることにより当該営業を営む場所の外部に漏れない場合その他規則で定める場合は、この限りでない。

（深夜の営業等の制限）

**第百三十二条**　別表第十に掲げる営業を営み、又は別表第十一に掲げる作業を行う者は、規則で定める場合を除き、深夜（午後十一時から翌日の午前六時までの間をいう。）においては、次に掲げる区域内において、別表第十二に掲げる規制基準を超える騒音をその事業所の敷地内において発生させてはならない。

一　都市計画法（昭和四十三年法律第百号）第八条第一項第一号の規定により定められた第一種低層住居専用地域、第二種低層住居専用地域、第一種中高層住居専用地域、第二種中高層住居専用地域、第一種住居地域、第二種住居地域、準住居地域及び田園住居地域（知事が指定する区域を除く。）

二　前号に掲げる区域に隣接する区域で、当該区域において発生する騒音が当該区域に隣接する前号に掲げる区域の静穏を害するおそれのあるものとして知事が指定する区域

（夜間の静穏保持）

**第百三十三条**　何人も、夜間（午後八時から翌日の午前六時までの間をいう。）においては、道路その他の公共の場所において、みだりに付近の静穏を害する行為をしてはならない。

（地下水の揚水施設の構造基準及び揚水量の制限）

**第百三十四条**　何人も、第七十六条の規定が適用される場合を除き、地盤沈下の防止の対策が必要な地域として規則で定める区域内において、地下水の利用を目的として、地下水を揚水するための揚水施設を設置するときは、当該揚水施設を設置する敷地内にある揚水施設の揚水機の吐出口の断面積（当該揚水施設を設置する敷地内にある揚水機の吐出口が二以上となるときは、すべての吐出口の断面積の合計。以下この条において同じ。）の上限を二十一平方センチメートルとし、揚水機の吐出口の断面積が六平方センチメートルを超える場合はストレーナーの位置を、揚水機の吐出口の断面積が六平方センチメートル以下の場合は揚水機の出力を規則で定める基準に適合させなければならない。

2　前項に規定する揚水施設のうち揚水機の吐出口の断面積が六平方センチメートル以下の揚水施設で、地下水を揚水する者は、規則で定める揚水量を超えて地下水を揚水してはならない。

3　次に掲げる揚水施設については、前二項の規定は適用しない。

一　工業用水法第三条第一項に規定する政令で定める地域において同項の規定による許可の対象となる井戸及び建築物用地下水の採取の規制に関する法律第四条第一項に規定する政令で指定された地域において同項の規定による許可の対象となる揚水設備

二　温泉法第十一条第一項の規定による許可の対象となる動力装置を有する揚水施設

三　水道法第六条第一項の規定に基づき水道事業経営の認可を受けた者が設置する揚水施設

四　公衆浴場で、浴室の床面積の合計が百五十平方メートル以下のものに設置される公衆浴場の用に供する揚水施設

五　河川法が適用され、又は準用される河川の河川区域内の地下水の揚水施設

六　非常災害用等公益上必要と知事が認める揚水施設

七　地下水に代えて他の水源を確保することが困難であると知事が認める場合に設置する揚水施設

4　第七十六条の規定が適用される場合を除き、地下水の揚水施設を設置する者は、規則で定めるところにより、揚水機の吐出口の断面積、ストレーナーの位置、揚水機の出力等を知事に届け出なければならない。

5　第七十六条の規定が適用される場合を除き、揚水施設の揚水機の吐出口の断面積、ストレーナーの位置又は揚水機の出力を変更しようとする者は、あらかじめ、規則で定めるところにより、その旨を知事に届け出なければならない。

6　第一項の規定は、前項の届出を行った者について準用する。

（揚水量の測定等）

**第百三十五条**　何人も、第九十七条の規定が適用される場合を除き、都内において規則で定める規模以上の揚水施設により地下水を揚水するときは、規則で定めるところにより、水量測定器を設置し、地下水の揚水量を記録し、及び知事に報告しなければならない。ただし、工事等に伴う一時的な揚水であると知事が認める場合は、この限りでない。

（規制基準の遵守等）

**第百三十六条**　何人も、第六十八条第一項、第八十条及び第百二十九条から前条までの規定に定めるもののほか、別表第十三に掲げる規制基準（規制基準を定めていないものについては、人の健康又は生活環境に障害を及ぼすおそれのない程度）を超えるばい煙、粉じん、有害ガス、汚水、騒音、振動又は悪臭の発生をさせてはならない。

（勧告）

**第百三十七条**　知事は、第百二十六条の規定に違反している者に対し、違反行為の停止又は必要な措置につい

て勧告することができる。

**第百三十八条**　知事は、騒音又は振動が第百二十九条から第百三十三条まで及び第百三十六条の規定に違反することにより、周辺の生活環境に支障を及ぼしていると認めるときは、その違反行為をしている者に対し、期限を定めて、生活環境に及ぼす支障を解消するために必要な限度において、騒音又は振動の防止のための方法、施設の改善その他の必要な措置をとることを勧告することができる。

**（停止命令等）**

**第百三十九条**　知事は、第百二十六条、第百二十九条から第百三十四条まで及び第百三十六条の規定に違反する行為をしている者があると認めるとき（騒音、振動及び廃棄物等の焼却行為については、前二条の規定による勧告を受けた者がその勧告に従わないとき）は、その者に対し、期限を定めて生活環境に及ぼす支障を防止するために必要な限度において、当該違反行為の停止、施設の改善、ばい煙、粉じん、有害ガス、汚水、騒音、振動又は悪臭の防止の方法の改善その他の必要な措置を命ずることができる。

２　前項の規定にかかわらず、知事は、前条の規定により勧告を受けた者のうち、第百三十二条に定める営業を営み、又は作業を行う者が、その勧告に従わないときは、その者に対し、期限を定めて、生活環境に及ぼす支障を防止するために必要な限度において、騒音の防止が必要な時間の当該営業又は作業の停止を命ずることができる。

### 第六節　地下水の保全

**（地下水の水位の測定）**

**第百四十条**　知事は、地下水の保全を図るため、地下水位の状況を測定し、その結果を公表しなければならない。

**（雨水の地下への浸透の促進）**

**第百四十一条**　知事は、地下水の保全を図るため、雨水を地下へ浸透させるための指針（以下「雨水浸透指針」という。）を定め、公表するものとする。

２　規則で定める規模以上の揚水施設を設置する者は、雨水浸透指針に基づき、雨水浸透施設の設置等雨水浸透を推進するための措置を講じるよう努めなければならない。

**（地下水の流れの確保）**

**第百四十二条**　建築物その他の工作物の新築等をしようとする者は、地下水の流れを妨げ、地下水の保全に支障を及ぼさないように、必要な措置を講じるよう努めなければならない。

**（地下水保全地域の指定等）**

**第百四十三条**　知事は、地下水の揚水量の増大及び雨水の浸透量の減少により、地盤の沈下の発生等生活環境に支障を及ぼすおそれがあり、揚水量の制限、雨水浸透施設の設置指導等総合的な地下水保全のための施策を講じる必要があると認める地域があるときは、規則で定めるところにより、当該地域を地下水保全地域として、指定することができる。

２　知事は、地下水保全地域を指定しようとするときは、あらかじめ、関係区市町村の長及び東京都環境基本条例（平成六年東京都条例第九十二号）第二十五条の東京都環境審議会の意見を聴かなければならない。この場合においては、地下水保全地域の指定に合わせて作成する次条第一項に規定する地下水保全計画の案についても、その意見を聴かなければならない。

３　知事は、地下水保全地域を指定する場合には、その旨及びその区域を公示しなければならない。

４　知事は、地下水保全地域を指定したときは、その旨及びその区域を関係区市町村の長に通知しなければならない。

５　第二項前段及び前二項の規定は地下水保全地域の指定の解除及びその区域の変更について、第二項後段の規定は地下水保全地域の区域の変更について、それぞれ準用する。

**（地下水保全計画）**

**第百四十四条**　知事は、地下水保全地域における地下水の保全のための施策に関する計画（以下「地下水保全計画」という。）を作成するものとする。

２　地下水保全計画には、次の各号に掲げる事項を定めるものとする。

一　地下水の揚水量の削減に関する基本的事項

二　雨水の浸透量の増大に関する基本的事項

三　前二号を達成するための施策に関する事項

３　知事は、地下水保全計画を作成したときは、その概要を公示するとともに、関係区市町村の長に通知しなければならない。

４　前条第二項前段及び前項の規定は、地下水保全計画の廃止について準用する。

**（地下水の揚水量の減少勧告）**

**第百四十五条**　知事は、渇水等による地下水位の著しい低下により、地盤沈下の発生等生活環境に著しい支障を及ぼすおそれがあると認めるときは、規則で定める規模以上の揚水施設を設置する者に対し、規則で定めるところにより、地下水の揚水量を減少することを勧告することができる。

## 第五章　緊急時の措置

### 第一節　大気汚染緊急時の措置

（大気汚染予報）

**第百四十六条**　知事は、次条第一項又は第百四十八条第一項に規定する事態が発生するおそれがある場合として規則で定める場合に該当する状況が発生したときは、都民に対し、当該事態が発生するおそれがある旨を予報しなければならない。

2　知事は、前項の予報をした場合は、ばい煙施設を設置する者に対し、規則で定める基準に適合する燃料を使用すること若しくはばい煙の発生を減少させること、粉じん若しくは有害ガスを発生させている者に対し、粉じん若しくは有害ガスの発生を減少させること又は自動車等を使用する者に対し、不要不急の目的により自動車等を使用しないことについて協力を求めなければならない。

（大気汚染注意報）

**第百四十七条**　知事は、大気の汚染が人の健康に影響を及ぼすおそれがある場合として規則で定める場合に該当する事態が発生したときは、都の区域の全部又は一部を指定して、当該区域について大気汚染注意報を発しなければならない。

2　知事は、前項の大気汚染注意報を発した場合は、地域を指定し、当該地域内においてばい煙施設を設置する者に対し、規則で定める基準に適合する燃料を使用すること若しくはばい煙の発生を減少させること若しくは粉じん若しくは有害ガスを発生させている者に対し、粉じん若しくは有害ガスの発生を減少させることを勧告し、又は自動車等を使用する者に対し、当該地域を通過しないことについて協力を求めなければならない。

（大気汚染警報）

**第百四十八条**　知事は、前条第一項に規定する事態が発生した場合において、その事態が同条第二項に規定する措置によっては改善されず、又は悪化するおそれがある場合として規則で定める場合に該当するときは、都の区域の全部又は一部を指定して、当該区域について大気汚染警報を発しなければならない。

2　知事は、前項の大気汚染警報を発した場合は、地域を指定し、当該地域内においてばい煙施設を設置している者に対し、当該施設で使用する燃料の量を減少すること若しくはばい煙の発生を減少させること、粉じん若しくは有害ガスを発生させている者に対し、粉じん若しくは有害ガスの発生を減少させること又は自動車等を使用する者に対し、当該地域を通過しないことを勧告しなければならない。

### 第二節　水質汚濁緊急時の措置

（水質汚濁注意報）

**第百四十九条**　知事は、規則で定める河川又は港湾の水域（以下「河川水域等」という。）の水質の汚濁が人の健康又は生活環境に障害を及ぼすおそれがある場合として規則で定める場合に該当する事態が発生したときは、当該事態が発生した水域について水質汚濁注意報を発しなければならない。

2　知事は、前項の水質汚濁注意報を発した場合は、河川又は港湾の水域を指定し、当該水域に当該汚濁の原因となる物質を排出していると認められる者に対し、汚水の排出量を減少することを勧告することができる。

（水質汚濁警報）

**第百五十条**　知事は、河川水域等の水質の汚濁が著しく人の健康又は生活環境に障害を及ぼすおそれがある場合として規則で定める場合に該当する事態が発生したときは、当該事態が発生した水域について水質汚濁警報を発しなければならない。

2　知事は、前項の水質汚濁警報を発した場合は、河川又は港湾の水域を指定し、当該水域に当該汚濁の原因となる物質を排出していると認められる者に対し、汚水の排出量を減少し、又は汚水の排出を停止することを勧告することができる。

## 第六章　雑則

（適用除外）

**第百五十一条**　環境への負荷の低減又は公害の防止のための措置について、区市町村の条例により、この条例に定める環境への負荷の低減又は公害の防止のための措置と同等以上の措置を講ずることとなるよう定めている場合は、当該区市町村の区域においては、当該措置に係るこの条例の規定は、適用しない。

（立入検査等）

**第百五十二条**　知事は、この条例の施行に必要な限度において、関係職員に、自動車、建設作業機械等の所在すると認める場所、工場、指定作業場、建設工事現場その他の場所に立ち入り、その場所において、又はその他必要な場所において、自動車、建設作業機械等、自動車検査証、帳簿書類、機械、設備その他の物件を検査し、土壌若しくは地下水の採取をし、又は関係人に対する指示若しくは指導を行わせることができる。

2　前項の規定により立入検査等を行う職員は、その身分を示す証明書を携帯し、関係人に提示しなければならない。

3　第一項の規定により立入検査等（第三章の規定に係るものを除く。）を行う職員のうち専ら当該事務に当たるものを、東京都公害監察員と称するものとする。

4　第三章の規定に係る立入検査等及び同章の規定に関

する都民からの情報提供に基づく調査等を行う職員のうち専ら当該事務に当たるものを、東京都自動車公害監察員と称するものとする。

5　第一項の権限は、犯罪捜査のために認められたものと解釈してはならない。

6　第一項の規定は、次条第一項の規定が適用される場合には、適用しない。

**第百五十二条の二**　知事は、この条例第二章の施行に必要な限度において、関係職員に、第五条の七第六号の事業所、口座名義人若しくは登録検証機関の事務所、営業所その他の場所に立ち入り、その場所において、又はその他必要な場所において、帳簿書類、機械、設備その他の物件を検査し、又は関係人に対する指示若しくは指導を行わせることができる。

2　前項の規定により立入検査等を行う職員は、その身分を示す証明書を携帯し、関係人に提示しなければならない。

3　第一項の規定により立入検査等を行う職員のうち専ら当該事務に当たるものを、東京都地球温暖化監察員と称するものとする。

4　第一項の権限は、犯罪捜査のために認められたものと解釈してはならない。

**（立入調査）**

**第百五十三条**　知事は、第五条の六第一項、第八条の二第一項、第八条の三、第八条の四第一項、第八条の二十五、第九条第一項及び第二項並びに第百五十六条第一項の規定の施行に必要な限度において、その職員に、温室効果ガス排出事業者の同意を得て、その事業所、事務所、営業所その他の場所に立ち入り、地球温暖化の対策の実施状況について調査させることができる。

2　知事は、第十七条の二十一、第十七条の二十二第一項及び第百五十六条第一項の規定の施行に必要な限度において、その職員に、特定開発事業者、地域エネルギー供給事業者、エネルギー利用に係る事業者、他の地域エネルギー供給事業者、熱電併給設備を設置しようとする事業者、熱電併給設備の所有者若しくは管理者、エネルギー供給受入者又は熱供給の受入検討建築主等の同意を得て、特定開発区域等、エネルギー供給を行う区域又はこれに隣接し、若しくは近接する区域、これらの区域内の建築物、エネルギーを供給する施設又は熱電併給設備の存する施設、脱炭素化を推進することが可能なエネルギーを利用する場所その他の場所に立ち入り、特定開発区域等脱炭素化指針に基づく環境への負荷の低減のための措置について調査させることができる。

3　知事は、第二十四条、第二十五条及び第百五十六条第一項の規定の施行に必要な限度において、その職員に、建築主、特定建築物工事完了届出者、マンション販売等受託者又は建物供給事業者の同意を得て、その建築物等、事務所その他の場所に立ち入り、配慮指針に基づく環境への配慮のための措置、当該特定建築物等若しくは中小規模特定建築物等における省エネルギー性能基準、再生可能エネルギー利用設備設置基準若しくは電気自動車充電設備整備基準に適合するための措置、マンション環境性能表示の表示、環境性能評価書の交付又はエネルギーの使用の合理化等に係る措置に関する説明等の実施状況について調査させることができる。

4　知事は、第二十五条の七、第二十五条の八及び第百五十六条第一項の規定の施行に必要な限度において、その職員に、特定家庭用機器販売事業者の同意を得て、その販売店、事務所その他の場所に立ち入り、特定家庭用機器の省エネルギー性能等を示す事項の掲出の実施状況について調査させることができる。

5　前各項の規定による調査をする職員は、その身分を示す証明書を携帯し、当該各項に規定する者その他の関係人に提示しなければならない。

**第百五十四条**　警察官は、第百三十一条の規定に違反している者があると認めるときは、午後十一時から翌日の午前六時までの間、当該営業を営む場所に立ち入り、当該営業を営む者又はその代理人その他の従業者に対し、当該違反行為を停止するよう指示し、又は静穏を保持するため必要な措置をとるよう指導することができる。

2　知事及び東京都公安委員会は、第百三十一条の規定の施行に関し、相互に緊密な連絡を保持するものとする。

3　第一項の規定により立入り等を行う警察官は、その身分を示す証明書を携帯し、関係人に提示しなければならない。

4　第一項の規定による立入り等の権限は、犯罪捜査のために認められたものと解釈してはならない。

**（報告の徴収）**

**第百五十五条**　知事は、この条例の施行に必要な限度において、温室効果ガス排出事業者、口座名義人、登録検証機関、特定エネルギー供給事業者、特定開発事業者、地域エネルギー供給事業者、エネルギー利用に係る事業者、他の地域エネルギー供給事業者、エネルギー供給受入者、熱供給の受入検討建築主等、建築主、特定建築物工事完了届出者、マンション販売等受託者、建物供給事業者、特定家庭用機器販売事業者又は公害を発生させ、若しくは発生させるおそれがある者に、必要な事項を報告し、又は資料を提出させることができる。

2　知事は、工場を設置している者、指定作業場を設置している者又は第百三十五条の規定により地下水を揚水している者が、第九十七条又は第百三十五条に規定する報告を怠っているときは、期限を定めて、当該報告を行うことを命ずることができる。

（違反者の公表）

**第百五十六条**　知事は、第五条の六第一項、第八条の四第一項、第九条第一項若しくは第二項、第九条の七、第十七条の二十二第一項、第二十五条、第二十五条の八、第三十二条、第三十六条、第四十条、第四十八条、第五十六条又は第百二十条第一項の規定による勧告を受けた者が、正当な理由なく当該勧告に従わなかったときは、その旨を公表することができる。

2　知事は、第八条の五第一項、第八条の十九第一項、第四十二条第一項、第五十八条又は第六十条の規定による命令を受けた者が、当該命令に従わなかったときは、その旨を公表することができる。

3　知事は、規制基準その他のこの条例に定める遵守すべき事項に違反してばい煙、粉じん、有害ガス、汚水、騒音、振動又は悪臭を発生し、又は発生させ、かつ、知事の改善命令その他のこの条例による命令を受けた者が、当該命令に従わなかったときは、その旨を公表することができる。

4　知事は、前三項の公表をしようとする場合は、当該勧告又は命令を受けた者に対し、意見を述べ、証拠を提示する機会を与えるものとする。

（委任）

**第百五十七条**　この条例に規定するものを除くほか、この条例の施行について必要な事項は、規則で定める。

## 第七章　罰則

**第百五十八条**　次の各号のいずれかに該当する者は、一年以下の拘禁刑又は五十万円以下の罰金に処する。

一　第九十一条、第九十八条第四項、第百十四条第二項若しくは第四項、第百二十五条第二項又は第百三十九条の規定による命令に違反した者

二　第百二条又は第百三条の規定による命令又は処分に違反した者

**第百五十九条**　次の各号の一に該当する者は、五十万円以下の罰金に処する。

一　第八条の五第一項、第八条の十九第一項、第四十二条第一項、第五十八条、第六十条、第百十五条第三項若しくは第五項又は第百十六条第五項（第百十六条の二第二項の規定により準用する場合を含む。）若しくは第七項（第百十六条の二第二項の規定により準用する場合を含む。）の規定による命令に違反した者

一の二　第五条の二十二第三項、第四項又は第六項の規定による申請に関し虚偽の申請をした指定地球温暖化対策事業者

一の三　第六条の規定による地球温暖化対策計画書を提出せず、又は同条第一号若しくは第五号から第十号までの事項について虚偽の報告をした者

一の四　第八条の六第一項又は第三項の登録を受けないで検証業務を行った者

一の五　不正の手段により第八条の六第一項又は第三項の登録を受けた者

一の六　第八条の十五の規定に違反した者

一の七　第八条の十七の規定に違反して第八条の七第一項第三号の営業所ごとに帳簿を備えず、帳簿に記載せず、若しくは虚偽の記載をし、又は帳簿若しくは資料を規則で定めるところにより保存しなかった者

二　第八十一条第一項の規定による認可を受けないで、工場を設置した者

**第百六十条**　次の各号の一に該当する者は、二十五万円以下の罰金に処する。

一　第五条の八第二項、第五条の十第一項又は第八十九条の規定による届出をせず、又は虚偽の届出をした者

二　第五条の十三第三項又は第五条の十四第一項の規定による申請をせず、又は虚偽の申請をした者

**第百六十条の二**　第五条の二十一第五項の規定による申請に関し虚偽の申請をし、又は同条第八項の規定による届出をせず、若しくは虚偽の届出をした指定地球温暖化対策事業者は、二十万円以下の罰金に処する。

**第百六十一条**　次の各号の一に該当する者は、十五万円以下の罰金に処する。

一　第八十二条第一項の規定による認可を受けないで、第八十一条第二項第三号から第五号までに掲げる事項を変更した者

一の二　第六条の二第一項又は第二項の規定に違反した者

二　第九十条又は第百二十四条第一項の規定による届出をせず、又は虚偽の届出をした者

三　第九十二条第一項の規定に違反して、指定作業場を設置し、又は第八十九条第三号から第五号までに掲げる事項を変更した者

四　第百五十二条第一項の規定による立入り、検査若しくは採取、第百五十二条の二第一項の規定による立入り若しくは検査又は第百五十四条第一項の規定

による立入りを拒み、妨げ、又は忌避した者

**第百六十二条**　次の各号の一に該当する者は、十万円以下の罰金に処する。

一　第八十四条第一項、第八十六条又は第九十八条第一項若しくは第三項の規定による届出をせず、又は虚偽の届出をした者

二　第八十四条第三項の規定に違反して、工場又は工場の変更部分の使用を開始した者

三　第九十八条第二項の規定による計画を提出しなかった者

四　第百三十四条第四項又は第五項の規定による届出をせず、又は虚偽の届出をした者

**第百六十三条**　次の各号の一に該当する者は、科料に処する。

一　第二十八条第一項若しくは第二項若しくは第九十九条の規定による計画書又は第百十一条第二項の規定による方法書を提出しなかった者

二　第五条の九第一項若しくは第二項、第八条の十一第一項若しくは第二項、第八十七条（第九十三条第一項の規定により準用する場合を含む。）又は第八十八条第三項（第九十三条第二項の規定により準用する場合を含む。）の規定による届出をせず、又は虚偽の届出をした者

三　第五条の九第四項、第二十九条、第百十条第一項又は第百五十五条の規定による報告をせず、又は虚偽の報告をした者

**（両罰規定）**

**第百六十四条**　法人の代表者又は法人若しくは人の代理人、使用人その他の従業者が、当該法人又は人の業務に関し、第百五十八条から前条までの違反行為をしたときは、行為者を罰するほか、当該法人又は人に対して各本条の罰金刑又は科料刑を科する。

**（過料）**

**第百六十五条**　詐欺その他不正の行為により、第八十三条第一項の規定による手数料の徴収を免れた者は、当該徴収を免れた金額の五倍に相当する金額（当該五倍に相当する金額が五万円を超えないときは、五万円とする。）以下の過料に処する。

## 附　則

**（施行期日）**

1　この条例は、平成十三年四月一日から施行する。ただし、第百八条から第百二十二条までの規定は平成十三年十月一日から、第二十条から第二十五条までの規定は平成十四年六月一日から、第三十七条から第四十条まで及び第四十二条の規定は平成十五年十月一日から施行する。

**（経過規定）**

2　この条例の施行前にこの条例による改正前の東京都公害防止条例（以下「旧条例」という。）の規定によりされた認可、命令その他の処分又はこの条例の施行の際現に旧条例の規定によりされている申請、届出その他の手続は、それぞれこの条例の相当の規定に基づいてされた処分又は手続とみなす。

3　この条例第二十条から第二十五条までの規定は、平成十四年五月三十一日までに建築基準法第六条第一項の規定に基づく確認の申請又は同法第十八条第二項の規定に基づく通知がなされた特定建築物については、適用しない。

4　この条例の施行の際新たにこの条例第八十一条第一項の規定により工場の設置の認可を受けなければならないこととなった工場を既に設置し、又は設置の工事をしている者は、この条例の施行の日から六十日以内に、規則で定めるところにより、当該工場について、同条第二項に掲げる事項を知事に届け出なければならない。

5　この条例の施行の際新たにこの条例第八十九条の規定により設置の届出をしなければならないこととなった指定作業場を既に設置し、又は設置の工事をしている者は、この条例の施行の日から六十日以内に、規則で定めるところにより、当該指定作業場について、同条に掲げる事項を知事に届け出なければならない。

6　この条例の施行の際新たにこの条例第九十七条又は第百三十五条の規定により揚水量の測定等をしなければならないこととなった揚水施設を既に設置し、又は設置の工事をしている者は、この条例の施行の日から六十日以内に、規則で定めるところにより、当該揚水施設に係る揚水機の吐出口の断面積、ストレーナーの位置等を知事に届け出なければならない。ただし、前二項の規定に基づき届出をした者は、この限りでない。

7　この条例の施行前にした行為に対する罰則の適用については、なお従前の例による。

## 附　則（平一三・一一・二六条例一一八）

最終改正　令四・六・二三条例一〇三

1　この条例は、平成十四年四月一日から施行する。ただし、別表第七　四の部㈡の款アの項の表の改正規定のうち許容限度に係る部分及び臭気に係る部分、同表備考三㈡の改正規定、同款イの項(ア)の表から(エ)の表までの改正規定のうち許容限度に係る部分及び臭気に係る部分並びに別表第七　七の項の改正規定は、同年七月一日から施行する。

2　附則別表の上欄に掲げる業種その他の区分に属する工場又は指定作業場（この条例による改正後の都民の健康と安全を確保する環境に関する条例（以下「改正後の条例」という。）別表第七　四の部㈠の項の表に規定する水道水源水域に汚水を排出する新設の工場を除く。）に係る公共用水域に排出される汚水の規制基準は、令和七年六月三十日まで（下水道業又は旅館業に属する指定作業場にあっては、当分の間）は、改正後の条例別表第七　四の部㈠の項の表の規定にかかわらず、それぞれ附則別表の下欄に掲げる許容限度とする。

3　前項の規定の適用については、当該工場又は指定作業場から排出される汚水の処理施設を有する事業場については、当該工場又は指定作業場の属する業種その他の区分に

属するものとみなす。

4　前二項に規定する規制基準は、排水基準を定める省令（昭和四十六年総理府令第三十五号）第二条の環境大臣が定める方法により検定した場合における検出値によるものとする。

5　この条例の施行前にした行為に対する罰則の適用については、なお従前の例による。

**附則別表**

| 有害物質の種類 | 業種その他の区分 | 許容限度 |
|---|---|---|
| ほう素及びその化合物（単位　ほう素として、一リットルにつきミリグラム） | 電気めっき業（海域以外の公共用水域に汚水を排出するものに限る。） | 三〇 |
| | ほうろう鉄器製造業（海域以外の公共用水域に汚水を排出するものに限る。） | 四〇 |
| | 下水道業（旅館業（温泉（温泉法（昭和二十三年法律第百二十五号）第二条第一項に規定するものをいう。以下同じ。）を利用するものに限る。）に属する指定作業場から排出される汚水を受け入れている下水処理場で一定のものであり、かつ、海域以外の公共用水域に汚水を排出するものに限る。） | |
| | 金属鉱業（海域以外の公共用水域に汚水を排出するものに限る。） | 一〇〇 |
| | 旅館業（ほう素の濃度が一リットルにつき五〇〇ミリグラム以下の温泉を利用するものに限る。） | 三〇〇 |
| | 旅館業（ほう素の濃度が一リットルにつき五〇〇ミリグラムを超える温泉を利用するものに限る。） | 五〇〇 |
| ふっ素及びその化合物（単位　ふっ素として、一リットルにつきミリグラム） | ほうろう鉄器製造業（海域以外の公共用水域に汚水を排出するものに限る。） | 一二 |
| | 電気めっき業（一日当たりの平均的な排水量が五〇立方メートル以上であり、かつ、海域以外の公共用水域に汚水を排出するものに限る。） | 一五 |
| | 旅館業（水質汚濁防止法施行令及び廃棄物の処理及び清掃に関する法律施行令の一部を改正する政令（昭和四十九年政令第三百六十三号。以下「改正政令」という。）の施行の際現に湧出していなかった温泉を利用するものであって、一日当たりの平均的な排水量が五〇立方メートル以上であり、かつ、海域以外の公共用水域に汚水を排出するものに限る。） | |
| | 旅館業（温泉（自然に湧出しているもの（掘削により湧出させたものを除く。以下この項において同じ。）を利用するものであって、一日当たりの平均的な排水量が五〇立方メートル未満であるもの又は改正政令の施行の際現に湧出していた温泉を利用するものに限る。） | 三〇 |
| | 電気めっき業（一日当たりの平均的な排水量が五〇立方メートル未満であるものに限る。） | 四〇 |
| | 旅館業（温泉（自然に湧出しているものに限る。以下この項において同じ。）を利用するものであって、一日当たりの平均的な排水量が五〇立方メートル未満であるもの又は改正政令の施行の際現に湧出していた温泉を利用するものに限る。） | 五〇 |

備考

一　この表の上欄に掲げる有害物質の種類ごとに同表の中欄に掲げる業種その他の区分に属する工場又は指定作業場が同時に他の業種その他の区分に属する場合に

おいて、改正後の条例別表第七　四の部㈠の項の表又はこの表によりその業種その他の区分につき異なる許容限度の規制基準が定められているときは、当該工場又は指定作業場に係る汚水については、それらの規制基準のうち、最大の許容限度のものを適用する。

二　ほう素及びその化合物の項中下水道業において、「一定のもの」とは、下水処理場であって、次の算式により計算された値が一〇を超えるものをいう。

$$\frac{\Sigma Ci \times Qi}{Q}$$

この式において、Ci、Qi及びQは、それぞれ次の値を表すものとする。

Ci　当該下水処理場に汚水を排出する旅館業に属する指定作業場ごとに、当該指定作業場から当該下水処理場に排出される汚水のほう素及びその化合物による汚染状態の通常の値（単位　ほう素として、一リットルにつきミリグラム）

Qi　当該指定作業場から当該下水処理場に排出される汚水の通常の量（単位　一日につき立方メートル）

Q　当該下水処理場から排出される汚水の通常の量（単位　一日につき立方メートル）

### 附　則（平一九・三・一六条例六五）

最終改正　令三・一一・三〇条例一〇五

**（施行期日）**

1　この条例は、平成十九年四月一日から施行する。

**（経過措置）**

2　附則別表の上欄に掲げる項目につき同表の中欄に掲げる業種に属する工場又は指定作業場（この条例による改正後の都民の健康と安全を確保する環境に関する条例（以下「改正後の条例」という。）第二条第七号又は第八号に規定する工場又は指定作業場をいう。以下同じ。）から公共用水域に排出される汚水の規制基準は、令和六年十二月十日までは、改正後の条例別表第七　四の部㈡の款アの項の表及び同款イの項㈦から㈤までの表の規定にかかわらず、それぞれ附則別表の下欄に掲げる許容限度とする。

3　附則別表の中欄に掲げる業種に属する工場又は指定作業場から排出される汚水（公共用水域に排出されるものを除く。）の処理施設を有する事業場については、当該工場又は指定作業場の属する業種に属するものとみなして、前項の規定を適用する。

4　前二項に規定する規制基準は、排水基準を定める省令（昭和四十六年総理府令第三十五号）第二条の環境大臣が定める方法により検定した場合における検出値によるものとする。

5　この条例の施行の際既に設置され、又は着工されている工場又は指定作業場から排出される汚水の亜鉛含有量に係る規制基準は、平成十九年六月十日までは、改正後の条例別表第七　四の部㈡の款アの項の表及び同款イの項㈦から㈤までの表並びに前三項の規定にかかわらず、なお従前の例による。

6　この条例の施行前にした行為及び前項の規定によりなお従前の例によることとされる場合におけるこの条例の施行後にした行為に対する罰則の適用については、なお従前の例による。

**附則別表**

| 項目 | 業種 | 許容限度 |
|---|---|---|
| 亜鉛含有量（単位　一リットルにつきミリグラム） | 電気めっき業 | 四 |

備考　中欄に掲げる業種に属する工場又は指定作業場が同時に中欄に掲げる業種以外の業種にも属する場合においては、当該工場又は指定作業場から排出される汚水の亜鉛含有量に係る規制基準については、下欄に掲げるものを適用する。

### 附　則（平二〇・七・二条例九三）

**（施行期日）**

1　この条例は、平成二十一年四月一日から施行する。ただし、次の各号に掲げる規定は、当該各号に掲げる日から施行する。

一　目次の改正規定（「第三節の二　家庭用電気機器等の省エネルギー性能等の表示（第二十五条の二―第二十五条の七）」を「第三節の二　家庭用電気機器等に係る温室効果ガスの排出の削減（第二十五条の二―第二十五条の八）」に改める部分に限る。）、第二章第三節の二の改正規定、第七十六条、第九十七条、第百二十七条第二項、第百三十四条及び第百三十五条の改正規定、第百五十三条の改正規定（第二十五条の六及び第二十五条の七に係る部分に限る。）、第百五十六条第一項の改正規定（「第二十五条の七」を「第二十五条の八」に改める部分に限る。）並びに別表一の改正規定並びに附則第十二項から第十四項までの規定　公布の日

二　目次の改正規定（「第二節の五　地域におけるエネルギーの有効利用（第十七条の二―第十七条の二十三）」を加える部分及び「第四節　地域冷暖房計画（第二十六条・第二十七条）」を「第四節　削除（第二十六条・第二十七条）」に改める部分に限る。）、第二条の改正規定、第二章第二節の四の次に一節を加える改正規定並びに第二章第三節及び第四節の改正規定並びに附則第七項から第十一項までの規定　平成二十二年一月一日

**（経過措置）**

2　この条例の施行の日（以下「施行日」という。）前に、この条例による改正前の都民の健康と安全を確保する環境に関する条例（以下「旧条例」という。）第六条第五項の規定により提出された地球温暖化対策計画書の計画期間は、平成二十二年三月三十一日をもって終了する。

3　施行日前に、現に旧条例第七条第一項の計画書提出事業者であって、施行日から平成二十二年三月三十一日までに旧条例第六条及び第七条の二から第七条の五までの規定に該当することとなるものについての旧条例第七条第一項、

第七条の二から第九条まで、第百五十三条第一項及び第四項、第百五十五条第一項並びに第百五十六条第一項及び第四項の規定の適用については、なお従前の例による。

4　施行日から平成二十二年三月三十一日までの間は、施行日前に現に旧条例第七条第一項の計画書提出事業者である者については、この条例による改正後の都民の健康と安全を確保する環境に関する条例（以下「新条例」という。）第五条の二十四第一項、第五条の二十五及び第六条の規定は、適用しない。

5　施行日から平成二十二年三月三十一日までの間は、新条例第五条の十一第一項から第三項まで、第五条の十七、第五条の十八、第五条の二十四第二項、第六条の二、第七条、第八条の三、第八条の五及び第八条の二十三から第九条までの規定は、適用しない。

6　施行日から平成二十三年三月三十一日までの間は、新条例第五条の十九から第五条の二十三までの規定は、適用しない。

7　新条例第二章第三節の規定は、附則第一項第二号に規定する改正規定の施行の日以後に新条例第二十一条の規定により建築物環境計画書を提出した特定建築主について適用し、同日前に旧条例第二十一条第一項の規定により建築物環境計画書を提出した特定建築主については、なお従前の例による。

8　附則第一項第二号に規定する改正規定の施行の日から平成二十二年九月三十日までの間は、新条例第二十一条の二の規定は、適用しない。

9　旧条例第二十六条第一項の規定により知事が指定した地域冷暖房計画区域は新条例第十七条の十八第一項に規定する地域冷暖房区域と、旧条例第二十六条第二項の規定による公示は新条例第十七条の十八第六項の規定による公示とみなす。

10　附則第一項第二号に規定する改正規定の施行の際、現に前項の規定により地域冷暖房区域とみなされた区域において地域冷暖房により熱の供給を行っている者又は同改正規定の施行の日以後当該区域に熱の供給を行うこととなる者は、新条例第十七条の三第一項に規定する地域エネルギー供給事業者とみなし、新条例第二章第二節の五の規定（第十七条の十四の規定を除く。）を適用する。この場合において、新条例第十七条の十及び第十七条の十五の規定中「特定開発区域」とあるのは「都民の健康と安全を確保する環境に関する条例の一部を改正する条例（平成二十年東京都条例第九十三号）による改正前の都民の健康と安全を確保する環境に関する条例第二十六条第一項の地域冷暖房計画区域」と読み替えるものとする。

11　前項の規定により地域エネルギー供給事業者とみなされた者（附則第一項第二号に規定する改正規定の施行の日以後熱の供給を行うこととなる者に限る。）は、熱の供給を開始したときは、東京都規則（以下「規則」という。）で定めるところにより、その旨を知事に届け出なければならない。

12　附則第二項から前項までに規定するもののほか、この条例の施行前に旧条例の規定によりなされた指導、勧告、命令その他の処分又はこの条例の施行の際既に旧条例の規定によりされている申請、届出、報告その他の手続は、それぞれ新条例の相当の規定に基づいてされた処分又は手続とみなす。

13　この条例の施行前にした行為に対する罰則の適用については、なお従前の例による。

**（委任）**

14　附則第二項から前項までに規定するもののほか、この条例の施行に関し必要な事項は、規則で定める。

**附　則**（平二四・六・二七条例一〇六）

最終改正　平三〇・五・一七条例六九

**（施行期日）**

1　この条例は、平成二十四年八月一日から施行する。

**（経過措置）**

2　附則別表の上欄に掲げる有害物質の種類につき同表の中欄に掲げる業種に属する工場又は指定作業場（この条例による改正後の都民の健康と安全を確保する環境に関する条例（以下「改正後の条例」という。）第二条第七号の工場又は同条第八号の指定作業場であって、改正後の条例別表第七　四の部㈠の項の表に規定する水道水源水域に汚水を排出する新設の工場を除くものをいう。以下同じ。）から公共用水域に排出される汚水の規制基準は、平成三十三年五月二十四日までは、改正後の条例別表第七　四の部㈠の項の表の規定にかかわらず、それぞれ附則別表の下欄に掲げるとおりとする。

3　工場又は指定作業場に係る汚水を処理する事業場については、当該工場又は指定作業場の属する業種に属するものとみなして、前項の規定を適用する。

4　附則第二項に規定する規制基準は、改正後の条例別表第七　四の部㈠の項の表備考第五号に規定する検定方法により検定した場合における検出値によるものとする。

5　この条例の施行前にした行為に対する罰則の適用については、なお従前の例による。

**附則別表**

| 有害物質の種類 | 業種 | 許容限度 |
|---|---|---|
| 一・四―ジオキサン（単位　一リットルにつきミリグラム） | エチレンオキサイド製造業 | 六 |
| | エチレングリコール製造業 | |

備考　中欄に掲げる業種に属する工場又は指定作業場が同時に他の業種に属する場合において、改正後の条例別表第七　四の部㈠の項の表又はこの表により当該業種につき異なる許容限度の規制基準が定められているときは、当該工場又は指定作業場から排出される汚水については、それらの規制基準のうち、最大の許容限度のものを適用する。

**附　則**（平二六・一二・二六条例一八一）

最終改正　令和元・一一・二一条例六一

（施行期日）

1　この条例は、平成二十七年一月一日から施行する。

（経過措置）

2　附則別表の上欄に掲げる有害物質の種類につき同表の中欄に掲げる業種に属する工場又は指定作業場（この条例による改正後の都民の健康と安全を確保する環境に関する条例（以下「改正後の条例」という。）第二条第七号の工場又は同条第八号の指定作業場であって、改正後の条例別表第七　四の部㈠の項の表に規定する水道水源水域に汚水を排出する新設の工場を除くものをいう。以下同じ。）から公共用水域に排出される汚水の規制基準は、平成二十九年十一月三十日（金属鉱業に属する工場又は指定作業場にあっては、令和三年十一月三十日）までは、改正後の条例別表第七　四の部㈠の項の表の規定にかかわらず、それぞれ附則別表の下欄に掲げるとおりとする。

3　工場又は指定作業場に係る汚水を処理する事業場については、当該工場又は指定作業場の属する業種に属するものとみなして、前項の規定を適用する。

4　附則第二項に規定する規制基準は、改正後の条例別表第七　四の部㈠の項の表備考第五号に規定する検定方法により検定した場合における検出値によるものとする。

5　この条例の施行の際既に設置され、又は着工されている工場又は指定作業場から排出される汚水のカドミウム及びその化合物に係る規制基準は、平成二十七年五月三十一日（この条例の施行の際既に水質汚濁防止法施行令（昭和四十六年政令第百八十八号）別表第三に掲げる施設が設置され、又は当該施設の設置の工事がなされている工場又は指定作業場にあっては、平成二十七年十一月三十日）までは、改正後の条例別表第七　四の部㈠の項の表及び前三項の規定にかかわらず、なお従前の例による。

6　この条例の施行前にした行為及び前項の規定によりなお従前の例によることとされる場合におけるこの条例の施行後にした行為に対する罰則の適用については、なお従前の例による。

**附則別表**

<table>
<tr><th>有害物質の種類</th><th>業種</th><th>許容限度</th></tr>
<tr><td rowspan="4">カドミウム及びその化合物（単位　一リットルにつきミリグラム）</td><td>金属鉱業</td><td>〇・〇八</td></tr>
<tr><td>非鉄金属第一次製錬・精製業（亜鉛に係るものに限る。）</td><td rowspan="2">〇・〇九</td></tr>
<tr><td>非鉄金属第二次製錬・精製業（亜鉛に係るものに限る。）</td></tr>
<tr><td>溶融めっき業（溶融亜鉛めっきを行うものに限る。）</td><td>〇・一</td></tr>
</table>

備考　中欄に掲げる業種に属する工場又は指定作業場が同時に他の業種に属する場合において、改正後の条例別表第七　四の部㈠の項の表又はこの表により当該業種につき異なる許容限度の規制基準が定められているときは、当該工場又は指定作業場から排出される汚水については、それらの規制基準のうち、最大の許容限度のものを適用する。

附　則（平二七・一二・二四条例一五一）

（施行期日）

1　この条例は、平成二十八年一月一日から施行する。

（経過措置）

2　この条例の施行の際既に設置され、又は着工されている工場又は指定作業場から排出される汚水のトリクロロエチレンに係る規制基準は、平成二十八年四月二十一日（この条例の施行の際既に水質汚濁防止法施行令（昭和四十六年政令第百八十八号）別表第三に掲げる施設が設置され、又は当該施設の設置の工事がなされている工場又は指定作業場にあっては、平成二十八年十月二十一日）までは、この条例による改正後の都民の健康と安全を確保する環境に関する条例（以下「改正後の条例」という。）別表第七　四の部（一）の項の表の規定にかかわらず、なお従前の例による。

3　前項の規定は、同項に規定する工場又は指定作業場のうち水質汚濁防止法施行規則等の一部を改正する省令（平成二十七年環境省令第三十三号）の施行の際水質汚濁防止法（昭和四十五年法律第百三十八号）第二条第二項の特定施設の設置及び設置の工事がなされていないもの（改正後の条例別表第七　四の部（一）の項の表に規定する水道水源水域に汚水を排出する新設の工場を除く。）については、適用しない。

4　この条例の施行前にした行為及び第二項の規定によりなお従前の例によることとされる場合におけるこの条例の施行後にした行為に対する罰則の適用については、なお従前の例による。

附　則（平二八・三・三一条例五五）

（施行期日）

1　この条例は、平成二十八年四月一日（以下「施行日」という。）から施行する。ただし、第五条の十一の改正規定は公布の日から、第五条の二十一及び第百六十条の二の改正規定は同年十月一日から施行する。

（経過措置）

2　この条例による改正後の都民の健康と安全を確保する環境に関する条例（以下「改正後の条例」という。）第五条の十八第一項第一号の規定は、施行日の属する年度以後に改正後の条例第五条の十第一項第一号に該当した特定地球温暖化対策事業所について適用する。

3　改正後の条例第五条の十八第一項第二号の規定は、施行日の属する年度の前年度以後に改正後の条例第五条の十第一項第二号に規定する事業活動の規模の縮小があった特定地球温暖化対策事業所について適用する。

4　改正後の条例第五条の十八第一項第三号の規定は、施行日の属する年度の前年度以後に改正後の条例第五条の十第一項第三号に規定する期間の最後の年度に該当した特定地球温暖化対策事業所について適用する。

5　改正後の条例第五条の二十一第一項の規定は、同条の改正規定の施行の日前に、都民の健康と安全を確保する環境に関する条例第五条の八第一項又は第五条の八の二第三項の規定による指定を受けた指定地球温暖化対策事業所（同日前に、この条例による改正前の都民の健康と安全を確保する環境に関する条例（以下「改正前の条例」という。）第五条の二十一第三項の規定による指定管理口座の開設の申請がなされた指定地球温暖化対策事業所を除く。）についても適用する。

6　第五条の二十一の改正規定の施行の日前にされた改正前の条例第五条の二十一第三項の規定による申請に係る同条第四項及び第五項の適用については、なお従前の例による。

7　改正後の条例第八条の六第二項ただし書の規定は、登録の有効期間の満了の日が平成二十八年三月三十一日以後である同条第三項の更新の登録について適用し、当該満了の日が平成二十八年三月三十一日前である場合については、なお従前の例による。

8　この条例の施行前にした行為に対する罰則の適用については、なお従前の例による。

**附　則**（平三〇・一二・二七条例一二〇）

**（施行期日）**

1　この条例は、平成三十一年四月一日から施行する。

**（経過措置）**

2　この条例の施行前にこの条例による改正前の都民の健康と安全を確保する環境に関する条例（以下「旧条例」という。）第百十四条第一項の規定による命令を受けた者に対する当該命令に係る旧条例の規定の適用については、なお従前の例による。

3　この条例の施行前に旧条例第百十五条第一項の規定により汚染状況の調査の結果を報告するよう求められた有害物質取扱事業者に対する当該求めに係る旧条例の規定の適用については、なお従前の例による。

4　この条例の施行前に旧条例第百十六条第一項に規定する廃止、除却又は届出を行った有害物質取扱事業者に対する当該廃止、除却又は届出に係る旧条例の規定の適用については、なお従前の例による。

5　この条例の施行前に旧条例第百十七条第一項に違反をしている者に対する勧告に係る旧条例第百二十条の規定の適用については、なお従前の例による。

6　この条例の施行前に旧条例第百十七条第二項の規定により汚染状況の調査の結果を報告した土地の改変者に対する当該報告に係る旧条例の規定の適用については、なお従前の例による。

7　この条例の施行の際、現にされている旧条例第百十七条第二項の規定による求めは、この条例による改正後の都民の健康と安全を確保する環境に関する条例第百十七条第二項の規定による求めとみなす。

8　この条例の施行前にした行為及び附則第二項から第六項までの規定によりなお従前の例によることとされる場合におけるこの条例の施行後にした行為に対する罰則の適用については、なお従前の例による。

**附　則**（平三一・三・二九条例三七）

**（施行期日）**

1　この条例は、平成三十二年四月一日から施行する。ただし、別表第二及び別表第七の改正規定は、平成三十一年七月一日から施行する。

**（経過措置）**

2　この条例の施行前にこの条例による改正前の都民の健康と安全を確保する環境に関する条例（以下「旧条例」という。）第二十一条の規定により建築物環境計画書を提出した大規模特定建築主に対する当該建築物環境計画書に係る旧条例の規定の適用については、なお従前の例による。

3　この条例の施行前に旧条例第二十一条の二第一項の規定により建築物環境計画書を提出した特定建築主（大規模特定建築主を除く。）に対する当該建築物環境計画書に係る旧条例の規定の適用については、なお従前の例による。

4　この条例の施行前に旧条例第二十一条又は旧条例第二十一条の二第一項の規定により建築物環境計画書を提出した特定建築主に対するマンション環境性能表示に係る旧条例の規定の適用については、なお従前の例による。

5　この条例の施行前に旧条例第二十一条の規定により建築物環境計画書を提出した特別大規模特定建築主に対する省エネルギー性能評価書に係る旧条例の規定の適用については、なお従前の例による。

**附　則**（令二・六・一七条例七七）

**（施行期日）**

1　この条例は、令和三年六月一日から施行する。

**（経過措置）**

2　食品衛生法等の一部を改正する法律の一部の施行に伴う関係政令の整備及び経過措置に関する政令（令和元年政令第百二十三号。以下「改正政令」という。）附則第二条第一項の規定によりなお従前の例により営業を行うことができるとされている者のうち改正政令による改正前の食品衛生法施行令（昭和二十八年政令第二百二十九号）第三十五条第二号の喫茶店営業を行っているものに対するこの条例による改正後の都民の健康と安全を確保する環境に関する条例（以下「改正条例」という。）第百三十一条及び第百三十二条の規定の適用については、改正政令附則第二条第一項に規定する食品衛生法等の一部を改正する法律（平成三十年法律第四十六号）第二条の規定による改正前の食品衛生法（昭和二十二年法律第二百三十三号）第五十二条第三項の有効期間の満了の日までは、なお従前の例による。

3　この条例の施行前にした行為及び前項の規定によりなお従前の例によることとされる場合におけるこの条例の施行後にした行為に対する改正条例第百三十八条、第百三十九条、第百五十四条第一項並びに第百五十六条第三項及び第四項の規定の適用については、なお従前の例による。

4　この条例の施行前にした行為及び附則第二項の規定によりなお従前の例によることとされる場合におけるこの条例の施行後にした行為に対する罰則の適用については、なお従前の例による。

**附　則**（令四・一二・二二条例一四一）

（施行期日）

1　この条例中第一条並びに次項から第五項まで及び第七項の規定は令和六年四月一日から、第二条並びに附則第六項及び第八項の規定は令和七年四月一日から施行する。

（経過措置）

2　第一条の規定の施行の日前に同条の規定による改正前の都民の健康と安全を確保する環境に関する条例（以下「第一条による改正前の条例」という。）第九条の三の規定によりエネルギー環境計画書を提出した特定エネルギー供給事業者に対する当該エネルギー環境計画書に係る第一条による改正前の条例の規定の適用については、なお従前の例による。

3　第一条の規定の施行の日前に第一条による改正前の条例第十七条の七の規定によりエネルギー有効利用計画書が提出された場合における第一条による改正前の条例第十七条の三第一項に規定する特定開発事業者、第一条による改正前の条例第十七条の十七第一項に規定する利用可能エネルギーに係る事業者及び同条第二項に規定する他の地域エネルギー供給事業者に対する当該エネルギー有効利用計画書に係る第一条による改正前の条例の規定の適用については、なお従前の例による。

4　第一条の規定の施行の日前に第一条による改正前の条例第十七条の十一第一項の規定により地域エネルギー供給計画書が提出された場合における第一条による改正前の条例第十七条の三第一項に規定する特定開発事業者、同項に規定する地域エネルギー供給事業者、第一条による改正前の条例第十七条の十七第一項に規定する利用可能エネルギーに係る事業者、同条第二項に規定する他の地域エネルギー供給事業者、同条第三項に規定する熱電併給設備を設置しようとする事業者、同条第四項に規定する熱電併給設備の所有者又は管理者及び同条第五項に規定するエネルギー供給受入者に対する当該地域エネルギー供給計画書に係る第一条による改正前の条例の規定の適用については、なお従前の例による。

5　第一条の規定の施行の日前に第一条による改正前の条例第二十一条又は第二十一条の二第一項の規定により建築物環境計画書を提出した建築主に対する当該建築物環境計画書に係る第一条による改正前の条例の規定の適用については、なお従前の例による。

6　第二条の規定の施行の日前に同条の規定による改正前の都民の健康と安全を確保する環境に関する条例（以下「第二条による改正前の条例」という。）第二十一条又は第二十一条の二第一項の規定により建築物環境計画書を提出した建築主に対する当該建築物環境計画書に係る第二条による改正前の条例の規定の適用については、なお従前の例による。

7　第一条の規定の施行前にした行為及び附則第二項から第五項までの規定によりなお従前の例によることとされる場合における同条の規定の施行後にした行為に対する罰則の適用については、なお従前の例による。

8　第二条の規定の施行前にした行為及び附則第六項の規定によりなお従前の例によることとされる場合における同条の規定の施行後にした行為に対する罰則の適用については、なお従前の例による。

附　則（令五・一〇・一三条例八六）

（施行期日）

1　この条例は、令和七年四月一日（以下「施行日」という。）から施行する。ただし、第五条の十一第四項並びに第五条の十三第一項及び第三項の改正規定並びに第五条の十五に二項を加える改正規定並びに附則第八項から第十四項までの規定は公布の日（以下「公布日」という。）から施行する。

（経過措置）

2　施行日の前日において現にこの条例による改正前の都民の健康と安全を確保する環境に関する条例（以下「旧条例」という。）第五条の七第九号に規定する特定地球温暖化対策事業所として指定されている事業所であって、次の各号のいずれかに該当する事業所に係る特定地球温暖化対策事業者は、規則で定めるところにより、この条例による改正後の都民の健康と安全を確保する環境に関する条例（以下「新条例」という。）第五条の七第十四号に規定する削減義務率の減少を受けることを知事に申請することができる。

一　令和七年度から始まる削減計画期間において新条例第五条の十五第二項の優良特定地球温暖化対策事業所の認定を受ける事業所

二　旧条例第五条の十五第二項に規定する規則で定める期間が令和七年度以降に引き続く事業所

3　知事が前項の申請を適当と認めたときは、当該申請に係る事業所の削減義務率は、規則で定める期間について、地球温暖化の対策の推進の程度に応じ、規則で定める値に減少する。この場合において、当該事業所については、新条例第五条の十五第二項の規定は、適用しない。

4　前項の規定により削減義務率が減少した事業所にあっては、新条例第五条の七第十五号中「削減義務率」とあるのは、「削減義務率（都民の健康と安全を確保する環境に関する条例の一部を改正する条例（令和五年東京都条例第八十六号）附則第三項の規定により削減義務率が減少した年度については、その減少後の値）」と読み替えるものとする。

5　施行日の前日において現に旧条例第五条の七第八号に規定する指定地球温暖化対策事業所として指定されている事業所において、住居の用に供する部分のみを所有する者は、新条例第五条の八第二項に規定する所有している事業者とみなす。ただし、新条例第五条の九第二項の規定による変更の届出があったときは、この限りでない。

6　前項ただし書の変更の届出についての新条例第五条の九第二項の規定の適用については、同項中「、その日から三十日以内に、規則」とあるのは「、規則」と、「届け出なければならない」とあるのは「届け出ることができる」と読み替えるものとする。

7　新条例第五条の十一第一項第二号アの規定は、算定の対象となる年度が令和七年度以後である超過削減量について適用し、算定の対象となる年度が令和六年度以前である超過削減量については、なお従前の例による。

8　公布日前にされた旧条例第五条の十三第三項又は第四項の規定による基準排出量の決定の申請に係る同条第一項の規定の適用については、なお従前の例による。

9　令和二年度から令和五年度までの間に知事が旧条例第五条の十三第一項第二号アに定める量を基準排出量として定めた特定地球温暖化対策事業所であって、規則で定める事業所について、当該事業所に係る旧条例第五条の十一第一項に規定する特定地球温暖化対策事業者は、規則で定めるところにより、当該事業所の令和二年度又は旧条例第五条の七第九号の特定地球温暖化対策事業所の要件に該当した年度のいずれか遅い年度以降の基準排出量の変更を知事に申請することができる。

10　知事は、前項の申請を適当と認めたときは、同項に規定する期間の基準排出量を、規則で定める量に変更するものとする。ただし、同項の申請について虚偽があったときは、当該申請を拒否するものとし、変更後に虚偽があったことが判明したときも同様とする。

11　知事は、前項の規定により基準排出量を変更し、又は変更しないときは、その旨を、規則で定めるところにより、申請者に通知しなければならない。

12　令和五年度までに新条例第五条の十三第一項第三号に該当した特定地球温暖化対策事業所であって、知事が旧条例第五条の十三第一項第二号に定める量を基準排出量として定めた事業所について、当該事業所に係る旧条例第五条の十一第一項に規定する特定地球温暖化対策事業者は、規則で定めるところにより、当該事業所の令和二年度又は新条例第五条の十三第一項第三号に該当した年度のいずれか遅い年度以降の基準排出量の変更を知事に申請することができる。

13　知事は、前項の申請を適当と認めたときは、同項に規定する期間の基準排出量を、新条例第五条の十三第一項第三号ウに規定する量に変更するものとする。ただし、前項の申請について虚偽があったときは、当該申請を拒否するものとし、変更後に虚偽があったことが判明したときも同様とする。

14　知事は、前項の規定により基準排出量を変更し、又は変更しないときは、その旨を、規則で定めるところにより、申請者に通知しなければならない。

15　新条例第八条の七第一項の検証機関登録申請者の役員のうちに旧条例第八条の九第一項第二号又は第四号に該当する者があるときは、同項の規定の適用については、なお従前の例による。

16　施行日の前日において現に旧条例第五条の十一第四項に規定する登録検証機関として登録されている個人に対する旧条例第八条の十一及び第八条の十九の規定の適用については、なお従前の例による。

17　この条例の施行前にした行為及び前項の規定によりなお従前の例によることとされる場合におけるこの条例の施行後にした行為に対する罰則の適用については、なお従前の例による。

**附　則**（令六・三・二九条例九二）

**（施行期日）**

1　この条例は、令和六年四月一日から施行する。ただし、別表第七　四の部㈡の款アの項の表及び同款イの項（ア）から（エ）までの表の改正規定は、令和七年四月一日から施行する。

**（経過措置）**

2　附則別表の上欄に掲げる有害物質の種類につき同表の中欄に掲げる業種に属する工場又は指定作業場（この条例による改正後の都民の健康と安全を確保する環境に関する条例（以下「改正後の条例」という。）第二条第七号の工場又は同条第八号の指定作業場であって、改正後の条例別表第七　四の部㈠の項の表に規定する水道水源水域に汚水を排出する新設の工場を除くものをいう。以下同じ。）から公共用水域に排出される汚水の規制基準は、令和九年三月三十一日までは、改正後の条例別表第七　四の部㈠の項の表の規定にかかわらず、附則別表の下欄に掲げるとおりとする。

3　工場又は指定作業場に係る汚水を処理する事業場については、当該工場又は指定作業場の属する業種に属するものとみなして、前項の規定を適用する。

4　附則第二項に規定する規制基準は、改正後の条例別表第七　四の部㈠の項の表備考第五号に規定する検定方法により検定した場合における検出値によるものとする。

5　この条例の施行の際既に設置され、又は着工されている工場又は指定作業場から排出される汚水の六価クロム化合物に係る規制基準は、令和六年九月三十日（この条例の施行の際既に水質汚濁防止法施行令（昭和四十六年政令第百八十八号）別表第三に掲げる施設が設置され、又は当該施設の設置の工事がなされている工場又は指定作業場にあっては、令和七年三月三十一日）までは、改正後の条例別表第七　四の部㈠の項の表及び前三項の規定にかかわらず、なお従前の例による。

6　この条例の施行前にした行為及び前項の規定によりなお従前の例によることとされる場合におけるこの条例の施行後にした行為に対する罰則の適用については、なお従前の例による。

**附則別表**

| 有害物質の種類 | 業種 | 許容限度 |
| --- | --- | --- |
| 六価クロム化合物（単位　六価クロムとして一リットルにつきミリグラム） | 電気めっき業 | 〇・五 |

備考　中欄に掲げる業種に属する工場又は指定作業場が同時に他の業種に属する場合において、改正後の条例別表第七　四の部㈠の項の表又はこの表により当該業種につき異なる許容限度の規制基準が定められているときは、当該工場又は指定作業場から排出される汚水については、それらの規制基準のうち、最大の許容限度

のものを適用する。

附　則（令六・一〇・一一条例一四五）

（施行期日）

1　この条例は、令和七年六月一日から施行する。

（経過措置）

2　この条例の施行前にした行為に対する罰則の適用については、なお従前の例による。

3　この条例の施行後にした行為に対して、他の条例の規定によりなお従前の例によることとされる罰則を適用する場合において、当該罰則に定める刑に刑法等の一部を改正する法律（令和四年法律第六十七号）第二条の規定による改正前の刑法（明治四十年法律第四十五号）第十二条に規定する懲役（有期のものに限る。以下「懲役」という。）が含まれるときは、当該刑のうち懲役は、その刑と長期及び短期を同じくする有期拘禁刑とする。

**別表第一**　工場（第二条関係）

一　定格出力の合計が二・二キロワット以上の原動機を使用する物品の製造、加工又は作業を常時行う工場（レディミクストコンクリートの製造については、同一の工場において一年以上行うものに限る。）

二　定格出力の合計が〇・七五キロワット以上二・二キロワット未満の原動機を使用する物品の製造、加工又は作業で次に掲げるものを常時行う工場

（一）　裁縫、織物、編物、ねん糸、糸巻、組ひも、電線被覆又は製袋

（二）　印刷又は製本

（三）　印刷用平版の研磨又は活字の鋳造

（四）　金属の打抜き、型絞り又は切断（機械鋸を使用するものを除く。）

（五）　金属やすり、針、釘、鋲又は鋼球の製造

（六）　ねん線若しくは金網の製造又は直線機を使用する金属線の加工

（七）　金属箔又は金属粉の製造

（八）　つき機、がら機、粉砕機又は糖衣機を使用する物品の製造又は加工

（九）　木材、石材若しくは合成樹脂の引割り又は木材のかんな削り若しくは細断

（十）　動物質骨材（貝がらを含む。）、木材（コルクを含む。）又は合成樹脂（エボナイト及びセルロイドを含む。）の研磨

（十一）　ガラスの研磨又は砂吹き

（十二）　レディミクストコンクリートその他のセメント製品の製造（レディミクストコンクリートの製造については、同一の工場において一年以上行うものに限る。）

（十三）　魚肉又は食肉練製品の製造又は加工

（十四）　液体燃料用のバーナーの容量が一時間当たり二十リットル以上又は火格子面積が〇・五平方メートル以上の炉を使用する食品の製造又は加工

三　次に掲げる物品の製造、加工又は作業を常時行う工場

（一）　金属線材（管を含む。）の引抜き

（二）　電気又はガスを用いる金属の溶接又は切断

（三）　厚さ〇・五ミリメートル以上の金属材つち打ち加工又は電動若しくは空気動工具を使用する金属の研磨、切削若しくは鋲打ち

（四）　ショットブラスト又はサンドブラストによる金属の表面処理

（五）　塗料、染料又は絵具の吹付け

（六）　乾燥油又は溶剤を用いる擬革紙布、防水紙布又は絶縁紙布の製造

（七）　溶剤又はラバーセメントを用いるゴム製品の製造又は加工

（八）　ドライクリーニング

（九）　テレピン油又は樹脂を原料とする物品の製造

（十）　石炭、亜炭、アスファルト、木材若しくは樹脂の乾りゅう又はタールの蒸りゅう若しくは精製

（十一）　たん白質の加水分解

（十二）　合成樹脂の製造若しくは加熱加工又はファクチスの製造

（十三）　石綿、岩綿、鉱さい綿、ガラス綿、石こう、うわ薬、かわら、れんが、土器類、陶磁器、人造砥石又はるつぼの製造

（十四）　電気分解又は電池の製造

（十五）　床面積の合計が五十平方メートル以上の作業場で行われるテレビジョン、電気蓄音器、警報器その他これらに類する音響機器の組立て、試験又は調整

（十六）　ガス機関、石油機関その他これらに類する機関の試験又は調整

（十七）　発電の作業

（十八）　金属の溶融又は精錬（貴金属の精錬又は活字の鋳造を除く。）

（十九）　金属の鍛造、圧延又は熱処理

（二十）　溶剤を用いる塗料の加熱乾燥

（二十一）　塗料、顔料若しくは合成染料又はこれらの中間物の製造

（二十二）　印刷用インク又は絵具の製造

(二三)　アスファルト、コールタール、木タール、石油蒸りゅう産物又はその残りかすを原材料とする物品の製造
(二四)　電気用カーボンの製造
(二五)　墨、懐炉灰又はれん炭の製造
(二六)　動物質臓器又は排せつ物を原料とする物品の製造
(二七)　油脂の採取若しくは加工又は石けんの製造
(二八)　肥料の製造
(二九)　ガラスの製造又は腐しょく若しくは加熱加工
(三十)　ほうろう鉄器又はほうろう薬の製造
(三一)　セメント、生石灰、消石灰又はカーバイトの製造
(三二)　硝酸塩類、過酸化カリウム又は過酸化ナトリウムの製造又は精製
(三三)　ヨウ素、いおう、塩化いおう、塩化ホスホリル、りん酸、水酸化ナトリウム、水酸化カリウム、アンモニア水、炭酸カリウム、炭酸ナトリウム、さらし粉、次硝酸ビスマス、亜硫酸塩類、チオ硫酸塩類、バリウム化合物、銅化合物、スルホンメタン、グリセリン、スルホン酸アンモニウム、酢酸、安息香酸又はタンニン酸の製造又は精製
(三四)　有機薬品の合成
(三五)　火床面積が〇・五平方メートル以上又は焼却能力が一時間当たり五十キログラム以上の焼却炉を使用する廃棄物の焼却
(三六)　油缶その他の空き缶の再生
(三七)　金属の酸洗い、腐しょく、めっき又は被膜加工
(三八)　鉛、水銀又はこれらの化合物を原料とする物品の製造
(三九)　羽若しくは毛の洗浄、染色若しくは漂白、繊維の染色若しくは漂白又は皮革の染色
(四十)　紙又はパルプの製造
(四一)　写真の現像
(四二)　有害ガスを排出する物の製造又は加工
(四三)　有害物質を排出する物の製造又は加工

## 別表第二　指定作業場（第二条関係）

一　レディミクストコンクリート製造場（建設工事現場に設置するものを除く。）
二　自動車駐車場（自動車等の収容能力が二十台以上のものに限る。）
三　自動車ターミナル（事業用自動車を同時に十台以上停留させることができるものに限る。）
四　ガソリンスタンド、液化石油ガススタンド及び天然ガススタンド（一般高圧ガス保安規則（昭和四十一年通商産業省令第五十三号）第二条第一項第二十三号に規定する設備を有する事業所をいう。）
五　自動車洗車場（スチムクリーナー又は原動機を用いる洗浄機を使用するものに限る。）
六　ウエスト・スクラップ処理場（建場業（収集人から再生資源（古繊維、古綿、古紙、古毛、古瓶又は古鉄類をいう。以下この項において同じ。）を集荷する業をいう。）、消毒業（再生資源を消毒する業をいう。）及び選分加工業（再生資源を建場業を営む者、会社、官公庁、工場等から大口に集荷し、これを選分し、又は加工する業をいう。）に係るものを除く。）
七　廃棄物の積替え場所又は保管場所（前号に掲げるものを除き、廃棄物の処理及び清掃に関する法律（昭和四十五年法律第百三十七号）第七条第一項及び第六項、第十四条第一項及び第六項並びに第十四条の四第一項及び第六項の規定に基づき許可を得た者並びに地方公共団体が設置するものに限る。）
八　セメントサイロ（セメント袋詰め作業が行われるものに限る。）
九　材料置場（面積が百平方メートル以上のものに限る。）
十　死亡獣畜取扱場（化製場等に関する法律（昭和二十三年法律第百四十号）第一条第三項に規定する死亡獣畜取扱場をいう。）
十一　と畜場
十二　畜舎（豚房の総面積が五十平方メートル以上、馬房の総面積、牛房の総面積若しくはこれらの合計面積が二百平方メートル以上又は鶏の飼養規模が千羽以上のものに限る。）
十三　青写真の作成の用に供する施設を有する作業場
十四　工業用材料薬品の小分けの用に供する施設を有する作業場
十五　臭化メチル、シアン化水素、エチレンその他の有害ガスを使用する食物の燻蒸場
十六　めん類製造場
十七　豆腐又は煮豆製造場（原料豆の湯煮施設を有するものに限る。）
十八　砂利採取場（砂利の洗浄のみを行うものを含む。）
十九　洗濯施設を有する事業場
二十　廃油処理施設を有する事業場
二十一　汚泥処理施設を有する事業場
二十二　し尿処理施設（建築基準法施行令（昭和二十五年政令第三百三十八号）第三十二条第一項第一号の表に規定する算定方法により算定した処理対象人員が二百人以下のし尿浄化槽を除く。）を有する事業場
二十三　工場、作業場等から排出される汚水の処理施設を有する事業場（次号に掲げるものを除く。）
二十四　下水処理場（下水道法第二条第六号に規定する終末処理場をいう。）
二十五　暖房用熱風炉（熱源として電気又は廃熱のみを使用するもの及びいおう化合物の含有率が体積比で〇・一パーセント以下であるガスを燃料として専焼させるものを除く。）を有する事業場
二十六　ボイラー（熱源として電気若しくは廃熱のみを使用するもの並びに日本産業規格B八二〇一及びB八二〇三伝熱面積の項で定めるところにより算定した伝熱面積が五平方メートル未満のもの（いおう化合物の含有率が体積比で〇・一パーセント以下であるガスを燃料として専焼させるものについては伝熱面積が十平方メートル未満のもの）を除く。）を有する事業場
二十七　ガスタービン（燃料の燃焼能力が重油換算一時間当たり五十リットル未満のもの及び非常用のものを除く。）、ディーゼル機関（燃料の燃焼能力が重油換算一時

間当たり五リットル未満のもの及び非常用のものを除く。）、ガス機関（燃料の燃焼能力が重油換算一時間当たり五リットル未満のもの及び非常用のものを除く。）又はガソリン機関（燃料の燃焼能力が重油換算一時間当たり五リットル未満のもの及び非常用のものを除く。）を有する事業場

二十八　焼却炉（火床面積が〇・五平方メートル未満であって焼却能力が一時間当たり五十キログラム未満のものを除く。）を有する事業場

二十九　冷暖房用設備、水洗便所又は洗車設備の用に供する地下水を揚水するための揚水施設を有する事業場及び浴室の床面積の合計が百五十平方メートルを超える公衆浴場で揚水施設を有するもの

三十　水道施設（水道法（昭和三十二年法律第百七十七号）第三条第八項に規定するものをいう。）、工業用水道施設（工業用水道事業法（昭和三十三年法律第八十四号）第二条第六項に規定するものをいう。）又は自家用工業用水道（同法第二十一条第一項に規定するものをいう。）の施設のうち、浄水施設に供する沈殿施設又はろ過施設を有する事業場（これらの浄水能力が一日当たり一万立方メートル未満の事業場に係るものを除く。）

三十一　病院（病床数三百以上を有するものに限る。）

三十二　科学技術（人文科学のみに係るものを除く。）に関する研究、試験、検査を行う事業場（国又は地方公共団体の試験研究機関、製品の製造又は技術の改良、考案若しくは発明に係る試験研究機関、大学及びその附属研究機関並びに環境計量証明業に限る。）

**別表第三**　有害ガス（第二条関係）

一　弗素及びその化合物
二　シアン化水素
三　ホルムアルデヒド
四　メタノール
五　イソアミルアルコール
六　イソプロピルアルコール
七　塩化水素
八　アクロレイン
九　アセトン
十　塩素
十一　メチルエチルケトン
十二　メチルイソブチルケトン
十三　ベンゼン
十四　臭素及びその化合物
十五　窒素酸化物
十六　トルエン
十七　フェノール
十八　硫酸（三酸化いおうを含む。）
十九　クロム化合物
二十　キシレン
二十一　塩化スルホン酸
二十二　トリクロロエチレン
二十三　テトラクロロエチレン
二十四　ピリジン
二十五　酢酸メチル
二十六　酢酸エチル
二十七　酢酸ブチル
二十八　ヘキサン
二十九　スチレン
三十　エチレン
三十一　二硫化炭素
三十二　クロルピクリン
三十三　ジクロロメタン
三十四　一・二―ジクロロエタン
三十五　クロロホルム
三十六　塩化ビニルモノマー
三十七　酸化エチレン
三十八　砒素及びその化合物
三十九　マンガン及びその化合物
四十　ニッケル及びその化合物
四十一　カドミウム及びその化合物
四十二　鉛及びその化合物

**別表第四**　有害物質（第二条関係）

一　カドミウム及びその化合物
二　シアン化合物
三　有機燐化合物（パラチオン、メチルパラチオン、メチルジメトン及びＥＰＮに限る。）
四　鉛及びその化合物
五　六価クロム化合物
六　砒素及びその化合物
七　水銀及びアルキル水銀その他の水銀化合物
八　アルキル水銀化合物
九　ポリ塩化ビフェニル
十　トリクロロエチレン
十一　テトラクロロエチレン
十二　ジクロロメタン
十三　四塩化炭素
十四　一・二―ジクロロエタン
十五　一・一―ジクロロエチレン
十六　一・二―ジクロロエチレン
十七　一・一・一―トリクロロエタン
十八　一・一・二―トリクロロエタン
十九　一・三―ジクロロプロペン
二十　チウラム
二十一　シマジン
二十二　チオベンカルブ
二十三　ベンゼン
二十四　セレン及びその化合物
二十五　ほう素及びその化合物
二十六　ふっ素及びその化合物
二十七　塩化ビニルモノマー（別名クロロエチレン）
二十八　一・四―ジオキサン

**別表第五**　特定自動車（第三十七条関係）

一　貨物の運送の用に供する普通自動車（道路運送車両法

第三条に規定する普通自動車をいう。以下同じ。）であって、第五号に掲げる自動車以外のもの

二　貨物の運送の用に供する小型自動車（道路運送車両法第三条に規定する小型自動車（二輪の小型自動車を除く。）をいう。以下同じ。）であって、第五号に掲げる自動車以外のもの

三　人の運送の用に供する乗車定員三十人以上の普通自動車であって、第五号に掲げる自動車以外のもの

四　人の運送の用に供する乗車定員十一人以上三十人未満の普通自動車及び小型自動車であって、次号に掲げる自動車以外のもの

五　散水自動車、霊きゅう自動車その他の特種の用途に供する普通自動車及び小型自動車であって、知事が別に定めるもの

**別表第六**　粒子状物質排出基準（第三十七条関係）

| 自動車の種別 | 測定の方法 | 自動車から排出される粒子状物質の量の許容限度 | |
|---|---|---|---|
| | | 平成十五年十月一日から平成十七年四月一日以降の知事が別に定める日の前日までの間適用するもの | 平成十七年四月一日以降の知事が別に定める日から適用するもの |
| 一　軽油を燃料とする普通自動車又は小型自動車であって、車両総重量が千七百キログラム以下のもの（専ら乗用の用に供する乗車定員十人以下のもの及び二輪自動車を除く。） | 十・十五モードによる測定 | 一キロメートル走行当たり〇・〇八グラム | 一キロメートル走行当たり〇・〇五二グラム |
| 二　軽油を燃料とする普通自動車又は小型自動車であって、車両総重量が千七百キログラムを超え二千五百キログラム以下のもの（専ら乗用の用に供する乗車定員十人以下のもの及び二輪自動車を除く。） | 十・十五モードによる測定 | 一キロメートル走行当たり〇・〇九グラム | 一キロメートル走行当たり〇・〇六グラム |
| 三　軽油を燃料とする普通自動車又は小型自動車であって、車両総重量が二千五百キログラムを超えるもの（専ら乗用の用に供する乗車定員十人以下のもの及び二輪自動車を除く。） | ディーゼル自動車用十三モードによる測定 | 一キロワット時当たり〇・二五グラム | 一キロワット時当たり〇・一八グラム |

備考

一　十・十五モードによる測定とは、自動車が車両重量に百十キログラムを加重された状態において、原動機が暖機状態となった後に、道路運送車両の保安基準（昭和二十六年運輸省令第六十七号）別表第三の上欄に掲げる運転条件で同表の下欄に掲げる間運行する場合に発生し、排気管から大気中に排出される排出物に含まれる粒子状物質の質量を測定する方法をいう。

二　ディーゼル自動車用十三モードによる測定とは、自動車を道路運送車両の保安基準別表第七の上欄に掲げる運転条件で運転する場合に排気管から排出される排出物に含まれる粒子状物質の単位時間当たりの質量に同表の下欄に掲げる係数を乗じて得た値を加算して得られた値を、同表の上欄に掲げる運転条件で運転する場合に発生した仕事率に同表の下欄に掲げる係数を乗じて得た値をそれぞれ加算して得られた値で除することにより単位時間及び単位仕事率当たりの粒子状物質の質量を測定する方法をいう。

**別表第七**　工場及び指定作業場に適用する規制基準（第六十八条関係）

一　ばい煙

(一)　いおう酸化物

ア　工場

次の式により算出したいおう酸化物の量（付表第一第一欄に掲げる施設に適用する。）

$S=(s_1t_1+s_2t_2+s_3t_3\cdots)\times C+(s_1'{t_1}'+s_2'{t_2}'+s_3'{t_3}'\cdots)$

$s=Ko\times10^{-3}He^2$

$s'=Kn\times10^{-3}He^2$

これらの式において、S、s、s′、t、t′、C、Ko、Kn及びHeは、それぞれ次の値を表すものとす

る。

S　工場から大気中に排出されるいおう酸化物の量（単位　温度零度、圧力一気圧の状態（以下「標準状態」という。）に換算した立方メートル毎日）

s　施設（特別区の存する区域並びに武蔵野市、三鷹市、調布市、狛江市及び西東京市（西東京市が設置された日の前日において保谷市であった区域（以下「旧保谷市」という。）に限る。）の区域にあっては、昭和四十七年一月五日において既に設置され、又は着工されているものに限る。）ごとの排出口から大気中に排出されるいおう酸化物の量（単位　標準状態に換算した立方メートル毎時）

s′　特別区の存する区域並びに武蔵野市、三鷹市、調布市、狛江市及び西東京市（旧保谷市に限る。）の区域内において昭和四十七年一月六日以後に着工した施設ごとの排水口から大気中に排出されるいおう酸化物の量（単位　標準状態に換算した立方メートル毎時）

t及びt′　付表第一第一欄に掲げる施設及び規模ごとの同表第二欄に掲げる当該施設の使用時間（使用時間が同欄に掲げる時間を超えるときは、当該使用時間。単位　時間）

C　付表第二上欄に掲げる $s_1t_1$、$s_2t_2$、$s_3t_3$……及び $s_1'$$t_1'$、$s_2'$$t_2'$、$s_3'$$t_3'$……の和の値ごとの同表下欄に掲げる値

Ko　特別区の存する区域並びに武蔵野市、三鷹市、調布市、狛江市及び西東京市（旧保谷市に限る。）の区域にあっては三・〇、八王子市、立川市、青梅市、府中市、昭島市、町田市、小金井市、小平市、日野市、東村山市、国分寺市、国立市、福生市、東大和市、清瀬市、東久留米市、武蔵村山市、多摩市、稲城市、羽村市、あきる野市（あきる野市が設置された日の前日において秋川市であった区域（以下「旧秋川市」という。）に限る。）、西東京市（旧保谷市を除く。）及び西多摩郡瑞穂町の区域にあっては六・四二、その他の区域にあっては一七・五

Kn　一・一七（昭和四十七年一月六日から昭和四十九年三月三十一日までの間に着工した施設について適用する場合にあっては二・九二）

He　次の式により補正した排出口の高さ（単位　メートル）

$$He=Ho+0.65(Hm+Ht)$$

$$Hm=\frac{0.795\sqrt{q\cdot V}}{1+\frac{2.58}{V}}$$

$$Ht=2.01\times10^{-3}q(T-288)\times\left(2.30\mathrm{Log}J+\frac{1}{J}-1\right)$$

$$J=\frac{1}{\sqrt{q\cdot V}}\left(1460-296\times\frac{V}{T-288}\right)+1$$

これらの式において、Ho、q、V及びTは、それぞれ次の値を表すものとする。

Ho　排出口の実高さ（単位　メートル）

q　温度十五度における総排出物の量（単位　立方メートル毎秒）

V　総排出物の排出速度（単位　メートル毎秒）

T　総排出物の温度（単位　絶対温度）

備考　いおう酸化物の排出量は、次の各号のいずれかの方法により算出されたものとする。

一　日本産業規格K〇一〇三に定める方法によって測定したいおう酸化物の濃度及び次に掲げるいずれかの方法により算定した排出ガス量により算出する方法

(一)　次に掲げる算式により排出ガス量を算定する方法

$$G=\{Go+(m-1)\times Ao\}\times W$$

この式において、G、Go、Ao、W及びmは、それぞれ次の値を表すものとする。この場合において、Go、Ao及びmは、日本産業規格B八二二二又はZ八八〇八に定める方法等適当であると認められる方法により算定され、Wは、日本産業規格Z八七六二又はZ八七六三に定める方法等適当であると認められる方法により測定されたものとする。

G　乾き排出ガス量（単位　標準状態に換算した単位時間当たりの立方メートル）

Go　燃料の量一単位当たりの理論乾き排出ガス量（単位　標準状態に換算した立方メートル）

Ao　燃料の量一単位当たりの理論空気量（単位　標準状態に換算した立方メートル）

W　単位時間当たりの燃料の使用量

m　空気比

(二)　出力の大きさと日本産業規格Z八八〇八に定める方法により測定された排出ガスの量との間に認められる相関関係を用いて、出力の大きさから排出ガス量を算定する方法（発電の用のみに供するボイラーの排出ガス量を算定する場合に限る。）

(三)　日本産業規格Z八八〇八に定める方法により排出ガス量を測定し算定する方法

二　日本産業規格K二三〇一、K二五四一又はM八八一三に定める方法により燃料のいおう含有率を、日本産業規格Z八七六二又はZ八七六三に定める方法その他の適当であると認められる方法により燃料の使用量を測定し算出する方法

イ　指定作業場

次の式により算出したいおう酸化物の量（付表第一第一欄に掲げる施設のうち一の項及び十二の項の施設に適用する。）

$$S=Ko\times10^{-3}He^2$$

$$S'=Kn\times10^{-3}He^2$$

これらの式において、S、S′、Ko、Kn及びHeは、それぞれ次の値を表すものとする。

S　施設（特別区の存する区域並びに武蔵野市、三鷹市、調布市、狛江市及び西東京市（旧保谷市に限る。）の区域にあっては、昭和四十七年一月五日において既に設置され、又は着工されているものに限る。）から大気中に排出されるいおう酸化物の量（単位　標準状態に換算した立方メートル毎時）

S′　特別区の存する区域並びに武蔵野市、三鷹市、調布市、狛江市及び西東京市（旧保谷市に限る。）の区域内において昭和四十七年一月六日以後に着工した施設から大気中に排出されるいおう酸化物の量（単位　標準状態に換算した立方メートル毎時）

Ko　工場に定めるKoに同じ。

Kn　工場に定めるKnに同じ。

He　工場に定めるHeに同じ。

備考　いおう酸化物の排出量の算出方法は、工場の算出方法によるものとする。

付表第一

| 第一欄 | | 第二欄 |
|---|---|---|
| 施設の種類 | 施設の規模 | |
| 一　ボイラー及び暖房用熱風炉（熱風ボイラーを含み、熱源として電気又は廃熱のみを使用するもの及びいおう化合物の含有率が体積比で〇・一パーセント以下であるガス（以下「希硫ガス」という。）を燃料として専焼させるものを除く。） | ボイラーにあっては、日本産業規格B八二〇一及びB八二〇三伝熱面積の項で定めるところにより算定した伝熱面積（以下単に「伝熱面積」という。）が五平方メートル以上 | 発電用のものにあっては二四、その他のものにあっては八 |
| 二　水性ガス又は油ガスの発生の用に供するガス発生炉及び加熱炉（希硫ガス又はいおう化合物の含有率が重量比で〇・一パーセント以下である揮発油を燃料として専焼させるものを除く。） | | 二四 |
| 三　金属の精錬又は無機化学工業品の製造の用に供する焙（ばい）焼炉、焼結炉（ペレット焼成炉を含む。）及び煆（か）焼炉 | | 八 |
| 四　金属の精錬の用に供する転炉及び平炉 | | 二四 |
| 五　金属の精製又は鋳造の用に供する溶解炉 | | 八 |
| 六　金属の鍛造若しくは圧延又は金属若しくは金属製品の熱処理若しくは溶融めっきの用に供する加熱炉 | 火格（ごう）子面積が〇・五平方メートル以上又は微粉炭用バーナーの容量が一時間当たり四〇キログラム以上、液体燃料用バーナーの容量が一時間当たり二〇リットル以上、ガス燃料用バーナーの容量が一時間当たり四〇立方メートル以上若しくは変圧器の定格容量が一〇〇キロボルトアンペア以上 | 八 |
| 七　石油製品、石油化学製品又はコールタール製品の製造の用に供する加熱炉（希硫ガスを燃料として専焼させるものを除く。） | 六の項の施設の規模に同じ。 | 八 |
| 八　窯業製品の製造の用に供する焼成炉、溶融炉及び加熱炉 | 六の項の施設の規模に同じ。 | 焼成炉及び溶融炉にあっては二四、加熱炉にあっては八 |
| 九　無機化学工業品又は食料品の製造の用に供する反応炉（カーボンブラック製造用燃焼装置を含む。）及び直火炉 | 六の項の施設の規模に同じ。 | 八 |
| 十　乾燥炉 | 六の項の施設 | |

| | | |
|---|---|---|
| | の規模に同じ。 | 八 |
| 十一 金属の精製若しくは製錬、精銑、精鋼又は合金若しくはカーバイトの製造の用に供する電気炉 | | 八 |
| 十二 廃棄物焼却炉 | 火床面積が〇・五平方メートル以上、又は焼却能力が一時間当たり五〇キログラム以上 | 連続式のものにあっては二四、その他のものにあっては八 |
| 十三 空き缶再生の用に供する蒸し焼き炉 | | 八 |
| 十四 二の項、六の項、七の項及び八の項に掲げる加熱炉以外の加熱炉 | 火格子面積が〇・五平方メートル以上又は微粉炭用バーナーの容量が一時間当たり四〇キログラム以上、又は液体燃料用バーナーの容量が一時間当たり二〇リットル以上、ガス燃料用バーナーの容量が一時間当たり四〇立方メ | 八 |

| | | |
|---|---|---|
| | ートル以上若しくは変圧器の定格容量が一〇〇キロボルトアンペア以上 | |

付表第二

| st及びs′t′の和の値 | Cの値 |
|---|---|
| 一、〇〇〇未満 | 一・〇〇 |
| 一、〇〇〇以上五、〇〇〇未満 | 〇・九五 |
| 五、〇〇〇以上 | 〇・九〇 |

(二) ばいじん

ア 工場

(ア) 総排出量に係る基準

次の式により算出したばいじんの量

$$D=\frac{(d_1q_1+d_2q_2+d_3q_3\cdots)\times C+(d_1'q_1'+d_2'q_2'+d_3'q_3'\cdots)}{q_1+q_2+q_3\cdots+q_1'+q_2'+q_3'\cdots\cdots}$$

この式において、D、d、d′、q、q′及びCは、それぞれ次の値を表すものとする。

D 工場から大気中に排出される標準状態に換算した総排出物一立方メートル当たりのばいじんの量（単位 グラム）

d 特別区の存する区域内において設置された施設のうち昭和四十六年六月二十四日以前に着工されたものについては施設ごとの別表第七 一の部(二)の款アの項(イ)の表第二欄の上段に掲げる値、特別区の存する区域内において設置された施設のうち昭和四十六年六月二十五日から昭和五十七年五月三十一日までの間に着工されたものについては施設ごとの同欄の中段に掲げる値、その他の区域内において設置された施設については施設ごとの同欄の上段に掲げる値

d′ 特別区の存する区域内において設置された施設のうち昭和五十七年六月一日以後に着工されたものについて施設ごとの別表第七 一の部(二)の款アの項(イ)の表第二欄の下段に掲げる値

q 施設（特別区の存する区域にあっては、昭和五十七年五月三十一日以前に着工されたものに限る。）ごとの排出口から大気中に排出される総排出物の量を次の式により換算した値（単位 立方メートル毎時）

$$q=\frac{21-Os}{21-On}\times qs$$

この式において、Os、On及びqsは、それぞれ次の値を表すものとする。

Os 施設ごとの総排出物中の酸素の濃度（当該濃度が二〇パーセントを超える場合にあっては、二〇パーセントとする。）（単位 百分率）

On 施設ごとの別表第七 一の部(二)の款アの項(イ)の表第三欄に掲げる値。ただし、同欄にOsとある施設及び熱源として電気を使用する施設にあっては、当該施設ごとのOsと同じ値とする。

qs 施設ごとの排出口から大気中に排出される標準状態に換算した総排出物の量（単位 立方メートル毎時）

q′ 特別区の存する区域内において昭和五十七年六月一日以後に着工された施設ごとの排出口から大気中に排出される総排出物の量を次の式により換

算した値（単位　立方メートル毎時）

$$q' = \frac{21-Os}{21-On} \times qs'$$

この式において、Os、On及びqs′は、それぞれ次の値を表すものとする。

Os　施設ごとの総排出物中の酸素の濃度（当該濃度が二〇パーセントを超える場合にあっては、二〇パーセントとする。）（単位　百分率）

On　施設ごとの別表第七　一の部(二)の款アの項(イ)の表第三欄に掲げる値。ただし、同欄にOsとある施設及び熱源として電気を使用する施設にあっては、当該施設ごとのOsと同じ値とする。

qs′　施設ごとの排出口から大気中に排出される標準状態に換算した総排出物の量（単位　立方メートル毎時）

C　付表上欄に掲げる $d_1q_1$、$d_2q_2$、$d_3q_3$……及び $d_1'q_1'$、$d_2'q_2'$、$d_3'q_3'$……の和の値ごとの同表下欄に掲げる値

備考

一　この表のばいじんの量には、燃料の点火、灰の除去のための火層整理又はすすの掃除を行う場合において排出されるばいじん（一時間につき合計六分間を超えない時間内に排出されるものに限る。）は含まれないものとする。

二　ばいじんの量の測定は、日本産業規格Z八八〇八に定める方法による。

付表

| dq及びd′q′の和の値 | Cの値 |
|---|---|
| 一〇、〇〇〇未満 | 一・〇〇 |
| 一〇、〇〇〇以上三〇、〇〇〇未満 | 〇・九五 |
| 三〇、〇〇〇以上 | 〇・九〇 |

(イ) ばい煙施設に係る基準

| 第一欄 | | | 第二欄 | | | 第三欄 |
|---|---|---|---|---|---|---|
| 施設の種類 | 方式・用途による区分 | 規模の区分 | 排出口から大気中に排出される標準状態に換算した総排出物一立方メートルに含まれるばいじんの量（単位　グラム） | | | Onの値 |
| | | | 下二段に掲げる施設以外の施設 | 特別区の存する区域内において昭和四十六年六月二十五日から昭和五十七年五月三十一日までの間に着工された施設 | 特別区の存する区域内において昭和五十七年六月一日以後に着工された施設 | |
| 一　ボイラー（別表第七㈠付表第一（以下「付表第一」という。）の一の項第一欄に掲げる施設をいう。） | 1　ガスを専焼させるもの（5に掲げるものを除く。） | 総排出物量（標準状態に換算した一時間当たりの総排出物量の最大量とする。以下同じ。）が四万立方メートル以上 | ○・○五 | ○・○五 | ○・○三 | 五 |
| | | 総排出物量が四万立方メートル未満 | ○・一○ | ○・一○ | ○・○五 | |
| | 2　重油その他の液体燃料（紙パルプの製造に伴い発生する黒液を除く。以下この表において同じ。）を専焼させるもの並びにガス及び液体燃料を混焼させるもの（5に掲げるものを除く。） | 総排出物量が二○万立方メートル以上 | ○・○五 | ○・○五 | ○・○四 | |
| | | 総排出物量が四万立方メートル以上二○万立方メートル未満 | ○・一五 | ○・○五 | ○・○五 | 四 |
| | | 総排出物量が一万立方メートル以上四万立方メートル未満 | ○・二五 | ○・二○ | ○・一五 | |
| | | 総排出物量が一万立方メートル未満 | ○・三○ | ○・二○ | ○・一五 | 0s |
| | 3　紙パルプの製造に伴い発生する黒液を専焼させるもの並びに紙パルプの製造に伴い発生する黒液及びガス又は液体燃料を混焼させるもの（5に掲げるものを除く。） | 総排出物量が二○万立方メートル以上 | ○・一五 | ○・一五 | ○・一○ | |
| | | 総排出物量が四万立方メートル以上二○万立方メートル未満 | ○・二五 | ○・二○ | ○・一五 | 0s |
| | | 総排出物量が四万立方メートル未満 | ○・三○ | ○・二○ | ○・一五 | |
| | 4　石炭を燃焼させるもの（5に掲げるものを除く。） | 総排出物量が二○万立方メートル以上 | ○・一○ | ○・一○ | ○・○五 | 六 |
| | | 総排出物量が四万立方メートル以上二○万立方メート | ○・二○ | ○・二○ | ○・一○ | |

| | | | | | | |
|---|---|---|---|---|---|---|
| | | ル未満 | | | | |
| | | 総排出物量が四万立方メートル未満 | 〇・三〇 | 〇・二〇 | 〇・一五 | |
| | 5　石油の精製の用に供する流動接触分解装置のうちの触媒再生塔に附属するもの | | 〇・二〇 | 〇・二〇 | 〇・一五 | 四 |
| | 6　1から5までに掲げるもの以外のもの | 総排出物量が四万立方メートル以上 | 〇・三〇 | 〇・二〇 | 〇・一五 | 0s |
| | | 総排出物量が四万立方メートル未満 | 〇・三〇 | 〇・二〇 | 〇・二〇 | |
| 二　水性ガス又は油ガスの発生の用に供するガス発生炉（付表第一の二の項第一欄に掲げるガス発生炉をいう。） | | | 〇・〇五 | 〇・〇五 | 〇・〇三 | 七 |
| 三　水性ガス又は油ガスの発生の用に | | | | | | |

| | | | | | | |
|---|---|---|---|---|---|---|
| 供する加熱炉（付表第一の二の項第一欄に掲げる加熱炉をいう。） | | | 〇・一〇 | 〇・一〇 | 〇・〇三 | 七 |
| 四　金属の精錬又は無機化学工業品の製造の用に供する培焼炉 | 1　銅、鉛又は亜鉛の精錬の用に供するもの | 総排出物量が四万立方メートル以上 | 〇・一〇 | 〇・一〇 | 〇・〇五 | 0s |
| | | 総排出物量が四万立方メートル未満 | 〇・一五 | 〇・一五 | 〇・〇八 | |
| | 2　1に掲げるもの以外のもの | 総排出物量が四万立方メートル以上 | 〇・一〇 | 〇・一〇 | 〇・〇五 | |
| | | 総排出物量が四万立方メートル未満 | 〇・一五 | 〇・一五 | 〇・一〇 | |
| 五　金属の精錬又は無機化学工業品の製造の用に供する焼結炉（ペレット焼成炉を含む。） | 1　フェロマンガンの製造の用に供するもの | | 〇・二〇 | 〇・二〇 | 〇・一〇 | 0s |
| | 2　1に掲げるもの以外のもの | | 〇・一五 | 〇・一五 | 〇・一〇 | |
| 六　金属の精錬又は無機化学工業品の | | 総排出物量が四万立方メートル以上 | 〇・二〇 | 〇・二〇 | 〇・一〇 | 0s |
| | | 総排出物量が | | | | |

| | | | | | | |
|---|---|---|---|---|---|---|
| 製造の用に供する煆焼炉 | | 四万立方メートル未満 | 〇・二五 | 〇・二〇 | 〇・一五 | |
| 七 金属の精錬の用に供する転炉 | 1 銅、鉛又は亜鉛の精錬の用に供するもののうち燃焼型のもの | | 〇・一五 | 〇・一五 | 〇・〇八 | 0s |
| | 2 銅、鉛又は亜鉛の精錬の用に供するもののうち燃焼型以外のもの | | 〇・一五 | 〇・一〇 | 〇・〇八 | |
| | 3 1及び2に掲げるもの以外のもの | | 〇・一〇 | 〇・一〇 | 〇・〇八 | |
| 八 金属の精錬の用に供する平炉 | | 総排出物量が四万立方メートル以上 | 〇・一〇 | 〇・一〇 | 〇・〇五 | 0s |
| | | 総排出物量が四万立方メートル未満 | 〇・二〇 | 〇・二〇 | 〇・一〇 | |
| 九 金属の精製又は鋳造の用に供する溶解炉 | 1 銅、鉛又は亜鉛の精錬の用に供するもの及び鉛の第二次精錬（鉛合金の製造を含む。）又は鉛の管、板若しくは線の製造の用に供するもの | 総排出物量が四万立方メートル以上 | 〇・一〇 | 〇・一〇 | 〇・〇五 | 0s |
| | | 総排出物量が四万立方メートル未満 | 〇・二〇 | 〇・二〇 | 〇・一〇 | |
| | 2 鉛蓄電池又は鉛系顔料の製造の用に供するもの | 総排出物量が四万立方メートル以上 | 〇・一〇 | 〇・一〇 | 〇・〇五 | |
| | | 総排出物量が四万立方メートル未満 | 〇・一五 | 〇・一五 | 〇・〇八 | |
| | 3 1及び2に掲げるもの以外のもの | 総排出物量が四万立方メートル以上 | 〇・一〇 | 〇・一〇 | 〇・〇五 | |
| | | 総排出物量が四万立方メートル未満 | 〇・二〇 | 〇・二〇 | 〇・一〇 | |
| 十 金属の鍛造若しくは圧延又は金属若しくは金属製品の熱処理若しくは溶融めっきの用に供する加熱炉（付表第一第六の項第一欄に掲げる施設をいう。） | | 総排出物量が四万立方メートル以上 | 〇・一〇 | 〇・一〇 | 〇・〇八 | 0s |
| | | 総排出物量が四万立方メートル未満 | 〇・二〇 | 〇・二〇 | 〇・一〇 | |
| 十一 石油 | | 総排出物量が | | | | |

| 施設 | 区分 | 規模 | | | | |
|---|---|---|---|---|---|---|
| 製品、石油化学製品又はコールタール製品の製造の用に供する加熱炉（付表第一の七の項第一欄に掲げる施設をいう。） | | 四万立方メートル以上 | 〇・一〇 | 〇・一〇 | 〇・〇五 | 六 |
| | | 総排出物量が四万立方メートル未満 | 〇・一五 | 〇・一〇 | 〇・〇八 | |
| 十二 窯業製品の製造の用に供する焼成炉（付表第一の八の項第一欄に掲げる焼成炉をいう。） | 1 石灰焼成炉のうち土中釜（がま） | | 〇・四〇 | 〇・四〇 | 〇・二〇 | 一五 |
| | 2 石灰焼成炉のうち土中釜（がま）以外のもの | | 〇・三〇 | 〇・三〇 | 〇・一五 | |
| | 3 セメントの製造の用に供するもの | | 〇・一〇 | 〇・一〇 | 〇・〇五 | 一〇 |
| | 4 耐火れんが又は耐火物原料の製造の用に供するもの | 総排出物量が四万立方メートル以上 | 〇・一〇 | 〇・一〇 | 〇・〇五 | 一八 |
| | | 総排出物量が四万立方メートル未満 | 〇・二〇 | 〇・二〇 | 〇・一〇 | |
| | 5 1から4までに掲げるもの以外 | 総排出物量が四万立方メートル以上 | 〇・一五 | 〇・一〇 | 〇・〇八 | |

| 施設 | 区分 | 規模 | | | | |
|---|---|---|---|---|---|---|
| | のもの | 総排出物量が四万立方メートル未満 | 〇・二五 | 〇・二〇 | 〇・一五 | 0s |
| 十三 窯業製品の製造の用に供する溶融炉（付表第一の八の項第一欄に掲げる溶融炉をいう。） | 1 板ガラス又はガラス繊維製品（ガラス繊維を含む。）の製造の用に供するもの | 総排出物量が四万立方メートル以上 | 〇・一〇 | 〇・一〇 | 〇・〇五 | 一五 |
| | | 総排出物量が四万立方メートル未満 | 〇・一五 | 〇・一五 | 〇・〇八 | |
| | 2 光学ガラス、電気ガラス又はフリットの製造の用に供するもの | 総排出物量が四万立方メートル以上 | 〇・一〇 | 〇・一〇 | 〇・〇五 | 一六 |
| | | 総排出物量が四万立方メートル未満 | 〇・一五 | 〇・一五 | 〇・〇八 | |
| | 3 1及び2に掲げるもの以外のもの | 総排出物量が四万立方メートル以上 | 〇・一〇 | 〇・一〇 | 〇・〇五 | 一五 |
| | | 総排出物量が四万立方メートル未満 | 〇・二〇 | 〇・二〇 | 〇・一〇 | |
| 十四 窯業製品の製造の用に供する加熱炉（付表第一の八の項第一欄に掲げる加熱炉をいう。） | | | 〇・二〇 | 〇・二〇 | 〇・一〇 | 一五 |

| | | | | | | |
|---|---|---|---|---|---|---|
| 十五　無機化学工業品又は食料品の製造の用に供する反応炉及び直火炉（付表第一　九の項第一欄に掲げる施設をいう。） | 1　鉛系顔料の製造の用に供する反応炉 | | 〇・〇五 | | | 六（鉛酸化物製造の用に供するものにあっては0s） |
| | 2　1に掲げるもの以外のもの | 総排出物量が四万立方メートル以上 | 〇・一五 | 〇・一〇 | 〇・〇八 | 0s |
| | | 総排出物量が四万立方メートル未満 | 〇・二〇 | 〇・二〇 | 〇・一〇 | |
| 十六　乾燥炉（付表第一　十の項第一欄に掲げる施設をいう。） | 1　骨材乾燥の用に供するもの | | 〇・五〇 | 〇・四〇 | 〇・二〇 | 一六（直接熱風乾燥炉にあっては0s） |
| | 2　銅、鉛又は亜鉛の精錬の用に供するもの | 総排出物量が四万立方メートル以上 | 〇・一五 | 〇・一〇 | 〇・〇八 | |
| | | 総排出物量が四万立方メートル未満 | 〇・二〇 | 〇・二〇 | 〇・一〇 | |
| | 3　トリポリ燐酸ナトリウムの製造（原料として燐鉱石を使用するものに限る。）の用に供するもの | | 〇・一〇 | 〇・一〇 | 〇・〇五 | |
| | 4　1から3までに掲げるもの以外のもの | 総排出物量が四万立方メートル以上 | 〇・一五 | 〇・一〇 | 〇・〇八 | |
| | | 総排出物量が四万立方メートル未満 | 〇・二〇 | 〇・二〇 | 〇・一〇 | |
| 十七　金属の精製若しくは精錬、製鉄、製鋼又は合金鉄若しくはカーバイトの製造の用に供する電気炉 | 1　合金鉄（珪素の含有率が四〇パーセント以上のものに限る。）の製造の用に供するもの | | 〇・二〇 | 〇・二〇 | 〇・一〇 | 0s |
| | 2　合金鉄（珪素の含有率が四〇パーセント未満のものに限る。）又はカーバイトの製造の用に供するもの | | 〇・一五 | 〇・一五 | 〇・〇八 | |
| | 3　1及び2に掲げるもの以外のもの | | 〇・一〇 | 〇・一〇 | 〇・〇五 | |
| 十八　廃棄物焼却炉（付表第一　十二の項第一欄に掲げる施設をいう。） | | 焼却能力が一時間当たり四、〇〇〇キログラム以上 | 〇・〇四　ただし、平成十年七月一日までに設置された施設は〇・〇八 | 〇・〇八 | 〇・〇四　ただし、平成十年七月一日までに設置された施設は〇・〇八 | |

| | | | | | | |
|---|---|---|---|---|---|---|
| | | 焼却能力が一時間当たり二、〇〇〇キログラム以上四、〇〇〇キログラム未満 | 〇・〇八 ただし、平成十年七月一日までに設置された施設は〇・一五 | 〇・一五 | 〇・〇八 ただし、平成十年七月一日までに設置された施設は〇・一五 | 一二 |
| | | 焼却能力が一時間当たり二〇〇キログラム以上二、〇〇〇キログラム未満 | 〇・一五 ただし、平成十年七月一日までに設置された施設は〇・二五 | 〇・二五 | 〇・一五 ただし、平成十年七月一日までに設置された施設は〇・二五 | |
| | | 焼却能力が一時間当たり二〇〇キログラム未満 | 〇・一五 ただし、平成十年八月三十一日までに設置された施設は〇・二五 | 〇・二五 | 〇・一五 ただし、平成十年八月三十一日までに設置された施設は〇・二五 | |
| 十九　空き缶再生の用に供する蒸し焼き炉 | | | 〇・五〇 | 〇・四〇 | 〇・二五 | Os |
| 二十　三の項、十の項、十一の項及び十四の項に掲げる加熱炉以外の加熱炉（付表第一の項第十四の項第一欄に掲げる施設をいう。） | | 総排出物量が四万立方メートル以上 | 〇・一〇 | 〇・一〇 | 〇・〇八 | Os |
| | | 総排出物量が四万立方メートル未満 | 〇・二〇 | 〇・二〇 | 〇・一〇 | |

備考

一　この表の第二欄に掲げるばいじんの量は、次の式により算出されたばいじんの量とする。

$$C=\frac{21-On}{21-Os}\times Cs$$

この式において、C、On、Os及びCsは、それぞれ次の値を表すものとする。

C　ばいじんの量（単位　グラム）

On　この表の第一欄に掲げる施設ごとの同表の第三欄に掲げる値。ただし、同欄にOsとある施設及び熱源として電気を使用する施設にあっては、当該施設ごとのOsと同じ値とする。

Os　総排出物中の酸素の濃度（当該濃度が二〇パーセントを超える場合にあっては、二〇パーセントとする。）（単位　百分率）

Cs　日本産業規格Z八八〇八に定める方法により測定されたばいじんの量（単位　グラム）

二　この表の第二欄に掲げるばいじんの量には、燃料の点火、灰の除去のための火層整理又はすすの掃除を行う場合において排出されるばいじん（一時間につき合計六分間を超えない時間内に排出されるものに限る。）は含まれないものとする。

三　ばいじんの量が著しく変動する施設にあっては、一工程の平均の量とする。

四　昭和四十六年六月二十五日から平成十年六月三十日までの間に特別区の区域において設置の工事が着手された別表第七　一の部(二)の款アの項(イ)の表十八の項に掲げる廃棄物焼却炉（焼却能力が一時間当たり二百キログラム未満のものを除く。）に係る同表第二欄の排出基準は、当該施設に係る改正前の排出基準による許容限度又は改正後の排出基準による許容限度のいずれか厳しいものとする。

イ　指定作業場

ばい煙施設に係る基準

| 第一欄 施設の種類 | 第一欄 方式・用途による区分 | 第一欄 規模の区分 | 第二欄 排出口から大気中に排出される標準状態に換算した総排出物一立方メートルに含まれるばいじんの量（単位　グラム）：下二段に掲げる施設以外の施設 | 第二欄：特別区の存する区域内において昭和四十六年六月二十五日から昭和五十七年五月三十一日までの間に着工された施設 | 第二欄：特別区の存する区域内において昭和五十七年六月一日以後に着工された施設 | 第三欄 Onの値 |
|---|---|---|---|---|---|---|
| 一　ボイラー及び暖房用熱風炉（別表第七第一(一)付表第一（以下「付表第一」という。）の一の項第一欄に掲げる施設をいう。） | 1　ガスを専焼させるもの | 総排出物量が四万立方メートル以上 | 〇・〇五 | 〇・〇五 | 〇・〇三 | 五 |
| | | 総排出物量が四万立方メートル未満 | 〇・一〇 | 〇・一〇 | 〇・〇五 | |
| | 2　重油その他の液体燃料を専焼させるもの並びにガス及び液体燃料を混焼させるもの | 総排出物量が二〇万立方メートル以上 | 〇・〇五 | 〇・〇五 | 〇・〇四 | 四 |
| | | 総排出物量が四万立方メートル以上二〇万立方メートル未満 | 〇・一五 | 〇・〇五 | 〇・〇五 | |
| | | 総排出物量が一万立方メートル以上四万立方メートル未満 | 〇・二五 | 〇・二〇 | 〇・一五 | |
| | | 総排出物量が一万立方メートル未満 | 〇・三〇 | 〇・二〇 | 〇・一五 | 0s |
| | 3　石炭を燃焼させるもの | 総排出物量が二〇万立方メートル以上 | 〇・一〇 | 〇・一〇 | 〇・〇五 | 六 |
| | | 総排出物量が四万立方メートル以上二〇万立方メートル未満 | 〇・二〇 | 〇・二〇 | 〇・一〇 | |
| | | 総排出物量が四万立方メートル未満 | 〇・三〇 | 〇・二〇 | 〇・一五 | |
| | 4　1から3までに掲げるもの以外のもの | 総排出物量が四万立方メートル以上 | 〇・三〇 | 〇・二〇 | 〇・一五 | 0s |
| | | 総排出物量が四万立方メートル未満 | 〇・三〇 | 〇・二〇 | 〇・二〇 | |
| 二　廃棄物焼却炉（付表第一の十二の項第一欄に掲げる施設をいう。） | | 焼却能力が一時間当たり四、〇〇〇キログラム以上 | 〇・〇四　ただし、平成十年七月一日までに設置された施設は〇・〇八 | 〇・〇八 | 〇・〇四　ただし、平成十年七月一日までに設置された施設は〇・〇八 | |

| | | | | |
|---|---|---|---|---|
| 焼却能力が一時間当たり二、〇〇〇キログラム以上四、〇〇〇キログラム未満 | 〇・〇八 ただし、平成十年七月一日までに設置された施設は〇・一五 | 〇・一五 | 〇・〇八 ただし、平成十年七月一日までに設置された施設は〇・一五 | 一二 |
| 焼却能力が一時間当たり二〇〇キログラム以上二、〇〇〇キログラム未満 | 〇・一五 ただし、平成十年七月一日までに設置された施設は〇・二五 | 〇・二五 | 〇・一五 ただし、平成十年七月一日までに設置された施設は〇・二五 | |
| 焼却能力が一時間当たり二〇〇キログラム未満 | 〇・一五 ただし、平成十年八月三十一日までに設置された施設は〇・二五 | 〇・二五 | 〇・一五 ただし、平成十年八月三十一日までに設置された施設は〇・二五 | |

備考
一　この表の第二欄に掲げるばいじんの量は、工場のばいじんの量の算出方法の例による。
二　この表の第二欄に掲げるばいじんの量には、燃料の点火、灰の除去のための火層整理又はすすの掃除を行う場合において排出されるばいじん（一時間につき合計六分間を超えない時間内に排出されるものに限る。）は含まれないものとする。
三　昭和四十六年六月二十五日から平成十年六月三十日までの間に特別区の区域において設置の工事が着手された別表第七　一の部(二)の款イの表二の項に掲げる廃棄物焼却炉（焼却能力が一時間当たり二百キログラム未満のものを除く。）に係る同表第二欄のばいじんの排出基準は、当該施設に係る改正前の排出基準による許容限度又は改正後の排出基準による許容限度のいずれか厳しいものとする。

(三)　窒素酸化物

| 第一欄 施設の種類 | 第一欄 使用燃料、規模の区分 | | 第一欄 適用日 | 第二欄 排出口から大気中に排出される標準状態に換算した総排出物一立方メートルに含まれる窒素酸化物の量（単位　立方センチメートル） 第一種地域 | 第二欄 第二種地域 | 第三欄 Onの値 |
|---|---|---|---|---|---|---|
| ボイラー（熱風ボイラーを含み、熱源として電気又は廃熱のみを使用するもの及び伝熱面積が十平方メートル未満のものを除く。） | ガスを専焼させるもの | 燃料の燃焼能力が重油換算一時間当たり一〇〇リットル以上 | 平成三年三月十四日までに設置されたもの | 八〇 | 八五 | 五 |
| | | | 平成三年三月十五日以後に設置されたもの | 四五 | 四五 | |
| | | 燃料の燃焼能力が重油換算一時間当たり一〇〇リットル未満 | 平成三年三月十四日までに設置されたもの | 八五 | 九五 | |
| | | | 平成三年三月十五日以後に設置されたもの | 四五 | 五五 | |

| 区分 | 区分 | 区分 | 設置時期 | 値 | 値 |
|---|---|---|---|---|---|
| 四 | 液体を燃焼させるもの | 燃料の燃焼能力が重油換算で一時間当たり一〇〇リットル以上 | 平成三年三月十四日までに設置されたもの | 九〇 | 一〇〇 |
| | | | 平成三年三月十五日から平成十三年三月三十一日までの間に設置されたもの | 六五 | 六五 |
| | | | 平成十三年四月一日以後に設置されたもの | 五〇 | 六五 |
| | | 燃料の燃焼能力が重油換算で一時間当たり一〇〇リットル未満 | 平成三年三月十四日までに設置されたもの | 一〇〇 | 一一〇 |
| | | | 平成三年三月十五日以後に設置されたもの | 六五 | 七五 |
| ガスタービン（燃料の燃焼能力が重油換算一時間当たり五十リットル未満のも | ガスを専焼させるもの | 発電量換算の施設の定格出力が五〇、〇〇〇キロワット以上 | 平成十三年三月三十一日までに設置されたもの | 二五 | 三五 |

| 区分 | 区分 | 区分 | 設置時期 | 値 | 値 |
|---|---|---|---|---|---|
| 一六 | の及び非常用のものを除く。） | | 平成十三年四月一日以後に設置されたもの | 一〇 | 一〇 |
| | | 発電量換算の施設の定格出力が二、〇〇〇キロワット以上五〇、〇〇〇キロワット未満 | 平成四年三月三十一日までに設置されたもの | 三五 | 三五 |
| | | | 平成四年四月一日以後に設置されたもの | 二五 | 三五 |
| | | 発電量換算の施設の定格出力が二、〇〇〇キロワット未満 | 平成四年三月三十一日までに設置されたもの | 五〇 | 五〇 |
| | | | 平成四年四月一日以後に設置されたもの | 三五 | 五〇 |
| | 液体を燃焼させるもの | 発電量換算の施設の定格出力が五〇、〇〇〇キロワット以上 | 平成十三年三月三十一日までに設置されたもの | 二五 | 五〇 |
| | | | 平成十三年四月一日以後に設置されたもの | 一〇 | 一〇 |

| | | | | | | |
|---|---|---|---|---|---|---|
| | | | | ディーゼル機関（燃料の燃焼能力が重油換算一時間当たり五リットル未満のもの及び非常用のものを除く。） | | |
| | | | | 燃料の燃焼能力が重油換算で一時間当たり二五リットル以上のもの | | |
| 発電量換算の施設の定格出力が二、〇〇〇キロワット以上五〇、〇〇〇キロワット未満 | | 発電量換算の施設の定格出力が二、〇〇〇キロワット未満 | | 発電量換算の施設の定格出力が二、〇〇〇キロワット以上 | | 発電量換算の施設の定格出力が二、〇〇〇キロワット未満 |
| 平成四年三月三十一日までに設置されたもの | 平成四年四月一日以後に設置されたもの | 平成四年三月三十一日までに設置されたもの | 平成四年四月一日以後に設置されたもの | 平成四年三月三十一日までに設置されたもの | 平成四年四月一日以後に設置されたもの | 平成四年三月三十一日までに設置されたもの |
| 五〇 | 二五 | 六〇 | 三五 | 一九〇 | 一一〇 | 一九〇 |
| 五〇 | 五〇 | 六〇 | 六〇 | 三八〇 | 二七〇 | 六一〇 |
| | | | | | | 一三 |

| | | | | | | |
|---|---|---|---|---|---|---|
| | | ガス機関（燃料の燃焼能力が重油換算一時間当たり一五リットル未満のもの及び非常用のものを除く。） | | | | |
| | 燃料の燃焼能力が重油換算で一時間当たり二五リットル未満のもの | | 燃料の燃焼能力が重油換算で一時間当たり五〇リットル以上のもの | | 燃料の燃焼能力が重油換算で一時間当たり五〇リットル未満のもの | |
| 平成四年四月一日以後に設置されたもの | 平成四年三月三十一日までに設置されたもの | 平成四年四月一日以後に設置されたもの | 平成四年三月三十一日までに設置されたもの | 平成四年四月一日以後に設置されたもの | 平成四年三月三十一日までに設置されたもの | 平成四年四月一日以後に設置されたもの |
| 一一〇 | 五〇〇 | 三八〇 | 三〇〇 | 二〇〇 | 五〇〇 | 三〇〇 |
| 五〇〇 | 六一〇 | 五〇〇 | 五〇〇 | 五〇〇 | 五〇〇 | 五〇〇 |
| | | | | | 〇 | |

| | | | | | |
|---|---|---|---|---|---|
| ガソリン機関（燃料の燃焼能力が重油換算一時間当たり五リットル未満のもの及び非常用のものを除く。） | 燃料の燃焼能力が重油換算で一時間当たり五〇リットル以上のもの | 平成四年三月三十一日までに設置されたもの | 三〇〇 | 五〇〇 | 〇 |
| | | 平成四年四月一日以後に設置されたもの | 二〇〇 | 五〇〇 | |
| | 燃料の燃焼能力が重油換算で一時間当たり五〇リットル未満のもの | 平成四年三月三十一日までに設置されたもの | 五〇〇 | 五〇〇 | |
| | | 平成四年四月一日以後に設置されたもの | 三〇〇 | 五〇〇 | |

備考

一　対象地域は、特別区及び市の存する区域（あきる野市にあっては、旧秋川市に限る。）並びに西多摩郡瑞穂町の区域とする。

二　第一種地域とは、特別区の存する区域並びに武蔵野市、三鷹市、調布市、狛江市及び西東京市（旧保谷市に限る。）の区域をいい、第二種地域とは、対象地域のうち、第一種地域以外の区域をいう。

三　大気開放型炉筒煙管ボイラー（固体燃料の燃焼が可能な構造を有するものに限る。）については、平成十三年三月三十一日以前に設置された施設については当分の間適用しない。

四　ガスタービン、ディーゼル機関、ガス機関及びガソリン機関については、平成元年四月二日以前に設置された施設については適用しない。

五　発電を伴わないガスタービン、ディーゼル機関、ガス機関及びガソリン機関については、定格発電出力二、〇〇〇キロワットに相当する機関出力を二、七〇〇PS（馬力）とする。

六　非常災害その他特別の事情があると知事が認めるときは、この表の第一欄に掲げる施設のうち知事が別に定める施設に係る同表第二欄に掲げる窒素酸化物の量は、知事が別に定める期間、大気汚染防止法第三条第一項又は第三項の排出基準に相当する窒素酸化物の量として知事が別に定める量とする。

七　この表の第二欄に掲げる窒素酸化物の量は、次の式により算出された窒素酸化物の量とする。

$$C = \frac{21 - O_n}{21 - O_s} \times C_s$$

この式において、$C$、$O_n$、$O_s$ 及び $C_s$ は、それぞれ次の値を表すものとする。

$C$　窒素酸化物の量（単位　立方センチメートル）

$O_n$　この表の第一欄に掲げる施設ごとの同表第三欄に掲げる値

$O_s$　総排出物中の酸素濃度（当該濃度が二〇パーセントを超える場合にあっては、二〇パーセントとする。）（単位　百分率）

$C_s$　日本産業規格K〇一〇四に定める方法により測定された窒素酸化物の濃度を標準状態における排ガス一立方メートル中の量に換算したもの（単位　立方センチメートル）

二　粉じん

| 粉じんの種類 | 粉じんの発生施設 | | 排出口から大気中に排出される標準状態に換算した総排出物一立方メートルに含まれる粉じんの量（単位　ミリグラム） |
|---|---|---|---|
| | 施設の種類 | 規模の区分 | |
| 一　顔料を主とした粉じん | すべての顔料を発生する施設 | | 七五 |
| 二　塩化アンモンを主とした粉じん | すべての塩化アンモンを発生する施設 | 塩化アンモンの使用量が一日当たり五〇キログラム以上 | 四〇 |
| | | 塩化アンモンの使用量が一日当たり五〇キログラム未満 | 八〇 |

備考　粉じんの測定は、日本産業規格Z八八〇八に定める方法による。

三　有害ガス

| 有害ガスの種類 | 施設の種類 | 排出口から大気中に排出される標準状態に換算した総排出物一立方メートル当たりの有害ガスの一作業期間の平均の量（単位ミリグラム） |
| --- | --- | --- |
| 一　弗素及びその化合物 | すべての弗素及びその化合物を発生する施設 | 九 |
| 二　シアン化水素 | シアン化水素を発生する施設のうちばい煙施設以外の施設 | 六 |
| 三　ホルムアルデヒド | ホルムアルデヒドを発生する施設のうちばい煙施設以外の施設 | 七〇 |
| 四　塩化水素 | 塩化水素を発生する施設のうちばい煙施設以外の施設 | 四〇 |
| 五　アクロレイン | アクロレインを発生する施設のうちばい煙施設以外の施設 | 一〇 |
| 六　塩素 | すべての塩素を発生する施設 | 三〇 |
| 七　臭素及びその化合物 | 臭素及びその化合物を発生する施設のうちばい煙施設以外の施設 | 七〇　ただし、臭化メチルにあっては二〇〇 |
| 八　窒素酸化物 | 窒素酸化物を発生する施設のうちばい煙施設以外の施設 | 二〇〇 |
| 九　フェノール | フェノールを発生する施設のうちばい煙施設以外の施設 | 二〇〇 |
| 十　硫酸（三酸化いおうを含む。） | 硫酸（三酸化いおうを含む。）を発生する施設のうちばい煙施設以外の施設 | 一 |
| 十一　クロム化合物 | すべてのクロム化合物を発生する施設 | 〇・二五 |
| 十二　塩化スルホン酸 | 塩化スルホン酸を発生する施設のうちばい煙施設以外の施設 | 一 |
| 十三　ピリジン | ピリジンを発生する施設のうちばい煙施設以外の施設 | 四〇 |
| 十四　スチレン | スチレンを発生する施設のうちばい煙施設以外の施設 | 二〇〇 |
| 十五　エチレン | エチレンを発生する施設のうちばい煙施設以外の施設 | 三〇〇 |
| 十六　二硫化炭素 | 二硫化炭素を発生する施設のうちばい煙施設以外の施設 | 一〇〇 |
| 十七　クロルピクリン | クロルピクリンを発生する施設のうちばい煙施設以外の施設 | 四〇 |
| 十八　ジクロロメタン | ジクロロメタンを発生する施設のうちばい煙施設以外の施設 | 二〇〇 |
| 十九　一・二―ジクロロエタン | 一・二―ジクロロエタンを発生する施設のうちばい煙施設以外の施設 | 二〇〇 |
| 二十　クロロホルム | クロロホルムを発生する施設のうちばい煙施設以外の施設 | 二〇〇 |
| 二十一　塩化ビニルモノマー | 塩化ビニルモノマーを発生する施設のうちばい煙施設以外の施設 | 一〇〇 |
| 二十二　酸化エチレン | 酸化エチレンを発生する施設のうちばい煙施設以外の施設 | 九〇 |
| 二十三　砒素及びその化合物 | 砒素及びその化合物を発生する施設のうちばい煙施設以外の施設 | 〇・〇五 |
| 二十四　マンガン及びその化合物 | マンガン及びその化合物を発生する施設のうちばい煙施設以外の施設 | 〇・〇五 |

| | | |
|---|---|---|
| 二十五 ニッケル及びその化合物 | ニッケル及びその化合物を発生する施設のうちばい煙施設以外の施設 | 〇・〇五 |
| 二十六 カドミウム及びその化合物 | すべてのカドミウム及びその化合物を発生する施設 | 一 |
| 二十七 鉛及びその化合物 | すべての鉛及びその化合物を発生する施設 | 一〇 |
| 二十八 メタノール、イソアミルアルコール、イソプロピルアルコール、アセトン、メチルエチルケトン、メチルイソブチルケトン、ベンゼン、トルエン、キシレン、トリクロロエチレン、テトラクロロエチレン、酢酸メチル、酢酸エチル、酢酸ブチル、ヘキサン | 第一欄に掲げる有害ガスのうちいずれか一以上を発生する施設のうち、ばい煙施設及び炭化水素系物質を貯蔵する施設以外の施設 | 第一欄に掲げる有害ガスのそれぞれの量の合計につき八〇〇ただし、ベンゼンにあっては一〇〇、トリクロロエチレン及びテトラクロロエチレンにあっては三〇〇、メチルイソブチルケトン、トルエン及びヘキサンにあっては二〇〇とする。 |

備考 有害ガスを測定する方法は次に掲げる方法とする。

一 弗(ふっ)素及びその化合物 日本産業規格K〇一〇五に定める方法
二 シアン化水素 日本産業規格K〇一〇九に定める方法
三 ホルムアルデヒド 日本産業規格K〇三〇三に定める方法
四 塩化水素 日本産業規格K〇一〇七に定める方法
五 アクロレイン 日本産業規格K〇〇八九に定める方法
六 塩素 日本産業規格K〇一〇六に定める方法
七 臭素及びその化合物 日本産業規格K〇〇八五に定める方法。ただし、臭化メチルにあっては、日本産業規格K〇一一四又は日本産業規格K〇一二三に定める方法
八 窒素酸化物 日本産業規格K〇一〇四に定める方法
九 フェノール 日本産業規格K〇〇八六に定める方法
十 硫酸（三酸化いおうを含む。） 日本産業規格K〇一〇三に定める方法
十一 クロム化合物 日本産業規格K〇一〇二・65・2に定める方法
十二 塩化スルホン酸 中和－硝酸銀滴定法
十三 ピリジン 日本産業規格K〇〇八七に定める方法
十四 スチレン 日本産業規格K〇一一四又は日本産業規格K〇一二三に定める方法
十五 エチレン 日本産業規格K〇一一四又は日本産業規格K〇一二三に定める方法
十六 二硫化炭素 日本産業規格K〇〇九一に定める方法
十七 クロルピクリン 日本産業規格K〇一一四又は日本産業規格K〇一二三に定める方法
十八 ジクロロメタン 日本産業規格K〇一一四又は日本産業規格K〇一二三に定める方法
十九 一・二－ジクロロエタン 日本産業規格K〇一一四又は日本産業規格K〇一二三に定める方法
二十 クロロホルム 日本産業規格K〇一一四又は日本産業規格K〇一二三に定める方法
二十一 塩化ビニルモノマー 日本産業規格K〇一一四又は日本産業規格K〇一二三に定める方法
二十二 酸化エチレン 日本産業規格K〇一一四又は日本産業規格K〇一二三に定める方法により臭化水素酸で臭素化した二－ブロモエタノールを分析する方法
二十三 砒(ひ)素及びその化合物 日本産業規格K〇〇八三に定める方法
二十四 マンガン及びその化合物 日本産業規格K〇〇八三に定める方法
二十五 ニッケル及びその化合物 日本産業規格K〇〇八三に定める方法
二十六 カドミウム及びカドミウム化合物 日本産業規格K〇〇八三に定める方法
二十七 鉛及びその化合物 日本産業規格K〇〇八三に定める方法
二十八 メタノール、イソアミルアルコール、イソプロピルアルコール、アセトン、メチルエチルケトン、メチルイソブチルケトン、トルエン、キシレン、酢酸メチル、酢酸エチル、酢酸ブチル及びヘキサン 日本産業規格K〇一一四又は日本産業規格K〇一二三に定める方法
二十九 ベンゼン 日本産業規格K〇〇八八に定める方法
三十 トリクロロエチレン及びテトラクロロエチレン 日本産業規格K〇三〇五に定める方法

四 汚水

(一) 有害物質に係る基準

| 項目・設置区分 | | 公共用水域に排出される汚水 許容限度(単位 一リットルにつきミリグラム) 工場 水道水源水域 | 公共用水域に排出される汚水 許容限度(単位 一リットルにつきミリグラム) 指定作業場 水道水源水域 / 工場及び指定作業場 一般水域A、一般水域B、島しょ及びその海域 | 地下に浸透される汚水(単位 一リットルにつきミリグラム) |
|---|---|---|---|---|
| (一) カドミウム及びその化合物 | 新設 | カドミウムとして 〇・〇〇三 | カドミウムとして 〇・〇三 | カドミウムとして 〇・〇〇一 |
| | 既設 | カドミウムとして 〇・〇三 | | |
| (二) シアン化合物 | 新設 | 検出されないこと。 | シアンとして 一 | シアンとして 〇・一 |
| | 既設 | シアンとして 一 | | |
| (三) 有機燐化合物(パラチオン、メチルパラチオン、メチルジメトン及びEPNに限る。) | 新設 | 検出されないこと。 | 一 | 〇・一 |
| | 既設 | 一 | | |
| (四) 鉛及びその化合物 | 新設 | 鉛として 〇・〇一 | 鉛として 〇・一 | 鉛として 〇・〇〇五 |
| | 既設 | 鉛として 〇・一 | | |
| (五) 六価クロム化合物 | 新設 | 六価クロムとして 〇・〇二 | 六価クロムとして 〇・五 | 六価クロムとして 〇・〇一 |
| | 既設 | 六価クロムとして 〇・二 | | |
| (六) 砒素及びその化合物 | 新設 | 砒素として 〇・〇一 | 砒素として 〇・一 | 砒素として 〇・〇〇五 |
| | 既設 | 砒素として 〇・一 | | |
| (七) 水銀及びアルキル水銀その他の水銀化合物 | 新設 | 水銀として 〇・〇〇〇五 | 水銀として 〇・〇〇五 | 水銀として 〇・〇〇〇五 |
| | 既設 | 水銀として 〇・〇〇五 | | |
| (八) アルキル水銀化合物 | | 検出されないこと。 | | アルキル水銀として 〇・〇〇〇〇五 |

| | 新設 | 既設 | | |
|---|---|---|---|---|
| (九) ポリ塩化ビフェニル | 検出されないこと。 | 〇・〇〇三 | 〇・〇〇三 | 〇・〇〇〇五 |
| (十) トリクロロエチレン | 〇・〇一 | 〇・三 | 〇・一 | 〇・〇〇二 |
| (十一) テトラクロロエチレン | 〇・〇一 | 〇・一 | 〇・一 | 〇・〇〇〇五 |
| (十二) ジクロロメタン | 〇・〇二 | 〇・二 | 〇・二 | 〇・〇〇二 |
| (十三) 四塩化炭素 | 〇・〇〇二 | 〇・〇二 | 〇・〇二 | 〇・〇〇〇二 |
| (十四) 一・二―ジクロロエタン | 〇・〇〇四 | 〇・〇四 | 〇・〇四 | 〇・〇〇〇四 |
| (十五) 一・一―ジクロロエチレン | 〇・一 | 一 | 一 | 〇・〇〇二 |
| (十六) 一・二―ジクロロエチレン | シス―一・二―ジクロロエチレンとして 〇・〇四 | シス―一・二―ジクロロエチレンとして 〇・四 | シス―一・二―ジクロロエチレンとして 〇・四 | シス―一・二―ジクロロエチレン又はトランス―一・二―ジクロロエチレンとして 〇・〇〇四 |
| (十七) 一・一・一―トリクロロエタン | 一 | 三 | 三 | 〇・〇〇〇五 |
| (十八) 一・一・二―トリクロロエタン | 〇・〇〇六 | 〇・〇六 | 〇・〇六 | 〇・〇〇〇六 |
| (十九) 一・三―ジクロロプロペン | 〇・〇〇二 | 〇・〇二 | 〇・〇二 | 〇・〇〇〇二 |
| (二十) チウラム | 〇・〇〇六 | 〇・〇六 | 〇・〇六 | 〇・〇〇〇六 |
| (二十一) シマジン | 〇・〇〇三 | 〇・〇三 | 〇・〇三 | 〇・〇〇〇三 |
| (二十二) チオベンカルブ | 〇・〇二 | 〇・二 | 〇・二 | 〇・〇〇二 |
| (二十三) ベンゼン | 〇・〇一 | 〇・一 | 〇・一 | 〇・〇〇一 |

| | | | | |
|---|---|---|---|---|
| (二十四) セレン及びその化合物 | 新設 | セレンとして　〇・〇一 | セレンとして　〇・一 | セレンとして　〇・〇二 |
| | 既設 | セレンとして　〇・一 | | |
| (二十五) ほう素及びその化合物 | 新設 | ほう素として　一 | 海域以外の公共用水域に排出される場合にあってはほう素として　一〇<br>海域に排出される場合にあってはほう素として　二三〇 | ほう素として　〇・二 |
| | 既設 | ほう素として　一〇 | | |
| (二十六) ふっ素及びその化合物 | 新設 | ふっ素として　〇・八 | 海域以外の公共用水域に排出される場合にあってはふっ素として　八<br>海域に排出される場合にあってはふっ素として　一五 | ふっ素として　〇・二 |
| | 既設 | ふっ素として　八 | | |
| (二十七) 塩化ビニルモノマー | | — | | 〇・〇〇〇二 |
| (二十八) 一・四—ジオキサン | 新設 | 〇・〇五 | 〇・五 | 〇・〇〇五 |
| | 既設 | 〇・五 | | |

備考

一　新設の工場とは次に掲げる工場をいい、既設の工場とは新設の工場以外の工場をいう。指定作業場の新設と既設の区分についても同様とする。(別表第七　四の部㈢の款の窒素含有量及び燐(りん)含有量に係る基準を除き、以下同じ。)

㈠　平成十三年四月一日以後の着工に係る工場

㈡　平成十三年三月三十一日において既に設置され、又は着工している工場で、同年四月一日以後に汚水の発生施設の構造の変更(排水量が増加するものに限る。)をするもの

㈢　平成十三年三月三十一日において既に設置され、又は着工している工場で、同年四月一日以後に下水道法第十条第一項ただし書の規定による許可を受けたもの

二　(二十五)及び(二十六)に掲げる項目にあっては、前号の規定は、同号㈠中「平成十三年四月一日」とあるのは「平成十四年四月一日」と、同号㈡及び㈢中「平成十三年三月三十一日」とあるのは「平成十四年三月三十一日」と読み替えて適用するものとする。

二の二　(二十八)に掲げる項目にあっては、第一号の規定は、同号㈠中「平成十三年四月一日」とあるのは「平成二十四年八月一日」と、同号㈡及び㈢中「平成十三年三月三十一日」とあるのは「平成二十四年七月三十一日」と、「同年四月一日」とあるのは「同年八月一日」と読み替えて適用するものとする。

三　水域区分は、付表に示す水域区分とする(以下同じ。)。

四　排水量とは、一日当たりの平均的な排水量をいう(以下同じ。)。

五　公共用水域に排出される汚水にあっては、その有害物質の検定は、排水基準を定める省令の規定に基づく環境大臣が定める排水基準に係る検定方法(昭和四十九年環境庁告示第六十四号)によるものとする。

六　「検出されないこと。」とは、前号の検定方法により、汚水の汚染状態を検定した場合において、その結果が当該検定方法の定量限界を下回ることをいう。

七　地下に浸透される汚水にあっては、その有害物質の検定は、水質汚濁防止法施行規則第六条の二の規定に基づく環境大臣が定める検定方法(平成元年環境庁告示第三十九号)によるものとし、その規制基準は、この表の地下に浸透される汚水(単位　一リットルにつきミリグラム)の欄に掲げる量以上の有害物質が検出されないこととする。

(二)　有害物質、窒素含有量及び燐含有量を除く項目に係る基準

ア　工場に係る基準

<table>
<tr><td colspan="2" rowspan="4">項目・設置区分</td><td colspan="8">公共用水域に排出される汚水</td></tr>
<tr><td colspan="8">許容限度（単位　一リットルにつきミリグラム（(一)、(二)、(四)及び(七)に掲げる項目を除く。））</td></tr>
<tr><td colspan="2">水道水源水域</td><td colspan="2">一般水域A</td><td colspan="2">一般水域B</td><td colspan="2">島しょ及びその海域</td></tr>
<tr><td>排水量が五〇〇立方メートル以上</td><td>排水量が五〇〇立方メートル未満</td><td>排水量が五〇〇立方メートル以上</td><td>排水量が五〇〇立方メートル未満</td><td>排水量が五〇〇立方メートル以上</td><td>排水量が五〇〇立方メートル未満</td><td>排水量が五〇〇立方メートル以上</td><td>排水量が五〇〇立方メートル未満</td></tr>
<tr><td colspan="2">(一)　水素イオン濃度（水素指数）</td><td colspan="8">五・八以上八・六以下</td></tr>
<tr><td colspan="2">(二)　外観</td><td colspan="8">異常な着色又は発泡が認められないこと。</td></tr>
<tr><td colspan="2">(三)　削除</td><td colspan="8"></td></tr>
<tr><td colspan="2">(四)　温度</td><td colspan="8">四〇度以下</td></tr>
<tr><td rowspan="2">(五)　生物化学的酸素要求量</td><td>新設</td><td colspan="2">二〇</td><td>二〇</td><td>二五</td><td>二〇</td><td>二五</td><td>二〇</td><td>二五</td></tr>
<tr><td>既設</td><td>二〇</td><td>二五</td><td>二〇</td><td>二五</td><td>六〇</td><td>七〇</td><td colspan="2">一六〇</td></tr>
<tr><td rowspan="2">(六)　化学的酸素要求量</td><td>新設</td><td colspan="2">二〇</td><td colspan="2">―</td><td>二〇</td><td>二五</td><td>二〇</td><td>二五</td></tr>
<tr><td>既設</td><td>二〇</td><td>二五</td><td colspan="2">―</td><td>六〇</td><td>七〇</td><td colspan="2">一六〇</td></tr>
<tr><td rowspan="2">(七)　浮遊物質量</td><td>新設</td><td colspan="2">四〇</td><td>四〇</td><td>五〇</td><td>四〇</td><td>五〇</td><td>四〇</td><td>五〇</td></tr>
<tr><td>既設</td><td>四〇</td><td>五〇</td><td>四〇</td><td>五〇</td><td colspan="2">九〇</td><td colspan="2">二〇〇</td></tr>
<tr><td colspan="2">(八)　ノルマルヘキサン抽出物質含有量（鉱油類含有量）</td><td colspan="8">五</td></tr>
<tr><td colspan="2">(九)　ノルマルヘキサン抽出物質含有量（動植物油脂類含有量）</td><td colspan="4">五</td><td colspan="2">一〇</td><td colspan="2">三〇</td></tr>
<tr><td colspan="2">(十)　フェノール類含有量</td><td colspan="4">一</td><td colspan="4">五</td></tr>
<tr><td colspan="2">(十一)　銅含有量</td><td colspan="4">一</td><td colspan="4">三</td></tr>
<tr><td colspan="2">(十二)　亜鉛含有量</td><td colspan="8">二</td></tr>
</table>

| | |
|---|---|
| (十三) 溶解性鉄含有量 | 一〇 |
| (十四) 溶解性マンガン含有量 | 一〇 |
| (十五) クロム含有量 | 二 |
| (十六) 削除 | |
| (十七) 大腸菌数（単位　一ミリリットルにつきコロニー形成単位） | 八〇〇 |

この基準の適用については、次に掲げるところによる。

一　一般水域B又は島しょ及びその海域に汚水を排出する第一類工場にあっては、(五)から(七)までに掲げる項目の基準については、新設の基準を適用する。

二　第二類工場のうち排水量が五十立方メートル未満の工場（次号又は第四号若しくは第五号に該当するものを除く。）にあっては、この表の(五)から(十四)まで及び(十七)に掲げる項目については、適用しない。

三　処理対象人員が二〇一人以上のし尿浄化槽を有する第二類工場のうち排水量が五十立方メートル未満の工場にあっては、この表の(五)から(十四)まで及び(十七)に掲げる項目については、前号の規定にかかわらず、当該別表第七　四の部(二)の款イの項(イ)の表の基準を適用する。

四　既設の工場で、この条例の施行日以後に汚水の発生施設の構造を変更（排水量が増加するものに限る。）した工場にあっては、この表の(五)から(七)までに掲げる項目については、その日から新設の基準を適用する。

五　既設の工場で、この条例の施行日以後に下水道法第十条第一項ただし書の規定による許可を受けた場合における当該許可に係る工場にあっては、この表の(五)から(七)までに掲げる項目については、新設の基準を適用する。

備考

一　第一類工場とは次に掲げる既設の工場をいい、第二類工場とは第一類工場以外の既設の工場をいう。

(一)　昭和四十七年四月二日以後の着工に係る工場

(二)　昭和四十七年四月一日において既に設置され、又は着工されている工場（排水量が五十立方メートル未満の工場を除く。）で、昭和五十三年七月一日からこの条例の施行日の前日までに汚水の発生施設の構造を変更（排水量が増加するものに限る。）した工場

(三)　下水道法第十条第一項ただし書の規定による許可をこの条例の施行日の前日までに受けた場合における当該許可に係る工場

二　生物化学的酸素要求量は海域及び湖沼を除く公共用水域に排出される汚水について適用し、化学的酸素要求量は海域及び湖沼に排出される汚水について適用する。

三　有害物質、窒素含有量及び燐（りん）含有量を除く項目の検定は、次に掲げる方法によるものとする（以下イ指定作業場に係る基準における検定方法において同じ。）。

(一)　削除

(二)　外観　日本産業規格K〇一〇二・8に定める方法

(三)　温度　日本産業規格K〇一〇二・7・2に定める方法

(四)　その他の項目　排水基準を定める省令（昭和四十六年総理府令第三十五号）の規定に基づく環境大臣が定める排水基準に係る検定方法に定める方法

イ　指定作業場に係る基準

(ア)　下水処理場又はし尿処理施設（し尿浄化槽を除く。）を有する事業場

<table>
<tr><th colspan="2">公共用水域に排出される汚水</th><th colspan="2"></th></tr>
<tr><th colspan="2">許容限度（単位　一リットルにつきミリグラム（(一)、(二)、(四)及び(七)に掲げる項目を除く。））</th><th colspan="2"></th></tr>
<tr><th colspan="2">項目・設置区分 ＼ 指定作業場の種類</th><th>下水処理場</th><th>し尿処理施設を有する事業場</th></tr>
<tr><th colspan="2">水域区分</th><th colspan="2">すべての水域</th></tr>
<tr><td colspan="2">(一)　水素イオン濃度（水素指数）</td><td colspan="2">五・八以上八・六以下</td></tr>
<tr><td colspan="2">(二)　外観</td><td colspan="2">異常な着色又は発泡が認められないこと。</td></tr>
<tr><td colspan="2">(三)　削除</td><td colspan="2"></td></tr>
<tr><td colspan="2">(四)　温度</td><td colspan="2">四〇度以下</td></tr>
<tr><td rowspan="2">(五)　生物化学的酸素要求量</td><td>新設</td><td>一五</td><td>二〇</td></tr>
<tr><td>既設</td><td>二五</td><td>四〇</td></tr>
<tr><td rowspan="2">(六)　化学的酸素要求量</td><td>新設</td><td>一五</td><td>三〇</td></tr>
<tr><td>既設</td><td>三五</td><td>四〇</td></tr>
<tr><td rowspan="2">(七)　浮遊物質量</td><td>新設</td><td>一〇</td><td>四〇</td></tr>
<tr><td>既設</td><td>六〇</td><td>八〇</td></tr>
<tr><td colspan="2">(八)　ノルマルヘキサン抽出物質含有量（鉱油類含有量）</td><td colspan="2">五</td></tr>
<tr><td colspan="2">(九)　ノルマルヘキサン抽出物質含有量（動植物油脂類含有量）</td><td colspan="2">三〇</td></tr>
<tr><td colspan="2">(十)　フェノール類含有量</td><td colspan="2">五</td></tr>
<tr><td colspan="2">(十一)　銅含有量</td><td colspan="2">三</td></tr>
<tr><td colspan="2">(十二)　亜鉛含有量</td><td colspan="2">二</td></tr>
<tr><td colspan="2">(十三)　溶解性鉄含有量</td><td colspan="2">一〇</td></tr>
<tr><td colspan="2">(十四)　溶解性マンガン含有量</td><td colspan="2">一〇</td></tr>
<tr><td colspan="2">(十五)　クロム含有量</td><td colspan="2">二</td></tr>
</table>

| | |
|---|---|
| (六)　削除 | |
| (七)　大腸菌数(単位　一ミリリットルにつきコロニー形成単位) | 八〇〇 |

この基準の適用は、次に掲げるとおりとする。

一　既設の下水処理場のうち、流入している下水を処理する施設のすべてに、窒素及び燐(りん)の処理機能を併せ持つ高度処理施設と、その後段にろ過施設又はろ過施設と同等の処理機能を持つ処理施設が整備され、それらの施設が稼働した下水処理場については、その日から新設の基準を適用する。

二　下水道法第十条第一項ただし書の規定による許可を受けた場合における当該許可に係る既設のし尿処理施設を有する事業場にあっては、この表の(五)から(七)までに掲げる項目については、新設の基準を適用する。

備考　生物化学的酸素要求量は海域及び湖沼を除く公共用水域に排出される汚水について適用し、化学的酸素要求量は海域及び湖沼に排出される汚水について適用する。

(イ)　し尿処理施設(し尿浄化槽に限る。)を有する事業場

公共用水域に排出される汚水

許容限度(単位　一リットルにつきミリグラム(一)、(二)、(四)及び(七)に掲げる項目を除く。))

| 指定作業場の種類 | し尿浄化槽を有する事業場 | | | | | | | | |
|---|---|---|---|---|---|---|---|---|---|
| 水域区分 | | 水道水源水域 | | 一般水域A | | 一般水域B | | 島しょ及びその海域 | |
| 施設規模 | | 処理対象人員が五〇一人以上 | 処理対象人員が二〇一人以上五〇〇人以下 | 処理対象人員が五〇一人以上 | 処理対象人員が二〇一人以上五〇〇人以下 | 処理対象人員が五〇一人以上 | 処理対象人員が二〇一人以上五〇〇人以下 | 処理対象人員が五〇一人以上 | 処理対象人員が二〇一人以上五〇〇人以下 |
| 項目・設置区分 | | | | | | | | | |
| (一)　水素イオン濃度(水素指数) | | 五・八以上八・六以下 | | | | | | | |
| (二)　外観 | | 異常な着色又は発泡が認められないこと。 | | | | | | | |
| (三)　削除 | | | | | | | | | |
| (四)　温度 | | 四〇度以下 | | | | | | | |
| (五)　生物化学的酸素要求量 | 新設 | 二〇 | 二〇 | 二〇 | 二五 | 二〇 | 二五 | 二五 | 三〇 |
| | 既設　平成三年十月一日以後に設置され、 | 三〇 | | 三〇 | | 三〇 | | 四〇 | |

| | (六)化学的酸素要求量 | | | (七)浮遊物質量 | | |
|---|---|---|---|---|---|---|
| | 新設 | 既設 | | 新設 | 既設 | |
| 平成三年九月三十日以前に設置され、又は着工されている施設 | | 平成三年十月一日以後に設置され、又は着工されている施設 | 平成三年九月三十日以前に設置され、又は着工されている施設 | | 平成三年十月一日以後に設置され、又は着工されている施設 | 平成三年九月三十日以前に設置され、又は着工されている施設 |
| 三〇 | 二〇 | 三〇 | 三〇 | 四〇 | 六〇 | 六〇 |
| 八〇 | | | 八〇 | | | 一五〇 |
| 三〇 | — | — | — | 四〇 | 六〇 | 六〇 |
| 八〇 | | | | 五〇 | | 一五〇 |
| 四〇 | 二〇 | 三〇 | 四〇 | 四〇 | 六〇 | 八〇 |
| 八〇 | 二五 | | 八〇 | 五〇 | | 一五〇 |
| 四〇 | 二五 | 四〇 | 四〇 | 五〇 | 八〇 | 八〇 |
| 一二〇 | 三〇 | | 一二〇 | 六〇 | | 一五〇 |

| 項目 | 基準 |
|---|---|
| (八) ノルマルヘキサン抽出物質含有量（鉱油類含有量） | 五 |
| (九) ノルマルヘキサン抽出物質含有量（動植物油脂類含有量） | 三〇 |
| (十) フェノール類含有量 | 五 |
| (十一) 銅含有量 | 三 |
| (十二) 亜鉛含有量 | 二 |
| (十三) 溶解性鉄含有量 | 一〇 |
| (十四) 溶解性マンガン含有量 | 一〇 |
| (十五) クロム含有量 | 二 |
| (十六) 削除 | |
| (十七) 大腸菌数（単位　一ミリリットルにつきコロニー形成単位） | 八〇〇 |

この基準の適用は、次に掲げるとおりとする。

一　し尿を単独で処理するし尿浄化槽を有する既設の事業場にあっては、(五)から(七)までに掲げる項目の基準については、当分の間、この表の基準が適用される日の前日までに、当該事業場に適用されていた条例の値とする。

二　し尿浄化槽を有する既設の事業場で、この条例の施行日以後にし尿浄化槽の構造を変更（排水量が増加するものに限る。）した事業場にあっては、この表の(五)から(七)までに掲げる項目については、その日から新設の基準を適用する。

三　下水道法第十条第一項ただし書の規定による許可を受けた場合における当該許可に係るし尿浄化槽を有する既設の事業場にあっては、この表の(五)から(七)までに掲げる項目については、新設の基準を適用する。

備考　生物化学的酸素要求量は海域及び湖沼を除く公共用水域に排出される汚水について適用し、化学的酸素要求量は海域及び湖沼に排出される汚水について適用する。

(ウ)　と畜場及び畜舎

| 公共用水域に排出される汚水 | | | | | | | | | | | | | | |
|---|---|---|---|---|---|---|---|---|---|---|---|---|---|---|
| 許容限度（単位　一リットルにつきミリグラム（(一)、(二)、(四)及び(七)に掲げる項目を除く。）） | | | | | | | | | | | | | | |
| 項目・設置区分　指定作業場の種類 | 水域区分 | 施設規模 | (一)　水素イオン濃度（水素指数） | (二)　外観 | (三)　削除 | (四)　温度 | (五)　生物化学的酸素要求量 | | (六)　化学的酸素要求量 | | (七)　浮遊物質量 | | (八)　ノルマルヘキサン抽出物質含有量（鉱油類含有量） | (九)　ノルマルヘキサン抽出物質含有量（動植物油脂類含有量） |
| | | | | | | | 新設 | 既設 | 新設 | 既設 | 新設 | 既設 | | |
| と畜場 | 水道水源水域 | ― | 五・八以上八・六以下 | 異常な着色又は発泡が認められないこと。 | | 四〇度以下 | 二〇 | 六〇 | 二〇 | 六〇 | 四〇 | 一二〇 | 五 | 三〇 |
| | 一般水域A、一般水域B、島しょ及びその海域 | | | | | | 二五 | | 二五 | | 五〇 | | | |
| 畜舎 | 水道水源水域 | 牛房若しくは馬房の総面積が一、〇〇〇平方メートル以上、豚房の総面積が五〇〇平方メートル以上又は鶏の飼養規模が五、〇〇〇羽以上のもの | | | | | 二〇 | 八〇 | 二〇 | 八〇 | 四〇 | 一二〇 | | |
| | | その他のもの | | | | | | 一五〇 | | 一五〇 | | 一八〇 | | |
| | 一般水域A、一般水域B、島しょ及びその海域 | 牛房若しくは馬房の総面積が一、〇〇〇平方メートル以上、豚房の総面積が五〇〇平方メートル以上又は鶏の飼養規模が五、〇〇〇羽以上のもの | | | | | 二〇 | 八〇 | 二〇 | 八〇 | 四〇 | 一二〇 | | |
| | | その他のもの | | | | | 二五 | 一五〇 | 二五 | 一五〇 | 五〇 | 一八〇 | | |

| | |
|---|---|
| (十)　フェノール類含有量 | 五 |
| (土)　銅含有量 | 三 |
| (土)　亜鉛含有量 | 二 |
| (主)　溶解性鉄含有量 | 一〇 |
| (古)　溶解性マンガン含有量 | 一〇 |
| (去)　クロム含有量 | 二 |
| (夫)　削除 | |
| (七)　大腸菌数（単位　一ミリリットルにつきコロニー形成単位） | 八〇〇 |

この基準の適用は、次に掲げるとおりとする。

一　排水量が五十立方メートル未満の既設のと畜場及び豚房の総面積が百平方メートル未満の既設の畜舎（第二号又は第三号に該当するものを除く。）にあっては、この表に掲げる項目については、適用しない。

二　この条例の施行日以後に、汚水の発生施設の構造を変更して、排水量が増加した既設のと畜場及び畜舎にあっては、この表の(五)から(七)までに掲げる項目については、その日から新設の基準を適用する。

三　下水道法第十条第一項ただし書の規定による許可を受けた場合における当該許可に係る既設のと畜場及び畜舎にあっては、この表の(五)から(七)までに掲げる項目については、新設の基準を適用する。

備考　生物化学的酸素要求量は海域及び湖沼を除く公共用水域に排出される汚水について適用し、化学的酸素要求量は海域及び湖沼に排出される汚水について適用する。

(エ)　(ア)から(ウ)までを除く指定作業場

<table>
<tr><td colspan="2" rowspan="2">項目・設置区分</td><td colspan="7">公共用水域に排出される汚水<br>許容限度（単位　一リットルにつきミリグラム（(一)、(二)、(四)及び(七)に掲げる項目を除く。））</td></tr>
<tr><td colspan="2">水道水源水域</td><td colspan="2">一般水域A</td><td colspan="2">一般水域B</td><td>島しょ及びその海域</td></tr>
<tr><td colspan="2">施設規模</td><td>排水量が五〇〇立方メートル以上</td><td>排水量が五〇〇立方メートル未満</td><td>排水量が五〇〇立方メートル以上</td><td>排水量が五〇〇立方メートル未満</td><td>排水量が五〇〇立方メートル以上</td><td>排水量が五〇〇立方メートル未満</td><td>―</td></tr>
<tr><td colspan="2">(一)　水素イオン濃度（水素指数）</td><td colspan="7">五・八以上八・六以下</td></tr>
<tr><td colspan="2">(二)　外観</td><td colspan="7">異常な着色又は発泡が認められないこと。</td></tr>
<tr><td colspan="2">(三)　削除</td><td colspan="7"></td></tr>
<tr><td colspan="2">(四)　温度</td><td colspan="7">四〇度以下</td></tr>
<tr><td rowspan="2">(五)　生物化学的酸素要求量</td><td>新設</td><td colspan="2">二〇</td><td>二〇</td><td>二五</td><td>二〇</td><td>二五</td><td>二五</td></tr>
<tr><td>既設</td><td>二〇</td><td>二五</td><td>二〇</td><td>二五</td><td>六〇</td><td>七〇</td><td>一六〇</td></tr>
<tr><td rowspan="2">(六)　化学的酸素要求量</td><td>新設</td><td colspan="2">二〇</td><td colspan="2">―</td><td>二〇</td><td>二五</td><td>二五</td></tr>
<tr><td>既設</td><td>二〇</td><td>二五</td><td colspan="2">―</td><td>六〇</td><td>九〇</td><td>一六〇</td></tr>
<tr><td rowspan="2">(七)　浮遊物質量</td><td>新設</td><td colspan="2">四〇</td><td>四〇</td><td>五〇</td><td>四〇</td><td>五〇</td><td>五〇</td></tr>
<tr><td>既設</td><td>四〇</td><td>五〇</td><td>四〇</td><td>五〇</td><td colspan="2">九〇</td><td>二〇〇</td></tr>
<tr><td colspan="2">(八)　ノルマルヘキサン抽出物質含有量（鉱油類含有量）</td><td colspan="7">五</td></tr>
<tr><td colspan="2">(九)　ノルマルヘキサン抽出物質含有量（動植物油脂類含有量）</td><td colspan="7">三〇</td></tr>
<tr><td colspan="2">(十)　フェノール類含有量</td><td colspan="7">五</td></tr>
<tr><td colspan="2">(十一)　銅含有量</td><td colspan="7">三</td></tr>
<tr><td colspan="2">(十二)　亜鉛含有量</td><td colspan="7">二</td></tr>
</table>

| | |
|---|---|
| (十三)　溶解性鉄含有量 | 一〇 |
| (十四)　溶解性マンガン含有量 | 一〇 |
| (十五)　クロム含有量 | 二 |
| (十六)　削除 | |
| (十七)　大腸菌数（単位　一ミリリットルにつきコロニー形成単位） | 八〇〇 |

　この基準の適用は、次に掲げるとおりとする。

一　排水量が五十立方メートル未満の既設の指定作業場（第二号又は第三号に該当するものを除く。）にあっては、この表の基準については、適用しない。

二　この条例の施行日以後に、汚水の発生施設の構造を変更して、排水量が増加した既設の指定作業場にあっては、この表の(五)から(七)までに掲げる項目については、新設の基準を適用する。

三　下水道法第十条第一項ただし書の規定による許可を受けた場合における当該許可に係る既設の指定作業場にあっては、この表の(五)から(七)までに掲げる項目については、新設の基準を適用する。

備考　生物化学的酸素要求量は海域及び湖沼を除く公共用水域に排出される汚水について適用し、化学的酸素要求量は海域及び湖沼に排出される汚水について適用する。

(三)　窒素含有量及び燐(りん)含有量に係る基準

ア　工場に係る基準

| 業種等の区分 | 施設規模 | 公共用水域に排出される汚水　許容限度（単位　一リットルにつきミリグラム） | |
|---|---|---|---|
| 項目・設置区分 | | (一)　窒素含有量　新設 | 既設 |
| 一　食料品製造業、飲料・たばこ・飼料製造業 | 排水量が五〇〇立方メートル以上 | 二〇 | 二〇 |
| | 排水量が五〇〇立方メートル未満 | 二五 | 三〇 |
| 二　化学工業 | 排水量が五〇〇立方メートル以上 | 一六 | 二〇 |
| | 排水量が五〇〇立方メートル未満 | | |
| 三　鉄鋼業 | 排水量が五〇〇立方メートル以上 | 一六 | 二〇 |
| | 排水量が五〇〇立方メートル未満 | | |
| 四　金属製品製造業 | 排水量が五〇〇立方メートル以上 | 二〇 | 二五 |
| | 排水量が五〇〇立方メートル未満 | 二五 | 三〇 |
| 五　一から四まで以外の製造業 | 排水量が五〇〇立方メートル以上 | 一六 | 二〇 |
| | 排水量が五〇〇立方メートル未満 | 二〇 | 二五 |
| 六　一から五まで以外の工場 | | 三〇 | 四〇 |

| | | | | | | | | | | | |
|---|---|---|---|---|---|---|---|---|---|---|---|
| (二) 燐含有量 | 新設 | 二 | 三 | 一 | 一・五 | 一 | 一・五 | 一 | 一・五 | 一 | 二 | 四 |
| | 既設 | 三 | 六 | 一・五 | 二 | 二 | | 一・五 | 三 | 二 | 四 | 六 |

この基準の適用については、次に掲げるところによる。

一 排水量が五十立方メートル未満の工場については、いずれの項目も適用しない。

二 この基準は、付表に定める水域のうち、水道水源水域又は一般水域A若しくは一般水域B（境川水域を除く。）に汚水を排出する工場についてのみ適用する。

三 既設の工場のうち、次に掲げる工場については、新設の基準を適用する。

(一) 平成十一年四月一日からこの条例の施行日の前日までに設置され又は着工された工場

(二) 平成十一年三月三十一日において既に設置され、又は着工されている工場（排水量が五十立方メートル未満の工場を除く。）で同年四月一日からこの条例の施行日の前日までに汚水の発生施設の構造を変更（排水量が増加するものに限る。）した工場

(三) 平成十一年三月三十一日において既に設置され、又は着工されている工場で、同年四月一日からこの条例の施行日の前日までに下水道法第十条第一項ただし書の規定による許可を受けた場合における当該許可に係る工場

四 二以上の業種等の区分に該当する工場については、当該区分に係る値のうち最小の値を適用する。

備考

一 新設の工場とは次に掲げる工場をいい、既設の工場とは新設の工場以外の工場をいう。

(一) 平成十三年四月一日以後の着工に係る工場

(二) 平成十三年三月三十一日において既に設置され、又は着工している工場（排水量が五十立方メートル未満の工場を除く。）で、同年四月一日以後に汚水の発生施設の構造を変更（排水量が増加するものに限る。）する工場

(三) 平成十三年三月三十一日において既に設置され、又は着工されている工場で、同年四月一日以後に下水道法第十条第一項ただし書の規定による許可を受けた場合における当該許可に係る工場

二 工場に係る業種の区分は、統計法（平成十九年法律第五十三号）第二条第九項に規定する統計基準として定められた日本標準産業分類に基づく分類による。

三 窒素含有量及び燐含有量の検定は、排水基準を定める省令（昭和四十六年総理府令第三十五号）の規定に基づく環境大臣が定める排水基準に係る検定方法に定める方法によるものとする（以下イ指定作業場に係る基準における検定方法において同じ。）。

イ 指定作業場に係る基準

公共用水域に排出される汚水

許容限度（単位 一リットルにつきミリグラム）

| 項目・設置区分＼指定作業場の種類 | | 一 下水処理場 | 二 し尿処理施設を有する事業場：し尿浄化槽を除くし尿処理施設を有する事業場 | し尿浄化槽を有する事業場：合併処理浄化槽 | し尿浄化槽を有する事業場：単独処理浄化槽 | 三 畜舎 | 四 一から三まで以外の指定作業場 |
|---|---|---|---|---|---|---|---|
| (一) 窒素含有量 | 新設 | 二〇 | 二〇 | | | 一二〇 | 三〇 |

| | | | | | | |
|---|---|---|---|---|---|---|
| 既設 | 三〇 | 四〇 | | 一二〇 | 一二〇 | 四〇 |
| (二) 燐含有量　新設 | 一 | 二 | | | 一六 | 四 |
| 既設 | 三 | 三 | 六 | 一六 | 一六 | 六 |

この基準の適用については、次に掲げるところによる。

一　排水量が五十立方メートル未満の指定作業場については、いずれの項目も適用しない。

二　この基準は、付表に定める水域のうち、水道水源水域及び一般水域A若しくは一般水域B（境川水域を除く。）に汚水を排出する指定作業場についてのみ適用する。

三　既設の指定作業場のうち、平成十一年四月一日からこの条例の施行の日の前日までに設置され、又は着工された指定作業場については、新設の基準を適用する。

四　二以上の下水処理場（当該下水処理場を含む。）から生じる汚泥を受け入れ、そのための処理施設からの返流水を含めて処理する下水処理場（前号に掲げるものを除く。）に係る既設の基準は、平成二十年三月三十一日までの間、汚水一リットルにつき窒素含有量は五十ミリグラム、燐含有量は四・五ミリグラムとする。

五　し尿浄化槽を除くし尿処理施設を有する事業場（第三号に掲げるものを除く。）に係る既設の基準は、平成十六年九月三十日までの間、汚水一リットルにつき燐含有量は、八ミリグラムとする。

六　既設の下水処理場（第三号に掲げるものを除く。）のうち、流入している下水を処理する施設の全てに窒素及び燐を除去する高度処理施設が整備され、その施設が稼働した下水処理場については、その日から新設の基準を適用する。

備考　新設の指定作業場とは次に掲げる指定作業場をいい、既設の指定作業場とは新設の指定作業場以外の指定作業場をいう。

一　平成十三年四月一日以後の着工に係る指定作業場

二　平成十三年三月三十一日において既に設置され、又は着工している指定作業場（排水量が五十立方メートル未満のものを除く。）で、同年四月一日以後に汚水の発生施設の構造を変更（排水量が増加するものに限る。）する指定作業場

三　平成十三年三月三十一日において既に設置され、又は着工している指定作業場で、同年四月一日以後に下水道法第十条第一項ただし書の規定による許可を受けた場合における当該許可に係る指定作業場

付表

| 水域区分 | 水域細区分 | | 区域 |
|---|---|---|---|
| 水道水源水域 | 河川 | 江戸川水域 | 東京都と埼玉県の境（以下「埼玉県境」という。）から栗山浄水場取水口（左岸　千葉県松戸市下矢切地先　右岸　葛飾区柴又五丁目地先）に至る区間の江戸川本川及びこれに流入する公共用水域 |
| | | 多摩川水域 | 多摩川本川（砧下浄水所取水口（左岸　世田谷区鎌田二丁目四番地地先　右岸　神奈川県川崎市宇奈根地先）から下流及び小河内ダム貯水池（奥多摩湖）を除く。） |

| | | | |
|---|---|---|---|
| | | | 及びこれに流入する公共用水域 |
| | | 霞川水域 | 霞川本川及び矢端川（いずれの河川も、埼玉県境から上流に限る。）並びにこれに流入する公共用水域 |
| | | 成木川水域 | 成木川本川（埼玉県境から上流に限る。）及びこれに流入する公共用水域 |
| | 湖沼 | 小河内ダム貯水池 | 小河内ダム貯水池（奥多摩湖） |
| 一般水域Ａ | 河川 | 江戸川水域（下流） | 栗山浄水場取水口（江戸川水域と同じ。）から河口（左岸 千葉県浦安市舞浜地先<br>右岸 江戸川区臨海町五丁目地先）に至る区間の江戸川本川及び旧江戸川並びにこれに流入する公共用水域（新中川を除く。） |
| | | 多摩川水域（下流Ａ） | 砧下浄水所取水口から東京都調布取水堰（左岸 大田区田園調布一丁目五十七番地地先<br>右岸 神奈川県川崎市上丸子天神町）に至る区間の多摩川本川及びこれに流入する公共用水域 |
| 一般水域Ｂ | 河川 | 多摩川水域（下流Ｂ） | 東京都調布取水堰（多摩川水域（下流Ａ）と同じ。）から河口（左岸 大田区羽田三丁目三十三番地地先<br>右岸 神奈川県川崎市大師河原一丁目地先）に至る区間の多摩川本川及びこれに流入する公共用水域 |
| | | 荒川水域 | 次に掲げる水域及びこれらに流入する公共用水域<br>一 埼玉県境から河口（左岸 背割堤南端<br>右岸 江東区新砂三丁目七番地地先）に至る区間の荒川本川<br>二 埼玉県境から河口（左岸 江戸川区清新町一丁目一番地地先<br>右岸 背割堤南端）に至る区間の中川本川<br>三 新中川<br>四 隅田川本川（（左岸 中央区豊海町八番地西端<br>右岸 港区海岸一丁目十番地東端）から上流に限る。）<br>五 隅田川派川（（左岸 江東区豊洲二丁目一番地地先<br>右岸 中央区晴海二丁目二番地東端）から隅田川本川との分脈点までの区域に限る。）<br>六 埼玉県境から下流の新河岸川<br>七 埼玉県境から中川合流点に至る区間の綾瀬川<br>八 白子川、黒目川、柳瀬川、野火止用水及び不老川（いずれの河川も、埼玉県境から上流に限る。）<br>九 江東河川（荒川右岸（江東区新砂三丁目七番地地先）南端から江東区枝川一丁目南端をへて相生橋東端（江東区越中島二丁目一番地地先）に至る陸岸から地先海域に流入する公共用水域） |

| 区分 | | 水域 | 範囲 |
|---|---|---|---|
| | | 城南水域 | 次に掲げる水域及びこれらに流入する公共用水域<br>一　古川（左岸　港区海岸一丁目十五番地地先　右岸　港区海岸二丁目七番地地先　から上流に限る。）<br>二　目黒川（左岸　品川区東品川一丁目三十九番地地先　右岸　品川区東品川三丁目八番地地先　から上流に限る。）<br>三　目黒川派川（左岸　港区港南二丁目　右岸　品川区東品川一丁目三番地先　から上流に限る。）<br>四　立会川（左岸　品川区東大井二丁目二十七番地地先　右岸　品川区南大井一丁目六番地地先　から上流に限る。）<br>五　内川（左岸　大田区大森東一丁目三十六番地地先　右岸　大田区大森東一丁目三十七番地地先　から上流に限る。）<br>六　旧呑川（左岸　大田区大森東五丁目二十八番地地先　右岸　大田区大森南四丁目四番地地先　から上流に限る。）<br>七　呑川（左岸　大田区大森南五丁目六番地二号地先　右岸　大田区東糀谷六丁目三番地一号地先　から上流に限る。） |
| | | 鶴見川水域 | 鶴見川本川（東京都と神奈川県の境（以下「神奈川県境」という。）から上流に限る。）及び恩田川（神奈川県境から上流に限る。）並びにこれらに流入する公共用水域 |
| | | 境川水域 | 境川本川（神奈川県境から上流に限る。）及びこれに流入する公共用水域 |
| 海域 | | 東京湾水域 | 江戸川区の江戸川河口右岸から大田区の多摩川河口に至る東京都に属する陸岸の地先海域及びこれに流入する公共用水域で他の水域に属しない水域 |
| 島しょ及びその海域 | 河川 | 島しょの河川 | 伊豆諸島及び小笠原諸島内の河川及びこれに流入する公共用水域 |
| | 海域 | 島しょの海域 | 伊豆諸島及び小笠原諸島の周辺海域 |

五　騒音

| 区域の区分 種別 | 区域の区分 該当地域 | 時間の区分 | 工場及び指定作業場の敷地と隣地との境界線における音量（単位デシベル） |
|---|---|---|---|
| 第一種区域 | 一　都市計画法第八条第一項第一号の規定により定められた第一種低層住居専用地域（以下「第一種低層住居専用地域」という。）、第二種低層住居専用地域（以下「第二種低層住居専用地域」という。）及び田園住居地域（以下「田園住居地域」という。）<br>二　環境基本法（平成五年法律第九十一号）第十六条第一項の規定に基づき定められた騒音に係る環境基準に規定する地域の類型AAの該当地域として指定された地域（以下「AA地域」という。）<br>三　第二号に掲げる地域に接する地先及び水面 | 午前六時から午前八時まで | 四〇 |
| | | 午前八時から午後七時まで | 四五 |
| | | 午後七時から午後十一時まで | 四〇 |
| | | 午後十一時から翌日午前六時まで | 四〇 |
| 第二種区域 | 一　都市計画法第八条第一項第一号の規定により定められた第一種中高層住居専用地域（以下「第一種中高層住居専用地域」という。）及び第二種中高層住居専用地域（以下「第二種中高層住居専用地域」という。）であって第一種区域に該当する区域を除く地域<br>二　都市計画法第八条第一項第一号の規定により定められた第一種住居地域（以下「第一種住居地域」という。）、第二種住居地域（以下「第二種住居地域」という。）及び準住居地域（以下「準住居地域」という。）<br>三　都市計画法第八条第一項第一号の規定による用途地域として定められていない地域（以下「無指定地域」という。）であって第一種区域、第三種区域及び第四種区域に該当する区域を除く地域<br>四　都市計画法第八条第一項第一号の規定により定められた近隣商業地域（以下「近隣商業地域」という。）、商業地域（以下「商業地域」という。）、準工業地域（以下「準工業地域」という。）、工業地域（以下「工業地域」という。）及び工業専用地域（以下「工業専用地域」という。）のうち第一種区域に接する地域であって第一種区域の周囲三十メートル以内の地域（以下「第一特別地域」という。） | 午前六時から午前八時まで | 四五 |
| | | 午前八時から午後七時まで | 五〇 |
| | | 午後七時から午後十一時まで | 四五 |
| | | 午後十一時から翌日午前六時まで | 四五 |
| 第三種区域 | 一　近隣商業地域、商業地域及び準工業地域であって第一特別地域に該当する地域を除く地域<br>二　工業地域（第一特別地域に該当する地域を除く。）及び工業専用地域（第一特別地域に該当する地域を除く。）のうち第二種区域（第一特別地域を除く。）に接する地域であって第二種区域の周囲三十メートル以内の地域（以下「第二特別地域」という。）<br>三　前二号に掲げる地域に接する地先及び水面 | 午前六時から午前八時まで | 五五 |
| | | 午前八時から午後八時まで | 六〇 |
| | | 午後八時から午後十一時まで | 五五 |
| | | 午後十一時から翌日午前六時まで | 五〇 |

| | | | |
|---|---|---|---|
| 第四種区域 | 一　工業地域（第一特別地域及び第二特別地域に該当する地域を除く。）<br>二　工業専用地域（第一特別地域及び第二特別地域に該当する地域を除く。）のうち第三種区域（第二特別地域を除く。）に接する地域であって第三種区域の周囲三十メートル以内の地域（以下「第三特別地域」という。）<br>三　前二号に掲げる地域に接する地先及び水面 | 午前六時から午前八時まで | 六〇 |
| | | 午前八時から午後八時まで | 七〇 |
| | | 午後八時から午後十一時まで | 六〇 |
| | | 午後十一時から翌日午前六時まで | 五五 |

ただし、次の各号に掲げる工場又は指定作業場に対するこの基準の適用は、それぞれ当該各号に定めるところによる。

一　第二種区域、第三種区域又は第四種区域の区域内に所在する学校、児童福祉法（昭和二十二年法律第百六十四号）第三十九条第一項に規定する保育所（以下「保育所」という。）、病院、医療法第一条の五第二項に規定する診療所（患者を入院させるための施設を有するものに限る。以下「診療所」という。）、図書館法（昭和二十五年法律第百十八号）第二条第一項に規定する図書館（以下「図書館」という。）、老人福祉法（昭和三十八年法律第百三十三号）第五条の三に規定する特別養護老人ホーム（以下「老人ホーム」という。）及び就学前の子どもに関する教育、保育等の総合的な提供の推進に関する法律（平成十八年法律第七十七号）第二条第七項に規定する幼保連携型認定こども園（以下「認定こども園」という。）の敷地の周囲おおむね五十メートルの区域内（第一特別地域、第二特別地域及び第三特別地域を除く。）の工場又は指定作業場　当該値から五デシベルを減じた値を適用する。

二　騒音規制法第三条第一項の規定により指定された地域内の工場又は指定作業場のうち同法第二条第二項に規定する特定工場等である工場又は指定作業場　第八十一条第三項（第八十二条第二項において準用する場合を含む。）において適用する場合を除き、適用しない。

備考

一　デシベルとは、計量法（平成四年法律第五十一号）別表第二に定める音圧レベルの計量単位をいう。以下騒音に関して同じ。

二　騒音の測定は、計量法第七十一条に規定する条件に合格した騒音計を用いて行うものとする。この場合において、周波数補正回路はA特性を、動特性は速い動特性（FAST）を用いることとする。

三　騒音の測定方法は、日本産業規格Z八七三一に定める騒音レベル測定方法により、騒音の大きさの値は、次に定めるところによる。

(一)　騒音計の指示値が変動せず、又は変動が少ない場合は、その指示値とする。

(二)　騒音計の指示値が周期的又は間欠的に変動し、その指示値の最大値がおおむね一定の場合は、その変動ごとの指示値の最大値の平均値とする。

(三)　騒音計の指示値が不規則かつ大幅に変動する場合は、指示値の九十パーセントレンジの上端の数値とする。

(四)　騒音計の指示値が周期的又は間欠的に変動し、その指示値の最大値が一定でない場合は、その変動ごとの指示値の最大値の九十パーセントレンジの上端の数値とする。

六　振動

| 区域の区分 | | 時間の区分 | 工場及び指定作業場の敷地と隣地との境界線における地盤の振動の大きさ（単位デシベル） |
|---|---|---|---|
| 種別 | 該当地域 | | |
| 第一種区域 | 一　第一種低層住居専用地域<br>二　第二種低層住居専用地域<br>三　第一種中高層住居専用地域<br>四　第二種中高層住居専用地域<br>五　第一種住居地域<br>六　第二種住居地域<br>七　準住居地域<br>八　田園住居地域<br>九　無指定地域（第二種区域に該当する区域を除く。） | 午前八時から午後七時まで | 六〇 |
| | | 午後七時から翌日午前八時まで | 五五 |
| 第二種区域 | 一　近隣商業地域<br>二　商業地域<br>三　準工業地域<br>四　工業地域<br>五　前各号に掲げる地域に接する地先及び水面 | 午前八時から午後八時まで | 六五 |
| | | 午後八時から翌日午前八時まで | 六〇 |

ただし、次の各号に掲げる工場又は指定作業場に対するこの基準の適用は、それぞれ当該各号に定めるところによる。

一　学校、保育所、病院、診療所、図書館、老人ホーム及び認定こども園の敷地の周囲おおむね五十メートルの区域内の工場又は指定作業場　当該値から五デシベルを減じた値を適用する。

二　振動規制法第三条第一項の規定により指定された地域内の工場又は指定作業場のうち同法第二条第二項に規定する特定工場等である工場又は指定作業場　第八十一条第三項（第八十二条第二項において準用する場合を含む。）において適用する場合を除き、適用しない。

三　国又は地方公共団体その他の公共団体が工場又は指定作業場を集団立地させるため造成した用地内に設置されている工場又は指定作業場　適用しない。

備考

一　デシベルとは、計量法別表第二に定める振動加速度レベルの計量単位をいう。以下振動に関して同じ。

二　振動の測定は、計量法第七十一条に規定する条件に合格した振動レベル計を用い、鉛直方向について行うものとする。この場合において、振動感覚補正回路は、鉛直振動特性を用いることとする。

三　振動の測定方法は、日本産業規格Z八七三五に定める振動レベル測定方法により、振動の大きさの値は、次に定めるところによる。

(一)　測定器の指示値が変動せず、又は変動が少ない場合は、その指示値とする。

(二)　測定器の指示値が周期的又は間欠的に変動する場合は、その変動ごとの指示値の最大値の平均値とする。

(三)　測定器の指示値が不規則かつ大幅に変動する場合は、五秒間隔・百個又はこれに準ずる間隔・個数の測定値の八十パーセントレンジの上端の数値とする。

七　悪臭

| 区域の区分 | | | 種別 | 第一種区域 |
|---|---|---|---|---|
| | | | 該当地域 | 一　第一種低層住居専用地域<br>二　第二種低層住居専用地域<br>三　第一種中高層住居専用地域<br>四　第二種中高層住居専用地域<br>五　第一種住居地域<br>六　第二種住居地域<br>七　準住居地域<br>八　田園住居地域 |
| 悪臭原因物である気体で工場又は指定作業場から排出されるものに係る当該工場又は指定作業場の敷地の境界線の地表における悪臭の許容限度 | | | | 臭気指数一〇 |
| 悪臭原因物である気体で工場又は指定作業場の煙突その他の気体排出施設から排出されるものに係る当該工場又は指定作業場の排出口における悪臭の許容限度 | 排出口の実高さが十五メートル未満の施設 | 排出口の口径が〇・六メートル未満の場合 | | 臭気指数三一 |
| | | 排出口の口径が〇・六メートル以上〇・九メートル未満の場合 | | 臭気指数二五 |
| | | 排出口の口径が〇・九メートル以上の場合 | | 臭気指数二二 |
| | 排出口の実高さが十五メートル以上の施設 | 排出口の実高さが周辺最大建物の高さの二・五倍未満の場合 | | $q_t = 275 \times H_0^2$ |
| | | 排出口の実高さが周辺最大建物の高さの二・五倍以上の場合 | | $q_t = 357/F_{max}$ |
| 悪臭原因物である水で工場又は指定作業場から排出されるものに係る当該工場又は指定作業場の敷地外における悪臭の許容限度 | | | | 臭気指数二六 |

| | | | | | | | | |
|---|---|---|---|---|---|---|---|---|
| | 九 無指定地域（第二種区域及び第三種区域に該当する区域を除く。） | | | | | | | |
| 第二種区域 | 一 近隣商業地域<br>二 商業地域<br>三 準工業地域<br>四 前三号に掲げる地域に接する地先及び水面 | 臭気指数一二 | 臭気指数三三 | 臭気指数二七 | 臭気指数二四 | $q_t = 436 \times H_0^2$ | $q_t = 566/Fmax$ | 臭気指数二八 |
| 第三種区域 | 一 工業地域<br>二 工業専用地域<br>三 前二号に掲げる地域に接する地先及び水面 | 臭気指数一三 | 臭気指数三五 | 臭気指数三〇 | 臭気指数二七 | $q_t = 549 \times H_0^2$ | $q_t = 712/Fmax$ | 臭気指数二九 |

悪臭防止法（昭和四十六年法律第九十一号）第三条の規定により指定された地域内の工場又は指定作業場に対する規制基準は、第八十一条第三項（第八十二条第二項において準用する場合を含む。）及び第九十一条において適用する場合を除き、適用しない。

備考
一 臭気指数とは、気体又は水に係る悪臭の程度に関する値であって、人間の嗅覚でその臭気を感知することができなくなるまで気体又は水の希釈をした場合におけるその希釈の倍数を求め、その希釈の倍数の値の対数に十を乗じて求めた値をいう。
二 悪臭の測定方法は、臭気指数及び臭気排出強度の算定の方法（平成七年環境庁告示第六十三号）の規定に基づく方法によるものとする。
三 周辺最大建物の高さとは、周辺最大建物の高さ及び周辺最大建物と敷地境界の最短距離の算定の方法（平成十一年環境庁告示第十九号）第一条の規定に基づく方法により算出される周辺最大建物（対象となる工場又は指定作業場の敷地内の建物（建築基準法第二条第一号に定める建築物及び建築基準法施行令第百三十八条第四項で指定する工作物をいう。）で、排出口から当該建物の高さの十倍の距離以内の範囲に当該建物の一部若しくは全部が含まれるもののうち、高さが最大のものをいう。）の高さ（単位　メートル）をいう。
四 qtとは、排出ガスの臭気排出強度（単位　標準状態に換算した立方メートル毎分）を表す。
五 Hoとは、排出口の実高さ（単位　メートル）を表す。
六 Fmaxとは、悪臭防止法施行規則（昭和四十七年総理府令第三十九号）第六条の二第一項第一号の規定に基づく方法により算出する値を表す。

**別表第八** 位置の制限及び現況届等対象工場（第七十八条、第八十六条関係）

一 金属の精錬又は無機化学工業品の製造の用に供する焙焼炉、焼結炉若しくは蝦焼炉で、原料の処理能力が一施設一時間当たり一トン以上のものを有する工場
二 金属の精製又は鋳造の用に供する溶解炉で羽口面断面積が〇・五平方メートル以上のもの又は液体燃料用バーナーの燃焼能力が一時間当たり五十リットル以上のものを有する工場
三 製鋼、合金鉄又は非鉄金属の製造の用に供する電気炉で変圧器の定格容量が千キロボルトアンペア以上のものを有する工場
四 動物質臓器を原料とする物品の製造を行う工場
五 動物質廃棄物の焼却作業を行う工場
六 レディミクストコンクリート又はアスファルトコンクリートの製造を行う工場
七 金属の厚板又は形鋼の工作で原動機を使用するはつり作業、鋲打ち作業又

は孔埋め作業を伴うものを行う工場

八　金属の鍛造で重量が〇・五トン以上の落下錘を使用するものを行う工場

九　無機化学工業品若しくは有機化学工業品の製造若しくは精製又はこれらの工業品を用いる製造、加工若しくは作業を行う工場でアンモニア、塩化水素、塩素、窒素酸化物、二酸化いおう、硫酸（三酸化いおうを含む。）、硫化水素、弗素化合物、臭素化合物、シアン化水素、塩化スルホン酸、クロム化合物、ホルムアルデヒド、アクロレイン、ホスゲン、ベンゼン、トルエン、アセトン、メタノール、トリクロロエチレン若しくはテトラクロロエチレンを発生させるもの

**別表第九**　指定建設作業（第百二十五条関係）

一　くい打機（もんけんを除く。）、くい抜機若しくはくい打くい抜機（加圧式くい打くい抜機を除く。）を使用する作業又は穿孔機を使用するくい打設作業

二　鋲打機又はインパクトレンチを使用する作業

三　さく岩機又はコンクリートカッターを使用する作業（作業地点が連続的に移動する作業にあっては、一日における当該作業に係る二地点間の最大距離が五十メートルを超えない作業に限る。）

四　ブルドーザー、パワーショベル、バックホーその他これらに類する掘削機械を使用する作業（作業地点が連続的に移動する作業にあっては、一日における当該作業に係る二地点間の最大距離が五十メートルを超えない作業に限る。）

五　空気圧縮機（電動機以外の原動機を用いるものであって、その原動機の定格出力が十五キロワット以上のものに限る。）を使用する作業（さく岩機の動力として使用する作業を除く。）

六　振動ローラー、タイヤローラー、ロードローラー、振動プレート、振動ランマその他これらに類する締固め機械を使用する作業（作業地点が連続的に移動する作業にあっては、一日における当該作業に係る二地点間の最大距離が五十メートルを超えない作業に限る。）

七　コンクリートプラント（混練機の混練容量が〇・四五立方メートル以上のものに限る。）又はアスファルトプラント（混練機の混練重量が二百キログラム以上のものに限る。）を設けて行う作業（モルタルを製造するためにコンクリートプラントを設けて行う作業を除く。）又はコンクリートミキサー車を使用するコンクリートの搬入作業

八　原動機を使用するはつり作業及びコンクリート仕上作業（さく岩機を使用する作業を除く。）

九　動力、火薬又は鋼球を使用して建築物その他の工作物を解体し、又は破壊する作業（作業地点が連続的に移動する作業にあっては、一日における当該作業に係る二地点間の最大距離が五十メートルを超えない作業に限り、さく岩機、コンクリートカッター又は掘削機械を使用する作業を除く。）

**別表第十**　深夜制限営業（第百三十二条関係）

一　飲食店営業（食品衛生法施行令第三十五条第　号に規定するもの。ただし、専ら仕出しを目的とするもの、事業所、事務所等の施設において専らその事業又は事務に従事する者に利用させるもの並びにホテル及び旅館で専らその宿泊客に利用させるものを除く。）

二　ガソリンスタンド営業（ガソリンスタンドのうち自動車用燃料の販売を業とするもの）

三　液化石油ガススタンド営業（液化石油ガススタンドのうち液化石油ガス販売を業とするもの）

四　ボーリング場営業

五　バッティングセンター営業

六　スイミングプール営業

七　ゴルフ練習場営業

八　小売業（売場面積が二百五十平方メートル以上の小売業に限る。）

**別表第十一**　深夜制限作業（第百三十二条関係）

材料置場における材料の搬入、搬出その他の作業

**別表第十二**　深夜営業等に関する規制基準（第百三十二条関係）

| 区域の区分 | | 音源の存する敷地と隣地との境界線における音量（単位デシベル） |
|---|---|---|
| 種別 | 該当地域 | |
| 第一種区域 | 一　第一種低層住居専用地域<br>二　第二種低層住居専用地域<br>三　AA地域<br>四　田園住居地域<br>五　前各号に掲げる地域に接する地先及び水面 | 四〇 |

| 第二種区域 | 一　第一種中高層住居専用地域及び第二種中高層住居専用地域であって第一種区域に該当する区域を除く地域<br>二　第一種住居地域<br>三　第二種住居地域<br>四　準住居地域<br>五　無指定地域（第一種区域、第三種区域及び第四種区域に該当する区域を除く。）<br>六　第一特別地域 | 四五 |
|---|---|---|
| 第三種区域 | 一　近隣商業地域、商業地域及び準工業地域であって第一特別地域に該当する地域を除く地域<br>二　第二特別地域<br>三　前二号に掲げる地域に接する地先及び水面 | 五〇 |
| 第四種区域 | 一　工業地域（第一特別地域及び第二特別地域に該当する地域を除く。）<br>二　第三特別地域<br>三　前二号に掲げる地域に接する地先及び水面 | 五五 |

ただし、第二種区域、第三種区域又は第四種区域の区域内に所在する学校、保育所、病院、診療所、図書館、老人ホーム及び認定こども園の敷地の周囲おおむね五十メートルの区域内（第一特別地域、第二特別地域及び第三特別地域を除く。）における規制基準は、当該値から五デシベルを減じた値とする。

備考　騒音の測定方法は、工場及び指定作業場の騒音に係る測定方法の例による。

**別表第十三**　日常生活等に適用する規制基準（第百三十六条関係）

一　騒音

| 区域の区分　種別 | 区域の区分　該当地域 | 時間の区分 | 音源の存する敷地と隣地との境界線における音量（単位デシベル） |
|---|---|---|---|
| 第一種区域 | 一　第一種低層住居専用地域<br>二　第二種低層住居専用地域<br>三　田園住居地域<br>四　AA地域<br>五　東京都文教地区建築条例（昭和二十五年東京都条例第八十八号）第二条の規定により定められた第一種文教地区<br>六　前各号に掲げる地域に接する地先及び水面 | 午前六時から午前八時まで | 四〇 |
| | | 午前八時から午後七時まで | 四五 |
| | | 午後七時から午後十一時まで | 四〇 |
| | | 午後十一時から翌日午前六時まで | 四〇 |
| 第二種区域 | 一　第一種中高層住居専用地域、第二種中高層住居専用地域、第一種住居地域、第二種住居地域及び準住居地域であって第一種区域に該当する区域を除く地域<br>二　無指定地域（第一種区域及び第三種区域に該当する区域を除く。） | 午前六時から午前八時まで | 四五 |
| | | 午前八時から午後七時まで | 五〇 |
| | | 午後七時から午後十一時まで | 四五 |
| | | 午後十一時から翌日午前六時まで | 四五 |
| 第三種区域 | 一　近隣商業地域（第一種区域に該当する区域を除く。）<br>二　商業地域（第一種区域及び第四種区域に該当する区域を除く。）<br>三　準工業地域<br>四　工業地域<br>五　前各号に掲げる地域に接する地先及び水面 | 午前六時から午前八時まで | 五五 |
| | | 午前八時から午後八時まで | 六〇 |
| | | 午後八時から午後十一時まで | 五五 |
| | | 午後十一時から翌日午前六時まで | 五〇 |
| 第四種区域 | 商業地域であって知事が指定する地域 | 午前六時から午前八時まで | 六〇 |
| | | 午前八時から午後八時まで | 七〇 |

| | | |
|---|---|---|
| | 午後八時から午後十一時まで | 六〇 |
| | 午後十一時から翌日午前六時まで | 五五 |

一　この基準の適用については、次に掲げるところによる。
第二種区域、第三種区域又は第四種区域の区域内に所在する学校、保育所、病院、診療所、図書館、老人ホーム及び認定こども園の敷地の周囲おおむね五十メートルの区域内における規制基準は、当該値から五デシベルを減じた値とする。

二　保育所その他の規則で定める場所において、子供（六歳に達する日以後の最初の三月三十一日までの間にある者をいう。以下この表において同じ。）及び子供と共にいる保育者並びにそれらの者と共に遊び、保育等の活動に参加する者が発する次に掲げる音については、この規制基準は、適用しない。

(一)　声
(二)　足音、拍手の音その他の動作に伴う音
(三)　玩具、遊具、スポーツ用具その他これらに類するものの使用に伴う音
(四)　音響機器等の使用に伴う音

備考　騒音の測定方法は、工場及び指定作業場の騒音に係る測定方法の例による。

二　振動

| 区域の区分 | | 時間の区分 | 振動源の存する敷地と隣地との境界線における地盤の振動の大きさ（単位デシベル） |
|---|---|---|---|
| 種別 | 該当地域 | | |
| 第一種区域 | 一　第一種低層住居専用地域<br>二　第二種低層住居専用地域<br>三　第一種中高層住居専用地域<br>四　第二種中高層住居専用地域<br>五　第一種住居地域<br>六　第二種住居地域<br>七　準住居地域<br>八　田園住居地域<br>九　無指定地域（第二種区域に該当する区域を除く。） | 午前八時から午後七時まで | 六〇 |
| | | 午後七時から翌日午前八時まで | 五五 |
| 第二種区域 | 一　近隣商業地域<br>二　商業地域<br>三　準工業地域<br>四　工業地域<br>五　前各号に掲げる地域に接する地先及び水面 | 午前八時から午後八時まで | 六五 |
| | | 午後八時から翌日午前八時まで | 六〇 |

ただし、学校、保育所、病院、診療所、図書館、老人ホーム及び認定こども園の敷地の周囲おおむね五十メートルの区域内における規制基準は、当該値から五デシベルを減じた値とする。

備考　振動の測定方法は、工場及び指定作業場の振動に係る測定方法の例による。

# ○東京における自然の保護と回復に関する条例

平一二・一二・二二
条　例　二　一　六

最終改正　令六・一〇・一一条例一四六

## 第一章　総則

（目的）

**第一条**　この条例は、他の法令と相まって、市街地等の緑化、自然地の保護と回復、野生動植物の保護等の施策を推進することにより、東京における自然の保護と回復を図り、もって広く都民が豊かな自然の恵みを享受し、快適な生活を営むことができる環境を確保することを目的とする。

（自然の定義）

**第二条**　この条例において、「自然」とは、大気、水、土壌及び動植物等を一体として総合的にとらえたもので、人間の生存の基盤である環境をいう。

（開発の考え方）

**第三条**　何人も開発に当たっては、都民の生活を快適にするように心がけ、損なわれる自然を最小限にとどめ、自然が損なわれた場合は、その回復を図らなければならない。

（知事の責務）

**第四条**　知事は、事業者及び都民との連携及び協力の下に、あらゆる施策を通じて、自然の保護と回復に最大の努力を払わなければならない。

（事業者の責務）

**第五条**　事業者は、事業活動を行うに当たっては、自然の保護と回復に自ら努めるとともに、知事が実施する自然の保護と回復に係る施策に協力しなければならない。

（都民の責務）

**第六条**　都民は、樹木及び樹林を保護し、その所有し、又は管理する建築物及びその敷地の緑化を行い、並びに地域の緑化を推進するなど自然の保護と回復に自ら努めるとともに、知事が実施する自然の保護と回復に係る施策に協力しなければならない。

（公共事業における義務）

**第七条**　知事は、道路、公園、港湾、河川、公営住宅等の建設、改修等の公共事業の計画を定め、及びこれを実施するに当たっては、自然の保護と回復に十分配慮しなければならない。

（施策の方針の作成及び公表）

**第八条**　知事は、東京における自然の保護と回復に係る施策のうち、特に重要と認められる施策について、第十二条第一項の東京都自然環境保全審議会の意見を聴いて、その方針を定め、これを明らかにしなければならない。

## 第二章　都民及び区市町村との連携等

（指導者の育成と認定）

**第九条**　知事は、都民による自発的な自然観察、緑化推進、緑地保全等の自然の保護と回復に関する活動を促進するため、普及啓発、技術指導等を行う指導者を育成するよう努めるものとする。

2　知事は、東京都規則（以下「規則」という。）で定めるところにより、前項の指導者について、自然の保護と回復に関する知識、技術等を有する者として、認定を行うことができる。

（都民の協力）

**第十条**　知事は、この条例の規定に違反する疑いのあると認められる行為について都民から通報を受けたときは、その内容について調査を行い、必要な措置をとらなければならない。

2　知事は、自然の保護と回復のために必要であると認めるときは、前項に規定する通報の内容及びその処理の経過を明らかにするものとする。

（区市町村との連携）

**第十一条**　東京都（以下「都」という。）は、自然の保護と回復に係る施策を実施するときは、特別区及び市町村（以下「区市町村」という。）との連携に努めるものとする。

2　都は、区市町村が自然の保護と回復に係る施策を実施するときは、必要と認める支援を行うものとする。

（東京都自然環境保全審議会）

**第十二条**　自然環境保全法（昭和四十七年法律第八十五号）第五十一条第一項の規定に基づき、都における自然の保護と回復に関する重要な事項を調査審議するため、知事の附属機関として、東京都自然環境保全審議会（以下この条において「審議会」という。）を置く。

2　審議会は、知事の諮問に応じ、自然の保護と回復に関する次に掲げる事項を調査審議する。

一　施策の方針に関すること。

二　第十七条第一項の保全地域及び第十八条第一項の保全計画に関すること。

三　第三十九条第一項の東京都希少野生動植物種及び第四十三条第一項の東京都希少野生動植物保護区並

びに第四十四条の保護増殖事業に関すること。

四　第四十七条第三項（第四十八条第三項及び第四十九条第三項において準用する場合を含む。）の許可に関すること。

五　鳥獣の保護及び管理並びに狩猟の適正化に関する法律（平成十四年法律第八十八号）及び温泉法（昭和二十三年法律第百二十五号）の規定によりその権限に属する事項に関すること。

六　東京都自然公園条例（平成十四年東京都条例第九十五号）の規定によりその権限に属する事項及び自然公園法（昭和三十二年法律第百六十一号）第九条第二項の国定公園に関する公園事業に関すること。

七　前各号に掲げるもののほか、重要事項に関すること。

3　審議会は、自然の保護と回復に関する重要事項について、知事に意見を述べることができる。

4　審議会は、二十八人以内の委員で組織する。

5　審議会の委員の任期は、二年とする。

6　特別の事項を調査審議するため必要があるときは、審議会に臨時委員を置くことができる。

7　審議会の委員及び臨時委員は、都民及び自然の保護と回復について学識経験のある者のうちから、知事が委嘱する。

8　審議会の委員及び臨時委員は、非常勤とする。

9　第四項から前項までに定めるもののほか、審議会の組織及び運営に関し必要な事項は、規則で定める。

## 第三章　市街地等の緑化

**（施設等の緑化義務）**

**第十三条**　道路、公園、河川、学校、庁舎等の公共公益施設を設置し、又は管理する者及び事務所、事業所、住宅等の建築物を所有し、又は管理する者は、当該施設、建築物及びこれらの敷地について、植樹するなど、それらの緑化をしなければならない。

**（緑化計画書の届出等）**

**第十四条**　千平方メートル以上の敷地（国及び地方公共団体が有する敷地にあっては、二百五十平方メートル以上とする。）において建築物（建築基準法（昭和二十五年法律第二百一号）第二条第一号に規定する建築物をいう。以下同じ。）の新築、改築、増築その他の規則に定める行為を行おうとする者は、あらかじめ、規則に定める基準に基づき、緑化計画書（地上部及び建築物上の緑化についての計画書）を作成し、知事に届け出なければならない。ただし、第四十七条第一項及び第五項、第四十八条第一項並びに第四十九条第一項に定める行為については、この限りでない。

2　前項の届出を要する行為を行った者は、当該建築物及びその敷地における緑化が完了したときは、遅滞なく、知事に緑化の完了を報告するための書類（以下「緑化完了書」という。）を提出しなければならない。

3　第一項の届出を要する行為を行った者は、その緑地の適切な維持管理に努めなければならない。

**（勧告）**

**第十五条**　知事は、前条第一項の規定による届出を行わずに同項の届出を要する行為に着手した者に対して、当該届出を行うことを勧告することができる。

2　知事は、前条第一項の規定による届出があった場合において、当該届出に係る緑化について、同項の基準に適合しないと認めるときは、当該届出を行った者に対して、必要な措置を講ずることを勧告することができる。

3　第一項の規定は、緑化完了書の提出について準用する。

**（苗木の供給及び農地の保存）**

**第十六条**　知事は、東京を緑豊かな都市にするため、苗木の供給について必要な措置をとらなければならない。

2　知事は、都市計画法（昭和四十三年法律第百号）第七条第一項の規定により定められた市街化区域内の農地であって、自然の保護と回復を図るため特に必要なものについては、苗木の育成の委託又は助成を行うことによって、その保存を図らなければならない。

## 第四章　自然地の保護と回復

### 第一節　保全地域の指定

**（保全地域の指定）**

**第十七条**　知事は、自然の保護と回復を図るため、次の各号の下欄に掲げる土地（水面を含む。）の区域を、それぞれ、その各号の上欄に掲げる保全地域として、指定することができる。

一　自然環境保全地域　自然環境保全法第二十二条第一項の規定により環境大臣が指定する自然環境保全地域に準ずる地域で、その自然を保護することが必要な土地の区域

二　森林環境保全地域　水源を涵（かん）養し、又は多様な動植物が生息し、若しくは生育する良好な自然を形成することができると認められる植林された森林の存する地域で、その自然を回復し、保護することが必要な土地の区域

三　里山保全地域　雑木林、農地、湧水等が一体となって多様な動植物が生息し、又は生育する良好な自然を形成することができると認められる丘陵斜面地及びその周辺の平坦地からなる地域で、その自然を回復し、保護することが必要な土地の区域

四　歴史環境保全地域　歴史的遺産と一体となった自然の存する地域で、その歴史的遺産と併せてその良好な自然を保護することが必要な土地の区域

五　緑地保全地域　前各号に掲げる地域を除き、樹林地、水辺地等が単独で、又は一体となって自然を形成している市街地の近郊の地域で、その良好な自然を保護することが必要な土地の区域

2　自然公園法第二条第一号に規定する自然公園の区域は、前項第一号に規定する自然環境保全地域の区域に含まれないものとする。

3　知事は、保全地域の指定をしようとするときは、あらかじめ、関係区市町村の長及び第十二条第一項の東京都自然環境保全審議会の意見を聴かなければならない。この場合において、次条第一項に規定する保全計画の案についても、併せて、その意見を聴かなければならない。

4　知事は、保全地域を指定しようとするときは、あらかじめ、その旨を公告し、その案をその公告の日から起算して十四日間住民の縦覧に供しなければならない。

5　前項の規定による公告があったときは、その区域の住民及び利害関係人は、同項の縦覧期間の満了の日までに、縦覧に供された案について、知事に意見書を提出することができる。

6　知事は、前項の規定により縦覧に供された案について異議がある旨の意見書の提出があったとき、又は保全地域の指定に関し広く意見を聴く必要があると認めるときは、公聴会を開催するものとする。

7　知事は、保全地域を指定するときは、その旨及びその区域を告示しなければならない。

8　保全地域の指定は、前項の告示によってその効力を生ずる。

9　知事は、保全地域を指定したときは、その旨及びその区域を関係区市町村の長に通知しなければならない。

10　第三項前段及び前三項の規定は保全地域の指定の解除及びその区域の変更について、第三項後段及び第四項から第六項までの規定は保全地域の区域の拡張について、それぞれ準用する。

**（保全計画）**

**第十八条**　保全地域における自然の保護と回復のための方針、規制等に関する計画（以下「保全計画」という。）は、知事が決定する。

2　保全計画には、保全地域ごとに次に掲げる事項を定めるものとする。

一　自然の概況及び特質

二　自然の保護と回復のための方針

三　自然の保護と回復のための規制に関する事項

四　植生管理に関する事項

五　施設に関する事項

六　保全地域の活用その他の運営に関する事項

七　自然環境保全地域及び森林環境保全地域にあっては、その保全地域の自然の特質に即して、特に保護と回復を図るべき土地の区域（以下「特別地区」という。）の指定に関する事項

八　第二十五条第一項の野生動植物保護地区の指定に関する事項

九　その他必要な事項

3　知事は、保全計画を決定したときは、その概要を告示するとともに、関係区市町村の長に通知しなければならない。

4　前条第三項前段及び前項の規定は保全計画の廃止及び変更について、前条第四項から第六項までの規定は保全計画の決定及び変更（第二項第三号又は第七号に掲げる事項に係る変更に限る。）について、それぞれ準用する。

**（保全地域の活用）**

**第十九条**　知事は、保全地域において、都民の自然との触れ合い、学習、体験活動等の機会を確保するよう努めるものとする。この場合において、都以外の者が所有する保全地域にあっては、都民の使用について当該所有する者の同意を得た場合に限る。

**（保全事業）**

**第二十条**　保全地域に関する保全事業（保全計画に基づいて執行する事業であって、第十八条第二項第四号から第六号までに掲げる事項に関するものをいう。以下同じ。）は、知事が執行する。

2　知事は、必要に応じて、区市町村と連携して、保全事業を行うものとする。

（保全事業の承認等）

**第二十一条**　一般社団法人若しくは一般財団法人又は特定非営利活動促進法（平成十年法律第七号）第十条第一項に基づく認証を受けた特定非営利活動法人であって、知事が指定するものは、規則に定めるところにより、知事の承認を受けて、保全事業を行うことができる。

2　知事は、前項の承認に当たっては、保全事業を行うために必要な限度において、条件を付することができる。

3　知事は、第一項の承認を受けた者が保全計画の内容に反した保全事業を行っていると認める場合は、その承認を取り消すことができる。

（特別地区）

**第二十二条**　知事は、保全計画に基づいて、自然環境保全地域内及び森林環境保全地域内に、特別地区を指定することができる。

2　第十七条第七項から第九項までの規定は、特別地区の指定及び指定の解除並びにその区域の変更について準用する。

3　特別地区内においては、次に掲げる行為は、知事の許可を受けなければ、してはならない。

一　建築物その他の工作物を新築し、改築し、又は増築すること。

二　宅地を造成し、土地を開墾し、その他土地の形質を変更すること。

三　鉱物を掘採し、又は土石を採取すること。

四　水面を埋め立て、又は干拓すること。

五　河川、湖沼等の水位又は水量に増減を及ぼさせること。

六　木竹を伐採すること。

七　知事が指定する湖沼又は湿原及びこれらの周辺一キロメートルの区域内においてその湖沼若しくは湿原又はこれらに流水が流入する水域若しくは水路に汚水又は廃水を排水設備を設けて排出すること。

八　道路、広場、田、畑、牧場及び宅地以外の地域のうち知事が指定する区域内において車馬若しくは動力船を使用し、又は航空機を着陸させること。

（普通地区）

**第二十三条**　自然環境保全地域又は森林環境保全地域の区域のうち特別地区に含まれない区域（以下「普通地区」という。）内において次に掲げる行為をしようとする者は、知事に対し、規則で定めるところにより、行為の種類、場所、施行方法、着手予定年月日その他の規則で定める事項を届け出なければならない。

一　その規模が規則で定める基準を超える建築物その他の工作物を新築し、改築し、又は増築すること（改築又は増築後において、その規模が規則で定める基準を超えるものとなる場合における改築又は増築を含む。）。

二　宅地を造成し、土地を開墾し、その他土地（水底を含む。）の形質を変更すること。

三　鉱物を掘採し、又は土石を採取すること。

四　水面を埋め立て、又は干拓すること。

五　特別地区内の河川、湖沼等の水位又は水量に増減を及ぼさせること。

2　知事は、前項の規定による届出があった場合において、自然環境保全地域又は森林環境保全地域における自然の保護と回復のために必要があると認めるときは、その届出をした者に対して、その届出があった日から起算して三十日以内に限り、その自然の保護と回復のために必要な限度において、その届出に係る行為を禁止し、若しくは制限し、又は必要な措置をとるべき旨を命ずることができる。

3　知事は、第一項の規定による届出があった場合において、実地の調査をする必要があるとき、その他前項の期間内に同項の処分をすることができない合理的な理由があるときは、その理由が存続する間、同項の期間を延長することができる。この場合において、同項の期間内に、第一項の規定による届出をした者に対して、その旨及び期間を延長する理由を通知しなければならない。

4　第一項の規定による届出をした者は、その届出をした日から起算して三十日を経過した後でなければ、その届出に係る行為に着手してはならない。

5　知事は、その自然環境保全地域又は森林環境保全地域における自然の保護と回復に支障を及ぼすおそれがないと認めるときは、前項の期間を短縮することができる。

（里山保全地域等）

**第二十四条**　里山保全地域内、歴史環境保全地域内及び緑地保全地域内においては、第二十二条第三項第一号から第六号まで若しくは第八号に掲げる行為又は歴史的遺産の現状を変更する行為（歴史環境保全地域内に限る。）は、知事の許可を受けなければ、してはならない。ただし、歴史環境保全地域内にあっては、歴史的遺産の現状を変更する行為で文化財保護法（昭和二十五年法律第二百十四号）第四十三条第一項若しくは第百二十五条第一項又は東京都文化財保護条例（昭和五十一年東京都条例第二十五号）第十四条第一項（同条例第三十六条において準用する場合を含む。）の許可を受けた者が行うその許可に係るものについては、この限りでない。

（野生動植物保護地区）

**第二十五条**　知事は、保全地域（自然環境保全地域及び森林環境保全地域にあっては、特別地区に限る。以下この条、第二十八条及び第三十一条において同じ。）における特定の野生動植物の保護のために特に必要があると認めるときは、保全計画に基づいて、その区域内に、その保護すべき野生動植物の種類ごとに、野生動植物保護地区を指定することができる。

2　第十七条第七項から第九項までの規定は、前項の野生動植物保護地区の指定及び指定の解除並びにその区域の変更について準用する。

3　何人も、第一項の野生動植物保護地区内においては、その野生動植物保護地区に係る野生動植物（動物の卵を含む。）を、捕獲し、若しくは殺傷し、又は採取し、若しくは損傷してはならない。ただし、次に掲げる場合は、この限りでない。

一　第二十二条第三項の許可を受けた行為（前条の許可に係る行為及び第三十二条第一項後段の協議に係る行為を含む。）を行う場合

二　非常災害のために必要な応急措置を行うためにする場合

三　保全地域に関する保全事業を執行するためにする場合

四　法令に基づいて国又は地方公共団体が行う行為のうち、保全地域における自然の保護と回復に支障を及ぼすおそれがないもので規則で定めるものを行うためにする場合

五　自然公園法第四十三条第一項の規定により締結された風景地保護協定に基づいて同項第一号の風景地保護協定区域内で行う行為であって、同項第二号若しくは第三号に掲げる事項に従って行うもの又は東京都自然公園条例第十八条第一項の規定により締結された風景地保護協定に基づいて同項第一号の風景地保護協定区域内で行う行為であって、同項第二号若しくは第三号に掲げる事項に従って行うものを行う場合

六　通常の管理行為又は軽易な行為のうち、保全地域における自然の保護と回復に支障を及ぼすおそれがないもので規則で定めるものを行うためにする場合

七　前各号に掲げるもののほか、知事が特に必要があると認めて許可した場合

（許可の基準）

**第二十六条**　知事は、第二十二条第三項各号に掲げる行為又は第二十四条に規定する行為で規則で定める基準に適合しないものについては、第二十二条第三項又は第二十四条の許可をしてはならない。

（許可の条件）

**第二十七条**　知事は、第二十二条第三項、第二十四条及び第二十五条第三項第七号の許可には、保全地域における自然の保護と回復のために必要な限度において、条件を付することができる。

（許可の特例）

**第二十八条**　知事は、保全地域を指定し、又はその区域を拡張するときは、併せて、保全計画に基づいて、その区域内において第二十二条第三項又は第二十四条の許可を受けないで行うことができる木竹の伐採の方法及びその限度を指定するものとし、その指定された方法によりその限度内において行う木竹を伐採する行為は、これらの規定による許可を受けることを要しない。

2　保全地域内において非常災害のために必要な応急措置として行う行為は、第二十二条第三項又は第二十四条の規定による許可を受けることを要しない。この場合において、第二十四条に規定する行為又は第二十二条第三項各号に掲げる行為をした者は、その行為をした日から起算して十四日以内に、知事にその旨を届け出なければならない。

3　保全地域内における第二十二条第三項第二号若しくは第三号に掲げる行為又は第二十四条に規定する行為で森林法（昭和二十六年法律第二百四十九号）第二十五条第一項若しくは第二項の規定により指定された保安林の区域又は同法第四十一条の規定により指定された保安施設地区（次条において「保安林等の区域」という。）内において同法第三十四条第二項（同法第四十四条において準用する場合を含む。）の許可を受けた者が行うその許可に係るものについては、第二十二条第三項又は第二十四条の規定による許可を受けることを要しない。

（届出の特例）

**第二十九条**　普通地区内において、第二十三条第一項第二号又は第三号に掲げる行為で森林法第三十四条第二項本文の規定に該当するものを保安林等の区域内においてしようとする者及び第二十三条第一項第一号から第三号までに掲げる行為で海面内において漁具の設置その他漁業を行うために必要とされるものをしようとする者は、同項の届出をすることを要しない。

（許可及び届出の適用除外）

**第三十条**　次に掲げる行為については、第二十二条第三項、第二十四条及び第二十八条の規定は、適用しない。

一　保全地域に関する保全事業として行う行為

二　法令に基づいて国又は地方公共団体が行う行為のうち、保全地域における自然の保護と回復に支障を

及ぼすおそれがないもので規則で定めるもの

三　自然公園法第四十三条第一項の規定により締結された風景地保護協定に基づいて同項第一号の風景地保護協定区域内で行う行為であって、同項第二号若しくは第三号に掲げる事項に従って行うもの又は東京都自然公園条例第十八条第一項の規定により締結された風景地保護協定に基づいて同項第一号の風景地保護協定区域内で行う行為であって、同項第二号若しくは第三号に掲げる事項に従って行うもの

四　通常の管理行為又は軽易な行為のうち、保全地域における自然の保護と回復に支障を及ぼすおそれがないもので規則で定めるもの

2　次に掲げる行為については、第二十三条及び前条の規定は、適用しない。

一　非常災害のために必要な応急措置として行う行為

二　自然環境保全地域又は森林環境保全地域に関する保全事業として行う行為

三　法令に基づいて国又は地方公共団体が行う行為のうち、自然環境保全地域又は森林環境保全地域における自然の保護と回復に支障を及ぼすおそれがないもので規則で定めるもの

四　自然公園法第四十三条第一項の規定により締結された風景地保護協定に基づいて同項第一号の風景地保護協定区域内で行う行為であって、同項第二号若しくは第三号に掲げる事項に従って行うもの又は東京都自然公園条例第十八条第一項の規定により締結された風景地保護協定に基づいて同項第一号の風景地保護協定区域内で行う行為であって、同項第二号若しくは第三号に掲げる事項に従って行うもの

五　通常の管理行為又は軽易な行為のうち、自然環境保全地域又は森林環境保全地域における自然の保護と回復に支障を及ぼすおそれがないもので規則で定めるもの

六　自然環境保全地域又は森林環境保全地域が指定され、又はその区域が拡張された際着手している行為

**（経過措置）**

**第三十一条**　保全地域が指定され、若しくはその区域が拡張された際その保全地域内において第二十二条第三項第一号から第六号まで若しくは第二十四条に掲げる行為に着手し、又は第二十二条第三項第七号に規定する湖沼若しくは湿原が指定された際同号に掲げる行為に着手している者は、その指定又は区域の拡張の日から起算して六月間は、これらの規定にかかわらず、引き続きその行為をすることができる。

2　前項に規定する者が同項の期間内にその行為について知事に届け出たときは、第二十二条第三項又は第二十四条の許可を受けたものとみなす。

**（国等に対する特例）**

**第三十二条**　国の機関又は地方公共団体が行う行為については、第二十二条第三項、第二十四条又は第二十五条第三項第七号の許可を受けることを要しない。この場合において、その国の機関又は地方公共団体は、その行為を行おうとするときは、あらかじめ、知事に協議しなければならない。

2　国の機関又は地方公共団体は、第二十三条第一項又は第二十八条第二項後段の規定により届出を要する行為を行おうとするとき、又は行ったときは、これらの規定による届出の例により、知事にその旨を通知しなければならない。

**（中止命令等）**

**第三十三条**　知事は、保全地域における自然の保護と回復のために必要があると認めるときは、第二十二条第三項、第二十四条若しくは第二十五条第三項の規定に違反した者、第二十三条第一項の規定による届出をせず同項各号に掲げる行為をした者、同条第二項の規定による処分に違反した者又は第二十七条の規定により許可に付せられた条件に違反した者に対して、その行為の中止を命じ、又は相当の期限を定めて、原状回復を命じ、若しくは原状回復が著しく困難である場合に、これに代わるべき必要な措置をとるべき旨を命ずることができる。

2　知事は、規則で定めるところにより、その職員のうちから自然保護取締員を命じ、前項に規定する権限の一部を行わせることができる。

3　前項の職員は、その身分を示す証明書を携帯し、関係人に提示しなければならない。

**（土地の買入れの義務）**

**第三十四条**　都は、保全地域内の土地でその区域の自然の保護と回復のために必要があると認めるものについて、その所有者から第二十二条第三項、第二十四条又は第二十五条第三項第七号の許可を得ることができないため、その土地の利用に著しい支障を来すこととなることにより、その土地を都において買い入れるべき旨の申出があった場合においては、これを買い入れるものとする。

2　都は、東京都自然公園条例第十一条第一項の規定により指定された都立自然公園の特別地域内の土地でその区域の自然の保護のために特に必要があると認めるものについて、その所有者から、同条例第十二条第一項の許可を得ることができないため、その土地の利用に著しい支障を来すこととなることにより、その土地を都において買い入れるべき旨の申出があった場合においては、これを買い入れるものとする。

3　前二項の規定による買入れをする場合における土地の価額は、時価によるものとする。

（買い入れた土地の管理）

**第三十五条**　知事は、前条第一項又は第二項の規定により買い入れた土地及び当該買い入れた土地において設置した施設（以下「公有緑地等」という。）については、この条例の目的に従って適切に管理しなければならない。

**（公有緑地等の使用許可等）**

**第三十六条**　知事は、公有緑地等の使用に関する区市町村の計画が保全計画に適合すると認める場合は、地方自治法（昭和二十二年法律第六十七号）第二百三十八条の四第七項の規定により、当該区市町村に対し、その使用を許可することができる。

2　前項の規定により許可を受けようとする区市町村は、規則に定めるところにより公有緑地等の使用に関する計画書を添えて申請しなければならない。

3　知事は、第一項の許可に当たっては、公有緑地等の管理のために必要な限度において、条件を付することができる。

4　第一項の許可を受けて公有緑地等を使用する区市町村は、その緑地及び施設を適切に管理しなければならない。

**（使用料）**

**第三十七条**　前条第一項の使用許可に伴う使用料に関しては、東京都行政財産使用料条例（昭和三十九年東京都条例第二十六号）に定めるところによる。

### 第二節　湧水等の保全

**第三十八条**　知事は、区市町村と連携して、良好な自然を形成し、水源となる湧水等の保護と回復に努めなければならない。

2　知事は、前項の目的を達成するため、湧水等の保護と回復に関する指針を策定するものとする。

## 第五章　野生動植物の保護

**（東京都希少野生動植物種の指定）**

**第三十九条**　知事は、都内に生息し、又は生育する絶滅のおそれのあるものとして次の各号のいずれかに該当する野生動植物の種（亜種又は変種がある種にあっては、その亜種又は変種とする。以下同じ。）のうち、知事が特に保護する必要があると認める種を東京都希少野生動植物種として指定することができる。

一　種の存続に支障を来す程度にその種の個体の数が著しく少ない野生動植物

二　その種の個体の数が著しく減少しつつある野生動植物

三　その種の個体の主要な生息地又は生育地が消滅しつつある野生動植物

四　その種の個体の生息又は生育の環境が著しく悪化しつつある野生動植物

五　前各号に掲げるもののほか、その種の存続に支障を来す事情がある野生動植物

2　知事は、前項の指定又は指定の解除をしようとするときは、あらかじめ第十二条第一項の東京都自然環境保全審議会の意見を聴かなければならない。

3　知事は、東京都希少野生動植物種の指定又は指定の解除をするときは、その旨を告示しなければならない。

**（東京都希少野生動植物種の所有者等の責務等）**

**第四十条**　東京都希少野生動植物種の個体を所有し、又は占有する者は、その個体を適切に取り扱うように努めなければならない。

2　知事は、東京都希少野生動植物種の個体を所有し、又は占有する者に対し、その個体の取扱いに関して必要な指導及び助言をすることができる。

**（捕獲等の禁止）**

**第四十一条**　東京都希少野生動植物種（絶滅のおそれのある野生動植物の種の保存に関する法律（平成四年法律第七十五号）第四条第三項に規定する国内希少野生動植物種を除く。次条及び第四十三条において同じ。）の個体は、捕獲、採取、殺傷又は損傷（以下「捕獲等」という。）をしてはならない。ただし、次に掲げる場合はこの限りでない。

一　次条第一項の許可を受けてその許可に係る捕獲等をする場合

二　人の生命又は身体の保護その他の規則で定めるやむを得ない理由がある場合

**（捕獲等の許可）**

**第四十二条**　学術研究又は繁殖の目的その他の規則で定める目的で東京都希少野生動植物種の捕獲等をしようとする者は、あらかじめ、規則で定めるところにより、知事の許可を受けなければならない。

2　知事は、次の各号のいずれかに該当する理由があるときは、前項の許可をしてはならない。

一　捕獲等の目的が前項に規定する目的に適合しない場合

二　捕獲等によって東京都希少野生動植物種の保護に支障を及ぼすおそれがある場合として規則で定める場合

三　捕獲等をする者が適切な飼養栽培施設を有しないことその他の理由により捕獲等に係る個体を適切に取り扱うことができないと認められる場合

3　知事は、第一項の許可に当たっては、東京都希少野

生動植物種の保護のために必要な限度において、条件を付することができる。
4　第一項の許可を受けて捕獲等をした者は、その捕獲等に係る個体を、適切な飼養栽培施設に収容することその他の規則で定める方法により適切に取り扱わなければならない。

（東京都希少野生動植物保護区の指定等）
**第四十三条**　知事は、東京都希少野生動植物種の保護のために必要があると認めるときは、その個体の生息地又は生育地及びこれらと一体的にその保護を図る必要がある区域であって、その個体の分布状況及び生態その他その個体の生息又は生育の状況を勘案してその東京都希少野生動植物種の保護のため重要と認めるものを、東京都希少野生動植物保護区として指定することができる。この場合において、第二十五条に定める野生動植物保護地区の区域を含まないものとする。
2　知事は、前項の指定又は指定の解除をするときは、あらかじめ、関係区市町村の長及び第十二条第一項の東京都自然環境保全審議会の意見を聴かなければならない。
3　第十七条第四項から第九項までの規定は、第一項の指定及び指定の解除並びに区域の変更について準用する。
4　東京都希少野生動植物保護区内においては、次に掲げる行為（第十号から第十四号までに掲げる行為については、知事が指定する区域内及びその区域ごとに指定する期間内においてするものに限る。）は、知事の許可を受けなければ、してはならない。
一　建築物その他の工作物を新築し、改築し、又は増築すること。
二　宅地を造成し、土地を開墾し、その他土地（水底を含む。）の形質を変更すること。
三　鉱物を掘採し、又は土石を採取すること。
四　水面を埋め立て、又は干拓すること。
五　河川、湖沼等の水位又は水量に増減を及ぼさせること。
六　木竹を伐採すること。
七　東京都希少野生動植物種の個体の生息又は生育に必要なものとして知事が指定する野生動植物の種の個体その他の物の捕獲等をすること。
八　知事が指定する湖沼又は湿原及びこれらの周辺一キロメートルの区域内においてその湖沼若しくは湿原又はこれらに流水が流入する水域若しくは水路に汚水又は廃水を排水設備を設けて排出すること。
九　道路、広場、田、畑、牧場及び宅地の区域以外の知事が指定する区域内において、車馬若しくは動力船を使用し、又は航空機を着陸させること。
十　第七号の規定により知事が指定した野生動植物の種の個体その他の物以外の野生動植物の種の個体その他の物の捕獲等をすること。
十一　東京都希少野生動植物種の個体の生息又は生育に支障を及ぼすおそれのある動植物の種として知事が指定するものの個体を放ち、又は植栽し、若しくはその種子をまくこと。
十二　東京都希少野生動植物種の個体の生息又は生育に支障を及ぼすおそれのあるものとして知事が指定する物質を散布すること。
十三　火入れ又はたき火をすること。
十四　東京都希少野生動植物種の個体の生息又は生育に支障を及ぼすおそれのある方法として知事が定める方法により、その個体を観察すること。
5　知事は、前項の許可に当たっては、東京都希少野生動植物種の保護のために必要な限度において、条件を付することができる。
6　次に掲げる行為については、第四項の規定は適用しない。
一　非常災害のために必要な応急措置として行う行為
二　自然公園法第四十三条第一項の規定により締結された風景地保護協定に基づいて同項第一号の風景地保護協定区域内で行う行為であって、同項第二号若しくは第三号に掲げる事項に従って行うもの又は東京都自然公園条例第十八条第一項の規定により締結された風景地保護協定に基づいて同項第一号の風景地保護協定区域内で行う行為であって、同項第二号若しくは第三号に掲げる事項に従って行うもの
三　通常の管理行為又は軽易な行為のうち、東京都希少野生動植物種の個体の生息又は生育に支障を及ぼすおそれのないものとして規則で定めるもの
四　前三号に掲げるもののほか、知事が特に必要と認めて許可したもの

（保護増殖事業）
**第四十四条**　知事は、東京都希少野生動植物種の保護のため必要があると認めるときは、第十二条第一項の東京都自然環境保全審議会の意見を聴いて、保護増殖事業を行うものとする。

（移入種の放逐の禁止等）
**第四十五条**　何人も、国内及び国外を問わず人為的に移動した動植物で、都内における地域の在来種を圧迫し、生態系に著しく悪影響を及ぼすおそれのある種の個体を放ち、又は植栽し、若しくはその種子をまいてはならない。
2　何人も事業の実施に当たっては、野生動植物が生息し、又は生育する環境に配慮し、その保護に努めなけ

ればならない。

（中止命令等）

**第四十六条** 知事は、東京都希少野生動植物種の保護のため必要があると認めるときは、第四十二条第三項の規定により付された条件に違反した者又は同条第四項の規定に違反した者に対し、飼養栽培施設の改善その他必要な措置をとるべきことを命ずることができる。

2 知事は、第四十三条第四項の規定により付された条件に違反した者又は同条第五項の規定に違反した者が、その違反行為によって東京都希少野生動植物種の個体の生息地又は生育地の保護に支障を及ぼした場合において、東京都希少野生動植物種の保護のため必要があると認めるときは、これらの者に対し、規則で定めるところにより、その行為の中止を命じ、又は相当の期限を定めて、原状回復を命じ、その他東京都希少野生動植物種の個体の生息地若しくは生育地の保護のため必要な措置をとるべきことを命ずることができる。

3 知事は、規則で定めるところにより、その職員のうちから自然保護取締員を命じ、前項に規定する権限の一部を行わせることができる。

4 前項の職員は、その身分を示す証明書を携帯し、関係人に提示しなければならない。

## 第六章 開発の規制

（開発の許可）

**第四十七条** 樹林地、草地、農地、池沼等の自然地を含む千平方メートル以上の規則で定める土地において、第一号から第七号までの用に供するため、又は第八号若しくは第九号の行為により、土地の形質を変更する行為を行おうとする者は、あらかじめ知事の許可を受けなければならない。ただし、都市計画法第七条第一項の規定により定められた市街化調整区域、保全地域等の地域を除く規則で定める地域にあっては、三千平方メートル以上とする。

一 建築物その他の工作物を新築し、改築し、又は増築すること（次号から第七号までに該当するものを除く。）。

二 住宅を建築すること。

三 ゴルフ場、運動場その他これらに類する屋外運動競技施設を建設すること。

四 遊園地その他これに類する屋外娯楽施設を建設すること。

五 道路（道路交通法（昭和三十五年法律第百五号）第二条第一項第一号に規定する道路をいう。）を建設すること。

六 駐車場、資材置場又は作業場を建設すること。

七 墓地（墓地、埋葬等に関する法律（昭和二十三年法律第四十八号）第二条第五号に規定する墓地をいう。）を建設すること。

八 鉱物を掘採し、又は土石を採取すること。

九 土砂等（埋立て又は盛土の用に供する物で、廃棄物の処理及び清掃に関する法律（昭和四十五年法律第百三十七号）第二条第一項に規定する廃棄物以外のものをいう。）による埋立て及び盛土（第一号から前号までに該当するものを除く。）をすること。

2 知事は、次の各号のいずれにも該当すると認めるときは、前項の許可を行うものとする。

一 前項の許可の申請に係る行為において、規則で定めるところにより、既存樹木等の保護について検討されていること。

二 前項の許可の申請に係る行為が、規則で定める緑地等の基準に適合していること。

三 前項の許可の申請の手続が、規則の規定に違反していないこと。

3 知事は、第一項の許可のうちその許可に係る土地の面積が三万平方メートル以上であるものについて、その土地における行為に係る許可をしようとするときその他知事が特に必要があると認めるときは、あらかじめ第十二条第一項の東京都自然環境保全審議会の意見を聴かなければならない。

4 知事は、第一項の許可に当たっては、自然の保護と回復のために必要な限度において、条件を付することができる。

5 国の機関若しくは地方公共団体が行う行為（第一項の土地の形質を変更する行為をいう。以下この項において同じ。）又は都市計画法による都市計画事業の施行として行う行為若しくは土地区画整理法（昭和二十九年法律第百十九号）による土地区画整理事業の施行として行う行為は、同項の許可を受けることを要しない。この場合において、その国の機関、地方公共団体又は都市計画法第五十九条第四項に定める都市計画事業の施行をしようとする者若しくは土地区画整理法第四条若しくは第十四条に定める土地区画整理事業の施行をしようとする者は、その行為を行おうとするときは、あらかじめ知事に協議しなければならない。

（開発の許可の特例）

**第四十八条** 前条の規定にかかわらず、前条第一項第一号から第七号までの用に供するため、又は第八号若しくは第九号に掲げる行為により土地の形質を変更する行為（以下「開発行為」という。）を行おうとする者は、次の各号のいずれかに定める場合においては、あらかじめ知事の許可を受けなければならない。

一　開発行為を行おうとする土地（以下「行為地」という。）に隣接する土地（以下「隣接地」という。）において行われた開発行為が完了した日から起算して三年を経過する日前に、当該行為地において開発行為を行おうとする場合で、当該行為地の所有者と隣接地の所有者が同一（規則で定める同一と認められる場合を含む。）であり、かつ当該行為地と隣接地とを合わせた土地（以下「開発区域」という。）が規則で定める要件を満たしているとき。

二　隣接地において行われた開発行為と一体と認められる開発行為で規則で定めるものを、行為地において行おうとする場合で、当該行為地における開発行為が、隣接地における開発行為が完了した日から起算して三年を経過する日前に行われ、かつ開発区域が規則で定める要件を満たしているとき。

2　知事は、次の各号のいずれにも該当すると認めるときは、前項の許可を行うものとする。

一　前項の許可の申請に係る行為において、規則で定めるところにより、既存樹木等の保護について検討されていること。

二　前項の許可の申請に係る行為が、規則で定める緑地等の基準に適合していること。

三　前項の許可の申請の手続が、規則の規定に違反していないこと。

3　前条第三項から第五項までの規定は、第一項の許可について準用する。この場合において、「第一項の許可」とあるのは「第四十八条第一項の許可」と、「土地の面積」とあるのは「開発区域の面積」と、「第一項の土地の形質を変更する行為」とあるのは「第四十八条第一項の土地の形質を変更する行為」と読み替えるものとする。

（変更の許可）

**第四十九条**　第四十七条第一項又は前条第一項の許可を受けた者で、行為の規模その他の規則で定める事項を変更しようとするものは、あらかじめ、知事の許可を受けなければならない。ただし、規則で定める軽微な変更をしようとするときは、この限りでない。

2　知事は、次の各号のいずれにも該当すると認めるときは、前項の許可を行うものとする。

一　前項の許可の申請に係る行為において、規則で定めるところにより、既存樹木等の保護について検討されていること。

二　前項の許可の申請に係る行為が、規則で定める緑地等の基準に適合していること。

三　前項の許可の申請の手続が、規則の規定に違反していないこと。

3　第四十七条第三項及び第四項の規定は、第一項の許可について準用する。この場合において、「第一項の許可」とあるのは、「第四十九条第一項の許可」と読み替えるものとする。

（標識の掲示）

**第五十条**　第四十七条第一項、第四十八条第一項又は前条第一項の許可（以下「開発の許可等」という。）を受けた者は、当該開発の許可等に係る土地内の公衆の見やすい場所に、開発の許可等に係る行為が完了するまでの間、氏名又は名称その他の規則で定める事項を記載した標識を掲示しなければならない。

2　前項の標識を掲示した者は、第五十四条第一項により中止を命じられたとき、又は開発の許可等に係る行為を完了し、若しくは廃止したときは、速やかに当該標識を撤去しなければならない。

（廃止の承認）

**第五十一条**　開発の許可等を受けた者は、当該開発の許可等に係る行為を中途で廃止しようとするときは、あらかじめ、原状回復等の計画書を添えてその旨を知事に届け出て、承認を得なければならない。

（休止の届出等）

**第五十二条**　開発の許可等を受けた者は、当該開発の許可等に係る行為を二月以上休止しようとするときは、あらかじめ、その旨を知事に届け出なければならない。休止を解除したときも、同様とする。

2　開発の許可等を受けた者は、前項の休止をするときは、土砂のたい積、崩壊又は流出等の災害の発生等による自然破壊が生じないよう、十分な対策を行わなければならない。

（完了の届出等）

**第五十三条**　開発の許可等を受けた者は、当該開発の許可等に係る行為が完了したときは、完了した日から起算して十四日以内に完了届を提出しなければならない。

2　知事は、前項の完了届が提出されたときは、開発の許可等の内容に適合すると認められるときは、速やかに完了検査済証を同項の規定による提出をした者に交付しなければならない。

（中止命令等）

**第五十四条**　知事は、自然の保護と回復のため必要があると認めるときは、第四十七条第一項、第四十八条第一項若しくは第四十九条第一項の規定に違反した者又は第四十七条第四項（第四十八条第三項及び第四十九条第三項の規定により準用される場合を含む。）の規定により許可に付せられた条件に違反した者に対して、その違反行為の中止を命じ、又は相当の期限を定めて、原状回復を命じ、若しくは原状回復が著しく困難である場合に、これに代わるべき措置をとるべき旨を命ずることができる。

2　知事は、前項の規定により中止又は原状回復若しくは原状回復に代わるべき措置を命じたときは、開発の許可等に係る土地内に規則で定める事項を記載した標識を設置することができる。

（緑地等の管理義務）

**第五十五条**　開発の許可等を受けた者は、規則で定めるところにより、開発の許可等により確保された緑地等（以下この条において「緑地等」という。）の維持その他の必要な管理に係る事項を記載した計画書（以下「緑地等管理計画書」という。）を作成し、規則で定める期間内に、知事に提出しなければならない。

2　前項の規定により緑地等管理計画書を提出した者（以下「緑地等管理計画書提出者」という。）は、規則で定める期間、当該緑地等管理計画書に基づき、緑地等を適切に管理しなければならない。

3　緑地等管理計画書提出者は、規則で定めるところにより、緑地等管理計画書に基づいて実施した緑地等の管理の状況について記載した報告書（以下「緑地等管理状況報告書」という。）を作成し、規則で定める期間内に、知事に提出しなければならない。

4　前二項の規定は、売買その他の事由により、第一項の開発の許可等に係る土地を管理する権原として規則で定めるもの（以下「管理権原」という。）が移転したときは、適用しない。

5　管理権原を有する者は、規則で定める期間内に当該管理権原が移転し、他の者が当該管理権原を有することとなったときは、緑地等管理計画書の写しを、当該管理権原を有することとなった者に交付するよう努めなければならない。

6　第二項の場合を除くほか、管理権原を有する者は、緑地等管理計画書の内容を勘案すること等により、緑地等の適切な管理に努めなければならない。

（勧告）

**第五十五条の二**　知事は、緑地等管理計画書を提出しない者に対して、当該緑地等管理計画書を提出することを勧告することができる。

2　前項の規定は、緑地等管理状況報告書の提出について準用する。

（適用除外）

**第五十六条**　第四十七条及び第四十八条の規定は、次の各号に掲げる行為については、適用しない。

一　自然環境保全法第十七条ただし書若しくは第二十五条第四項の許可に係る行為、同法第十七条第五項第二号若しくは第二十五条第十項第二号若しくは第三号に掲げる行為若しくは同法第二十一条第一項（同法第三十条において準用する場合を含む。）の協議に係る行為又は第二十二条第三項若しくは第二十四条の許可に係る行為、第三十条第一項第二号若しくは第三号に掲げる行為若しくは第三十二条第一項の協議に係る行為

二　自然公園法第二十条第三項若しくは第二十一条第三項の許可に係る行為、同法第二十条第九項第四号若しくは第二十一条第八項第四号に掲げる行為若しくは同法第六十八条の協議に係る行為又は東京都自然公園条例第十二条第一項の許可に係る行為若しくは同条第六項第三号に掲げる行為

三　自然公園法第四十三条第一項の規定により締結された風景地保護協定に基づいて同項第一号の風景地保護協定区域内で行う行為であって、同項第二号若しくは第三号に掲げる事項に従って行うもの又は東京都自然公園条例第十八条第一項の規定により締結された風景地保護協定に基づいて同項第一号の風景地保護協定区域内で行う行為であって、同項第二号若しくは第三号に掲げる事項に従って行うもの

四　都市緑地法（昭和四十八年法律第七十二号）第十四条第一項の許可に係る行為、同条第八項の協議に係る行為又は同条第九項第一号若しくは第三号に掲げる行為

五　森林法第三十四条第二項（同法第四十四条において準用する場合を含む。）の許可に係る行為又は同項第一号若しくは第六号（同法第四十四条において準用する場合を含む。）に掲げる場合に行う行為

六　自然環境保全法又は第二十一条による保全事業の施行として行う行為

七　自然公園法又は東京都自然公園条例による公園事業の施行として行う行為

八　農業、林業又は漁業の用に供する建築物その他の工作物の建築の用に供するために行う行為（都民の健康と安全を確保する環境に関する条例（平成十二年東京都条例第二百十五号）第二条第七号に規定する工場又は同条第八号に規定する指定作業場の建築の用に供するために行う行為及び土砂の搬入を伴う行為を除く。）

九　非常災害のために必要な応急措置として行う行為

## 第七章　雑則

（緑化の義務に関する区市町村条例との関係）

**第五十七条**　区市町村がその条例に基づき定める緑化の基準が、この条例と同等のものとして知事が認めたときは、第十四条の規定は、当該区市町村の区域には適用しない。

（報告及び検査等）
**第五十八条** 知事は、自然の保護と回復のため必要な限度において、第十四条第一項の届出をした者、第二十二条第三項、第二十四条、第二十五条第三項第七号、第四十二条第一項若しくは第四十三条第四項の許可を受けた者、第二十三条第二項の規定により行為を制限され、若しくは必要な措置をとるべき旨を命ぜられた者又は第四十七条第一項、第四十八条第一項若しくは第四十九条第一項の許可を受けた者に対し、その行為の実施状況その他必要な事項について報告を求め、又はその職員に、第十四条第一項の届出に係る行為を行う土地若しくは建物内に立ち入り、保全地域内、東京都希少野生動植物保護区内若しくは第四十二条第一項、第四十三条第四項、第四十七条第一項、第四十八条第一項若しくは第四十九条第一項の許可に係る行為をする土地の区域内の土地若しくは建物内に立ち入り、第十四条第一項、第二十二条第三項各号、第二十三条第一項各号、第二十四条、第二十五条第三項本文、第四十二条第一項、第四十三条第四項各号、第四十七条第一項、第四十八条第一項若しくは第四十九条第一項に掲げる行為の実施状況を検査させ、若しくはこれらの行為の自然に及ぼす影響を調査させることができる。
2 前項の職員は、その身分を示す証明書を携帯し、関係人に提示しなければならない。
3 第一項の規定による権限は、犯罪捜査のために認められたものと解釈してはならない。

（実地調査）
**第五十九条** 知事は、保全地域の指定若しくはその区域の拡張、保全計画の決定若しくは変更又は保全事業の執行その他自然の保護と回復に関し、実地調査のため必要があるときは、それぞれその職員に、他人の土地に立ち入り、標識を設置させ、測量させ、又は実地調査の障害となる木竹若しくは垣、さく等を伐採させ、若しくは除去させることができる。
2 知事は、その職員に前項の規定による行為をさせようとするときは、あらかじめ、土地の所有者（所有者の住所が明らかでないときは、その占有者。以下この条において同じ。）及び占有者並びに木竹又は垣、さく等の所有者にその旨を通知し、意見書を提出する機会を与えなければならない。
3 第一項の職員は、日出前及び日没後においては、宅地又は垣、さく等で囲まれた土地に立ち入ってはならない。
4 第一項の職員は、その身分を示す証明書を携帯し、関係人に提示しなければならない。
5 土地の所有者若しくは占有者又は木竹若しくは垣、さく等の所有者は、正当な理由がない限り、第一項の規定による立入りその他の行為を拒み、又は妨げてはならない。

（損失補償）
**第六十条** 都は、第二十二条第三項、第二十四条、第二十五条第三項第七号若しくは第四十三条第四項の許可を得ることができないため、第二十七条若しくは第四十三条第五項の規定により許可に条件を付せられたため、第二十三条第二項の規定による処分を受けたため、又は前条第一項の規定による職員の行為のため損失を受けた者に対して、通常生ずべき損失を補償する。
2 前項の補償を受けようとする者は、知事にこれを請求しなければならない。
3 知事は、前項の規定による請求を受けたときは、補償すべき金額を決定し、その請求者にこれを通知しなければならない。

（自然の保護と回復のための要請）
**第六十一条** 知事は、自然の保護と回復のため必要があると認めるときは、事業者又は関係行政機関の長に対し、事業の実施状況その他必要な事項について報告を求めることができる。
2 知事は、必要があると認めるときは、前項の事業者又は関係行政機関の長に対して、自然の保護と回復に必要な措置をとるべきことを要請するものとする。

（自然破壊事実の公表）
**第六十二条** 知事は、この条例の規定に違反して著しく自然を破壊している者があるときは、その破壊の事実を都民に公表しなければならない。

（委任）
**第六十三条** この条例に規定するものを除くほか、この条例の施行に関し必要な事項は、規則で定める。

## 第八章 罰則

**第六十四条** 次の各号のいずれかに該当する者は、一年以下の拘禁刑又は五十万円以下の罰金に処する。
一 第三十三条第一項（同条第二項の場合を含む。）又は第四十六条第一項若しくは第二項（同条第三項の場合を含む。）の規定による命令に違反した者
二 第四十一条の規定に違反した者

**第六十五条** 次の各号のいずれかに該当する者は、六月以下の拘禁刑又は三十万円以下の罰金に処する。
一 第二十二条第三項、第二十四条、第二十五条第三項又は第四十三条第四項の規定に違反した者
二 第二十七条の規定により許可に付せられた条件に違反した者

三　第五十四条第一項の規定による命令に違反した者

**第六十六条**　第二十三条第二項の規定による処分又は第四十七条第一項、第四十八条第一項若しくは第四十九条第一項の規定に違反した者は、三十万円以下の罰金に処する。

**第六十七条**　次の各号の一に該当する者は、二十万円以下の罰金に処する。

一　第十四条第一項、第二十三条第一項、第五十一条の規定による届出をせず、又は虚偽の届出をした者

二　第二十三条第四項の規定に違反した者

三　第五十八条第一項の規定による報告をせず、若しくは虚偽の報告をし、又は立入検査若しくは立入調査を拒み、妨げ、若しくは忌避した者

四　第五十九条第五項の規定に違反して、同条第一項の規定による立入りその他の行為を拒み、又は妨げた者

**第六十八条**　法人の代表者又は法人若しくは人の代理人、使用人その他の従業員が、その法人又は人の業務に関して前四条の違反行為をしたときは、行為者を罰するほか、その法人又は人に対して、各本条の罰則を科する。

**第六十九条**　第五十三条第一項の規定による届出をせず、又は虚偽の届出をした者は、五万円以下の過料に処する。

**附　則**

**（施行期日）**

1　この条例は、平成十三年四月一日（以下「施行日」という。）から施行する。

**（経過措置）**

2　この条例の施行の際、現にこの条例による改正前の東京における自然の保護と回復に関する条例（以下「改正前の条例」という。）第十八条の規定に基づき委嘱されているみどりの推進委員は、施行日から起算して一年以内に限り、存続することができる。

3　この条例の施行の際、現に改正前の条例第二十六条第一項の規定に基づき指定されている緑化地区は、施行日から起算して四年以内に限り存続することができる。

4　この条例の施行の際、現に改正前の条例第二十八条の規定に基づき認定されている緑化協定は、この条例による改正後の東京における自然の保護と回復に関する条例（以下「改正後の条例」という。）の規定にかかわらず、なおその効力を有する。

5　この条例の施行の際、改正後の条例第四十七条第一項の許可を要する行為に相当する行為で、施行日前に着手しているものについては、同項の許可を要しない。この場合において、施行日以後において当該相当する行為の規模を変更しようとする場合で、その規模の変更後に増加する土地の面積が同項に規定する面積を超えるときは、同項を適用するものとする。

6　この条例の施行前に改正前の条例の規定によりした処分、手続その他の行為は、改正後の条例中にこれに相当する規定がある場合には、改正後の条例の相当規定によってしたものとみなす。

7　改正前の条例第五十一条第一項の許可を受け、施行日以後に行う改正後の条例第四十九条第一項の規定に定める変更に相当する行為については、なお従前の例による。

8　都は、相当数の区市町村において改正後の条例第十四条に定める措置と同様の措置が講じられたと認めるときは、同条及び関連する規定を見直すものとする。

9　この条例の施行前にした行為及びこの条例の附則においてなお従前の例によることとされる場合におけるこの条例の施行後にした行為に対する罰則の適用については、なお従前の例による。

**附　則**（令六・一〇・一一条例一四六）

**（施行期日）**

1　この条例は、令和七年六月一日から施行する。

**（経過措置）**

2　この条例の施行前にした行為に対する罰則の適用については、なお従前の例による。

3　この条例の施行後にした行為に対して、他の条例の規定によりなお従前の例によることとされる罰則を適用する場合において、当該罰則に定める刑に刑法等の一部を改正する法律（令和四年法律第六十七号）第二条の規定による改正前の刑法（明治四十年法律第四十五号）第十二条に規定する懲役（有期のものに限る。以下「懲役」という。）が含まれるときは、当該刑のうち懲役は、その刑と長期及び短期を同じくする有期拘禁刑とする。

# ○東京都環境影響評価条例

昭五五・一〇・二〇
条　例　九　六

最終改正　平三〇・一二・二七条例一一九

## 第一章　総則

（目的）

**第一条**　この条例は、環境影響評価及び事後調査の手続に関し必要な事項を定めることにより、計画の策定及び事業の実施に際し、公害の防止、自然環境及び歴史的環境の保全、景観の保持等（以下「環境の保全」という。）について適正な配慮がなされることを期し、もつて都民の健康で快適な生活の確保に資することを目的とする。

（定義）

**第二条**　この条例において次の各号に掲げる用語の意義は、それぞれ当該各号に定めるところによる。

一　環境影響評価　環境に著しい影響を及ぼすおそれのある事業の実施が環境に及ぼす影響について事前に調査、予測及び評価（以下「調査等」という。）を行うとともに、これらを行う過程において、その事業に係る環境の保全のための措置を検討し、この措置が講じられた場合における環境に及ぼす影響を予測し、及び評価することをいう。

二　計画段階環境影響評価　個別計画又は広域複合開発計画（以下「対象計画」という。）の策定に際し、環境影響評価を行うことをいう。

三　事業段階環境影響評価　対象事業の実施に際し、環境影響評価を行うことをいう。

四　事後調査　対象事業に係る工事の施行中及び完了後に当該対象事業が環境に及ぼす影響について調査することをいう。

五　対象事業　別表に掲げる事業でその実施が環境に著しい影響を及ぼすおそれのあるものとしてその内容及び規模が東京都規則（以下「規則」という。）で定める要件に該当するものをいう。

六　個別計画　単数の別表に掲げる事業であつて、その内容及び規模が規則で定める要件に該当するものに係る計画のうち、当該事業の実施場所、規模その他規則で定める基本的な事項を定める計画（広域複合開発計画を構成する事業に係る計画を含む。）をいう。

七　広域複合開発計画　規則で定める面積以上の地域において、複数の別表に掲げる事業について実施（異なる時期の実施を含む。）を予定し、その実施が複合的かつ累積的に環境に著しい影響を及ぼすおそれのある開発計画であつて、対象地域、規模その他規則で定める基本的な事項を定める計画をいう。

八　事業者　対象計画を策定しようとする者又は対象事業を実施しようとする者若しくは対象事業を実施する者が定まつていない場合にあつては知事が対象事業を実施しようとする者であると認める者をいう。

九　計画段階関係地域　事業者が対象計画を策定しようとする地域及びその周辺地域で当該対象計画に基づく事業の実施が環境に影響を及ぼすおそれがある地域として、第十三条及び第三十条第一項の規定により知事が定める地域をいう。

十　事業段階関係地域　事業者が対象事業を実施しようとする地域及びその周辺地域で当該対象事業の実施が環境に影響を及ぼすおそれがある地域として、第四十九条第一項の規定により知事が定める地域をいう。

十一　計画段階関係区市町村長　計画段階関係地域を管轄する特別区の区長及び市町村長をいう。

十二　事業段階関係区市町村長　事業段階関係地域を管轄する特別区の区長及び市町村長をいう。

十三　許認可等　法令又は条例に基づく許可、認可、特許、免許、指示、命令、承認、確認、届出の受理その他これらに類する行為又は都市計画法（昭和四十三年法律第百号）の規定による都市計画の決定（変更を含む。以下同じ。）をいう。

十四　許認可権者　許認可等の権限を有する者をいう。

（知事の基本的責務）

**第三条**　知事は、良好な環境を保全し、もつて都民の健康で快適な生活を確保するため、この条例に定める手続が適正かつ円滑に行われるよう努めなければならない。

（調査等の方法の研究等）

**第四条**　知事は、この条例に定める手続の適正かつ円滑な運用を図るため、調査等の方法の研究及び開発、環境影響評価に係る情報の収集及び整理その他の必要な措置を講ずるよう努めなければならない。

（資料の公開）

**第五条**　知事は、都民（東京都の区域内に事務所又は事業所を有する法人その他の団体を含む。以下同じ。）、事業者並びに特別区の区長及び市町村長に、この条例に定める手続の実施に関し必要な資料を公開し、又は提供するよう努めなければならない。

(区市町村長との連携)

**第六条**　知事は、この条例の施行に当たつては、特別区の区長及び市町村長と緊密な連携を保ち、その理解と協力を求めるよう努めなければならない。

(事業者の責務)

**第七条**　事業者は、対象計画の策定及び対象事業の実施に際し、環境の保全について適正な配慮をするため、その責任と負担において、この条例に定める手続を誠実に履行しなければならない。

(都民の責務)

**第八条**　都民は、この条例に定める手続の実施に積極的に参加し、環境影響評価の制度の適正な運営に協力しなければならない。

(環境影響評価の項目)

**第九条**　環境影響評価の項目は、公害の防止、生活環境、自然環境、歴史的環境、人と自然との豊かな触れ合い、環境への負荷等について、規則で定めるもののうちから選択するものとする。

(技術指針の作成)

**第十条**　知事は、既に得られている科学的知見に基づき、対象計画の策定及び対象事業の実施が環境に及ぼす影響を明らかにするために必要な調査等についての項目、方法、範囲その他の事項について、技術上の指針(以下「技術指針」という。)を定めるものとする。

2　技術指針については、常に適切な科学的判断が加えられ、必要な改定が行われなければならない。

3　知事は、技術指針を定め、又は改定しようとするときは、東京都環境影響評価審議会(以下「審議会」という。)の意見を聴かなければならない。

4　知事は、技術指針を定め、又は改定したときは、その内容を公示しなければならない。

## 第二章　計画段階環境影響評価の手続

### 第一節　環境配慮書の作成等

(環境配慮書の作成)

**第十一条**　事業者は、対象計画を策定しようとするときは、技術指針に基づき、社会的要素及び経済的要素を踏まえ、採用可能なものとして、実施場所又は対象地域、規模その他規則で定める要件が異なる複数の対象計画の案(以下「複数の対象計画案」という。)を策定し、当該複数の対象計画案が環境に及ぼす影響について調査等を行うとともに、規則で定めるところにより次に掲げる事項を記載した環境配慮書及びその概要(以下「環境配慮書等」という。)を作成し、知事に提出しなければならない。

一　事業者の氏名及び住所(法人にあつては、名称、代表者の氏名及び主たる事務所の所在地)

二　対象計画の案の名称、目的及び内容

三　対象計画の案に基づく事業の必要性及び複数の対象計画案の策定に至つた経過

四　複数の対象計画案ごとの環境影響評価の項目

五　複数の対象計画案の策定に当たり環境上配慮する目標及び方針

六　複数の対象計画案の策定に当たつての考え方及び内容の比較

七　複数の対象計画案ごとの環境に及ぼす影響の予測及び評価

八　複数の対象計画案ごとの事業の実施を予定する地域及びその周辺地域で当該事業の実施が環境に影響を及ぼすおそれがある地域並びにその地域の概況

九　前各号に掲げるもののほか、規則で定める事項

2　事業者は、前項の規定により環境配慮書等を作成するに当たり、第四十条第一項第四号に規定する対象事業に係る調査等の手法に相当する事項を記載できるときは、当該対象事業に係る調査等の手法について、環境配慮書等に記載し、提出することができる。

3　知事は、一又は二以上の事業者が相互に関連する二以上の対象計画を策定しようとするときは、これらの事業者に対し、これらの対象計画について、併せて環境配慮書等を作成し、提出するよう求めるものとする。

4　二以上の事業者が一の対象計画又は相互に関連する二以上の対象計画を策定しようとする場合において、これらの事業者のうちから代表する者を定めたときは、その代表する者が、当該一の対象計画について環境配慮書等を作成し、又は当該二以上の対象計画について併せて環境配慮書等を作成し、提出しなければならない。

(複数の対象計画案を策定できない場合の書面の提出等)

**第十二条**　事業者(前条第四項又は第四十条第三項(第四十八条第二項において準用する場合を含む。)の規定により、代表する者が定められたときは、当該代表する者。第一号、第二十一条第一項、第二十三条、第三十二条第一項第一号、第三十五条において準用する第二十三条、第三十七条第三項、第四十条第一項第一号、第四十八条第一項第一号、第五十五条第一項第一号、第五十八条第二項第一号、第六十一条、第六十二条第三項及び第六十六条第一項第一号を除き、この章から第四章までにおいて同じ。)は、前条の規定にかかわらず、複数の対象計画案を策定できないときは、環境配慮書等の提出に代えて、規則で定めるところに

より、次に掲げる事項を記載した書面を知事に提出しなければならない。

一　事業者の氏名及び住所（法人にあつては、名称、代表者の氏名及び主たる事務所の所在地）

二　対象計画の案の名称、目的及び内容の概要

三　対象計画の案の策定に当たり環境上配慮する事項

四　対象計画の案に基づく事業の実施を予定する地域及びその周辺地域で当該事業の実施が環境に影響を及ぼすおそれがある地域並びにその地域の概況

五　複数の対象計画案を策定できない理由

2　知事は、前項の規定による書面の提出があつたときは、当該書面の写しを審議会に送付するとともに、当該書面に記載された対象計画の案の内容について更に環境上配慮すべき事項、複数の対象計画案を策定できない理由の妥当性その他の事項に関し審議会の意見を聴かなければならない。

3　知事は、前項の規定により審議会の意見を聴いたときは、これを勘案して、環境の保全の見地から、環境上配慮すべき事項等について意見書を作成しなければならない。

4　知事は、前項の意見書を作成したときは、当該意見書を事業者に送付するとともに、その内容を公表するものとする。

5　事業者は、前項の規定による意見書の送付を受けたときは、速やかに当該意見書を勘案して検討を加え、対象計画について複数の対象計画案を策定するときは第一号に規定する措置を、複数の対象計画案を策定しないときは個別計画にあつては第二号に規定する措置を、広域複合開発計画にあつては第三号に規定する措置をとらなければならない。

一　この章の規定による計画段階環境影響評価の手続（第八項の規定により読み替えて適用される場合を除く。）を行うことを、規則で定めるところにより、書面をもつて知事に報告すること。

二　この章の規定（この条を除く。）による計画段階環境影響評価の手続を行わないこと及び複数の対象計画案が策定できないことの理由を、規則で定めるところにより、書面をもつて知事に報告すること。

三　第八項の規定により読み替えて適用されるこの章の規定による計画段階環境影響評価の手続を行うこと及び複数の対象計画案が策定できないことの理由を、規則で定めるところにより、書面をもつて知事に報告すること。

6　知事は、前項の書面の提出があつた場合は、その書面に記載された内容について、次の各号に掲げる場合に応じ、当該各号に掲げる措置を行うものとする。

一　前項に規定する書面に記載された内容が相当であると認めるとき。　当該書面の内容を承認し、規則で定めるところにより、その旨を事業者に通知するとともに、当該書面及び知事が承認した旨を公表すること。

二　前項に規定する書面に記載された内容が相当でないと認めるとき。　当該書面の内容を承認せず、規則で定めるところにより、その旨を事業者に通知するとともに、当該書面及び知事が承認しない旨を公表すること。

7　第五項第二号に規定する措置をとつた事業者で、前項の規定による承認を受けたものに係る対象計画については、この章の規定（この条を除く。）は適用しない。

8　第五項第三号の措置をとつた事業者で、第六項の承認を受けたものに係る対象計画については、前条第一項中「実施場所又は対象地域、規模その他規則で定める要件が異なる複数の対象計画の案（以下「複数の対象計画案」という。）」とあるのは「単数の対象計画の案」と、「当該複数の対象計画案」とあるのは「当該単数の対象計画の案」と、同項第三号中「複数の対象計画案」とあるのは「単数の対象計画の案」と、同項第四号中「複数の対象計画案ごと」とあるのは「単数の対象計画の案」と、同項第五号中「複数の対象計画案」とあるのは「単数の対象計画の案」と、同項第六号中「複数の対象計画案」とあるのは「単数の対象計画の案」と、「考え方及び内容の比較」とあるのは「考え方」と、同項第七号及び第八号中「複数の対象計画案ごと」とあるのは「単数の対象計画の案」と読み替えてこの章の規定を適用する。

**（計画段階関係地域の決定及び環境配慮書等の送付）**

**第十三条**　知事は、第十一条の規定による環境配慮書等の提出があつたときは、遅滞なく、規則で定めるところにより計画段階関係地域を定め、当該計画段階関係地域を定めた旨を計画段階関係区市町村長及び事業者に通知するとともに、当該環境配慮書等の写しを計画段階関係区市町村長に送付しなければならない。

**（審議会への諮問）**

**第十四条**　知事は、前条の規定により計画段階関係地域を定めたときは、第十一条の規定により提出された環境配慮書等の写しを審議会に送付するとともに、第二十二条第一項の規定による環境配慮書審査意見書の作成について、審議会に諮問しなければならない。

**（近隣県市町村長との協議）**

**第十五条**　知事は、第十一条の規定による環境配慮書等の提出があつた場合において、当該環境配慮書に記載されている同条第一項第八号に掲げる地域に東京都の

区域に属しない地域が含まれているときは、当該地域を管轄する県の市町村長（以下「近隣県市町村長」という。）に当該環境配慮書等の写しを送付し、当該地域についての対象計画に係る計画段階環境影響評価の手続の実施について、近隣県市町村長と協議するものとする。

### 第二節　環境配慮書に関する周知及び意見

**（環境配慮書についての公示及び縦覧）**

**第十六条**　知事は、第十三条の規定により計画段階関係地域を定めたときは、遅滞なく、当該計画段階関係地域の範囲及び環境配慮書等の提出があつた旨その他規則で定める事項を公示し、当該環境配慮書を、公示の日から起算して三十日間、規則で定めるところにより縦覧に供しなければならない。

**（説明会の開催等）**

**第十七条**　事業者は、前条の縦覧期間内に、環境配慮書の内容を計画段階関係地域の住民に周知するため、計画段階関係地域内において説明会を開催するほか、当該環境配慮書の要旨を記載した書類の配布その他の必要な措置を講じなければならない。この場合において、計画段階関係地域内に説明会を開催する適当な場所がないときは、計画段階関係地域の周辺の地域において説明会を開催することができる。

2　事業者は、前項の規定による説明会の開催の日時、場所その他の事項及び同項の規定による周知のための措置を、規則で定めるところにより知事に届け出なければならない。

3　知事は、事業者が第一項の説明会を正当な理由がなく開催しないときは、当該事業者に対し、期限を付して、説明会を開催するよう求めなければならない。この場合において、知事は、前条の縦覧期間内に説明会を開催することが困難であると認めるときは、第一項の規定にかかわらず、当該縦覧期間を経過した後であつても説明会を開催するよう求めることができる。

4　第一項の説明会及び前項の規定により知事が開催するよう求めた説明会は、開催することができない正当な理由がある場合は、開催することを要しない。

5　事業者は、第一項又は第三項の規定により説明会を開催したときはその実施状況を、前項の規定により説明会を開催しなかつたときはその理由を、規則で定めるところにより、知事に報告しなければならない。

**（都民の意見書の提出）**

**第十八条**　都民は、第十六条の規定により縦覧に供された環境配慮書の内容について、同条の公示の日から起算して四十五日以内に、環境の保全の見地からの意見書を知事に提出することができる。

2　知事は、前項の規定による意見書の提出があつたときは、その写しを事業者、計画段階関係区市町村長及び審議会に送付しなければならない。

**（計画段階関係区市町村長の意見）**

**第十九条**　知事は、計画段階関係区市町村長に対して、環境配慮書の内容について、第十六条の公示の日から起算して四十五日を超えない期限を指定して、環境の保全の見地からの意見を求めなければならない。

2　知事は、前項の求めに応じて意見を記した書面の提出があつたときは、その写しを事業者、計画段階関係区市町村長及び審議会に送付しなければならない。

**（都民の意見を聴く会の開催等）**

**第二十条**　知事は、第十六条の縦覧期間を経過した後、第十一条の規定により提出された環境配慮書の内容について都民の意見を聴くため、都民の意見を聴く会を開催しなければならない。ただし、第十八条第一項の意見書の提出がない場合は、この限りでない。

2　知事は、前項の規定により都民の意見を聴く会を開催しようとするときは、その日時、場所その他必要な事項を開催予定日の十五日前までに公示しなければならない。

3　知事は、第一項の規定により都民の意見を聴く会を開催したときは、その記録を作成し、その写しを事業者、計画段階関係区市町村長及び審議会に送付しなければならない。

4　知事は、必要があると認めるときは、都民の意見を聴く会に第七十条第一項の委員、同条第二項の臨時委員及び第七十一条第一項の専門員を参加させるものとする。

5　前各項に定めるもののほか、都民の意見を聴く会について必要な事項は、規則で定める。

**（事業者の意見を聴く会の開催）**

**第二十一条**　知事は、前条第一項の規定により都民の意見を聴く会を開催した後、第十一条の規定により提出された環境配慮書の内容並びに第十八条第一項の規定により提出された意見書、第十九条第一項の求めに応じて提出された計画段階関係区市町村長の意見及び前条第三項の規定により記録された都民の意見を聴く会の意見に対する見解について事業者の意見を聴くため、事業者の意見を聴く会を開催しなければならない。

2　知事は、前項の規定により事業者の意見を聴く会を開催しようとするときは、その日時、場所その他必要な事項を事業者に通知しなければならない。

3　前条第三項及び第四項の規定は、事業者の意見を聴く会について準用する。この場合において、同条第三項及び第四項中「都民の意見を聴く会」とあるのは

「事業者の意見を聴く会」と読み替えるものとする。

4　前三項に定めるもののほか、事業者の意見を聴く会について必要な事項は、規則で定める。

### 第三節　環境配慮書審査意見書の作成等

**（環境配慮書審査意見書の作成等）**

**第二十二条**　知事は、第十四条の規定による諮問について審議会の答申を受けたときは、第十一条の規定により提出された環境配慮書について、次に掲げる事項を勘案して、環境の保全の見地から審査し、その結果に基づく意見（個別計画に係る環境配慮書にあつては、第二十五条に規定する調査計画書の作成等の免除についての意見を含む。）を記載した環境配慮書審査意見書を作成しなければならない。

一　第十八条第一項の意見書

二　第十九条第一項の求めに応じて提出された計画段階関係区市町村長の意見

三　第二十条第三項の規定により記録された都民の意見を聴く会の意見

四　前条第三項において準用する第二十条第三項の規定により記録された事業者の意見を聴く会の意見

2　知事は、前項の環境配慮書審査意見書を作成したときは、当該環境配慮書審査意見書を事業者に、その写しを計画段階関係区市町村長に送付するとともに、その内容を公表するものとする。

**（環境配慮書審査意見書の尊重）**

**第二十三条**　事業者は、対象計画を策定するに当たつては、前条第二項の規定により送付された環境配慮書審査意見書の内容を尊重するものとする。

**（対象計画を策定した場合の報告等）**

**第二十四条**　事業者は、対象計画を策定したときは、規則で定めるところにより、次に掲げる事項を記載した書面を作成し、調査計画書（次条に規定する調査計画書の作成等の免除の適用を受ける場合にあつては、評価書案）を提出するときまでに知事に提出しなければならない。

一　策定した対象計画及びその概要

二　対象計画を策定した理由

三　環境配慮書審査意見書に記載した知事の意見等に基づき環境に配慮した内容

2　事業者は、第二十二条第一項の環境配慮書審査意見書を受領した日から一年を超えて対象計画を策定しない場合は、速やかに、規則で定めるところにより書面を知事に提出するものとする。

3　知事は、前二項に規定する書面の提出があつたときは、その内容を公表するものとする。

**（調査計画書の作成等の免除）**

**第二十五条**　事業者が第十一条第二項の規定により環境配慮書を提出した場合において、知事が当該環境配慮書を第四十条第一項第四号に規定する対象事業に係る調査等の手法に相当する事項が記載されたものであると環境配慮書審査意見書において認めるときは、当該環境配慮書に係る対象事業については、第四十条から第四十七条までの規定は適用しない。

**（広域複合開発計画を構成する個別計画に係る計画段階環境影響評価の免除等）**

**第二十六条**　知事は、広域複合開発計画について計画段階環境影響評価が実施された場合で、個別計画を策定しようとする事業者から、当該広域複合開発計画に係る計画段階環境影響評価において当該個別計画に係る計画段階環境影響評価が十分に行われているものとして、規則で定めるところにより、計画段階環境影響評価の手続の免除の申請があつたときは、審議会の意見を聴いた上で、当該個別計画の計画段階環境影響評価が、第十一条から第二十四条までの規定を適用した場合と同程度に行われていると認める場合は、当該計画段階環境影響評価の手続の免除について承認することができる。

2　知事は、前項の規定により承認し、又は承認しないことを決定したときは、その旨を、事業者に対し、規則で定めるところにより、書面をもつて通知するとともに公表するものとする。

3　第一項の規定による承認を受けた事業者が策定する個別計画については、この章の規定（この条を除く。）は適用しない。

**（対象計画が環境配慮書と異なる場合の取扱い）**

**第二十七条**　知事は、第二十四条第一項の規定により提出された対象計画が第十一条の規定により提出された環境配慮書の対象計画の案と異なる場合において、当該対象計画の内容が環境に著しい影響を及ぼすおそれがあると認めるときは、審議会の意見を聴いた上で、事業者に対し、広域複合開発計画にあつては計画段階環境影響評価の手続の全部又は一部を再度実施するよう求めるものとし、個別計画にあつては第二十五条の規定が適用される場合であつても第四十条第一項に規定する調査計画書の作成及びこれに引き続く事業段階環境影響評価の手続を求めるものとする。

2　前項に規定する場合において、第二十五条の規定により知事が、環境配慮書に第四十条第一項第四号に規定する対象事業に係る調査等の手法に相当する事項が記載されたものであると認めるときで、かつ、審議会の意見を聴いた上で当該対象計画の内容が環境に著しい影響を及ぼすおそれがないと認めるときは、個別計画については、第四十条から第四十七条までの規定は適用しない。

3　知事は、前二項の場合は、規則で定めるところにより、書面によりその旨を事業者に通知するとともに公表するものとする。

**（計画段階環境影響評価の手続における都民等の意見聴取に係る手続の特例）**

**第二十八条**　事業者は、対象計画の策定に当たつては、知事の承認を得て、第十八条から第二十条までに規定する都民及び計画段階関係区市町村長の意見の聴取に代わるものとして、自ら当該対象計画に係る環境配慮書の内容について規則で定める方法により、都民等の意見の聴取を行うことができる。

2　事業者は、前項に規定する承認を受けようとするときは、規則で定めるところにより、知事に申請しなければならない。

3　第一項の場合においては、事業者は、聴取した都民等の意見の内容等について、規則で定めるところにより、知事に報告書を提出しなければならない。

4　知事は、前項の報告書の提出があつたときは、その写しを審議会及び計画段階関係区市町村長に送付するものとする。

### 第四節　計画段階環境影響評価の手続において評価書案の作成等に相当する環境影響評価を行う場合の特例

**（特例環境配慮書の作成等及び評価書案の作成等の免除の申請）**

**第二十九条**　個別計画に係る計画段階環境影響評価の手続において、技術指針に基づき第四十八条第一項に規定する評価書案の作成等に相当する環境影響評価を行おうとする事業者で、当該個別計画について第四十条から第五十七条までに規定する評価書案の作成等の免除を受けようとするものは、第十一条第一項に規定する環境配慮書に第四十八条第一項に規定する評価書案に相当する内容を記載したもの（以下「特例環境配慮書」という。）及びその概要（以下「特例環境配慮書等」という。）を作成し、知事に提出するとともに、規則で定める書面により、知事に申請しなければならない。

**（特例環境配慮書等の送付及び計画段階関係地域の決定）**

**第三十条**　知事は、前条に規定する申請書の提出があつたときは、第十一条第一項第八号に規定する地域を管轄する特別区の区長及び市町村長に特例環境配慮書等の写し及び当該申請書の写しを送付し、当該特別区の区長及び市町村長の意見を聴いた上で、規則で定める期間内に計画段階関係地域を定めなければならない。

2　知事は、前項の規定により計画段階関係地域を定めたときは、その旨を計画段階関係区市町村長及び事業者に通知しなければならない。

**（審議会への諮問）**

**第三十一条**　知事は、前条第一項の規定により計画段階関係地域を定めたときは、第二十九条の規定により提出された特例環境配慮書等の写し及び申請書の写しを審議会に送付するとともに、第三十三条第一項の規定による特例環境配慮書審査意見書の作成及び当該申請書の内容について、審議会に諮問しなければならない。

**（特例環境配慮書に係る見解書の作成）**

**第三十二条**　第二十九条に規定する申請を行つた事業者は、第三十五条において準用する第十八条第一項の意見書及び第三十五条において準用する第十九条第二項の計画段階関係区市町村長の意見を記載した書面の写しの送付を受けたときは、これらの意見書等に対する見解を明らかにするために、規則で定めるところにより、次に掲げる事項を記載した特例環境配慮書に係る見解書を作成し、知事に提出しなければならない。

一　事業者の氏名及び住所（法人にあつては、名称、代表者の氏名及び主たる事務所の所在地）

二　対象計画の案の名称、目的及び内容

三　第三十条の規定により知事が定めた計画段階関係地域

四　第三十五条において準用する第十八条第一項の意見書及び第三十五条において準用する第十九条第一項の求めに応じて提出された計画段階関係区市町村長の意見の概要

五　前号に掲げる意見書及び意見についての事業者の見解

六　前各号に掲げるもののほか、規則で定める事項

2　第十六条、第二十条及び第二十八条の規定は、前項の規定により提出された見解書について準用する。この場合において、第十六条中「第十三条」とあるのは「第三十条第一項」と、「環境配慮書等」とあるのは「見解書」と、「当該環境配慮書」とあるのは「当該見解書」と、「三十日間」とあるのは「二十日間」と、第二十条第一項中「第十六条」とあるのは「第三十二条第二項において準用する第十六条」と、「第十一条」とあるのは「第三十二条第一項」と、「環境配慮書」とあるのは「見解書（第二十九条の規定により提出された特例環境配慮書を含む。）」と、「第十八条第一項」とあるのは「第三十五条において準用する第十八条第一項」と、第二十八条中「第十八条から第二十条まで」とあるのは「第三十二条第二項において準用する第二十条」と、「都民及び計画段階関係区市町村長」

とあるのは「都民」と、「環境配慮書」とあるのは「見解書」と、「都民等」とあるのは「都民」と読み替えるものとする。

（特例環境配慮書審査意見書の作成）

**第三十三条**　知事は、第三十一条の規定による諮問について審議会の答申を受けたときは、第二十九条の規定により提出された特例環境配慮書について、第二十二条第一項第一号から第三号までに掲げる事項及び前条第一項の規定による見解書を勘案して、特例環境配慮書審査意見書を作成しなければならない。

2　知事は、前項の特例環境配慮書審査意見書を作成したときは、当該特例環境配慮書審査意見書を事業者に、その写しを計画段階関係区市町村長に送付するとともに、その内容を公表するものとする。

3　知事は、第二十九条の規定により提出された特例環境配慮書に記載された内容が、次の各号に掲げる場合に該当すると第一項の特例環境配慮書審査意見書において認めるときは、前項に規定するもののほか、当該各号に掲げる措置を行うものとする。

一　第四十八条第一項に規定する評価書案に相当するものであると認めるとき。　当該申請を承認し、規則で定めるところにより、その旨を書面により事業者に通知するとともに公表すること。

二　第四十八条第一項に規定する評価書案に相当するものでないと認める場合で、第四十条第一項第四号に規定する対象事業に係る調査等の手法に相当する事項が記載されていると認めるとき。　第四十八条第一項に規定する評価書案の作成及びこれに引き続く事業段階環境影響評価の手続を行うことを、規則で定めるところにより、書面により事業者に通知するとともに公表すること。

三　第四十八条第一項に規定する評価書案に相当するものでないと認める場合で前号に掲げるもの以外のとき。　第四十条第一項に規定する調査計画書の作成及びこれに引き続く事業段階環境影響評価の手続を行うことを、規則で定めるところにより、書面により事業者に通知するとともに公表すること。

4　前項第一号の規定による通知を受けた事業者については第四十条から第五十七条までの規定、同項第二号の規定による通知を受けた事業者については第四十条から第四十七条までの規定は適用しない。

（対象計画が特例環境配慮書と異なる場合の取扱い）

**第三十四条**　知事は、前条第四項の規定にかかわらず、同条第三項第一号又は第二号に掲げる場合であつて、次条において準用する第二十四条第一項の規定により提出された対象計画が、第二十九条の規定により提出された特例環境配慮書の対象計画の案と異なる場合において、当該対象計画の内容が環境に著しい影響を及ぼすおそれがあると認めるときは、審議会の意見を聴いた上で、事業者に対し、前条第三項第一号に掲げる場合にあつては第四十八条第一項に規定する評価書案の作成及びこれに引き続く事業段階環境影響評価の手続を行うこと、前条第三項第二号に掲げる場合にあつては第四十条第一項に規定する調査計画書の作成及びこれに引き続く事業段階環境影響評価の手続を行うことを求めるものとする。

2　知事は、前項の場合は、規則で定めるところにより、書面によりその旨を事業者に通知するとともに公表するものとする。

（特例環境配慮書に係る手続）

**第三十五条**　第十一条第三項及び第四項、第十五条から第十九条まで、第二十三条、第二十四条並びに第二十八条の規定は、第二十九条の規定により提出された特例環境配慮書等について準用する。この場合において、第十一条第三項及び第四項中「環境配慮書等」とあるのは「特例環境配慮書等」と、第十五条中「第十一条」とあるのは「第二十九条」と、「環境配慮書等」とあるのは「当該特例環境配慮書等」と、「当該環境配慮書」とあるのは「当該特例環境配慮書」と、「同条第一項第八号」とあるのは「第十一条第一項第八号」と、第十六条中「第十一条」とあるのは「第三十条第一項」と、「環境配慮書等」とあるのは「特例環境配慮書等」と、「当該環境配慮書等」とあるのは「当該特例環境配慮書」と、第十七条中「前条」とあるのは「第三十五条において準用する第十六条」と、「環境配慮書」とあるのは「特例環境配慮書」と、第十八条中「第十六条」とあるのは「第三十五条において準用する第十六条」と、「環境配慮書」とあるのは「特例環境配慮書」と、第十九条中「環境配慮書」とあるのは「特例環境配慮書」と、「第十六条」とあるのは「第三十五条において準用する第十六条」と、第二十三条中「前条第二項」とあるのは「第三十三条第二項」と、「環境配慮書審査意見書」とあるのは「特例環境配慮書審査意見書」と、第二十四条中「次条」とあるのは「第三十三条第四項」と、「評価書案」とあるのは「評価書案、同項に規定する評価書案の作成等の免除の適用を受ける場合にあつては評価書」と、「環境配慮書審査意見書」とあるのは「特例環境配慮書審査意見書」と、「第二十二条第一項」とあるのは「第三十三条第一項」と、第二十八条中「第十八条から第二十条まで」とあるのは「第三十五条において準用する第十八条及び第三十五条において準用する第十九条」と、「環境配慮書」とあるのは「特例環境配慮書」と読み替えるものとする。

（対象計画策定に係る書面による報告の写しの送付）

**第三十六条**　知事は、第三十三条第四項の規定により特例の手続を行う事業者から前条において準用する第二十四条に規定する対象計画の策定等に係る書面の提出があつたときは、当該書面の写しを当該対象事業に係る許認可権者に送付しなければならない。

### 第五節　対象計画の変更等

（対象計画の変更の届出等）

**第三十七条**　事業者は、次の各号に掲げる対象計画の種類ごとに当該各号に定める時期において、第十一条第一項第一号若しくは第二号に掲げる事項を変更しようとするとき、又は対象計画の策定を中止し、若しくは廃止しようとするときは、規則で定めるところにより、その旨を知事に届け出なければならない。ただし、対象計画の案の目的又は内容の変更をしようとする場合において、当該変更が軽微な変更その他の規則で定める変更に該当するときは、この限りでない。

一　個別計画　第十一条の規定により環境配慮書等を提出してから第四十条第一項の規定により調査計画書を提出するまで（第三十三条第四項の規定の適用を受ける場合にあつては、第二十九条の規定により特例環境配慮書等を提出してから第三十五条において準用する第二十四条の規定により書面を提出するまで）

二　広域複合開発計画　第十一条の規定により環境配慮書を提出してから当該広域複合開発計画が終了するまで

2　知事は、前項の規定による届出があつたときは、当該届出の内容を公表しなければならない。

3　第一項の規定による届出のうち、事業者の変更があつた場合においては、変更前の事業者に係る対象計画について行われたこの条例の規定による手続は、変更後の事業者に係る対象計画について行われたものとみなす。

（対象計画の内容の変更による手続の再実施）

**第三十八条**　知事は、前条第一項に規定する届出があつた場合で、第十一条第一項第二号に掲げる事項の変更（個別計画にあつては、同条の規定により環境配慮書を提出してから第二十二条第二項の規定により環境配慮書審査意見書を受領するまで又は第二十九条の規定により特例環境配慮書を提出してから第三十三条第二項の規定により特例環境配慮書審査意見書を受領するまでにあつた変更に限る。）があつた対象計画について、当該変更が環境に著しい影響を及ぼすおそれがあると認めるときは、審議会の意見を聴いた上で、規則で定めるところにより、当該事業者に対し、既に完了している手続の全部又は一部を再度実施するよう求めるものとする。

（事情変更による手続）

**第三十九条**　第二十五条又は第三十三条第四項の規定にかかわらず、知事は、事業者が第二十四条第一項又は第三十五条において準用する第二十四条第一項の規定に基づく書面を提出した日から五年を経過した後、当該対象事業に係る事業段階環境影響評価の手続を始めようとする場合において、計画段階関係地域の状況が当該書面を提出したときと比較して著しく異なつていることにより環境の保全上必要があると認めるときは、規則で定めるところにより、当該事業者に対し、次条第一項に規定する調査計画書の作成及びこれに引き続く事業段階環境影響評価の手続を求めるものとする。

## 第三章　事業段階環境影響評価の手続

### 第一節　調査計画書の作成等

（調査計画書の作成）

**第四十条**　事業者は、対象事業を実施しようとするときは、技術指針に基づき、規則で定めるところにより、次に掲げる事項を記載した環境影響評価調査計画書（以下「調査計画書」という。）を作成し、知事に提出しなければならない。

一　事業者の氏名及び住所（法人にあつては、名称、代表者の氏名及び主たる事務所の所在地）

二　対象事業の名称、目的及び内容

三　事業計画の策定に至つた経過（計画段階環境影響評価の手続を行つたものについては、その手続の経過を含む。）

四　対象事業に係る環境影響評価の項目及び調査等の手法（当該手法が決定されていない場合にあつては、対象事業に係る環境影響評価の項目）

五　対象事業を実施しようとする地域及びその周辺地域で当該対象事業の実施が環境に影響を及ぼすと予想される地域並びにその地域の概況

六　前各号に掲げるもののほか、規則で定める事項

2　知事は、一又は二以上の事業者が相互に関連する二以上の対象事業を実施しようとするときは、これらの事業者に対し、これらの対象事業について、併せて前項の規定により調査計画書を作成し、提出するよう求めるものとする。

3　二以上の事業者が一の対象事業又は相互に関連する二以上の対象事業を実施しようとする場合において、これらの事業者のうちから代表する者を定めたときは、その代表する者が、当該一の対象事業について調

査計画書を作成し、又は当該二以上の対象事業について併せて調査計画書を作成し、提出しなければならない。

4　良好な環境を確保しつつ都市機能の高度化を推進する地域として規則で定める地域において規則で定める事業を実施しようとする事業者が、規則で定めるところにより知事に届け出て、技術指針に基づき、規則で定める環境影響評価の項目を選定し当該事業の実施が環境に及ぼす影響について調査等を行う場合は、この条（この項を除く。）から第四十七条までの規定は適用しない。

**（調査計画書の送付等）**

**第四十一条**　知事は、前条第一項の規定による調査計画書の提出があつたときは、遅滞なく、規則で定めるところにより、環境に影響が及ぶと予想される地域を、当該対象事業が実施されることを周知する地域（以下「周知地域」という。）と定め、調査計画書の写しを当該地域を管轄する特別区の区長及び市町村長（以下「周知地域区市町村長」という。）に送付しなければならない。

**（審議会への諮問）**

**第四十二条**　知事は、周知地域を定めたときは、調査計画書の写しを審議会に送付するとともに、第四十六条第一項の規定による調査計画書審査意見書の作成について、審議会に諮問しなければならない。

**（近隣県市町村長との協議）**

**第四十三条**　第十五条の規定は、調査計画書について準用する。この場合において、同条中「第十一条」とあるのは「第四十条第一項」と、「環境配慮書等」とあるのは「調査計画書」と、「当該環境配慮書」とあるのは「当該調査計画書」と、「同条第一項第八号」とあるのは「同項第五号」と、「当該環境配慮書等」とあるのは「当該調査計画書」と、「対象計画に係る計画段階環境影響評価」とあるのは「対象事業に係る事業段階環境影響評価」と読み替えるものとする。

### 第二節　調査計画書に関する周知及び意見

**（調査計画書についての公示及び縦覧）**

**第四十四条**　知事は、第四十条第一項の規定による調査計画書の提出があつたときは、遅滞なく、当該調査計画書の提出があつた旨その他規則で定める事項を公示し、当該調査計画書を、公示の日から起算して十日間、規則で定めるところにより縦覧に供しなければならない。

**（都民等の意見）**

**第四十五条**　第十八条及び第十九条の規定は、前条の規定により縦覧に供された調査計画書について準用する。この場合において、第十八条第一項中「第十六条」とあるのは「第四十四条」と、「環境配慮書」とあるのは「調査計画書」と、「四十五日」とあるのは「二十日」と、同条第二項中「計画段階関係区市町村長」とあるのは「周知地域区市町村長」と、第十九条第一項中「計画段階関係区市町村長」とあるのは「周知地域区市町村長」と、「環境配慮書」とあるのは「調査計画書」と、「第十六条」とあるのは「第四十四条」と、「四十五日」とあるのは「二十日」と、同条第二項中「計画段階関係区市町村長」とあるのは「周知地域区市町村長」と読み替えるものとする。

### 第三節　調査計画書審査意見書の作成等

**（調査計画書審査意見書の作成）**

**第四十六条**　知事は、第四十二条の規定による諮問について審議会の答申を受けたときは、第四十条第一項の規定により提出された調査計画書について、次に掲げる事項を勘案して、環境の保全の見地から審査し、その結果に基づく意見を記載した調査計画書審査意見書を作成しなければならない。

一　前条において準用する第十八条第一項の意見書

二　前条において準用する第十九条第一項の求めに応じて提出された周知地域区市町村長の意見

2　知事は、前項の調査計画書審査意見書を作成したときは、当該調査計画書審査意見書を事業者に、その写しを周知地域区市町村長に送付するとともに、その内容を公表するものとする。

**（環境影響評価の項目等の選定）**

**第四十七条**　事業者は、前条第一項の調査計画書審査意見書の送付を受けたときは、調査計画書について、当該調査計画書審査意見書並びに第四十五条において準用する第十八条第一項の意見書及び第四十五条において準用する第十九条第一項の求めに応じて提出された周知地域区市町村長の意見を勘案して検討を加え、環境影響評価の項目及び調査等の手法を選定しなければならない。

2　事業者は、前項の規定により環境影響評価の項目及び調査等の手法を選定したときは、その選定の結果を書面により知事に報告しなければならない。

### 第四節　評価書案の作成等

**（評価書案の作成）**

**第四十八条**　事業者は、調査計画書（第二十五条、第三十三条第四項又は第三十四条の規定により評価書案の作成及びこれに引き続く事業段階環境影響評価の手続を行う場合にあつては環境配慮書、第四十条第四項の規定が適用される場合にあつては規則で定める環境影響評価の項目について技術指針で定める手法）に基づき、対象事業の実施が環境に及ぼす影響について調査等を行い、規則で定めるところにより、次に掲げる事項を記載した環境影響評価書案（以下「評価書案」という。）及びその概要（以下「評価書案等」という。）を作成し、規則で定める時期までに知事に提出しなければならない。

一　事業者の氏名及び住所（法人にあつては、名称、代表者の氏名及び主たる事務所の所在地）
二　対象事業の名称、目的及び内容
三　事業計画の策定に至つた経過（計画段階環境影響評価を実施したものについては、その結果の反映内容）
四　調査計画書を作成した対象事業については、その修正の経過
五　調査の結果
六　評価項目ごとに環境に及ぼす影響の内容及び程度
七　環境の保全のための措置（当該措置を講ずることとするに至つた検討の状況を含む。）
八　環境に及ぼす影響の評価
九　対象事業を実施しようとする地域及びその周辺地域で当該対象事業の実施が環境に影響を及ぼすおそれのある地域
十　前各号に掲げるもののほか、規則で定める事項

2　第四十条第二項及び第三項の規定は、同条第四項の規定が適用される場合に行う評価書案等の作成及び提出について準用する。この場合において、同条第二項及び第三項中「調査計画書」とあるのは、「評価書案等」と読み替えるものとする。

**（事業段階関係地域の決定及び評価書案等の送付等）**

**第四十九条**　知事は、前条第一項の規定による評価書案等の提出があつたときは、遅滞なく、事業段階関係地域（第四十五条において準用する第十八条第一項の意見書及び第四十五条において準用する第十九条第一項の求めに応じて提出された周知地域区市町村長の意見並びに事業者の行つた前条の調査等の結果に照らし、周知地域に追加すべきものと認められる地域を含む。）を定めるとともに、当該評価書案の写しを事業段階関係区市町村長に送付しなければならない。

2　知事は、前項の規定により事業段階関係地域を定めたときは、その旨を事業段階関係区市町村長及び事業者に通知するとともに、評価書案等の提出があつた旨を当該対象事業に係る許認可権者に通知しなければならない。

**（審議会への諮問）**

**第五十条**　知事は、前条第一項の規定により事業段階関係地域を定めたときは、第四十八条第一項の規定により提出された評価書案等の写しを審議会に送付するとともに、第五十七条第一項の規定による評価書案審査意見書の作成について、審議会に諮問しなければならない。

**（近隣県市町村長との協議）**

**第五十一条**　第十五条の規定は、評価書案について準用する。この場合において、同条中「第十一条」とあるのは「第四十八条第一項」と、「環境配慮書等」とあるのは「評価書案等」と、「当該環境配慮書」とあるのは「当該評価書案」と、「同条第一項第八号」とあるのは「同項第九号」と、「対象計画に係る計画段階環境影響評価」とあるのは「対象事業に係る事業段階環境影響評価」と読み替えるものとする。

### 第五節　評価書案に関する周知及び意見

**（事業段階関係地域及び評価書案についての公示及び縦覧）**

**第五十二条**　知事は、第四十九条第一項の規定により事業段階関係地域を定めたときは、遅滞なく、当該事業段階関係地域の範囲及び評価書案等の提出があつた旨その他規則で定める事項を公示し、当該評価書案を、公示の日から起算して三十日間、規則で定めるところにより縦覧に供しなければならない。

**（説明会の開催等）**

**第五十三条**　第十七条の規定は、第四十八条第一項の規定により提出された評価書案について準用する。この場合において、第十七条第一項中「前条」とあるのは「第五十二条」と、「環境配慮書」とあるのは「評価書案」と、「計画段階関係地域」とあるのは「事業段階関係地域」と、同条第三項中「前条」とあるのは「第五十二条」と読み替えるものとする。

**（都民等の意見）**

**第五十四条**　第十八条及び第十九条の規定は、第四十八条第一項の規定により提出された評価書案について準用する。この場合において、第十八条第一項中「第十六条」とあるのは「第五十二条」と、「環境配慮書」とあるのは「評価書案」と、同条第二項中「計画段階関係区市町村長」とあるのは「事業段階関係区市町村長」と、第十九条第一項中「計画段階関係区市町村長」とあるのは「事業段階関係区市町村長」と、「環境配慮書」とあるのは「評価書案」と、「第十六条」とあるのは「第五十二条」と、同条第二項中「計画段階関係区市町村長」とあるのは「事業段階関係区市町村長」と読み替えるものとする。

### 第六節　評価書案に係る見解書の作成等

**（評価書案に係る見解書の作成等）**

**第五十五条**　事業者は、前条において準用する第十八条第一項の意見書及び前条において準用する第十九条第二項の事業段階関係区市町村長の意見を記した書面の

写しの送付を受けたときは、これらの意見書等に対する見解を明らかにするために、規則で定めるところにより、次に掲げる事項を記載した評価書案に係る見解書を作成し、知事に提出しなければならない。

一 事業者の氏名及び住所（法人にあつては、名称、代表者の氏名及び主たる事務所の所在地）

二 対象事業の名称、目的及び内容

三 第四十九条第一項の規定により知事が定めた事業段階関係地域

四 前条において準用する第十八条第一項の意見書及び前条において準用する第十九条第一項の求めに応じて提出された事業段階関係区市町村長の意見の概要

五 前号に掲げる意見書及び意見についての事業者の見解

六 前各号に掲げるもののほか、規則で定める事項

2 知事は、前項の規定による見解書の提出があつたときは、遅滞なく、当該見解書の提出があつた旨その他規則で定める事項を公示し、当該見解書を、公示の日から起算して二十日間、規則で定めるところにより縦覧に供するとともに、当該見解書の写しを事業段階関係区市町村長及び審議会に送付しなければならない。

**（都民の意見を聴く会の開催等）**

**第五十六条** 知事は、前条第二項の縦覧期間を経過した後、第四十八条第一項の規定により提出された評価書案及び前条第一項の規定により提出された評価書案に係る見解書の内容について都民の意見を聴くため、都民の意見を聴く会を開催しなければならない。ただし、第五十四条において準用する第十八条第一項の意見書の提出がない場合は、この限りでない。

2 第二十条第二項から第五項までの規定は前項の都民の意見を聴く会について準用する。この場合において、第二十条第三項中「計画段階関係区市町村長」とあるのは「事業段階関係区市町村長」と読み替えるものとする。

### 第七節 評価書案審査意見書の作成等

**（評価書案審査意見書の作成等）**

**第五十七条** 知事は、第五十条の規定による諮問について審議会の答申を受けたときは、第四十八条第一項の規定により提出された評価書案について、次に掲げる事項を勘案して、環境の保全の見地から審査し、その結果に基づく意見を記載した評価書案審査意見書を作成しなければならない。

一 第四十五条及び第五十四条において準用する第十八条第一項の意見書

二 第四十五条及び第五十四条において準用する第十九条第一項の求めに応じて提出された事業段階関係区市町村長の意見

三 第五十五条第一項の規定により提出された見解書

四 前条第二項において準用する第二十条第三項の規定により記録された都民の意見を聴く会の意見

2 知事は、前項の規定により評価書案審査意見書を作成したときは、当該評価書案審査意見書を事業者に、その写しを事業段階関係区市町村長に送付するとともに、その内容を公表するものとする。

### 第八節 評価書の作成等

**（評価書の作成）**

**第五十八条** 事業者は、前条第二項の規定による評価書案審査意見書の送付を受けたときは、第四十八条第一項の規定により作成した評価書案について、当該評価書案審査意見書並びに第五十四条において準用する第十八条第一項の意見書、第五十四条において準用する第十九条第一項の求めに応じて提出された事業段階関係区市町村長の意見及び第五十六条第二項において準用する第二十条第三項の規定により記録された都民の意見を聴く会の意見に基づき検討を加え、規則で定めるところにより、次に掲げる事項を記載した環境影響評価書（以下「評価書」という。）及びその概要（以下「評価書等」という。）を作成し、知事に提出しなければならない。

一 第四十八条第一項各号に掲げる事項

二 前号に掲げる事項のうち、当該評価書案を修正したものについては、その経過

三 第五十五条第一項第三号から第五号までに掲げる事項

四 第五十六条第二項において準用する第二十条第三項の規定により記録された都民の意見を聴く会の意見の概要

五 前条第一項の規定により作成された評価書案審査意見書に記載された知事の意見

六 前各号に掲げるもののほか、規則で定める事項

2 前項の規定にかかわらず、事業者は、第三十三条第四項の規定により評価書の提出から事業段階環境影響評価の手続を行う場合には、第三十五条において準用する第二十四条第一項の規定による書面を知事に提出した後、第二十九条の規定により作成した特例環境配慮書について、第三十三条第一項の特例環境配慮書審査意見書、第三十五条において準用する第十八条第一項の意見書、第三十五条において準用する第十九条第一項の求めに応じて提出された計画段階関係区市町村長の意見及び第三十一条第二項において準用する第二十条第三項の規定により記録された都民の意見を聴く会の意見に基づき検討を加え、規則で定めるところに

より、次に掲げる事項を記載した評価書等を作成し、知事に提出しなければならない。

一　事業者の氏名及び住所（法人にあつては、名称、代表者の氏名及び主たる事務所の所在地）

二　対象事業の名称、目的及び内容

三　事業計画の策定に至つた経過（計画段階環境影響評価を実施した結果の反映内容を含む。）

四　調査の結果

五　評価項目ごとに環境に及ぼす影響の内容及び程度

六　環境の保全のための措置（当該措置を講ずることとするに至つた検討の状況を含む。）

七　環境に及ぼす影響の評価

八　対象事業を実施しようとする地域及びその周辺地域で当該対象事業の実施が環境に影響を及ぼすおそれのある地域

九　第三十二条第一項第三号から第五号までに掲げる事項

十　第三十二条第二項において準用する第二十条第三項の規定により記録された都民の意見を聴く会の意見の概要

十一　第三十三条第一項の規定により作成された特例環境配慮書審査意見書に記載された知事の意見

十二　対象事業に係る環境影響評価の項目及び調査等の手法

十三　前各号に掲げるもののほか、規則で定める事項

3　前項の場合において、第三十条第一項の規定により定めた計画段階関係地域は、事業段階関係地域とみなす。

（**評価書についての公示、縦覧等**）

**第五十九条**　知事は、前条の規定による評価書等の提出があつたときは、遅滞なく、当該対象事業に係る許認可権者にその写しを送付するとともに、当該評価書等の提出があつた旨その他規則で定める事項を公示し、当該評価書を、公示の日から起算して十五日間、規則で定めるところにより縦覧に供しなければならない。

2　知事は、前項の規定による公示をしたときは、前条の規定により提出された評価書等の写しを、事業段階関係区市町村長及び第五十一条において準用する第十五条の規定により評価書案の写しを送付した近隣県市町村長（前条第二項の場合にあつては、同条第三項の規定により事業段階関係地域とみなされた地域における近隣県市町村長）に送付しなければならない。

（**許認可権者への要請**）

**第六十条**　知事は、前条第一項の規定により評価書等の写しを許認可権者に送付するときは、当該許認可権者に対し、当該対象事業の実施についての許認可等を行うに際して当該評価書の内容について十分配慮するよう要請しなければならない。

（**対象事業の実施の制限**）

**第六十一条**　事業者は、第五十九条第一項の規定による公示の日までは、当該対象事業を実施してはならない。

## 第九節　対象事業の変更等

（**変更の届出等**）

**第六十二条**　事業者は、第四十条第一項の規定により調査計画書を提出してから（第二十五条及び第四十条第四項の規定の適用を受けた場合にあつては第四十八条第一項の規定により評価書案等を提出してから、第三十三条第四項の規定の適用を受けた場合にあつては第三十五条において準用する第二十四条の規定により書面を提出してから）第六十八条第一項の規定による工事完了の届出がなされるまでの間に、第四十条第一項第一号若しくは第二号に掲げる事項を変更しようとするとき、又は対象事業の実施を中止し、若しくは廃止しようとするときは、規則で定めるところにより、その旨を知事に届け出なければならない。ただし、対象事業の目的又は内容の変更をしようとする場合において、当該変更が軽微な変更その他の規則で定める変更に該当するときは、この限りでない。

2　知事は、前項の規定による届出があつたときは、遅滞なく、当該届出の内容を公表しなければならない。

3　第一項の規定による届出のうち事業者の変更の届出があつた場合においては、変更前の事業者に係る対象事業について行われたこの条例の規定による手続は、変更後の事業者に係る対象事業について行われたものとみなす。

（**事業内容の変更による手続の再実施**）

**第六十三条**　知事は、前条第一項の規定による変更の届出があつた対象事業について、当該変更が環境に著しい影響を及ぼすおそれがあると認めるときは、審議会の意見を聴いた上で、当該事業者に対し、既に完了している手続の全部又は一部を再度実施するよう求めるものとする。

（**事情変更による手続の再実施**）

**第六十四条**　知事は、事業者が第五十九条第一項の縦覧期間が満了した日から五年を経過した後当該対象事業に係る工事に着手しようとする場合において、関係地域の状況が当該縦覧期間満了のときと比較して著しく異なつていることにより環境の保全上必要があると認めるときは、当該事業者に対し、既に完了している手続の全部又は一部を再度実施するよう求めるものとする。

## 第四章　事後調査の手続

（事後調査計画書の提出等）

**第六十五条**　事業者は、第五十八条の規定により提出した評価書に記載された予測及び評価の項目について、事後調査を実施するための計画書（以下「事後調査計画書」という。）を作成し、次条の規定による着工の届出とともに知事に提出しなければならない。

2　知事は、前項の規定による事後調査計画書の提出があつたときは、遅滞なく、その写しを事業段階関係区市町村長に送付するとともに、その内容を公表しなければならない。

3　事後調査計画書は、知事があらかじめ事後調査の項目、方法、範囲その他の事項について審議会の意見を聴いて定める基準に基づき、作成するものとする。

（着工の届出等）

**第六十六条**　事業者は、対象事業に係る工事に着手するときは、規則で定めるところにより、次に掲げる事項を知事に届け出なければならない。

一　事業者の氏名及び住所（法人にあつては、名称、代表者の氏名及び主たる事務所の所在地）

二　対象事業の名称

三　工事着手の予定年月日

四　工事完了の予定年月日

五　前各号に掲げるもののほか、規則で定める事項

2　知事は、前項の規定による届出があつたときは、遅滞なく、当該届出の内容を公示するとともに、届出があつた旨を事業段階関係区市町村長に通知しなければならない。

（事後調査報告書の作成等）

**第六十七条**　事業者は、対象事業に係る工事に着手した後において、第六十五条第一項の規定により提出した事後調査計画書に基づき事後調査を行い、その結果を記載した事後調査報告書（以下「事後調査報告書」という。）を作成し、規則で定めるところにより知事に提出しなければならない。

2　知事は、前項の規定による事後調査報告書の提出があつたときは、その内容を公表するとともに、当該事後調査報告書の写しを事業段階関係区市町村長に送付しなければならない。

3　知事は、第一項の規定による事後調査報告書の提出があつた場合において、必要があると認めるときは審議会の意見を聴いた上、当該事後調査報告書の内容を審査し、当該対象事業が環境に著しい影響を及ぼすおそれがあると認めるときは、直ちに、当該事業者に対し、環境の保全について必要な措置を講ずることを求めるとともに、当該対象事業に係る環境に著しい影響を及ぼすおそれがあると認める行為について法令又は条例に基づく規制その他の措置をとる権限を有する者に対し、当該法令又は条例に基づく規制その他の措置をとるよう要請しなければならない。

（工事完了の届出等）

**第六十八条**　事業者は、対象事業に係る工事が完了したときは、遅滞なく、その旨を知事に届け出なければならない。

2　第六十六条第二項の規定は、前項の規定による届出について準用する。

## 第五章　審議会

（設置）

**第六十九条**　この条例によりその権限に属させられた事項並びに知事の諮問に応じ環境影響評価及び事後調査に関する重要事項を調査審議させるため、知事の附属機関として、審議会を置く。

（組織）

**第七十条**　審議会は、委員四十人以内をもつて組織する。

2　特別の事項を調査審議させるため必要があるときは、審議会に臨時委員を置くことができる。

3　委員及び臨時委員は、学識経験を有する者のうちから、知事が委嘱する。

（専門員）

**第七十一条**　専門の事項を調査させるため必要があるときは、審議会に専門員を置くことができる。

2　専門員は、学識経験を有する者のうちから、知事が委嘱する。

（委員等の任期）

**第七十二条**　委員の任期は二年とし、補欠委員の任期は前任者の残任期間とする。ただし、再任を妨げない。

2　臨時委員の任期は、特別の事項に関する調査審議が終了するまでとする。

3　専門員の任期は、専門の事項に関する調査が終了するまでとする。

（会長の選任等）

**第七十三条**　審議会に会長を置く。

2　会長は、委員が互選する。

3　会長は、審議会を代表し、会務を総理する。

4　会長に事故があるときは、あらかじめ会長の指名する委員がその職務を代理する。

（招集）

**第七十四条**　審議会は、知事が招集する。

（事業者等の出席等）

**第七十四条の二**　審議会は、第六十九条の規定による調

査審議を行うため必要があるときは、事業者その他関係者の出席を求め、説明を聴き、又は事業者その他関係者から資料の提出を求めることができる。

（運営事項の委任）

**第七十五条**　この章に規定するもののほか、審議会の運営に関し必要な事項は、規則で定める。

## 第六章　法の対象事業に係る手続等

### 第一節　配慮書等に係る知事の意見書の作成

**（配慮書等に係る知事の意見書の作成等）**

**第七十五条の二**　知事は、事業者から配慮書（環境影響評価法（平成九年法律第八十一号。以下「法」という。）第三条の三第一項に規定する配慮書をいう。以下同じ。）の案又は配慮書（以下この条において「配慮書等」という。）について法第三条の七第一項の規定により意見を求められたときは、当該配慮書等について、審議会の意見を聴いた上で、環境の保全の見地から審査し、その結果に基づく意見を記載した知事の意見書を作成するものとする。

2　知事は、前項の意見書を作成したときは、当該意見書を事業者に送付するとともに、その内容を公表するものとする。

### 第一節の二　第二種事業に係る判定手続

**（届出書面の送付等）**

**第七十六条**　知事は、法第四条第一項各号に定める者（以下「主任の大臣等」という。）から、法第四条第二項に規定する届出に係る書面の写しの送付を受けたときは、その写しを同項に規定する区域を管轄する区市町村長に送付するとともに、規則で定める期間を指定して法の規定による環境影響評価その他の手続が行われる必要があるかどうかについての意見を求めるものとする。

**（第二種事業の判定に係る知事の意見書の作成等）**

**第七十七条**　知事は、前条に規定する区市町村長の意見が述べられたときは、これを勘案して、法の規定による環境影響評価その他の手続が行われる必要があるかどうかについての意見書を作成し、これを主任の大臣等に送付するとともに、当該区市町村長にその写しを送付しなければならない。

2　知事は、前項の知事の意見書を作成したときは、その内容を公表するものとする。

**（第二種事業に係る判定結果の送付）**

**第七十八条**　知事は、法第四条第三項の規定による通知を受けたときは、その写しを法第四条第二項に規定する区域を管轄する区市町村長及び審議会へ送付するものとする。

### 第二節　方法書に係る知事の意見書の作成

**（審議会への諮問）**

**第七十九条**　知事は、法第六条第一項の規定により事業者から方法書の送付を受けたときは、その写しを審議会に送付するとともに、方法書に係る知事の意見書の作成について、審議会に諮問しなければならない。

**（方法書に係る区市町村長の意見）**

**第八十条**　知事は、法第十条第一項の規定による知事の意見書の作成に当たり、法第六条第一項に規定する地域を管轄する区市町村長に対して、法第十条第二項の規定により、規則で定める期間を指定して環境の保全の見地からの意見を求めるものとする。

2　知事は、前項の求めに応じて、法第六条第一項に規定する地域を管轄する区市町村長の意見が提出されたときは、審議会に送付しなければならない。

**（方法書についての意見の概要の写しの送付）**

**第八十一条**　知事は、法第九条の書類の送付を受けたときは、その写しを審議会に送付しなければならない。

**（方法書に係る知事の意見書の作成等）**

**第八十二条**　知事は、第七十九条の規定による諮問について審議会の答申を受けたときは、法第六条第一項の規定により送付された方法書について、次に掲げる事項を勘案して環境の保全の見地から審査し、その結果に基づく意見を記載した知事の意見書を作成しなければならない。

一　法第九条により送付された方法書についての意見の概要

二　第八十条第一項の求めに応じて提出された区市町村長の意見

2　前項の知事の意見書を作成したときは、当該意見書を事業者に送付するとともに、その写しを法第六条第一項に規定する地域を管轄する区市町村長に送付し、その内容を公表するものとする。

**（環境影響評価の項目等の選定に係る報告）**

**第八十三条**　知事は、事業者が法第十一条の規定により環境影響評価の項目及び調査等の手法を選定したときは、事業者に対し、その内容について書面により報告を求めることができる。

2　知事は、前項の報告があつたときは、その内容を公表するものとする。

### 第三節　準備書に係る知事の意見書の作成

**（審議会への諮問）**

**第八十四条**　知事は、法第十五条の規定により事業者から準備書及びこれを要約した書類の送付を受けたときは、その写しを審議会に送付するとともに、準備書に係る知事の意見書の作成について、審議会に諮問しなければならない。

2　知事は、法第十九条の規定により事業者から準備書についての意見の概要及び当該意見についての事業者の見解を記載した書面の送付を受けたときは、その写しを審議会に送付しなければならない。

（準備書に係る区市町村長の意見）

**第八十五条**　法第二十条第一項の規定による知事の意見書の作成については、第八十条の規定を準用する。この場合において、同条第一項中「法第六条第一項に規定する地域」とあるのは「法第十五条に規定する関係地域」と、「法第十条第二項」とあるのは「法第二十条第二項」と、同条第二項中「法第六条第一項に規定する地域」とあるのは「法第十五条に規定する関係地域」と読み替えるものとする。

（都民の意見を聴く会の開催等）

**第八十六条**　知事は、法第十九条の書類の送付を受けた後、法第十五条の規定により送付された準備書の内容について都民の意見を聴くため、第二十条の例により都民の意見を聴く会を開催しなければならない。

2　知事は、前項の都民の意見を聴く会を開催したときは、その記録を作成し、その写しを事業者、法第十五条に規定する関係地域を管轄する区市町村長及び審議会に送付しなければならない。

（準備書に係る知事の意見書の作成等）

**第八十七条**　知事は、第八十四条第一項の規定による諮問について審議会の答申を受けたときは、法第十五条の規定により送付された準備書について、次に掲げる事項を勘案して環境の保全の見地から審査し、その結果に基づく意見を記載した知事の意見書を作成しなければならない。

一　法第十九条の規定により送付された準備書についての意見の概要及び当該意見についての事業者の見解

二　第八十五条において準用する第八十条第一項に規定する求めに応じて提出された法第十五条に規定する関係地域を管轄する区市町村長の意見

2　前項の知事の意見書を作成したときは、当該意見書を事業者に送付するとともに、その写しを法第十五条に規定する関係地域を管轄する区市町村長に送付し、その内容を公表するものとする。

### 第四節　法対象事業に係るその他の手続

（法対象事業に係る計画段階環境影響評価等）

**第八十八条**　法第二条第二項に規定する第一種事業及び同条第三項に規定する第二種事業（法第三条の十第一項後段の規定による通知に係るものに限る。以下「通知第二種事業」という。）については、第二章の規定は適用しない。

2　通知第二種事業については、第四十条第一項第三号中「計画段階環境影響評価の手続」とあるのは「法第三条の十第一項の規定による手続」と読み替えて適用する。

3　法第二条第三項に規定する第二種事業（法第三条の十第一項後段の規定による通知に係るものを除く。以下「非通知第二種事業」という。）については、第十一条第二項、第十二条第五項（広域複合開発計画に係る部分に限る。）、第二十五条から第二十七条まで、第二章第四節、第三十七条第一項第二号及び第三十九条の規定は適用しない。

4　非通知第二種事業については、第二十四条第一項中「調査計画書（次条に規定する調査計画書の作成等の免除の適用を受ける場合にあつては、評価書案）を提出するとき」とあるのは「法第四条第一項の規定による届出をするとき、又は法第六条第一項の規定による送付をするときのいずれか早いとき」と、第三十七条第一項第一号中「第四十条第一項の規定により調査計画書を提出するまで（第三十三条第四項の規定の適用を受ける場合にあつては、第三十九条の規定により特例環境配慮書等を提出してから第三十五条において準用する第二十四条の規定により書面を提出するまで）」とあるのは「法第四条第一項の規定による届出をするとき、又は法第六条第一項の規定による送付をするときのいずれか早いときまで」と読み替えて適用する。

5　法第二条第四項に規定する対象事業（以下「法対象事業」という。）については、第一項及び第三項に定めるもののほか、第三章、第九十二条及び第九十三条の規定は適用しない。

6　法対象事業については、第六十五条第一項中「第五十八条の規定により提出した評価書」とあるのは「法第二十六条第二項の規定により送付した評価書（東京都の区域内で実施される事業に係る部分に限る。）」と、同条第二項中「事業段階関係区市町村長」とあるのは「法第二十六条第二項の関係市町村長（東京都の区域内の特別区及び市町村の長に限る。）」と、第六十六条第一項中「対象事業に係る工事」とあるのは「第八十八条第五項に規定する法対象事業に係る工事（東京都の区域内で実施される法対象事業に係る工事に限る。）」と、同条第二項中「事業段階関係区市町村長」とあるのは「法第二十六条第二項の関係市町村長（東京都の区域内の特別区及び市町村の長に限る。）」と、第六十七条第一項中「対象事業に係る工事」とあるのは「第八十八条第五項に規定する法対象事業に係る工事（東京都の区域内で実施される法対象事業に係る工事に限る。）」と、同条第二項中「事業段階関係区市町村長」とあるのは「法第二十六条第二項の関係市町村長（東京都の区域内の特別区及び市町村の長に限る。）」と、第六十八条第一項中「対象事業に係る工事」とあるのは「第八十八条第五項に規定する法対象事業に係る工事（東京都の区域内で実施される法対象事業に係る工事に限る。）」と読み替えて適用する。

## 第七章　雑則

**（実地調査への協力要請）**

**第八十九条**　知事は、この条例の施行に必要な限度において、他人の所有し、又は占有する土地において実地調査を行う必要があるときは、当該土地への立入りについて、当該土地の所有者又は占有者に協力を求めることができる。

**（報告の聴取等）**

**第九十条**　知事は、この条例に定めるもののほか、この条例の施行に必要な限度において、事業者に必要な事項の報告又は資料の提出を求めることができる。

**（公表等）**

**第九十一条**　知事は、事業者が次の各号のいずれかに該当する場合は、当該事業者に対し、必要な措置を講ずるよう勧告することができる。

一　この条例に定める手続の全部又は一部を行わなかつたとき。

二　第十七条第三項（第三十五条又は第五十三条において準用する場合を含む。）の規定により説明会の開催を求められて、説明会を開催しなかつたとき。

三　第六十一条の規定に違反して、対象事業を実施したとき。

四　第二十七条、第三十八条、第六十三条又は第六十四条の規定により手続の全部又は一部の再度の実施を求められて、手続の全部又は一部を再度実施しなかつたとき。

五　前条の規定により報告又は資料の提出を求められて、報告若しくは資料の提出をせず、又は虚偽の報告若しくは資料の提出をしたとき。

2　知事は、事業者が前項の規定による勧告に従わない場合において、当該事業者に対し、その者が意見を述べ、証拠を提示する機会を与え、その意見に正当な理由がないと認めるときは、当該事業者の氏名及び住所（法人にあつては、名称、代表者の氏名及び主たる事務所の所在地）並びにその事実を公表しなければならない。

3　知事は、前項の規定による公表をしたときは、その内容を当該対象事業に係る許認可権者に通知しなければならない。

**（都市計画に定められる対象事業に関する特例）**

**第九十二条**　対象事業が都市計画法第四条第七項に規定する市街地開発事業又は同条第五項に規定する都市施設として同法の規定により都市計画に定められる場合については、第四十条から第五十八条までに規定する手続のうち事業者に係る手続及び第六十二条第一項に規定する手続のうち第五十九条第一項の評価書の縦覧が終了するまでの間における対象事業の変更又は中止若しくは廃止の届出については、同法の規定により当該都市計画を定める者（以下「都市計画決定権者」という。）が事業者に代わり行うものとする。ただし、知事が都市計画決定権者の意見をあらかじめ聴いて、環境影響評価の手続を事業者が行うことが適当であると認める場合については、この限りでない。

2　前項の規定により、都市計画決定権者（知事が都市計画決定権者の意見をあらかじめ聴いて、事業段階環境影響評価の手続を事業者が行うことが適当であると認める場合にあつては、事業者）が第五十八条の規定により評価書を作成したときは、当該都市計画決定権者又は当該事業者は、都市計画法第十八条第一項又は第十九条第一項（同法第二十一条第二項において準用する場合を含む。）の規定による当該評価書に係る対象事業について定められる都市計画案の東京都都市計画審議会又は特別区若しくは市町村が置く都市計画審議会（以下この条において「東京都都市計画審議会等」という。）への付議と合わせて、東京都都市計画審議会等に当該評価書を送付するものとする。

**（事業者の協力）**

**第九十三条**　都市計画決定権者は、事業者に対し、環境影響評価の手続を行うために必要な調査等の実施、資料の提供、説明会への出席その他の必要な協力を求めることができる。

2　事業者は、都市計画決定権者の求めに応じて、必要な調査等の実施等を行うものとする。

**（適用除外）**

**第九十四条**　この条例の規定は、災害対策基本法（昭和三十六年法律第二百二十三号）第八十七条の規定による災害復旧事業その他災害復旧のため緊急に実施する必要があると知事が認める事業又は再度の災害を防止するためこれらの事業と併せて施行することを必要とする事業である対象事業については、適用しない。

**（委任）**

**第九十五条**　この条例に規定するもののほか、この条例の施行について必要な事項は、規則で定める。

### 附　則

**（施行期日）**

1　この条例は、公布の日から起算して一年を超えない範囲内において規則で定める日〔昭五六・一〇・一〕から施行する。ただし、第一条、第二条、第十条、第十一条及び第四章の規定は、公布の日から起算して九月を超えない範囲内において規則で定める日〔昭五六・四・一〕から施行する。

（**経過措置**）

2　この条例の施行の際、既に第九条第一項の規則で定める時期を経過している対象事業については、この条例の規定は適用しない。

3　前項の規定にかかわらず、旧都市計画法（大正八年法律第三十六号）の規定による都市計画の決定がなされた対象事業で、この条例の施行の際、当該対象事業に係る工事に着手していないものについては、事業者は、この条例の施行の日から三月以内に、規則で定めるところにより知事に届け出なければならない。この場合において、知事は、届出があつた対象事業について環境の保全上特に必要があると認めるときは、この条例の規定の適用について事業者と協議して定めるものとする。

4　第二章の規定は、事業者が民間、国若しくは東京都以外の地方公共団体である場合又はこれらの者が複数連携している場合（東京都とこれらの者とが連携している場合を含む。）は、適用しない。

5　東京都環境影響評価条例の一部を改正する条例（平成十四年東京都条例第百二十七号）附則第一項ただし書の改正規定の施行の日から平成十四年十二月三十一日までの間は、第十八条、第十九条第一項第三号、第二十一条及び第二十八条の規定は、適用しない。

**附　則**（平一四・七・三条例一二七）

（**施行期日**）

1　この条例は、平成十五年一月一日から施行する。ただし、第二条第一号の改正規定、第九条の改正規定（同条第一項中第五号を第六号とし、第四号を第五号とし、第三号を第四号とし、第二号の次に一号を加える部分及び同条に一項を加える部分に限る。）、第十五条の改正規定（「三十日間」を「十日間」に改める部分に限る。）、第二十条の改正規定（同条に一項を加える部分に限る。）、第二十九条の改正規定（同条第三項を削る部分に限る。）、第三十二条の改正規定（同条第一項中「遅滞なく」の下に「、当該対象事業に係る許認可権者にその写しを送付するとともに」を加える部分及び同条第二項中「関係区市町村長、当該対象事業に係る許認可権者及び第十四条の規定により調査計画書」を「事業段階関係区市町村長及び第五十一条において準用する第十五条の規定により評価書案」に、「隣接県知事等」を「近隣県市町村長（前条第二項の場合にあつては、同条第三項の規定により事業段階関係地域とみなされた地域における近隣県市町村長）」に改める部分に限る。）、第三十四条の改正規定（「第三十二条第一項の縦覧期間が満了する日」を「第五十九条第一項の規定による公示の日」に改める部分に限る。）、第四十条の改正規定（同条第二項中「遅滞なく、当該事後調査報告書の提出があつた旨その他規則で定める事項を公示」を「その内容を公表」に改める部分に限る。）、第四十一条の改正規定（同条第一項中「、又は当該工事を中止したとき」を削る部分に限る。）、第四十三条の改正規定（同条第一項中「二十人」を「四十人」に改める部分に限る。）、第五十四条の改正規定（同条を第八十一条に改める部分を除く。）、第五十五条の改正規定（同条第一項第一号に係る部分に限る。）、第五十九条の改正規定（同条の見出し中「公聴会」を「都民の意見を聴く会」に改める部分、同条第一項中「法第十六条の縦覧期間を経過した」を「法第十九条の書類の送付を受けた」に、「第二十八条」を「第二十条」に、「公聴会」を「都民の意見を聴く会」に改める部分、同条第二項中「公聴会」を「都民の意見を聴く会」に改める部分並びに同条第三項及び第四項を削る部分に限る。）、第六十条の改正規定（同条第一項第三号を削る部分に限る。）、第六十五条の改正規定（同条第一項中「の規定により都市計画に定められる場合において」を「第四条第七項に規定する市街地開発事業又は同条第五項に規定する都市施設として同法の規定により都市計画に定められる場合について」に、「第九条から第三十一条まで」を「第四十条から第五十八条まで」に、「代わるものとして、当該都市計画の決定をする手続（以下「都市計画手続」という。）と併せて」を「代わり」に改める部分及び第二項の改正規定に限る。）、附則に二項を加える改正規定（第五項に係る部分に限る。）及び次項から附則第六項までは、公布の日から施行する。

2　公布の日から平成十四年十二月三十一日までの間は、前項ただし書の改正規定による改正後の東京都環境影響評価条例第九条第一項第三号中「事業計画の策定に至つた経過（計画段階環境影響評価の手続を行つたものについては、その手続の経過を含む。）」とあるのは「事業計画の策定に至つた経過」と、同項第五号中「おそれがある」とあるのは「と予想される」と、同条第四項中「から第四十七条まで」とあるのは「及び第十二条から第二十条まで」と、第十一条第四項中「公表」とあるのは「公示」と、第十二条中「おそれがある」とあるのは「と予想される」と、第十四条の見出し中「隣接県知事等」とあるのは「近隣県市町村長」と、同条中「第九条第一項第四号」とあるのは「第九条第一項第五号」と、「当該地域を管轄する県の知事（当該地域に地方自治法（昭和二十二年法律第六十七号）第二百五十二条の十九第一項の指定都市の区域が含まれているときは、当該指定都市の市長を含む。以下「隣接県知事等」という。）」とあるのは「当該地域を管轄する県の市町村長（以下「近隣県市町村長」という。）」と、「隣接県知事等」とあるのは「近隣県市町村長」と、第十六条第一項中「四十五日」とあるのは「三十日」と、第十七条第一項中「四十五日」とあるのは「二十日」と、第二十二条中「調査計画書を修正したときは、修正した調査計画書」とあるのは「第九条第四項の規定が適用される場合にあつては、規則で定める環境影響評価の項目について技術指針で定める手法」と、第二十三条第一項中「隣接県知事等」とあるのは「近隣県市町村長」と、第二十九条第一項本文中「第二十七条において準用する第十六条第一項の意見書、第二十七条において準用する第十七条第二項の関係区市町村長の意見を記した書面及び前条第三項の規定により作成された公聴会の記録」とあるのは「第二十七条において準用する第十六条第一項の意見書及び第二十七条において準用する第十七条第二項の関係区市町村長の意見を記した書面」と、同項第四号中、「第二十七条において準用する第十六条第一項の意見書、第二十七条において準用する第十七条第一項の求めに応じて提出された関係区市町村長の意見及び前条第三項の規定により作成された公聴会の記録に記載された意見」とあるのは「第二十七条において準用する第十六条第一項の意見書及び第二十七条において準用する第十七条第一項の求めに応じて提出された関係区市町村長の意見」と、第三十条中「第二十七条及び前条第三項において準用する場合」とあるのは「第二十七条において準用する場合」と、「第二十八条第三項の規定により作成した公聴会の記録に記載された意見」とあるのは「東京都環境影響評価条例の一部を改正する条例（平成十四年東京都条例第百二十七号。以下「改正条例」という。）附則第四項の規定により記録された都民の意見を聴く会の意見」と、第三十一条中「第二十九条第三項において準用する第十六条第一項の意見書及び第二十九条第三項において準用する第十七条第一項の求めに応じて提出された関係区市町村長の意見」とあるのは「改正条例附則第四項の規定により記録された都民の意見を聴く会の意見」と、第三十二条第二項中「事業段階関係区市町村長」とあるのは「関係区市町村長」と、「第五十一条において準用する第十五条」とあるのは「改正条例附則第三項」と、「近隣県市町村長（前条第二項の場合にあつては、同条第三項の規定により事業段階関係地域とみなされた地域における近隣県市町村長）」とあるのは「近隣県市町村長」と、第三十三条中「前条第二項」とあるのは「前条第一項」と、第三十四条中「第五十九条第一項」とあるのは「第三十二条第一項」と、第五十九条中「第二十条」とあるのは「改正条例附則第一項本文の改正規定による改正後の東京都環境影響評価条例第二十条」と、第六十四条第一項第二号中「第二十六条第三項（第二十九条第三項において準用する場合を含む。）」とあるのは「第二十六条第三項」と、第六十五条第一項中「第四十条から第五十八条まで」とあるのは「第九条及び第十二条から第三十一条まで」と、同条第二項中「第五十八条」とあるのは「第三十一条」と読み替えて適用する。

3　公布の日から平成十四年十二月三十一日までの間は、知事は、附則第一項ただし書の改正規定による改正後の東京都環境影響評価条例第二十二条の規定による評価書案の提出があつた場合において、当該評価書案に記載されている同条第九号に掲げる地域に東京都の区域に属しない地域が含まれているときは、当該地域を管轄する県の市町村長（以下「近隣県市町村長」という。）に当該評価書案の写しを送付し、当該地域についての対象事業に係る環境影響評価の手続の実施について近隣県市町村長と協議するものとする。

4　公布の日から平成十四年十二月三十一日までの間は、知事は、附則第一項ただし書の改正規定による改正後の東京都環境影響評価条例第二十二条の規定により提出された評価書案及び第二十九条の規定により提出された見解書の内容について都民の意見を聴くため、この条例による改正後の東京都環境影響評価条例（以下「新条例」という。）第二十条の例により都民の意見を聴く会を開催しなければならない。

**（経過措置）**

5　この条例の施行の日前に、この条例による改正前の東京都環境影響評価条例の規定によりなされた諮問、公示、縦覧、送付その他の行為は、それぞれ新条例の相当規定に基づいてなされた行為とみなす。附則第一項ただし書の改正規定の施行の日前に、同改正規定による改正前の東京都環境影響評価条例（以下「旧条例」という。）の規定によりなされた諮問等についても同様とする。

6　附則第一項ただし書の改正規定の施行の際、旧条例第九条第一項の規定により事業者が調査計画書を知事に提出した事業については当該調査計画書に係る審査意見書を当該事業者が受領するまで、旧条例第二十二条の規定により事業者が評価書案を知事に提出した事業については当該評価書案に係る審査意見書を当該事業者が受領するまでは、旧条例の規定を適用する。

7　この条例の施行の際、既に策定されている計画（以下「既定計画」という。）について、当該施行の日以後にその内容の変更をしようとする場合（軽微な変更の場合を除く。）で、当該変更後の計画が新条例第二条第二号に規定する対象計画に相当するものであるときは、事業者は、規則で定めるところにより知事に届け出なければならない。ただし、当該既定計画に基づく対象事業のうち当該変更に係る部分について新条例第三章又は第四章の規定が適用される場合は、この限りでない。

8　知事は、前項の規定による届出があつた既定計画の変更について環境の保全上特に必要があると認めるときは、新条例第二章の適用について事業者と協議するものとする。

9　前項の規定にかかわらず、附則第七項の規定による届出があつた既定計画が都市計画法第十八条第一項、第十九条第一項又は第二十二条第一項の規定により都市計画に定められているものであるときは、当該既定計画の変更に係る部分について、新条例の規定による対象計画の策定とみなし、新条例第二章の規定を適用する。

**附　則**（平二五・三・二九条例八四）

**（施行期日）**

1　この条例は、平成二十五年四月一日から施行する。ただし、第八十五条及び別表の改正規定は、公布の日から施行する。

**（経過措置）**

2　この条例の施行の際、現に事業者（この条例による改正後の東京都環境影響評価条例（以下「改正後の条例」という。）第二条第八号の事業者をいう。）が工事（東京都の区域内で実施されるものに限る。）に着手している法対象事業（改正後の条例第八十八条第五項の法対象事業をいう。）に係る東京都環境影響評価条例の規定の適用については、なお従前の例による。

**附　則**（平三〇・一二・二七条例一一九）（抄）

**（施行期日）**

1　この条例は、平成三十三年一月一日から施行する。ただし、次の各号に掲げる規定は、当該各号に定める日から施行する。

一　第十二条第一項、第二十九条、第三十二条第二項、第三十三条第三項及び第三十四条第一項の改正規定、第四十八条に一項を加える改正規定、第四十九条第一項、第五十条、第五十一条、第五十三条、第五十四条、第五十六条第一項、第五十七条第一項、第五十八条第一項、第六十二条第一項本文及び第九十一条第一項の改正規定並びに同条第二項を同条第三項とし、同条第一項の次に一項を加える改正規定並びに次項、附則第八項及び附則第九項の規定　公布の日

二　第七十四条の次に一条を加える改正規定　平成三十一年四月一日

三　第三十七条第一項ただし書及び第六十二条第一項ただし書の改正規定　平成三十二年四月一日

**（計画段階環境影響評価における経過措置）**

2　この条例の施行により新たにこの条例による改正後の東京都環境影響評価条例（以下「新条例」という。）第二条第二号に規定する対象計画となる計画（新条例第二条第六号又は第七号の規定に基づく東京都規則の改正（この条例の施行と同時に施行されるものに限る。）により新たに対象計画となるものを含む。次項において同じ。）に相当するものを策定しようとする者は、この条例の施行前においても、新条例第二章の規定の例による環境影響評価の手続を行うことができる。

8　前二項の新たに対象事業となる事業を実施しようとする者（新条例第二条第八号の知事が対象事業を実施しようとする者であると認める者及び新条例第九十二条の事業者に代わる都市計画決定権者を含む。）は、この条例の施行前においても、当該事業について、新条例第三章又は第四章の規定の例による環境影響評価又は事後調査の手続を行うことができる。

9　附則第一項第一号に定める日前にこの条例による改正前の東京都環境影響評価条例第九十一条第一項各号のいずれかに該当する事業者に対するその事実の公表については、なお従前の例による。

### 附　則（平三〇・一二・二七条例一一九）（抄）

**（施行期日）**

1　この条例は、平成三十三年一月一日から施行する。〔ただし書略〕

3　この条例の施行の際、既に策定されている計画（以下「既定計画」という。）について、当該施行の日以後にその内容の変更をしようとする場合（軽微な変更の場合を除く。）で、当該変更後の計画が当該施行により新たに新条例第二条第二号に規定する対象計画となる計画に相当するものであるときは、事業者は、東京都規則で定めるところにより知事に届け出なければならない。ただし、当該既定計画のうち当該変更に係る部分について新条例第二章の規定が適用される場合又は当該既定計画に基づく対象事業のうち当該変更に係る部分について新条例第三章若しくは第四章の規定が適用される場合は、この限りでない。

4　知事は、前項の規定による届出があった既定計画の変更について環境の保全上特に必要があると認めるときは、新条例第二章の適用について事業者と協議するものとする。

5　前項の規定にかかわらず、附則第三項の規定による届出があった既定計画が都市計画法（昭和四十三年法律第百号）第十八条第一項、第十九条第一項又は第二十二条第一項の規定により都市計画の変更に係る部分について、新条例の規定による対象計画の策定とみなし、新条例第二章の規定を適用する。

**（事業段階環境影響評価等における経過措置）**

6　この条例の施行の際、当該施行により新たに新条例第二条第五号の対象事業となる事業（新条例第二条第五号の規定に基づく東京都規則の改正（この条例の施行と同時に施行されるものに限る。）により新たに対象事業となるものを含む。次項において同じ。）で、新条例第四十八条第一項の規則で定める時期を経過していないものを実施しようとする者は、新条例第三章及び第四章の規定に基づく環境影響評価及び事後調査の手続を行うものとする。

7　この条例の施行の際、当該施行により新たに新条例第二条第五号の対象事業となる事業で、既に新条例第四十八条第一項の規則で定める時期を経過しているものを実施しようとする者は、新条例第三章又は第四章の規定の例による環境影響評価又は事後調査の手続を行うことができる。

別表　対象事業（第二条関係）

一　道路の新設又は改築
二　河川法（昭和三十九年法律第百六十七号）第三条第一項に規定する河川に関するダム、湖沼水位調節施設若しくは放水路の新築又は堰の新築若しくは改築
三　鉄道、軌道又はモノレールの建設又は改良
四　飛行場の設置又は変更
五　発電所又は送電線路の設置又は変更
六　ガス製造所の設置又は変更
七　石油パイプライン又は石油貯蔵所の設置又は変更
八　工場の設置又は変更
九　終末処理場の設置又は変更
十　廃棄物処理施設の設置又は変更
十一　埋立て又は干拓
十二　ふ頭の設置
十三　住宅団地の設置
十四　高層建築物の設置
十五　自動車駐車場の設置又は変更
十六　卸売市場の設置又は変更
十七　流通業務市街地の整備に関する法律（昭和四十一年法律第百十号）第二条第二項に規定する流通業務団地造成事業
十八　土地区画整理法（昭和二十九年法律第百十九号）第二条第一項に規定する土地区画整理事業
十九　新住宅市街地開発法（昭和三十八年法律第百三十四号）第二条第一項に規定する新住宅市街地開発事業
二十　首都圏の近郊整備地帯及び都市開発区域の整備に関する法律（昭和三十三年法律第九十八号）第二条第五項に規定する工業団地造成事業
二十一　都市再開発法（昭和四十四年法律第三十八号）第二条第一号に規定する市街地再開発事業
二十二　新都市基盤整備法（昭和四十七年法律第八十六号）第二条第一項に規定する新都市基盤整備事業
二十三　大都市地域における住宅及び住宅地の供給の促進に関する特別措置法（昭和五十年法律第六十七号）第二条第四号に規定する住宅街区整備事業
二十四　都市計画法第四条第十一項に規定する第二種特定工作物の設置又は変更
二十五　建築物の建築の用に供する目的で行う土地の造成（前各号に掲げるものに係る土地の造成を除く。）
二十六　土石の採取又は鉱物の掘採
二十七　前各号に掲げるもののほか、これらの事業と同程度に環境に著しい影響を及ぼすおそれのある事業で規則で定めるもの

備考　この表の改築、改良又は設置には、施設更新（既存の施設（建築物、工作物その他の施設をいう。以下同じ。）の全部又は一部の除却と併せて、当該施設と同一の敷地において、当該施設と同一の用に供する新たな施設を設ける行為で規則で定めるものをいう。）を含むものとする。

# ○東京都廃棄物条例

平四・六・二四
条　例　一　四　〇

最終改正　平三〇・三・三〇条例四一

廃棄物をめぐる問題は、今や個々の地域における処理の問題であるにとどまらず、地球的な規模での環境の保全と資源の有効利用を図る視点からも、それに対する適切な対応が求められている。この解決のためには、物の生産、流通、消費さらには最終的な処分に至る各段階において、廃棄物の発生の抑制に努めるとともに、その再利用、資源化の徹底を図ることが重要である。

都民、事業者及び行政の三者は、廃棄物が貴重な資源となり得ることを念頭に置き、生活の様式、経済の仕組み、都市のあり方等を見直し、社会経済システムを循環的な仕組みに変えることを目指して、それぞれの責任と役割を確実に果たすように努めていかなければならない。

東京都は、かけがえのない地球を守り、これを後世に引き継ぐために、都民、事業者や区市町村の参加と協力の下に、廃棄物の適正な処理を確保し、生活環境の保全に努めるとともに、人間と環境が調和した社会の形成を目指し、全力を尽くすものである。

このような認識の下に、この条例を制定する。

## 第一章　総則

### 第一節　通則

（目的）

**第一条**　この条例は、廃棄物の発生を抑制し、再利用を

促進するとともに、廃棄物の適正な処理が行われるように必要な措置を講ずることによって、生活環境の保全及び公衆衛生の向上並びに資源が循環して利用される都市の形成を図り、もって都民の健康で快適な生活を確保することを目的とする。

（**定義**）

**第二条**　この条例における用語の意義は、廃棄物の処理及び清掃に関する法律（昭和四十五年法律第百三十七号。以下「法」という。）の例による。

### 第二節　知事の責務

（**基本的責務**）

**第三条**　知事は、あらゆる施策を通じて、廃棄物の発生を抑制し、再利用を促進する等により廃棄物の減量を推進するとともに、廃棄物の適正な処理が行われるよう必要な措置を講じなければならない。

2　知事は、廃棄物の減量及び適正な処理に関する都民及び事業者の意識の啓発を図るよう努めなければならない。

3　知事は、廃棄物の減量及び適正な処理に関する技術を開発するよう努めるとともに、技術に関する情報の収集及び活用に努めなければならない。

4　知事は、物品の調達に当たっては、再生品を使用する等により、自ら再利用等による廃棄物の減量に努めなければならない。

5　知事は、廃棄物の減量及び適正な処理に関する施策について、都民の意見を施策に反映することができるよう必要な措置を講じなければならない。

（**都民の自主的な活動の支援**）

**第四条**　知事は、再利用等による廃棄物の減量及び適正な処理に関する都民の自主的な活動を支援するよう努めなければならない。

（**事業者への協力要請及び支援**）

**第五条**　知事は、廃棄物の減量及び適正な処理を確保するため、事業者に必要な協力を求めるとともに、事業者を支援するよう努めるものとする。

（**区市町村に対する支援等**）

**第六条**　知事は、特別区及び市町村（以下「区市町村」という。）が実施する再利用等による廃棄物の減量に関する施策を支援するよう努めるものとする。

2　知事は、区市町村に対し、その廃棄物の適正な処理に必要な技術的及び財政的援助をしなければならない。

3　知事は、廃棄物の減量及び適正な処理に関し、都と区市町村との連携を図るとともに、必要に応じ、区市町村相互間の調整に努めるものとする。

（**国又は他の地方公共団体との協力**）

**第七条**　知事は、廃棄物の減量及び適正な処理に関する施策の推進に当たって、必要に応じ、国又は他の地方公共団体との協力を図らなければならない。

### 第三節　事業者の責務

（**事業者の基本的責務**）

**第八条**　事業者は、廃棄物の発生を抑制し、再利用を促進する等により、廃棄物を減量しなければならない。

2　事業者は、その事業活動に伴って生じた廃棄物（以下「事業系廃棄物」という。）を自らの責任において適正に処理しなければならない。

3　事業者は、従業者の教育訓練の実施体制その他の必要な管理体制の整備に努め、前二項の責務の達成に向けて継続的かつ計画的な取組を行わなければならない。

4　事業者は、事業系廃棄物の減量及び適正な処理を確保するために講じている取組の内容を積極的に公表し、自らが排出する廃棄物の処理に対する信頼性の向上に努めなければならない。

5　廃棄物の処理を受託する事業者は、受託した廃棄物の処理の透明性を確保するため、その処理の状況の公表その他の必要な措置を講ずるよう努めなければならない。

6　事業者は、廃棄物の減量及び適正な処理の確保に関し都の施策に協力しなければならない。

（**製造等に際しての事業者の責務**）

**第九条**　事業者は、物の製造、加工、販売等に際して、長期間使用可能な製品の開発、製品の修理体制の確保等の措置を講ずるよう努めるとともに、包装、容器等に係る基準を設定する等により包装、容器等の適正化を図ることによって、廃棄物の発生の抑制に努めなければならない。

2　事業者は、物の製造、加工、販売等に際して、再生資源（資源の有効な利用の促進に関する法律（平成三年法律第四十八号）第二条第四項に規定する再生資源をいう。）の利用及び再生品の使用に努めるとともに、製品、容器等について、再利用の容易性をあらかじめ評価して開発を行い、その再利用の方法についての情報を提供すること等により、再利用を促進しなければならない。

3　事業者は、物の製造、加工、販売等に際して、再び使用することが可能な容器その他の適正な包装、容器等を都民が選択できるよう努めるとともに、都民が包装、容器等を不要とし、又はその返却をする場合には、その回収等に努め、再利用の促進を図らなければならない。

4　事業者は、物の製造、加工、販売等に際して、その製品、容器等が廃棄物になった場合においてその適正な処理が困難になることのないようにしなければならない。

（事業系廃棄物の減量等）

**第十条**　事業者は、再利用の可能な物の分別の徹底を図る等再利用を促進するために必要な措置を講ずる等により、その事業系廃棄物を減量しなければならない。

２　事業者は、その事業系廃棄物の処理に当たっては、再生、破砕、圧縮、焼却、油水分離、脱水等の処理を行うことにより、その減量を図らなければならない。

３　事業者は、事業系廃棄物の適正な処理について、自ら又は共同して技術開発を図らなければならない。

### 第四節　都民の責務

（都民の基本的責務）

**第十一条**　都民は、廃棄物の発生を抑制し、再生品の使用又は不用品の活用等により再利用を図り、その生じた廃棄物をなるべく自ら処分すること等により、廃棄物の減量に努めなければならない。

２　都民は、廃棄物の減量及び適正な処理の確保に関し都の施策に協力しなければならない。

（商品の選択）

**第十二条**　都民は、商品を選択するに際しては、当該商品の内容及び包装、容器等を勘案し、廃棄物の減量及び環境の保全に配慮した商品を選択するよう努めなければならない。

## 第二章　廃棄物の処理

（廃棄物処理計画の策定）

**第十三条**　知事は、法第五条の五の規定による廃棄物の減量その他その適正な処理に関する計画（以下「廃棄物処理計画」という。）を定め、又はこれを変更しようとするときは、あらかじめ東京都廃棄物審議会及び関係区市町村の意見を聴かなければならない。

（事業者の産業廃棄物の減量及び適正処理に係る報告等）

**第十四条**　産業廃棄物を生ずる事業場を設置している事業者は、その産業廃棄物の減量及び適正な処理を図るため、東京都規則（以下「規則」という。）で定めるところにより、各事業場ごとに、産業廃棄物管理責任者を選任しなければならない。

２　前項に規定する事業者のうち、その事業活動によって多量の産業廃棄物を排出する可能性のある者又は人の健康若しくは生活環境に係る被害を生ずるおそれがある性状を有する産業廃棄物を排出する可能性のある者として規則で定める者（以下「特定排出事業者」という。）は、排出する産業廃棄物の減量及び適正な処理を図るために講じている取組のうち規則で定める事項を、毎年一回、知事に報告しなければならない。

３　知事は、前項の規定による報告の内容を公表するものとする。

４　知事は、特定排出事業者が正当な理由なく第二項の規定による報告を怠っているときは、期限を定めて、当該報告を行うべき旨を勧告するものとする。

５　知事は、特定排出事業者が前項の規定による勧告に正当な理由なく従わなかったとき、又は虚偽の報告をしたときは、その旨を公表することができる。

６　知事は、前項の規定による公表をしようとするときは、第四項の規定による勧告を受けた者又は虚偽の報告をした者に対し、意見を述べ、証拠を提示する機会を与えるものとする。

７　前各項に規定するもののほか、特定排出事業者に係る報告及び公表に関して必要な事項は、規則で定める。

（産業廃棄物収集運搬業者の処理状況に係る報告等）

**第十四条の二**　産業廃棄物収集運搬業者（規則で定める者に限る。以下同じ。）は、三月以上六月以内において規則で定める期間ごとに、次に掲げる事項を知事に報告しなければならない。

一　運搬を受託した産業廃棄物（特別管理産業廃棄物を除く。以下この条及び次条において同じ。）の量

二　交付された産業廃棄物管理票の枚数

三　産業廃棄物の運搬が終了し、回付した産業廃棄物管理票の枚数

四　電子情報処理組織を使用して産業廃棄物の運搬が終了した旨を情報処理センターに報告した件数

五　産業廃棄物の積替え又は保管を行う場合には、次に掲げる事項

イ　積替え又は保管の場所の所在地、面積及び設備の概要

ロ　積替え又は保管の場所ごとの搬入量

ハ　積替え又は保管の場所ごとの保管量

ニ　積替え又は保管の場所ごとの搬出量

六　前各号に定めるもののほか、産業廃棄物の運搬が適正になされていることを示す事項として規則で定める事項

２　知事は、前項の規定による報告の内容を公表するものとする。

３　知事は、産業廃棄物収集運搬業者が正当な理由なく第一項の規定による報告を怠っているときは、期限を定めて、当該報告を行うべき旨を勧告するものとする。

４　知事は、産業廃棄物収集運搬業者が前項の規定による勧告に正当な理由なく従わなかったとき、又は虚偽の報告をしたときは、その旨を公表することができ

る。

5　知事は、前項の規定による公表をしようとするときは、第三項の規定による勧告を受けた者又は虚偽の報告をした者に対し、意見を述べ、証拠を提示する機会を与えるものとする。

6　前各項に規定するもののほか、産業廃棄物収集運搬業者に係る報告及び公表に関して必要な事項は、規則で定める。

（**産業廃棄物処分業者の処理状況に係る報告等**）

**第十四条の三**　産業廃棄物処分業者は、産業廃棄物の処分を行う事業場ごとに、三月以上六月以内において規則で定める期間ごとに、次に掲げる事項を知事に報告しなければならない。

一　産業廃棄物の処分を行う施設の所在地、処理能力及び設備の概要

二　処分を受託した産業廃棄物の量

三　回付された産業廃棄物管理票の枚数

四　電子情報処理組織を使用して産業廃棄物の処分が終了した旨を情報処理センターに報告した件数

五　産業廃棄物の処分方法

六　処分（埋立処分及び海洋投入処分を除く。次号及び第八号において同じ。）後の産業廃棄物の持出量

七　処分後の産業廃棄物の持出時に交付した産業廃棄物管理票の枚数

八　処分後の産業廃棄物の持出時に電子情報処理組織を使用して情報処理センターに登録した件数

九　前各号に定めるもののほか、産業廃棄物の処分が適正になされていることを示す事項として規則で定める事項

2　前条第二項から第六項までの規定は、前項の規定による報告について準用する。この場合において、これらの規定中「産業廃棄物収集運搬業者」とあるのは、「産業廃棄物処分業者」と読み替えるものとする。

（**特別管理産業廃棄物収集運搬業者及び特別管理産業廃棄物処分業者の処理状況に係る報告等**）

**第十四条の四**　第十四条の二の規定は、特別管理産業廃棄物収集運搬業者について準用する。この場合において、同条中「産業廃棄物（特別管理産業廃棄物を除く。以下この条及び次条において同じ。）の」とあり、「産業廃棄物の」とあるのは「特別管理産業廃棄物の」と読み替えるものとする。

2　前条の規定は、特別管理産業廃棄物処分業者について準用する。この場合において、同条中「産業廃棄物の」とあるのは、「特別管理産業廃棄物の」と読み替えるものとする。

（**中小企業者に対する技術的援助等**）

**第十五条**　知事は、規則で定める中小企業者が産業廃棄物を自ら又は共同して処理するために必要な処理施設その他について、技術的援助等の必要な措置を講ずるよう努めなければならない。

（**広域的に処理する産業廃棄物**）

**第十六条**　知事は、前条に規定する中小企業者から排出される産業廃棄物その他の知事が広域的に処理することが適当であると認める産業廃棄物（以下「広域的に処理する産業廃棄物」という。）の処理を行うことができる。

2　知事は、広域的に処理する産業廃棄物の処理を行う場合には、その受入れに関し必要な事項を定め、これを告示するものとする。

（**産業廃棄物管理票**）

**第十七条**　規則で定める事業者は、産業廃棄物を知事の指定する処理施設に運搬する場合には、規則で定めるところにより、産業廃棄物の種類、排出場所等を記載した産業廃棄物管理票を知事に提出しなければならない。

2　前項に規定する事業者は、産業廃棄物を他人に委託して知事の指定する処理施設に運搬させる場合には、当該委託を受けた者（以下「受託者」という。）に同項に規定する産業廃棄物管理票を交付しなければならない。

3　受託者は、その受託した産業廃棄物を知事の指定する処理施設に運搬する場合には、第一項に規定する産業廃棄物管理票を知事に提出しなければならない。

4　知事は、産業廃棄物の受入れに際して、事業者が第一項に規定する産業廃棄物管理票を提出しないとき、又は受託者が前項に規定する産業廃棄物管理票を提出しないときは、当該産業廃棄物の受入れを拒否することができる。

5　前各項に規定するもののほか、産業廃棄物管理票の回付その他必要な事項は、規則で定める。

（**産業廃棄物の受入拒否**）

**第十八条**　事業者（受託者を含む。）は、産業廃棄物を知事の指定する処理施設に運搬する場合には、規則で定める受入基準に従わなければならない。

2　知事は、前項の事業者が同項に定める受入基準に従わない場合には、当該産業廃棄物の受入れを拒否することができる。

（**報告の徴収**）

**第十九条**　知事は、法第十八条第一項に規定するもののほか、この条例の施行に必要な限度において、事業者（廃棄物の処理を受託する者を含む。次条において同じ。）に対し、必要な報告を求めることができる。

（**立入検査**）

**第二十条** 知事は、法第十九条第一項に規定するもののほか、この条例の施行に必要な限度において、その職員に、事業者の事務所又は事業場に立ち入り、廃棄物の減量及び処理に関し、帳簿書類その他の物件を検査させることができる。

2 前項の規定により立入検査をする職員は、その身分を示す証明書を携帯し、関係人に提示しなければならない。

3 第一項の規定による立入検査の権限は、犯罪捜査のために認められたものと解釈してはならない。

**（不利益処分の内容の公表）**

**第二十条の二** 知事は、廃棄物の処理に関連する法令で規則で定めるものに基づいて行政手続法（平成五年法律第八十八号）第二条第四号に規定する不利益処分を行ったときは、当該処分の内容を公表するものとする。

## 第三章　手数料

**（手数料）**

**第二十一条** 知事は、広域的に処理する産業廃棄物を知事の指定する処理施設に受け入れたときは、その廃棄物の搬入者から次の各号に掲げる種類に応じ、当該各号に掲げる額の手数料を徴収する。

一 汚泥、燃え殻、ばいじん又は鉱さい　一キログラムにつき十円

二 前号に掲げるもの以外の産業廃棄物　一キログラムにつき九円五十銭

2 知事は、別表に定めるところにより、法に基づく事務について、手数料を徴収する。

**（手数料の減免）**

**第二十二条** 知事は、天災その他特別の理由があると認めるときは、前条第一項に規定する手数料を減額し、又は免除することができる。

2 知事は、国又は地方自治法（昭和二十二年法律第六十七号）第一条の三に規定する地方公共団体から申請があるとき、その他特別の理由があると認めるときは、前条第二項に規定する手数料を減額し、又は免除することができる。

**（手数料の不還付）**

**第二十三条** 既に納付した手数料は、還付しない。ただし、知事が特別の理由があると認めるときは、この限りでない。

## 第四章　東京都廃棄物審議会

**第二十四条** この条例の実施のための施策に関する事項を調査審議させるため、知事の附属機関として、東京都廃棄物審議会（以下「審議会」という。）を置く。

2 審議会は、次に掲げる事項を調査審議する。

一 廃棄物の発生抑制及び再利用を促進するための施策に関する事項

二 廃棄物の適正処理を確保するための施策に関する事項

三 法第五条の五第三項の規定に基づく廃棄物処理計画に関する事項

3 審議会は、前項に規定する事項について、知事に意見を述べることができる。

4 審議会は、知事が任命する委員二十名以内をもって組織する。

5 委員の任期は二年とし、補欠の委員の任期は前任者の残任期間とする。ただし、再任を妨げない。

6 特別の事項及び専門の事項を調査審議するため必要があるときは、審議会に臨時委員を置くことができる。

7 特別の事項及び専門の事項を調査審議するため、審議会に部会を置くことができる。

8 審議会は、所掌事項の審議に際し、必要があると認めるときは、関係者から意見又は説明を聴くことができる。

9 第四項から前項までに定めるもののほか、審議会の組織及び運営に関し必要な事項は、知事が定める。

## 第五章　雑則

**（公開）**

**第二十五条** 知事は、自らが設置する廃棄物の最終処分場で規則で定めるものへの立入りを都民が求めたときは、その業務に特別な支障が生じない限り、これに応じなければならない。

**（環境衛生指導員）**

**第二十六条** 第二十条第一項及び浄化槽法（昭和五十八年法律第四十三号）第五十三条第二項の規定による立入検査並びに廃棄物の減量及び処理に関する指導の職務を担当させるため、規則で定めるところにより、環境衛生指導員を置く。

**（適用除外）**

**第二十七条** 第十四条の規定は、八王子市の区域については、適用しない。

2 第十四条の二から第十四条の四までの規定は、八王子市長の許可に係る事業に関する報告等については、適用しない。

**（委任）**

**第二十八条** この条例に規定するもののほか、この条例の施行について必要な事項は、規則で定める。

## 附　則

（施行期日）

1　この条例は、平成五年四月一日から施行する。

（経過措置）

2　この条例の施行の際、現にこの条例による改正前の東京都清掃条例（以下「旧条例」という。）第四十七条第一項の許可で次の表の上欄に掲げるものを受けている者は、この条例の施行の日にそれぞれ同表の下欄に掲げるこの条例（以下同表において「新条例」という。）第六十四条第一項又は第二項の許可を受けている者とみなす。

| | |
|---|---|
| 一般廃棄物の収集又は運搬のみの業に係る旧条例第四十七条第一項の許可 | 新条例第六十四条第一項の許可 |
| 一般廃棄物の処分のみの業に係る旧条例第四十七条第一項の許可 | 新条例第六十四条第二項の許可 |
| 一般廃棄物の収集、運搬及び処分の業に係る旧条例第四十七条第一項の許可 | 新条例第六十四条第一項及び第二項の許可 |

3　この条例の施行の際、現に旧条例の規定によりされている申請で、前項の表の上欄に掲げる許可に係るものは、それぞれ同表の下欄に掲げる許可に係る申請とみなす。

4　前二項に規定する場合のほか、この条例の施行前に旧条例の規定によってした処分、手続その他の行為は、この条例中にこれに相当する規定があるときは、この条例の規定によってした処分、手続その他の行為とみなす。

5　この条例の施行前にした行為に対する罰則の適用については、なお従前の例による。

**附　則**（平三〇・三・三〇条例四一）

この条例は、平成三十年四月一日から施行する。

**別表**（第二十一条関係）

| 事務 | 名称 | 額 | 徴収時期 |
|---|---|---|---|
| 一　法第八条第一項の規定に基づく一般廃棄物処理施設の設置の許可の申請に対する審査 | 一般廃棄物処理施設設置許可申請手数料 | 法第八条第四項に規定する一般廃棄物処理施設に係るものにあっては十三万円、その他の一般廃棄物処理施設に係るものにあっては十一万円 | 許可申請のとき。 |
| 二　法第八条の二の二第一項の規定に基づく一般廃棄物処理施設の定期検査 | 一般廃棄物処理施設定期検査手数料 | 三万三千円 | 定期検査申請のとき。 |
| 三　法第九条第一項の規定に基づく一般廃棄物処理施設の設置の許可に係る事項の変更の許可の申請に対する審査 | 一般廃棄物処理施設の変更許可申請手数料 | 法第八条第四項に規定する一般廃棄物処理施設に係るものにあっては十二万円、その他の一般廃棄物処理施設に係るものにあっては十万円 | 変更許可申請のとき。 |
| 四　法第九条の二の四第一項の規定に基づく一般廃棄物処理施設の熱回収施設に係る認定の申請に対する審査 | 一般廃棄物処理施設の熱回収施設認定申請手数料 | 三万三千円 | 認定申請のとき。 |
| 五　法第九条の二の四第二項の規定に基づく一般廃棄物処理施設の熱回収施設に係る認定の更新の申請に対する審査 | 一般廃棄物処理施設の熱回収施設認定更新申請手数料 | 二万七千円 | 更新申請のとき。 |
| 六　法第九条の五第一項の規定に基づく一般廃棄物処理施設の譲受け又は借受けの許可の申請に対する審査 | 一般廃棄物処理施設譲受け等許可申請手数料 | 四万円 | 許可申請のとき。 |
| 七　法第九条の六第一項の規定に基づく一般廃棄物処理施設設置者で | 一般廃棄物処理施設を有する法人の合併等認 | 四万円 | 認可申請のとき。 |

| | | | |
|---|---|---|---|
| ある法人の合併又は分割についての認可の申請に対する審査 | 可申請手数料 | | |
| 八　法第十二条の七第一項の規定に基づく二以上の事業者による産業廃棄物の処理に係る特例の認定の申請に対する審査 | 二以上の事業者による産業廃棄物の処理に係る特例認定申請手数料 | 十四万七千円 | 認定申請のとき。 |
| 九　法第十二条の七第七項の規定に基づく二以上の事業者による産業廃棄物の処理に係る特例の認定に係る事項の変更の認定の申請に対する審査 | 二以上の事業者による産業廃棄物の処理に係る特例の変更認定申請手数料 | 十三万四千円 | 変更認定申請のとき。 |
| 十　法第十四条第一項の規定に基づく産業廃棄物収集運搬業の許可の申請に対する審査 | 産業廃棄物収集運搬業許可申請手数料 | 八万一千円 | 許可申請のとき。 |
| 十一　法第十四条第二項の規定に基づく産業廃棄物収集運搬業の許可の更新の申請に対する審査 | 産業廃棄物収集運搬業許可更新申請手数料 | 事業の範囲に積替え又は保管を含むものにあっては七万三千円、事業の範囲に積替え又は保管を含まないものにあっては四万二千円 | 更新申請のとき。 |
| 十二　法第十四条第六項の規定に基づく産業廃棄物処分業の許可の申請に対する審査 | 産業廃棄物処分業許可申請手数料 | 十　万　円 | 許可申請のとき。 |
| 十三　法第十四条第七項の規定に基づく産業廃棄物処分業の許可の更新の申請に対する審査 | 産業廃棄物処分業許可更新申請手数料 | 九万四千円 | 更新申請のとき。 |
| 十四　法第十四条の二第一項の規定に基づく産業廃棄物収集運搬業の事業の範囲の変更の許可の申請に対する審査 | 産業廃棄物収集運搬業の変更許可申請手数料 | 七万一千円 | 変更許可申請のとき。 |
| 十五　法第十四条の二第一項の規定に基づく産業廃棄物処分業の事業の範囲の変更の許可の申請に対する審査 | 産業廃棄物処分業の変更許可申請手数料 | 九万二千円 | 変更許可申請のとき。 |
| 十六　法第十四条の四第一項の規定に基づく特別管理産業廃棄物収集運搬業の許可の申請に対する審査 | 特別管理産業廃棄物収集運搬業許可申請手数料 | 八万一千円 | 許可申請のとき。 |
| 十七　法第十四条の四第二項の規定に基づく特別管理産業廃棄物収集運搬業の許可の更新の申請に対する審査 | 特別管理産業廃棄物収集運搬業許可更新申請手数料 | 事業の範囲に積替え又は保管を含むものにあっては七万四千円、事業の範囲に積替え又は保管を含まないものにあっては四万三千円 | 更新申請のとき。 |

| | | | |
|---|---|---|---|
| 十八　法第十四条の四第六項の規定に基づく特別管理産業廃棄物処分業の許可の申請に対する審査 | 特別管理産業廃棄物処分業許可申請手数料 | 十万円 | 許可申請のとき。 |
| 十九　法第十四条の四第七項の規定に基づく特別管理産業廃棄物処分業の許可の更新の申請に対する審査 | 特別管理産業廃棄物処分業許可更新申請手数料 | 九万五千円 | 更新申請のとき。 |
| 二十　法第十四条の五第一項の規定に基づく特別管理産業廃棄物収集運搬業の事業の範囲の変更の許可の申請に対する審査 | 特別管理産業廃棄物収集運搬業変更許可申請手数料 | 七万二千円 | 変更許可申請のとき。 |
| 二十一　法第十四条の五第一項の規定に基づく特別管理産業廃棄物処分業の事業の範囲の変更の許可の申請に対する審査 | 特別管理産業廃棄物処分業変更許可申請手数料 | 九万五千円 | 変更許可申請のとき。 |
| 二十二　法第十五条第一項の規定に基づく産業廃棄物処理施設の設置の許可の申請に対する審査 | 産業廃棄物処理施設設置許可申請手数料 | 法第十五条第四項に規定する産業廃棄物処理施設に係るものにあっては十四万円、その他の産業廃棄物処理施設に係るものにあっては十二万円 | 許可申請のとき。 |
| 二十三　法第十五条の二の二第一項の規定に基づく産業廃棄物処理施設の定期検査 | 産業廃棄物処理施設定期検査手数料 | 三万三千円 | 定期検査申請のとき。 |
| 二十四　法第十五条の二の六第一項の規定に基づく産業廃棄物処理施設の設置の許可に係る事項の変更の許可の申請に対する審査 | 産業廃棄物処理施設の変更許可申請手数料 | 法第十五条第四項に規定する産業廃棄物処理施設に係るものにあっては十三万円、その他の産業廃棄物処理施設に係るものにあっては十一万円 | 変更許可申請のとき。 |
| 二十五　法第十五条の三の三第一項の規定に基づく産業廃棄物処理施設の熱回収施設に係る認定の申請に対する審査 | 産業廃棄物処理施設の熱回収施設認定申請手数料 | 三万三千円 | 認定申請のとき。 |
| 二十六　法第十五条の三の三第二項の規定に基づく産業廃棄物処理施設の熱回収施設に係る認定の更新の申請に対する審査 | 産業廃棄物処理施設の熱回収施設認定更新申請手数料 | 二万七千円 | 更新申請のとき。 |
| 二十七　法第十五条の四において準用する法第九条の五第一項の規定に基づく産業廃棄物処理施設の譲受け又は借受けの許可の申請に対 | 産業廃棄物処理施設譲受け等許可申請手数料 | 四万円 | 許可申請のとき。 |

| | | | |
|---|---|---|---|
| する審査 | | | |
| 二十八　法第十五条の四において準用する法第九条の六第一項の規定に基づく産業廃棄物処理施設設置者である法人の合併又は分割についての認可の申請に対する審査 | 産業廃棄物処理施設を有する法人の合併等認可申請手数料 | 四万円 | 認可申請のとき。 |
| 二十九　法第二十条の二第一項の規定に基づく廃棄物再生事業者の登録の申請に対する審査 | 廃棄物再生事業者登録申請手数料 | 四万円 | 登録申請のとき。 |

# ○東京都自然公園条例

平一四・三・二九
条　例　九　五

最終改正　令六・一〇・一一条例一四七

## 第一章　総則

（目的）

**第一条**　この条例は、都立自然公園の指定、保護、利用等及び東京都（以下「都」という。）が設置する自然公園施設の管理等に関し必要な事項を定めることにより、都内にある優れた自然の風景地を保護するとともに、その利用の増進を図り、もって都民の保健、休養及び福祉の向上に資することを目的とする。

（定義）

**第二条**　この条例において、次の各号に掲げる用語の意義は、それぞれ当該各号に定めるところによる。

一　自然公園　都内にある自然公園法（昭和三十二年法律第百六十一号。以下「法」という。）第二条に規定する国立公園及び国定公園並びに都立自然公園をいう。

二　都立自然公園　都内にある優れた自然の風景地であって、知事が第五条第一項の規定により指定するものをいう。

三　都公園計画　都立自然公園の保護又は利用のための規制又は施設に関する計画をいう。

四　都公園事業　都公園計画に基づいて執行する事業であって、都立自然公園の保護又は利用のための施設で東京都規則（以下「規則」という。）で定めるものに関するものをいう。

五　自然公園施設　自然公園及びこれと一体として管理することが適当であると知事が定めた地域において、法第二条第六号に規定する公園事業、都公園事業及びこれに類する事業として、都が設置した施設及び緑地（東京都立公園条例（昭和三十一年東京都条例第百七号）第二条第三項に規定する都市公園以外の公園を除く。）をいう。

六　有料施設　自然公園施設及び都が設置する附帯施設で、有料で使用させるものをいう。

七　有料用具　有料で使用させる用具をいう。

八　附帯施設　自然公園施設の目的を全うするため、当該自然公園施設内に設けられる施設で、規則で定めるものをいう。

（知事等の責務）

**第三条**　知事、事業者及び自然公園の利用者は、環境基本法（平成五年法律第九十一号）第三条から第五条までに定める環境の保全についての基本理念にのっとり、優れた自然の風景地の保護とその適正な利用が図られるように、それぞれの立場において努めなければならない。

2　知事は、自然公園に生息し、又は生育する動植物の保護が自然公園の風景の保護に重要であることにかんがみ、自然公園における生態系の多様性の確保その他の生物の多様性の確保を図るため、自然公園の風景の保護に関する施策を講ずるものとする。

（財産権の尊重及び他の公益との調整）

**第四条**　この条例の適用に当たっては、自然環境保全法（昭和四十七年法律第八十五号）第三条で定めるところによるほか、関係者の所有権、鉱業権その他の財産権を尊重するとともに、自然公園の保護及び利用と他の公益との調整に留意しなければならない。

## 第二章　都立自然公園

### 第一節　指定

（都立自然公園の指定）

**第五条**　都立自然公園は、知事が、関係する特別区又は市町村（以下「関係区市町村」という。）及び東京都自然環境保全審議会（以下「審議会」という。）の意見を聴き、区域を定めて指定する。

2　知事は、都立自然公園を指定する場合には、その旨及びその区域を告示しなければならない。

3　都立自然公園の指定は、前項の告示によってその効力を生ずる。

（都立自然公園の指定の解除及び区域の変更）

**第六条**　知事は、都立自然公園の指定を解除し、又はその区域を変更しようとするときは、関係区市町村及び審議会の意見を聴かなければならない。

2　前条第二項及び第三項の規定は、都立自然公園の指定の解除及びその区域の変更について準用する。

### 第二節　都公園計画及び都公園事業

（都公園計画及び都公園事業の決定）

**第七条**　都公園計画は、知事が、関係区市町村及び審議会の意見を聴いて決定する。

2　都公園事業は、知事が、審議会の意見を聴いて決定する。

3　知事は、都公園計画又は都公園事業を決定したときは、その概要を告示しなければならない。

（都公園計画及び都公園事業の廃止及び変更）

**第八条**　知事は、都公園計画を廃止し、又は変更しようとするときは、関係区市町村及び審議会の意見を聴かなければならない。

2　知事は、都公園事業を廃止し、又は変更しようとするときは、審議会の意見を聴かなければならない。

3　前条第三項の規定は、都公園計画又は都公園事業を廃止し、又は変更したときについて準用する。

（都公園事業の執行）

**第九条**　都公園事業は、都が執行する。ただし、道路法（昭和二十七年法律第百八十号）その他他の法令等の定めるところにより、国が道路に係る事業その他の事業を執行するときは、この限りでない。

2　特別区、市町村及び規則で定めるその他の公共団体（以下「公共団体」という。）は、知事に協議し、その同意を得て、都公園事業の一部を執行することができる。

3　公共団体以外の者は、知事の認可を受けて、都公園事業の一部を執行することができる。

4　第二項の同意及び前項の認可には、都立自然公園の保護又は利用上必要な限度において、条件を付することができる。

5　第二項の規定による協議及び第三項の認可の手続並びに第二項の同意を得て、又は当該認可を受けて行う都公園事業の執行に関して必要な事項は、規則で定める。

（清潔の保持）

**第十条**　知事は、都立自然公園内の道路、広場、キャンプ場その他の公共の場所について、必要があると認めるときは、当該公共の場所の管理者と協力して、その清潔を保持するものとする。

### 第三節　保護及び利用

（特別地域の指定）

**第十一条**　知事は、都立自然公園の風致を維持するため、都公園計画に基づいて、その区域内に、特別地域を指定することができる。

2　知事は、特別地域を指定し、又はその区域を拡張しようとするときは、国の関係地方行政機関の長に協議しなければならない。

3　第五条第二項及び第三項の規定は、特別地域の指定及び指定の解除並びにその区域の変更について準用する。

（特別地域内における行為の制限）

**第十二条**　特別地域内においては、次に掲げる行為は、知事の許可を受けなければ、してはならない。ただし、当該特別地域が指定され、若しくはその区域が拡張された際既に着手していた行為、第六号に規定する物が定められた際既に着手していた同号に掲げる行為又は非常災害のために必要な応急措置として行う行為は、この限りでない。

一　工作物を新築し、改築し、又は増築すること。

二　木竹を伐採すること。

三　鉱物を掘採し、又は土石を採取すること。

四　河川、湖沼等の水位又は水量に増減を及ぼさせること。

五　広告物その他これに類する物を掲出し、若しくは設置し、又は広告その他これに類するものを工作物等に表示すること。

六　屋外において土石その他の規則で定める物を集積し、又は貯蔵すること。

七　水面を埋め立て、又は干拓すること。

八　土地を開墾し、その他土地の形状を変更すること。

九　高山植物その他の植物で規則で定めるものを採取し、又は損傷すること。

十　山岳に生息する動物その他の動物で規則で定めるもの（以下「指定動物」という。）を捕獲し、若しくは殺傷し、又は指定動物の卵を採取し、若しくは損傷すること。

十一　屋根、壁面、塀、橋、鉄塔、送水管その他これらに類するものの色彩を変更すること。

十二　道路、広場、田、畑、牧場及び宅地以外の地域のうち知事が指定する区域内において車馬若しくは動力船を使用し、又は航空機を着陸させること。

十三　主として歩行者の通行の用に供する道路であって舗装がされていないもののうち知事が指定する道路において車馬を使用すること。

2　知事は、前項各号に掲げる行為で規則で定める基準に適合しないものについては、同項の許可をしてはならない。

3　特別地域が指定され、若しくはその区域が拡張された際当該特別地域内において第一項各号に掲げる行為又は同項第六号に規定する物が定められた際同号に掲げる行為に着手している者は、その指定又は区域の拡張の日から起算して三月以内に、知事にその旨を届け出なければならない。

4　特別地域内において非常災害のために必要な応急措置として第一項各号に掲げる行為をした者は、その行為をした日から起算して十四日以内に、知事にその旨を届け出なければならない。

5　特別地域内において木竹を植栽し、又は家畜を放牧しようとする者は、あらかじめ、知事にその旨を届け出なければならない。

6　次に掲げる行為については、第一項及び前三項の規定は、適用しない。

一　都公園事業の執行として行う行為

二　第十八条第一項の規定により締結された風景地保

護協定に基づいて同項第一号の風景地保護協定区域内で行う行為であって、同項第二号又は第三号に掲げる事項に従って行うもの

三　通常の管理行為、軽易な行為その他の行為であって、規則で定めるもの

7　第一項の許可には、都立自然公園の風致又は景観を保護するために必要な限度において、条件を付することができる。

**（普通地域）**

**第十三条**　都立自然公園の区域のうち特別地域に含まれない区域（以下「普通地域」という。）内において、次に掲げる行為をしようとする者は、知事に対し、規則で定めるところにより、行為の種類、場所、施行方法及び着手予定日その他規則で定める事項を届け出なければならない。

一　その規模が規則で定める基準を超える工作物を新築し、改築し、又は増築すること（改築又は増築後において、その規模が規則で定める基準を超えるものとなる場合における改築又は増築を含む。）。

二　特別地域内の河川、湖沼等の水位又は水量に増減を及ぼさせること。

三　広告物その他これに類する物を掲出し、若しくは設置し、又は広告その他これに類するものを工作物等に表示すること。

四　水面を埋め立て、又は干拓すること。

五　鉱物を掘採し、又は土石を採取すること。

六　土地の形状を変更すること。

2　知事は、都立自然公園の風景を保護するために必要と認めるときは、普通地域内において前項の規定により届出を要する行為をしようとする者又はした者に対して、その風景を保護するために必要な限度において、当該行為を禁止し、若しくは制限し、又は必要な措置を執るべき旨を命ずることができる。

3　前項の規定による処分は、第一項の規定による届出をした者に対しては、その届出があった日から起算して三十日以内に限り、することができる。

4　知事は、第一項の規定による届出があった場合において、実地の調査をする必要があるとき、その他前項に規定する期間内に第二項の規定による処分をすることができない合理的な理由があるときは、その理由が存続する間、前項に規定する期間を延長することができる。この場合においては、同項に規定する期間内に、第一項の規定による届出をした者に対し、その旨及び期間を延長する理由を通知しなければならない。

5　第一項の規定による届出をした者は、その届出をした日から起算して三十日を経過した後でなければ、当該届出に係る行為に着手してはならない。

6　知事は、都立自然公園の風景の保護に支障を及ぼすおそれがないと認めるときは、前項に規定する期間を短縮することができる。

7　次に掲げる行為については、第一項及び第二項の規定は、適用しない。

一　都公園事業の執行として行う行為

二　第十八条第一項の規定により締結された風景地保護協定に基づいて同項第一号の風景地保護協定区域内で行う行為であって、同項第二号又は第三号に掲げる事項に従って行うもの

三　通常の管理行為、軽易な行為その他の行為であって、規則で定めるもの

四　都立自然公園が指定され、又はその区域が拡張された際既に着手していた行為

五　非常災害のために必要な応急措置として行う行為

**（中止命令等）**

**第十四条**　知事は、都立自然公園の保護のために必要があると認めるときは、第十二条第一項の規定、同条第七項の規定により許可に付せられた条件又は前条第二項の規定による処分に違反する行為をした者に対して、その保護のために必要な限度において、その行為の中止を命じ、又はこれらの者若しくはこれらの者から当該土地、建物その他の工作物若しくは物件についての権利を承継した者に対して、相当の期限を定めて、原状回復を命じ、若しくは原状回復が著しく困難である場合に、これに代わるべき必要な措置を執るべき旨を命ずることができる。

2　前項の規定により原状回復又はこれに代わるべき必要な措置（以下「原状回復等」という。）を命じようとする場合において、過失がなくて当該原状回復等を命ずべき者を確知することができないときは、知事は、その者の負担において、当該原状回復等を自ら行い、又はその命じた者若しくは委任した者にこれを行わせることができる。この場合において、相当の期限を定めて、当該原状回復等を行うべき旨及びその期限までに当該原状回復等を行わないときは、知事又はその命じた者若しくは委任した者が当該原状回復等を行う旨をあらかじめ告示しなければならない。

3　前項の規定により原状回復等を行おうとする者は、その身分を示す証明書を携帯し、関係者の請求があるときは、これを提示しなければならない。

**（報告の徴収及び立入検査）**

**第十五条**　知事は、都立自然公園の保護のために必要があると認めるときは、第十二条第一項の許可を受けた者又は第十三条第二項の規定により行為を制限され、若しくは必要な措置を執るべき旨を命ぜられた者に対

して、当該行為の実施状況その他必要な事項について報告を求めることができる。

2　知事は、第十二条第一項、第十三条第二項又は前条の規定による処分をするために必要があると認めるときは、その必要な限度において、その職員をして、都立自然公園の区域内の土地若しくは建物内に立ち入らせ、又は第十二条第一項各号若しくは第十三条第一項各号に掲げる行為の実施状況を検査させ、若しくはこれらの行為の風景に及ぼす影響を調査させることができる。

3　前項の職員は、その身分を示す証明書を携帯し、関係者の請求があるときは、これを提示しなければならない。

4　第一項及び第二項の規定による権限は、犯罪捜査のために認められたものと解してはならない。

（**集団施設地区**）

**第十六条**　知事は、都立自然公園の利用のための施設を集団的に整備するため、都公園計画に基づいて、その区域内に集団施設地区を指定するものとする。

2　第五条第二項及び第三項の規定は、集団施設地区の指定及び指定の解除並びにその区域の変更について準用する。

（**利用のための規制**）

**第十七条**　特別地域又は集団施設地区内においては、何人も、みだりに次に掲げる行為をしてはならない。

一　当該都立自然公園の利用者に著しく不快の念を起こさせるような方法で、ごみその他の汚物又は廃物を捨て、又は放置すること。

二　著しく悪臭を発散させ、拡声器、ラジオ等により著しく騒音を発し、展望所、休憩所等をほしいままに占拠し、嫌悪の情を催させるような仕方で客引きをし、その他当該都立自然公園の利用者に著しく迷惑をかけること。

三　野生動物（鳥類又は哺乳類に属するものに限る。以下この号において同じ。）に餌を与えることその他の野生動物の生態に影響を及ぼす行為で規則で定めるものであって、当該都立自然公園の利用に支障を及ぼすおそれのあるものを行うこと。

2　知事は、特別地域又は集団施設地区内において前項第二号又は第三号に掲げる行為をしている者があるときは、その職員をして、当該行為をやめるべきことを指示させることができる。

3　前項の職員は、その身分を示す証明書を携帯し、関係者の請求があるときは、これを提示しなければならない。

### 第四節　風景地保護協定

（**風景地保護協定の締結等**）

**第十八条**　都若しくは関係区市町村又は第二十四条第一項の規定により指定された公園管理団体は、都立自然公園内の自然の風景地の保護のため必要があると認めるときは、当該都立自然公園の区域内の土地又は木竹の所有者又は使用及び収益を目的とする権利（臨時設備の設置その他一時使用のため設定されたことが明らかなものを除く。）を有する者（以下「土地の所有者等」と総称する。）と次に掲げる事項を定めた協定（以下「風景地保護協定」という。）を締結して、当該土地の区域内の自然の風景地の管理を行うことができる。

一　風景地保護協定の目的となる土地の区域（以下「風景地保護協定区域」という。）

二　風景地保護協定区域内の自然の風景地の管理の方法に関する事項

三　風景地保護協定区域内の自然の風景地の保護に関連する施設の整備が必要な場合にあっては、当該施設の整備に関する事項

四　風景地保護協定の有効期間

五　風景地保護協定に違反した場合の措置

2　風景地保護協定については、風景地保護協定区域内の土地の所有者等の全員の合意がなければならない。

3　風景地保護協定の内容は、次に掲げる基準に適合するものでなければならない。

一　自然の風景地の保護を図るために有効かつ適切なものであること。

二　土地及び木竹の利用を不当に制限するものでないこと。

三　第一項各号に掲げる事項について規則で定める基準に適合するものであること。

4　関係区市町村が風景地保護協定を締結しようとするときは、あらかじめ、知事に協議し、同意を得なければならない。

5　第一項の公園管理団体が風景地保護協定を締結しようとするときは、あらかじめ、知事の認可を受けなければならない。

（**風景地保護協定の縦覧等**）

**第十九条**　知事又は関係区市町村の長は、前条第一項の規定により都又は関係区市町村が風景地保護協定を締結しようとするときは、規則で定めるところにより、その旨の告示（関係区市町村の長にあっては、公示。以下この項及び次項、第二十一条（第二十二条において準用する場合を含む。）並びに第二十三条において同じ。）をし、当該風景地保護協定を当該告示の日から二週間関係者の縦覧に供さなければならない。

2　前項の告示があったときは、関係者は、同項の縦覧

期間満了の日までに、当該風景地保護協定について、知事又は関係区市町村の長に意見書を提出することができる。

3　前二項の規定は、前条第五項の規定による風景地保護協定の認可の申請があったときについて準用する。この場合において、「知事又は関係区市町村の長」とあるのは「知事」と読み替えるものとする。

**（風景地保護協定の認可）**

**第二十条**　知事は、第十八条第五項の規定による風景地保護協定の認可の申請が、次の各号のいずれにも該当するときは、当該風景地保護協定を認可しなければならない。

一　申請手続が法令並びに条例及び規則の規定に違反しないこと。

二　風景地保護協定の内容が、第十八条第三項各号に掲げる基準に適合するものであること。

**（風景地保護協定の告示等）**

**第二十一条**　知事又は関係区市町村の長は、第十八条第一項の規定により都又は関係区市町村が風景地保護協定を締結したときは、規則で定めるところにより、その旨の告示をし、かつ、当該風景地保護協定の写しを公衆の縦覧に供するとともに、風景地保護協定区域である旨を当該区域内に明示しなければならない。

2　前項の規定は、前条の規定による風景地保護協定の認可をしたときについて準用する。この場合において、「知事又は関係区市町村の長」とあるのは「知事」と読み替えるものとする。

**（風景地保護協定の変更）**

**第二十二条**　第十八条第二項から第五項まで及び前三条の規定は、風景地保護協定において定めた事項の変更について準用する。

**（風景地保護協定の効力）**

**第二十三条**　第二十一条（前条において準用する場合を含む。）の規定により告示のあった風景地保護協定は、その告示のあった後において当該風景地保護協定区域内の土地の所有者等となった者に対しても、その効力を有するものとする。

### 第五節　公園管理団体

**（指定）**

**第二十四条**　知事は、都立自然公園内の自然の風景地の保護とその適正な利用を図ることを目的とする一般社団法人又は一般財団法人、特定非営利活動促進法（平成十年法律第七号）第二条第二項の特定非営利活動法人その他規則で定める法人であって、次条第一項各号に掲げる業務を適正かつ確実に行うことができると認められるものを、その申請により、公園管理団体として指定することができる。

2　知事は、前項の規定による指定をしたときは、当該公園管理団体の名称、主たる事務所の所在地及び次条に規定する業務を行う事務所の所在地を告示しなければならない。

3　公園管理団体は、その名称、主たる事務所の所在地又は次条に規定する業務を行う事務所の所在地を変更しようとするときは、あらかじめ、知事にその旨を届け出なければならない。

4　知事は、前項の規定による届出があったときは、当該届出に係る事項を告示しなければならない。

**（業務）**

**第二十五条**　公園管理団体は、次に掲げる業務を行うものとする。

一　風景地保護協定に基づく自然の風景地の管理その他の自然の風景地の保護に資する活動を行うこと。

二　都立自然公園内の施設の補修その他の維持管理を行うこと。

三　前二号に掲げる業務に附帯する業務を行うこと。

2　公園管理団体は、前項各号に掲げる業務のほか、次に掲げる業務を行うことができる。

一　都立自然公園の保護とその適正な利用の推進に関する情報又は資料を収集し、及び提供すること。

二　都立自然公園の保護とその適正な利用の推進に関し必要な助言及び指導を行うこと。

三　都立自然公園の保護とその適正な利用の推進に関する調査及び研究を行うこと。

四　前三号に掲げる業務に附帯する業務を行うこと。

**（連携）**

**第二十六条**　公園管理団体は、都及び関係区市町村との密接な連携の下に前条第一項第一号に掲げる業務を行わなければならない。

**（改善命令）**

**第二十七条**　知事は、公園管理団体の業務の運営に関し改善が必要であると認めるときは、公園管理団体に対し、その改善に必要な措置を執るべき旨を命ずることができる。

**（指定の取消し等）**

**第二十八条**　知事は、公園管理団体が前条の規定による命令に違反したときは、その指定を取り消すことができる。

2　知事は、前項の規定により指定を取り消したときは、その旨を告示しなければならない。

**（情報の提供等）**

**第二十九条**　都及び関係区市町村は、公園管理団体に対し、その業務の実施に関し必要な情報の提供又は指導及び助言を行うものとする。

### 第六節　費用

**（都公園事業の執行に要する費用）**

**第三十条**　都公園事業の執行に要する費用は、その都公園事業を執行する者の負担とする。

**（区市町村の負担）**

**第三十一条**　都が都公園事業を執行する場合において、当該都公園事業の執行が特に特別区又は市町村（以下「区市町村」という。）を利するものであるときは、当該区市町村に、その受益の限度において、その執行に要する費用の一部を負担させることができる。

2　前項の規定により都公園事業の執行に要する費用の一部を区市町村に負担させようとする場合においては、都は、当該区市町村の意見を聴かなければならない。

**（受益者負担）**

**第三十二条**　都は、都公園事業の執行により著しく利益を受ける者がある場合においては、その者に、その受益の限度において、その都公園事業の執行に要する費用の一部を負担させることができる。

**（原因者負担）**

**第三十三条**　都は、他の工事又は他の行為により都公園事業の執行が必要となった場合においては、その原因となった工事又は行為について費用を負担する者に、その都公園事業の執行が必要となった限度において、その費用の全部又は一部を負担させることができる。

**（負担金の徴収方法等）**

**第三十四条**　前三条の規定による負担金の徴収方法その他負担金に関して必要な事項は、規則で定める。

**（適用除外）**

**第三十五条**　この節の規定は、都公園事業のうち、道路法による道路に係る事業及び他の法令等にその執行に要する費用に関して別段の規定があるその他の事業については、適用しない。

### 第七節　雑則

**（実地調査）**

**第三十六条**　知事は、都立自然公園の指定、都公園計画の決定又は都公園事業の決定若しくは執行に関し、実地調査のため必要があるときは、その職員をして、他人の土地に立ち入らせ、標識を設置させ、測量させ、又は実地調査の障害となる木竹若しくは垣、さく等を伐採させ、若しくは除去させることができる。ただし、道路法その他の法令等に実地調査に関する規定があるときは、当該規定の定めるところによる。

2　知事は、その職員をして、前項の規定による行為をさせようとするときは、あらかじめ、土地の所有者（所有者が明らかでないときは、その占有者。以下この条において同じ。）及び占有者並びに木竹又は垣、さく等の所有者にその旨を通知し、意見書を提出する機会を与えなければならない。

3　第一項の職員は、日出前及び日没後においては、宅地又は垣、さく等で囲まれた土地に立ち入ってはならない。

4　第一項の職員は、その身分を示す証明書を携帯し、関係者の請求があるときは、これを提示しなければならない。

5　土地の所有者若しくは占有者又は木竹若しくは垣、さく等の所有者は、正当な理由がない限り、第一項の規定による立入り又は標識の設置その他の行為を拒み、又は妨げてはならない。

**（公害等調整委員会の裁定）**

**第三十七条**　第十二条第一項及び第十三条第二項の規定による処分に不服がある者は、その不服の理由が鉱業、採石業又は砂利採取業との調整に関するものであるときは、公害等調整委員会に裁定を申請することができる。この場合には、審査請求をすることができない。

2　行政不服審査法（平成二十六年法律第六十八号）第二十二条の規定は、前項の処分につき、処分をした行政庁が誤って審査請求又は再調査の請求をすることができる旨を教示した場合に準用する。

**（損失の補償）**

**第三十八条**　都は、第十二条第一項の許可を得ることができないため、同条第七項の規定により許可に条件を付せられたため、又は第十三条第二項の規定による処分を受けたため損失を受けた者に対して、通常生ずべき損失を補償する。

2　前項の規定による補償を受けようとする者は、規則で定めるところにより、知事にこれを請求しなければならない。

3　知事は、前項の規定による請求を受けたときは、補償すべき金額を決定し、当該請求者にこれを通知しなければならない。

4　都は、第三十六条第一項の規定による職員の行為によって損失を受けた者に対して、通常生ずべき損失を補償する。

5　第二項及び第三項の規定は、前項の規定による損失の補償について準用する。

**（利用の増進のための情報の提供等）**

**第三十八条の二**　都は、都立自然公園の利用の増進に資するため、都立自然公園に関する情報の提供及び普及宣伝を行うものとする。

**（国に関する特例）**

**第三十九条**　国の機関が行う行為については、第十二条第一項の許可を受けることを要しない。この場合において当該国の機関は、その行為をしようとするときは、あらかじめ、知事に協議しなければならない。

2 国の機関は、第十二条第三項から第五項まで又は第十三条第一項の規定により届出を要する行為をしたとき、又はしようとするときは、これらの規定による届出の例により、知事にその旨を通知しなければならない。

3 知事は、第十三条第一項の規定による届出の例による通知があった場合において、都立自然公園の風景を保護するために必要があると認めるときは、当該国の機関に対し、風景の保護のために執るべき措置について協議を求めることができる。

## 第三章 自然公園施設

### 第一節 自然公園施設の設置等

**（自然公園施設の種類）**

**第四十条** 自然公園施設の種類は、自然ふれあい公園、道路、利用施設、保護施設及び保全緑地とする。

2 自然ふれあい公園は、主として自然環境の保全を図り、自然及び環境に関する理解を深め、並びに自然に親しむレクリエーション活動を行う場として都民の利用に供することを目的とする施設とする。

3 道路は、主として自然の風景地を都民の適正な利用に供することを目的とする道路とする。

4 利用施設は、主として自然の風景地を都民の適正な利用に供することを目的とする施設で、自然ふれあい公園及び道路以外のものとする。

5 保護施設は、主として自然の風景地の保護及び回復を図ることを目的とする施設とする。

6 保全緑地は、主として自然環境の保護及び回復を図ることを目的とする緑地とする。

**（自然公園施設の設置、変更、廃止等）**

**第四十一条** 自然ふれあい公園の名称及び位置は、別表第一のとおりとし、その区域は知事が定め、告示する。

2 知事は、自然ふれあい公園以外の自然公園施設の設置に当たっては、その名称、位置及び区域並びに供用開始の期日を告示する。

3 知事は、自然ふれあい公園以外の自然公園施設の名称、位置若しくは区域の変更又は廃止に当たっては、当該自然公園施設の名称、位置及び変更又は廃止に係る区域その他必要と認める事項を告示する。

4 有料施設の名称及び規模その他必要な事項は、知事が定め、告示する。

5 自然公園施設（当該自然公園施設内に設けられる附帯施設を含む。以下同じ。）の管理は、知事が行う。

6 知事は、自然公園施設の目的を全うするために必要な業務を行う。

**（自然公園施設等の休業日等）**

**第四十二条** 自然公園施設及び附帯施設の休業日、使用時間及び入場時間並びに有料用具の使用をすることができない日及び使用時間は、知事が定める。

**（自然公園施設の設置基準）**

**第四十三条** 自然公園施設を設置する場合においては、自然公園施設の配置、規模等に関し、規則で定める基準に適合するように行うものとする。

### 第二節 都以外の者の自然公園施設の管理等

**（都以外の者の自然公園施設の管理等）**

**第四十四条** 都は、自ら管理することが不適当又は困難であると認められる自然公園施設に限り、都以外の者に当該自然公園施設を管理させることができる。

2 都以外の者が自然公園施設を管理しようとするときは、規則で定めるところにより知事に申請し、その許可を受けなければならない。許可を受けた事項を変更しようとするときも、同様とする。

3 都以外の者が管理する自然公園施設は、前条に規定する基準に適合したものでなければならない。

4 都以外の者が自然公園施設を管理する期間は、十年を超えることができない。これを更新するときの期間についても、同様とする。

5 都は、自ら設置し、又は管理することが不適当又は困難であると認められる附帯施設に限り、都以外の者に当該附帯施設を設置し、又は管理させることができる。

6 第二項から第四項までの規定は、前項の規定により都以外の者に附帯施設を設置し、又は管理させる場合について準用する。

**第四十五条** 前条第一項の規定により自然公園施設を管理させ、又は同条第五項の規定により附帯施設を設置し、若しくは管理させることができる者は、都内に住所又は主たる事務所を有する者でなければならない。

**（自然公園施設の使用料等）**

**第四十六条** 知事は、第四十四条第二項（同条第六項において準用する場合を含む。以下同じ。）の許可を受けた者から、その使用する自然公園施設又は附帯施設について、別表第二に定める額の範囲内において規則で定める額の使用料を徴収する。

2 知事は、第四十四条第二項の許可に当たって、必要があると認めるときは、保証金を徴収し、又は保証人を立てさせることができる。

3 前二項に定めるもののほか、第一項の使用料の徴収方法並びに前項の保証金の額、充当及び還付は、規則で定めるところによる。

**（自然公園施設の管理等の休止、廃止）**

**第四十七条**　第四十四条第二項の許可を受けた者が、当該許可に係る自然公園施設の管理又は附帯施設の設置若しくは管理を休止しようとするときは、あらかじめ知事の許可を受けなければならない。

2　第四十四条第二項の許可を受けた者が、当該許可に係る自然公園施設の管理又は附帯施設の設置若しくは管理を廃止しようとするときは、廃止の日の十日前までに理由を付して知事に届け出なければならない。

### 第三節　自然公園施設の占用

**（自然公園施設の占用の許可）**

**第四十八条**　自然公園施設に附帯施設以外の工作物その他の物件又は施設（以下「物件等」という。）を設けて自然公園施設を占用しようとする者は、規則で定めるところにより知事に申請し、その許可を受けなければならない。

2　前項の許可を受けた者は、許可を受けた事項を変更しようとするときは、規則で定めるところにより知事に申請し、その許可を受けなければならない。ただし、当該変更が規則で定める軽易なものであるときは、この限りでない。

3　第一項の規定による自然公園施設の占用の期間は、十年を超えない範囲内において規則で定める期間を超えることができない。これを更新するときの期間についても、同様とする。

**第四十九条**　物件等を設けないで自然公園施設を占用しようとする者は、規則で定めるところにより知事に申請し、その許可を受けなければならない。

2　前条第二項及び第三項の規定は、前項の許可について準用する。

**第五十条**　知事は、第四十八条第一項又は第二項の許可の申請に係る自然公園施設の占用が、次の各号のいずれにも適合すると認める場合に限り、許可することができる。

一　当該申請に係る物件等が都市公園法（昭和三十一年法律第七十九号）第七条第一項各号に掲げるもの、同条第二項の保育所その他の社会福祉施設で都市公園法施行令（昭和三十一年政令第二百九十号）で定めるもの（通所のみにより利用されるものに限る。）又は規則で定めるものであること。

二　当該申請に係る物件等が規則で定める技術的基準に適合するものであること。

三　当該申請に係る占用が自然公園における自然環境の保全及び回復並びに都民の自然公園施設の使用に著しく支障を及ぼさないものであること。

四　当該申請に係る占用が必要やむを得ないものであること。

2　知事は、前条第一項及び同条第二項において準用する第四十八条第二項の許可の申請に係る自然公園施設の占用が、前項第三号及び第四号に適合すると認める場合に限り、許可することができる。

**（占用料）**

**第五十一条**　知事は、第四十八条第一項若しくは第二項（第四十九条第二項において準用する場合を含む。以下同じ。）又は第四十九条第一項の許可を受けた者から別表第三に定める額の範囲内において規則で定める額の占用料を徴収する。

**（準用）**

**第五十二条**　第四十六条第二項及び第三項並びに第四十七条の規定は、自然公園施設の占用について準用する。

### 第四節　有料施設等の使用

**（有料施設等の使用）**

**第五十三条**　有料施設又は有料用具（以下「有料施設等」という。）を使用しようとする者は、規則で定めるところにより知事に申請し、その承認を受けなければならない。

**（使用料等）**

**第五十三条の二**　知事は、別表第三の二に掲げる有料施設等の使用料を当該有料施設等の使用について、前条の承認を受けた者から徴収する。

2　前項の使用料の額は、別表第三の二に定める額の範囲内において規則で定める。

3　知事は、前条の規定により使用の承認に関する事務を行うに当たって必要があると認めるときは、予納金を徴収することができる。

4　前項の予納金は、使用料に充当するものとする。

5　第一項の使用料及び第三項の予納金の徴収方法は、規則の定めるところによる。

**（利用料金等）**

**第五十四条**　指定管理者（第六十六条第一項に規定する指定管理者をいう。以下この条、次条、第六十二条及び第六十三条第二項において同じ。）は、別表第四に掲げる有料施設等の利用に係る料金（以下「利用料金」という。）を当該有料施設等の使用について、第五十三条の承認を受けた者から収受する。

2　利用料金の額は、別表第四に定める額の範囲内において、あらかじめ知事の承認を得て、指定管理者が定める。

3　指定管理者は、第六十六条第二項第一号の規定により使用の承認に関する事務を行うに当たって必要があると認めるときは、利用に係る予納金（以下「利用予納金」という。）を収受することができる。
4 利用予納金は、利用料金に充当するものとする。
5 利用料金及び利用予納金の収受方法は、規則の定めるところによる。
6 利用料金は、指定管理者の収入とする。

（無料公開等）
**第五十五条** 知事又は指定管理者は、次の各号のいずれかに該当する日に特に必要があると認めるときは、知事は第五十三条の二第一項の使用料を、指定管理者は利用料金を減額し、又は無料で有料施設等を使用させることができる。
一 当該有料施設の記念日
二 自然公園に関する行事の日
三 都又は国の行事の日

### 第五節 雑則

（兼用工作物の管理）
**第五十六条** 自然公園施設と都市公園、河川、道路、下水道その他の施設又は工作物（以下これらを「他の工作物」という。）とが相互に効用を兼ねる場合においては、知事及び他の工作物の管理者は、当該自然公園施設及び他の工作物の管理については、第四十一条第五項の規定にかかわらず、協議して別にその管理の方法及び管理に要する費用の負担について定めることができる。ただし、他の工作物の管理者が私人である場合においては、自然公園施設に関する工事及び維持以外の管理を行わせることができない。
2 前項の規定により協議が成立した場合においては、知事は、成立した協議の内容を告示しなければならない。
3 第一項の規定による協議に基づき他の工作物の管理者が自然公園施設を管理する場合においては、当該他の工作物の管理者は、知事に代わってその権限を行うものとする。

（原状回復）
**第五十七条** 第四十四条第二項、第四十八条第一項若しくは第二項又は第四十九条第一項の許可を受けた者は、自然公園施設の管理、附帯施設の設置若しくは管理若しくは自然公園施設の占用の期間が満了したとき、又は自然公園施設の管理、附帯施設の設置若しくは管理若しくは自然公園施設の占用を廃止したときは、直ちに自然公園施設を原状に回復しなければならない。ただし、原状に回復することが不適当な場合においては、この限りでない。
2 知事は、第四十四条第二項、第四十八条第一項若しくは第二項又は第四十九条第一項の許可を受けた者に対して、前項の規定による原状の回復又は原状に回復することが不適当な場合の措置について必要な指示をすることができる。

（行為の制限）
**第五十八条** 自然公園施設内では、次に掲げる行為をしてはならない。ただし、第一号から第七号までに掲げる行為については、あらかじめ知事の許可を受けた場合は、この限りでない。
一 自然公園施設の原状を変更し、又は用途外に使用すること。
二 植物を採集し、又は損傷すること。
三 鳥獣魚介の類を捕獲し、又は殺傷すること。
四 広告宣伝をすること。
五 知事が指定した場所以外の場所へ車両、船舶等を乗り入れ、又は留め置くこと。
六 立入禁止区域に立ち入ること。
七 物品販売、業としての写真撮影その他営業行為をすること。
八 自然公園施設内の土地又は物件を損壊すること。
九 知事が指定した場所以外の場所にごみその他の汚物を捨てること。
十 前各号に掲げるもののほか、自然公園施設の管理運営に支障を及ぼすおそれがある行為をすること。

（使用の制限）
**第五十九条** 知事は、自然公園施設の管理運営のため必要があると認めるときは、区域、期間等を指定して自然公園施設の使用を制限することができる。

（許可又は承認の条件）
**第六十条** 知事は、この章の規定による許可又は承認に、自然公園施設の管理運営のため必要な範囲内で条件を付することができる。

（権利の譲渡禁止等）
**第六十一条** 第四十四条第二項、第四十八条第一項若しくは第二項若しくは第四十九条第一項の許可又は第五十三条の承認を受けた者は、その権利を他人に譲渡し、又は転貸することができない。

（使用料等の不還付）
**第六十二条** 既納の使用料、占用料、予納金、利用料金及び利用予納金は、還付しない。ただし、知事は使用料、占用料及び予納金について、指定管理者は利用料金及び利用予納金について、相当の理由があると認めるときは、その一部又は全部を還付することができる。

（使用料等の減免）
**第六十三条** 知事は、特に必要があると認めるときは、使用料又は占用料を減額し、又は免除することができる。
2 指定管理者は、公益を目的とする場合で特に必要があると認めるときは、利用料金を減額し、又は免除することができる。

（監督処分）

**第六十四条**　知事は、次の各号のいずれかに該当する者に対して、この章の規定によってした許可若しくは承認（第六十六条第二項第一号の規定による承認を含む。以下この項において同じ。）を取り消し、その効力を停止し、若しくはその条件を変更し、又は行為若しくは工事の中止、自然公園施設に存する工作物その他の物件若しくは施設の改築、移転若しくは除去、当該工作物その他の物件若しくは施設により生ずべき損害を予防するため必要な措置をすること、自然公園施設から退去すること若しくは自然公園施設を原状に回復することを命ずることができる。

一　この章の規定又はこの章の規定による処分に違反している者

二　この章の規定による許可又は承認に付せられた条件に違反している者

三　偽りその他不正な手段によりこの章の規定による許可又は承認を受けた者

2　知事は、次の各号のいずれかに該当する場合においては、この章の規定による許可又は承認を受けた者に対し、前項に規定する処分をすることができる。

一　自然公園施設に関する工事のためやむを得ない必要が生じた場合

二　自然公園施設の保全又は都民の自然公園施設の使用に著しい支障が生じた場合

三　前二号に掲げる場合のほか、自然公園施設の管理上の理由以外の理由に基づく公益上やむを得ない必要が生じた場合

（監督処分に伴う損失の補償）

**第六十五条**　都は、この章の規定による許可又は承認を受けた者が前条第二項の規定により処分をされたことによって損失を受けたときは、その者に対し、通常受けるべき損失を補償しなければならない。

（指定管理者による管理）

**第六十六条**　知事は、地方自治法（昭和二十二年法律第六十七号）第二百四十四条の二第三項の規定により、法人その他の団体であって知事が指定するもの（以下「指定管理者」という。）に、自然公園施設（第四十条第二項に規定する自然ふれあい公園及び同条第四項に規定する利用施設に限り、第四十四条第一項又は第五項の規定により設置又は管理の許可をした自然公園施設又は附帯施設を除く。以下この条から第六十六条の三まで及び第六十六条の五において同じ。）の管理に関する業務のうち、次に掲げるものを行わせることができる。

一　自然公園施設の維持及び修繕に関する業務

二　自然公園施設の使用の受付及び案内に関する業務

三　前二号に掲げるもののほか、知事が特に必要と認める業務

2　知事は、次に掲げる業務を指定管理者に行わせることができる。

一　第五十三条及び第六十条の規定により、有料施設等の使用を承認すること及び自然公園施設の管理運営のため必要な範囲内でその承認に条件を付すること。

二　第五十九条の規定により、自然公園施設の管理運営のため必要があると認めて、区域、期間等を指定して自然公園施設の使用を制限すること。

（指定管理者の指定）

**第六十六条の二**　指定管理者としての指定を受けようとする者は、規則で定めるところにより、知事に申請しなければならない。

2　知事は、前項の規定による申請があったときは、次に掲げる基準により最も適切に自然公園施設の管理を行うことができると認める者を指定管理者に指定するものとする。

一　前条第一項各号に掲げる業務について相当の知識及び経験を有する者を当該業務に従事させることができること。

二　安定的な経営基盤を有していること。

三　自然公園の効用を最大限に発揮するとともに、効率的な管理運営ができること。

四　法その他の関係法令及び条例の規定を遵守し、適正な管理運営ができること。

五　前各号に掲げるもののほか、規則で定める基準

3　知事は、前項の規定による指定をするときは、効率的な管理運営を考慮し、指定の期間を定めるものとする。

（指定管理者の指定の取消し等）

**第六十六条の三**　知事は、指定管理者が次の各号のいずれかに該当するときは、前条第二項の規定による指定を取り消し、又は期間を定めて管理の業務の全部若しくは一部の停止を命ずることができる。

一　管理の業務又は経理の状況に関する知事の指示に従わないとき。

二　前条第二項各号に掲げる基準を満たさなくなったと認めるとき。

三　第六十六条の五第一項各号に掲げる管理の基準を遵守しないとき。

四　前三号に掲げるもののほか、当該指定管理者による管理を継続することが適当でないと認めるとき。

2　前項の規定により指定管理者の指定を取り消し、又は管理の業務の全部若しくは一部（利用料金の収受を含む場合に限る。）の停止を命じた場合等で、知事が臨時に自然公園施設の管理運営を行うときに限り、新たに指定管理者を指定し、又は当該停止の期間が終了するまでの間、使用料を徴収する。

3　前項の場合にあっては、第五十三条の二及び別表第四の規定を準用する。この場合において、同条第一項及び第二項中「別表第三の二」とあるのは「別表第四」と、同条第二項中「規則で」とあるのは「知事が」と、同表中「利用料金」とあるのは「使用料」と読み替えるものとする。

**（指定管理者の公表）**

**第六十六条の四**　知事は、指定管理者を指定し、若しくは指定を取り消したとき、又は期間を定めて管理の業務の全部若しくは一部の停止を命じたときは、遅滞なくその旨を告示するものとする。

**（管理の基準等）**

**第六十六条の五**　指定管理者は、次に掲げる基準により、自然公園施設の管理に関する業務を行わなければならない。

一　法その他の関係法令及び条例の規定を遵守し、適正な管理運営を行うこと。

二　利用者に対して適切なサービスの提供を行うこと。

三　自然公園施設の維持及び修繕を適切に行うこと。

四　当該指定管理者が業務に関連して取得した利用者の個人に関する情報を適切に取り扱うこと。

2　知事は、次に掲げる事項について、指定管理者と協定を締結するものとする。

一　前項各号に掲げる基準に関し必要な事項

二　業務の実施に関する事項

三　事業の実績報告に関する事項

四　前三号に掲げるもののほか、自然公園施設の管理に関し必要な事項

## 第四章　委任

**第六十七条**　この条例に規定するものを除くほか、この条例の施行に関し必要な事項は、規則で定める。

## 第五章　罰則

**第六十八条**　次の各号のいずれかに該当する者は、一年以下の拘禁刑又は百万円以下の罰金に処する。

一　第十二条第一項の規定に違反した者

二　第十四条第一項の規定による命令に違反した者

**第六十九条**　第十二条第七項の規定により許可に付せられた条件に違反した者は、六月以下の拘禁刑又は五十万円以下の罰金に処する。

**第七十条**　第十三条第二項又は第二十七条の規定による命令に違反した者は、五十万円以下の罰金に処する。

**第七十一条**　次の各号のいずれかに該当する者は、三十万円以下の罰金に処する。

一　第十三条第一項の規定による届出をせず、又は虚偽の届出をした者

二　第十三条第五項の規定に違反した者

三　第十五条第一項の規定による報告をせず、又は虚偽の報告をした者

四　第十五条第二項の規定による立入検査又は立入調査を拒み、妨げ、又は忌避した者

五　特別地域又は集団施設地区内において、みだりに第十七条第一項第一号に掲げる行為をした者

六　特別地域又は集団施設地区内において、第十七条第二項の規定による職員の指示に従わないで、みだりに同条第一項第二号又は第三号に掲げる行為をした者

七　第三十六条第五項の規定に違反して、同条第一項の規定による立入り又は標識の設置その他の行為を拒み、又は妨げた者

**第七十二条**　法人の代表者又は法人若しくは人の代理人、使用人その他の従業者が、その法人又は人の業務に関し、前四条の違反行為をしたときは、行為者を罰するほか、その法人又は人に対しても、各本条の罰金刑を科する。

**第七十三条**　次の各号の一に該当する者は、五万円以下の過料に処する。

一　第五十八条の規定に違反して、同条各号に掲げる行為をした者

二　第六十四条の規定による知事の命令に違反した者

## 附　則

**（施行期日）**

1　この条例は、平成十四年四月一日から施行する。

**（経過措置）**

2　この条例の施行前に、この条例による改正前の東京都立自然公園条例（以下「旧東京都立自然公園条例」という。）の規定によりされた命令、許可、認可、承認、条件の付加、指定、決定、告示その他の行為又はこの条例の施行の際現に旧東京都立自然公園条例の規定によりされている申請、届出、通知その他の手続は、それぞれこの条例の相当の規定に基づいてされた行為又は手続とみなす。

3　東京都立公園条例の一部を改正する条例（平成十四年東京都条例第九十四号）による改正前の東京都立公園条例（以下「旧東京都立公園条例」という。）に基づく東京都立大島公園、東京都立八丈植物公園、東京都立小峰公園、東京都立奥多摩湖畔公園、東京都立羽伏浦公園及び東京都立

多幸湾公園は、それぞれこの条例に基づく東京都立大島公園、東京都立八丈植物公園、東京都立小峰公園、東京都立奥多摩湖畔公園、東京都立羽伏浦公園及び東京都立多幸湾公園となり、同一性をもって存続するものとする。

4　この条例の施行の際、旧東京都立公園条例の規定により、現に東京都立大島公園、東京都立八丈植物公園、東京都立小峰公園、東京都立奥多摩湖畔公園、東京都立羽伏浦公園又は東京都立多幸湾公園の公園施設の設置若しくは管理の許可、占用の許可又は有料公園若しくは有料施設の使用の承認を受けている者は、この条例の相当の規定に基づいて許可又は承認を受けた者とみなし、その使用料、保証金、占用料又は予納金については、なお従前の例による。

5　この条例の施行前に、旧東京都立公園条例の規定によりされた処分その他の行為は、この条例の相当の規定に基づいてされた行為とみなす。

6　この条例の施行前にした行為に対する罰則の適用については、なお従前の例による。

**附　則**（令三・三・三一条例四五）

1　この条例は、令和三年四月一日から施行する。

2　この条例の施行の際、この条例による改正前の東京都自然公園条例の規定により、既に納付すべきものとされているこの条例の施行の日以後の使用又は占用に係る使用料又は占用料については、なお従前の例による。

**附　則**（令五・三・三一条例四〇）

1　この条例は、令和五年四月一日から施行する。

2　この条例の施行の際、この条例による改正前の東京都自然公園条例の規定により、既に納付すべきものとされているこの条例の施行の日以後の使用に係る使用料については、なお従前の例による。

**附　則**（令六・三・二九条例七九）

1　この条例は、令和六年四月一日から施行する。

2　この条例の施行の際、この条例による改正前の東京都自然公園条例の規定により、既に納付すべきものとされているこの条例の施行の日以後の使用に係る使用料については、なお従前の例による。

**附　則**（令六・一〇・一一条例一四七）

1　この条例は、令和七年六月一日から施行する。

2　この条例の施行前にした行為に対する罰則の適用については、なお従前の例による。

**別表第一**（第四十一条関係）

| 名称 | 位置 |
| --- | --- |
| 東京都立大島公園 | 東京都大島町 |
| 東京都立八丈植物公園 | 東京都八丈町 |
| 東京都立小峰公園 | 東京都あきる野市 |
| 東京都立奥多摩湖畔公園 | 東京都西多摩郡奥多摩町 |
| 東京都立羽伏浦公園 | 東京都新島村 |
| 東京都立多幸湾公園 | 東京都神津島村 |

**別表第二**（第四十六条関係）

| 種別 | 単位 | 使用料 |
| --- | --- | --- |
| 土地 | 一平方メートル一月 | 八十八円 |
| 建物 | 一箇所一月 | 一万七千八百円 |

付記

一　期間が一月に満たない端数があるときは、日割りをもって計算するものとする。

二　面積が一平方メートルに満たない端数は、一平方メートルとする。

別表第三（第五十一条関係）

| 種別 | 単位 | 占用料 | |
|---|---|---|---|
| 電柱及び標識 | 一本一月 | 百五円 | |
| 水道管、下水道管及びガス管並びに電線 | 一メートル一月 | 九十四円 | |
| 鉄塔 | 一平方メートル一月 | 九十四円 | |
| 変圧塔及びマンホールの類 | 一箇所一月 | 九十四円 | |
| 郵便差出箱及び信書便差出箱 | 一箇所一月 | 三十七円 | |
| 公衆電話所 | 一箇所一月 | 九十四円 | |
| 地下の占用物件 | 一平方メートル一月 | 地上露出部分 | 九十四円 |
| | | 地下部分 | 四十七円 |
| 高架の占用物件 | 一平方メートル一月 | 四十七円 | |
| 天体、気象又は土地の観測施設 | 一平方メートル一月 | 九十四円 | |
| 食糧、医薬品等災害応急対策に必要な物資の備蓄倉庫 | 一平方メートル一月 | 九十四円 | |
| 太陽電池発電施設 | 一平方メートル一月 | 九十四円 | |
| 保育所その他の社会福祉施設 | 一平方メートル一月 | 九十四円 | |
| 写真撮影のための常時占用 | 撮影機一台一月 | 七百五十二円 | |
| 写真撮影のための臨時的な占用 | 一回（一時間以内） | 千百七十五円 | |
| その他の占用 | 一平方メートル一日 | 三円 | |

付記

一　期間及び面積の計算については、別表第二付記による。

二　長さ一メートルに満たない端数は、一メートルとする。

別表第三の二（第五十三条の二関係）

一　有料施設の使用料

㈠　テニスコート

| 名称 | 単位 | 使用料 |
|---|---|---|
| 東京都立大島公園テニスコート | 一箇所一回（一時間以内） | 四百円 |

㈡　宿泊施設

| 名称 | | 種別 | 単位 | 使用料 |
|---|---|---|---|---|
| 東京都立大島公園海のふるさと村 | セントラルロッジ | 一般 | 一人一泊 | 四千五百円 |
| | | 小学生（小学校（義務教育学校の前期課程、特別支援学校の小学部及びこれらに準ずるものを含む。）の児童をいう。以下同じ。）及び中学生（中学校（義務教育学校の後期課程、中等教育学校の前期課程、特別支援学校の中学部及びこれらに準ずるものを含む。）の生徒をい | | 三千六百円 |

| | 種別 | | 単位 | |
|---|---|---|---|---|
| う。以下同じ。） | | | | |
| | 学齢に達しない者（一ベッド使用の場合） | | | 千八百円 |
| キャンプ場 | デッキテントサイト | 一般 | 一人一泊 | 三百円 |
| | | 小学生及び中学生 | | 百五十円 |
| | フリーテントサイト | 一般 | | 二百円 |
| | | 小学生及び中学生 | | 百円 |

二 有料用具の使用料

| 種別 | 種類 | 単位 | 使用料 |
|---|---|---|---|
| デッキテント | 東京都立大島公園海のふるさと村キャンプ場内において使用する場合 | 一組一泊 | 四千円 |
| フリーテント | 東京都立大島公園海のふるさと村キャンプ場内において使用する場合 | 一組一泊 | 二千円 |
| 毛布 | 東京都立大島公園海のふるさと村キャンプ場内において使用する場合 | 一枚一泊 | 二百円 |

**別表第四**（第五十四条関係）

一 有料施設の利用料金

| 名称 | 種別 | | 単位 | 利用料金 |
|---|---|---|---|---|
| 東京都立奥多摩湖畔公園山のふるさと村 | ケビン | 八人用 | 一室一泊 | 二万円 |
| | | 四人用 | | 一万円 |
| | キャンプ場 フリーテントサイト | 一般 | 一人一泊 | 二百円 |
| | | 小学生及び中学生 | | 百円 |
| 東京都立多幸湾公園 | キャンプ場 デッキテントサイト | 一般 | 一人一泊 | 千円 |
| | | 小学生及び中学生 | | 五百円 |
| | キャンプ場 フリーテントサイト | 一般 | | 四百円 |
| | | 小学生及び中学生 | | 二百円 |

二 有料用具の利用料金

| 種別 | 種類 | | 単位 | 利用料金 |
|---|---|---|---|---|
| デッキテント | 東京都立多幸湾公園キャンプ場内において使用する場合 | 五人用 | 一組一泊 | 三千円 |
| | | 八人用 | 一組一泊 | 四千円 |
| フリーテント | 東京都立奥多摩湖畔公園山のふるさと村キャンプ場内において使用する場合 | | 一組一泊 | 二千円 |
| | 東京都立多幸湾公園キャンプ場内において使用する場合 | | 一組一泊 | 千三百円 |
| 毛布 | | | 一枚一泊 | 二百円 |

# ○東京都都民の森条例

平二・三・三一
条　例　六　二

最終改正　平二七・一二・二四条例一五三

（設置目的）

**第一条**　都民が森林に対する理解を深め、自然に親しむレクリエーション活動を行う場を提供することにより、東京における森林の健全な育成及び活用並びに都民の健康の増進を図り、併せて林業及び地域の振興に資するため、東京都都民の森（以下「都民の森」という。）を設置する。

（名称等）

**第二条**　都民の森の名称及び位置は、次のとおりとする。

| 名　　称 | 位　　置 |
|---|---|
| 東京都檜原都民の森（以下「檜原都民の森」という。） | 東京都西多摩郡檜原村字数馬 |
| 東京都奥多摩都民の森（以下「奥多摩都民の森」という。） | 東京都西多摩郡奥多摩町境 |

2　都民の森の区域及び面積その他必要な事項は、知事が定め、告示する。

（事業）

**第三条**　東京都は、第一条の目的を達成するため、都民の森において次の事業を行う。

一　都民の森の利用公開に関すること。
二　都民の森を利用してのレクリエーションに関すること。
三　森林の育成及び林業の振興に資する事業に関すること。
四　環境学習及び森林保全に資する人材の育成に関すること。
五　地域の振興に資する事業に関すること。
六　前各号に掲げるもののほか、設置目的を達成するための事業の計画及び実施に関すること。

（施設の休業日及び利用時間）

**第四条**　都民の森の施設のうち、別表第一に掲げる施設の休業日及び利用時間は、知事が定める。

（利用の承認）

**第五条**　都民の森の施設のうち、別表第二に掲げる施設の利用については、東京都規則（以下「規則」という。）で定めるところにより、知事の承認を受けなければならない。

（利用料金等）

**第六条**　指定管理者（第十一条第一項に規定する指定管理者をいう。以下この条及び次条において同じ。）は、別表第三に掲げる宿泊室の利用に係る料金（以下「利用料金」という。）を前条の承認を受けた者から収受する。

2　利用料金の額は、別表第三に定める額の範囲内において、あらかじめ知事の承認を得て、指定管理者が定める。

3　指定管理者は、第十一条第二項第一号の規定により、利用の承認に関する事務を行うに当たって必要があると認めるときは、利用に係る予納金（以下「利用予納金」という。）を収受することができる。

4　利用予納金は、利用料金に充当するものとする。

5　利用料金及び利用予納金の収受方法は、規則の定めるところによる。

6　利用料金は、指定管理者の収入とする。

7　指定管理者は、公益を目的とする場合で特に必要があると認めるときは、利用料金を減額し、又は免除することができる。

（利用料金の不還付）

**第七条**　指定管理者は、既納の利用料金及び利用予納金を還付しないものとする。ただし、特別の理由があると認めるときは、その全部又は一部を還付することができる。

（利用の制限）

**第八条**　知事は、施設の管理上必要があると認めるときは、施設の全部又は一部について利用の禁止又は停止をすることができる。

（行為の制限）

**第九条**　都民の森の利用者は、次の行為をしてはならない。

一　公の秩序又は善良な風俗を害するおそれがあると認められる行為
二　施設又は設備を損傷するおそれがあると認められる行為
三　管理に支障があると認められる行為
四　前三号に掲げるもののほか、知事が利用を不適当と認める行為

2　知事は、利用者が、前項各号の一に該当する行為をしたときは、利用を禁じ、又は退去を命ずることができる。

（損害賠償の義務）

**第十条**　利用者は、都民の森の施設又は設備に損害を与

えた場合は、知事が相当と認める損害額を賠償しなければならない。ただし、知事は、やむを得ない理由があると認めるときは、その賠償額を減額し、又は免除することができる。

**（指定管理者による管理）**

**第十一条**　知事は、地方自治法（昭和二十二年法律第六十七号）第二百四十四条の二第三項の規定により、法人その他の団体であって知事が指定するもの（以下「指定管理者」という。）に、都民の森の管理に関する業務のうち、次に掲げるものを行わせることができる。

一　第三条各号に掲げる事業に関して知事が指定する業務

二　施設、設備及び物品の保全に関する業務

2　知事は、次に掲げる業務を指定管理者に行わせることができる。

一　第五条の規定により、別表第二に掲げる施設の利用を承認すること。

二　第八条の規定により、施設の管理上必要があると認めて、施設の全部又は一部について利用の禁止又は停止をすること。

**（指定管理者の指定）**

**第十二条**　指定管理者としての指定を受けようとする者は、規則で定めるところにより、知事に申請しなければならない。

2　知事は、前項の規定による申請があったときは、次に掲げる基準により最も適切な管理を行うことができると認める者を指定管理者に指定するものとする。

一　前条第一項各号に掲げる業務について相当の知識及び経験を有する者を当該業務に従事させることができること。

二　安定的な経営基盤を有していること。

三　都民の森の効用を最大限に発揮するとともに、効率的な管理運営ができること。

四　関係法令及び条例の規定を遵守し、適正な管理運営ができること。

五　前各号に掲げるもののほか、規則で定める基準

3　知事は、前項の規定による指定をするときは、効率的な管理運営を考慮し、指定の期間を定めるものとする。

**（指定管理者の指定の取消し等）**

**第十三条**　知事は、指定管理者が次の各号のいずれかに該当するときは、前条第二項の規定による指定を取り消し、又は期間を定めて管理の業務の全部若しくは一部の停止を命ずることができる。

一　管理の業務又は経理の状況に関する知事の指示に従わないとき。

二　前条第二項各号に掲げる基準を満たさなくなったと認めるとき。

三　第十五条第一項各号に掲げる管理の基準を遵守しないとき。

四　前三号に掲げるもののほか、当該指定管理者による管理を継続することが適当でないと認めるとき。

2　前項の規定により指定管理者の指定を取り消し、又は期間を定めて管理の業務の全部若しくは一部（利用料金の収受を含む場合に限る。）の停止を命じた場合等で、知事が臨時に都民の森の管理運営を行うときに限り、新たに指定管理者を指定し、又は当該停止の期間が終了するまでの間、知事は、別表第三に定める額の範囲内において、知事が定める使用料を徴収する。

3　前項の場合にあっては、第六条第一項及び第七項並びに第七条の規定を準用する。この場合において、第六条第一項中「指定管理者（第十一条第一項に規定する指定管理者をいう。以下この条及び次条において同じ。）」とあるのは「知事」と、「利用に係る料金（以下「利用料金」という。）」とあるのは「使用料」と、同条第七項中「指定管理者」とあるのは「知事」と、「利用料金」とあるのは「使用料」と、第七条中「指定管理者」とあるのは「知事」と、「利用料金及び利用予納金」とあるのは「使用料」と、別表第三中「利用料金」とあるのは「使用料」と読み替えるものとする。

**（指定管理者の公表）**

**第十四条**　知事は、指定管理者を指定し、若しくは指定を取り消したとき、又は期間を定めて管理の業務の全部若しくは一部の停止を命じたときは、遅滞なくその旨を告示するものとする。

**（管理の基準等）**

**第十五条**　指定管理者は、次に掲げる基準により、都民の森の管理に関する業務を行わなければならない。

一　関係法令及び条例の規定を遵守し、適正な管理運営を行うこと。

二　利用者に対して適切なサービスの提供を行うこと。

三　施設、設備及び物品の保全を適切に行うこと。

四　当該指定管理者が業務に関連して取得した利用者の個人に関する情報を適切に取り扱うこと。

2　知事は、次に掲げる事項について、指定管理者と協定を締結するものとする。

一　前項各号に掲げる基準に関し必要な事項

二　業務の実施に関する事項

三　事業の実績報告に関する事項

四　前三号に掲げるもののほか、都民の森の管理に関

し必要な事項

（委任）

**第十六条**　この条例の施行について必要な事項は、規則で定める。

**附　則**

この条例は、公布の日から起算して六月を超えない範囲内において規則で定める日〔平二・五・三一〕から施行する。

**附　則**（平一七・三・三一条例八六）

1　この条例は、平成十七年四月一日から施行する。

2　この条例の施行の際、現にこの条例による改正前の東京都都民の森条例（以下「旧条例」という。）第十二条第一項の規定により管理を委託している都民の森については、同条の規定は、平成十八年九月一日（同日前にこの条例による改正後の東京都都民の森条例（以下「新条例」という。）第十二条第二項の規定により当該都民の森の指定管理者の指定をした場合にあっては、当該指定の日）までの間（以下「指定等の日までの間」という。）は、なおその効力を有する。

3　この条例の施行の際、現に旧条例第十二条第一項の規定により管理を委託している都民の森に関する新条例第六条及び第七条の規定の適用については、指定等の日までの間、新条例第六条第一項中「指定管理者（第十一条第一項に規定する指定管理者をいう。以下この条及び次条において同じ。）」とあるのは「東京都都民の森条例の一部を改正する条例（平成十七年東京都条例第八十六号）附則第二項の規定によりなお効力を有することとされる同条例による改正前の第十二条第一項の規定により都民の森の管理に関する事務の委託を受けた者（以下この条及び第七条において「管理受託者」という。）」と、同条第二項、第三項、第六項及び第七項並びに第七条中「指定管理者」とあるのは「管理受託者」と読み替えるものとする。

**附　則**（平二七・一二・二四条例一五三）

この条例は、平成二十八年四月一日から施行する。

**別表第一**（第四条関係）

| 区分 | 施設の名称 |
|---|---|
| 檜原都民の森 | 森林館<br>木材工芸センター<br>野鳥観察小屋<br>野外木製遊具施設<br>駐車場 |
| 奥多摩都民の森 | 栃寄森の家<br>駐車場 |

**別表第二**（第五条関係）

| 区分 | 施設の名称 |
|---|---|
| 檜原都民の森 | 森林館の研修室及び会議室<br>木材工芸センターの木工室及び木工教室 |
| 奥多摩都民の森 | 栃寄森の家の宿泊室及び研修室 |

**別表第三**（第六条、第十三条関係）

| 名称 | 使用者種別 | 利用単位 | 利用料金 |
|---|---|---|---|
| 奥多摩都民の森栃寄森の家宿泊室 | 一般 | 一人一泊 | 三千円 |
| | 児童、生徒及び学齢に達しない者 | | 千五百円 |

備考

1　児童及び生徒とは、小学校、義務教育学校の前期課程及び特別支援学校の小学部の児童並びに中学校、義務教育学校の後期課程、高等学校、中等教育学校並びに特別支援学校の中学部及び高等部の生徒をいう。

2　一般とは、児童、生徒及び学齢に達しない者以外の者をいう。

3　学齢に達しない者については、その宿泊に一寝具を使用した場合のみ利用料金を収受する。

# 第四章　住　宅

## ○東京都住宅基本条例

平一八・一二・二二
条　例　一　六　五

住宅は、生活の基盤であると同時に、都市を形づくる基本的な要素である。住宅のありようは、都民生活の質はもとより、都市の活力や景観、地域社会の維持形成とも密接に関連している。

住宅は、このように単なる私的財にとどまらず、社会的な性格を有している。経済的活力や文化的魅力とあいまって、居住の場としての魅力を高めていくことが、都市社会に活力と安定をもたらし、東京の持続的な発展に寄与するものである。われわれ都民は、東京の貴重な都市空間を合理的に分かち合うとともに、良好な都市環境を将来の世代に引き継いでいくことが必要であるとの考え方に立って、基本的人権が尊重されるとともに社会的公正が実現され、共に支え合い、安全に、安心して住み続けられる社会を築いていかなければならない。

このためには、地域からの発想を重視しながら、良質な住宅のストックと良好な住環境の形成を促進し、都民が適切に住宅を選択できるよう市場の環境を整備し、及び住宅に困窮する都民の居住の安定の確保を図る、総合的な住宅政策の確立が不可欠である。

われわれ都民は、このような認識の下、居住の場としても魅力的な東京の実現を目指すことをここに宣言し、東京にふさわしい住宅政策の目標とその基本的方向を明らかにするため、この条例を制定する。

### 第一章　総則

（住宅政策の目標）

**第一条**　東京都（以下「都」という。）の住宅政策の目標は、すべての都民がその世帯の構成に応じて、良好な住環境の下で、ゆとりある住生活を享受するに足りる住宅を確保できるようにすることにあるものとする。

（定義）

**第二条**　この条例において、次の各号に掲げる用語の意義は、それぞれ当該各号に定めるところによる。

一　公共住宅　次に掲げる住宅をいう。

イ　都、特別区及び市町村（以下「区市町村」という。）又は東京都住宅供給公社（以下「公社」という。）が供給する賃貸住宅

ロ　住宅の確保に特に配慮を要する者の居住の安定の確保を目的として供給される民間賃貸住宅（賃貸住宅の管理を行うために必要な能力等に関し知事が定める基準を満たす法人が供給し、又は公社若しくは当該法人が管理を受託するものに限る。）であって、その供給に当たり都又は区市町村から補助が行われるもの

二　都営住宅等　都又は公社が所有する公共住宅をいう。

三　住宅関連事業者　住宅の建設、売買、賃貸、取引の媒介、改修又は管理その他住宅に関連した事業を業として行う者をいう。

（都の責務）

**第三条**　都は、第一条の目標を実現するため、広域的な視点から、住宅に関する施策を総合的かつ計画的に実施する責務を有する。

2　都は、安定した地域社会の形成及び地域住民の福祉の向上の視点から住宅に関する施策を実施する区市町村に対し、助言及び援助を行うよう努めなければならない。

3　都は、都民、まちづくりの推進を図る活動を行うことを目的として設立された特定非営利活動促進法（平成十年法律第七号）第二条第二項の特定非営利活動法人その他の者が行う住生活の安定向上に関する自主的な活動を促進するため、情報の提供、知識の普及等を行うよう努めるものとする。

（都民等の責務）

**第四条**　都民は、居住水準の向上及び良好な住環境の形成に努めなければならない。

2　事業主は、その雇用する勤労者の住生活の安定向上に努めなければならない。

3　住宅関連事業者は、良質な住宅の供給、良好な住環境の形成、住宅に係る適正な取引の推進等に努めなければならない。

（住宅に関する調査の実施等）

**第五条**　都は、住宅に関する施策の総合的な推進に資するため、住宅に関する調査を定期的に実施するとともに、住宅の需要及び供給、利用状況並びに価格及び家賃その他の住宅に関する動向等を明らかにした文書を作成し、及び公表するものとする。

（財源の確保）

**第六条**　都は、住宅に関する施策を実施するために必要な財源の確保に努めるものとする。

## 第二章　基本的施策

（公共住宅の供給等）

**第七条**　都は、都民の居住の安定の確保を図るため、公共住宅の公平かつ的確な供給を図るよう努めるものとする。

2　都は、公共住宅の供給に当たっては、高齢者、障害者、子育てをしている世帯等の入居の促進に配慮するものとする。

3　都は、都営住宅等の供給に当たっては、将来の人口及び世帯数の見通し等を踏まえ、計画的な修繕、改修、建替え等により、既存の都営住宅等の活用を促進するよう努めるものとする。

4　都は、都営住宅等の建替え等に当たっては、地域のまちづくりに資するよう、当該住宅の用地の活用の促進等に努めるものとする。

5　都は、都営住宅等の供給及び前項の用地の活用の促進に当たっては、多様な世帯が居住する活力ある地域社会の形成を促進するよう配慮するものとする。

6　都は、地域住民の居住の安定の確保に関し区市町村が果たす役割の重要性にかんがみ、公共住宅の供給に関する区市町村の主体的な取組を促進するために必要な措置を講ずるよう努めるものとする。

（良質な住宅のストックの形成）

**第八条**　都は、現在及び将来における都民の住生活の基盤となる良質な住宅のストックの形成を図るため、住宅の地震に対する安全性の確保の促進、環境に配慮した構造及び設備を備えた住宅の整備の促進その他良質な住宅の整備及び管理を促進するために必要な施策を講ずるよう努めるものとする。

（良好な住環境を備えた住宅市街地の形成等）

**第九条**　都は、良好な住環境を備えた住宅市街地の形成を図るため、老朽化した木造住宅等が密集する地域の整備改善等による災害に対する安全性の確保の促進、景観の維持向上その他必要な施策を講ずるよう努めるものとする。

2　都は、地域の特性に応じ、土地の合理的利用の促進を図りつつ、既成市街地における居住機能の維持又は増進のために必要な施策を講ずるよう努めるものとする。

（マンションの管理の適正化及び建替え等の円滑化）

**第十条**　都は、多数の区分所有者等が居住するマンション（マンションの管理の適正化の推進に関する法律（平成十二年法律第百四十九号）第二条第一号のマンションをいう。）の特性にかんがみ、その管理の適正化及び建替え等の円滑化のために必要な施策を講ずるよう努めるものとする。

（住宅に係る取引の安全及び合理的な選択の確保）

**第十一条**　都は、都民の住宅に係る取引の安全及び合理的な選択の確保を図るため、住宅に関する適切な情報の提供及び相談の実施の促進、住宅関連事業者による適正な事業活動の確保の促進その他必要な施策を講ずるよう努めるものとする。

（既存住宅の流通の促進）

**第十二条**　都は、良質な住宅の長期にわたる活用の促進、世帯構成の変化等に応じた住み替えの円滑化等に資するよう、既存住宅の流通の促進のために必要な施策を講ずるよう努めるものとする。

（地域の住宅関連事業者の活力の増進）

**第十三条**　都は、都民の住宅に係る選択肢の拡大、住宅の適切な改修等に資するよう、地域において住宅の建設等を行う事業者の技術力の向上、都内において生産される木材の住宅への使用の促進その他地域の住宅関連事業者の活力の増進のために必要な施策を講ずるよう努めるものとする。

（住宅に関する技術開発の促進等）

**第十四条**　都は、住宅の品質又は性能の向上、住宅の価格の低廉化等に資するよう、住宅に関する技術開発及び先導的な事業の促進その他必要な施策を講ずるよう努めるものとする。

（民間住宅における居住の安定の確保）

**第十五条**　都は、高齢者、障害者、子育てをしている世帯等の民間住宅における居住の安定の確保を図るため、民間賃貸住宅への円滑な入居の促進、高齢者等が利用しやすい構造を備えた民間住宅の整備の促進、適切な規模の民間賃貸住宅の供給の促進その他必要な施策を講ずるよう努めるものとする。

2　都は、前項の民間賃貸住宅への円滑な入居の促進に当たっては、年齢、障害、国籍等の理由により入居の機会が制約されることがないよう、賃貸人その他の関係者に対する啓発に努めるものとする。

（災害を受けた地域の復興等を図るための住宅の復旧の支援等）

**第十六条**　都は、地震その他の災害を受けた地域の復興等を図るため、応急住宅の供給の促進、住宅の復旧の支援その他必要な施策を講ずるものとする。

## 第三章　東京都住宅マスタープランの策定等

（東京都住宅マスタープランの策定）

**第十七条**　知事は、東京都住宅マスタープラン（この条例に定める住宅政策の目標及び基本的施策を具体化し、住宅に関する施策を総合的かつ計画的に推進するための基本となる計画をいう。以下同じ。）を定めるものとする。

2　東京都住宅マスタープランにおいては、次に掲げる事項を定めるものとする。

一　計画期間

二　住宅政策の展開に当たっての基本的方針

三　良質な住宅のストック及び良好な住環境の形成、住宅市場の環境整備並びに都民の居住の安定の確保に関する目標

四　前号の目標を達成するために必要な住宅に関する施策

五　住宅市街地の整備の方向並びに住宅及び住宅地の供給を重点的に図るべき地域に関する事項

六　前各号に掲げるもののほか、住宅に関する施策を総合的かつ計画的に推進するために必要な事項

3　東京都住宅マスタープランと第十九条の区市町村住宅マスタープランとは、調和が保たれたものとする。

4　知事は、東京都住宅マスタープランを定め、又は変更しようとするときは、東京都住宅政策審議会及び区市町村の意見を聴かなければならない。

5　知事は、都民の住宅の需要の動向その他経済社会情勢の変化に応じて、東京都住宅マスタープランの見直しを行うものとする。

（東京都住宅マスタープランの実現のために必要な措置の実施）

**第十八条**　都は、東京都住宅マスタープランの実現のため、住宅の供給及び住宅市街地の整備に関する制度の適切な運用、事業の実施及び情報の提供その他の必要な措置を講ずるよう努めるものとする。

（区市町村住宅マスタープランの策定に係る援助等）

**第十九条**　都は、区市町村が区市町村住宅マスタープラン（区市町村が当該区市町村の区域において、住宅に関する施策を総合的かつ計画的に推進するための基本となる計画をいう。）を定め、又は変更しようとするときは、当該区市町村に対し、必要な助言及び援助を行うものとする。

## 第四章　東京都住宅政策審議会

（東京都住宅政策審議会）

**第二十条**　第十七条第四項の規定によりその権限に属させられた事項及び知事の諮問に応じ都における住宅政策に関する重要事項を調査審議させるため、東京都住宅政策審議会（以下「審議会」という。）を置く。

2　審議会は、前項の重要事項について知事に建議することができる。

（審議会の組織）

**第二十一条**　審議会は、次に掲げる者につき、知事が任命する委員三十人以内をもって組織する。

一　学識経験を有する者　二十人以内

二　東京都議会議員　七人以内

三　区市町村の長の代表　三人以内

2　前項第一号の委員には、住宅及び住環境の整備に関する分野のほか、都市計画、社会福祉、消費者保護その他の住宅に関連する分野の学識経験を有する者を含むものとする。

3　委員の任期は、二年とし、補欠委員の任期は、前任者の残任期間とする。ただし、再任を妨げない。

4　審議会は、特定の事項を調査審議するため必要があると認めるときは、部会を置くとともに、関係者から意見又は説明を聴くことができる。

5　前各項に定めるもののほか、審議会の組織及び運営に関し必要な事項は、知事が定める。

### 附　則

（施行期日）

1　この条例は、公布の日から施行する。

（経過措置）

2　この条例の施行の際、改正前の東京都住宅基本条例（以下「旧条例」という。）第二十二条第一項の規定により置かれた東京都住宅政策審議会は、この条例第二十条第一項の規定により置かれた審議会となり、同一性をもって存続するものとする。

3　この条例の施行の際、旧条例第二十三条第一項の規定により東京都住宅政策審議会の委員に任命された者（以下「改正前の委員」という。）は、この条例第二十一条第一項の規定により審議会の委員に任命された者とみなし、その任期は、同条第三項の規定にかかわらず、それぞれ改正前の委員の残任期間とする。

# ○東京都営住宅条例

平九・一〇・一六
条　例　七　七

最終改正　令六・三・二九条例三七

## 第一章　総則

（目的）

**第一条**　この条例は、法令その他別に定めるものを除くほか、東京都営住宅の設置及び管理に関し、必要な事項を定めることを目的とする。

（用語の意義）

**第二条**　この条例において、次の各号に掲げる用語の意義は、それぞれ当該各号に定めるところによる。

一　東京都営住宅　東京都（以下「都」という。）が建設、買取り又は借上げを行い、住宅に困窮する者に対して賃貸し、又は転貸するための住宅及びその附帯施設で、東京都引揚者住宅条例（昭和二十六年東京都条例第六十一号）、東京都福祉住宅条例（昭和三十五年東京都条例第三十八号）、東京都小笠原住宅条例（昭和四十五年東京都条例第三十八号）、東京都地域特別賃貸住宅条例（昭和六十三年東京都条例第百三号）及び東京都特定公共賃貸住宅条例（平成五年東京都条例第六十五号）に基づくもの以外のものをいう。

二　一般都営住宅　東京都営住宅（以下「都営住宅」という。）のうち、公営住宅法（昭和二十六年法律第百九十三号。以下「法」という。）第二条第二号に定める公営住宅に該当するものをいう。

三　特定都営住宅　都営住宅のうち、前号及び次号から第八号までに掲げる住宅以外の住宅で、東京都内に居住する低額所得者で住宅に困窮するものに対して低額な使用料で使用させるため建設したものをいう。

四　都営改良住宅　都営住宅のうち、住宅地区改良法（昭和三十五年法律第八十四号。以下「改良法」という。）第二条第一項に定める住宅地区改良事業（都が施行するものに限る。以下「改良事業」という。）の施行に伴い、改良法第十七条の規定により建設したものをいう。

五　都営再開発住宅　都営住宅のうち、市街地再開発事業（都が施行する都市再開発法（昭和四十四年法律第三十八号）第二条第一号に定める市街地再開発事業（知事が特に必要と認めるときは、同法第二条の二の規定に基づき都以外の者が施行する市街地再開発事業を含む。）をいう。第九条第五号を除き、以下同じ。）の施行に伴い住宅に困窮することとなる者に使用させるため建設し、又は購入したものをいう。

六　都営従前居住者用住宅　都営住宅のうち、国土交通大臣の承認を受けた住宅市街地総合整備計画（以下「整備計画」という。）に基づく住宅市街地総合整備事業（都が施行するものに限る。以下「整備事業」という。）の施行に伴い、住宅に困窮することとなる者に使用させるため建設したものをいう。

七　都営コミュニティ住宅　都営住宅のうち、国土交通大臣の承認を受けた密集住宅市街地整備計画に基づく密集住宅市街地整備促進事業（都が施行するものに限る。以下同じ。）の施行に伴い、住宅に困窮することとなる者に使用させるため建設し、又は購入したものをいう。

八　都営更新住宅　都営住宅のうち、国土交通大臣の承認を受けた改良住宅等建替計画に基づく改良住宅等建替事業（都が施行するものに限る。以下同じ。）により建設したものをいう。

九　共同施設　都営住宅の使用者の共同の福祉のために設置した児童遊園、集会所、管理事務所、広場及び緑地、通路、立体的遊歩道及び人工地盤施設、高齢者生活相談所並びに駐車場をいう。

十　収入　公営住宅法施行令（昭和二十六年政令第二百四十号。以下「令」という。）に定める収入の例により算出した額をいう。

十一　一般都営住宅建替事業　都が施行する法第二条第十五号に定める公営住宅建替事業をいう。

（設置）

**第三条**　都営住宅として、次の住宅を設置する。

一　一般都営住宅
二　特定都営住宅
三　都営改良住宅
四　都営再開発住宅
五　都営従前居住者用住宅
六　都営コミュニティ住宅
七　都営更新住宅

2　都営住宅の名称、位置その他必要な事項は、知事が定める。

3　知事は、都営住宅の名称、位置その他の事項を定めたときは、その旨を告示するものとする。都営住宅を廃止し、又はその名称、位置その他の事項を変更したときも、同様とする。

（整備基準）

**第三条の二**　都営住宅及び共同施設（以下この条におい

て「都営住宅等」という。）は、その周辺の地域を含めた健全な地域社会の形成に資するように考慮して整備するものとする。

2　都営住宅等は、安全、衛生、美観等を考慮し、かつ、使用者等にとって便利で快適なものとなるように整備するものとする。

3　都営住宅等の建設に当たっては、設計の標準化、合理的な工法の採用、規格化された資材の使用及び適切な耐久性の確保に努めることにより、建設及び維持管理に要する費用の縮減に配慮するものとする。

4　前三項に定めるもののほか、都営住宅等の整備に関する基準は、東京都規則（以下「規則」という。）で定めるところによる。

**（使用許可）**

**第四条**　都営住宅を使用しようとする者は、知事の許可を受けなければならない。

## 第二章　一般都営住宅等の管理

### 第一節　一般都営住宅の管理

**（使用申込み）**

**第五条**　一般都営住宅の使用申込みは、公募の都度一世帯一箇所限りとする。

2　前項の公募の方法及び手続は、規則で定める。

**（使用者の資格）**

**第六条**　一般都営住宅を使用することのできる者（第五号に掲げる場合にあっては、現に同居し、又は同居しようとする親族（婚姻の届出をしないが事実上婚姻関係と同様の事情にある者その他婚姻の予約者を含む。以下同じ。）又は東京都オリンピック憲章にうたわれる人権尊重の理念の実現を目指す条例（平成三十年東京都条例第九十三号）第七条の二第二項の証明若しくは同条第一項の東京都パートナーシップ宣誓制度と同等の制度であると知事が認めた地方公共団体のパートナーシップに関する制度による証明を受けたパートナーシップ関係の相手方（以下「パートナーシップ関係の相手方」という。）を含む。）は、申込みをした日において、次に掲げる条件を具備している者でなければならない。

一　東京都内に居住していること。

二　現に同居し、又は同居しようとする親族又はパートナーシップ関係の相手方があること。

三　現に住宅に困窮していることが明らかであること。

四　収入が、イ、ロ又はハに掲げる場合に応じ、それぞれイ、ロ又はハに掲げる金額を超えないこと。

イ　使用者の特に居住の安定を図る必要があるものとして第四項で定める場合　二十一万四千円

ロ　一般都営住宅が、法第八条第一項若しくは第三項若しくは激甚災害に対処するための特別の財政援助等に関する法律（昭和三十七年法律第百五十号）第二十二条第一項の規定による国の補助に係るもの又は法第八条第一項各号のいずれかに該当する場合において都が災害により滅失した住宅に居住していた低額所得者に転貸するため借り上げるものである場合　二十一万四千円（当該災害発生の日から三年を経過した後は、十五万八千円）

ハ　イ及びロに掲げる場合以外の場合　十五万八千円

五　暴力団員による不当な行為の防止等に関する法律（平成三年法律第七十七号）第二条第六号に規定する暴力団員（以下「暴力団員」という。）でないこと。

2　次の各号のいずれかに該当する者にあっては、前項第二号の規定にかかわらず、現に同居し、又は同居しようとする親族又はパートナーシップ関係の相手方があることを要しない。

一　六十歳以上の者

二　障害者基本法（昭和四十五年法律第八十四号）第二条第一号に規定する障害者で、その障害の程度が次に掲げる障害の種類に応じ、それぞれ次に定める障害の程度であるもの

イ　身体障害　身体障害者福祉法施行規則（昭和二十五年厚生省令第十五号）別表第五号の一級から四級までのいずれかに該当する程度

ロ　精神障害（知的障害を除く。以下同じ。）　精神保健及び精神障害者福祉に関する法律施行令（昭和二十五年政令第百五十五号）第六条第三項に規定する一級から三級までのいずれかに該当する程度

ハ　知的障害　ロに規定する精神障害の程度に相当する程度

三　戦傷病者特別援護法（昭和三十八年法律第百六十八号）第二条第一項に規定する戦傷病者でその障害の程度が恩給法（大正十二年法律第四十八号）別表第一号表ノ二の特別項症から第六項症まで又は別表第一号表ノ三の第一款症のもの

四　原子爆弾被爆者に対する援護に関する法律（平成六年法律第百十七号）第十一条第一項の規定による厚生労働大臣の認定を受けている者

五　生活保護法（昭和二十五年法律第百四十四号）第六条第一項に規定する被保護者又は中国残留邦人等の円滑な帰国の促進並びに永住帰国した中国残留邦

人等及び特定配偶者の自立の支援に関する法律（平成六年法律第三十号）第十四条第一項に規定する支援給付（中国残留邦人等の円滑な帰国の促進及び永住帰国後の自立の支援に関する法律の一部を改正する法律（平成十九年法律第百二十七号）附則第四条第一項に規定する支援給付を含む。）を受けている者

六　海外からの引揚者で日本に引き揚げた日から起算して五年を経過していないもの

七　ハンセン病療養所入所者等に対する補償金の支給等に関する法律（平成十三年法律第六十三号）第二条に規定するハンセン病療養所入所者等

八　配偶者からの暴力の防止及び被害者の保護等に関する法律（平成十三年法律第三十一号。以下この号において「配偶者暴力防止等法」という。）第一条第二項に規定する被害者又は配偶者暴力防止等法第二十八条の二に規定する関係にある相手からの暴力を受けた者でイ又はロのいずれかに該当するもの

イ　配偶者暴力防止等法第三条第三項第三号（配偶者暴力防止等法第二十八条の二において準用する場合を含む。）の規定による一時保護又は配偶者暴力防止等法第五条（配偶者暴力防止等法第二十八条の二において準用する場合を含む。）の規定による保護が終了した日から起算して五年を経過していない者

ロ　配偶者暴力防止等法第十条第一項又は第十条の二（配偶者暴力防止等法第二十八条の二において読み替えて準用する場合を含む。）の規定により裁判所がした命令の申立てを行った者で当該命令がその効力を生じた日から起算して五年を経過していないもの

3　前項に規定する者に使用を許可する一般都営住宅は、居室数が二室以下の規模の住宅とする。ただし、これにより難い場合には、規則で定める規格の住宅とする。

4　第一項第四号イに掲げる場合は、使用者又は同居者が次の各号のいずれかに該当する場合とする。

一　障害者基本法第二条第一号に規定する障害者で、その障害の程度が次に掲げる障害の種類に応じ、それぞれ次に定める障害の程度である場合

イ　身体障害　身体障害者福祉法施行規則別表第五号の一級から四級までのいずれかに該当する程度

ロ　精神障害　精神保健及び精神障害者福祉に関する法律施行令第六条第三項に規定する一級又は二級に該当する程度

ハ　知的障害　ロに規定する精神障害の程度に相当する程度

二　第二項第三号、第四号、第六号又は第七号に該当する者である場合

三　使用者が六十歳以上の者であり、かつ、同居者のいずれもが十八歳未満又は六十歳以上の者である場合

四　同居者に十八歳に達する日以後の最初の三月三十一日までの間にある者がある場合

5　第一項、第二項及び前項に定めるもののほか、知事は、供給する住宅の戸数が著しく少ない場合その他特に必要があると認める場合は、使用者の資格について制限を加えることができる。

**（使用者の資格の特例）**

**第七条**　被災市街地復興特別措置法（平成七年法律第十四号）第二十一条に規定する住宅被災市町村の区域内において同法第五条第一項第一号の災害により滅失した住宅に居住していた者並びに当該住宅被災市町村の区域内において実施される都市計画法（昭和四十三年法律第百号）第四条第十五項に規定する都市計画事業並びに被災市街地復興特別措置法施行規則（平成七年建設省令第二号）第十八条に規定する市街地の整備改善及び住宅の供給に関する事業の実施に伴い移転が必要となった者については、当該災害の発生した日から起算して三年を経過する日までの間は、前条第一項第三号に掲げる条件を具備する者を同項第一号、第二号及び第四号に掲げる条件を具備する者とみなす。

2　一般都営住宅の借上げに係る契約の終了又は法第四十四条第三項の規定による一般都営住宅の用途の廃止により当該一般都営住宅の明渡しをしようとする使用者が、当該明渡しに伴い他の一般都営住宅の使用の申込みをした場合においては、その者は、前条第一項第二号から第四号までに掲げる条件を具備する者とみなす。

3　前条第一項第四号ロに掲げる一般都営住宅の使用者は、同項各号（前条第一項に規定する者にあっては、同条第一項第一号及び第三号から第五号まで）に掲げる条件を具備するほか、当該災害発生の日から三年間は、当該災害により住宅を失った者でなければならない。

4　福島復興再生特別措置法（平成二十四年法律第二十五号）第三十九条に規定する居住制限者については、前条第一項第三号に掲げる条件を具備する者を同項第二号及び第四号に掲げる条件を具備する者とみなす。

**（使用予定者の決定等）**

**第八条**　知事は、一般都営住宅の使用申込者の数が使用を許可すべき一般都営住宅の戸数を超える場合においては、次の各号のいずれかに該当する者のうちから抽

せんにより使用予定者を決定する。

一　住宅以外の建物若しくは場所に居住し、又は保安上危険な状態若しくは衛生上有害な状態にある住宅に居住している者

二　他の世帯と同居して著しく生活上不便を受けている者又は住宅がないため親族若しくはパートナーシップ関係の相手方と同居することができない者

三　住宅の規模、設備又は間取りと世帯構成との関係から不適当な居住状態にある者

四　正当な事由による立ち退きの要求を受け、適当な立ち退き先がないため困窮している者（自己の責めに帰すべき事由に基づく場合を除く。）

五　住宅がないため勤務場所から著しく遠隔の地に居住しなければならない者

六　収入に比べて著しく過重な家賃の支払をしなければならない者

七　前各号に掲げる者のほか、現に住宅に困窮していることが明らかな者

2　知事は、前項の抽せんによることが困難な事情があると認めるときは、使用申込者の一部について別途の抽せんにより、又は抽せんによらないで使用予定者を決定することができる。

3　知事は、前二項の規定により使用予定者を決定したときは、当該使用予定者に対し、その旨を通知しなければならない。

4　知事は、借上げに係る一般都営住宅の使用予定者を決定したときは、当該使用予定者に対し、当該一般都営住宅の借上げの期間の終了時に当該一般都営住宅を明け渡さなければならない旨を通知しなければならない。

**（公募の例外）**

**第九条**　知事は、次の各号のいずれかに掲げる事由に該当する者に対しては、公募を行わないで一般都営住宅の使用を許可することができる。

一　災害による住宅の滅失

二　不良住宅の撤去

三　一般都営住宅の借上げに係る契約の終了

四　一般都営住宅建替事業による一般都営住宅の除却

五　都市計画法第五十九条の規定に基づく都市計画事業、土地区画整理法（昭和二十九年法律第百十九号）第三条第四項若しくは第五項の規定に基づく土地区画整理事業、大都市地域における住宅及び住宅地の供給の促進に関する特別措置法（昭和五十年法律第六十七号）に基づく住宅街区整備事業、密集市街地における防災街区の整備の促進に関する法律（平成九年法律第四十九号）に基づく防災街区整備事業又は都市再開発法に基づく市街地再開発事業の施行に伴う住宅の除却

六　土地収用法（昭和二十六年法律第二百十九号）第二十条（同法第百三十八条第一項において準用する場合を含む。）の規定による事業の認定を受けている事業又は公共用地の取得に関する特別措置法（昭和三十六年法律第百五十号）第二条に規定する特定公共事業の執行に伴う住宅の除却

七　現に一般都営住宅を使用している者（以下この号において「既存使用者」という。）の同居者の人数に増減があったこと、既存使用者又は同居者が加齢、病気等によって日常生活に身体の機能上の制限を受ける者となったことその他既存使用者又は同居者の世帯構成及び心身の状況からみて知事が使用者を募集しようとしている一般都営住宅に当該既存使用者が入居することが適切であること。

八　一般都営住宅の使用者が相互に入れ替わることが双方の利益となること。

**第九条の二**　知事は、密集市街地における防災街区の整備の促進に関する法律第十九条の規定により一般都営住宅への入居を希望する旨を知事に申し出た者に対しては、公募を行わないでその使用を許可するものとする。

**（住宅割当て）**

**第十条**　知事は、次に掲げる者のうち、居住の安定について特別の配慮が必要であると認めるものに対して、一般都営住宅の一部を割り当てることができる。

一　中国残留邦人等の円滑な帰国の促進並びに永住帰国した中国残留邦人等及び特定配偶者の自立の支援に関する法律第二条第一項及び第六条第二項に規定する中国残留邦人等及びその親族等

二　児童福祉法（昭和二十二年法律第百六十四号）第三十八条に規定する母子生活支援施設に居住している者のうち公の援助を受けることが適当でなくなったもの

三　前二号に掲げる者のほか規則で定める者

2　知事は、必要があると認める場合は、一般都営住宅の供給戸数のうち五割を超えない範囲の戸数を、当該住宅の存する地区内の使用申込者に対して割り当てることができる。

3　前二項の規定により割り当てた戸数が使用申込者の数に満たないときは、抽せんにより使用予定者を決定しなければならない。

**（使用手続）**

**第十一条**　第八条から前条までの規定により一般都営住宅の使用予定者として決定された者は、知事が指定する日までに次に掲げる手続をしなければならない。

一　規則で定める請け書を提出すること。
二　保証金として一般都営住宅の使用料（前号の請け書に記載された使用料をいう。）二月分に相当する金額を納付すること。
2　一般都営住宅の使用予定者がやむを得ない事情により前項の知事が指定する日までに手続をすることができないときは、同項の規定にかかわらず、知事が別に指定する日までに同項の手続をしなければならない。
3　知事は、第一項又は前項の手続を完了した者で第六条又は第七条に定める資格を有するものに対し、一般都営住宅の使用を許可し、その旨を通知する。
4　知事は、正当な事由がなく第一項又は第二項の知事が指定する日までに第一項の手続を行わない者に対しては、一般都営住宅の使用予定者の決定を取り消すことができる。
5　一般都営住宅の使用を許可された者は、許可の日から十五日以内に一般都営住宅の使用を開始しなければならない。ただし、特に知事の承認を受けたときは、この限りでない。

（使用料の決定）

**第十二条**　一般都営住宅の使用料は、毎年度、第二十七条の規定により認定された収入に基づき、近傍同種の住宅の家賃（第四項の規定により定められたものをいう。以下同じ。）以下で令第二条及び令第十六条第一項に定める算定方法により算定した額とする。ただし、第二十六条の規定による使用者からの収入に関する報告がない場合において、法第三十四条の規定による報告の請求を行ったにもかかわらず使用者がその請求に応じないときは、当該一般都営住宅の使用料は、近傍同種の住宅の家賃とする。
2　一般都営住宅の使用者（公営住宅法施行規則（昭和二十六年建設省令第十九号。以下「省令」という。）第八条に定める者に限る。第二十九条第三項において同じ。）が第二十六条に規定する収入に関する報告をすること及び法第三十四条の規定による報告の請求に応じることが困難な事情にあると認めるときは、知事は、前項の規定にかかわらず、当該使用者の一般都営住宅の使用料を、毎年度、令第二条で定めるところにより、省令第九条で定める方法により把握した当該使用者の収入に基づき、近傍同種の住宅の家賃以下で定めることができる。
3　令第二条第一項第四号に規定する事業主体が定める数値は、知事が別に定める。
4　第一項の近傍同種の住宅の家賃は、毎年度、令第三条及び令第十六条第一項に定める算定方法により算定した額とする。

（使用料の徴収）

**第十三条**　使用料は、一般都営住宅の使用許可の日からこれを徴収する。
2　知事が特別の事情があると認める場合は、前項の期日を別に指定することができる。
3　使用料は、毎月末日までにその月分を納付しなければならない。
4　一般都営住宅の使用許可の日若しくは第二項の規定により指定された期日の属する月又は一般都営住宅を返還した日の属する月における使用期間が一月に満たないときの使用料の額は、日割計算による。
5　使用者が第二十四条第一項に規定する手続を経ないで無断で一般都営住宅を使用しなくなった場合は、知事がその事実を認定し、使用許可を取り消した日までの使用料を徴収する。

（使用料の減免等）

**第十四条**　次の各号のいずれかに該当する場合には、知事は、一般都営住宅の使用料を減免し、又は使用料の徴収を猶予することができる。
一　使用者又は同居者が地震、暴風雨、洪水、高潮、火災等の災害による被害を受けたとき。
二　使用者及び同居者の責めに帰すべき事由によらないで引き続き十日以上一般都営住宅の全部又は一部を使用することができないとき。
三　使用者又は同居者が、失職、疾病その他の事由により著しく生活困難の状態にあるとき。
四　使用者及び同居者の収入が著しく低額であるとき。
2　前項に定めるもののほか、知事は、特別の事情があると認めるときは、一般都営住宅の使用料を減額することができる。
3　前二項の使用料の減免の額及び期間は、知事が実情を考慮して定めるものとする。
4　第一項の使用料の徴収の猶予期間は、六月を超えることができない。
5　使用者は、第一項又は第二項の規定により使用料の減免又は使用料の徴収の猶予を受けようとするときは、知事に申請しなければならない。
6　保証金の減免及び徴収の猶予については、前各項の規定を準用する。

（建替事業等に係る使用料の特例）

**第十五条**　知事は、次の各号のいずれかに該当する場合において、新たに使用を許可された一般都営住宅の使用料が従前の都営住宅の最終の使用料（第五十八条（第七十一条、第七十四条、第七十八条又は第八十一条において準用する場合を含む。）の規定による使用料の減額を受けている場合には当該減額後の使用料をいい、第六十四条（第七十一条、第七十四条、第七十八条又は第八十一条において準用する場合を含む。）の規定により付加使用料を納付している場合には当該付加使用料を含む。）を超えることとなり、かつ、当該使用者の居住の安定を図るため必要があると認めるときは、第十二条第一項若しくは第三項又は第三十二条第一項若しくは第二項、第二十九条第一項の規定にかかわらず、令第十二条及び令第十六条第二項で定めるところにより、当該使用者の使用料を減額するものとする。

一　第三十七条第一項の規定により一般都営住宅の使用者が新たに整備された一般都営住宅の使用を許可された場合

二　法第四十四条第三項の規定による一般都営住宅の用途の廃止による一般都営住宅の除却に伴い、当該一般都営住宅の使用者が他の一般都営住宅の使用を許可された場合

三　前二号に掲げるもののほか都営住宅の除却に伴い当該都営住宅の使用者が他の一般都営住宅の使用を許可された場合

**第十五条の二**　知事は、第九条の二の規定により一般都営住宅の使用を許可した者に対して、その者が従前賃借していた延焼等危険賃貸住宅（密集市街地における防災街区の整備の促進に関する法律第十五条第一項で定めるものをいう。）の家賃を当該一般都営住宅の使用料が超えることとなり、その者の家賃負担の軽減を図るため必要があると認めるときは、第十二条第一項若しくは第三項又は第三十二条第一項若しくは第二項、第二十九条第一項の規定にかかわらず、密集市街地における防災街区の整備の促進に関する法律施行令（平成九年政令第三百二十四号）第五条で定めるところにより、当該一般都営住宅の使用料を減額するものとする。

（**費用負担**）

**第十六条**　次の費用は、使用者の負担とする。

一　修繕に要する費用（法第二十一条の規定により知事が修繕義務を負うものを除く。）

二　電気、ガス、上水道及び下水道の使用料

三　し尿、じんかい及び排水の消毒、清掃及び処理に要する費用

四　給水施設、し尿浄化施設、汚水処理施設、昇降機及び共同施設の使用及び維持に要する費用

五　前各号に掲げるもののほか知事の指定する費用

2　知事は、前項第一号又は第四号の費用のうち、使用者に負担させることが適当でないと認めるものについて、その一部又は全部を使用者に負担させないことができる。

（**共益費**）

**第十七条**　知事は、前条第一項各号の費用のうち、使用者の共通の利益を図るため、特に必要と認めるものを共益費として使用者から徴収する。

2　共益費は、毎月末日までにその月分を使用料とともに納付しなければならない。

3　前二項に定めるもののほか、共益費の徴収については、第十三条の規定を準用する。

（**転貸の禁止**）

**第十八条**　使用者は、一般都営住宅を他の者に貸し、又はその使用の権利を他の者に譲渡してはならない。

（**同居の許可**）

**第十九条**　使用者は、入居の際の同居者以外の者を新たに同居させようとするときは、省令第十一条に規定するところによるほか、規則で定めるところにより、知事の許可を受けなければならない。

2　知事は、前項の新たに同居させようとする入居の際の同居者以外の者が暴力団員であるときは、同項の許可をしてはならない。

（**使用の承継**）

**第二十条**　使用者が死亡し、又は退去した場合において、その死亡時又は退去時に当該使用者と同居していた者が引き続き居住することを希望するときは、省令第十二条に規定するところによるほか、規則で定めるところにより、知事の許可を受けなければならない。

2　知事は、前項の引き続き居住することを希望する者（同居する者を含む。）が暴力団員であるときは、同項の許可をしてはならない。

（**許可事項及び届出事項**）

**第二十一条**　次の各号のいずれかに該当する場合は、使用者は、規則で定めるところにより、知事の許可を受けなければならない。

一　一般都営住宅の模様替えその他一般都営住宅に工作を加える行為をしようとするとき。

二　一般都営住宅の一部を住宅以外の目的に使用しようとするとき。

三　一般都営住宅の敷地内に工作物を設置しようとするとき。

2　一般都営住宅を一月以上使用しない場合その他規則で定める場合には、使用者は、規則で定めるところにより、届出をしなければならない。

（**使用者の保管義務**）

**第二十二条**　一般都営住宅の使用者は、当該一般都営住宅及び共同施設について必要な注意を払い、これらを正常な状態において維持しなければならない。

2　使用者又は同居者の責めに帰すべき事由により一般

都営住宅又は共同施設を滅失し、又はき損したときは、使用者はこれを原形に復し、又はこれに要する費用を賠償しなければならない。

（住宅の変更）

**第二十三条**　知事は、次の各号のいずれかに該当する場合は、使用する一般都営住宅の変更を許可することができる。

一　車いすを使用する身体障害者用に設計された都営住宅を使用する使用者及び同居者が車いすを必要としなくなった場合その他これに準ずる場合に、当該使用者が他の一般都営住宅を使用することが適当であるとき。

二　前号に掲げるもののほか特別の事情があるとき。

（住宅の返還）

**第二十四条**　一般都営住宅を返還しようとする場合は、返還しようとする日の十四日前までに知事に届け出て、当該住宅の検査を受けなければならない。

2　前項の場合において、第二十一条第一号又は第三号に規定する工作物があるときは、使用者は、自己の費用でこれを撤去して原形に復さなければならない。

（保証金の還付等）

**第二十五条**　第十一条第一項第二号に規定する保証金は、一般都営住宅の返還の際、これを還付する。ただし、未納の使用料又は賠償金があるときは、保証金のうちからこれを控除する。

2　保証金の額が未納の使用料と賠償金とを償うに足りない場合は、使用者は、直ちにその不足額を納付しなければならない。

3　保証金には、利子を付けない。

（収入に関する報告）

**第二十六条**　一般都営住宅の使用者は、規則で定めるところにより、毎年度、収入に関する報告を行わなければならない。

（収入額の認定等）

**第二十七条**　知事は、前条の報告その他の資料に基づき、使用者及び同居者の収入の額を認定し、使用者にその認定した額、収入超過基準（次条に規定する金額をいう。第四項において同じ。）の超過の有無その他必要な事項を通知する。

2　前項の通知を受けた使用者は、その通知を受けた日から三十日以内に、同項の規定による認定に対して、意見を述べることができる。

3　知事は、前項の意見の内容を審査し、必要があると認めるときは、第一項の規定により認定した収入の額を改定する。

4　知事は、第十九条の許可を行う場合において、当該許可に伴い、第一項の規定により認定した収入の額が令第二条第二項に定める収入の区分を超えて変動したとき（第六条第四項に定める場合に該当しなくなったことにより収入超過基準を超えることとなったとき及び新たに同項に定める場合に該当することによりその収入が収入超過基準以下となったときを含む。次項において同じ。）は、その収入の額を認定する。

5　前項に定める場合のほか、規則で定める事由により、第一項の規定により認定した収入の額が令第二条第二項に定める収入の区分を超えて変動したときは、使用者は、その収入の額の認定を求めることができる。

6　第四項の規定に基づく収入の額の認定及び前項の請求に基づく収入の額の認定については、第一項から第三項までの規定を準用する。

（収入超過者の明渡し努力義務）

**第二十八条**　一般都営住宅の使用者は、当該一般都営住宅を引き続き三年以上使用している場合において、第六条第一項第四号イ、ロ又はハに掲げる場合に応じ、それぞれ同号イ、ロ又はハに定める金額を超える収入のあるときは、当該一般都営住宅を明け渡すように努めなければならない。

（収入超過者の使用料）

**第二十九条**　前条の規定に該当する一般都営住宅の使用者は、当該一般都営住宅を引き続き使用しているときは、第十二条第一項の規定にかかわらず、次項に定めるところにより算定した額の使用料を納付しなければならない。

2　前項の使用料は、毎年度、第二十七条の規定により認定された収入に基づき、近傍同種の住宅の家賃以下で、令第八条第二項及び令第十六条第一項に定める算定方法により算定する。

3　一般都営住宅の使用者が第一項の規定に該当する場合において第二十六条に規定する収入に関する報告をすること及び法第三十四条の規定による報告の請求に応じることが困難な事情にあると認めるときは、知事は、第十二条第二項の規定及び前二項の規定にかかわらず、当該使用者の一般都営住宅の使用料を、毎年度、令第八条第三項により準用する同条第二項で定めるところにより、省令第九条で定める方法により把握した当該使用者の収入に基づき、近傍同種の住宅の家賃以下で定めることができる。

4　第十四条第一項から第五項までの規定は、第一項の使用料について準用する。

（高額所得者に対する通知等）

**第三十条**　知事は、一般都営住宅を使用している期間が引き続き五年以上である使用者で、第二十七条の規定により認定された収入の額が最近二年間引き続き令第九条第一項に定める基準を超えるもの（以下「高額所得者」という。）に対しては、その旨を通知する。

2　使用者に配偶者（婚姻の届出をしていないが事実上婚姻関係と同様の事情にある者その他婚姻の予約者を含む。以下同じ。）以外の同居者がある場合における前項の規定の適用については、令第九条第二項に定めるところによる。

**（高額所得者に対する明渡請求等）**

**第三十一条**　知事は、高額所得者に対し、当該一般都営住宅の明渡しを請求しようとするときは、あらかじめ第百一条で定める東京都都営住宅高額所得者審査会に意見を求めなければならない。

2　高額所得者に対する当該一般都営住宅の明渡しの期限は、当該明渡しの請求をする日の翌日から起算して六月を経過した日以後の日としなければならない。

3　一般都営住宅の明渡しの請求を受けた高額所得者は、前項の期限が到来したときは、速やかに当該一般都営住宅を明け渡さなければならない。

**（高額所得者の使用料等）**

**第三十二条**　一般都営住宅の使用者が高額所得者である場合は、第十二条第一項及び第二十九条第一項の規定にかかわらず、当該一般都営住宅の使用料は、近傍同種の住宅の家賃とする。

2　知事は、前項の規定の適用を受ける高額所得者で前条第一項の規定による請求を受けたものが同条第二項の期限が到来しても一般都営住宅を明け渡さない場合には、同項の期限が到来した日の翌日から当該一般都営住宅の明渡しを行う日までの期間について、毎月、近傍同種の住宅の家賃の額の二倍に相当する額の金銭を徴収するものとする。

3　第十四条第一項から第五項までの規定は、第一項に規定する使用料又は前項に規定する金銭について準用する。

**（明渡期限の延長等）**

**第三十三条**　知事は、第三十一条第一項の規定による請求を受けた者が次の各号のいずれかに該当する場合には、その者からの申出により、明渡しの期限を延長することができる。

一　使用者又は同居者が病気にかかっているとき。

二　使用者又は同居者が災害により損害を受けたとき。

三　前二号に掲げるもののほか特別の事情があるとき。

2　前項各号の場合において、特に知事が必要と認めるときは、明渡しの請求を取り消すことができる。

**（住宅のあっせん等）**

**第三十四条**　知事は、第二十八条の規定に該当する使用者及び高額所得者に対し、他の公的資金による住宅への入居のあっせん、自力建設の助成等により、その者が使用している一般都営住宅の明渡しを容易にするように努めなければならない。

**（期間通算）**

**第三十五条**　第七条第二項の規定による申込みをした者が他の一般都営住宅の使用を許可された場合における第二十八条及び第三十条の規定の適用については、その者が一般都営住宅の借上げに係る契約の終了又は法第四十四条第三項の規定による一般都営住宅の用途廃止により明渡しをすべき一般都営住宅を使用していた期間は、その者が明渡し後に使用を許可された当該他の一般都営住宅を使用している期間に通算する。

2　次条第一項の規定による請求を受けた者が当該一般都営住宅建替事業により新たに整備された一般都営住宅の使用を許可された場合における第二十八条及び第三十条の規定の適用については、その者が当該一般都営住宅建替事業により除却すべき一般都営住宅を使用していた期間は、その者が当該新たに整備された一般都営住宅を使用している期間に通算する。

3　前二項に定める場合のほか、この条例の規定により一般都営住宅及び特定都営住宅（以下「一般都営住宅等」という。）の使用者が引き続き他の一般都営住宅の使用を許可された場合（他の一般都営住宅の使用を許可される前に一時的に仮住居に入居した場合を含む。）における第二十八条及び第三十条の規定の適用については、その者が従前の一般都営住宅等を使用していた期間は、その者が新たに使用を許可された当該他の一般都営住宅を使用している期間に通算する。

4　この条例の規定により都営改良住宅、都営再開発住宅、都営従前居住者用住宅、都営コミュニティ住宅及び都営更新住宅（以下「都営改良住宅等」という。）の使用者が引き続き一般都営住宅の使用を許可された場合（一般都営住宅の使用を許可される前に一時的に仮住居に入居した場合を含む。）における第二十八条の規定の適用については、その者が従前の都営改良住宅等を使用していた期間は、その者が新たに使用を許可された当該一般都営住宅を使用している期間に通算する。

**（建替事業の施行に伴う明渡請求）**

**第三十六条**　知事は、一般都営住宅建替事業の施行に伴い、必要があると認めるときは、除却しようとする一般都営住宅の使用者に対し、当該一般都営住宅の明渡しを請求することができる。この場合において、明渡しの期限は、当該請求をする日の翌日から起算して六月を経過した日以後の日としなければならない。

2　前項の規定による請求を受けた者は、同項の期限が到来したときは、速やかに当該一般都営住宅を明け渡さなければならない。

（**仮住居の提供等**）

**第三十七条**　知事は、前条第一項の規定による請求を受けた者が希望する場合は、その者に対し、必要な仮住居を提供し、又は当該事業により新たに整備される一般都営住宅の使用を許可しなければならない。

2　知事は、前条第一項の規定による請求を受けた者からの申出により必要があると認める場合は、他の公的資金による住宅への入居のあっせん、自力建設の助成等により、その者が使用している一般都営住宅の明渡しを容易にするように努めなければならない。

（**説明会の開催、移転料の支払等**）

**第三十八条**　知事は、一般都営住宅建替事業の施行に関し、説明会を開催する等当該事業により除却すべき一般都営住宅の使用者の協力が得られるように努めなければならない。

2　知事は、一般都営住宅建替事業により除却すべき一般都営住宅の使用者が当該事業の施行に伴い住宅を移転した場合においては、通常必要な移転料の支払その他必要な措置を講じなければならない。

（**明渡請求権**）

**第三十九条**　知事は、使用者が次の各号のいずれかに該当する場合は、使用者に対し使用許可を取り消し、住宅の明渡しを請求することができる。

一　不正の行為により入居したとき。

二　正当な事由がなく使用料を三月以上滞納したとき。

三　正当な事由がなく一月以上一般都営住宅を使用しないとき。

四　一般都営住宅又は共同施設を故意にき損したとき。

五　住宅を取得したとき。

六　暴力団員であることが判明したとき（同居する者が該当する場合を含む。）。

七　第十八条から第二十条まで、第二十一条第一項及び第二十二条の規定に違反したとき。

八　前号に掲げるもののほか、この条例又はこれに基づく知事の指示命令に違反したとき。

九　一般都営住宅の借上げの期間が終了するとき。

十　前各号に掲げるもののほか、知事が一般都営住宅の管理上必要があると認めるとき。

2　前項の規定により明渡しの請求を受けた者は、速やかに住宅を明け渡さなければならない。この場合、使用者は、損害賠償その他の請求をすることができない。

3　知事は、第一項第一号の規定に該当することにより同項の請求を行ったときは、当該請求を受けた者に対して、入居した日から請求の日までの期間については近傍同種の住宅の家賃の額とそれまでに支払を受けた使用料の額との差額に法定利率による支払期後の利息を付した額の金銭を、請求の日の翌日から当該一般都営住宅の明渡しを行う日までの期間については毎月近傍同種の住宅の家賃の額の二倍に相当する額の金銭を徴収するものとする。

4　知事は、第一項第二号から第十号までの規定に該当することにより同項の請求を行ったときは、当該請求を受けた者に対して、請求の日の翌日から当該一般都営住宅の明渡しを行う日までの期間について、近傍同種の住宅の家賃の額の範囲内で知事が定める額の金銭を徴収するものとする。

5　知事は、第一項第九号の規定に該当することにより同項の請求を行う場合には、当該請求を行う日の六月前までに、当該使用者にその旨の通知をしなければならない。

6　知事は、一般都営住宅の借上げに係る契約が終了する場合には、当該一般都営住宅の賃貸人に代わって、使用者に借地借家法（平成三年法律第九十号）第三十四条第一項の通知をするものとする。

（**定期使用許可**）

**第三十九条の二**　知事は、次の各号のいずれかに該当する場合には、十年を超えない範囲内においてあらかじめ規則で定める期間に限って一般都営住宅の使用を許可することができる。ただし、第一号に該当する場合に限り、当該許可に係る使用期間の終期を、使用者、配偶者又はパートナーシップ関係の相手方の子で、規則で定める者のうち最も年少のものが十八歳に達する日以後の最初の三月三十一日（以下この条において「当該日」という。）が、当該許可の日から十年を経過した日以後に到来する場合は当該日までとすることができる。

一　申込みをした日において規則で定める年齢であること、知事が別に定める世帯構成であることその他知事が別に定める条件を具備する者に、一般都営住宅でその存する区域及び周辺地域の状況その他の実情に照らして住宅政策上特に必要があると認めるものを使用させるとき。

二　マンションの建替え等の円滑化に関する法律（平成十四年法律第七十八号）第二条第一項第四号に定めるマンション建替事業の施行及び同項第九号に定めるマンション敷地売却事業の実施に伴い住宅に困

窮することとなる者に、仮住居として一般都営住宅を一時的に使用させるとき。

三　前二号に掲げるもののほか、一時的に住宅に困窮することとなる者のうち住宅政策上特に必要があるものとして規則で定める者に、一般都営住宅を一時的に使用させるとき。

2　前項の規定による許可（以下この条において「定期使用許可」という。）に係る一般都営住宅の規模、地区等に係る選定基準、使用者の資格の制限その他必要な事項は、知事が別に定める。

3　定期使用許可は、その更新がなく、期間の満了によってその効力を失うものとする。

4　定期使用許可をしようとする場合における前項に定める事項についての使用予定者に対する説明は、規則で定めるところにより行うものとする。

5　前項の説明を受けた使用予定者は、第十一条に定める手続のほか、規則で定めるところにより、当該説明を受けた旨を証する書類を提出しなければならない。

6　定期使用許可をした場合において、その期間の満了する日の一年前から六月前までの間に、使用者に対して行う期間の満了により当該許可が効力を失う旨の通知は、規則で定めるところにより行うものとする。

7　定期使用許可を受けた使用者は、その期間が満了するときまでに当該一般都営住宅を明け渡さなければならない。

8　定期使用許可をした場合においては、第九条第七号及び第八号、第二十三条、第三十一条、第三十二条第二項、第三十三条並びに第三十五条の規定は適用しない。ただし、第一項ただし書の規定による定期使用許可をした場合について、当該定期使用許可の日から当該日までの期間（当該定期使用許可の日から十年を経過した日までの期間を除く。）における第三十一条、第三十二条第二項、第三十三条及び第三十五条の規定の適用については、この限りでない。

9　第二十八条又は第三項の規定にかかわらず、定期使用許可を受けた使用者が、当該許可を受けた後に同条又は第三十条第一項に規定する者に該当するに至ったことを理由として、当該一般都営住宅を明け渡す旨の申出をしたときは、知事は当該許可の効力を将来に向けて失わせることができる。

10　前項の場合において、知事は、必要があると認めるときは、他の公的資金による住宅への入居のあっせん、自力建設の助成等の措置を講じることができる。

### 第二節　法第四十五条第一項の規定に基づく社会福祉事業等への活用

**（社会福祉法人等に対する使用許可）**

**第四十条**　知事は、法第四十五条第一項に規定する社会福祉法人等（以下単に「社会福祉法人等」という。）が一般都営住宅を使用して公営住宅法第四十五条第一項の事業等を定める省令（平成八年厚生省・建設省令第一号）第一条に規定する事業（以下「社会福祉事業等」という。）を行うことが必要であると認める場合においては、当該社会福祉法人等に対して、一般都営住宅の適正かつ合理的な管理に著しい支障のない範囲内で、一般都営住宅の使用を許可することができる。

2　知事は、前項の許可に条件を付することができる。

**（使用手続）**

**第四十一条**　社会福祉法人等は、前条の規定により一般都営住宅を使用しようとするときは、規則で定めるところにより、一般都営住宅の使用目的、使用期間その他当該一般都営住宅の使用に係る事項を記載した書面を提出して、知事の許可を申請しなければならない。

2　知事は、社会福祉法人等から前項の申請があった場合には、当該社会福祉法人等に対して、当該申請を許可する場合にあってはその旨を、許可しない場合にあっては許可しない旨とともにその理由を通知する。

3　社会福祉法人等は、前項の規定により一般都営住宅の使用を許可する旨の通知を受けたときは、知事の定める日までに一般都営住宅の使用を開始しなければならない。

**（使用料）**

**第四十二条**　社会福祉法人等は、近傍同種の住宅の家賃以下で知事が定める額の使用料を支払わなければならない。

2　社会福祉法人等が社会福祉事業等において一般都営住宅を現に使用する者から徴収することとなる使用料相当額の合計は、前項の規定による知事が定める額を超えてはならない。

**（準用）**

**第四十三条**　社会福祉法人等による一般都営住宅の使用については、第十六条から第十八条まで、第二十一条、第二十二条、第二十四条及び第三十六条の規定を準用する。この場合において、これらの規定中「使用者」とあるのは、「社会福祉法人等」と読み替えるものとする。

**（報告の請求）**

**第四十四条**　知事は、一般都営住宅の適正かつ合理的な管理を行うために必要があると認めるときは、当該一般都営住宅を使用している社会福祉法人等に対して、当該一般都営住宅の使用状況の報告を求めることができる。

**（申請内容の変更）**

**第四十五条**　一般都営住宅を使用している社会福祉法人

等は、第四十一条第一項の規定による申請の内容に変更が生じた場合には、速やかに知事に報告しなければならない。

（使用許可の取消し）

**第四十六条**　知事は、次の各号のいずれかに該当する場合において、一般都営住宅の使用許可を取り消すことができる。

一　社会福祉法人等が使用許可の条件に違反したとき。

二　一般都営住宅の適正かつ合理的な管理に支障があると認めるとき。

### 第三節　法第四十五条第二項の規定に基づく一般都営住宅の活用

（使用許可）

**第四十七条**　知事は、その区域内における特定優良賃貸住宅の供給の促進に関する法律（平成五年法律第五十二号）第六条に規定する特定優良賃貸住宅その他の同法第三条第四号イ又はロに掲げる者の居住の用に供する賃貸住宅の不足その他の特別の事由により一般都営住宅を同号イ又はロに掲げる者に使用させることが必要であると認める場合において、一般都営住宅の適正かつ合理的な管理に著しい支障のない範囲内で、これらの者に対し、当該一般都営住宅の使用を許可することができる。

（使用者の資格）

**第四十八条**　前条の規定により一般都営住宅を使用することができる者は、第六条の規定にかかわらず、東京都特定公共賃貸住宅条例第七条に規定する要件を満たす者でなければならない。

（使用料）

**第四十九条**　第四十七条の規定による使用に供される一般都営住宅の使用料は、第十二条第一項、第二十九条第一項又は第三十二条第一項の規定にかかわらず、当該一般都営住宅の使用者及び同居者の収入を勘案し、かつ、近傍同種の住宅の家賃以下で知事が定める。

2　前項の使用者及び同居者の収入については、第二十六条及び第二十七条の規定を準用する。この場合において、同条第一項中「使用者にその認定した額、収入超過基準（次条に規定する金額をいう。第四項において同じ。）の超過の有無」とあるのは、「使用者にその認定した額」と読み替えるものとする。

3　第一項の近傍同種の住宅の家賃については、第十二条第四項の規定を準用する。

（準用）

**第五十条**　第四十七条の規定による一般都営住宅の使用については、第五条、第八条から第九条の二まで、第十一条、第十三条から第十五条まで、第十六条から第二十二条まで、第二十四条、第二十五条及び第三十六条から第三十九条までの規定を準用する。

### 第四節　特定都営住宅の管理

（準用）

**第五十一条**　特定都営住宅の管理については、第五条から前条までの規定（第六条第一項第四号ロ、第七条第三項、第八条第四項、第十五条第一号、第三十五条第二項、第三十六条から第三十八条まで並びに第三十九条第一項第九号、第五項及び第六項の規定を除く。）を準用する。この場合において、第九条の二中「の規定」とあり、第十五条及び第十五条の二中「で定めるところ」とあり、第十九条及び第二十条中「に規定するところ」とあり、並びに第三十条第二項中「に定めるところ」とあるのは「の規定の例」と、第十二条第一項及び第四項並びに第二十九条第二項中「算定方法」とあるのは「算定方法の例」と、第十二条第一項ただし書中「規定による報告の請求」とあるのは「規定の例による報告の請求」と、第三十五条第一項中「他の一般都営住宅」とあり、並びに同条第四項及び第三十九条の二中「一般都営住宅」とあるのは「特定都営住宅」と、第三十五条第三項中「他の一般都営住宅」とあるのは「他の特定都営住宅」と、第三十九条の二第五項中「第十一条」とあるのは「第五十一条の規定により準用する第十一条」と読み替えるものとする。

**第五十一条の二**　削除

## 第三章　都営改良住宅等の管理

### 第一節　都営改良住宅の管理

（都営改良住宅の使用者の資格）

**第五十二条**　都営改良住宅を使用することができる者（第四号に掲げる場合にあっては、現に同居し、又は同居しようとする者を含む。）は、次に掲げる者で、都営改良住宅の使用を希望し、かつ、住宅に困窮すると認められるものでなければならない。

一　次に掲げる者で改良事業の施行に伴い住宅を失ったもの

イ　改良法第四条の規定による改良地区（以下「地区」という。）の指定の日から引き続き地区内に居住していた者。ただし、地区の指定の日後に別世帯を構成するに至った者を除く。

ロ　イただし書に該当する者及び地区の指定の日後に地区内に居住するに至った者。ただし、住宅地区改良法施行令（昭和三十五年政令第百二十八号。以下「改良法施行令」という。）第八条で定めるところにより、知事が承認した者に限る。

ハ　地区の指定の日後にイ又はロに該当する者と同一の世帯に属するに至った者
二　前号イ、ロ又はハに該当する者で地区の指定の日後に地区内において災害により住宅を失ったもの
三　前二号に掲げる者と同一の世帯に属する者
四　暴力団員でない者

（その他の場合の都営改良住宅の使用等）
**第五十三条**　前条の規定にかかわらず、都営改良住宅を使用することができる者が使用せず、又は使用しなくなった場合における当該都営改良住宅の使用者の資格等については、第五条から第十条までの規定（第六条第一項第四号イ及びロ、第七条第三項並びに第八条第四項の規定を除く。）を準用する。この場合において、第六条第一項第四号ハ中「十五万八千円」とあるのは「十一万四千円」と、第九条の二中「規定により」とあるのは「規定の例により」と読み替えるものとする。

（都営改良住宅の使用手続）
**第五十四条**　前二条の規定により都営改良住宅の使用予定者として決定された者の使用手続については、第十一条の規定を準用する。この場合において、同条第一項第二号中「使用料をいう」とあるのは、「使用料（第五十八条の規定により使用料が減額される旨の記載がある場合には、当該減額後の使用料）をいう」と読み替えるものとする。

（都営改良住宅の使用料の決定）
**第五十五条**　都営改良住宅の使用料は、公営住宅法の一部を改正する法律（平成八年法律第五十五号）による改正前の法（以下「旧法」という。）第十二条第一項及び公営住宅法施行令の一部を改正する政令（平成八年政令第二百四十八号）による改正前の令（以下「旧令」という。）第四条に定める算定方法の例により算定した額の範囲内において、知事が定める。

（都営改良住宅の使用料の変更等）
**第五十六条**　知事は、次の各号のいずれかに該当する場合は、都営改良住宅の使用料（保証金を含む。以下この条において同じ。）を変更し、又は前条の規定にかかわらず使用料を別に定めることができる。
一　物価の変動に伴い使用料を変更する必要があると認めるとき。
二　都営住宅相互の間における使用料の均衡上必要があると認めるとき。
三　都営改良住宅について改良を施したとき。
2　知事は、前項の規定により旧法第十二条第一項の規定の例による月割額（旧法第十三条第三項の規定の例による月割額と異なる場合においては、当該月割額）の限度を超えて使用料を変更し、又は別に定めようとするときは、公聴会を開いて利害関係人及び学識経験を有する者の意見を聴かなければならない。

（都営改良住宅の使用料の徴収）
**第五十七条**　都営改良住宅の使用料の徴収については、第十三条の規定を準用する。この場合において、同条中「使用料」とあるのは、「使用料（第六十四条の規定による付加使用料を含む。）」と読み替えるものとする。

（都営改良住宅の使用料の収入に応じた減額）
**第五十八条**　知事は、都営改良住宅の使用者及び同居者の収入が規則で定める基準の収入である場合には、当該都営改良住宅の使用料の額と収入の区分に応じて定める額との差額を当該使用料から減額することができる。
2　前項に規定する収入の区分に応じて定める額及び減額の期間は、規則で定める。
3　使用者は、第一項の規定により使用料の減額を受けようとするときは、知事に申請しなければならない。
4　使用者（省令第八条に定める者に限る。）が前項に規定する申請をすることが困難な事情にあると認めるときは、知事は、同項の規定にかかわらず、第一項の規定により使用料を減額することができる。

（都営改良住宅の使用料の減免等）
**第五十九条**　都営改良住宅の使用料及び保証金の減免及び徴収の猶予については、第十四条の規定を準用する。この場合において、同条中「使用料」とあるのは、「使用料（第五十八条の規定による使用料の減額を受けている場合には当該減額後の使用料をいい、第六十四条の規定により付加使用料を納付している場合には当該付加使用料を含む。）」と読み替えるものとする。

（改良事業等に係る使用料の特例）
**第六十条**　知事は、使用者が次の各号のいずれかに該当する場合において、必要があると認めるときは、令第十二条及び令第十六条第二項の規定の例により、使用料（第五十八条の規定による使用料の減額を受けている場合には当該減額後の使用料をいい、第六十四条の規定により付加使用料を納付している場合には当該付加使用料を含む。）を減額することができる。
一　第五十二条の規定により都営改良住宅に入居したとき。
二　都営住宅の除却に伴い他の都営改良住宅に入居したとき。
2　前項第一号に該当する場合における同項の減額については、規則で定める額を従前の都営住宅の最終の使用料の額とみなすものとする。

第六十条の二　第五十三条の規定により準用する第九条の二の規定により都営改良住宅の使用を許可する場合における当該都営改良住宅の使用料の減額については、第十五条の二の規定を準用する。この場合において、同条中「使用料」とあるのは「使用料（第五十八条の規定による使用料の減額を受けている場合には当該減額後の使用料をいい、第六十四条の規定により付加使用料を納付している場合には当該付加使用料を含む。）」と、「で定めるところにより」とあるのは「の規定の例により」と読み替えるものとする。

（都営改良住宅の使用者に係る収入に関する報告）

第六十一条　都営改良住宅の使用者は、当該都営改良住宅を引き続き一年以上使用している場合は、知事の定めるところにより、毎年度、収入に関する報告を行わなければならない。

（都営改良住宅の使用者に係る収入額の認定等）

第六十二条　知事は、前条の報告その他の資料に基づき、使用者及び同居者の収入の額を認定し、使用者にその認定した額、収入超過基準（次条に規定する読み替えた金額をいう。）の超過の有無その他必要な事項を通知する。

2　前項の認定に対する意見の申出及び認定した収入の額の改定については、第二十七条第二項及び第三項の規定を準用する。

3　知事は、第六十五条の規定により準用する第十九条の許可を行う場合において、当該許可に伴い、第一項の規定により認定された収入の額が第六十四条第二項に定める基準以下となったとき若しくは当該基準を超えることとなったとき又は規則で定める収入の区分を超えて変動したときは、その収入の額を認定する。

4　前項に定める場合のほか、規則で定める事由により、第一項の規定により認定された収入の額が第六十四条第二項に定める基準以下となったとき又は規則で定める収入の区分を超えて変動したときは、使用者は、その収入の額の認定を求めることができる。

5　第三項の規定に基づく収入の額の認定及び前項の請求に基づく収入の額の認定については、第一項及び第二項の規定を準用する。

（都営改良住宅の収入超過者の明渡し努力義務）

第六十三条　都営改良住宅の使用者は、当該都営改良住宅を引き続き三年以上使用している場合において、改良法施行令第十三条の二の規定により旧令第六条の二第一項中「十一万五千円」とあるのを法第二十三条第一号ロに掲げる場合において読み替えた金額であって、第五十三条の規定により準用する第六条第一項第四号ハに規定する金額を読み替えたものを超える収入のあるときは、当該都営改良住宅を明け渡すように努めなければならない。

（都営改良住宅の付加使用料）

第六十四条　前条の規定に該当する都営改良住宅の使用者のうち、次項に定める基準を超える収入のあるものが、当該都営改良住宅を引き続き使用しているときは、当該都営改良住宅の使用料のほかに、当該都営改良住宅に係る旧法第十二条第一項の規定の例による月割額（旧法第十三条第三項の規定の例による月割額と異なる場合においては、当該月割額）に第三項に定める率を乗じて得た額（百円未満の端数があるときは、これを切り捨てる。）の範囲内で知事が定める付加使用料を納付しなければならない。

2　前項の基準は、改良法施行令第十三条の二の規定により旧令第六条の二第二項の表第二種公営住宅の項中「十九万八千円」とあるのを読み替えた金額とする。

3　第一項の率は、都営改良住宅の使用者の収入が改良法施行令第十三条の二の規定により旧令第六条の二第二項の表第二種公営住宅の項中「十九万八千円」とあるのを読み替えた金額を超え、かつ、同項中「二十四万五千円」とあるのを読み替えた金額以下である場合には〇・五と、同項中「二十四万五千円」とあるのを読み替えた金額を超える場合には〇・八とする。

（準用）

第六十五条　都営改良住宅の使用については、第十六条から第二十五条まで、第三十四条、第三十五条（第二項を除く。）及び第三十九条（第一項第九号、第三項、第五項及び第六項を除く。）の規定を準用する。この場合において、第十七条中「使用料」とあるのは「使用料（付加使用料を含む。）」と、第十九条中「第十一条に規定するところによるほか」とあるのは「第十一条の規定の例によるほか」と、第二十条中「第十二条に規定するところによるほか」とあるのは「第十二条の規定の例によるほか」と、第二十五条中「使用料」とあるのは「使用料（付加使用料を含む。）」と、第三十四条中「第二十八条の規定に該当する使用者及び高額所得者」とあるのは「第六十三条の規定に該当する使用者」と、第三十五条第一項中「第七条第二項の規定による申込みをした者が他の一般都営住宅」とあるのは「第五十三条の規定により準用する第七条第二項の規定による申込みをした者が都営改良住宅」と、「第二十八条及び第三十一条」とあるのは「第六十一条及び第六十三条」と、「当該他の一般都営住宅」とあるのは「当該都営改良住宅」と、同条第三項中「他の一般都営住宅」とあるのは「都営改良住宅」と、「第二十八条及び第三十条」とあるのは「第六十一条及び第六十三条」と、同条第四項中「引き続き一般都営住宅」とあるのは「引き続き他の都営改良住宅」と、「（一般都営住宅」とあるのは「（他の都営改良住宅」と、「第二十八条」とあるのは「第六十一条及び第六十三条」と、「当該一般都営住宅」とあるのは「当該他の都営改良住宅」と、第三十九条第一項第二号中「使用料」とあるのは「使用料（付加使用料を含む。）」と、同条第四項中「第一項第二号から第十号まで」とあるのは「第一項第一号から第八号まで及び第十号」と、「近傍同種の住宅の家賃の額」とあるのは「使用料（付加使用料を含む。）」と読み替えるものとする。

### 第二節　都営再開発住宅の管理

**（都営再開発住宅の使用者の資格）**

**第六十六条**　都営再開発住宅を使用することができる者（第四号に掲げる場合にあっては、現に同居し、又は同居しようとする者を含む。）は、次に掲げる者で、都営再開発住宅の使用を希望し、かつ、住宅に困窮すると認められるものでなければならない。

一　次に掲げる者で市街地再開発事業の施行に伴い住宅を失ったもの

イ　施行区域（都市計画法第十二条第二項に規定する施行区域をいう。以下同じ。）の決定の日（施行区域に係る同法第二十条第一項（同法第二十一条第二項において準用する場合を含む。）の告示のあった日をいう。以下同じ。）から引き続き施行区域内に居住していた者（施行区域内に居住していた者で、同法第五十六条第一項の規定に基づく土地の買取りに伴い一時的に施行区域外へ転出したものと認められるものを含む。）。ただし、施行区域の決定の日後に別世帯を構成するに至った者を除く。

ロ　イただし書に該当する者（取得（借家権の取得を含む。）する施設建築物の一部が当該取得に係る者の世帯の構成に比べて狭小なため、別世帯を構成して別住宅に居住する必要があると認められる者を含む。）及び施行区域の決定の日後に施行区域内に居住するに至った者。ただし、規則で定めるところにより知事が承認した者に限る。

ハ　施行区域の決定の日後にイ又はロに該当する者と同一の世帯に属するに至った者

二　前号イ、ロ又はハに該当する者で施行区域の決定の日後に施行区域内において災害により住宅を失ったもの

三　前二号に掲げる者と同一の世帯に属する者

四　暴力団員でない者

**（都営再開発住宅の一時的使用）**

**第六十七条**　知事は、前条で定める者のほか、次に掲げる者で市街地再開発事業の施行に伴い一時的に住宅に困窮することとなると認められるものに都営再開発住宅を一時的に使用させることができる。

一　都市再開発法第七十三条第一項第二号に規定する施設建築物の一部等（同法第百十条第五項の読替えによる「施設建築物に関する権利」及び同法第百十一条の読替えによる「建築施設の部分」を含む。）を与えられることとなる者

二　都市再開発法第七十三条第一項第十二号に規定する施設建築物の一部について借家権を与えられることとなる者

三　都市再開発法第百十八条の七第一項第二号に規定する建築施設の部分を譲り受けることができる者

四　都市再開発法第百十八条の七第一項第四号に規定する施設建築物の一部を賃借することができる者

五　暴力団員でない者（現に同居し、又は同居しようとする者を含む。）

**（その他の場合の都営再開発住宅の使用等）**

**第六十八条**　知事は、前二条の規定にかかわらず、都営再開発住宅の戸数がこれらの規定に基づく使用者の数を超える場合又はこれらの規定に定める者が都営再開発住宅を使用せず、若しくは使用しなくなった場合においては、次に掲げる者に都営再開発住宅を使用させることができる。

一　一般都営住宅建替事業の施行その他都営住宅の除却に伴い当該都営住宅を明け渡す者

二　第五十二条に定める都営改良住宅を使用することができる者

三　第七十二条に定める都営従前居住者用住宅を使用することができる者

四　第七十五条に定める都営コミュニティ住宅を使用することができる者

五　第七十九条に定める都営更新住宅を使用することができる者

六　第六条第一項第一号から第三号まで、第四号ハ及び第五号の条件を具備している者。ただし、同条第二項に規定する者については、同条第一項第二号の条件を具備していることを要しない。

七　第七条第一項の規定により第六条第一項第一号、第二号及び第四号に掲げる条件を具備する者とみなされる者であって、かつ、同項第五号に掲げる条件を具備するもの、第七条第二項の規定により第六条第一項第二号から第四号までに掲げる条件を具備する者とみなされる者であって、かつ、同項第五号に掲げる条件を具備するもの及び第七条第四項の規定により第六条第一項第二号及び第四号に掲げる条件を具備する者とみなされる者であって、かつ、同項

第一号及び第五号に掲げる条件を具備するもの

2　前項第六号に掲げる者に都営再開発住宅を使用させる場合の使用者の資格については、第六条第五項の規定を準用する。

3　第一項第六号及び第七号に掲げる者に係る使用申込み等については、第五条、第六条第三項、第八条第一項から第三項まで、第九条（第四号及び第五号（市街地再開発事業に関する部分に限る。）を除く。）、第九条の二及び第十条の規定を準用する。この場合において、第六条第三項中「前項」とあるのは「第六十八条第一項第六号ただし書」と、第九条の二中「規定により」とあるのは「規定の例により」と読み替えるものとする。

**（都営再開発住宅の使用料の決定）**

**第六十九条**　都営再開発住宅の使用料の決定については、第五十五条の規定を準用する。この場合において、旧法第十二条第一項及び旧令第四条第三号中「工事費」とあるのは「工事費又は購入費」と、同条第五号中「建設する」とあるのは「建設し、又は購入する」と読み替えるものとする。

**（一時的使用者の住宅明渡義務）**

**第七十条**　第六十七条の規定に基づく都営再開発住宅の使用者は、次の各号の区分に従いそれぞれ当該各号に定める事由が生じたときは、速やかに当該都営再開発住宅を明け渡さなければならない。

一　第六十七条第一号又は第二号の規定に基づく使用者　都市再開発法第百条第二項に規定する公告及び通知があったこと。

二　第六十七条第三号又は第四号の規定に基づく使用者　都市再開発法第百十八条の十七に規定する公告及び通知があったこと。

2　前項の規定は、同項の使用者の責めに帰すべき理由により同項各号に掲げる事由を生ぜず、又は生ずる見込みがなくなったと認められる場合その他一時的使用の理由がなくなったと認められる場合に適用する。

3　前二項の規定に該当する都営再開発住宅の使用者が都営再開発住宅を明け渡さないときは、知事は、当該使用者に対し、当該都営再開発住宅の明渡しを請求することができる。

**（準用）**

**第七十一条**　都営再開発住宅の使用については、第十六条から第二十五条まで、第三十四条、第三十五条（第二項を除く。）、第三十九条（第一項第九号、第三項、第五項及び第六項を除く。）、第五十四条及び第五十六条から第六十四条までの規定（第六十七条の規定に基づく都営再開発住宅の使用者にあっては、第六十一条、第六十三条及び第六十四条の規定を除く。）を準用する。この場合において、第十七条中「使用料」とあるのは「使用料（付加使用料を含む。）」と、第十九条中「第十一条に規定するところによるほか」とあるのは「第十一条の規定の例によるほか」と、第二十条中「第十二条に規定するところによるほか」とあるのは「第十二条の規定の例によるほか」と、第二十五条中「使用料」とあるのは「使用料（付加使用料を含む。）」と、第三十四条中「第二十八条の規定に該当する使用者及び高額所得者」とあるのは「第七十一条の規定により準用する第六十三条の規定に該当する使用者」と、第三十五条第一項中「第七条第二項の規定による申込みをした者が他の一般都営住宅」とあるのは「第六十八条第一項第七号に掲げる者（第七条第二項に係る者に限る。）が都営再開発住宅」と、「第二十八条及び第三十条」とあるのは「第七十一条の規定により準用する第六十一条及び第六十三条」と、「当該他の一般都営住宅」とあるのは「当該都営再開発住宅」と、同条第三項中「他の一般都営住宅」とあるのは「都営再開発住宅」と、「第二十八条及び第三十条」とあるのは「第七十一条の規定により準用する第六十一条及び第六十三条」と、同条第四項中「引き続き一般都営住宅」とあるのは「引き続き他の都営再開発住宅」と、「（一般都営住宅」とあるのは「（他の都営再開発住宅」と、「第二十八条」とあるのは「第七十一条の規定により準用する第六十一条及び第六十三条」と、「当該一般都営住宅」とあるのは「当該他の都営再開発住宅」と、第三十九条第一項第二号中「使用料」とあるのは「使用料（付加使用料を含む。）」と、同条第四項中「第一項第二号から第十号まで」とあるのは「第一項第一号から第八号まで及び第十号」と、「近傍同種の住宅の家賃の額」とあるのは「使用料（付加使用料を含む。）」と、第五十四条中「第五十八条」とあるのは「第七十一条の規定により準用する第五十八条」と、第五十七条中「第六十四条」とあるのは「第七十一条の規定により準用する第六十四条」と、第五十九条中「第五十八条」とあるのは「第七十一条の規定により準用する第五十八条」と、「第六十四条」とあるのは「第七十一条の規定により準用する第六十四条」と、第六十条第一項中「第五十八条」とあるのは「第七十一条の規定により準用する第五十八条」と、「第六十四条」とあるのは「第七十一条の規定により準用する第六十四条」と、「第五十二条」とあるのは「第六十六条又は第六十八条第一項（第一号、第六号及び第七号を除く。）」と、第六十条の二中「第五十三条」とあるのは「第六十八条第三項」と、「第五十八条」とあるのは「第七十一条の規定により準用する第五十八条」と、「第六十四条」とあるのは「第七十一条の規定により準用する第六十四条」と、第六十二条第三項中「第六十五条」とあるのは「第七十一条」と、「第六十四条」とあるのは「第七十一条の規定により準用する第六十四条」と、同条第四項中「第六十四条」とあるのは「第七十一条の規定により準用する第六十四条」と、第六十三条中「改良法施行令第十三条の二の規定により旧令第六条の二第一項中「十一万五千円」とあるのを法第二十三条第一号ロに掲げる場合において読み替えた金額であって、第五十三条の規定により準用する第六条第一項第四号ハに規定する金額を読み替えたもの」とあるのは「第六条第一項第四号ハの規定の例による金額」と、第六十四条第二項中「改良法施行令第十三条の二の規定により」とあるのは「改良法施行令第十三条の二の規定の例により」と、同条第三項中「改良法施行令第十三条の二の規定により」とあるのは「改良法施行令第十三条の二の規定の例により」と、「〇・五」とあるのは「〇・二」と、「〇・八」とあるのは「〇・四」と読み替えるものとする。

### 第三節 都営従前居住者用住宅の管理

**（都営従前居住者用住宅の使用者の資格）**

**第七十二条** 都営従前居住者用住宅を使用することができる者（第四号に掲げる場合にあっては、現に同居し、又は同居しようとする者を含む。）は、次に掲げる者で、都営従前居住者用住宅の使用を希望し、かつ、住宅に困窮すると認められるものでなければならない。

一 次に掲げる者で整備事業の施行に伴い住宅を失ったもの

イ 当該整備事業に係る整備計画について国土交通大臣の承認があった日（以下この条において「承認日」という。）から引き続き整備事業の施行地区（以下この条において「整備地区」という。）内に居住していた者。ただし、承認日後に別世帯を構成するに至った者を除く。

ロ イただし書に該当する者及び承認日後に整備地区内に居住するに至った者。ただし、規則で定めるところにより知事が承認した者に限る。

ハ 承認日後にイ又はロに該当する者と同一の世帯に属するに至った者

二 前号イ、ロ又はハに該当する者で、承認日後に整備地区内において災害により住宅を失ったもの

三 前二号に掲げる者と同一の世帯に属する者

四 暴力団員でない者

**（その他の場合の都営従前居住者用住宅の使用等）**

**第七十三条** 知事は、前条の規定にかかわらず、同条に定める者が都営従前居住者用住宅を使用せず、又は使用しなくなった場合においては、次に掲げる者に都営従前居住者用住宅を使用させることができる。

一 一般都営住宅建替事業の施行その他都営住宅の除却に伴い当該都営住宅を明け渡す者

二 第五十二条に定める都営改良住宅を使用することができる者

三 第六十六条に定める都営再開発住宅を使用することができる者

四 第七十五条に定める都営コミュニティ住宅を使用することができる者

五 第七十九条に定める都営更新住宅を使用することができる者

六 第六条第一項第一号から第三号まで、第四号ハ及び第五号の条件を具備している者。ただし、同条第二項に規定する者については、同条第一項第二号の条件を具備していることを要しない。

七 第七条第一項の規定により第六条第一項第一号、第二号及び第四号に掲げる条件を具備する者とみなされる者であって、かつ、同項第五号に掲げる条件を具備するもの、第七条第二項の規定により第六条第一項第二号から第四号までに掲げる条件を具備する者とみなされる者であって、かつ、同項第五号に掲げる条件を具備するもの及び第七条第四項の規定により第六条第一項第二号及び第四号に掲げる条件を具備する者とみなされる者であって、かつ、同項第一号及び第五号に掲げる条件を具備するもの

2 前項第六号に掲げる者に都営従前居住者用住宅を使用させる場合の使用者の資格については、第六条第五項の規定を準用する。

3 第一項第六号及び第七号に掲げる者に係る使用申込み等については、第五条、第六条第三項、第八条第一項から第三項まで、第九条（第四号及び第五号（市街地再開発事業に関する部分に限る。）を除く。）、第九条の二及び第十条の規定を準用する。この場合において、第六条第三項中「前項」とあるのは「第七十三条第一項第六号ただし書」と、第九条の二中「規定により」とあるのは「規定の例により」と読み替えるものとする。

**（準用）**

**第七十四条** 都営従前居住者用住宅の使用については、第十六条から第二十五条まで、第三十四条、第三十五条（第二項を除く。）、第三十九条（第一項第九号、第三項、第五項及び第六項を除く。）及び第五十四条から第六十四条までの規定を準用する。この場合において、第十七条中「使用料」とあるのは「使用料（付加

使用料を含む。」と、第十九条中「第十一条に規定するところによるほか」とあるのは「第十一条の規定の例によるほか」と、第二十条中「第十二条に規定するところによるほか」とあるのは「第十二条の規定の例によるほか」と、第二十五条中「使用料」とあるのは「使用料（付加使用料を含む。）」と、第三十四条中「第二十八条の規定に該当する使用者及び高額所得者」とあるのは「第七十四条の規定により準用する第六十三条の規定に該当する使用者」と、第三十五条第一項中「第七条第二項の規定による申込みをした者が他の一般都営住宅」とあるのは「第七十三条第一項第七号に掲げる者（第七条第二項に係る者に限る。）が都営従前居住者用住宅」と、「第二十八条及び第三十条」とあるのは「第七十四条の規定により準用する第六十一条及び第六十三条」と、「当該他の一般都営住宅」とあるのは「当該都営従前居住者用住宅」と、同条第三項中「他の一般都営住宅」とあるのは「都営従前居住者用住宅」と、「第二十八条及び第三十条」とあるのは「第七十四条の規定により準用する第六十一条及び第六十三条」と、同条第四項中「引き続き一般都営住宅」とあるのは「引き続き他の都営従前居住者用住宅」と、「（一般都営住宅）」とあるのは「（他の都営従前居住者用住宅）」と、「第二十八条」とあるのは「第七十四条の規定により準用する第六十一条及び第六十三条」と、「当該一般都営住宅」とあるのは「当該他の都営従前居住者用住宅」と、第三十九条第一項第二号中「使用料」とあるのは「使用料（付加使用料を含む。）」と、同条第四項中「第一項第二号から第十号まで」とあるのは「第一項第一号から第八号まで及び第十号」と、「近傍同種の住宅の家賃の額」とあるのは「使用料（付加使用料を含む。）」と、第五十四条中「第五十八条」とあるのは「第七十四条の規定により準用する第五十八条」と、第五十七条中「第六十四条」とあるのは「第七十四条の規定により準用する第六十四条」と、第五十九条中「第五十八条」とあるのは「第七十四条の規定により準用する第五十八条」と、「第六十四条」とあるのは「第七十四条の規定により準用する第六十四条」と、第六十条第一項中「第五十八条」とあるのは「第七十四条の規定により準用する第五十八条」と、「第六十四条」とあるのは「第七十四条の規定により準用する第六十四条」と、「第五十二条」とあるのは「第七十二条又は第七十三条第一項（第一号、第六号及び第七号を除く。）」と、第六十条の二中「第五十三条」とあるのは「第七十三条第三項」と、「第五十八条」とあるのは「第七十四条の規定により準用する第五十八条」と、「第六十四条」とあるのは「第七十四条の規定により準用する第六十四条」と、第六十二条第三項中「第六十五条」とあるのは「第七十四条」と、「第六十四条」とあるのは「第七十四条の規定により準用する第六十四条」と、同条第四項中「第六十四条」とあるのは「第七十四条の規定により準用する第六十四条」と、第六十三条中「改良法施行令第十三条の二の規定により旧令第六条の二第一項中「十一万五千円」とあるのを法第二十三条第一号ロに掲げる場合において読み替えた金額であって、第五十三条の規定により準用する第六条第一項第四号ハに規定する金額を読み替えたもの」とあるのは「第六条第一項第四号ハの規定の例による金額」と、第六十四条第二項中「改良法施行令第十三条の二の規定により」とあるのは「改良法施行令第十三条の二の規定の例により」と、同条第三項中「改良法施行令第十三条の二の規定により」とあるのは「改良法施行令第十三条の二の規定の例により」と、「〇・五」とあるのは「〇・二」と、「〇・八」とあるのは「〇・四」と読み替えるものとする。

### 第四節　都営コミュニティ住宅の管理

**（都営コミュニティ住宅の使用者の資格）**

**第七十五条**　都営コミュニティ住宅を使用することができる者（第四号に掲げる場合にあっては、現に同居し、又は同居しようとする者を含む。）は、次に掲げる者で、都営コミュニティ住宅の使用を希望し、かつ、住宅に困窮すると認められるものでなければならない。

一　次に掲げる者で、密集住宅市街地整備促進事業の施行に伴い住宅を失ったもの

イ　当該密集住宅市街地整備促進事業に係る事業計画を作成し、国土交通大臣に報告した日（以下この条において「報告日」という。）から引き続き密集住宅市街地整備促進事業の施行地区（以下この条において「事業地区」という。）内に居住していた者。ただし、報告日後に別世帯を構成するに至った者を除く。

ロ　イただし書に該当する者及び報告日後に事業地区内に居住するに至った者。ただし、規則で定めるところにより知事が承認した者に限る。

ハ　報告日後にイ又はロに該当する者と同一の世帯に属するに至った者

二　前号イ、ロ又はハに該当する者で、報告日後に事業地区内において災害により住宅を失ったもの

三　前二号に掲げる者と同一の世帯に属する者

四　暴力団員でない者

**（その他の場合の都営コミュニティ住宅の使用等）**

**第七十六条**　知事は、前条の規定にかかわらず、同条に

定める者が都営コミュニティ住宅を使用せず、又は使用しなくなった場合においては、次に掲げる者に都営コミュニティ住宅を使用させることができる。

一　一般都営住宅建替事業の施行その他都営住宅の除却に伴い当該都営住宅を明け渡す者

二　第五十二条に定める都営改良住宅を使用することができる者

三　第六十六条に定める都営再開発住宅を使用することができる者

四　第七十二条に定める都営従前居住者用住宅を使用することができる者

五　第七十九条に定める都営更新住宅を使用することができる者

六　第六条第一項第一号から第三号まで、第四号（イ及びロを除き、ハ中「十五万八千円」とあるのは、「第五十三条の規定の例により読み替えた金額」と読み替える。）及び第五号の条件を具備している者。ただし、第六条第二項に規定する者については、同条第一項第二号の条件を具備していることを要しない。

七　第七条第一項の規定により第六条第一項第一号、第二号及び第四号に掲げる条件を具備する者とみなされる者であって、かつ、同項第五号に掲げる条件を具備するもの、第七条第二項の規定により第六条第一項第二号から第四号までに掲げる条件を具備する者とみなされる者であって、かつ、同項第五号に掲げる条件を具備するもの及び第七条第四項の規定により第六条第一項第二号及び第四号に掲げる条件を具備する者とみなされる者であって、かつ、同項第一号及び第五号に掲げる条件を具備するもの

2　前項第六号に掲げる者に都営コミュニティ住宅を使用させる場合の使用者の資格については、第六条第五項の規定を準用する。

3　第一項第六号及び第七号に掲げる者に係る使用申込み等については、第五条、第六条第三項、第八条第一項から第三項まで、第九条（第四号及び第五号（市街地再開発事業に関する部分に限る。）を除く。）、第九条の二及び第十条の規定を準用する。この場合において、第六条第三項中「前項」とあるのは「第七十六条第一項第六号ただし書」と、第九条の二中「規定により」とあるのは「規定の例により」と読み替えるものとする。

**（都営コミュニティ住宅の使用料の決定）**

**第七十七条**　都営コミュニティ住宅の使用料の決定については、第五十五条の規定を準用する。この場合において、旧法第十二条第一項及び旧令第四条第三号中「工事費」とあるのは「工事費又は購入費」と、同条第五号中「建設する」とあるのは「建設し、又は購入する」と読み替えるものとする。

**（準用）**

**第七十八条**　都営コミュニティ住宅の使用については、第十六条から第二十五条まで、第三十四条、第三十五条（第二項を除く。）、第三十九条（第一項第九号、第三項、第五項及び第六項を除く。）、第五十四条及び第五十六条から第六十四条までの規定を準用する。この場合において、第十七条中「使用料」とあるのは「使用料（付加使用料を含む。）」と、第十九条中「第十一条に規定するところによるほか」とあるのは「第十一条の規定の例によるほか」と、第二十条中「第十二条に規定するところによるほか」とあるのは「第十二条の規定の例によるほか」と、第二十五条中「使用料」とあるのは「使用料（付加使用料を含む。）」と、第三十四条中「第二十八条の規定に該当する使用者及び高額所得者」とあるのは「第七十八条の規定により準用する第六十三条の規定に該当する使用者」と、第三十五条第一項中「第七条第二項の規定による申込みをした者が他の一般都営住宅」とあるのは「第七十六条第一項第七号に掲げる者（第七条第二項に係る者に限る。）が都営コミュニティ住宅」と、「第二十八条及び第三十条」とあるのは「第七十八条の規定により準用する第六十一条及び第六十三条」と、「当該他の一般都営住宅」とあるのは「当該都営コミュニティ住宅」と、同条第三項中「他の一般都営住宅」とあるのは「都営コミュニティ住宅」と、「第二十八条及び第三十条」とあるのは「第七十八条の規定により準用する第六十一条及び第六十三条」と、同条第四項中「引き続き一般都営住宅」とあるのは「引き続き他の都営コミュニティ住宅」と、「（一般都営住宅」とあるのは「（他の都営コミュニティ住宅」と、「第二十八条」とあるのは「第七十八条の規定により準用する第六十一条及び第六十三条」と、「当該一般都営住宅」とあるのは「当該他の都営コミュニティ住宅」と、第三十九条第一項第二号中「使用料」とあるのは「使用料（付加使用料を含む。）」と、同条第四項中「第一項第二号から第十号まで」とあるのは「第一項第一号から第八号まで及び第十号」と、「近傍同種の住宅の家賃の額」とあるのは「使用料（付加使用料を含む。）」と、第五十四条中「第五十八条」とあるのは「第七十八条の規定により準用する第五十八条」と、第五十七条中「第六十四条」とあるのは「第七十八条の規定により準用する第六十四条」と、第五十九条中「第五十八条」とあるのは「第七十八条の規定により準用する第五十八条」と、「第六十四条」とあるのは「第七十八条の規

定により準用する第六十四条」と、第六十条第一項中「第五十八条」とあるのは「第七十八条の規定により準用する第五十八条」と、「第六十四条」とあるのは「第七十八条の規定により準用する第六十四条」と、「第五十二条」とあるのは「第七十五条又は第七十六条第一項（第一号、第六号及び第七号を除く。）」と、第六十条の二中「第五十三条」とあるのは「第七十六条第三項」と、「第五十八条」とあるのは「第七十八条の規定により準用する第五十八条」と、「第六十四条」とあるのは「第七十八条の規定により準用する第六十四条」と、第六十二条第三項中「第六十五条」とあるのは「第七十八条」と、「第六十四条」とあるのは「第七十八条の規定により準用する第六十四条」と、同条第四項中「第六十四条」とあるのは「第七十八条の規定により準用する第六十四条」と、第六十四条第二項及び第三項中「改良法施行令第十三条の二の規定により」とあるのは「改良法施行令第十三条の二の規定の例により」と読み替えるものとする。

### 第五節　都営更新住宅の管理

**（都営更新住宅の使用者の資格）**

**第七十九条**　都営更新住宅を使用することができる者（第四号に掲げる場合にあっては、現に同居し、又は同居しようとする者を含む。）は、次に掲げる者で、都営更新住宅の使用を希望し、かつ、住宅に困窮すると認められるものでなければならない。

一　次に掲げる者で、改良住宅等建替事業の施行に伴い住宅を失ったもの

イ　当該改良住宅等建替事業に係る改良住宅等建替計画について国土交通大臣の承認があった日（以下この条において「承認日」という。）から引き続き改良住宅等建替事業の施行地区（以下この条において「施行地区」という。）内に居住していた者。ただし、承認日後に別世帯を構成するに至った者を除く。

ロ　イただし書に該当する者及び承認日後に施行地区内に居住するに至った者。ただし、規則で定めるところにより知事が承認した者に限る。

ハ　承認日後にイ又はロに該当する者と同一の世帯に属するに至った者

二　前号イ、ロ又はハに該当する者で、承認日後に施行地区内において災害により住宅を失ったもの

三　前二号に掲げる者と同一の世帯に属する者

四　暴力団員でない者

**（その他の場合の都営更新住宅の使用等）**

**第八十条**　知事は、前条の規定にかかわらず、同条に定める者が都営更新住宅を使用せず、又は使用しなくなった場合においては、次に掲げる者に都営更新住宅を使用させることができる。

一　一般都営住宅建替事業の施行その他都営住宅の除却に伴い当該都営住宅を明け渡す者

二　第五十二条に定める都営改良住宅を使用することができる者

三　第六十六条に定める都営再開発住宅を使用することができる者

四　第七十二条に定める都営従前居住者用住宅を使用することができる者

五　第七十五条に定める都営コミュニティ住宅を使用することができる者

六　第六条第一項第一号から第三号まで、第四号（イ及びロを除き、ハ中「十五万八千円」とあるのは、「第五十二条の規定の例により読み替えた金額」と読み替える。）及び第五号の条件を具備している者。ただし、第六条第二項に規定する者については、同条第一項第二号の条件を具備していることを要しない。

七　第七条第一項の規定により第六条第一項第一号、第二号及び第四号に掲げる条件を具備する者とみなされる者であって、かつ、同項第五号に掲げる条件を具備するもの、第七条第二項の規定により第六条第一項第二号から第四号までに掲げる条件を具備する者とみなされる者であって、かつ、同項第五号に掲げる条件を具備するもの及び第七条第四項の規定により第六条第一項第二号及び第四号に掲げる条件を具備する者とみなされる者であって、かつ、同項第一号及び第五号に掲げる条件を具備するもの

2　前項第六号に掲げる者に都営更新住宅を使用させる場合の使用者の資格については、第六条第五項の規定を準用する。

3　第一項第六号及び第七号に掲げる者に係る使用申込み等については、第五条、第六条第三項、第八条第一項から第三項まで、第九条（第四号及び第五号（市街地再開発事業に関する部分に限る。）を除く。）、第九条の二及び第十条の規定を準用する。この場合において、第六条第三項中「前項」とあるのは「第八十条第一項第六号ただし書」と、第九条の二中「規定により」とあるのは「規定の例により」と読み替えるものとする。

**（準用）**

**第八十一条**　都営更新住宅の使用については、第十六条から第二十五条まで、第三十四条、第三十五条（第二項を除く。）、第三十九条（第一項第九号、第三項、第五項及び第六項を除く。）及び第五十四条から第六十四条までの規定を準用する。この場合において、第十

七条中「使用料」とあるのは「使用料（付加使用料を含む。）」と、第十九条中「第十一条に規定するところによるほか」とあるのは「第十一条の規定の例によるほか」と、第二十条中「第十二条に規定するところによるほか」とあるのは「第十二条の規定の例によるほか」と、第二十五条中「使用料」とあるのは「使用料（付加使用料を含む。）」と、第三十四条中「第二十八条の規定に該当する使用者及び高額所得者」とあるのは「第八十一条の規定により準用する第六十三条の規定に該当する使用者」と、第三十五条第一項中「第七条第二項の規定による申込みをした者が他の一般都営住宅」とあるのは「第八十条第一項第七号に掲げる者（第七条第二項に係る者に限る。）が都営更新住宅」と、「第二十八条及び第三十条」とあるのは「第八十一条の規定により準用する第六十一条及び第六十三条」と、「当該他の一般都営住宅」とあるのは「当該都営更新住宅」と、同条第三項中「他の一般都営住宅」とあるのは「都営更新住宅」と、「第二十八条及び第三十条」とあるのは「第八十一条の規定により準用する第六十一条及び第六十三条」と、同条第四項中「引き続き一般都営住宅」とあるのは「引き続き他の都営更新住宅」と、「（一般都営住宅」とあるのは「（他の都営更新住宅」と、「第二十八条」とあるのは「第八十一条の規定により準用する第六十一条及び第六十三条」と、「当該一般都営住宅」とあるのは「当該他の都営更新住宅」と、第三十九条第一項第二号中「使用料」とあるのは「使用料（付加使用料を含む。）」と、同条第四項中「第一項第二号から第十号まで」とあるのは「第一項第一号から第八号まで及び第十号」と、「近傍同種の住宅の家賃の額」とあるのは「使用料（付加使用料を含む。）」と、第五十四条中「第五十八条」とあるのは「第八十一条の規定により準用する第五十八条」と、第五十七条中「第六十四条」とあるのは「第八十一条の規定により準用する第六十四条」と、第五十九条中「第五十八条」とあるのは「第八十一条の規定により準用する第五十八条」と、「第六十四条」とあるのは「第八十一条の規定により準用する第六十四条」と、第六十条第一項中「第五十八条」とあるのは「第八十一条の規定により準用する第五十八条」と、「第六十四条」とあるのは「第八十一条の規定により準用する第六十四条」と、「第五十二条の規定により都営改良住宅に入居したとき」とあるのは「第七十九条又は第八十条第一項（第一号、第六号及び第七号を除く。）の規定により都営更新住宅に入居したとき（次号に該当する場合を除く。）」と、第六十条の二中「第五十三条」とあるのは「第八十条第三項」と、「第五十八条」とあるのは「第八十一条の規定により準用する第五十八条」と、「第六十四条」とあるのは「第八十一条の規定により準用する第六十四条」と、第六十二条第三項中「第六十五条」とあるのは「第八十一条」と、「第六十四条」とあるのは「第八十一条の規定により準用する第六十四条」と、同条第四項中「第六十四条」とあるのは「第八十一条の規定により準用する第六十四条」と、第六十四条第二項及び第三項中「改良法施行令第十三条の二の規定により」とあるのは「改良法施行令第十三条の二の規定の例により」と読み替えるものとする。

## 第四章　駐車場の管理

（**利用許可**）

**第八十二条**　駐車場を利用しようとする者は、知事の許可を受けなければならない。

（**利用申込み**）

**第八十三条**　駐車場を利用しようとする者は、駐車場の利用者の公募の際に、利用申込みをしなければならない。

2　駐車場の利用申込みは、公募の都度一世帯一区画限りとする。ただし、知事が別に定める事由に該当する場合は、この限りでない。

3　第一項の公募の方法及び手続は、規則で定める。

（**利用者の資格**）

**第八十四条**　駐車場を利用することのできる者（第四号に掲げる場合にあっては、同居者を含む。）は、申込みをした日において、次に掲げる条件を具備している者でなければならない。

一　都営住宅の使用者又は同居者であること。

二　自ら利用するため駐車場を必要としていること。

三　第三十九条第一項の規定による使用許可の取消し又は住宅の明渡し請求を受けていないこと。

四　暴力団員でないこと。

2　前項の場合において、都営住宅と同一の敷地内に都が供給する賃貸住宅で都営住宅以外のものがある場合は、当該住宅の使用者又は同居者は、当該都営住宅の使用者又は同居者とみなす。

3　知事は、駐車場の利用状況等を勘案して特に必要があると認める場合は、第一項（同項第四号に掲げる場合を除く。）の規定にかかわらず、都営住宅の使用者及び同居者以外の者で規則で定める資格を有するものに対して、駐車場の適正かつ合理的な管理に支障のない範囲内で、駐車場の利用を許可することができる。

（**利用予定者の決定**）

**第八十五条**　知事は、前条第一項及び第二項又は第三項の規定による申込みをした者の数が、利用を許可すべき駐車場の区画数を超える場合においては、抽せんにより利用予定者を決定する。

**（公募の例外）**

**第八十六条**　知事は、使用者又は同居者が身体障害者であることその他知事が別に定める事由に該当する場合には、公募を行わないで駐車場の利用予定者とすることができる。

**（利用手続）**

**第八十七条**　前二条の規定により駐車場の利用予定者として決定された者は、知事が指定する日までに次に掲げる手続をしなければならない。

一　規則で定める書類を提出すること。

二　第九十条に規定する保証金を納付すること。

2　知事は、前項の手続を完了した者で第八十四条に規定する資格を有するものに対し、駐車場の利用を許可し、その旨を通知する。

3　知事は、正当な事由がなく第一項の知事が指定する日までに同項の手続を行わない者に対しては、駐車場の利用予定者の決定を取り消すことができる。

4　第二項の規定により駐車場の利用を許可された者は、許可の日から十五日以内に駐車場の利用を開始しなければならない。ただし、特に知事の承認を受けたときは、この限りでない。

**（利用期間）**

**第八十八条**　駐車場の利用期間は、三年を超えない範囲内において、知事が定める。

2　駐車場の利用者は、前項の期間が満了するときまでに当該駐車場を明け渡さなければならない。

**（利用料金）**

**第八十九条**　第八十七条第二項の許可（以下「利用許可」という。）を受けた者（保証金にあっては、第八十五条及び第八十六条の利用予定者）は、指定管理者（第九十六条に規定する指定管理者をいう。以下この章において同じ。）に、駐車場の利用に係る料金（以下「駐車料金」という。）及び次条に規定する保証金（以下これらを「利用料金」という。）を納付しなければならない。

2　利用料金は、指定管理者の収入とする。

3　駐車料金の額は、一月につき五万五千円以内で、近傍の民間駐車場の賃料水準等を考慮して地域ごとに知事の定める額の範囲内において指定管理者が定めるものとする。この場合において、指定管理者はあらかじめ知事の承認を得なければならない。

**（保証金）**

**第九十条**　保証金の額は、三月分の駐車料金に相当する金額の範囲内において、あらかじめ知事の承認を得て、指定管理者が定める。

**（利用料金の減免及び徴収猶予）**

**第九十一条**　指定管理者は、利用者が身体障害者であることその他知事が別に定める事由に該当する場合には、利用料金を減免し、又は利用料金の徴収を猶予することができる。

**（利用許可の取消し）**

**第九十二条**　知事は、利用者が次の各号のいずれかに該当する場合には、利用許可を取り消し、駐車場の明渡しを請求するものとする。

一　不正の行為により利用許可を受けたとき。

二　駐車料金を三月以上滞納したとき。

三　駐車場又はこれに附帯する設備を故意にき損したとき。

四　正当な事由がなく一月以上駐車場を利用しないとき。

五　第八十四条に規定する利用者の資格を失ったとき。

六　前各号に掲げるもののほか、駐車場の管理上必要があると認めるとき。

2　前項の規定により明渡しの請求を受けた者は、速やかに駐車場を明け渡さなければならない。この場合、利用者は、損害賠償その他の請求をすることができない。

3　指定管理者は、第一項の規定により明渡しの請求を受けた者に対して、請求の日の翌日から当該駐車場の明渡しを行う日までの期間については、当該請求を受けた者が駐車場を利用したものとみなし、第八十九条第三項の規定にかかわらず、毎月二月分の駐車料金に相当する額を駐車料金として徴収することができる。

4　第一項の規定により明渡しの請求を受けた者が明渡しを行わない場合において、指定管理者が駐車場に置かれている自動車を当該駐車場から撤去したときは、指定管理者は、当該自動車の撤去等に要した費用を徴収することができる。

5　前二項の規定は、第八十八条第一項の期間が満了したにもかかわらず当該駐車場を明け渡さない者について準用する。この場合において、第三項中「請求の日」とあるのは「利用期間の満了の日」と読み替えるものとする。

**（準用）**

**第九十三条**　駐車場の利用については、第三条第二項及び第三項、第十三条、第十八条、第二十二条、第二十四条並びに第二十五条の規定を準用する。この場合において、これらの規定中「都営住宅」及び「一般都営住宅」とあるのは「駐車場」と、「使用料」とあるのは「駐車料金」と、「使用許可」とあるのは「利用許可」と、「使用期間」とあるのは「利用期間」と、「使用者」とあるのは「利用者」と、第二十五条中「第十一条第一項第二号」とあるのは「第九十条」と読み替えるものとする。

## 第五章　補則

（住宅の検査）

**第九十四条**　知事は、都営住宅の管理上必要があると認めるときは、都職員のうちから知事の指定した者に、都営住宅の検査をさせ、又は使用者若しくは同居者に対して適当な指示をさせることができる。

2　前項の検査において、現に使用している都営住宅に立ち入るときは、あらかじめ当該都営住宅の使用者又は同居者の承諾を得なければならない。

3　第一項の規定による検査に当たる者は、その身分を示す証票を携帯し、関係人の請求があったときは、これを提示しなければならない。

**（許可等に関する意見聴取）**

**第九十四条の二**　知事は、第四条の許可をしようとするとき、又は現に都営住宅を使用している者（同居する者を含む。）について、知事が特に必要があると認めるときは、第六条第一項第五号（第五十一条及び第五十三条の規定により準用する場合を含む。）、第十九条第二項（第五十条、第五十一条、第六十五条、第七十一条、第七十四条、第七十八条及び第八十一条の規定により準用する場合を含む。）、第二十条第二項（第五十条、第五十一条、第六十五条、第七十一条、第七十四条、第七十八条及び第八十一条の規定により準用する場合を含む。）、第三十九条第一項第六号（第五十条、第五十一条、第六十五条、第七十一条、第七十四条、第七十八条及び第八十一条の規定により準用する場合を含む。）、第五十二条第四号、第六十六条第四号、第六十七条第五号、第七十二条第四号、第七十五条第四号、第七十九条第四号、第八十四条第一項第四号及び同条第三項に該当する事由の有無について、警視総監の意見を聴くことができる。

**（知事への意見）**

**第九十四条の三**　警視総監は、都営住宅を使用しようとする者（現に同居し、又は同居しようとする者を含む。）又は現に使用している者（同居する者を含む。）について、第六条第一項第五号（第五十一条及び第五十三条の規定により準用する場合を含む。）、第十九条第二項（第五十条、第五十一条、第六十五条、第七十一条、第七十四条、第七十八条及び第八十一条の規定により準用する場合を含む。）、第二十条第二項（第五十条、第五十一条、第六十五条、第七十一条、第七十四条、第七十八条及び第八十一条の規定により準用する場合を含む。）、第三十九条第一項第六号（第五十条、第五十一条、第六十五条、第七十一条、第七十四条、第七十八条及び第八十一条の規定により準用する場合を含む。）、第五十二条第四号、第六十六条第四号、第六十七条第五号、第七十二条第四号、第七十五条第四号、第七十九条第四号、第八十四条第一項第四号及び同条第三項に該当する事由の有無について、知事に対し、意見を述べることができる。

**（管理人の設置）**

**第九十五条**　都営住宅及び共同施設の管理に関する事務を補佐させるため、巡回管理人を置く。

2　前項の巡回管理人に関し必要な事項は、知事が定める。

**（指定管理者による管理）**

**第九十六条**　知事は、地方自治法（昭和二十二年法律第六十七号）第二百四十四条の二第三項の規定により、法人その他の団体であって知事が指定するもの（以下「指定管理者」という。）に、都営住宅及び共同施設の管理に関する業務のうち、次に掲げるものを行わせることができる。

一　都営住宅及び共同施設の設備の保守点検に関する業務

二　都営住宅及び共同施設の適正な使用の確保に関する業務

三　駐車場の利用に関する業務

四　前三号に掲げるもののほか、知事が特に必要と認める業務

**（指定管理者の指定）**

**第九十七条**　指定管理者としての指定を受けようとする者は、規則で定めるところにより、知事に申請しなければならない。

2　知事は、前項の規定による申請があったときは、次に掲げる基準により、最も適切に都営住宅及び共同施設の管理を行うことができると認める者を指定管理者に指定するものとする。

一　都営住宅及び共同施設の管理を効率的かつ適正に行うために必要な執行体制を確保することができること。

二　安定的な経営基盤を有していること。

三　法その他の関係法令及び条例の規定を遵守し、適正な管理を行うことができること。

四　前三号に掲げるもののほか、知事が別に定める基準

3　知事は、前項の規定による指定をするときは、都営住宅及び共同施設の効率的かつ適正な管理を考慮し、指定の期間を定めるものとする。

（指定管理者の指定の取消し等）
**第九十八条**　知事は、指定管理者が次の各号のいずれかに該当するときは、前条第二項の規定による指定を取り消し、又は期間を定めて管理の業務の全部若しくは一部の停止を命ずることができる。
一　管理の業務又は経理の状況に関する知事の指示に従わないとき。
二　前条第二項各号に掲げる基準を満たさなくなったと認めるとき。
三　第百条第一項各号に掲げる管理の基準を遵守しないとき。
四　前三号に掲げるもののほか、当該指定管理者による管理を継続することが適当でないと認めるとき。
2　前項の規定により指定管理者の指定を取り消し、又は期間を定めて管理の業務の全部若しくは一部（利用料金の収受を含む場合に限る。）の停止を命じた場合等で、知事が臨時に駐車場の管理を行うときに限り、新たに指定管理者を指定し、又は当該停止の期間が終了するまでの間、知事は、第八十九条第三項に規定する地域ごとに知事の定める額又は第九十条に規定する三月分の駐車料金に相当する金額の範囲内において、知事が定める駐車料金又は保証金を徴収する。
3　前項の場合にあっては、第八十九条第一項、第九十一条及び第九十二条第三項から第五項までの規定を準用する。この場合において、第八十九条第一項中「指定管理者（第九十六条に規定する指定管理者をいう。以下この章において同じ。）」とあるのは「知事」と、「利用料金」とあるのは「駐車料金等」と、第九十一条中「指定管理者」とあるのは「知事」と、「利用料金」とあるのは「駐車料金等」と、第九十二条第三項及び第四項中「指定管理者」とあるのは「知事」と、同条第五項中「前二項」とあるのは「第九十八条第三項において準用する前二項」と読み替えるものとする。

（指定管理者の公表）
**第九十九条**　知事は、指定管理者を指定し、若しくは指定を取り消したとき、又は期間を定めて管理の業務の全部若しくは一部の停止を命じたときは、遅滞なくその旨を告示するものとする。

（管理の基準等）
**第百条**　指定管理者は、次に掲げる基準により、都営住宅及び共同施設の管理に関する業務を行わなければならない。
一　法その他の関係法令及び条例の規定を遵守し、適正な管理を行うこと。
二　使用者又は利用者に対して適切なサービスの提供を行うこと。
三　都営住宅及び共同施設の設備の保守点検を適切に行うこと。
四　当該指定管理者が業務に関連して取得した使用者又は利用者の個人に関する情報を適切に取り扱うこと。
2　知事は、次に掲げる事項について、指定管理者と協定を締結するものとする。
一　前項各号に掲げる基準に関し必要な事項
二　業務の実施に関する事項
三　事業の実績報告に関する事項
四　前三号に掲げるもののほか、都営住宅及び共同施設の管理に関し必要な事項

（審査会）
**第百一条**　高額所得者に対する明渡請求の公正を期するため、知事の附属機関として東京都都営住宅高額所得者審査会（以下「審査会」という。）を置く。
2　審査会は、学識経験を有する者のうちから、知事が委嘱する委員五人以内をもって組織する。
3　前項の委員の任期は二年とし、補欠委員の任期は前任者の残任期間とする。ただし、再任を妨げない。
4　審査会に会長を置き、委員の互選によってこれを定める。
5　前各項に定めるもののほか、審査会の組織及び運営に関し必要な事項は、規則で定める。

（罰則）
**第百二条**　使用者が詐欺その他の不正行為により使用料及び付加使用料の全部又は一部の徴収を免れたときは、その徴収を免れた金額の五倍に相当する金額以下の過料を科する。

（委任）
**第百三条**　この条例の施行について必要な事項は、規則で定める。

附　則

（施行期日）
1　この条例は、平成十年四月一日から施行する。ただし、第六条第一項及び第二項、第四十条から第五十条まで、第五十一条（第六条第一項及び第二項の規定を準用する部分に限る。次項において同じ。）、第六十八条第一項第六号並びに第七十三条第一項第六号並びに次項、附則第三項、附則第八項及び附則第九項の規定は、公布の日から施行する。

（経過措置）
2　前項の規定にかかわらず、平成十年三月三十一日以前に一般都営住宅、特定都営住宅、都営再開発住宅及び都営従前居住者用住宅を使用する者に係る使用者の資格については、この条例による改正後の東京都営住宅条例（以下「新条例」という。）第六条第一項及び第二項、第五十一条、

第六十八条第一項第六号並びに第七十三条第一項第六号の規定は適用せず、この条例による改正前の東京都営住宅条例（以下「旧条例」という。）第五条第一項及び第二項、第七条の五第一項第三号並びに第七条の九第一項第四号の規定は、なおその効力を有する。

3　新条例第十二条第一項、第二十九条第一項及び第三十二条第一項（第五十一条において準用する場合を含む。）の規定による使用料の決定、新条例第五十六条（第七十一条及び第七十四条において準用する場合を含む。）の規定による使用料の変更、新条例第五十八条（第七十一条及び第七十四条において準用する場合を含む。附則第十二項において同じ。）の規定による使用料の減額又は新条例第六十四条（第七十一条及び第七十四条において準用する場合を含む。附則第十二項において同じ。）の規定による付加使用料の決定に関し必要な手続その他の行為は、前項の規定にかかわらず、平成十年四月一日（以下「施行日」という。）前においても、新条例の例によりすることができる。この場合において、旧条例第二条第一号及び第二号に規定する第一種都営住宅及び第二種都営住宅は新条例第二条第二号に規定する一般都営住宅と、旧条例第二条第四号に規定する第三種都営住宅は新条例第二条第三号に規定する特定都営住宅とみなす。

4　施行日において、現に旧条例第十二条の二の規定により使用料の減額を受けている者に係る当該減額の期間のうち施行日以後の期間の使用に係る使用料の減額については、新条例第十五条（第五十一条において準用する場合を含む。以下この項及び第六項において同じ。）及び第六十条（第七十一条及び第七十四条において準用する場合を含む。以下この項及び第六項において同じ。）の規定にかかわらず、なお従前の例による。ただし、旧条例第十二条の二の規定による減額後の額が新条例第十五条及び第六十条の規定による減額後の額を超える場合は、この限りでない。

5　施行日前から継続して施行している市街地再開発事業の施行区域内に居住している者で、当該市街地再開発事業の施行に伴い施行日以後に都営再開発住宅に入居するものの使用料の減額については、新条例第七十一条において準用する第六十条の規定にかかわらず、なお従前の例による。ただし、旧条例第十二条の二の規定による減額後の額が新条例第七十一条において準用する第六十条の規定による減額後の額を超える場合は、この限りでない。

6　施行日前において、都営住宅を建て替え、又は撤去する事業に係る当該都営住宅の明渡しの条件等の説明を受け、かつ、当該都営住宅を明け渡すことに同意した使用者で、平成十三年三月三十一日までに当該事業を施行することに伴い施行日以後に都営住宅に入居するものの施行日以後の使用に係る使用料の減額については、新条例第十五条及び第六十条の規定にかかわらず、なお従前の例による。ただし、旧条例第十二条の二の規定による減額後の額が新条例第十五条及び第六十条の規定による減額後の額を超える場合は、この限りでない。

7　施行日前に旧条例の規定によって行った請求、手続その他の行為は、新条例の相当規定によって行ったものとみなす。

8　この条例の公布の日から平成十年三月三十一日までの間は、旧条例第二条第一号及び第二号に規定する第一種都営住宅及び第二種都営住宅は、新条例第二条第二号に規定する一般都営住宅とみなして新条例第四十条から第五十条までの規定を適用する。

9　旧条例第二条第三号の三に規定する都営従前居住者用住宅は、新条例第二条第六号に規定する都営従前居住者用住宅とみなして新条例の規定を適用する。

**（使用料等の変更に伴う減額措置）**

10　施行日において現に一般都営住宅を使用している者の平成十年度から平成十二年度までの各年度の使用料の額は、その者に係る新条例第十二条第一項本文又は第十四条の規定による使用料の額が旧条例第九条、第十一条の二又は第十二条の規定による使用料の額を超える場合にあっては新条例第十二条第一項本文又は第十四条の規定による使用料の額から旧条例第九条、第十一条の二又は第十二条の規定による使用料の額を控除して得た額に次の表の上欄に掲げる年度の区分に応じ同表の下欄に定める負担調整率を乗じて得た額に、旧条例第九条、第十一条の二又は第十二条の規定による使用料の額を加えて得た額とし、その者に係る新条例第二十九条第一項若しくは第三項又は第三十二条第一項若しくは第三項の規定による使用料の額が旧条例第九条又は第十九条の七の規定による使用料の額に旧条例第十九条の三の規定による付加使用料を加えて得た額を超える場合にあっては新条例第二十九条第一項若しくは第三項又は第三十二条第一項若しくは第三項の規定による使用料の額から旧条例第九条又は第十九条の七の規定による使用料の額及び旧条例第十九条の三の規定による付加使用料の額を控除して得た額に次の表の上欄に掲げる年度の区分に応じ同表の下欄に定める負担調整率を乗じて得た額に、旧条例第九条又は第十九条の七の規定による使用料の額及び旧条例第十九条の三の規定による付加使用料の額を加えて得た額とする。

| 年度の区分 | 負担調整率 |
| --- | --- |
| 平成十年度 | 〇・二五 |
| 平成十一年度 | 〇・五 |
| 平成十二年度 | 〇・七五 |

11　施行日において現に特定都営住宅を使用している者の平成十年度から平成十二年度までの各年度の使用料の額については、前項の規定を準用する。

12　施行日において現に都営改良住宅、都営再開発住宅又は都営従前居住者用住宅を使用している者の平成十年度から平成十二年度までの各年度の使用料の額は、その者に係る新条例第五十五条（第七十四条において準用する場合を含む。以下同じ。）、第五十八条、第五十九条（第七十一条及び第七十四条において準用する場合を含む。以下同じ。）又は第六十九条の規定による使用料の額が旧条例第九条、

第十一条の二又は第十二条の規定による使用料の額を超える場合にあっては新条例第五十五条、第五十八条、第五十九条又は第六十九条の規定による使用料の額から旧条例第九条、第十一条の二又は第十二条の規定による使用料の額を控除して得た額に附則第十項の表の上欄に掲げる年度の区分に応じ同表の下欄に定める負担調整率を乗じて得た額に、旧条例第九条、第十一条の二又は第十二条の規定による使用料の額を加えて得た額とし、その者に係る新条例第五十五条若しくは第六十九条の規定による使用料の額に新条例第六十四条の規定による付加使用料の額を加えて得た額又は新条例第五十五条、第五十八条若しくは第六十九条の規定による使用料の額が旧条例第九条の規定による使用料の額に旧条例第十九条の三の規定による付加使用料の額を加えて得た額を超える場合にあっては新条例第五十五条若しくは第六十九条の規定による使用料の額に新条例第六十四条の規定による付加使用料の額を加えて得た額又は新条例第五十五条、第五十八条若しくは第六十九条の規定による使用料の額から旧条例第九条の規定による使用料の額及び旧条例第十九条の三の規定による付加使用料の額を控除して得た額に附則第十項の表の上欄に掲げる年度の区分に応じ同表の下欄に定める負担調整率を乗じて得た額に、旧条例第九条の規定による使用料の額及び旧条例第十九条の三の規定による付加使用料の額を加えて得た額とする。

附　則（平二九・一二・二二条例八四）

**（施行期日）**

1　この条例は、平成三十年四月一日から施行する。ただし、第十二条第一項の改正規定、同条第三項の改正規定（「第十五条第一項」を「第十六条第一項」に改める部分に限る。）、第十五条の改正規定（「第十一条」を「第十二条」に、「第十五条第二項」を「第十六条第二項」に改める部分に限る。）、第十九条第一項の改正規定（「第十条」を「第十一条」に改める部分に限る。）、第二十条第一項及び第二十九条第二項の改正規定、第五十一条の改正規定（「請求」を「報告の請求」に改める部分に限る。）、第六十条第一項、第六十五条、第七十一条、第七十四条、第七十八条及び第八十一条の改正規定並びに次項の規定は、公布の日から施行する。

**（準備行為）**

2　この条例による改正後の東京都営住宅条例（以下「新条例」という。）第十二条第二項及び第二十九条第三項の規定による使用料の決定並びに第五十八条第四項（第七十一条、第七十四条、第七十八条及び第八十一条において準用する場合を含む。）の規定による使用料の減額に関し必要な手続その他の行為は、この条例の施行の日前においても、新条例の例によりすることができる。

附　則（令元・九・二六条例三九）

**（施行期日）**

1　この条例は、公布の日から施行する。

**（使用手続に係る経過措置）**

2　この条例による改正後の東京都営住宅条例（以下「新条例」という。）第十一条第一項の規定は、この条例の施行の日（以下「施行日」という。）以後に新条例第四条の規定による使用許可を受ける者から適用する。

3　施行日前に提出された請け書のうち、新条例第四条の規定による使用許可に係るものについては、新条例第十一条第一項の規定により提出された請け書とみなす。

**（定期使用許可に係る経過措置）**

4　施行日前にこの条例による改正前の東京都営住宅条例（以下「旧条例」という。）第三十九条の二第一項の規定による定期使用許可（同項第一号に該当する場合に限る。）を受けた使用者であって、かつ、施行日において当該定期使用許可の日から十年を経過した日（以下「期間満了日」という。）が到来していないものについては、当該定期使用許可に係る使用期間の終期を、新条例第三十九条の二第一項ただし書に規定する規則で定める者のうち最も年少のものが十八歳に達する日以後の最初の三月三十一日（以下「当該日」という。）が、期間満了日以後に到来する場合は当該日までとすることができる。この場合において、旧条例第三十九条の二第一項の規定による定期使用許可は、新条例第三十九条の二第一項の規定による定期使用許可とみなして新条例の規定（第十一条第一項を除く。）を適用する。

附　則（令二・三・三一条例三七）

1　この条例は、令和二年四月一日から施行する。

2　この条例の施行の日前に到来した支払期に係るこの条例による改正前の東京都営住宅条例第三十九条第三項に規定する利息については、なお従前の例による。

附　則（令六・三・一九条例三七）

この条例は、令和六年四月一日から施行する。

# ○東京都福祉住宅条例

昭三五・四・一
条例三八

最終改正　令六・三・二九条例三八

（設置）

**第一条**　都内に居住する低額所得者で、住宅に困窮している者に対し、低額な使用料の住宅を使用させることにより、その自立の助長と福祉の増進を図るため、東京都福祉住宅（以下「福祉住宅」という。）を設置する。

**第二条**　削除

（名称、位置等）

**第三条**　福祉住宅の名称、位置その他必要な事項は、知事が定める。

（使用承認）

**第四条**　福祉住宅を使用しようとする者は、知事の承認をうけなければならない。

（使用者の資格）

**第五条**　福祉住宅を使用することのできる者は、申込みをした日において、収入（公営住宅法施行令（昭和二十六年政令第二百四十号）第一条第三号の例により算出した額をいう。以下同じ。）が六万五千円以下であつて、都内に居住し、現に同居している扶養親族を有し、次の各号のいずれかに該当する者でなければならない。

一　住居として適当でない建物又は場所に居住していること。

二　保安上危険な状態又は衛生上有害な状態にある住宅に居住していること。

三　老朽な住宅に居住していること。

四　世帯構成上過密な居住の状態にあること。

五　前各号に定めるもののほか、知事が特に必要と認めた者

2　福祉住宅の使用者の資格において、次の各号のいずれかに該当する者にあつては、前項の規定にかかわらず、現に同居している扶養親族があることを要しない。

一　六十歳以上の者

二　障害者基本法（昭和四十五年法律第八十四号）第二条第一号に規定する障害者で、その障害の程度が次に掲げる障害の種類に応じ、それぞれ次に定める障害の程度であるもの

イ　身体障害　身体障害者福祉法施行規則（昭和二十五年厚生省令第十五号）別表第五号の一級から四級までのいずれかに該当する程度

ロ　精神障害（知的障害を除く。以下同じ。）　精神保健及び精神障害者福祉に関する法律施行令（昭和二十五年政令第百五十五号）第六条第三項に規定する一級から三級までのいずれかに該当する程度

ハ　知的障害　ロに規定する精神障害の程度に相当する程度

三　戦傷病者特別援護法（昭和三十八年法律第百六十八号）第二条第一項に規定する戦傷病者でその障害の程度が恩給法（大正十二年法律第四十八号）別表第一号表ノ二の特別項症から第六項症まで又は同法別表第一号表ノ三第一款症のもの

四　原子爆弾被爆者に対する援護に関する法律（平成六年法律第百十七号）第十一条第一項の規定による厚生労働大臣の認定を受けている者

五　生活保護法（昭和二十五年法律第百四十四号）第六条第一項に規定する被保護者又は中国残留邦人等の円滑な帰国の促進並びに永住帰国した中国残留邦人等及び特定配偶者の自立の支援に関する法律（平成六年法律第三十号）第十四条第一項に規定する支援給付（中国残留邦人等の円滑な帰国の促進及び永住帰国後の自立の支援に関する法律の一部を改正する法律（平成十九年法律第百二十七号）附則第四条第一項に規定する支援給付を含む。）を受けている者

六　海外からの引揚者で日本に引き揚げた日から起算して五年を経過していないもの

七　ハンセン病療養所入所者等に対する補償金の支給等に関する法律（平成十三年法律第六十三号）第二条に規定するハンセン病療養所入所者等

八　配偶者からの暴力の防止及び被害者の保護等に関する法律（平成十三年法律第三十一号。以下この号において「配偶者暴力防止等法」という。）第一条第二項に規定する被害者又は配偶者暴力防止等法第二十八条の二に規定する関係にある相手からの暴力を受けた者でイ又はロのいずれかに該当するもの

イ　配偶者暴力防止等法第三条第三項第三号（配偶者暴力防止等法第二十八条の二において準用する場合を含む。）の規定による一時保護又は配偶者暴力防止等法第五条（配偶者暴力防止等法第二十八条の二において準用する場合を含む。）の規定による保護が終了した日から起算して五年を経過していない者

ロ　配偶者暴力防止等法第十条第一項又は第十条の二（配偶者暴力防止等法第二十八条の二において

読み替えて準用する場合を含む。）の規定により裁判所がした命令の申立てを行つた者で当該命令がその効力を生じた日から起算して五年を経過していないもの

3　前二項に定めるもののほか、福祉住宅を使用することのできる者は、使用者（現に同居し、又は同居しようとする者を含む。）が暴力団員による不当な行為の防止等に関する法律（平成三年法律第七十七号）第二条第六号に規定する暴力団員（以下「暴力団員」という。）でない者でなければならない。

4　前三項に定めるもののほか、知事は、供給する福祉住宅の戸数が著しく少ない場合その他特に必要があると認める場合は、使用者の資格について制限を加えることができる。

（募集方法）

**第六条**　知事は、前条に定める資格を有する者のうち、次の各号のいずれかに掲げる理由に該当すると認めるものについては、公募に優先して、使用申込者を募集する。

一　不良住宅の撤去その他公共事業の施行に伴う住宅の除却

二　児童福祉法（昭和二十二年法律第百六十四号）第三十八条の規定による母子生活支援施設に入居している者が、公の援助を受けることが適当でなくなつたこと。

2　前項の規定により優先して募集する場合を除くほか、知事は、使用申込者を公募する。

（申込方法）

**第七条**　福祉住宅の使用の申込は、募集の都度一世帯一個所限りとする。

2　前項の申込の方法及び手続は、知事が定める。

（使用予定者の決定）

**第八条**　知事は、使用申込者の数が使用させるべき福祉住宅の戸数をこえない場合は、その者を使用予定者と決定する。ただし、使用申込者の数が使用させるべき福祉住宅の戸数をこえる場合は、抽せんにより使用予定者を決定する。

2　知事は、前項ただし書の抽せんによりがたい事情があると認めたときは、使用申込者の一部について別途の抽せんにより、または抽せんによらないで使用予定者を決定することができる。

3　前二項の規定により使用予定者を決定したときは、本人に通知する。

（住宅割当て）

**第八条の二**　知事は、必要があると認める場合は、福祉住宅の供給戸数の五割を超えない範囲で当該住宅の存する地区内の使用申込者に対して割当てをすることができる。

（使用手続）

**第九条**　第八条の規定により福祉住宅の使用予定者として決定された者は、速やかに知事が定める請け書を提出しなければならない。

2　知事は、前項の手続を完了した者で第五条に定める資格を有するものに対し、福祉住宅の使用を承認する。

3　福祉住宅の使用を承認された者は、承認の日から十五日以内に福祉住宅の使用を開始しなければならない。ただし、特に知事の承認をうけたときはこの限りでない。

（使用料の決定）

**第十条**　使用料の月額は、一戸につき五千五百円を超えない範囲で、知事が定める。ただし、月の中途において、福祉住宅の使用承認又は返還があつた場合の使用料の額は、日割計算による。

（使用料の徴収）

**第十一条**　使用料は、福祉住宅の使用承認の日から、これを徴収する。ただし、知事が特別の事情があると認めた場合は、これを変更することができる。

2　使用料は、毎月末日までにその月分を納付しなければならない。

3　使用者が、第二十条に規定する手続を経ないで使用を廃止した場合は、その事実を知つた日までの使用料を徴収する。

（使用料の減免及び徴収猶予）

**第十二条**　知事は、次の各号の一に該当する場合は、使用者の申請により、使用料を減免し、または使用料の徴収を猶予することができる。

一　使用者が地震、暴風雨、こう水、高潮、火災その他の災害による被害をうけたとき。

二　使用者の責に帰すべき理由によらないで引き続き十日以上福祉住宅の全部または一部を使用することができないとき。

三　使用者が失職、疾病その他の理由により収入が減少し、使用料を納付することが困難であるとき。

2　前項の使用料の減免の割合及び期間は、知事が定める。

3　第一項の使用料の徴収猶予の期間は、六月をこえることはできない。

（使用者の負担）

**第十三条**　次の費用は、使用者が負担する。

一　障子、ふすま、硝子、畳、点滅器、給水栓及び垣根の修繕に要する費用

二　電気、ガス、上水道及び下水道の使用料

三　し尿、じんかい及び排水の消毒、清掃及び処理に要する費用

四　し尿浄化施設及び汚水処理施設の使用及び維持に要する費用

五　前各号のほか、知事の指定する費用

2　知事は、前項第四号の費用のうち、使用者に負担させることが適当でないと認めたものについて、その一部又は全部を使用者に負担させないことができる。

**（共益費）**

**第十三条の二**　知事は、前条第一項の費用のうち、使用者の共通の利益を図るため、特に必要と認めたものを共益費として使用者から徴収する。

2　共益費は、毎月末日までにその月分の使用料とともに納付しなければならない。

**（転貸の禁止）**

**第十四条**　使用者は、福祉住宅を転貸し、またはその使用の権利を譲渡することができない。

**（使用名義者の変更の承認）**

**第十五条**　知事は、次の各号のいずれかに該当し、福祉住宅の管理上支障がないと認めるときは、福祉住宅の使用者名義の変更を承認することができる。

一　使用者の配偶者（婚姻の届出をしていないが事実上婚姻関係と同様の事情にある者を含む。）若しくは直系血族若しくは直系姻族又は東京都オリンピック憲章にうたわれる人権尊重の理念の実現を目指す条例（平成三十年東京都条例第九十三号）第七条の二第二項の証明若しくは同条第一項の東京都パートナーシップ宣誓制度と同等の制度であると知事が認めた地方公共団体のパートナーシップに関する制度による証明を受けたパートナーシップ関係の相手方であつて、第五条の使用者の資格を備え、かつ、従前より当該福祉住宅に居住している者であるとき。

二　次条第一項第一号の規定により当該福祉住宅に同居の承認を受け、世帯員となつてから満三年以上居住している者であつて、第四条の使用者の資格を備えているものであるとき。

三　前二号のほか、知事が特別の事情があると認めたとき。

2　知事は、使用者名義の変更の承認を受けようとする者（同居する者を含む。）が暴力団員であるときは、前項の承認をしてはならない。

**（承認事項）**

**第十六条**　使用者は、次の各号のいずれかに該当する場合は、知事の承認をうけなければならない。

一　使用承認をうけた世帯員以外の者を新たに世帯員として加えようとするとき。

二　福祉住宅を模様替し、または福祉住宅に工作を加えようとするとき。

三　福祉住宅の一部を住宅以外に使用しようとするとき。

2　知事は、前項の新たに加えようとする世帯員が暴力団員であるときは、同項の承認をしてはならない。

**（届出事項）**

**第十七条**　使用者は、次の各号の一に該当するときは、すみやかに知事に届け出なければならない。

一　世帯員に変更があつたとき。

二　十五日以上世帯員全員が不在になるとき。

三　前各号のほか、知事が指定する事項。

**（使用者の原形回復義務）**

**第十八条**　使用者の責に帰すべき理由により福祉住宅を滅失き損したときは、使用者はこれを原形に復し、またはこれに要する費用を賠償しなければならない。

**（住宅の変更）**

**第十九条**　知事は、次の各号の一に該当する場合は、使用者の申請により使用すべき福祉住宅の変更を承認することができる。

一　使用者に転業または勤務先の変更があつたとき。

二　前号のほか、知事が特別な事情があると認めたとき。

**（住宅の返還）**

**第二十条**　使用者が、福祉住宅を返還しようとする場合は、返還しようとする日前十四日までに知事に届け出て、当該福祉住宅の検査をうけなければならない。この場合において、第十六条第二号の工作物があるときは、これを撤去し、原形に復さなければならない。

2　前項の撤去に要する費用は、使用者の負担とする。

**（明渡請求権）**

**第二十一条**　知事は、次の各号のいずれかに該当する場合は、福祉住宅の使用承認を取り消し、又は福祉住宅の明渡しを請求することができる。

一　不正の行為により入居したとき。

二　正当な理由がなく使用料を三月以上滞納したとき。

三　正当な理由がなく一月以上福祉住宅を使用しないとき。

四　福祉住宅をみだりにき損したとき。

五　住宅を取得したとき。

六　暴力団員であることが判明したとき（同居する者が該当する場合を含む。）。

七　この条例又はこれに基づく知事の指示に違反したとき。

2　前項の規定により明渡しの請求を受けた者は、直ちに当該福祉住宅を明け渡さなければならない。この場

合、使用者又は当該福祉住宅の入居者は、都に対し、損害賠償の請求その他の請求をすることができない。

3　知事は、第一項各号の規定に該当することにより同項の請求を行つたときは、当該請求を受けた者に対して、請求の日の翌日から起算して当該福祉住宅の明渡しを行つた日までの期間について、使用料等に相当する金銭を徴収する。

（住宅明渡し努力義務）

**第二十二条**　使用者は、当該福祉住宅を引き続き三年以上使用している場合において、十一万五千円を超える収入があるときは、当該福祉住宅を明け渡すように努めなければならない。

2　知事は、前項の規定に該当する使用者から当該福祉住宅を明け渡すために必要な移転先住宅のあつせんを受けたい旨の申出があるときは、他の適当な住宅に入居できるようにあつせんする等その明渡しを容易にすることに努めなければならない。

（収入状況の報告）

**第二十三条**　使用者は、当該福祉住宅を引き続き二年以上使用している場合は、知事の定めるところにより収入状況の報告を行わなければならない。

（収入額の認定等）

**第二十四条**　知事は、前条の報告その他の資料に基づき、使用者の収入について調査し、その収入の額を認定し、使用者にその認定した額、第二十二条第一項に定める収入の超過の有無その他必要な事項を通知する。

2　前項の通知を受けた使用者は、その通知を受けた日から三十日以内に、同項の規定による認定に対して、意見を述べることができる。

3　知事は、前項の意見の内容を審査し、必要があると認めたときは、第一項の規定により認定した収入の額を改定する。

（住宅の検査）

**第二十五条**　知事は、福祉住宅の管理上必要があると認めるときは、都職員のうちから指定した者に福祉住宅の検査をさせ、又は使用者に対して適当な指示をさせることができる。

2　前項の検査において、現に使用している福祉住宅に立入るときは、あらかじめ、当該福祉住宅の使用者の承認を得なければならない。

3　第一項の規定により検査に当る者は、その身分を示す証票を携帯し、関係人の請求があつたときは、これを呈示しなければならない。

（許可等に関する意見聴取）

**第二十五条の二**　知事は、第四条の承認をしようとするとき、又は現に福祉住宅を使用している者（同居する者を含む。）について、知事が特に必要があると認めるときは、第五条第三項、第十五条第二項、第十六条第二項及び第二十一条第一項第六号に該当する事由の有無について、警視総監の意見を聴くことができる。

（知事への意見）

**第二十五条の三**　警視総監は、福祉住宅を使用しようとする者（現に同居し、又は同居しようとする者を含む。）又は現に使用している者（同居する者を含む。）について、第五条第三項、第十五条第二項、第十六条第二項及び第二十一条第一項第六号に該当する事由の有無について、知事に対し、意見を述べることができる。

（指定管理者による管理）

**第二十六条**　知事は、地方自治法（昭和二十二年法律第六十七号）第二百四十四条の二第三項の規定により、法人その他の団体であつて知事が指定するもの（以下「指定管理者」という。）に、福祉住宅の管理に関する業務のうち、次に掲げるものを行わせることができる。

一　福祉住宅の設備の保守点検に関する業務

二　福祉住宅の適正な使用の確保に関する業務

三　前二号に掲げるもののほか、知事が特に必要と認める業務

（指定管理者の指定）

**第二十七条**　指定管理者としての指定を受けようとする者は、東京都規則で定めるところにより、知事に申請しなければならない。

2　知事は、前項の規定による申請があつたときは、次に掲げる基準により、最も適切に福祉住宅の管理を行うことができると認める者を指定管理者に指定するものとする。

一　福祉住宅の管理を効率的かつ適正に行うために必要な執行体制を確保することができること。

二　安定的な経営基盤を有していること。

三　関係法令及び条例の規定を遵守し、適正な管理を行うことができること。

四　前三号に掲げるもののほか、知事が別に定める基準

3　知事は、前項の規定による指定をするときは、福祉住宅の効率的かつ適正な管理を考慮し、指定の期間を定めるものとする。

（指定管理者の指定の取消し等）

**第二十八条**　知事は、指定管理者が次の各号のいずれかに該当するときは、前条第二項の規定による指定を取り消し、又は期間を定めて管理の業務の全部若しくは一部の停止を命ずることができる。

一　管理の業務又は経理の状況に関する知事の指示に従わないとき。
二　前条第二項各号に掲げる基準を満たさなくなったと認めるとき。
三　第三十条第一項各号に掲げる管理の基準を遵守しないとき。
四　前三号に掲げるもののほか、当該指定管理者による管理を継続することが適当でないと認めるとき。

（指定管理者の公表）

**第二十九条**　知事は、指定管理者を指定し、若しくは指定を取り消したとき、又は期間を定めて管理の業務の全部若しくは一部の停止を命じたときは、遅滞なくその旨を告示するものとする。

（管理の基準等）

**第三十条**　指定管理者は、次に掲げる基準により、福祉住宅の管理に関する業務を行わなければならない。
一　関係法令及び条例の規定を遵守し、適正な管理を行うこと。
二　使用者に対して適切なサービスの提供を行うこと。
三　福祉住宅の設備の保守点検を適切に行うこと。
四　当該指定管理者が業務に関連して取得した使用者の個人に関する情報を適切に取り扱うこと。

2　知事は、次に掲げる事項について、指定管理者と協定を締結するものとする。
一　前項各号に掲げる基準に関し必要な事項
二　業務の実施に関する事項
三　事業の実績報告に関する事項
四　前三号に掲げるもののほか、福祉住宅の管理に関し必要な事項

（委任）

**第三十一条**　この条例施行について必要な事項は、東京都規則で定める。

付　則

1　この条例は、東京都規則で定める日から施行する。
2　東京都民生住宅条例（昭和三十三年十月東京都条例第八十三号。以下「旧条例」という。）は、廃止する。
3　この条例施行の際、旧条例に基いてなした手続その他の行為は、この条例に基いてなしたものとみなす。
4　第二十二条第二項及び第二十三条の規定の適用については、この条例施行の際、現に旧条例に基き設置された民生住宅に入居している者は、この条例施行の日にこの条例による当該福祉住宅の使用承認をうけたものとみなす。

附　則（令元・九・二六条例四〇）

（施行期日）

1　この条例は、公布の日から施行する。

（経過措置）

2　この条例による改正後の東京都福祉住宅条例（以下「新条例」という。）第九条第一項の規定は、この条例の施行の日（以下「施行日」という。）以後に同条第二項の規定による使用承認を受ける者から適用する。
3　施行日前に提出された請け書のうち、新条例第九条第二項の規定による使用承認に係るものについては、同条第一項の規定により提出された請け書とみなす。

附　則（令六・三・二九条例三八）

この条例は、令和六年四月一日から施行する。

# ○東京都特定公共賃貸住宅条例

平五・一〇・一八
条例六五

最終改正　令四・六・二二条例九八

（目的）

**第一条**　この条例は、中堅勤労者の居住の用に供するため、特定公共賃貸住宅を設置し、及びこれを適正に管理することにより、都民の生活の安定と良好な地域形成に資することを目的とする。

（用語の意義）

**第二条**　この条例において、次の各号に掲げる用語の意義は、それぞれ当該各号に定めるところによる。
一　特定公共賃貸住宅　第七条に規定する要件を満たす者に使用させるため、東京都（以下「都」という。）が、特定優良賃貸住宅の供給の促進に関する法律（平成五年法律第五十二号。以下「法」という。）第十八条の規定に基づき建設し、管理する住宅及び購入し、管理する住宅並びにそれらの附帯施設をいう。
二　所得　特定優良賃貸住宅の供給の促進に関する法律施行規則（平成五年建設省令第十六号。以下「施行規則」という。）第一条第四号の規定により算出した額をいう。
三　共同施設　児童遊園、集会所、管理事務所及び駐車場をいう。

（設置）

**第三条**　都は、第一条の目的を達成するため、特定公共賃貸住宅を設置する。

2　特定公共賃貸住宅の名称、位置その他必要な事項は、知事が定める。

3　知事は、特定公共賃貸住宅の名称、位置、使用料その他の事項を定めたときは、その旨を告示するものとする。特定公共賃貸住宅を廃止し、又はその名称、位置、使用料その他の事項を変更したときも、同様とする。

（使用許可）

**第四条**　特定公共賃貸住宅を使用しようとする者は、知事の許可を受けなければならない。

（使用申込み）

**第五条**　特定公共賃貸住宅の使用申込みは、公募の都度一世帯一箇所限りとする。

2　前項の公募の方法及び手続は、知事が定める。

（公募の例外）

**第六条**　知事は、次に掲げる事由のいずれかに該当する者に対しては、前条第一項の公募を行わないで、特定公共賃貸住宅を使用させることができる。

一　災害による住宅の滅失

二　不良住宅の撤去

三　公営住宅法（昭和二十六年法律第百九十三号）第二条第十五号に規定する公営住宅建替事業による公営住宅の除却、都市計画法（昭和四十三年法律第百号）第五十九条の規定に基づく都市計画事業、土地区画整理法（昭和二十九年法律第百十九号）第三条第四項若しくは第五項の規定に基づく土地区画整理事業、大都市地域における住宅及び住宅地の供給の促進に関する特別措置法（昭和五十年法律第六十七号）に基づく住宅街区整備事業若しくは都市再開発法（昭和四十四年法律第三十八号）に基づく市街地再開発事業の施行に伴う住宅の除却、土地収用法（昭和二十六年法律第二百十九号）第二十条（同法第百三十八条第一項において準用する場合を含む。）の規定による事業の認定を受けている事業若しくは公共用地の取得に関する特別措置法（昭和三十六年法律第百五十号）第二条に規定する特定公共事業の執行に伴う住宅の除却又は市街地再開発事業に準ずる事業で知事が定めるものの施行に伴う住宅の除却

**第六条の二**　知事は、密集市街地における防災街区の整備の促進に関する法律（平成九年法律第四十九号）第十九条の規定により特定公共賃貸住宅への入居を希望する旨を知事に申し出た者に対しては、公募を行わないでその使用を許可するものとする。

（申込者の資格）

**第七条**　特定公共賃貸住宅の使用の申込みをしようとする者（第五号に掲げる場合にあっては、現に同居し、又は同居しようとする親族（婚姻の届出をしないが事実上婚姻関係と同様の事情にある者その他婚姻の予約者を含む。以下この条において同じ。）又は東京都オリンピック憲章にうたわれる人権尊重の理念の実現を目指す条例（平成三十年東京都条例第九十三号）第七条の二第二項の証明若しくは同条第一項の東京都パートナーシップ宣誓制度と同等の制度であると知事が認めた地方公共団体のパートナーシップに関する制度による証明を受けたパートナーシップ関係の相手方（以下「パートナーシップ関係の相手方」という。）を含む。）は、次に掲げる要件を満たす者でなければならない。

一　東京都内に居住していること。

二　現に同居し、又は同居しようとする親族又はパートナーシップ関係の相手方があること。ただし、知事が必要と認めるときは、この限りでない。

三　東京都規則（以下「規則」という。）で定める基準の所得のある者であること。

四　現に自ら居住するため住宅を必要としていること。

五　暴力団員による不当な行為の防止等に関する法律（平成三年法律第七十七号）第二条第六号に規定する暴力団員（以下「暴力団員」という。）でないこと。

2　知事は、必要があると認めたときは、前項各号以外の申込者の満たすべき要件を定めることができる。

（使用予定者の決定）

**第八条**　知事は、使用の申込みをした者の数が使用させるべき特定公共賃貸住宅の戸数を超える場合は、使用の申込者で前条に規定する資格を有するもののうちから抽選により使用予定者を決定する。

2　前項の場合において　知事は、特に居住の安定を図る必要がある者であると認めたときは、前項の抽選によらないで、使用の申込みをした者の一部について別途の抽選により、又は抽選によらない公正な方法により、使用予定者を選定することができる。

3　知事は、使用の申込みをした者の数が使用させるべき特定公共賃貸住宅の戸数を超えない場合は、使用の申込者で前条に規定する資格を有するものを使用予定者として決定する。

（住宅割当て）

**第九条**　知事は、必要があると認める場合は、特定公共賃貸住宅供給戸数の五割を超えない範囲で当該住宅の存する地区内の使用申込者に対して割当てをすることができる。

2　前項の割当てをした場合における使用予定者の決定については、前条の規定を準用する。

（使用手続）

**第十条**　第八条（前条第二項において準用する場合を含む。）の規定により特定公共賃貸住宅の使用予定者として決定された者は、遅滞なく次に掲げる手続をしなければならない。

一　知事の定める請け書を提出すること。

二　第十八条第一項の保証金を納付すること。

2　知事は、前項の手続を完了した者に対し、特定公共賃貸住宅の使用を許可する。

3　特定公共賃貸住宅の使用を許可された者は、許可の日から十五日以内に当該特定公共賃貸住宅の使用を開始しなければならない。ただし、特に知事の承認を受けたときは、この限りでない。

（使用料の決定及び変更）

**第十一条**　特定公共賃貸住宅の使用料は、法第十三条第一項の規定に基づき施行規則第二十条第一項及び第二項に定める算出方法に準じて算出した額の範囲内において、近隣の民間の賃貸住宅の家賃水準等を考慮して、知事が定める。

2　知事は、次の各号のいずれかに該当する場合は、法第十三条の規定に基づき施行規則第二十条及び第二十一条に定める算出方法に準じて算出した額の範囲内において、近隣の民間の賃貸住宅の家賃水準等を考慮して、特定公共賃貸住宅の使用料を変更することができる。

一　物価の変動に伴い使用料を変更する必要があると認めるとき。

二　特定公共賃貸住宅相互の間における使用料の均衡上必要があると認めるとき。

三　特定公共賃貸住宅について改良を施したとき。

（使用料の減額）

**第十二条**　知事は、特定公共賃貸住宅の使用者（以下「使用者」という。）の使用料負担の軽減を図るため、管理開始後二十年間を限度として、使用料の減額を行うことができる。

2　前項の規定にかかわらず、知事は、特に必要があると認めるときは、管理開始後二十年を経過した後においても、使用料の減額を行うことができる。

3　前二項に規定する減額は、前条の規定に基づき定められた使用料と次条第一項に規定する使用者負担額との差額（以下「差額」という。）を、当該使用料から控除することにより行うものとする。

（使用者負担額の決定）

**第十三条**　知事は、前条に規定する使用料の減額を行うため、毎年使用者負担額を定めるものとする。

2　前項の使用者負担額の決定の方法は、使用者の所得の区分及び使用期間に応じて、規則で定めるものとする。

（減額申請書の提出）

**第十四条**　使用者は、第十二条に規定する使用料の減額を受けようとするときは、所得を証明する書類を添付した減額申請書を、新たに特定公共賃貸住宅を使用しようとするとき、及び毎年、知事に提出しなければならない。

2　知事は、前項の申請がない場合は、当該使用者に対し使用料の減額は行わないことができる。

（所得の認定等）

**第十五条**　知事は、前条第一項の申請があった場合は、その内容を審査し、使用者の所得を認定して、第十三条第二項に規定する使用者負担額の決定の方法に従い使用者負担額を定め、使用料の減額を行う旨を決定する。

2　前項の規定により使用料の減額を行うことを決定したときは、使用料、差額、使用者負担額、減額期間その他必要な事項を明記の上、毎年使用者に対し通知するものとする。

3　第一項の規定により認定された使用者の所得が、前項の減額期間内に第十三条第二項に規定する所得の区分を下回って変動した場合には、使用者は、当該減額期間内に所得の再認定を請求することができる。この請求があった場合においては、前二項の規定を準用する。

（使用料等の徴収）

**第十六条**　使用料（第十二条の規定による使用料の減額を行う場合にあっては、使用者負担額。以下「使用料等」という。）は、特定公共賃貸住宅の使用許可の日からこれを徴収する。

2　知事は、特別の事情があると認める場合は、前項の期日を別に指定することができる。

3　使用料等は、毎月末日までにその月分を納付しなければならない。

4　特定公共賃貸住宅の使用許可の日若しくは第二項の規定により指定された期日の属する月又は特定公共賃貸住宅を返還した日の属する月における使用期間が一月に満たないときの使用料等の額は、日割り計算による。

（使用料等の減免及び徴収猶予）

**第十七条**　次の各号のいずれかに該当する場合には、知事は、使用料等を減免し、又は使用料等の徴収を猶予することができる。

一　使用者が地震、暴風雨、洪水、高潮、火災等の災害による被害を受けたとき。

二　使用者の責めに帰すべき事由によらないで引き続

き十日以上特定公共賃貸住宅の全部又は一部を使用することができないとき。

三　前二号に掲げる場合のほか、知事が別に定める特別の事由があるとき。

2　前項の使用料等の減免の期間又は徴収の猶予期間は、それぞれ一年以内又は六月以内で知事が認める期間とする。

（保証金）

**第十八条**　知事は、使用者から三月分の使用料に相当する金額の範囲内において、保証金を徴収することができる。

2　前項に規定する保証金は、特定公共賃貸住宅の返還の際、これを還付する。ただし、未納の使用料等、第二十二条第一項の共益費又は賠償金があるときは、保証金のうちからこれを控除する。

3　前項ただし書の場合において、保証金の額が未納の使用料等、共益費及び賠償金を償うに足らないときは、使用者は、直ちにその不足額を納付しなければならない。

4　保証金には、利子を付けないものとする。

5　知事は、第一項の規定により徴収した保証金の運用に係る利益金がある場合においては、当該利益金を植栽費その他の環境の整備に要する費用に充てる等使用者の共同の利便のために使用するように努めるものとする。

（管理義務）

**第十九条**　知事は、常に特定公共賃貸住宅及び共同施設の状況に留意し、その管理を適正かつ合理的に行うように努めるものとする。

（修繕の義務）

**第二十条**　知事は、特定公共賃貸住宅及び共同施設について、規則で定める構造及び設備の主要な部分を修繕する必要が生じたときは、遅滞なく修繕するものとする。ただし、使用者の責めに帰すべき事由によって修繕する必要が生じたときは、この限りでない。

（費用負担）

**第二十一条**　次に掲げる費用は、使用者の負担とする。

一　前条に規定する場合を除き、修繕に要する費用

二　電気、ガス、上水道及び下水道の使用料

三　し尿、じんかい及び排水の消毒、清掃及び処理に要する費用

四　給水施設、し尿浄化施設、汚水処理施設、昇降機及び共同施設の使用及び維持に要する費用

五　前各号に掲げるもののほか、知事の指定する費用

2　知事は、前項第一号又は第四号の費用のうち、使用者に負担させることが適当でないと認めるものについて、その一部又は全部を使用者に負担させないことができる。

（共益費）

**第二十二条**　知事は、前条第一項の費用のうち使用者の共通の利益を図るため、特に必要と認めたものを共益費として使用者から徴収する。

2　使用者は、その月分の共益費を毎月末日までに使用料等とともに納付しなければならない。

（使用者の保管義務及び賠償責任）

**第二十三条**　使用者は、当該特定公共賃貸住宅及び共同施設の使用について必要な注意を払い、これらを正常な状態において維持しなければならない。

2　使用者の責めに帰すべき事由により当該特定公共賃貸住宅又は共同施設を滅失し、又は損傷したときは、使用者は、これを原形に復し、又はこれに要する費用を賠償しなければならない。

（転貸等の禁止）

**第二十四条**　第二十六条に規定する場合を除くほか、使用者は、当該特定公共賃貸住宅を他の者に貸し、又はその使用の権利を他の者に譲渡してはならない。

（許可事項）

**第二十五条**　次の各号のいずれかに該当する場合には、使用者は、知事の許可を受けなければならない。

一　使用許可を受けた世帯員以外の者を同居させようとするとき。

二　特定公共賃貸住宅を一月以上使用しないとき。

三　特定公共賃貸住宅の模様替えその他特定公共賃貸住宅に工作を加える行為をしようとするとき。

四　特定公共賃貸住宅の一部を住宅以外の目的に使用しようとするとき。

五　特定公共賃貸住宅の敷地内に工作物を設置しようとするとき。

2　知事は、前項の同居をさせようとする世帯員以外の者が暴力団員であるときは、同項の許可をしてはならない。

（使用権の承継）

**第二十六条**　次の各号のいずれかに該当する場合で、当該特定公共賃貸住宅の管理上支障がないと認めるときは、知事は、当該特定公共賃貸住宅の使用権の承継を許可することができる。

一　特定公共賃貸住宅の使用を承継しようとする者が、使用者の配偶者（婚姻の届出をしないが事実上婚姻関係と同様の事情にある者を含む。）若しくは三親等内の血族若しくは姻族又はパートナーシップ関係の相手方であって、使用開始当初から（出生にあっては、出生後）引き続き当該特定公共賃貸住宅に居住しているものであるとき。

二　特定公共賃貸住宅の使用を承継しようとする者が、前条第一号の規定により当該特定公共賃貸住宅に同居の許可を受けてから引き続き二年以上居住している者であるとき。
三　前二号に掲げる場合のほか、特別の事情があるとき。
2　知事は、特定公共賃貸住宅の使用を承継しようとする者（同居する者を含む。）が暴力団員であるときは、前項の許可をしてはならない。

（住宅の返還）
**第二十七条**　特定公共賃貸住宅を返還しようとする場合は、返還しようとする日前十四日までに知事に届け出て、当該住宅の検査を受けなければならない。
2　前項に規定する場合において、第二十五条第三号又は第五号の規定により許可を受けて模様替えその他の工作を加える行為をし、又は敷地内に工作物を設置したときは、使用者は、これを撤去して原形に復さなければならない。
3　前項の撤去に要した費用は、使用者の負担とする。

（明渡し請求権）
**第二十八条**　知事は、使用者が次の各号のいずれかに該当する場合には、使用者に対して、期日を指定して、第十条第二項の規定による許可を取り消し、当該特定公共賃貸住宅の明渡しを請求することができる。
一　不正の行為によって入居したとき。
二　使用料等を三月以上滞納したとき。
三　特定公共賃貸住宅又は共同施設を故意に損傷したとき。
四　第二十五条の規定に違反したとき。
五　住宅を取得したとき。
六　暴力団員であることが判明したとき（同居する者が該当する場合を含む。）。
七　この条例又はこれに基づく知事の指示命令に違反したとき。
八　特定公共賃貸住宅の使用者相互の共同生活の秩序保持等のため、その他知事が特定公共賃貸住宅の管理上特に必要があると認めたとき。
2　知事は、使用者が前項各号のいずれかに該当する場合は、その使用者に対し、明渡しまでの間第十二条に規定する使用料の減額を行わないことができる。
3　第一項の規定により明渡しの請求を受けた者は、同項に規定する期日までに、当該特定公共賃貸住宅を明け渡さなければならない。この場合において、使用者又は当該特定公共賃貸住宅の入居者は、損害賠償その他の請求をすることができない。

（駐車場の名称、位置等の告示）
**第二十九条**　駐車場の名称、位置その他必要な事項は、知事が定める。
2　知事は、駐車場の名称、位置その他の事項を定めたときは、その旨を告示するものとする。駐車場を廃止し、又はその名称、位置その他の事項を変更したときも、同様とする。

（利用許可）
**第三十条**　駐車場を利用しようとする者は、知事の許可を受けなければならない。

（利用申込み）
**第三十一条**　駐車場を利用しようとする者は、駐車場の利用者の公募の際に、利用申込みをしなければならない。
2　駐車場の利用申込みは、公募の都度一世帯一区画限りとする。ただし、知事が別に定める事由に該当する場合は、この限りでない。
3　第一項の公募の方法及び手続は、規則で定める。

（利用者の資格）
**第三十二条**　駐車場を利用することのできる者（第四号に掲げる場合にあっては、同居者を含む。）は、申込みをした日において、次に掲げる要件を満たす者でなければならない。
一　特定公共賃貸住宅の使用者又は同居者であること。
二　自ら利用するため駐車場を必要としていること。
三　第二十八条第一項の規定による許可の取消し又は明渡しの請求を受けていないこと。
四　暴力団員でないこと。
2　前項の場合において、特定公共賃貸住宅と同一の敷地内に都が供給する賃貸住宅で特定公共賃貸住宅以外のものがある場合は、当該住宅の使用者又は同居者は、当該特定公共賃貸住宅の使用者又は同居者とみなす。
3　知事は、駐車場の利用状況等を勘案して特に必要があると認める場合は、第一項（同項第四号に掲げる場合を除く。）の規定にかかわらず、特定公共賃貸住宅の使用者及び同居者以外の者で規則で定める資格を有するものに対して、駐車場の適正かつ合理的な管理に支障のない範囲内で、駐車場の利用を許可することができる。

（利用予定者の決定）
**第三十三条**　知事は、前条第一項及び第二項又は第三項の規定による申込みをした者の数が、利用を許可すべき駐車場の区画数を超える場合においては、抽せんにより利用予定者を決定する。

（公募の例外）
**第三十四条**　知事は、使用者又は同居者が身体障害者であることその他知事が別に定める事由に該当する場合には、公募を行わないで駐車場の利用予定者とすることができる。

（利用手続）

**第三十五条**　前二条の規定により駐車場の利用予定者として決定された者は、知事が指定する日までに次に掲げる手続をしなければならない。

一　規則で定める書類を提出すること。

二　第三十八条に規定する保証金を納付すること。

2　知事は、前項の手続を完了した者で第三十二条に規定する資格を有するものに対し、駐車場の利用を許可し、その旨を通知する。

3　知事は、正当な事由がなく第一項の知事が指定する日までに同項の手続を行わない者に対しては、駐車場の利用予定者の決定を取り消すことができる。

4　第二項の規定により駐車場の利用を許可された者は、許可の日から十五日以内に駐車場の利用を開始しなければならない。ただし、特に知事の承認を受けたときは、この限りでない。

（利用期間）

**第三十六条**　駐車場の利用期間は、三年を超えない範囲内において、知事が定める。

2　駐車場の利用者は、前項の期間が満了するときまでに当該駐車場を明け渡さなければならない。

（利用料金）

**第三十七条**　第三十五条第二項の許可（以下「利用許可」という。）を受けた者（保証金にあっては、第三十三条及び第三十四条の利用予定者）は、指定管理者（第四十四条に規定する指定管理者をいう。以下この条から第四十二条までにおいて同じ。）に、駐車場の利用に係る料金（以下「駐車料金」という。）及び次条に規定する保証金（以下これらを「利用料金」という。）を、納付しなければならない。

2　利用料金は、指定管理者の収入とする。

3　駐車料金の額は、一月につき五万五千円以内で、近傍の民間駐車場の賃料水準等を考慮して地域ごとに知事の定める額の範囲内において指定管理者が定めるものとする。この場合において、指定管理者はあらかじめ知事の承認を得なければならない。

（駐車場の保証金）

**第三十八条**　保証金の額は、三月分の駐車料金に相当する金額の範囲内において、あらかじめ知事の承認を得て、指定管理者が定める。

（利用料金の減免及び徴収猶予）

**第三十九条**　指定管理者は、利用者が身体障害者であることその他知事が別に定める事由に該当する場合には、利用料金を減免し、又は利用料金の徴収を猶予することができる。

（転貸等の禁止）

**第四十条**　駐車場の利用者は、当該駐車場を他の者に貸し、又はその利用の権利を他の者に譲渡してはならない。

（利用許可の取消し）

**第四十一条**　知事は、利用者が次の各号のいずれかに該当する場合には、利用許可を取り消し、駐車場の明渡しを請求するものとする。

一　不正の行為により利用許可を受けたとき。

二　駐車料金を三月以上滞納したとき。

三　駐車場又はこれに附帯する設備を故意にき損したとき。

四　正当な事由がなく一月以上駐車場を利用しないとき。

五　第三十二条に規定する利用者の資格を失ったとき。

六　前各号に掲げるもののほか、駐車場の管理上必要があると認めるとき。

2　前項の規定により明渡しの請求を受けた者は、速やかに駐車場を明け渡さなければならない。この場合、利用者は、損害賠償その他の請求をすることができない。

3　指定管理者は、第一項の規定により明渡しの請求を受けた者に対して、請求の日の翌日から当該駐車場の明渡しを行う日までの期間については、当該請求を受けた者が駐車場を利用したものとみなし、第三十七条第三項の規定にかかわらず、毎月二月分の駐車料金に相当する額を駐車料金として徴収することができる。

4　第一項の規定により明渡しの請求を受けた者が明渡しを行わない場合において、指定管理者が駐車場に置かれている自動車を当該駐車場から撤去したときは、指定管理者は、当該自動車の撤去等に要した費用を徴収することができる。

5　前二項の規定は、第三十六条第一項の期間が満了したにもかかわらず当該駐車場を明け渡さない者について準用する。この場合において、第三項中「請求の日」とあるのは「利用期間の満了の日」と読み替えるものとする。

（準用）

**第四十二条**　駐車場の利用については、第十六条、第十八条（第一項を除く。）、第二十三条及び第二十七条の規定を準用する。この場合において、これらの規定中「使用料」とあるのは「駐車料金」と、「特定公共賃貸住宅」とあるのは「駐車場」と、「使用許可」とあるのは「利用許可」と、「使用期間」とあるのは「利用期間」と、「使用者」とあるのは「利用者」と、第十八条中「知事」とあるのは「指定管理者」と読み替えるものとする。

（住宅の検査）

**第四十三条**　知事は、特定公共賃貸住宅の管理上必要があると認めるときは、都職員のうちから知事の指定した者に、特定公共賃貸住宅の検査をさせ、又は使用者に対して適当な指示をさせることができる。

２　前項の検査を行う場合において、現に使用している特定公共賃貸住宅に立ち入るときは、あらかじめ、使用者の承諾を得なければならない。

３　第一項の検査に当たる者は、その身分を示す証票を携帯し、関係人の請求があったときは、これを提示しなければならない。

（許可等に関する意見聴取）

**第四十三条の二**　知事は、第四条の許可をしようとするとき、又は現に特定公共賃貸住宅を使用している者（同居する者を含む。）について、知事が特に必要があると認めるときは、第七条第一項第五号、第二十五条第二項、第二十六条第二項、第二十八条第一項第六号、第三十二条第一項第四号及び同条第三項に該当する事由の有無について、警視総監の意見を聴くことができる。

（知事への意見）

**第四十三条の三**　警視総監は、特定公共賃貸住宅を使用しようとする者（現に同居し、又は同居しようとする者を含む。）又は現に使用している者（同居する者を含む。）について、第七条第一項第五号、第二十五条第二項、第二十六条第二項、第二十八条第一項第六号、第三十二条第一項第四号及び同条第三項に該当する事由の有無について、知事に対し、意見を述べることができる。

（指定管理者による管理）

**第四十四条**　知事は、地方自治法（昭和二十二年法律第六十七号）第二百四十四条の二第三項の規定により、法人その他の団体であって知事が指定するもの（以下「指定管理者」という。）に、特定公共賃貸住宅及び共同施設の管理に関する業務のうち、次に掲げるものを行わせることができる。

一　特定公共賃貸住宅及び共同施設の設備の保守点検に関する業務

二　特定公共賃貸住宅及び共同施設の適正な使用の確保に関する業務

三　駐車場の利用に関する業務

四　前三号に掲げるもののほか、知事が特に必要と認める業務

（指定管理者の指定）

**第四十五条**　指定管理者としての指定を受けようとする者は、規則で定めるところにより、知事に申請しなければならない。

２　知事は、前項の規定による申請があったときは、次に掲げる基準により、最も適切に特定公共賃貸住宅及び共同施設の管理を行うことができると認める者を指定管理者に指定するものとする。

一　特定公共賃貸住宅及び共同施設の管理を効率的かつ適正に行うために必要な執行体制を確保することができること。

二　安定的な経営基盤を有していること。

三　法その他の関係法令及び条例の規定を遵守し、適正な管理を行うことができること。

四　前三号に掲げるもののほか、知事が別に定める基準

３　知事は、前項の規定による指定をするときは、特定公共賃貸住宅及び共同施設の効率的かつ適正な管理を考慮し、指定の期間を定めるものとする。

（指定管理者の指定の取消し等）

**第四十六条**　知事は、指定管理者が次の各号のいずれかに該当するときは、前条第二項の規定による指定を取り消し、又は期間を定めて管理の業務の全部若しくは一部の停止を命ずることができる。

一　管理の業務又は経理の状況に関する知事の指示に従わないとき。

二　前条第二項各号に掲げる基準を満たさなくなったと認めるとき。

三　第四十八条第一項各号に掲げる管理の基準を遵守しないとき。

四　前三号に掲げるもののほか、当該指定管理者による管理を継続することが適当でないと認めるとき。

２　前項の規定により指定管理者の指定を取り消し、又は期間を定めて管理の業務の全部若しくは一部（利用料金の収受を含む場合に限る。）の停止を命じた場合等で、知事が臨時に駐車場の管理を行うときに限り、新たに指定管理者を指定し、又は当該停止の期間が終了するまでの間、知事は、第三十七条第三項に規定する地域ごとに知事の定める額又は第三十八条に規定する三月分の駐車料金に相当する金額の範囲内において、知事が定める駐車料金又は保証金を徴収する。

３　前項の場合にあっては、第三十七条第一項、第三十九条及び第四十一条第三項から第五項までの規定を準用する。この場合において、第三十七条第一項中「指定管理者（第四十四条に規定する指定管理者をいう。以下この条から第四十二条までにおいて同じ。）」とあるのは「知事」と、「利用料金」とあるのは「駐車料

金等」と、第三十九条中「指定管理者」とあるのは「知事」と、「利用料金」とあるのは「駐車料金等」と、第四十一条第三項及び第四項中「指定管理者」とあるのは「知事」と、同条第五項中「前二項」とあるのは「第四十六条第三項において準用する前二項」と読み替えるものとする。

（**指定管理者の公表**）

**第四十七条**　知事は、指定管理者を指定し、若しくは指定を取り消したとき、又は期間を定めて管理の業務の全部若しくは一部の停止を命じたときは、遅滞なくその旨を告示するものとする。

（**管理の基準等**）

**第四十八条**　指定管理者は、次に掲げる基準により、特定公共賃貸住宅及び共同施設の管理に関する業務を行わなければならない。

一　法その他の関係法令及び条例の規定を遵守し、適正な管理を行うこと。

二　使用者又は利用者に対して適切なサービスの提供を行うこと。

三　特定公共賃貸住宅及び共同施設の設備の保守点検を適切に行うこと。

四　当該指定管理者が業務に関連して取得した使用者又は利用者の個人に関する情報を適切に取り扱うこと。

2　知事は、次に掲げる事項について、指定管理者と協定を締結するものとする。

一　前項各号に掲げる基準に関し必要な事項

二　業務の実施に関する事項

三　事業の実績報告に関する事項

四　前三号に掲げるもののほか、特定公共賃貸住宅及び共同施設の管理に関し必要な事項

（**委任**）

**第四十九条**　この条例の施行について必要な事項は、知事が定める。

附　則（抄）

（**施行期日**）

1　この条例は、公布の日から施行する。

附　則（平一九・七・四条例九七）（抄）

（**施行期日**）

**第一条**　この条例は、公布の日から施行する。ただし、附則第二条第二項から第六項まで、附則第三条第二項から第六項まで、附則第四条第二項から第六項まで、附則第五条第二項から第六項まで、附則第六条第二項から第六項まで及び附則第七条第二項から第六項までの規定は、平成十九年八月一日から施行する。

（**東京都特定公共賃貸住宅条例の一部改正に伴う経過措置**）

**第七条**　第六条の規定による改正後の東京都特定公共賃貸住宅条例（以下この条において「新特定公共賃貸住宅条例」という。）第二十八条第一項第六号の規定は、施行日以後に新特定公共賃貸住宅条例第十条第二項の規定による使用許可、新特定公共賃貸住宅条例第二十五条第一項の規定による同居の許可又は新特定公共賃貸住宅条例第二十六条第一項の規定による使用権の承継の許可を受けた者に適用する。

2　施行日前に第六条の規定による改正前の東京都特定公共賃貸住宅条例（以下この条において「旧特定公共賃貸住宅条例」という。）第十条第二項の規定による使用許可、旧特定公共賃貸住宅条例第二十五条の規定による同居の許可又は旧特定公共賃貸住宅条例第二十六条の規定による使用権の承継の許可を受けた者が新特定公共賃貸住宅条例第二十八条第一項第六号の規定に該当していること（次項に定める場合を除く。）が判明したときは、知事は、当該許可を受けた者に対して、明渡しの勧告をするものとする。ただし、同号の規定の適用がある場合は、この限りでない。

3　施行日前に旧特定公共賃貸住宅条例第十条第二項の規定による使用許可、旧特定公共賃貸住宅条例第二十五条の規定による同居の許可又は旧特定公共賃貸住宅条例第二十六条の規定による使用権の承継の許可を受けた者が暴力団員と同居しており、新特定公共賃貸住宅条例第二十八条第一項第六号の規定に該当していることが判明したときは、知事は、当該使用者に対して、当該暴力団員を退去させる措置をとることを勧告するものとする。ただし、同号の規定の適用がある場合は、この限りでない。

4　知事は、前二項の勧告に従わないときは、使用者に対して明渡しを請求することができる。

5　第二項から前項までの規定にかかわらず、施行日前に旧特定公共賃貸住宅条例第十条第二項の規定による使用許可、旧特定公共賃貸住宅条例第二十五条の規定による同居の許可又は旧特定公共賃貸住宅条例第二十六条の規定による使用権の承継の許可を受けた者が新特定公共賃貸住宅条例第二十八条第一項第六号の規定に該当し、他の使用者の安全が著しく害されるおそれがあり、当該被害を防止するため緊急の必要があると認められる場合は、知事は、使用者に対して明渡しを請求することができる。

6　前二項の規定による明渡しの請求については、新特定公共賃貸住宅条例第二十八条第二項及び第三項の規定を準用する。

（**委任**）

**第八条**　附則第二条から前条までに規定するもののほか、この条例の施行に関し必要な事項は、東京都規則で定める。

附　則（令元・九・二六条例四四）

（**施行期日**）

1　この条例は、公布の日から施行する。

（**経過措置**）

2　この条例による改正後の東京都特定公共賃貸住宅条例（以下「新条例」という。）第十条第一項の規定は、この条例の施行の日（以下「施行日」という。）以後に同条第二項の規定による使用許可を受ける者から適用する。

3　施行日前に提出された請け書のうち、新条例第十条第二項の規定による使用許可に係るものについては、同条第一

項第一号の規定により提出された請け書とみなす。

附　則（令四・六・二二条例九八）

この条例は、令和四年十一月一日から施行する。ただし、第二条第二号の改正規定は、公布の日から施行する。

## ○東京における住宅の賃貸借に係る紛争の防止に関する条例

平一六・三・三一
条　例　九　五

最終改正　令四・三・三一条例三四

（目的）

**第一条**　この条例は、宅地建物取引業者（宅地建物取引業法（昭和二十七年法律第百七十六号。以下「法」という。）第二条第三号に規定する宅地建物取引業者をいう。以下同じ。）が、専ら居住を目的とする建物（建物の一部を含む。以下「住宅」という。）の賃貸借に伴い、あらかじめ明らかにすべき事項を定めること等により、住宅の賃貸借に係る紛争の防止を図り、もって都民の住生活の安定向上に寄与することを目的とする。

**（宅地建物取引業者の説明等の義務）**

**第二条**　宅地建物取引業者は、住宅の賃貸借の代理又は媒介をする場合は、当該住宅を借りようとする者に対して法第三十五条第一項（同条第六項の規定により読み替えて適用する場合を含む。）の規定により行う同項各号に掲げる事項を記載した書面の交付又は当該事項の説明に併せて、次に掲げる事項について、これらの事項を記載した書面を交付して説明しなければならない。ただし、当該住宅を借りようとする者が宅地建物取引業者である場合は、当該書面についての説明を要しないものとする。

一　退去時における住宅の損耗等の復旧並びに住宅の使用及び収益に必要な修繕に関し東京都規則（以下「規則」という。）で定める事項

二　前号に掲げるもののほか、住宅の賃貸借に係る紛争の防止を図るため、あらかじめ明らかにすべきこととして規則で定める事項

2　宅地建物取引業者は、前項の規定による書面（前項各号に掲げる事項に係るものに限る。）の交付に代えて、規則で定めるところにより、住宅を借りようとする者の承諾を得て、当該書面に記載すべき事項を電磁的方法（電子情報処理組織を使用する方法その他の情報通信の技術を利用する方法をいう。）であって規則で定めるものにより提供することができる。この場合において、当該宅地建物取引業者は、当該書面を交付したものとみなす。

**（紛争の防止のための措置）**

**第三条**　知事は、住宅の賃貸借に係る紛争の防止のために必要な措置を講ずるよう努めるものとする。

**（報告の聴取等）**

**第四条**　知事は、この条例の施行に必要な限度において、宅地建物取引業者に対し、その業務に関する報告又は資料の提出を求めることができる。

**（指導及び勧告）**

**第五条**　知事は、宅地建物取引業者が次の各号のいずれかに該当する場合は、当該宅地建物取引業者に対し、書面の交付若しくは説明を行い、又は報告若しくは資料の提出をし、若しくは報告若しくは資料の内容を是正するよう指導及び勧告をすることができる。

一　第二条第一項の規定による書面の交付又は説明の全部又は一部を行わなかったとき。

二　前条の規定による報告若しくは資料の提出をせず、又は虚偽の報告若しくは資料の提出をしたと

き。

（公表等）

**第六条**　知事は、前条の勧告を受けた者が正当な理由なく当該勧告に従わなかったときは、その旨を公表することができる。

２　知事は、前項の規定による公表をしようとする場合は、当該勧告を受けた者に対し、意見を述べ、証拠を提示する機会を与えるものとする。

（委任）

**第七条**　この条例に規定するもののほか、この条例の施行について必要な事項は、規則で定める。

附　則

この条例は、平成十六年十月一日から施行する。

附　則（令四・三・三一条例三四）

（施行期日）

１　この条例は、東京都規則で定める日〔令四・五・一八〕から施行する。

（経過措置）

２　この条例の施行の日前の書面の交付に係る指導及び勧告については、なお従前の例による。

# ○東京におけるマンションの適正な管理の促進に関する条例

平三一・三・二九
条例三〇

## 第一章　総則

（目的）

**第一条**　この条例は、マンションが東京都内における主要な居住形態として広く普及し、都民に不可欠な生活の基盤並びに都市及び地域社会を構成する重要な要素となっていることに鑑み、マンション管理士、マンション管理業者、マンション分譲事業者その他マンションに関わる者の協力の下、マンションの管理の主体である管理組合に対し、行政が積極的に関わり、マンションの管理不全を予防し、適正な管理を促進するとともに、その社会的機能（マンションの居住者と周辺の住民との防災、防犯等における連携による地域社会の形成、マンションの環境性能の向上等の社会的な貢献を果たすことをいう。以下同じ。）を向上させることにより、良質なマンションストック及び良好な居住環境の形成並びにマンションの周辺における防災・防犯の確保及び衛生・環境への悪影響の防止を図り、もって都民生活の安定向上及び市街地環境の向上に寄与することを目的とする。

（定義）

**第二条**　この条例において、次の各号に掲げる用語の意義は、それぞれ当該各号に定めるところによる。

一　マンション　マンションの管理の適正化の推進に関する法律（平成一二年法律第百四十九号。以下「マンション管理適正化法」という。）第二条第一号に規定するマンションであって、東京都（以下「都」という。）の区域内に所在するものをいう。

二　区分所有者等　マンション管理適正化法第二条第二号に規定するマンションの区分所有者等をいう。

三　管理組合　マンション管理適正化法第二条第三号に規定する管理組合をいう。

四　管理者等　マンション管理適正化法第二条第四号に規定する管理者等をいう。

五　マンション管理士　マンション管理適正化法第二条第五号に規定するマンション管理士をいう。

六　マンション管理業者　マンション管理適正化法第二条第八号に規定するマンション管理業者をいう。

七　マンション分譲事業者　宅地建物取引業法（昭和二十七年法律第百七十六号）第二条第三号に規定する宅地建物取引業者（同法第七十七条第二項及び宅地建物取引業法施行令（昭和三十九年政令第三百八十三号）第九条第二項の規定により宅地建物取引業者とみなされる者を含む。）であって、自ら売主として又は売主を代理してマンションを分譲する者をいう。

（都の責務及び区市町村との連携等）

**第三条**　都は、管理組合、マンション管理士、マンション管理業者、マンション分譲事業者その他マンションに関わる者によるこの条例の規定に基づく取組に対する支援その他のマンションの適正な管理の促進を図るために必要な措置を講ずるものとする。

２　都は、この条例の施行及びマンションの適正な管理の促進を図るための施策の実施に当たって、特別区及び市町村（以下「区市町村」という。）と緊密に連携し、情報の共有を図るとともに、区市町村が行う施策に対し必要な支援を行うものとする。

3　都は、マンションの適正な管理の促進を図るため、第十五条第一項及び第三項から第五項まで並びに第十六条第一項及び第二項の規定による届出の内容その他のマンションに関する情報を記録するためのデータベースの整備その他マンションに関する正確な情報を把握するために必要な措置を講ずるものとする。

4　知事は、第一項の措置又は第二項の支援の実施に必要があると認めるときは、前項のデータベースに記録したマンションの管理状況（管理組合の運営その他マンションの管理の状況をいう。以下同じ。）その他のマンションに関する情報を区市町村に提供するとともに、マンションの存する場所の属する区市町村に対し、当該マンションの管理状況その他の情報の提供について協力を求めることができる。

**（マンションの総合的な計画及び管理の適正化に関する指針の作成）**

**第四条**　知事は、第一条に規定する目的の実現に向けた基本的施策を具体化し、推進するための総合的な計画を定めるものとする。

2　知事は、管理組合によるマンションの管理の適正化に関する指針（以下「指針」という。）を定めるものとする。

3　知事は、指針を定め、又はこれを変更したときは、遅滞なく、これを公示するものとする。

**（管理組合及び区分所有者等の責務）**

**第五条**　管理組合は、マンションの管理の主体として、法令及びこの条例（以下「法令等」という。）の定めるところにより、マンションを適正に管理するとともに、マンションの社会的機能の向上に向けて取り組むよう努めなければならない。

2　区分所有者等は、法令等の定めるところにより、区分所有者等としての権限及び責任に基づき、管理組合の運営に参加するよう努めなければならない。

**（マンション管理士の責務）**

**第六条**　マンション管理士は、法令等の定めるところにより、管理組合の運営その他マンションの管理に関し、専門的知識をもって、管理組合、管理者等、区分所有者等その他マンションの管理に関わる者の相談に応じ、助言その他の援助を適切に行うよう努めなければならない。

2　マンション管理士は、都又は区市町村が行うマンションの適正な管理を促進する施策の実施において、都又は当該区市町村と連携するよう努めなければならない。

**（マンション管理業者の責務）**

**第七条**　マンション管理業者は、法令等の定めるところにより、管理組合の運営その他マンションの管理について管理組合から委託を受けた業務（以下「受託業務」という。）を適切に行うとともに、受託業務を行うに際して、当該管理組合に対し、専門的見地から提案又は助言を行うよう努めなければならない。

2　受託業務を行うマンション管理業者は、管理組合が都又は区市町村の行うマンションの適正な管理を促進する施策に対応し、又は協力する必要があるときは、当該管理組合に対し、必要な支援を行うよう努めなければならない。

**（マンション分譲事業者の責務）**

**第八条**　マンション分譲事業者は、法令等の定めるところにより、管理組合の設立及び円滑な運営に配慮したマンションの供給に努めなければならない。

## 第二章　適正な管理を推進するために管理組合が留意する事項

**（管理組合の運営体制の整備）**

**第九条**　管理組合は、マンションの管理の主体として、その団体又は法人の運営体制を整備するものとする。

2　管理組合（建物の区分所有等に関する法律（昭和三十七年法律第六十九号。以下「区分所有法」という。）第四十七条第一項（区分所有法第六十六条において準用する場合を含む。）に規定する法人を除く。）は、その運営のために、管理者（区分所有法第二十五条第一項（区分所有法第六十六条において準用する場合を含む。）の規定により選任された管理者をいう。）を置くものとする。

**（管理規約の設定）**

**第十条**　管理組合は、マンションの管理の実態に応じ、管理規約（区分所有法第三十条第一項（区分所有法第六十六条において準用する場合を含む。）に規定する規約をいう。）を定めるものとする。

**（総会の開催等）**

**第十一条**　管理組合は、少なくとも毎年一回総会（区分所有法第三条及び第六十五条に規定する集会をいう。）を開催するものとする。

2　管理組合は、総会が開催されたときは、速やかに議長（区分所有法第四十一条（区分所有法第六十六条において準用する場合を含む。）に規定する議長をいう。）に議事録を作成させるものとする。

**（管理費及び修繕積立金の額の設定等）**

**第十二条**　管理組合は、マンションの管理及び維持保全の実態に応じ、管理費（当該マンションの敷地及び共用部分（区分所有法第二条第四項に規定する共用部分をいう。）の管理に要する経費の充当金をいう。）及び修繕積立金（当該共用部分について管理組合が行う修繕に要する経費の充当金をいう。）として区分所有者等が拠出すべき額及びその徴収方法を定めるものとする。

（修繕の計画的な実施）

**第十三条**　管理組合は、マンションの維持保全の状況に応じ、一定の年数が経過するごとに修繕を計画的に実施するものとする。

（適正な管理の推進等）

**第十四条**　この章に定めるもののほか、管理組合は、指針の定めるところにより、マンションの適正な管理の推進及び社会的機能の向上に資する取組を実施するよう努めなければならない。

## 第三章　マンションの適正な管理を促進するための施策

（管理状況の届出）

**第十五条**　要届出マンション（マンション管理適正化法第五十六条第一項に規定する人の居住の用に供する独立部分を六以上有し、かつ、昭和五十八年十二月三十一日以前に新築されたマンションをいう。以下同じ。）の管理組合は、その管理状況に関し、マンションの適正な管理の促進に必要なものとして東京都規則（以下「規則」という。）で定める事項（以下「管理状況に関する事項」という。）を、知事に届け出なければならない。

2　知事は、マンション（要届出マンションを除く。）の管理状況について、第九条から第十三条までの規定に照らし、適正な管理を促進するために必要があると認めるときは、当該マンションの管理組合に対し、管理状況に関する事項を届け出るよう求めることができる。

3　前項の規定により知事から管理状況に関する事項を届け出るよう求められたマンションの管理組合は、当該管理状況に関する事項を知事に届け出なければならない。

4　前項の規定による届出を要するマンション以外のマンション（要届出マンションを除く。）の管理組合は、管理状況に関する事項を知事に届け出ることができる。

5　第一項、第三項又は前項の規定による届出を行ったマンションの管理組合は、当該届出の内容に変更（建物の滅失その他の事由を含む。）が生じたときは、その旨を知事に届け出なければならない。

6　第一項及び第三項から前項までの規定による届出は、管理者等（やむを得ない事情があると認めるときは、知事が適当と認める区分所有者等）が、規則で定めるところにより、届出書を知事に提出することにより行うものとする。

（届出の更新）

**第十六条**　要届出マンションの管理組合は、定期に、前条第一項の規定による届出の内容の更新を知事に届け出なければならない。

2　前項の規定による内容の更新の届出を行った要届出マンションの管理組合は、当該更新した届出の内容に変更（建物の滅失その他の事由を含む。）が生じたときは、その旨を知事に届け出なければならない。

3　前条第六項の規定は、前二項の届出について準用する。

（調査等）

**第十七条**　知事は、この条例の施行に必要な限度において、第十五条第一項若しくは第三項から第五項まで又は前条第一項若しくは第二項の規定による届出を行ったマンションの管理組合又は区分所有者等に対し、そのマンションの管理状況について必要な報告を求め、又は当該管理組合若しくは当該区分所有者等の協力を得て、その職員又はその委任した者（以下「職員等」という。）に、当該マンションに立ち入り、書類その他の物件を調査させることができる。

2　知事は、第十五条第一項、第三項若しくは第五項又は前条第一項若しくは第二項の規定により管理状況に関する事項について届出を要するマンションの管理組合から正当な理由なく届出がない場合においては、当該管理組合又は区分所有者等に対し、前項の例により、報告を求め、又は職員等に調査させることができる。

3　前二項の規定によりマンションに立ち入り、調査しようとする者は、規則で定めるところにより、あらかじめ調査の実施を通知し、第一項の協力を得るための必要な要請を行うとともに、調査の実施に際しては、身分を示す証明書を関係者に提示しなければならない。

4　第一項及び第二項の規定による権限は、犯罪捜査のために認められたものと解釈してはならない。

（管理に関する助言及び指導等）

**第十八条**　知事は、第十五条第一項若しくは第三項から第五項まで又は第十六条第一項若しくは第二項の規定による届出を行ったマンションの管理組合に対し、第三条第三項に規定するデータベースに記録された管理状況に関する事項その他のマンションに関する情報を用いて、当該マンションの管理状況について必要な助言をすることができる。

2　知事は、第十五条第一項、第三項若しくは第五項又は第十六条第一項若しくは第二項の規定による届出を要するマンションの管理組合から正当な理由なく届出がないときは、この条例の施行に必要な限度において、当該管理組合に対し、必要な措置を講ずるよう指導し、又は勧告することができる。

3　知事は、第十五条第一項若しくは第三項から第五項まで又は第十六条第一項若しくは第二項の規定による届出の内容が事実と著しく異なると認められるとき又は第一項の助言によっては管理状況の悪化を防ぐことが困難であると認められるときは、その管理組合に対し、必要な措置を講ずるよう指導し、又は勧告することができる。

4　前三項の規定による助言又は指導若しくは勧告は、やむを得ない事情があると認めるときは、知事が適当と認める区分所有者等に対し、行うことができるものとする。

（管理組合等に対する支援）

**第十九条**　知事は、管理組合又は区分所有者等に対し、そのマンションの適切な維持保全及び適正な管理の推進のために必要な支援を行うことができる。

## 第四章　雑則

（委任）

**第二十条**　この条例に定めるもののほか、この条例の施行について必要な事項は、規則で定める。

（区市町村の条例との関係等）

**第二十一条**　区市町村の条例中に、この条例に定めるマンションの管理状況に関する事項の届出、調査等並びに助言及び指導等に関する規定に相当する規定がある場合は、当該区市町村の区域においては、第十五条から第十八条までの規定は適用しない。

2　前項の規定にかかわらず、当該区市町村は、その地域の実情を勘案し、都と協議の上、当該区市町村の区域における第十五条から第十八条までの規定の適用を都に対して求めることができる。

3　知事は、区市町村から前項の規定による求めがあったときは、当該区市町村の区域において第十五条から第十八条までの規定を適用する旨を公示するものとする。

附　則

この条例は、公布の日から施行する。ただし、第十五条から第十八条までの規定は、平成三十二年四月一日から施行する。

# 第五章　建設

## ○東京都建設事務所長委任規則

昭四四・一二・二七
規　則　二　〇　九

最終改正　令五・三・二九規則一三

東京都組織規程（昭和二十七年東京都規則第百六十四号）に定める建設事務所の所管区域における次に掲げる事務は、当該建設事務所の長に委任する。

一　道路法（昭和二十七年法律第百八十号）の規定に基づき知事の権限に属する事務のうち、次に掲げるもの

㈠　道路法第二十二条第一項の規定により工事原因者に対して道路に関する工事を施行させること。

㈡　道路法第二十三条第一項の規定により附帯工事を施行すること（二千万円未満の工事に限る。）。

㈢　道路法第二十四条本文の規定により道路管理者以外の者が道路に関する工事又は道路の維持を行うことを承認し、及び同法第八十七条第一項の規定により当該承認に必要な条件を付すること。

㈣　道路法第三十二条第一項又は第三項（同法第九十一条第二項において準用する場合を含む。）の規定により同法第三十二条第一項第一号、第二号（洞道及びこれに類するものを除く。）、第四号、第五号（貯水槽、携帯電話等基地局、ベルトコンベア及び法敷（のり）等に係る通路等に限る。）、第六号及び第七号に掲げるものに係る占用許可（同法第三十五条の規定による同意を含む。）を与え、並びに同法第八十七条第一項（同法第九十一条第二項において準用する場合を含む。）の規定により当該許可に必要な条件を付すること。

㈣の二　道路法第三十二条第三項（同法第九十一条第二項において準用する場合を含む。）の規定により同法第三十二条第一項第三号に掲げるものに係る踏切補修、塗装塗り替え又は踏切内ケーブル敷設のための占用数量の増減を伴わない変更の占用許可を与え、及び同法第八十七条第一項（同法第九十一条第二項において準用する場合を含む。）の規定により当該許可に必要な条件を付すること。

㈤　㈣及び㈣の二に係る占用許可を与えようとする場合に道路法第三十四条（同法第九十一条第二項において準用する場合を含む。）の規定により工事の調整のための条件を付すること。

㈥　㈣及び㈣の二に係る占用許可を受けようとする者が道路法第三十六条第一項（同法第九十一条第二項において準用する場合を含む。）の規定により提出する工事の計画書を受理すること。

㈥の二　道路法第三十七条第二項の規程により警察署長に協議すること。

㈦　㈣及び㈣の二に係る占用許可を受けた者に対して、道路法第四十条第二項（同法第九十一条第二項において準用する場合を含む。）の規定により原状回復又は原状に回復することが不適当な場合の措置について必要な指示をすること。

㈦の二　道路法第四十二条第一項の規定により道路を維持し、修繕すること（他の規定によるものを除く。）。

㈧　道路法第四十三条の二の規定により、車両の積載物の落下の予防等に必要な措置をすることを命ずること。

㈨　道路法第四十四条第四項（同法第九十一条第二項において準用する場合を含む。）の規定により沿道区域における土地等の管理者に対して損害又は危険を防止するための必要な措置をとることを命ずること。

㈨の二　道路法第四十四条の三第一項（同法第九十一条第二項において準用する場合を含む。）の規定により違法放置物件を自ら除去し、又はその命じた者若しくは委任した者に除去させること。

㈩　道路法第四十六条第一項又は同法第四十七条第三項の規定により道路の通行を禁止し、又は制限すること。

(十一)　車両制限令（昭和三十六年政令第二百六十五号）第十二条の規定により特殊な車両の認定をし、又は当該認定に必要な条件を付すること。

(十二)　道路法第四十七条の四第一項の規定により、必要な措置をすることを命ずること。

(十三)　道路法第四十八条第二項又は第四項の規定により必要な措置をすることを命ずること。

(十三)の二　道路法第四十八条の十二の規定により行為の中止その他交通の危険防止のための必要な措置をすることを命ずること。

(十三)の三　道路法第四十八条の十六の規定により、通行の中止その他交通の危険防止のための必要な措置をすることを命ずること。

(十四)　この規則により所長の権限に属する事務につい

て、道路法第五十八条又は第五十九条の規定に基づき負担金を徴収すること。

(十五)　道路法第七十一条第四項（同法第九十一条第二項において準用する場合を含む。）の規定により、道路監理員を命ずること。

(十六)　この規則により所長の権限に属する事務及び道路法第四十三条、第四十四条第三項又は第四十七条第二項の規定に違反している者に係る事務について、次に掲げること。

イ　道路法第七十一条第一項及び第二項（同法第九十一条第二項において準用する場合を含む。）の規定により処分をし、又は必要な措置をすることを命ずること。

ロ　道路法第七十一条第三項前段（同法第九十一条第二項において準用する場合を含む。）の規定により必要な措置を自ら行い、又はその命じた者若しくは委任した者に行わせること。

ハ　道路監理員に、道路法第七十一条第四項（同法第九十一条第二項において準用する場合を含む。）及び第五項に規定する権限を行わせること。

ニ　行政代執行法（昭和二十三年法律第四十三号）に基づき、代執行を行い、その費用を徴収すること。

**一の二**　電線共同溝の整備等に関する特別措置法（平成七年法律第三十九号）の規定に基づき知事の権限に属する事務のうち、次に掲げるもの

(一)　電線共同溝の整備等に関する特別措置法第三条第二項の規定により、東京都公安委員会、区市町村、一般電気事業者又は特定電気事業者及び認定電気通信事業者から意見を聴取すること。

(二)　電線共同溝の整備等に関する特別措置法第四条第二項（同法第八条第三項において準用する場合を含む。）の規定により申請を勧告すること。

(三)　電線共同溝の整備等に関する特別措置法第四条第四項（同法第八条第三項において準用する場合を含む。）の規定により申請を却下すること。

(四)　電線共同溝の整備等に関する特別措置法第五条第二項（同法第八条第三項において準用する場合を含む。）の規定により電線共同溝の占用予定者の意見を聴いて電線共同溝整備計画を定めること及び増設に係る電線共同溝の占用予定者の意見を聴いて電線共同溝増設計画を定めること。

(五)　電線共同溝の整備等に関する特別措置法第六条第二項（同法第八条第三項において準用する場合を含む。）又は第十四条第二項の規定による届出を受理すること。

(六)　電線共同溝の整備等に関する特別措置法第七条第一項（同法第八条第三項において準用する場合を含む。）の規定に基づく建設負担金を徴収すること。

(七)　電線共同溝の整備等に関する特別措置法第十条、第十一条第一項又は第十二条第一項の規定による許可をすること。

(八)　電線共同溝の整備等に関する特別措置法第十三条第一項の規定に基づく占用負担金を徴収すること。

(九)　電線共同溝の整備等に関する特別措置法第十五条第一項の規定による承認をすること。

(十)　電線共同溝の整備等に関する特別措置法施行令（平成七年政令第二百五十六号）第七条第二項第一号の規定による届出を受理すること。

(十一)　電線共同溝の整備等に関する特別措置法第十六条第二項の規定により同項に規定する措置を講ずべきことを命ずること。

(十二)　電線共同溝の整備等に関する特別措置法第十八条の規定により電線共同溝を占用する者の意見を聴いて電線共同溝管理規程を定めること。

(十三)　電線共同溝の整備等に関する特別措置法第十九条の規定に基づく管理負担金を徴収すること。

(十四)　電線共同溝の整備等に関する特別措置法第二十条第二項の規定により必要な指示をすること。

(十五)　電線共同溝の整備等に関する特別措置法第二十一条に規定する国との協議を行うこと。

(十六)　電線共同溝の整備等に関する特別措置法第二十五条において準用する道路法第七十三条の規定により負担金の納付を督促し、並びに当該負担金並びに当該負担金に係る手数料及び延滞金を徴収すること。

(十七)　電線共同溝の整備等に関する特別措置法第二十六条の規定により同条に規定する処分を行うこと。

**一の三**　都市計画法（昭和四十三年法律第百号）の規定に基づき知事の権限に属する事務のうち、同法第三十二条の規定により、開発許可を申請しようとする者と協議を行い、開発行為に関係がある公共施設（道路及び公有水面に限る。）の管理者の同意を与えること。ただし、道路については、同条第二項に規定する協議を伴う同意を除く。

**一の四**　高齢者、障害者等の移動等の円滑化の促進に関する法律（平成十八年法律第九十一号）第二十五条第八項の規定により、市町村からの求めにより、特定事業に関する事項について基本構想の案を作成

し、当該市町村に提出すること（道路管理者として行うものに限る。）。

**一の五**　災害対策基本法（昭和三十六年法律第二百二十三号）の規定に基づき知事の権限に属する事務のうち、次に掲げるもの

㈠　災害対策基本法第七十六条の六第一項の規定により車両等の占有者等に対して緊急通行車両の通行を確保するための必要な措置をとることを命ずること。

㈡　災害対策基本法第七十六条の六第三項の規定により自ら同条第一項の規定による措置をとり、及び当該措置に係る車両その他の物件を破損すること。

㈢　災害対策基本法第七十六条の六第四項の規定により他人の土地を一時使用し、又は竹木その他の障害物を処分すること。

**二**　河川法（昭和三十九年法律第百六十七号）及び地球温暖化対策の推進に関する法律（平成十年法律第百十七号）の規定に基づき知事の権限に属する事務のうち、一級河川（特別区の存する区域内にあつては、平成十二年東京都告示第四百五十六号により知事が指定する河川及び河川管理施設（以下「知事指定河川等」という。）に限る。）の指定区間（河川法第五十八条の規定により河川区域内の土地とみなされる区域を含む。）及び二級河川（境川及び知事指定河川等に限る。）における次に掲げるもの。ただし、別表第一号から第七号までに掲げるもの並びに旧江戸川、中川、綾瀬川、新中川、毛長川、隅田川、新河岸川、海老取川、浅川、秋川及び多摩川に係る別表第八号及び第九号に掲げるものを除く。

㈠　河川法第十五条の二第一項の規定により河川管理施設を維持し、修繕すること（他の規定によるものを除く。）。

㈠の二　河川法第十八条の規定により工事原因者に対して河川工事又は河川の維持を施行させること。

㈡　河川法第十九条の規定により附帯工事を施行すること（二千万円未満の工事に限る。）。

㈢　河川法第二十条本文の規定により河川管理者以外の者が河川工事又は河川の維持を行うことを承認し、及び同法第九十条第一項の規定により当該承認に必要な条件を付すること。

㈣　河川法第二十三条の規定により流水の占用許可を与え、及び同法第九十条第一項の規定により当該許可に必要な条件を付すること。

㈣の二　河川法第二十三条の二の規定により登録の申請書を受理すること。

㈤　河川法第二十四条の規定により土地の占用許可を与え、及び同法第九十条第一項の規定により当該許可に必要な条件を付すること。

㈥　河川法第二十五条の規定により土石以外の産出物の採取の許可を与え、及び同法第九十条第一項の規定により当該許可に必要な条件を付すること。

㈦　河川法第二十六条第一項の規定により工作物新築等の許可を与え、及び同法第九十条第一項の規定により当該許可に必要な条件を付すること並びに同法第三十七条の規定により工事を行うこと。

㈧　河川法第二十七条第一項の規定により土地の掘削等の許可を与え、及び同法第九十条第一項の規定により当該許可に必要な条件を付すること。

㈧の二　河川法施行令（昭和四十年政令第十四号）第十六条の三第一項の規定により一級河川における竹木の流送の許可を与え、及び河川法第九十条第一項の規定により当該許可に必要な条件を付すること。

㈧の三　河川法施行令第十六条の五第一項の規定により汚水の排出届を受理し、同条第二項の規定により汚水の排出の変更及び廃止等の届を受理し、並びに同条第三項の規定により汚水の排出を許可した行政庁の通報を受理すること。

㈧の四　河川法施行令第十六条の六第一項及び第二項の規定により異常渇水による緊急時における通報及び必要な措置を行なうこと。

㈧の五　河川法施行令第十六条の八第一項の規定により物件の洗浄及び物件の堆積の許可を与え、及び河川法第九十条第一項の規定により当該許可に必要な条件を付すること。

㈧の六　河川法第三十条第一項の規定により許可工作物の完成検査を行い、及び同条第二項の規定により当該工作物の完成前に一部使用を承認し、及び同法第九十条第一項の規定により当該承認に必要な条件を付すること。

㈨　河川法第三十一条第一項の規定により許可工作物の用途の廃止の届出を受理し、及び同条第二項の規定により㈦に係る工作物新築等の許可を受けた者に対して必要な措置をとることを命ずること。

㈩　河川法第三十三条第三項、第五十八条の四第二項、第五十八条の八第三項（第三十三条第三項の規定を準用する部分に限る。）並びに河川法施行令第十六条の九第二項の規定により㈣から㈧まで並びに㈧の二、㈧の五、(十一)、(十二)、(十四)及び(十五)に係る

許可又は登録に基づく地位の承継届を受理すること。

(十一)　河川法第三十四条第一項の規定により(四)、(五)及び(六)に係る許可に基づく権利の譲渡を承認し、及び同法第九十条第一項の規定により当該承認に必要な条件を付すること。

(十二)　河川法第五十五条第一項本文の規定により河川保全区域における土地の掘削等の行為の許可を与え、及び同法第九十条第一項の規定により当該許可に必要な条件を付すること。

(十三)　河川法第五十七条第一項の規定により河川予定地における土地の掘削等の行為の許可を与え、及び同法第九十条第一項の規定により当該許可に必要な条件を付すること。

(十四)　河川法第五十八条の四第一項の規定により河川保全立体区域における土地の掘削等の行為の許可を与え、及び同法第九十条第一項の規定により当該許可に必要な条件を付すること。

(十五)　河川法第五十八条の六第一項の規定により河川予定立体区域における土地の掘削等の行為の許可を与え、及び同法第九十条第一項の規定により当該許可に必要な条件を付すること。

(十六)　河川法第五十八条の八第一項の規定により河川協力団体を指定し、同条第二項の規定により当該河川協力団体の名称等を公示し、同条第三項の規定によりその名称等の変更の届出を受理し、及び同条第四項の規定により当該届出に係る事項を公示すること。

(十六の二)　河川法第五十八条の十一第一項の規定により河川協力団体に対しその業務に関し報告をさせ、同条第二項の規定によりその業務の運営の改善に関し必要な措置を講ずべきことを命じ、同条第三項の規定により河川協力団体の指定を取り消し、同条第四項の規定により指定の取消しの公示を行うこと。

(十六の三)　河川法第五十八条の十二の規定により河川協力団体に対して情報の提供等を行うこと。

(十六の四)　河川法第五十八条の十三の規定により河川協力団体と協議し、及び同条の規定によりみなされた許可又は承認について、同法第九十条第一項の規定により必要な条件を付すること。

(十七)　この規則により所長の権限に属する事務について、河川法第六十七条又は第六十八条第二項の規定に基づき負担金を徴収すること。

(十七の二)　河川法第七十四条第一項の規定により負担金等の納付を督促し、同条第二項の規定により納付義務者に対し督促状を発し、同条第三項の規定により滞納処分をし、及び同条第五項の規定により延滞金を徴収すること。

(十八)　この規則により所長の権限に属する事務について、河川法第七十五条第一項又は第二項に規定する監督処分を行い、同条第三項の規定により過失がなくて必要な措置を命ずべき者を確知することができない場合に当該措置を自ら行い、又はその命じた者若しくは委任した者にこれを行わせ、同条第四項の規定により当該措置により除却し、又は除却させた工作物を保管し、同条第五項の規定により公示し、同条第六項の規定により当該工作物を売却し、その売却代金を保管し、及び同条第七項の規定により当該工作物を廃棄すること並びに行政代執行法に基づき、代執行を行いその費用を徴収すること。

(十九)　河川法第七十七条の規定により河川監理員を任命すること。

(二十)　河川法第七十八条の規定により同法若しくは同法に基づく政令若しくは東京都条例の規定により許可若しくは承認を受けた者から報告を徴し、又は職員にこれらの者の事務所等に立ち入り、必要な物件等を検査させること。

(二十一)　河川法第八十九条第一項の規定により調査、工事等のために他人の占用する土地に立ち入り、又は一時使用し、同条第二項の規定により通知し、同条第三項の規定により告知し、並びに同条第六項の規定により通知し、及び意見を聴取すること。

(二十二)　河川法第九十五条の規定により国と協議を行うこと（同法第二十三条の二、第二十五条前段、第四十七条第一項及び第五十三条の二第一項の規定による許可又は承認とみなされるものを除く。）。

(二十三)　河川法第九十九条第一項の規定により地方公共団体等に委託し、同条第二項の規定により当該地方公共団体と協議し、及び同項の規定によりみなされた許可又は承認について、同法第九十条第一項の規定により必要な条件を付すること。

(二十四)　河川法施行令第十六条の十一第一項の規定により国と協議を行うこと。

(二十五)　地球温暖化対策の推進に関する法律第二十二条の二第四項第七号（同法第二十二条の三第五項及び第二十二条の四第二項において準用する場合を含む。）の規定により協議し、及び同法第二十二条の二第八項（同法第二十二条の三第五項及び第二十二条の四第二項において準用する場合を含む。）の規定により同意すること。

二の二　河川法及び地球温暖化対策の推進に関する法律の規定に基づき知事の権限に属する事務のうち、一級河川（知事指定河川等を除く。）の指定区間及び二級河川（知事指定河川等を除く。）における次に掲げる事務で特別区の区域と市又は他の県の区域とにまたがるもの

㈠　河川法第十五条の二第一項の規定により河川管理施設を維持し、修繕すること（他の規定によるものを除く。）。

㈠の二　河川法第二十条本文の規定により河川管理者以外の者が河川工事又は河川の維持を行うことを承認し、及び同法第九十条第一項の規定により当該承認に必要な条件を付すること。

㈡　河川法第二十三条の規定により流水の占用許可を与え、及び同法第九十条第一項の規定により当該許可に必要な条件を付すること。

㈡の二　河川法第二十三条の二の規定により登録の申請書を受理すること。

㈢　河川法第二十四条の規定により土地の占用許可を与え、及び同法第九十条第一項の規定により当該許可に必要な条件を付すること。

㈣　河川法第二十五条の規定により土石以外の産出物の採取の許可を与え、及び同法第九十条第一項の規定により当該許可に必要な条件を付すること。

㈤　河川法第二十六条第一項の規定により工作物新築等の許可を与え、及び同法第九十条第一項の規定により当該許可に必要な条件を付すること。

㈥　河川法第二十七条第一項の規定により土地の掘削等の許可を与え、及び同法第九十条第一項の規定により当該許可に必要な条件を付すること。

㈦　河川法第三十条第一項の規定により許可工作物の完成検査を行い、及び同条第二項の規定により当該工作物の完成前に一部使用を承認し、及び同法第九十条第一項の規定により当該承認に必要な条件を付すること。

㈧　河川法第三十一条第一項の規定により許可工作物の用途の廃止の届出を受理すること。

㈨　河川法第三十三条第三項（同法第五十五条第二項において準用する場合を含む。）の規定により及び同法第九十条第一項の規定により当該承認に必要な条件を付すること。

㈩　河川法第三十四条第一項の規定により㈡、㈢及び㈣に係る許可に基づく権利の譲渡の承認をし、㈡から㈥まで及び(十二)に係る許可又は登録に基づく地位を承継した旨の届出を受理すること。

(十一)　㈡又は㈤に係る許可の申請があった場合に河川法第三十八条の規定により通知すること。

(十二)　河川法第五十五条第一項本文の規定により河川保全区域における土地の掘削等の行為の許可を与え、及び同法第九十条第一項の規定により当該許可に必要な条件を付すること。

(十三)　河川法第五十八条の八第一項の規定により河川協力団体を指定すること。

(十三)の二　河川法第五十八条の十一の規定により河川協力団体に対して監督等を行うこと。

(十三)の三　河川法第五十八条の十二の規定により河川協力団体に対して情報の提供等を行うこと。

(十四)　河川法第七十七条の規定により河川監理員を任命すること。

(十五)　河川法第七十八条の規定により同法若しくは同法に基づく政令若しくは東京都条例の規定により許可若しくは承認を受けた者から報告を徴し、又は職員にこれらの者の事務所等に立ち入り、必要な物件等を検査させること。

(十六)　河川法第八十九条第一項の規定により調査、工事等のために他人の占有する土地に立ち入り、又は一時使用し、同条第二項の規定により通知し、同条第三項の規定により告知し、並びに同条第六項の規定により通知し、及び意見を聴取すること。

(十七)　削除

(十八)　河川法第九十五条の規定により国と協議を行うこと（同法第二十三条の二、第二十五条前段、第四十七条第一項、第五十三条の二第一項、第五十七条第一項、第五十八条の四第一項及び第五十八条の六第一項の規定による許可又は承認とみなされるものを除く。）。

(十九)　河川法第九十九条第一項の規定により地方公共団体等に委託すること。

(二十)　地球温暖化対策の推進に関する法律第二十二条の二第四項第七号（同法第二十二条の三第五項及び第二十二条の四第二項において準用する場合を含む。）の規定により協議し、及び同法第二十二条の二第八項（同法第二十二条の三第五項及び第二十二条の四第二項において準用する場合を含む。）の規定により同意すること。

三　海岸法（昭和三十一年法律第百一号）に規定する海岸管理者である知事の権限に属する事務のうち、次に掲げるもの。ただし、土石（砂を含む。）採取が伴うものを除く。

㈠　海岸法第七条第一項の規定により海岸保全区域における占用許可を与え、及び同法第三十八条の

二第一項の規定により当該占用許可に必要な条件を付すること。

(二)　海岸法第八条第一項の規定により海岸保全区域における土地の掘削等の行為について許可を与え、及び同法第三十八条の二第一項の規定により当該許可に必要な条件を付すること。

(三)　海岸法第十条第二項の規定による国又は地方公共団体（港湾法（昭和二十五年法律第二百十八号）に規定する港務局を含む。）の協議を受けること。

(四)　この規則により所長の権限に属する事務について、海岸法第十二条第一項、第二項又は第三項に規定する監督処分を行い、同条第四項の規定により過失がなくて必要な措置を命ずべき者を確知することができない場合に当該措置を自ら行い、又はその命じた者若しくは委任した者にこれを行わせ、同条第五項の規定により当該措置により除却し、又は除却させた施設又は工作物（以下この号において「他の施設等」という。）を保管し、同条第六項の規定により公示し、同条第七項の規定により当該他の施設等を売却し、その売却代金を保管し、及び同条第八項の規定により当該他の施設等を廃棄すること並びに行政代執行法に基づき、代執行を行いその費用を徴収すること。

(四)の二　海岸法第十四条の五第一項の規定により海岸保全施設を維持し、修繕すること。

(五)　海岸法第二十三条の三第一項の規定により海岸協力団体を指定し、同条第二項の規定により当該海岸協力団体の名称等を公示し、同条第三項の規定によりその名称等の変更の届出を受理し、及び同条第四項の規定により当該届出に係る事項を公示すること。

(五)の二　海岸法第二十三条の五第一項の規定により海岸協力団体に対しその業務に関し報告をさせ、同条第二項の規定によりその業務の運営の改善に関し必要な措置を講ずべきことを命じ、同条第三項の規定により海岸協力団体の指定を取消し、及び同条第四項の規定により指定の取消しの公示を行うこと。

(五)の三　海岸法第二十三条の六の規定により海岸協力団体に対して情報の提供等を行うこと。

(五)の四　海岸法第二十三条の七の規定により、海岸協力団体と協議し、及び同条の規定によりみなされた許可について、同法第三十八条の二第一項の規定により必要な条件を付すること。

**四**　砂防法（明治三十年法律第二十九号）の規定に基づき知事の権限に属する事務のうち、東京都砂防指定地等管理条例（平成十五年東京都条例第七十八号）の規定により許可、承認その他の処分を行い、申請書等を受理し、及び協議すること。

**五**　公有水面（西多摩建設事務所、南多摩東部建設事務所、南多摩西部建設事務所、北多摩南部建設事務所及び北多摩北部建設事務所の所管区域内に限る。）及び千川上水に係る知事の権限に属する事務のうち、東京都公有土地水面使用等規則（平成十二年東京都規則第百七十一号）の規定による許可、承認その他の処分又は申請書等の受理をすること。

**六**　前各号の許可に係る占用料等の徴収、減額及び免除。

**七**　東京都船舶の係留保管の適正化に関する条例（平成十四年東京都条例第九十八号。以下この号において「条例」という。）及び東京都船舶の係留保管の適正化に関する条例施行規則（平成十四年東京都規則第二百八十三号。以下この号において「規則」という。）の規定に基づき知事の権限に属する事務のうち、一級河川（特別区の存する区域内にあっては、平成十二年東京都告示第四百五十六号により知事が指定する河川に限る。）の指定区間における次に掲げるもの

(一)　条例第十条第一項の規定により船舶の所有者等に対し指導すること。

(二)　条例第十条第二項の規定により船舶の所有者等に対し警告すること。

(三)　条例第十一条第一項の規定により職員に船舶を移動させること。

(四)　条例第十一条第二項の規定により職員を船舶に立ち入らせること。

(五)　条例第十一条第三項の規定により船舶の所有者等に対し意見を述べる機会を与えること。

(六)　条例第十二条第一項の規定により船舶を保管すること。

(七)　条例第十二条第二項の規定により船舶の所有者等に対し通知し、その他当該船舶を返還するために必要な措置を講じること。

(八)　条例第十二条第三項の規定により船舶を売却し、その代金を保管すること。

(九)　条例第十二条第五項（同条第七項において準用する場合を含む。）の規定により船舶の所有者等に対し通知し、及び意見を述べる機会を与えること。

(十)　条例第十二条第六項の規定により船舶を廃棄すること。

(十一)　条例第十四条の規定により船舶の所有者等の負

担となる費用を徴収すること。

(十一)　条例第十五条第一項の規定により職員に船舶に立ち入り、当該船舶の所有者等を確認するため必要な調査をさせること。

(十二)　規則第七条第二項の規定により船舶の所有者等に対し催告を行うこと。

(十三)　規則第九条第九項若しくは第十項又は第十一条第三項若しくは第四項の規定により船舶の所有者等に対し通知すること。

(十四)　規則第十条の規定により船舶の売却代金を返還するための手続を行うこと。

附　則

この規則は、昭和四十五年一月一日から施行する。

附　則（令五・三・二九規則一三）

この規則は、令和五年四月一日から施行する。

**別表**（第二号関係）

一　河川法第七十九条の規定により国土交通大臣の認可等を要するもの

二　削除

三　他県との協議を要するもの

四　削除

五　新たな水利使用又は新たな水利使用を伴うもの

六　土石（砂を含む。）採取を伴うもの

七　兼用工作物で新たに設けるもの

八　国、地方公共団体、その他公共団体又は鉄道事業法（昭和六十一年法律第九十二号）に定める鉄道事業者がその事業のために新たに行うもの

九　東京都河川流水占用料等徴収条例（平成十二年東京都条例第九十五号）別表一の項備考一に掲げる第五種又は第六種に掲げる占用で新たに行うもの

# ○東京都道路占用料等徴収条例

昭二七・一二・二四
条　例　一〇〇

最終改正　令六・三・二九条例八〇

**（目的）**

**第一条**　この条例は、道路法（昭和二十七年法律第百八十号。以下「法」という。）第三十九条の規定により都が徴収する道路の占用料（以下「占用料」という。）及び法第七十三条の規定により都が徴収する負担金等に係る延滞金（以下「延滞金」という。）の額及び徴収方法について、定めることを目的とする。

**（占用料の額）**

**第二条**　占用料の額は、別表に定めるところにより算出した額とする。

**（占用料の減免）**

**第三条**　知事は、次に掲げる占用物件に係るものについて、特に必要があると認める場合においては、占用者の申請により、占用料の額の全部又は一部を免除することができる。

一　地方財政法（昭和二十三年法律第百九号）第六条に規定する公営企業に係るもの

二　独立行政法人鉄道建設・運輸施設整備支援機構が建設し、又は災害復旧工事を行う鉄道施設及び鉄道事業法（昭和六十一年法律第九十二号）による鉄道事業者又は索道事業者がその鉄道事業又は索道事業で一般の需要に応ずるものの用に供する施設

三　都市計画法（昭和四十三年法律第百号）第十一条第一項に規定する都市計画施設

四　公衆が常時無料で道路交通の一環として通行する道路

五　沿道から道路に出入りするために設置する通路その他これに類する施設

六　ガス、電気、電話、水道、下水道等の各戸引込管線類

七　祭典その他恒例により設置する施設

八　前各号のほか、知事が特に必要があると認めるもの

2　知事は、前項に定めるもののほか、天災地変その他占用者の責に帰することのできない理由により占用の目的を遂行することができないと認める場合においては、その期間に相当する占用料の額の全部又は一部を免除することができる。

**（占用料の徴収方法）**

**第四条**　占用料は、占用の期間（電線共同溝に係る占用料にあつては、電線共同溝の整備等に関する特別措置法（平成七年法律第三十九号）第十条、第十一条第一項又は第十二条第一項の規定により許可をした占用することができる期間（当該許可に係る電線共同溝への電線の敷設工事を開始した日が当該許可をした日と異なる場合には、当該敷設工事を開始した日から当該占用することができる期間の末日までの期間。以下同じ。）に係る分を、占用許可をした日（電線共同溝に係る占用料にあつては、同法第十条、第十一条第一項又は第十二条第一項の規定により許可をした日（当該許可に係る電線共同溝への電線の敷設工事を開始した日が当該許可をした日と異なる場合には、当該敷設工事を開始した日））から一月以内に納入通知書により一括徴収するものとする。ただし、当該占用の期間が翌年度以降にわたる場合においては、翌年度以降の占

用料は、毎年度、当該年度分を四月三十日までに徴収するものとする。

2　知事は、占用料が特に多額であると認める場合又はその他の理由により占用料を一時に全額納入することが困難であると認める場合においては、前項の規定にかかわらず、占用者の申請により、三回以内に分割して納入させることができる。

3　既に納入した占用料は、返還しない。ただし、次の各号に掲げる場合においては、当該各号に定める額を返還する。

一　知事が法第七十一条第二項の規定により道路の占用許可を取り消した場合　当該占用許可を取り消した日の属する月の翌月以降の分に相当する占用料の額

二　知事が前条第二項の規定により占用料の額の全部又は一部を免除した場合　同項の規定により免除した額

（延滞金）

**第五条**　延滞金は、当該督促に係る負担金等の額が千円以上である場合に徴収するものとし、その額は、納入すべき期限の翌日から納入の日までの日数に応じ、当該負担金等の額に年十四・五パーセントの割合を乗じて計算した額とする。ただし、延滞金の額が百円未満である場合は、徴収しない。

（委任）

**第六条**　この条例の施行について必要な事項は、知事が定める。

**附　則**

1　この条例は、公布の日から施行する。

2　この条例の施行の際、現に占用している道路の占用料については、その占用期間の満了までは、なお、従前の例による。

**附　則**（令六・三・二九条例八〇）

この条例は、令和六年四月一日から施行する。

別表（第二条関係）

| 占用物件 | | 単位 | 占用料 所在地 特別区 一級地 | 占用料 所在地 特別区 二級地 | 占用料 所在地 市 | 占用料 所在地 町村 |
|---|---|---|---|---|---|---|
| 法第三十二条第一項第一号に掲げる工作物 | 第一種電柱 | 一本につき一年 | 四、四〇〇 | 四、四〇〇 | 一、六二〇 | 二八〇 |
| | 第二種電柱 | 一本につき一年 | 六、八〇〇 | 六、八〇〇 | 一、四八〇 | 四四〇 |
| | 第三種電柱 | 一本につき一年 | 九、四〇〇 | 九、四〇〇 | 二、三五〇 | 五九〇 |
| | 第一種電話柱 | 一本につき一年 | 三、四〇〇 | 三、四〇〇 | 一、四四〇 | 二五〇 |
| | 第二種電話柱 | 一本につき一年 | 五、四〇〇 | 五、四〇〇 | 二、三一〇 | 四一〇 |
| | 第三種電話柱 | 一本につき一年 | 七、四〇〇 | 七、四〇〇 | 二、一八〇 | 五六〇 |
| | その他の柱類 | 一本につき一年 | 三四〇 | 三四〇 | 一四〇 | 二五 |
| | 共架電線その他上空に設ける線類 | 長さ一メートルにつき一年 | 四〇 | 四〇 | 一四 | 二 |
| | 地下電線その他地下に設ける線類 | 長さ一メートルにつき一年 | 一〇 | 一〇 | 八 | 一 |
| | 路上に設ける変圧器 | 一個につき一年 | 三、二〇〇 | 三、二〇〇 | [illegible]、四一〇 | 二五〇 |
| | 地下に設ける変圧器 | 占用面積一平方メートルにつき一年 | 二、〇〇〇 | 二、〇〇〇 | 八六〇 | 一五〇 |
| | 変圧塔その他これに類するもの及び公衆電話所 | 一個につき一年 | 六、八〇〇 | 六、八〇〇 | 二、八九〇 | 五一〇 |
| | 広告塔 | 表示面積一平方メートルにつき一年 | 五七、〇〇〇 | 二三、〇〇〇 | 一[illegible]、五〇〇 | 二、〇二〇 |
| | その他のもの | 占用面積一平方メートルにつき一年 | 六、八〇〇 | 六、八〇〇 | 二、八九〇 | 五一〇 |
| | 外径が〇・〇七メートル未満のもの | | 一四〇 | 一四〇 | 六〇 | 一〇 |

| | | | | | | |
|---|---|---|---|---|---|---|
| 法第三十二条第一項第二号に掲げる物件 | 外径が〇・〇七メートル以上〇・一メートル未満のもの | 長さ一メートルにつき一年 | 二〇〇 | | 八六 | 一五 |
| | 外径が〇・一メートル以上〇・一五メートル未満のもの | | 三〇〇 | | 一三〇 | 二三 |
| | 外径が〇・一五メートル以上〇・二メートル未満のもの | | 四〇〇 | | 一七〇 | 三一 |
| | 外径が〇・二メートル以上〇・三メートル未満のもの | | 六一〇 | | 二六〇 | 四六 |
| | 外径が〇・三メートル以上〇・四メートル未満のもの | | 八二〇 | | 三四〇 | 六二 |
| | 外径が〇・四メートル以上〇・七メートル未満のもの | | 一、四二〇 | | 六〇〇 | 一〇〇 |
| | 外径が〇・七メートル以上一メートル未満のもの | | 二、〇〇〇 | | 八六〇 | 一五〇 |
| | 外径が一メートル以上のもの | | 四、〇〇〇 | | 一、七三〇 | 三一〇 |
| 法第三十二条第一項第三号に掲げる施設 | | 占用面積一平方メートルにつき一年 | 六、八〇〇 | | 二、八九〇 | 五一〇 |
| 法第三十二条第一項第四号に掲げる施設 | | 占用面積一平方メートルにつき一年 | 六、八〇〇 | | 一、四四〇 | 二五〇 |
| 法第三十二条第一項第五号に掲げる施設 | 地下街及び地下室　階数が一のもの | 占用面積一平方メートルにつき一年 | Aに〇・〇〇四を乗じて得た額 | | | |
| | 地下街及び地下室　階数が二のもの | | Aに〇・〇〇六を乗じて得た額 | | | |
| | 地下街及び地下室　階数が三以上のもの | | Aに〇・〇〇八を乗じて得た額 | | | |
| | 上空に設ける通路 | | 二九、一〇〇 | 一一、五〇〇 | 五、七七〇 | 一、〇一〇 |
| | 地下に設ける通路 | | 一八、〇〇〇 | 六、九一〇 | 三、四六〇 | 六〇〇 |
| | その他のもの | | 六、八〇〇 | 六、八〇〇 | 三、〇九〇 | 七六〇 |

| | | | | | | | |
|---|---|---|---|---|---|---|---|
| 法第三十二条第一項第六号に掲げる施設 | 祭礼、縁日等に際し、一時的に設けるもの | | 占用面積一平方メートルにつき一日 | 五七〇 | 二三〇 | 一一〇 | 二〇 |
| | 商品置場その他これに類するもの | | 占用面積一平方メートルにつき一年 | 六〇、〇〇〇 | 二三、〇〇〇 | 一一、五〇〇 | 二、〇二〇 |
| 道路法施行令（昭和二十七年政令第四百七十九号。以下「令」という。）第七条第一号に掲げる物件 | 看板（アーチ式であるものを除く。） | | 表示面積一平方メートルにつき一年 | 五七、〇〇〇 | 二三、五〇〇 | 一一、五〇〇 | 二、〇二〇 |
| | 標識 | | 一本につき一年 | 五、四〇〇 | | 一、三一〇 | 四一〇 |
| | 旗ざお及び幕 | 祭礼、縁日等に際し、一時的に設けるもの | 占用面積一平方メートル又は一本につき一日 | 五七〇 | 二三〇 | 一一〇 | 二〇 |
| | | その他のもの | 占用面積一平方メートル又は一本につき一年 | 六〇、〇〇〇 | 二三、〇〇〇 | 一一、五〇〇 | 二、〇二〇 |
| | アーチ式工作物 | 車道を横断するもの | 一基につき一年 | 六〇〇、〇〇〇 | 二三〇、四〇〇 | 一一五、四〇〇 | 二〇、二〇〇 |
| | | その他のもの | | 三〇〇、〇〇〇 | 一一五、二〇〇 | 五七、七〇〇 | 一〇、一〇〇 |
| 令第七条第二号に掲げる工作物 | | | 占用面積一平方メートルにつき一年 | 六、八〇〇 | | 二、八九〇 | 五一〇 |
| 令第七条第三号に掲げる施設 | | | 占用面積一平方メートルにつき一年 | Aに〇・〇二四を乗じて得た額 | | | |
| 令第七条第四号に掲げる工事用施設及び同条第五号に掲げる工事用材料の置場 | | | 占用面積一平方メートルにつき一年 | 五七、〇〇〇 | 二三、〇〇〇 | 一一、五〇〇 | 二、〇二〇 |
| 令第七条第六号に掲げる仮設建築物及び同条第七号に掲げる仮設収容施設 | | | 占用面積一平方メートルにつき一年 | 七、四四〇 | | 二、八九〇 | 五一〇 |
| 令第七条第八号及び第十三号に掲げる施設 | 上空、トンネルの上又は高架下に設けるもの | 階数が一のもの | 占用面積一平方メートルにつき一年 | Aに〇・〇〇六を乗じて得た額 | | | |
| | | 階数が二のもの | | Aに〇・〇〇八を乗じて得た額 | | | |
| | | 階数が三のもの | | Aに〇・〇一一を乗じて得た額 | | | |
| | | 階数が四以上のもの | | | | | |

| 占用物件 | 区分 | | 単位 | 占用料 |
|---|---|---|---|---|
| | の | | | Aに〇・〇一二を乗じて得た額 |
| | その他のもの | | | Aに〇・〇二四を乗じて得た額 |
| 令第七条第九号に掲げる施設並びに同条第十号に掲げる施設及び自動車駐車場 | 建築物 | 階数が一のもの | 占用面積一平方メートルにつき一年 | Aに〇・〇〇六を乗じて得た額 |
| | | 階数が二のもの | | Aに〇・〇〇八を乗じて得た額 |
| | | 階数が三のもの | | Aに〇・〇一一を乗じて得た額 |
| | | 階数が四以上のもの | | Aに〇・〇一二を乗じて得た額 |
| | その他のもの | | | Aに〇・〇〇六を乗じて得た額 |
| 令第七条第十二号に掲げる器具 | | | 占用面積一平方メートルにつき一年 | Aに〇・〇二四を乗じて得た額 |

備考
一　金額の単位は、円とする。
二　所在地とは、占用物件の所在地をいい、特別区における級地別は、次のとおりとする。
ア　一級地　千代田区、中央区、港区、新宿区、文京区、台東区、渋谷区及び豊島区の区域
イ　二級地　一級地以外の区域
三　第一種電柱とは電柱（当該電柱に設置される変圧器を含む。以下同じ。）のうち三条以下の電線（当該電柱を設置する者が設置するものに限る。以下この号において同じ。）を支持するものを、第二種電柱とは電柱のうち四条又は五条の電線を支持するものを、第三種電柱とは電柱のうち六条以上の電線を支持するものをいうものとする。
四　第一種電話柱とは電話柱（電話その他の通信又は放送の用に供する電線を支持する柱をいい、電柱であるものを除く。以下同じ。）のうち三条以下の電線（当該電話柱を設置する者が設置するものに限る。以下この号において同じ。）を支持するものを、第二種電話柱とは電話柱のうち四条又は五条の電線を支持するものを、第三種電話柱とは電話柱のうち六条以上の電線を支持するものをいうものとする。
五　共架電線とは、電柱又は電話柱を設置する者以外の者が当該電柱又は電話柱に設置する電線をいうものとする。
六　表示面積とは、広告塔又は看板の表示部分の面積をいうものとする。ただし、看板で両面を使用するものは、裏面の表示面積については五割減とする。
七　Aは、近傍類似の土地の時価を表すものとする。
八　表示面積若しくは占用面積が一平方メートル未満であるとき、又はこれらの面積に一平方メートル未満の端数があるときは、一平方メートルとして計算し、占用物件の長さが一メートル未満であるとき、又はその長さに一メートル未満の端数があるときは、一メートルとして計算するものとする。
九　占用の期間は暦により計算し、占用料の額が年額で定められている占用物件に係る占用の期間が一年未満であるとき、又はその期間に一年未満の端数があるときは、月割をもつて計算し、さらに一月未満の端数があるときは、一月として計算するものとする。
十　占用料の額は、占用料の欄に定める金額に、占用の期間を乗じて得た額（その額が百円に満たない場合にあつては、百円）とする。ただし、当該占用の期間が翌年度以降にわたる場合においては、占用料の欄に定める金額に、各年度における占用の期間を乗じて得た額（その額が百円に満たない場合にあつては、百円）の合計額とする。

# ○東京都道路占用規則

昭五二・八・一五
規則一三二

最終改正 令六・三・一八規則一八

## 第一章 総則

（趣旨）

**第一条** この規則は、道路法（昭和二十七年法律第百八十号。以下「法」という。）に基づく道路の占用（以下「占用」という。）に関し必要な事項を定めるものとする。

## 第二章 占用許可の申請

（申請書の提出）

**第二条** 法第三十二条第一項の規定に基づき工作物、物件又は施設（以下「占用物件」という。）を設けるため、占用の許可を受けようとする者又は同条第三項の規定に基づく占用の変更の許可を受けようとする者は、道路法施行規則（昭和二十七年建設省令第二十五号）第四条の三第一項に規定する別記様式第五による道路占用許可（変更）申請書を知事に提出しなければならない。

2 占用期間満了後引き続き占用しようとする者は、その期間満了の日の三十日前までに、前項に規定する様式又は知事が別に定める様式による申請書を知事に提出しなければならない。

（添付書類）

**第三条** 前条の申請書には、次の各号に掲げる書類及び図面を添付しなければならない。ただし、知事が認める場合は、その一部を省略することができる。

一 占用の場所及びその付近を表示した図面
二 占用する位置の図面並びに設置の形態に関する仕様書及び図面
三 占用物件の形状、寸法、材料、構造、意匠等に関する仕様書及び図面
四 占用に関する工事の実施の方法に関する仕様書、図面及び工程表
五 道路の復旧の方法に関する仕様書、図面及び工程表
六 占用物件の管理に関する概要書
七 既設の占用物件に添加する場合は、当該占用物件の管理者の承諾を証する書類
八 法及びこれに基づく命令以外の法令等により官公署の許認可又は確認を必要とする場合は、その許認可書若しくは確認書又はその写し
九 占用が当該地先又は隣接地先の土地、建物又は既設の占用物件に影響を与えると認められる場合は、当該土地、建物又は占用物件の所有者又は占有者の同意書
十 その他知事が必要と認める書類及び図面

（情報処理システムを利用した場合の申請）

**第三条の二** 第二条第一項及び前条本文の規定にかかわらず、同項の許可又は変更の許可を受けようとする者は、知事が指定する情報処理システム（以下「情報処理システム」という。）を利用して同項の申請書に記載すべき事項並びにこれに添付すべき同条の書類及び図面の内容を知事に送信することによつて、同項の申請書並びに同条の書類及び図面の提出に代えることができる。

## 第三章 占用の許可

（占用の許可）

**第四条** 占用の許可は、別に定める道路占用許可基準及び道路占用物件配置標準により行うものとする。

（道路掘さくの禁止）

**第五条** 知事は、新設又は改築後の道路において、道路の掘さくを伴う占用の許可の申請があつた場合は、前条の規定にかかわらず、舗装の種別により一年から五年の間占用を許可しないものとする。ただし、次の各号に掲げる場合は、この限りでない。

一 災害の防止、事故の復旧等一般の危険を防止するために掘さくする場合
二 沿道建築物に対する引込管線路のために掘さくする場合
三 その他公共事業のため、知事がやむを得ないと認める場合

（申請の競合した場合の取扱い）

**第六条** 知事は、同一の場所において、二人以上の者から占用許可の申請があつた場合は、先願後願にかかわらず、占用の目的、占用者の適格性、占用物件の公益性及び道路管理上の支障の有無等を総合的に判断してその許可又は不許可を決定する。

（占用の期間）

**第七条** 占用の期間は、次に掲げるところによる。

一 法第三十五条の規定に基づき協議により行う占用に係る物件については十年以内
二 法第三十二条第一項第一号、第二号及び第四号並びに道路法施行令（昭和二十七年政令第四百七十九号。以下「令」という。）第七条第一号及び第二号に規定する占用物件で構造的に堅固で、かつ、耐久

力を有するもの並びに法第三十二条第一項第三号及び第五号並びに令第七条第三号、第九号、第十号及び第十二号に規定する占用物件（前号及び令第九条により占用の期間が十年以内とされている占用物件を除く。）並びに法第三十三条第二項第三号に規定する占用物件については五年以内

三　前二号に掲げるもの以外の占用物件については一年以内

（**許可書の交付等**）

**第八条**　知事は、占用を許可したときは、別記第一号様式による道路占用許可書を交付する。

2　前項の規定にかかわらず、知事は、第三条の二の規定による申請については、情報処理システムを利用して別記第二号様式による許可書に記載すべき事項を送信することによつて、同項の許可書の交付に代えることができる。

3　知事は、占用の申請が法令、規則等に適合しない等の理由によりこれを許可しないと決定したときは、その旨申請者に通知する。

（**占用の変更の許可**）

**第九条**　第二条の規定に基づく占用の変更の許可については、第四条から前条までの規定を準用する。

## 第四章　占用者の義務

（**占用物件の適正管理**）

**第十条**　第四条の規定に基づき占用の許可を受けた者（以下「占用者」という。）は、占用物件を許可の内容及び条件等に従つて適正に管理し、破損、汚損等によつて道路管理上支障をきたさないよう十分な措置を講ずるとともに、占用に起因して道路管理者又は第三者に損害を与えたときは、占用者の責任において措置しなければならない。

（**権利の譲渡及び承継**）

**第十一条**　占用者は、その権利を他人に譲渡することはできない。ただし、譲受人と連署のうえ申請して、知事の許可を受けた場合は、この限りでない。

2　前項の譲受人は、占用の許可に基づく一切の権利義務を承継したものとみなす。

3　相続又は法人の合併によつて、占用者の権利を承継した者は、遅滞なくその旨を知事に届け出なければならない。この場合は、前項の規定を準用する。

（**目的外使用又は他人に使用させることの制限**）

**第十二条**　占用者は、その占用区域若しくは占用物件を許可を受けた目的以外に使用し、又は他人に使用させることはできない。

（**工事期間のじゆん守**）

**第十三条**　占用者は、占用許可の日から起算して三月以内に工事に着手し、工事しゆん功予定日までに工事をしゆん功しなければならない。

（**届出事項**）

**第十四条**　占用者は、次の各号に掲げる場合には、遅滞なくその旨を知事に届け出なければならない。

一　占用者がその氏名を変更し、又は住所を移転したとき。

二　占用者である法人が解散したとき。

三　占用を廃止しようとするとき（第十八条の規定による申請書を提出する場合を除く。）。

（**占用許可期間等の表示**）

**第十五条**　占用者は、占用許可の期間中、許可年月日、許可番号、許可期間並びに占用者の住所及び氏名を表示した標札を知事の指示する場所に掲出しなければならない。ただし、掲出することが困難な場合又はその他の事由により知事が掲出する必要がないと認める場合は、この限りでない。

## 第五章　占用の工事

（**占用工事の施行**）

**第十六条**　占用者が占用に関する工事を施行するときは、別に定める道路占用工事要綱によらなければならない。

（**道路の復旧工事に伴う費用**）

**第十七条**　道路の占用に伴う道路の掘さく跡の復旧工事を占用者が行う場合は、占用者は、別に定める道路掘さく復旧工事監督事務費徴収単価表により算出した金額を納付しなければならない。ただし、知事が必要があると認める場合は、その全部又は一部を免除することができる。

## 第六章　占用の廃止

（**占用物件の除却**）

**第十八条**　占用者は、法第四十条の規定に基づき、占用物件を除去し、道路を原状に回復しようとするときは、あらかじめ別記第三号様式による道路占用物件除却工事施行承認申請書を知事に提出して、その承認を受けなければならない。ただし、知事が、占用物件の除却工事が、道路の構造に影響を与えないと認める場合は、この限りでない。

2　前項の申請書には、次の各号に掲げる書類及び図面を添付しなければならない。

一　除却工事の場所及びその付近を表示した図面

二　除却工事の実施の方法に関する仕様書及び工程表

三　道路の復旧の方法に関する仕様書、図面及び工程表

四　その他知事が必要と認める書類及び図面

3　前二項の規定にかかわらず、第一項の承認を受けようとする者は、情報処理システムを利用して同項の申請書に記載すべき事項並びにこれに添付すべき前項の書類及び図面の内容を知事に送信することによつて、第一項の申請書並びに前項の書類及び図面の提出に代えることができる。

### 第七章　雑則

**（国等の行う占用への準用）**

**第十九条**　この規則は、法第三十五条の規定に基づく国等の行う事業のための占用についても準用する。

**（保証人）**

**第二十条**　知事は、占用の許可をするに当たり、必要があると認める場合は、占用者に対して、占用者と連帯して責任を負う保証人を立てさせることができる。

2　前項の保証人については、第十四条第一号及び第二号の規定を準用する。

**（道路占用台帳）**

**第二十一条**　知事は、第四条（第十九条の規定により準用される場合を含む。）の規定による許可をしたときは、道路占用台帳により、これを記録しておくものとする。ただし、道路占用台帳により記録することが困難である場合は、他の方法によることができる。

2　前項の道路占用台帳は、当該占用期間が満了したとき又は占用を廃止したときから十年間これを保管するものとする。

**附　則**

1　この規則は、昭和五十二年九月一日から施行する。

2　この規則施行の際、現にこの規則による改正前の東京都道路占用規則の規定に基づき、占用の許可を受けている者に係る占用については、当分の間、なお従前の例によるものとする。

**附　則**（令六・三・一八規則一八）

この規則は、公布の日から施行する。

**別記様式**〔略〕

## ○東京都無電柱化推進条例

平二九・六・一四
条　例　五　八

### 第一章　総則

**（目的）**

**第一条**　この条例は、都市防災機能の強化、安全で快適な歩行空間の確保及び良好な都市景観の創出を図るため、無電柱化の推進に関し、基本理念を定め、東京都（以下「都」という。）及び関係事業者の責務等を明らかにし、並びに都の区域における無電柱化の推進に関する計画（第七条において「東京都無電柱化計画」という。）の策定その他の必要な事項を定めることにより、無電柱化の推進に関する施策を総合的、計画的かつ迅速に推進することを目的とする。

**（定義）**

**第二条**　この条例において、次の各号に掲げる用語の意義は、それぞれ当該各号に定めるところによる。

一　無電柱化　電線を地下に埋設することその他の方法により、電柱（鉄道及び軌道の電柱を除く。以下同じ。）又は電線（電柱によって支持されるものに限る。第十一条を除き、以下同じ。）の道路上における設置を抑制し、及び道路上の電柱又は電線を撤去することをいう。

二　道路　道路法（昭和二十七年法律第百八十号）第二条第一項に規定する道路で、都が管理するものをいう。

三　関係事業者　道路上の電柱又は電線の設置又は管理を行う事業者をいう。

四　関係電気事業者　関係事業者のうち、電気事業法（昭和三十九年法律第百七十号）第二条第一項第九号に規定する一般送配電事業者又は同項第十三号に規定する特定送配電事業者であるものをいう。

五　関係電気通信事業者　関係事業者のうち、電気通信事業法（昭和五十九年法律第八十六号）第百二十条第一項に規定する認定電気通信事業者であるものをいう。

**（基本理念）**

**第三条**　無電柱化の推進は、無電柱化の重要性について都民の理解と関心を深めつつ、行われるものとする。

2　無電柱化の推進は、都、区市町村（特別区及び市町村をいう。以下同じ。）及び関係事業者の連携並びに都民の協力の下に行われなければならない。

3　無電柱化の推進は、地域住民の意向を踏まえつつ、良好な街並みの形成に資するよう行われなければならない。

**（都の責務）**

**第四条**　都は、前条の基本理念にのっとり、無電柱化の推進に関する施策を総合的、計画的かつ迅速に策定し、及び実施する責務を有する。

**（関係事業者の責務）**

**第五条**　関係事業者は、第三条の基本理念にのっとり、電柱又は電線の道路上における設置の抑制及び道路上の電柱又は電線の撤去を行うとともに、無電柱化の推進に資する技術の開発を行う責務を有する。

**（都民の協力）**

**第六条**　都民は、無電柱化の重要性について理解と関心を深めるとともに、都が実施する無電柱化の推進に関する施策に協力するよう努めなければならない。

## 第二章　東京都無電柱化計画

**（東京都無電柱化計画）**

**第七条**　知事は、無電柱化の推進に関する施策の総合的、計画的かつ迅速な推進を図るため、東京都無電柱化計画を定めなければならない。

2　知事は、東京都無電柱化計画を定め、又は変更しようとするときは、区市町村が実施する無電柱化の推進に関する施策を反映するなど、区市町村と連携を図るものとする。

3　東京都無電柱化計画は、次に掲げる事項について定めるものとする。

一　無電柱化の推進に関する基本的な方針

二　無電柱化の推進に関する目標

三　無電柱化の推進に関する施策

四　前各号に掲げるもののほか、無電柱化の推進に関する施策を総合的、計画的かつ迅速に推進するために必要な事項

4　知事は、東京都無電柱化計画を定め、又は変更しようとするときは、関係電気事業者、関係電気通信事業者及び都民の意見を聴かなければならない。

5　知事は、東京都無電柱化計画を定め、又は変更したときは、遅滞なく、これを公表するものとする。

## 第三章　無電柱化の推進に関する施策

**（都民の理解及び関心の増進）**

**第八条**　都は、無電柱化の重要性に関する都民の理解と関心を深めるよう、無電柱化に関する広報活動及び啓発活動の充実その他の必要な施策を講ずるものとする。

**（道路の占用の禁止等）**

**第九条**　都は、都市防災機能の強化、安全で快適な歩行空間の確保及び良好な都市景観の創出を図るために、道路について、道路法第三十七条第一項の規定による道路の占用の禁止又は制限その他無電柱化の推進のために必要な措置を講ずるものとする。

**（電柱又は電線の設置の抑制及び撤去）**

**第十条**　関係事業者は、社会資本整備重点計画法（平成十五年法律第二十号）第二条第二項第一号に掲げる事業（道路の維持に関するものを除く。）、都市計画法（昭和四十三年法律第百号）第四条第七項に規定する市街地開発事業その他これらに類する事業が実施される場合には、これらの事業の状況等を踏まえつつ、電柱又は電線を道路上において新たに設置しないものとする。

2　関係事業者は、前項の場合において、現に設置し、又は管理する道路上の電柱又は電線の撤去を当該事業の実施と併せて行うことができるときは、当該電柱又は電線を撤去するものとする。

**（調査研究、技術開発等の推進等）**

**第十一条**　都及び関係事業者は、電線を地下に埋設する簡便な方法その他の無電柱化の迅速な推進及び費用の縮減を図るための方策等に関する調査研究、技術開発等の推進及びその成果の普及に必要な措置を講ずるものとする。

**（関係者相互の連携及び協力）**

**第十二条**　都、関係事業者その他の関係者は、無電柱化に関する工事（道路上の電柱又は電線以外の物件等に係る工事と一体的に行われるものを含む。）の効率的な施行等のため、相互に連携を図りながら協力するものとする。

## 附　則

この条例は、平成二十九年九月一日から施行する。

# ○東京都駐車場条例

昭三三・一〇・一
条例七七

最終改正 令四・三・三一条例三一

## 第一章 総則

（通則）

**第一条** 東京都が設置する駐車場法（昭和三十二年法律第百六号。以下「法」という。）第二条第二号に規定する路外駐車場（道路法（昭和二十七年法律第百八十号）第二条第二項第六号に規定する自動車駐車場（以下「道路附属物駐車場」という。）を除く。以下「路外駐車場」という。）及び道路附属物駐車場の設置、管理及び駐車料金並びに法に基づく駐車場整備地区に接続する周辺の区域の指定及び大規模の建築物に附置する駐車施設の規模その他必要な事項については、この条例の定めるところによる。

## 第二章 削除

**第二条から第十四条まで** 削除

## 第三章 路外駐車場

（**種類、名称、位置等**）

**第十四条の二** 路外駐車場の種類は、次に掲げるものとする。

一 普通駐車場（臨時駐車場以外の路外駐車場をいう。以下同じ。）

二 臨時駐車場（都市計画事業（都市計画法（昭和四十三年法律第百号）第四条第十五項に規定する都市計画事業をいう。）の用に供する目的で管理している土地に、当該事業に支障のない限度において臨時に設置する路外駐車場をいう。以下同じ。）

2 普通駐車場の名称、位置及び駐車規模は、別表第二のとおりとする。

3 臨時駐車場の名称、位置及び駐車規模は、知事が定め、告示する。臨時駐車場を廃止し、又はその名称、位置若しくは駐車規模を変更するときも、同様とする。

（**供用時間**）

**第十四条の三** 路外駐車場の供用時間は、路外駐車場ごとに、午前零時から午後十二時までの間において、知事が定め、その旨を告示する。

（**駐車時間の制限**）

**第十四条の四** 路外駐車場を利用する者（以下「利用者」という。）は、知事が特に必要があると認めた場合のほか、同一の自動車を引き続き一週間を超えて駐車させてはならない。ただし、有効期間内の第十四条の十四第四項の定期駐車券の利用による駐車は、この限りでない。

（**駐車の拒否**）

**第十四条の五** 知事は、次の各号のいずれかに該当する場合においては、駐車を拒否することができる。

一 路外駐車場の構造上駐車することができないとき。

二 発火性又は引火性の物品を積載しているとき。

三 路外駐車場の構造設備を損傷するおそれのあるとき。

四 前三号に定めるもののほか、路外駐車場の管理上支障があるとき。

（禁止行為）

**第十四条の六**　路外駐車場では、次に掲げる行為をしてはならない。

一　他の自動車の駐車を妨げること。

二　路外駐車場の施設を汚染し、又はき損すること。

三　前二号に定めるもののほか、路外駐車場の管理上支障を及ぼすおそれのある行為をすること。

（損害賠償）

**第十四条の七**　利用者が、路外駐車場の設備その他物品をき損し、又は滅失したときは、その損害を賠償しなければならない。

（休止）

**第十四条の八**　知事は、路外駐車場の補修その他の理由により、必要があると認めたときは、路外駐車場の全部又は一部の供用を休止することができる。

2　知事は、前項の規定により路外駐車場の全部若しくは一部の供用を休止しようとするとき、又は休止している路外駐車場の全部若しくは一部の供用を開始しようとするときは、その旨を告示する。

（指定管理者による管理）

**第十四条の九**　知事は、地方自治法（昭和二十二年法律第六十七号）第二百四十四条の二第三項の規定により、法人その他の団体であつて知事が指定するもの（以下「指定管理者」という。）に、路外駐車場の管理に関する業務のうち、次に掲げるものを行わせることができる。

一　路外駐車場の適正な運営の確保に関する業務

二　駐車場施設の操作及び維持管理に関する業務

三　前二号に掲げるもののほか、知事が特に必要と認める業務

2　知事は、次に掲げる業務を指定管理者に行わせることができる。

一　第十四条の四の規定により、特に必要と認めるときに、同一の自動車を引き続き一週間を超えて駐車させること。

二　第十四条の五の規定により、駐車を拒否すること。

（指定管理者の指定）

**第十四条の十**　路外駐車場の指定管理者としての指定を受けようとする者は、東京都規則で定めるところにより、知事に申請しなければならない。

2　知事は、前項の規定による申請があつたときは、次に掲げる基準により最も適切な管理を行うことができると認める者を指定管理者に指定するものとする。

一　前条第一項各号に掲げる業務について相当の知識及び経験を有する者を当該業務に従事させることができること。

二　安定的な経営基盤を有していること。

三　路外駐車場の効用を最大限に発揮するとともに、効率的で安全な管理運営ができること。

四　法その他の関係法令及び条例の規定を遵守し、適正な管理運営ができること。

五　前各号に掲げるもののほか、東京都規則で定める基準

3　知事は、前項の規定による指定をするときは、効率的な管理運営を考慮し、指定の期間を定めるものとする。

（指定管理者の指定の取消し等）

**第十四条の十一**　知事は、指定管理者が次の各号のいずれかに該当するときは、前条第二項の規定による指定を取り消し、又は期間を定めて管理の業務の全部若しくは一部の停止を命ずることができる。

一　管理の業務又は経理の状況に関する知事の指示に従わないとき。

二　前条第二項各号に掲げる基準を満たさなくなつたと認めるとき。

三　第十四条の十三第一項各号に掲げる管理の基準を遵守しないとき。

四　前三号に掲げるもののほか、当該指定管理者による管理を継続することが適当でないと認めるとき。

2　前項の規定により指定管理者の指定を取り消し、又は期間を定めて管理の業務の全部若しくは一部（第十四条の十四第一項に規定する利用料金の収受を含む場合に限る。）の停止を命じた場合等で、知事が臨時に路外駐車場の管理運営を行うときに限り、新たに指定管理者を指定し、又は当該停止の期間が終了するまでの間、駐車料金を徴収する。

3　前項の場合にあつては、第十四条の十四第一項、第三項から第五項まで、第十四条の十五並びに第十四条の十六の規定を準用する。この場合において、第十四条の十四第一項中「指定管理者」とあるのは「知事」と、「利用料金」とあるのは「駐車料金」と、同条第三項中「あらかじめ知事の承認を得て、指定管理者」とあるのは「知事」と、同条第四項中「指定管理者」とあるのは「知事」と、「あらかじめ知事の承認を得て、利用料金」とあるのは「駐車料金」と、同条第五項中「指定管理者」とあるのは「知事」と、「利用料金」とあるのは「駐車料金」と、第十四条の十五中「利用料金」とあるのは「駐車料金」と、第十四条の十六中「指定管理者」とあるのは「知事」と、「利用料金」とあるのは「駐車料金」と読み替えるものとする。

（指定管理者の公表）

**第十四条の十二**　知事は、指定管理者を指定し、若しくは指定を取り消したとき、又は期間を定めて管理の業務の全部若しくは一部の停止を命じたときは、遅滞なくその旨を告示するものとする。

**（管理の基準等）**

**第十四条の十三**　指定管理者は、次に掲げる基準により、路外駐車場の管理に関する業務を行わなければならない。

一　法その他の関係法令及び条例の規定を遵守し、適正な管理運営を行うこと。
二　利用者に対して適切なサービスの提供を行うこと。
三　路外駐車場施設の維持管理を適切に行うこと。
四　当該指定管理者が業務に関連して取得した利用者の個人に関する情報を適切に取り扱うこと。

2　知事は、次に掲げる事項について、指定管理者と協定を締結するものとする。

一　前項各号に掲げる基準に関し必要な事項
二　業務の実施に関する事項
三　事業の実績報告に関する事項
四　前三号に掲げるもののほか、路外駐車場の管理に関し必要な事項

**（利用料金制）**

**第十四条の十四**　利用者は、指定管理者に路外駐車場の利用に係る料金（以下「利用料金」という。）を納付しなければならない。

2　利用料金は、指定管理者の収入とする。

3　利用料金の額は、駐車時間三十分までごとに二百五十円の範囲内において、近傍の民間駐車場の料金水準等を考慮して、あらかじめ知事の承認を得て、指定管理者が定める。

4　指定管理者は、必要があると認めるときは、あらかじめ知事の承認を得て、利用料金の額から割引をした額をもつて回数券及び定期駐車券を発行することができる。

5　指定管理者は、東京都規則で定める場合は、利用料金を減免するものとする。

**（利用料金の不納付）**

**第十四条の十五**　利用者は、普通駐車場に次の各号のいずれかに該当する自動車を駐車させる場合は、利用料金を納付することを要しない。

一　道路交通法（昭和三十五年法律第百五号）第三十九条第一項に規定する緊急自動車
二　普通駐車場の付近において、国又は地方公共団体の職員が防疫活動を行うため使用する自動車
三　前二号に掲げるもののほか、知事が定める自動車

**（利用料金の不還付等）**

**第十四条の十六**　指定管理者は、既納の利用料金を還付しないものとする。ただし、第十四条の十四第四項の定期駐車券による既納の利用料金については、指定管理者が特別の理由があると認めたときは、その一部又は全部について還付することができる。

## 第三章の二　道路附属物駐車場

**（名称、位置及び駐車規模）**

**第十四条の十七**　道路附属物駐車場の名称、位置及び駐車規模は、別表第二の二のとおりとする。

**（準用）**

**第十四条の十八**　前章（第十四条の二及び第十四条の十五を除く。）の規定は、道路附属物駐車場について準用する。この場合において、第十四条の四中「第十四条の十四第四項」とあるのは「第十四条の十八において準用する第十四条の十四第四項」と、第十四条の九第二項第一号中「第十四条の四」とあるのは「第十四条の十八において準用する第十四条の四」と、同項第二号中「第十四条の五」とあるのは「第十四条の十八において準用する第十四条の五」と、第十四条の十第二項第一号中「前条第一項各号」とあるのは「第十四条の十八において準用する前条第一項各号」と、第十四条の十一第一項中「前条第二項の」とあるのは「第十四条の十八において準用する前条第二項の」と、同項第二号中「前条第二項各号」とあるのは「第十四条の十八において準用する前条第二項各号」と、同項第三号中「第十四条の十三第一項各号」とあるのは「第十四条の十八において準用する第十四条の十三第一項各号」と、同条第二項中「第十四条の十四第一項」とあるのは「第十四条の十八において準用する第十四条の十四第一項」と、同条第三項中「第十四条の十四第一項、第三項から第五項まで」とあるのは「第十四条の十八において準用する第十四条の十四第一項、第三項から第五項まで」と、「第十四条の十五」とあるのは「第十四条の十九」と、「第十四条の十六」とあるのは「第十四条の十八において準用する第十四条の十六」と、「第十四条の十四第一項中」とあるのは「第十四条の十八において準用する第十四条の十四第一項中」と、第十四条の十四第三項中「二百五十円」とあるのは「百八十円」と、第十四条の十六中「第十四条の十四第四項」とあるのは「第十四条の十八において準用する第十四条の十四第四項」と読み替えるものとする。

**（道路附属物駐車場の利用料金の不納付）**

**第十四条の十九**　利用者は、道路附属物駐車場に次の各号のいずれかに該当する自動車を駐車させる場合は、各

利用料金を納付することを要しない。

一　道路交通法第三十九条第一項に規定する緊急自動車

二　道路法施行令（昭和二十七年政令第四百七十九号）第三条の三に規定する国土交通大臣が定める自動車

**（道路附属物駐車場の利用に関する標識）**

**第十四条の二十**　道路附属物駐車場に設ける標識は、次に掲げる事項を明示したものでなければならない。

一　利用料金（第十四条の十八において準用する第十四条の十一第二項の規定により駐車料金を徴収する場合にあつては、駐車料金。以下この項において同じ。）の額

二　駐車することができる時間

三　利用料金の徴収方法

四　その他道路附属物駐車場の利用に関し必要と認められる事項

2　前項の標識は、道路附属物駐車場を利用しようとする者の見やすい場所に設けなければならない。

## 第四章　建築物における駐車施設の附置及び管理

**（適用区域）**

**第十五条**　この章の規定は、特別区及び市の区域内に限り、適用する。

**（地区の指定）**

**第十六条**　法第二十条第二項の規定により駐車場整備地区又は商業地域若しくは近隣商業地域の周辺の都市計画区域内の地域（以下「周辺地域」という。）内で条例で定める地区（以下「周辺地区」という。）は、次の各号に掲げる区分に従い、当該各号に定める区域とする。

一　特別区の区域　駐車場整備地区、商業地域及び近隣商業地域（以下「駐車場整備地区等」という。）以外の都市計画区域

二　市の区域　第一種住居地域、第二種住居地域、準住居地域及び準工業地域（駐車場整備地区を除く。）

2　法第二十条第二項の規定により周辺地域及び駐車場整備地区等以外の都市計画区域内の地域であつて自動車交通の状況が周辺地域に準ずる地域内又は自動車交通がふくそうすることが予想される地域内で条例で定める地区（以下「自動車ふくそう地区」という。）は、市の区域内における第一種中高層住居専用地域、第二種中高層住居専用地域、工業地域又は工業専用地域（駐車場整備地区を除く。）とする。

**（建築物を新築する場合の駐車施設の附置）**

**第十七条**　別表第三の(い)欄に掲げる区域内において、当該区域に対応する同表の(ろ)欄に掲げる床面積が同表の(は)欄に掲げる面積を超える建築物を新築しようとする者は、同表の(に)欄に掲げる建築物の部分の床面積をそれぞれ同表の(ほ)欄に掲げる面積で除して得た数値を合計して得た数値（延べ面積（自動車及び自転車の駐車の用に供する部分の床面積を除く。以下同じ。）が六千平方メートルに満たない場合においては、当該合計して得た数値に同表の(へ)欄に掲げる算式により算出して得た数値を乗じて得た数値（当該数値に小数点以下の端数があるときは、その端数を切り上げるものとする。）とし、当該数値が一の場合は、二とする。）以上の台数の規模を有する駐車施設を当該建築物又は当該建築物の敷地内に附置しなければならない。ただし、次のいずれかに該当する場合は、この限りでない。

一　駐車場整備地区のうち駐車場整備計画が定められている区域において、知事が地区特性に応じた基準に基づき、必要な駐車施設の附置の確保が図られていると認める場合

二　鉄道に関する技術上の基準を定める省令（平成十三年国土交通省令第百五十一号）第二条第七号に規定する駅又は軌道法施行規則（大正十二年内務省鉄道省令）第九条第一項第十一号に規定する停留場（以下これらを「鉄道駅等」という。）からおおむね半径五百メートル以内の区域において、知事が地区特性に応じた基準に基づき、必要な駐車施設の附置の確保が図られていると認める場合

三　前二号に定めるもののほか、知事が特に必要がないと認める場合

2　特別区の区域における事務所の用途に供する部分の床面積の合計が六千平方メートルを超える建築物にあつては、別表第四の上欄に掲げる事務所の用途に供する部分の床面積に同表の下欄に掲げる率をそれぞれ乗じて得た面積の合計を当該事務所の用途に供する部分の床面積とみなして、前項の規定を適用する。

3　市の区域における事務所の用途に供する部分の床面積の合計が一万平方メートルを超える建築物にあつては、別表第五の上欄に掲げる事務所の用途に供する部分の床面積に同表の下欄に掲げる率をそれぞれ乗じて得た面積の合計を当該事務所の用途に供する部分の床面積とみなして、第一項の規定を適用する。

**（建築物を新築する場合の荷さばきのための駐車施設の附置）**

**第十七条の二**　別表第六の(い)欄に掲げる区域内において、当該区域に対応する同表の(ろ)欄に掲げる床面積が

同表の(は)欄に掲げる面積を超える建築物を新築しようとする者は、同表の(に)欄に掲げる建築物の部分の床面積をそれぞれ同表の(ほ)欄に掲げる面積で除して得た数値を合計して得た数値（合計して得た数値が十を超える場合は十とすることができ、延べ面積が六千平方メートルに満たない場合は、当該合計して得た数値に同表の(へ)欄に掲げる算式により算出して得た数値を乗じて得た数値（当該数値に小数点以下の端数があるときは、その端数を切り上げるものとする。）とする。）以上の台数の規模を有する荷さばきのための駐車施設を当該建築物又は当該建築物の敷地内に附置しなければならない。ただし、次のいずれかに該当する場合は、この限りでない。

一 駐車場整備地区のうち駐車場整備計画が定められている区域において、知事が地区特性に応じた基準に基づき、必要な荷さばきのための駐車施設の附置の確保が図られていると認める場合

二 鉄道駅等からおおむね半径五百メートル以内の区域において、知事が地区特性に応じた基準に基づき、必要な荷さばきのための駐車施設の附置の確保が図られていると認める場合

三 知事が敷地の形状等により荷さばきのための駐車施設を設置することが著しく困難であると認める場合

四 前三号に定めるもののほか、知事が特に必要がないと認める場合

2 前条第二項及び第三項の規定は、前項について準用する。

3 前二項の規定により附置する荷さばきのための駐車施設の台数は、前条の規定により附置しなければならない駐車施設の台数に含めることができる。

**（建築物を増築し、又は用途を変更する場合の駐車施設の附置）**

**第十七条の三** 建築物を増築しようとする者又は建築物の用途の変更（当該用途の変更によつて第十七条の規定を準用して算出した場合に附置しなければならない駐車施設の台数が増加し、及び法第二十条の二第一項に規定する大規模の修繕又は大規模の模様替えとなるものをいう。以下この条において同じ。）をしようとする者は、増築又は用途の変更後の建築物について、第十七条の規定を準用して算出した駐車施設の台数から、増築又は用途の変更前の建築物について、同条の規定を準用して算出した駐車施設の台数又は既に設置されていた第十七条の五第一項の規模を有する駐車施設の台数のいずれか多い台数を減じて得た台数の規模を有する駐車施設を、当該建築物又は当該建築物の敷地内に附置しなければならない。ただし、次のいずれかに該当する場合は、この限りでない。

一 駐車場整備地区のうち駐車場整備計画が定められている区域において、知事が地区特性に応じた基準に基づき、必要な駐車施設の附置の確保が図られていると認める場合

二 鉄道駅等からおおむね半径五百メートル以内の区域において、知事が地区特性に応じた基準に基づき、必要な駐車施設の附置の確保が図られていると認める場合

三 前二号に定めるもののほか、知事が特に必要がないと認める場合

**（建築物を増築し、又は用途を変更する場合の荷さばきのための駐車施設の附置）**

**第十七条の四** 建築物を増築しようとする者又は建築物の用途の変更（当該用途の変更によつて第十七条の二の規定を準用して算出した場合に附置しなければならない荷さばきのための駐車施設の台数が増加し、及び法第二十条の二第一項に規定する大規模の修繕又は大規模の模様替えとなるものをいう。以下この条において同じ。）をしようとする者は、増築又は用途の変更後の建築物について、第十七条の二の規定を準用して算出した荷さばきのための駐車施設の台数から、増築又は用途の変更前の建築物について、同条の規定を準用して算出した荷さばきのための駐車施設の台数又は既に設置されていた次条第四項の規模を有する荷さばきのための駐車施設の台数のいずれか多い台数を減じて得た台数の規模を有する荷さばきのための駐車施設を、当該建築物又は当該建築物の敷地内に附置しなければならない。ただし、次のいずれかに該当する場合は、この限りでない。

一 駐車場整備地区のうち駐車場整備計画が定められている区域において、知事が地区特性に応じた基準に基づき、必要な荷さばきのための駐車施設の附置の確保が図られていると認める場合

二 鉄道駅等からおおむね半径五百メートル以内の区域において、知事が地区特性に応じた基準に基づき、必要な荷さばきのための駐車施設の附置の確保が図られていると認める場合

三 知事が当該建築物の構造及び敷地の状態から、やむを得ないと認める場合

四 前三号に定めるもののほか、知事が特に必要がないと認める場合

2 前項の規定により附置する荷さばきのための駐車施設の台数は、前条の規定により附置しなければならない駐車施設の台数に含めることができる。

**（駐車施設及び荷さばきのための駐車施設の規模）**

**第十七条の五**　第十七条又は第十七条の三の規定により附置しなければならない駐車施設のうち自動車の格納又は駐車の用に供する部分の一台当たりの規模は、幅二・三メートル以上、奥行き五メートル以上とし、自動車を安全に駐車させ、出入りさせることができるものとしなければならない。

2　建築物又は建築物の敷地内に附置する駐車施設のうち、当該駐車施設の台数の十分の三以上の部分の一台当たりの規模は、幅二・五メートル以上、奥行き六メートル以上のものとし、そのうち一台以上は、障害者のための駐車施設として幅三・五メートル以上、奥行き六メートル以上とし、自動車を安全に駐車させ、出入りさせることができるものとしなければならない。

3　前二項の規定にかかわらず、特殊の装置を用いる駐車施設で知事が有効に駐車できると認めたものについては、前二項の規定によらないことができる。

4　第十七条の二又は前条の規定により附置しなければならない荷さばきのための駐車施設のうち自動車の格納又は駐車の用に供する部分の一台当たりの規模は、幅三メートル以上、奥行き七・七メートル以上、はり下の高さ三メートル以上とし、自動車を安全に駐車させ、出入りさせることができるものとしなければならない。ただし、当該建築物の構造及び敷地の状態からやむを得ない場合は、一台当たりの規模を、幅四メートル以上、奥行き六メートル以上、はり下の高さ三メートル以上とすることができる。

**（都市再生駐車施設配置計画の区域内における駐車施設の附置）**

**第十七条の六**　都市再生特別措置法（平成十四年法律第二十二号）第十九条の十三第一項の規定により作成された都市再生駐車施設配置計画の区域（以下「都市再生駐車施設配置計画区域」という。）内において、第十七条若しくは第十七条の二の規定の適用を受ける建築物を新築しようとする者又は第十七条の三若しくは第十七条の四の規定の適用を受ける建築物を増築し、若しくは用途の変更をしようとする者は、第十七条から第十七条の四までの規定にかかわらず、当該都市再生駐車施設配置計画に記載された同法第十九条の十三第二項第二号に掲げる事項の内容に即して駐車施設を附置しなければならない。

**（特殊の装置）**

**第十七条の七**　第十七条、第十七条の三、前条又は第十八条の規定により附置しなければならない駐車施設において特殊の装置を用いる場合には、当該特殊の装置を駐車場法施行令（昭和三十二年政令第三百四十号）第十五条に規定する特殊の装置として国土交通大臣が認定したものと同等の安全性を有するものとしなければならない。

**（駐車施設の附置等に関する特例）**

**第十七条の八**　特別区又は市が、次に掲げる区域内において、建築物を新築し、増築し、又は用途の変更をしようとする者が附置すべき駐車施設又は荷さばきのための駐車施設に関する条例を定めた場合であつて、当該区域が駐車場整備地区等、周辺地区及び自動車ふくそう地区内に存するときは、当該区域内においては、第十七条から第十七条の五までの規定は適用しない。

一　都市の低炭素化の促進に関する法律（平成二十四年法律第八十四号）第七条第一項の規定により特別区又は市が作成した低炭素まちづくり計画（同条第三項第一号に規定する集約駐車施設に関する事項が記載されたものに限る。）における同号に規定する駐車機能集約区域

二　都市再生特別措置法第四十六条第一項の規定により特別区又は市が作成した都市再生整備計画（同条第十四項第三号ハに規定する集約駐車施設に関する事項が記載されたものに限る。）における同条第二項第五号に規定する滞在快適性等向上区域

三　都市再生特別措置法第八十一条第一項の規定により特別区又は市が作成した立地適正化計画（同条第六項第三号に規定する集約駐車施設に関する事項が記載されたものに限る。）における同項第一号に規定する駐車場配置適正化区域

**（建築物の敷地が二以上の区域内にわたる場合）**

**第十七条の九**　建築物の敷地が駐車場整備地区等の区域内、周辺地区若しくは自動車ふくそう地区（次項及び次条において「周辺地区等」という。）の区域内又はこれら以外の地域の区域内のいずれか二以上の区域内にわたる場合は、これらの区域のうち当該敷地の過半が属する区域内に当該建築物があるものとみなして、第十七条から第十七条の四までの規定を適用する。

2　前項に規定する場合において、駐車場整備地区等の区域内の敷地面積及び周辺地区等の区域内の敷地面積の合計が当該建築物の敷地の面積の過半のときは、同項の規定にかかわらず、駐車場整備地区等の区域内の面積又は周辺地区等の区域内の面積のいずれか大きい区域内に当該建築物があるものとみなして、第十七条及び第十七条の二の規定を適用する。

3　建築物の敷地が都市再生駐車施設配置計画区域の内外にわたる場合においては、当該敷地の過半が当該都市再生駐車施設配置計画区域内にあるときに限り、当該都市再生駐車施設配置計画区域内に当該建築物があるものとみなして第十七条の六の規定を適用する。

4　建築物の敷地が前条各号に掲げる区域の内外にわた

る場合においては、当該敷地の過半が当該区域内にあるときに限り、当該区域内に当該建築物があるものとみなして同条の規定を適用する。

（適用の除外）

**第十七条の十**　建築基準法（昭和二十五年法律第二百一号）第八十五条に規定する仮設建築物を新築し、増築し、又は用途変更しようとする者に対しては、第十七条から第十七条の四まで又は第十七条の六の規定は、適用しない。

２　駐車場整備地区等以外の区域から新たに駐車場整備地区等又は周辺地区等に指定された区域内において、当該駐車場整備地区等又は周辺地区等に指定された日から起算して六月以内に工事に着手した者に対しては、第十七条から第十七条の四までの規定にかかわらず、当該駐車場整備地区等又は周辺地区等指定前の例による。

（附置の特例）

**第十八条**　第十七条の規定の適用を受ける建築物を新築しようとする者又は第十七条の三の規定の適用を受ける建築物を増築し、若しくは用途の変更をしようとする者が、当該建築物の敷地からおおむね三百メートル以内の場所にそれぞれ第十七条及び第十七条の五に規定する規模又は第十七条の三及び第十七条の五に規定する規模を有する駐車施設を設けた場合で、知事が当該建築物の構造又は当該建築物の敷地の位置により特にやむを得ないと認めたときは、当該駐車施設の附置を当該建築物又は当該建築物の敷地内における駐車施設の附置とみなす。

２　第十七条の規定の適用を受ける建築物を新築しようとする者又は第十七条の三の規定の適用を受ける建築物を増築し、若しくは用途の変更をしようとする者で、当該建築物の敷地に接して法第十条第一項の規定により都市計画において定められた路外駐車場を既に建設し、又は建設しようとするものは、当該建築物の構造又は当該建築物の敷地の位置により知事が特にやむを得ないと認めた場合においては、第十七条及び第十七条の三の規定にかかわらず、第十七条又は第十七条の三の規定により算定した台数につき、知事が相当と認める台数を減じて駐車施設を附置することができる。

３　建築基準法第八十六条第一項から第四項まで又は第八十六条の二第一項から第三項までの規定による認定又は許可を受けた複数の建築物についてはこれらを同一敷地内にあるものとみなし、延べ面積の算定についてはこれらを一の建築物とみなして、第十七条から第十七条の四まで又は第十七条の六の規定を適用する。

（届出）

**第十八条の二**　第十七条の六の規定の適用を受ける建築物の敷地外に駐車施設を設置しようとする者又は前条第一項及び第二項の規定により駐車施設を設置しようとする者は、東京都規則で定めるところに従い、駐車施設の位置、規模等を知事に届け出なければならない。届出事項を変更しようとする場合もまた同様とする。

（既存建築物における駐車施設等）

**第十九条**　第十七条から第十七条の四まで、第十七条の六又は第十八条の規定により設けられた駐車施設及び荷さばきのための駐車施設の所有者又は管理者は、当該施設をその目的に適合するように維持管理しなければならない。

２　特殊の装置を用いる第十七条、第十七条の三、第十七条の六又は第十八条の規定により設けられた駐車施設の所有者又は管理者は、当該特殊の装置の保守点検を定期的に行わなければならない。

**第十九条の二**　第十七条から第十七条の四まで、第十七条の六又は第十八条の規定により設けられた駐車施設及び荷さばきのための駐車施設（本項の規定の適用を受けた駐車施設及び荷さばきのための駐車施設を含む。）の所有者又は管理者は、次の各号のいずれかに該当する場合は、当該施設の台数をこの条例において必要とされる台数（以下この項において「必要台数」という。）まで減じ、又は必要台数を確保した上で、当該施設の全部若しくは一部の位置を変更することができる。

一　駐車場整備地区のうち駐車場整備計画が定められている区域、鉄道駅等からおおむね半径五百メートル以内の区域又は都市再生駐車施設配置計画区域において、知事が地区特性に応じた基準に基づき、必要な駐車施設及び荷さばきのための駐車施設の附置の確保が図られ、当該施設の台数を必要台数まで減じ、又は当該施設の全部若しくは一部の位置を変更することに支障がないと認める場合

二　前号に定めるもののほか、知事が当該施設の台数を必要台数まで減じ、又は当該施設の全部若しくは一部の位置を変更することに支障がないと認める場合

２　前項の規定の適用を受けた駐車施設及び荷さばきのための駐車施設については、前条の規定を準用する。

（措置命令）

**第二十条**　知事は、駐車施設又は荷さばきのための駐車施設の附置義務者が第十七条から第十七条の四まで及び第十七条の六の規定に、駐車施設又は荷さばきのための駐車施設の所有者又は管理者が前二条の規定にそ

れぞれ違反したときは、当該違反者に対して、期間を定めて、駐車施設又は荷さばきのための駐車施設の附置又は設置、原状回復、使用制限、使用禁止その他当該違反を是正するために必要な措置を命ずることができる。

2　知事は、前項の規定により措置を命じようとするときは、駐車施設の附置義務者、設置者、所有者又は管理者に対して、あらかじめ、その命じようとする措置及び理由を記載した措置命令書を交付するものとする。

3　前項の規定による措置命令書の様式は、東京都規則で定める。

**（立入検査等）**

**第二十一条**　知事は、駐車施設又は荷さばきのための駐車施設の適正な規模を確保するため必要があると認めるときは、建築物若しくは駐車施設若しくは荷さばきのための駐車施設の所有者若しくは管理者に対し、必要な報告をさせ、若しくは資料の提出を求め、又は当該職員に建築物若しくは駐車施設若しくは荷さばきのための駐車施設に立ち入らせてその規模等に関して検査をさせ、若しくは関係人に質問させることができる。

2　前項の規定により立入検査を行う場合は、当該職員はその身分を示す証票を携帯し、かつ、関係人の請求があつたときは、これを提示しなければならない。

3　前項の規定による証票の様式は、東京都規則で定める。

4　第一項の立入検査及び質問の権限は、犯罪捜査のために認められたものと解釈してはならない。

## 第五章　罰則

**第二十一条の二**　第十四条の六（第十四条の十八において準用する場合を含む。）の規定に違反した者は、五万円以下の過料に処する。

**第二十二条**　第二十条第一項の規定による知事の命令に違反した者は、五十万円以下の罰金に処する。

2　第二十一条第一項の規定による報告をせず、若しくは虚偽の報告をし、又は同項の規定による当該職員の立入検査を拒み、妨げ、若しくは忌避し、若しくは質問に対し答弁をせず、若しくは虚偽の答弁をした者は、二十万円以下の罰金に処する。

3　第十八条の二の規定に違反して、届出をせず、又は虚偽の届出をした者は、十万円以下の罰金に処する。

**第二十三条**　法人の代表者又は法人若しくは人の代理人、使用人その他の従業者がその法人又は人の業務に関して、前条の違反行為をした場合においては、その行為者を罰するほか、その法人又は人に対して前条の刑を科する。

## 第六章　委任

**第二十四条**　この条例の施行について必要な事項は、東京都規則で定める。

**付　則**

この条例は、公布の日から施行する。

**附　則**（平二二・三・三一条例五九）

**（施行期日）**

1　この条例は、平成二十二年四月一日から施行する。ただし、附則第四項の規定は、平成二十三年四月一日から施行する。

**（経過措置）**

2　この条例の施行の際、現にこの条例による改正前の東京都駐車場条例（以下「旧条例」という。）第三章の二の規定により管理を行っている道路附属物駐車場については、旧条例第一条、第三章の二及び第二十一条の二の規定は、平成二十三年三月三十一日までの間は、なおその効力を有する。

3　知事は、平成二十三年四月一日から平成二十八年三月三十一日までの間に限り、旧条例第十四条の十九第二項の規定により発行された道路附属物駐車場に係る回数券であって使用されていないものの返還を受けた場合は、東京都規則で定めるところにより、還付金を支払うものとする。

4　附則第二項に規定する日以前にした行為（道路附属物駐車場に係るものに限る。）に対する罰則の適用については、なお従前の例による。

**附　則**（令元・六・二六条例八）

1　この条例は、公布の日から施行する。ただし、第十九条に一項を加える改正規定は、令和元年十月一日から施行する。

2　この条例による改正後の東京都駐車場条例第十七条の七の規定は、この条例の施行の日以後に附置された駐車施設において用いる特殊の装置について適用する。

**附　則**（令四・三・三一条例三一）

1　この条例は、令和四年七月一日から施行する。

2　この条例の施行前にした行為に対する罰則の適用については、なお従前の例による。

**別表第一** 削除

**別表第二**（第十四条の二関係）

| 名称 | 位置 | 駐車規模 |
|---|---|---|
| 東京都八重洲駐車場 | 中央区日本橋三丁目、中央区京橋一丁目地先道路内 | 四、七八四平方メートル（二六五台） |
| 東京都日本橋駐車場 | 中央区日本橋一丁目、二丁目及び三丁目地先道路内 | 二、七七一平方メートル（一九〇台） |
| 東京都宝町駐車場 | 中央区日本橋三丁目、中央区京橋一丁目、二丁目及び三丁目地先道路内 | 二、七七一平方メートル（一九〇台） |
| 東京都新京橋駐車場 | 中央区京橋三丁目、中央区銀座一丁目、二丁目及び三丁目地先道路内 | 三、二〇五平方メートル（二三〇台） |
| 東京都東銀座駐車場 | 中央区銀座五丁目、七丁目及び八丁目地先道路内 | 二、六四一平方メートル（一八〇台） |

**別表第二の二**（第十四条の十七関係）

| 名称 | 位置 | 駐車規模 |
|---|---|---|
| 東京都板橋四ツ又駐車場 | 板橋区板橋二丁目地先道路内 | 二、三八〇平方メートル（二〇〇台） |

別表第三（第十七条関係）

| (い) | (ろ) | (は) | (に) | (ほ) | (へ) |
|---|---|---|---|---|---|
| 駐車場整備地区等 | 特定用途（劇場、映画館、演芸場、観覧場、放送用スタジオ、公会堂、集会場、展示場、結婚式場、斎場、旅館、ホテル、料理店、飲食店、キャバレー、カフェー、ナイトクラブ、バー、ダンスホール、遊技場、ボーリング場、体育館、百貨店その他の店舗、事務所、病院、卸売市場、倉庫若しくは工場又はこれらの二以上のものをいう。以下同じ。）に供する部分の床面積と非特定用途（特定用途以外の用途をいう。以下同じ。）に供する部分の床面積に四分の三を乗じて得たものとの合計面積 | 千五百平方メートル | 百貨店その他の店舗（連続式店舗（東京都建築安全条例（昭和二十五年東京都条例第八十九号）第二十五条に規定する連続式店舗で、床面積が五百平方メートル以下のものを含む。以下同じ。）の用途に供する部分 | 特別区の区域二百五十平方メートル<br>市の区域二百平方メートル | $1-\dfrac{1500平方メートル\times(6000平方メートル-延べ面積)}{6000平方メートル\times(ろ)欄に掲げる面積-1500平方メートル\times延べ面積}$ |
| | | | 特定用途（百貨店その他の店舗を除く。）に供する部分 | 特別区の区域三百平方メートル<br>市の区域二百五十平方メートル | |
| | | | 非特定用途に供する部分 | 特別区の区域三百平方メートル（共同住宅にあつては三百五十平方メートル）<br>市の区域三百平方メートル | |
| 周辺地区又は自動車ふくそう地区 | 特定用途に供する部分の床面積 | 二千平方メートル | 特定用途に供する部分 | 特別区の区域三百平方メートル<br>市の区域二百五十平方メートル | $1-\dfrac{6000平方メートル-延べ面積}{2\times延べ面積}$ |

備考　この表において、(ろ)欄に規定する部分及び(に)欄に掲げる部分は、自動車及び自転車の駐車の用に供する部分を除くものとし、観覧場にあつては、屋外観覧席の部分を含むものとする。

別表第四（第十七条関係）

| | |
|---|---|
| 六千平方メートル以下の部分 | 一 |
| 六千平方メートルを超え、一万平方メートル以下の部分 | 〇・八 |
| 一万平方メートルを超え、十万平方メートル以下の部分 | 〇・五 |
| 十万平方メートルを超える部分 | 〇・四 |

別表第五（第十七条関係）

| | |
|---|---|
| 一万平方メートル以下の部分 | 一 |
| 一万平方メートルを超え、五万平方メートル以下の部分 | 〇・七 |
| 五万平方メートルを超え、十万平方メートル以下の部分 | 〇・六 |

| 十万平方メートルを超える部分 | 〇・五 |
|---|---|

別表第六（第十七条の二関係）

| （い） | （ろ） | （は） | （に） | （ほ） | （へ） |
|---|---|---|---|---|---|
| 駐車場整備地区等 | 特定用途に供する部分の床面積 | 二千平方メートル | 百貨店その他の店舗の用途に供する部分 | 二千五百平方メートル | $1-\frac{6000平方メートル-延べ面積}{2\times延べ面積}$ |
| | | | 事務所の用途に供する部分 | 五千五百平方メートル | |
| | | | 倉庫の用途に供する部分 | 二千平方メートル | |
| | | | 特定用途（百貨店その他の店舗、事務所及び倉庫を除く。）に供する部分 | 三千五百平方メートル | |
| 周辺地区又は自動車ふくそう地区 | 特定用途に供する部分の床面積 | 三千平方メートル | 特定用途に供する部分 | 七千平方メートル | $1-\frac{6000平方メートル-延べ面積}{延べ面積}$ |

備考　この表において、(ろ)欄に規定する部分及び(に)欄に掲げる部分は、自動車及び自転車の駐車の用に供する部分を除くものとし、観覧場にあつては、屋外観覧席の部分を含むものとする。

# ○東京都立公園条例

昭三一・一二・二七
条例一〇七

最終改正 令六・三・二九条例八二

## 第一章 総則

(目的)

**第一条** この条例は、都立公園の設置、管理等について必要な事項を定め、都立公園の健全な発達と利用の適正化を図り、都民の福祉の増進と生活文化の向上に寄与することを目的とする。

(定義)

**第二条** この条例において「都立公園」とは、都市公園及び都市公園以外の公園をいう。

2 この条例において「都市公園」とは、都立の都市公園法(昭和三十一年法律第七十九号。以下「法」という。)第二条に規定する都市公園をいう。

3 この条例において「都市公園以外の公園」とは、都市公園以外の都立の公園または緑地をいい、都が当該公園または緑地に設ける公園施設に準ずる施設を含むものとする。

4 この条例において「公園施設」とは、法第二条第二項に規定する公園施設をいう。

5 この条例において「有料公園」とは、有料で使用させる都立公園またはその一部をいう。

6 この条例において「有料施設」とは、有料で使用させる都立の公園施設及び都市公園以外の公園の公園施設に準ずる施設をいう。

7 この条例において「公園予定区域等」とは、法第三十三条第四項に規定する公園予定区域及び予定公園施設をいう。

**(都立公園の設置、変更、廃止等)**

**第三条** 知事は、都市公園の設置に際しては、その名称、位置及び区域並びに供用開始の期日を告示する。

2 都市公園以外の公園の名称及び位置は、別表第一のとおりとし、その公園の区域及び面積は知事が定め、告示する。

3 知事は、都市公園の名称、位置若しくは区域を変更し、又は都市公園を廃止するに際しては、当該都市公園の名称、位置及び変更又は廃止に係る区域その他必要と認める事項を告示する。

4 有料施設の名称及び規模その他必要な事項は、知事が定め、告示する。

**(都市公園の設置基準)**

**第三条の二** 法第三条第一項の条例で定める基準は、次条及び第三条の四に定めるとおりとする。

**(都市公園の敷地面積の標準)**

**第三条の三** 都市公園の設置における、都の区域内の法第二条第一項に規定する都市公園(以下この条において単に「都市公園」という。)の当該区域内の住民一人当たりの敷地面積の標準は、十平方メートル(当該区域内に都市緑地法(昭和四十八年法律第七十二号)第五十五条第一項若しくは第二項の規定による市民緑地契約又は同法第六十三条に規定する認定計画に係る市民緑地(以下この条において単に「市民緑地」という。)が存するときは、十平方メートルから当該市民緑地の住民一人当たりの敷地面積を控除して得た面積)以上とし、都の市街地の都市公園の当該市街地の住民一人当たりの敷地面積の標準は、五平方メートル(当該市街地に市民緑地が存するときは、五平方メートルから当該市民緑地の当該市街地の住民一人当たりの敷地面積を控除して得た面積)以上とする。

**(都市公園の配置及び規模の基準)**

**第三条の四** 都が主として一の特別区及び市町村(以下この項において「区市町村」という。)の区域内に居住する者の休息、観賞、散歩、遊戯、運動等総合的な利用に供することを目的とする都市公園、主として運動の用に供することを目的とする都市公園及び一の区市町村の区域を超える広域の利用に供することを目的とする都市公園で、休息、観賞、散歩、遊戯、運動等総合的な利用に供されるものを設置する場合は、当該都市公園の特質に応じて都の区域内における当該都市公園の分布の均衡を図り、かつ、防火、避難等災害の防止に資するよう考慮するほか、容易に利用することができるように配置し、当該都市公園の利用目的に応じて当該都市公園としての機能を十分発揮することができるようにその敷地面積を定めるものとする。

2 都が主として風致の享受の用に供することを目的とする都市公園等を設置する場合は、当該都市公園等の設置目的に応じて当該都市公園としての機能を十分発揮することができるように配置するとともに敷地面積を定めるものとする。

**(公園施設の建築面積の基準)**

**第三条の五** 法第四条第一項本文に規定する建築面積に係る条例で定める割合は、百分の二とする。

**(公園施設の建築面積の基準の特例)**

**第三条の六** 法第四条第一項ただし書(法第五条の九第一項又は都市再生特別措置法(平成十四年法律第二十二号)第六十二条の七第一項の規定により読み替えて適用する場合を含む。)の条例で定める範囲は、次項から第七項までに定めるとおりとする。

2　都市公園法施行令（昭和三十一年政令第二百九十号。以下「政令」という。）第五条第二項に規定する休養施設、同条第四項に規定する運動施設、同条第五項に規定する教養施設、同条第八項に規定する備蓄倉庫その他都市公園法施行規則（昭和三十一年建設省令第三十号。以下「省令」という。）第一条の二で定める災害応急対策に必要な施設又は東京都自然公園条例（平成十四年東京都条例第九十五号）第二条第二号に規定する都立自然公園の利用のための施設である建築物（第五項に規定する建築物を除く。）を設ける場合は、都市公園の敷地面積の百分の十（次項及び第四項に規定する建築物に係る建築面積の敷地面積に対する割合を含む。）を限度として前条の規定により認められる建築面積を超えることができるものとする。

3　認定公募設置等計画（法第五条の七第一項に規定する認定公募設置等計画をいう。）に基づき公募対象公園施設（法第五条の二第一項に規定する公募対象公園施設をいう。以下同じ。）である建築物（前項及び第五項から第七項までに規定する建築物を除く。）を設ける場合は、都市公園の敷地面積の百分の十（前項及び次項に規定する建築物に係る建築面積の敷地面積に対する割合を含む。）を限度として前条の規定により認められる建築面積を超えることができるものとする。

4　公園施設設置管理協定（都市再生特別措置法第六十二条の三第一項に規定する公園施設設置管理協定をいう。）に基づき滞在快適性等向上公園施設（同法第四十六条第十四項第二号ロに規定する滞在快適性等向上公園施設をいう。）である建築物（第二項及び次項から第七項までに規定する建築物を除く。）を設ける場合は、都市公園の敷地面積の百分の十（前二項に規定する建築物に係る建築面積の敷地面積に対する割合を含む。）を限度として前条の規定により認められる建築面積を超えることができるものとする。

5　第二項に規定する休養施設若しくは教養施設である建築物のうち次の各号のいずれかに該当する建築物又は同項に規定する備蓄倉庫その他災害応急対策に必要な施設である建築物のうち東京都公園審議会条例（昭和二十八年東京都条例第六十六号）第一条に規定する東京都公園審議会の意見を聴いた建築物を設ける場合は、都市公園の敷地面積の百分の二十（前三項に規定する建築物に係る建築面積の敷地面積に対する割合を含む。）を限度として前条の規定により認められる建築面積を超えることができるものとする。

一　文化財保護法（昭和二十五年法律第二百十四号）の規定により国宝、重要文化財、重要有形民俗文化財、特別史跡名勝天然記念物若しくは史跡名勝天然記念物として指定され、又は登録有形文化財、登録有形民俗文化財若しくは登録記念物として登録された建築物その他これらに準じて歴史上又は学術上価値の高いものとして省令第一条の三で定める建築物

二　景観法（平成十六年法律第百十号）第十九条第一項の規定により景観重要建造物として指定された建築物

三　地域における歴史的風致の維持及び向上に関する法律（平成二十年法律第四十号）第十二条第一項の規定により歴史的風致形成建造物として指定された建築物

6　屋根付広場、壁を有しない雨天用運動場その他の高い開放性を有する建築物として省令第二条で定めるものを設ける場合は、都市公園の敷地面積の百分の十を限度として前条又は第二項から前項までの規定により認められる建築面積を超えることができるものとする。

7　仮設公園施設（三月を限度として公園施設として臨時に設けられる建築物をいい、第二項及び前二項に規定する建築物を除く。）を設ける場合は、都市公園の敷地面積の百分の二を限度として前条又は第二項から前項までの規定により認められる建築面積を超えることができるものとする。

**（公園施設に関する制限）**

**第三条の七**　政令第八条第一項に規定する一の都市公園に設ける運動施設の敷地面積の総計の当該都市公園の敷地面積に対する条例で定める割合は、百分の五十とする。

**（有料公園及び有料施設の開園時間等）**

**第四条**　有料公園及び有料施設の開園時間または使用時間若しくは入場時間は、知事が定める。

## 第二章　都市公園

### 第一節　都以外の者の公園施設の設置等

**（資格）**

**第五条**　法第五条第二項の規定により、都市公園において公園施設を設け、又は管理させることができる者は、都内に住所又は主たる事務所を有する者でなければならない。

**（許可申請書の記載事項）**

**第六条**　法第五条第一項の条例で定める許可申請書の記載事項は、次のとおりとする。

一　公園施設の設置の許可申請書

㈠　申請者の住所、氏名及び職業（法人にあつては、主たる事務所の所在地、名称、代表者の氏名

及び営業種目とする。以下同じ。）
(二) 公園施設の種類及び数量
(三) 公園施設の設置目的
(四) 公園施設の設置期間
(五) 公園施設の設置場所
(六) 公園施設の管理組織
(七) 公園施設の管理規則及び経理計画
(八) 公園施設の構造及び規模
(九) 公園施設の設置工事の期間
(十) 公園施設の設置工事費の調達計画
(十一) その他知事が指示する事項

二 公園施設の管理の許可申請書
(一) 申請者の住所、氏名及び職業
(二) 公園施設の所在、種類及び数量
(三) 公園施設の管理目的
(四) 公園施設の管理期間
(五) 公園施設の管理組織
(六) 公園施設の管理規則及び経理計画
(七) その他知事が指示する事項

三 許可を受けた事項を変更する許可申請書
(一) 申請者の住所、氏名及び職業
(二) 変更する事項
(三) 変更する理由
(四) その他知事が指示する事項

**第七条**　削除

**（保証金等）**

**第八条**　知事は、公園施設の設置または管理の許可に際し、必要があると認めるときは、保証金を徴しまたは保証人を立てさせることができる。

2　前項の保証金の額、充当及び還付は、東京都規則の定めるところによる。

**（土地又は公園施設の使用料）**

**第九条**　公園施設を設置又は管理する者（認定計画提出者（法第五条の六第一項に規定する認定計画提出者をいう。第四項において同じ。）及び協定一体型事業実施主体等（都市再生特別措置法第六十二条の五第一項に規定する協定一体型事業実施主体等をいう。第五項において同じ。）を除く。）からは、その使用する土地又は公園施設について、別表第三の範囲内において東京都規則で定める使用料を徴収する。

2　法第五条の二第四項の条例で定める公募対象公園施設の使用料の額の最低額については、別表第三に定める額を上限とし、東京都規則で定める額とする。

3　法第五条の七第三項及び都市再生特別措置法第六十二条の五第三項に規定する条例で定める額は、別表第三に定める額の範囲内において東京都規則で定める額とする。

4　認定計画提出者からは、法第五条の七第三項に規定する使用料の額を徴収する。

5　協定一体型事業実施主体等からは、都市再生特別措置法第六十二条の五第三項に規定する使用料の額を徴収する。

6　第一項及び前二項の使用料の徴収方法は、東京都規則の定めるところによる。

**（公園施設の設置または管理の休止及び廃止）**

**第十条**　公園施設の設置または管理の許可を受けた者が、公園施設の設置または管理を休止しようとするときは、あらかじめ知事の許可を受けなければならない。

2　公園施設の設置または管理の許可を受けた者が、公園施設の設置または管理を廃止しようとするときは、廃止の日の十日前に理由を付して知事に届け出なければならない。

## 第二節　都市公園の占用

**（許可申請書の記載事項）**

**第十一条**　法第六条第二項の条例で定める許可申請書の記載事項は、次のとおりとする。
一　申請者の住所、氏名及び職業
二　工作物その他の物件または施設（以下「物件」という。）の種類及び数量
三　物件の管理組織
四　物件の管理規則
五　物件の設置工事の計画
六　物件の設置工事の期間
七　前各号のほか、知事が指示する事項

**（軽易な変更事項）**

**第十二条**　法第六条第三項ただし書の条例で定める軽易な変更事項は、都市公園の風致に影響を与えない占用物件の軽微な改装等で東京都規則で定めるものとする。

**（物件を設けない占用）**

**第十三条**　物件を設けないで都市公園を占用しようとする者は、東京都規則の定めるところにより申請し、知事の許可を受けなければならない。

2　知事は、前項の許可に都市公園の管理のため必要な範囲内で条件を付することができる。

**（占用料）**

**第十四条**　都市公園を占用する者からは、別表第四の範囲内において東京都規則で定める占用料を徴収する。

2　前項の占用料の徴収方法は、東京都規則の定めるところによる。

**（準用）**

**第十五条**　第八条及び第十条の規定は、都市公園の占用

の許可について準用する。

### 第三節　管理

（行為の制限）
**第十六条**　都市公園内では、次の行為をしてはならない。ただし、第一号から第七号までについては、あらかじめ知事の許可を受けた場合は、この限りでない。
一　都市公園の原状を変更しまたは用途外に使用すること。
二　植物を採集しまたは損傷すること。
三　鳥獣魚貝の類を捕獲しまたは殺傷すること。
四　広告宣伝をすること。
五　指定した場所以外の場所へ車馬等を乗り入れまたはとめおくこと。
六　立入禁止区域に立ち入ること。
七　物品販売、業としての写真撮影その他営業行為をすること。
八　都市公園内の土地または物件を損壊すること。
九　ごみその他の汚物をすてること。
十　前各号のほか、都市公園の管理に支障がある行為をすること。

（使用の制限）
**第十七条**　知事は、都市公園の管理のため必要があると認めるときは、都市公園の使用を制限することができる。

### 第四節　有料公園及び有料施設

（使用）
**第十八条**　有料公園または有料施設を使用しようとする者は、東京都規則の定めるところにより申請し、知事の承認を受けなければならない。
2　知事は、前項の承認に有料公園または有料施設の管理のため必要な範囲内で条件を付することができる。

（使用料等）
**第十九条**　知事は、有料公園又は有料施設（別表第七に掲げる有料公園又は有料施設を除く。第三項において同じ。）を使用しようとする者から、別表第五又は別表第六に定める額の範囲内において東京都規則で定める使用料を徴収する。
2　知事は、必要があると認めるときは、東京都規則で定めるところにより、前項の使用料の額から割引した額をもつて定期入場券を発行することができる。
3　知事は、有料公園又は有料施設の使用の承認に際し、必要があると認めるときは、予納金を徴することができる。
4　前項の予納金は、使用料に充当する。
5　第一項の使用料及び第三項の予納金の徴収方法は、東京都規則の定めるところによる。

### 第五節　雑則

（権利の譲渡禁止等）
**第二十条**　公園施設の設置若しくは管理の許可、都市公園の占用の許可または有料公園若しくは有料施設の使用の承認を受けた者は、その権利を他人に譲渡しまたは転貸することができない。

（使用料等の不還付）
**第二十一条**　既納の使用料、占用料及び予納金は、還付しない。ただし、知事が相当の理由があると認めるときは、その一部または全部を還付することがある。

（使用料等の減免）
**第二十二条**　知事は、相当の理由があると認めるときは、使用料又は占用料の一部又は全部を免除することができる。

（無料公開等）
**第二十三条**　知事は、次の各号の一に該当する日に特に必要があると認めるときは、使用料を減額しまたは無料で、有料公園または有料施設を使用させることができる。
一　当該有料公園または有料施設の記念日
二　公園または緑地に関する行事の日
三　国家的行事の日

（監督処分）
**第二十四条**　知事は、次の各号のいずれかに該当する者に対して、この章の規定によつてした許可若しくは承認（第二十四条の七第二項第二号の規定による承認を含む。以下この項において同じ。）を取り消し、その効力を停止し、若しくはその条件を変更し、又は行為の中止、都市公園を原状に回復すること若しくは都市公園から退去することを命ずることができる。
一　この章の規定又はこの章の規定に基づく処分に違反している者
二　この章の規定による許可又は承認に付した条件に違反している者
三　偽りその他不正な手段によりこの章の規定による許可又は承認を受けた者
2　知事は、次の各号の一に該当する場合においては、この章の規定による許可または承認を受けた者に対し、前項に規定する処分をし、または同項に規定する必要な措置を命ずることができる。
一　都市公園に関する工事のためやむを得ない必要が生じた場合
二　都市公園の保全または都民の都市公園の使用に著しい支障が生じた場合
三　前二号に掲げる場合のほか、都市公園の管理上の理由以外の理由に基く公益上やむを得ない必要が生じた場合

（物件を保管した場合の公示事項）
**第二十四条の二**　法第二十七条第五項の条例で定める事項は、次に掲げるものとする。
一　保管した物件の名称又は種類、形状及び数量
二　保管した物件の放置されていた場所及び当該物件を除却した日時
三　当該物件の保管を始めた日時及び保管の場所
四　前三号に掲げるもののほか、保管した物件を返還するために必要と認められる事項

（物件を保管した場合の公示の方法）
**第二十四条の三**　法第二十七条第五項の規定による公示は、次に掲げる方法により行うものとする。
一　前条各号に掲げる事項を、保管を始めた日から起算して十四日間、東京都規則で定める場所に掲示すること。
二　前号の規定による掲示に係る物件のうち特に貴重と認められる物件については、同号に規定する掲示の期間が満了しても、なお当該物件の所有者、占有者その他当該物件について権原を有する者（第二十四条の六において「所有者等」という。）の氏名及び住所を知ることができないときは、その掲示の要旨を東京都公報に登載すること。
2　知事は、前項に規定する方法による公示を行うとともに、東京都規則で定める保管物件一覧簿を東京都規則で定める場所に備え付け、かつ、これをいつでも関係者に自由に閲覧させるものとする。

（物件の価額の評価の方法）
**第二十四条の四**　法第二十七条第六項の規定による物件の価額の評価は、取引の実例価格、当該物件の使用年数、損耗の程度その他当該物件の価額の評価に関する事情を勘案してするものとする。この場合において、知事は、必要があると認めるときは、物件の価額の評価に関し専門的知識を有する者の意見を聴くことができる。

（保管した物件を売却する場合の手続）
**第二十四条の五**　法第二十七条第六項の規定による保管した物件の売却は、地方自治法（昭和二十二年法律第六十七号）に定める契約の手続により行うものとする。

（物件を返還する場合の手続）
**第二十四条の六**　知事は、保管した物件（法第二十七条第六項の規定により売却した代金を含む。以下この条において同じ。）を当該物件の所有者等に返還するときは、返還を受ける者にその氏名及び住所を証するに足りる書類を提示させる等の方法によつてその者が当該物件の返還を受けるべき物件の所有者等であることを証明させ、受領書と引換えに返還するものとする。

（指定管理者による管理）
**第二十四条の七**　知事は、地方自治法第二百四十四条の二第三項の規定により、法人その他の団体であつて知事が指定するもの（以下「指定管理者」という。）に、都市公園の管理に関する業務のうち、次に掲げるものを行わせることができる。
一　公園施設（法第五条第一項の規定により設置又は管理の許可をした公園施設を除く。以下この条及び第二十四条の十一において同じ。）の維持及び修繕に関する業務
二　公園施設の使用の受付及び案内に関する業務
三　前二号に掲げるもののほか、知事が特に必要と認める業務
2　知事は、次に掲げる業務を指定管理者に行わせることができる。
一　第十七条の規定により、都市公園の管理のため必要があると認めて、都市公園の使用を制限すること。
二　第十八条の規定により、有料公園又は有料施設の使用を承認すること及び有料公園又は有料施設の管理のため必要な範囲内でその承認に条件を付すること。

（指定管理者の指定）
**第二十四条の八**　指定管理者としての指定を受けようとする者は、東京都規則で定めるところにより、知事に申請しなければならない。
2　知事は、前項の規定による申請があつたときは、次に掲げる基準により最も適切な公園管理を行うことができると認める者を指定管理者に指定するものとする。
一　前条第一項各号に掲げる業務について相当の知識及び経験を有する者を当該業務に従事させることができること。
二　安定的な経営基盤を有していること。
三　都市公園の効用を最大限に発揮するとともに、効率的な管理運営ができること。
四　法その他の関係法令及び条例の規定を遵守し、適正な管理運営ができること。
五　前各号に掲げるもののほか、東京都規則で定める基準
3　知事は、前項の規定による指定をするときは、効率的な管理運営を考慮し、指定の期間を定めるものとする。

（指定管理者の指定の取消し）
**第二十四条の九**　知事は、指定管理者が次の各号のいずれかに該当するときは、前条第二項の規定による指定

を取り消すことができる。
一　管理の業務又は経理の状況に関する知事の指示に従わないとき。
二　前条第二項各号に掲げる基準を満たさなくなつたと認めるとき。
三　第二十四条の十一第一項各号に掲げる管理の基準を遵守しないとき。
四　前三号に掲げるもののほか、当該指定管理者による管理を継続することが適当でないと認めるとき。
2　前項の規定により指定管理者の指定を取り消し、又は期間を定めて管理の業務の全部若しくは一部（第二十四条の十二第一項に規定する利用料金の収受を含む場合に限る。）の停止を命じた場合等で、知事が臨時に有料公園又は有料施設の管理運営を行うときに限り、新たに指定管理者を指定し、又は当該停止の期間が終了するまでの間、使用料を徴収する。
3　前項の場合における、第十九条の規定の適用については、同条第一項中「有料公園又は有料施設（別表第七に掲げる有料公園又は有料施設を除く。第三項において同じ。）」とあるのは「有料公園又は有料施設」と、「別表第五又は別表第六」とあるのは「別表第八又は別表第九」と、「東京都規則で」とあるのは「知事が」とする。

（**指定管理者の公表**）
**第二十四条の十**　知事は、指定管理者を指定し、若しくは指定を取り消したとき、又は期間を定めて管理の業務の全部若しくは一部の停止を命じたときは、遅滞なくその旨を告示するものとする。

（**管理の基準等**）
**第二十四条の十一**　指定管理者は、次に掲げる基準により、都市公園の管理に関する業務を行わなければならない。
一　法その他の関係法令及び条例の規定を遵守し、適正な管理運営を行うこと。
二　利用者に対して適切なサービスの提供を行うこと。
三　公園施設の維持管理を適切に行うこと。
四　当該指定管理者が業務に関連して取得した利用者の個人に関する情報を適切に取り扱うこと。
2　知事は、次に掲げる事項について、指定管理者と協定を締結するものとする。
一　前項各号に掲げる基準に関し必要な事項
二　業務の実施に関する事項
三　事業の実績報告に関する事項
四　前三号に掲げるもののほか、都市公園の管理に関し必要な事項

（**利用料金等**）
**第二十四条の十二**　指定管理者は、有料公園又は有料施設（別表第七に掲げる有料公園又は有料施設に限る。以下この条において同じ。）の利用に係る料金（以下「利用料金」という。）を当該有料公園又は有料施設を利用しようとする者から収受する。
2　利用料金の額は、別表第八又は別表第九に定める金額を上限とし、東京都規則で定める金額の範囲内において、あらかじめ知事の承認を得て、指定管理者が定める。
3　指定管理者は、必要があると認めるときは、あらかじめ知事の承認を得て、利用料金の額から割引した額をもつて定期入場券を発行することができる。
4　指定管理者は、有料公園又は有料施設の使用の承認に際し、必要があると認めるときは、予納金（以下「利用予納金」という。）を収受することができる。
5　利用予納金は、利用料金に充当する。
6　利用料金及び利用予納金の収受方法は、東京都規則の定めるところによる。
7　利用料金は、指定管理者の収入とする。
8　第二十一条から第二十三条までの規定は、指定管理者が有料公園又は有料施設の使用を承認し、利用料金又は利用予納金を収受する場合について、準用する。この場合において、第二十一条中「使用料、占用料及び予納金」とあるのは「利用料金及び利用予納金」と、「知事」とあるのは「指定管理者」と、第二十二条中「知事」とあるのは「指定管理者」と、「使用料又は占用料」とあるのは「利用料金」と、第二十三条中「知事」とあるのは「指定管理者」と、「使用料」とあるのは「利用料金」と読み替えるものとする。

（**過料**）
**第二十五条**　第十六条の規定に違反して同条各号に掲げる行為をした者に対しては、五万円以下の過料を科する。

（**準用等**）
**第二十五条の二**　第五条、第六条、第八条から第十七条まで、第二十条から第二十二条まで及び第二十四条から第二十四条の六までの規定は、公園予定区域等について準用する。
2　前項において準用する第十六条の規定に違反して同条各号に掲げる行為をした者に対しては、五万円以下の過料を科する。

（**権限の代行**）
**第二十五条の三**　法第五条の十一の規定により知事に代わつてその権限を行う者は、この章の規定の適用については、知事とみなす。

## 第三章　都市公園以外の公園

（都以外の者の公園施設の設置等）

**第二十六条**　都は、都市公園以外の公園（以下この章において「公園」という。）に設ける公園施設に準ずる施設（以下この章において「公園施設」という。）で自ら設けまたは管理することが不適当または困難であると認められるものに限り、都以外の者に当該公園施設を設けまたは管理させることができる。

2　都以外の者が公園施設を設けまたは管理しようとするときは、第六条で定める事項を記載した申請書を知事に提出してその許可を受けなければならない。許可を受けた事項を変更しようとするときも、同様とする。

3　都以外の者が公園施設を設けまたは管理する期間は、十年をこえることができない。これを更新するときの期間についても、同様とする。

4　第五条及び第七条から第十条までの規定は、都以外の者が公園施設を設けまたは管理する場合に準用する。

（公園の占用の許可）

**第二十七条**　公園に公園施設以外の物件を設けて公園を占用しようとするときは、知事の許可を受けなければならない。

2　前項の許可を受けようとする者は、占用の目的、占用の期間、占用の場所、物件の構造及び第十一条で定める事項を記載した申請書を知事に提出しなければならない。

3　第一項の許可を受けた者は、許可を受けた事項を変更しようとするときは、当該事項を記載した申請書を知事に提出してその許可を受けなければならない。ただし、その変更が公園の風致に影響を与えない占用物件の軽微な改装等で東京都規則で定めるものであるときは、この限りでない。

4　第一項の規定による公園の占用の期間は、十年をこえない範囲内において東京都規則で定める期間をこえることができない。これを更新するときの期間についても、同様とする。

**第二十八条**　知事は、前条第一項又は第三項の許可の申請に係る物件が法第七条第一項各号に掲げる工作物その他の物件若しくは施設又は同条第二項に規定する社会福祉施設に該当し、公園の占用が都民のその使用に著しい支障を及ぼさず、かつ、必要やむを得ないと認められるものであつて、東京都規則で定める技術的基準に適合する場合に限り、前条第一項又は第三項の許可を与えることができる。

（準用）

**第二十九条**　第八条、第十条、第十三条及び第十四条の規定は、公園の占用について準用する。

（許可の条件）

**第三十条**　知事は、第二十六条第二項または第二十七条第一項若しくは第三項の許可に公園の管理のため必要な範囲内で条件を付することができる。

（原状回復）

**第三十一条**　第二十六条第二項または第二十七条第一項若しくは第三項の許可を受けた者は、公園施設を設け若しくは管理する期間若しくは公園の占用の期間が満了したとき、または公園施設の設置若しくは管理若しくは公園の占用を廃止したときは、ただちに公園を原状に回復しなければならない。ただし、原状に回復することが不適当な場合においては、この限りでない。

2　知事は、第二十六条第二項または第二十七条第一項若しくは第三項の許可を受けた者に対して、前項の規定による原状の回復または原状に回復することが不適当な場合の措置について必要な指示をすることができる。

（監督処分）

**第三十二条**　知事は、次の各号の一に該当する者に対して、この章の規定によつてした許可を取り消し、その効力を停止し若しくはその条件を変更し、または行為若しくは工事の中止、公園に存する物件の改築、移転若しくは除却、当該物件により生ずべき損害を予防するため必要な施設をすること若しくは公園を原状に回復することを命ずることができる。

一　この章の規定またはこの章の規定に基く処分に違反している者

二　この章の規定による許可に付した条件に違反している者

三　偽りその他不正な手段によりこの章の規定による許可を受けた者

2　知事は、次の各号の一に該当する場合においては、この章の規定による許可を受けた者に対し、前項に規定する処分をし、または同項に規定する必要な措置を命ずることができる。

一　公園に関する工事のためやむを得ない必要が生じた場合

二　公園の保全または都民の使用に著しい支障が生じた場合

三　前二号に掲げる場合のほか、公園の管理上の理由以外の理由に基く公益上やむを得ない必要が生じた場合

（準用等）

**第三十三条**　第十六条から第二十四条まで及び第二十四

条の七から第二十四条の十二までの規定は、公園について準用する。

2　前項において準用する第十六条の規定に違反して同条各号に掲げる行為をした者に対しては、五万円以下の過料を科する。

## 第四章　委任

（委任）

**第三十四条**　この条例の施行について必要な事項は、東京都規則で定める。

### 付　則

（施行期日）

1　この条例は、東京都規則で定める日〔昭三二・四・一〕から施行する。

（関係条例の廃止）

2　東京都立公園条例（昭和二十八年三月東京都条例第七十一号）、東京都公会堂使用条例（昭和二十四年三月東京都条例第三十九号）、東京都砧ゴルフ場条例（昭和二十九年十一月東京都条例第九十二号）及び東京都復興記念館使用条例（昭和十九年六月東京都条例第二十五号）（以下「旧条例」という。）は、廃止する。

（経過措置）

3　この条例施行の際現に設置されている公園等は、この条例によつて設置されたものとみなす。

4　この条例施行の際現に旧条例によつて有料公園または有料施設の使用の承認を受けている者は、この条例によつて使用の承認を受けたものとみなす。

5　この条例施行の日（以下「施行日」という。）の前日までに旧条例の規定によつて施行日以後の使用料、占用料または予納金を徴収している場合は、当該使用料、占用料または予納金は、この条例の規定によつて徴収した使用料、占用料または予納金とみなす。

6　この条例施行の際現に権原に基いて都市公園以外の公園において公園施設に準ずる施設を設けまたは管理している者は、その権原に基いてなお当該公園施設に準ずる施設を設けまたは管理することができるものとされている期間、従前と同様の条件により、当該公園施設に準ずる施設を設けまたは管理することについて第二十六条第二項の許可を受けたものとみなす。

7　この条例施行の際現に権原に基いて法第七条各号に掲げる物件を設けて都市公園以外の公園を占用している者は、その権原に基いてなお都市公園以外の公園を占用することができるものとされている期間、従前と同様の条件により、当該物件を設けて当該都市公園以外の公園を占用することについて第二十七条第一項の許可を受けたものとみなす。

### 附　則（令五・三・三一条例四一）

1　この条例は、令和五年四月一日から施行する。

2　この条例の施行の際、この条例による改正前の東京都立公園条例の規定により、既に納付すべきものとされているこの条例の施行の日以後の使用に係る使用料については、なお従前の例による。

### 附　則（令六・三・二九条例八二）

この条例は、令和六年四月一日から施行する。

**別表**〔略〕

# ○東京都河川流水占用料等徴収条例

平一二・三・三一
条例九五

最終改正　令六・二・二九条例八一

（趣旨）

**第一条**　この条例は、河川法（昭和三十九年法律第百六十七号。以下「法」という。）第三十二条第一項の規定により知事が徴収する流水占用料、土地占用料及び土石採取料その他の河川産出物採取料（以下「流水占用料等」という。）並びに法第七十四条第五項の規定により知事が徴収する延滞金（以下「延滞金」という。）の額、徴収方法等について定めるものとする。

（流水占用料等の徴収）

**第二条**　知事は、法第二十三条、第二十四条若しくは第二十五条の規定による流水の占用、土地の占用若しくは土石その他の河川産出物の採取又は法第二十三条の二の規定による流水の占用（以下「流水の占用等」という。）の許可又は登録（以下「流水の占用等の許可等」という。）を受けた者から、法第三十二条第一項に規定する流水占用料、土地占用料又は土石採取料その他の河川産出物採取料を徴収する。

（流水占用料等の額）

**第三条**　流水占用料等の額は、別表のとおりとする。ただし、一件の流水占用料等の額が百円未満の場合は、百円とする。

（流水占用料等の減免）

**第四条**　知事は、流水の占用等の許可等をする場合において、当該行為が次の各号のいずれかに該当するときは、当該流水の占用等の許可等に係る流水占用料等を減額し、又は免除することができる。

一　国の行う事業のためにするとき。

二　地方自治法（昭和二十二年法律第六十七号）第一条の三に規定する地方公共団体その他公共団体の行う事業のためにするとき（当該事業に係る施設の経営が営利を目的とし、又は利益をあげるものでないときに限る。）。

三　かんがいのためにするとき。

四　前三号に掲げるもののほか、知事が特に必要があると認めるとき。

2　知事は、前項に定めるもののほか、天災地変その他流水の占用等の許可等を受けた者の責に帰することのできない理由により流水の占用等の目的を遂行することができなかったと認めるときは、その期間に係る流水占用料等を減額し、又は免除することができる。

（**流水占用料等の徴収方法**）

**第五条**　流水占用料等は、流水の占用等の許可等をした日又は知事が法第三十二条第四項の規定による通知を受けた日から二月以内に、当該流水の占用等の期間に係る分の全額を徴収するものとする。ただし、当該流水の占用等の期間が翌年度以降にわたる場合においては、翌年度以降の年度分の流水占用料等は、毎年度、当該年度分を四月三十日までに徴収するものとする。

2　知事は、流水占用料等が特に多額であると認める場合又はその他の理由により流水占用料等について一時にその全額を納入することが困難であると認める場合においては、前項の規定にかかわらず、流水の占用等の許可等を受けた者の申請により、三回以内に分割して納入させることができる。

（**延滞金**）

**第六条**　延滞金は、当該延滞金に係る法第七十四条第一項の負担金等の額が千円以上である場合に徴収するものとし、その額は、納入すべき期限の翌日から納入の日の前日までの日数に応じ、当該負担金等の額に年十四・五パーセントの割合を乗じて計算した額とする。ただし、延滞金の額が百円未満である場合は、徴収しない。

2　前項の規定にかかわらず、知事は、東京都規則で定める事由に該当するときは、同項の延滞金を減額し、又は免除することができる。

（**委任**）

**第七条**　この条例の施行について必要な事項は、東京都規則で定める。

**附　則**

1　この条例は、平成十二年四月一日から施行する。

2　この条例の規定は、この条例の施行の日（以下「施行日」という。）以後に法第二十三条から第二十五条までの規定による許可（以下「許可」という。）をした流水の占用等及び施行日前に許可をした流水の占用等で当該許可の期間が施行日以降にわたるものの当該施行日以降に係る期間について適用する。

**附　則**（令六・三・二九条例八一）

この条例は、令和六年四月一日から施行する。

**別表**（第三条関係）

一　土地占用料

| 河川区域の別／占用種別 | 第一種 | 第二種 | 第三種 | 第四種 | |
|---|---|---|---|---|---|
| 一級地 | 一万六千四百八十七円 | 八千二百四十三円 | 二万七千四百七十八円 | 二万七千四百七十八円 | 百九万 |
| 二級地 | 四千七百十一円 | 二千三百五十五円 | 七千八百五十一円 | 七千八百五十一円 | 三十一 |
| 三級地 | 二千四百八十五円 | 千二百四十二円 | 四千百四十三円 | 四千百四十三円 | 十六万 |
| 四級地 | 七百四円 | 三百五十二円 | 千百七十四円 | 千百七十四円 | 四万六 |
| 五級地 | 二百五円 | 百二円 | 三百四十三円 | 三百四十三円 | 一万三 |
| 単位 | 一平方メートル一年 | | | | |

| | | | | | | |
|---|---|---|---|---|---|---|
| 第五種 | 九千百四十一円 | 万四千七十五円 | 五千七百二十一円 | 千九百九十三円 | 千七百三十一円 | 千平方メートル一年 |
| 第六種 | | | | 四千六百円 | 四千六百円 | |
| 第七種 | 二万七千四百七十八円 | 七千八百五十一円 | 四千四百四十三円 | 千七百十四円 | 三百四十三円 | 一平方メートル一年 |
| 第八種 | 一万三千七百三十九円 | 三千九百二十五円 | 二千七百十一円 | 五百八十七円 | 百七十一円 | |
| 第九種 | 四万一千二百十七円 | 一万一千七百七十七円 | 六千二百十四円 | 千七百六十二円 | 五百十四円 | |
| 第十種 | 二万七千四百七十八円 | 七千八百五十一円 | 四千四百四十三円 | 千七百十四円 | 三百四十三円 | |

備考

一　占用種別

第一種

イ　船、いかだ等の係留、桟橋の設置又は荷揚げ、造船、給排水等河川を直接に利用するための施設の設置を目的とするもの

ロ　橋りょう（居住者等のための通路の用に供するものに限る。）の設置を目的とするもの

ハ　通路その他原状のまま使用することを目的とするもの

第二種

イ　軌道事業又は鉄道事業のための軌道（橋りょうを含む。）の設置を目的とするもの

ロ　ガス又は電力の供給事業及び電気通信事業のための工作物の埋設を目的とするもの

第三種　仮設小屋、工事用建物その他の仮設工作物又はこれらの附属施設の設置を目的とするもの

第四種

イ　橋りょう（第一種ロ及び第二種イに該当するものを除く。）の設置を目的とするもの

ロ　橋りょうへの添架を目的とするもの

第五種　運動場、ゴルフ場その他これらに類するものの設置を目的とするもの

第六種　農耕地、牧草地その他これらに類するものに使用することを目的とするもの

第七種　電力の供給事業及び電気通信事業のための電柱及び鉄塔の設置を目的とするもの

第八種　電線及びこれに類する架空線の設置を目的とするもの

第九種　河川法（昭和三十九年法律第百六十七号。以下「法」という。）第九条第一項及び第二項、第十条第一項並びに第十一条第三項の規定により法第二十四条の許可を行う者が別に指定する区域において、都市及び地域の再生等のために利用する広場等及び当該広場等と一体をなす飲食店、売店その他の施設並びにこれらに類する施設の設置を目的とするもの

第十種　前各種に属さないもの

二　河川区域の別

一級地　千代田区、中央区、港区、新宿区及び渋谷区の存する区域内の河川区域

二級地　文京区、台東区、品川区、目黒区及び豊島区の存する区域内の河川区域

三級地　墨田区、江東区、大田区、世田谷区、中野区、杉並区、北区、荒川区、板橋区、練馬区、足立区、葛飾区及び江戸川区の存する区域内の河川区域

四級地　市の存する区域内の河川区域

五級地　町村の存する区域内の河川区域

三　土地占用料を算定する面積は、東京都規則で定める場合を除き、法第二十四条に基づく許可に係る面積による。

四　削除

五　削除

六　削除

七　第一種から第四種まで又は第七種から第十種までの占用の場合において、占用面積が一平方メートル未満であるとき、又は占用面積に一平方メートル未満の端数があるときのその面積又は端数は一平方メートルに、第五種又は第六種の占用の場合において、占用面積が千平方メートル未満であるとき、又は占用面積に千平方メートル未満の端数があるときのその面積又は端数は千平方メートルに、それぞれ切り上げて計算する。

八　占用期間が年の中途において開始し、又は終了するときの当該年の占用料は、月割りで計算する。

九　占用期間の月数は、占用を始める日の属する月から占用が終わる日の属する月までの月数による。

二　流水占用料

| 種別 | 単位 | 金額 |
|---|---|---|
| 一　(一)　昭和四十年十月一日以降に発電（設備の点検のためにするものを | | |

| 区分 | 発電所 | 期間 | 額 |
|---|---|---|---|
| 揚水式発電所以外の発電所 | 除く。以下同じ。）を開始した発電所<br>㈡　昭和四十年九月三十日以前に発電を開始した後に設備の増設をし、昭和四十年十月一日以降に当該増設に係る設備又はその部分を使用して行う発電を開始した発電所（増設以後の理論水力についてこの項に掲げる式により算出した額が、増設前の理論水力について二の項に掲げる式により算出した額に満たないものを除く。） | 一年 | 次の式により算出した額<br>一、九七六円×常時理論水力＋四三六円×（最大理論水力－常時理論水力） |
| | 二　一の項に掲げる発電所以外の発電所 | 一年 | 次の式により算出した額<br>一、九七六円×常時理論水力＋九八八円×（最大理論水力－常時理論水力） |
| 揚水式発電所 | 三<br>㈠　昭和四十八年四月一日以降に発電を開始した発電所<br>㈡　昭和四十八年三月三十一日以前に発電を開始した後に設備の増設をし、昭和四十八年四月一日以降に当該増設に係る設備又はその部分を使用して行う発電を開始した発電所（次に掲げるものを除く。）<br>イ　昭和四十年九月三十日以前において発電を開始した発電所で、増設以後の理論水力についてこの項に掲げる式により算出した額が、増設前の理論水力について五の項に掲げる式により算出した額に満たないもの<br>ロ　昭和四十年十月一日から昭和四十八年三月三十一日までの間において発電を開始した発電所で、増設以後の理論水力についてこの項に掲げる式により算出した額が、増設前の理論水力について四の項に掲げる式により算出した額に満たないもの | 一年 | 次の式により算出した額<br>｛一、九七六円×常時理論水力＋四三六円×（最大理論水力－常時理論水力）｝×補正係数a |
| | 四　昭和四十年十 | | |

| | | | |
|---|---|---|---|
| | 月一日から昭和四十八年三月三十一日までの間において発電を開始した発電所（三の項(二)に掲げるものを除く。） | 一年 | 次の式により算出した額<br>〔二、九七六円×常時理論水力＋四三六円×（最大理論水力－常時理論水力）〕×補正係数b |
| | 五　三の項及び四の項に掲げる発電所以外の発電所 | 一年 | 次の式により算出した額<br>〔二、九七六円×常時理論水力＋九八八円×（最大理論水力－常時理論水力）〕×補正係数b |
| 工業用その他 | | 一年 | 次の式により算出した額<br>六、四七七円×使用水量 |

備考

一　表に掲げた式に用いる単位は、次のとおりとする。

イ　常時理論水力及び最大理論水力　キロワット

ロ　使用水量　リットル毎秒

二　表に掲げる式における補正係数a及びbは、昭和五十年建設省告示第千百二十五号の規定するところにより、各発電所ごとに国土交通大臣が算出した数とする。

三　発電用の水利使用にあっては理論水力が一キロワット未満であるとき、又は理論水力に一キロワット未満の端数があるときのその水力又は端数は一キロワットに、工業用その他の水利使用にあっては水量が一リットル毎秒未満であるとき、又は水量に一リットル毎秒未満の端数があるときのその水量又は端数は一リットル毎秒に、それぞれ切り上げて計算する。

四　水利使用の期間が年の中途において開始し、又は終了するときの当該年の流水占用料は、月割りで計算する。

五　水利使用の期間の月数は、取水を始める日の属する月から取水が終わる日の属する月までの月数による。

三　土石採取料

| 種別 | 金額 | 単位 |
|---|---|---|
| 砂利 | 二百九十五円 | 一立方メートル |
| 砂 | 二百九十五円 | |
| 玉石 | 四百四十四円 | |
| 泥土 | 百六十五円 | |

備考

一　玉石は、直径十二センチメートル以上のものとする。

二　採取容積が一立方メートル未満であるとき、又は採取容積に一立方メートル未満の端数があるときのその容積又は端数は、一立方メートルに切り上げて計算する。

四　河川産出物採取料

| 種別 | 金額 | 単位 |
|---|---|---|
| 雑草<br>ささ<br>じゅん菜 | 八円 | 百平方メートル |
| あし<br>かや | 六百七十七円 | |
| 埋もれ木<br>竹木 | その都度の評価による額 | |

備考　採取面積が百平方メートル未満であるとき、又は採取面積に百平方メートル未満の端数があるときのその面積又は端数は、百平方メートルに切り上げて計算する。

# ○東京都船舶の係留保管の適正化に関する条例

平一四・三・二九
条例九八

（目的）

**第一条**　この条例は、船舶の係留保管の秩序を確立することにより、都市景観の回復及び創出を図るとともに、都民の暮らしの安全性の保持並びに公共水域を利用した経済活動及び公共水域周辺の良好な生活環境の確保に資することを目的とする。

（定義）

**第二条**　この条例において、次の各号に掲げる用語の意義は、それぞれ当該各号に定めるところによる。

一　船舶　人又は貨物を積載し、自航、えい航を問わず、水面を移動するために用いられる物をいう。

二　係船　船舶を、さん橋、係留くい若しくは係船浮標等を用いて固定し、又は当該船舶の運転をする者がその船舶を離れて、直ちに移動できない状態で、水面に置くことをいう。

三　係留保管　船舶を、水面においては常時係船し、陸上の土地においては船台等に常時定置することをいう。

四　係留保管施設　係留保管の用に供するために、国、地方公共団体、その他係留保管を行う水面又は陸上の土地に正当な権原を有する者が設置した施設及びその水面又は陸上の土地をいう。

五　係留保管施設等　係留保管施設又は所有者等が係留保管をする正当な権原を有する水面若しくは陸上の土地をいう。

六　係留保管場所　係留保管施設その他係留保管をするための場所をいう。

七　放置　係留保管施設等及び所有者等が係留保管又は係船をする正当な権原を有する水面以外の、公共水域に係船することをいう。

八　所有者等　船舶の所有者その他船舶を使用する権利を有する者で、自己のために船舶を運行の用に供するもの（以下「保有者」という。）をいう。ただし、船舶の保有者が不明の場合は、当該船舶の占有者をいう。

九　事業者　船舶の製造、販売、輸入又は係留保管を業とする者をいう。

（都の責務）

**第三条**　東京都（以下「都」という。）は、船舶の係留保管の適正化を図るため、国、隣接する県及び市並びに関係する特別区及び都内の市町村等（以下「関係団体等」という。）との連携を確保しつつ、総合的な施策を推進するものとする。

2　都は、関係団体等と連携して、所有者等が適正な係留保管を行うよう、指導するものとする。

（所有者等の責務）

**第四条**　所有者等は、自らの責任において係留保管施設等を確保し、船舶の適正な管理に努めなければならない。

2　所有者等は、公共水域等に関する法令等を遵守するとともに、公共水域の周辺の生活環境及び都市景観の保全に配慮し、船舶の適正な利用に努めなければならない。

（事業者の責務）

**第五条**　事業者は、都が実施する船舶の係留保管の適正化に関する施策に協力しなければならない。

2　事業者は、所有者等に対し、適正な係留保管に関する啓発、情報の提供その他必要な措置を講ずるよう努めなければならない。

（係留保管適正化計画）

**第六条**　知事は、係留保管の適正化を総合的に推進するため、船舶の係留保管の適正化に関する計画（以下「係留保管適正化計画」という。）を定め、これを公表しなければならない。

2　係留保管適正化計画においては、次に掲げる事項について定めるものとする。

一　船舶の放置の防止に関する事項

二　係留保管施設の整備に関する事項

三　その他船舶の係留保管の適正化の推進に関する重要事項

（適正化区域の指定）

**第七条**　知事は、次に掲げる区域のうち、当該区域及びその周辺区域の係留保管施設の整備状況を勘案し、船舶の係留保管の適正化を特に図る必要がある区域を、適正化区域として指定することができる。

一　災害時（地震、大規模な火災その他の災害が発生し、又はまさに発生しようとしているときをいう。以下同じ。）における船舶による円滑な避難、輸送等を確保するために必要な区域

二　船舶の放置により、騒音、悪臭等が発生し、又は防火、防犯等の面での安全性が低下する等、周辺の地域の住民の良好な生活が阻害されている区域

三　港湾における船舶を利用した経済活動を確保するために必要な区域

2　知事は、前項の規定により適正化区域を指定する場合には、その旨及びその区域を告示しなければならない。

3　適正化区域の指定は、前項の規定による告示によってその効力を生ずる。
4　知事は、必要があると認めるときは、適正化区域を変更し、又はその指定を解除することができる。
5　第二項及び第三項の規定は、前項の規定による適正化区域の変更及びその指定の解除について準用する。

（重点適正化区域の指定）
**第八条**　知事は、適正化区域のうち次に掲げる区域を、重点適正化区域として指定することができる。
一　災害時における船舶による避難又は応急措置の実施に必要な物資の輸送（以下「船舶による避難等」という。）の拠点又は経路として特に重要であると認められる区域
二　船舶の放置に起因して、周辺の地域の住民に治安及び防犯の面での危険性が生じており、その是正が特に必要であると認められる区域
三　正当な権原なく設置された係留保管の用に供する施設に起因して、騒音、悪臭、水質の汚濁等が発生し、生活環境の著しい悪化が生じており、その是正が特に必要であると認められる区域
四　船舶の燃料、廃油等の違法な貯蔵又は投棄に起因して、周辺の地域の火災発生の危険性が生じており、その是正が特に必要であると認められる区域
五　岸壁、さん橋等の前面、泊地その他船舶の航行又は利用が多い区域で、海上保安上特に重要であると認められる区域
2　前条第二項から第四項までの規定は、重点適正化区域の指定、その区域の変更及び指定の解除について準用する。

（禁止行為）
**第九条**　何人も、適正化区域内において、船舶を放置してはならない。
2　何人も、適正化区域内の水面（係留保管施設等を除く。）を、係留保管場所として使用してはならない。

（指導及び警告）
**第十条**　知事は、適正化区域内に放置されている船舶の所有者等に対し、当該船舶を係留保管施設等に移動するよう指導することができる。
2　知事は、前項の規定による指導に従わない所有者等に対し、当該船舶を係留保管施設等に移動するよう警告することができる。

（船舶の移動）
**第十一条**　知事は、前条第二項の規定による警告を受けた者がその警告に従わないとき、又は緊急の必要があるときは、重点適正化区域内に放置されている船舶を、その職員に、あらかじめ知事が定めた場所に移動させることができる。
2　知事は、前項の規定による移動を行うため必要があると認めるときは、その必要な限度で、その職員に、船舶に立ち入らせることができる。
3　第一項の規定による移動を行わせようとする場合においては、知事が、あらかじめ所有者等に対し、当該移動に係る意見を述べる機会を与えることを妨げない。

（移動した船舶に対する措置）
**第十二条**　知事は、前条第一項の規定により船舶を移動させたときは、当該船舶を保管しなければならない。
2　知事は、前項の規定により船舶を保管したときは、当該船舶の所有者等に対し、その保管を始めた日時及び保管の場所並びに当該船舶を速やかに引き取るべき旨を東京都規則（以下「規則」という。）で定めるところにより通知し、その他当該船舶をその所有者等に返還するため規則で定める必要な措置を講じなければならない。
3　知事は、前項の規定による通知が所有者等に到達した日から起算して六月を経過してもなお、第一項の規定により保管した船舶を所有者等に返還することができない場合で、次の各号のいずれかに該当するときは、当該船舶を売却し、その代金を保管することができる。
一　規則で定めるところにより評価した当該船舶の価額に比し、その保管に不相当な費用を要するとき。
二　当該船舶が滅失し、又は破損するおそれがあるとき。
4　知事は、前項の規定により船舶を売却しようとするときは、あらかじめ、次条第一項に規定する保管船舶処理委員会の意見を聴かなければならない。
5　知事は、前項の規定により保管船舶処理委員会の意見を聴こうとするときは、あらかじめ、第三項の規定により売却しようとする船舶の所有者等（当該船舶の所有者等が当該船舶の所有者でない場合にあっては、当該船舶の所有者を含む。）に対し、当該船舶を売却し、その売却した代金を保管する旨を規則で定めるところにより通知するとともに、当該売却に係る意見を述べる機会を与えなければならない。
6　知事は、第二項の規定による通知が所有者等に到達した日から起算して六月を経過してもなお、第一項の規定により保管した船舶を所有者等に返還することができない場合で、当該船舶がその本来の用途に供することが困難な状態にあり、かつ、規則で定めるところにより評価した当該船舶の価額が著しく低いときは、当該船舶を廃棄することができる。
7　第四項及び第五項の規定は、前項の規定による船舶

の廃棄について準用する。この場合において、第五項中「売却し、その売却した代金を保管する」とあるのは「廃棄する」と読み替えるものとする。

（保管船舶処理委員会）

**第十三条** 知事が前条第三項の規定による売却及び同条第六項の規定による廃棄を行うに当たって必要な調査審議を行い、意見を述べる知事の附属機関として、保管船舶処理委員会（以下「委員会」という。）を置く。

2 委員会は、次に掲げる者につき、知事が委嘱する委員七人以内をもって組織する。

一 船舶について専門的知識を有する者

二 学識経験を有する者

3 委員の任期は、二年とし、補欠の委員の任期は、前任者の残任期間とする。ただし、再任を妨げない。

4 前三項に定めるもののほか、委員会の組織及び運営に関し必要な事項は、規則で定める。

（移動、保管等の費用の負担）

**第十四条** 第十一条第一項の規定による船舶の移動、第十二条第一項の規定による船舶の保管及び同条第三項の規定による船舶の売却に要した費用は、規則で定めるところにより、当該船舶の所有者等の負担とする。

（立入調査）

**第十五条** 知事は、第十条第一項の規定による指導又は同条第二項の規定による警告を行うため必要があると認めるときは、その必要な限度で、その職員に、放置されている船舶に立ち入り、当該船舶の所有者等を確認するため必要な調査をさせることができる。

2 前項に規定する権限は、犯罪捜査のために認められたものと解釈してはならない。

（証明書の携帯等）

**第十六条** 第十一条第一項の規定により船舶の移動を行う職員及び前条第一項の規定により立入調査を行う職員は、その身分を示す証明書を携帯し、かつ、関係者の請求があるときは、これを提示しなければならない。

（公表）

**第十七条** 知事は、第十条第二項の規定による警告を受けた所有者等が、正当な理由がなく、当該警告に従わなかったときは、その旨を公表することができる。

2 知事は、前項の規定による公表をしようとするときは、当該警告を受けた所有者等に対し、あらかじめ、意見を述べる機会を与えなければならない。

（広報、啓発等）

**第十八条** 都と関係団体等及び事業者とは連携して、所有者等に対し、その責務について自覚を促すため、船舶に係る法令及び利用上の基本的な条件について周知させる等、広報活動及び啓発活動に努めるものとする。

（委任）

**第十九条** この条例に規定するもののほか、この条例の施行について必要な事項は、規則で定める。

（罰則）

**第二十条** 第九条第二項の規定に違反して重点適正化区域内の水面（係留保管施設等を除く。）を係留保管場所として使用し、よって災害時における船舶による避難等を妨げた者は、五十万円以下の罰金に処する。

**第二十一条** 第九条第一項の規定に違反して重点適正化区域内において船舶を放置し、よって災害時における船舶による避難等を妨げた者は、三十万円以下の罰金に処する。

**第二十二条** 次の各号のいずれかに該当する者は、五万円以下の過料に処する。

一 第九条第二項の規定に違反して適正化区域内の水面（係留保管施設等を除く。）を係留保管場所として使用した者

二 詐欺その他不正の行為により、第十四条の規定による移動、保管又は売却に要した費用の負担を免れた者

**第二十三条** 第十五条第一項の規定による立入調査を拒み、妨げ、又は忌避した者は、三万円以下の過料に処する。

附 則

この条例は、平成十五年一月一日から施行する。

# 第六章　港　湾

## ○東京都港湾管理条例

平一六・三・三一
条　例　九　三

最終改正　令六・一〇・一一条例一四三

### 第一章　総則

（目的）
**第一条**　この条例は、東京都（以下「都」という。）が管理する港湾（以下「港湾」という。）の利用及び管理に関し必要な事項を定めることにより、港湾の効率的な運営を図り、もって都民生活の向上及び地域経済の発展に資するとともに、港湾の適正な利用によって都民の安全を確保することを目的とする。

（港湾施設）
**第二条**　この条例において、「港湾施設」とは、港湾法（昭和二十五年法律第二百十八号）第二条第五項及び第六項に規定する港湾施設のうち都が設置したもの及び国から貸付けを受け、又は管理を委託されたもの並びに都が港湾に必要なものとして設置したその他の施設をいう。ただし、港湾法第二条第五項第九号及び第九号の二に掲げるもの並びに他の条例に基づいて管理されるものを除く。

（都の責務）
**第三条**　都は、港湾において旅客及び貨物の円滑な運送に必要な措置を講ずるよう努めるとともに、その機能が最大限に発揮されるよう港湾を管理運営し、利用の促進を図るものとする。

2　都は、港湾の利用者及び関係者との連携及び協力の下に、港湾が適正に利用されるよう努めなければならない。

（港湾の利用者の責務）
**第四条**　港湾の利用者は、港湾を適正かつ効率的に利用するよう努めなければならない。

2　港湾の利用者は、港湾の秩序を維持し、その不正な使用を防止するための都の施策に協力しなければならない。

（港湾施設の名称、位置等）
**第五条**　港湾の利用に資するものとして、都が設置する港湾施設（港湾法第五十五条第四項又は地方自治法（昭和二十二年法律第六十七号）第二百三十八条の四第二項第一号の規定により当該港湾施設を構成する行政財産を貸し付けるものを除く。第二十六条において同じ。）の名称、位置、規模その他必要な事項については、知事が定め、その旨を告示する。

### 第二章　係留施設等の使用等

#### 第一節　係留施設等

（使用の許可）
**第六条**　港湾施設（前条の規定により告示したものに限る。）のうち次に掲げる施設（以下「係留施設等」という。）を使用しようとする者は、知事の許可を受けなければならない。

一　別表第一に掲げる施設（別表第四に掲げる施設を含むものとし、臨港道路を除く。）

二　港湾法第二条第五項第十号に規定する港湾厚生施設及びこれに準ずる施設として都が設置したもの（以下「船員及び港湾労働者用厚生施設」という。）

（設備の設置等）
**第七条**　前条の許可（以下「使用許可」という。）を受けた者（以下「使用者」という。）が、係留施設等の使用に当たり、特殊の設備を設置しようとする場合は、あらかじめ知事の許可を受けなければならない。

2　前項の規定は、同項の許可に係る設備を廃止し、又は変更しようとする場合について準用する。

（使用の制限）
**第八条**　知事は、係留施設等の使用について、荷役、若しくは蔵置する貨物の種類を制限し、又は一定の行為を命じ、若しくは禁じることができる。

（使用の区分）
**第九条**　係留施設等の使用の区分は、次のとおりとする。

一　定期使用（係留施設等を、その使用目的に従い、原則として一年から三年までの期間を定めて継続して使用に供することをいう。以下同じ。）

二　一般使用（係留施設等を、その使用目的に従い、申請の都度使用に供することをいう。以下同じ。）

2　定期使用又は一般使用に供する係留施設等の種類及び使用期間は、東京都規則（以下「規則」という。）で定める。

#### 第二節　臨港道路

（占用の許可）
**第十条**　臨港道路を占用しようとする者は、知事の許可を受けなければならない。

（設備の設置等）
**第十一条**　前条の許可（以下「占用許可」という。）を受けた者（以下「占用者」という。）が、臨港道路の占用に当たり、特殊の設備を設置しようとする場合は、あらかじめ知事の許可を受けなければならない。

2　前項の規定は、同項の許可に係る設備を廃止し、又は変更しようとする場合について準用する。

3　臨港道路に面した場所で車両（道路交通法（昭和三十五年法律第百五号）第二条第一項第八号に規定する車両をいう。以下同じ。）による出入り等を行うために臨港道路の改築に係る工事を行うことを必要とする者は、知事の承認を得て、自己の負担により、当該工事を行うことができる。

**（占用の禁止又は制限区域等）**

**第十二条**　知事は、臨港道路の損傷、交通の著しい障害又は災害発生時における被害の拡大を防止するために特に必要があると認める場合には、必要な範囲内で臨港道路の占用許可に条件を付し、又は区域を指定して臨港道路の占用を禁止し、若しくは制限することができる。

2　知事は、前項の規定に基づいて臨港道路の占用を禁止し、又は制限する区域を指定しようとする場合には、あらかじめその旨を告示しなければならない。

**（占用許可の期間）**

**第十三条**　臨港道路の占用許可の期間は、三年以内とする。ただし、特に知事が許可をしたときは、この限りでない。

**（臨港道路の通行の制限等）**

**第十四条**　知事は、臨港道路の構造を保全し、又は交通の危険を防止するため、次に掲げる場合においては、区間を定めて、臨港道路の通行を禁止し、又は制限することができる。

一　臨港道路の破損、欠壊等の事由又は天候等の状況により、臨港道路の通行に危険が生じると認められる場合

二　臨港道路に関する工事のためやむを得ないと認められる場合

2　知事は、臨港道路の構造を保全し、又は交通の危険を防止するため、車両（人が乗車し、又は貨物が積載されている場合にあってはその状態におけるものをいい、他の車両を牽引しているときにあっては当該牽引されている車両を含む。）の幅、重量、高さ、長さ及び最小回転半径の制限に関する基準を定め、これを超えるものの通行を禁止し、又は制限することができる。

3　知事は、臨港道路を通行している車両の積載物の落下により臨港道路が損傷され、又は当該積載物により臨港道路が汚損される等臨港道路の構造又は交通に支障を及ぼすおそれがあるときは、当該車両を運転している者に対し、当該車両の通行の中止、積載方法の是正その他通行の方法について、必要な措置を講ずることを求めることができる。

4　知事は、臨港道路の構造を保全し、又は交通の危険を防止するため、臨港道路に接続する区域にある土地又は工作物が臨港道路の構造に損害を及ぼし、又は交通に危険を及ぼすおそれがあるときは、当該土地の管理者又は当該工作物の設置者若しくは管理者に対し、施工計画書その他必要な書類を提出し、又はその損害若しくは危険を防止するための必要な措置を講ずることを求めることができる。

**（水底トンネルの通行の禁止等）**

**第十五条**　別表第二に掲げる爆発性又は易燃性を有する物件その他の危険物の積載車両及び別表第三に掲げる危険物の積載車両で同表に車両の種類ごとに規定する要件を満たしていないもの（以下「危険物積載車両」と総称する。）は、臨港道路である水底トンネル（以下「水底トンネル」という。）を通行してはならない。

2　前項の規定にかかわらず、水底トンネルの通行の目的並びに当該車両に積載される危険物の危険性及び当該車両の構造を勘案し、水底トンネルの構造を保全し、かつ、水底トンネルの交通の危険を防止する上で支障が少ないものとして規則で定める危険物積載車両については、知事は、通行方法、通行時間等の必要な条件を付して、その通行を許可することができる。

3　知事は、水底トンネルの構造を保全し、又は水底トンネルの交通の危険の発生を防止するため特別の必要が生じたときは、前項の規定により付した条件を変更し、又は新たに条件を付することができる。

4　知事は、第二項の規定による許可を受けた者が前二項の規定により付した条件に違反したとき、又は水底トンネルの構造を保全し、若しくは水底トンネルの交通の危険の発生を防止するため特別の必要が生じたときは、その許可を取り消し、又はその許可の効力を停止することができる。

5　第二項の規定による許可を受けようとする者は、規則で定める事項を記載した申請書を知事に提出しなければならない。

6　知事は、第二項の規定による許可をしたときは、規則で定める許可書を交付するものとする。

7　前項の規定により許可書の交付を受けた者は、当該許可に係る通行中、当該許可書を車両に備え付けておかなければならない。

8　第一項に規定する水底トンネルの名称及び箇所並びに通行を禁止するための規制標識その他必要な事項については、知事が定め、その旨を告示する。

### 第三節　権利譲渡等の禁止等

（権利譲渡等の禁止）
**第十六条**　使用者又は占用者（以下「使用者等」という。）は、使用許可又は占用許可（以下「使用許可等」という。）を受けた港湾施設に関し、使用又は占用（以下「使用等」という。）に係る権利を譲渡し、若しくは担保に供し、又は当該港湾施設を転貸してはならない。

（使用許可等の取消し、変更等）
**第十七条**　使用者等につき、次の各号のいずれかに該当する事実があつたときは、知事は、使用許可等を取り消し、又はこれを変更し、その他必要な措置をとることができる。
一　使用許可等の申請に不正があつたとき。
二　指定の期間内に係留施設等の使用料又は臨港道路の占用料（以下「使用料等」という。）を納付しないとき。
三　この条例若しくは規則又はこれらに基づいて行う処分若しくは指示に違反したとき。
2　前項各号のいずれかに該当する事実があつたときは、知事は、当該事実に係る使用者等につき、新たな使用許可等を行わないことができる。

## 第三章　使用料等及び利用料金

（使用料等）
**第十八条**　使用料等は、別表第一に定める額の範囲内で知事が定める。

（使用料等の徴収）
**第十九条**　定期使用に係る使用料（島しよ港湾に係る港湾施設の使用料を除く。）は、毎月二十日までにその月分を使用者から徴収する。ただし、知事がやむを得ないと認める場合は、この限りでない。
2　一般使用に係る使用料及び島しよ港湾に係る定期使用の使用料は、知事の指定した日までに使用者から徴収する。
3　占用料は、占用の期間に係る分を、占用許可をした日から一月以内に占用者から一括して徴収する。ただし、当該占用の期間が翌年度以降にわたる場合においては、翌年度以降の分に係る占用料は、毎年度、当該年度分を四月三十日までに徴収するものとする。
4　使用料等の計算単位が月である場合において、使用等の開始が、使用者等の責に帰さない事由により月の初日でないときその他規則で定めるときにおける当該月の使用料等は、日割りにより計算するものとする。
5　次の各号のいずれかに該当するときは、使用料を徴収しない。
一　別表第一に掲げる岸壁、桟橋、物揚場、船揚場、係船浮標、係船くい、小型油槽船係留施設及び泊地ていけい場を国又は地方公共団体が使用するとき。
二　船員及び港湾労働者用厚生施設を知事の指定を受けて福利厚生事業を営む者が使用するとき。

（使用料等の減免）
**第二十条**　知事は、公益上の理由その他特別の事由があると認めるときは、使用料等を減免することができる。

（使用料等の不還付）
**第二十一条**　既納の使用料等は、還付しない。ただし、使用者等の責に帰さない事由により使用し、又は占用することができないときは、この限りでない。

（利用料金）
**第二十一条の二**　指定管理者（第二十七条第一項に規定する指定管理者をいう。以下この条において同じ。）は、別表第四に掲げる港湾施設の利用に係る料金（以下「利用料金」という。）を使用者（別表第四に掲げる港湾施設に係る許可を受けた者に限る。以下この条において同じ。）から収受する。
2　利用料金の額は、別表第四に定める額の範囲内において、あらかじめ知事の承認を得て、指定管理者が定める。
3　利用料金は、指定管理者の収入とする。
4　利用料金は、指定管理者の指定した日までに使用者から収受する。
5　指定管理者は、別表第四に掲げる港湾施設を国又は地方公共団体が使用するときは、利用料金を収受しない。
6　前二条の規定は、第一項の場合について準用する。この場合において、第二十条中「知事」とあるのは「指定管理者」と、「使用料等」とあるのは「利用料金」と、前条中「使用料等」とあるのは「利用料金」と、「使用者等」とあるのは「使用者」と、「使用し、又は占用する」とあるのは「使用する」と読み替えるものとする。

## 第四章　港湾施設等の使用の規制等

（使用の規制）
**第二十二条**　知事は、次に掲げる場合において、港湾施設の管理上著しい支障が生じると認められるときは、港湾施設を使用させないことができる。
一　港湾施設を使用しようとする者に係る船舶（以下「船舶」という。）が、港湾施設を損傷し、又は汚損し、その他管理上支障を来すおそれがある船舶として規則で定めるものに該当する場合
二　船舶の所有者等（船舶の所有者等の責任の制限に

関する法律（昭和五十年法律第九十四号）第二条第一項第二号に規定する船舶所有者等に該当する者をいう。）が、当該船舶の事故に基づく損害賠償その他の請求に対する義務を履行しないおそれがある者として規則で定めるものに該当する場合

2 知事は、船舶の入港により、都民の生命、身体又は財産その他都民生活の安全が害されるおそれが強く、これを防止するために他に適当な手段がないと認められる場合は、港湾を利用させないことができる。

（**禁止行為**）

**第二十三条** 何人も港湾施設において、次に掲げる行為をしてはならない。

一 港湾施設をき損し、又は汚損すること。

二 土石等の物件をたい積し、又は廃棄物等を放置すること。

三 正当な理由なく港湾施設に立ち入ること。

四 前三号に掲げるもののほか、港湾施設の機能に支障を及ぼすおそれのある行為をすること。

（**搬出撤去の命令**）

**第二十四条** 次の各号のいずれかに該当する物件については、知事は、その所有者又は占有者に対し、搬出又は撤去を命ずることができる。

一 港湾施設に放置してある物

二 使用許可等その他の正当な権原なく港湾施設に蔵置した物又は設置した設備

三 その他港湾施設の維持に支障を及ぼす物

（**原状回復の義務**）

**第二十五条** 次の各号のいずれかに該当する者は、直ちに港湾施設を原状に回復しなければならない。ただし、知事が原状に回復する必要がないと認める場合は、この限りでない。

一 使用許可等を受けた港湾施設の使用等を終了し、又は第十七条の規定により使用許可等を取り消された者

二 第十一条第三項に規定する工事を行った者で、臨港道路に面した場所に車両の出入り等を行う必要がなくなったもの

（**損害賠償**）

**第二十六条** 港湾を利用する者が、港湾施設をき損し、又は汚損したときは、知事が指定するところにより、その損害を賠償しなければならない。

## 第五章 指定管理者による管理

（**指定管理者による管理**）

**第二十七条** 知事は、地方自治法第二百四十四条の二第三項の規定により、法人その他の団体であって知事が指定するもの（以下「指定管理者」という。）に、係留施設等のうち次に掲げる施設（以下この章において「施設」という。）の管理に関する業務を行わせることができる。

一 岸壁及び桟橋（知事が指定するものに限る。）

二 船舶給水施設（知事が指定するものを除く。）

三 客船ターミナル施設（客船ターミナル施設に附帯する電気施設及び港湾施設用地を含み、知事が指定する部分を除く。）

2 前項の規定により指定管理者に行わせることができる業務は、次のとおりとする。

一 施設の運営に関する業務

二 維持管理及び修繕（知事が指定する修繕等を除く。）に関する業務

三 給水その他の操作に関する業務

四 前三号に掲げるもののほか、知事が特に必要と認める業務

3 知事は、次に掲げる業務を指定管理者に行わせることができる。

一 第六条の規定により、施設の使用を許可すること。

二 第七条の規定により、特殊の設備の設置又は廃止若しくは変更を許可すること。

三 第十七条第一項の規定により、使用許可を取り消し、又は変更すること。

（**指定管理者の指定**）

**第二十八条** 指定管理者としての指定を受けようとする者は、規則で定めるところにより、知事に申請しなければならない。

2 知事は、前項の規定による申請があったときは、次に掲げる基準により最も適切な管理を行うことができると認める者を指定管理者に指定するものとする。

一 前条第二項各号に掲げる業務について相当の知識及び経験を有する者を当該業務に従事させることができること。

二 安定的な経営基盤を有していること。

三 施設の効用を最大限に発揮するとともに、効率的な管理運営を行うことができること。

四 港湾法その他の関係法令及び条例の規定を遵守し、適正な管理運営ができること。

五 前各号に掲げるもののほか、規則で定める基準

3 知事は、前項の規定による指定をするときは、効率的な管理運営を考慮し、指定の期間を定めるものとする。

（**指定管理者の指定の取消し等**）

**第二十九条** 知事は、指定管理者が次の各号のいずれかに該当するときは、前条第二項の規定による指定を取

り消し、又は期間を定めて管理の業務の全部若しくは一部の停止を命ずることができる。

一　管理の業務又は経理の状況に関する知事の指示に従わないとき。

二　前条第二項各号に掲げる基準を満たさなくなったと認めるとき。

三　第三十一条第一項各号に掲げる管理の基準を遵守しないとき。

四　前三号に掲げるもののほか、当該指定管理者による管理を継続することが適当でないと認めるとき。

2　前項の規定により指定管理者の指定を取り消し、又は期間を定めて指定管理者の業務の全部若しくは一部（利用料金の収受を含む場合に限る。）の停止を命じた場合等で、知事が臨時に別表第四に掲げる港湾施設の管理を行うときに限り、新たに指定管理者を指定し、又は当該停止の期間が終了するまでの間、知事は、使用料を徴収する。

3　前項の場合における第十八条の適用については、同条中「使用料等」とあるのは「使用料」と、「別表第一」とあるのは「別表第四」と、別表第四中「利用料金」とあるのは「使用料」と読み替えるものとする。

**（指定管理者の公表）**

**第三十条**　知事は、指定管理者を指定し、若しくは指定を取り消したとき、又は管理の業務の全部若しくは一部の停止を命じたときは、遅滞なくその旨を告示するものとする。

**（管理の基準等）**

**第三十一条**　指定管理者は、次に掲げる基準により、施設の管理に関する業務を行わなければならない。

一　港湾法その他の関係法令及び条例を遵守し、適正な管理運営を行うこと。

二　利用者に対して適切なサービスの提供を行うこと。

三　施設の維持管理を適切に行うこと。

四　当該指定管理者が業務に関連して取得した利用者の個人に関する情報を適切に取り扱うこと。

2　知事は、次に掲げる事項について、指定管理者と協定を締結するものとする。

一　前項各号に掲げる基準に関し必要な事項

二　業務の実施に関する事項

三　事業の実績報告に関する事項

四　施設の修繕等及びその財産の帰属に関する事項

五　前各号に掲げるもののほか、施設の管理に関し必要な事項

## 第六章　雑則

**（委任）**

**第三十二条**　この条例に定めるもののほか、この条例の施行について必要な事項は、規則で定める。

## 第七章　罰則

**（罰則）**

**第三十三条**　次の各号のいずれかに該当する者は、六月以下の拘禁刑又は十万円以下の罰金に処する。

一　第十四条第一項又は第二項の規定による禁止又は制限に違反して臨港道路を通行した者

二　第十五条第一項の規定に違反して水底トンネルを通行した者

三　第十五条第二項又は第三項の規定により知事が付した条件に違反して水底トンネルを通行した者

**（両罰規定）**

**第三十四条**　法人の代表者又は法人若しくは人の代理人、使用人その他の従業者が、その法人又は人の業務に関し、前条の違反行為をしたときは、その行為者を罰するほか、その法人又は人に対し、同条の罰金刑を科する。

**（過料）**

**第三十五条**　次の各号のいずれかに該当する者は、五万円以下の過料に処する。

一　不正の手段で使用許可等を受けて港湾施設を使用し、又は占用した者

二　使用許可等の条件に違反して港湾施設を使用し、又は占用した者

**第三十六条**　偽りその他不正の手段により使用料等の徴収を免れた者は、その徴収を免れた金額の五倍に相当する金額（当該五倍に相当する金額が五万円を超えないときは、五万円とする。）以下の過料に処する。

### 附　則

**（施行期日）**

1　この条例は、平成十六年四月一日（以下「施行日」という。）から施行する。ただし、第十八条、第二十二条及び別表第一　一の項の規定（港湾施設名に係る部分を除く。）は、同年五月一日から施行する。

**（経過措置）**

2　施行日から平成十六年四月三十日までの間の係留施設等に係る使用料については、この条例による改正前の東京都港湾設備条例（以下「旧条例」という。）第十一条及び別表第三の規定は、なおその効力を有する。この場合において、同表の規定中「専用使用」とあるのは「定期使用」と、次の表の上欄に掲げる語句は同表の下欄に掲げる語句に読み替えるものとする。

| 東京港港湾設備使用料等 | 東京港港湾施設使用料等 |
|---|---|
| 係船岸壁、係船桟橋、物 | 岸壁、桟橋、物揚場使用 |

| | |
|---|---|
| 揚場使用料 | 料 |
| 小型油槽船係留設備使用料 | 小型油槽船係留施設使用料 |
| 船舶給水設備使用料 | 船舶給水施設使用料 |
| 電気設備使用料 | 電気施設使用料 |
| 港湾設備用地使用料 | 港湾施設用地使用料 |
| 冷蔵コンテナ用荷役設備使用料 | 冷蔵コンテナ用荷役施設使用料 |
| コンテナ用荷役機器整備点検設備使用料 | コンテナ用荷役機器整備点検施設使用料 |
| 散水設備使用料 | 散水施設使用料 |
| 木材用荷役設備使用料 | 木材用荷役施設使用料 |
| 水産物用荷役設備使用料 | 水産物用荷役施設使用料 |
| 島しょ港湾設備使用料 | 島しょ港湾施設使用料 |
| 係船岸壁、係船桟橋、船揚場、物揚場使用料 | 岸壁、桟橋、船揚場、物揚場使用料 |
| 輸送管設備使用料 | 輸送管施設使用料 |

3　施行日前に、旧条例の規定によりなされた許可その他の行為又はこの条例の施行の際、現に旧条例の規定によりなされている申請その他の手続は、それぞれこの条例の相当規定に基づいてなされた行為又は手続とみなす。

4　旧条例第二条第二項の規定によりなされた港湾設備の名称、位置、規模その他必要な事項に係る告示は、第五条の規定によりなされた港湾施設の名称、位置、規模その他必要な事項に係る告示とみなす。この場合において、旧条例の規定によりなされた告示中港湾設備の名称中に「設備」とあるのは「施設」とする。

5　この条例の施行前にした行為に対する罰則の適用については、なお従前の例による。

**附　則**（令六・三・二九条例七四）

この条例は、令和六年四月一日から施行する。

**附　則**（令六・一〇・一一条例一四三）

1　この条例は、令和七年六月一日から施行する。

2　この条例の施行前にした行為に対する罰則の適用については、なお従前の例による。

**別表第一**（第六条、第十八条関係）

一　係留施設等

(一)　東京港

| 港湾施設名 | 単位 | 使用料 |
|---|---|---|
| 岸壁<br>桟橋<br>物揚場 | 係留一時間未満の船舶<br>総トン数一トンにつき | 三円七十銭 |
| | 係留一時間以上二時間未満の船舶<br>総トン数一トンにつき | 七円三十銭 |
| | 係留二時間以上十二時間までの船舶<br>総トン数一トンにつき | 十円五銭 |
| | 係留十二時間を超える船舶<br>総トン数一トンにつき | 係留二時間以上十二時間までの使用料に十二時間を超える十二時間までごとに六円七十銭を加算した額 |

| | | | |
|---|---|---|---|
| | 総トン数千トン未満の船舶一隻につき | 十二時間まで | 四千四十円 |
| | | 十二時間を超える場合 | 十二時間までの使用料に十二時間を超える十二時間までごとに二千六百九十円を加算した額 |
| | 総トン数千トン以上三千トン未満の船舶一隻につき | 十二時間まで | 八千八十円 |
| | | 十二時間を超える場合 | 十二時間までの使用料に十二時間を超える十二時間までごとに五千三百九十円を加算した額 |
| 係船浮標<br>係船くい | 総トン数三千トン以上五千トン未満の船舶一隻につき | 十二時間まで | 一万二千百十円 |
| | | 十二時間を超える場合 | 十二時間までの使用料に十二時間を超える十二時間までごとに八千八十円を加算した額 |
| | 総トン数五千トン以上一万トン未満の船舶一隻につき | 十二時間まで | 一万八千百九十円 |
| | | 十二時間を超える場合 | 十二時間までの使用料に十二時間を超える十二時間までごとに一万二千百三十円を加算した額 |
| | 総トン数一万トン以上一万五千トン未満の船舶一隻につき | 十二時間まで | 三万三百円 |
| | | 十二時間を超える場合 | 十二時間までの使用料に十二時間を超える十二時間までごとに二万二百円を加算した額 |
| | 総トン数一万五千トン以上の船舶一隻につき | 十二時間まで | 三万六千三百五十円 |
| | | 十二時間を超える場合 | 十二時間までの使用料に十二時間を超える十二時間までごとに二万四千二百四十円を加算した額 |
| 小型油槽船係留施設 | 総トン数一トンにつき | 二十四時間までごとに | 三円 |
| 泊地ていけい | 総トン数三百トン以上の船舶 | | 係船浮標使用料の五割に相当する額 |
| | 給水量二十立方メートルまで | | 一万三千円 |
| | 給水量二十立方メートルまでの使 | | |

| 施設 | 区分 | 細分 | 単位 | 金額 |
|---|---|---|---|---|
| 船舶給水施設 | 岸壁給水 | | 給水量二十立方メートルを超える場合 | 用料に二十立方メートルを超える一立方メートルまでごとに六百五十円を加算した額 |
| | | | 給水作業を自ら行った場合　給水量一立方メートルまでごとに | 五百五十円 |
| | 運搬給水 | | 給水量二十五立方メートルまで | 一万六千二百五十円 |
| | | | 給水量二十五立方メートルを超え五十立方メートルまで | 三万二千五百円 |
| | | | 給水量五十立方メートルを超える場合 | 給水量二十五立方メートルを超え五十立方メートルまでの使用料に五十立方メートルを超える一立方 |

| 施設 | 区分 | 細分 | 単位 | 金額 |
|---|---|---|---|---|
| | | | | メートルまでごとに六百五十円を加算した額 |
| 荷役機械 | 重量物用走行式起重機 | | 一台三十分間までごとに | 四万五千円 |
| | ばら物用走行式起重機 | アンローダー | 一台一時間までごとに | 五万三千円 |
| | | ベルトコンベアー | 一台一時間までごとに | 三万六千円 |
| 電気施設 | | | 百ワット　一時間までごとに | 六円 |
| 上屋 | 一般上屋（自動車上屋、食品上屋及びばら物上屋以外のもの） | | 一月一平方メートルまでごとに | 七百五十円 |
| | 自動車上屋（知事が指定する | 屋上部 | 一月一平方メートルまでごとに | 百五十二円 |
| | | 一階部 | 一月一平方メートルまでごとに | 百九十四円 |

| 施設 | 区分 | 細分 | 単位 | 金額 |
|---|---|---|---|---|
| | 上屋） | | | |
| | 食品上屋（知事が指定する上屋） | | 一月一平方メートルまでごとに | 二千三百七十三円 |
| | ばら物上屋（知事が指定する上屋） | | 一月一平方メートルまでごとに | 二百四十八円 |
| 野積場 | 一般野積場（ばら物野積場以外のもの） | | 一月一平方メートルまでごとに | 三百六十五円 |
| | ばら物野積場（知事が指定する野積場） | | 一月一平方メートルまでごとに | 二百七十四円 |
| 貯木場 | 定期使用 | | 一月一平方メートルまでごとに | 二十二円 |
| | 一般使用 | | 六十日までは、一日一平方メートルまでごとに | 八十銭 |
| | | | 六十一日以後は、一日一平 | 一円六十銭 |

| 施設 | | 単位 | 金額 |
|---|---|---|---|
| | | 方メートルまでごとに | |
| コンテナ搬送用台車置場 | | 一月一平方メートルまでごとに | 三百六十円 |
| コンテナ置場 | | 一月一平方メートルまでごとに | 三百六十円 |
| 港湾施設用地 | 柱類 | 一月一本につき | 四百九十六円 |
| | 地下埋設物 | 一月一メートルまでごとに | 五十七円 |
| | 架空管 | 一月一メートルまでごとに | 五百七十円 |
| | その他 定期使用 | 一月一平方メートルまでごとに | 四百五十四円 |
| | その他 一般使用 | 一日一平方メートルまでごとに | 十二円 |
| 冷蔵コンテナ用荷役施設 | | 一日につき | 二千六十円 |
| 荷役連絡所 | | 一月一平方メートルまでごとに | 二千七百円 |
| | | | |

| 施設 | | 単位 | 金額 |
|---|---|---|---|
| コンテナ用荷役機器整備点検施設 | | 一月までごとに | 百十九万六千八百五十五円 |
| 船客待合所 | 定期使用 | 一月一平方メートルまでごとに | 四百六十円 |
| | 一般使用 | 一日一平方メートルまでごとに | 十五円 |
| 荷役機械器具置場 | 定期使用 | 一月一平方メートルまでごとに | 三百四十円 |
| | 一般使用 | 一日一平方メートルまでごとに | 十一円 |
| 車両乗降用施設 | | 一台一月までごとに | 二十七万一千二百三十円 |
| 散水施設 | | 一台一時間までごとに | 二千円 |
| 自動車はかり | | 一台一月までごとに | 二十四万二千円 |
| | | | 五千八百八 |

| 施設 | | | 単位 | 金額 |
|---|---|---|---|---|
| 木材用荷役施設 | | | 一月 | 万円 |
| 水産物用荷役施設 | | | 一月 | 四千五百二万円 |
| その他 | 土地、工作物又は床面。ただし、港湾施設用地に係るものを除く。 | 定期使用 事務室 | 一月一平方メートルまでごとに | 五千二百円 |
| | | 定期使用 店舗 | 一月一平方メートルまでごとに | 五千二百円 |
| | | 定期使用 食堂 | 一月一平方メートルまでごとに | 二千三百円 |
| | | 定期使用 駐車場 | 一月一台につき | 十一万五千円 |
| | | 定期使用 その他 | 一月一平方メートルまでごとに | 五千二百円 |

| 施設 | 区分 | | 単位 | 使用料 |
|---|---|---|---|---|
| 客船ターミナル施設 | 壁面 | | 一月一平方メートルまでごとに | 二千六百円 |
| | ホール | 午前（午前九時から正午まで） | | 二万円 |
| | | 午後（午後一時から午後四時三十分まで） | | 四万円 |
| | | 夜間（午後五時三十分から午後九時三十分まで） | | 五万円 |
| | | 全日（午前九時から午後九時三十分まで） | | 十万円 |
| | | 午前九時前又は午後九時三十分後 | それぞれ一時間までごとに | 一万二千五百円 |
| | | 一般使用 | 正午から午後一時まで（午前及び午後を継続して使用する場合を除く。） | 八千円 |
| | | | 午後四時三十分から午後五時三十分まで（午後及び夜間を継続して使用する場合を除く。） | 八千円 |
| | 駐車場 | | 一日一台につき | 四千円 |
| | 旅客乗降用渡橋 | | 一台二十四時間までごとに | 三万円 |
| | 待合所施設 | | 一日一平方メートルまでごとに | 百七十円 |
| | | 業としての写真等の撮影のための使用 | 写真の撮影 一時間までごとに | 一万二千円 |
| | | | 映画、テレビ及びビデオの撮影 一時間までごとに | 三万六千円 |
| 橋りょう附帯施設 | 店舗 | 定期使用 | 一月一平方メートルまでごとに | 二千三百円 |
| | その他 | 定期使用 | 一月一平方メートルまでごとに | 二千三百円 |
| | | 一般使用 | 一日一平方メートルまでごとに | 五十円 |
| 清掃施設 | | | 一台一時間までごとに | 千九百円 |

備考

一　泊地ていけい場を総トン数三百トン未満の船舶が使用する場合については、使用料を徴収しない。

二　港則法施行規則（昭和二十三年運輸省令第二十九号）別表第一京浜の部東京区の款第一区の項及び第二区の項に規定する区域以外の区域において船舶給水施設のうち運搬給水を行う場合の使用料については、五割増しとする。

三　船舶給水施設を次に掲げる日又は時間に使用する場合の使用料については、五割増しとする。ただし、岸壁給水における給水作業を自ら行った場合の使用料については、この限りでない。

ア　日曜日

イ　国民の祝日に関する法律（昭和二十三年法律第百七十八号）に規定する休日

ウ　一月二日及び同月三日

エ　十二月二十九日から同月三十一日まで

オ　アからエまでに掲げる日以外の日の午前零時から午前八時三十分まで及び午後五時から翌日の午前零時まで

(二)　島しょ港湾

| 港湾施設名 | | 単位 | 使用料 |
|---|---|---|---|
| 岸壁<br>桟橋<br>船揚場<br>物揚場 | | 総トン数一トンにつき係留二十四時間までごとに | 二円十銭 |
| 係船浮標 | | 総トン数千トン未満の船舶一隻につき二十四時間までごとに | 八百六十四円 |
| | | 総トン数千トン以上三千トン未満の船舶一隻につき二十四時間までごとに | 千七百二十八円 |
| | | 総トン数三千トン以上の船舶一隻につき二十四時間までごとに | 二千五百九十二円 |
| 船舶給水施設 | | 給水量一立方メートルまでごとに | 九百六十円 |
| 上屋 | | 一月一平方メートルまでごとに | 四百四十円 |
| 港湾施設用地 | 柱類 | 一月一本につき | 五十二円 |
| | 地下埋設物 | 一月一メートルまでごとに | 八円 |
| | その他 | 一月一平方メートルまでごとに | 二十一円 |
| 冷蔵コンテナ用荷役施設 | | 一日につき | 千九十円 |
| 船客待合所 | | 一月一平方メートルまでごとに | 六十四円 |
| 輸送管施設 | | 輸送量五十キロリットル以下のもの | 五千百円 |
| | | 輸送量五十キロリットルを超える場合 | 輸送量五十キロリットル以下のものの使用料に五十キロリットルを超える一キロリットルまでごとに百二円を加算した額 |

備考

一　岸壁、桟橋、船揚場、物揚場及び係船浮標を総トン数百トン未満の船舶が使用する場合については、使用料を徴収しない。

二　前号の各施設を定期船が使用する場合の使用料については、各使用料の五割とする。

三　船舶給水施設を次に掲げる日又は時間に使用する場合の使用料については、五割増しとする。

ア　日曜日

イ　国民の祝日に関する法律に規定する休日

ウ　一月二日及び同月三日

エ　十二月二十九日から同月三十一日まで

オ　アからエまでに掲げる日以外の日の午前零時から午前八時三十分まで及び午後五時から翌日の午前零時まで

二　臨港道路（東京港）

| 港湾施設名 | | 単位 | 占用料 |
|---|---|---|---|
| 柱類 | | 一月一本につき | 七百八十三円 |
| 変圧塔その | | | |

| 種類 | 細目 | 単位 | 金額 |
|---|---|---|---|
| 柱類その他これらに類する工作物 | 他これに類するもの及び公衆電話所 | 一月一個につき | 五百六十六円 |
| | 広告塔 | 表示面積一月一平方メートルまでごとに | 千九百十六円 |
| | 架空線等 | 長さ一月一メートルまでごとに | 三円 |
| | 路上に設ける変圧器 | 一月一個につき | 二百六十六円 |
| | 地下に設ける変圧器 | 占用面積一月一平方メートルまでごとに | 百六十六円 |
| | その他 | 占用面積一月一平方メートルまでごとに | 五百十六円 |
| 水管、下水道管、ガス管その他これらに類する物件 | | 長さ一月一メートルまでごとに | 三百三十三円 |

臨港道路

| 種類 | 細目 | 単位 | 金額 |
|---|---|---|---|
| 鉄道、軌道その他これらに類する施設 | | 占用面積一月一平方メートルまでごとに | 五百六十六円 |
| 日よけその他これに類する施設 | | 占用面積一月一平方メートルまでごとに | 五百六十六円 |
| 上空又は地下に設ける通路その他これらに類する施設 | | 占用面積一月一平方メートルまでごとに | 九百五十八円 |
| 売店、露店その他これらに類する施設 | 祭礼、縁日等に際し、一時的に設けるもの | 占用面積一日一平方メートルまでごとに | 二百三十円 |
| | その他 | 占用面積一月一平方メートルまでごとに | 千九百十六円 |
| 看板その他これに類する工作物 | 看板 | 表示面積一月一平方メートルまでごとに | 千九百十六円 |
| | 標識 | 一月一本につき | 四百五十円 |
| 太陽光発電設備及び風力発電設備 | | 占用面積一月一平方メートルまでごとに | 五百六十六円 |
| 津波からの一時的な避難場所としての機能を有する堅固な施設 | | 占用面積一月一平方メートルまでごとに | 当該土地の位置、形状、環境、使用の態様等を考慮して、知事が算定した当該土地の一平方メートル当たりの評価額に一万二千分の二十四を乗じて得た額 |
| 工事用板囲い、足場、詰所その他の工事用施設、危険防止施設及び | | 占用面積一月一平方メートルまで | 千九百十六円 |

| | | |
|---|---|---|
| 工事用材料置場 | ごとに | 当該土地の位置、形状、環境、使用の態様等を考慮して、知事が算定した当該土地の一平方メートル当たりの評価額に一万二千分の十二を乗じて得た額 |
| 高架の道路の路面下に設ける自動車駐車場その他これに類する施設 | 占用面積一月一平方メートルまでごとに | |
| その他 | 占用面積一月一平方メートルまでごとに | 千九百十六円 |

**別表第二**（第十五条関係）

一　火薬類及び火薬類以外の爆発性物質

| 項目 | 品名 |
|---|---|
| 火薬類 | ジアゾジニトロフェノール<br>テトラセン<br>その他火薬類取締法（昭和二十五年法律第百四十九号）に規定する起爆薬 |
| | 四硝酸ペンタエリスリット<br>ニトログリコール<br>ニトログリセリン<br>その他火薬類取締法に規定する爆発の用途に供せられる硝酸エステル煙火（がん具煙火を除く。） |
| 火薬類以外の爆発性物質 | ニトロメタン<br>その他これと同程度以上の爆発性を有するもの |

二　毒物・劇物及びその他の有毒性物質

| 項目 | 品名 |
|---|---|
| 毒物 | 塩化シアノゲン<br>シアン化水素<br>四アルキル鉛<br>ホスゲン |
| 劇物 | クロルピクリン |
| 毒物・劇物以外の有毒性物質 | 二酸化窒素（四酸化窒素）<br>その他これらと同程度以上の毒性を有するもの |

三　水又は空気と作用して発火性を有する物質

| 項目 | 品名 |
|---|---|
| 水又は空気と作用して発火性を有する物質 | シラン<br>ジシラン<br>トリシラン<br>ホスフィン<br>その他これらと同程度以上の発火性を有するもの |

**別表第三**（第十五条関係）

一　火薬類及びがん具煙火

| 項目 | 品名 | 要件 車両の種類 | 要件 積載数量 | 要件 その他 |
|---|---|---|---|---|
| 火薬 | 黒色火薬<br>無色火薬<br>その他火薬類取締法に規定する火薬 | 普通自動車及び四輪以上の小型自動車 | 一〇キログラム以下 | 火薬類取締法その他関係法令に定める事項を遵守すること。 |
| | カーリット<br>硝安爆薬<br>ダイナマイト | | | |

| 区分 | 品名 | 数量 |
|---|---|---|
| 爆薬 | テトリル<br>トリニトロトルエン<br>トリメチレントリニトロアミン<br>ピクリン酸<br>その他火薬類取締法に規定する爆薬 | 五キログラム以下 |
| 火工品 | 工業雷管<br>電気雷管<br>信号雷管 | 一〇〇個以下 |
| | 導火管付き雷管 | 二五個以下 |
| | 銃用雷管 | 一〇、〇〇〇個以下 |
| | 実包<br>空包 | 一、〇〇〇個以下 |
| | 導爆線 | 一〇〇メートル以下 |
| | 制御発破用コード | 二〇メートル以下 |
| | 導火線 | 二、〇〇〇メートル以下 |
| | 信号えん管<br>信号火せん | 一〇〇個以下 |
| | その他火薬類取締法に規定する火工品 | その原料を成す火薬一〇キログラム又は爆薬五キログラム以下 |
| がん具煙火 | がん具煙火 | |

二　高圧ガス

| 項目 | | 要件 | | | |
|---|---|---|---|---|---|
| | 品名 | 車両の種類 | 積載数量 | 容器の内容積 | その他 |
| | アクリロニトリル<br>アクロレイン<br>亜酸化窒素<br>アセチレン<br>アセトアルデヒド<br>アルシン | 普通自動車及び四輪以上の小型自動車 | 圧縮ガスの場合は、ガス容積六〇立方メートル以下、液化ガスの場合は、六〇〇キログラム以下 | 一二〇リットル未満 | 高圧ガス保安法その他関係法令に定める事項を遵守すること。 |
| 可燃性ガス及び毒性ガス | アンモニア<br>イソブタン<br>一酸化炭素<br>エタン<br>エチルアミン<br>エチルベンゼン<br>エチレン<br>エチレンオキシド（酸化エチレン）<br>塩化エチル<br>塩化ビニル<br>塩化メチル（クロルメチル）<br>塩素<br>クロロプレン<br>五フッ化ヒ素<br>五フッ化リン<br>酸化プロピレン<br>三フッ化窒素<br>三フッ化ホウ素<br>三フッ化リン<br>シクロプロパン<br>ジエチルアミン<br>四フッ化硫黄<br>四フッ化ケイ素<br>ジボラン<br>ジメチルアミン<br>臭化メチル（ブロムメチル）<br>水素 | | | | |

| 酸素 | |
|---|---|
| 酸素 | 石油ガス<br>セレン化水素<br>天然ガス<br>トリメチルアミン<br>二酸化硫黄（亜硫酸ガス）<br>二硫化炭素<br>ブタジエン<br>ブタン<br>ブチレン<br>ふっ素<br>プロパン<br>プロピレン<br>ベンゼン<br>メタン<br>メチルエーテル<br>メルマルブタン<br>モノゲルマン<br>モノシラン<br>モノメチルアミン<br>硫化水素<br>六フッ化硫黄<br>その他高圧ガス保安法（昭和二十六年法律第二百四号）に規定する可燃性ガス及び毒性ガス |

| 不活性ガス | |
|---|---|
| | アルゴン<br>空気<br>窒素<br>二酸化炭素<br>ネオン<br>ヘリウム<br>その他高圧ガス保安法に規定する可燃性ガス、毒性ガス及び酸素以外のガス |
| | |
| | 圧縮ガスの場合は、ガス容積九〇立方メートル以下<br>液化ガスの場合は、一八、〇〇〇リットル以下 |
| | 圧縮ガスの場合は、一二〇リットル未満<br>液化ガスの場合は、一八、〇〇〇リットル以下 |
| | |
| 備考 | 圧縮ガスのガス容積は、温度零度、ゲージ圧力零キログラム毎平方センチメートルの状態に換算したときの容積である。 |

三　毒物又は劇物

| 項目 | 品名 | 車両の種類 | 要件：積載数量 | 要件：その他 |
|---|---|---|---|---|
| 毒物 | フッ化水素<br>フッ化水素を含有する製剤無機シアン化合物を含有する製剤（紺青、フェリシアン塩及びフエロシアン塩のいずれかを含有する製剤を除く。）で液体状のもの<br>その他毒物及び劇物取締法（昭和二十五年法律第三百三号）に規定する毒物であって液体状のもの | 普通自動車及び四輪以上の小型自動車 | 一、〇〇〇キログラム未満 | 毒物及び劇物取締法その他関係法令で定める事項を遵守すること。 |
| | アンモニアを含有する製剤（アンモニア一〇パーセント以下を | | | |

| 項目 | 品名 |
|---|---|
| 劇物 | 含有するものを除く。）<br>けいフッ化水素酸<br>ジメチル硫酸<br>臭素<br>ホルマリン（ホルムアルデヒド一パーセント以下を含有するものを除く。）<br>その他毒物及び劇物取締法に規定する劇物であって液体状のもの（次に掲げるものを除く。）<br>一　水酸化トリアルキル錫、その塩類及びこれらの無水物並びにこれらのいずれかを含有する製剤<br>二　ロダン酢酸エチル及びこれを含有する製剤 |

四　消防法（昭和二十三年法律第百八十六号）別表第一に掲げるもの

| 項目 | 品名 | 性状等 | 要件 車両の種類 | 要件 積載数量 | 要件 その他 |
|---|---|---|---|---|---|
| 第一類・酸化性固体 | 塩素酸塩類<br>過塩素酸塩類<br>無機過酸化物<br>亜塩素酸塩類<br>臭素酸塩類<br>硝酸塩類<br>よう素酸塩類<br>過マンガン酸塩類<br>重クロム酸塩類<br>その他のもので危険物の規制に関する政令（昭和三十四年政令第三百六号）第一条第一項に定めるもの<br>前記に掲げるもののいずれかを含有するもの | 品名欄に掲げる物質は、消防法別表第一備考第一号に掲げる性状を示すものとする。 | 普通自動車及び四輪以上の小型自動車 | 第一種酸化性固体五〇キログラム未満<br>第二種酸化性固体三〇〇キログラム未満<br>第三種酸化性固体一、〇〇〇キログラム未満 | 消防法その他関係法令で定める事項を遵守すること。 |
| 第二類・可燃性 | 硫化りん<br>赤りん<br>硫黄 | 一　品名欄に掲げる物質は、消防法別表第一備考第二号に掲げる性状を示すものとする。ただし、硫化りん、赤りん、硫黄及び鉄粉は、同表備考 | | 一〇〇キログラム未満 | |
| | 鉄粉 | | | 五〇〇キログラム未満 | |
| | 金属粉<br>マグネシウム | | | 第一種可燃性固体一〇〇キログラム未満<br>第二種可燃性固体五〇〇キログラム未満 | |
| | 前記に掲げるもののいずれかを含有するもの | | | 一、〇〇〇キログラム未満 | |

| | |
|---|---|
| 性固体 | |
| 引火性固体 | カリウム<br>ナトリウム<br>アルキルアルミニウム<br>アルキルリチウム |
| 第四号によるものとする。<br>二 その他品名欄に掲げる物質については、消防法別表第一備考第三号及び第五号から第七号までによるものとする。 | 品名欄に掲げる物質は、消防法別表第一備考第八号に |

| | |
|---|---|
| | 一〇キログラム未満 |

| | |
|---|---|
| 第三類・自然発火性物質及び禁水性物質 | |
| 黄りん | アルカリ金属（カリウム及びナトリウムを除く。）<br>アルカリ土類金属<br>有機金属化合物（アルキルアルミニウム及びアルキルリチウムを除く。）<br>金属の水素化物<br>金属のりん化物<br>カルシウム又はアルミニウムの炭化物<br>その他のもので危険物 |
| 掲げる性状を示すものとする。ただし、カリウム、ナトリウム、アルキルアルミニウム、アルキルリチウム及び黄りんは、同表備考第九号によるものとする。 | |

| | |
|---|---|
| 二〇キログラム未満 | 第一種自然発火性物質及び禁水性物質一〇キログラム未満<br>第二種自然発火性物質及び禁水性物質五〇キログラム未満<br>第三種自然発火性物質及び禁水性物質三〇〇キログラム未満 |

| | | | | |
|---|---|---|---|---|
| の規制に関する政令第一条第二項に定めるものの前記に掲げるもののいずれかを含有するもの | 第四類・引火性液体 | | | |
| | 特殊引火物 | 第一石油類 | アルコール類 | |
| | 一 品名欄に掲げる物質は、消防法別表第一備考第十号に掲げる引火性を示すものとする。<br>二 その他品名欄に掲げる物質につ | | | |
| | 五〇リットル未満 | 非水溶性液体二〇〇リットル未満<br>水溶性液体四〇〇リットル未満 | 四〇〇リットル未満 | 非水溶性 |

| 項目 | 品名 | 性状等 | 積載数量 |
|---|---|---|---|
| | 第二石油類 | いては、消防法別表第一備考第十一号から第十四号までによるものとする。 | 液体一、〇〇〇リットル未満<br>水溶性液体二、〇〇〇リットル未満 |
| 第五類・自己反応性物質 | 有機過酸化物<br>硝酸エステル類<br>ニトロ化合物<br>ニトロソ化合物<br>アゾ化合物<br>ジアゾ化合物<br>ヒドラジンの誘導体<br>ヒドロキシルアミン<br>ヒドロキシルアミン塩類<br>その他のもので危険物の規制に関する政令第一条第三項に定めるもの<br>前記に掲げるもののいずれかを含有するもの | 一　品名欄に掲げる物質は、消防法別表第一備考第十八号に掲げる性状を示すものとする。<br>二　品名欄に掲げる「前記に掲げるもののいずれかを含有するもの」については、消防法別表第一備考第十九号によるものとする。 | 第一種自己反応性物質一〇キログラム未満<br>第二種自己反応性物質一〇〇キログラム未満 |
| 第六類・酸化性液体 | 過塩素酸<br>過酸化水素<br>硝酸<br>その他のもので危険物の規制に関する政令第一条第四項に定めるもの<br>前記に掲げるもののいずれかを含有するもの | 品名欄に掲げる物質は、消防法別表第一備考第二十号に掲げる性状を示すものとする。 | 三〇〇キログラム未満 |

備考

一　性状等欄に掲げる性状の二以上を有する物品については、消防法別表第一備考第二十一号によるものとする。

二　積載数量欄に掲げる種別は、危険物の規制に関する政令別表第三備考各号に定める分類をいう。

五　腐食性を有する物質

| 項目 | 品名 | 車両の種類 | 要件 積載数量 | 要件 その他 |
|---|---|---|---|---|
| 腐食性を有する物質 | ナトリウムアミド | 普通自動車及び四輪以上の小型自動車 | 二〇〇キログラム未満 | 関係法令に定める事項を遵守すること。 |
| | 塩化スルフリル | | 四〇〇キログラム未満 | |

六　マッチ

| 項目 | 品名 | 車両の種類 | 要件 積載数量 | 要件 その他 |
|---|---|---|---|---|

| マッチ | マッチ | 普通自動車及び四輪以上の小型自動車 | 五〇キログラム以下 | 関係法令に定める事項を遵守すること。 |
|---|---|---|---|---|

備考

一　別表第三の品名欄に掲げる物質は、別表第二に掲げる物質を含まないものとする。

二　「車両の種類」は、道路運送車両法（昭和二十六年法律第百八十五号）第三条に定めるところによる。

三　別表第三の一の項から四の項までの品名欄に掲げる物質で、一の項から四の項までの二箇所以上に重複するものは、積載数量の厳しい方の項に含まれるものとする。

四　別表第三の品名欄に掲げる品名の異なる危険物等を運搬するときの数量は、品名ごとの危険物等の運搬しようとする数量を、それぞれ当該品名で定める積載数量で除し、それらの商を加えた和が一となる数量とする。

**別表第四**（第二十一条の二関係）

| 港湾施設名 | | 単位 | 利用料金 |
|---|---|---|---|
| 岸壁　桟橋（別表第一　一の部(一)の款岸壁　桟橋物揚場の項に掲げる港湾施設のうち知事が指定するものに限る。） | | 係留一時間未満の船舶総トン数一トンにつき | 三円七十銭 |
| | | 係留一時間以上二時間未満の船舶総トン数一トンにつき | 七円三十銭 |
| | | 係留二時間以上十二時間までの船舶総トン数一トンにつき | 十円五銭 |
| | | 係留十二時間を超える船舶総トン数一トンにつき | 係留二時間以上十二時間までの利用料金に十二時間を超える十二時間までごとに六円七十銭を加算した額 |
| 土地、工作物又は床 | 定期使用　事務室 | 一月一平方メートルまでごとに | 五千二百円 |
| | 定期使用　店舗 | 一月一平方メートルまでごとに | 五千二百円 |
| | 定期使用　駐車場 | 一月一台につき | 十一万五千円 |
| 客船ターミナル施設（別表第一　一の部(一)の款客船ターミナル施設の項に掲げる港湾施設のうち知事が指定するものに限る。） | その他　面。ただし、港湾施設用地に係るものを除く。 | 一月一平方メートルまでごとに | 五千二百円 |
| | その他　壁面 | 一月一平方メートルまでごとに | 二千六百円 |
| | 駐車場 | 一日一台につき | 四千円 |
| | 待合所施設　一般使用 | 一日一平方メートルまでごとに | 百七十円 |
| | 待合所施設　業としての写真等の撮影のための使用　写真の撮影 | 一時間までごとに | 一万二千円 |
| | 待合所施設　業としての写真等の撮影のための使用　映画、テレビ及びビデオの | | |

| | | |
|---|---|---|
| 撮影 | 一時間までごとに | 三万六千円 |

# ○東京都海上公園条例

昭五〇・一〇・二二
条例一〇七

最終改正　令五・三・三一条例三七

## 第一章　総則

（目的）

**第一条**　この条例は、海上公園の設置及び管理運営に関し必要な事項を定め、海上公園の整備の促進及び利用の適正化を図るとともに、自然環境の保全及び回復を図り、もつて都民の福祉の増進と緑豊かな都市づくりに寄与することを目的とする。

（定義）

**第二条**　この条例において次の各号に掲げる用語の意義は、それぞれ当該各号に定めるところによる。

一　海上公園　臨海地域及び水域において東京都（以下「都」という。）が設置する公園（第四号に規定する都立公園を除く。）をいい、都が当該公園に設置する海上公園施設を含む。

二　臨海地域　都市計画法（昭和四十三年法律第百号）第八条第一項第九号に規定する都の臨港地区及び港湾法（昭和二十五年法律第二百十八号）第三十三条第二項の規定により公告された東京都港湾区域に囲まれた地域をいう。

三　水域　臨海地域の周辺の水域をいう。

四　都立公園　東京都立公園条例（昭和三十一年東京都条例第百七号）第二条第一項に規定する都立公園をいう。

五　海上公園施設　海上公園に設けられる都市公園法（昭和三十一年法律第七十九号）第二条第二項各号に掲げる施設、港湾法第二条第五項第九号の三に規定する港湾環境整備施設及び海上公園の利用又は管理に必要な施設で東京都規則（以下「規則」という。）で定めるものをいう。

六　有料公園　有料で利用させる海上公園をいう。

七　有料施設　有料で利用させる都立の海上公園施設をいう。

八　有料用具　海上公園内で都が有料で利用させるスポーツ用具をいう。

（海上公園の種類）

**第三条**　海上公園の種類は、海浜公園、ふ頭公園及び緑道公園とする。

2　海浜公園は、主として、水域における自然環境の保全及び回復を図るとともに、水に親しむ場所として都民の利用に供することを目的とする公園とする。

3　ふ頭公園は、主として、ふ頭内の環境の整備を図るとともに、みなとの景観に親しむ場所として都民の利用に供することを目的とする公園とする。

4　緑道公園は、主として、臨海地域における自然環境の回復を図るとともに、緑に親しむ場所として都民の利用に供し、あわせて海上公園の一体的な利用を促進することを目的とする公園とする。

（海上公園の名称等）

**第四条**　海上公園の名称及び位置は、別表第一のとおりとする。

2　前項の海上公園の区域及び面積並びに有料施設の名称及び規模その他必要な事項は、知事が定め、告示する。

（海上公園事業及び海上公園計画）

**第五条**　知事は、第一条の目的を達成するため、次の事業（以下「海上公園事業」という。）を行う。
一　海上公園の整備に関すること。
二　海上公園の利用公開に関すること。
三　海上公園における都民のレクリエーション活動の援助に関すること。
四　前各号に掲げるもののほか、知事が必要と認める事業

**第六条**　知事は、海上公園に関する計画（以下「海上公園計画」という。）を定めなければならない。
2　海上公園計画は、都立公園に関する計画その他の都市計画と調整されたものでなければならない。
3　知事は、海上公園計画を定め、又は変更しようとするときは、東京都港湾審議会条例（昭和二十八年東京都条例第七十五号）に規定する東京都港湾審議会の意見を聴かなければならない。
4　知事は、海上公園計画を定め、又は変更したときは、その概要を告示しなければならない。

**第七条**　知事は、第五条の海上公園事業を実施し、又は前条の海上公園計画を定め、若しくは変更するに当たつては、都民の意思が十分に反映されるよう努めなければならない。

**第八条**　削除

## 第二章　海上公園施設の設置等

**（海上公園施設の設置基準）**
**第九条**　知事が海上公園施設を設置する場合においては、海上公園施設の配置、規模等に関し、規則で定める基準に適合するように行うものとする。

**（都以外の者の海上公園施設の設置等）**
**第十条**　都は、前条の基準に適合する海上公園施設であつて、自ら設置し、若しくは管理することが不適当若しくは困難であると認められるもの又は都以外の者が設置し、若しくは管理することが当該海上公園の機能の増進に資すると認められるものに限り、都以外の者に当該海上公園施設を設置させ、又は管理させることができる。
2　都以外の者が海上公園施設を設置し、又は管理しようとするときは、規則の定めるところにより知事に申請し、その許可を受けなければならない。許可を受けた事項を変更しようとするときも、同様とする。
3　前項の規定により、都以外の者が海上公園施設を設置し、又は管理する期間は、十年を超えることができない。これを更新するときの期間についても同様とする。

**（土地又は海上公園施設の使用料等）**
**第十一条**　知事は、前条第二項の許可を受けた者からその使用する土地（水域を含む。以下同じ。）又は海上公園施設について、別表第二の範囲内において規則で定める使用料を徴収する。
2　使用を開始する日が月の初日でない場合又は使用を終了する日が月の末日でない場合における当該月の使用料は、日割計算とする。
3　知事は、前条第二項の許可に当たつて、必要があると認めるときは、保証金を徴収し、又は保証人を立てさせることができる。
4　前三項に定めるもののほか、第一項及び第二項の使用料の徴収方法並びに前項の保証金の額、充当及び還付は、規則の定めるところによる。

**（海上公園施設の設置及び管理の休止又は廃止）**
**第十二条**　第十条第二項の許可を受けた者が、当該海上公園施設の設置及び管理を休止し、又は廃止しようとするときは、休止又は廃止の日の十日前までに理由を示して知事に届け出なければならない。

## 第三章　海上公園の利用

**（有料公園等の利用等）**
**第十三条**　有料公園、有料施設又は有料用具を利用しようとする者は、規則の定めるところにより知事に申請し、その承認を受けなければならない。
2　前項の規定により規則で定める有料施設の利用の承認を受けた者は、規則の定めるところにより知事に申請し、その承認を受けて、その利用に際し、当該有料施設内に広告を掲出することができる。

**（利用料等）**
**第十四条**　知事は、前条第一項の承認（別表第三に掲げる有料施設に係る承認に限る。）を受けた者から別表第三の範囲内において規則で定める利用料を徴収する。
2　知事は、必要があると認めるときは、規則で定めるところにより、前項の利用料の額から割引した額をもつて定期入場券を発行することができる。
3　知事は、前条第一項の承認に当たつて、必要があると認めるときは、予納金を徴収することができる。
4　前項の予納金は、利用料に充当する。
5　第一項の利用料及び第三項の予納金の徴収方法は、規則の定めるところによる。

**（利用料金等）**
**第十四条の二**　指定管理者（第三十条の二第一項に規定する指定管理者をいう。以下この条、第二十六条及び第二十七条において同じ。）は、別表第四に掲げる有料公園、有料施設若しくは有料用具又は広告掲出の利用に係る料金（以下「利用料金」という。）を当該有

料公園、有料施設若しくは有料用具又は広告掲出の利用について、第十三条第一項又は第二項の承認を受けた者から収受する。

2　前項の利用料金の額は、別表第四に定める額の範囲内において、あらかじめ知事の承認を得て、指定管理者が定める。

3　指定管理者は、必要があると認めるときは、あらかじめ知事の承認を得て、第一項の利用料金の額から割引した額をもつて定期入場券を発行することができる。

4　指定管理者は、第三十条の二第二項第一号の規定に基づき利用の承認に関する事務を行うに当たつて必要があると認めるときは、利用に係る予納金（以下「利用予納金」という。）を収受することができる。

5　前項の利用予納金は、第一項の利用料金に充当するものとする。

6　第一項の利用料金及び第四項の利用予納金の収受方法は、規則の定めるところによる。

7　第一項に規定する利用料金は、指定管理者の収入とする。

**（無料公開等）**

**第十五条**　知事は、次の各号の一に該当する日に特に必要があると認めるときは、利用料を減額し、又は無料で、有料公園、有料施設又は有料用具を利用させることができる。

一　当該有料公園又は有料施設の記念日

二　海上公園に関する行事の日

三　都又は国の行事の日

**（有料公園等の休園日等）**

**第十六条**　有料公園及び有料施設の休園日又は休場日、利用時間及び入場時間並びに有料用具の利用をすることができない日及び利用時間は、規則で定める。

**（行為の制限）**

**第十七条**　海上公園内では、次に掲げる行為（第二号及び第三号に掲げる行為のうち知事の指定するものを除く。）をしてはならない。ただし、第一号から第七号までに掲げる行為については、あらかじめ知事の許可を受けた場合は、この限りでない。

一　海上公園の現状を変更し、又は用途外に使用すること。

二　植物を採取し、又は損傷すること。

三　鳥獣魚介の類を捕獲し、又は殺傷すること（知事が指定した場所以外の場所において、釣りその他これに類する行為を行う場合を除く。）。

四　広告宣伝をすること。

五　知事が指定した場所以外の場所へ車両、船舶等を乗り入れ、又は留め置くこと。

六　立入禁止区域に立ち入ること。

七　物品販売、業としての写真撮影その他の営業行為をすること。

八　海上公園内の土地又は物件を損壊すること。

九　前各号に掲げるもののほか、海上公園の管理運営に支障を及ぼすおそれがある行為をすること。

**（利用の制限）**

**第十八条**　知事は、海上公園の管理運営のため必要があると認めるときは、区域、期間等を指定して海上公園の利用を制限することができる。

## 第四章　海上公園の占用

**（海上公園の占用の許可）**

**第十九条**　海上公園に海上公園施設以外の工作物その他の物件又は施設（以下「物件等」という。）を設けて海上公園を占用しようとする者は、規則の定めるところにより知事に申請し、その許可を受けなければならない。

2　前項の許可を受けた者は、許可を受けた事項を変更しようとするときは、規則の定めるところにより知事に申請し、その許可を受けなければならない。ただし、当該変更が規則で定める軽易なものであるときは、この限りでない。

3　第一項の規定による海上公園の占用の期間は、十年を超えない範囲内において規則で定める期間を超えることができない。これを更新するときの期間についても同様とする。

**第二十条**　知事は、前条第一項又は第二項の許可の申請に係る海上公園の占用が、次に掲げる事項に適合すると認める場合に限り、許可することができる。

一　当該申請に係る物件等が都市公園法第七条第一項各号に掲げるもの又は規則で定めるものであること。

二　当該申請に係る物件等が規則で定める技術的基準に適合するものであること。

三　当該申請に係る占用が臨海地域及び水域の自然環境の保全及び回復並びに都民の海上公園の利用に著しい支障を及ぼさないものであること。

四　当該申請に係る占用が必要やむを得ないものであること。

**第二十一条**　物件等を設けないで海上公園を占用しようとする者は、規則の定めるところにより知事に申請し、その許可を受けなければならない。

**（占用料）**

**第二十二条**　知事は、第十九条第一項若しくは第二項又は前条の許可を受けた者から別表第五に定める額の範囲内において規則で定める占用料を徴収する。

2　占用を開始する日が月の初日でない場合又は占用を終了する日が月の末日でない場合における当該月の占用料は、日割計算とする。

（準用）

**第二十三条**　第十一条第三項及び第四項並びに第十二条の規定は、海上公園の占用の許可について準用する。

## 第五章　雑則

**（許可又は承認の条件）**

**第二十四条**　知事は、この条例の規定による許可又は承認に、海上公園の管理運営のため必要な範囲内で条件を付けることができる。

**（権利の譲渡禁止等）**

**第二十五条**　第十条第二項、第十九条第一項若しくは第二項の許可又は第十三条第一項若しくは第二項の承認を受けた者は、その権利を他人に譲渡し、又は転貸することができない。

**（使用料等の不還付）**

**第二十六条**　既納の使用料、利用料、予納金及び占用料は、還付しない。ただし、知事は、相当の理由があると認めるときは、その一部又は全部を還付することができる。

2　指定管理者は、既納の利用料金及び利用予納金を還付しないものとする。ただし、相当の理由があると認めるときは、その一部又は全部を還付することができる。

**（使用料等の減免）**

**第二十七条**　知事は、特に必要があると認めるときは、使用料、利用料又は占用料を減額し、又は免除することができる。

2　指定管理者は、有料公園、有料施設若しくは有料用具又は広告掲出の利用が公益を目的とする場合で特に必要があると認めるときは、利用料金を減額し、又は免除することができる。

**（原状回復）**

**第二十八条**　第十条第二項、第十九条第一項又は同条第二項の許可を受けた者は、海上公園施設の設置、管理若しくは海上公園の占用の期間が満了したとき、又は海上公園施設の設置、管理若しくは海上公園の占用を廃止したときは、直ちに海上公園を原状に回復しなければならない。ただし、原状に回復することが不適当な場合においては、この限りでない。

2　知事は、第十条第二項、第十九条第一項又は同条第二項の許可を受けた者に対して、前項の規定による原状の回復又は原状に回復することが不適当な場合の措置について必要な指示をすることができる。

**（監督処分）**

**第二十九条**　知事は、次の各号のいずれかに該当する者に対して、この条例の規定によつてした許可若しくは承認（第三十条の二第二項第一号の規定による承認を含む。以下この項において同じ。）を取り消し、その効力を停止し、若しくはその条件を変更し、又は行為若しくは工事の中止、海上公園に存する工作物その他の物件若しくは施設の改築、移転若しくは除却、当該工作物その他の物件若しくは施設により生ずべき損害を予防するため必要な措置をすること、海上公園から退去すること若しくは海上公園を原状に回復することを命ずることができる。

一　この条例の規定又はこの条例の規定による処分に違反している者

二　この条例の規定による許可又は承認に付けた条件に違反している者

三　偽りその他不正な手段によりこの条例の規定による許可又は承認を受けた者

2　知事は、次の各号の一に該当する場合においては、この条例の規定による許可又は承認を受けた者に対し、前項に規定する処分をすることができる。

一　海上公園に関する工事のためやむを得ない必要が生じた場合

二　海上公園の保全又は都民の海上公園の利用に著しい支障が生じた場合

三　前二号に掲げる場合のほか、海上公園の管理上の理由以外の理由に基づく公益上やむを得ない必要が生じた場合

**（監督処分に伴う損失の補償）**

**第三十条**　都は、この条例による許可又は承認を受けた者が前条第二項の規定により処分されたことによつて損失を受けたときは、その者に対し、通常受けるべき損失を補償しなければならない。

**（指定管理者による管理）**

**第三十条の二**　知事は、地方自治法（昭和二十二年法律第六十七号）第二百四十四条の二第三項の規定により、法人その他の団体であつて知事が指定するもの（以下「指定管理者」という。）に、海上公園の管理に関する業務のうち、次に掲げるものを行わせることができる。

一　維持管理及び修繕（知事が指定する修繕等を除く。以下同じ。）に関する業務

二　前号に掲げるもののほか、知事が特に必要と認める業務

2　知事は、次に掲げる業務を指定管理者に行わせることができる。

一　第十三条第一項の規定により、有料公園、有料施設又は有料用具の利用を承認すること及び同条第二項の規定により、有料施設内の広告の掲出を承認すること。
二　第二十四条の規定により、前号の承認に海上公園の管理運営のため必要な範囲内で条件を付けること。
三　第二十九条第一項の規定により、第一号の承認を取り消し、又は前号の条件を変更すること。

（**指定管理者の指定**）
**第三十条の三**　指定管理者としての指定を受けようとする者は、規則で定めるところにより、知事に申請しなければならない。
2　知事は、前項の規定による申請があつたときは、次に掲げる基準により最も適切に海上公園の管理を行うことができると認める者を指定管理者に指定するものとする。
一　前条第一項各号に掲げる業務について相当の知識及び経験を有する者を当該業務に従事させることができること。
二　安定的な経営基盤を有していること。
三　海上公園の効用を最大限に発揮するとともに、効率的な管理運営ができること。
四　関係法令及び条例の規定を遵守し、適正な管理運営ができること。
五　前各号に掲げるもののほか、規則で定める基準
3　知事は、前項の規定による指定をするときは、効率的な管理運営を考慮し、指定の期間を定めるものとする。

（**指定管理者の指定の取消し等**）
**第三十条の四**　知事は、指定管理者が次の各号のいずれかに該当するときは、前条第二項の規定による指定を取り消し、又は期間を定めて管理の業務の全部若しくは一部の停止を命ずることができる。
一　管理の業務又は経理の状況に関する知事の指示に従わないとき。
二　前条第二項各号に掲げる基準を満たさなくなつたと認めるとき。
三　第三十条の六第一項各号に掲げる管理の基準を遵守しないとき。
四　前三号に掲げるもののほか、当該指定管理者による管理を継続することが適当でないと認めるとき。
2　前項の規定により指定管理者の指定を取り消し、又は期間を定めて指定管理者の業務の全部若しくは一部（利用料金の収受を含む場合に限る。）の停止を命じた場合等で、知事が臨時に海上公園の管理を行うときに限り、新たに指定管理者を指定し、又は当該停止の期間が終了するまでの間、利用料を徴収する。
3　前項の場合における第十四条の適用については、同条第一項中「承認（別表第三に掲げる有料施設に係る承認に限る。）」とあるのは「承認」と、「別表第三の」とあるのは「別表第三に定める額の」と、「規則で」とあるのは「知事が」とする。

（**指定管理者の公表**）
**第三十条の五**　知事は、指定管理者を指定し、若しくは指定を取り消したとき、又は管理の業務の全部若しくは一部の停止を命じたときは、遅滞なくその旨を告示するものとする。

（**管理の基準等**）
**第三十条の六**　指定管理者は、次に掲げる基準により、海上公園の管理に関する業務を行わなければならない。
一　関係法令及び条例の規定を遵守し、適正な管理運営を行うこと。
二　利用者に対して適切なサービスの提供を行うこと。
三　海上公園施設の維持管理及び修繕を適切に行うこと。
四　当該指定管理者が業務に関連して取得した利用者の個人に関する情報を適切に取り扱うこと。
2　知事は、次に掲げる事項について、指定管理者と協定を締結するものとする。
一　前項各号に掲げる基準に関し必要な事項
二　業務の実施に関する事項
三　事業の実績報告に関する事項
四　前三号に掲げるもののほか、海上公園の管理に関し必要な事項

（**過料**）
**第三十一条**　次の各号のいずれかに該当する者に対しては、五万円以下の過料を科する。
一　第十七条の規定に違反して、同条各号に掲げる行為をした者
二　第二十九条の規定に基づく知事の命令に違反した者

## 第六章　委任

（**委任**）
**第三十二条**　この条例に規定するもののほか、この条例の施行について必要な事項は、規則で定める。

### 附　則

1　この条例は、規則で定める日〔昭五〇・一二・一〕から施行する。
2　この条例の施行の際、現に東京都港湾設備条例（昭和二

十九年東京都条例第三十七号）第三条の規定に基づく知事の許可を受けて海上公園内の港湾設備用地を使用し、又は埋立地の貸付けに関する規則（昭和四十年東京都規則第四十三号）第九条の規定に基づく知事の貸付決定を受けて海上公園内の埋立地を借り受けている者については、当該許可又は決定を受けた期間が満了するまでは、なお従前の例による。

**附　則**（令五・三・三一条例三七）

1　この条例は、令和五年四月一日から施行する。

2　この条例の施行の際、この条例による改正前の東京都海上公園条例の規定により、既に納付すべきものとされているこの条例の施行の日以後の使用に係る使用料ついては、なお従前の例による。

**別表第一**（第四条関係）

| 種別 | 名称 | 位置 |
|---|---|---|
| 海浜公園 | 東京都立お台場海浜公園 | 東京都港区台場一丁目 |
| | 東京都立大井ふ頭中央海浜公園 | 東京都品川区八潮四丁目　東京都大田区東海一丁目 |
| | 東京都立東京港野鳥公園 | 東京都大田区東海三丁目 |
| | 東京都立葛西海浜公園 | 東京都江戸川区臨海町六丁目　臨海町六丁目地先 |
| | 東京都立若洲海浜公園 | 東京都江東区若洲三丁目 |
| | 東京都立城南島海浜公園 | 東京都大田区城南島四丁目　城南島五丁目 |
| | 東京都立辰巳の森海浜公園 | 東京都江東区辰巳二丁目 |
| | 東京都立海の森公園 | 東京都江東区海の森三丁目　海の森三丁目地先 |
| | 東京都立有明親水海浜公園 | 東京都江東区有明一丁目　東雲一丁目 |
| ふ頭公園 | 東京都立晴海ふ頭公園 | 東京都中央区晴海五丁目 |
| | 東京都立品川北ふ頭公園 | 東京都港区港南五丁目 |
| | 東京都立コンテナふ頭公園 | 東京都品川区八潮二丁目 |
| | 東京都立新木場公園 | 東京都江東区新木場二丁目 |
| | 東京都立みなとが丘ふ頭公園 | 東京都品川区八潮三丁目 |
| | 東京都立春海橋公園 | 東京都江東区豊洲二丁目 |
| | 東京都立青海中央ふ頭公園 | 東京都江東区青海四丁目 |
| | 東京都立青海北ふ頭公園 | 東京都江東区青海二丁目 |
| | 東京都立青海南ふ頭公園 | 東京都江東区青海二丁目 |
| | 東京都立京浜島つばさ公園 | 東京都大田区京浜島二丁目 |
| | 東京都立京浜島ふ頭公園 | 東京都大田区京浜島二丁目 |

| | | |
|---|---|---|
| | 東京都立暁ふ頭公園 | 東京都江東区青海三丁目　青海四丁目 |
| | 東京都立城南島ふ頭公園 | 東京都大田区城南島二丁目 |
| | 東京都立東海ふ頭公園 | 東京都大田区東海二丁目 |
| | 東京都立水の広場公園 | 東京都江東区青海一丁目　青海二丁目　有明三丁目 |
| | 東京都立有明西ふ頭公園 | 東京都江東区有明三丁目 |
| | 東京都立芝浦南ふ頭公園 | 東京都港区海岸三丁目 |
| 緑道公園 | 東京都立辰巳の森緑道公園 | 東京都江東区辰巳一丁目　辰巳二丁目 |
| | 東京都立東八潮緑道公園 | 東京都品川区東八潮 |
| | 東京都立青海緑道公園 | 東京都江東区青海四丁目 |
| | 東京都立東海緑道公園 | 東京都大田区東海一丁目　東海二丁目　東海三丁目　東海四丁目　東海五丁目　東海六丁目 |
| | 東京都立京浜運河緑道公園 | 東京都品川区東品川五丁目　八潮一丁目　八潮五丁目 |
| | 東京都立大井ふ頭緑道公園 | 東京都品川区八潮四丁目　八潮五丁目 |
| | 東京都立夢の島緑道公園 | 東京都江東区夢の島一丁目　夢の島二丁目　夢の島三丁目 |
| | 東京都立城南島緑道公園 | 東京都大田区城南島一丁目　城南島二丁目 |
| | 東京都立京浜島緑道公園 | 東京都大田区京浜島一丁目 |
| | 東京都立有明テニスの森公園 | 東京都江東区有明二丁目 |
| | 東京都立新木場緑道公園 | 東京都江東区新木場四丁目 |
| | 東京都立シンボルプロムナード公園 | 東京都港区台場一丁目　台場二丁目　東京都江東区青海一丁目　青海二丁目　有明二丁目　有明三丁目 |
| | 東京都立有明北緑道公園 | 東京都江東区有明一丁目　有明二丁目 |
| | 東京都立晴海緑道公園 | 東京都中央区晴海四丁目　晴海五丁目 |

**別表第二**（第十一条関係）

一　土地の使用料

| 種別 | 単位 | 使用料 |
| --- | --- | --- |
| 土地 | 一平方メートル一月 | 千七百三十二円 |

二　海上公園施設の使用料

| 種別 | 単位 | 使用料 |
| --- | --- | --- |
| 海上公園施設 | 一箇所一月 | 五百八十三万二千三百円 |

付記
　面積が一平方メートルに満たない端数は、一平方メートルとみなす。

**別表第三**

有料施設の利用料

| 種別 | 単位 | 利用料 |
|---|---|---|
| 駐車場 | 一台一回（二時間以内） | 六百円 |
| 海上公園係船施設 | 総トン数一トンにつき二十四時間までごとに | 十三円四十銭 |
| 海上バス券売所 | 一平方メートルまでごとに一月 | 四百六十円 |

**別表第四**（第十四条の二関係）

一　有料公園の利用料金

| 名称 | | 単位 | 利用料金 |
|---|---|---|---|
| 東京港野鳥公園 | 入場料 | 一人一回 | 四百円 |

二　有料施設の利用料金

| 名称 | | 単位 | | 利用料金 |
|---|---|---|---|---|
| 大井ふ頭中央海浜公園 | 陸上競技場 | 貸切りの場合 | 一回（一時間以内） | 一万三千六百七十円 |
| | | 貸切りでない場合 | 一人一回（一時間以内） | 百円 |
| | 野球場 | 一面一回（一時間以内） | | 二千二百七十円 |
| | テニスコート | 一面一回（一時間以内） | | 四千三百五十円 |
| | 夜間照明施設 | 一面一回（一時間以内） | | 二千二百五十円 |
| | 会議室（第一、第二A及び第二B） | 一室一回（一時間以内） | | 八百五十円 |
| 若洲海浜公園 | 若洲ゴルフリンクス | 一人一回 | | 一万八千円 |
| 城南島海浜公園 | キャンプ場 | 一人一日 | | 三百円 |
| | オートキャンプ場 | 一区画一日 | | 二千円 |
| | オートキャンプ場附帯設備 | 一式一日 | | 五百円 |
| 辰巳の森海浜公園 | ラグビー練習場 | 一回（二時間以内） | | 二万円 |

付記

利用時間外に利用する場合には、一時間（一時間に満たない端数は、一時間とする。）につき、利用を承認した施設の一時間当たりの利用料金の最高額の三割増しの範囲内で利用料金を徴収する。

三　有料用具の利用料金

| 名称 | | 単位 | 利用料金 |
|---|---|---|---|
| 辰巳の森海浜公園 | スポーツ用具 | 一人一式（一時間以内） | 百五十円 |

付記

スポーツ用具とは、フリーテニス、パターゴルフその他の知事が定めるスポーツの用具をいう。

四　広告掲出の利用料金

| 種別 | 単位 | 利用料金 |
|---|---|---|
| 看板　横断幕　懸垂幕 | 一日一平方メートル | 三千三百円 |
| その他の広告 | 一日一点 | 一万一千円 |

**別表第五**（第二十二条関係）

| 種別 | 単位 | 占用料 |
|---|---|---|
| 電柱、標識 | 一本一月 | 千百四十九円 |
| 水道管、下水道管、ガス管、電線 | 一メートル一月 | 五百十三円 |
| 変電所 | 一平方メートル一月 | 千二十六円 |
| 鉄塔 | 一平方メートル一月 | 千二十六円 |
| 変圧塔及びマンホールの類 | 一箇所一月 | 千二十六円 |
| 郵便差出箱及び信書便差出箱 | 一箇所一月 | 四百十円 |
| 公衆電話所 | 一箇所一月 | 千二十六円 |
| 航空保安施設 | 一平方メートル一月 | 千二十六円 |
| 地下の占用物件 | 一平方メートル一月 | 千二十六円 |
| 高架の占用物件 | 一平方メートル一月 | 五百十三円 |
| 天体、気象、公害及び土地の観測施設 | 一平方メートル一月 | 千二十六円 |
| 食糧、医薬品等災害応急対策に必要な物資の備蓄倉庫 | 一平方メートル一月 | 千二十六円 |
| 太陽電池発電施設 | 一平方メートル一月 | 千二十六円 |
| 自転車駐車場で自転車を賃貸する事業の用に供するもの | 一平方メートル一月 | 千二十六円 |
| 写真等の撮影のための常時占用 | 撮影機一台一月 | 八千二百八円 |
| 写真等の撮影のための臨時 | 一回（一時間以内） | 一万九千二百円 |

| | | |
|---|---|---|
| 的な占用 | | |
| その他の占用 | 一平方メートル一日 | 三十四円 |

付記

一　面積が一平方メートルに満たない端数は、一平方メートルとみなす。

二　長さが一メートルに満たない端数は、一メートルとみなす。

# ○東京都営空港条例

昭三七・三・三一
条例五三

最終改正　令六・三・二九条例七六

（設置）

**第一条**　東京都における航空運送を確保するため、東京都営空港（以下「空港」という。）を設置する。

（名称及び位置）

**第二条**　空港の名称及び位置は、次のとおりとする。

| 名称 | 位置 |
|---|---|
| 東京都大島空港 | 東京都大島町元町字北の山二百七十番 |
| 東京都新島空港 | 東京都新島村字川原 |
| 東京都神津島空港 | 東京都神津島村字金長 |
| 東京都三宅島空港 | 東京都三宅村坪田千三百七十八番地 |
| 東京都八丈島空港 | 東京都八丈町大賀郷 |
| 東京都調布飛行場 | 東京都調布市西町二百九十番三 |
| 東京都東京ヘリポート | 東京都江東区新木場四丁目七番 |

（運用時間）

**第三条**　空港の運用時間は、次のとおりとする。

| 空港名 | 運用時間 |
|---|---|
| 東京都大島空港 | 午前八時三十分から午後五時三十分までの間において、東京都規則で定める時間 |
| 東京都新島空港 | 午前八時三十分から午後五時十五分までの間において、東京都規則で定める時間 |
| 東京都神津島空港 | 午前八時三十分から午後五時十五分までの間において、東京都規則で定める時間 |
| 東京都三宅島空港 | 午前九時から午後五時十五分までの間において、東京都規則で定める時間 |
| 東京都八丈島空港 | 午前八時から午後六時まで |
| 東京都調布飛行場 | 午前八時三十分から午後六時までの間において、東京都規則で定める時間 |
| 東京都東京ヘリポート | 午前八時三十分から午後四時三十分まで |

2　前項の規定にかかわらず、知事は、定期便の遅延、空港施設の建設工事等のため必要と認めるときは、空港の運用時間を変更することができる。

（空港の使用）

**第四条**　航空機の離着陸または停留のため、空港を使用しようとする者は、あらかじめ、東京都規則で定めるところにより、知事に届け出なければならない。届出事項を変更しようとするときも、また同様とする。

2　空港の運用時間外に航空機の離着陸のため、空港を使用しようとする者は、あらかじめ、東京都規則で定めるところにより、知事の許可を受けなければならない。

3　知事は、前項の許可を受けた者に対し、空港の点検その他必要な指示をすることができる。

（重量制限）

**第五条**　前条の規定により、空港を使用する場合の航空機の換算単車輪荷重は、次の表に定めるところによらなければならない。ただし、知事の許可を受けた場合は、この限りでない。

| 空港名 | 換算単車輪荷重 |
|---|---|
| 東京都大島空港 | 十九トン未満 |
| 東京都新島空港 | 二・六トン未満 |
| 東京都神津島空港 | 二・六トン未満 |
| 東京都三宅島空港 | 八・五トン未満 |
| 東京都八丈島空港 | 二十四トン未満 |
| 東京都調布飛行場 | 二・六トン未満 |

| 東京都東京へリポート | 八・五トン未満 |
|---|---|

2　前項の換算単車輪荷重は、当該航空機の離陸重量に、それぞれ次の各号に掲げる主脚の型式に応じた換算係数を乗じて算出する。

一　主脚が単車輪の場合　〇・四五

二　主脚が複車輪の場合　〇・三五

三　主脚が複複車輪の場合　〇・二二

3　知事が第一項ただし書の規定により許可する場合には、空港施設の状況、使用ひん度等を考慮し、空港施設が当該航空機の安全な離着陸に耐えうるかどうかを確認しなければならない。

**（停留等の制限）**

**第六条**　空港において航空機の操作または貨客の取扱をする者は、知事の定める場所以外の場所で、航空機を停留させ、旅客を乗降させ、または貨物の積卸しをしてはならない。

**（給油作業等の制限）**

**第七条**　空港において航空機の整備を行う者は、次に掲げる場合には、航空機の給油又は排油を行つてはならない。

一　航空機の発動機が運転中又は加熱状態にあるとき。

二　航空機の無線設備、電気設備その他の静電気火花放電を起こすおそれのある物件を使用しているとき。

**（入場制限）**

**第八条**　知事は、混雑の予防その他空港管理上必要がある場合には、空港に入場しようとする者の入場を制限することができる。

**（車両の取扱の制限）**

**第九条**　空港において車両の取扱をする者は、次の各号に掲げる行為をしてはならない。ただし、知事が許可した場合は、この限りでない。

一　知事が定める制限区域内で車両の運転をすること。

二　知事が定める駐車場以外の場所で、駐車または車両の修繕若しくは清掃をすること。

**（禁止行為）**

**第十条**　空港においては、何人も次の各号に掲げる行為をしてはならない。

一　空港施設をき損し、または汚損すること。

二　知事が許可した場合を除き、知事が定める制限区域内に立ち入ること。

三　知事が定める場所以外の場所に、ごみその他の物件を放置すること。

四　知事が許可した場合を除き、知事が定める制限区域内で、爆発物または危険を伴う可燃物を携帯し、運搬し、または貯蔵すること。

五　知事が定める場所以外の場所で喫煙すること。

六　知事が許可した場合を除き、裸火を使用すること。

七　前各号のほか、空港の機能をそこなうおそれのある行為をすること。

**（使用の停止等）**

**第十一条**　知事は、この条例若しくはこの条例に基く規則またはこれらに基く処分に違反した者に対し、空港の使用の停止その他必要な措置を命ずることができる。

**（土地、建物又は設備の使用）**

**第十一条の二**　空港内の土地、建物又は設備を使用しようとする者は、第四条の規定により使用する場合を除き、知事の許可を受けなければならない。当該許可に係る土地、建物又は設備の使用の態様又は目的を変更しようとするときも同様とする。

2　知事は、前項の許可に空港の管理上必要な条件を付することができる。

3　第一項の規定による使用の期間は、一年を超えることができない。ただし、知事が特別の必要があると認めるときは、この限りでない。

**（施設の設置等）**

**第十一条の三**　前条第一項の許可（以下「使用許可」という。）を受けた土地に施設若しくは設備を設置しようとする者又は使用許可を受けた建物に設備を設置しようとする者は、あらかじめ、東京都規則で定めるところにより、知事の許可を受けなければならない。当該設置について、許可を受けた事項を変更しようとするときも、同様とする。

**（権利の譲渡禁止等）**

**第十一条の四**　使用許可を受けた者（以下「使用者」という。）又は前条の設置に係る許可（以下「設置許可」という。）を受けた者（以下「設置者」という。）は、当該使用許可又は設置許可に係る権利を譲渡し、若しくは担保に供し、又は転貸してはならない。ただし、知事が空港の管理上特別の必要があると認めるときは、この限りではない。

**（使用許可等の取消し等）**

**第十一条の五**　知事は、次の各号のいずれかに該当するときは、使用許可又は設置許可（以下「使用許可等」という。）を取り消し、又はこれを変更し、その他必要な処置をすることができる。

一　使用許可等の申請に不正があつたとき。

二　前条の規定に違反したとき。

三　知事が指定する期限までに使用料を納付しないとき。
四　使用許可に係る土地、建物若しくは設備（以下「使用物件」という。）又は設置許可に係る施設若しくは設備を当該許可の目的以外に使用したとき。
五　この条例若しくはこの条例に基づく規則又はこれらに基づいて行う処分若しくは指示に違反したとき。

（使用料）
**第十二条**　第四条の規定により航空機の離着陸又は停留のため空港を使用する者は別表第一に定める使用料を、使用者は別表第二に定める使用料を、東京都規則で定めるところにより、納付しなければならない。
2　前項の規定にかかわらず、空港法施行令（昭和三十一年政令第二百三十二号）別表第一に規定する東京国際空港と空港間の路線及び空港相互間の路線のうち東京都規則で定める路線を航行する航空機で、他人の需要に応じ有償で旅客運送を行い、かつ、当該航空機を利用する者に運賃の軽減措置を講じるものに係る使用料のうち着陸料は、別表第三に定める額とする。

（使用料の減免）
**第十三条**　知事は、特別の理由があると認めるときは、使用料を減免することができる。

（使用料の不還付）
**第十三条の二**　既納の使用料は、還付しない。ただし、使用者（第四条の規定により航空機の離着陸又は停留のため空港を使用しようとする者を含む。）の責に帰さない事由により使用できないときは、この限りでない。

（原状回復の義務）
**第十三条の三**　使用者又は設置者は、使用許可等の期間が終了する日までに自己の負担で使用物件を原状に回復しなければならない。
2　第十一条の五の規定により使用許可等を取り消されたときは、使用者又は設置者は、知事の指示に従い、自己の負担で直ちに使用物件を原状に回復しなければならない。
3　前二項の規定は、知事が原状に回復する必要がないと認めるときは、適用しないことができる。

（損害賠償）
**第十四条**　空港施設をき損し、または滅失した者は、知事の指示に従いその損害を賠償しなければならない。

（生活再建支援の措置）
**第十四条の二**　知事は、空港から離陸した航空機又は空港に着陸する予定の航空機がその離陸の日又は着陸の予定日に東京都の区域内に墜落した場合、当該墜落によつて住宅が損壊した住民に対し、当該住宅の建替え及び修繕その他の生活再建を支援するための資金を支給できるよう所要の措置を講ずるものとする。

（指定管理者による管理）
**第十五条**　知事は、地方自治法（昭和二十二年法律第六十七号）第二百四十四条の二第三項の規定により、法人その他の団体であつて知事が指定するもの（以下「指定管理者」という。）に、空港（知事が指定するものに限る。以下この条、次条及び第十九条において同じ。）の管理に関する業務のうち、次に掲げるものを行わせることができる。
一　維持管理及び修繕（知事が指定する修繕等を除く。）に関する業務
二　空港の運用に関する業務
三　前二号に掲げるもののほか、知事が特に必要と認める業務
2　知事は、次に掲げる業務を指定管理者に行わせることができる。
一　第四条第一項の規定により、空港を使用しようとする者の届出を受理すること。
二　第四条第二項、第五条第一項ただし書、第九条ただし書、第十条第二号、第四号若しくは第六号、第十一条の二第一項又は第十一条の三の規定により、知事に提出される申請書を受理し、及び許可書を交付すること。

（指定管理者の指定）
**第十六条**　指定管理者としての指定を受けようとする者は、東京都規則で定めるところにより、知事に申請しなければならない。
2　知事は、前項の規定による申請があつたときは、次に掲げる基準により最も適切に空港の管理を行うことができると認める者を指定管理者に指定するものとする。
一　前条第一項各号に掲げる業務について相当の知識及び経験を有する者を当該業務に従事させることができること。
二　安定的な経営基盤を有していること。
三　空港の効用を最大限に発揮するとともに、安全かつ効率的な管理運営ができること。
四　航空法（昭和二十七年法律第二百三十一号）その他の関係法令及び条例の規定を遵守し、適正な管理運営ができること。
五　前各号に掲げるもののほか、東京都規則で定める基準
3　知事は、前項の規定による指定をするときは、効率的な管理運営を考慮し、指定の期間を定めるものとする。

（指定管理者の指定の取消し等）
第十七条　知事は、指定管理者が次の各号のいずれかに該当するときは、前条第二項の規定による指定を取り消し、又は期間を定めて管理の業務の全部若しくは一部の停止を命ずることができる。
一　管理の業務又は経理の状況に関する知事の指示に従わないとき。
二　前条第二項各号に掲げる基準を満たさなくなったと認めるとき。
三　第十九条第一項各号に掲げる管理の基準を遵守しないとき。
四　前三号に掲げるもののほか、当該指定管理者による管理を継続することが適当でないと認めるとき。

（指定管理者の公表）
第十八条　知事は、指定管理者を指定し、若しくは指定を取り消したとき、又は期間を定めて管理の業務の全部若しくは一部の停止を命じたときは、遅滞なくその旨を告示するものとする。

（管理の基準等）
第十九条　指定管理者は、次に掲げる基準により、空港の管理に関する業務を行わなければならない。
一　航空法その他の関係法令及び条例の規定を遵守し、適正な管理運営を行うこと。
二　利用者に対して適切なサービスの提供を行うこと。
三　維持管理及び修繕を適切に行うこと。
四　当該指定管理者が業務に関連して取得した利用者の個人に関する情報を適切に取り扱うこと。
2　知事は、次に掲げる事項について、指定管理者と協定を締結するものとする。
一　前項各号に掲げる基準に関し必要な事項
二　業務の実施に関する事項
三　事業の実績報告に関する事項
四　前三号に掲げるもののほか、空港の管理に関し必要な事項

（罰則）
第二十条　正当な理由がなくて、第四条第一項又は第二項の規定に違反して空港を使用した者には、五万円以下の過料を科する。

（委任）
第二十一条　この条例の施行について必要な事項及び空港の管理運営について必要な事項は、知事が定める。

付　則

この条例は、東京都規則で定める日〔昭三七・五・一〕から施行する。

附　則（令六・三・二九条例七六）

この条例は、令和六年五月一日から施行する。

別表第一（第十二条関係）
一　着陸料
イ　ターボジェット発動機を装備する航空機については、航空機の着陸一回ごとに、次に掲げる金額の合計額とする。
(1)　航空機の重量（当該航空機の最大離陸重量をいう。以下同じ。）をそれぞれ次の各級に区分して順次に各料金率を適用して計算して得た金額の合計額
(イ)　二十五トン以下の重量については、一トン（一トン未満は、一トンとして計算する。以下同じ。）ごとに千百円
(ロ)　二十五トンを超え百トン以下の重量については、一トンごとに千五百円
(ハ)　百トンを超え二百トン以下の重量については、一トンごとに千七百円
(ニ)　二百トンを超える重量については、一トンごとに千八百円
(2)　国際民間航空条約（昭和二十八年条約第二十一号）の附属書十六に定めるところにより測定された離陸測定点及び進入測定点における航空機の騒音値（当該騒音値のない航空機にあつては、当該航空機の騒音値について、その製造国の政府機関が公表しているこれに準ずる騒音値）を相加平均して得た値（一EPNデシベル未満は、一EPNデシベルとして計算する。）から八十三を減じた値に三千四百円を乗じて得た額
(3)　第十四条の二に規定する措置に必要な経費（以下「措置経費」という。）として、三百円
ロ　その他の航空機については、航空機の着陸一回ごとに、次に掲げる金額に、措置経費として三百円を加えて得た金額とする。
(1)　六トン以下の航空機については、当該重量に対し千円
(2)　六トンを超える航空機については、航空機の重量をそれぞれ次の各級に区分して順次に各料金率を適

用して計算して得た金額の合計額

(イ)　六トン以下の重量については、当該重量に対し七百円

(ロ)　六トンを超える重量については、一トンごとに五百九十円

二　停留料

停留料は、六時間以上空港内に停留する航空機について、空港における停留時間二十四時間（二十四時間未満は、二十四時間として計算する。）ごとに、航空機の重量をそれぞれ次の各級に区分して順次に各料金率を適用して計算して得た金額の合計額とする。

イ　二十三トン以下の航空機

(1)　三トン以下の重量については、当該重量に対し八百十円

(2)　三トンを超え六トン以下の重量については、当該重量に対し八百十円

(3)　六トンを超え二十三トン以下の重量については、一トンごとに三十円

ロ　二十三トンを超える航空機

(1)　二十五トン以下の重量については、一トンごとに九十円

(2)　二十五トンを超え百トン以下の重量については、一トンごとに八十円

(3)　百トンを超える重量については、一トンごとに七十円

**別表第二**（第十二条関係）

| 種別 | | | 金額 |
|---|---|---|---|
| 土地使用料 | 大島空港用地 | | 一月一平方メートルにつき二十円 |
| | 新島空港用地 | | 一月一平方メートルにつき八円 |
| | 神津島空港用地 | | 一月一平方メートルにつき六円 |
| | 三宅島空港用地 | | 一月一平方メートルにつき二十六円 |
| | 八丈島空港用地 | | 一月一平方メートルにつき四十円 |
| | 調布飛行場用地 | | 一月一平方メートルにつき三百七十円 |
| | 東京ヘリポート用地 | | 一月一平方メートルにつき七百八十八円 |
| | 大島空港ターミナルビル | | 一月一平方メートルにつき千九百三十六円 |
| | 新島空港ターミナルビル | | 一月一平方メートルにつき千八百十四円 |
| | 神津島空港ターミナルビル | | 一月一平方メートルにつき千八百二十一円 |
| 建物使用料 | 三宅島空港ターミナルビル | 旅客取扱いのため使用する場合 | 一月一平方メートルにつき六百四十三円 |
| | | その他の場合 | 一月一平方メートルにつき千八百二円 |
| | 調布飛行場ターミナルビル | | 一月一平方メートルにつき千七百七十三円 |
| | 東京ヘリポートターミナルビル | 旅客取扱いのため使用する場合 | 一月一平方メートルにつき千三百三円 |
| 設備使用料 | 大島空港ベルトコンベヤー | | 一月　九万三千二百円 |
| | 大島空港けん引装置 | | 一時間　五百円 |
| | 大島空港給油設備 | 給油タンク車 | 一月　八万九千二百円 |
| | | 固定給油設備 | 一月　十万五千六百円 |
| | 大島空港格納庫 | | 一月　四十九万四千五百円 |
| | 新島空港給油設備 | | 一月　六万四千七百円 |
| | 神津島空港給油設備 | | 一月　五万八千六百円 |
| | 三宅島空港給油 | | 一月　六万四千七百円 |

| 設備 | |
|---|---|
| 調布飛行場駐車場 | 一月一台につき　一万円<br>一日一台につき千円を超えない範囲内において知事が定める額 |

備考

一　使用期間に一月未満の端数があるときは、一月に切り上げる。ただし、大島空港格納庫の使用期間に一月未満の端数があるときは、日割りをもつて計算するものとする。

二　使用時間に一時間未満の端数があるときは、一時間に切り上げる。

三　使用面積に一平方メートル未満の端数があるときは、一平方メートルに切り上げる。

四　上空又は地下のみに係る土地使用料は、二分の一とする。

五　大島空港格納庫を分割して使用する場合の使用料は、分割割合を乗じて得た額とする。

六　大島空港格納庫の使用料に百円未満の端数があるときは、百円に切り上げる。

**別表第三**（第十二条関係）

第十二条第二項の規定の適用を受ける航空機に係る着陸料

一　ターボジェット発動機を装備する航空機については、航空機の着陸一回ごとに、次に掲げる金額の合計額とする。

イ　航空機の重量の区分に応じて別表第一　一の項イの着陸料の規定を適用して計算して得た金額から同項イ(3)の金額を除いた金額の六分の一に相当する金額（一円未満の端数があるときは、これを切り捨てる。以下同じ。）

ロ　措置経費として、三百円

二　その他の航空機については、航空機の着陸一回ごとに、次に掲げる金額に措置経費として三百円を加えて得た金額とする。

イ　六トン以下の航空機については、当該重量に対し六十二円

ロ　六トンを超える航空機については、航空機の重量の区分に応じて別表第一　一の項ロ(2)の着陸料の規定を適用して計算して得た金額の八分の一に相当する金額

# 第七類

# 公営企業

## 第一章　通則

# ○東京都地方公営企業の設置等に関する条例

昭四一・一二・二七
条例一四七

最終改正　令四・三・三一条例二〇

（設置）

**第一条**　東京都（以下「都」という。）に、地方公営企業法（昭和二十七年法律第二百九十二号）の規定の全部が適用される事業として第一号から第七号までに掲げる事業を、同法の規定の一部が適用される事業として第八号から第十一号までに掲げる事業を設置する。

一　水道事業　次に掲げる区域の住民の需要に応じて給水を行うとともに、都の区域内の市町村等の水道事業者に水道用水の供給を行う。

イ　特別区の存する区域

ロ　八王子市の存する区域（水道法（昭和三十二年法律第百七十七号）第十条第一項による認可を受けた給水区域（以下「認可区域」という。）に限る。）

ハ　立川市の存する区域

ニ　三鷹市の存する区域

ホ　青梅市の存する区域（認可区域に限る。）

ヘ　府中市の存する区域

ト　調布市の存する区域

チ　町田市の存する区域

リ　小金井市の存する区域

ヌ　小平市の存する区域

ル　日野市の存する区域

ヲ　東村山市の存する区域

ワ　国分寺市の存する区域

カ　国立市の存する区域

ヨ　福生市の存する区域

タ　狛江市の存する区域

レ　東大和市の存する区域

ソ　清瀬市の存する区域

ツ　東久留米市の存する区域

ネ　武蔵村山市の存する区域

ナ　多摩市の存する区域（認可区域に限る。）

ラ　稲城市の存する区域（認可区域に限る。）

ム　あきる野市の存する区域（認可区域に限る。）

ウ　西東京市の存する区域

ヰ　西多摩郡瑞穂町の存する区域

ノ　西多摩郡日の出町の存する区域（認可区域に限る。）

オ　西多摩郡奥多摩町の存する区域（認可区域に限る。）

二　削除

三　軌道事業　特別区の存する区域における交通需要に応じて旅客の運送を行う。

四　自動車運送事業　都及びその周辺の区域における交通需要に応じて旅客の運送を行う。

五　鉄道事業　都及びその周辺の区域における交通需要に応じて旅客の運送を行う。

六　電気事業　多摩川の流水を利用して発電を行い、都の施設及び都の区域内に電気を供給する電気事業者に電気の供給を行う。

七　下水道事業　特別区の存する区域内の下水の排除及び処理を行う。

八　臨海地域開発事業　東京港港湾区域及びこれに隣接する地域において埋立地の造成、整備及び開発を行う。

九　港湾事業　港湾において荷役機械、上屋及び貯木場を使用させる事業並びにそれらに関連する事業を行う。

十　市場事業　生鮮食料品その他の食料品の円滑かつ適正な流通を図るための中央卸売市場の経営を行う。

十一　都市再開発事業　北新宿地区、環状第二号線新橋・虎ノ門地区、大橋地区及び泉岳寺駅地区において市街地の再開発を行う。

2　前項各号に掲げる事業は、当該各号にそれぞれ定める事業を行うほか、これに付帯する事業を行うことができる。

**(経営の基本)**

**第二条** 前条第一項各号に掲げる事業は、常に企業の経済性を発揮するとともに、公共の福祉を増進するように運営されなければならない。

**付 則**

この条例は、昭和四十二年一月一日から施行する。

**附 則**(平三〇・一〇・一五条例一〇〇)(抄)

**(施行期日)**

1 この条例は、平成三十一年四月一日から施行する。ただし、第二条〔中略〕の規定は、平成三十五年四月一日から施行する。

**附 則**(令四・三・三一条例二〇)

この条例は、令和四年七月一日から施行する。

# ○東京都公営企業組織条例

昭二七・九・三〇
条例八一

最終改正 平三〇・一〇・一五条例一〇〇

**第一条** 都に次の局を置く。

一 交通局

㈠ 軌道事業に関すること。

㈡ 鉄道事業に関すること。

㈢ 自動車運送事業に関すること。

㈣ 電気事業に関すること。

二 水道局

㈠ 水道事業に関すること。

三 下水道局

㈠ 下水道事業に関すること。

**第二条** 前条の各局に管理者を置く。

2 管理者は、局長という。

**附 則**

1 この条例は、昭和二十七年十月一日から施行する。

2 交通局及び水道局設置条例（昭和二十五年八月東京都条例第五十号）は、廃止する。

3 この条例施行の際現に交通局及び水道局の所属職員は、別に辞令を発せられない限りそれぞれ現にある級及び現に受ける号給に相当する給料をもつて法第十五条の規定により昭和二十七年十月一日をもつて第一条の交通局及び水道局の職員に任命されたものとみなす。

**附 則**（平三〇・一〇・一五条例一〇〇）（抄）

**(施行期日)**

1 この条例は、平成三十一年四月一日から施行する。ただし、〔中略〕附則第五項〔中略〕の規定は、平成三十五年四月一日から施行する。

# ○地方公営企業法第三十九条第二項の規定に基づく職を定める規則

昭四〇・八・一四
規則一七六

最終改正 令五・三・三一規則三〇

（目的）

**第一条** この規則は、東京都の経営する企業に従事する職員の占める職のうち地方公営企業法（昭和二十七年法律第二百九十二号）第三十九条第二項の規定に基づく職を定めることを目的とする。

（職の指定）

**第二条** 前条の職は、別表第一、別表第二、別表第三及び別表第四に掲げる職とする。

**付 則**

この規則は、昭和四十年八月十五日から施行する。

**附 則**（令五・三・三一規則三〇）

この規則は、令和五年四月一日から施行する。

**別表第一**（交通局）

| 勤務箇所 | 職 |
|---|---|
| 全局 | 東京都交通局企業職員の職名に関する規程（昭和四十六年交通局規程第一号）第三条の規定に基づく職層名が理事、参事、専門参事、副参事及び専門副参事の職員をもって充てる職 |
| 本局 | 総務部総務課課長代理（庶務担当）、課長代理（秘書担当）及び課長代理（文書担当）<br>総務部企画調整課課長代理（企画調整総括担当）<br>総務部財務課課長代理（財務総括担当）、課長代理（主計総括担当）及び課長代理（経営管理担当）<br>職員部人事課課長代理（管理担当）、課長代理（人事担当）及び課長代理（服務指導担当）<br>職員部労働課課長代理（労務担当） |
| 研修所 | 動力車操縦者養成所主任教師 |

**別表第二**（水道局）

| 勤務箇所 | 職 |
|---|---|
| 全局 | 東京都水道局職員の職名に関する規程（昭和四十六年東京都水道局管理規程第十号）第三条の規定に基づく職層名が理事、参事、副参事及び専門副参事の職員をもって充てる職 |
| 本局 | 総務部総務課課長代理（秘書担当）、課長代理（秘書事務担当）、課長代理（調整担当）、課長代理（総務担当）、課長代理（文書担当）及び課長代理（法務担当）<br>総務部主計課課長代理（財務担当）、課長代理（財務調査担当）、課長代理（改革推進担当）、課長代理（団体連携担当）、課長代理（団体連携調査担当）、課長代理（団体連携推進担当）、課長代理（予算担当）及び課長代理（予算調査担当）<br>総務部企画調整課課長代理（企画調整担当）<br>職員部人事課課長代理（管理担当）、課長代理（人事担当）、課長代理（人事調査担当）、課長代理（給与担当）、課長代理（コンプライアンス推進担当）及び課長代理（コンプライアンス監理担当）<br>職員部労務課課長代理（労務担当）及び課長代理（労務調査担当）<br>職員部監察指導課課長代理（服務指導総括担当）、課長代理（服務指導担当）、課長代理（業務指導総括担当）及び課長代理（業務指導担当） |

**別表第三**（下水道局）

| 勤務箇所 | 職 |
|---|---|
| 全局 | 東京都下水道局企業職員の職名に関する規程（昭和四十六年東京都下水道局管理規程第十六号）第三条の規定に基づく職層名が理事、参事、副参事及び専門副参事の職員をもって充てる職 |
| | 総務部総務課課長代理（秘書担当）、課長代理（秘書事務担当）、課長代理（庶務担当）、課長代理（文書担当）、課長代理（法 |

| | |
|---|---|
| 本局 | 務担当）及び課長代理（調整担当）<br>総務部企画調整課課長代理（企画担当）<br>総務部理財課課長代理（財務担当）、課長代理（財政調査担当）、課長代理（予算担当）、課長代理（経営管理担当）及び課長代理（政策連携団体担当）<br>職員部人事課課長代理（庶務担当）、課長代理（人事担当）、課長代理（人事制度担当）、課長代理（服務指導担当）及び課長代理（コンプライアンス推進担当）<br>職員部労務課課長代理（労務担当） |

## ○東京都公営企業職員の給与の種類及び基準に関する条例

昭二八・三・一三
条例一九

最終改正　令五・三・三一条例四三

（目的）

**第一条**　この条例は、企業職員の給与の種類及び基準を定めることを目的とする。

（給与の種類）

**第二条**　企業職員で常時勤務を要する者及び地方公務員法（昭和二十五年法律第二百六十一号）第二十二条の四第一項に規定する短時間勤務の職を占める職員（以下「定年前再任用短時間勤務職員」という。）（以下「職員」と総称する。）の給与は、給料及び手当とする。

2　手当の種類は、管理職手当、初任給調整手当、扶養手当、地域手当、住居手当、通勤手当、単身赴任手当、特殊勤務手当、超過勤務手当、休日給、夜勤手当、宿日直手当、管理職員特別勤務手当、寒冷地手当、在勤地手当、期末手当、勤勉手当、特定任期付職員業績手当及び退職手当とする。

（給料）

**第三条**　給料は、正規の勤務時間による勤務に対する報酬であつて手当を除いたものとする。

2　職員の受ける給料は、その職務と責任に応じ、且つ、その他の勤務条件を考慮したものでなければならない。

（管理職手当）

**第三条の二**　管理職手当は、管理または監督の地位にある職員のうち、その特殊性に基き管理者が指定するものに対して支給する。

（初任給調整手当）

**第三条の三**　初任給調整手当は、次の各号に掲げる職に新たに採用された職員に対して、第一号に掲げる職に係るものにあつては採用の日から四十年以内、第二号に掲げる職に係るものにあつては採用の日から五年以内、第三号に掲げる職に係るものにあつては採用の日から三年以内の期間、採用の日（第一号に掲げる職に係るものにあつては、採用後管理者が定める期間を経過した日）から一年を経過するごとにその額を減じて支給する。

一　医学に関する専門的知識を必要とし、かつ、採用による欠員の補充が困難であると認められる職で管理者が定めるもの

二　科学技術に関する専門的知識を必要とし、かつ、採用による欠員の補充が困難であると認められる職（前号の職を除く。）で管理者が定めるもの

三　前二号の職以外の職で専門的知識を必要とし、かつ、採用による欠員の補充について特別の事情があると認められるもので管理者が定めるもの

2　前項の職に在職する職員のうち、同項の規定により初任給調整手当を支給される職員との均衡上必要があると認められる職員には、同項の規定に準じて、初任給調整手当を支給する。

（扶養手当）

**第四条**　扶養手当は、扶養親族のある職員に対して支給する。

（地域手当）

**第四条の二**　地域手当は、民間における賃金、物価等に

関する事情を考慮して、管理者が定める地域に在勤する職員に支給する。

（住宅手当）

**第四条の三**　住居手当は、次の各号のいずれかに該当する職員に支給する。

一　世帯主（これに準ずる者を含む。以下同じ。）である職員（公舎等で管理者が定めるものに居住する職員を除く。）のうち、満三十四歳に達する日以後の最初の三月三十一日までの間にある者で、自ら居住するため住宅（貸間を含む。次号において同じ。）を借り受け、月額一万五千円以上の家賃（使用料を含む。次号において同じ。）を支払つているもの

二　第五条の二の規定により単身赴任手当を支給される職員で、世帯主であるもの（配偶者（届出をしないが事実上婚姻関係と同様の事情にある者を含む。以下同じ。）又はこれとの均衡を考慮して管理者が別に定める者（配偶者及びこれとの均衡を考慮して管理者が別に定める者のいずれもない職員にあつては、満十八歳に達する日以後の最初の三月三十一日までの間にある子。以下この号において同じ。）が、公舎等で管理者が定めるものに居住する職員を除く。）のうち、満三十四歳に達する日以後の最初の三月三十一日までの間にある者で、配偶者又はこれとの均衡を考慮して管理者が別に定める者が居住するための住宅を借り受け、月額一万五千円以上の家賃を支払つているもの

（通勤手当）

**第五条**　通勤手当は、通勤のため交通機関または有料の道路を利用し、かつ、その運賃または料金を負担することを常例とする職員及びその他の職員で通勤のため自転車等の交通の用具を使用することを常例とする職員に対して、支給する。

（単身赴任手当）

**第五条の二**　勤務庁を異にする異動等に伴い、住居を移転し、やむを得ない事情により、同居していた配偶者又はこれとの均衡を考慮して管理者が別に定める者と別居することとなつた職員で、当該異動等の直前の住居から当該異動等の直後の勤務庁に通勤することが困難であると認められるもののうち、単身で生活することを常況とする職員には、単身赴任手当を支給する。ただし、配偶者の住居から勤務庁に通勤することが、困難であると認められない場合は、この限りでない。

2　前項のほか、同項の規定により単身赴任手当を支給される職員との均衡上必要があると認められる職員には、同項の規定に準じて、単身赴任手当を支給する。

（特殊勤務手当）

**第六条**　特殊勤務手当は、特殊な勤務で業務能率昂揚のため給与上特別の考慮を必要とし、且つ、その特殊性を給料で考慮することが適当でないものに従事した職員に対して支給する。

（超過勤務手当）

**第七条**　正規の勤務時間外に勤務することを命ぜられた職員には、正規の勤務時間外に勤務した全時間に対して、超過勤務手当を支給する。

2　前項に定めるもののほか、管理者の定めるところによる正規の勤務時間の割振りの変更により、一週間の正規の勤務時間が、あらかじめ定められた一週間の正規の勤務時間を超えることとなつた職員には、その超えることとなつた正規の勤務時間に相当する時間（管理者が別に定める時間を除く。）に対して、超過勤務手当を支給する。

（休日給）

**第八条**　職員には、正規の勤務日が休日にあたつても、正規の給与を支給する。

2　休日の勤務として、正規の勤務時間中に勤務することを命ぜられた職員には、正規の勤務時間中に勤務した全時間に対して、休日給を支給する。ただし、管理者が、休日の勤務に替えて職員に他の日の勤務を免除した場合には、休日給は支給しない。

3　前二項及び第十条の二の「休日」とは、次に掲げる日をいう。

一　国民の祝日に関する法律（昭和二十三年法律第百七十八号）に規定する休日（日曜日以外の日を週休日（正規の勤務時間を割り振らない日をいう。以下同じ。）と定められている職員にあつては、当該休日が週休日に当たるときは、管理者が別に定める日）

二　国の行事の行われる日又は特別の事情の存する日で、管理者が定める日

（夜勤手当）

**第九条**　正規の勤務時間として、午後十時から翌日の午前五時までの間に勤務する職員には、その間に勤務した時間に対して、夜勤手当を支給する。

（宿日直手当）

**第十条**　職員が、宿直勤務又は日直勤務を命ぜられたときは、宿日直手当を支給する。

2　前項の勤務は、第七条から第九条まで及び次条の手当の対象となる勤務には含まれないものとする。

（管理職員特別勤務手当）

**第十条の二**　第三条の二の規定に基づき指定する職員又は東京都の一般職の任期付職員の採用及び給与の特例に関する条例（平成十四年東京都条例第百六十一号）第二条第一項の規定により任期を定めて採用された職

員（以下「特定任期付職員」という。）が、臨時又は緊急の必要その他公務の運営の必要により週休日又は休日に勤務した場合は、当該職員には、管理職員特別勤務手当を支給する。ただし、管理者が、休日の勤務に替えて職員に他の日の勤務を免除した場合には、管理職員特別勤務手当は支給しない。

2　前項に規定する場合のほか、第三条の二の規定に基づき指定する職員が災害への対処その他の臨時又は緊急の必要により週休日又は休日以外の日の午前零時から午前五時までの間であつて正規の勤務時間以外の時間に勤務した場合は、当該職員には、管理職員特別勤務手当を支給する。

（寒冷地手当）

**第十一条**　寒冷地手当は、特に寒冷の地域に在勤する職員に対して支給する。

（在勤地手当）

**第十二条**　在勤地手当は、水道事業に従事する職員で特殊地域に在勤する職員に対して支給する。

（期末手当）

**第十三条**　職員には、六月及び十二月に期末手当を支給する。

（勤勉手当）

**第十三条の二**　職員には、勤務成績に応じて、勤勉手当を支給する。

（特定任期付職員業績手当）

**第十三条の三**　特定任期付職員業績手当は、特定任期付職員のうち、特に顕著な業績を挙げたと認められる職員に対して支給する。

（退職手当）

**第十四条**　職員が退職した場合は、退職手当を支給する。

（特定職員についての適用除外）

**第十四条の二**　第七条、第八条第二項及び第九条の規定は、第三条の二の規定に基づき指定する職員には適用しない。

2　第三条の二から第四条まで、第四条の三、第六条、第七条、第八条第二項、第九条及び第十条の規定は、次長、技監等の職にある職員のうち管理者が指定する者には適用しない。

3　第三条の三、第四条、第四条の三、第十一条、第十二条、前条及び第十七条の二（退職手当に係る部分に限る。）の規定は、定年前再任用短時間勤務職員には適用しない。

4　第三条の二から第四条まで、第四条の三、第七条、第八条第二項、第九条、第十三条の二及び第十七条の二（勤勉手当に係る部分に限る。）の規定は、特定任期付職員には適用しない。

5　第四条及び第四条の三の規定は、管理者が別に定める職員には適用しない。

（支給額決定の基準）

**第十五条**　職員の給与の額は、地方公営企業法（昭和二十七年法律第二百九十二号）第三十八条第二項及び第三項の規定の趣旨に従つて定めなければならない。

（給与の減額）

**第十六条**　職員が勤務しないときは、その勤務しないことにつき管理者の承認があつた場合を除くほか、その勤務しない一時間につき、勤務一時間当たりの給料及び管理者が定める手当の合計額を減額して給与を支給する。

2　職員が管理者の承認を受けて、管理者の定めるところによる部分休業、介護休暇又は介護時間により勤務しない場合には、前項の規定にかかわらず、その勤務しない一時間につき、同項に規定する額を減額して給与を支給する。

（休職者の給与）

**第十六条の二**　休職となつた職員（次項に規定する職員を除く。）に対しては、管理者が定めるところにより給与を支給することができる。

2　地方公営企業等の労働関係に関する法律（昭和二十七年法律第二百八十九号）第六条第五項の規定により休職となつた職員には、その休職の期間中いかなる給与も支給しない。

（育児休業の承認を受けた職員の給与）

**第十六条の三**　地方公務員の育児休業等に関する法律（平成三年法律第百十号）第二条第一項の規定により育児休業の承認を受けた職員には、その育児休業をしている期間については、第十三条及び第十三条の二の給与を除くほか、給与を支給しない。

（配偶者同行休業の承認を受けた職員の給与）

**第十六条の四**　地方公務員法第二十六条の六第一項の規定により配偶者同行休業の承認を受けた職員には、その配偶者同行休業をしている期間については、給与を支給しない。

（災害補償との関係）

**第十七条**　職員が公務上負傷し、若しくは疾病にかかり、又は通勤により負傷し、若しくは疾病にかかり、地方公務員災害補償法（昭和四十二年法律第百二十一号）の適用を受けて療養のため勤務しない期間については、第十三条及び第十三条の二の給与を除くほか、この条例に定める給与は支給しない。

（人事委員会による調査審議）

**第十七条の二**　人事委員会は、管理者の諮問に応じ、次項に規定する期末手当、勤勉手当又は退職手当に係る処分（以下この条において「期末手当の不支給等の処分」という。）について調査審議する。

2　管理者は、その定めるところにより、次に掲げる処分を行おうとするときは、人事委員会に諮問しなければならない。

一　期末手当の不支給処分（職員の給与に関する条例（昭和二十六年東京都条例第七十五号）第二十一条の二の二の二第一項の規定による処分をいう。）に相当する処分

二　勤勉手当の不支給処分（職員の給与に関する条例第二十一条の二の五の規定において準用する同条例第二十一条の二の二の二第一項の規定による処分をいう。）に相当する処分

三　退職手当の支給制限等の処分（職員の退職手当に関する条例（昭和三十一年東京都条例第六十五号）第十九条第一項第三号若しくは第二項、第二十条第一項、第二十一条第一項又は第二十二条第一項から第五項までの規定による処分をいう。）に相当する処分

3　人事委員会は、期末手当の不支給等の処分（次に掲げる処分を除く。）を受けるべき者から申立てがあつた場合には、当該処分を受けるべき者に口頭で意見を述べる機会を与えなければならない。

一　前項第一号に該当する処分のうち、職員の給与に関する条例第二十一条の二の二の二第一項第一号の規定による処分に相当する処分

二　前項第二号に該当する処分のうち、職員の給与に関する条例第二十一条の二の五の規定において準用する同条例第二十一条の二の二の二第一項第一号の規定による処分に相当する処分

三　前項第三号に該当する処分のうち、職員の退職手当に関する条例第十九条第一項第三号又は第二十条第一項の規定による処分に相当する処分

4　人事委員会は、必要があると認める場合には、期末手当の不支給等の処分に係る事件に関し、当該処分を受けるべき者又は管理者にその主張を記載した書面又は資料の提出を求めること、適当と認める者にその知つている事実の陳述又は鑑定を求めることその他必要な調査をすることができる。

5　人事委員会は、必要があると認める場合には、関係機関に対し、資料の提出、意見の開陳その他必要な協力を求めることができる。

6　前各項に規定するもののほか、期末手当の不支給等の処分についての調査審議に関し必要な事項は、人事委員会規則で定める。

**（職員以外の企業職員の給与）**

**第十八条**　企業職員で職員以外のものの給与は、職員の給与との権衡を考慮して管理者が別に定める。

**（委任）**

**第十九条**　この条例に定めるもののほか、この条例の施行について必要な事項は、管理者が定める。

**附　則**

1　この条例は、昭和二十八年四月一日から施行する。

2　結核性疾患で休養中の職員については、なお、従前の例による。

3　交通局の職員については、当分の間、第八条第二項中「支給する」とあるのは、「支給することができる」と読み替える。

4　職員（定年前再任用短時間勤務職員並びに地方公務員法の一部を改正する法律（令和三年法律第六十三号）附則第四条第一項及び第二項により採用された者を除く。）が六十歳に達した日後における最初の四月一日以後、当該職員に適用される給料については、職員の給与に関する条例附則第十項及び第十二項の規定の例により管理者が別に定める。

**附　則**（平二二・三・三〇条例一三）

**（施行期日）**

1　この条例は、平成二十二年三月三十一日から施行する。ただし、第十四条の二第二項及び第四項の改正規定並びに第十七条の次に一条を加える改正規定（第十七条の二第二項第一号及び第二号並びに第三項第一号及び第二号に係る部分に限る。）は、同年四月一日から施行する。

**（経過措置）**

2　この条例の施行の日におけるこの条例による改正後の東京都公営企業職員の給与の種類及び基準に関する条例（以下「改正後の条例」という。）第十七条の二の規定の適用については、同条第一項中「次項」とあるのは「次項第三号」と、「期末手当、勤勉手当又は退職手当」とあるのは「退職手当」と、「期末手当の」とあるのは「退職手当の」と、同条第三項から第六項までの規定中「期末手当の」とあるのは「退職手当の」とする。

3　改正後の条例の規定は、この条例の施行の日以後に退職した者について適用し、同日前に退職した者については、なお従前の例による。

**附　則**（平二四・一一・三〇条例一二九）

**（施行期日）**

**第一条**　この条例は、公布の日の属する月の翌月の初日（公布の日が月の初日であるときは、その日）から施行する。ただし、第二条の規定及び附則第二条から第四条までの規定は、平成二十五年四月一日から施行する。

**（扶養手当に係る経過措置）**

**第二条**　第二条の規定による改正後の東京都公営企業職員の給与の種類及び基準に関する条例第十四条の二第五項に規定する職員のうち管理者が別に定める職員は、同項の規定にかかわらず、平成二十五年四月一日から平成二十七年三月三十一日までの間、管理者が別に定める額の扶養手当を支給する。

2　前項の規定にかかわらず、管理者が別に定める職員については、同項の規定を適用しない。

**第三条**　平成二十五年四月一日以降に管理者が別に定める給料表の適用を新たに受けることとなった職員について、任用の事情等を考慮して前条の規定による扶養手当を支給される職員との均衡上必要があると認められるときは、当該職員には、管理者が別に定めるところにより、同条の規定に準じて、扶養手当を支給する。

**第四条**　前二条に定めるもののほか、扶養手当に係る経過措置に関し必要な事項は、管理者が別に定める。

**附　則**（令四・六・二二条例一〇四）

**（施行期日）**

**第一条**　この条例は、令和五年四月一日から施行する。

**（定年退職者等の再任用に関する経過措置）**

**第二条**　地方公務員法の一部を改正する法律（令和三年法律第六十三号。以下「改正法」という。）附則第六条第一項又は第二項の規定により採用された職員は、この条例による改正後の東京都公営企業職員の給与の種類及び基準に関する条例（以下「新条例」という。）第二条第一項に規定する定年前再任用短時間勤務職員とみなす。

**第三条**　新条例第十四条の二第三項の規定は、改正法附則第四条第一項又は第二項の規定により採用された職員について準用する。

**附　則**（令五・三・三一条例四三）

この条例は、令和五年四月一日から施行する。

# 第二章　交　通

## ○東京都交通局組織規程

昭三七・三・三一
交通局規程三三

最終改正　令六・五・二交通局規程三三

（目的）
**第一条**　この規程は、交通局長の権限に属する事務を処理するため必要な組織を定めることを目的とする。

**第二条**　削除

（分課）
**第三条**　局の分課は、次のとおりとする。

総務部
　総務課
　企画調整課
　財務課
　安全対策推進課
　お客様サービス課
職員部
　人事課
　労働課
資産運用部
　資産活用課
　事業開発課
　会計課
　契約課
電車部
　管理課
　営業課
　運転課
自動車部
　管理課
　計画課
　営業課
　車両課
車両電気部
　管理課
　車両課
　電力課
　信号通信課
建設工務部
　管理課
　計画改良課
　保線課
　建築課

（職）
**第四条**　局に次長及び技監を置くことができる。
2　部に部長を、課に課長を置く。
3　局に担当部長及び健康管理参事医を、部に担当課長を、別に定めるところにより置く。
4　部に専門課長を置くことができる。
5　課に課長代理を置く。
6　前各項の職のほか、必要な職を置く。

（分掌事務）
**第五条**　各部課の分掌事務は、次のとおりとする。

総務部

総務課
一　諸規程類の制定及び改廃に関すること。
二　文書の審査に関すること。
二の二　局事業に関する法規の調査及び解釈に関すること。
三　文書の収受、配布、発送、編集及び保存に関すること。
四　情報公開に係る制度等に関すること（総務部お客様サービス課に属するものを除く。）。
四の二　保有個人情報の保護に係る制度等に関すること（総務部お客様サービス課に属するものを除く。）。
五　公印に関すること。
六　局内事務の連絡調整に関すること。
七　訴訟及び和解に関すること。
八　課長及びこれに準ずる職以上の職にある者の任免、分限、懲戒、表彰、服務その他の人事に関すること。
九　局の乗用自動車に関すること。
十　局内他の部課に属しないこと。

企画調整課
一　局事業及び重要な施策等の総合的な企画及び調整に関すること。
二　経営計画に関すること。
三　経営資料の調査、研究、統計及び報告に関すること。
四　局事業に係るデジタル技術活用施策の企画、推進及び総合調整に関すること。
五　情報システムに関すること。
六　地下高速電車の新線建設に係る基本計画に関すること（建設工務部計画改良課に属するもの

を除く。)。
七　局事業に係る技術の調査、開発及び総合調整(建設工務部計画改良課に属するものを除く。)に関すること。

財務課

一　予算及び決算に関すること。
二　局事業の進行管理に関すること。
三　資金の調達及び運用に関すること。
四　出資事務に関すること。
五　職員定数に関すること。
六　局の機構に関すること。
七　業務の監察指導に関すること。
八　監査に関すること。
九　行政評価に関すること。
十　事務の改善に関すること。
十一　その他の財務に関すること。

安全対策推進課

一　局事業に係る安全管理及び危機管理の総合調整に関すること。
二　電車、地下高速電車及び日暮里・舎人ライナーに係る運輸安全マネジメントの推進に関すること(他の部に属するものを除く。)。

お客様サービス課

一　サービス活動の企画、推進及び総合調整に関すること。
二　広聴及び広報の企画、総合調整及び実施に関すること。
三　遺失物に関すること。
四　情報公開に係る連絡調整及び実施に関すること。
五　保有個人情報の開示等に係る連絡調整及び受付に関すること。
六　報道機関等との連絡調整に関すること。
七　都営交通お客様センターに関すること。

職員部

人事課

一　職員(課長及びこれに準ずる職以上の職にある者を除く。)の任免、分限、懲戒、表彰、服務その他の人事に関すること。
二　職員の教育、訓練及び研修に関すること。
三　東京都人事委員会から委任を受けた職員の競争試験又は選考の実施に関すること。
四　職員の社会保険に関すること。
五　職員の服務の監察指導に関すること。
六　部内他の課に属しないこと。

労働課

一　職員の労働条件に関すること。
二　職員の福利厚生に関すること。
三　労働事情の調査及び労働統計に関すること。
四　労働組合に関すること。
五　東京都職員互助組合及び東京都職員共済組合に関すること。
六　職員の給与計算に関すること。
七　職員の健康管理及び健康診断に関すること。
八　職員の安全衛生及び労働災害に関すること。
九　局事業施設の環境調査及び環境対策に関すること。

資産運用部

資産活用課

一　関連事業に係る計画の策定、実施及び総合調整に関すること。
二　土地及び建物の利用に係る総合調整に関すること。
三　土地及び建物の取得、管理及び処分に関すること(地下高速電車の建設及び改良用地その他これに関連する物件の取得、管理及び処分を除く。)。
四　関連事業に係る構築物の管理に関すること。
五　普通財産である土地(その土地の定着物を含む。)の信託に関すること。
六　測量に関すること。
七　電話の取得、管理及び処分に関すること。
八　無体財産権の総合調整に関すること。
九　部内他の課に属しないこと。

事業開発課

一　車内、駅構内等の広告に関すること(他の部に属するものを除く。)。
二　駅構内の営業に関すること。
三　通信事業用財産の賃貸に関すること(他の部に属するものを除く。)。

会計課

一　会計事務及び物品管理事務の総合調整に関すること。
二　現金、有価証券及び担保物の出納保管に関すること。
三　収支伝票の審査に関すること。
四　貯蔵品に関すること。
五　契約に係る検査に関すること。
六　請負工事に係る成績評定に関すること。

契約課

一　工事その他の請負契約に関すること。
二　物品、材料等の購入契約に関すること。
三　測量、設計等の委託契約に関すること。

四　物件（土地及び建物を除く。）の賃借及び処分の契約に関すること。

電車部

管理課

一　電車、地下高速電車及び日暮里・舎人ライナーに関する事務（運行に係る安全管理及び危機管理を除く。）の総合調整に関すること。

二　電車、地下高速電車及び日暮里・舎人ライナーの事故賠償に関すること。

三　部内他の課に属しないこと。

営業課

一　電車、地下高速電車及び日暮里・舎人ライナーの営業計画の策定及び変更に関すること。

二　電車、地下高速電車及び日暮里・舎人ライナーの運賃及び料金の制定及び変更の連絡折衝に関すること。

三　電車、地下高速電車及び日暮里・舎人ライナーの乗車券の発売に関すること。

四　地下高速電車及び日暮里・舎人ライナーの連絡運輸計画の策定及び変更に関すること。

五　地下高速電車及び日暮里・舎人ライナーの運賃及び料金の審査及び連絡運輸収入の清算に関すること。

六　電車の運賃及び料金の審査に関すること。

七　電車、地下高速電車及び日暮里・舎人ライナーの停留場又は駅施設の新設及び改廃に関すること。

八　電車、地下高速電車及び日暮里・舎人ライナーの営業に係る統計の作成に関すること。

九　地下高速電車の駅構内の広告に関すること（他の部に属するものを除く。）。

運転課

一　電車、地下高速電車及び日暮里・舎人ライナーの運行に係る安全管理及び危機管理の総合調整に関すること（総務部安全対策推進課に属するものを除く。）。

二　電車、地下高速電車及び日暮里・舎人ライナーの運転計画の策定及び変更に関すること。

三　電車、地下高速電車及び日暮里・舎人ライナーの運転事故の防止に関すること。

四　電車、地下高速電車及び日暮里・舎人ライナーの運転施設の新設及び改廃に関すること。

五　電車、地下高速電車及び日暮里・舎人ライナーの運転取扱いの連絡調整に関すること。

六　電車、地下高速電車及び日暮里・舎人ライナーの運転に係る統計の収集作成に関すること。

自動車部

管理課

一　自動車に関する事務の連絡統制に関すること。

二　部内他の課に属しないこと。

計画課

一　自動車の運転計画の策定、変更に関すること。

二　自動車の運行系統の新設、改廃に関すること。

三　自動車の運転施設の新設、改廃に関すること。

四　自動車の運賃及び料金の制定及び改廃の連絡折衝に関すること。

五　自動車の営業に係る企画の立案に関すること。

六　自動車の営業成績その他諸統計の収集作成に関すること。

営業課

一　自動車の運転計画の実施に関すること。

二　自動車の営業に係る企画の立案及び実施に関すること（自動車部計画課に属するものを除く。）。

三　自動車の乗車券の発売に関すること。

四　自動車の運賃及び料金等の取扱いに関すること。

五　自動車の運行に係る安全管理及び危機管理に関すること（総務部安全対策推進課に属するものを除く。）。

六　自動車乗務員等の運転及び接遇に係る指導に関すること。

七　自動車の事故賠償に関すること。

八　貸切自動車の業務に関すること。

九　特定自動車の業務に関すること。

車両課

一　自動車の車両の管理事務に関すること。

二　自動車の車両の設計に関すること。

三　自動車の車両の整備及び検査の計画に関すること。

四　自動車の燃料及び油脂に関すること。

五　自動車工場に関すること。

車両電気部

管理課

一　電車、地下高速電車及び日暮里・舎人ライナーの車両の新造、改良及び維持管理に関する事務の連絡統制に関すること。

二　電車、地下高速電車及び日暮里・舎人ライナーの電気施設の建設、改良及び維持管理並びに支障工事に関する事務の連絡統制に関すること。

二の二　電車、地下高速電車及び日暮里・舎人ライナーの電気設備及び機械設備の建設に係る設計及び工事に関する事務の連絡統制に関すること。

三　電気事業に関すること（東京都交通局発電事務所処務規程（昭和三十二年交通局規程第四十四号）第一条第一号及び第二号に掲げる掌理事項を除く。）。

四　部内他の課に属しないこと。

車両課

一　電車、地下高速電車及び日暮里・舎人ライナーの車両の新造、改良及び更新の基本計画及び設計に関すること。

二　電車、地下高速電車及び日暮里・舎人ライナーの車両の収容施設及び修繕施設の建設改良及び維持管理の計画及び技術に関すること。

三　電車、地下高速電車及び日暮里・舎人ライナーの諸機械の製作及び修理に関すること。

四　電車、地下高速電車及び日暮里・舎人ライナーの車両の管理、運用計画及び検査計画に関すること。

五　電車、地下高速電車及び日暮里・舎人ライナーの車両に係る調査、統計及び報告に関すること。

電力課

一　電車、地下高速電車及び日暮里・舎人ライナーの電気設備及び機械設備の建設改良並びに維持管理の基本計画に関すること（総務部企画調整課及び建設工務部に属するものを除く。）。

二　電車の電路設備の建設改良及び維持管理の計画並びに技術に関すること。

三　地下高速電車及び日暮里・舎人ライナーの電路設備及び機械設備の建設改良及び維持管理の計画並びに技術に関すること。

四　電車、地下高速電車及び日暮里・舎人ライナーの変電設備の建設改良及び維持管理の計画並びに技術に関すること。

五　電車、地下高速電車及び日暮里・舎人ライナーの受電、変電及び配電に関すること。

信号通信課

一　電車、地下高速電車及び日暮里・舎人ライナーの信号保安設備の建設改良及び維持管理の計画並びに技術に関すること。

二　電車、地下高速電車及び日暮里・舎人ライナーの保安通信設備の建設改良及び維持管理の計画並びに技術に関すること。

三　電車、地下高速電車及び日暮里・舎人ライナーの電気設備及び機械設備の建設改良に係る計画及び技術に関すること（車両電気部電力課に属するものを除く。）。

建設工務部

管理課

一　電車の軌道及び構築物の建設、改良及び維持管理に関する事務の連絡統制に関すること。

二　地下高速電車の構築物及びこれに附属する設備並びに軌道の建設、改良及び維持管理に関する事務の連絡統制に関すること。

三　日暮里・舎人ライナーの軌道及び構築物の改良及び維持管理に関する事務の連絡統制に関すること。

四　建築及び営繕並びに前三号に規定する構築物以外の構築物の建設、改良及び維持管理に関する事務の連絡統制に関すること。

五　地下高速電車の建設及び改良の計画に係る物件の取得、管理及び処分に関すること並びに地下高速電車の建設工事及び改良工事に起因する損害補償の基準等に関すること。

六　地下高速電車の建設用地に係る土地等の収用に関すること。

七　部内他の課に属しないこと。

計画改良課

一　電車及び地下高速電車の建設の基本計画に関すること（総務部企画調整課に属するものを除く。）。

二　電車及び地下高速電車の建設の実施計画及び設計に関すること。

三　電車及び地下高速電車の構築物及び駅舎の改良に係る計画に関すること。

四　電車及び地下高速電車の構築物の改良の実施計画及び設計に関すること。

五　電車及び地下高速電車の建設及び改良の技術に関すること。

六　電車及び地下高速電車の建設工事及び構築物の改良工事等に関すること。

七　日暮里・舎人ライナーに関する関係機関との連絡調整に関すること。

八　構築物（電車、地下高速電車及び日暮里・舎人ライナーに係るものを除く。）の建設工事、改良工事及び維持工事の実施計画及び技術に関すること。

保線課

一　電車及び地下高速電車の軌道の建設、改良及び維持管理の計画及び技術に関すること。

二　電車及び地下高速電車の構築物の維持管理の計画及び技術に関すること。

三　日暮里・舎人ライナーの軌道及び構築物の改良及び維持管理の計画及び技術に関すること。

建築課

一　建物及びその附帯設備の新築、改良及び修繕の計画並びに技術に関すること。

二　建物及びその附帯設備の新築、改良及び修繕の工事の設計に関すること。

三　建物（地下高速電車及び日暮里・舎人ライナーの駅舎を除く。）並びにそれに附帯する機械設備及び電気設備の新築、改良及び修繕の工事に関すること。

四　地下高速電車の建設に係る機械設備の計画、技術及び設計に関すること。

（事業所）

**第六条**　局の事業所は、別表のとおりとする。

2　事業所にそれぞれ長をおく。

3　事業所の掌理事項、内部組織等は、別に定める。

**付　則**

この規程は、昭和三十七年四月一日から施行する。

**附　則**（令五・一二・一五交通局規程五三）

この規程は、令和五年十二月二十八日から施行する。

**附　則**（令六・五・二交通局規程三三）

この規程は、令和六年五月七日から施行する。

**別表**（第六条関係）

一　総務部所属

| 名称 | 位置 |
| --- | --- |
| 東京都交通局都営交通お客様センター | |

二　職員部所属

| 名称 | 位置 |
| --- | --- |
| 東京都交通局研修所 | 江東区東雲二丁目七番四一号 |

三から五まで　削除

六　電車部所属

| 名称 | 位置 |
| --- | --- |
| (一) 東京都交通局荒川電車営業所 | 荒川区西尾久八丁目三三番七号 |
| (二) 東京都交通局総合指令所 | |
| (三) 駅務管区 | |
| 東京都交通局都庁前駅務管区 | 新宿区西新宿二丁目八番一号 |
| 同　巣鴨駅務管区 | 豊島区巣鴨三丁目二七番七号 |
| 同　馬喰駅務管区 | 中央区日本橋横山町四番一三号 |
| 同　門前仲町駅務管区 | 江東区門前仲町二丁目五番二号先 |
| 同　大門駅務管区 | 港区浜松町二丁目三番四号 |
| 同　日比谷駅務管区 | 千代田区有楽町一丁目一三番一号先 |
| (四) 乗務管理所 | |
| 東京都交通局泉岳寺乗務管理所 | 港区三田三丁目一一番二四号 |
| 同　高島平乗務管理所 | 板橋区高島平九丁目一番一号 |
| 同　大島乗務管理所 | 江東区大島九丁目九番二二号 |
| 同　清澄乗務管理所 | 江東区清澄三丁目十一番四号 |
| (五) 東京都交通局日暮里・舎人営業所 | 足立区古千谷二丁目十番 |

七　自動車部所属

| 名称 | 位置 |
| --- | --- |
| (一) 自動車営業所 | |
| 東京都交通局品川自動車営業所 | 品川区北品川一丁目五番一二号 |
| 同　渋谷自動車営業所 | 渋谷区東二丁目二五番三六号 |
| 同　小滝橋自動車営業所 | 中野区東中野五丁目三〇番二号 |
| 同　早稲田自動車営業所 | 新宿区西早稲田一丁目九番二三号 |
| 同　巣鴨自動車営業所 | 豊島区巣鴨二丁目九番八号 |
| 同　北自動車営業所 | 北区神谷三丁目一〇番六号 |
| 同　千住自動車営業所 | 足立区梅田二丁目三番一一号 |
| 同　南千住自動車営業所 | 荒川区南千住二丁目三三番一号 |
| 同　江東自動車営業所 | 墨田区江東橋四丁目三〇番一〇号 |
| 同　江戸川自動車営業所 | 江戸川区中葛西四丁目九番一一号 |
| 同　深川自動車営業所 | 江東区東雲二丁目七番四一号 |
| 同　有明自動車営業所 | 江東区有明三丁目九番二五号 |
| (二) 東京都交通局自動車工場 | 江東区東雲二丁目七番四一号 |

七ノ二　車両電気部所属

| 名称 | 位置 |
| --- | --- |
| (一) 車両検修場 | |
| 東京都交通局馬込車両検修場 | 大田区南馬込六丁目三八番一号 |
| 同　志村車両検修場 | 板橋区高島平九丁目一番一号 |
| 同　大島車両検修場 | 江東区大島九丁目八番一号 |
| 同　木場車両検修場 | 江東区木場五丁目六番七号 |
| (二) 東京都交通局電気総合管理所 | |
| (三) 電気管理所 | |
| 東京都交通局浅草線電気管理所 | 港区浜松町二丁目三番七号 |
| 同　三田線電気管理所 | 文京区本郷一丁目三五番一五号 |
| 同　新宿線電気管理所 | 江東区大島九丁目九番二二号 |
| 同　大江戸線電気管理所 | 江東区木場五丁目六番七号 |
| (四) 東京都交通局発電事務所 | 青梅市御岳二丁目三三八番地 |

八　建設工務部所属

| 名称 | 位置 |
| --- | --- |
| (一) 東京都交通局工務事務所 | 文京区本郷一丁目三五番一五号 |
| (二) 東京都交通局地下鉄改良工事事務所 | 港区芝公園二丁目六番一五号 |
| (三) 保線管理所 | |
| 東京都交通局馬込保線管理所 | 大田区南馬込六丁目三八番一号 |
| 同　志村保線管理所 | 板橋区高島平九丁目一番一号 |
| 同　大島保線管理所 | 江東区大島九丁目九番二二号 |
| 同　木場保線管理所 | 江東区木場五丁目六番七号 |

## ○東京都交通事業会計の設置に関する条例

昭四一・一二・二七
条例一五三

最終改正　令五・六・二八条例六九

地方公営企業法（昭和二十七年法律第二百九十二号）第十七条ただし書及び地方公営企業法施行令（昭和二十七年政令第四百三号）第八条の四の規定に基づき、軌道事業及び自動車運送事業を通じて東京都交通事業会計を設ける。

**付　則**

この条例は、昭和四十二年一月一日から施行し、昭和四十二年度の予算及び決算から適用する。

**附　則**（令五・六・二八条例六九）

この条例は、東京都規則で定める日〔令五・一二・二八〕から施行する。

## ○東京都電車条例

昭三九・三・三一
条例一〇五

最終改正　平二六・三・二四条例七

**（通則）**

**第一条**　東京都電車（以下「電車」という。）による旅客運送に関して必要な事項は、軌道法（大正十年法律第七十六号）その他の法令で定めるもののほか、この条例の定めるところによる。

**（路線等）**

**第二条**　電車による旅客運送は、特別区の存する区域において行うものとし、その路線の区間並びに運転系統の名称及び区間は、東京都軌道事業管理者（以下「管理者」という。）が定める。

**（普通旅客運賃）**

**第三条**　普通旅客運賃は、一人一乗車につき次に定める額の範囲内で管理者が定める。

一　十二歳以上の者　百七十円

二　十二歳未満の者　九十円

2　前項の規定にかかわらず、旅客の同伴する一歳未満の者の旅客運賃は、無料とし、旅客の同伴する一歳以上六歳未満の者の旅客運賃は、旅客一人につき、二人までは無料とする。

**（特殊旅客運賃）**

**第四条**　管理者は、事業上必要があると認めたときは、次に掲げる旅客運賃を定めることができる。

| 種別 | 旅客運賃の額 |
|---|---|
| 一　定期旅客運賃 | 普通旅客運賃の八割五分以内の額を割引した額 |
| 二　回数旅客運賃 | 普通旅客運賃の三割以内の額を割引した額 |
| 三　貸切旅客運賃 | 十二歳以上の者の普通旅客運賃に貸切車両の定員数を乗じて得た額の五割以内の額を割引した額 |
| 四　特別旅客運賃 | 普通旅客運賃の五割以内の額を割引した額 |

2　前項の旅客運賃により乗車することができる者の範囲は、管理者が定める。

**（旅客運賃の無料等）**

**第五条**　管理者は、事業上の必要その他特別の理由があると認めた者に対しては、旅客運賃を無料とし、又は特別の措置を講ずることができる。

**（乗車券の様式）**

**第六条**　旅客に対して交付する乗車券の様式は、管理者が定める。

**（乗車券の無効）**

**第七条**　乗車券を、その乗車券に指定した事項に違反して使用し、または使用させたときは、これを無効とする。ただし、管理者が定める場合は、この限りでない。

（乗車券の引換え等）
**第八条**　旅客運賃又は乗車券の様式を変更したときは、その変更の日から一年以内において管理者の定める期間内に、管理者の定める方法により、乗車券の証明又は引換えを受けなければならない。
2　前項の期間内に証明又は引換えを受けなかつた乗車券は、無効とする。

（無効の乗車券の回収）
**第九条**　無効の乗車券は、回収する。

**第十条**　削除

（旅客運賃の払戻し等）
**第十一条**　既納の旅客運賃は、払戻しをしない。ただし、管理者が特別の理由があると認めたときは、その全部又は一部の払戻しをすることができる。
2　前項ただし書の規定により既納の旅客運賃の払戻しをするときは、普通旅客運賃及び特別旅客運賃については乗車券一枚につき百円以内、定期旅客運賃及び貸切旅客運賃については乗車券一枚につき、回数旅客運賃については乗車券一組につきそれぞれ二百二十円以内で、管理者が定める額の手数料を徴収する。ただし、管理者が特別の理由があると認めたときは、徴収しない。

（天災等の場合の旅客運賃等の特例）
**第十二条**　管理者は、天災その他非常事態の発生に際して必要があると認めたときは、この条例の規定にかかわらず、旅客運賃若しくは乗車券または旅客運送について必要な措置を講ずることができる。

（増運賃等の徴収）
**第十三条**　管理者は、次の各号の一に該当する者から、相当の旅客運賃及びその二倍以内の増運賃を徴収することができる。
一　不正の手段により旅客運賃を免かれ、または免かれようとした者
二　乗車券の検査または回収のとき理由なく係員の請求を拒んだ者

（委任）
**第十四条**　この条例の施行に関して必要な事項は、管理者が定める。

**付　則**
1　この条例は、昭和三十九年四月一日から施行する。
2　東京都電車料金条例（昭和十九年四月東京都条例第十二号）は、廃止する。

**附　則**（平二六・三・二四条例七）
この条例は、東京都規則で定める日〔平二六・四・一〕から施行する。

# ○東京都乗合自動車条例

昭四〇・一・九
条例二

最終改正 平二六・三・二四条例八

（通則）

**第一条** 東京都乗合自動車（以下「乗合自動車」という。）による旅客運送に関して必要な事項は、道路運送法（昭和二十六年法律第百八十三号）その他の法令で定めるもののほか、この条例の定めるところによる。

（路線等）

**第二条** 乗合自動車による旅客運送は、東京都及びその周辺の区域において行うものとし、その路線の区間並びに運行系統の名称及び区間は、東京都自動車運送事業管理者（以下「管理者」という。）が定める。

（普通旅客運賃）

**第三条** 普通旅客運賃は次に定めるとおりとする。

一 十二歳以上の者 一人一旅客運賃区間一乗車につき二百十円以内で管理者が定める額

二 十二歳未満の者 前号に定める額の五割の額（計算上十円未満の端数を生じた場合は、その端数を十円を単位として切り上げて得た額）

2 管理者は、特殊な需要に応ずるため必要があると認めたときは、前項の規定にかかわらず、普通旅客運賃を定めることができる。

3 前二項の規定にかかわらず、旅客の同伴する一歳未満の者の旅客運賃は、無料とし、旅客の同伴する一歳以上六歳未満の者の旅客運賃は、旅客一人につき、二人までは無料とする。

（特殊旅客運賃）

**第四条** 管理者は、事業上必要があると認めたときは、次に掲げる旅客運賃を定めることができる。

| 種別 | 旅客運賃の額 |
|---|---|
| 一 定期旅客運賃 | 普通旅客運賃の八割以内の額を割引した額 |
| 二 回数旅客運賃 | 普通旅客運賃の二割以内の額を割引した額 |
| 三 特別旅客運賃 | 普通旅客運賃の五割以内の額を割引した額 |

2 管理者は、事業上特に必要があると認めたときは、前項の規定にかかわらず、二年を限度として、定期旅客運賃を定めることができる。

3 前二項の旅客運賃により乗車することができる者の範囲は、管理者が定める。

（旅客運賃の無料等）

**第五条** 管理者は、事業上の必要その他特別の理由があると認めた者に対しては、旅客運賃を無料とし、又は特別の措置を講ずることができる。

（有料道路通行料金）

**第五条の二** 管理者は、乗合自動車が有料の道路を通行するときは、旅客から管理者が定める額の料金を徴収することができる。

（乗車券の様式）

**第六条** 旅客に対して交付する乗車券の様式は、管理者が定める。

（乗車券の無効）

**第七条** 乗車券を、その乗車券に指定した事項に違反して使用し、または使用させたときは、これを無効とする。ただし、管理者が定める場合は、この限りでない。

（乗車券の引換え等）

**第八条** 旅客運賃又は乗車券の様式を変更したときは、その変更の日から一年以内において管理者の定める期間内に、管理者の定める方法により、乗車券の証明又は引換えを受けなければならない。

2 前項の期間内に証明又は引換えを受けなかつた乗車券は、無効とする。

（無効の乗車券の回収）

**第九条** 無効の乗車券は、回収する。

（乗車券の書換え手数料）

**第十条** 乗車券の書換えをするときは、乗車券一枚につき五百円以内で管理者が定める額の手数料を徴収する。ただし、管理者が特別の理由があると認めたときは、徴収しない。

（旅客運賃の払戻し手数料）

**第十一条** 既納の旅客運賃の払戻しをするときは、普通旅客運賃及び特別旅客運賃については乗車券一枚につき百円以内、定期旅客運賃については乗車券一枚につき五百円以内、回数旅客運賃については乗車券一連につき二百円以内で、管理者が定める額の手数料を徴収する。ただし、管理者が特別の理由があると認めたときは徴収しない。

（天災等の場合の旅客運賃等の特例）

**第十二条**　管理者は、天災その他非常事態の発生に際して必要があると認めたときは、この条例の規定にかかわらず、旅客運賃若しくは乗車券または旅客運送について必要な措置を講ずることができる。

**（割増運賃等の徴収）**

**第十三条**　管理者は、次の各号の一に該当する者から、相当の旅客運賃及びこれと同額の割増運賃を徴収することができる。

一　不正の手段により旅客運賃を免かれ、または免かれようとした者

二　乗車券の検査または回収のとき理由なく係員の請求を拒んだ者

**（委任）**

**第十四条**　この条例の施行に関して必要な事項は、管理者が定める。

**付　則**

1　この条例は、東京都規則で定める日〔昭四〇・一・一六〕から施行する。

2　東京都乗合自動車料金条例（昭和十九年四月東京都条例第十三号）は、廃止する。

**附　則**（平二六・三・二四条例八）

この条例は、東京都規則で定める日〔平二六・四・一〕から施行する。

# ○東京都地下高速電車条例

昭三五・一一・二六
条　例　九　四

最終改正　令元・九・二四条例二〇

**（通則）**

**第一条**　東京都地下高速電車（以下「地下高速電車」という。）による旅客運送に関して必要な事項は、鉄道営業法（明治三十三年法律第六十五号）その他の法令で定めるもののほか、この条例の定めるところによる。

**（路線等）**

**第二条**　地下高速電車による旅客運送は、東京都及びその周辺の区域において行うものとし、その路線の名称及び区間は、東京都鉄道事業管理者（以下「管理者」という。）が定める。

**（普通旅客運賃）**

**第三条**　普通旅客運賃は、旅客の乗車区間の距離に応じ、次に定める額の範囲内で管理者が定める。

一　十二歳以上の者　一人一乗車につき四キロメートル以下の場合は百八十円、四キロメートルを超え九キロメートル以下の場合は二百二十円、九キロメートルを超え十五キロメートル以下の場合は二百八十円、十五キロメートルを超え二十一キロメートル以下の場合は三百三十円、二十一キロメートルを超え二十七キロメートル以下の場合は三百八十円、二十七キロメートルを超え四十六キロメートル以下の場合は四百三十円

二　十二歳未満の者　一人一乗車につき前号に定める額の五割の額（計算上十円未満の端数を生じた場合は、その端数を十円を単位として切り上げて得た額）

2　前項第二号の規定にかかわらず、旅客の同伴する六歳未満の者（団体旅客（へき地教育振興法（昭和二十九年法律第百四十三号）第二条に規定するへき地学校の児童及び生徒については二人以上、その他の者については二十五人以上とする。以下同じ。）を除く。）の旅客運賃は、旅客一人につき、二人までは無料とする。

**（特殊旅客運賃）**

**第四条**　管理者は、事業上必要があると認めたときは、前条第一項の規定にかかわらず、次の各号に掲げる旅客運賃を定めることができる。

一　個人旅客

| 種　別 | 旅客運賃の額 |
|---|---|
| イ　定期旅客運賃 | 普通旅客運賃の八割五分以内の額を割引した額 |
| ロ　回数旅客運賃 | 普通旅客運賃の一割五分以内の額を割引した額 |
| ハ　特別旅客運賃 | 普通旅客運賃の五割以内の額を割引した額 |

二　団体旅客

| 種　別 | 旅客運賃の額 |
|---|---|
| 団体旅客運賃 | 普通旅客運賃の三割以内の額を |

割引した額

2 前項の旅客運賃により乗車することができる者の範囲は、管理者が定める。

（旅客運賃の無料等）

**第五条** 管理者は、事業上の必要その他特別の理由があると認めた者に対しては、旅客運賃を無料とし、又は特別の措置を講ずることができる。

（乗車券の様式）

**第六条** 旅客に対して交付する乗車券の様式は、管理者が定める。

**第七条** 削除

（乗車券の無効）

**第八条** 乗車券を、その乗車券に指定した事項に違反して使用し、又は使用させたときは、これを無効とする。ただし、管理者が定める場合は、この限りでない。

（乗車券の引換等）

**第九条** 旅客運賃または乗車券の様式を変更したときは、その変更の日から六月以内において管理者の定める期間内に、管理者の定める方法により、乗車券の証明または引換を受けなければならない。

2 前項の期間内に証明または引換を受けなかつた乗車券は、無効とする。

（無効の乗車券の回収）

**第十条** 無効の乗車券は、回収する。

**第十一条** 削除

（旅客運賃の払戻し等）

**第十二条** 既納の旅客運賃は、払戻しをしない。ただし、管理者が特別の理由があると認めたときは、その全部又は一部の払戻しをすることができる。

2 前項ただし書の規定により既納の旅客運賃の払戻しをするときは、普通旅客運賃、定期旅客運賃、特別旅客運賃及び団体旅客運賃については乗車券一枚につき、回数旅客運賃については乗車券一組につきそれぞれ二百二十円以内で、管理者が定める額の手数料を徴収する。ただし、管理者が特別の理由があると認めたときは、徴収しない。

（天災等の場合の旅客運賃等の特例）

**第十三条** 管理者は、天災その他非常事態の発生に際して必要があると認めたときは、この条例の規定にかかわらず、旅客運賃若しくは乗車券又は旅客運送について必要な措置を講ずることができる。

（増運賃等の徴収）

**第十四条** 管理者は、次の各号の一に該当する者から、相当の旅客運賃及びその二倍以内の増運賃を徴収することができる。

一 不正の手段により旅客運賃を免かれ、又は免かれようとした者

二 乗車券の検査又は回収のとき理由なく係員の請求を拒んだ者

（委任）

**第十五条** この条例の施行に関して必要な事項は、管理者が定める。

**付　則**

この条例は、東京都規則で定める日〔昭三五・一二・四〕から施行する。

**附　則**（令元・九・二四条例二〇）

この条例は、東京都規則で定める日〔令元・一〇・一〕から施行する。

## 〇東京都日暮里・舎人ライナー条例

平二〇・三・二八
条例三

最終改正　令元・九・二四条例二一

（通則）

**第一条** 東京都日暮里・舎人ライナー（東京都による鉄道事業法施行規則（昭和六十二年運輸省令第六号）第四条第四号の案内軌条式鉄道をいう。）による旅客運送に関して必要な事項は、軌道法（大正十年法律第七十六号）その他の法令で定めるもののほか、この条例の定めるところによる。

（路線等）

**第二条** 前条に規定する旅客運送は、東京都荒川区西日暮里二丁目と東京都足立区舎人二丁目とを結ぶ路線において行うものとする。

2 前項に規定する路線の名称は、日暮里・舎人ライナーとし、その路線の区間は、東京都軌道事業管理者（以下「管理者」という。）が定める。

（普通旅客運賃）

**第三条** 普通旅客運賃は、旅客の乗車区間の距離に応じ、次に定める額の範囲内で管理者が定める。

一 十二歳以上の者　一人一乗車につき二キロメートル以下の場合は百七十円、二キロメートルを超え四キロメートル以下の場合は二百四十円、四キロメートルを超え七キロメートル以下の場合は二百九十円、

七キロメートルを超え十キロメートル以下の場合は三百四十円

二　十二歳未満の者　一人一乗車につき前号に定める額の五割の額（計算上十円未満の端数を生じた場合は、その端数を十円を単位として切り上げて得た額）

2　前項第二号の規定にかかわらず、旅客の同伴する一歳未満の者の旅客運賃は、無料とし、旅客の同伴する一歳以上六歳未満の者（団体旅客（へき地教育振興法（昭和二十九年法律第百四十三号）第二条に規定するへき地学校の児童及び生徒については二人以上、その他の者については二十五人以上とする。以下同じ。）を除く。）の旅客運賃は、旅客一人につき、二人までは無料とする。

（**特殊旅客運賃**）

**第四条**　管理者は、事業上必要があると認めたときは、前条第一項の規定にかかわらず、次に掲げる旅客運賃を定めることができる。

| 種別 | 旅客運賃の額 |
|---|---|
| 一　定期旅客運賃 | 普通旅客運賃の八割五分以内の額を割引した額 |
| 二　回数旅客運賃 | 普通旅客運賃の三割以内の額を割引した額 |
| 三　特別旅客運賃 | 普通旅客運賃の五割以内の額を割引した額 |
| 四　団体旅客運賃 | 普通旅客運賃の三割以内の額を割引した額 |
| 五　貸切旅客運賃 | 十二歳以上の者の普通旅客運賃に貸切車両の定員数を乗じて得た額の五割以内の額を割引した額 |

2　前項の旅客運賃により乗車することができる者の範囲は、管理者が定める。

（**旅客運賃の無料等**）

**第五条**　管理者は、事業上の必要その他特別の理由があると認めた者に対しては、旅客運賃を無料とし、又は特別の措置を講ずることができる。

（**乗車券の様式**）

**第六条**　旅客に対して交付する乗車券の様式は、管理者が定める。

（**乗車券の無効**）

**第七条**　乗車券を、その乗車券に指定した事項に違反して使用し、又は使用させたときは、これを無効とする。ただし、管理者が定める場合は、この限りでない。

（**乗車券の引換え等**）

**第八条**　旅客運賃又は乗車券の様式を変更したときは、その変更の日から一年以内において管理者の定める期間内に、管理者の定める方法により、乗車券の証明又は引換えを受けなければならない。

2　前項の期間内に証明又は引換えを受けなかった乗車券は、無効とする。

（**無効の乗車券の回収**）

**第九条**　無効の乗車券は、回収する。

（**旅客運賃の払戻し等**）

**第十条**　既納の旅客運賃は、払戻しをしない。ただし、管理者が特別の理由があると認めたときは、その全部又は一部の払戻しをすることができる。

2　前項ただし書の規定により既納の旅客運賃の払戻しをするときは、普通旅客運賃、定期旅客運賃、特別旅客運賃、団体旅客運賃及び貸切旅客運賃については乗車券一枚につき、回数旅客運賃については乗車券一組につきそれぞれ二百二十円以内で、管理者が定める額の手数料を徴収する。ただし、管理者が特別の理由があると認めたときは、徴収しない。

（**天災等の場合の旅客運賃等の特例**）

**第十一条**　管理者は、天災その他非常事態の発生に際して必要があると認めたときは、この条例の規定にかかわらず、旅客運賃若しくは乗車券又は旅客運送について必要な措置を講ずることができる。

（**増運賃等の徴収**）

**第十二条**　管理者は、次の各号のいずれかに該当する者から、相当の旅客運賃及びその二倍以内の増運賃を徴収することができる。

一　不正の手段により旅客運賃を免れ、又は免れようとした者

二　乗車券の検査又は回収のとき理由なく係員の請求を拒んだ者

（**委任**）

**第十三条**　この条例の施行に関して必要な事項は、管理者が定める。

**附　則**

この条例は、東京都規則で定める日〔平二〇・三・三〇〕から施行する。

**附　則**（令元・九・一四条例二一）

この条例は、東京都規則で定める日〔令元・一〇・一〕から施行する。

# 第三章　水　道

## ○東京都水道局分課規程

昭二七・一一・一
水道局管理規程五

最終改正　令六・三・二九水道局管理規程九

（分課）

**第一条**　局の分課は、次のとおりとする。

総務部
　総務課
　主計課
　企画調整課
　施設計画課
職員部
　人事課
　労務課
　監察指導課
経理部
　管理課
　出納課
　契約課
　営繕課
サービス推進部
　管理課
　サービス推進課
　業務課
浄水部
　管理課
　浄水課
　設備課
給水部
　管理課
　配水課
　給水課
　水道緊急隊
建設部
　管理課
　工務課
　施設設計課
　管路設計課
　技術管理課

（部及び課の長等）

**第二条**　局に次長、技監及び理事を置くことができる。

2　部に部長を、課に課長を、隊に隊長を置く。

3　局に、別表一のとおり担当部長を置くほか、必要な担当部長を置くことができる。

4　部に、別表二のとおり担当課長及び専門課長を置くほか、必要な担当課長を置くことができる。

5　前条第一項の分課に課長代理を置く。

6　前各項の職のほか、必要な職を置くことができる。

（分掌事務）

**第三条**　各部課等の分掌事務は、次のとおりとする。

総務部

総務課

一　局の機構に関すること。

二　文書の審査及び受発に関すること。

三　情報公開に係る制度に関すること。

四　個人情報の保護等に係る制度に関すること。

五　公印に関すること。

六　管理者が任免に関し知事の同意を要する職員の指定に関する規則（昭和二十七年東京都規則第百五十二号）に規定する職員（以下「管理職員」という。）の人事及び服務に関すること。

七　局事務事業に係る災害対策に関すること（施設計画課及び給水部水道緊急隊に属するものを除く。）。

八　局の事務事業に係る危機管理に関すること。

九　報道発表等に関すること。

十　他の部及び課に属しない事項に関すること。

主計課

一　経営計画及び財政報告に関すること。

二　企業債に関すること。

三　予算の原案に関すること。

四　予算の統制に関すること。

五　主要事務事業の進行管理に関すること。

六　決算及び会計資料に関すること。

七　出資法人等に関すること。

八　工業用水道事業の清算に係る総合調整に関すること。

企画調整課

一　局の事務事業の調査及び改善に関すること。

二　局の国際展開に係る企画、調査及び調整に関すること。

三　出資法人等の海外事業に関すること。

四　局のデジタル関連施策推進に係る企画、調査及び調整に関すること。

五　情報システムに係る事務処理に関すること。

六　ＩＣＴの導入及び活用の推進に関すること。
施設計画課
一　水道需給の基本計画に関すること。
二　水道の水源に関すること。
三　水道施設整備に係る長期計画に関すること。
四　水道事業の規格化に係る調査及び調整に関すること。
五　震災対策計画に関すること。
六　技術系業務移転に係る総合調整に関すること。

職員部
人事課
一　職員（管理職員を除く。）の人事及び服務に関すること。
二　職員の研修の基本方針に関すること。
三　コンプライアンス推進策に関すること。
四　東京水道グループコンプライアンス有識者委員会に関すること。
五　部内他の課に属しない事項に関すること。
労務課
一　職員の勤務条件に関すること。
二　職員の労働組合に関すること。
三　職員の教養及び文化に関すること。
四　職員の福利及び厚生に関すること。
監察指導課
一　職員の服務の監察指導及び職員の信用失墜行為の調査に関すること。
二　金銭及び物品の出納保管、財産の管理、工事の施行その他の業務の監察指導に関すること。
三　職員の賠償責任の調査に関すること。
四　監査及び出納検査の連絡に関すること。

経理部
管理課
一　固定資産の管理に係る総合調整に関すること。
二　固定資産の取得及び処分に関すること。
三　固定資産の利活用に関すること
四　固定資産の帳簿に関すること。
五　知的財産権に関すること。
六　部内他の課に属しない事項に関すること。
出納課
一　収支伝票の審査及び執行に関すること。
二　現金、有価証券及び担保物の出納保管に関すること。
三　資金の運用に関すること。
四　貯蔵品に関すること。
五　決算品に関すること。
六　物品及び材料の検査に関すること。
七　工事、修繕等の検査に関すること。
契約課
一　物品及び材料の購買契約に関すること。
二　工事及び修繕その他の請負契約に関すること。
三　車両、船舶等の供給契約に関すること。
四　物件の貸借及び処分の契約に関すること。
五　市場調査に関すること。
営繕課
一　営繕に関すること。

サービス推進部
管理課
一　営業業務に関する企画及び調査に関すること。
二　応急給水の調整に関すること。
三　局の債権管理に関すること。
四　部内他の課に属しない事項に関すること。
サービス推進課
一　局の広報及び広聴の企画、調査、調整及び推進に関すること（報道発表等に関することを除く。）。
二　お客さまサービスに関すること。
三　情報公開に係る連絡調整及び実施に関すること。
四　個人情報の保護等に係る連絡調整及び実施に関すること。
業務課
一　営業業務の指導に関すること。
二　水道料金、工業用水道料金、下水道料金及び手数料に関すること。
三　未収金の整理に関すること。
四　総合受付業務（特別区の存する区域に係るものに限る。）に関すること。

浄水部
管理課
一　取水施設、貯水施設、導水施設、浄水施設及び送水施設の管理の事務に関すること。
二　部内他の課に属しない事項に関すること。
浄水課
一　取水、貯水、導水、浄水及び送水（設備に関することを除く。）に関すること。
二　水質及びその汚濁防止に関すること。
設備課
一　取水、貯水、導水、浄水、送水及び配水の設備に関すること。

二　取水施設、導水施設、浄水施設及び送水施設の管理の事務に関すること（浄水部管理課に属するものを除く。）。

給水部

管理課

一　配水施設の管理の事務に関すること。

二　部内他の課に属しない事項に関すること。

配水課

一　水道の配水及び廃止前の東京都工業用水道条例（昭和三十八年東京都条例第七十二号）に規定する工業用水道（以下「旧工業用水道」という。）の配水施設に関すること。

給水課

一　水道及び旧工業用水道の給水装置の新設、改造及び撤去に関すること。

二　給水装置用器材に関すること。

三　貯水槽水道に関すること。

四　指定給水装置工事事業者に関すること。

五　水道及び旧工業用水道の量水器の管理及び調査に関すること。

六　水道及び旧工業用水道の漏水防止に関すること。

水道緊急隊

一　首都中枢機関への供給ルートの確保に関すること。

二　給配水管路の危機管理に関すること。

三　突発事故発生時の初期の広報、応急給水、事故現場の保安措置、断水作業支援等に関すること。

四　地震等災害発生時初期の情報連絡に関すること。

五　漏水の修理、事故時等の応急措置に関すること。

六　漏水防止関係機器の技術指導及び改善に関すること。

七　配水管工事に必要な機械の運転及び整備に関すること。

八　工器具及び備品類の点検並びに補修に関すること。

九　その他特命に関すること。

建設部

管理課

一　大規模な水道施設工事の管理の事務に関すること。

二　部内他の課に属しない事項に関すること。

工務課

一　水道施設整備に係る中期計画に関すること。

二　施設整備事業及び旧工業用水道施設撤去事業の実施計画に関すること。

三　工事の進行管理及び審査に関すること。

四　建設事務所との工事の連絡調整に関すること。

施設設計課

一　大規模な導水施設、浄水施設等の設計に関すること。

二　大規模な機械及び電気設備の設計に関すること。

三　前二号に掲げるもののほか、特命工事の設計に関すること。

管路設計課

一　大規模な送水施設、配水施設及び旧工業用水道施設撤去等の設計に関すること。

二　前号に掲げるもののほか、特命工事の設計に関すること。

技術管理課

一　局事業に係る技術の管理に関すること。

二　水道技術の開発に係る連絡調整に関すること。

**（職務代理）**

**第四条**　地方公営企業法（昭和二十七年八月法律第二百九十二号）第十三条第一項の規定により職務代理を行う者は、次長とし、局長、次長ともに事故あるとき、又は局長、次長ともに欠けたときは、総務部長とする。

**（事業機関の設置）**

**第五条**　局の事業機関及びその所掌事務は、別表三のとおりとする。

**（事業機関の長）**

**第六条**　前条に規定する機関には、それぞれ長を置く。

2　前項の長は、上司の命を受け所属職員を指揮監督し、所掌の事務をつかさどる。

**（事業機関の内部組織）**

**第七条**　事業機関の内部組織は、別に定める。

**附　則**

この規程は、昭和二十七年十一月一日から施行する。

**附　則**（令六・三・二九水道局管理規程九）

この規程は、令和六年四月一日から施行する。

別表一

経営改革推進担当部長
企画調整担当部長
設備担当部長

別表二

| 部 | 職名 |
| --- | --- |
| 総務部 | 調整担当課長<br>水道危機管理専門課長<br>経営改革推進担当課長<br>事業調整担当課長<br>国際施策推進担当課長<br>情報化推進担当課長<br>技術連携担当課長 |
| 職員部 | コンプライアンス担当課長 |
| 経理部 | 用地担当課長 |
| サービス推進部 | 徴収業務改善推進専門課長 |
| 浄水部 | 事業推進担当課長<br>水質担当課長<br>浄水施設維持管理専門課長<br>設備技術担当課長<br>施策推進担当課長 |
| 給水部 | 配水施設工事連絡調整担当課長<br>業務改革推進担当課長 |
| 建設部 | 建設改良工事連絡調整担当課長 |

別表三（第五条関係）

| 事業機関 | 所掌事務 |
| --- | --- |
| 多摩水道改革推進本部 | 多摩地区水道の経営改革及び管理運営に関する事務、分水業務に関する事務、多摩地区市町村における水道事業の一元的経営に必要な事項に関する事務並びに多摩地区市町からの下水道料金の徴収に関する事務の受託及び受託した事務の処理に関する事務 |
| 給水管理事務所 | 配水施設の維持管理及び漏水防止並びに取水、浄水、送水及びこれらに必要な設備の管理運営に関する事務 |
| 給水事務所 | 配水施設の維持管理及び漏水防止並びに取水、浄水、送水及びこれらに必要な設備の管理運営に関する事務 |
| 研修・開発センター | 職員の研修及び水道技術の開発に関する事務 |
| 水運用センター | 総合的水運用に関する事務 |
| 水質センター | 水質の管理に関する事務 |
| 水源管理事務所 | 水源林の管理運営及び貯水池の管理に関する事務 |
| 支所 | 水道の配水調整及び旧工業用水道を含む配水施設の維持管理に関する事務並びに漏水防止に関する事務 |
| 営業所 | 水道の営業、下水道の受託業務及び工業用水道料金の収納に関する事務 |
| 浄水管理事務所 | 取水、浄水及び送水並びにこれに必要な設備の管理運営に関する事務 |
| 浄水場 | 浄水所その他の水道設備の管理運営に関する事務 |
| 取水管理事務所及び貯水池管理事務所 | 堰堤、貯水池、貯水池林その他これに付属する設備の管理運営に関する事務 |
| 建設事務所 | 大規模な水道施設工事及び旧工業用水道施設撤去工事の施行に関する事務 |

# ○東京都給水条例

昭三三・四・一
条例四一

最終改正 令六・三・二九条例八四

## 第一章 総則

**（目的）**

**第一条** この条例は、東京都（以下「都」という。）の水道の料金、給水装置工事の費用の負担区分その他の供給条件及び給水の適正を保持するために必要な事項を定めることを目的とする。

**（給水装置）**

**第二条** この条例において「給水装置」とは、給水のために配水管から分岐して設けられた給水管及びこれに直結する給水用具または他の給水管から分岐して設けられた給水管及びこれに直結する給水用具をいう。

**（給水区域）**

**第三条** 水道の給水区域は、次に掲げる区域とする。

一 特別区の存する区域
二 八王子市の存する区域（水道法（昭和三十二年法律第百七十七号。以下「法」という。）第十条第一項による認可を受けた給水区域（以下「認可区域」という。）に限る。）
三 立川市の存する区域
四 三鷹市の存する区域
五 青梅市の存する区域（認可区域に限る。）
六 府中市の存する区域
七 調布市の存する区域
八 町田市の存する区域
九 小金井市の存する区域
十 小平市の存する区域
十一 日野市の存する区域
十二 東村山市の存する区域
十三 国分寺市の存する区域
十四 国立市の存する区域
十五 福生市の存する区域
十六 狛江市の存する区域
十七 東大和市の存する区域
十八 清瀬市の存する区域
十九 東久留米市の存する区域
二十 武蔵村山市の存する区域
二十一 多摩市の存する区域（認可区域に限る。）
二十二 稲城市の存する区域（認可区域に限る。）
二十三 あきる野市の存する区域（認可区域に限る。）
二十四 西東京市の存する区域
二十五 西多摩郡瑞穂町の存する区域
二十六 西多摩郡日の出町の存する区域（認可区域に限る。）
二十七 西多摩郡奥多摩町の存する区域（認可区域に限る。）

## 第二章 給水装置の工事及び費用

**（給水装置の新設等の承認等）**

**第四条** 給水装置の新設又は配水管若しくは他の給水装置からの分岐部分若しくは量水器の取付部分の給水管の口径の変更をしようとする者は、あらかじめ東京都水道事業管理者（以下「管理者」という。）に申し込み、その承認を受けなければならない。

2 給水装置の新設、改造、修繕又は撤去をした者は、その工事完了後直ちに管理者に届け出なければならない。ただし、管理者が別に定める工事については、この限りでない。

**（新設等の費用負担区分）**

**第五条** 給水装置の新設、改造、修繕又は撤去に要する費用は、当該給水装置を新設、改造、修繕又は撤去する者の負担とする。ただし、管理者が給水上特に必要があると認めた給水装置の改造又は修繕については、都がその費用の全部又は一部を負担する。

**（工事の施行）**

**第六条** 給水装置の新設、改造、修繕（法第十六条の二第三項の国土交通省令で定める軽微な変更を除く。）及び撤去の設計及び工事は、管理者又は管理者が同条第一項の指定をした者（以下「都指定給水装置工事事業者」という。）が施行する。

2 都指定給水装置工事事業者が工事を施行する場合は、工事着手前に管理者の設計審査を受け、かつ、次に掲げるときに管理者の工事検査を受けなければならない。ただし、管理者が別に定める工事については、この限りでない。

一 配水管に給水管を取り付け、又は配水管から給水管を撤去したとき。
二 当該工事が完了したとき。

3 第一項の指定は、法第二十五条の三の二第一項の規定により五年ごとにその更新を受けなければ、その期間の経過によって、その効力を失う。

**（都指定給水装置工事事業者証の交付）**

**第六条の二** 管理者は、前条第一項の指定又は同条第三項の指定の更新がされたときは、都指定給水装置工事事業者に、都指定給水装置工事事業者証（以下「指定事業者証」という。）を交付する。

2　都指定給水装置工事事業者は、指定事業者証を紛失し、又はき損したときは、管理者に指定事業者証の再交付を申請することができる。

（給水装置の構造及び材料）

**第六条の三**　給水装置の新設又は改造をする者及び当該工事を施行する者は、給水装置の構造を水道法施行令（昭和三十二年政令第三百三十六号。以下「政令」という。）第六条に定める基準に適合させなければならない。

2　給水装置の新設、改造又は修繕をする者及び当該工事を施行する者は、政令第六条に定める基準に適合する材料を使用しなければならない。

（給水装置用材料の特例）

**第六条の四**　管理者は、災害等による給水装置の損傷を防止し給水装置の損傷の復旧を迅速かつ適切に行えるようにするため必要があると認めるときは、配水管への取付口から都の量水器までのうち管理者が別に定める部分の給水装置用材料（これを保護するための附属用具を含む。）について、その構造及び材質を指定することができる。

2　管理者は、都指定給水装置工事事業者に対し、配水管に給水管を取り付け、若しくは配水管から給水管を撤去する工事又は配水管への取付口から都の量水器までの工事に関する工法、工期その他の工事上の条件を指示することができる。

（工事費の算出方法）

**第七条**　管理者が施行する給水装置の工事の工事費は、材料費、運搬費、労力費、道路復旧費及び事務費の合計額とする。

（工事費等の予納等）

**第八条**　管理者に第六条第一項の設計を申し込む者は、申込みの際、設計費を納入しなければならない。ただし、管理者が別に定める申込者及び管理者が特別の理由があると認めた申込者については、設計費の納入の期限を管理者が指定する期日とすることができる。

2　管理者に第六条第一項の工事を申し込む者は、設計によつて算出した工事費の概算額を予納しなければならない。ただし、管理者がその必要がないと認めた工事については、この限りでない。

3　前項の工事費の概算額は、工事完了後に清算する。

（工事費の分納）

**第九条**　前条第二項の工事費の概算額は、新設又は改造の工事に関するものに限り、管理者の承認を受けて三月以内において分納することができる。

（所有権の留保等）

**第十条**　管理者が施行した給水装置の工事の工事費が完納になるまでは、その給水装置の所有権は、都に留保し、その管理は、工事申込者の責任とする。

（工事費の未納の場合の措置）

**第十一条**　管理者が施行した給水装置の工事の工事費を工事申込者が指定期限内に納入しないときは、管理者は、その給水装置を撤去することができる。

2　前項の規定により管理者が給水装置を撤去した後なお損害があるときは、工事申込者は、都にその損害を賠償しなければならない。

（第三者の異議についての責任）

**第十二条**　給水装置の工事に関し、利害関係人その他の者から異議があるときは、給水装置の新設、改造、修繕又は撤去をする者の責任とする。

## 第三章　給水

（給水契約の申込み）

**第十三条**　水道を使用しようとする者は、あらかじめ管理者に申し込み、その承認を受けなければならない。

2　管理者は、前項の申込みがあつた場合において、給水装置が次の各号のいずれかに該当するときは、承認しない。

一　政令第六条に定める基準に適合していないとき。

二　第四条第一項の承認を受けていないとき。

三　給水装置の工事が、管理者又は都指定給水装置工事事業者の施行したものでないとき。

（量水器の設置）

**第十四条**　管理者は、給水するときは、使用水量を計量するため給水装置に都の量水器を設置する。ただし、管理者がその必要がないと認めたときは、この限りでない。

2　管理者は、使用水量を計量するため特に必要があると認めたときは、受水タンク以下の装置に都の量水器を設置することができる。

3　前二項の量水器の位置は、管理者が定める。

（管理人の選定）

**第十五条**　次の各号のいずれかに該当する者は、水道の使用に関する事項を処理させるため、管理人を選定し、管理者に届け出なければならない。

一　給水装置を共有する者

二　増圧給水設備その他の給水設備で管理者が別に定めるもの（以下「増圧給水設備等」という。）以下の給水装置（前条第一項の規定により都の量水器を設置したものに限る。第二十三条の六において同じ。）により水道を使用する者

三　第二十三条の四の規定により第二十三条の二及び第二十三条の三に定める料金が各戸に適用されることとなつた共同住宅の水道使用者

四　受水タンク以下の装置（前条第二項の規定により都の量水器を設置したものに限る。第二十三条の六において同じ。）により水道を使用する者

（届出）

**第十六条**　水道使用者または管理人若しくは給水装置所有者（以下「水道使用者等」という。）は、次の各号の一に該当するときは、あらかじめ管理者に届け出なければならない。

一　水道の使用をやめるとき。

二　公衆浴場営業（温泉、むしぶろその他の特殊な公衆浴場営業を除く。以下同じ。）に水道を使用するときまたはその使用をやめるとき。

三　消防演習に水道を使用するとき。

2　水道使用者等は、次の各号の一に該当するときは、すみやかに管理者に届け出なければならない。

一　管理人に変更があつたときまたはその住所に変更があつたとき。

二　給水装置の所有者に変更があつたとき。

三　公共の消防用として水道を使用したとき。

（消防演習の立会）

**第十七条**　消防演習に水道水を使用する者は、管理者の指定する都の職員の立会を受けなければならない。

（水道使用者等の管理上の責任）

**第十八条**　水道使用者等は、善良な管理者の注意をもつて、水が汚染しまたは漏れないよう給水装置を管理し、異状があるときは、直ちに管理者に届け出なければならない。

2　前項の管理義務を怠つたため生じた損害は、水道使用者等の責任とする。

**第十九条**　水道使用者等は、善良な管理者の注意をもつて量水器を管理し、その量水器をき損し、または亡失したときは、都に、その損害を賠償しなければならない。

（給水停止または使用制限）

**第二十条**　管理者は、災害その他やむを得ない場合または公益上必要があると認めた場合は、給水区域の全部または一部につき、給水を停止し、または水道の使用を制限することができる。

2　前項の給水停止または使用制限について必要な事項は、そのつど管理者が予告する。ただし、緊急を要する場合は、この限りでない。

（損害の責任阻却）

**第二十一条**　前条第一項の給水停止若しくは使用制限または断水により水道使用者に損害が生ずることがあつても、都は、その責任を負わない。

## 第四章　料金及び手数料

（料金の徴収）

**第二十二条**　料金は、水道使用者から徴収する。

2　第十五条第三号に定める者は、料金の納入について連帯責任を負うものとする。

（料金）

**第二十三条**　料金は、基本料金と従量料金との合計額に百分の百十を乗じて得た額とする。この場合において、一円未満の端数があるときは、その端数金額を切り捨てるものとする。

2　前項の規定にかかわらず、月の途中において水道の使用を開始し、又は使用をやめた場合の料金（以下「中途使用の場合の料金」という。）は、次の各号に掲げる場合に応じ、当該各号に掲げる額に百分の百十を乗じて得た額とする。この場合において、計算の過程又は結果における水量又は金額に一立方メートル又は一円未満の端数があるときは、これを切り捨てるものとする。

一　その月分の料金のみを算定する場合　使用水量にその月の日数を乗じ使用日数で除して得た水量を一月当たりの換算使用水量とし、当該換算使用水量をその月に使用したものとして算出した従量料金と一月当たりの基本料金との合計額を日割計算して得た額

二　その月分を含む二月分の料金を算定する場合　使用水量に算定する二月（以下「算定二月」という。）の合計日数を乗じ算定二月における使用日数で除して得た水量を二月当たりの換算使用水量とし、算定二月のうち使用日数の多い方の月（使用日数の等しいときは前の月とする。以下「先計算月」という。）については当該換算使用水量に先計算月の日数を乗じ算定二月の合計日数で除して得た水量（以下「先計算月水量」という。）を、先計算月以外の月については当該換算使用水量から先計算月水量を差し引いて得た水量（以下「後計算月水量」という。）をそれぞれの月に使用したものとして算出した従量料金とそれぞれの一月当たりの基本料金との合計額をそれぞれ日割計算して得た額の合計額

（基本料金）

**第二十三条の二**　基本料金は、給水管の呼び径（量水器の取付け部分の呼び径をいう。以下同じ。）の大きさに応じ、一月当たり次の表のとおりとする。

| 給水管の呼び径 | 基本料金 |
|---|---|
| 十三ミリメートル | 八百六十円 |

| | |
|---|---|
| 二十ミリメートル | 千百七十円 |
| 二十五ミリメートル | 千四百六十円 |
| 三十ミリメートル | 三千四百三十五円 |
| 四十ミリメートル | 六千八百六十五円 |
| 五十ミリメートル | 二万七百二十円 |
| 七十五ミリメートル | 四万五千六百二十三円 |
| 百ミリメートル | 九万四千五百六十八円 |
| 百五十ミリメートル | 十五万九千九十四円 |
| 二百ミリメートル | 三十四万九千四百三十四円 |
| 二百五十ミリメートル | 四十八万百三十五円 |
| 三百ミリメートル以上 | 八十一万六千百四十五円 |

2　前項の規定にかかわらず、公衆浴場営業に使用する水道で、給水管の呼び径が四十ミリメートルを超えるものに係る基本料金は、一月当たり六千八百六十五円とする。公衆浴場営業に使用する水道で、第二十三条の五第一項の規定を適用した場合において、同項の規定による合計額が六千八百六十五円を超えるものに係る基本料金についても、同様とする。

（従量料金）

**第二十三条の三**　従量料金は、給水管の呼び径に応じ、一月当たり次の表のとおりとする。

| 給水管の呼び径 | 従量料金 | | | | |
|---|---|---|---|---|---|
| 二十五ミリメートル以下 | 使用水量五立方メートルを超え、十立方メートルまでの分　一立方メートルにつき　二十二円 | 使用水量十立方メートルを超え、二十立方メートルまでの分　一立方メートルにつき　百二十八円 | 使用水量二十立方メートルを超え、三十立方メートルまでの分　一立方メートルにつき　百六十三円 | 使用水量三十立方メートルを超え、五十立方メートルまでの分　一立方メートルにつき　二百二円 | 使用水量五十立方メートルを超え、百立方メートルまでの分　一立方メートルにつき　二百十三円 |
| 三十ミリメートル及び四十ミリメートル | | | 使用水量百立方メートルまでの分　一立方メートルにつき　二百十三円 | | |
| 五十ミリメートル及び七十五ミリメートル | | | | 使用水量千立方メートルまでの分　一立方メートルにつき　三百七十二円 | |
| 百ミリメートル以上 | | | | 使用水量一立方メートルにつき　四百四円 | |

| 金 | | |
|---|---|---|
| 使用水量百立方メートルを超え、二百立方メートルまでの分　一立方メートルにつき　二百九十八円 | 使用水量二百立方メートルを超え、千立方メートルまでの分　一立方メートルにつき　三百七十二円 | 使用水量千立方メートルを超える分　一立方メートルにつき　四百四円 |
| 使用水量百立方メートルを超え、二百立方メートルまでの分　一立方メートルにつき　二百九十八円 | 使用水量二百立方メートルを超え、千立方メートルまでの分　一立方メートルにつき　三百七十二円 | 使用水量千立方メートルを超える分　一立方メートルにつき　四百四円 |
| | | 使用水量千立方メートルを超える分　一立方メートルにつき　四百四円 |
| | | |

2　前項の規定にかかわらず、公衆浴場営業に水道を使用する場合の従量料金は、一月当たり、五立方メートルを超え十立方メートルまでの使用水量一立方メートルにつき二十二円、十立方メートルを超える使用水量一立方メートルにつき百九円とする。

**第二十三条の四**　管理者は、共同住宅の各戸の水道使用者であつて管理者が定める基準に適合している者について特に必要があると認めたときは、その者の申請によつて各戸の水道使用者に第二十三条の二第一項及び前条第一項に定める料金を適用することができる。この場合において、各戸の水道使用者が使用する給水装置の給水管の呼び径は、その大きさにかかわらず、十三ミリメートルとみなす。

**（二以上の量水器により使用水量を計量するものの料金）**

**第二十三条の五**　同一使用者が同一敷地内において水道を使用する場合の水量を二以上の量水器により計量するものの基本料金は、第二十三条の二第一項の表において、当該各量水器に係る給水管の呼び径に対応する基本料金に相当する額の合計額とする。

2　前項の基本料金を適用するもの（公衆浴場営業に水道を使用するものを除く。）の従量料金は、第二十三条の二第一項の表において、当該基本料金に対応する給水管の呼び径がある場合はその給水管の呼び径に応じ、対応する給水管の呼び径がない場合は当該基本料金の直近下位に相当する額に対応する給水管の呼び径に応じ、第二十三条の三第一項の表により算出して得た額とする。

3　前二項の規定は、第二十三条の四の規定を適用するものには、適用しない。

**（住宅店舗等併用建物の給水管の呼び径）**

**第二十三条の六**　管理者は、増圧給水設備等以下の給水装置又は受水タンク以下の装置が、住居の用に供される部分と店舗、事務所その他の住居以外の用に供される部分（以下「非住宅部分」という。）とに区分して使用される建物において、当該建物の構造、水道の使用形態等が、管理者が別に定める基準に適合しているときは、当該非住宅部分の水道使用者の申請によつて、非住宅部分の給水管の呼び径の大きさを当該呼び径の大きさより小さいものとみなすことができる。

**（定例日）**

**第二十四条**　管理者は、料金算定の基準日として、毎月の定例日を水道使用者ごとに定める。

**（使用水量の計量）**

**第二十四条の二**　管理者は、水道使用者ごとに、一月又は二月の計量期間を定め、その期間ごとの定例日に使用水量を計量する。

2　前項の計量期間は、使用実績その他の事情を考慮して定めるものとする。

3　管理者は、必要があると認めたときは、第一項の定例日によらないことができる。

**（料金の算定）**

**第二十四条の三**　管理者は、毎月又は隔月の定例日に、前条の規定により計量した使用水量（以下「計量水量」という。）に基づき料金を算定する。

**（使用水量の認定）**

**第二十五条**　管理者は、次の各号のいずれかに該当するときは、使用水量を認定する。

一　量水器に異状があつたとき。

二　使用水量が不明のとき（次条第一項に定める場合を除く。）。

2　前項の使用水量の認定は、前回の計量水量その他の事情を考慮して行う。

（使用水量の推定等）

**第二十五条の二**　管理者は、使用水量の計量が極めて困難と認めたときは、第二十四条の二の規定にかかわらず、管理者が別に定めるところにより、使用水量を推定することができる。

2　前項の使用水量の推定は、前回の計量水量その他の事情を考慮して行う。

3　管理者は、第一項の規定により使用水量を推定した場合は、第二十四条の三の規定にかかわらず、当該推定による使用水量に基づき、料金を算定する。

4　管理者は、第一項の規定により使用水量を推定した場合において、その後最初に使用水量を計量したときは、前回の計量日以後の使用水量に基づき算定した料金から前項の規定により算定した料金を差し引いて、料金を算定する。

（料率適用区分変更の場合の料金）

**第二十六条**　月の中途において料率適用区分を異にすることとなつた場合において、その適用日数に差があるときのその月分の料金は、適用すべき日数の多い料率適用区分に応じた料率によつて算定し、その適用すべき日数が等しいときのその月分の料金は、新たに適用されることとなつた料率適用区分に応じた料率によつて算定するものとする。

（概算料金の前納）

**第二十七条**　工事その他一時的に水道を使用する者は、水道の使用申込の際、二月分に相当する概算料金を前納しなければならない。ただし、管理者がその必要がないと認めたときは、この限りでない。

2　前項の概算料金は、水道の使用をやめたとき、清算する。

（料金の徴収方法）

**第二十八条**　料金は、払込み、口座振替又は指定納付受託者（地方自治法（昭和二十二年法律第六十七号）第二百三十一条の二の三第一項に規定する指定納付受託者をいう。）による納付の方法により隔月に徴収する。ただし、管理者は、必要があると認めたときは、毎月徴収することができる。

（手数料）

**第二十九条**　管理者は、次の各号のいずれかに該当する者からは、それぞれ当該各号に定める手数料を、申込みの際、徴収する。ただし、管理者が特別の理由があると認めた申込者及び管理者が別に定める申込者については、手数料の徴収の期限を管理者が指定する期日とすることができる。

一　第六条第一項の指定を申請する者
　　一件につき　九千四百円

二　第六条第二項の設計審査を申し込む者
　　新設又は全面改造工事　一件につき　千八百円
　　その他の工事　一件につき　千円

三　第六条第二項第一号の工事検査を申し込む者
　　一件、一回につき　二千八百円

四　第六条第二項第二号の工事検査を申し込む者
　　新設又は全面改造工事
　　一件、一回につき　二千八百円
　　その他の工事　一件、一回につき　二千二百円

五　第六条第三項の指定の更新を申請する者
　　一件につき九千四百円

六　第六条の二第二項の指定事業者証の再交付を申請する者
　　一件につき　二千百円

七　第十七条の消防演習の立会いを申し込む者
　　一回につき　二千四百円

八　第三十二条の二第一項の確認を申し込む者
　　一件、一回につき　二万五百円

九　給水装置の工事に関する文書（管理者が別に定めるものに限る。以下「給水装置関係文書」という。）の閲覧を申請する者
　　一回につき　三百円

十　給水装置関係文書の写しの交付を申請する者
　　一件につき　四百円

十一　給水装置の工事に関する電磁的記録（電子的方式、磁気的方式その他人の知覚によつては認識することができない方式で作られた記録をいう。）（管理者が別に定めるものに限る。以下「給水装置関係電磁的記録」という。）を印刷物として出力したもの又は給水装置関係文書をスキャナ（これに準ずる画像読取装置を含む。）により読み取つてできた電磁的記録を磁気ディスク等に保存したもの（以下「給水装置関係読取記録」という。）を印刷物として出力したものの閲覧を申請する者
　　一回につき　三百円

十二　給水装置関係電磁的記録を印刷物として出力したもの又は給水装置関係読取記録を印刷物として出力したものの交付を申請する者
　　一件につき　四百円

十三　給水装置関係電磁的記録又は給水装置関係読取記録の閲覧を申請する者
　　一回につき　三百円

2　前項の規定にかかわらず、管理者が別に定める者は、同項第四号に掲げる工事検査に係る手数料を、当該工事検査に係る工事の設計審査の申込み後管理者が指定する期日までに納入しなければならない。

（減免）

**第三十条**　管理者は、公益上その他特別の理由があると認めたときは、料金又は手数料を減額し、又は免除することができる。

2　管理者は、水道使用者が、次の各号のいずれかに該当する者であつて、その者から申請があつたときは、その者の基本料金に百分の百十を乗じて得た額（一円未満の端数があるときは、これを切り上げる。）を免除することができる。ただし、その者の給水管の呼び径が三十ミリメートル以上であるもの（以下「三十ミリメートル以上の使用者」という。）にあつては、基本料金と一月当たり使用水量五立方メートルまでの分に係る従量料金との合計額に百分の百十を乗じて得た額を免除することができる。

一　生活保護法（昭和二十五年法律第百四十四号）により生活扶助を受ける者

二　児童扶養手当法（昭和三十六年法律第二百三十八号）により児童扶養手当の支給を受ける者又は特別児童扶養手当等の支給に関する法律（昭和三十九年法律第百三十四号）により特別児童扶養手当の支給を受ける者

3　前項に規定する場合において、その者の料金が中途使用の場合の料金であるときは、同項の規定にかかわらず、その者の料金から免除することができる額は、次の各号に掲げる場合に応じ、当該各号に掲げる額に百分の百十を乗じて得た額（一円未満の端数があるときは、これを切り上げる。）とする。

一　当該料金を第二十三条第二項第一号の規定により算定する場合　一月当たりの基本料金を日割計算して得た額（一円未満の端数があるときは、これを切り捨てる。）。ただし、三十ミリメートル以上の使用者にあつては、一月当たりの基本料金と一月当たりの換算使用水量五立方メートルまでの分に係る従量料金との合計額を日割計算して得た額（一円未満の端数があるときは、これを切り捨てる。）

二　当該料金を第二十三条第二項第二号の規定により算定する場合　一月当たりの基本料金をそれぞれ日割計算して得た額（一円未満の端数があるときは、これを切り捨てる。）の合計額。ただし、三十ミリメートル以上の使用者にあつては、それぞれの一月当たりの基本料金と先計算月水量及び後計算月水量のそれぞれ五立方メートルまでの分に係る従量料金との合計額をそれぞれ日割計算して得た額（一円未満の端数があるときは、これを切り捨てる。）の合計額

4　管理者は、水道使用者が、口座振替の方法により料金を納入するときは、その者の料金から一月分当たり五十円に百分の百十を乗じて得た額（一円未満の端数があるときはこれを切り上げ、料金が五十円に百分の百十を乗じて得た額を超えないときは当該料金の額とする。）を減額することができる。ただし、水道使用者の責めに帰すべき事由により、料金が、管理者が別に定める納期限までに納入されなかつたときは、この限りでない。

## 第五章　管理

**（給水装置の検査等）**

**第三十一条**　管理者は、水道の管理上必要があると認めたときは、給水装置について、検査し、水道使用者等に対し必要な措置を指示することができる。

2　管理者は、量水器の管理上または点検上必要があると認めたときは、受水タンク以下の装置について、調査し、水道使用者等に対し必要な措置を指示することができる。

**（水道の管理上の整備工事）**

**第三十一条の二**　管理者は、配水管の移設その他特別の理由があると認めた場合は、給水装置の所有者、占有者その他の利害関係人の同意がなくても、給水装置を改造し、又は修繕することができる。

**（給水の停止）**

**第三十二条**　管理者は、次の各号のいずれかに該当するときは、水道使用者に対し、その理由の継続する間、給水を停止することができる。

一　給水装置の構造及び材質が、政令第六条の基準に適合しなくなつたとき。

二　第四条第一項の承認を受けないで給水管の口径を変更したとき、又は同条第二項の届出をしないとき。

三　水道使用者が、水道の使用をやめたと認められるとき。

四　水道使用者又はその委任を受けた者が、第八条第一項の設計費、同条の工事費、第二十二条の料金、第二十九条の手数料（同条第一項第一号、第五号、第六号及び第九号から第十三号までに掲げるものを除く。）又は第三十二条第二項の切離しに要した費用を指定期限内に納入しないとき。

五　水道使用者が、正当な理由がなくて、第二十四条の二第一項の使用水量の計量又は第三十一条第一項の検査若しくは第二項の調査を拒み、又は妨げたとき。

六　給水装置の改造又は修繕（法第十六条の二第三項の国土交通省令で定める軽微な変更を除く。）の工事が、管理者又は都指定給水装置工事事業者の施行したものでないとき。

（**確認の申込み等**）

**第三十二条の二**　第十三条第二項第二号若しくは第三号又は前条第二号（第四条第一項の承認を受けないで給水管の口径を変更したときの部分に限る。）若しくは第六号の規定に該当する給水装置により水道を使用しようとする者は、当該給水装置が、第四条第一項の承認又は第六条第二項の設計審査及び工事検査の基準に適合していることの確認を申し込むことができる。

2　管理者は、前項の確認をした場合においては、給水契約の申込みを承認し、又は給水停止を解除する。

**第三十二条の三**　受水タンク以下の装置を給水装置に改造しようとする者は、第六条第二項の設計審査を申し込む際に、当該受水タンク以下の装置が同項の設計審査及び工事検査の基準に適合していることの確認を併せて申し込むことができる。

2　管理者が前項の確認をした場合は、受水タンク以下の装置を給水装置に改造しようとする者及び当該改造工事を施行する者は、当該受水タンク以下の装置を給水装置として使用することができる。

（**給水装置の撤去義務及び切り離し**）

**第三十三条**　給水装置の所有者その他給水装置について処分権限を有する者（以下「所有者等」という。）は、当該給水装置を使用する見込みがなくなつたときは、あらかじめ管理者に届け出て撤去しなければならない。

2　管理者は、給水装置が使用されていない場合で、水道の管理上特に必要があると認めたときは、所有者等の同意がなくても、当該給水装置を配水管又は他の給水装置からの分岐部分から切り離すことができる。この場合において、切り離しに要した費用は、所有者等の負担とする。ただし、管理者が別に定める場合は、この限りでない。

3　前項の規定により切り離した給水装置により再び水道を使用しようとする場合は、給水装置の新設の例による。

## 第六章　貯水槽水道

（**貯水槽水道に関する管理者の責任**）

**第三十三条の二**　管理者は、貯水槽水道（法第十四条第二項第五号に規定する貯水槽水道をいう。以下同じ。）の管理に関し必要があると認めるときは、貯水槽水道の設置者に対し、指導、助言及び勧告を行うものとする。

2　管理者は、貯水槽水道の利用者及び設置者に対し、貯水槽水道の設置、管理、改修等に関する情報の提供を行うものとする。

（**貯水槽水道に関する報告及び調査**）

**第三十三条の三**　管理者は、前条の規定の施行に必要な限度において、貯水槽水道の設置者からその管理の状況について報告を求め、又はその職員に、貯水槽水道の設置者の同意を得て、貯水槽水道の用に供する施設のある場所に立ち入り、その管理の状況について調査させることができる。

2　前項の規定による調査をする職員は、その身分を示す証明書を携帯し、関係者の請求があつたときは、これを提示しなければならない。

（**貯水槽水道の設置等の届出**）

**第三十三条の四**　貯水槽水道を設置しようとする者は、あらかじめ貯水槽水道の所在地、設置者の氏名その他の管理者が定める事項を管理者に届け出なければならない。

2　貯水槽水道の設置者は、前項の規定に基づき届け出た事項に変更があつたとき又は貯水槽水道を廃止したときは、速やかに管理者に届け出なければならない。

（**貯水槽水道に関する設置者の責任**）

**第三十三条の五**　貯水槽水道のうち簡易専用水道（法第三条第七項に規定する簡易専用水道をいう。以下同じ。）の設置者は、法第三十四条の二に規定するところにより、当該簡易専用水道を管理し、及びその管理の状況に関する検査を受けなければならない。

2　簡易専用水道以外の貯水槽水道の設置者は、管理の状況の検査を行う等必要な措置を講じ、当該貯水槽水道を適切に管理しなければならない。

## 第七章　罰則

（**過料**）

**第三十四条**　次の各号のいずれかに該当する者は、五万円以下の過料に処する。

一　第四条第一項の承認を受けないで、給水装置の新設又は給水管の口径の変更をした者

二　第六条の三第一項の規定に違反して、政令第六条第六号の基準に適合しない構造の給水装置の新設又は改造をした者

三　正当な理由がなくて、第十一条第一項の給水装置の撤去、第十四条第一項若しくは第二項の量水器の設置、第二十四条の二第一項の使用水量の計量、第三十一条第一項の検査若しくは第二項の調査又は第三十二条の給水の停止を拒み、又は妨げた者

四　第十八条第一項の給水装置の管理義務を著しく怠つた者

（**料金等を免れた者に対する過料**）

**第三十五条**　詐欺その他不正の行為により料金又は手数料の徴収を免れた者は、その徴収を免れた金額の五倍

に相当する金額（当該五倍に相当する金額が五万円を超えないときは、五万円とする。）以下の過料に処する。

## 第八章　雑則

（委任）

**第三十六条**　この条例の施行について必要な事項は、前二条に定めるものを除き、管理者が定める。

### 付　則

1　この条例は、公布の日から施行する。

2　この条例施行の際、改正前の規定によりなされた承認、検査その他の処分又は申込み、届出その他の手続は、それぞれ改正後の相当規定によりなされた処分又は手続とみなす。

3　この条例施行の際、現に、受付中の検査等の手数料については、なお従前の例による。

### 附　則（平三一・三・二九条例四一）

1　この条例は、平成三十一年十月一日から施行する。

2　この条例による改正後の東京都給水条例（以下「改正後の条例」という。）第二十三条及び第三十条第二項から第四項までの規定は、平成三十一年十一月一日（以下「基準日」という。）後の使用に係る料金のうち、同年十二月分以降の料金として算定する料金から適用し、基準日以前の使用に係る料金又は同年十一月分として算定する料金については、なお従前の例による。

3　前項の場合において、平成三十一年十一月の定例日（以下「十一月定例日」という。）以前から十一月定例日後に引き続く水道使用者の十一月定例日後、改正後の条例第二十四条の三の規定に基づき最初に算定する料金は、使用水量を日々均等に使用したものとみなして算定する。

### 附　則（令元・九・二六条例五五）

（施行期日）

1　この条例は、令和元年十月一日（以下「施行日」という。）から施行する。

（経過措置）

2　この条例の施行の際、現にこの条例による改正前の東京都給水条例第六条第一項の指定を受けている都指定給水装置工事事業者の施行日後の最初のこの条例による改正後の東京都給水条例第六条第三項の指定の更新については、同項中「五年ごと」とあるのは、「東京都給水条例の一部を改正する条例（令和元年東京都条例第五十五号）の施行の日の前日から起算して五年（当該指定を受けた日が、平成十年四月一日から平成十一年三月三十一日までの間である場合にあつては一年、平成十一年四月一日から平成十五年三月三十一日までの間である場合にあつては二年、平成十五年四月一日から平成十九年三月三十一日までの間である場合にあつては三年、平成十九年四月一日から平成二十五年三月三十一日までの間である場合にあつては四年）を経過する日まで」とする。

3　この条例の施行前にした行為に対する罰則の適用については、なお従前の例による。

### 附　則（令六・三・二九条例八四）

この条例は、令和六年四月一日から施行する。

# 第四章　下水道

## ○東京都下水道局分課規程

昭三七・四・一
下水道局管理規程一

最終改正　令五・七・二四下水道局管理規程一七

（分課）

**第一条**　局の分課は、次のとおりとする。

総務部
　総務課
　企画調整課
　理財課
　広報サービス課
職員部
　人事課
　労務課
経理部
　業務管理課
　会計課
　資産運用課
　契約課
計画調整部
　計画課
　事業調整課
　技術開発課
施設管理部
　管理課
　管路管理課
　排水設備課
　施設管理課
　施設保全課
　環境管理課
建設部
　管理課
　工務課
　設計調整課

（部及び課の長等）

**第二条**　局に次長、技監及び理事を置くことができる。

2　部に部長を、課に課長を置く。

3　局に企画担当部長、技術開発担当部長及び施設管理担当部長を置く。

4　総務部、職員部、計画調整部、施設管理部及び建設部に、別表第一のとおり担当課長及び専門課長を置く。

5　前二項に定めるもののほか、局に担当部長を、部に担当課長を置くことができる。

6　前条の分課に課長代理を置く。

7　前各項の職のほか、必要な職を置くことができる。

（分掌事務）

**第三条**　各部課の分掌事務は、次のとおりとする。

総務部
　総務課
一　管理規程等の制定及び改廃に関すること。
二　文書の審査に関すること。
三　局事務事業に関する法規の調査及び解釈に関すること。
四　文書の収受、配布、発送、編集及び保存に関すること。
五　公印に関すること。
六　住民監査請求に基づく監査資料の調整に関すること。
七　課長及びこれに準ずる職以上の職にある者の人事に関すること。
八　その他局長の特命に関すること。
九　他の部及び課に属しないこと。
　企画調整課
一　局事務事業の企画及び調整に関すること。
二　国際展開に係る企画、調査及び調整に関すること。
三　局事務事業のデジタル関連施策の企画、調整及び推進に関すること。
四　情報処理機器等に関すること。
五　監査（定例監査、行政監査、例月出納検査、工事監査、財政援助団体等監査及び住民監査請求に基づく監査を除く。）資料の調整に関すること。
　理財課
一　経営計画及び財政報告に関すること。
二　企業債及び国庫補助金に関すること。
三　予算の原案に関すること。
四　予算統制に関すること。
五　経営の基本に関すること。
六　経営の改善に関すること。
七　局の機構に関すること。
八　局事務事業の効率的執行に関すること。
九　行政評価の実施に関すること。
十　政策連携団体等に関すること。

十一　財政援助団体等監査の資料の調整に関すること。

広報サービス課

一　広報及び広聴に関すること。

二　情報公開に係る連絡調整等に関すること。

三　個人情報の保護に係る連絡調整等に関すること。

職員部

人事課

一　局の人事（課長及びこれに準ずる職以上の職にある者に関するものを除く。）に関すること。

二　職員の給料、旅費及び諸手当の計算及び支給に関すること。

三　本局各部の職員の給料、旅費その他諸給与金及び福利厚生に係る資料等に関すること（他の課に属するものを除く。）。

四　職員の研修に関すること。

五　服務の指導、職員の交通事故及び服務監察に関すること。

六　部内他の課に属しないこと。

労務課

一　職員の福利及び共済に関すること。

二　職員の教養に関すること。

三　職員の勤務条件に関すること。

四　職員の労働組合に関すること。

経理部

業務管理課

一　料金徴収事務に関すること。

二　業務事務の連絡調整に関すること。

三　庁舎（他の部及び事業機関の管理に属するものを除く。）の管理に関すること。

四　本局の専用自動車の管理に関すること。

五　部内他の課に属しないこと。

会計課

一　会計伝票の審査及びその執行に関すること。

二　現金、有価証券及び担保物の保管及び出納に関すること。

三　資金の運用に関すること。

四　決算及び会計資料に関すること。

五　定例監査、行政監査及び例月出納検査の資料の調整に関すること。

六　業務監察に関すること。

七　決算品事務に係る指導調整に関すること。

八　物品、材料等の検査に関すること。

九　請負工事等の検査に関すること。

資産運用課

一　資産の総括管理に関すること。

二　資産（他の部及び事業機関の管理に属するものを除く。）の管理に関すること。

三　資産の活用に関すること。

四　資産（他の部及び事業機関の管理に属するものを除く。）の取得及び処分に関すること。

五　資産の調査に関すること。

契約課

一　物品及び材料の購買契約に関すること。

二　工事、修繕その他の請負契約に関すること。

三　車両、船舶等の供給契約に関すること。

四　物件の貸借及び処分の契約に関すること。

計画調整部

計画課

一　下水道の施設整備に係る基本構想及び基本計画に関すること。

二　下水道及び流域下水道の施設整備に係る基本計画の調整に関すること。

三　下水道資源等の活用に係る基本計画の調整に関すること。

四　部内他の課に属しないこと。

事業調整課

一　下水道施設の建設工事に係る実施計画の調整に関すること。

二　下水道施設の建設工事の進行管理に関すること。

三　下水道施設の計画に係る関係機関との調整に関すること。

四　下水道施設に係る都市計画及び事業認可に関すること。

技術開発課

一　下水道事業に係る技術の研究及び開発に関すること。

二　工事監査資料の調整に関すること。

三　下水道施設の建設工事の設計及び積算の基準に関すること。

四　下水道施設の建設工事の設計に係る積算システムの運用及び管理に関すること。

施設管理部

管理課

一　下水道施設の維持管理に係る事務の管理に関すること。

二　下水道施設の維持管理並びに補修及び改良工事に係る他企業等との折衝に関すること。

三　部の所管に係る事務事業の進行管理に関すること。

四　部内他の課に属しないこと。

管路管理課
一　下水道管きよの維持管理並びに補修及び改良工事（ます工事に限る。）の実施計画に関すること。
二　下水道管きよの維持管理並びに補修及び改良工事（ます工事に限る。）の指導及び調整に関すること。
三　下水道管きよの補修及び改良工事（ます工事に限る。）に係る道路使用の調整に関すること。
四　公共下水道台帳に関すること。
排水設備課
一　排水設備に係る事務の指導及び調整に関すること。
二　下水道の供用等の事務の総括に関すること。
三　指定排水設備工事事業者に関すること。
四　除害施設に係る事務及び工場排水等の規制に係る事務の指導及び調整に関すること。
施設管理課
一　水再生センター及びポンプ所の維持管理の実施計画に関すること。
二　水再生センター及びポンプ所の維持管理の指導及び調整に関すること。
施設保全課
一　水再生センター及びポンプ所の補修及び改良工事の実施計画に関すること。
二　水再生センター及びポンプ所の補修及び改良工事の施行に係る指導及び調整に関すること。
三　水再生センター及びポンプ所の補修及び改良工事の設計に関すること。
四　建築及び保全に関すること。
環境管理課
一　下水道事業に係る環境管理に関すること。
二　水再生センター及びポンプ所の水質管理に関すること。
三　水再生センター及びポンプ所並びに工場排水等の水質調査及び試験に関すること。

建設部

管理課
一　下水道施設の建設工事に係る事務の管理に関すること。
二　下水道施設の建設工事の施行に伴う損害の調査及び補償事務の指導及び調整に関すること。
三　下水道施設の建設工事の計画及び建設工事に係る他企業等との折衝に関すること。
四　部内他の課に属しないこと。
工務課
一　下水道施設の改良工事（水再生センター及びポンプ所並びにます工事を除く。）及び建設工事の施行に係る指導及び調整に関すること（土木設計課に属するものを除く。）。
二　下水道施設の改良工事（水再生センター及びポンプ所並びにます工事を除く。）及び建設工事の進行管理に関すること。
設計調整課
一　下水道施設の改良工事（水再生センター及びポンプ所並びにます工事を除く。）及び建設工事の実施計画に関すること。
二　下水道管きよの改良工事（ます工事を除く。）及び建設工事の設計に関する指導及び調整に関すること。
土木設計課
一　水再生センター及びポンプ所の施設（電気及び機械設備を除く。）に係る建設工事の設計に関すること。
二　下水道施設（施設用建物に限る。）の建設工事の施行に係る指導及び調整に関すること。
設備設計課
一　水再生センター及びポンプ所の電気及び機械設備に係る建設工事の設計に関すること。

**第四条**　削除

**（事業機関の設置）**
**第五条**　局の事業機関及びその所掌事務は、別表第二のとおりとする。

**（事業機関の長）**
**第六条**　前条に規定する機関には、それぞれの長をおく。

**（事業機関の内部組織）**
**第七条**　事業機関の内部組織は、別に定める。

**付　則**
この規程は、公布の日から施行する。

**附　則**（令五・三・三一下水道局管理規程八）
この規程は、令和五年四月一日から施行する。

**附　則**（令五・七・二四下水道局管理規程一七）
この規程は、公布の日から施行する。

別表第一（第二条関係）

| 部 | 課長 |
|---|---|
| 総務部 | 財政調整担当課長 |
| 職員部 | 研修・コンプライアンス推進担当課長 |
| 計画調整部 | エネルギー・温暖化対策推進担当課長、開発計画推進担当課長、技術管理担当課長及び水質改善事業推進専門課長 |
| 施設管理部 | 排水指導担当課長、保安管理担当課長、新エネルギー事業推進担当課長及び下水道設備維持管理専門課長 |
| 建設部 | 下水道設備再構築事業推進専門課長及び管路再構築事業推進専門課長 |

別表第二（第五条関係）

| 事業機関 | 所掌事務 |
|---|---|
| 流域下水道本部 | 流域下水道の維持管理及び建設・改良工事並びに流域下水道事業関係団体との連絡調整並びに市町村における公共下水道の整備促進の援助に関する事務 |
| 流域下水道本部水再生センター | 流域下水道水再生センター及びポンプ所の維持管理及び改良工事の施行に関する事務 |
| 下水道事務所 | 下水道の維持管理、改良工事及び建設工事（基幹施設再構築事務所に属するものを除く。）の施行並びに業務に関する事務 |
| 芝浦水再生センター、三河島水再生センター、砂町水再生センター、落合水再生センター及び森ヶ崎水再生センター | 水再生センターの維持管理及び改良工事の施行に関する事務 |
| 中川水再生センター、小菅水再生センター、葛西水再生センター、みやぎ水再生センター、新河岸水再生センター及び浮間水再生センター | 水再生センターの維持管理及び改良工事（補修及び改良工事については、電気及び機械設備に限る。）の施行に関する事務 |
| 基幹施設再構築事務所 | 下水道の建設工事（枝線管きよの再構築事業等を除く。）の施行に関する事務 |

# ○東京都下水道条例

昭三四・一二・二八
条例八九

最終改正 令三・一二・二二条例一一三

## 第一章 総則

（通則）

**第一条** 東京都（以下「都」という。）の特別区の存する区域に設置する公共下水道の管理及び使用については、下水道法（昭和三十三年法律第七十九号。以下「法」という。）その他の法令で定めるもののほか、この条例の定めるところによる。

（用語の定義）

**第二条** この条例において次の各号に掲げる用語の意義は、それぞれ当該各号に定めるところによる。

一 下水 法第二条第一号に規定する下水をいう。

二 汚水 法第二条第一号に規定する汚水をいう。

三 公共下水道 法第二条第三号に規定する公共下水道をいう。

四 排水設備 法第十条第一項に規定する排水設備をいう。

五 除害施設 法第十二条第一項に規定する除害施設をいう。

六 使用者 下水を公共下水道に排除してこれを使用する者をいう。

七 特定施設 法第十一条の二第二項に規定する特定施設（下水道法施行令（昭和三十四年政令第百四十七号。以下「令」という。）第九条の二に定めるものを除く。）をいう。

八 特定事業場 法第十二条の二第一項に規定する特定事業場をいう。

九 水道水 東京都給水条例（昭和三十三年東京都条例第四十一号。以下「給水条例」という。）の規定に基づき、都が給水する水道水をいう。

## 第二章 排水設備の設置等

（排水設備の接続方法等）

**第三条** 排水設備の新設、増設または改築（以下「新設等」という。）を行おうとするときは、次の各号に定めるところによらなければならない。

一 合流式の公共下水道に下水を流入させるために設ける排水設備は、公共下水道のますその他の排水施設（法第十一条第一項の規定により、または同項の規定に該当しない場合に所有者の承諾を得て、他人の排水設備により下水を排除する場合における他人の排水設備を含む。以下この条において「公共ます等」という。）に固着させること。

二 分流式の公共下水道に下水を流入させるために設ける排水設備は、汚水を排除すべき排水設備にあつては公共ます等で汚水を排除すべきものに、雨水を排除すべき排水設備にあつては公共ます等で雨水を排除すべきものに固着させること。

三 排水設備を公共ます等に固着させるときは、公共下水道の施設の機能を妨げ、またはその施設を損傷するおそれのない箇所及び工事の実施方法で東京都下水道事業管理者（以下「管理者」という。）の定めるものによること。

四 汚水のみを排除すべき排水管の内径は、管理者が特別の理由があると認めた場合を除き次の表に定めるところによるものとし、排水渠（きよ）の断面積は、同表の上欄の区分に応じそれぞれ同表の下欄に掲げる内径の排水管に相当する流下能力のあるものとすること。ただし、一の建築物から排除される汚水の一部を排除すべき排水管で延長が三メートル以下のものの内径は七十五ミリメートル（勾（こう）配百分の三以上）とすることができる。

| 排水人口（単位 人） | 排水管の内径（単位ミリメートル） |
|---|---|
| 一五〇未満 | 一〇〇（勾配 百分の二以上） |
| 一五〇以上 三〇〇未満 | 一二五（同 百分の一・七以上） |
| 三〇〇以上 五〇〇未満 | 一五〇（同 百分の一・五以上） |
| 五〇〇以上 | 一八〇以上（同 百分の一・三以上） |

五 雨水または雨水を含む下水を排除すべき排水管の内径は、管理者が特別の理由があると認めた場合を除き次の表に定めるところによるものとし、排水渠（きよ）の断面積は、同表の上欄の区分に応じそれぞれ

同表の下欄に掲げる内径の排水管に相当する流下能力のあるものとすること。ただし、一の敷地から排除される雨水または雨水を含む下水の一部を排除すべき排水管で延長が三メートル以下のものの内径は七十五ミリメートル（勾配百分の三以上）とすることができる。

| 排水面積（単位平方メートル） | 排水管の内径（単位ミリメートル） |
|---|---|
| 二〇〇未満 | 一〇〇（勾配　百分の二以上） |
| 二〇〇以上　四〇〇未満 | 一二五（同　百分の一・七以上） |
| 四〇〇以上　六〇〇未満 | 一五〇（同　百分の一・五以上） |
| 六〇〇以上　一〇〇〇未満 | 一八〇（同　百分の一・三以上） |
| 一〇〇〇以上　一五〇〇未満 | 二〇〇（同　百分の一・二以上） |
| 一五〇〇以上 | 二三〇以上（同　百分の一以上） |

（届出）

**第四条**　排水設備の新設等をしようとする者は、あらかじめ、管理者の定めるところにより、その計画を管理者に届け出なければならない。

2　除害施設の新設等又は使用の方法の変更をしようとする者は、あらかじめ、管理者の定めるところにより、次の各号に掲げる事項を管理者に届け出なければならない。

一　氏名又は名称及び住所並びに法人にあつては、その代表者の氏名

二　工場又は事業場の名称及び所在地

三　工場又は事業場の概要

四　除害施設の構造及び使用の方法

3　前項の規定による届出をした者は、当該届出に係る同項第一号から第三号までに掲げる事項を変更したとき、又は除害施設の使用を廃止したときは、その日から三十日以内に、管理者の定めるところにより、その旨を管理者に届け出なければならない。

**（管理者の指示等）**

**第五条**　管理者は、前条第一項の規定による届出があつた場合において、当該届出に係る排水設備が、その設置又は構造に関して、法令又はこの条例で定める技術上の基準に適合しないと認めるときは、当該届出を受理した日から七日以内に限り、当該届出をした者に対し、当該届出に係る排水設備の設置又は構造の変更を指示することができる。

2　管理者は、前条第二項の規定による届出があつた場合において、当該届出に係る除害施設から第十一条又は第十一条の二の規定により排除を制限される下水を継続して公共下水道に排除すると認めるときは、当該届出を受理した日から六十日以内に限り、当該届出をした者に対し、当該届出に係る除害施設の構造又は使用の方法の変更を指示することができる。

3　前条第一項又は第二項の規定による届出をした者は、当該届出が受理された日から排水設備にあつては七日、除害施設にあつては六十日を経過した後でなければ、当該届出に係る排水設備の新設等又は除害施設の新設等若しくは使用の方法の変更をしてはならない。ただし、管理者は、当該届出の内容が相当であると認めるときは、この期間を短縮することができる。

**（承継）**

**第六条**　第四条第二項の規定による届出をした者から当該届出に係る除害施設の所有権又は使用の権利を承継取得した者は、当該届出をした者の地位を承継する。

2　前項の規定により第四条第二項の規定による届出をした者の地位を承継した者は、その承継があつた日から三十日以内に、管理者の定めるところにより、その旨を管理者に届け出なければならない。

**（東京都指定排水設備工事事業者）**

**第七条**　排水設備の新設等の工事は、管理者の指定を受けた者（以下「東京都指定排水設備工事事業者」という。）でなければ施行してはならない。

**（指定の申請）**

**第七条の二**　前条の指定を受けようとする者は、指定の申請をしなければならない。

2　前条の指定の有効期間は、指定を受けた日から四年を経過する日の属する年度の末日までとする。

3　東京都指定排水設備工事事業者は、指定の有効期間満了に際し引き続き指定を受けようとするときは、指定の更新を申請しなければならない。

**（指定の基準）**

**第七条の三**　管理者は、前条第一項の規定により指定の申請をした者が次に掲げる要件を満たしているときは、東京都指定排水設備工事事業者として指定するも

のとする。

一　都の区域内に事業所があること。

二　第七条の七に規定する専任の排水設備工事責任技術者を、事業所ごとに一名以上置くこと。

2　前項の規定にかかわらず、管理者は、前条第一項の規定により指定の申請をした者（法人にあつては、その代表者）が次の各号のいずれかに該当するときは、東京都指定排水設備工事事業者の指定をしてはならない。

一　精神の機能の障害により排水設備の新設等の工事の事業を適正に営むに当たつて必要な認知、判断及び意思疎通を適切に行うことができない者

二　破産手続開始の決定を受けて復権を得ない者

三　第四条第一項の規定による届出がなされていない排水設備の新設等の工事を施行した者であつて、当該事実のあつたときから二年を経過しないもの

四　第七条の六の規定により指定を取り消されてから二年を経過しない者

五　その業務に関し不正又は不誠実な行為をするおそれがあると認めるに足りる相当の理由がある者

（指定事業者証の交付）

**第七条の四**　管理者は、東京都指定排水設備工事事業者の指定をしたときは、東京都指定排水設備工事事業者証（以下「指定事業者証」という。）を交付する。

2　東京都指定排水設備工事事業者は、指定事業者証をき損し、又は紛失したときは、管理者に再交付の申請をしなければならない。

（東京都指定排水設備工事事業者の義務）

**第七条の五**　東京都指定排水設備工事事業者は、下水道に関する法令及びこの条例その他管理者が定めるところに従い、排水設備の新設等の工事の施行に当たらなければならない。

（指定の取消し等）

**第七条の六**　管理者は、東京都指定排水設備工事事業者が次の各号のいずれかに該当するときは、六月を超えない範囲内において指定の効力を停止し、又は指定を取り消すことができる。

一　第四条第一項の規定による届出がなされていない排水設備の新設等の工事を施行したとき。

二　偽りその他不正な手段により、第七条の指定を受けたとき。

三　第七条の三第一項に規定する指定の要件を欠くに至つたとき。

四　第七条の三第二項第一号又は第二号に該当するに至つたとき。

五　法人の代表者が前号に該当するとき。

六　その施行する排水設備の新設等の工事が、下水道施設の機能に障害を与え、又は与えるおそれが大であるとき。

（排水設備工事責任技術者）

**第七条の七**　排水設備の新設等の工事に関する技術上の管理は、管理者の登録を受けた者（以下「排水設備工事責任技術者」という。）でなければ行つてはならない。

（登録の申請等）

**第七条の八**　前条の登録を受けようとする者は、登録の申請をしなければならない。

2　前条の登録の有効期間は、登録を受けた日から四年を経過する日の属する年度の末日までとする。

3　排水設備工事責任技術者は、登録の有効期間満了に際し引き続き登録を受けようとするときは、当該登録の有効期間が満了する日前一年以内に更新講習を修了し、登録の更新を申請しなければならない。

4　管理者は、第一項の規定により登録の申請をした者が排水設備工事責任技術者資格試験（以下「責任技術者資格試験」という。）に合格した者であるときは、排水設備工事責任技術者として登録するものとする。

5　前項の規定にかかわらず、管理者は、第一項の規定により登録の申請をした者が次の各号のいずれかに該当するときは、排水設備工事責任技術者の登録をしてはならない。

一　精神の機能の障害により排水設備工事責任技術者の職務を適正に営むに当たつて必要な認知、判断及び意思疎通を適切に行うことができない者

二　第七条の三第二項第二号、第三号又は第五号に該当する者

三　第七条の十一の規定により前条の登録を取り消されてから二年を経過しない者

（責任技術者証の交付）

**第七条の九**　管理者は、排水設備工事責任技術者の登録をしたときは、排水設備工事責任技術者証（以下「責任技術者証」という。）を交付する。

2　排水設備工事責任技術者は、責任技術者証をき損し、又は紛失したときは、管理者に再交付の申請をしなければならない。

（排水設備工事責任技術者の義務）

**第七条の十**　排水設備工事責任技術者は、下水道に関する法令及びこの条例その他管理者が定めるところに従い、排水設備の新設等の工事の施行に関する技術上の管理に当たらなければならない。

（登録の取消し等）

**第七条の十一**　管理者は、排水設備工事責任技術者が次の各号のいずれかに該当するときは、六月を超えない

範囲内において登録の効力を停止し、又は登録を取り消すことができる。
一　第七条の三第二項第二号又は第七条の八第五項第一号に該当するに至つたとき。
二　前条の規定に違反する排水設備の新設等の工事の施行に関する技術上の管理をするおそれがあり、又は管理をしたとき。
三　偽りその他不正な手段により、第七条の七の登録を受けたとき。

（指定試験等機関の指定）

**第七条の十二**　管理者は、その指定する者（以下「指定試験等機関」という。）に、責任技術者資格試験及び第七条の八第三項に規定する更新講習の実施に関する事務（以下「試験等事務」という。）を行わせることができる。

2　指定試験等機関の指定は、試験等事務を行おうとする者の申請により行う。

3　管理者は、第一項の規定により指定試験等機関の指定をしたときは、試験等事務を行わないこととする。

（指定試験等機関の指定の基準）

**第七条の十三**　管理者は、他に指定を受けた者がなく、かつ、前条第二項の規定による申請が次の要件を満たしていると認めるときでなければ、同条第一項の規定による指定をしてはならない。
一　適正かつ確実に試験等事務を行うことができるものであること。
二　試験等事務に必要な経理的及び技術的な基礎を有するものであること。

2　管理者は、前条第二項の規定による申請をした者が、次の各号のいずれかに該当するときは、同条第一項の規定による指定をしてはならない。
一　一般社団法人又は一般財団法人以外の者であること。
二　第七条の十五第一号又は第二号に該当して指定を取り消されてから二年を経過しない者であること。

（指定試験等機関の義務）

**第七条の十四**　指定試験等機関は、毎事業年度、事業計画書及び収支予算書を作成し、当該事業年度の開始前に（第七条の十二第一項の規定による指定を受けた日の属する事業年度にあつては、その指定を受けた後遅滞なく）、管理者に提出しなければならない。これを変更しようとするときも、同様とする。

2　指定試験等機関は、毎事業年度、事業報告書及び収支決算書を作成し、当該事業年度の終了後三月以内に、管理者に提出しなければならない。

3　管理者は、適正な試験等事務を行わせるため必要があると認めるときは、指定試験等機関に対し、指示をすることができる。

4　指定試験等機関の役員若しくは職員又はこれらの職にあつた者は、試験等事務に関して知り得た秘密を漏らしてはならない。

（指定試験等機関の指定の取消し等）

**第七条の十五**　管理者は、指定試験等機関が次の各号のいずれかに該当するときは、期間を定めて試験等事務の全部若しくは一部を行うことを停止させ、又は指定を取り消すことができる。
一　第七条の十三第一項各号又は第二項第一号に規定する要件に適合しなくなつたとき。
二　前条第三項に規定する指示に従わないとき。
三　天災その他管理者がやむを得ないと認める事由により試験等事務を行うことが困難となつたとき。

（水質管理責任者の選任等）

**第七条の十六**　特定施設を設置して公共下水道を使用する者及び第十一条又は第十一条の二の規定により除害施設を設け、又は必要な措置をしている者（それぞれ管理者の定める者を除く。）は、法又はこの条例の規定により排除を制限される水質の下水を排除しないために必要な業務に従事する水質管理責任者を選任し、速やかに、管理者の定めるところにより、その旨を管理者に届け出なければならない。これを変更した場合も同様とする。

2　前項の水質管理責任者の業務、資格その他の必要な事項は、管理者が別に定める。

## 第三章　公共下水道の使用

（使用の開始等の届出）

**第八条**　使用者が公共下水道の使用を開始し、休止し、若しくは廃止し、又は現に休止しているその使用を再開しようとするときは、当該使用者は、あらかじめ、管理者の定めるところにより、その旨を届け出なければならない。ただし、雨水のみを排除して公共下水道を使用する場合は、この限りでない。

（し尿の排除の制限等）

**第九条**　使用者は、し尿を公共下水道に排除するときは、水洗便所によつてこれをしなければならない。

2　水洗便所は、便器内のし尿を公共下水道に排除し得るに足る水量を注流することができる構造としなければならない。

3　第四条第一項、第五条第一項及び第三項並びに第七条の規定は、水洗便所の新設等について準用する。

（特定事業場から排除される下水の水質基準）

**第十条**　法第十二条の二第三項の規定による特定事業場から公共下水道に排除される下水の水質の基準は、別表第一の上欄に掲げる項目に関し、それぞれ同表の下欄に定める数値とする。

2　製造業又はガス供給業の用に供する施設から公共下水道に排除される下水の水質の基準は、前項の規定にかかわらず、別表第二の上欄に掲げる項目に関し、それぞれ同表の下欄に定める数値とする。

3　特定事業場から公共下水道に排除される下水の水質の基準は、前二項の規定にかかわらず、次の各号に掲げる場合においては、それぞれ当該各号に定めるものとする。

一　別表第一　一の項から四の項までの上欄又は別表第二の上欄に掲げる項目に係る水質に関し、当該下水が河川その他の公共の水域（湖沼を除く。）に直接排除されたとした場合において、水質汚濁防止法（昭和四十五年法律第百三十八号）の規定による環境省令により、当該下水についてそれぞれ各同表の下欄に定める基準より緩やかな排水基準が適用されるときは、その緩やかな排水基準

二　別表第一　五の項又は六の項の上欄に掲げる項目に係る水質に関し、当該下水が当該公共下水道からの放流水に係る公共の水域又は海域に直接排除されたとした場合において、水質汚濁防止法の規定による環境省令又は同法第三条第三項の規定による条例により、それぞれ同表の下欄に定める基準より緩やかな排水基準が適用されるときは、その緩やかな排水基準

**（除害施設の設置等）**

**第十一条**　法第十二条第一項の規定による使用者は、別表第三の上欄に掲げる項目ごとに同表の下欄に定める基準に適合しない水質の下水を継続して公共下水道に排除するときは、除害施設を設け、又は必要な措置をし、それぞれ同表の下欄に定める基準に適合する水質の下水にして排除しなければならない。

**第十一条の二**　法第十二条の十一第一項の規定による使用者は、次の各号に定める物質又は項目に応じ、それぞれ当該各号に定める水質の基準に適合しない下水（法第十二条の二第一項又は第五項の規定により公共下水道に排除してはならないこととされるものを除く。）を継続して公共下水道（終末処理場を設置しているものに限る。以下この条において同じ。）に排除するときは、除害施設を設け、又は必要な措置をし、それぞれ当該各号に掲げる物質又は項目に応じ、それぞれ当該各号に定める水質の基準に適合する下水にして排除しなければならない。

一　令第九条の四第一項各号（第三十四号を除く。）に掲げる物質　それぞれ当該各号に定める水質の基準。ただし、同条第四項に規定する場合においては、同項に規定する水質の基準とする。

二　別表第四の上欄に掲げる項目　同表の下欄に定める水質の基準

2　前項の規定は、次に掲げる物質又は項目については、一日当たりの下水の平均的な排出量が五十立方メートル未満の使用者には、適用しない。

一　令第九条の四第一項第二十八号、第三十一号及び第三十二号に掲げる物質

二　別表第四　三の項から七の項までに掲げる項目

3　製造業又はガス供給業の用に供する施設から公共下水道に排除される下水の水質の基準は、第一項の規定にかかわらず、別表第五の上欄に掲げる項目に関し、それぞれ同表の下欄に定める数値とする。

**（改善命令等）**

**第十一条の三**　管理者は、使用者が第十一条又は前条第一項の規定に違反して下水を公共下水道に排除しているときは、法第三十八条第一項の規定に基づき、その者に対し、期限を定めて、当該下水の水質を改善することを命じ、又は当該下水の排除を一時停止することを命ずることができる。

**（使用者の変更の届出等）**

**第十二条**　使用者が変つたときは、新たに使用者となつた者は、管理者の定めるところにより、遅滞なくその旨を届け出なければならない。

2　給水条例第十五条、第十六条第二項第一号及び第二十二条第二項の規定は、第十四条第三項の規定が適用されることとなつた使用者のうち給水条例第二十三条の四の規定が適用される者、第十四条第四項の規定が適用されることとなつた使用者その他の排水設備を共用する使用者に準用する。

**（料金の徴収）**

**第十三条**　都は、法第二条第八号に規定する処理区域内の公共下水道の使用について、使用者から料金を徴収する。

**（料金）**

**第十四条**　料金の料率は、一月について次の表のとおりとする。

| 汚水の種別 | 排出量 | 料率 |
|---|---|---|
| | 八立方メートル以下の分 | 五百六十円 |
| | 八立方メートルを超え二十立方メートル以下の分 | 一立方メートルにつき百十円 |

| 区分 | 排出量 | 料金 |
|---|---|---|
| 一般汚水 | 二十立方メートルを超え三十立方メートル以下の分 | 一立方メートルにつき百四十円 |
| | 三十立方メートルを超え五十立方メートル以下の分 | 一立方メートルにつき百七十円 |
| | 五十立方メートルを超え百立方メートル以下の分 | 一立方メートルにつき二百円 |
| | 百立方メートルを超え二百立方メートル以下の分 | 一立方メートルにつき二百三十円 |
| | 二百立方メートルを超え五百立方メートル以下の分 | 一立方メートルにつき二百七十円 |
| | 五百立方メートルを超え千立方メートル以下の分 | 一立方メートルにつき三百十円 |
| | 千立方メートルを超える分 | 一立方メートルにつき三百四十五円 |
| | 八立方メートル以下の分 | 二百八十円 |
| 浴場汚水 | 八立方メートルを超える分 | 一立方メートルにつき三十五円 |

備考
一　一般汚水とは、浴場汚水以外の汚水で、公共下水道に排除するものをいう。
二　浴場汚水とは、公衆浴場営業（温泉、蒸しぶろその他の特殊な公衆浴場営業を除く。）の用に供した汚水で、公共下水道に排除するものをいう。

2　料金は、使用者ごとに、汚水の種別に応じて、前項の表を適用して得た額に百分の百十を乗じて得た額（一円未満の端数があるときは、これを切り捨てる。）とする。この場合において、同一の使用者が同一の敷地内から公共下水道に排除する汚水の種別が同一のときは、その汚水が、水道水による汚水であると、水道水以外の水による汚水であるとにかかわらず、その排出量を合算して前項の表を適用する。

3　水道水による汚水を公共下水道に排除する場合の料金の料率については、給水条例第二十三条の二、第二十三条の三及び第二十三条の五の規定による料金が適用された対象ごとに、前項の規定を適用する。

4　管理者は、共同住宅の各戸の使用者が、水道水以外の水による汚水を公共下水道に排除する場合であつて、管理者の定める基準に適合している者について、特に必要があると認めたときの料金の料率については、その者の申請により、各戸ごとに第二項の規定を適用することができる。

5　公共下水道に排除する汚水でその処理に特別の費用を要するものについての料金は、第二項の規定により算定した料金の三倍の範囲内で管理者が定める。

**（定例日）**

**第十五条**　管理者は、料金算定の基準日として、毎月の定例日を使用者ごとに定める。

**（汚水排出量の認定日）**

**第十五条の二**　管理者は、使用者ごとに、一月又は二月の認定期間を定め、その期間ごとの定例日に汚水排出量を認定する。

2　管理者は、必要があると認めたときは、前項の定例日によらないことができる。

**（料金の算定）**

**第十五条の三**　管理者は、前条の規定により認定した汚水排出量に基づき、毎月又は隔月の定例日に料金を算定する。

**（汚水排出量の認定等）**

**第十六条**　水道水による汚水を排除して公共下水道を使用したときにおいては、水道の使用水量をもつて汚水の排出量とみなす。

2　水道水以外の水による汚水を排除して公共下水道を使用したときにおいては、その水の使用の態様その他の事情を考慮して管理者が認定した使用水量をもつて汚水の排出量とみなす。

3　管理者は、前項の認定をするため必要があると認めたときは、適当な場所に計測のための装置を取り付けることができる。

4　使用者は、善良な管理者の注意をもつて前項の装置を管理し、その装置を毀損し、または亡失したときは、都にその損害を賠償しなければならない。

**（特殊営業に係る汚水排出量の認定等）**

**第十七条**　製氷業その他の営業で、その営業に伴い使用する水の量がその営業に伴い公共下水道に排除する汚水の量と著しく異なるものを営む使用者は、管理者の定めるところにより、その営業に伴い使用する水の量のうち公共下水道に排除されない水量を申告することができる。

2　管理者は、前項の申告内容を審査して、その使用者の排除した汚水の量を認定するものとする。

（**中途使用等の場合の料金**）

**第十七条の二**　月の中途において公共下水道の使用を開始し、又は使用をやめた場合の料金は、一月分として算定する。ただし、使用日数が十五日以内の場合においては、第十四条第一項の表に定める排出量が八立方メートル以下の分の料率は、一月分の二分の一の額（一円未満の端数があるときは、これを切り捨てる。）とする。

2　月の中途において第十四条第一項の表に定める料率適用区分を異にすることとなつた場合において、その適用日数に差があるときのその月分の料金は、適用すべき日数の多い料率適用区分に応じた料率によつて算定し、その適用すべき日数が等しいときその月分の料金は、新たに適用されることとなつた料率適用区分に応じた料率によつて算定するものとする。

（**使用の態様の変更の届出**）

**第十七条の三**　使用者は、第十四条第一項の表に定める汚水の種別を変更したとき、水道水による汚水の排除に加え井戸水、ゆう出水、雨水等水道水以外の水による汚水を排除することとなつたとき、又は井戸の数に増減があつたときその他管理者が定める使用の態様の変更が生じたときは、管理者の定めるところにより、遅滞なくその旨を届け出なければならない。

（**料金の徴収方法**）

**第十八条**　料金は、払込み、口座振替又は指定納付受託者（地方自治法（昭和二十二年法律第六十七号）第二百三十一条の二の三第一項に規定する指定納付受託者をいう。）による納付の方法により隔月に徴収する。ただし、管理者は、必要があると認めたときは、毎月徴収することができる。

（**概算料金の前納**）

**第十九条**　土木建築に関する工事の施行に伴う排水のため公共下水道を使用する場合その他公共下水道を一時使用する場合において必要と認めたときは、管理者は、二月分に相当する概算料金を前納させることができる。

2　前項の概算料金は、使用者が公共下水道の使用を廃止したときその他管理者が必要と認めたときに清算する。

（**料金の減免**）

**第二十条**　管理者は、公益上その他特別の事情があると認めたときは、料金を減免することができる。

2　管理者は、使用者が、次の各号のいずれかに該当する者であつて、その者から申請があつたときは、一月について第十四条第一項の表に定める排出量八立方メートル以下の分に相当する料金を免除することができる。

一　生活保護法（昭和二十五年法律第百四十四号）により生活扶助を受ける者

二　児童扶養手当法（昭和三十六年法律第二百三十八号）により児童扶養手当の支給を受ける者又は特別児童扶養手当等の支給に関する法律（昭和三十九年法律第百三十四号）により特別児童扶養手当の支給を受ける者

（**資料の提出**）

**第二十一条**　管理者は、料金を算出するために必要な限度において、使用者から必要な資料の提出を求めることができる。

## 第四章　行為の許可等

（**行為の許可**）

**第二十二条**　法第二十四条第一項の許可を受けようとする者は、申請書に次の各号に掲げる図面を添付して管理者に提出しなければならない。許可を受けた事項の変更をしようとするときもまた同様とする。

一　施設または工作物その他の物件（以下「物件」という。）を設ける場所を表示した平面図（縮尺三千分の一以上）

二　物件の配置を表示した平面図（縮尺二百分の一以上）

三　物件の断面を表示した図面（縮尺二百分の一以上）

四　物件の構造の詳細を表示した図面（縮尺二十分の一以上）

（**許可を要しない軽微な変更**）

**第二十三条**　法第二十四条第一項の条例で定める軽微な変更は、公共下水道の施設の機能を妨げ、またはその施設を損傷するおそれのない物件の同項の許可を受けて設けた物件（地上に存する部分に限る。）に対する添加であつて、同項の許可を受けた者が当該施設または工作物その他の物件を設ける目的に付随して行うものとする。

（**特別の必要による公共ます及び取付管の新設等**）

**第二十四条**　都が使用者の特別の必要により公共下水道のます及び取付管の新設等を行つたときは、当該使用者は、管理者の定めるところにより、その新設等に要した費用の全部または一部を負担しなければならない。

## 第五章 手数料

（手数料）
**第二十四条の二** 管理者が徴収する手数料は、次に掲げる申請又は申込みを行う者から、これを徴収する。
一 第七条の規定に基づく東京都指定排水設備工事事業者の指定　一件につき　一万三百円
二 第七条の二第三項の規定に基づく東京都指定排水設備工事事業者の指定の更新　一件につき　五千百円
三 第七条の四第二項の規定に基づく指定事業者証の再交付　一件につき　千五百円
四 第七条の七の規定に基づく排水設備工事責任技術者の登録　一件につき　三千百円
五 第七条の八第三項の規定に基づく排水設備工事責任技術者の登録の更新講習　一件につき　二千円
六 第七条の八第三項の規定に基づく排水設備工事責任技術者の登録の更新　一件につき　二千五百円
七 第七条の八第四項の規定に基づく責任技術者資格試験　一件につき　六千円
八 第七条の九第二項の規定に基づく責任技術者証の再交付　一件につき　千六百円

（指定試験等機関が行う試験等事務に係る手数料）
**第二十四条の三** 第七条の十二第一項の規定により、指定試験等機関が行う責任技術者資格試験を受けようとする者は受験申込みの際前条第七号に規定する手数料を、指定試験等機関が行う更新講習を受けようとする者は受講申込みの際同条第五号に規定する手数料を、当該指定試験等機関に納付しなければならない。
2 前項の規定により指定試験等機関に納められた手数料は、当該指定試験等機関の収入とする。

（手数料の不還付）
**第二十四条の四** 既納の手数料については、還付しない。ただし、管理者が特別の理由があると認めるときは、この限りでない。

## 第六章 罰則

（罰則）
**第二十五条** 次の各号のいずれかに該当する者は、五万円以下の過料に処する。
一 第四条第一項、第二項若しくは第三項、第六条第二項、第八条、第十二条第一項若しくは第二項又は第十七条の三の規定による届出を怠つた者
二 第五条第三項の規定に違反した者
三 第七条の規定に違反して排水設備の新設等の工事を施行した者
四 第七条の十四第四項の規定に違反した者
五 第九条第一項の規定に違反してし尿を排除した者
六 第十六条第三項の規定による装置の取付けを拒否し、又は妨げた者
七 第二十一条の規定による資料の提出を求められてこれを拒否し、又は怠つた者
八 第四条第一項、第二項若しくは第三項、第六条第二項、第八条、第十二条第一項若しくは第二項若しくは第十七条の三の規定による届出書、第十七条第一項の規定による申告に係る書類、第二十一条の規定による資料又は第二十二条の規定による申請書に不実の記載をして提出した者

**第二十六条** 偽りその他不正な手段により料金又は手数料の徴収を免れた者は、その徴収を免れた金額の五倍に相当する金額（当該五倍に相当する金額が五万円を超えないときは、五万円とする。）以下の過料に処する。

**第二十七条** 法人の代表者または法人若しくは人の代理人、使用人その他の従業者が、その法人または人の業務に関して前二条の違反行為をしたときは、行為者を罰するほか、その法人または人に対しても、各本条の過料を科する。

## 第七章 雑則

（委任）
**第二十八条** この条例の施行について必要な事項は、前三条に定めるものを除き、管理者が定める。

### 付　則

（施行期日）
1 この条例は、公布の日から施行する。

（経過措置）
2 この条例施行の際、改正前の規定によりなされた承認、検査その他の処分または申込、届出その他の手続は、それぞれ改正後の相当規定によりなされた処分または手続とみなす。

### 附　則（令三・一一・二二条例一一三）

この条例は、令和四年一月四日から施行する。

**別表第一**（第十条関係）

| | 項目 | | 水質の基準 |
|---|---|---|---|
| 一 | 水素イオン濃度 | | 水素指数五を超え九未満 |
| 二 | 生物化学的酸素要求量 | | 一リットルにつき五日間に六百ミリグラム未満 |
| 三 | 浮遊物質量 | | 一リットルにつき六百ミリグラム未満 |
| 四 | ノルマルヘキサン抽出物質含有量 | 鉱油類含有量 | 一リットルにつき五ミリグラム以下 |
| | | 動植物油脂類含有量 | 一リットルにつき三十ミリグラム以下 |
| 五 | 窒素含有量 | | 一リットルにつき百二十ミリグラム未満 |
| 六 | 燐（りん）含有量 | | 一リットルにつき十六ミリグラム未満 |

**別表第二**（第十条関係）

| | 項目 | 水質の基準 |
|---|---|---|
| 一 | 水素イオン濃度 | 水素指数五・七を超え八・七未満 |
| 二 | 生物化学的酸素要求量 | 一リットルにつき五日間に三百ミリグラム未満 |
| 三 | 浮遊物質量 | 一リットルにつき三百ミリグラム未満 |

**別表第三**（第十一条関係）

| | 項目 | | 水質の基準 |
|---|---|---|---|
| 一 | 温度 | | 四十五度未満 |
| 二 | 水素イオン濃度 | | 水素指数五を超え九未満 |
| 三 | ノルマルヘキサン抽出物質含有量 | 鉱油類含有量 | 一リットルにつき五ミリグラム以下 |
| | | 動植物油脂類含有量 | 一リットルにつき三十ミリグラム以下 |
| 四 | 沃（よう）素消費量 | | 一リットルにつき二百二十ミリグラム未満 |

備考　この表の三の項の規定は、一日当たりの下水の平均的な排出量が五十立方メートル未満の使用者については、適用しない。

**別表第四**（第十一条の二関係）

| | 項目 | | 水質の基準 |
|---|---|---|---|
| 一 | 温度 | | 四十五度未満 |
| 二 | 水素イオン濃度 | | 水素指数五を超え九未満 |
| 三 | 生物化学的酸素要求量 | | 一リットルにつき五日間に六百ミリグラム未満 |
| 四 | 浮遊物質量 | | 一リットルにつき六百ミリグラム未満 |
| 五 | ノルマルヘキサン抽出物質含有量 | 鉱油類含有量 | 一リットルにつき五ミリグラム以下 |
| | | 動植物油脂類含有量 | 一リットルにつき三十ミリグラム以下 |
| 六 | 窒素含有量 | | 一リットルにつき百二十ミリグラム未満 |
| 七 | 燐（りん）含有量 | | 一リットルにつき十六ミリグラム未満 |

**別表第五**（第十一条の二関係）

| | 項目 | 水質の基準 |
|---|---|---|
| 一 | 温度 | 四十度未満 |
| 二 | 水素イオン濃度 | 水素指数五・七を超え八・七未満 |
| 三 | 生物化学的酸素要求量 | 一リットルにつき五日間に三百ミリグラム未満 |
| 四 | 浮遊物質量 | 一リットルにつき三百ミリグラム未満 |

備考　この表の三の項及び四の項の規定は、一日当たりの下水の平均的な排出量が五十立方メートル未満の施設については、適用しない。

# 第八類

# 安　全

# 第一章　警察

## ○警視庁の設置に関する条例

昭二九・六・三〇
条　例　五　二

最終改正　令六・三・二九条例八六

（目的）

**第一条**　この条例は、警察法（昭和二十九年法律第百六十二号。以下「法」という。）に基き、警視庁の設置に関する必要な事項を定めることを目的とする。

（警視庁本部の位置）

**第二条**　警視庁本部は、東京都千代田区霞が関二丁目一番一号に置く。

（警視庁本部の組織）

**第三条**　警視庁本部に、副総監一人及び次の九部を置く。

総務部
警務部
交通部
警備部
地域部
公安部
刑事部
生活安全部
組織犯罪対策部

（副総監）

**第三条の二**　副総監は、警視総監を助け、庁務を整理する。

（部長）

**第四条**　各部に部長を置く。

2　部長は、警視総監及び副総監の命を受け、部の事務を掌理する。

（総務部の所掌事務）

**第五条**　総務部においては、警視庁の所掌事務に関し、次に掲げる事務をつかさどる。

一　東京都公安委員会（以下「公安委員会」という。）の庶務に関すること。
二　機密に関すること。
三　公印の管守に関すること。
四　犯罪被害者等給付金に関すること。
五　国外犯罪被害弔慰金等に関すること。
六　公文書類の接受及び発送に関すること。
七　事務能率の増進に関すること。
八　警察統計に関すること。
九　広報に関すること。
十　情報の公開に関すること。
十一　個人情報の保護に関すること。
十二　予算、決算及び会計に関すること。
十三　財産及び物品の管理並びに処分に関すること。
十四　会計の監査に関すること。
十五　警察装備に関すること。
十六　留置施設に関すること。
十七　被疑者取調べ適正化のための監督に関すること。
十八　他の部の所掌に属しないこと。

（警務部の所掌事務）

**第六条**　警務部においては、警視庁の所掌事務に関し、次に掲げる事務をつかさどる。

一　人事、定員及び給与に関すること。
二　福利厚生に関すること。
三　警察教養及び監察に関すること。
四　警察官の職務に協力援助した者の災害給付に関すること。

（交通部の所掌事務）

**第七条**　交通部においては、警視庁の所掌事務に関し、左に掲げる事務をつかさどる。

一　交通警察に関すること。

（警備部の所掌事務）

**第八条**　警備部においては、警視庁の所掌事務に関し、左に掲げる事務をつかさどる。

一　警衛及び警護に関すること。
二　警備実施に関すること。
三　機動隊に関すること。
四　災害情報に関すること。
五　緊急事態に対処するための計画及びその実施に関すること。
六　警察用航空機の運用に関すること。

（地域部の所掌事務）

**第八条の二**　地域部においては、警視庁の所掌事務に関し、次に掲げる事務をつかさどる。

一　地域警察に関すること。
二　水上警察に関すること。
三　鉄道警察に関すること。
四　警ら用無線自動車の運用に関すること。
五　警察通信指令に関すること。
六　前各号に掲げるもののほか、警らに関すること。

（公安部の所掌事務）

**第九条**　公安部においては、警視庁の所掌事務に関し、左に掲げる事務をつかさどる。
一　警備警察に伴う犯罪の捜査検挙に関すること。
二　外事警察に関すること。

**（刑事部の所掌事務）**
**第十条**　刑事部においては、警視庁の所掌事務に関し、次に掲げる事務をつかさどる。
一　刑事警察に関すること。
二　犯罪鑑識に関すること。

**（生活安全部の所掌事務）**
**第十一条**　生活安全部においては、警視庁の所掌事務に関し、次に掲げる事務をつかさどる。
一　犯罪、事故その他の事案に係る市民生活の安全と平穏に関すること。
二　犯罪の予防に関すること。
三　保安警察に関すること。
四　少年警察に関すること。

**（組織犯罪対策部の所掌事務）**
**第十一条の二**　組織犯罪対策部においては、警視庁の所掌事務に関し、次に掲げる事務をつかさどる。
一　組織犯罪対策に関すること。
二　国際捜査共助に関すること。
三　銃器対策及び薬物対策に関すること。

**（各部の分課等）**
**第十二条**　各部の分課及びその他内部の事務分掌については、公安委員会の定めるところによる。

**（警察署の名称、位置及び管轄区域）**
**第十三条**　警察署の名称、位置及び管轄区域は、別表第一のとおりとする。

**（地方警察職員の定員）**
**第十四条**　地方警察職員の定員は、次のとおりとする。

一　警察官　四二、六八六人
内訳
警視　一、一五三人
警部　二、五一八人
警部補／巡査部長｝　二五、五二六人
巡査　一三、四八九人
二　警察官以外の職員　三、〇一五人
計　四五、七〇一人

2　前項の定員のほかに、当分の間、歩行者の通行安全の確保、停車又は駐車に関する指導取締り及び交通の安全指導等の交通警察の事務を行なわせるため、婦人警察官である巡査八百人を置くことができる。
3　休職、併任、公務災害休業、育児休業、配偶者同行休業及び国、他の地方公共団体その他の団体における研修又は事務従事の場合の職員は、定員外とする。
4　休職、公務災害休業、育児休業及び配偶者同行休業の職員が復職した場合は、一年間を限り定員外とすることができる。
5　初任教養のため、警察学校に入校中の者は、第一項の定員に含むものとする。

**（被服の支給及び装備品の貸与）**
**第十五条**　警察官には、その職務遂行上必要な被服（以下「支給品」という。）を支給し、及び装備品（以下「貸与品」という。）を貸与する。
2　支給品の品目、員数、使用期限等は、別表第二、貸与品の品目等は、別表第三のとおりとする。

**（公安委員会への委任）**
**第十六条**　この条例に特別の定がある場合を除く外、この条例の実施のため、必要な事項は、公安委員会の定めるところによる。

**附　則**（抄）

1　この条例は、昭和二十九年七月一日から施行する。
11　平成九年四月一日から平成十九年三月三十一日までの警察官の定員は、第十四条第一項の規定にかかわらず、同項に定める人員に次に定める人員をそれぞれ加えた人員とする。
警察官　一六八人
内訳
警視　四人
警部　一〇人
／警部補／巡査部長／｝　一〇一人
巡査　五三人
12　平成十六年四月一日から平成十八年三月三十一日までの警察官以外の職員の定員は、第十四条第一項の規定にかかわらず、同項に定める人員に百人を加えた人員とする。
13　平成十八年四月一日から平成二十九年三月三十一日までの間は、初任教養のため、警察学校に入校中の警察官のうち七百六十人以内については、毎年度予算の範囲内で、第十四条第五項の規定にかかわらず定員外とすることができる。
14　平成二十九年四月一日から平成三十六年三月三十一日までの間は、初任教養のため、警察学校に入校中の警察官のうち千三十九人以内については、毎年度予算の範囲内で、第十四条第五項の規定にかかわらず定員外とすることができる。
15　令和六年四月一日から令和七年三月三十一日までの警察官の定員は、第十四条第一項の規定にかかわらず、同項に定める人員に次に定める人員をそれぞれ加えた人員とする。
警察官　九一人
内訳
警視　二人
警部　五人
警部補／巡査部長｝　五四人

巡　査　三〇人

16　令和六年四月一日から令和七年三月三十一日までの間は、初任教養のため、警察学校に入校中の警察官のうち三百人については、第十四条第五項の規定にかかわらず定員外とすることができる。

附　則（令六・三・二九条例八六）

この条例は、令和六年四月一日から施行する。

**別表**〔略〕

# ○東京都自転車の安全で適正な利用の促進に関する条例

平二五・三・二九
条　例　一　四

最終改正　令六・一〇・一一条例一二〇

## 第一章　総則

（目的）

**第一条**　この条例は、自転車の利用に関し、基本理念を定め、及び東京都（以下「都」という。）、自転車を利用する者（以下「自転車利用者」という。）、事業者、都民その他の関係者の責務を明らかにするとともに、都の基本的な施策、関係者が講じるべき措置等を定めることにより、自転車の安全で適正な利用を促進することを目的とする。

（定義）

**第二条**　この条例において、次の各号に掲げる用語の意義は、それぞれ当該各号に定めるところによる。

一　自転車　道路交通法（昭和三十五年法律第百五号）第二条第一項第十一号の二に規定する自転車をいう。

二　自転車道　自転車道の整備等に関する法律（昭和四十五年法律第十六号）第二条第三項に規定する自転車道をいう。

三　事業者　事業を行う法人その他の団体又は事業を行う場合における個人をいう。

四　自転車使用事業者　事業者のうち、人の移動、貨物の運送等の手段として自転車を事業の用に供する者をいう。

五　都民等　都民、自転車利用者及び事業者をいう。

六　自転車貨物運送事業　他人の需要に応じ、有償で、自転車を使用して貨物を運送する事業（請負その他の方法により当該貨物の運送を他の者に行わせる事業を含む。）をいう。

七　自転車旅客運送事業　他人の需要に応じ、有償で、自転車を使用して旅客を運送する事業（請負その他の方法により当該旅客の運送を他の者に行わせる事業を含む。）をいう。

八　自転車貸付事業　自転車を有償又は無償で、反復継続して貸し付ける事業をいう。

九　自転車損害賠償保険等　自転車の利用によって生じた損害を塡補するための保険又は共済をいう。

（基本理念）

**第三条**　自転車は、都民及び事業者にとって高い利便性を有し、都民生活及び事業活動に極めて重要な役割を果たす一方で、自転車に係る交通事故の多発、道路への放置等の不適正な利用により、都民の安全な生活の妨げとなっていることに鑑み、都、特別区及び市町村（以下「区市町村」という。）並びに都民等の相互の連携により、その安全で適正な利用が促進されなければならない。

（都の責務）

**第四条**　都は、区市町村及び都民等と連携し、自転車の安全で適正な利用を促進するための施策（以下「自転車安全利用促進施策」という。）を総合的に実施するものとする。

2　都は、自転車の安全で適正な利用を促進するため、都民等に対し必要な広報活動及び啓発活動を行うものとする。

3　都は、都民に対し、幼児期から高齢期に至るまでの各段階に応じて、自転車の安全で適正な利用に関する交通安全教育を推進するものとする。

4　都は、事業者が実施する自転車の安全で適正な利用に関する取組に対し、情報の提供、技術的支援その他の必要な協力を行うものとする。

5　都は、区市町村が実施する自転車安全利用促進施策に対し、情報の提供、技術的支援その他の必要な協力を行うものとする。

6　都は、区市町村、自転車損害賠償保険等を引き受ける保険者その他の関係団体と連携し、自転車損害賠償保険等への加入を促進するため、自転車損害賠償保険等に関する情報の提供その他の必要な措置を講じるものとする。

**（自転車利用者の責務）**

**第五条**　自転車利用者は、自転車が車両（道路交通法第二条第一項第八号に規定する車両をいう。）であることを認識して同法その他の関係法令を遵守し、これを安全で適正に利用するものとする。

2　自転車利用者は、都が実施する自転車安全利用促進施策に協力するよう努めなければならない。

**（自転車使用事業者等の責務）**

**第六条**　自転車使用事業者は、従業者が自転車を安全で適正に利用することができるよう、必要な措置を講じるとともに、都が実施する自転車安全利用促進施策に協力するよう努めなければならない。

2　自転車の小売を業とする者（以下「自転車小売業者」という。）、自転車の製造を業とする者、自転車の組立てを業とする者（以下「自転車組立業者」という。）、自転車の整備を業とする者（以下「自転車整備業者」という。）、自転車貸付事業を営む者（以下「自転車貸付業者」という。）、自転車駐車場を利用させることを業とする者（第十三条第二項において「自転車駐車場業者」という。）その他の自転車に関する事業を行う者は、自転車が安全で適正に利用されるよう、事業の実施に関し必要な措置を講じるとともに、都が実施する自転車安全利用促進施策に協力するよう努めなければならない。

**（都民及び事業者の責務）**

**第七条**　都民及び事業者（前条に規定する事業者を除く。）は、都が実施する自転車安全利用促進施策に協力するよう努めなければならない。

## 第二章　自転車安全利用推進計画

**（自転車安全利用推進計画）**

**第八条**　知事は、都が実施する自転車安全利用促進施策及び都民等の取組を総合的に推進するための計画（以下この条において「自転車安全利用推進計画」という。）を策定するものとする。

2　知事は、自転車安全利用推進計画の策定に当たっては、都民等の意見を反映することができるよう、適切な措置を講じるものとする。

3　知事は、自転車安全利用推進計画を策定したときは、これを公表するものとする。

4　前二項の規定は、自転車安全利用推進計画の変更について準用する。

## 第三章　自転車の安全で適正な利用のための技能及び知識の普及

**（都による自転車の安全で適正な利用のための技能及び知識の普及）**

**第九条**　都は、自転車利用者が自転車の安全で適正な利用に必要な技能及び知識を習得するための機会の提供その他の必要な措置を講じるものとする。

**第九条の二**　知事は、自転車利用者に対し、自転車に係る交通事故の防止を図るため、道路上における指導及び助言を行うことができる。

2　知事は、前項の指導及び助言に当たっては、必要に応じて東京都公安委員会の協力を得るものとする。

**（自転車安全利用指針）**

**第十条**　知事は、自転車の安全で適正な利用に必要な技能及び知識が適切に習得され、並びにそれらの普及が効果的に行われるよう、次に掲げる事項を内容とする自転車の安全で適正な利用に関する指針を作成し、これを公表するものとする。これを変更したときも、同様とする。

一　自転車の安全で適正な利用に必要となる技能に関する事項

二　自転車の安全で適正な利用に必要となる知識に関する事項

三　前二号に掲げるもののほか、自転車の安全で適正な利用に必要となる技能及び知識の効果的な普及のために必要な事項

**（自転車利用者の技能及び知識の習得）**

**第十一条**　自転車利用者は、自転車の安全で適正な利用に必要な技能及び知識の習得に努めなければならない。

**（従業者の技能及び知識の習得）**

**第十二条**　自転車使用事業者は、その従業者が、事業のために、人の移動、貨物の運送等の手段として自転車を利用するに当たり、研修の実施、情報の提供その他

の必要な措置を講じることにより、自転車の安全で適正な利用に必要な技能及び知識を習得させるよう努めなければならない。

（自転車小売業者等による啓発）
**第十三条**　自転車小売業者及び自転車整備業者は、自転車利用者又は自転車使用事業者に対して、自転車の販売又は整備の機会を通じ、自転車を安全で適正に利用するための啓発を行わなければならない。

2　自転車組立業者、自転車貸付業者及び自転車駐車場業者は、自転車利用者又は自転車使用事業者に対して、自転車の組立て、貸付け等の機会を通じ、自転車を安全で適正に利用するための啓発を行うよう努めなければならない。

（事業者による自転車の安全で適正な利用に係る研修の実施等）
**第十四条**　事業者（就業規則その他これに準じるものにより従業者の自転車を利用した通勤を禁じている事業者を除く。以下「特定事業者」という。）は、自転車を利用して通勤する従業者が自転車を安全で適正に利用することができるよう、研修の実施、情報の提供その他の必要な措置を講じるよう努めなければならない。

（自転車安全利用推進者の選任）
**第十四条の二**　自転車使用事業者及び特定事業者は、第十二条及び前条に規定する措置を講じるため、東京都規則（以下「規則」という。）で定めるところにより、自転車安全利用推進者を選任するよう努めなければならない。

（十八歳未満の者及び高齢者の技能及び知識の習得等）
**第十五条**　父母その他の保護者（以下単に「保護者」という。）は、その監護する十八歳未満の者が、自転車を安全で適正に利用することができるよう、指導、助言等を行うことにより、必要な技能及び知識を習得させるとともに、当該十八歳未満の者に反射材を利用させ、乗車用ヘルメットを着用させる等の必要な対策を行うよう努めなければならない。

2　高齢者（六十五歳以上の者をいう。以下この項において同じ。）の親族又は高齢者と同居している者は、当該高齢者が自転車を安全で適正に利用することができるよう、反射材の利用、乗車用ヘルメットの着用その他の必要な事項について助言するよう努めなければならない。

（十八歳未満の者の教育又は育成に携わる者による指導等）
**第十六条**　十八歳未満の者の教育又は育成に携わる者は、当該十八歳未満の者が自転車を安全で適正に利用することができるよう、指導、助言その他の必要な措置を講じるよう努めなければならない。

## 第四章　安全な自転車の普及

（安全な自転車の利用）
**第十七条**　自転車利用者は、規則で定める自転車の安全性に関する基準に適合する自転車（次条において「基準適合自転車」という。）を利用するよう努めなければならない。

2　前項の規定は、自転車使用事業者について準用する。

（安全な自転車の製造、販売等）
**第十八条**　自転車の製造又は販売を業とする者は、基準適合自転車の製造又は販売及び安全性の高い自転車の開発又は普及に努めなければならない。

（安全に資する器具の利用）
**第十九条**　自転車利用者は、反射材、乗車用ヘルメットその他の交通事故を防止し、又は交通事故の被害を軽減する器具を利用するよう努めるものとする。

（自転車点検整備指針）
**第二十条**　知事は、自転車の安全で適正な利用の促進のため、自転車の点検又は整備（以下この条から第二十二条までにおいて「点検整備」という。）が効果的かつ適切に行われるよう、次に掲げる事項を内容とする自転車の点検整備に関する指針（次条及び第二十二条において「自転車点検整備指針」という。）を作成し、これを公表するものとする。これを変更したときも、同様とする。

一　日常的に点検すべき事項及び点検の方法
二　定期的に点検すべき事項及び点検の方法
三　整備の方法及び確保すべき性能
四　前三号に掲げるもののほか、点検整備を効果的かつ適切に行うために必要な事項

（点検整備の実施）
**第二十一条**　自転車利用者は、その利用する自転車について、自転車点検整備指針を踏まえ、点検整備を行うよう努めなければならない。

2　前項の規定は、自転車使用事業者について準用する。

（自転車整備業者による点検整備）
**第二十二条**　自転車整備業者は、自転車利用者又は自転車使用事業者の求めに応じて点検整備を行うときは、自転車点検整備指針を踏まえ、点検整備を行うよう努めなければならない。

（違法な利用となる自転車の販売等の禁止）
**第二十三条**　自転車小売業者は、自転車の利用が道路交通法その他の自転車の交通又は安全性に関する法令の

規定に違反することとなることを知って自転車を販売してはならない。

2　自転車組立業者又は自転車整備業者は、自転車の利用が道路交通法その他の自転車の交通又は安全性に関する法令の規定に違反することとなることを知って他人の求めに応じて自転車を組み立て、又は改造してはならない。

## 第五章　自転車利用環境の整備等

**（自転車道の整備等）**

**第二十四条**　都は、自転車道、自転車駐車場その他の自転車の安全で適正な利用のための環境の整備に資する事業が効果的かつ適切に実施されるよう、区市町村その他の関係者と連携して必要な措置を講じるものとする。

**（自転車利用環境整備協議会）**

**第二十五条**　都は、自転車の安全で適正な利用のための環境の整備に資すると認めるときは、規則で定めるところにより、自転車利用環境整備協議会を置くことができる。

**（自転車等駐車対策協議会等に対する都の協力）**

**第二十六条**　都は、区市町村が自転車等駐車対策協議会（自転車の安全利用の促進及び自転車等の駐車対策の総合的推進に関する法律（昭和五十五年法律第八十七号）第八条第一項の自転車等駐車対策協議会をいう。）を置いたときは、当該区市町村の申出等により、必要な協力を行うものとする。区市町村が自転車道の整備等について関係者との協議の場を設けたときも、同様とする。

## 第六章　自転車利用者等による保険等への加入等

**（自転車利用者の自転車損害賠償保険等への加入等）**

**第二十七条**　自転車利用者（未成年者を除く。以下この条において同じ。）は、自転車の利用によって生じた他人の生命又は身体の損害を賠償することができるよう、自転車損害賠償保険等に加入しなければならない。

2　自転車利用者は、自転車の利用によって生じた他人の財産の損害を賠償することができるよう、自転車損害賠償保険等に加入するよう努めなければならない。

3　前二項の規定は、自転車利用者以外の者により、当該利用に係る自転車損害賠償保険等への加入の措置が講じられているときは、適用しない。

**（保護者の自転車損害賠償保険等への加入等）**

**第二十七条の二**　保護者は、その監護する未成年者が自転車を利用するときは、自転車の利用によって生じた他人の生命又は身体の損害を賠償することができるよう、自転車損害賠償保険等に加入しなければならない。

2　保護者は、その監護する未成年者が自転車を利用するときは、自転車の利用によって生じた他人の財産の損害を賠償することができるよう、自転車損害賠償保険等に加入するよう努めなければならない。

3　前二項の規定は、保護者以外の者により、当該利用に係る自転車損害賠償保険等への加入の措置が講じられているときは、適用しない。

**（自転車使用事業者の自転車損害賠償保険等への加入等）**

**第二十七条の三**　自転車使用事業者は、その事業活動において自転車を利用するときは、自転車の利用によって生じた他人の生命又は身体の損害を賠償することができるよう、自転車損害賠償保険等に加入しなければならない。

2　自転車使用事業者は、その事業活動において自転車を利用するときは、自転車の利用によって生じた他人の財産の損害を賠償することができるよう、自転車損害賠償保険等に加入するよう努めなければならない。

3　前二項の規定は、自転車使用事業者以外の者により、当該利用に係る自転車損害賠償保険等への加入の措置が講じられているときは、適用しない。

**（自転車貸付業者の自転車損害賠償保険等への加入等）**

**第二十七条の四**　自転車貸付業者は、自転車を貸し付けるときは、自転車の利用によって生じた他人の生命又は身体の損害を賠償することができるよう、自転車損害賠償保険等に加入しなければならない。

2　自転車貸付業者は、自転車を貸し付けるときは、自転車の利用によって生じた他人の財産の損害を賠償することができるよう、自転車損害賠償保険等に加入するよう努めなければならない。

3　前二項の規定は、自転車貸付業者以外の者が当該自転車の利用に係る自転車損害賠償保険等に加入しているときは、適用しない。

**（自転車損害賠償保険等への加入の確認等）**

**第二十七条の五**　自転車小売業者は、自転車を販売するときは、当該自転車を購入しようとする者（以下「自転車購入者」という。）に対し、当該自転車の利用に係る自転車損害賠償保険等の加入の有無を確認するよう努めなければならない。

2　自転車小売業者は、前項の規定による確認により、自転車購入者が自転車損害賠償保険等に加入していることを確認できないときは、当該自転車購入者に対し、自転車損害賠償保険等への加入に関する情報を提供するよう努めなければならない。

3　特定事業者は、その従業者のうちに、自転車を利用して通勤する従業者がいるときは、当該従業者に対し、当該利用に係る自転車損害賠償保険等の加入の有無を確認するよう努めなければならない。

4　第二項の規定は、前項の特定事業者について準用する。この場合において、第二項中「自転車小売業者」とあるのは「特定事業者」と、「自転車購入者」とあるのは「自転車を利用して通勤する従業者」と読み替えるものとする。

5　自転車貸付業者は、その借受人に対し、当該自転車の利用に係る自転車損害賠償保険等の内容に関する情報を提供するよう努めなければならない。

**（自転車損害賠償保険等の普及等）**

**第二十八条**　自転車損害賠償保険等を引き受ける保険者は、自転車損害賠償保険等の普及に努めなければならない。

2　学校等（学校教育法（昭和二十二年法律第二十六号）第一条に規定する小学校、中学校、義務教育学校、高等学校、中等教育学校、特別支援学校、大学及び高等専門学校、同法第百二十四条に規定する専修学校並びに同法第百三十四条第一項に規定する各種学校をいう。）の設置者は、自転車を利用する児童、生徒及び学生並びにその保護者に対し、自転車損害賠償保険等に関する情報を提供するよう努めなければならない。

## 第七章　自転車駐車場の利用の推進

**（自転車の駐車需要を生じさせる事業者による適正な駐車の促進）**

**第二十九条**　事業の実施により自転車の駐車需要を生じさせる者は、顧客、従業者等による自転車の駐車が道路交通法の規定に違反しないよう、自転車の駐車場所の確保、自転車駐車場の利用の啓発その他の必要な措置を講じるよう努めなければならない。

**（通勤に利用する自転車の駐車場所の確保又は確認）**

**第三十条**　特定事業者は、従業者の通勤における自転車の駐車について、規則で定めるところにより、当該駐車に必要な場所を確保し、又は従業者が当該駐車に必要な場所を確保していることを確認しなければならない。

## 第八章　自転車貨物運送事業者等の自転車の安全で適正な利用に関する登録等

**（自転車貨物運送事業者の登録等）**

**第三十一条**　自転車貨物運送事業を営む者は、当該自転車貨物運送事業が規則で定める自転車の安全で適正な利用に関する基準に適合することについて、都の登録を受けることができる。

2　前項の規定にかかわらず、次に掲げる者は、同項の登録（以下この条から第三十四条までにおいて「登録」という。）を受けることができない。

一　第三十三条第一項（第三十五条第二項及び第三十六条第二項において準用する場合を含む。）の規定により登録を抹消された日から三年を経過しない者

二　第三十四条（第三十五条第二項及び第三十六条第二項において準用する場合を含む。）の規定に違反したことにより第三十九条第一項の公表をされた日から二年を経過しない者

三　一年以上の拘禁刑に処せられた者で、その刑の執行を終わり、又はその刑の執行を受けることがなくなった日から二年を経過しないもの

四　暴力団員による不当な行為の防止等に関する法律（平成三年法律第七十七号）第二条第六号に規定する暴力団員（以下この号において「暴力団員」という。）又は暴力団員でなくなった日から五年を経過しない者

五　営業に関し成年者と同一の行為能力を有しない未成年者又は成年被後見人であって、その法定代理人が前各号又は次号のいずれかに該当するもの

六　登録を受けようとする者が法人である場合において、その法人の役員（いかなる名称によるかを問わず、これと同等以上の職権又は支配力を有する者を含む。）のうちに前各号のいずれかに該当する者があるもの

3　登録を受けようとする者（登録の更新を受けようとする者を含む。）は、規則で定めるところにより、知事に申請しなければならない。

4　知事は、前項の申請に係る事業が第一項の基準に適合すると認めるときは、規則で定めるところにより、申請者を登録簿に登録し、その旨を当該申請者に通知しなければならない。

5　登録の有効期間は、登録の日から三年とする。

**（登録に係る事項の変更等）**

**第三十二条**　登録を受けた者は、登録に係る事項に変更があったとき又は登録に係る事業を廃止したときは、規則で定めるところにより、遅滞なくその旨を知事に届け出なければならない。

2　知事は、前項の届出があったときは、届出があった

事項について登録簿の当該事項を変更し、又は登録を抹消するとともに、その旨を同項の届出をした者に通知しなければならない。

（登録の抹消等）

**第三十三条**　登録を受けた者が次のいずれかに該当すると認めるときは、知事は、当該登録を受けた者の登録を抹消するものとする。

一　第三十一条第二項各号に該当することとなったとき。

二　不正の手段により登録を受けたとき。

三　正当な理由がなく登録に係る事業についての第三十八条の勧告に従わないとき。

2　登録を受けた者は、規則で定めるところにより、知事に登録の抹消を申請することができる。

3　前二項の規定により登録を抹消したときは、知事は、その旨を登録を抹消された者に通知しなければならない。

（表示の制限）

**第三十四条**　登録を受けていない者は、その営む事業について登録を受けている旨の表示又はこれと紛らわしい表示をしてはならない。

（自転車旅客運送事業者の登録等）

**第三十五条**　自転車旅客運送事業を営む者は、当該自転車旅客運送事業が規則で定める自転車の安全で適正な利用に関する基準に適合することについて、都の登録を受けることができる。

2　第三十一条第二項から第五項まで及び第三十二条から前条までの規定は、前項の登録について準用する。

（自転車貸付業者の登録等）

**第三十六条**　自転車貸付業者は、当該自転車貸付事業が規則で定める自転車の安全で適正な利用に関する基準に適合することについて、都の登録を受けることができる。

2　第三十一条第二項から第五項まで及び第三十二条から第三十四条までの規定は、前項の登録について準用する。

## 第九章　雑則

（報告及び調査）

**第三十七条**　知事は、この条例の施行に必要な限度において、自転車小売業者、自転車組立業者、自転車整備業者、第三十一条第一項、第三十五条第一項若しくは前条第一項の登録を受けた者、第三十四条（第三十五条第二項又は前条第二項において準用する場合を含む。）の規定に違反しているおそれがあると認める者その他の関係者から必要な報告を求め、又はその職員にこれらの者の事業所その他の場所に立ち入り、調査させることができる。

2　前項の規定による権限は、犯罪捜査のために認められたものと解釈してはならない。

（勧告）

**第三十八条**　知事は、次の各号に掲げる者に対し、それぞれ当該各号に掲げる措置その他の必要な措置を講じるよう勧告をすることができる。

一　第二十三条各項の規定に違反する行為をした者　当該違反する行為を中止すること。

二　第三十一条第一項の登録を受けた者であって、当該登録に係る事業が同項の基準に適合しなくなったと認めるもの　当該基準に適合させること。

三　第三十二条第一項（第三十五条第二項又は第三十六条第二項において準用する場合を含む。）の規定による届出をしていない者　当該届出をすること。

四　第三十四条（第三十五条第二項又は第三十六条第二項において準用する場合を含む。）の規定に違反する行為をした者　当該違反する行為を中止すること。

五　第三十五条第一項の登録を受けた者であって、当該登録に係る事業が同項の基準に適合しなくなったと認めるもの　当該基準に適合させること。

六　第三十六条第一項の登録を受けた者であって、当該登録に係る事業が同項の基準に適合しなくなったと認めるもの　当該基準に適合させること。

（公表）

**第三十九条**　知事は、前条第一号又は第四号の勧告を受けた者が正当な理由がなく当該勧告に従わなかったときは、規則で定めるところにより、その旨の公表をすることができる。

2　知事は、前項の規定による公表をしようとするときは、規則で定めるところにより、当該公表に係る者に対し、意見を述べる機会を与えなければならない。

（適用除外）

**第四十条**　区市町村の条例中に、この条例に定める自転車損害賠償保険等への加入等に相当する規定がある場合は、当該区市町村の区域においては、第六章（第二十八条を除く。）の規定は、適用しない。

（委任）

**第四十一条**　この条例に定めるもののほか、この条例の施行に必要な事項は、規則で定める。

附　則

この条例は、平成二十五年七月一日から施行する。

附　則（令六・一〇・一一条例一二〇）

この条例は、令和七年六月一日から施行する。

# ○東京都安全安心まちづくり条例

平一五・七・一六
条例一一四

最終改正 令六・六・一九条例九六

## 第一章 総則

（目的）

**第一条** この条例は、東京都の区域における個人の生命、身体又は財産に危害を及ぼす犯罪及び事故の防止に関し、東京都（以下「都」という。）、都民及び事業者の責務を明らかにするとともに、安全安心まちづくりを推進し、もって安全で安心して暮らすことができる社会の実現を図ることを目的とする。

（基本理念）

**第二条** 安全安心まちづくり（都民、地域の団体、ボランティア及び事業者（以下「都民等」という。）による犯罪及び事故の防止のための自主的な活動の推進並びに犯罪及び事故の防止に配慮した環境の整備をいう。以下同じ。）は、都並びに特別区及び市町村（以下「区市町村」という。）並びに都民等の連携及び協力の下に推進されなければならない。

（都の責務）

**第三条** 都は、区市町村及び都民等と連携し、及び協力して、安全安心まちづくりに関する総合的な施策を実施する責務を有する。

2 都は、前項の施策の実施に当たっては、国及び道府県と連携し、及び協力するよう努めるものとする。

3 都は、区市町村の安全安心まちづくりに関する計画の策定及び施策の実施並びに都民等の安全安心まちづくりに関する活動に対し、情報の提供、助言その他必要な支援及び協力を行うよう努めるものとする。

4 都は、安全安心まちづくりを効果的に推進するため、第一項の施策の実施に必要な調査及び研究を行うものとする。

（都民の責務）

**第四条** 都民は、安全安心まちづくりについて理解を深め、自ら安全の確保に努めるとともに、安全安心まちづくりを推進するよう努めるものとする。

2 都民は、都がこの条例に基づき実施する安全安心まちづくりに関する施策に協力するよう努めるものとする。

（事業者の責務）

**第五条** 事業者は、安全安心まちづくりについて理解を深め、自ら安全の確保に努めるとともに、地域社会の一員として、安全安心まちづくりを推進するよう努めるものとする。

2 事業者は、都がこの条例に基づき実施する安全安心まちづくりに関する施策に協力するよう努めるものとする。

（推進体制の整備）

**第六条** 都は、区市町村及び都民等と協働して、安全安心まちづくりを推進するための体制を整備するものとする。

2 警察署長は、その管轄区域において、区市町村及び都民等と協働して、安全安心まちづくりを推進するための体制を整備するものとする。

（児童等に対する規範意識の醸成）

**第七条** 都は、都民一人一人が規範意識を持ち、安全で安心して暮らせる社会を形成するため、区市町村、学校（学校教育法（昭和二十二年法律第二十六号）第一条に規定する学校（大学を除く。）、同法第百二十四条に規定する専修学校の高等課程及び同法第百三十四条第一項に規定する各種学校で主として外国人の児童等（児童、生徒、幼児等をいう。以下同じ。）に対して学校教育に類する教育を行うものをいう。）、児童福祉法（昭和二十二年法律第百六十四号）第七条に規定する児童福祉施設及びこれに類する施設として東京都規則（以下「規則」という。）で定めるもの（以下これらを総称して「学校等」という。）、家庭並びに地域社会と連携して、児童等の規範意識の醸成及び社会の一員としての意識のかん養に努めるものとする。

## 第二章 都民等による犯罪及び事故防止のための自主的な活動の促進

（都民等に対する支援）

**第八条** 都は、安全安心まちづくりについての都民等の理解を深め、都民等が行う犯罪及び事故防止のための自主的な活動を促進するために必要な支援を行うものとする。

2 都は、区市町村と連携し、安全安心まちづくりに関する専門的知識を有する人材の養成及び資質の向上のために必要な施策を講ずるものとする。

3 知事は、安全安心まちづくりに関する活動に顕著な功績のあった都民等を表彰することができる。

（情報の発信及び共有）

**第九条** 都は、都民等が適切かつ効果的に犯罪及び事故防止のための自主的な活動を推進できるよう、法令又は条例の定めるところに従い、必要な情報の発信を行うとともに、その共有に努めるものとする。

2　警察署長は、都民等が適切かつ効果的に犯罪及び事故防止のための自主的な活動を推進できるよう、その管轄区域における犯罪の発生状況等の必要な情報の提供を行うものとする。

（高齢者等の安全安心の確保）

**第十条**　都は、誰もが安全で安心して暮らせる社会を形成するため、区市町村及び都民等と連携して、高齢者、女性、児童等その他特に防犯上の配慮を要する者の安全安心の確保に必要な情報の提供、助言その他必要な措置を講ずるものとする。

## 第三章　住宅の防犯性の向上

（犯罪の防止に配慮した住宅の普及）

**第十一条**　都は、犯罪の防止に配慮した構造、設備等を有する住宅の普及に努めるものとする。

（住宅に関する指針の策定）

**第十二条**　知事及び公安委員会は、共同して、住宅について、犯罪の防止に配慮した構造、設備等に関する防犯上の指針を定めるものとする。

（建築確認申請時における助言等）

**第十三条**　都は、共同住宅について建築基準法（昭和二十五年法律第二百一号）第六条第一項の規定により都の建築主事の確認を受けようとする建築主に対し、当該共同住宅への犯罪の防止に配慮した設備の設置等に関して、その所在地を管轄する警察署長に意見を求めるよう助言するものとする。

2　前項の規定により建築主から意見を求められた警察署長は、共同住宅への犯罪の防止に配慮した設備の設置等に関して、必要な情報の提供及び技術的助言を行うものとする。

（建築事業者、所有者等の努力義務）

**第十四条**　住宅を建築しようとする事業者及び共同住宅を所有し、又は管理する者は、第十二条に規定する防犯上の指針に基づき、当該住宅を犯罪の防止に配慮した構造、設備等を有するものとするために必要な措置を講ずるよう努めるものとする。

（建築主、所有者等に対する情報の提供等）

**第十五条**　都は、都の区域において住宅を建築しようとする者、住宅を所有し、又は管理する者、住宅に居住する者等に対し、住宅の防犯性の向上のために必要な情報の提供、技術的助言その他必要な措置を講ずるものとする。

## 第四章　道路、公園等の防犯性の向上

（犯罪の防止に配慮した道路、公園等の普及）

**第十六条**　都は、犯罪の防止に配慮した構造、設備等を有する道路、公園、自動車駐車場及び自転車駐車場の普及に努めるものとする。

（道路、公園等に関する指針の策定）

**第十七条**　知事及び公安委員会は、共同して、道路、公園、自動車駐車場及び自転車駐車場について、犯罪の防止に配慮した構造、設備等に関する防犯上の指針を定めるものとする。

（自動車駐車場及び自転車駐車場の設置者等の努力義務）

**第十八条**　自動車駐車場又は自転車駐車場を設置し、又は管理する者は、前条に規定する防犯上の指針に基づき、当該自動車駐車場又は自転車駐車場を犯罪の防止に配慮した構造、設備等を有するものとするために必要な措置を講ずるよう努めるものとする。

## 第五章　商業施設等の防犯性の向上

（犯罪の防止に配慮した店舗等の整備）

**第十九条**　銀行、信用金庫、信用組合、労働金庫、商工組合中央金庫、農林中央金庫、農業協同組合、漁業協同組合、信用農業協同組合連合会、信用漁業協同組合連合会及び貸金業法（昭和五十八年法律第三十二号）第二条第二項に規定する貸金業者（以下「金融機関」という。）は、犯罪の防止に配慮した構造、設備等を有する店舗等の整備に努めるものとする。

2　深夜（午後十時から翌日の午前六時までの間をいう。）において営業する小売店舗で規則で定めるもの（以下「特定小売店舗」という。）において事業を営む者は、犯罪の防止に配慮した構造、設備等を有する店舗の整備に努めるものとする。

（事業者、管理者等に対する情報の提供等）

**第二十条**　警察署長は、その管轄区域において、金融機関の店舗等又は特定小売店舗（以下「金融機関店舗等」という。）を開設しようとする者、金融機関店舗等を管理する者等に対し、当該金融機関店舗等の防犯性の向上のために必要な情報の提供、技術的助言その他必要な措置を講ずるものとする。

## 第六章　繁華街等における安全安心の確保等

（繁華街等における安全安心の確保）

**第二十一条**　繁華街その他の店舗が集積し、多数の来訪者を抱える地域において、店舗、駐車場その他の施設若しくは土地を所有し、若しくは管理する者又は事業を営む者、地域住民、ボランティア及び来訪者（以下「事業者等」という。）は、次条に規定する繁華街等に関する指針に基づき、当該繁華街等の安全安心を確保するために必要な措置を講ずるように努めるものとす

る。

（繁華街等に関する指針の策定）
**第二十二条**　知事及び公安委員会は、共同して、繁華街等における安全安心の確保に関する指針を定めるものとする。

（事業者等に対する情報の提供等）
**第二十三条**　都は、繁華街等における事業者等に対し、繁華街等の安全安心を確保するために必要な情報の提供、技術的助言その他必要な措置を講ずるものとする。

2　警察署長は、その管轄区域において、事業者等に対し、繁華街等の安全安心を確保するために必要な当該繁華街等における犯罪の発生状況等の情報の提供、技術的助言その他必要な措置を講ずるものとする。

## 第七章　学校等における児童等の安全の確保等

（学校等における児童等の安全の確保）
**第二十四条**　学校等を設置し、又は管理する者は、次条に規定する児童等の安全の確保のための指針に基づき、当該学校等の施設内において、児童等の安全を確保するよう努めるものとする。

（児童等の安全の確保のための指針の策定）
**第二十五条**　知事、教育委員会及び公安委員会は、共同して、学校等における児童等の安全の確保のための指針を定めるものとする。

（学校等における安全対策の推進）
**第二十六条**　都立の学校等の管理者は、必要があると認めるときは、その所在地を管轄する警察署その他の関係機関の職員、児童等の保護者、地域における犯罪の防止に関する自主的な活動を行う都民等の参加を求めて、当該学校等における安全対策を推進するための体制を整備し、児童等の安全を確保するために必要な措置を講ずるよう努めるものとする。

2　都は、都立の学校等以外の学校等を設置し、又は管理する者に対し、当該学校等における安全対策の実施について、必要な情報の提供、技術的助言等を行うよう努めるものとする。

（通学路等における児童等の安全の確保）
**第二十七条**　通学、通園等の用に供されている道路及び児童等が日常的に利用している公園、広場等（以下「通学路等」という。）の地域を管轄する警察署長、学校等の管理者、通学路等の管理者、児童等の保護者並びに地域住民は、連携して、当該通学路等における児童等の安全を確保するために必要な措置を講ずるよう努めるものとする。

2　知事、教育委員会及び公安委員会は、前項に規定する措置を講ずるに当たって、共同して、通学路等における児童等の安全の確保のための指針を定めるものとする。

3　学校等の管理者は、通学路等のうち、通学、通園等の用に供される道路等であって、学校等の管理者が指定するものの設定又は変更を行うに当たっては、当該学校等の所在地を管轄する警察署長から意見を聴くよう努めるものとする。

4　都民は、通学路等において、児童等が危害を受けていると認められる場合又は危害を受けるおそれがあると認められる場合には、警察官への通報、避難誘導その他必要な措置を行うよう努めるものとする。

## 第八章　危険薬物の濫用の根絶に向けた取組の推進

（都民等への情報提供等）
**第二十八条**　都は、危険薬物（東京都薬物の濫用防止に関する条例（平成十七年東京都条例第六十七号。以下「薬物濫用防止条例」という。）第二条第一号から第五号までに規定する薬物、同条第六号に規定する薬物（薬物濫用防止条例第十二条第一項に規定する知事指定薬物（以下「知事指定薬物」という。）を除く。）のうち地域の安全安心を脅かすものとして知事が定めるもの及び知事指定薬物をいう。以下同じ。）の濫用を根絶するため、薬物濫用防止条例第八条に規定するもののほか、都の区域における危険薬物の販売等（製造、栽培、販売、授与、使用若しくは広告すること又は販売、授与、使用若しくは広告の目的で所持すること（法令若しくは条例の規定による場合又は学術研究、試験検査、犯罪鑑識、疾病の治療、工業用の用途その他の正当な理由がある場合を除く。）をいう。以下同じ。）に係る必要な情報を都民等に提供するものとする。

2　都は、危険薬物の濫用の根絶に向けた施策を推進するとともに、都民等に対し、当該施策への協力及び情報提供を求めるものとする。

（都民等の責務）
**第二十九条**　都民等は、都の区域における危険薬物の販売等に係る情報を知った場合には、都に当該情報を提供するよう努めるものとする。

2　事業者は、その事業の実施に当たっては、危険薬物の販売等を助長すること又は危険薬物の販売等に利用されることがないよう留意し、適切な措置を講ずるよう努めるものとする。

（建物の貸付けにおける措置等）
**第三十条**　何人も都の区域に所在する建物（建物の一部

を含む。以下単に「建物」という。）を危険薬物の販売等の用に供してはならない。

2　建物の貸付け（転貸を含む。以下同じ。）をする者は、当該貸付けに係る契約を締結するに当たり、当該契約の相手方に対し、当該建物を危険薬物の販売等の用に供するものでないことを書面により確認するよう努めるものとする。

3　建物の貸付けをする者は、当該貸付けに係る契約を書面により締結する場合において、当該建物が業として危険薬物の販売等の用に供されていることが判明したときは当該契約を解除することができる旨の特約を契約書その他の書面に定めるよう努めるものとする。

4　建物の貸付けをする者が、前二項に規定する措置を講じている場合において、当該建物が薬物濫用防止条例第二条第一号から第五号までに規定する薬物及び知事指定薬物の販売等の用に供されていることを知り、当該行為が当該建物の貸付けに係る契約における信頼関係を損なうときは、当該契約の解除及び当該建物の明渡しを申し入れるよう努めるものとする。

## 第九章　特殊詐欺の根絶に向けた取組の推進

**（都民等への情報提供等）**

**第三十一条**　都は、詐欺（刑法（明治四十年法律第四十五号）第二百四十六条の罪をいう。）又は電子計算機使用詐欺（刑法第二百四十六条の二の罪をいう。）のうち、面識のない不特定の者を電話その他の通信手段を用いて対面することなく欺き、不正に調達した架空又は他人名義の預貯金口座への振り込みその他の方法により、当該者に財物を交付させ、又は財産上不法の利益を得、若しくは他人にこれを得させるもの（以下「特殊詐欺」という。）の被害を根絶するため、区市町村と連携して、必要な情報の提供や都民等への広報及び啓発を行うものとする。

2　都は、特殊詐欺の根絶に向けた施策を推進するとともに、都民等に対し、当該施策への協力及び情報提供を求めるものとする。

**（都民等の責務）**

**第三十二条**　都民等は、特殊詐欺に関する知識及び理解を深めるとともに、都が実施する特殊詐欺の根絶に向けた施策に協力するよう努めるものとする。

2　都民等は、特殊詐欺に係る情報を知った場合は、速やかに警察官に通報するよう努めるものとする。

3　事業者は、商品等の流通及び役務の提供に際して、特殊詐欺の手段に利用されないよう、適切な措置を講ずるよう努めるものとする。

**（建物の貸付けにおける措置等）**

**第三十三条**　何人も建物を特殊詐欺の用に供してはならない。

2　建物の貸付けをする者は、当該貸付けに係る契約を締結するに当たり、当該契約の相手方に対し、当該建物を特殊詐欺の用に供するものでないことを書面により確認するよう努めるものとする。

3　建物の貸付けをする者は、当該貸付けに係る契約を書面により締結する場合において、当該建物が特殊詐欺の用に供されていることが判明したときは当該契約を解除することができる旨の特約を契約書その他の書面に定めるよう努めるものとする。

4　建物の貸付けをする者が、前二項に規定する措置を講じている場合において、当該建物が特殊詐欺の用に供されていることを知り、当該行為が当該建物の貸付けに係る契約における信頼関係を損なうときは、当該契約の解除及び当該建物の明渡しを申し入れるよう努めるものとする。

## 第十章　雑則

**（指針の公表）**

**第三十四条**　知事、教育委員会又は公安委員会は、第十二条、第十七条、第二十二条、第二十五条又は第二十七条第二項に規定する指針を定め、又は変更したときは、遅滞なくこれを公表するものとする。

**（委任）**

**第三十五条**　この条例に定めるもののほか、この条例の施行に関し必要な事項は、規則で定める。

**附　則**

この条例は、平成十五年十月一日から施行する。

**附　則**（令六・六・一九条例九六）

この条例は、東京都薬物の濫用防止に関する条例の一部を改正する条例（令和六年東京都条例第百三号）の施行の日〔令和五年一二月一三日から起算して一年を超えない範囲内において政令で定める日又は令和六年東京都条例第一〇三号の公布の日〔令六・六・一九〕のいずれか遅い日〕から施行する。

# ○風俗営業等の規制及び業務の適正化等に関する法律施行条例

昭五九・一二・二〇
条例一一二八

最終改正 令二・三・三一条例四八

（定義）

**第一条** この条例において、次の各号に掲げる用語の意義は、それぞれ当該各号に定めるところによる。

一 第一種低層住居専用地域、第二種低層住居専用地域、第一種中高層住居専用地域、第二種中高層住居専用地域、第一種住居地域、第二種住居地域、準住居地域、田園住居地域、近隣商業地域、商業地域、準工業地域、工業地域又は工業専用地域 それぞれ都市計画法（昭和四十三年法律第百号）第八条第一項第一号に掲げる第一種低層住居専用地域、第二種低層住居専用地域、第一種中高層住居専用地域、第二種中高層住居専用地域、第一種住居地域、第二種住居地域、準住居地域、田園住居地域、近隣商業地域、商業地域、準工業地域、工業地域又は工業専用地域をいう。

二 無指定地域 前号に掲げる地域以外の地域をいう。

三 第一種文教地区又は第二種文教地区 それぞれ東京都文教地区建築条例（昭和二十五年東京都条例第八十八号）第二条に規定する第一種文教地区又は第二種文教地区をいう。

四 病院又は診療所 医療法（昭和二十三年法律第二百五号）第一条の五第一項に規定する病院又は同条第二項に規定する診療所（患者を入院させるための施設を有するものに限る。）をいう。

**第二条** 削除

（風俗営業の営業所の設置を特に制限する地域）

**第三条** 風俗営業等の規制及び業務の適正化等に関する法律（昭和二十三年法律第百二十二号。以下「法」という。）第四条第二項第二号の条例で定める地域は、次の地域とする。

一 第一種低層住居専用地域、第二種低層住居専用地域、第一種中高層住居専用地域、第二種中高層住居専用地域、第一種住居地域、第二種住居地域、準住居地域及び田園住居地域（以下「住居集合地域」という。）。ただし、法第二条第一項第四号及び第五号の営業に係る営業所については、近隣商業地域及び商業地域に近接する第二種住居地域及び準住居地域で東京都公安委員会規則（以下「規則」という。）で定めるものを除く。

二 学校、図書館、児童福祉施設、病院及び診療所の敷地（これらの用に供するものと決定した土地を含む。）の周囲百メートル以内の地域。ただし、近隣商業地域及び商業地域のうち、規則で定める地域に該当する部分を除く。

2 前項の規定は、列車等常態として移動する施設において営まれる風俗営業に係る営業所については、適用しない。

（特別な事情のある日）

**第四条** 法第十三条第一項第一号の習俗的行事その他特別な事情のある日として条例で定める日は、年末年始、大規模な祭礼が行われる日等として規則で定める日とする。

（特別日営業延長許容地域の指定等）

**第四条の二** 法第十三条第一項第一号の特別な事情のある地域として条例で定める地域（以下「特別日営業延長許容地域」という。）は、次項で定める地域のほか、規則で定める地域とする。

2 法第二条第一項第四号の営業（ぱちんこ屋及び風俗営業等の規制及び業務の適正化等に関する法律施行令（昭和五十九年政令第三百十九号。以下「政令」という。）第八条に規定する営業に限る。第五条において同じ。）を除く風俗営業について、法第十三条第一項第二号の午前零時以後において風俗営業を営むことが許容される特別な事情のある地域として条例で定める地域（以下「営業延長許容地域」という。）は、商業地域のうち規則で定める地域とする。

（営業時間の延長）

**第四条の三** 法第十三条第一項ただし書の条例で定める時は、次の各号に掲げる場合の区分に応じ、当該各号に定める時とする。

一 法第十三条第一項第一号に該当する場合 午前一時以後であつて地域の区分ごとに規則で定める時

二 法第十三条第一項第二号に該当する場合 午前一時以後であつて規則で定める時

（風俗営業の営業時間の制限）

**第五条** 次の表の上欄に掲げる風俗営業は、同表の中欄に掲げる地域において、同表の下欄に掲げる時間においては、これを営んではならない。

|  |  |  |
|---|---|---|
| 法第二条第一項第四号の営業 | 東京都内全域 | 午後十一時から翌日の午前十時まで |

| | | |
|---|---|---|
| 法第二条第一項第五号の営業 | 住居集合地域 | 午後十一時から翌日の午前十時まで |
| | 営業延長許容地域 | 前条第二号の規則で定める時（第四条の規則で定める日にあっては、当該日に係る特別日営業延長許容地域について前条第一号の規則で定める時）から午前十時まで |
| その他の風俗営業 | 住居集合地域及び営業延長許容地域以外の地域 | 午前零時（第四条の規則で定める日にあっては、当該日に係る特別日営業延長許容地域について前条第一号の規則で定める時）から午前十時まで |
| | 住居集合地域 | 午後十一時から翌日の午前十時まで |

（風俗営業等の騒音及び振動の数値）

**第六条**　法第十五条（法第三十一条の二十三及び法第三十二条第二項において準用する場合を含む。次項において同じ。）の条例で定める騒音に係る数値は、次の表の上欄に掲げる地域について、同表の下欄に掲げる時間の区分に応じ、それぞれ同欄に定める数値とする。

| 地域 | 数値 | | | |
|---|---|---|---|---|
| | 午前六時後午前八時前の時間 | 午前八時から午後六時前の時間 | 午後六時から翌日の午前零時前の時間 | 午前零時から午前六時までの時間 |
| 一　第一種低層住居専用地域、第二種低層住居専用地域、田園住居地域及び第一種文教地区 | 四十デシベル | 四十五デシベル | 四十デシベル | 四十デシベル |
| 二　第一種中高層住居専用地域、第二種中高層住居専用地域、第一種住居地域、第二種住居地域、準住居地域及び無指定地域（第一種文教地区に該当する部分を除く。） | 四十五デシベル | 五十デシベル | 四十五デシベル | 四十五デシベル |
| 三　近隣商業地域、商業地域、準工業地域、工業地域及び工業専用地域（第一種文教地区に該当する部分を除く。） | 五十デシベル | 六十デシベル | 五十デシベル | 五十デシベル |

2　法第十五条の条例で定める振動に係る数値は、東京都内全域について五十五デシベルとする。

（風俗営業者の遵守事項）

**第七条**　風俗営業者は、次に掲げる事項を遵守しなければならない。

一　営業所で卑わいな行為その他善良の風俗を害する行為をし、又はさせないこと。

二　客の求めない飲食物を提供しないこと。

三　法第十七条の規定により表示する料金以外の料金を客に請求しないこと。

四　営業所において客を宿泊させ、若しくは仮眠させ、又は寝具その他これに類するものを客に使用させないこと。

五　営業中において、営業所の出入口、客室等に施錠をし、又はさせないこと。

六　営業所において、店舗型性風俗特殊営業（法第二条第六項に規定する店舗型性風俗特殊営業をいう。以下同じ。）、受付所営業（法第三十一条の二第四項に規定する受付所営業をいう。以下同じ。）又は店舗型電話異性紹介営業（法第二条第九項に規定する店舗型電話異性紹介営業をいう。以下同じ。）を営み、又は他の者に営ませないこと。

七　とばくその他著しく射幸心をそそるような行為をし、又はさせないこと。

八　営業所の周辺において客が投棄したと認められるごみ又は排せつ若しくは吐しやしたと認められる物を放置したままにしないこと。

2　法第二条第一項第四号及び第五号の営業を営む風俗営業者は、前項に規定するもののほか、次に掲げる事項を遵守しなければならない。

一　客相互の行う遊技の結果に対して賞品を提供しないこと。

二　客に提供した賞品を買い取らせないこと。

三　営業所（まあじやん屋及び飲食店営業と法第二条第一項第五号の営業とを兼業している営業に係る営業所を除く。）において、客に飲酒をさせないこと。

**（年少者の立入りの制限）**

**第八条**　法第二条第一項第五号の営業を営む風俗営業者は、午後六時後午後十時前の時間において十六歳未満の者を営業所に客として立ち入らせるときは、保護者の同伴を求めなければならない。

**（店舗型性風俗特殊営業等の禁止区域の基準となる施設）**

**第九条**　法第二十八条第一項（法第三十一条の三第二項の規定により適用する場合及び法第三十一条の十三第一項において準用する場合を含む。）の条例で定めるその他の施設は、病院及び診療所とする。

**（店舗型性風俗特殊営業等の禁止地域）**

**第十条**　次の表の上欄に掲げる店舗型性風俗特殊営業、受付所営業又は店舗型電話異性紹介営業は、それぞれ同表の下欄に掲げる地域においては、これを営んではならない。

| | |
|---|---|
| 一　法第二条第六項第一号及び第二号の営業並びに受付所営業 | 台東区千東四丁目（十六番から三十二番まで及び四十一番から四十八番まで）の地域以外の地域 |
| 二　法第二条第六項第三号、第五号及び第六号並びに同条第九項の営業 | 商業地域以外の地域 |
| 三　法第二条第六項第四号の営業のうち、政令第三条第二項の構造を有する施設を設けて営む営業 | 次に掲げる地域以外の地域<br>1　新宿区のうち、歌舞伎町一丁目（二番から二十九番まで）、新宿二丁目（六番、十一番、十二番及び十六番から十九番まで）及び新宿三丁目（二番から十三番まで）の地域<br>2　台東区千東四丁目（十六番から三十二番まで及び四十一番から四十八番まで）の地域<br>3　豊島区西池袋一丁目（十八番から四十四番まで）の地域 |
| 四　法第二条第六項第四号の営業のうち、政令第三条第三項の設備を有する施設を設けて営む営業（三に該当するものを除く。） | 近隣商業地域及び商業地域（第一種文教地区及び第二種文教地区に該当する部分を除く。）以外の地域 |

**（店舗型性風俗特殊営業等の深夜における営業時間の制限）**

**第十一条**　店舗型性風俗特殊営業（法第二十八条第四項に規定するものに限る。）、受付所営業及び店舗型電話異性紹介営業は、東京都内全域において、午前零時から午前六時までの時間においては、これを営んではならない。

**（店舗型性風俗特殊営業等の広告又は宣伝を制限すべき地域）**

**第十一条の二**　法第二十八条第五項第一号ロ（法第三十一条の三第一項において準用する場合を含む。）の広告又は宣伝を制限すべき地域は、第十条に規定する当該営業の禁止地域とする。

2　法第三十一条の三第一項及び法第三十一条の十八第

一項において準用する法第二十八条第五項第一号ロの広告又は宣伝を制限すべき地域として条例で定める地域は、次の表の上欄に掲げる営業について、それぞれ同表の下欄に掲げる地域とする。

| | |
|---|---|
| 一 法第二条第七項第一号の営業 | 台東区千東四丁目（十六番から三十二番まで及び四十一番から四十八番まで）の地域以外の地域 |
| 二 法第二条第七項第二号及び同条第十項の営業 | 商業地域以外の地域 |

3 法第三十一条の八第一項において準用する法第二十八条第五項第一号ロの映像送信型性風俗特殊営業の広告又は宣伝を制限すべき地域として条例で定める地域は、商業地域以外の地域とする。

**（特定遊興飲食店営業の許可に係る営業所の設置を許容する地域の指定）**

**第十二条** 法第三十一条の二十三において準用する法第四条第二項第二号の条例で定める地域は、次に掲げる地域とする。ただし、病院、診療所並びに児童福祉法（昭和二十二年法律第百六十四号）第七条第一項に規定する助産施設、乳児院、母子生活支援施設、児童養護施設、障害児入所施設、児童心理治療施設、児童自立支援施設並びに保育所及び幼保連携型認定こども園（午前零時から午前六時までの時間において同法第四条第一項に規定する児童が利用することのできる施設に限る。）の敷地（これらの用に供するものと決定した土地を含む。）の周囲百メートル以内の地域（商業地域のうち、規則で定める地域に該当する部分を除く。）を除く。

一 商業地域のうち規則で定める地域

二 前号に掲げるもののほか、東京都公安委員会が政令第二十二条に規定する基準に照らし相当と認め規則で定める地域

**（特定遊興飲食店営業の営業時間の制限）**

**第十三条** 特定遊興飲食店営業は、東京都内全域において、午前五時から午前六時までの時間においては、これを営んではならない。

**（特定遊興飲食店営業者の遵守事項）**

**第十四条** 特定遊興飲食店営業者は、次に掲げる事項を遵守しなければならない。

一 営業所で卑わいな行為その他善良の風俗を害する行為をし、又はさせないこと。

二 客の求めない飲食物を提供しないこと。

三 営業所において、その営業に係る料金で次に掲げる種類のものを表示すること。

イ 入場料金、遊興料金、飲食料金その他名義のいかんを問わず、当該営業所の施設を利用して客が遊興をし、又は飲食をする行為について、その対価又は負担として客が支払うべき料金

ロ サービス料金その他名義のいかんを問わず、客が当該営業所の施設を利用する行為について、その対価又は負担として客が支払うべき料金でイに定めるもの以外のものがある場合にあつては、その料金

四 前号の規定による料金の表示は、次のいずれかの方法によること。

イ 壁、ドア、ついたてその他これらに類するものに料金表その他料金を表示した書面その他の物（以下この号において「料金表等」という。）を客に見やすいように掲げること。

ロ 客席に料金表等を客に見やすいように備えること。

ハ イ及びロに掲げるもののほか、注文前に料金表等を客に見やすいように示すこと。

五 第三号の規定により表示する料金以外の料金を客に請求しないこと。

六 営業所において客を宿泊させ、若しくは仮眠させ、又は寝具その他これに類するものを客に使用させないこと。

七 営業中において、営業所の出入口、客室等に施錠をし、又はさせないこと。

八 営業所において、店舗型性風俗特殊営業、受付所営業又は店舗型電話異性紹介営業を営み、又は他の者に営ませないこと。

九 とばくその他著しく射幸心をそそるような行為をし、又はさせないこと。

十 営業所の周辺において客が投棄したと認められるごみ又は排せつ若しくは吐しやしたと認められる物を放置したままにしないこと。

**（深夜における酒類提供飲食店営業の禁止地域）**

**第十五条** 住居集合地域においては、法第三十三条第一項に規定する酒類提供飲食店営業を午前零時から午前六時までの時間において営んではならない。

**（風俗環境保全協議会を置く地域）**

**第十六条** 法第三十八条の四第一項の条例で定める地域は、風俗営業、特定遊興飲食店営業又は法第三十三条第六項に規定する酒類提供飲食店営業の営業所が集中しており、特に良好な風俗環境の保全を図る必要がある地域であつて規則で定める地域とする。

附　則（抄）

（施行期日）

1　この条例は、昭和六十年二月十三日から施行する。

附　則（令二・三・三一条例四八）

この条例は、令和二年四月一日から施行する。

# ○東京都デートクラブ営業等の規制に関する条例

平九・六・一三
条　例　六　八

最終改正　令六・一〇・一一条例一五五

## 第一章　総則

（目的）

**第一条**　この条例は、デートクラブ営業及び利用カード販売業について必要な規制を行うとともに、これらの営業に係る特定の行為を禁止すること等により、青少年の健全な育成を阻害する行為を防止し、及び清浄な風俗環境を保持することを目的とする。

（定義）

**第二条**　この条例において、次の各号に掲げる用語の意義は、当該各号に定めるところによる。

一　デートクラブ営業　客と他の異性の客との間における対価を伴う交際を仲介する営業（風俗営業等の規制及び業務の適正化等に関する法律施行令（昭和五十九年政令第三百十九号）第五条に規定する営業を除く。）をいう。

二　デートクラブ営業者　東京都の区域内において営業所、事務所又は客と他の異性の客との接触場所を設けてデートクラブ営業を営む者をいう。

三　青少年　十八歳未満の者をいう。

四　利用情報　風俗営業等の規制及び業務の適正化等に関する法律（昭和二十三年法律第百二十二号。第九条第一項第一号において「法」という。）第二条第九項に規定する店舗型電話異性紹介営業又は同条第十項に規定する無店舗型電話異性紹介営業（第十五条第一項第三号において「店舗型電話異性紹介営業等」という。）に係る役務の提供を受けるために必要な暗証番号等の情報をいう。

五　利用カード　利用情報を記入した文書その他の物品をいう。

六　利用カード販売業　利用カードの販売（利用情報を口頭、閲覧その他の方法により伝達し、これに対する対価を得る場合を含む。以下同じ。）をする営業（利用カードの販売を委託することによる営業を含む。）をいう。

七　利用カード販売業者　東京都の区域内において利用カード販売業を営む者をいう。

八　広告物　屋内又は屋外で公衆に表示されるものであって、看板、立看板、はり紙及びはり札並びに広告塔、広告板、建物その他の工作物に掲出され、又は表示されたもの並びにこれらに類するものをいう。

（都の責務）

**第三条**　都は、デートクラブ営業及び利用カード販売業に関し、青少年の健全な育成を阻害する行為を防止し、及び清浄な風俗環境を保持するため、必要な施策を行うものとする。

（都民の責務）

**第四条**　都民は、デートクラブ営業及び利用カード販売業に係る環境及び行為が青少年の健全な育成を阻害しないよう努めなければならない。

（営業者の責務）

**第五条**　デートクラブ営業者及び利用カード販売業者は、デートクラブ営業及び利用カード販売業が青少年の健全な育成を阻害する行為を誘発し、又は助長することのないよう努めるとともに、地域の清浄な風俗環境を保持するよう努めなければならない。

**（青少年の人権等への配慮）**

**第六条**　この条例の運用に当たっては、青少年の人権を尊重するとともに、青少年の身体的又は精神的な特性に配慮しなければならない。

## 第二章　営業に関する規制等

### 第一節　デートクラブ営業に関する規制等

**（営業の届出等）**

**第七条**　東京都の区域内において営業所又は事務所を設けてデートクラブ営業を営もうとする者は、営業を開始しようとする日の十日前までに、営業所又は事務所を設ける場所ごとに、東京都公安委員会規則（以下「公安委員会規則」という。）で定めるところにより、次に掲げる事項を東京都公安委員会（以下「公安委員会」という。）に届け出なければならない。

一　氏名又は名称及び住所並びに法人にあっては、その代表者の氏名

二　営業所、事務所又は接続設備を設ける場所の名称及び所在地

三　前二号に掲げるもののほか、公安委員会規則で定める事項

2　前項の規定による届出をした者は、当該届出に係るデートクラブ営業を廃止したとき、又は同項各号に掲げる事項（同項第二号に掲げる事項にあっては、営業所又は事務所の名称に限る。）に変更があったときは、その日から起算して十日以内に、公安委員会規則で定めるところにより、廃止又は変更に係る事項を公安委員会に届け出なければならない。

3　第一項の規定による届出をした者は、青少年が当該届出に係る営業所に立ち入ることができない旨を、公安委員会規則で定めるところにより、営業所の入り口に表示しなければならない。

**（営業に係る営業所の設置禁止区域）**

**第八条**　デートクラブ営業者は、東京都の区域内にある次に掲げる施設の敷地（これらの用に供するものと決定した土地を含む。）の周囲二百メートルの区域内並びに都市計画法（昭和四十三年法律第百号）第八条第一項第一号に規定する第一種低層住居専用地域、第二種低層住居専用地域、第一種中高層住居専用地域、第二種中高層住居専用地域、第一種住居地域、第二種住居地域、準住居地域及び田園住居地域内（以下「営業所設置禁止区域」と総称する。）においては、営業所を設置してはならない。

一　学校教育法（昭和二十二年法律第二十六号）第一条に規定する学校（大学を除く。）

二　児童福祉法（昭和二十二年法律第百六十四号）第七条に規定する児童福祉施設

三　図書館法（昭和二十五年法律第百十八号）第二条第一項に規定する図書館

四　医療法（昭和二十三年法律第二百五号）第一条の五第一項に規定する病院及び同条第二項に規定する患者を入院させるための施設を有する診療所

2　前項の規定は、同項の適用の際、現に前条第一項の規定による届出をしてデートクラブ営業を営んでいる者の当該営業所については、前項の規定の適用の日から二年を経過する日までの間は、適用しない。

**（広告及び宣伝の規制）**

**第九条**　何人も、次に掲げる場所を除き、デートクラブ営業の営業所の名称、所在地若しくは電話番号その他の当該営業に関する事項（以下「デートクラブ営業の営業所の名称等」という。）に係る広告物を表示し、又はデートクラブ営業の営業所の名称等に係る広告を記載した文書、図画その他の物品（以下「広告文書等」という。）を配置してはならない。

一　法第二条第一項に規定する風俗営業（同項第五号の営業を除く。）、同条第六項に規定する店舗型性風俗特殊営業及び同条第九項に規定する店舗型電話異性紹介営業に係る営業所

二　東京都青少年の健全な育成に関する条例（昭和三十九年東京都条例第百八十一号）第八条の規定により指定された映画等を上映し、又は上演する興行場

三　デートクラブ営業に係る営業所

2　何人も、営業所設置禁止区域においては、前項各号に掲げる場所（以下「青少年立入禁止場所」という。）を除き、デートクラブ営業の営業所の名称等に係る広告文書等を配布してはならない。

3　前項の規定にかかわらず、何人も、デートクラブ営業の営業所の名称等に係る広告文書等を青少年に配布してはならない。

**（デートクラブ営業者の禁止行為）**

**第十条**　デートクラブ営業者は、次に掲げる行為をしてはならない。

一　青少年を客とすること。

二　青少年を客に接する業務に従事させること。

**（デートクラブ営業者の広告及び宣伝の委託に伴う指導義務）**

**第十一条**　デートクラブ営業者は、当該営業に係る広告物の表示又は広告文書等の配置若しくは配布（以下「広告物の表示等」という。）を委託した場合は、当該デートクラブ営業者その他の者から委託を受けた者

が、当該広告物の表示等に関し、第九条の規定に違反しないよう指導に努めなければならない。

（指示）

**第十二条**　公安委員会は、デートクラブ営業者又はその代理人、使用人その他の従業者（以下「代理人等」という。）が、当該営業に関し、第七条、第九条から前条まで、第十六条並びに第十七条第一項及び第二項の規定に違反したときは、当該デートクラブ営業者に対し、青少年の健全な育成を阻害する行為又は清浄な風俗環境を害する行為を防止するため必要な指示をすることができる。

2　公安委員会は、デートクラブ営業者その他の者から当該営業に係る広告物の表示等について委託を受けた者が、当該広告物の表示等に関し、第九条の規定に違反した場合においては、当該デートクラブ営業者に対し、当該委託を受けた者に当該広告物の表示等に関して前条に規定する指導をするよう指示をすることができる。

（営業の停止等）

**第十三条**　公安委員会は、デートクラブ営業者が前条の規定による指示若しくは第十九条第一項の規定による命令に従わなかったとき、又はデートクラブ営業者若しくはその代理人等が当該営業に関し次の各号のいずれかに該当する行為をしたときは、当該デートクラブ営業者に対し、六月を超えない範囲内で期間を定めて、当該営業の全部又は一部の停止を命ずることができる。

一　第二十五条（同条第二項第一号を除く。）の違反行為

二　刑法（明治四十年法律第四十五号）第百七十五条又は第百八十三条の罪に当たる違法な行為

三　売春防止法（昭和三十一年法律第百十八号）第五条から第十三条までに規定する罪に当たる違法な行為

四　児童福祉法第三十四条第一項第六号又は第九号の規定に違反する行為

五　労働基準法（昭和二十二年法律第四十九号）第五十六条第一項又は第六十一条第一項（労働者派遣事業の適正な運営の確保及び派遣労働者の保護等に関する法律（昭和六十年法律第八十八号）第四十四条第二項の規定により適用される場合を含む。）の規定に違反する行為

六　児童買春、児童ポルノに係る行為等の規制及び処罰並びに児童の保護等に関する法律（平成十一年法律第五十二号）第四条から第八条まで（第七条第一項を除く。）の罪に当たる違法な行為

七　東京都青少年の健全な育成に関する条例第十八条の六の規定に違反する行為

2　公安委員会は、デートクラブ営業者に対して前条第二項の規定による指示をした場合において、当該指示の後三月以内に、当該デートクラブ営業者その他の者から当該営業に係る広告物の表示等の委託を受けた者が、当該広告物の表示等に関し、第九条の規定に違反したときは、当該デートクラブ営業者に対し、六月を超えない範囲内で期間を定めて、当該営業の全部又は一部の停止を命ずることができる。

3　公安委員会は、前二項の場合において、当該デートクラブ営業者が営業所設置禁止区域に営業所を設けて当該営業を営んでいる者であるときは、その者に対し、当該営業所の営業の停止の命令に代えて、当該営業所の営業の廃止を命ずることができる。

（聴聞の特例）

**第十四条**　公安委員会は、前条第一項若しくは第二項の規定により営業の停止を命じ、又は同条第三項の規定により営業の廃止を命じようとするときは、東京都行政手続条例（平成六年東京都条例第百四十二号。以下「行政手続条例」という。）第十三条第一項の規定による意見陳述のための手続の区分にかかわらず、聴聞を行わなければならない。

2　公安委員会は、聴聞を行うに当たっては、その期日の一週間前までに、行政手続条例第十五条第一項の規定による通知をし、かつ、聴聞の期日及び場所を公示しなければならない。

3　公安委員会は、前項の通知を行政手続条例第十五条第三項に規定する方法によって行う場合においては、同条第一項の規定により聴聞の期日までにおくべき相当の期間は、二週間を下回ってはならない。

4　第一項の聴聞の期日における審理は、公開により行わなければならない。

第二節　利用カード販売業に関する規制等

（営業の届出等）

**第十五条**　東京都の区域内において営業所若しくは事務所を設け、又は自動販売機を設置して利用カード販売業を営もうとする者は、営業を開始しようとする日の十日前までに、営業所若しくは事務所を設け、又は自動販売機を設置する場所ごとに、公安委員会規則で定めるところにより、次に掲げる事項を公安委員会に届け出なければならない。

一　氏名又は名称及び住所並びに法人にあっては、その代表者の氏名

二　営業所若しくは事務所又は自動販売機を設置する場所の名称及び所在地

三　利用カードに記入された利用情報（利用カードの

販売において伝達される利用情報を含む。）により役務の提供を受けることができる店舗型電話異性紹介営業等に係る営業所又は事務所の名称及び所在地

四　利用カードの販売を委託する場合にあっては、当該利用カードの販売を受託した者の氏名又は名称及び住所（その者が法人の場合にあっては、さらに代表者の氏名）並びに当該委託に係る利用カードの販売をする営業所及び利用カードの販売をする自動販売機を設置する場所の名称及び所在地

五　前各号に掲げるもののほか、公安委員会規則で定める事項

２　第七条第二項の規定は、前項の規定による届出をした者について準用する。この場合において、同条第二項中「同項各号に掲げる事項（同項第二号に掲げる事項にあっては、営業所又は事務所の名称に限る。）」とあるのは、「第十五条第一項各号に掲げる事項（同項第二号に掲げる事項にあっては、営業所若しくは事務所又は自動販売機を設置する場所の名称に限る。）」と読み替えるものとする。

３　第一項の規定による届出をした者（自動販売機を設置して利用カード販売業を営む者に限る。）は、自己の氏名又は名称その他公安委員会規則で定める事項及び青少年が購入することができない旨を、公安委員会規則で定めるところにより、利用カードの販売に係る自動販売機の見やすい箇所に表示しなければならない。

**（営業に係る営業所の設置禁止区域等）**

**第十五条の二**　利用カード販売業者は、営業所設置禁止区域においては、青少年立入禁止場所を除き、営業所を設置してはならない。

２　前項の規定は、同項の適用の際、現に前条第一項の規定による届出をして利用カード販売業を営んでいる者の当該営業所については、前項の適用の日から二年を経過する日までの間は、適用しない。

**（広告及び宣伝の規制）**

**第十五条の三**　何人も、営業所設置禁止区域においては、青少年立入禁止場所又は前条第二項の規定によりその設置が認められている営業所を除き、利用カード販売業の営業所の名称、所在地若しくは電話番号、利用カードの販売に係る自動販売機の設置場所その他当該営業に関する事項（以下「利用カード販売業の営業所の名称等」という。）に係る広告物を表示し、又は利用カード販売業の営業所の名称等に係る広告文書等を配置し、若しくは配布してはならない。

２　前項の規定にかかわらず、何人も、利用カード販売業の営業所の名称等に係る広告文書等を青少年に配布してはならない。

３　第一項の規定は、同項の適用の際、現に第十五条第一項の規定による届出をして利用カード販売業を営んでいる者が表示している利用カード販売業の営業所の名称等に係る広告物については、第一項の適用の日から一月を経過する日までの間は、適用しない。

**（販売等の規制）**

**第十五条の四**　何人も、営業所設置禁止区域においては、青少年立入禁止場所又は第十五条の二第二項の規定によりその設置が認められている営業所を除き、利用カードの販売、頒布、贈与、交換若しくは貸付け又は利用情報の教示（以下この条において「利用カードの販売等」という。）をしてはならない。

２　何人も、青少年立入禁止場所を除き、利用カードの販売に係る自動販売機を設置し、又は自動販売機に利用カードを収納してはならない。

３　第一項の規定にかかわらず、何人も、青少年に利用カードの販売等をしてはならない。

**（利用カード販売業者の販売の委託に伴う指導義務）**

**第十五条の五**　利用カード販売業者は、当該営業に係る利用カードの販売を委託した場合は、当該委託を受けた者が、当該利用カードの販売に関し、前条の規定に違反しないよう指導に努めなければならない。

**（指示）**

**第十五条の六**　公安委員会は、利用カード販売業者又はその代理人等が、当該営業に関し、第十五条、第十五条の三から前条まで、第十六条並びに第十七条第一項及び第二項の規定に違反したときは、当該利用カード販売業者に対し、青少年の健全な育成を阻害する行為又は清浄な風俗環境を害する行為を防止するため必要な指示をすることができる。

２　公安委員会は、利用カード販売業者から当該営業に係る利用カードの販売について委託を受けた者が、当該利用カードの販売に関し、第十五条の四の規定に違反した場合においては、当該利用カード販売業者に対し、当該委託を受けた者に当該利用カードの販売に関して前条に規定する指導をするよう指示することができる。

**（営業の停止等）**

**第十五条の七**　公安委員会は、利用カード販売業者が前条の規定による指示若しくは第十九条第一項の規定による命令に従わなかったとき、又は利用カード販売業者若しくはその代理人等が当該営業に関し第二十五条（同条第二項第三号を除く。）の違反行為をしたときは、当該利用カード販売業者に対し、六月を超えない範囲内で期間を定めて、当該営業の全部又は一部の停止を命ずることができる。

2　公安委員会は、利用カード販売業者に対して前条第二項の規定による指示をした場合において、当該指示の後三月以内に、当該利用カード販売業者から当該営業に係る利用カードの販売の委託を受けた者が、当該利用カードの販売に関し、第十五条の四の規定に違反したときは、当該利用カード販売業者に対し、六月を超えない範囲内で期間を定めて、当該営業の全部又は一部の停止を命ずることができる。

3　公安委員会は、前二項の場合において、当該利用カード販売業者が営業所設置禁止区域に営業所を設けて当該営業を営んでいる者であるときは、その者に対し、当該営業所の営業の停止の命令に代えて、当該営業所の営業の廃止を命ずることができる。

**（聴聞の特例）**

**第十五条の八**　第十四条の規定は、公安委員会が前条第一項若しくは第二項の規定により営業の停止を命じ、又は同条第三項の規定により営業の廃止を命じようとするときについて準用する。

### 第三節　監督等

**（従業員名簿）**

**第十六条**　デートクラブ営業者及び利用カード販売業者は、営業所又は事務所を設けた場所ごとに、従業員名簿を備え、これに当該デートクラブ営業又は利用カード販売業に係る業務に従事する者の氏名、生年月日、住所その他公安委員会規則で定める事項を記載しなければならない。ただし、営業所又は事務所を設けた場所ごとに、労働基準法第百七条に規定する労働者名簿を備え付けている場合は、これを従業員名簿に代えることができる。

**（報告及び立入り）**

**第十七条**　公安委員会は、この条例の施行に必要な限度において、デートクラブ営業者及び利用カード販売業者に対し、その業務に関して報告又は資料の提出を求めることができる。

2　警察職員は、この条例の施行に必要な限度において、デートクラブ営業に係る営業所（個室その他これに類する施設（以下この項において「個室等」という。）を設ける営業所にあっては、客が在室する個室等を除く。第二十一条第二項において同じ。）若しくは事務所又は利用カード販売業に係る営業所若しくは事務所に立ち入り、帳簿、書類その他の物件を検査し、又は関係者に質問することができる。

3　前項の規定により警察職員が立ち入るときは、その身分を示す証明書を携帯し、関係者に提示しなければならない。

4　第二項の規定による権限は、犯罪捜査のために認められたものと解してはならない。

**（現場における警察官の措置）**

**第十八条**　警察官は、第九条又は第十五条の三第一項若しくは第二項の規定に違反する行為をしている者に対し、当該違反行為を中止することを命ずることができる。

**（違反広告物の除却等）**

**第十九条**　公安委員会は、第九条第一項又は第十五条の三第一項の規定に違反して広告物を表示した者に対し、当該違反に係る広告物の除却その他必要な措置を命ずることができる。

2　公安委員会は、前項の措置を命じようとする場合において、当該広告物を表示した者を過失がなくて確知することができないときは、警察職員に同項の措置を行わせることができる。

3　公安委員会は、第九条第一項又は第十五条の三第一項の規定に違反して表示された広告物がはり紙であるときは、警察職員に当該違反に係るはり紙を除却させることができる。

4　公安委員会は、第九条第一項又は第十五条の三第一項の規定に違反して表示された広告物がはり札（ベニヤ板、プラスチック板その他これらに類するものに紙をはり、容易に取り外すことができる状態で工作物等に取り付けられているものに限る。以下同じ。）又は立看板（木枠に紙張り若しくは布張りをし、又はベニヤ板、プラスチック板その他これらに類するものに紙をはり、容易に取り外すことができる状態で立てられ、又は工作物等に立て掛けられているものに限る。以下同じ。）で、管理されずに放置されているものであるときは、警察職員に当該違反に係るはり札又は立看板を除却させることができる。

5　公安委員会は、前項の規定により除却したはり札又は立看板を保管しなければならない。ただし、当該はり札又は立看板について権原を有する者から、相当の期間を経過しても返還の請求がないときには、これを廃棄することができる。

6　前項の規定による保管、返還及び廃棄の手続は、公安委員会規則で定めるものとする。

## 第三章　青少年の健全育成確保のための知事の活動等

**（環境改善活動、啓発活動等）**

**第二十条**　知事は、青少年の健全な育成を図るため、都民、区市町村又は公共的団体と協力して、青少年に係る環境改善活動に努めるものとする。

2　知事は、都民並びにデートクラブ営業者及び利用カード販売業者に対し、青少年の健全な育成を図るため、啓発活動に努めるものとする。

3　前二項に定めるもののほか、知事は、デートクラブ営業及び利用カード販売業に関し、青少年の健全な育成を図るため、必要な活動に努めるものとする。

（環境改善活動等に伴う報告、立入り等）

**第二十一条**　知事は、前条の活動を行うに当たり、その活動に必要な限度において、デートクラブ営業者及び利用カード販売業者に対し、その業務に関して報告又は資料の提出を求めることができる。

2　関係公務員は、前条の活動を行うに当たり、その活動に必要な限度において、営業時間中に、デートクラブ営業及び利用カード販売業に係る営業所又は事務所に対する立入り、従業員名簿、書類その他の物件の検査又は関係者に対する質問を要求することができる。

3　前項に規定する関係公務員は、知事の事務部局に勤務する職員で知事の指定したものとする。

4　第二項の場合において、当該関係公務員は、東京都規則で定める身分を示す証明書を携帯し、関係者に提示しなければならない。

5　知事は、第一項及び第二項の規定の施行に関し、公安委員会と緊密な連携を保持するものとする。

6　知事は、前条の活動を行うに当たり、その活動に必要な限度において、第七条第一項若しくは第二項（第十五条第二項において準用する場合を含む。）又は第十五条第一項に規定する届出事項その他の事項に関して、公安委員会に照会することができる。

（勧告等）

**第二十二条**　知事は、第二十条の活動を行うに当たり、デートクラブ営業者及び利用カード販売業者に対し、青少年に係る環境の改善を図るため必要と認めるときには、勧告を行い、又は是正を求めることができる。

この場合、東京都規則で定める様式によるものとする。

（環境改善活動における措置）

**第二十三条**　知事は、第二十条第一項に規定する環境改善活動を行う場合には、あらかじめ時期及び地域を公示するものとする。

2　知事は、第二十条第一項に規定する環境改善活動において、第九条第一項又は第十五条の三第一項の規定に違反して表示された広告物を発見した場合は、その広告物がはり紙、はり札又は立看板であるときは、デートクラブ営業及び利用カード販売業に係る環境が青少年の健全な育成を阻害することを防止するため、当該違反に係るはり紙、はり札又は立看板を関係公務員に除却させることができる。

3　知事は、前項の規定により除却した広告物がはり札又は立看板であるときは、これを保管しなければならない。ただし、当該はり札又は立看板について権原を有する者から、相当の期間が経過しても返還の請求がないときは、これを廃棄することができる。

4　前項の規定による保管、返還及び廃棄の手続は、東京都規則で定めるものとする。

5　知事は、第二項及び第三項の規定の施行に関し、公安委員会と緊密な連携を保持するものとする。

6　第二項に規定する関係公務員は、知事の事務部局に勤務する職員で知事の指定したものとする。

7　第二項の場合において、当該関係公務員は、東京都規則で定める身分を示す証明書を携帯し、必要があるときは提示しなければならない。

8　前各項に定めるもののほか、知事が関係公務員に行わせる措置に関して必要な事項は、東京都規則で定める。

## 第四章　雑則

（委任）

**第二十四条**　この条例に定めるもののほか、この条例（第三章を除く。）の施行に関して必要な事項は、公安委員会規則で定める。

## 第五章　罰則

（罰則）

**第二十五条**　第十三条又は第十五条の七の規定による公安委員会の処分に違反した者は、一年以下の拘禁刑又は百万円以下の罰金に処する。

2　次の各号のいずれかに該当する者は、六月以下の拘禁刑又は五十万円以下の罰金に処する。

一　第八条第一項の規定に違反した者

二　第十条の規定に違反した者

三　第十五条の二第一項の規定に違反した者

四　第十八条の規定による警察官の命令に違反した者

3　第十五条の四第二項又は第三項の規定に違反した者は、五十万円以下の罰金に処する。

4　次の各号のいずれかに該当する者は、三十万円以下の罰金に処する。

一　第七条第一項又は第十五条第一項の規定に違反して届出をせず、又は虚偽の届出をした者

二　第十五条の四第一項の規定に違反した者

5　次の各号のいずれかに該当する者は、二十万円以下の罰金に処する。

一　第七条第二項（第十五条第二項において準用する場合を含む。）の規定に違反して届出をせず、又は虚偽の届出をした者

二　第十六条の規定に違反して従業員名簿を備えず、

又はこれに必要な記載をせず、若しくは虚偽の記載をした者

三　第十七条第一項の規定による報告若しくは資料の提出を拒み、若しくは同項の規定による報告若しくは資料の提出について虚偽の報告をし、若しくは虚偽の資料を提出し、又は同条第二項の規定による立入り若しくは帳簿等の検査を拒み、妨げ、若しくは忌避した者

**第二十六条**　第十条第二号に掲げる行為をした者は、当該青少年の年齢を知らないことを理由として前条第二項第二号の規定による処罰を免れることができない。ただし、当該青少年の年齢を知らないことに過失がない場合は、この限りでない。

**（両罰）**

**第二十七条**　法人の代表者又は法人若しくは人の代理人、使用人その他の従業者が、その法人又は人の業務に関し、第二十五条の違反行為をしたときは、その行為者を罰するほか、その法人又は人に対し、同条の罰金刑を科する。

**附　則**

**（施行期日）**

1　この条例は、公布の日から起算して二月を経過した日から施行する。

**（テレホンクラブ等営業及びデートクラブ営業に関する経過措置）**

2　この条例の施行の際、現にテレホンクラブ等営業又はデートクラブ営業を営んでいる者については、第七条第一項に規定するテレホンクラブ等営業又はデートクラブ営業を営もうとする者とみなして、同条の規定を適用する。この場合において、同条第一項中「営業を開始しようとする日の十日前までに」とあるのは、「平成九年九月三十日までに」とする。

3　前項の規定により第七条第一項の規定による届出をした者の当該営業については、この条例の施行の日（以下「施行日」という。）から二年を経過する日までの間は、第八条第一項の規定は適用しない。

**（広告物に関する経過措置）**

4　この条例の施行の際、現に表示されているテレホンクラブ等・デートクラブ営業の営業所の名称等に係る広告物については、施行日から平成九年十月三十一日までの間は、第九条第一項の規定は適用しない。

**（自動販売機による利用カードの収納等に関する経過措置）**

5　この条例の施行の際、現に利用カードを自動販売機に収納している者については、施行日から平成九年十月三十一日までの間は、第十条第一項の規定は、自動販売機による利用カードの販売に限り、適用しない。

6　この条例の施行の際、現に利用カードを自動販売機に収納している者については、施行日から平成九年十月三十一日までの間は、第十条第二項の規定は適用しない。

**附　則**（令五・七・一二条例七四）

1　この条例は、令和五年七月十三日から施行する。

2　この条例による改正後の東京都デートクラブ営業等の規制に関する条例第十三条第一項及び第三項の規定は、この条例の施行後にした行為について適用し、この条例の施行前にした行為については、なお従前の例による。

**附　則**（令六・一〇・一一条例一五五）

1　この条例は、令和七年六月一日から施行する。

2　この条例の施行前にした行為に対する罰則の適用については、なお従前の例による。

# ○性風俗営業等に係る不当な勧誘、料金の取立て等及び性関連禁止営業への場所の提供の規制に関する条例

平一二・一〇・一三
条　例　一　九　六

最終改正　令六・一〇・一一条例一五六

## 第一章　総則

**（目的）**

**第一条**　この条例は、性風俗営業等に係る不当な勧誘、料金の取立て等及び性関連禁止営業への場所の提供について必要な規制を行うことにより、都民生活の平穏及び清浄な風俗環境を保持し、並びに個人の身体及び財産に対する危害の発生を防止することを目的とする。

**（定義）**

**第二条**　この条例において「性風俗営業等」とは、次のいずれかに該当する営業をいう。

一　営業所を設けて、当該営業所において異性の客の性的好奇心に応じてその客に接触する役務を提供する営業

二　人の住居又は人の宿泊若しくは休憩の用に供する施設において異性の客の性的好奇心に応じてその客に接触する役務を提供する営業で、当該役務を行う者を、その客の依頼を受けて派遣することにより営むもの

三　営業所を設けて、当該営業所において客の接待（風俗営業等の規制及び業務の適正化等に関する法律（昭和二十三年法律第百二十二号。以下「風適法」という。）第二条第三項に規定する接待をいう。）をして客に飲食をさせる営業のうち、バー、酒場その他客に酒類を提供して営む営業

2　この条例において「性関連禁止営業」とは、次のいずれかに該当する営業をいう。

一　店舗を設けて、刑法（明治四十年法律第四十五号）第百七十五条に規定する罪又は児童買春、児童ポルノに係る行為等の規制及び処罰並びに児童の保護等に関する法律（平成十一年法律第五十二号）第七条第六項に規定する罪に当たる違法な行為を行う営業

二　風適法第二十八条第一項（風適法第三十一条の三第二項の規定により適用する場合を含む。）の規定又は風適法第二十八条第二項（風適法第三十一条の三第二項の規定により適用する場合を含む。）の規定に基づく風俗営業等の規制及び業務の適正化等に関する法律施行条例（昭和五十九年東京都条例第百二十八号）第十条の規定に違反する性風俗営業等（前項第一号に掲げる営業及び同項第二号に掲げる営業で受付所（同号に規定する役務の提供以外の客に接する業務を行うための施設をいう。以下同じ。）を設けて営むもの（受付所における業務に係る部分に限る。）に限る。）

3　この条例において「指定性風俗営業等」とは、第一項第一号に掲げる営業（風適法第二条第六項第一号に掲げる営業を除く。）又は第一項第三号に掲げる営業のいずれかに該当する営業のうち、指定区域（不当な勧誘、料金の取立て等による個人の身体及び財産に対する被害の発生状況等を勘案して、その区域について第四章の規定により規制を行う必要性が高いと認められるものとして東京都公安委員会（以下「公安委員会」という。）が指定する東京都の区域をいう。）内で営まれるものをいう。

## 第二章　性風俗営業等に係る規制等

**（性風俗営業等を営む者の勧誘等の委託に伴う指導義務）**

**第二条の二**　性風俗営業等を営む者は、当該営業に関し人に客となり、若しくは役務に従事するように勧誘をし、又は広告若しくは宣伝をすることを委託したときは、当該営業を営む者その他の者から委託を受けて、当該営業に関し人に客となり、若しくは役務に従事するように勧誘をし、又は広告若しくは宣伝をする者が当該営業に関し、公衆に著しく迷惑をかける暴力的不良行為等の防止に関する条例（昭和三十七年東京都条例第百三号。以下「迷惑防止条例」という。）第七条（第一項第一号（客の誘引に係る部分に限る。）、第三号（客の誘引に係る部分に限る。）、第五号及び第七号並びに第三項に限る。次条及び第二条の四において同じ。）及び第七条の二第一項の規定に違反しないよう指導しなければならない。

**（指示）**

**第二条の三**　公安委員会は、性風俗営業等を営む者又はその代理人、使用人その他の従業者（以下単に「従業者」という。）が、当該営業に関し、迷惑防止条例第七条又は第七条の二第一項の規定に違反したときは、当該性風俗営業等を営む者に対し、当該違反行為の再発を防止するため必要な指示をすることができる。

2　公安委員会は、性風俗営業等を営む者その他の者から委託を受けて、当該営業に関し人に客となり、若しくは役務に従事するように勧誘をし、又は広告若しくは宣伝をする者が、当該営業に関し、迷惑防止条例第七条又は第七条の二第一項の規定に違反したときは、当該性風俗営業等を営む者に対し、当該委託を受けた者に前条に規定する指導をするよう指示をすることができる。

**（営業の停止）**

**第二条の四**　公安委員会は、性風俗営業等を営む者が前条の規定による指示に従わなかったとき、又は性風俗営業等を営む者若しくはその従業者が当該営業に関し迷惑防止条例第七条若しくは第七条の二第一項の規定に違反したときは、当該性風俗営業等を営む者に対し、六月を超えない範囲内で期間を定めて、当該営業の全部又は一部の停止を命ずることができる。

2　公安委員会は、性風俗営業等を営む者に前条第二項の規定による指示をした場合において、当該指示の後三月以内に、当該性風俗営業等を営む者その他の者から委託を受けて、当該営業に関し人に客となり、若しくは役務に従事するように勧誘をし、又は広告若しくは宣伝をする者が、当該営業に関し、迷惑防止条例第七条又は第七条の二第一項の規定に違反したときは、当該性風俗営業等を営む者に対し、六月を超えない範囲内で期間を定めて、当該営業の全部又は一部の停止を命ずることができる。

**（標章のはり付け）**

**第二条の五**　公安委員会は、前条の規定により性風俗営業等の停止を命じたときは、東京都公安委員会規則（以下「公安委員会規則」という。）で定めるところにより、当該命令に係る施設の出入口の見やすい場所に、公安委員会規則で定める様式の標章をはり付ける

ものとする。

2　前条の規定による命令を受けた者は、次に掲げる事由のいずれかがあるときは、公安委員会規則で定めるところにより、前項の規定により標章をはり付けられた施設について、標章を取り除くべきことを申請することができる。この場合において、公安委員会は、標章を取り除かなければならない。

一　当該施設を当該営業の用以外の用に供しようとするとき。

二　当該施設を取り壊そうとするとき。

三　当該施設を増築し、又は改築しようとする場合であって、やむを得ないと認められる理由があるとき。

3　第一項の規定により標章をはり付けられた施設について、当該命令に係る性風俗営業等を営む者から当該施設を買い受けた者その他当該施設の使用について正当な権原を有する第三者は、公安委員会規則で定めるところにより、標章を取り除くべきことを申請することができる。この場合において、公安委員会は、標章を取り除かなければならない。

4　何人も、第一項の規定によりはり付けられた標章を破壊し、又は汚損してはならず、また、当該施設に係る前条に規定する命令の期間を経過した後でなければ、これを取り除いてはならない。

**（聴聞の特例）**

**第二条の六**　公安委員会は、第二条の四の規定により営業の停止を命じようとするときは、東京都行政手続条例（平成六年東京都条例第百四十二号。以下「行政手続条例」という。）第十三条第一項の規定による意見陳述の区分にかかわらず、聴聞を行わなければならない。

2　公安委員会は、聴聞を行うに当たっては、その期日の一週間前までに、行政手続条例第十五条第一項の規定による通知をし、かつ、聴聞の期日及び場所を公示しなければならない。

3　公安委員会が前項の通知を行政手続条例第十五条第三項に規定する方法によって行う場合は、同条第一項の規定により聴聞の期日までにおくべき相当の期間は、二週間を下回ってはならない。

4　第一項の聴聞の期日における審理は、公開により行わなければならない。

**（不当な客引行為等を用いた営業の禁止）**

**第二条の七**　性風俗営業等を営む者は、当該性風俗営業等に係る行為の提供について迷惑防止条例第七条第一項第一号、第三号又は第四号の規定に違反する客引きをした者その他の者から紹介を受けて、当該客引きを受けた者を客として当該営業所（第二条第一項第二号に掲げる営業で受付所を設けて営むものに係る客引きを受けた者にあっては、受付所）内に立ち入らせてはならない。

2　性風俗営業等を営む者は、当該性風俗営業等に係る役務への従事について迷惑防止条例第七条第一項第五号又は第七号の規定に違反する勧誘をした者その他の者から紹介を受けて、当該勧誘を受けた者を当該性風俗営業等に係る役務に従事させてはならない。

## 第三章　性関連禁止営業への場所の提供に係る規制等

**（性関連禁止営業への場所の提供の禁止等）**

**第二条の八**　何人も、性関連禁止営業のために要する場所の提供（当該提供に係る契約の更新を含む。）をしてはならない。

2　何人も、自己が他人に提供している建物（建物の一部を含む。以下この条から第二条の十までにおいて同じ。）が性関連禁止営業の用に供されていることを知った場合において、当該建物が性関連禁止営業の用に供された場合に当該提供に係る契約を解除することができる旨を定めているときは、当該契約を解除し、当該建物の明渡しの申入れをしなければならない。

3　公安委員会は、前二項の規定に違反する行為があった場合において、当該提供に係る建物が更に反復して性関連禁止営業の用に供されるおそれがあると認めるときは、一年を超えない範囲内で期間を定めて、当該建物の出入口の見やすい場所に、当該建物を性関連禁止営業の用に供してはならない旨を告知する公安委員会規則で定める様式の標章をはり付けることができる。

4　第二条の五第二項の規定は前項の規定により標章をはり付けられた建物の所有者その他当該建物の使用について正当な権原を有する第三者について、同条第四項の規定は前項の規定によりはり付けられた標章について準用する。この場合において、同条第二項第一号中「当該営業」とあるのは「性関連禁止営業」と、同条第四項中「当該施設に係る前条に規定する命令の期間」とあるのは「当該建物に係る第二条の八第三項の規定に基づき定められた期間」と読み替えるものとする。

**第二条の九**　性関連禁止営業の発生状況等を勘案して、その発生を防止する必要性が高いと認められる区域として公安委員会が指定する東京都の区域内に所在する建物を他人に提供（継続的なものに限り、当該提供に係る契約の更新を含む。次条において同じ。）する者は、次に掲げる措置を講ずるよう努めなければならない。

い。

一　当該提供に係る契約の締結に際しては、その相手方に当該建物を性関連禁止営業の用に供しない旨を約させること。

二　当該提供に係る契約において、当該建物が性関連禁止営業の用に供された場合には、当該契約を解除することができる旨を定めること。

三　当該提供している建物が性関連禁止営業の用に供されていないかどうかを毎年二回以上定期的に確認すること。

**第二条の十**　前条に規定する区域内に所在する建物が性関連禁止営業の用に供された場合に当該建物の所有者その他当該建物を提供した者は、当該区域内に所在する建物を他人に提供する場合には、前条各号に掲げる措置を講じなければならない。

2　公安委員会は、前項の建物の所有者その他当該建物を提供した者が同項の規定を遵守していないと認めるときは、当該建物の所有者その他当該建物を提供した者に対し、前条に規定する区域内に所在する建物を他人に提供する場合には、同条各号に掲げる措置を講ずべきことを勧告することができる。

3　公安委員会は、前項の規定による勧告を受けた者がその勧告に従わなかったときは、その旨を公表することができる。

4　公安委員会は、第二項の規定による勧告を受けた者が、前項の規定によりその勧告に従わなかった旨を公表された後において、なお、正当な理由がなくてその勧告に係る措置を講じなかったときは、その者に対し、その勧告に係る措置を講ずべきことを命ずることができる。

## 第四章　指定性風俗営業等に係る規制等

（**料金等の表示**）

**第三条**　指定性風俗営業等を営む者は、公安委員会規則で定めるところにより、次に掲げる事項を、営業所内において客に見やすいように表示しなければならない。

一　当該営業に係る料金（当該営業所で当該指定性風俗営業等を営む者の従業者がその提供する第二条第一項第一号に規定する役務（風適法第二条第六項第一号に掲げる営業に係るものを除く。）の対価として受け取る一切の料金を含む。以下同じ。）

二　違約金その他名目のいかんを問わず、当該営業に関し客が支払うべきものとする金銭（前号に掲げるものを除く。以下「違約金等」という。）に関する定めがある場合にあっては、その内容

（**不当な勧誘、料金の取立て等の禁止**）

**第四条**　何人も、人に特定の指定性風俗営業等の客となるように勧誘をし、又は広告若しくは宣伝をするに当たっては、次に掲げる行為をしてはならない。

一　当該営業に係る料金について、実際のものよりも著しく低廉であると誤認させるような事項を告げ、又は表示すること。

二　前条第二号に掲げる事項について、不実のことを告げること。

2　何人も、特定の指定性風俗営業等の客に対し、粗野若しくは乱暴な言動を交えて、又はその者から預かった所持品を隠匿する等迷惑を覚えさせるような方法で、当該営業に係る料金又は違約金等の取立てをしてはならない。

（**指定性風俗営業等を営む者の勧誘等の委託に伴う指導義務**）

**第五条**　指定性風俗営業等を営む者は、当該営業に関し人に客となるように勧誘をし、又は広告若しくは宣伝をすることを委託したときは、当該指定性風俗営業等を営む者その他の者から委託を受けて、当該営業に関し人に客となるように勧誘をし、又は広告若しくは宣伝をする者が前条第一項の規定に違反しないよう指導しなければならない。

2　前項の規定は、指定性風俗営業等を営む者が、当該営業に係る料金又は違約金等の取立てをすることを委託した場合について準用する。この場合において、同項中「人に客となるように勧誘をし、又は広告若しくは宣伝をする」とあるのは「当該営業に係る料金又は違約金等の取立てをする」と、「前条第一項」とあるのは「前条第二項」と読み替えるものとする。

（**指示**）

**第六条**　公安委員会は、指定性風俗営業等を営む者又はその従業者が、当該営業に関し、この章の規定に違反したときは、当該指定性風俗営業等を営む者に対し、個人の身体及び財産に対する危害の発生を防止するため必要な指示をすることができる。

2　公安委員会は、指定性風俗営業等を営む者その他の者から委託を受けて、当該営業に関し人に客となるように勧誘をし、又は広告若しくは宣伝をする者が、第四条第一項の規定に違反したときは、当該指定性風俗営業等を営む者に対し　当該委託を受けた者に前条第一項に規定する指導をするよう指示をすることができる。

3　前項の規定は、指定性風俗営業等を営む者その他の者から委託を受けて、当該営業に係る料金又は違約金等の取立てをする者が　第四条第二項の規定に違反し

た場合について準用する。この場合において、前項中「前条第一項」とあるのは、「前条第二項において準用する同条第一項」と読み替えるものとする。

（営業の停止）

**第七条** 公安委員会は、指定性風俗営業等を営む者が前条の規定による指示に従わなかったとき、又は指定性風俗営業等を営む者若しくはその従業者が当該営業に関し次のいずれかに該当する行為をしたときは、当該指定性風俗営業等を営む者に対し、八月を超えない範囲内で期間を定めて、当該営業の全部又は一部の停止を命ずることができる。

一 第十一条に規定する罪に当たる違法な行為

二 刑法第百五十九条、第百六十一条、第百九十九条、第二百一条、第二百三条（第百九十九条に係る部分に限る。）から第二百六条まで、第二百八条、第二百九条、第二百十条、第二百十七条から第二百二十三条まで、第二百三十五条、第二百三十六条から第二百四十一条まで、第二百四十三条（第二百三十五条、第二百三十六条及び第二百三十八条から第二百四十一条までに係る部分に限る。）、第二百四十六条、第二百四十六条の二、第二百四十八条から第二百五十条（第二百四十六条、第二百四十六条の二、第二百四十八条及び第二百四十九条に係る部分に限る。）まで、第二百六十一条及び第二百六十二条に規定する罪に当たる違法な行為

2 公安委員会は、指定性風俗営業等を営む者に前条第二項の規定による指示をした場合において、当該指示の後三月以内に、当該指定性風俗営業等を営む者その他の者から委託を受けて、当該営業に関し人に客となるように勧誘をし、又は広告若しくは宣伝をする者が、第四条第一項の規定に違反したときは、当該指定性風俗営業等を営む者に対し、八月を超えない範囲内で期間を定めて、当該営業の全部又は一部の停止を命ずることができる。

3 前項の規定は、指定性風俗営業等を営む者が、当該営業に係る料金又は違約金等の取立てをすることを委託した場合について準用する。この場合において、同項中「前条第二項」とあるのは「前条第三項において準用する同条第二項」と、「人に客となるように勧誘をし、又は広告若しくは宣伝をする」とあるのは「当該営業に係る料金又は違約金等の取立てをする」と、「第四条第一項」とあるのは「第四条第二項」と読み替えるものとする。

4 第二条の五及び第二条の六の規定は、第一項及び第二項（前項において準用する場合を含む。）の規定による命令について準用する。

## 第五章 雑則

（報告及び立入り）

**第八条** 公安委員会は、この条例の施行に必要な限度において、性風俗営業等を営む者その他の関係者に対し、報告又は資料の提出を求めることができる。

2 警察職員は、この条例の施行に必要な限度において、次に掲げる場所に立ち入り、帳簿、書類その他の物件を検査し、又は関係者に質問することができる。

一 第二条第一項第一号又は第三号に掲げる営業の営業所（個室その他これに類する施設（以下この号において「個室等」という。）を設ける営業所にあっては、客が在室する個室等を除く。）

二 第二条第一項第二号に掲げる営業の事務所、受付所又は待機所（客の依頼を受けて派遣される同号に規定する役務を行う者を待機させるための施設をいう。）

3 前項の規定により警察職員が立ち入るときは、その身分を示す証明書を携帯し、関係者に提示しなければならない。

4 第二項の規定による権限は、犯罪捜査のために認められたものと解してはならない。

（広報啓発活動）

**第九条** 警察署長は、性風俗営業等に係る不当な勧誘、料金の取立て等を防止するため必要な広報啓発活動を行うものとする。

（委任）

**第十条** この条例に定めるもののほか、この条例の施行に関して必要な事項は、公安委員会規則で定める。

## 第六章 罰則

（罰則）

**第十一条** 第七条の規定による公安委員会の命令に違反した者は、一年以下の拘禁刑又は百万円以下の罰金に処する。

2 次の各号のいずれかに該当する者は、六月以下の拘禁刑又は五十万円以下の罰金に処する。

一 第二条の四又は第二条の十第四項の規定による公安委員会の命令に違反した者

二 第三条の規定に違反して、営業に係る料金について実際のものよりも著しく低廉であると誤認させるような事項を表示し、又は同条第二号に掲げる事項について不実のことを表示した者

三 第四条の規定に違反した者

3 第二条の七の規定に違反した者は、五十万円以下の罰金に処する。

4 次の各号のいずれかに該当する者は、二十万円以下

の罰金に処する。

一　第二条の五第四項（第二条の八第四項及び第七条第四項において準用する場合を含む。）の規定に違反した者

二　第八条第一項の規定による報告若しくは資料の提出を拒み、若しくは同項の規定による報告若しくは資料の提出について虚偽の報告をし、若しくは虚偽の資料を提出し、又は同条第二項の規定による立入り若しくは帳簿等の検査を拒み、妨げ、若しくは忌避した者

（両罰規定）

**第十二条**　法人の代表者又は法人若しくは人の従業者が、その法人又は人の業務に関し、前条の違反行為をしたときは、その行為者を罰するほか、その法人又は人に対し、同条の罰金刑を科する。

**附　則**

この条例は、平成十二年十一月一日から施行する。

**附　則**（令六・一〇・一一条例一五六）

1　この条例は、令和七年六月一日から施行する。

2　この条例の施行前にした行為に対する罰則の適用については、なお従前の例による。

## ○歓楽的雰囲気を過度に助長する風俗案内の防止に関する条例

平一八・三・三一
条　例　八　五

最終改正　令六・一〇・一一条例一五七

（目的）

**第一条**　この条例は、地域の歓楽的雰囲気を過度に助長するような方法による風俗案内を防止するために必要な規制を行うことにより、青少年をその健全な成長を阻害する行為から保護するとともに、繁華街その他の地域における健全なまちづくりに資することを目的とする。

（定義）

**第二条**　この条例において「風俗案内」とは、次に掲げる営業に関する情報の提供を受けようとする者（第四条第七号及び第八号において「利用者」という。）の求めに応じ、有償又は無償で、当該情報を提供することをいう。

一　異性の客の性的好奇心に応じてその客に接触する役務を提供する営業

二　歓楽的雰囲気を醸し出す方法により異性の客をもてなして飲食させる営業

（届出等）

**第三条**　風俗案内を行うための施設（以下「事業所」という。）を設け、当該事業所において風俗案内を業として行おうとする者は、風俗案内を開始しようとする日の十日前までに、事業所ごとに、東京都公安委員会規則（以下「公安委員会規則」という。）で定めるところにより、次に掲げる事項を東京都公安委員会（以下「公安委員会」という。）に届け出なければならない。

一　氏名又は名称及び住所並びに法人にあっては、その代表者の氏名

二　事業所の名称及び所在地

三　前二号に掲げるもののほか、公安委員会規則で定める事項

2　前項の規定による届出をした者は、当該届出に係る事項（同項第二号に掲げる事項にあっては、事業所の名称に限る。）に変更があったとき、又は当該届出に係る風俗案内の業を廃止したときは、その日から起算して十日以内に、公安委員会規則で定めるところにより、その旨を公安委員会に届け出なければならない。

3　第一項の規定による届出をした者は、十八歳未満の者が当該届出に係る事業所に立ち入ることができない旨を、公安委員会規則で定めるところにより、事業所の入り口に表示しなければならない。

（禁止行為）

**第四条**　事業所を設け、風俗案内を業として行う者（以下「事業者」という。）は、風俗案内に関し、次に掲げる行為をしてはならない。

一　午前零時（公安委員会規則で定める地域にあっては、午前一時）から午前六時までの時間において、風俗案内を行うこと。

二　事業所周辺において、公安委員会規則で定める数値以上の騒音を生じさせること。

三　事業所の外周に、又は外部から見通すことができる状態にしてその内部に、第二条各号に掲げる営業

において提供される行為若しくはこれに従事する者を表すもの又はこれらを連想させるものとして、公安委員会規則で定める基準に該当する写真、絵その他の物品を表示し、掲出し、又は配置すること。
四　事業所の外周に、又は外部から見通すことができる状態にしてその内部に、性的感情を刺激するものとして、公安委員会規則で定める基準に該当する文字、数字その他の記号を表示し、又は表示したものを掲出し、若しくは配置すること。
五　別表に定める地域又は区域内に所在する事業所の外周又は内部に、第二条第一号に掲げる営業に係る広告物（常時又は一定の期間継続して公衆に表示されるものであって、看板、立看板、はり紙及びはり札並びに広告塔、広告板、建物その他の工作物等に掲出され、又は表示されたもの並びにこれらに類するものをいう。）を表示すること。
六　別表に定める地域又は区域内に所在する事業所において、第二条第一号に掲げる営業に係るビラ、パンフレットその他の物品を配布すること。
七　十八歳未満の者を利用客に接する業務に従事させること。
八　十八歳未満の者を事業所に利用者として立ち入らせること。

（中止命令等）
**第五条**　公安委員会は、事業者が行う風俗案内に関し、前条の規定に違反する行為（同条第五号から第八号までに掲げる行為を除く。）が行われているときは、当該事業者に対し、当該違反行為を中止することを命じ、又は当該違反行為が行われないことを確保するために必要な事項を命ずることができる。

（従業者名簿）
**第六条**　事業者は、事業所ごとに、従業者名簿を備え、これに当該事業所における風俗案内に係る業務に従事する者の氏名、生年月日、住所その他公安委員会規則で定める事項を記載しなければならない。ただし、事業所ごとに、労働基準法（昭和二十二年法律第四十九号）第百七条に規定する労働者名簿を備え付けている場合は、これを従業者名簿に代えることができる。

（風俗案内を委託された場合の確認等）
**第七条**　事業者は、事業所において行う風俗案内を委託された場合は、次の各号に掲げる事項を、当該事項を証する書類として公安委員会規則で定める書類により、確認しなければならない。
一　委託者の氏名又は名称及び住所並びに法人にあっては、その代表者の氏名
二　営業所等の名称及び所在地
三　営業の種別
四　前三号に掲げるもののほか、公安委員会規則で定める事項
2　事業者は、前項の確認をしたときは、公安委員会規則で定めるところにより、当該確認に係る書類を作成し、当該書類を作成した日から三年間、当該事業所ごとにこれを保存しなければならない。

（報告及び立入り）
**第八条**　公安委員会は、この条例の施行に必要な限度において、事業者に対し、その業務に関して報告又は資料の提出を求めることができる。
2　警察職員は、この条例の施行に必要な限度において、事業所に立ち入り、帳簿、書類その他の物件を検査し、又は関係者に質問することができる。
3　前項の規定により警察職員が立ち入るときは、その身分を示す証明書を携帯し、関係者に提示しなければならない。
4　第二項の規定による権限は、犯罪捜査のために認められたものと解してはならない。

（委任）
**第九条**　この条例に定めるもののほか、この条例の施行に関して必要な事項は、公安委員会規則で定める。

（罰則）
**第十条**　次の各号のいずれかに該当する者は、六月以下の拘禁刑又は五十万円以下の罰金に処する。
一　第四条第七号又は第八号の規定に違反した者
二　第五条の規定による命令に違反した者
2　第四条第五号又は第六号の規定に違反した者は、五十万円以下の罰金に処する。
3　次の各号のいずれかに該当する者は、三十万円以下の罰金に処する。
一　第三条第一項又は第二項の規定による届出をせず、又は虚偽の届出をした者
二　第六条の規定に違反して、従業者名簿を備えず、又はこれに必要な記載をせず、若しくは虚偽の記載をした者
三　第七条第一項の規定に違反した者
四　第七条第二項の規定に違反して、書類を作成せず、若しくは虚偽の書類を作成し、又は書類を保存しなかった者
4　第八条第一項の規定による報告若しくは資料の提出を拒み、若しくは同項の規定による報告若しくは資料の提出について虚偽の報告をし、若しくは虚偽の資料を提出し、又は同条第二項の規定による立入り若しくは帳簿等の検査を拒み、妨げ、若しくは忌避した者は、二十万円以下の罰金に処する。
**第十一条**　第四条第七号又は第八号に掲げる行為をした

者は、当該十八歳未満の者の年齢を知らないことを理由として、前条第一項の規定による処罰を免れることができない。ただし、当該年齢を知らないことに過失がない場合は、この限りでない。

（両罰規定）

**第十二条**　法人の代表者又は法人若しくは人の代理人、使用人その他の従業者が、その法人又は人の業務に関し、第十条の違反行為をしたときは、その行為者を罰するほか、その法人又は人に対し、同条の罰金刑を科する。

附　則

（施行期日）

1　この条例は、平成十八年六月一日から施行する。

（経過措置）

2　この条例の施行の際、現に事業所を設け、当該事業所において風俗案内を業として行っている者に関する第三条第一項の規定の適用については、同項中「風俗案内を開始しようとする日の十日前」とあるのは、「平成十八年六月三十日」とする。

附　則（令六・一〇・一一条例一五七）

1　この条例は、令和七年六月一日から施行する。

2　この条例の施行前にした行為に対する罰則の適用については、なお従前の例による。

**別表**（第四条関係）

一　台東区千束四丁目（十六番から三十二番まで及び四十一番から四十八番まで）の地域以外の地域

二　学校（学校教育法（昭和二十二年法律第二十六号）第一条に規定するものをいう。）、図書館（図書館法（昭和二十五年法律第百十八号）第二条第一項に規定するものをいう。）、児童福祉施設（児童福祉法（昭和二十二年法律第百六十四号）第七条に規定するものをいう。）、病院（医療法（昭和二十三年法律第二百五号）第一条の五第一項に規定するものをいう。）又は診療所（医療法第一条の五第二項に規定するもののうち、患者を入院させるための施設を有するものをいう。）の敷地（これらの用に供するものと決定した土地を除く。）の周囲二百メートルの区域

## ○インターネット端末利用営業の規制に関する条例

平二二・三・三一
条　例　六　四

改正　令六・一〇・一一条例一五四

（目的）

**第一条**　この条例は、インターネット端末利用営業について必要な規制を行うことにより、インターネット端末利用営業者によるインターネット利用の管理体制の整備の促進及びインターネット端末を利用した犯罪の防止を図り、もってインターネット端末利用営業における健全なインターネット利用環境を保持することを目的とする。

（定義）

**第二条**　この条例において、次の各号に掲げる用語の意義は、それぞれ当該各号に定めるところによる。

一　インターネット端末利用営業　個室その他これに類する施設であって、その内部の状況を外部から見通すことが困難であるもの（以下「個室等」という。）を設け、顧客に対し、インターネットを利用することができる通信端末機器（携帯電話用装置を除く。以下同じ。）を提供して当該個室等においてインターネットを利用することができるようにする役務を提供することを営業の全部又は一部とするものをいう。

二　インターネット端末利用営業者　東京都の区域内において、店舗（旅館業法（昭和二十三年法律第百三十八号）第二条第一項に規定する旅館業の用に供

するものその他の東京都公安委員会規則（以下「公安委員会規則」という。）で定めるものを除く。以下同じ。）を設けてインターネット端末利用営業を営む者をいう。

（営業の届出）

**第三条**　東京都の区域内において、店舗を設けてインターネット端末利用営業を営もうとする者は、営業を開始しようとする日の十日前までに、店舗を設ける場所ごとに、公安委員会規則で定めるところにより、次に掲げる事項を東京都公安委員会（以下「公安委員会」という。）に届け出なければならない。

一　氏名又は名称及び住所並びに法人にあっては、その代表者の氏名

二　店舗の名称及び所在地

三　前二号に掲げるもののほか、公安委員会規則で定める事項

２　前項の規定による届出をした者は、当該届出に係る事項（同項第二号に掲げる事項にあっては、店舗の名称に限る。）に変更があったとき、又は当該届出に係るインターネット端末利用営業を廃止したときは、その日から起算して十日以内に、公安委員会規則で定めるところにより、その旨を公安委員会に届け出なければならない。

（本人確認義務等）

**第四条**　インターネット端末利用営業者は、顧客に対し、インターネットを利用することができる通信端末機器を提供して店舗内においてインターネットを利用することができるようにする役務の提供（以下「役務提供」という。）を行うに際しては、運転免許証の提示を受ける方法その他の公安委員会規則で定める方法により、当該顧客について、氏名、住居（本邦内に住居を有しない外国人で公安委員会規則で定めるものにあっては、公安委員会規則で定める事項）及び生年月日（以下「本人特定事項」という。）の確認（以下「本人確認」という。）を行わなければならない。

２　顧客は、インターネット端末利用営業者が本人確認を行う場合において、当該インターネット端末利用営業者に対して、顧客の本人特定事項を偽ってはならない。

（本人確認記録の作成義務等）

**第五条**　インターネット端末利用営業者は、本人確認を行った場合には、直ちに、公安委員会規則で定める方法により、本人特定事項、本人確認のためにとった措置その他の公安委員会規則で定める事項に関する記録（以下「本人確認記録」という。）を作成しなければならない。

２　インターネット端末利用営業者は、本人確認記録を、役務提供を終了した日から、三年間保存しなければならない。

（通信端末機器特定記録等の作成義務等）

**第六条**　インターネット端末利用営業者は、役務提供を終了した場合には、直ちに、公安委員会規則で定める方法により、顧客の本人確認記録を検索するための事項、顧客に提供した通信端末機器を特定するための事項その他の公安委員会規則で定める事項に関する記録（以下「通信端末機器特定記録等」という。）を作成しなければならない。

２　インターネット端末利用営業者は、通信端末機器特定記録等を、役務提供を終了した日から、三年間保存しなければならない。

（インターネット端末利用営業者の責務）

**第七条**　インターネット端末利用営業者は、顧客が入力した情報を他人が不正に利用することができないようにする機能を有するソフトウェアを備えた通信端末機器の提供、防犯カメラの設置その他の当該インターネット端末利用営業が犯罪に利用されることを防止するとともに、顧客が安心して役務提供を受けることができる環境を整備するために必要な措置を講ずるよう努めなければならない。

（指示）

**第八条**　公安委員会は、インターネット端末利用営業者が、当該インターネット端末利用営業に関し、第三条、第四条第一項、第五条、第六条若しくは第十条第四項の規定に違反したとき、第十二条第一項の規定による報告若しくは資料の提出を拒み、若しくは同項の規定による報告若しくは資料の提出について虚偽の報告をし、若しくは虚偽の資料を提出したとき、又は同条第二項の規定による当該職員の質問に対して答弁をせず、若しくは虚偽の答弁をし、若しくは立入り若しくは検査を拒み、妨げ、若しくは忌避したときは、当該インターネット端末利用営業者に対し、当該違反行為の再発を防止するため必要な指示をすることができる。

（営業の停止）

**第九条**　公安委員会は、インターネット端末利用営業者が、前条の規定による指示に従わなかったとき、又は当該インターネット端末利用営業に関し第十四条（第三項第一号を除く。）に規定する罪に当たる行為をしたときは、当該インターネット端末利用営業者に対し、六月を超えない範囲内で期間を定めて、当該インターネット端末利用営業の全部又は一部の停止を命ずることができる。

（標章のはり付け）

**第十条**　公安委員会は、前条の規定により営業の停止を命じたときは、公安委員会規則で定めるところにより、当該命令に係る店舗の出入口の見やすい場所に、公安委員会規則で定める様式の標章をはり付けるものとする。

2　前条の規定による命令を受けた者は、次の各号に掲げる事由のいずれかがあるときは、公安委員会規則で定めるところにより、前項の規定により標章をはり付けられた店舗について、標章を取り除くべきことを申請することができる。この場合において、公安委員会は、標章を取り除かなければならない。

一　当該店舗を当該インターネット端末利用営業の用以外の用に供しようとするとき。

二　当該店舗を取り壊そうとするとき。

三　当該店舗を増築し、又は改築しようとする場合であって、やむを得ないと認められる理由があるとき。

3　第一項の規定により標章をはり付けられた店舗について、当該命令に係るインターネット端末利用営業者から当該店舗を買い受けた者その他当該店舗の使用について正当な権原を有する第三者は、公安委員会規則で定めるところにより、標章を取り除くべきことを申請することができる。この場合において、公安委員会は、標章を取り除かなければならない。

4　何人も、第一項の規定によりはり付けられた標章を破壊し、又は汚損してはならず、また、当該店舗に係る前条に規定する命令の期間を経過した後でなければ、これを取り除いてはならない。

（聴聞の特例）

**第十一条**　公安委員会は、第九条の規定により営業の停止を命じようとするときは、東京都行政手続条例（平成六年東京都条例第百四十二号。以下「行政手続条例」という。）第十三条第一項の規定による意見陳述のための手続の区分にかかわらず、聴聞を行わなければならない。

2　公安委員会は、聴聞を行うに当たっては、その期日の一週間前までに、行政手続条例第十五条第一項の規定による通知をし、かつ、聴聞の期日及び場所を公示しなければならない。

3　公安委員会は、前項の通知を行政手続条例第十五条第三項に規定する方法によって行う場合においては、同条第一項の規定により聴聞の期日までにおくべき相当の期間は、二週間を下回ってはならない。

4　第一項の聴聞の期日における審理は、公開により行わなければならない。

（報告及び立入り）

**第十二条**　公安委員会は、この条例の施行に必要な限度において、インターネット端末利用営業者に対し、その業務に関して報告又は資料の提出を求めることができる。

2　警察職員は、この条例の施行に必要な限度において、インターネット端末利用営業者の店舗その他の施設に立ち入り、帳簿、書類その他の物件を検査し、又は関係者に質問することができる。

3　前項の規定により警察職員が立ち入るときは、その身分を示す証明書を携帯し、関係者に提示しなければならない。

4　第二項の規定による権限は、犯罪捜査のために認められたものと解してはならない。

（委任）

**第十三条**　この条例に定めるもののほか、この条例の施行に関して必要な事項は、公安委員会規則で定める。

（罰則）

**第十四条**　第九条の規定による公安委員会の命令に違反した者は、一年以下の拘禁刑又は百万円以下の罰金に処する。

2　次の各号のいずれかに該当する者は、三十万円以下の罰金に処する。

一　第三条第一項の規定による届出をせずにインターネット端末利用営業を営んだ者又は同項の規定に違反して虚偽の届出をした者

二　第三条第二項の規定に違反して届出をせず、又は虚偽の届出をした者

3　次の各号のいずれかに該当する者は、二十万円以下の罰金に処する。

一　本人特定事項を隠ぺいする目的で、第四条第二項の規定に違反した者

二　第十条第四項の規定に違反した者

三　第十二条第一項の規定による報告若しくは資料の提出を拒み、若しくは同項の規定による報告若しくは資料の提出について虚偽の報告をし、若しくは虚偽の資料を提出し、又は同条第二項の規定による当該職員の質問に対して答弁をせず、若しくは虚偽の答弁をし、若しくは立入り若しくは検査を拒み、妨げ、若しくは忌避した者

（両罰規定）

**第十五条**　法人の代表者又は法人若しくは人の代理人、使用人その他の従業者が、その法人又は人の業務に関し、前条（第三項第一号を除く。）の違反行為をしたときは、その行為者を罰するほか、その法人又は人に対し、同条の罰金刑を科する。

附　則

（施行期日）

1　この条例は、平成二十二年七月一日から施行する。

（経過措置）

2　この条例の施行の際現に東京都の区域内において、店舗を設けてインターネット端末利用営業を営んでいる者の当該インターネット端末利用営業に対する第三条第一項の規定の適用については、同項中「営業を開始しようとする日の十日前」とあるのは、「平成二十二年七月三十一日」とする。

3　前項に定めるもののほか、この条例の施行に関して必要な経過措置は、公安委員会規則で定める。

附　則（令六・一〇・一一条例一五四）

1　この条例は、令和七年六月一日から施行する。

2　この条例の施行前にした行為に対する罰則の適用については、なお従前の例による。

# ○集会、集団行進及び集団示威運動に関する条例

昭二五・七・三
条　例　四　四

最終改正　令六・一〇・一一条例一五〇

**第一条**　道路その他公共の場所で集会若しくは集団行進を行おうとするとき、又は場所のいかんを問わず集団示威運動を行おうとするときは、東京都公安委員会（以下「公安委員会」という。）の許可を受けなければならない。但し、次の各号に該当する場合はこの限りでない。

一　学生、生徒その他の遠足、修学旅行、体育、競技

二　通常の冠婚葬祭等慣例による行事

**第二条**　前条の規定による許可の申請は、主催者である個人又は団体の代表者（以下主催者という。）から、集会、集団行進又は集団示威運動を行う日時の七十二時間前までに次の事項を記載した許可申請書三通を開催地を管轄する警察署を経由して提出しなければならない。

一　主催者の住所、氏名

二　前号の主催者が開催地の区（特別区の全域を一地域とみなしてその地域）、市、町、村以外に居住するときは、その区、市、町、村内の連絡責任者の住所、氏名

三　集会、集団行進又は集団示威運動の日時

四　集会、集団行進又は集団示威運動の進路、場所及びその略図

五　参加予定団体名及びその代表者の住所、氏名

六　参加予定人員

七　集会、集団行進又は集団示威運動の目的及び名称

**第三条**　公安委員会は、前条の規定による申請があつたときは、集会、集団行進又は集団示威運動の実施が公共の安寧を保持する上に直接危険を及ぼすと明らかに認められる場合の外は、これを許可しなければならない。但し、次の各号に関し必要な条件をつけることができる。

一　官公庁の事務の妨害防止に関する事項

二　じゆう器、きよう器その他の危険物携帯の制限等危害防止に関する事項

三　交通秩序維持に関する事項

四　集会、集団行進又は集団示威運動の秩序保持に関する事項

五　夜間の静ひつ保持に関する事項

六　公共の秩序又は公衆の衛生を保持するためやむを得ない場合の進路、場所又は日時の変更に関する事項

②　公安委員会は、前項の許可をしたときは、申請書の一通にその旨を記入し、特別の事由のない限り集会、集団行進又は集団示威運動を行う日時の二十四時間前までに、主催者又は連絡責任者を交付しなければならない。

③　公安委員会は、前二項の規定にかかわらず、公共の安寧を保持するため緊急の必要があると明らかに認められるに至つたときは、その許可を取り消し又は条件を変更することができる。

④　公安委員会は、第一項の規定により不許可の処分をしたとき、又は前項の規定により許可を取消したときは、その旨を詳細な理由をつけて、すみやかに東京都議会に報告しなければならない。

**第四条**　警視総監は、第一条の規定、第二条の規定による記載事項、前条第一項但し書の規定による条件又は同条第三項の規定に違反して行われた集会、集団行進又は集団示威運動の参加者に対して、公共の秩序を保持するため、警告を発しその行為を制止しその他その違反行為を是正するにつき必要な限度において所要の措置をとることができる。

**第五条**　第二条の規定による許可申請書に虚偽の事実を記載してこれを提出した主催者及び第一条の規定、第二条の規定による記載事項、第三条第一項ただし書の規定による条件又は同条第三項の規定に違反して行われた集会、集団行進又は集団示威運動の主催者、指導者又は煽（せん）動者は、これを一年以下の拘禁刑又は三十万円以下の罰金に処する。

**第六条**　この条例の各規定は、第一条に定めた集会、集団行進又は集団示威運動以外に集会を行う権利を禁止し、若しくは制限し、又は集会、政治運動を監督し若しくはプラカード、出版物その他の文書図画を検閲する権限を公安委員会、警察職員又はその他の都吏員、区、市、町、村の吏員若しくは職員に与えるものと解釈してはならない。

**第七条**　この条例の各規定は、公務員の選挙に関する法律に矛盾し、又は選挙運動中における政治集会若しくは演説の事前の届出を必要ならしめるものと解釈してはならない。

**附　則**

この条例は、公布の日から施行する。

**附　則**（令六・一〇・一一条例一五〇）

1　この条例は、令和七年六月一日から施行する。

2　この条例の施行前にした行為に対する罰則の適用については、なお従前の例による。

# ○拡声機による暴騒音の規制に関する条例

平四・一〇・一二
条　例　一　五　三

改正　令六・一〇・一一条例一五一

近年、拡声機の性能の向上により、大きな音量による放送宣伝活動が可能となったことに伴い、一部に、拡声機を使用し、必要な音量を著しく超える音を発して、通常の政治活動、労働運動、企業活動等の諸活動を妨害し、又はひぼうする等の街頭宣伝を行う団体が少なからずみられるようになり、こうした街頭宣伝がこれら諸活動に重大な支障を及ぼすとともに、地域住民に対して耐え難い苦痛をもたらすという事態が生じている。こうした事態は、我が国の政治経済機能の集中する首都東京において最も顕著であり、都民の日常生活を脅かすこれらの騒音の発生を防止することが強く求められている。

しかしながら、拡声機の使用は、政治活動等における表現の伝達等のための重要な手段でもあるのであって、法令及び健全な社会常識の範囲内で行われるものが不当に制限されることがあってはならないこともまた、言うを待たないところである。

このような認識の下に、日本国憲法の保障する国民の自由と権利を不当に制約することがないよう慎重に留意しつつ、拡声機によって発せられるいわば音の暴力ともいうべき騒音について必要な規制を行うこととし、この条例を制定する。

**（趣旨）**

**第一条**　この条例は、拡声機による暴騒音が人の身体の安全、業務の円滑な遂行等に重大な支障を及ぼしていることにかんがみ、拡声機により暴騒音を生じさせる行為の規制その他の拡声機による暴騒音の発生を防止するために必要な事項について定めるものとする。

**（適用上の注意）**

**第二条**　この条例の適用に当たっては、集会、結社及び表現の自由並びに勤労者の団結し、及び団体行動をする権利その他の日本国憲法の保障する国民の自由と権利を不当に制約しないようにしなければならない。

**（定義）**

**第三条**　この条例において「暴騒音」とは、東京都公安委員会規則で定めるところにより、当該音を生じさせる装置から十メートル以上離れた地点（当該装置が道路その他の公共の場所以外の場所において使用されている場合にあっては、当該場所の外の地点に限る。）において測定したものとした場合における音量が八十五デシベルを超えることとなる音をいう。

**（適用除外）**

**第四条**　この条例の規定は、次に掲げる場合については、適用しない。

一　公職選挙法（昭和二十五年法律第百号）の定めるところにより選挙運動又は選挙における政治活動を行うために拡声機を使用する場合

二　災害、事故等が発生した場合において、人の生命、身体又は財産に対する危害を防止するために拡声機を使用するとき。

三　国又は地方公共団体の業務を行うために拡声機を使用する場合

四　電気、ガス、水道又は電気通信の事業に係る緊急の広報活動を行うために拡声機を使用する場合

五　学校教育法（昭和二十二年法律第二十六号）に規

定する学校、専修学校若しくは各種学校又は児童福祉法（昭和二十二年法律第百六十四号）に規定する児童福祉施設における授業その他の業務を行うために拡声機を使用する場合

六　公共輸送機関における輸送業務を行うために拡声機を使用する場合

七　祭礼、運動会その他の地域の行事を行うために拡声機を使用する場合

八　前各号に掲げるもののほか、公共の利益を実現するために拡声機を使用する場合として東京都公安委員会規則で定める場合

**（拡声機により暴騒音を生じさせる行為の禁止）**

**第五条**　何人も、拡声機により暴騒音を生じさせてはならない。

**（拡声機の使用を要求し、又は依頼する者等の義務）**

**第六条**　何人も、他の者に対し、拡声機の使用を要求し、若しくは依頼するとき、又は自己の管理に係る拡声機を使用させるときは、その者にこの条例に規定する事項を遵守させるように努めなければならない。

**（拡声機により暴騒音を生じさせる行為をした者に対する措置等）**

**第七条**　警察官は、第五条の規定に違反する行為（以下「違反行為」という。）が行われているときは、当該違反行為をしている者に対し、当該違反行為を中止することを命ずることができる。

2　警察署長は、違反行為をした者が更に継続し、又は反復して違反行為をしたときは、その者に対し、二十四時間を超えない範囲内で時間を定めて、違反行為が行われることを防止するために必要な措置を講ずべきことを命ずることができる。

3　警察署長は、前項の規定による命令を受けた者が更に違反行為をしたときは、その者に対し、その者が使用し、又は使用しようとしている拡声機（拡声機が自動車等に取り付けられている場合において、当該拡声機を当該自動車等から容易に取り外すことができないときにあっては、当該拡声機及び当該自動車等。次項において同じ。）の提出を命じ、これを保管することができる。

4　警察署長は、前項の規定により拡声機を保管したときは、当該拡声機を保管した時から起算して二十四時間を経過した時（当該時間内において当該拡声機を保管する必要がなくなった場合にあっては、当該拡声機を保管する必要がなくなった時）以後速やかに、同項に規定する者に対し、当該拡声機を返還するものとする。

5　前各項の規定は、二以上の者が近接した場所で拡声機を使用することにより複合して暴騒音が生じたとき（これらの者が共同して近接した場所で拡声機を使用した場合を除く。次条において同じ。）については、適用しない。

**第八条**　警察署長は、二以上の者が近接した場所で拡声機を使用することにより複合して暴騒音が生じたときは、これらの者に対し、拡声機による暴騒音の発生を防止するために必要な措置を講ずべきことを勧告することができる。

**（拡声機の使用を要求し、又は依頼した者等に対する措置）**

**第九条**　警察署長は、違反行為が行われた場合において、当該違反行為を行った者に対し当該違反行為に係る拡声機の使用を要求し、若しくは依頼した者又は当該違反行為に係る拡声機を管理する者で、自己の用務のために当該拡声機を使用させたものが、違反行為が行われることを防止するために必要な措置を講じていると認められないときは、これらの者に対し、拡声機を使用する者が拡声機の使用に関し違反行為をすることを防止するために必要な措置を講ずべきことを勧告することができる。

**（立入り等）**

**第十条**　警察署長は、第七条又は第八条の規定の施行に必要な限度において、警察官に拡声機が所在すると認められる場所（拡声機が取り付けられている自動車等を含む。）に立ち入り、拡声機その他の必要な物件を検査させ、又は拡声機を使用し、若しくは使用しようとしている者その他の関係者に対し質問させることができる。

2　警察官は、前項の規定による立入検査をするときは、その身分を示す証明書を携帯し、関係人の請求があったときは、これを提示しなければならない。

3　第一項の規定による立入検査の権限は、犯罪捜査のために認められたものと解釈してはならない。

**（東京都公安委員会規則への委任）**

**第十一条**　この条例に定めるもののほか、この条例の実施のための手続その他この条例の施行に関し必要な事項は、東京都公安委員会規則で定める。

**（罰則）**

**第十二条**　第七条第一項から第三項までの規定による命令に違反した者は、六月以下の拘禁刑又は二十万円以下の罰金に処する。

**第十三条**　第十条第一項の規定による立入検査を拒み、妨げ、若しくは忌避し、又は質問に対して陳述をせず、若しくは虚偽の陳述をした者は、十万円以下の罰金に処する。

**附　則**

この条例は、公布の日から起算して七日を経過した日から施行する。

附　則（令六・一〇・一一条例一五一）

1　この条例は、令和七年六月一日から施行する。

2　この条例の施行前にした行為に対する罰則の適用については、なお従前の例による。

## ○公衆に著しく迷惑をかける暴力的不良行為等の防止に関する条例

昭三七・一〇・一一
条　例　一　〇　三

最終改正　令六・一〇・一一条例一五三

**（目的）**

**第一条**　この条例は、公衆に著しく迷惑をかける暴力的不良行為等を防止し、もつて都民生活の平穏を保持することを目的とする。

**（乗車券等の不当な売買行為（ダフヤ行為）の禁止）**

**第二条**　何人も、乗車券、急行券、指定券、寝台券その他運送機関を利用し得る権利を証する物又は入場券、観覧券その他公共の娯楽施設を利用し得る権利を証する物（以下「乗車券等」という。）を不特定の者に転売し、又は不特定の者に転売する目的を有する者に交付するため、乗車券等を、道路、公園、広場、駅、空港、ふ頭、興行場その他の公共の場所（乗車券等を公衆に発売する場所を含む。以下「公共の場所」という。）又は汽車、電車、乗合自動車、船舶、航空機その他の公共の乗物（以下「公共の乗物」という。）において、買い、又はうろつき、人につきまとい、人に呼び掛け、ビラその他の文書図画を配り、若しくは公衆の列に加わつて買おうとしてはならない。

2　何人も、転売する目的で得た乗車券等を、公共の場所又は公共の乗物において、不特定の者に、売り、又はうろつき、人につきまとい、人に呼び掛け、ビラその他の文書図画を配り、若しくは乗車券等を展示して売ろうとしてはならない。

**（座席等の不当な供与行為（シヨバヤ行為）の禁止）**

**第三条**　何人も、公共の場所又は公共の乗物において、不特定の者に対し、座席、座席を占めるための行列の順位又は駐車の場所（以下「座席等」という。）を占める便益を対価を得て供与し、又は座席等を占め、若しくは人につきまとつて、座席等を占める便益を対価を得て供与しようとしてはならない。

**（景品買行為の禁止）**

**第四条**　何人も、遊技場（風俗営業等の規制及び業務の適正化等に関する法律（昭和二十三年法律第百二十二号。以下「風適法」という。）第二条第一項第四号に規定する遊技場をいう。以下同じ。）の営業所又はその付近において、遊技場の営業者が遊技客に賞品として交付した物品を転売し、または転売する目的を有する者に交付するため、うろつき、または遊技客につきまとつて、これらの物品を買い集め、または買い集めようとしてはならない。

**（粗暴行為（ぐれん隊行為等）の禁止）**

**第五条**　何人も、正当な理由なく、人を著しく羞恥させ、又は人に不安を覚えさせるような行為であつて、次に掲げるものをしてはならない。

一　公共の場所又は公共の乗物において、衣服その他の身に着ける物の上から又は直接に人の身体に触れること。

二　次のいずれかに掲げる場所又は乗物における人の通常衣服で隠されている下着又は身体を、写真機その他の機器を用いて撮影し、又は撮影する目的で写真機その他の機器を差し向け、若しくは設置すること。

イ　住居、便所、浴場、更衣室その他人が通常衣服の全部又は一部を着けない状態でいるような場所
ロ　公共の場所、公共の乗物、学校、事務所、タクシーその他不特定又は多数の者が利用し、又は出入りする場所又は乗物（イに該当するものを除く。）
三　前二号に掲げるもののほか、人に対し、公共の場所又は公共の乗物において、卑わいな言動をすること。
2　何人も、公共の場所又は公共の乗物において、多数でうろつき、又はたむろして、通行人、入場者、乗客等の公衆に対し、いいがかりをつけ、すごみ、暴力団（暴力団員による不当な行為の防止等に関する法律（平成三年法律第七十七号）第二条第二号の暴力団をいう。）の威力を示す等不安を覚えさせるような言動をしてはならない。
3　何人も、祭礼または興行その他の娯楽的催物に際し、多数の人が集まつている公共の場所において、ゆえなく、人を押しのけ、物を投げ、物を破裂させる等により、その場所における混乱を誘発し、または助長するような行為をしてはならない。
4　何人も、公衆の目に触れるような工作物に対し、ペイント、墨、フェルトペン等を用いて、次の各号のいずれかに該当する表示であつて、人に不安を覚えさせるようなものをしてはならない。
一　暴走族（道路交通法（昭和三十五年法律第百五号）第六十八条の規定に違反する行為又は自動車若しくは原動機付自転車を運転して集団を形成し、同法第七条、第十七条、第二十二条第一項、第五十五条、第五十七条第一項、第六十二条、第七十一条第五号の三若しくは第七十一条の二の規定に違反する行為を行うことを目的として結成された集団をいう。次号において同じ。）の組織名の表示
二　暴走族が自己を示すために用いる図形の表示

**（つきまとい行為等の禁止）**

**第五条の二**　何人も、正当な理由なく、専ら、特定の者に対する妬み、恨みその他の悪意の感情を充足する目的で、当該特定の者又はその配偶者、直系若しくは同居の親族その他当該特定の者と社会生活において密接な関係を有する者に対し、不安を覚えさせるような行為であつて、次の各号のいずれかに掲げるもの（ストーカー行為等の規制等に関する法律（平成十二年法律第八十一号）第二条第一項に規定するつきまとい等、同条第三項に規定する位置情報無承諾取得等及び同条第四項に規定するストーカー行為を除く。）を反復して行つてはならない。この場合において、第一号から第三号まで及び第四号（電子メールの送信等（ストーカー行為等の規制等に関する法律第二条第二項に規定する電子メールの送信等をいう。以下同じ。）に係る部分に限る。）に掲げる行為については、身体の安全、住居等（住居、勤務先、学校その他その現に所在する場所又は通常所在する場所をいう。以下この項において同じ。）の平穏若しくは名誉が害され、又は行動の自由が著しく害される不安を覚えさせるような方法により行われる場合に限るものとする。
一　つきまとい、待ち伏せし、進路に立ちふさがり、住居等の付近において見張りをし、住居等に押し掛け、又は住居等の付近をみだりにうろつくこと。
二　その行動を監視していると思わせるような事項を告げ、又はその知り得る状態に置くこと。
三　著しく粗野又は乱暴な言動をすること。
四　連続して電話をかけて何も告げず、又は拒まれたにもかかわらず、連続して、電話をかけ、文書を送付し、ファクシミリ装置を用いて送信し、若しくは電子メールの送信等をすること。
五　汚物、動物の死体その他の著しく不快又は嫌悪の情を催させるような物を送付し、又はその知り得る状態に置くこと。
六　その名誉を害する事項を告げ、又はその知り得る状態に置くこと。
七　その性的羞恥心を害する事項を告げ若しくはその知り得る状態に置き、その性的羞恥心を害する文書、図画、電磁的記録（電子的方式、磁気的方式その他人の知覚によつては認識することができない方式で作られる記録であつて、電子計算機による情報処理の用に供されるものをいう。以下この号において同じ。）に係る記録媒体その他の物を送付し若しくはその知り得る状態に置き、又はその性的羞恥心を害する電磁的記録その他の記録を送信し若しくはその知り得る状態に置くこと。
八　その承諾を得ないで、その所持する位置情報記録・送信装置（当該装置の位置に係る位置情報（地理空間情報活用推進基本法（平成十九年法律第六十三号）第二条第一項第一号に規定する位置情報をいう。以下この号において同じ。）を記録し、又は送信する機能を有する装置で東京都公安委員会規則で定めるものをいう。以下この号及び次号において同じ。）（同号に規定する行為がされた位置情報記録・送信装置を含む。）により記録され、又は送信される当該位置情報記録・送信装置の位置に係る位置情報を東京都公安委員会規則で定める方法により取得すること。
九　その承諾を得ないで、その所持する物に位置情報

記録・送信装置を取り付けること、位置情報記録・送信装置を取り付けた物を交付することその他その移動に伴い位置情報記録・送信装置を移動し得る状態にする行為として東京都公安委員会規則で定める行為をすること。

2　警視総監又は警察署長は、前項の規定に違反する行為により被害を受けた者又はその保護者から、当該違反行為の再発の防止を図るため、援助を受けたい旨の申出があつたときは、東京都公安委員会規則で定めるところにより、当該申出をした者に対し、必要な援助を行うことができる。

3　本条の規定の適用に当たつては、都民の権利を不当に侵害しないように留意し、その本来の目的を逸脱して他の目的のためにこれを濫用するようなことがあつてはならない。

**（つきまとい行為等に係る情報提供の禁止）**

**第五条の三**　何人も、前条第一項の規定に違反する行為（以下この条において「つきまとい行為等」という。）をするおそれがある者であることを知りながら、その者に対し、当該つきまとい行為等の相手方の氏名、住所その他の当該つきまとい行為等の相手方に係る情報でつきまとい行為等をするために必要となるものを提供してはならない。

**（押売行為等の禁止）**

**第六条**　何人も、住居その他人の現在する建造物を訪れて、物品の販売若しくは買受け若しくは物品の加工若しくは修理、害虫の駆除、遊芸その他の役務の提供（以下この条において「販売等」という。）又は広告若しくは寄附の勧誘（以下この項において「広告等の勧誘」という。）を行うに当たり、次に掲げる行為をしてはならない。

一　犯罪の前歴を告げ、暴力的性行をほのめかし、住居、建造物、器物等にいたずらする等不安を覚えさせるような言動をすること。

二　販売等の申込み又は広告等の勧誘を断られたにもかかわらず、販売しようとする物品を展示し、買い受けようとする物品の提示を執ように要求し、座り込む等速やかにその場から立ち去らないこと。

三　依頼又は承諾がないのに物品の加工又は修理、害虫の駆除、遊芸その他の役務の提供を行つて、その対価を執ように要求すること。

四　身分、物品の内容その他の販売等の申込み又は広告等の勧誘に対する相手方の判断に重要な影響を及ぼすこととなる事実について、著しく誤解させるような表示又は言動をすること。

2　何人も、公共の場所において、不特定の者に対して販売等を行うに当たり、不安を覚えさせるような著しく粗野若しくは乱暴な言動をし、又は依頼若しくは承諾がないのに物品の加工若しくは修理、遊芸その他の役務の提供を行つてその対価を執ように要求してはならない。

**（不当な客引行為等の禁止）**

**第七条**　何人も、公共の場所において、不特定の者に対し、次に掲げる行為をしてはならない。

一　わいせつな見せ物、物品若しくは行為又はこれらを仮装したものの観覧、販売又は提供について、客引きをし、又は人に呼び掛け、若しくはビラその他の文書図画を配布し、若しくは提示して客を誘引すること。

二　売春類似行為をするため、公衆の目に触れるような方法で、客引きをし、又は客待ちをすること。

三　異性による接待（風適法第二条第三項に規定する接待をいう。以下同じ。）をして酒類を伴う飲食をさせる行為又はこれを仮装したものの提供について、客引きをし、又は人に呼び掛け、若しくはビラその他の文書図画を配布し、若しくは提示して客を誘引すること（客の誘引にあつては、当該誘引に係る異性による接待が性的好奇心をそそるために人の通常衣服で隠されている下着又は身体に接触し、又は接触させる卑わいな接待である場合に限る。）。

四　前三号に掲げるもののほか、人の身体又は衣服をとらえ、所持品を取りあげ、進路に立ちふさがり、身辺につきまとう等執ように客引きをすること。

五　次のいずれかに該当する役務に従事するように勧誘すること。

イ　人の性的好奇心に応じて人に接する役務（性的好奇心をそそるために人の通常衣服で隠されている下着又は身体に接触し、又は接触させる卑わいな役務を含む。以下同じ。）

ロ　専ら異性に対する接待をして酒類を伴う飲食をさせる役務（イに該当するものを除く。）

六　性交若しくは性交類似行為又は自己若しくは他人の性器等（性器、肛門又は乳首をいう。以下同じ。）を触り、若しくは他人に自己の性器等を触らせる行為に係る人の姿態であつて性欲を興奮させ、又は刺激するものをビデオカメラその他の機器を用いて撮影するための被写体となるように勧誘すること。

七　前二号に掲げるもののほか、人の身体又は衣服をとらえ、所持品を取りあげ、進路に立ちふさがり、身辺につきまとう等執ように役務に従事するように勧誘すること。

2　何人も、対償を供与し、又はその供与の約束をして、他人に前項の規定に違反する行為を行わせてはならない。

3　何人も、不当な客引行為等の状況を勘案してこの項の規定により第一項第一号に掲げる行為（客引きに限る。）、同項第三号に掲げる行為（性的好奇心をそそるために人の通常衣服で隠されている下着又は身体に接触し、又は接触させる卑わいな接待に係る客引きに限る。）又は同項第五号若しくは第六号に掲げる行為（以下この項において「客引き等」という。）の相手方となるべき者を待つ行為の規制を行う必要性が高いと認められるものとして東京都公安委員会が指定する東京都の区域内の公共の場所において、客引き等を行う目的で、公衆の目に触れるような方法で客引き等の相手方となるべき者を待つてはならない。

4　警察官は、前項の規定に違反する行為をしていると認められる者に対し、当該行為を中止することを命ずることができる。

5　本条の規定の適用に当たつては、都民の権利を不当に侵害しないように留意し、その本来の目的を逸脱して他の目的のためにこれを濫用するようなことがあつてはならない。

**（ピンクビラ等配布行為等の禁止）**

**第七条の二**　何人も、次に掲げる行為をしてはならない。

一　公共の場所において、次のいずれかに該当する写真若しくは絵又は文言を掲載し、かつ、電話番号等の連絡先を記載したビラ、パンフレットその他の物品（以下「ピンクビラ等」という。）を配布すること。

イ　性的好奇心をそそる、衣服を脱いだ人の姿態の写真又は絵

ロ　性的好奇心をそそる、人の水着姿等の写真又は絵であつて、人の性的好奇心に応じて人に接する役務の提供を表すもの

ハ　人の性的好奇心に応じて人に接する役務の提供を表す文言

二　公衆電話ボックス内、公衆便所内その他公衆の用に供する建築物内、公衆の見やすい屋外の場所又は公衆が出入りすることができる屋内の場所であつて公衆の用に供する屋外の場所から容易に見える場所に、ピンクビラ等をはり付けその他の方法により掲示し、又は配置すること。

三　みだりに人の住居等にピンクビラ等を配り、又は差し入れること。

2　何人も、前項各号のいずれかに掲げる行為を行う目的で、ピンクビラ等を所持してはならない。

3　何人も、対償を供与し、又はその供与の約束をして、他人に第一項の規定に違反する行為を行わせてはならない。

**（罰則）**

**第八条**　次の各号のいずれかに該当する者は、六月以下の拘禁刑又は五十万円以下の罰金に処する。

一　第二条の規定に違反した者

二　第五条第一項又は第二項の規定に違反した者（次項に該当する者を除く。）

2　次の各号のいずれかに該当する者は、一年以下の拘禁刑又は百万円以下の罰金に処する。

一　第五条第一項（第二号に係る部分に限る。）の規定に違反して撮影した者

二　第五条の二第一項の規定に違反した者

3　次の各号のいずれかに該当する者は、百万円以下の罰金に処する。

一　第七条第二項の規定に違反した者

二　前条第三項の規定に違反した者

4　次の各号のいずれかに該当する者は、五十万円以下の罰金又は拘留若しくは科料に処する。

一　第三条の規定に違反した者

二　第四条の規定に違反した者

三　第五条第三項又は第四項の規定に違反した者

四　第六条の規定に違反した者

五　第七条第一項の規定に違反した者

六　前条第一項の規定に違反した者

5　前条第二項の規定に違反した者は、三十万円以下の罰金又は拘留若しくは科料に処する。

6　第七条第四項の規定による警察官の命令に違反した者は、二十万円以下の罰金又は拘留若しくは科料に処する。

7　常習として第二項の違反行為をした者は、二年以下の拘禁刑又は百万円以下の罰金に処する。

8　常習として第一項の違反行為をした者は、一年以下の拘禁刑又は百万円以下の罰金に処する。

9　常習として第三項の違反行為をした者は、六月以下の拘禁刑又は百万円以下の罰金に処する。

10　常習として第四項の違反行為をした者は、六月以下の拘禁刑又は五十万円以下の罰金に処する。

**（両罰規定）**

**第九条**　法人の代表者又は法人若しくは人の代理人、使用人その他の従業者が、その法人又は人の業務に関し、前条第三項、第四項第五号若しくは第六号、第五項又は第六項の違反行為をしたときは、その行為者を罰するほか、その法人又は人に対し、同条の罰金刑を科する。

**付　則**

この条例は、公布の日から起算して三十日を経過した日から施行する。

附　則（令六・一〇・一一条例一五三）

1　この条例は、令和七年六月一日から施行する。

2　この条例の施行前にした行為に対する罰則の適用については、なお従前の例による。

## ○警視庁留置施設視察委員会の設置に関する条例

平一九・三・一六
条　例　七　六

最終改正　平二六・三・三一条例八七

（趣旨）

**第一条**　この条例は、刑事収容施設及び被収容者等の処遇に関する法律（平成十七年法律第五十号）第二十一条第四項の規定に基づき、留置施設視察委員会（以下「委員会」という。）の委員（以下「委員」という。）の定数及び任期その他委員会の組織及び運営に関し必要な事項を定めるものとする。

（委員会の名称）

**第二条**　委員会の名称は、警視庁留置施設視察委員会とする。

（委員の定数等）

**第三条**　委員の定数は、十人とする。

2　委員の任期は、一年とする。ただし、補欠の委員の任期は、前任者の残任期間とする。

3　委員は、三回に限り再任されることができる。

4　東京都公安委員会は、委員たるにふさわしくない非行があったときその他特別の理由がある場合は、任期中であっても、委員を解任することができる。

（委員長）

**第四条**　委員会に、委員長を置き、委員の互選により選任する。

2　委員長は、委員会の会務を総理し、委員会を代表する。

3　委員長に事故があるとき又は委員長が欠けたときは、委員長のあらかじめ指名する委員が、その職務を代理する。

（庶務）

**第五条**　委員会の庶務は、警視庁総務部留置管理第一課において処理する。

（委任）

**第六条**　この条例に定めるもののほか、委員会に関し必要な事項は、東京都公安委員会が定める。

附　則

この条例は、刑事施設及び受刑者の処遇等に関する法律の一部を改正する法律（平成十八年法律第五十八号）の施行の日〔平一九・六・一〕から施行する。

附　則（平二六・三・三一条例八七）

1　この条例は、平成二十六年四月一日から施行する。

2　この条例の施行の際、現にこの条例による改正前の警視庁留置施設視察委員会の設置に関する条例第三条第一項の委員である者の任期は、この条例による改正後の警視庁留置施設視察委員会の設置に関する条例第三条第二項の規定にかかわらず、平成二十六年五月三十一日までとする。

# ○東京都暴力団排除条例

平二三・三・一八
条例五四

最終改正　令六・一〇・一一条例一五九

## 第一章　総則

**（目的）**

**第一条**　この条例は、東京都（以下「都」という。）における暴力団排除活動に関し、基本理念を定め、都及び都民等の責務を明らかにするとともに、暴力団排除活動を推進するための措置、暴力団排除活動に支障を及ぼすおそれのある行為に対する規制等を定め、もって都民の安全で平穏な生活を確保し、及び事業活動の健全な発展に寄与することを目的とする。

**（定義）**

**第二条**　この条例において、次の各号に掲げる用語の意義は、それぞれ当該各号に定めるところによる。

一　暴力的不法行為等　暴力団員による不当な行為の防止等に関する法律（平成三年法律第七十七号。以下「法」という。）第二条第一号に規定する暴力的不法行為等をいう。

二　暴力団　法第二条第二号に規定する暴力団をいう。

三　暴力団員　法第二条第六号に規定する暴力団員をいう。

四　暴力団関係者　暴力団員又は暴力団若しくは暴力団員と密接な関係を有する者をいう。

五　規制対象者　次のいずれかに該当する者をいう。

イ　暴力団員

ロ　法第十一条の規定による命令を受けた者であって、当該命令を受けた日から起算して三年を経過しないもの（イに該当する者を除く。）

ハ　法第十二条又は第十二条の六の規定による命令を受けた者であって、当該命令を受けた日から起算して三年を経過しないもの

ニ　法第十二条の四第二項の規定による指示を受けた者であって、当該指示を受けた日から起算して三年を経過しないもの

ホ　暴力団員との間で、その所属する暴力団の威力を示すことが容認されることの対償として、金品その他の財産上の利益を供与すること（以下「利益供与」という。）を合意している者

ヘ　一の暴力団の威力を示すことを常習とする者で、当該暴力団の暴力団員が行った暴力的不法行為等若しくは法第八章に規定する罪に当たる違法な行為に共犯として加功し、又は暴力的不法行為等に係る罪のうち譲渡し若しくは譲受け若しくはこれらに類する形態の罪として東京都公安委員会規則（以下「公安委員会規則」という。）で定めるものに当たる違法な行為で当該暴力団の暴力団員を相手方とするものを行い刑に処せられたものであって、その執行を終わり、又は執行を受けることがなくなった日から起算して五年を経過しないもの

ト　一の暴力団の威力を示すことを常習とする者であって、当該暴力団の暴力団員がその代表者であり若しくはその運営を支配する法人その他の団体の役員若しくは使用人その他の従業者若しくは幹部その他の構成員又は当該暴力団の暴力団員の使用人その他の従業者

チ　第二十九条第一項第二号の規定により公表をされ、当該公表をされた日から起算して一年を経過しない者

六　都民等　都民及び事業者をいう。

七　事業者　事業（その準備行為を含む。以下同じ。）を行う法人その他の団体又は事業を行う場合における個人をいう。

八　青少年　十八歳未満の者をいう。

九　暴力団事務所　暴力団の活動の拠点となっている施設又は施設の区画された部分をいう。

十　暴力団排除活動　次条に規定する基本理念に基づき、暴力団員による不当な行為を防止し、及びこれにより都民の生活又は都の区域内の事業活動に生じた不当な影響を排除するための活動をいう。

十一　特定営業　次のいずれかに該当する営業をいう。

イ　風俗営業等の規制及び業務の適正化等に関する法律（昭和二十三年法律第百二十二号。以下「風適法」という。）第二条第一項に規定する風俗営業

ロ　風適法第二条第五項に規定する性風俗関連特殊営業

ハ　風適法第二条第十一項に規定する特定遊興飲食店営業

ニ　風適法第二条第十三項に規定する接客業務受託営業

ホ　設備を設けて客に飲食をさせる営業で食品衛生法（昭和二十二年法律第二百三十三号）第五十五条第一項の許可を受けて営むもの（風適法第二条第四項に規定する接待飲食等営業又は同条第十一

項に規定する特定遊興飲食店営業に該当するものを除く。）

へ　歓楽的雰囲気を過度に助長する風俗案内の防止に関する条例（平成十八年東京都条例第八十五号）第二条に規定する風俗案内を行うための施設を設けて、当該施設において、風俗案内を行う営業

ト　道路その他公共の場所において、不特定の者に対し、次に掲げる行為のいずれかを行う営業（イからへまでのいずれかに該当するものを除く。）

(1)　イからへまでのいずれかに該当する営業に関し、客引きをすること。

(2)　イからへまでのいずれかに該当する営業に関し、人に呼び掛け、又はビラその他の文書図画を配布し、若しくは提示して客を誘引すること。

(3)　イからへまでのいずれかに該当する営業に係る役務に従事するよう勧誘すること。

(4)　写真又は映像の被写体となる役務であって、対価を伴うものに従事するよう勧誘すること。

十二　特定営業者　特定営業を営む者をいう。

**（基本理念）**

**第三条**　暴力団排除活動は、暴力団が都民の生活及び都の区域内の事業活動に不当な影響を与える存在であるとの認識の下、暴力団と交際しないこと、暴力団を恐れないこと、暴力団に資金を提供しないこと及び暴力団を利用しないことを基本として、都、特別区及び市町村（以下「区市町村」という。）並びに都民等の連携及び協力により推進するものとする。

**（適用上の注意）**

**第四条**　この条例の適用に当たっては、都民等の権利を不当に侵害しないように留意しなければならない。

## 第二章　暴力団排除活動の推進に関する基本的施策等

**（都の責務）**

**第五条**　都は、都民等の協力を得るとともに、法第三十二条の三第一項の規定により東京都公安委員会（以下「公安委員会」という。）から東京都暴力追放運動推進センターとして指定を受けた公益財団法人暴力団追放運動推進都民センター（以下「暴追都民センター」という。）その他の暴力団排除活動の推進を目的とする機関又は団体（以下「暴追都民センター等」という。）との連携を図りながら、暴力団排除活動に関する施策を総合的に推進するものとする。

**（都の行政対象暴力に対する対応方針の策定等）**

**第六条**　都は、法第九条第二十一号から第二十七号までに掲げる行為（同条第二十五号に掲げる行為を除く。）その他の行政対象暴力（暴力団関係者が、不正な利益を得る目的で、地方公共団体等の行政機関又はその職員を対象として行う違法又は不当な行為をいう。）を防止し、都の職員の安全及び公務の適正かつ円滑な執行を確保するため、具体的な対応方針を定めることその他の必要な措置を講ずるものとする。

**（都の事務事業に係る暴力団排除措置）**

**第七条**　都は、公共工事その他の都の事務又は事業により、暴力団の活動を助長し、又は暴力団の運営に資することとならないよう、都が締結する売買、貸借、請負その他の契約（以下「都の契約」という。）及び公共工事における都の契約の相手方と下請負人との契約等都の事務又は事業の実施のために必要な都の契約に関連する契約（以下この条において「関連契約」という。）に関し、当該都の契約の相手方、代理又は媒介をする者その他の関係者が暴力団関係者でないことを確認するなど、暴力団関係者の関与を防止するために必要な措置を講ずるものとする。

2　都は、都の契約を書面により締結する場合には、次に掲げる内容の特約を契約書その他の書面に定めるものとする。

一　当該都の契約の相手方又は代理若しくは媒介をする者が暴力団関係者であることが判明した場合には、都は催告することなく当該都の契約を解除することができること。

二　関連契約の当事者又は代理若しくは媒介をする者が暴力団関係者であることが判明した場合には、都は当該都の契約の相手方に対し、当該関連契約の解除その他の必要な措置を講ずるよう求めることができること。

三　前号の規定により必要な措置を講ずるよう求めたにもかかわらず、当該都の契約の相手方が正当な理由なくこれを拒否した場合には、都は当該相手方を都の契約に関与させないことができること。

3　都は、前項第一号に掲げる内容の特約を定めた都の契約の相手方又は代理若しくは媒介をする者が暴力団関係者であることが判明した場合には、当該都の契約を解除するよう努めるとともに、当該相手方を都の契約に関与させないよう努めるものとする。

4　都は、第二項第二号及び第三号に掲げる内容の特約を定めた都の契約に係る関連契約の当事者又は代理若しくは媒介をする者が暴力団関係者であることが判明した場合には、当該都の契約の相手方に対し、当該関連契約の解除その他の必要な措置を講ずるよう求めるとともに、当該相手方が正当な理由なくこれを拒否し

たときは、当該相手方を都の契約に関与させないよう努めるものとする。

5　都は、前二項に規定する措置を講じた場合には、当該措置の理由、期間等を公表するとともに、国及び区市町村に対して通知するものとする。

**（広報及び啓発）**

**第八条**　都は、都民等が暴力団排除活動の重要性について理解を深めることにより暴力団排除活動の気運が醸成されるよう、暴追都民センター等と連携し、広報及び啓発を行うものとする。

**（都民等に対する支援）**

**第九条**　都は、都民等が暴力団排除活動に自主的に、かつ、相互に連携して取り組むことができるよう、暴追都民センター等と連携し、都民等に対し、情報の提供、助言その他の必要な支援を行うものとする。

**（青少年の教育等に対する支援）**

**第十条**　都は、青少年の教育又は育成に携わる者が第十六条に規定する措置を円滑に講ずることができるよう、暴追都民センター等と連携し、職員の派遣、情報の提供、助言その他の必要な支援を行うものとする。

**（区市町村との協力）**

**第十一条**　都は、区市町村が、暴力団排除活動のための施策を円滑に講ずることができるよう、情報の提供、助言その他の必要な協力を行うものとする。

**（暴力団からの離脱促進）**

**第十二条**　都は、暴力団員の暴力団からの離脱を促進するため、暴追都民センター等と連携し、情報の提供、指導、助言その他の必要な措置を講ずるよう努めるものとする。

**（請求の援助）**

**第十三条**　公安委員会は、暴力団事務所の使用の差止めの請求、暴力団員の犯罪行為により被害を受けた者の当該暴力団員に対する損害賠償請求その他の暴力団員に対する請求であって暴力団排除活動に資すると認められるものをし、又はしようとする者に対し、当該請求に関し、暴追都民センターと連携して、情報の提供その他の必要な援助を行うよう努めるものとする。

**（保護措置）**

**第十四条**　警視総監は、暴力団排除活動に取り組んだこと等により暴力団又は暴力団員から危害を受けるおそれがあると認められる者（以下「保護対象者」という。）に対し、警察官による警戒活動その他の保護対象者の安全で平穏な生活を確保するために必要な措置を講ずるものとする。

## 第三章　都民等の役割

**（都民等の責務）**

**第十五条**　都民等は、第三条に規定する基本理念に基づき、次に掲げる行為を行うよう努めるものとする。

一　暴力団排除活動に資すると認められる情報を知った場合には、都又は暴追都民センター等に当該情報を提供すること。

二　都が実施する暴力団排除活動に関する施策に参画又は協力すること。

三　暴力団排除活動に自主的に、かつ、相互に連携して取り組むこと。

**（青少年に対する措置）**

**第十六条**　青少年の教育又は育成に携わる者は、青少年が、暴力団が都民の生活等に不当な影響を与える存在であることを認識し、暴力団に加入せず、及び暴力団員による犯罪の被害を受けないよう、青少年に対し、指導、助言その他の必要な措置を講ずるよう努めるものとする。

**（祭礼等における措置）**

**第十七条**　祭礼、花火大会、興行その他の公共の場所に不特定又は多数の者が特定の目的のために一時的に集合する行事（第二十一条第四号において「祭礼等行事」という。）の主催者又はその運営に携わる者は、当該行事により暴力団の活動を助長し、又は暴力団の運営に資することとならないよう、当該行事の運営に暴力団又は暴力団員を関与させないなど、必要な措置を講ずるよう努めるものとする。

**（事業者の契約時における措置）**

**第十八条**　事業者は、その行う事業に係る契約が暴力団の活動を助長し、又は暴力団の運営に資することとなる疑いがあると認める場合には、当該事業に係る契約の相手方、代理又は媒介をする者その他の関係者が暴力団関係者でないことを確認するよう努めるものとする。

2　事業者は、その行う事業に係る契約を書面により締結する場合には、次に掲げる内容の特約を契約書その他の書面に定めるよう努めるものとする。

一　当該事業に係る契約の相手方又は代理若しくは媒介をする者が暴力団関係者であることが判明した場合には、当該事業者は催告することなく当該事業に係る契約を解除することができること。

二　工事における事業に係る契約の相手方と下請負人との契約等当該事業に係る契約に関連する契約（以下この条において「関連契約」という。）の当事者又は代理若しくは媒介をする者が暴力団関係者であることが判明した場合には、当該事業者は当該事業に係る契約の相手方に対し、当該関連契約の解除その他の必要な措置を講ずるよう求めることができること。

三　前号の規定により必要な措置を講ずるよう求めたにもかかわらず、当該事業に係る契約の相手方が正当な理由なくこれを拒否した場合には、当該事業者は当該事業に係る契約を解除することができること。

**（不動産の譲渡等における措置）**

**第十九条**　都内に所在する不動産（以下「不動産」という。）の譲渡又は貸付け（地上権の設定を含む。以下「譲渡等」という。）をする者は、当該譲渡等に係る契約を締結するに当たり、当該契約の相手方に対し、当該不動産を暴力団事務所の用に供するものでないことを確認するよう努めるものとする。

2　不動産の譲渡等をする者は、当該譲渡等に係る契約を書面により締結する場合には、次に掲げる内容の特約を契約書その他の書面に定めるよう努めるものとする。

一　当該不動産を暴力団事務所の用に供し、又は第三者をして暴力団事務所の用に供させてはならないこと。

二　当該不動産が暴力団事務所の用に供されていることが判明した場合には、当該不動産の譲渡等をした者は、催告することなく当該不動産の譲渡等に係る契約を解除し、又は当該不動産の買戻しをすることができること。

**（不動産の譲渡等の代理又は媒介における措置）**

**第二十条**　不動産の譲渡等の代理又は媒介をする者は、自己が譲渡等の代理又は媒介をする不動産が暴力団事務所の用に供されることとなることの情を知って、当該不動産の譲渡等に係る代理又は媒介をしないよう努めるものとする。

2　不動産の譲渡等の代理又は媒介をする者は、当該譲渡等をする者に対し、前条の規定の遵守に関し助言その他の必要な措置を講ずるよう努めるものとする。

## 第四章　禁止措置

**（妨害行為の禁止）**

**第二十一条**　何人も、次の各号のいずれかに該当する行為を、当該行為を行い、若しくは行おうとする者（当該行為に係る事務を行う者を含む。以下この条において「行為者」という。）又はその配偶者、直系若しくは同居の親族その他当該行為者と社会生活において密接な関係を有する者（以下「行為者等」という。）を威迫し、行為者等につきまとい、その他行為者等に不安を覚えさせるような方法で、妨害してはならない。

一　暴力団から離脱する意思を有する者又は離脱した者に対し、その離脱を援助するため、雇用機会を提供し、就労をあっせんし、又は住居若しくは資金の提供を行う行為

二　都民等が所有し、占有し、又は管理する施設のうち、不特定又は多数の者の利用に供するものであって、暴力団員による利用を制限しているものについて、暴力団員による利用を拒絶する行為

三　青少年が暴力団に加入すること又は青少年が暴力団員による犯罪の被害を受けることを防止するために指導、助言その他の必要な措置を行う行為

四　祭礼等行事について、暴力団又は暴力団員が当該行事の運営に関与すること又は当該行事に参加することを拒絶する行為

五　事業者が、その事業に係る契約において定められた第十八条第二項各号に掲げる内容の特約により、当該事業に係る契約を解除し、又は当該契約の相手方に対して必要な措置を講ずるよう求める行為

六　不動産の譲渡等をした者が、当該譲渡等に係る契約において定められた第十九条第二項第二号に掲げる内容の特約により、当該不動産の譲渡等に係る契約を解除し、又は当該不動産を買い戻す行為

七　不動産の譲渡等の代理又は媒介をする者が、当該不動産が暴力団事務所の用に供されることとなることの情を知った場合において、当該不動産の譲渡等の代理又は媒介をすることを拒絶する行為

八　第二十四条第一項又は第三項の規定により禁止されている利益供与を拒絶する行為

九　第二十五条第二項の規定により禁止されている自己の名義を利用させることを拒絶する行為

**（暴力団事務所の開設及び運営の禁止）**

**第二十二条**　暴力団事務所は、次に掲げる施設の敷地（これらの用に供せられるものと決定した土地を含む。）の周囲二百メートルの区域内において、これを開設し、又は運営してはならない。

一　学校教育法（昭和二十二年法律第二十六号）第一条に規定する学校（大学を除く。）又は同法第百二十四条に規定する専修学校（高等課程を置くものに限る。）

二　裁判所法（昭和二十二年法律第五十九号）第二条第一項に規定する家庭裁判所

三　児童福祉法（昭和二十二年法律第百六十四号）第七条第一項に規定する児童福祉施設若しくは同法第十二条第一項に規定する児童相談所又は東京都安全安心まちづくり条例（平成十五年東京都条例第百十四号）第七条の規定に基づき同法第七条に規定する児童福祉施設に類する施設として東京都規則で定めるもの

四　少年院法（平成二十六年法律第五十八号）第三条に規定する少年院
五　少年鑑別所法（平成二十六年法律第五十九号）第三条に規定する少年鑑別所
六　社会教育法（昭和二十四年法律第二百七号）第二十条に規定する公民館
七　図書館法（昭和二十五年法律第百十八号）第二条第一項に規定する図書館
八　博物館法（昭和二十六年法律第二百八十五号）第二条第一項に規定する博物館
九　更生保護法（平成十九年法律第八十八号）第二十九条に規定する保護観察所
十　前各号に掲げるもののほか、特にその周辺における青少年の健全な育成を図るための良好な環境を保全する必要がある施設として公安委員会規則で定めるもの

2　前項の規定は、同項の規定の施行又は適用の際に、現に運営されている暴力団事務所については、適用しない。ただし、一の暴力団のものとして運営されていた暴力団事務所が、他の暴力団のものとして開設され、又は運営される場合には、この限りでない。

**（青少年を暴力団事務所へ立ち入らせることの禁止）**

**第二十三条**　暴力団員は、正当な理由なく、青少年を自己が活動の拠点とする暴力団事務所に立ち入らせてはならない。

**（事業者の規制対象者等に対する利益供与の禁止等）**

**第二十四条**　事業者は、その行う事業に関し、規制対象者が次の各号のいずれかに該当する行為を行うこと又は行ったことの対償として、当該規制対象者又は当該規制対象者が指定した者に対して、利益供与をしてはならない。

一　暴力的不法行為等
二　当該規制対象者が暴力団員である場合において、当該規制対象者の所属する暴力団の威力を示して行う法第九条各号に掲げる行為
三　暴力団員が当該暴力団員の所属する暴力団の威力を示して行う法第九条各号に掲げる行為を行っている現場に立ち会い、当該行為を助ける行為

2　規制対象者は、事業者が前項の規定に違反することとなることの情を知って、当該事業者から利益供与を受け、又は当該事業者に当該規制対象者が指定した者に対する利益供与をさせてはならない。

3　事業者は、第一項に定めるもののほか、その行う事業に関し、暴力団の活動を助長し、又は暴力団の運営に資することとなることの情を知って、規制対象者又は規制対象者が指定した者に対して、利益供与をしてはならない。ただし、法令上の義務又は情を知らないでした契約に係る債務の履行としてする場合その他正当な理由がある場合には、この限りでない。

4　規制対象者は、事業者が前項の規定に違反することとなることの情を知って、当該事業者から利益供与を受け、又は当該事業者に当該規制対象者が指定した者に対する利益供与をさせてはならない。

**（他人の名義利用の禁止等）**

**第二十五条**　暴力団員は、自らが暴力団員である事実を隠蔽する目的で、他人の名義を利用してはならない。

2　何人も、暴力団員が前項の規定に違反することとなることの情を知って、暴力団員に対し、自己の名義を利用させてはならない。

## 第四章の二　暴力団排除特別強化地域

**（暴力団排除特別強化地域）**

**第二十五条の二**　この章において「暴力団排除特別強化地域」とは、暴力団排除活動を特に強力に推進する必要がある地域として別表に掲げる地域をいう。

**（特定営業者の禁止行為）**

**第二十五条の三**　特定営業者は、暴力団排除特別強化地域における特定営業の営業に関し、暴力団員から、用心棒の役務（業務を円滑に行うことができるようにするため顧客、従業者その他の関係者との紛争の解決又は鎮圧を行う役務をいう。以下同じ。）の提供を受けてはならない。

2　特定営業者は、暴力団排除特別強化地域における特定営業の営業に関し、暴力団員に対し、用心棒の役務の提供を受けることの対償として、又は当該営業を営むことを暴力団員が容認することの対償として利益供与をしてはならない。

**（暴力団員の禁止行為）**

**第二十五条の四**　暴力団員は、暴力団排除特別強化地域における特定営業の営業に関し、特定営業者に対し、用心棒の役務の提供をしてはならない。

2　暴力団員は、暴力団排除特別強化地域における特定営業の営業に関し、特定営業者から、用心棒の役務の提供をすることの対償として、又は当該営業を営むことを容認することの対償として利益供与を受けてはならない。

## 第五章　違反者に対する措置等

**（報告及び立入り）**

**第二十六条**　公安委員会は、この条例の施行に必要があると認める場合には、この条例の施行に必要な限度において、事業者、規制対象者その他の関係者に対し、報告若しくは資料の提出を求め、又は警察職員に事業

所、暴力団事務所その他の施設に立ち入り、帳簿、書類その他の物件を検査させ、若しくは関係者に質問させることができる。

2　前項の規定による立入検査をする警察職員は、その身分を示す証明書を携帯し、関係者に提示しなければならない。

3　第一項の規定による立入検査の権限は、犯罪捜査のために認められたものと解してはならない。

（勧告）

**第二十七条**　公安委員会は、第二十四条又は第二十五条の規定に違反する行為があると認める場合には、当該行為を行った者に対し、第二十四条又は第二十五条の規定に違反する行為が行われることを防止するために必要な措置をとるよう勧告をすることができる。

（適用除外）

**第二十八条**　第二十四条第三項又は第二十五条第二項の規定に違反する行為を行った者が、前条の規定により公安委員会が勧告を行う前に、公安委員会に対し、当該行為に係る事実の報告又は資料の提出を行い、かつ、将来にわたってそれぞれ違反する行為の態様に応じて第二十四条第三項又は第二十五条第二項の規定に違反する行為を行わない旨の書面を提出した場合には、前条の規定を適用しない。

（公表）

**第二十九条**　公安委員会は、次の各号のいずれかに該当する場合には、その旨を公表することができる。

一　第二十三条の規定に違反する行為を行った者が、次条第三項又は第四項の規定による命令を受けた場合

二　第二十四条第一項又は第二項の規定に違反した事実に基づき第二十七条の規定による勧告を受けた者が、当該勧告を受けた日から起算して一年以内に、正当な理由なく、再び第二十四条第一項又は第二項の規定に違反する行為を行った場合

三　第二十四条第一項又は第二項の規定に違反した事実に基づき第二十七条の規定による勧告を受けた者が、当該勧告を受けた日から起算して一年以内に、正当な理由なく、第二十四条第三項の規定に違反して、相当の対償のない利益供与その他の不当に優先的な利益供与をした場合、又は同条第四項の規定に違反して、相当の対償のない利益供与その他の不当に優先的な利益供与を受け、若しくはさせた場合

四　第二十四条第三項又は第四項の規定に違反した事実に基づき第二十七条の規定による勧告を受けた者が、当該勧告を受けた日から起算して一年以内に、正当な理由なく、第二十四条第一項又は第二項の規定に違反する行為を行った場合

五　第二十四条第三項又は第四項の規定に違反した事実に基づき第二十七条の規定による勧告を受けた者が、当該勧告を受けた日から起算して一年以内に、正当な理由なく、第二十四条第三項の規定に違反して、相当の対償のない利益供与その他の不当に優先的な利益供与をした場合、又は同条第四項の規定に違反して、相当の対償のない利益供与その他の不当に優先的な利益供与を受け、若しくはさせた場合

六　第二十五条の規定に違反した事実に基づき第二十七条の規定による勧告を受けた者が、当該勧告を受けた日から起算して一年以内に、正当な理由なく、再び第二十五条の規定に違反する行為を行った場合

七　第二十六条第一項の規定により、報告若しくは資料の提出を求められ、又は立入りを受けた者が、同項の報告をせず、若しくは資料を提出せず、若しくは同項の報告若しくは資料の提出について虚偽の報告をし、若しくは虚偽の資料を提出し、又は同項の立入検査を拒み、妨げ、若しくは忌避した場合

八　前条の規定による事実の報告又は資料の提出を行い、かつ、将来にわたって第二十四条第三項又は第二十五条第二項の規定に違反する行為を行わない旨の書面を提出した者が、前条の報告若しくは資料の提出について虚偽の報告をし、若しくは虚偽の資料を提出し、又はそれぞれ提出した当該書面の内容に反して再び第二十四条第三項若しくは第二十五条第二項の規定に違反する行為を行った場合

2　公安委員会は、前項の規定による公表をする場合には、青少年の氏名、住居、容貌等が推知されることのないよう必要な配慮をしなければならない。

3　公安委員会は、第一項の規定による公表をする場合には、当該公表に係る者に対し、意見を述べる機会を与えなければならない。

（命令）

**第三十条**　公安委員会は、第二十一条の規定に違反する行為を行っている者に対し、当該行為を中止することを命じ、又は当該行為が中止されることを確保するために必要な事項を命ずることができる。

2　公安委員会は、第二十一条の規定に違反する行為を行った者が、行為者等の生命、身体又は財産に危害を加える方法で同条の規定に違反する行為を行うおそれがあると認める場合には、当該行為を行った者に対し、一年を超えない範囲内で期間を定めて、同条の規定に違反する行為を防止するために必要な事項を命ずることができる。

3　公安委員会は、第二十三条の規定に違反する行為を行っている者に対し、当該行為を中止することを命

じ、又は当該行為が中止されることを確保するために必要な事項を命ずることができる。

4 公安委員会は、第二十三条の規定に違反する行為を行った者が、更に同条の規定に違反する行為を行うおそれがあると認める場合には、当該行為を行った者に対し、一年を超えない範囲内で期間を定めて、同条の規定に違反する行為を防止するために必要な事項を命ずることができる。

5 公安委員会は、前条第一項第二号の規定による公表に係る者が、当該公表の日から起算して一年以内に、更に第二十四条第一項又は第二項の規定に違反する行為を行った場合には、当該行為を行った者に対し、一年を超えない範囲内で期間を定めて、同条第一項又は第二項の規定に違反する行為を防止するために必要な事項を命ずることができる。

## 第六章 雑則

（委任）

**第三十一条** この条例に定めるもののほか、この条例の施行に関し必要な事項は、公安委員会規則で定める。

（公安委員会の事務の委任）

**第三十二条** 公安委員会は、第三十条第一項又は第三項の規定による命令を警察署長に行わせることができる。

## 第七章 罰則

（罰則）

**第三十三条** 次の各号のいずれかに該当する者は、一年以下の拘禁刑又は五十万円以下の罰金に処する。

一 第二十二条第一項の規定に違反して暴力団事務所を開設し、又は運営した者

二 第三十条第一項、第二項又は第五項の規定による命令に違反した者

三 相手方が暴力団員であることの情を知って、第二十五条の三の規定に違反した者

四 第二十五条の四の規定に違反した者

2 第三十条第三項又は第四項の規定による命令に違反した者は、六月以下の拘禁刑又は五十万円以下の罰金に処する。

3 第一項第三号の罪を犯した者が自首した場合には、その刑を減軽し、又は免除することができる。

（両罰規定）

**第三十四条** 法人（法人でない団体で代表者又は管理人の定めのあるものを含む。以下この項において同じ。）の代表者若しくは管理人又は法人若しくは人の代理人、使用人その他の従業者が、その法人又は人の業務に関し、前条の違反行為を行った場合には、行為者を罰するほか、その法人又は人に対しても、同条の罰金刑を科する。

2 法人でない団体について前項の規定の適用がある場合には、その代表者又は管理人がその訴訟行為につき法人でない団体を代表するほか、法人を被告人又は被疑者とする場合の刑事訴訟に関する法律の規定を準用する。

### 附 則

（施行期日）

**第一条** この条例は、平成二十三年十月一日から施行する。

（検討）

**第二条** この条例の施行後五年以内に、この条例の施行の状況について検討を加え、必要があると認める場合には、その結果に基づいて所要の措置を講ずるものとする。

### 附 則（令六・一〇・一一条例一五九）

1 この条例は、令和七年六月一日から施行する。

2 この条例の施行前にした行為に対する罰則の適用については、なお従前の例による。

**別表**（第二十五条の二関係）

| 区・市 | 町名 |
| --- | --- |
| 千代田区 | 内神田三丁目、鍛冶町一丁目、鍛冶町二丁目、神田鍛冶町三丁目 |
| 中央区 | 銀座六丁目、銀座七丁目、銀座八丁目 |
| 港区 | 赤坂二丁目、赤坂三丁目、麻布十番一丁目、麻布十番二丁目、新橋一丁目、新橋二丁目、新橋三丁目、新橋四丁目、六本木三丁目、六本木四丁目、六本木五丁目、六本木六丁目、六本木七丁目 |
| 新宿区 | 大久保一丁目、大久保二丁目、歌舞伎町一丁目、歌舞伎町二丁目、新宿二丁目、新宿三丁目、新宿四丁目、新宿五丁目、高田馬場一丁目、高田馬場二丁目、高田馬場三丁目、高田馬場四丁目、西新宿一丁目、西新宿七丁目、百人町一丁目、百人町二丁目 |
| 文京区 | 湯島三丁目 |
| 台東区 | 浅草一丁目、浅草二丁目、浅草三丁目、浅草四丁目、浅草五丁目、上野二丁目、上野四丁目、上野六丁目、千束三丁目、千束四丁目、西浅草三丁目、根岸一丁目、根岸二丁目、根岸三丁目 |
| 墨田区 | 錦糸一丁目、錦糸二丁目、錦糸三丁目、錦糸四丁目、江東橋一丁目、江東橋二丁目、江東橋三丁目、江東橋四丁目 |
| 品川区 | 西五反田一丁目、西五反田二丁目、東五反田一丁目、東五反田二丁目、南大井三丁目、南大井六丁目 |
| 大田区 | 大森北一丁目、大森北二丁目、蒲田五丁目、西蒲田五丁目、西蒲田七丁目 |
| 渋谷区 | 宇田川町、恵比寿一丁目、恵比寿西一丁目、恵比寿南一丁目、桜丘町、神南一丁目、道玄坂一丁目、道玄坂二丁目、円山町 |
| 中野区 | 中野二丁目、中野五丁目 |
| 杉並区 | 阿佐谷北二丁目、阿佐谷南二丁目、阿佐谷南三丁目、高円寺北二丁目、高円寺北三丁目、高円寺南三丁目、高円寺南四丁目 |
| 豊島区 | 池袋一丁目、池袋二丁目、北大塚一丁目、北大塚二丁目、巣鴨一丁目、巣鴨二丁目、巣鴨三丁目、西池袋一丁目、西池袋三丁目、東池袋一丁目、南池袋一丁目、南大塚一丁目、南大塚二丁目、南大塚三丁目 |
| 北区 | 赤羽一丁目、赤羽二丁目、赤羽南一丁目 |
| 荒川区 | 東日暮里五丁目、東日暮里六丁目 |
| 足立区 | 千住一丁目、千住二丁目、千住三丁目 |
| 葛飾区 | 亀有三丁目、亀有五丁目 |
| 江戸川区 | 西小岩一丁目、南小岩七丁目、南小岩八丁目 |
| 八王子市 | 旭町、東町、寺町、中町、三崎町 |
| 立川市 | 曙町二丁目、柴崎町二丁目、柴崎町三丁目、錦町一丁目、錦町二丁目 |
| 武蔵野市 | 吉祥寺本町一丁目、吉祥寺本町二丁目、吉祥寺南町一丁目、吉祥寺南町二丁目 |
| 町田市 | 原町田一丁目、原町田四丁目、原町田六丁目、森野一丁目 |

# ○東京都水上安全条例

平三〇・三・三〇
条例四六

最終改正　令六・一〇・一一条例一五二

## 第一章　総則

（目的）

**第一条**　この条例は、水上における船舶交通に関する秩序を確立するとともに、船舶の航行に起因する障害及び危険を防止することにより、安全かつ快適な水上及び水辺の環境を実現することを目的とする。

（定義）

**第二条**　この条例において、次の各号に掲げる用語の意義は、それぞれ当該各号に定めるところによる。

一　水上　船舶が航行することができる東京都（以下「都」という。）の区域内の河川の水面（島しょにおけるもの及び港則法（昭和二十三年法律第百七十四号）が適用されるものを除く。）並びに港則法施行規則（昭和二十三年運輸省令第二十九号）別表第一に規定する京浜港東京区の港域内海面及び水面並びに同令別表第二に規定する京浜港の東京東航路及び東京西航路の区域内海面をいう。

二　水路　水上のうち、港則法が適用されない水面をいう。

三　沿岸　水上に沿った陸地をいう。

四　水辺　沿岸及びその周辺の水上をいう。

五　水域　水上の一定の区域をいう。

六　船舶　水上輸送の用に供する船舟類をいう。

七　小型船舶　船舶職員及び小型船舶操縦者法（昭和二十六年法律第百四十九号）第二条第四項の小型船舶をいう。

八　プレジャーボート　小型船舶のうち、水上オートバイ、ヨット、モーターボートその他の動力船（推進機関を有する船舶をいう。）であって、専らレクリエーションその他の余暇を利用して行う活動の用に供されるものをいう。

九　水上標識　船舶の航行に関し、規制又は指示を表示する標示物をいう。

（都の責務）

**第三条**　都は、この条例の目的を達するため、国、地方公共団体その他関係団体と相互に連携し、及び協力して、必要な施策を講ずるものとする。

（都民の責務）

**第四条**　都民は、都が講ずる前条の施策に協力するよう努めるものとする。

（警察官の質問等）

**第五条**　警察官は、この条例の目的を達するため、必要があると認めるときは、水上を航行する船舶に対し、その航行を停止させ、船舶の操縦者及び乗組員に対し、必要な質問をすることができる。

## 第二章　船舶の航法等

（右側航行）

**第六条**　水路を航行する船舶は、水路の右側端に寄って航行しなければならない。ただし、障害物を回避するときその他やむを得ないときは、この限りでない。

（停泊等の制限）

**第七条**　船舶は、水路において、みだりに他の船舶の航行の妨害となるおそれのある場所に停泊し、又は停留してはならない。

（工作物の突端等又は停泊船舶付近の航法）

**第八条**　船舶は、水路において、工作物の突端、桟橋又は停泊中の船舶を右舷に見て航行するときは、できるだけこれに近寄り、左舷に見て航行するときは、できるだけこれに遠ざかって航行しなければならない。

（灯火）

**第九条**　水路を航行する船舶（海上衝突予防法（昭和五十二年法律第六十二号。以下「予防法」という。）第二十三条に規定する航行中の動力船を除く。）は、日没から日出までの間又は霧、もや等の事由により視界が制限されている状態のときは、白色の携帯電灯又は点火した白灯を周囲から最も見えやすい場所に表示しなければならない。ただし、予防法第二十条第一項に規定する法定灯火を表示しているときは、この限りでない。

（救命胴衣の着用）

**第十条**　何人も、水上において、船舶安全法（昭和八年法律第十一号）第二条第二項に規定する船舶に乗船する際には、東京都公安委員会規則（以下「公安委員会規則」という。）で定めるときを除き、救命胴衣を着用するよう努めなければならない。

## 第三章　小型船舶の操縦者

（小型船舶の操縦者の遵守事項）

**第十一条**　小型船舶の操縦者は、水上において、次に掲げる事項を遵守しなければならない。

一　自船の航行に起因する引き波（船舶の航行に伴い、当該船舶の後方に生ずる波をいう。）又は水しぶきにより、みだりに他の船舶の乗船者に迷惑を及ぼさないこと。

二　水辺（沿岸を除く。）を航行するときは、海難を避けようとする等やむを得ないときを除き、周辺住民等の平穏な生活環境に配慮し、静穏を保持するために必要と認められる速力及び方法によること。

三　工事、作業等を実施している水域又は係留されている船舶の付近を航行するときは、減速した上で、当該水域又は当該船舶から離れて航行する等の安全な方法によること。

**（酒気帯び操縦の禁止）**

**第十二条**　何人も、水上において、酒気を帯びて小型船舶を操縦してはならない。

**（警察官の措置）**

**第十三条**　警察官は、小型船舶に乗船し、又は乗船しようとしている者が、前条の規定に違反して小型船舶を操縦するおそれがあると認められるときは、次項の規定による措置に関し、その者が身体に保有しているアルコールの程度について調査するため、公安委員会規則で定めるところにより、その者の呼気の検査をすることができる。

2　警察官は、前項の検査を行った場合において、当該小型船舶の操縦者が前条の規定に違反して小型船舶を操縦するおそれがあるときは、その者が正常な操縦ができる状態になるまで小型船舶を操縦してはならない旨を指示する等、水上における危険を防止するため必要な応急の措置をとることができる。

**（危険操縦の禁止）**

**第十四条**　小型船舶の操縦者は、みだりに水上において、次の各号のいずれかに該当する操縦をしてはならない。

一　他の船舶との間に安全な距離を保たないで、当該船舶の進路を横切ること。

二　他の船舶との間に安全な距離を保たないで、蛇行し、又は急に転回すること。

三　前二号に掲げるもののほか、他の船舶との衝突の危険を生じさせるような方法で、当該船舶に接近すること。

## 第四章　公安委員会による航行制限等

**（公安委員会による航行制限等）**

**第十五条**　東京都公安委員会（以下「公安委員会」という。）は、この条例の目的を達するため、必要があると認めるときは、水上標識を設置し、及び管理して、水上において船舶の航行を制限し、又は禁止することができる。

2　公安委員会は、前項の規定により、船舶の航行を制限し、又は禁止しようとするときは、次に掲げる事項を告示するものとする。

一　対象とする水域

二　対象とする船舶の種類

三　航行を制限し、又は禁止する内容

四　航行を制限し、又は禁止する期間

五　航行を制限し、又は禁止する理由

3　公安委員会は、水路以外の水上において、第一項の規定により、船舶の航行を制限し、又は禁止しようとするときは、あらかじめ港長と協議するものとする。

4　第一項の水上標識の種類、様式、設置場所その他水上標識について必要な事項は、公安委員会規則で定める。

**（水上標識の移動等の禁止）**

**第十六条**　何人も、みだりに前条第一項の規定により公安委員会が設置した水上標識を移動し、又はその効用を妨げる行為をしてはならない。

## 第五章　水路使用の許可

**（水路使用の許可）**

**第十七条**　水路において、次に掲げる行為をしようとする者は、当該行為に係る水路を管轄する警察署長（以下「所轄警察署長」という。）の許可（当該水路が二以上の警察署長の管轄にわたるときは、そのいずれかの所轄警察署長の許可）を受けなければならない。

一　工事又は作業

二　花火大会

三　前二号に掲げるもののほか、船舶交通の妨害となるおそれがある行為として公安委員会規則で定めるもの

2　前項の許可の申請があった場合において、当該申請に係る行為が次の各号のいずれかに該当するときは、所轄警察署長は、許可をしなければならない。

一　船舶交通の妨害となるおそれがないと認められるとき。

二　次項の規定により付された条件に従って行われることにより、船舶交通の妨害となるおそれがなくなると認められるとき。

三　船舶交通の妨害となるおそれがあるが、公益上又は社会の慣習上やむを得ないと認められるとき。

3　所轄警察署長は、第一項の規定による許可をする場合において、必要があると認めるときは、当該許可に係る行為が前項第一号に該当する場合を除き、当該許可に船舶交通の安全のために必要な条件を付することができる。

4　所轄警察署長は、第一項の規定による許可をした後において、船舶交通の安全のため特別の必要が生じたときは、前項の規定により付した条件を変更し、又は

新たに条件を付することができる。

5　所轄警察署長は、第一項の規定による許可を受けた者が前二項の規定による条件に違反したとき、又は船舶交通の安全のため特別の必要が生じたときは、その許可を取り消し、又はその許可の効力を停止することができる。

6　所轄警察署長は、第三項又は第四項の規定による条件に違反した者について前項の処分をしようとするときは、当該処分に係る者に対し、あらかじめ、弁明をなすべき日時、場所及び当該処分をしようとする理由を通知して、当該事案について弁明及び有利な証拠の提出の機会を与えなければならない。ただし、船舶交通の安全のため緊急やむを得ない場合は、この限りでない。

7　第一項の規定による許可を受けた者は、当該許可の期間が満了したとき又は第五項の規定により当該許可が取り消されたときは、速やかに水路を原状に回復する措置を講じなければならない。

8　第四項の規定による条件の変更及び新たな条件の付加並びに第五項の規定による許可の取消し及び効力の停止については、東京都行政手続条例（平成六年東京都条例第百四十二号）第三章（第十二条及び第十四条を除く。）の規定は、適用しない。

**（許可の手続等）**

**第十八条**　前条第一項の規定による許可を受けようとする者は、公安委員会規則で定める事項を記載した申請書を所轄警察署長に提出しなければならない。

2　所轄警察署長は、前条第一項の規定による許可をしたときは、許可証を交付しなければならない。

3　前項の規定による許可証の交付を受けた者で、当該許可証の記載事項に変更が生じたときは、所轄警察署長に届け出て、許可証に当該変更に係る事項の記載を受けなければならない。

4　第二項の規定による許可証の交付を受けた者は、当該許可証を亡失し、滅失し、著しく汚損し、又は破損したときは、所轄警察署長に許可証の再交付を申請することができる。

5　第一項の申請書の様式及び第二項の許可証の様式並びに前条第一項の申請の手続、第三項の届出の手続及び前項の申請の手続について必要な事項は、公安委員会規則で定める。

## 第六章　マリーナ事業者

**（事業の届出）**

**第十九条**　都の区域内において、利用者の求めに応じてプレジャーボートを係留し、若しくは保管する事業又は賃貸その他の方法により提供する事業（以下「マリーナ事業」という。）を営もうとする者は、マリーナ事業を開始しようとする日の十日前までに、設置するマリーナ事業の事業所（以下「事業所」という。）ごとに、公安委員会に届け出なければならない。

2　前項の規定による届出をした者は、当該届出に係る事項に変更が生じたとき又は当該届出に係るマリーナ事業を廃止したときは、その日から起算して十日以内に、その旨を公安委員会に届け出なければならない。

3　前二項に規定する届出の方法その他必要な事項は、公安委員会規則で定める。

**（マリーナ事業者の遵守事項）**

**第二十条**　マリーナ事業を営む者（以下「マリーナ事業者」という。）は、次に掲げる措置を講じなければならない。

一　マリーナ事業者が利用者の求めに応じて係留し、若しくは保管するプレジャーボート又は賃貸その他の方法により提供するプレジャーボートを利用する者（以下「プレジャーボート利用者」という。）に対し、第十一条、第十二条、第十四条及び第二十三条に規定する事項を遵守するよう指導すること。

二　前号に掲げる指導内容を記載した掲示物を作成し、事業所の見やすい場所に掲示すること。

三　プレジャーボート利用者に対し、気象及び海上の状況その他安全な航行に必要な情報を提供すること。

四　プレジャーボートの操縦に当たって、法令で資格を必要とするときは、当該資格の有無を確認し、当該資格を有しない者にはプレジャーボートを利用させないこと。

五　船舶の航行による人の死傷又は物の損壊（以下「事故」という。）が発生した場合において直ちに利用できるような方法で、救命浮環及びロープを事業所に備えておくこと。

六　プレジャーボート利用者の氏名、年齢、性別及び連絡先並びに操縦免許証番号、船舶登録番号及び航行期間を記載した名簿を作成し、事業所に備えておくこと。

**（指示）**

**第二十一条**　公安委員会は、マリーナ事業者が前条による措置を講じていないと認めるときは、当該マリーナ事業者に対し、相当の期限を定めて、当該措置を講ずべきことを指示することができる。

**（報告及び立入り）**

**第二十二条**　公安委員会は、この条例の施行に必要な限度において、マリーナ事業者に対し、その業務に関して報告又は資料の提出を求めることができる。

2　警察職員は、この条例の施行に必要な限度において、事業所その他の施設に立ち入り、書類その他の物件を検査し、又は関係者に質問することができる。

3　前項の規定により警察職員が立ち入るときは、その身分を示す証明書を携帯し、関係者に提示しなければならない。

4　第二項の規定による権限は、犯罪捜査のために認められたものと解してはならない。

## 第七章　雑則

**（事故発生時の措置）**

**第二十三条**　水上において、事故が発生したときは、当該事故の当事者である船舶の操縦者その他乗組員は、直ちに負傷者を救護し、水上における危険を防止する等必要な措置を講じなければならない。この場合において、当該船舶の操縦者（操縦者が死亡し、又は負傷したためやむを得ない場合は、その他乗組員。次項において同じ。）は、遅滞なく当該事故の概要及び講じた措置について警察官に通報しなければならない。

2　前項後段の規定にかかわらず、当該船舶の操縦者は、港則法第二十四条による報告又は海洋汚染等及び海上災害の防止に関する法律（昭和四十五年法律第百三十六号）第三十八条第一項、第二項若しくは第五項、第四十二条の二第一項、第四十二条の三第一項若しくは第四十二条の四の二第一項の規定による通報をしたときは、警察官に通報することを要しない。

3　前二項に規定する場合のほか、船舶の操縦者は、水上における事故の発生を知ったときは、速やかに警察官に通報しなければならない。

**（経過措置）**

**第二十四条**　この条例の規定に基づき公安委員会規則を制定し、又は改廃するときは、その公安委員会規則で、その制定又は改廃に伴い合理的に必要と判断される範囲において、所要の経過措置（罰則に関する経過措置を含む。）を定めることができる。

**（委任）**

**第二十五条**　この条例に定めるもののほか、この条例の施行に関して必要な事項は、公安委員会規則で定める。

## 第八章　罰則

**（罰則）**

**第二十六条**　次の各号のいずれかに該当する者は、三月以下の拘禁刑又は五十万円以下の罰金に処する。

一　第十二条の規定に違反して小型船舶を操縦した者で、その操縦をした場合において酒に酔った状態（アルコールの影響により正常な操縦ができないおそれがある状態をいう。）にあったもの

二　第十四条の規定に違反して小型船舶を操縦した者

三　第二十三条第一項前段に規定する必要な措置を講じなかった者

2　次の各号のいずれかに該当する者は、三月以下の拘禁刑又は三十万円以下の罰金に処する。

一　第十五条第一項の規定により公安委員会が設置し、及び管理する水上標識による船舶の航行の制限又は禁止に違反して船舶を操縦した者

二　第十六条の規定に違反した者

三　第十七条第一項の規定に違反した者

四　第十七条第三項の規定により所轄警察署長が付し、又は同条第四項の規定により所轄警察署長が変更し、若しくは新たに付した条件に違反した者

3　次の各号のいずれかに該当する者は、三十万円以下の罰金に処する。

一　第十二条の規定に違反して小型船舶を操縦した者で、その操縦をした場合において身体に公安委員会規則で定める程度以上にアルコールを保有する状態にあったもの

二　第十七条第七項の規定に違反した者

4　次の各号のいずれかに該当する者は、二十万円以下の罰金に処する。

一　第十三条第一項の規定による警察官の検査を拒み、又は妨げた者

二　第十九条第一項の規定による届出をせずにマリーナ事業を営んだ者又はマリーナ事業の開始について虚偽の届出をした者

三　第十九条第二項の規定による変更事項の届出をせずにマリーナ事業を営んだ者又は変更事項について虚偽の届出をした者

四　第二十一条の規定による指示に従わなかった者

五　第二十二条第一項の規定による報告若しくは資料の提出を拒み、若しくは同項の規定による報告若しくは資料の提出について虚偽の報告をし、若しくは虚偽の資料を提出し、又は同条第二項の規定による当該職員の質問に対して答弁をせず、若しくは虚偽の答弁をし、若しくは同項の規定による立入り若しくは検査を拒み、妨げ、若しくは忌避した者

六　第二十三条第一項後段に規定する通報をしなかった者

5　第十八条第三項の規定に違反した者は、十万円以下の罰金に処する。

**（両罰規定）**

**第二十七条**　法人の代表者又は法人若しくは人の代理人、使用人その他の従業者が、その法人又は人の業務

に関し、前条第二項第三号若しくは第四号、同条第三項第二号、同条第四項第二号若しくは第三号又は同条第五項の違反行為をしたときは、その行為者を罰するほか、その法人又は人に対し、同条の罰金刑を科する。

附　則

（施行期日）

1　この条例は、平成三十年七月一日から施行する。

（経過措置）

2　この条例の施行前にこの条例による改正前の東京都水上取締条例の規定によりなされた公安委員会の命令、許可の取消し及び変更、警察署長の許可（この条例の施行前になされた申請に係るこの条例の施行後における許可を含む。）、警察署長に対する届出並びに警察官の指示、信号、承認、指揮及び命令の効力については、なお従前の例による。

3　この条例の施行の際、現にマリーナ事業を営んでいる者については、この条例第十九条第一項に規定するマリーナ事業を営もうとする者とみなして、同項の規定を適用する。この場合において、同項中「マリーナ事業を開始しようとする日の十日前」とあるのは「平成三十年八月三十一日」とする。

4　この条例の施行前にした行為に対する罰則の適用については、なお従前の例による。

（準備行為）

5　マリーナ事業の営業に関し必要な届出その他の手続は、この条例の施行前においても行うことができる。

附　則（令六・一〇・一一条例一五二）

1　この条例は、令和七年六月一日から施行する。

2　この条例の施行前にした行為に対する罰則の適用については、なお従前の例による。

# 第二章　消　防

## ○東京消防庁の設置等に関する条例

昭三八・七・二五
条　例　五　二

最終改正　令四・一二・二三条例一四二

（趣旨）

**第一条**　消防組織法（昭和二十二年法律第二百二十六号。以下「法」という。）第十条第一項に規定する消防本部及び消防署の設置、位置及び名称並びに消防署の管轄区域並びに法第十五条第二項の規定による消防総監及び消防署長の職に必要な消防に関する知識及び経験を有する者の資格については、この条例の定めるところによる。

（消防本部の設置、位置及び名称）

**第二条**　法第九条第一号の規定に基き、消防本部を設置する。

2　前項の消防本部の位置及び名称は、次のとおりとする。

位　置　東京都千代田区大手町一丁目三番五号
名　称　東京消防庁

（消防署の設置、位置、名称及び管轄区域）

**第三条**　法第九条第二号の規定に基き、消防署を設置する。

2　前項の消防署の位置、名称及び管轄区域は、別表のとおりとする。

（消防総監及び消防署長の職に必要な資格）

**第四条**　消防総監の職に必要な資格は、消防行政に関する高度な知識及び経験を有するとともに、現に消防吏員として消防事務に従事し、かつ、消防署長の職に一年以上あつたこととする。

2　消防署長の職に必要な資格は、消防行政に関する高度な知識及び経験を有するとともに、現に消防吏員として消防事務に従事し、かつ、消防司令以上の階級に一年以上あつたこととする。

**付　則**

1　この条例は、公布の日から施行する。ただし、東京消防庁大井消防署に関する事項については、昭和三十八年八月一日から施行する。

2　前項ただし書の規定により昭和三十八年八月一日から東京消防庁大井消防署の管轄区域となるべき区域については、この条例の施行の日から昭和三十八年七月三十一日までの間は、東京消防庁品川消防署の管轄区域とする。

3　この条例施行の際現に置かれている消防本部及び消防署は、この条例に基く消防本部及び消防署となり、同一性をもつて存続するものとみなす。

**附　則**（令四・一二・二三条例一四二）

この条例は、令和五年二月十六日から施行する。

**別表**〔略〕

## ○東京消防庁の組織等に関する規則

昭三八・七・二五
規　則　九　五

最終改正　令六・二・二九規則四一

（趣旨）

**第一条**　東京消防庁の組織及び消防吏員の階級等については、この規則の定めるところによる。

（分課）

**第二条**　東京消防庁に次の部、課、室、工場及び隊をおく。

企画調整部
　企　画　課
　財　務　課
　広　報　課
安全推進部
　安全推進課
　安全技術課
総　務　部
　総　務　課
　経理契約課
　施　設　課
　情報通信課
人　事　部
　人　事　課
　服務監察課
　職　員　課
　厚　生　課

警防部
　警防課
　救助課
　特殊災害課
　総合指令室
防災部
　防災安全課
　震災対策課
　水利課
　消防団課
救急部
　救急管理課
　救急医務課
　救急指導課
予防部
　予防課
　危険物課
　査察課
　調査課
　防火管理課
装備部
　装備課
　装備工場
　航空隊
2　東京消防庁警防部総合指令室に次の分室を置く。
　多摩指令室

（分掌事務）

**第三条**　前条第一項の部、課、室、工場及び隊の分掌事務は、次のとおりとする。

企画調整部
　企画課
一　東京消防庁の重要施策に関すること。
二　消防事務の企画及び総合調整に関すること。
三　事務事業のデジタルトランスフォーメーション推進に関すること。
四　組織及び制度に関すること。
五　事務事業の行政評価の実施に関すること。
六　事務事業の進行管理に関すること。
七　庁議に関すること。
八　消防情報、統計及び分析に関すること。
九　消防事務の能率化に関すること。
十　東京消防庁の構造改革に関すること。
十一　部内他の課に属しないこと。

財務課
一　予算、決算及び会計に関すること。
二　起債及び国庫補助金に関すること。
三　受託消防の経費に関すること。

広報課
一　広報企画に関すること。
二　刊行物等による広報に関すること。
三　東京消防庁の事務事業に係る相談、苦情、意見その他の都民の声の受付及び処理に関すること（他の部に属するものを除く。）。
四　消防報道に関すること。
五　報道機関との連絡に関すること。
六　広報結果の確認及び分析に関すること。

安全推進部
　安全推進課
一　安全施策に関すること。
二　安全教育に関すること。
三　安全に係る計画に関すること。
四　安全評価に関すること。
五　部内他の課に属しないこと。

安全技術課
一　消防の安全に係る科学技術の研究に関すること。
二　火災予防条例（昭和三十七年東京都条例第六十五号）に基づく性能に係る試験等の実施に関すること。
三　安全文化等の分析に関すること。
四　危険物判定試験等に関すること。
五　火災に係る物件等の鑑定に関すること。

総務部
　総務課
一　秘書に関すること。
二　儀式に関すること。
三　会議に関すること。
四　公印に関すること。
五　文書に関すること。
六　情報公開に係る連絡調整等に関すること。
七　個人情報の保護に係る連絡調整等に関すること。
八　渉外に関すること。
九　旅費の支給に関すること。
十　庁史及び記録に関すること。
十一　消防事業の国際交流に関すること。
十二　消防音楽隊に関すること。
十三　他の部、課及び室に属しないこと。

経理契約課
一　経理事務の指導及び検査に関すること。
二　契約に関すること。
三　契約に係る検査に関すること。
四　物品の需給計画及び管理に関すること。

五　車両（消防車を除く。）の管理に関すること。
六　役務の供給に関すること。

施設課
一　建築工事の計画に関すること。
二　建築工事の設計及び監督に関すること。
三　消防用財産の取得、管理及び処分に関すること。

情報通信課
一　事務事業のデジタル関連施策の企画、調整及び推進に関すること（デジタルトランスフォーメーション推進に関するものを除く。）。
二　情報処理システム及び消防通信に係る企画、立案、調整及び開発に関すること。
三　電子計算機のソフトウェア及びハードウェアに関すること。
四　有線通信及び無線通信に関すること。
五　指令管制システムに関すること。
六　電子情報セキュリティに関すること。

人事部

人事課
一　任免及び配置に関すること。
二　職員の募集及び採用に関すること。
三　分限、懲戒及び表彰に関すること。
四　人事評価及び人事記録に関すること。
五　研修派遣に関すること。
六　消防学校との連絡に関すること。
七　部内他の課に属しないこと。

服務監察課
一　服務指導に関すること。
二　監察に関すること。

職員課
一　職員の勤務制度の調査研究に関すること。
二　消防職員委員会の運営等に関すること。
三　職員の意識の把握に関すること。
四　職員の公務災害補償に関すること。
五　職員の給与制度の調査研究に関すること。
六　職員の給料及び諸手当に関すること。
七　恩給及び退職手当に関すること。
八　給料、諸手当等の支給に関すること。
九　東京都職員共済組合の長期給付に関すること。

厚生課
一　福利厚生に関すること。
二　東京都職員共済組合の短期給付に関すること。
三　東京消防庁職員互助組合に関すること。
四　消防職員待機宿舎に関すること。
五　職員の相談に関すること。
六　職員の健康管理に関すること。

警防部

警防課
一　消防活動体制に関すること。
二　警防本部等の運営に関すること。
三　消防戦術の研究及び消防部隊の運用の管理に関すること。
四　消防応援協定に関すること。
五　消防力の調査及び研究に関すること。
六　火災危険度判定に関すること。
七　災害現場の指揮及び支援に関すること。
八　消防活動の監査及び効果の評定に関すること。
九　警防業務の安全対策に関すること。
十　部内他の課及び室に属しないこと。

救助課
一　救助対策に関すること。
二　救助技術の研究及び指導に関すること。
三　消防活動に係る訓練及び演習に関すること。
四　消防機器の運用技術の指導に関すること。
五　大規模災害発生時における機動的な消防活動に関すること。

特殊災害課
一　特殊災害の調査研究に関すること。
二　特殊災害の消防活動対策に関すること。
三　水災、土砂災害等の消防活動対策に関すること。

総合指令室
一　災害発生通報の受付及び出場指令に関すること。
二　消防部隊の運用及び救急管制に関すること。
三　災害通信の運用、通信統制及び指導に関すること。
四　多摩指令室との連絡調整に関すること。
五　防災関係機関との連絡調整に関すること。

防災部

防災安全課
一　防災対策の基本計画に関すること。
二　都民生活の安全確保に関すること。
三　災害時支援ボランティアに関すること。
四　自主防災組織等の指導に関すること。
五　総合防災教育に関すること。
六　防火防災訓練の指導に関すること。
七　都民の防災行動基準の作成に関すること。
八　高齢者等の防災指導に関すること。

九　人権及び山谷対策事業との連絡に関すること。
十　火災予防条例に基づく自動通報等の承認に関すること（事業所火災直接通報を除く。）。
十一　火災予防条例に基づく代理通報事業者の認定等に関すること（事業所火災代理通報を除く。）。
十二　部内他の課に属しないこと。

震災対策課
一　震災時の火災拡大防止及び人命安全確保に関すること。
二　東京都防災会議及び東京都地域防災計画に関すること。
三　有事法制、国民保護法制に基づく防災計画等に関すること。
四　震災、水災及び土砂災害等の調査研究に関すること。

水利課
一　消防水利の設置に関すること。
二　消防水利の対策及び開発に関すること。

消防団課
一　消防団の組織制度に関すること。
二　消防団の予算に関すること。
三　消防団の表彰等に関すること。
四　消防団員等の公務災害補償に関すること。
五　消防団員の退職報償金に関すること。

救急部

救急管理課
一　救急制度に関すること。
二　救急業務の計画及び調査に関すること。
三　救急の相互応援に関すること。
四　救急情報に関すること。
五　部内他の課に属しないこと。

救急医務課
一　救急医療及び救急医薬品に関すること。
二　救急補償に関すること。
三　救急医療機関等との連絡調整に関すること。
四　救急資器材の整備に関すること。
五　救急相談に関すること。

救急指導課
一　救急隊員の救急技術の向上に関すること。
二　救急隊員の訓練及び活動基準に関すること。
三　救急隊の行動監査及び評価に関すること。
四　機動的な救急活動に関すること。
五　都民の救急業務に関する意見等への対応及び応急救護知識等の普及に関すること。
六　民間患者等搬送事業の指導及び認定に関すること。

予防部

予防課
一　建築確認の同意に関すること。
二　消防用設備等又は特殊消防用設備等に関すること。
三　建築物、工作物等の火災及び人命危険の予防措置に関すること。
四　電気設備及び火気使用設備等の火災予防措置に関すること。
五　性能試験の申請及び証明に関すること。
六　火災予防条例第六十三条の二第一項の防火安全技術講習に関すること。
七　部内他の課に属しないこと。

危険物課
一　危険物製造所等の許認可に関すること。
二　危険物製造所等の火災及び人命危険の予防措置に関すること。
三　少量危険物及び指定可燃物の火災予防措置に関すること。
四　高圧ガス、火薬類、核燃料物質、放射性同位元素、劇毒物等の火災予防措置に関すること。
五　危険物に係る流出等の事故の原因の調査に関すること。

査察課
一　査察計画及び技術に関すること。
二　違反消防対象物の処理に関すること。
三　消防対象物の査察に関すること。
四　屋外における火災予防措置に関すること。
五　たき火又は喫煙の制限区域の指定に関すること。
六　火災予防条例に基づく防火対象物の設備、管理等の状況の公表に関すること。

調査課
一　火災の原因及び損害の調査に関すること。
二　火災調査技術の指導に関すること。
三　火災に関する証拠品及び火災現場の保存に関すること。
四　火災原因の鑑識及び火災関係写真に関すること。
五　火災調査資料の収集及び分析に関すること。

防火管理課
一　防火管理制度に関すること。
二　防火管理者及び防火管理技能者の講習、資格管理並びに指導育成に関すること。
三　統括防火管理制度に関すること（地下街の指

定及び解除を含む。）。
四　防火管理に係る消防計画及び防火管理業務の指導に関すること。
五　防災管理制度に関すること。
六　防災管理者の講習、資格管理及び指導育成に関すること。
七　統括防災管理制度に関すること。
八　防災管理に係る消防計画及び防災管理業務の指導に関すること。
九　東京都震災対策条例（平成十二年東京都条例第二百二号）に基づく事業所防災計画に関すること。
十　自衛消防技術試験に関すること。
十一　自衛消防の組織及び自衛消防組織の教育及び訓練指導に関すること。
十二　防災センター要員の講習に関すること。
十三　危険物取扱者免状及び消防設備士免状の交付に関すること。
十四　危険物の取扱作業の保安に関する講習に関すること。
十五　消防用設備等又は特殊消防用設備等の工事又は整備に関する講習に関すること。
十六　指定試験機関及び講習委託機関との連絡調整等に関すること。
十七　火災予防条例に基づく自動通報等の承認に関すること（事業所火災直接通報に限る。）。
十八　火災予防条例に基づく代理通報事業者の認定等に関すること（事業所火災代理通報に限る。）。
十九　特定大規模催しに関すること。

生活安全課

一　防災市民組織の指導に関すること。
二　都民の防災行動基準の作成に関すること。
三　防災訓練の指導に関すること。
四　都民生活の安全確保に関すること。
五　防火及び防災教育に関すること。
六　児童及び生徒に対する防災教育に関すること。
七　老人等の防災指導に関すること。
八　同和及び山谷対策事業との連絡に関すること。

指　導　課

一　防火管理制度に関すること。
二　防火管理者の講習、資格管理及び指導育成に関すること。
三　共同防火管理に関すること（地下街の指定及び解除を含む。）。
四　消防計画、事業所消防活動計画及び防火管理業務の指導に関すること。
五　東京都震災対策条例（平成十二年東京都条例第二百二号）に基づく防災計画に関すること。
六　自衛消防技術試験に関すること。
七　自衛消防隊の教育及び訓練指導に関すること。
八　防災センター要員の講習に関すること。
九　危険物取扱者免状及び消防設備士免状の交付に関すること。
十　危険物の取扱作業の保安に関する講習に関すること。
十一　消防用設備等の工事又は整備に関する講習に関すること。
十二　指定試験機関及び講習委託機関との連絡調整等に関すること。
十三　火災予防条例に基づく自動通報等の承認に関すること。

装備部

装　備　課

一　消防機器及び個人装備品の設計、製作及び検査に関すること。
二　消防機器等の管理に関すること。
三　機関員の技能管理に関すること。
四　消防機器による損傷事故に関すること。
五　被服に関すること。
六　部内他の課、工場及び隊に属しないこと。

装備工場

一　消防機器の整備計画に関すること。
二　消防機器の整備に関すること。
三　消防機器の改造に関すること。
四　消防機器の整備用資材に関すること。
五　工場施設の管理に関すること。

航　空　隊

一　航空機及び航空隊施設の管理に関すること。
二　航空機の整備及び運航に関すること。
三　航空機の運航による消防業務に関すること。
四　航空業務の安全管理に関すること。

2　前条第二項の分室の分掌事務は、次のとおりとする。

多摩指令室

一　多摩地域（稲城市を除く。以下同じ。）の災害発生通報の受付及び出場指令に関すること。
二　多摩地域の消防部隊の運用及び救急管制に関すること。
三　多摩地域の災害通信の運用、通信統制及び指導に関すること。

（方面本部）

**第四条**　東京消防庁に次に掲げる事務を行う消防方面本部を置く。

一　東京消防庁と消防署及び消防署相互間の消防事務執行についての連絡、調整に関すること。

二　二以上の消防署に関連する消防事務の計画、実施指導及び消防事務執行についての連絡、調整に関すること。

三　災害防御活動の指揮、統制及び行動監査に関すること。

四　消防警戒の指揮及び指導に関すること。

五　二以上の消防署が連合して実施する消防訓練及び水防訓練に関すること。

六　消防署の消防事務の指導並びに監察及び服務に関すること。

七　震災その他の大規模災害発生時における機動的な消防活動に関すること。

八　消防部隊の消防活動技術の指導に関すること。

九　NBC災害対策並びに当該災害対策に係る訓練及び演習に関すること。

十　前各号に掲げるもののほか、特に命ぜられた事項

2　前項の消防方面本部の名称、位置及びその所管する消防署は、別表のとおりとする。

3　第一項第七号及び第八号の規定は、第一消防方面本部、第四消防方面本部、第五消防方面本部、第七消防方面本部及び第十消防方面本部については、適用しない。

4　第一項第九号の規定は、第一消防方面本部、第二消防方面本部、第四消防方面本部、第五消防方面本部、第六消防方面本部、第七消防方面本部、第九消防方面本部及び第十消防方面本部については、適用しない。

（消防学校）

**第五条**　東京消防庁に次に掲げる事務を行う消防学校を置く。

一　消防職員の教育計画に関すること。

二　新任消防職員の教育の実施に関すること。

三　消防職員等の教育の実施に関すること。

2　前項の消防学校の名称及び位置は、次のとおりとする。

名称　東京消防庁消防学校

位置　渋谷区西原二丁目五十一番一号

3　消防学校の事務を分掌させるため、次の課を置く。

校務課

教養課

4　前項の課は、次の事務をつかさどる。

校務課

一　教育計画に関すること。

二　教育資材に関すること。

三　学校の寮に関すること。

四　消防団員の教育訓練に関すること。

五　東京都消防訓練所との連絡に関すること。

六　校内他の課に属しないこと。

教養課

一　新任消防職員の教育に関すること。

二　幹部職員の教育に関すること。

三　専科教育に関すること。

四　一般教育に関すること。

五　救急救命士養成所の業務に関すること。

**第六条**　削除

（係等の設置）

**第七条**　消防総監は、知事の承認を得て、課、室、分室、工場、隊及び消防方面本部に係、音楽隊又は指揮隊を置くことができる。

（消防総監）

**第八条**　東京消防庁に消防総監を置く。

2　前項の消防総監は、消防組織法（昭和二十二年法律第二百二十六号）第十二条第一項に規定する消防長とする。

（次長）

**第九条**　東京消防庁に次長を置くことができる。

2　次長は、消防総監を補佐し、庁務を整理する。

（部、課等の長等）

**第十条**　部に部長を、課に課長を、室及び多摩指令室に室長を、工場に工場長を、隊に隊長及び航空副隊長を、係に係長を、音楽隊及び指揮隊に隊長を置く。

2　企画調整部にデジタル推進担当課長及び新本部庁舎整備担当課長を、安全推進部に安全支援担当課長及び分析鑑定担当課長を、総務部に新本部庁舎建設担当課長を、人事部に採用担当課長を、警防部に安全対策担当課長及び即応対処部隊担当課長を置く。

3　消防方面本部に本部長及び副本部長を、第八消防方面本部に警防・防災担当課長を置く。

4　消防学校に校長及び副校長を置く。

5　東京消防庁に理事及び参事を、部に副参事を置くことができる。

6　消防総監は、知事の承認を得て、課、室、多摩指令室、工場、隊及び消防方面本部に課長補佐及び課長代理を置くことができる。

7　消防総監は、知事の承認を得て、課、室、多摩指令室、工場、隊及び消防方面本部に主査及び担当係長を、音楽隊に副長を置くことができる。

8　消防総監は、室、係、音楽隊及び指揮隊に統括を置

くことができる。

（階級）

**第十一条**　消防吏員の階級は、消防総監、消防司監、消防正監、消防監、消防司令長、消防司令、消防司令補、消防士長及び消防士とする。

（**消防吏員の階級別定数**）

**第十二条**　消防吏員の階級別定数は、次のとおりとする。

| 階級 | 定数 |
|---|---|
| 消防総監 | 一人 |
| 消防司監<br>消防正監<br>消防監 | 一〇八人 |
| 消防司令長 | 三二八人 |
| 消防司令<br>消防司令補<br>消防士長<br>消防士 | 一七、九一四人 |
| 計 | 一八、三五一人 |

2　前項の規定にかかわらず、参事に消防監を充てる場合には、消防司令長の定数のうち、四人を消防監とすることができる。

3　消防司令、消防司令補、消防士長及び消防士の階級別定数は、第一項に規定するこれらの階級の定数の範囲内において、知事の承認を得て、消防総監が定める。

（**消防総監、次長、理事、部長、課長等の資格**）

**第十三条**　消防総監は、消防総監の階級にある者をもつて充てる。

2　次長及び理事は、消防司監の階級にある者をもつて充てる。

3　部長は、消防司監、消防正監又は消防監の階級にある者をもつて充てる。

4　参事は、消防監の階級にある者又は消防吏員以外の消防職員である者をもつて充てる。

5　本部長は、消防正監又は消防監の階級にある者をもつて充てる。

6　副本部長は、消防司令長の階級にある者をもつて充てる。

7　校長は、消防正監又は消防監の階級にある者をもつて充てる。

8　副校長は、消防監の階級にある者をもつて充てる。

9　課長、担当課長、室長、工場長、航空隊長及び航空副隊長は、消防司令長の階級にある者又は消防吏員以外の消防職員である者をもつて充てる。

10　副参事は、消防司令長の階級にある者又は消防吏員以外の消防職員である者をもつて充てる。

（**消防職員の任命の承認**）

**第十四条**　消防総監は、消防司令長以上の消防吏員及びこれと同等以上の職にあるその他の消防職員の任命（進級及び補職を含む。）については、事前に知事の承認を受け、発令後直ちに知事に報告しなければならない。

2　消防総監は、あらかじめ知事が承認した人事運営に関する計画に基づき、消防司令以下の消防吏員及びその他の消防職員を任命し、知事に報告しなければならない。ただし、異例に属するものについては、発令後直ちに報告しなければならない。

（**消防総監の職務の代理**）

**第十五条**　消防総監に事故があつたとき、又は消防総監が欠けたときは、次の各号に掲げる者が当該各号の順序により、その職務を代理する。

一　次長

二　消防総監及び次長を除き、階級が最上位にある者

三　消防総監が別に指定する職にある者

2　消防総監の職務の代理に関し必要な事項は、消防総監が別に定める。

（**委任**）

**第十六条**　この規則の施行について必要な事項は、消防総監が定める。

**付　則**

この規則は、公布の日から施行する。ただし、別表中東京消防庁第二消防方面本部の所管の消防署のうち東京消防庁大井消防署については、昭和三十八年八月一日から施行する。

**附　則**（令六・三・二九規則四一）

この規則は、令和六年四月一日から施行する。

**別表**〔略〕

# ○東京消防庁消防総監委任条項

昭二四・四・二一
規　則　七　三

最終改正　令三・三・一八規則三一

左に掲げる事項は、これを消防総監に委任する。

一　消防法（昭和二十三年法律第百八十六号。以下「法」という。）に基づき特別区の存する区域において知事の権限に属する事務及び地方自治法（昭和二十二年法律第六十七号）第二百五十二条の十四の規定による次の市町村からの事務委託に基づき知事の権限に属する事務（以下「受託事務」という。）のうち次に掲げる事項

市町村　八王子市、立川市、武蔵野市、三鷹市、青梅市、府中市、昭島市、調布市、町田市、小金井市、小平市、日野市、東村山市、国分寺市、国立市、福生市、狛江市、東大和市、清瀬市、東久留米市、武蔵村山市、多摩市、羽村市、あきる野市、西東京市、瑞穂町、日の出町、檜原村、奥多摩町

イ　法第四条第二項の規定による証票の制定に関すること。

ロ　法第四条の二第二項において準用する法第四条第二項に規定する証票の制定に関すること。

ハ　法第十一条第一項の規定による製造所等の設置の許可及び位置、構造等の変更の許可に関すること。

ニ　法第十一条第四項の規定による移送取扱所の許可に関し、総務大臣等に対する意見の申出に関すること。

ホ　法第十一条第五項の規定による製造所等の完成検査に関すること。

ヘ　法第十一条第五項ただし書の規定による製造所等の仮使用承認に関すること。

ト　法第十一条第六項の規定による届出の受理に関すること。

チ　法第十一条第七項の規定による通報に関すること。

リ　法第十一条の二第一項の規定による特定事項の検査に関すること。

ヌ　法第十一条の四第一項の規定による届出の受理に関すること。

ル　法第十一条の四第三項の規定による通報に関すること。

ヲ　法第十一条の五第一項又は第二項の規定による違反是正命令に関すること。

ワ　法第十一条の五第三項の規定による通知に関すること。

カ　法第十一条の五第四項（法第十二条第三項、第十二条の二第三項、第十二条の三第二項、第十三条の二十四第二項、第十四条の二第五項、第十六条の三第六項及び第十六条の六第二項において準用する場合を含む。）の規定による公示に関すること。

ヨ　法第十二条第二項の規定による修理、改造又は移転の命令に関すること。

タ　法第十二条の二の規定による許可の取消し及び使用停止命令に関すること。

レ　法第十二条の三の規定による使用の一時停止命令又は制限に関すること。

ソ　法第十二条の四第一項の規定による移送取扱所について、知事等に対する必要な措置の要請に関すること。

ツ　法第十二条の五の規定による応急措置の協議に関すること。

ネ　法第十二条の六の規定による用途廃止届の受理に関すること。

ナ　法第十二条の七第二項の規定による危険物保安統括管理者の選任又は解任の届出の受理に関すること。

ラ　法第十三条第二項の規定による危険物保安監督者の選任又は解任の届出の受理に関すること。

ム　法第十三条の二十四の規定による危険物保安統括管理者又は危険物保安監督者の解任命令に関すること。

ウ　法第十四条の二の規定による予防規程の認可及び変更命令に関すること。

ヰ　法第十四条の三第一項の規定による屋外タンク貯蔵所又は移送取扱所の保安に関する検査に関すること。

ノ　法第十四条の三第二項の規定による屋外タンク貯蔵所の保安に関する検査に関すること。

オ　法第十六条の三第三項又は第四項の規定による応急措置の命令に関すること。

ク　法第十六条の三の二第一項の規定による原因の調査に関すること。

ヤ　法第十六条の三の二第二項の規定による資料の提出命令、報告の請求、立入検査及び質問に関すること。

マ　法第十六条の三の二第三項において準用する法第四条第二項に規定する証票の制定に関すること。

ケ　法第十六条の三の二第四項の規定による消防庁長官に対する求めに関すること。

フ　法第十六条の五第一項の規定による資料の提出命

令、報告の請求、立入検査、質問及び危険物又は危険物であることの疑いのある物の収去に関すること。
コ 法第十六条の五第三項において準用する法第四条第二項に規定する証票の制定に関すること。
エ 法第十六条の六の規定による危険物の除去その他災害防止措置の命令に関すること。
テ 法第二十二条第三項の規定による火災警報の発令に関すること。
ア 法第二十三条の規定によるたき火又は喫煙の制限に関すること。
サ 法第二十四条第一項の規定による通報すべき場所の指定に関すること。
キ 法第三十四条第二項において準用する法第四条第二項に規定する証票の制定に関すること。
ユ 法第三十六条第八項の規定による水災を除く他の災害に関する警報の発令及び通報場所の指定に関すること。
二 危険物の規制に関する政令（昭和三十四年政令第三百六号。以下「令」という。）に基づき特別区の存する区域において知事の権限に属する事務及び受託事務のうち次に掲げる事項
イ 令第八条第四項に規定する完成検査済証の再交付に関すること。
ロ 令第九条第一項第一号ただし書の規定による距離の認定に関すること。
ハ 令第十条第一項第一号、令第十一条第一項第一号、令第十六条第一項第一号及び令第十九条第一項の規定による距離の認定に関すること。
ニ 令第十一条第一項第一号の二の規定による距離の認定に関すること。
ホ 令第十一条第一項第十号ホただし書及び第十号の二ヲただし書の規定による掲示板を設ける必要がないことの認定に関すること。
ヘ 令第十二条第一項第九号及び第九号の二並びに同条第二項、令第十三条第一項第九号及び第九号の二並びに同条第二項、第三項並びに令第十七条第二項第二号の規定による掲示板を設ける必要がないことの認定に関すること。
ト 令第二十三条の規定による製造所等の位置、構造及び設備の基準の特例の認定に関すること。
二の二 消防法施行規則（昭和三十六年自治省令第六号。以下この号において「規則」という。）に基づき特別区の存する区域において知事の権限に属する事務及び受託事務のうち次に掲げる事項
イ 規則第一条の規定による公示の方法の制定に関すること。
ロ 規則第四条の二の六第一項第九号の規定による点検基準の制定に関すること。
ハ 規則第四条の二の八第一項第四号の規定による特例認定に係る検査基準の制定に関すること。
ニ 規則第四条の二の八第三項第二号の規定による添付書類の記載事項の制定に関すること。
三 危険物の規制に関する規則（昭和三十四年総理府令第五十五号。以下「規則」という。）に基づき特別区の存する区域において知事の権限に属する事務及び受託事務のうち次に掲げる事項
イ 規則第六十二条の四第一項ただし書の規定による定期点検に係る期限の指定に関すること。
ロ 規則第六十二条の五第一項ただし書の規定による届出の受理に関すること。
ハ 規則第六十二条の五第三項の規定による内部点検に係る期間の延長の承認に関すること。
ニ 規則第六十二条の五の二第二項ただし書、規則第六十二条の五の三第二項ただし書及び規則第六十二条の五の四ただし書の規定による漏れの点検に係る期限の指定に関すること。
ホ 規則第六十二条の五の二第三項及び規則第六十二条の五の三第三項の規定による漏れの点検に係る期間の延長の承認に関すること。
ヘ 危険物の規制に関する規則の一部を改正する省令（平成十五年総務省令第百四十三号）附則第三項第二号の規定による届出の受理に関すること。
ト 危険物の規制に関する規則等の一部を改正する省令（平成二十一年総務省令第九十八号）附則第三条第四項及び第五項の規定による届出の受理に関すること。
四 東京都危険物の規制に関する規則（昭和三十五年十二月東京都規則第百八十三号。以下この号において「都規則」という。）に基づき、特別区の存する区域において、知事の権限に属する事務及び受託事務のうち次に掲げる事項
イ 都規則第十三条第二項の規定による製造所等の許可書の再交付に関すること。
ロ 都規則第十四条の規定による製造所等のタンク検査済証（規則第六条の四第二項に基づく別記様式第十四副を除く。）の再交付に関すること。
五 消防組織法（昭和二十二年法律第二百二十六号）第三十九条第二項に係る事項
六 東京消防庁の消防用無線通信施設に関する事項
七 消防団員等公務災害補償等共済基金に対する消防団員等公務災害補償費並びに消防団員退職報償金の請求及び掛金の支払に関する事項並びに特別区の消防団員

等の公務災害補償に関する条例（昭和四十一年東京都条例八十四号）第七条第二項及び第三項の規定により知事の職権に属する事項

八　石油コンビナート等災害防止法（昭和五十年法律第八十四号。以下「コンビナート法」という。）に基づき特別区の存する区域において知事の権限に属する事務のうち次に掲げる事項

イ　コンビナート法第十五条第二項の規定による特定防災施設等の設置届の受理及び検査に関すること。

ロ　コンビナート法第十六条第五項の規定による防災要員及び防災資機材等の現況届の受理に関すること。

ハ　コンビナート法第十七条第六項の規定による防災管理者又は副防災管理者の選任又は解任の届出の受理に関すること。

ニ　コンビナート法第十八条第一項の規定による防災規程の届出の受理に関すること。

ホ　コンビナート法第十八条第二項の規定による防災規程の変更命令に関すること。

ヘ　コンビナート法第十八条第三項の規定による使用停止命令に関すること。

ト　コンビナート法第十九条第三項の規定による共同防災組織に係る届出の受理に関すること。

チ　コンビナート法第十九条第五項の規定による共同防災規程の変更命令に関すること。

リ　コンビナート法第十九条第六項の規定による使用停止命令に関すること。

ヌ　コンビナート法第十六条第六項、コンビナート法第十七条第七項、コンビナート法第十八条第四項及びコンビナート法第十九条第六項の規定による管区海上保安本部の事務所の長への通知に関すること。

ル　コンビナート法第二十条の二の規定による報告の受理に関すること。

ヲ　コンビナート法第二十一条第一項及び第二項の規定による措置命令に関すること。

ワ　コンビナート法第二十一条第三項の規定による使用停止命令に関すること。

カ　コンビナート法第二十四条の二の規定による情報提供の要求に関すること。

ヨ　コンビナート法第二十五条第一項の規定による自衛防災組織又は共同防災組織への指示に関すること。

タ　コンビナート法第三十九条の規定による消防事務に係る報告の徴収に関すること。

レ　コンビナート法第四十条第一項の規定による消防事務に係る立入検査又は質問に関すること。

ソ　コンビナート法第四十一条第三項の規定による都道府県知事に対する必要な措置の要請に関すること。

九　石油コンビナート等災害防止法施行令（昭和五十一年政令第百二十九号。以下「コンビナート法施行令」という。）に基づき特別区の存する区域において知事の権限に属する事務のうち次に掲げる事項

コンビナート法施行令第十六条第一項の規定による代替措置等の認定に関すること。

十　石油コンビナート等における特定防災施設等及び防災組織等に関する省令（昭和五十一年自治省令第十七号。以下「コンビナート省令」という。）に基づき特別区の存する区域において知事の権限に属する事務のうち次に掲げる事項

イ　コンビナート省令第五条第四号の規定による防止堤の構造の認定に関すること。

ロ　コンビナート省令第六条の規定による既存第一種事業所の特例の認定に関すること。

ハ　コンビナート省令第十条第一項第二号の規定による消防車用屋外給水施設の配管の設置の認定に関すること。

ニ　コンビナート省令第十二条第一項及び第二項の規定による屋外給水施設の代替措置の認定に関すること。

ホ　コンビナート省令第十四条第一項の規定による届出の受理に関すること。

ヘ　コンビナート省令第十四条第二項の規定による検査及び検査済証の交付に関すること。

ト　コンビナート省令第十七条の二ただし書の規定による防災要員の人数を減ずることに関すること。

チ　コンビナート省令第二十一条ただし書の規定による可搬式泡放水砲の設置除外の認定に関すること。

十一　国際緊急援助隊の派遣に関する法律（昭和六十二年法律第九十三号）第四条第六項に係る事項

十二　火災予防条例（昭和三十七年東京都条例第六十五号。以下この号において「条例」という。）に基づき特別区の存する区域において知事の権限に属する事務及び受託事務のうち次に掲げる事項

イ　条例第五十五条の三の二第一項、第五十五条の三の五第一項及び第二項並びに第六十三条の二第一項、第三項及び第四項の規定による登録講習機関の登録に関すること。

ロ　条例第五十五条の三の五第三項及び第六十三条の二第五項の規定による登録講習機関の登録の取消し並びに防火管理技能講習及び防火安全技術講習の停止命令に関すること。

十三　火災予防条例施行規則（昭和三十七年東京都規則

第百号。以下この号において「都規則」という。）に基づき特別区の存する区域において知事の権限に属する事務及び受託事務のうち次に掲げる事項

イ　都規則第十一条の四の六第一項及び第二十二条第一項の規定による申請書の受理に関すること。

ロ　都規則第十一条の四の六第四項及び第二十二条第四項の規定による登録事項の変更の届出の受理に関すること。

ハ　都規則第十一条の四の六第八項及び第二十二条第八項の規定による業務規程の届出の受理に関すること。

ニ　都規則第十一条の四の六第九項及び第二十二条第九項の規定による業務規程の変更の要求に関すること。

ホ　都規則第十一条の四の六第十項及び第二十二条第十項の規定による財務諸表等の受理に関すること。

ヘ　都規則第十一条の四の六第十二項及び第十三項並びに第二十二条第十二項及び第十三項の規定による措置の要求に関すること。

ト　都規則第十一条の四の六第十四項及び第二十二条第十四項の規定による報告の要求に関すること。

チ　都規則第十一条の四の六第十五項及び第二十二条第十五項の規定による業務の休止等の届出の受理に関すること。

リ　都規則第十一条の四の六第十七項及び第二十二条第十七項の規定による公示に関すること。

**十四**　武力攻撃事態等における国民の保護のための措置に関する法律（平成十六年法律第百十二号。以下「国民保護法」という。）に基づき特別区の存する区域において知事の権限に属する事務及び受託事務のうち次に掲げる事項

国民保護法第百三条第三項の規定による同項第二号及び第三号の措置命令（法第二条第七項の危険物に係るものに限る。）並びに同法第百三条第四項の規定による報告の請求に関すること。

**附　則**

この規則は、昭和二十四年五月一日から施行する。

**附　則**（令三・三・一八規則三一）

この規則は、公布の日から施行する。

# ○火災予防条例

昭三七・三・三一
条例六五

最終改正　令六・一〇・一一条例一六二

## 第一章　総則

（目的）

**第一条**　この条例は、東京都の特別区の存する区域及び地方自治法（昭和二十二年法律第六十七号）第二百五十二条の十四の規定により消防事務を東京都に委託した地方公共団体の区域における消防法（昭和二十三年法律第百八十六号。以下「法」という。）の規定に基づく火を使用する設備の位置、構造及び管理の基準等、住宅用火災警報器の設置及び維持に関する基準等、指定数量未満の危険物等の貯蔵及び取扱いの技術上の基準等、消防用設備等の技術上の基準の付加並びに火災に関する警報の発令中における火の使用の制限について定めるとともに、火災予防上必要な事項を定めることを目的とする。

## 第二章　削除

**第二条**　削除

## 第三章　火を使用する設備の位置、構造及び管理の基準等

## 第一節 火を使用する設備及びその使用に際し、火災の発生のおそれのある設備の位置、構造及び管理の基準

（炉）

**第三条** 炉の位置及び構造は、次に掲げる基準によらなければならない。

一 火災予防上安全な距離を保つことを要しない場合（不燃材料（建築基準法（昭和二十五年法律第二百一号）第二条第九号に規定する不燃材料をいう。以下同じ。）のうち、コンクリート、れんが、鉄鋼、アルミニウム、モルタル、しつくいその他これらに類する不燃性の材料（以下「特定不燃材料」という。）で有効に仕上げをした建築物等（消防法施行令（昭和三十六年政令第三十七号。以下「令」という。）第五条第一項第一号に規定する建築物等をいう。以下同じ。）の部分の構造が準耐火構造（同法第二条第七号の二に規定する準耐火構造をいう。以下同じ。）であつて、間柱、下地その他主要な部分を特定不燃材料で造つたもので、かつ、東京都規則（以下「規則」という。）で定める設備の点検及び整備に必要な空間を確保した場合をいう。以下同じ。）を除き、炉から建築物等及び可燃性の物品までの火災予防上安全な距離として、当該炉の種類に応じ次に掲げる距離以上の距離を保つこと。

イ 別表第三に掲げるもの（ハに該当するものを除く。）にあつては、同表の上欄に掲げる種類の区分に応じ、それぞれ同表の下欄に掲げる距離

ロ 電気を熱源とする設備のうち別表第四に掲げるもの（ハに該当するものを除く。）にあつては、同表の上欄に掲げる種類の区分に応じ、それぞれ同表の下欄に掲げる距離

ハ イ又はロにより難いものとして消防総監又は消防署長が認めるものにあつては、消防総監が定めるところにより得られる距離

一の二 階段、避難口等を避ける位置に設けること。

二 可燃物が落下し、又は接触するおそれのない位置に設けること。

三 燃焼に必要な空気を取り入れることができ、かつ、有効な換気が行える位置に設けること。

三の二 可燃性のガス若しくは蒸気が発生し、又は滞留するおそれのない位置に設けること。

三の三 天井裏、床裏等の隠ぺい場所を避ける位置に設けること。

四 使用に際し火災の発生のおそれのある部分を、特定不燃材料で造ること。

五 屋内に設ける場合にあつては、土間又は金属以外の特定不燃材料で造つた床上又は台上に設けること。ただし、金属で造つた床上に設ける場合において底面の通気を図る等、直接熱が伝わらない措置を講じたときは、この限りでない。

六 地震動その他の振動又は衝撃（以下「地震動等」という。）により容易に転倒し、き裂し、又は破損しない構造とすること。

七 表面温度が過度に上昇しない構造とすること。

八 開放炉及び動植物油、鉱物油その他これらに類する危険物又は可燃性固体類（別表第七備考第五号に規定する可燃性固体類をいう。以下同じ。）若しくは可燃性液体類（同表備考第七号に規定する可燃性液体類をいう。以下同じ。）を煮沸する炉にあつては、その上部に、不燃性の天蓋（がい）及び排気筒を屋外へ通ずるように設けるとともに、火粉の飛散又は火炎の伸長により火災の発生のおそれのあるものにあつては、防火上有効に遮へいすること。

九 ガラス、金属等を高温加熱又は溶解する炉は、地震動等により建築物又は工作物の可燃性の部分が、倒壊し、転倒し、又は破損したとき、接触しない位置に設けること。

九の二 前号の炉のうち、溶融物があふれ、又は流出するおそれのある構造の炉には、あふれ、又は流出した溶融物を安全に誘導する装置及び常時乾燥したためます等を設けること。この場合において、主体構造をれんが、石等の組積造とした炉にあつては、溶融物の全量を安全に収容できる容量以上とすること。

十 熱風炉は、熱交換部分を耐熱性の金属材料で造るとともに、加熱された空気の温度が異常に上昇した場合において自動的に燃焼を停止できる装置を設けること。

十一 熱風炉に附属する風道については、次によること。

イ 風道並びにその被覆及び支枠は、特定不燃材料で造るとともに、風道の炉に近接する部分に防火ダンパーを設けること。

ロ 建築物等の可燃性の部分及び可燃性の物品から規則で定める火災予防上安全な距離を保つこと。ただし、金属以外の特定不燃材料で有効に被覆する部分については、この限りでない。

ハ 炉への給気口は、じんあい等の混入を防止する構造とすること。

十二 まき、石炭その他の固体燃料（以下「固体燃料」という。）を使用する炉にあつては、たき口から火粉等が飛散しない構造とするとともに、炉に附置する取灰入れ及び燃料置場については、次による

こと。

イ　取灰入れは、ふたのある不燃性のものとして防火上有効な底面通気等の措置を講じて附置し、灰捨場は特定不燃材料で造り、建築物又は工作物の可燃性の部分及び可燃性の物品から規則で定める火災予防上安全な距離を保つこと。ただし、十分な広さを有する空地等に灰捨場を設ける場合で燃え殻等の飛散しないよう火災予防上安全な措置を講じたときは、この限りでない。

ロ　多量の燃料を使用する場合の燃料置場は、火源から規則で定める火災予防上安全な距離を保つとともに、隣地境界線等に接近しているものについては、必要に応じ、防火上有効な塀等を設けること。

十二の二　多量の火気を使用する炉のうち、規則で定めるものにあつては、不燃材料で造つた壁、柱、床及び天井（天井のない場合は、はり及び屋根。以下同じ。）で区画され、かつ、窓及び出入口等に防火戸（建築基準法第二条第九号の二ロに規定する防火設備（以下「防火設備」という。）であるものに限る。以下同じ。）を設けた室内に設けること。ただし、炉の周囲に有効な空間を保有する等火災予防上安全な措置を講じたときは、この限りでない。

十二の三　プロパンガス、石炭ガスその他の気体燃料（以下「気体燃料」という。）又は灯油、重油その他の液体燃料（以下「液体燃料」という。）を使用する炉にあつては、多量の未燃ガスが滞留しない措置が講じられたものとすること。

十三　液体燃料を使用する炉の附属設備については、次によること。

イ　燃料タンク及び燃料装置は、使用中に燃料が漏れ、あふれ、又は飛散しない構造とし、かつ、燃料タンクにあつては、地震動等による転倒、落下又は燃料の流出を防止できる構造とすること。

ロ　燃料タンクは、炉から二メートル以上の水平距離を保つこと。ただし、油温が引火点以上に上昇するおそれのない燃料タンクにあつては、炉からの水平距離を六十センチメートル以上とし、又は炉との間に防火上有効な遮へいを設けることにより水平距離を六十センチメートル以下とすることができる。

ハ　燃料タンクは、その容量（タンクの内容積の九十パーセントの量をいう。）に応じ、次の表に掲げる厚さの鋼板又はこれと同等以上の強度を有する金属板で気密に造ること。

| タンクの容量 | 板厚 |
|---|---|
| 五リットル以下 | 〇・六ミリメートル以上 |
| 五リットルを超え二十リットル以下 | 〇・八ミリメートル以上 |
| 二十リットルを超え四十リットル以下 | 一・〇ミリメートル以上 |
| 四十リットルを超え百リットル以下 | 一・二ミリメートル以上 |
| 百リットルを超え二百五十リットル以下 | 一・六ミリメートル以上 |
| 二百五十リットルを超え五百リットル以下 | 二・〇ミリメートル以上 |
| 五百リットルを超え千リットル以下 | 二・三ミリメートル以上 |
| 千リットルを超え二千リットル以下 | 二・六ミリメートル以上 |
| 二千リットルを超えるもの | 三・二ミリメートル以上 |

ニ　燃料タンクを屋内に設ける場合にあつては、特定不燃材料で造つた床上に設けること。

ホ　燃料タンクの架台は、特定不燃材料で造ること。

ヘ　燃料タンクには、非常の場合において燃料の供給を断つ有効な開閉弁を設けること。

ト　燃料タンク又は配管には、有効なろ過装置を設けること。ただし、ろ過装置が設けられた炉の燃料タンク又は配管にあつては、この限りでない。

チ　燃料を予熱する方式の炉にあつては、燃料タンク又は配管を直火で予熱しない構造とするとともに、過度の予熱を防止する措置を講ずること。

リ　燃料タンクには見やすい位置に燃料の量を自動的に覚知することができる装置を設けること。この場合において、当該装置がガラス管で造られているときは、金属管等で安全に保護すること。

ヌ　燃料タンクは、水抜きができる構造とすること。
ル　燃料タンクには、通気管又は通気口を設けること。この場合において、当該燃料タンクを屋外に設けるものにあつては、当該通気管又は通気口の先端から雨水が浸入しない構造とすること。
ヲ　燃料タンクの外面には、さび止めのための措置を講ずること。ただし、アルミニウム合金、ステンレス鋼その他さびにくい材質で造られた燃料タンクにあつては、この限りでない。
ワ　燃料配管は、金属管を使用すること。ただし、燃焼装置、燃料タンク等に接続する部分で金属管を使用することが構造上又は使用上適当でない場合においては、当該燃料に侵されない金属管以外の管を使用することができる。
カ　燃料配管の接続は、ねじ接続、フランジ接続、溶接等とすること。ただし、金属管と金属管以外の管とを接続する場合にあつては、差し込み接続とすることができる。
ヨ　カただし書の差し込み接続による場合は、その接続部分をホースバンド等で締め付けること。
タ　燃料配管と炉との結合部分には、地震動等により損傷を受けないよう必要な措置を講ずること。
レ　燃料配管の戻り管には、開閉弁を設けないこと。
十四　気体燃料を使用する炉の附属設備については、次によること。
イ　燃料配管及び計量器等は、電線、電気開閉器その他の電気設備を施設してあるパイプシャフト内又はピット内その他漏れた燃料が滞留するおそれのある隠ぺい場所には設けないこと。ただし、電気設備に防爆工事等の安全措置が講じられているときは、この限りでない。
ロ　酸素又は水素を併用する場合の燃料配管には、途中に逆火防止装置を設けること。
ハ　燃料容器は、通風のよい場所で、かつ、直射日光等による熱影響の少ない位置に設けるとともに、地震動等による転倒又は落下を防止する措置を講ずること。
ニ　燃料容器は、漏えいしたガスが屋内に流入しないよう建築物の開口部と十分な距離を保有して設けること。
ホ　燃料配管の接続は、ねじ接続、フランジ接続、溶接等とすること。ただし、金属管と金属管以外の管を接続する場合にあつては、差し込み接続とすることができる。
ヘ　ホの差し込み接続による場合は、その接続部分をホースバンド等で締め付けること。
ト　燃料配管は、金属管を使用すること。ただし、燃焼装置、燃料タンク等に接続する部分で金属管を使用することが構造上又は使用上適当でない場合においては、当該燃料に侵されない金属管以外の管を使用することができる。
チ　燃料配管と炉との結合部分には、地震動等により損傷を受けないよう必要な措置を講ずること。
十四の二　液体燃料又は気体燃料を使用する炉にあつては、必要に応じ、次の安全措置を講ずること。
イ　点火及び燃焼の状態が確認できる構造とすること。
ロ　炎が立ち消えした場合等において安全を確保できる装置を設けること。ただし、屋外に設けるもので、風雨等により口火及びバーナーの火が消えない措置が講じられたものにあつては、この限りでない。
ハ　未燃ガスが滞留するおそれのあるものは、点火前及び点火後に自動的に未燃ガスを排出できる装置を設けること。
ニ　燃焼を自動的に制御する構造のものは、点火前に燃料の噴出がない構造とすること。
ホ　炉内温度が過度に上昇するものは、自動的に燃焼を停止できる過熱防止装置を設けること。
ヘ　電気を使用して燃焼制御又は燃料予熱等を行う構造のものは、停電時において自動的に燃焼を停止する等の装置を設けること。
ト　燃焼装置に過度の圧力がかかるおそれのあるものは、異常燃焼を防止するための装置を設けること。
十五　電気を熱源とする炉にあつては、電線、接続器具等は、耐熱性を有するものを使用するとともに、短絡を生じないように措置し、かつ、温度が過度に上昇するおそれのあるものにあつては、自動的に熱源を停止する装置を設けること。
十六　熱媒を使用する炉にあつては、熱媒の性質に応じて容易に腐食しない材料を用い、適当な温度及び圧力測定装置を設けること。
十七　規則で定める炉には、次の基準による煙突又は排気筒（以下「煙突等」という。）を設けること。
イ　煙突等は、耐食性、耐熱性及び耐久性のある金属等の材料とすること。
ロ　煙突等の接続は、ねじ接続、フランジ接続又は差し込み接続とし、気密性のある接続とすること。
ハ　構造又は材質に応じ、支枠、支線、腕金具等で固定すること。

ニ　煙突等の先端は、屋根面等からの垂直距離を六十センチメートル以上とし、煙突にあつては、建築物の開口部から三メートル以上離すこと。

ホ　煙突等の高さは、その先端からの水平距離一メートル以内に建築物の軒がある場合においては、その軒から六十センチメートル以上高くすること。

ヘ　煙突等の小屋裏、天井裏、床裏等にある部分は、煙突等の上又は周囲にたまるほこりを煙突等の内部の燃焼廃ガス（以下「廃ガス」という。）の熱により燃焼させない構造として、次の(1)又は(2)によること。

(1)　金属以外の特定不燃材料で造り、かつ、有効に断熱された構造とすること。

(2)　金属その他の断熱性を有しない特定不燃材料で造つた部分（(1)に掲げる基準に適合するものを除く。）にあつては、次の(イ)又は(ロ)によること。

(イ)　煙道の外側に筒を設け、その筒の先端から煙道との間の空洞部に屋外の空気が有効に取り入れられる構造で防火上支障がないものとすること。

(ロ)　金属以外の特定不燃材料で覆い、有効に断熱された構造とすること。

ト　煙突等は、木材その他の可燃物から十五センチメートル以上（炉からの長さ一・八メートル以内にある煙突にあつては四十五センチメートル以上）離して設けること。ただし、厚さ十センチメートル以上の金属以外の特定不燃材料で被覆し、又は造り、かつ、有効に断熱された構造とする部分については、この限りでない。

チ　可燃性の壁、床、天井等を貫通する部分は、めがね石をはめ込み、又は遮熱材料で有効に被覆すること。

リ　可燃性の壁、天井、小屋裏、天井裏、床裏等を貫通する部分及びその付近において接続しないこと。

ヌ　容易に点検及び清掃ができる構造とし、かつ、火粉を発生させるおそれのあるものには、有効な火粉飛散防止装置を設けること。

ル　逆風により燃焼の安全を確保できない燃焼装置のものには、逆風防止装置を設けること。

十八　前号ニ又はホの規定は、次のイからハまでに適合する排気筒にあつては、適用しない。

イ　排気筒が次の(1)又は(2)によるものであること。

(1)　廃ガスを強制的に直接屋外へ排出する構造であること。

(2)　直接屋外から空気を取り入れ、かつ、廃ガスを直接屋外へ排出する構造であること。

ロ　廃ガスに火粉を含まないものであること。

ハ　木材その他の可燃物との離隔距離が、次によるものであること。

(1)　排気筒の先端を下向きにした排気筒にあつては、その排気のための開口部の各点から側方に十五センチメートル以上、上方に三十センチメートル以上、下方に六十センチメートル以上確保されていること。

(2)　防風板等を設けて、廃ガスが排気筒の全周にわたつて吹き出すものとした構造で、かつ、廃ガスの吹き出し方向が水平面内にある排気筒の先端にあつては、その排気のための開口部の各点から側方及び上方に三十センチメートル以上、下方に十五センチメートル以上確保されていること。

(3)　防風板等を設けて、廃ガスが排気筒の全周にわたつて吹き出すものとした構造で、かつ、廃ガスの吹き出し方向が鉛直平面内にある排気筒の先端にあつては、その排気のための開口部の各点から側方に十五センチメートル以上、上方に六十センチメートル以上、下方に十五センチメートル以上確保されていること。

十九　第十七号トの規定は、次のイからニまでのいずれかに適合する排気筒又は排気筒の部分にあつては、適用しない。

イ　排気筒が、木材その他の可燃物から当該排気筒の半径以上離して設けられていること。

ロ　排気筒の外側に筒を設け、排気筒と筒との間に燃焼に必要な空気を屋外から有効に取り入れられる構造の排気筒の部分で防火上支障のないものであること。

ハ　厚さが二センチメートル以上の金属以外の特定不燃材料で有効に断熱された排気筒の部分であること。

ニ　排気筒の外壁等の貫通部に特定不燃材料で造られためがね石等を防火上支障のないように設けた排気筒の部分であること。

二十　第十七号イ及びニからチまでの規定は、次のイからハまでに適合する排気筒にあつては、適用しない。

イ　第十八号イに適合するものであること。

ロ　廃ガスに火粉を含まず、かつ、廃ガスの温度が百度以下であること。

ハ 延焼のおそれのある外壁（以下この条において「外壁」という。）を貫通する排気筒は、不燃材料で造られていること。ただし、外壁の開口面積が百平方センチメートル以内で、かつ、外壁の開口部に鉄板、モルタル板その他これらに類する材料で造られた防火覆いを設ける場合又は地面からの高さが一メートル以下の開口部に網目二ミリメートル以下の金網を設ける場合にあつては、この限りでない。

2 規則で定める炉には、規則で定める技術上の基準により、当該設備又は附属配管部分に、地震動等により自動的に消火する装置又は自動的に燃料の供給を停止する装置（以下「地震動等により作動する安全装置」という。）を設けなければならない。

3 炉の管理は、次に掲げる基準によらなければならない。

一 炉及びその附属設備の周囲は、常に整理及び清掃に努めるとともに、燃料その他の可燃物をみだりに放置しないこと。

二 炉及びその附属設備は、必要な点検及び整備を行い、火災予防上有効に保持すること。

三 液体燃料を使用する炉及び電気を熱源とする炉にあつては、前号の点検及び整備を熟練者に行わせること。

四 設備に応じた適正な燃料を使用すること。

五 燃料の性質等により異常燃焼を生ずるおそれのある炉にあつては、使用中監視人を置くこと。ただし、異常燃焼を防止するために必要な措置を講じたときは、この限りでない。

六 燃料タンク又は燃料容器は、燃料の性質等に応じ、転倒又は衝撃を防止するために必要な措置を講ずること。

**（厨房設備）**

**第三条の二** 調理を目的として使用するレンジ、フライヤー等及び当該設備に附属する設備（以下「厨房設備」という。）の位置及び構造は、次に掲げる基準によらなければならない。

一 揚げ物調理をする厨房設備にあつては、調理油の温度が過度に上昇した場合に自動的に燃焼又は熱源を停止する装置等を設けること。

二 厨房設備に附属する天蓋及び排気ダクト（以下「排気ダクト等」という。）の位置及び構造は、次によること。

イ 排気ダクト等は、耐食性を有する鋼板又はこれと同等以上の強度を有する特定不燃材料で造ること。ただし、当該厨房設備の入力（最大の消費熱量をいう。以下同じ。）及び使用状況から判断して火災予防上支障がないと認められるものは、この限りでない。

ロ 排気ダクト等の接続は、フランジ接続、溶接等とし、気密性のある接続とすること。

ハ 排気ダクト等は、可燃性の部分から十センチメートル以上の距離を保つこと。ただし、金属以外の特定不燃材料で有効に被覆する部分については、この限りでない。

ニ 排気ダクトは、排気が十分に行える能力を有すること。

ホ 排気ダクトは、直接屋外に通ずるものとし、他の用途のダクトと接続されていないこと。

ヘ 排気ダクトの排気取入口は、こんろ等の火源から規則で定める火災予防上安全な距離を保つこと。

ト 排気ダクトは、曲がり及び立下りの箇所を極力少なくし、内面を滑らかに仕上げること。

チ 排気ダクトのうち、排気取入口から下方に排気する方式のものにあつては、階ごとに専用とすること。

三 油脂を含む蒸気を発生するおそれのある厨房設備の排気ダクト等は前号に規定するもののほか、次に掲げる基準によらなければならない。

イ 排気ダクトの排気取入口には、排気中に含まれる油脂等の付着成分を有効に除去することができる装置（以下「グリス除去装置」という。）を設けること。

ロ グリス除去装置は、耐食性を有する鋼板又はこれと同等以上の耐食性及び強度を有する特定不燃材料で造られたものとすること。ただし、当該厨房設備の入力及び使用状況から判断して火災予防上支障がないと認められるものにあつては、この限りでない。

ハ 排気ダクトの排気取入口には、排気ダクトへの火炎の伝送を防止できる装置（以下「火炎伝送防止装置」という。）として、自動消火装置を設けること。ただし、排気ダクトを用いず天蓋から屋外へ直接排気を行う構造のもの、排気ダクトの長さ若しくは当該厨房設備の入力及び使用状況から判断して火災予防上支障がないと認められるもの又は防火ダンパー等が適切に設けられているものにあつては、この限りでない。

ニ ハただし書の規定にかかわらず、次に掲げる厨房設備には、自動消火装置を設けること。

(1) 令別表第一(一)項から(四)項まで、(五)項イ、(六)項、(九)項イ、(十六)項イ、(十六の二)項及び(十六の三)項に掲げる防火対象物の地階に設ける厨房設備で当該厨房設備の入力と同一厨房室内に設ける他の厨房設備の入力との合計が三百五十キロワット以上のもの

(2) (1)に掲げるもののほか、高さ三十一メートルを超える建築物に設ける厨房設備で当該厨房設備の入力と同一厨房室内に設ける他の厨房設備の入力との合計が三百五十キロワット以上のもの

四 天蓋、天蓋と接続する排気ダクト内、グリス除去装置及び火炎伝送防止装置（以下「グリス除去装置等」という。）は、容易に清掃ができる構造とすること。

五 グリス除去装置等は、清掃を行い、火災予防上支障のないよう維持管理すること。

2 規則で定める厨房設備には、規則で定める技術上の基準により、当該設備又は附属配管部分に、地震動等により作動する安全装置を設けなければならない。

3 前二項に規定するもののほか、厨房設備の位置、構造及び管理の基準については、前条（第一項第八号から第九号の二まで及び第十一号並びに第二項を除く。）の規定を準用する。

**（ボイラー）**

**第四条** ボイラーの構造は、次に掲げる基準によらなければならない。

一 蒸気管は、可燃性の壁、床、天井等を貫通する部分及びこれらに接触する部分を、けいそう土その他の遮熱材料で有効に被覆すること。

二 蒸気等の圧力が異常に上昇した場合に自動的に作動する安全弁その他の安全装置を設けること。

2 規則で定めるボイラーには、規則で定める技術上の基準により、当該設備又は附属配管部分に、地震動等により作動する安全装置を設けなければならない。

3 前二項に規定するもののほか、ボイラーの位置、構造及び管理の基準については、第三条（第一項第八号から第十一号まで及び第二項を除く。）の規定を準用する。

**（ストーブ）**

**第五条** ストーブのうち固体燃料を使用するものは、特定不燃材料で造り、又は覆うものとし、かつ、底面通気性を持たせた適正な大きさの置台の上に設けるとともに、特定不燃材料で造つたたき殻受けを付設しなければならない。

2 ストーブのうち、規則で定めるものにあつては、規則で定める技術上の基準により、当該設備又は附属配管部分に、地震動等により作動する安全装置を設けなければならない。

3 前二項に規定するもののほか、ストーブの位置、構造及び管理の基準については、第三条（第一項第八号から第十一号まで及び第十六号並びに第二項を除く。）の規定を準用する。

**（壁付暖炉）**

**第六条** 壁付暖炉並びにこれに附属する煙突及び煙道の屋内部分の構造は、次の各号に掲げる基準によらなければならない。

一 厚さ十五センチメートル以上の鉄筋コンクリート造又は厚さ二十五センチメートル以上の無筋コンクリート造、れんが造、石造若しくはコンクリートブロック造とし、かつ、隠ぺいされた部分の周囲に適当な間隔を設けて点検できる構造（これらに接する周囲の部分が特定不燃材料で造つた耐火構造（建築基準法第二条第七号に規定する耐火構造をいう。以下同じ。）である場合を除く。）とすること。

二 前号の煙突及び煙道が、れんが造、石造若しくはコンクリートブロック造である場合は、内部に陶管を差し込み、又はセメントモルタルを塗ること。

2 前項に規定するもののほか、壁付暖炉の位置、構造及び管理の基準については、第三条（第一項第一号、第七号から第十号まで及び第十二号の二並びに第二項を除く。）の規定を準用する。

**（温風暖房機）**

**第六条の二** 温風暖房機及びこれに附属する風道の位置及び構造は、次に掲げる基準によらなければならない。

一 温風には、火粉、煙、ガス等が混入しない構造とし、熱交換部分を耐熱性の金属材料等で造ること。

二 温風の吹出し口又は温風の空気取入口は、温風の通風を阻害しない位置に設けること。

2 規則で定める温風暖房機には、規則で定める技術上の基準により、当該設備又は附属配管部分に、地震動等により作動する安全装置を設けなければならない。

3 前二項に規定するもののほか、温風暖房機の位置、構造及び管理の基準については、第三条第一項第一号から第七号まで及び第十号から第二十号まで並びに同条第三項の規定を準用する。

**（ヒートポンプ冷暖房機）**

**第六条の三** ヒートポンプ冷暖房機の内燃機関の位置及び構造は、次に掲げる基準によらなければならない。

一 容易に点検することができる位置に設けること。

二 防振のための措置を講じた床上又は台上に設けること。

三 排気筒を設ける場合は、防火上有効な構造とすること。

2　前項に規定するもののほか、ヒートポンプ冷暖房機の内燃機関の位置、構造及び管理の基準については、第三条第一項第一号から第七号まで、第十号、第十二号の二、第十三号、第十四号及び第十六号から第二十号まで並びに同条第三項の規定を準用する。

（乾燥設備）

**第七条**　乾燥設備の構造は、次に掲げる基準によらなければならない。

一　乾燥物品が直接熱源と接触しない構造とすること。

二　乾燥物品を収容する部分（以下「乾燥物収容室」という。）の温度が過度に上昇するおそれのある乾燥設備にあつては、非常警報装置又は熱源の自動停止装置を設けること。

三　紙、木材等の可燃性の物品及び危険物（法別表第一の品名欄に掲げる物品で、同表に定める区分に応じ同表の性質欄に掲げる性状を有するものをいう。以下同じ。）又は可燃性固体類若しくは可燃性液体類を含有する物品を乾燥するものは、直火を用いないものであること。ただし、火災予防上安全な措置を講じたものにあつては、この限りでない。

2　規則で定める乾燥設備には、規則で定める技術上の基準により、当該設備又は附属配管部分に、地震動等により作動する安全装置を設けなければならない。

3　前二項に規定するもののほか、乾燥設備の位置、構造及び管理の基準については、第三条（第一項第八号から第十号まで及び第二項を除く。）の規定を準用する。

（サウナ設備）

**第七条の二**　サウナ設備の位置及び構造は、次に掲げる基準によらなければならない。

一　避難上支障がなく、かつ、火災予防上安全に区画された位置に設けること。

二　電気配線等は、耐熱性及び耐乾性を有すること。

三　サウナ設備の温度が異常に上昇した場合に直ちにその熱源を遮断することができる手動及び自動の装置を設けること。

2　サウナ設備を設ける室の出入口等の見やすい位置には、規則で定める標識を掲示すること。

3　前二項に規定するもののほか、サウナ設備の位置、構造及び管理の基準については、第三条第一項第一号から第七号まで、第十号、第十一号、第十二号の二、第十四号から第十五号まで及び第十七号から第二十号まで並びに同条第三項並びに前条第一項第一号の規定を準用する。

（簡易湯沸設備）

**第八条**　簡易湯沸設備（入力が十二キロワット以下の湯沸設備をいう。以下同じ。）の位置、構造及び管理の基準については、第三条第一項第一号から第四号まで、第六号、第七号、第十三号から第十四号の二まで及び第十七号から第二十号まで並びに同条第三項（第五号を除く。）の規定を準用する。

2　規則で定める簡易湯沸設備には、規則で定める技術上の基準により、当該設備又は附属配管部分に、地震動等により作動する安全装置を設けなければならない。

（給湯湯沸設備）

**第八条の二**　給湯湯沸設備（簡易湯沸設備以外の湯沸設備をいう。以下同じ。）の位置、構造及び管理の基準については、第三条第一項第一号から第七号まで、第十二号から第十五号まで及び第十七号から第二十号まで並びに同条第三項の規定を準用する。

2　規則で定める給湯湯沸設備には、規則で定める技術上の基準により、当該設備又は附属配管部分に、地震動等により作動する安全装置を設けなければならない。

（燃料電池発電設備）

**第八条の三**　屋内に設ける燃料電池発電設備（固体高分子型燃料電池、リン酸型燃料電池、溶融炭酸塩型燃料電池又は固体酸化物型燃料電池による発電設備であつて火を使用するものに限る。第三項及び第五項並びに第五十七条第一項第十号において同じ。）の位置、構造及び管理の基準については、第三条第一項第一号（イ及びロ並びに規則で定める設備の点検及び整備に必要な空間を確保する規定を除く。）から第三号まで、第四号、第七号、第十二号の三から第十四号（ロを除く。）まで及び第十四号の二（ロからトまでを除く。）、第十一条第一項及び第四項並びに第十二条第一項第一号及び第三号の規定を準用する。

2　前項の規定にかかわらず、屋内に設ける燃料電池発電設備（固体高分子型燃料電池又は固体酸化物型燃料電池による発電設備であつて火を使用するものに限る。以下この項及び第四項において同じ。）であつて出力十キロワット未満のもののうち、改質器の温度が過度に上昇した場合若しくは過度に低下した場合又は換気装置（外箱に機械式換気装置を設けた場合に限る。）に異常が生じた場合に自動的に燃料電池発電設備を停止できる装置を設けたものの位置、構造及び管理の基準については、第三条第一項第一号（イ及びロ並びに規則で定める設備の点検及び整備に必要な空間を確保する規定を除く。）から第三号まで、第四号、第七号、第十二号の三から第十四号（ロを除く。）まで及び第十四号の二（ロからトまでを除く。）並びに同条第三項第四号、第十一条第一項第一号、第二号、第四号、第七号（規則で定める機器等の相互に必要な防火上有効な余裕を保持する規定を除く。）、第八号及び第十号並びに第十二条第一項第一号及び第三号の規定を準用する。

3　屋外に設ける燃料電池発電設備の位置、構造及び管理の基準については、第三条第一項第一号（イ及びロ並びに規則で定める設備の点検及び整備に必要な空間を確保する規定を除く。）から第二号まで、第四号、第七号、第十二号の三から第十四号（ロを除く。）まで及び第十四号の二（ハからトまでを除く。）、第十一条第一項第五号から第十号まで、同条第二項及び第四項並びに第十二条第一項第一号及び第三号の規定を準用する。

4　前項の規定にかかわらず、屋外に設ける燃料電池発電設備であつて出力十キロワット未満のもののうち、改質器の温度が過度に上昇した場合若しくは過度に低下した場合又は換気装置（外箱に機械式換気装置を設けた場合に限る。）に異常が生じた場合に自動的に燃料電池発電設備を停止できる装置を設けたものの位置、構造及び管理の基準については、第三条第一項第一号（イ及びロ並びに規則で定める設備の点検及び整備に必要な空間を確保する規定を除く。）から第二号まで、第四号、第七号、第十二号の三から第十四号（ロを除く。）まで及び第十四号の二（ハからトまでを除く。）並びに同条第三項第四号、第十一条第一項第七号（規則で定める機器等の相互に必要な防火上有効な余裕を保持する規定を除く。）、第八号及び第十号並びに第十二条第一項第一号及び第三号の規定を準用する。

5　規則で定める燃料電池発電設備には、規則で定める技術上の基準により、当該設備又は附属配管部分に、地震動等により作動する安全装置を設けなければならない。

**（ふろがま）**

**第九条**　ふろがまの構造は、次に掲げる基準によらなければならない。

一　ふろがまは、すす等の付着による目詰りのしにくい構造とすること。

二　液体燃料又は気体燃料を使用するふろがまにあつては、自動的に燃焼を停止できる空だき防止装置を設けること。

2　規則で定めるふろがまには、規則で定める技術上の基準により、当該設備又は附属配管部分に、地震動等により作動する安全装置を設けなければならない。

3　前二項に規定するもののほか、ふろがまの位置、構造及び管理の基準については、第三条（第一項第八号から第十一号まで及び第十六号並びに第二項を除く。）の規定を準用する。

**（火花を生ずる設備）**

**第十条**　グラビア印刷機、ゴムスプレッダー起毛機、反毛機、製綿機、その他その操作に際し火花を生じ、かつ、可燃性の蒸気又は微粉を放出する設備（以下「火花を生ずる設備」という。）の位置、構造及び管理は、次に掲げる基準によらなければならない。

一　壁、天井（天井のない場合においては屋根）及び床の火花を生ずる設備に面する部分の仕上げを準不燃材料（建築基準法施行令（昭和二十五年政令第三百三十八号）第一条第五号に規定する準不燃材料をいう。以下同じ。）でした室内に設けること。

二　静電気による火花を生ずるおそれのある部分は、静電気を有効に除去する措置を講ずること。

三　可燃性の蒸気又は微粉を有効に除去する換気装置を設けること。

四　火花を生ずる設備のある室内においては、常に整理及び清掃に努めるとともに、みだりに火気を使用しないこと。

**（放電加工機）**

**第十条の二**　放電加工機（加工液として危険物を用いるものに限る。以下同じ。）の構造は、次に掲げる基準によらなければならない。

一　加工槽内の放電加工部分以外の部分における加工液の温度が設定された温度を超えた場合に自動的に加工を停止する装置を設けること。

二　加工液の液面の高さが放電加工部分から液面までの間に必要最小限の間隔を保つために設定された液面の高さより低下した場合に自動的に加工を停止する装置を設けること。

三　工具電極と加工対象物との間の炭化生成物の発生成長等による異常を検出した場合に自動的に加工を停止する装置を設けること。

四　加工液に着火した場合に自動的に消火する装置を設けること。

2　放電加工機の管理は、次に掲げる基準によらなければならない。

一　引火点が七十度未満の加工液を使用しないこと。

二　吹きかけ加工その他火災の発生のおそれのある方法による加工を行わないこと。

三　工具電極を確実に取り付け、異常な放電を防止すること。

四　必要な点検及び整備を行い、火災予防上有効に保持すること。

3　前二項に規定するもののほか、放電加工機の位置、構造及び管理の基準については、第三条第一項第六号及び第十三号ハ並びに前条（第二号を除く。）の規定を準用する。この場合において、同項第十三号ハ中「燃料タンク」とあるのは、「加工液タンク」と読み替えるものとする。

（変電設備）

**第十一条**　屋内に設ける変電設備（全出力二十キロワット以下のもの及び次条に規定する急速充電設備を除く。以下同じ。）の位置、構造及び管理は、次に掲げる基準によらなければならない。

一　水が浸入し、又は浸透するおそれのない措置を講じた位置に設けること。

二　可燃性又は腐食性の蒸気、ガス若しくは粉じん等が発生し、又は滞留するおそれのない位置に設けること。

三　不燃材料で造つた壁、柱、床及び天井で区画され、かつ、窓及び出入口に防火戸を設けた室内に設けること。ただし、変電設備の周囲に有効な空間を保有する等防火上支障のない措置を講じた場合においては、この限りでない。

三の二　前号の区画をダクト、電線管、ケーブル等が貫通する場合は、当該貫通部分に不燃材料を十分に充てんする等延焼防止上有効な措置を講ずること。

四　屋外に通ずる有効な換気設備を設けること。

五　見やすい箇所に、変電設備である旨を表示した標識を設けること。

六　変電設備のある室内には、係員以外の者をみだりに出入させないこと。

七　機器、配線及び配電盤等は、それぞれ相互に防火上有効な余裕を保持するとともに、堅固に床、壁、支柱等に固定し、室内は常に整理及び清掃に努め、油ぼろその他の可燃物をみだりに放置しないこと。

八　定格電流の範囲内で使用すること。

九　必要に応じ、熟練者に設備の各部分の点検及び絶縁抵抗等の測定試験を行わせ、不良箇所を発見したときは、直ちに補修させるとともに、その結果を記録し、かつ、保存すること。

十　変電設備を設置し、又は改修するときは、温度過昇、短絡、漏電及び落雷等の事故による火災の予防に努めること。

2　屋外における変電設備（柱上及び道路上に設ける電気事業者用のものを除く。以下同じ。）にあつては、建築物から三メートル以上の距離を保たなければならない。ただし、不燃材料で造り、又は覆われた外壁で開口部のないものに面するときは、この限りでない。

3　屋外に設ける変電設備の構造及び管理の基準については、第一項第五号から第十号までの規定を準用する。

4　キュービクル式の変電設備で、消防総監が当該設備の位置、構造及び管理の状況から判断して、火災予防上支障がないと認めたものにあつては、前三項の規定によらないことができる。

（急速充電設備）

**第十一条の二**　急速充電設備（電気を設備内部で変圧して、電気自動車等（電気を動力源とする自動車、原動機付自転車、船舶、航空機その他これらに類するものをいう。以下同じ。）にコネクター（充電用ケーブルを電気自動車等に接続するためのものをいう。以下同じ。）を用いて充電する設備（全出力二十キロワット以下のものを除く。）をいい、分離型のもの（変圧する機能を有する設備本体及び充電用ケーブルを収納する設備で、変圧する機能を有しないものをいう。以下同じ。）により構成されるものをいう。以下同じ。）にあつては、充電ポストを含む。以下同じ。）の位置、構造及び管理は、次に掲げる基準によらなければならない。

一　急速充電設備（全出力五十キロワット以下のもの及び消防総監が定める延焼を防止するための措置が講じられているものを除く。）を屋外に設ける場合にあつては、建築物から三メートル以上の距離を保つこと。ただし、次に掲げるものにあつては、この限りでない。

イ　不燃材料で造り、又は覆われた外壁で開口部のないものに面するもの

ロ　分離型のものにあつては、充電ポスト

二　その筐体は、不燃性の金属材料で造ること。ただし、分離型のものの充電ポストにあつては、この限りでない。

三　堅固に床、壁、支柱等に固定すること。

四　雨水等の浸入を防止する措置を講ずること。

五　充電を開始する前に、急速充電設備と電気自動車等との間で自動的に絶縁状況の確認を行い、絶縁されていない場合には、充電を開始しない措置を講ずること。

六　コネクターと電気自動車等が確実に接続されていない場合には、充電を開始しない措置を講ずること。

七　コネクターが電気自動車等に接続され、電圧が印加されている場合には、当該コネクターが当該電気自動車等から外れないようにする措置を講ずること。

八　漏電、地絡及び制御機能の異常を自動的に検知する構造とし、異常を検知した場合には、急速充電設

備を自動的に停止させる措置を講ずること。

九　電圧及び電流を自動的に監視する構造とし、電圧又は電流の異常を検知した場合には、急速充電設備を自動的に停止させる措置を講ずること。

十　異常な高温とならないこと。また、異常な高温となつた場合には、急速充電設備を自動的に停止させる措置を講ずること。

十一　急速充電設備を手動で緊急に停止することができる装置を、当該急速充電設備の利用者が異常を認めたときに、速やかに操作することができる箇所に設けること。

十二　急速充電設備と電気自動車等の衝突を防止する措置を講ずること。

十三　コネクターの操作に伴う不時の落下を防止する措置を講ずること。ただし、コネクターに十分な強度を有するものにあつては、この限りでない。

十四　充電用ケーブルを冷却するため液体を用いるものにあつては、当該液体が漏れた場合に、漏れた液体が内部基板等の機器に影響を与えない構造とすること。また、充電用ケーブルを冷却するために用いる液体の流量及び温度の異常を自動的に検知する構造とし、当該液体の流量又は温度の異常を検知した場合には、急速充電設備を自動的に停止させる措置を講ずること。

十五　複数の充電用ケーブルを有し、複数の電気自動車等に同時に充電する機能を有するものにあつては、出力の切替えに係る開閉器の異常を自動的に検知する構造とし、当該開閉器の異常を検知した場合には、急速充電設備を自動的に停止させる措置を講ずること。

十六　急速充電設備のうち分離型のものにあつては、充電ポストに蓄電池（主として保安のために設けるものを除く。）を内蔵しないこと。

十七　急速充電設備の周囲は、換気、点検及び整備に支障のないようにするとともに、常に、整理及び清掃に努め、油ぼろその他の可燃物をみだりに放置しないこと。

2　急速充電設備のうち蓄電池を内蔵しているものにあつては、当該蓄電池（主として保安のために設けるものを除く。）について、前項第九号及び第十号に規定するもののほか、次に掲げる措置を講じなければならない。

一　温度の異常を自動的に検知する措置

二　異常な低温を検知した場合には、急速充電設備を自動的に停止させる措置

三　制御機能の異常を自動的に検知する構造とし、制御機能の異常を検知した場合には、急速充電設備を自動的に停止させる措置

3　前二項に規定するもののほか、急速充電設備の位置、構造及び管理の基準については、前条第一項第二号、第五号、第八号及び第九号の規定を準用する。

**（内燃機関を原動力とする発電設備）**

**第十二条**　内燃機関を原動力とする発電設備の位置及び構造は、次に掲げる基準によらなければならない。

一　容易に点検することができる位置に設けること。

二　防振のための措置を講じた台床に設けること。

三　排気筒は、防火上有効な構造とすること。

2　前項に規定するもののほか、内燃機関を原動力とする発電設備の位置、構造及び管理の基準については、第三条第一項第十三号及び第十四号並びに第十一条の規定を準用する。この場合において、同項第十三号ロ中「炉」とあるのは、「内燃機関」と読み替えるものとする。

3　前項の規定にかかわらず、屋外に設ける気体燃料を使用するピストン式内燃機関を原動力とする発電設備であつて出力十キロワット未満のもののうち、次の各号に掲げる基準に適合する鋼板（板厚が〇・八ミリメートル以上のものに限る。）製の外箱に収納されているものの位置、構造及び管理の基準については、第三条第一項第一号（イ及びロ並びに規則で定める設備の点検及び整備に必要な空間を確保する規定を除く。）及び第十四号（ホからトまでを除く。）並びに第十一条第一項第七号（規則で定める機器等の相互に必要な防火上有効な余裕を保持する規定を除く。）、第八号及び第十号の規定を準用する。

一　断熱材又は防音材を使用する場合は、難燃性のものを使用すること。

二　換気口は、外箱の内部の温度が過度に上昇しないように有効な換気を行うことができるものとし、かつ、雨水等の浸入防止の措置が講じられているものであること。

**（蓄電池設備）**

**第十三条**　蓄電池設備（蓄電池容量が十キロワット時以下のもの及び蓄電池容量が十キロワット時を超え二十キロワット時以下のものであつて蓄電池設備の出火防止措置及び延焼防止措置に関する基準（令和五年消防庁告示第七号）第二に定めるものを除く。以下この条において同じ。）は、地震等により容易に転倒し、亀裂し、又は破損しない構造とすること。この場合において、開放形鉛蓄電池を用いたものにあつては、その電槽は、耐酸性の床上又は台上に設けなければならない。

2　前項に規定するもののほか、蓄電池設備の位置、構

造及び管理は、次に掲げる基準によらなければならない。

一　電槽は、遮光措置を講じ、温度変化が急激でないところに転倒しないよう設けること。

二　リチウムイオン蓄電池を用いた蓄電池設備には、過充電の防止その他の蓄電池からの発火を防ぐ措置を講じること。

三　蓄電池設備の周囲においては、みだりに火気を使用しないこと。

3　前二項に規定するもののほか、屋内に設ける蓄電池設備の位置、構造及び管理の基準については、第十一条第一項の規定を準用する。

4　第一項及び第二項に規定するもののほか、屋外に設ける蓄電池設備（柱上及び道路上に設ける電気事業者用のもの並びに蓄電池設備の出火防止措置及び延焼防止措置に関する基準第三に定めるものを除く。）にあつては、建築物から三メートル以上の距離を保たなければならない。ただし、不燃材料で造り、又は覆われた外壁で開口部のないものに面するときは、この限りでない。

5　前項に規定するもののほか、屋外に設ける蓄電池設備（柱上及び道路上に設ける電気事業者用のものを除く。）の位置、構造及び管理の基準については、第十一条第一項第五号から第十号まで及び第十一条の二第一項第四号の規定を準用する。

6　キュービクル式の蓄電池設備で、消防総監が当該設備の位置、構造及び管理の状況から判断して、火災予防上支障がないと認めたものにあつては、前三項の規定によらないことができる。

**（ネオン管灯設備）**

**第十四条**　ネオン管灯設備の位置、構造及び管理は、次に掲げる基準によらなければならない。

一　点滅装置は、低圧側の容易に点検できる位置に設けるとともに、不燃材料で作つた覆いを設けること。ただし、無接点継電器を使用するものにあつては、この限りでない。

二　変圧器を雨のかかる場所に設ける場合にあつては、屋外用のものを用い、導線引出部が下向きとなるように設けること。ただし、雨水の浸透を防止するために有効な措置を講じたときは、この限りでない。

三　支枠その他ネオン管灯に近接する取付材には、木材（難燃合板を除く。）又は合成樹脂（難燃性のものを除く。）を用いないこと。

四　壁等を貫通する部分のがい管は、壁等に固定すること。

五　電源の開閉器は、容易に操作しやすい位置に設けること。

2　ネオン管灯設備の管理については、第十一条第一項第九号の規定を準用する。

**（舞台装置等の電気設備）**

**第十五条**　舞台装置若しくは展示装飾のために使用する電気設備又は工事、農事等のために一時的に使用する電気設備（以下「舞台装置等の電気設備」という。）の位置及び構造は、次の各号に掲げる基準によらなければならない。

一　舞台装置又は展示装飾のために使用する電気設備は、次によること。

イ　電燈、抵抗器その他熱を発生する設備器具は、可燃物を過熱するおそれのない位置に設けること。

ロ　電燈の口金、受口等の充電部は、露出させないこと。

ハ　電燈又は配線は、著しく動揺し、又は脱落しないように取り付けること。

ニ　アークを発生する設備は、不燃材料で造つた容器に入れて使用すること。

ホ　回路には専用の保安装置を設けること。

ヘ　回路は、他の回路と共用しないこと。

二　工事、農事等のため一時的に使用する電気設備は、次によること。

イ　分電盤、電動機等は、雨雪、土砂等により障害を受けるおそれのない位置に設けること。

ロ　残置燈設備の電路には、専用の開閉器を設け、かつ、ヒューズを設ける等自動しや断の措置を講ずること。

2　舞台装置等の電気設備の管理の基準については、第十一条第一項第七号から第九号までの指定を準用する。

**（避雷設備）**

**第十六条**　避雷設備の位置及び構造は、消防総監が指定する日本産業規格（産業標準化法（昭和二十四年法律第百八十五号）第二十条第一項に規定する日本産業規格をいう。以下同じ。）に適合するものとしなければならない。

2　避雷設備の管理については、第十一条第一項第九号の規定を準用する。

**（水素ガスを充てんする気球）**

**第十七条**　水素ガスを充てんする気球の位置、構造及び管理は、次の各号に掲げる基準によらなければならない。

一　煙突その他火気を使用する施設または電線その他障害となるおそれのあるものの付近において掲揚

し、またはけい留しないこと。

二　建築物の屋上で掲揚またはけい留しないこと。ただし、屋根が不燃材料で造つた陸屋根等でその最少幅員が気球の直径の二倍以上である場合においては、この限りでない。

三　掲揚またはけい留に際しては、掲揚綱または気球と周囲の建築物または工作物との間に水平距離十メートル以上の空間を保有するとともに、掲揚綱またはけい留綱等は気球が飛び離れないよう堅固に緊結し、掲揚またはけい留場所にはさく等を設け、かつ、立入を禁止する旨を標示すること。ただし、前号ただし書の規定により建築物の屋上で掲揚し、またはけい留する場合の建築物または工作物との間に保有する空間については、この限りでない。

四　気球は、容積を十五立方メートル以下とし、気球の所有者の氏名を標示すること。

五　気球及び掲揚綱等は、風圧または摩擦に対し十分な強度を有する材料及び構造とすること。

六　気球に付設する電飾は、気球から三メートル以上離れた位置に取り付け、かつ、充電部分が露出しない構造とすること。ただし、過熱または火花が生じないように必要な措置を講じたときは、この限りでない。

七　前号の電飾に使用する電線は、断面積が〇・七五平方ミリメートル以上（文字網の部分に使用するもので直列式のものにあつては、〇・五平方ミリメートル以上）のものを用い、長さ一メートル以下（文字網の部分に使用するものにあつては〇・六メートル以下）ごと及び分岐点の付近において支持すること。

八　気球の地表面に対する傾斜角度が四十五度以下となるような強風時においては、掲揚しないこと。

九　水素ガスの充てんまたは放出については、次によること。

イ　屋外の通風のよい場所で行うこと。

ロ　操作者以外の者が近接しないように適当な措置を講ずること。

ハ　電飾を付設するものにあつては、電源をしや断して行うこと。

ニ　摩擦または衝撃を加える等粗暴な行為をしないこと。

ホ　水素ガスの充てんに際しては、気球内に空気が残存していないことを確かめた後、減圧器を使用して行うこと。

十　水素ガスが九十容量パーセント以下となつた場合においては、詰替えを行うこと。

十一　掲揚中またはけい留中においては、看視人を置くこと。ただし、公衆の立ち入るおそれのない場所でけい留する場合にあつては、この限りでない。

十二　多数の者が集合している場所において運搬その他の取扱を行わないこと。

### 第二節　火を使用する器具及びその使用に際し、火災の発生のおそれのある器具の取扱の基準

**（液体燃料を使用する器具）**

**第十八条**　液体燃料を使用する器具の取扱いは、次に掲げる基準によらなければならない。

一　火災予防上安全な距離を保つことを要しない場合を除き、器具から建築物等及び可燃性の物品までの火災予防上安全な距離として、当該器具の種類に応じ次に掲げる距離以上の距離を保つこと。

イ　別表第五に掲げるもの（ロに該当するものを除く。）にあつては、同表の上欄に掲げる種類の区分に応じ、それぞれ同表の下欄に掲げる距離

ロ　イにより難いものとして消防総監又は消防署長が認めるものにあつては、消防総監が定めるところにより得られる距離

二　地震動等により可燃物が落下し、又は接触するおそれのない場所で使用すること。

三　避難上の障害とならない場所で使用すること。

四　可燃性の蒸気又は可燃性のガスが滞留するおそれのない場所で使用すること。

五　地震動等により容易に転倒又は落下するおそれのないよう安定した状態で使用すること。

六　故障し、又は破損したものを使用しないこと。

七　本来の使用目的以外に使用しないこと。

八　周囲は、常に整理及び清掃に努めるとともに、燃料その他の可燃物を放置しないこと。

八の二　祭礼、縁日、花火大会、展示会その他の多数の者の集合する催しに際しては、消火器を備えた上で使用すること。

九　器具に応じた適正な燃料を使用すること。

十　燃料配管に使用する可燃性ホースは、器具との接続部分をホースバンド等で締めつけるとともに、器具に応じた適正な長さとし、かつ、屋外の配管としては使用しないこと。

十一　使用中に燃料を補給し、持ち運び、又はみだりに移動しないこと。

十二　必要な点検及び整備を熟練者に行わせ、火災予防上有効に保持すること。

十三　不燃性の床上又は台上で使用すること。

2　液体燃料を使用する器具のうち、規則で定めるものにあつては、規則で定める技術上の基準により、当該

器具又は附属配管部分に、地震動等により作動する安全装置を設けたものでなければ使用してはならない。

**（固体燃料を使用する器具）**

**第十九条**　固体燃料を使用する器具の取扱いは、次の各号に掲げる基準によらなければならない。

一　火鉢にあつては、底部に、しや熱のための空間を設け、又は砂等を入れて使用すること。

二　置ごたつにあつては、火入容器を金属以外の特定不燃材料で造つた台上に置いて使用すること。

2　前項に規定するもののほか、固体燃料を使用する器具の取扱いの基準については、前条第一項第一号から第九号までの規定を準用する。

**（気体燃料を使用する器具）**

**第二十条**　気体燃料を使用する器具の取扱いの基準については、第十八条第一項第一号から第十号までの規定を準用する。

**（電気を熱源とする器具）**

**第二十一条**　電気を熱源とする器具の取扱いは、次に掲げる基準によらなければならない。

一　火災予防上安全な距離を保つことを要しない場合を除き、器具から建築物等及び可燃性の物品までの火災予防上安全な距離として、当該器具の種類に応じ次に掲げる距離以上の距離を保つこと。

イ　別表第四に掲げるもの（ロに該当するものを除く。）にあつては、同表の上欄に掲げる種類の区分に応じ、それぞれ同表の下欄に掲げる距離

ロ　イにより難いものとして消防総監又は消防署長が認めるものにあつては、消防総監が定めるところにより得られる距離

二　通電した状態でみだりに放置しないこと。

三　温度制御装置、過熱防止装置その他これらに類する装置は、みだりに取り外し、又はその器具に不適合なものと取り替えないこと。

2　前項に規定するもののほか、電気を熱源とする器具の取扱いの基準については、第十八条第一項第二号から第八号の二までの規定（器具の表面に可燃物が触れた場合に当該可燃物が発火するおそれのない器具にあつては、同項第四号、第六号及び第七号の規定に限る。）を準用する。

**第二十二条**　削除

**（基準の特例）**

**第二十二条の二**　火を使用する設備又は器具及びその使用に際し火災の発生のおそれのある設備又は器具について、消防総監又は消防署長が、予想しない特殊の設備又は器具を用いることにより、前節及びこの節の規定による場合と同等以上の安全性を確保することができると認めたとき、その他火を使用する設備の位置、構造及び管理又は火を使用する器具の取扱い並びに周囲の状況から判断して、火災の発生及び延焼のおそれが著しく少ないと認めるときは、前節及びこの節の規定によらないことができる。

### 第三節　火の使用に関する制限等

**（喫煙等）**

**第二十三条**　次に掲げる場所で、消防総監が指定するものにおいては、喫煙し、若しくは裸火を使用し、又は当該場所に火災予防上危険な物品を持ち込んではならない。ただし、消防署長が、消防総監が定める基準に適合していると認めたときは、この限りでない。

一　劇場、映画館、演芸場、観覧場、公会堂若しくは集会場（以下「劇場等」という。）の舞台又は客席

二　百貨店、マーケットその他の物品販売業を営む店舗又は展示場（以下「百貨店等」という。）の売場又は展示部分

三　地下街（法第八条の二で規定する地下街をいう。以下同じ。）の売場

四　文化財保護法（昭和二十五年法律第二百十四号）の規定によつて重要文化財、重要有形民族文化財、史跡若しくは重要な文化財として指定され、又は旧重要美術品等の保存に関する法律（昭和八年法律第四十三号）の規定によつて重要美術品として認定された建造物の内部又は周囲

五　前各号に掲げるもののほか、火災が発生した場合に人命に危険を生ずるおそれのある場所

2　前項に規定する消防総監が指定する場所には、客席の前面その他の見やすい箇所に、喫煙、裸火の使用又は危険物品の持込みを禁止する旨の標識を設けなければならない。

3　第一項に規定する消防総監が指定する場所（同項第四号に掲げる場所を除く。）を有する防火対象物の関係者は、次の各号に掲げる場合の区分に応じ、それぞれ当該各号に定める措置を講じなければならない。

一　防火対象物内での喫煙を禁止する場合　定期的な巡視その他の消防総監が火災予防上必要と認める措置

二　前号に掲げる場合以外の場合　第一項に規定する消防総監が指定する場所以外の場所における適当な数の吸殻容器を設けた喫煙所の設置及び当該場所が喫煙所である旨の標識の設置

4　第一項に規定する消防総監の指定する場所の関係者は、当該場所で喫煙し、裸火を使用し、又は当該場所に危険物品を持ち込もうとしている者があるときは、これを制止しなければならない。

**第二十四条**　削除

(たき火)

**第二十五条**　可燃物の近くにおいては、たき火をしてはならない。

2　たき火をする場合においては、消火準備その他火災予防上必要な措置を講じなければならない。

**(空地及び空き家の管理)**

**第二十五条の二**　空地の所有者、管理者又は占有者は、当該空地の枯草等の燃焼のおそれのある物件の除去その他火災予防上必要な措置を講じなければならない。

2　空き家の所有者又は管理者は、当該空き家への侵入の防止、周囲の燃焼のおそれのある物件の除去その他火災予防上必要な措置を講じなければならない。

**(がん具用煙火)**

**第二十六条**　がん具用煙火は、火災予防上支障のある場所で消費してはならない。

2　がん具用煙火を貯蔵し、又は取り扱う場合においては、炎、火花又は高温体との接近及び直射日光を避けなければならない。

3　原料をなす火薬又は爆薬の数量が火薬類取締法施行規則(昭和二十五年通商産業省令第八十八号)第九十一条第二号で定める数量の五分の一以上同号で定める数量以下のがん具用煙火を貯蔵し、又は取り扱う場合においては、ふたのある不燃性の容器に入れ、又は防炎処理を施した覆いをしなければならない。

**(化学実験等)**

**第二十七条**　火災の発生のおそれのある化学実験その他の操作をする場合には、次の各号に定めるところによらなければならない。

一　蒸溜、抽出または合成等の操作に際しては、内容物の過熱、過圧または急反応による発火を防止するために、有効な抑制措置を講ずること。

二　蒸発、粉砕または水素添加等の操作に際しては、内容物から発散するガス、蒸気または粉じんの爆発を防止するために、裸火の使用を避け、かつ、有効な換気、集じん若しくは防爆措置を講ずること。

三　かくはん、遠心分離または洗浄等の操作に際しては、内容物のいつ流飛散による引火を防止するために、有効な誘導回収措置を講ずること。

四　鍛造、鋳造または焼ならし等の操作に際しては、引火性または可燃性物質の接触、接近による発火を防止するために、有効なしや熱措置を講ずること。

五　加工、輸送または収納等の操作に際しては、内容物の漏えい、摩擦、衝撃による発火を防止するために、有効な防しよく、防破または緩衝措置を講ずること。

六　前各号に規定するもののほか、火災予防上有効な措置を講ずること。

**(溶接作業等)**

**第二十八条**　溶接作業、溶断作業、グラインダーによる研摩作業、トーチランプによる加熱作業、アスファルト溶解作業、びよう打ち作業その他の火花を発し、又は発炎を伴う作業を行う場合は、消火の準備を行うとともに、火花の飛散、落下又は接炎等による火災の発生を防止するため、次に掲げる措置を講じなければならない。

一　湿砂の散布、散水、不燃材料による遮熱又は難燃性を有するシートによる遮へい

二　可燃性物品の除去

三　作業中の監視及び作業後の点検

四　前三号に掲げるもののほか、火災予防上有効と認められる措置

2　令別表第一に掲げる防火対象物(工事中のものを含む。)内において、可燃性の蒸気若しくは可燃性のガスを著しく発生する物品を使用する作業又は爆発性若しくは可燃性の粉じんを発生する作業を行う場合は、換気、除じん又は火気の制限並びに作業中の監視及び作業後の点検等火災予防上有効な措置を講じなければならない。

### 第四節　火災に関する警報の発令中における火の使用の制限

**(火災に関する警報の発令中における火の使用の制限)**

**第二十九条**　火災に関する警報が発令された場合における火の使用については、次の各号に定めるところによらなければならない。

一　山林、原野等において火入れをしないこと。

二　煙火を消費しないこと。

三　屋外において火遊びまたはたき火をしないこと。

四　屋外においては、引火性または爆発性の物品その他の可燃物の付近で喫煙をしないこと。

五　残火(たばこの吸がらを含む。)、取灰または火粉を始末すること。

六　屋内において裸火を使用するときは、窓、出入口等を閉じて行うこと。

## 第四章　指定数量未満の危険物及び指定可燃物の貯蔵及び取扱いの技術上の基準等

### 第一節　指定数量未満の危険物の貯蔵及び取扱いの技術上の基準等

**(指定数量未満の危険物の貯蔵及び取扱いの遵守事項)**

**第三十条**　法第九条の四第一項の規定に基づき危険物の規制に関する政令(昭和三十四年政令第三百六号。以下「危険物政令」という。)で定める数量(以下「指

定数量」という。）未満の危険物を貯蔵し、又は取り扱う場合は、次に掲げる事項を遵守しなければならない。ただし、指定数量の五分の一未満の第四類の危険物のうち動植物油類を貯蔵し、又は取り扱う場合にあつては、この限りでない。

一　危険物を貯蔵し、又は取り扱う場合は、防火上安全な場所で行うこと。

二　危険物を貯蔵し、又は取り扱う場所においては、火気を使用しないこと。ただし、やむを得ず火気を使用する場合は、通風若しくは換気を行い、又は区画を設ける等火災予防上安全な措置を講ずること。

三　危険物の容器は、当該危険物の性質に応じた安全な材質のものとし、かつ、容易に破損し、又は栓等が離脱しないものであること。

四　危険物を収納した容器を貯蔵する場合は、地震動等による災害の発生を防止するため、次に掲げる方法により行うこと。

イ　戸棚、棚等は、容易に傾斜し、転倒し、又は落下しないよう固定すること。

ロ　容器の転倒、転落又は破損を防止するため、有効な柵、滑り止め等を設けること。

ハ　他の物品が容易に落下するおそれのない場所に貯蔵すること。

ニ　接触又は混合により発火するおそれのある危険物又は物品は、相互に接近して置かないこと。

五　危険物を収納した容器を貯蔵し、又は取り扱う場合は、みだりに転倒させ、落下させ、衝撃を加え、又は引きずる等粗暴な行為をしないこと。

六　危険物を貯蔵し、又は取り扱う場合は、当該危険物が漏れ、あふれ、又は飛散しないよう必要な措置を講ずること。

七　危険物を貯蔵し、又は取り扱う場合は、その性質に応じて、発火の原因となる他の危険物若しくは物品との接近、接触若しくは混合又は過熱、衝撃若しくは摩擦等を避けること。

七の二　前号の規定は、危険物を貯蔵し、又は取り扱うに当たつて、同号の規定によらないことが通常である場合においては、適用しない。この場合において、当該貯蔵又は取扱いについては、災害の発生を防止するため十分な措置を講ずること。

八　危険物又は危険物のくず、かす等を廃棄する場合は、下水、河川等に投棄することなく、その性質に応じ、焼却、中和又は希釈する等他に危害又は損害を及ぼすおそれのない安全な方法により処理すること。

九　危険物を貯蔵し、又は取り扱う場所においては、常に、整理及び清掃に努めること。

十　危険物を販売のため、貯蔵し、又は取り扱う場合は、自動販売機を用いないこと。ただし、第四類の危険物のうち引火点が百三十度以上の危険物を百度未満の温度で貯蔵し、又は取り扱う場合は、この限りでない。

**（少量危険物の貯蔵及び取扱いの基準）**

**第三十一条**　指定数量の五分の一以上指定数量未満の危険物（以下「少量危険物」という。）を貯蔵し、又は取り扱う場所（以下「少量危険物貯蔵取扱所」という。）において、危険物を貯蔵し、又は取り扱う場合は、前条に定めるもののほか、次に掲げる技術上の基準によらなければならない。

一　当該危険物の性質に応じて遮光又は換気を行うこと。

一の二　危険物は、温度計、湿度計、圧力計その他の計器を監視することにより、当該危険物の性質に応じた適正な温度、湿度又は圧力を保つよう貯蔵し、又は取り扱うこと。

二　危険物の変質、異物の混入等により、当該危険物の危険性が増大しないように措置を講ずること。

三　危険物を貯蔵し、又は取り扱う施設若しくは設備、機械器具、容器等を検査し、又は修理する場合は、危険物を完全に除去する等火災予防上安全な措置を講じた後に行うこと。

四　危険物を容器に収納し、又は詰め替える場合は、次によること。

イ　固体の危険物にあつては危険物の規制に関する規則（昭和三十四年総理府令第五十五号。以下「危険物規則」という。）別表第三、液体の危険物にあつては危険物規則別表第三の二の危険物の類別及び危険等級の別の項に掲げる危険物について、これらの表において適応するものとされる内装容器（内装容器の容器の種類の項が空欄のものにあつては、外装容器）又はこれと同等以上の強度を有すると認められる容器（以下この号において「内装容器等」という。）に収納し、又は詰め替えるとともに、温度変化等により危険物が漏れないように容器を密封して収納すること。ただし、少量危険物貯蔵取扱所が存する敷地と同一の敷地内において、危険物を取り扱うため、内装容器等以外の容器に収納し、又は詰め替える場合において、当該容器による取扱いが火災予防上安全であると認められるときは、この限りでない。

ロ　第四類の危険物のうち第四石油類及び動植物油類にあつては、イの規定によるほか、危険物規則第三十九条の三第一項第二号に規定する機械により荷役する構造を有する容器又はこれと同等以上の強度を有すると認められる容器（以下「機械により荷役する構造を有する容器等」という。）に収納し、又は詰め替えることができる。

ハ　内装容器等には、見やすい箇所に危険物規則第三十九条の三第二項から第六項までの規定の例による表示をすること。

ニ　機械により荷役する構造を有する容器等には、ハによる表示のほか、次の表示をすること。

(1)　容器の製造年月及び製造者の名称

(2)　積み重ね試験荷重

(3)　フレキシブル以外の容器にあつては、最大総重量（最大収容重量の危険物を収納した場合の容器の全重量をいう。）

(4)　フレキシブルの容器にあつては、最大収容重量

四の二　危険物を収納した容器を積み重ねて貯蔵する場合には、高さ三メートル（第四類の危険物のうち第三石油類、第四石油類又は動植物油類を収納した容器のみを積み重ねる場合（機械により荷役する構造を有する容器等のみを積み重ねる場合を除く。）にあつては四メートル、機械により荷役する構造を有する容器等のみを積み重ねる場合にあつては六メートル）を超えて積み重ねないこと。

四の三　危険物を屋外において架台で貯蔵する場合には、高さ六メートルを超えて危険物を収納した容器を貯蔵しないこと。

五　危険物を貯蔵し、又は取り扱う場所で、可燃性の蒸気若しくは可燃性のガスが漏れ、若しくは滞留するおそれのある場合又は可燃性の微粉が著しく多量に浮遊するおそれのある場合は、電線と電気器具とを完全に接続して使用し、かつ、火花を発する機械器具、工具、履物等を使用しないこと。

六　危険物を保護液中に保存する場合は、当該危険物が保護液中から露出しないようにすること。

七　危険物を加熱し、又は乾燥する場合は、危険物の温度が局部的に上昇しない方法で行うこと。

八　危険物を用いて吹付塗装作業を行う場合は、防火上有効な隔壁で区画された場所等安全な場所で行うこと。

九　危険物を用いて焼入作業を行う場合は、危険物が危険な温度に達しないようにして行うこと。

十　危険物を用いて染色又は洗浄の作業を行う場合は、可燃性の蒸気の換気をよくして行うとともに、廃液を安全に処理すること。

十一　バーナーにより危険物を消費する場合は、バーナーの逆火を防ぎ、かつ、危険物があふれないようにすること。

十二　ためます又は油分離装置にたまつた危険物は、あふれないように随時くみ上げること。

2　少量危険物をタンクにおいて貯蔵し、又は取り扱う場合は、前項に定めるもののほか、次に掲げる技術上の基準によらなければならない。

一　危険物をタンクへ収納する場合は、タンク容量（タンクの内容積の九十パーセントの量をいう。以下同じ。）を超えないこと。

二　危険物を貯蔵し、又は取り扱うタンクのうち車両に固定されたタンク（以下「移動タンク」という。）から液体の危険物を容器に詰め替え、又は自動車等の燃料タンクへ直接給油しないこと。ただし、引火点が四十度以上の第四類の危険物を容器に詰め替えるときは、この限りでない。

三　移動タンクから危険物を貯蔵し、又は取り扱う他のタンクに液体の危険物を注入するときは、当該他のタンクの注入口に当該移動タンクの注入ホースを緊結し、又は注入ホースの先端部に手動開閉装置を備えた注入ノズル（手動開閉装置を開放の状態で固定する装置を備えたものを除く。）により注入すること。

四　液体の危険物のうち静電気による災害が発生するおそれのあるものを移動タンクに入れ、又は移動タンクから出すときは、当該移動タンクを有効に接地すること。

五　液体の危険物のうち静電気による災害が発生するおそれのあるものを移動タンクにその上部から注入するときは、注入管を用いるとともに、当該注入管の先端を当該移動タンクの底部に着けること。

**（少量危険物貯蔵取扱所の位置、構造及び設備の基準）**

**第三十一条の二**　少量危険物貯蔵取扱所の位置、構造及び設備は、次に掲げる技術上の基準によらなければならない。

一　少量危険物貯蔵取扱所には、見やすい箇所に、少量危険物貯蔵取扱所である旨を表示した標識（移動タンクにあつては、〇・三メートル平方の地が黒色の板に黄色の反射塗料その他反射性を有する材料で「危」と表示した標識）並びに危険物の類、品名及び最大数量並びに防火に関し必要な事項（移動タンク以外の少量危険物貯蔵取扱所に限る。）を掲示した掲示板を設けること。

二　屋外の少量危険物貯蔵取扱所（次項に定めるものを除く。）は、次によること。

イ　排水溝、さく等で境界を明示すること。

ロ　イの境界の周囲に幅二メートル（第四類の危険

物のうち動植物油類を貯蔵し、又は取り扱うものにあつては、一メートル）以上の空地を保有し、又は防火上有効な塀を設けること。ただし、開口部のない防火構造（建築基準法第二条第八号に規定する防火構造をいう。以下同じ。）の壁又は特定不燃材料で造つた壁に面するときは、この限りでない。

ハ　液状の危険物を取り扱う設備（タンクを除く。）には、その直下の地盤面又は床面の周囲に囲いを設け、又は危険物の流出防止にこれと同等以上の効果があると認められる措置を講ずるとともに、当該地盤面又は床面は、危険物が浸透しない構造とし、かつ、適当な傾斜及びためます又は油分離装置を設けること。

三　屋内の少量危険物貯蔵取扱所は、次によること。

イ　壁、柱、床及び天井は、特定不燃材料で造られ、又は覆われたものであること。

ロ　液状の危険物を貯蔵し、又は取り扱う場合においては、その部分の床は、危険物が浸透しない構造とするとともに、適当な傾斜をつけ、かつ、ためますを設けること。

ハ　開口部には、防火戸又はドレンチャー設備を設けること。

ニ　可燃性の蒸気、可燃性のガス又は可燃性の微粉が著しく多量に発生するおそれのある部分には、当該蒸気等を屋外の高所で、かつ、火災予防上安全な場所に排出する設備を設けること。

ホ　危険物を貯蔵し、又は取り扱うために必要な採光、照明及び換気の設備を設けること。

四　危険物を収納した容器を架台で貯蔵する場合は、当該架台を特定不燃材料で堅固に造るとともに、地震動等により容易に転倒しないよう固定すること。

五　危険物を取り扱う機械器具その他の設備は、危険物の漏れ、あふれ又は飛散を防止することができる構造とすること。ただし、当該設備に危険物の漏れ、あふれ又は飛散による災害を防止するための附帯設備を設けたときは、この限りでない。

六　危険物を加熱し、又は乾燥する設備は、直火を用いないものであること。ただし、当該設備を防火上安全な場所に設けたとき、又は当該設備に火災を防止するための附帯設備を設けたときは、この限りでない。

七　危険物を加熱し、若しくは冷却する設備又は危険物の取扱いに伴つて温度の変化が起こる設備には、温度測定装置を設けること。

八　危険物を加圧する設備又はその取り扱う危険物の圧力が上昇するおそれのある設備には、圧力計及び有効な安全装置を設けること。

九　引火性の熱媒体を使用する設備にあつては、その各部分を熱媒体又はその蒸気が漏れない構造とするとともに、当該設備に設ける安全装置は、熱媒体又はその蒸気を火災予防上安全な場所に導く構造とすること。

十　危険物を取り扱う配管は、次によること。

イ　配管は、その設置される条件及び使用される状況に照らして十分な強度を有するものとし、かつ、当該配管に係る最大常用圧力の一・五倍以上の圧力で水圧試験（水以外の不燃性の液体又は不燃性の気体を用いて行う試験を含む。）を行つたとき漏えいその他の異常がないものであること。

ロ　配管は、取り扱う危険物により容易に劣化するおそれのないものであること。

ハ　配管は、火災等による熱によつて容易に変形するおそれのないものであること。ただし、当該配管が地下その他の火災等による熱により悪影響を受けるおそれのない場所に設置される場合にあつては、この限りでない。

ニ　配管には、外面の腐食を防止するための措置を講ずること。ただし、当該配管が設置される条件の下で腐食するおそれのないものである場合にあつては、この限りでない。

ホ　配管を地下に設置する場合には、配管の接合部分（溶接その他危険物の漏えいのおそれがないと認められる方法により接合されたものを除く。）は、漏えいを点検できるようにふたのあるコンクリート造等の箱に納めること。ただし、当該配管の接合部分からの危険物の漏えいを容易に点検することができる措置を講じた場合は、この限りでない。

ヘ　配管を地下に設置する場合には、その上部の地盤面にかかる重量が当該配管にかからないように保護すること。

十一　危険物を取り扱う機械器具その他の設備で、静電気が蓄積するおそれのあるものには、当該静電気を有効に除去する装置を設けること。

十二　電気設備は、電気工作物に係る法令の規定の例によること。

2　少量危険物を貯蔵し、又は取り扱うタンクの位置、構造及び設備は、前項（第二号を除く。）に定めるもののほか、次に掲げる技術上の基準によらなければならない。

一　屋外のタンク（地盤面下に埋没されているタンク（以下「地下タンク」という。）及び移動タンクを除く。）は、次によること。

イ　タンクの周囲には、幅一メートル以上の空地を保有し、又は防火上有効な塀を設けること。ただし、開口部のない防火構造の壁又は特定不燃材料で造つた壁に面するときは、この限りでない。

ロ　タンクは、タンク容量に応じ、次の表に掲げる厚さの鋼板又はこれと同等以上の機械的性質を有する材料で気密に造るとともに、圧力タンクを除くタンクにあつては水張試験において、圧力タンクにあつては最大常用圧力の一・五倍の圧力で十分間行う水圧試験において、それぞれ漏れ、又は変形しないものであること。ただし、固体の危険物を貯蔵し、又は取り扱うタンクにあつては、この限りでない。

| タンク容量 | 板　厚 |
|---|---|
| 四十リットル以下 | 一・〇ミリメートル以上 |
| 四十リットルを超え百リットル以下 | 一・二ミリメートル以上 |
| 百リットルを超え二百五十リットル以下 | 一・六ミリメートル以上 |
| 二百五十リットルを超え五百リットル以下 | 二・〇ミリメートル以上 |
| 五百リットルを超え千リットル以下 | 二・三ミリメートル以上 |
| 千リットルを超え二千リットル以下 | 二・六ミリメートル以上 |
| 二千リットルを超えるもの | 三・二ミリメートル以上 |

ハ　タンクは、堅固な基礎又は特定不燃材料で造つた架台上に設けるとともに、地震動等により容易に破損し、又は転倒しないよう固定すること。

ニ　タンクの外面には、さびどめ等のための措置を講ずること。ただし、アルミニウム合金、ステンレス鋼その他さびにくい材質で造られたタンクにあつては、この限りでない。

ホ　タンクの底板を地盤面に接して設けるものにあつては、底板の外面の腐食を防止するための措置を講ずること。

ヘ　タンク（圧力タンクを除く。）には、有効な通気管を設けること。

ト　への通気管の先端は、屋外の高所で、かつ、火災予防上安全な位置とすること。

チ　引火点が四十度未満の危険物及び引火点以上の状態で貯蔵され、又は取り扱われている危険物を貯蔵し、又は取り扱うタンク（圧力タンクを除く。）にあつては、通気管に引火を防止するための措置を講ずること。

リ　圧力タンクにあつては、有効な安全装置を設けること。

ヌ　注入口は、火気使用場所から十分な距離を有する等火災予防上安全な場所に設けるとともに、弁又はふたを設けること。

ル　危険物を貯蔵し、又は取り扱うタンクの配管には、タンク直近の部分に随時容易に開閉することができる弁を設けること。

ヲ　危険物を貯蔵し、又は取り扱うタンクの配管には、地震動等により当該配管とタンクとの結合部分に損傷を与えないよう必要な措置を講ずること。

ワ　液体の危険物を貯蔵し、又は取り扱うタンクの周囲には、危険物が漏れた場合に、その流出を防止するための有効な措置を講ずること。

カ　タンクには、見やすい位置に危険物の量を覚知することができる装置を設けること。この場合において、注入口の付近でタンクに設けられた当該装置を確認できないものにあつては、注入量がタンク容量に達した場合に警報を発する装置等を注入口の付近に設けること。

二　屋内のタンク（地下タンク及び移動タンクを除く。）において危険物を貯蔵し、又は取り扱う場合は、前号（イ、ト及びワを除く。）の規定の例によるほか、次によること。

イ　タンクと壁又は工作物等との間に、〇・五メートル以上の間隔を保つこと。ただし、点検等に支障がない場合にあつては、この限りでない。

ロ　液体の危険物を貯蔵し、又は取り扱うタンクの周囲には、危険物が漏れた場合に、その流出を防止するための有効な措置を講ずること。ただし、タンクをタンク室に設ける場合で、当該タンクから漏れた危険物が当該タンク室以外の部分に流出しないよう有効な措置を講じた場合にあつては、この限りでない。

ハ　タンク（圧力タンクを除く。）に設ける通気管の先端は、屋外の高所で、かつ、火災予防上安全な位置とすること。ただし、引火点が百度以上の第四類の危険物を百度未満で貯蔵し、又は取り扱うタンクに設ける通気管にあつては、先端を当該タンク上部に設けることができる。

三　地下タンクにおいて危険物を貯蔵し、又は取り扱う場合は、第一号ニ、へからヌまで及びカの規定の例によるほか、次によること。

イ　タンクは、厚さ三・二ミリメートル以上の鋼板又はこれと同等以上の強度を有する金属板若しくはガラス繊維強化プラスチックで気密に造るとともに、圧力タンクを除くタンクにあつては七十キロパスカルの圧力で、圧力タンクにあつては最大常用圧力の一・五倍の圧力で、それぞれ十分間行う水圧試験において、漏れ、又は変形しないものであること。

ロ　タンクは、地盤面下に設けられたコンクリート造等のタンク室に設置すること。ただし、二重殻タンク、危険物の漏れを防止することができる構造（以下「漏れ防止構造」という。）を有するタンク又はガラス繊維強化プラスチックで造られたタンクを地盤面下に設置する場合にあつては、この限りでない。

ハ　二重殻タンク又は漏れ防止構造を有するタンク以外のタンクをタンク室に設置する場合にあつては、当該タンクの外面を危険物規則第二十三条の二の規定の例により有効に保護すること。ただし、腐食しにくい材質で造られている場合にあつては、この限りでない。

ニ　タンクは、堅固な基礎の上に固定すること。

ホ　ふたにかかる重量が直接タンクにかからない構造とすること。

ヘ　タンクの配管は、当該タンクの頂部に取り付けること。

ト　タンクの周囲には、当該タンクからの液体の危険物の漏れを検査するための管を二個以上適当な位置に設けること。ただし、当該タンクに危険物の漏れを有効に検知するための設備を設けた場合にあつては、この限りでない。

チ　計量口を設けるタンクについては、計量口の直下のタンクの底板にその損傷を防止するための措置を講ずること。

四　移動タンクにおいて危険物を貯蔵し、又は取り扱う場合は、第一号ニの規定の例によるほか、次によること。

イ　火災予防上安全な場所に常置すること。

ロ　タンクは、厚さ三・二ミリメートル以上の鋼板又はこれと同等以上の機械的性質を有する材料で気密に造るとともに、圧力タンクを除くタンクにあつては七十キロパスカルの圧力で、圧力タンクにあつては最大常用圧力の一・五倍の圧力で、それぞれ十分間行う水圧試験において、漏れ、又は変形しないものであること。

ハ　タンクは、Uボルト等で車両のシャーシフレーム又はこれに相当する部分に強固に固定すること。

ニ　タンクには、有効な安全装置を設けること。

ホ　タンクは、その内部に四千リットル以下ごとに完全な間仕切りを厚さ三・二ミリメートル以上の鋼板又はこれと同等以上の機械的性質を有する材料で設けること。

ヘ　ホの間仕切りにより仕切られた部分には、それぞれマンホール及び有効な安全装置を設けるとともに、当該間仕切りにより仕切られた部分の容量が二千リットル以上のものにあつては、厚さ一・六ミリメートル以上の鋼板又はこれと同等以上の機械的性質を有する材料で造られた防波板を設けること。

ト　タンクの下部に排出口を設ける場合は、当該タンクの排出口に、非常の場合に直ちに閉鎖することができる弁等を設けるとともに、その直近の見やすい箇所にその旨を表示し、かつ、外部からの衝撃による当該弁等の損傷を防止するための措置を講ずること。

チ　タンクの配管は、先端部に弁等を設けること。

リ　マンホール、注入口、安全装置等の附属装置がその上部に突出しているタンクには、当該タンクの転倒等による当該附属装置の損傷を防止するための防護枠を設けること。

ヌ　マンホール及び注入口のふたは、厚さ三・二ミリメートル以上の鋼板又はこれと同等以上の機械的性質を有する材料で造ること。

ル　タンク及び附属装置の電気設備で、可燃性の蒸気が滞留するおそれのある場所に設けるものは、可燃性の蒸気に引火しない構造とすること。

ヲ　タンクには、他のタンクの注入口と緊結できる結合金具を備えたホースを設けること。ただし、先端部に手動開閉装置を備えた注入ノズルが設けられている注入ホースにあつては、この限りでない。

ワ　液体の危険物のうち静電気による災害が発生するおそれのあるものの移動タンクには、接地導線を設けること。

3　少量危険物貯蔵取扱所には、次に掲げる基準により消火設備を設けなければならない。ただし、法第十七条第一項の規定の適用を受けるものにあつては、この限りでない。

一　少量危険物貯蔵取扱所（移動タンクを除く。）には、危険物政令別表第五において危険物の種類ごとにその消火に適応するものとされる第五種の消火設備を設けること。

二　移動タンクには、自動車用消火器を一個以上設けること。

三　前二号の規定により設置する消火設備は、危険物政令第二十二条第一項及び危険物規則第三十一条の規定の例によること。

**（少量危険物貯蔵取扱所の位置、構造及び設備の維持管理）**

**第三十一条の三**　少量危険物貯蔵取扱所の所有者、管理者又は占有者は、少量危険物貯蔵取扱所の位置、構造及び設備が前条の技術上の基準に適合するよう適正に維持管理しなければならない。

**（百貨店等及び地下街における危険物の貯蔵及び取扱いの制限）**

**第三十一条の四**　百貨店等及び地下街の売場又は展示部分において指定数量未満の危険物を貯蔵し、又は取り扱う場合は、次に掲げる場所で行つてはならない。ただし、危険物規則第四十四条第二項から第五項までに定めるものを貯蔵し、又は取り扱う場合は、この限りでない。

一　出入口の付近

二　階段の直下及びその付近

三　前二号のほか、消防総監が火災予防上又は避難上特に必要と認めて指定した場所

2　前項の売場又は店舗において危険物を貯蔵し、又は取り扱う場合は、その危険物に関し必要な知識を有する者に取り扱わせるとともに、災害の発生を防止するため十分な管理を行わなければならない。

**（品名又は指定数量を異にする危険物）**

**第三十二条**　品名又は指定数量を異にする二以上の危険物を同一の場所で貯蔵し、又は取り扱う場合において、当該貯蔵又は取扱いに係る危険物の数量を当該危険物の指定数量の五分の一の数量で除し、その商の和が一以上となるときは、当該場所は、少量危険物を貯蔵し、又は取り扱つているものとみなす。

## 第二節　指定可燃物の貯蔵及び取扱いの技術上の基準等

**（指定可燃物の貯蔵及び取扱いの基準）**

**第三十三条**　別表第七の品名欄に掲げる物品で同表の数量欄に定める数量以上のもの（以下「指定可燃物」という。）を貯蔵し、又は取り扱う場所（以下「指定可燃物貯蔵取扱所」という。）において、可燃性固体類又は可燃性液体類（以下「可燃性固体類等」という。）を貯蔵し、又は取り扱う場合は、次に掲げる技術上の基準によらなければならない。

一　可燃性固体類等を容器に収納し、又は詰め替える場合は、可燃性固体類（別表第七備考第五号ニに該当するものを除く。）にあつては危険物規則別表第三及び第三の三危険物の類別及び危険等級の別の部第二類の款Ⅲの項において、可燃性液体類にあつては危険物規則別表第三の二及び第三の四危険物の類別及び危険等級の別の部第四類の款Ⅲの項において、それぞれ適応するものとされる内装容器（危険物規則別表第三及び第三の二において内装容器の容器の種類の項が空欄のものにあつては、外装容器）若しくはこれと同等以上の強度を有すると認められる容器（以下この項において「内装容器等」という。）又は機械により荷役する構造を有する容器等に収納し、又は詰め替えるとともに、温度変化等により可燃性固体類等が漏れないように容器を密封して収納すること。

二　内装容器等には、見やすい箇所に可燃性固体類等の化学名又は通称名及び数量の表示並びに「火気厳禁」その他これと同一の意味を有する他の表示をすること。ただし、化粧品の内装容器等で最大容量が三百ミリリットル以下のものについては、この限りでない。

三　機械により荷役する構造を有する容器等には、前号の表示のほか、次の表示をすること。

イ　容器の製造年月及び製造者の名称

ロ　積み重ね試験荷重

ハ　容器の種類に応じ、次に掲げる事項

(1)　フレキシブル以外の容器　最大総重量（最大収容重量の可燃性固体類等を収納した場合の容器の全重量をいう。）

(2)　フレキシブルの容器　最大収容重量

四　可燃性固体類等（別表第七備考第五号ニに該当するものを除く。）を収納した容器を積み重ねて貯蔵する場合には、高さ四メートル（機械により荷役する構造を有する容器等のみを積み重ねる場合には、高さ六メートル）を超えて積み重ねないこと。

2　前項に規定するもののほか、可燃性固体類等の貯蔵及び取扱いの技術上の基準については、第三十条及び第三十一条（第一項第四号及び第四号の二を除く。）の規定を準用する。

3　指定可燃物貯蔵取扱所において可燃性固体類等以外の指定可燃物（以下「綿花類等」という。）を貯蔵し、

又は取り扱う場合は、第三十条第一号、第八号及び第九号並びに第三十一条第一項第一号の二、第五号及び第七号の例によるほか、次に掲げる技術上の基準によらなければならない。

一 綿花類等の指定可燃物貯蔵取扱所においては、みだりに火気を使用しないこと。

二 綿花類等の指定可燃物貯蔵取扱所においては、係員以外の者をみだりに出入りさせないこと。

三 綿花類等は、危険物と区分して整理するとともに、地震動等により、容易に崩れ、転倒し、落下し、又は飛散しないよう必要な措置を講ずること。

四 綿花類等を貯蔵し、又は取り扱う場合においては、炎、火花又は高温体との接近を避けること。ただし、遮熱板を設ける等災害の発生を防止するための十分な措置を講じた場合にあつては、この限りでない。

五 綿花類等を集積する場合には、高さ六メートルを超えて集積しないこと。ただし、消火に有効な散水設備を設ける等災害の拡大を防止するための十分な措置を講じた場合にあつては、この限りでない。

六 綿花類等のうち酸化、吸湿、分解等により発熱し、又は可燃性ガスを発生するおそれのあるもの（以下「自己発熱性物品等」という。）を集積する場合にあつては、前号の規定によるほか、当該物品の性質に応じて、災害の発生を防止することができる適切な高さに集積すること。

七 自己発熱性物品等を貯蔵する場合は、当該物品の性質に応じて、水分、温度、可燃性ガス濃度等を適切に管理すること。

**（可燃性固体類等の指定可燃物貯蔵取扱所の位置、構造及び設備の基準）**

**第三十四条** 可燃性固体類等を貯蔵し、又は取り扱う指定可燃物貯蔵取扱所の位置、構造及び設備は、次に掲げる技術上の基準によらなければならない。

一 指定可燃物貯蔵取扱所には、見やすい箇所に、指定可燃物貯蔵取扱所である旨を表示した標識（可燃性固体類等を貯蔵し、又は取り扱う移動タンクにあつては、〇・三メートル平方の地が黒色の板に黄色の反射塗料その他反射性を有する材料で「指定可燃物」と表示した標識）並びに指定可燃物の品名及び最大数量並びに防火に関し必要な事項（移動タンク以外の指定可燃物貯蔵取扱所に限る。）を掲示した掲示板を設けること。

二 可燃性固体類等を貯蔵し、又は取り扱う屋外の場所の周囲には、容器等の種類及び可燃性固体類等の数量の倍数（貯蔵し、又は取り扱う可燃性固体類等の数量を別表第七に定める当該可燃性固体類等の数量で除して得た値をいう。以下この号において同じ。）に応じ次の表に掲げる幅の空地を保有し、又は防火上有効な塀を設けること。ただし、開口部のない防火構造の壁又は特定不燃材料で造つた壁に面するときは、この限りでない。

| 容器等の種類 | 可燃性固体類等の数量の倍数 | 空地の幅 |
|---|---|---|
| タンク又は金属製容器 | 一以上二十未満 | 一メートル以上 |
| | 二十以上二百未満 | 二メートル以上 |
| | 二百以上 | 三メートル以上 |
| その他のもの | 一以上二十未満 | 一メートル以上 |
| | 二十以上二百未満 | 三メートル以上 |
| | 二百以上 | 五メートル以上 |

三 別表第七で定める数量の二十倍以上の可燃性固体類等を屋内において貯蔵し、又は取り扱う場合は、壁、柱、床及び天井を特定不燃材料で造つた室内において行うこと。ただし、その周囲に幅一メートル（別表第七で定める数量の二百倍以上の可燃性固体類等を貯蔵し、又は取り扱う場合は、三メートル）以上の空地を保有し、又は防火上有効な隔壁を設けた建築物その他の工作物内にあつては、壁、柱、床及び天井を特定不燃材料で覆つた室内において貯蔵し、又は取り扱うことができる。

2 可燃性固体類等の指定可燃物貯蔵取扱所には、次に掲げる基準により消火設備を設けなければならない。ただし、法第十七条第一項の規定の適用を受けるものにあつては、この限りでない。

一 別表第七で定める数量以上のものを貯蔵し、又は取り扱う指定可燃物貯蔵取扱所にあつては、消火器具を設けること。

二 別表第七で定める数量の五百倍以上のものを貯蔵し、又は取り扱う指定可燃物貯蔵取扱所にあつては、前号の規定によるほか、大型消火器を設けること。

三 前二号の規定により設ける消火器具は、令別表第二においてその消火に適応するものを令第十条第二項の規定の例により設けること。

四 可燃性固体類等を貯蔵し、又は取り扱う屋外のタンク（引火点が百度以上のもののみを百度未満の温度で貯蔵し、又は取り扱うものを除く。）のうち、高さが六メートル以上のもの又は最大水平断面積が四十平方メートル以上のものにあつては、第一号の規定によるほか、水噴霧消火設備又は固定式の泡消火設備を設けること。

五　前号の規定により設置する消火設備（消火器具を除く。）は、危険物規則第三十二条の五又は第三十二条の六（第二号を除く。）の規定の例により設けること。

六　前各号の規定により設置する消火設備又はこれらの部分である機械器具は、令第三十七条の規定の例によること。

3　前二項に規定するもののほか、可燃性固体類等を貯蔵し、又は取り扱う指定可燃物貯蔵取扱所の位置、構造及び設備の技術上の基準については、第三十一条の二（第一項第一号、第二号ロ及び第三号イ、第二項第一号イ並びに第三項を除く。）及び第三十一条の三の規定を準用する。

**（綿花類等の指定可燃物貯蔵取扱所の位置、構造及び設備の基準）**

**第三十四条の二**　綿花類等を貯蔵し、又は取り扱う指定可燃物貯蔵取扱所の位置、構造及び設備は、次に掲げる技術上の基準によらなければならない。

一　綿花類等を貯蔵し、又は取り扱う屋外の場所の周囲には、指定可燃物の区分及び綿花類等の数量の倍数（貯蔵し、又は取り扱う綿花類等を別表第七に定める当該綿花類等の数量で除して得た値をいう。以下この号において同じ。）又は一集積単位の面積に応じ次の表に掲げる空地の幅を保有し、又は防火上有効な塀を設けること。ただし、開口部のない防火構造の壁若しくは特定不燃材料で造つた壁に面する場合又は水幕設備を設置する等火災の延焼を防止するために必要な措置を講じた場合は、この限りでない。

| 指定可燃物の区分 | 綿花類等の数量の倍数 | 一集積単位の面積 | 空地の幅 |
|---|---|---|---|
| 合成樹脂類以外の綿花類等 | | 五十平方メートル以下のもの | 一メートル以上 |
| | | 五十平方メートルを超えるもの | 二メートル以上 |
| 合成樹脂類 | 二十未満のもの | 百平方メートル以下のもの | 一メートル以上 |
| | | 百平方メートルを超えるもの | 二メートル以上 |
| | 二十以上のもの | | 三メートル以上 |

二　綿花類等のうち合成樹脂類以外のものを集積する場合は、次によること。

イ　一集積単位の面積が二百平方メートル以下になるように区分するとともに、集積単位相互間及び集積群（屋内における一集積単位の面積の合計が五百平方メートル以上である場合において、五百平方メートル以下ごとに集積された綿花類等の集積群をいう。以下この号において同じ。）相互間に次の表に掲げる距離を保つこと。ただし、散水設備を設置する等火災の拡大又は延焼を防止するために必要な措置を講じた場合は、一集積単位の面積を四百平方メートル以下とし、集積単位相互間及び集積群相互間の距離を一メートル以上とすることができる。

| 区分 | 距離 |
|---|---|
| (一)　面積が五十平方メートル以下の集積単位相互間 | 一メートル以上 |
| (二)　面積が五十平方メートルを超え二百平方メートル以下の集積単位相互間 | 二メートル以上 |
| (三)　集積群相互間 | 三メートル以上 |

ロ　石炭・木炭類を集積する場合において、当該石炭・木炭類を適温に保つための散水設備等を設置したときは、イの規定は適用しない。

三　合成樹脂類の指定可燃物貯蔵取扱所は、次によること。

イ　合成樹脂類を集積する場合は、一集積単位の面積が五百平方メートル以下になるように区分するとともに、集積単位相互間に次の表に掲げる距離を保つこと。ただし、散水設備を設置する等火災の拡大又は延焼を防止するために必要な措置を講じた場合は、この限りでない。

| 区分 | | 距離 |
| --- | --- | --- |
| (一) | 面積が百平方メートル以下の集積単位相互間 | 一メートル以上 |
| (二) | 面積が百平方メートルを超え三百平方メートル以下の集積単位相互間 | 二メートル以上 |
| (三) | 面積が三百平方メートルを超え五百平方メートル以下の集積単位相互間 | 三メートル以上 |

ロ　屋内において合成樹脂類を貯蔵し、又は取り扱う場合は、貯蔵する場所と取り扱う場所との間を特定不燃材料を用いて区画すること。ただし、水幕設備を設置する等火災の延焼を防止するために必要な措置を講じた場合は、この限りでない。

ハ　別表第七に定める数量の百倍以上の合成樹脂類を屋内において貯蔵し、又は取り扱う場合は、壁及び天井を難燃材料（建築基準法施行令第一条第六号に規定する難燃材料をいう。以下同じ。）で仕上げた室内において行うこと。

四　綿花類等を加熱し、若しくは乾燥する設備又は綿花類等の取扱いに伴つて温度の変化が起こる設備には、温度測定装置を設けること。

五　綿花類等を屋内で取り扱うに当たつて可燃性の微粉が著しく多量に発生するおそれのある部分には、有効な換気設備又は集じん装置を設けること。

六　綿花類等を取り扱うに当たつて静電気が発生するおそれのある設備には、当該設備に蓄積された静電気を有効に除去する装置を設けること。

七　綿花類等を破砕する設備で火花の発生するおそれのあるものには、当該火花による着火を防止するための設備を設けること。ただし、散水設備を設ける等火災の発生を防止するための措置を講じた場合にあつては、この限りでない。

八　綿花類等を搬送するベルトコンベア等のうち、外装が設けられていることにより著しく消火が困難となるものには、火災時に開放が容易で、かつ、消火活動上有効な開口部を設けること。ただし、ベルトコンベア等の外装の内部に直接散水できる設備を設ける等火災の拡大を防止するための有効な措置を講じた場合は、この限りでない。

2　タンク又はサイロ（以下「タンク等」という。）において、綿花類等を貯蔵し、又は取り扱う場合は、前項に定めるもののほか、次に掲げる技術上の基準によらなければならない。

一　タンク等の周囲には、前条第一項第二号に規定するタンクの例により空地を保有すること。

二　自己発熱性物品等を貯蔵するタンク等は、次によること。

イ　貯蔵物品が異常に発熱等したときに、当該異常を早期に検知するための温度測定装置、可燃性ガス検知装置等を設けること。

ロ　別表第七で定める数量の百倍以上の自己発熱性物品等を貯蔵する場合は、当該物品が異常に発熱等したときに迅速に排出できる構造とすること。ただし、異常な発熱等を抑制するための有効な措置を講じた場合は、この限りでない。

3　綿花類等を屋外において貯蔵し、又は取り扱う指定可燃物貯蔵取扱所の消火設備については、前条第二項の規定を準用する。この場合において、同項中「可燃性固体類等」とあるのは「綿花類等」と、「消火器具」とあるのは「消火器具又はこれと同等以上の効果を有する散水栓等」と、「大型消火器」とあるのは「大型消火器又はこれと同等以上の効果を有する散水栓等」と、「水噴霧消火設備、固定式の泡消火設備」とあるのは「水噴霧消火設備、固定式の泡消火設備又はこれらと同等以上の効果を有する固定式の消火設備」と読み替えるものとする。

4　前三項に定めるもののほか、綿花類等の指定可燃物貯蔵取扱所の位置、構造及び設備の技術上の基準については、第三十一条の三及び前条第一項第一号の規定を準用する。

**（指定可燃物の保安計画の作成等）**

**第三十四条の三**　指定可燃物貯蔵取扱所において、別表第七で定める数量の百倍以上の再生資源燃料、可燃性固体類等、合成樹脂類又は自己発熱性物品等を貯蔵し、又は取り扱う者は、当該指定可燃物貯蔵取扱所における火災の危険要因を把握するとともに、前三条に定めるもののほか、当該危険要因に応じた保安に関する計画を作成し、火災予防上有効な措置を講じなければならない。

### 第三節　基準の特例

**（基準の特例）**

**第三十四条の四**　この章（第二十条、第三十一条、第三十二条及び第三十三条を除く。以下この条において同じ。）の規定は、少量危険物貯蔵取扱所及び指定可燃物貯蔵取扱所について、消防総監がその品名及び数量、貯蔵及び取扱いの方法並びに周囲の地形その他の状況等から判断して、この章の規定による位置、構造及び設備の技術上の基準によらなくとも、火災の発生及び延焼のおそれが著しく少なく、かつ、火災等の災害による被害を最小限度にとどめることができると認めるとき、又は予想しない特殊な構造若しくは設備を用いることによりこの章の規定による少量危険物貯蔵取扱所及び指定可燃物貯蔵取扱所の位置、構造及び設備の技術上の基準による場合と同等以上の効力があると認めるときにおいては、適用しない。

## 第五章　消防用設備等の技術上の基準の付加

**第三十五条**　消防用設備等の技術上の基準に関しては、令に定めるもののほか、この章の定めるところによる。

**（消火器具に関する基準）**

**第三十六条**　令別表第一(十六)項に掲げる防火対象物のうち、同表(三)項から(六)項まで、(九)項又は(十二)項から(十五)項までに掲げる防火対象物の用途に供する部分を有するもので、延べ面積が百五十平方メートル以上のものには、消火器具を設けなければならない。

2　令別表第一に掲げる防火対象物に存する場所のうち、次に掲げる場所には、消火器具を設けなければならない。ただし、令第十条第一項各号（第一号ロに掲げるもので、延べ面積が百五十平方メートル未満のものを除く。）に掲げる防火対象物又はその部分に存する場所については、この限りでない。

一　火花を生ずる設備のある場所

二　燃料電池発電設備、変電設備、内燃機関を原動力とする発電設備その他これらに類する電気設備のある場所

三　鍛冶（かじ）場、ボイラー室、乾燥室、サウナ室その他多量の火気を使用する場所

四　核燃料物質又は放射性同位元素を貯蔵し、又は取り扱う場所

五　動植物油、鉱物油その他これらに類する危険物又は可燃性固体類等を煮沸する設備又は器具のある場所

六　紙類、穀物類又は布類（以下「紙類等」という。）を貯蔵し、又は取り扱う指定可燃物貯蔵取扱所

3　前二項の規定により設ける消火器具は、令別表第二においてその消火に適応するものを令第十条第二項の規定の例により設置し、及び維持しなければならない。

4　前項の規定にかかわらず、第一項及び第二項の規定により設ける消火器具のうち、令別表第一(三)項に掲げる防火対象物で延べ面積が百五十平方メートル未満のものに設置するものは、防火対象物の階ごとに、当該防火対象物の各部分から、それぞれ一の消火器具に至る歩行距離が二十メートル以下となるように配置しなければならない。

5　前項の場合において、当該防火対象物に、消防法施行規則（昭和三十六年自治省令第六号。以下「省令」という。）第六条第四項に規定する変圧器、配電盤その他これらに類する電気設備がある場合においては、当該電気設備に係る消火器具については、防火対象物の階ごとに、当該電気設備のある場所の各部分から、それぞれ一の消火器具に至る歩行距離が二十メートル以下となるように配置しなければならない。

6　第三項の規定にかかわらず、第一項の規定により設ける消火器具の能力単位の数値は、当該防火対象物の床面積を百五十平方メートルで除して得た数又は紙類等の数量を別表第七のそれぞれ該当する項に掲げる数量の五十倍の数量で除して得た数のいずれか大きい数値以上としなければならない。

7　第三項の規定にかかわらず、第二項の規定により同項第三号に規定する場所に設ける消火器具のうち、令別表第一(三)項に掲げる防火対象物で延べ面積が百五十平方メートル未満のものに設置するものは、省令第六条第一項から第三項まで及び同条第七項に規定する数値によるほか、令別表第二において建築物その他の工作物の消火に適応するものとされる消火器具を、その能力単位の数値の合計数が、当該場所の床面積を二十五平方メートルで除して得た数以上の数値となるように設けなければならない。

**（大型消火器に関する基準）**

**第三十七条**　令別表第一各項に掲げる防火対象物に存する場所のうち、次に掲げる場所には、令別表第二においてその消火に適応するものとされる大型消火器を、当該場所の各部分から一の大型消火器に至る歩行距離が三十メートル以下となるように設けなければならない。

一　不燃液機器又は乾式機器を使用する特別高圧変電設備のある場所

二　不燃液機器又は乾式機器を使用する全出力千キロワット以上の高圧変電設備のある場所

三　不燃液機器又は乾式機器を使用する全出力千キロワット以上の低圧変電設備のある場所

四　油入機器を使用する全出力五百キロワット以上千キロワット未満の高圧又は低圧の変電設備のある場

所

五　全出力五百キロワット以上千キロワット未満の燃料電池発電設備又は内燃機関を原動力とする発電設備のある場所

六　別表第七に定める数量の五百倍以上の紙類等を貯蔵し、又は取り扱う指定可燃物貯蔵取扱所

2　前項の規定により設ける大型消火器は、令第十条第二項及び第三項の規定の例により設置し、及び維持しなければならない。

（屋内消火栓設備に関する基準）

**第三十八条**　次の各号に掲げる防火対象物には、屋内消火栓設備を設けなければならない。

一　令別表第一(十六)項に掲げる防火対象物で、延べ面積が、特定主要構造部（建築基準法第二条第九号の二イに規定する特定主要構造部をいう。以下同じ。）を耐火構造とし、かつ、壁及び天井の室内に面する部分の仕上げを難燃材料でした防火対象物にあつては三千平方メートル以上、特定主要構造部を耐火構造としたその他の防火対象物又は同条第九号の三イ若しくはロのいずれかに該当し、かつ、壁及び天井の室内に面する部分の仕上げを難燃材料でした防火対象物にあつては二千平方メートル以上、その他の防火対象物にあつては千平方メートル以上のもの

二　令別表第一各項に掲げる防火対象物で、地階を除く階数が五以上のもの（特定主要構造部が耐火構造であるか、若しくは主要構造部（建築基準法第二条第五号に規定する主要構造部をいう。）が不燃材料で造られているもので、五階以上の階の床面積の合計が百五十平方メートル（特定主要構造部が耐火構造で、かつ、壁及び天井の室内に面する部分の仕上げを準不燃材料でしたものにあつては三百平方メートル）以下のもの又は特定主要構造部が耐火構造であるもので、五階以上の部分が床面積の合計百五十平方メートル（壁及び天井の室内に面する部分の仕上げを準不燃材料でしたものにあつては三百平方メートル）以内ごとに耐火構造の床若しくは壁若しくは防火戸で区画されているものを除く。）

三　前二号に掲げるもののほか、別表第七に定める数量の七百五十倍以上の紙類等を貯蔵し、又は取り扱う指定可燃物貯蔵取扱所

2　前項の規定により設ける屋内消火栓設備は、令第十一条第三項及び第四項の規定の例により設置し、及び維持しなければならない。

3　第一項又は令第十一条第一項及び第二項の規定により設ける屋内消火栓設備（令別表第一(一)項から(四)項まで、(五)項イ、(六)項、(九)項イ、(十六)項イ及び(十六の二)項の用途に供する防火対象物（小規模特定用途複合防火対象物（省令第十三条第一項第二号に規定する小規模特定用途複合防火対象物をいう。以下同じ。）を除く。）に設けるものを除く。）のうち、次に掲げる防火対象物に設けるものに附置する非常電源は、自家発電設備、蓄電池設備又は燃料電池設備を設けなければならない。

一　地階を除く階数が十一以上で延べ面積が三千平方メートル以上のもの

二　前号に掲げるもののほか、地階を除く階数が七以上で延べ面積が六千平方メートル以上のもの

三　前二号に掲げるもののほか、地階の階数が四以上で地階の床面積の合計が二千平方メートル以上のもの

4　第一項又は令第十一条第一項及び第二項の規定により設ける防火対象物の屋内消火栓設備には、その屋上に一以上の放水口を設けなければならない。

（スプリンクラー設備に関する基準）

**第三十九条**　次に掲げる防火対象物の階には、スプリンクラー設備を設けなければならない。

一　令別表第一(十二)項ロに掲げる防火対象物の階で、映画又はテレビの撮影の用に供する部分（これに接続して設けられた大道具室又は小道具室を含む。以下「スタジオ部分」という。）の床面積の合計が、地階、無窓階又は四階以上の階にあつては三百平方メートル以上、その他の階にあつては五百平方メートル以上のもの

二　令別表第一(二)項及び(三)項ロに掲げる防火対象物の二以上の階のうち、地階、無窓階又は四階以上の階に達する吹抜け部分を共有するもので、その床面積の合計が、同表(二)項に掲げるものにあつては千平方メートル以上、同表(三)項ロに掲げるものにあつては千五百平方メートル以上のもの

三　令別表第一(五)項ロ、(七)項、(八)項及び(十二)項イに掲げる防火対象物の地階又は無窓階で、その床面積が二千平方メートル以上のもの

四　令別表第一(十六)項に掲げる防火対象物の地階又は無窓階で、同表(五)項ロ、(七)項、(八)項及び(十二)項に掲げる用途に供する部分の床面積の合計が二千平方メートル以上のもの

四の二　令別表第一(一)項から(四)項まで、(五)項イ、(六)項、(九)項イ及び(十六)項イに掲げる防火対象物（小規模特定用途複合防火対象物を除く。）の地下四階以下の階（第二号に掲げるものを除く。）で、当該地下四階以下の階の床面積の合計が千平方メートル以上のもの

四の三　令別表第一(五)項ロ、(七)項、(八)項、(九)項ロ、(十)項から(十五)項まで及び(十六)項に掲げる防火対象物（同表

(十六)項イに掲げる防火対象物にあつては、小規模特定用途複合防火対象物に限る。）の地下四階以下の階（第一号、第三号及び第四号に掲げるものを除く。）で、当該地下四階以下の階の床面積の合計が二千平方メートル以上のもの

四の四　令別表第一(十)項に掲げる車両の停車場（鉄道の用に供するものに限る。以下同じ。）で、地階に乗降場を有するものの地階のうち、当該用途に供する部分

五　令別表第一各項に掲げる建築物の階で、地盤面からの高さが三十一メートルを超えるもの

六　前各号に掲げるもののほか、別表第七に定める数量の千倍以上の紙類等を貯蔵し、又は取り扱う指定可燃物貯蔵取扱所

2　前項第一号及び第四号から第四号の三まで（スタジオ部分に限る。）の規定により設けるスプリンクラーヘッドは、取付け面の高さが六メートルを超える部分に設けるものにあつては、開放型とし、かつ、スタジオ部分の天井又は小屋裏に、その各部分から一のスプリンクラーヘッドまでの水平距離が一・七メートル以下となるよう設けるものとする。

3　前項に規定するもののほか、第一項の規定により設けるスプリンクラー設備は、令第十二条第二項及び第三項の規定の例により設置し、及び維持しなければならない。

4　第一項又は令第十二条第一項の規定により設けるスプリンクラー設備に附置する非常電源は、前条第三項の規定の例により設けること。

**（水噴霧消火設備等に関する基準）**

**第四十条**　次の表の上欄に掲げる防火対象物又はその部分には、水噴霧消火設備、泡消火設備、不活性ガス消火設備、ハロゲン化物消火設備又は粉末消火設備のうち、それぞれ当該下欄に掲げるもののいずれかを設けなければならない。

| 防火対象物又はその部分 | 消火設備 |
| --- | --- |
| 令別表第一(十三)項イに掲げる防火対象物又はその部分のうち、次に掲げるもの<br>一　延べ面積が七百平方メートル以上の防火対象物（駐車するすべての車両が同時に屋外に出ることができる構造のものを除く。）<br>二　吹抜け部分を共有する防火対象物の二以上の階で、駐車の用に供する部分の床面積の合計が二百平方メートル以上のもの | 水噴霧消火設備、泡消火設備、不活性ガス消火設備、ハロゲン化物消火設備又は粉末消火設備 |
| 令別表第一各項に掲げる防火対象物に存する場所のうち、次に掲げるもの<br>一　油入機器を使用する特別高圧変電設備のある場所<br>二　油入機器を使用する全出力千キロワット以上の高圧又は低圧の変電設備のある場所<br>三　全出力千キロワット以上の燃料電池発電設備又は内燃機関を原動力とする発電設備のある場所<br>四　前三号以外の無人の燃料電池発電設備、変電設備又は内燃機関を原動力とする発電設備のある場所 | 不活性ガス消火設備、ハロゲン化物消火設備又は粉末消火設備 |
| 令別表第一各項に掲げる防火対象物の冷凍室又は冷蔵室の部分で、床面積の合計が五百平方メートル以上のもの | 不活性ガス消火設備又はハロゲン化物消火設備 |
| 地盤面からの高さが三十一メートルを超える階に存する部分のうち、次に掲げるもの<br>一　通信機器室、電子計算機室、電子顕微鏡室その他これらに類する室<br>二　発電機、変圧器その他これらに類する電気設備が設置されている場所 | 不活性ガス消火設備、ハロゲン化物消火設備又は粉末消火設備 |
| 別表第七に定める数量の千倍以上の紙類等を貯蔵し、又は取り扱う指定可燃物貯蔵取扱所 | 水噴霧消火設備、泡消火設備、不活性ガス消火設備又はハロゲン化物消火設備 |

2　前項の規定により無人変電設備のある場所に設ける不活性ガス消火設備、ハロゲン化物消火設備又は粉末消火設備は、移動式以外のものでなければならない。

3　前項に規定するもののほか、第一項の規定により設ける水噴霧消火設備、泡消火設備、不活性ガス消火設

備、ハロゲン化物消火設備又は粉末消火設備は、令第十四条から第十八条までの規定の例により設置し、及び維持しなければならない。

4　第一項又は令第十三条第一項の規定により設ける水噴霧消火設備又は泡消火設備に附置する非常電源は、第三十八条第三項の規定の例により設けること。

5　第一項の表別表第七に定める数量の千倍以上の紙類等を貯蔵し、又は取り扱う指定可燃物貯蔵取扱所の項に掲げる指定可燃物貯蔵取扱所にスプリンクラー設備を令第十二条の規定の例により設置したときは、同項の規定にかかわらず、当該設備の有効範囲内の部分については、同項下欄に掲げる消火設備を設置することを要しない。

**（動力消防ポンプ設備に関する基準）**

**第四十条の二**　令別表第一に掲げる建築物（耐火建築物（建築基準法第二条第九号の二に規定する耐火建築物をいう。）及び準耐火建築物（同条第九号の三に規定する準耐火建築物をいう。）を除く。）が同一敷地内に二以上ある場合において、当該建築物の延べ面積の合計（屋内消火栓設備、スプリンクラー設備、水噴霧消火設備、泡消火設備、不活性ガス消火設備、ハロゲン化物消火設備、粉末消火設備又は屋外消火栓設備が、第三十八条から前条まで及び令第十一条から第十九条までの規定の例により設置され、かつ、維持されている部分の床面積を除く。）が三千平方メートル以上となるときは、動力消防ポンプ設備を設けなければならない。

2　前項に規定する動力消防ポンプ設備は、令第二十条第二項から第五項までの規定の例により設置し、及び維持しなければならない。

**（自動火災報知設備に関する基準）**

**第四十一条**　次に掲げる防火対象物には、自動火災報知設備を設けなければならない。

一　令別表第一㈤項ロに掲げる防火対象物（特定主要構造部を耐火構造としたもの又は建築基準法第二条第九号の三イ若しくはロのいずれかに該当するものを除く。）で延べ面積が二百平方メートル以上のもの

二　令別表第一㈥項ロに掲げる防火対象物（特定主要構造部を耐火構造としたもの又は建築基準法第二条第九号の三イ若しくはロのいずれかに該当するものを除く。）のうち、二階以上の階を同表㈤項ロに掲げる用途に供するもので、延べ面積が三百平方メートル以上のもの

三　令別表第一㈥項ロに掲げる防火対象物で、延べ面積が千平方メートル以上のもの

四　前各号に掲げるもののほか、別表第七に定める数量の五百倍以上の紙類等を貯蔵し、又は取り扱う指定可燃物貯蔵取扱所

2　前項の規定により設ける自動火災報知設備は、令第二十一条第二項及び第三項の規定の例により設置し、及び維持しなければならない。

3　第一項又は令第二十一条第一項の規定により延べ面積が六百平方メートル（当該防火対象物の主要な出入口からその内部を見通すことができるものにあつては千平方メートル）以上の防火対象物に設ける自動火災報知設備は、天井の屋内に面する部分と天井裏の部分をそれぞれ異なる警戒区域としなければならない。

4　次に掲げる防火対象物又はその部分に設置する自動火災報知設備については、省令第二十三条第四項第一号ヘに掲げる部分に感知器を設けなければならない。

一　小規模特定用途複合防火対象物（特定主要構造部を耐火構造としたもの又は建築基準法第二条第九号の三イ若しくはロのいずれかに該当するものを除く。次号において同じ。）の部分のうち、令別表第一㈤項ロに掲げる用途に供する部分の床面積の合計が二百平方メートル以上のもの

二　小規模特定用途複合防火対象物で、二階以上の階を令別表第一㈤項ロに掲げる用途に供するもの

三　小規模特定用途複合防火対象物で、延べ面積が千平方メートル以上のもの

5　前項の規定により設ける自動火災報知設備について、省令第二十四条第五号、第五号の二又は第八号の二の規定を適用する場合においては、同条第五号ロ及びハ中「その部分（前条第四項第一号ヘに掲げる部分を除く。）」とあるのは「その部分」と、同号ニ中「その階（前条第四項第一号ヘに掲げる部分を除く。）」とあるのは「その階」と、同条第五号の二ロ(イ)及び(ロ)中「その部分（前条第四項第一号ヘに掲げる部分を除く。）」とあるのは「その部分」と、同条第八号の二イ中「その階（前条第四項第一号ヘに掲げる部分を除く。）」とあるのは「その階」と読み替えるものとする。

6　前二項の規定は、第四項に規定する自動火災報知設備に代えて特定小規模施設における必要とされる防火安全性能を有する消防の用に供する設備等に関する省令（平成二十年総務省令第百五十六号。第五十五条の五の四において「特定小規模施設省令」という。）第三条第一項の特定小規模施設用自動火災報知設備及び複合型居住施設における必要とされる防火安全性能を有する消防の用に供する設備等に関する省令（平成二十二年総務省令第七号。第五十五条の五の四において「複合型居住施設省令」という。）第三条第一項の複合

型居住施設用自動火災報知設備を用いる場合について、それぞれ準用する。

**第四十二条及び第四十三条**　削除

**（非常警報設備に関する基準）**

**第四十三条の二**　令別表第一㈩項に掲げる車両の停車場で、地階に乗降場を有するものには、非常ベル及び放送設備又は自動式サイレン及び放送設備を設けなければならない。

2　前項並びに令第二十四条第二項及び第三項の規定により設ける放送設備については、第五十五条の二の二第一項第一号、第三号及び第四号に掲げる防火対象物の各階に設ける起動装置に、防災センター等と通話することができる装置を附置すること。ただし、起動装置を非常電話とする場合にあつては、この限りでない。

3　前二項の規定により設ける非常警報設備は、令第二十四条第四項及び第五項の規定の例により設置し、及び維持しなければならない。

**（避難器具に関する基準）**

**第四十四条**　令別表第一㈠項から㈣項まで及び㈦項から(十六)項までに掲げる防火対象物の六階以上の階で、収容人員が三十人以上のものには、避難器具を設けなければならない。

一　令別表第一(十一)項に掲げる防火対象物の三階以上の階または地階で、収容人員が、三階以上の無窓階または地階にあつては百人以上、その他の階にあつては百五十人以上のもの

二　令別表第一㈠項から(十六)項までに掲げる防火対象物の六階以上の階で、収容人員が三十人以上のもの

2　前項の規定により設ける避難器具は、次に掲げる区分に従い、令第二十五条の規定の例により設置し、及び維持しなければならない。

一　令別表第一(十三)項及び(十四)項に掲げる防火対象物にあつては、令第二十五条第一項第三号の区分により適応するものとされる避難器具

二　前号に掲げる防火対象物以外の防火対象物にあつては、令第二十五条第一項各号の区分により当該用途に該当するものとして、当該各号に適応するものとされる避難器具

**（誘導灯等に関する基準）**

**第四十五条**　次の各号に掲げる防火対象物には、当該各号に定める誘導灯を設けなければならない。ただし、避難が容易であると認められるもので、省令第二十八条の二第一項又は第二項の規定の例により誘導灯を設置することを要しないとされた部分については、この限りでない。

一　令別表第一㈦項に掲げる防火対象物（夜間（日没時から日出時までの時間をいう。以下この条において同じ。）において授業を行う課程を置くものに限る。）で、延べ面積が三百平方メートル以上のもの　避難口誘導灯及び通路誘導灯

二　令別表第一(十一)項に掲げる防火対象物で、延べ面積が三百平方メートル以上のもの　避難口誘導灯

2　前項の規定により設ける避難口誘導灯（同項ただし書の規定を適用して省令第二十八条の二第一項第三号ハに規定する燐光等により光を発する誘導標識を設けるときは、当該誘導標識）及び通路誘導灯は、令第二十六条第二項各号（第三号を除く。）の規定の例により設置し、及び維持しなければならない。

3　小規模特定用途複合防火対象物の部分のうち、令別表第一㈦項に掲げる用途に供する部分（夜間において授業を行う課程を置くものに限る。）の床面積の合計が三百平方メートル以上のものには、省令第二十八条の二第一項第五号及び第二項第四号に掲げる部分に避難口誘導灯及び通路誘導灯を設けなければならない。

4　小規模特定用途複合防火対象物の部分のうち、令別表第一(十一)項に掲げる用途に供する部分の床面積の合計が三百平方メートル以上のものには、省令第二十八条の二第一項第五号に掲げる部分に避難口誘導灯を設けなければならない。

**（排煙設備に関する基準）**

**第四十五条の二**　令別表第一㈠項、㈢項、㈤項から㈨項まで、(十一)項、(十二)項及び(十四)項から(十六)項までに掲げる防火対象物の地下四階以下の階で、駐車の用に供する部分の床面積が千平方メートル以上のもの（規則で定めるものを除く。）には、排煙設備を設けなければならない。

2　前項の規定により設ける排煙設備は、令第二十八条第二項の規定の例により設置し、及び維持しなければならない。

3　第一項及び令第二十八条第一項（第二号を除く。）の規定により設ける排煙設備（地下四階以下の階で、駐車の用に供する部分の床面積が千平方メートル以上のものに設けるものに限る。）は、規則で定める技術上の基準によらなければならない。

4　第一項又は令第二十八条第一項の規定により設ける排煙設備に附置する非常電源は、第三十八条第三項の規定の例によるものとする。

**（連結送水管に関する基準）**

**第四十六条**　次の各号に掲げる防火対象物の部分には、連結送水管を設けなければならない。

一　令別表第一㈡項、㈣項、㈩項及び(十三)項に掲げる防火対象物の地階または無窓階（一階及び二階を除

く。）で、床面積が千平方メートル以上のもの

二　令別表第一に掲げる建築物の屋上で、回転翼航空機の発着場または自動車駐車場の用途に供するもの

2　連結送水管の放水口は、前項第一号に掲げる階にあつてはその各部分から、同項第二号に掲げる屋上にあつては屋上の主たる用途に供する部分の各部分から、それぞれ一の放水口までの水平距離が五十メートル以下となるように設けなければならない。

3　第一項の規定により設ける連結送水管は、令第二十九条第二項の規定の例により設置し、及び維持しなければならない。

4　第一項第一号及び令第二十九条第一項各号（第三号を除く。）の規定により設ける連結送水管には、その屋上に一以上の放水口を設けなければならない。

（非常コンセント設備に関する基準）

**第四十六条の二**　令別表第一㈠項から（十五）項までに掲げる防火対象物の地下四階以下の階で、当該地下四階以下の階の床面積の合計が千平方メートル以上のものには、非常コンセント設備を設けなければならない。

2　前項の規定により設ける非常コンセントは、地下四階以下の階ごとに、その階の各部分から一の非常コンセントまでの水平距離が五十メートル以下となり、かつ、階段室、非常用エレベーターの乗降ロビーその他これらに類する場所で消防隊が有効に消火活動を行うことができる位置に設けるものとする。

3　前項に規定するもののほか、第一項の規定により設ける非常コンセント設備は、令第二十九条の二第二項（第一号を除く。）の規定の例により設置し、及び維持しなければならない。

4　第一項又は令第二十九条の二第一項の規定により設ける非常コンセント設備に附置する非常電源は、第三十八条第三項の規定の例によるものとする。

（無線通信補助設備に関する基準）

**第四十六条の三**　次に掲げる防火対象物の階には、無線通信補助設備を設けなければならない。

一　令別表第一㈠項から（十五）項までに掲げる防火対象物のうち、地階の階数が四以上で、かつ、地階の床面積の合計が三千平方メートル以上のものの地階

二　前号に掲げるもののほか、令別表第一㈩項に掲げる車両の停車場で、地階に乗降場を有するものの地階のうち、当該用途に供する部分

2　前項の規定により設ける無線通信補助設備は、令第二十九条の三第二項の規定の例により設置し、及び維持しなければならない。

（基準の特例）

**第四十七条**　この章の規定は、消防用設備等について消防署長が、防火対象物の位置、構造若しくは設備の状況から判断して、この章の規定による消防用設備等の技術上の基準によらなくとも、火災の発生若しくは延焼のおそれが著しく少なく、かつ、火災等の災害による被害を最小限に止めることができると認めるとき、又は予想しない特殊の消防用設備等その他の設備を用いることにより、この章の規定による消防用設備等の技術上の基準による場合と同等以上の効力があると認めるときにおいては、適用しない。

## 第六章　避難及び防火の管理等

（劇場等の客席）

**第四十八条**　劇場等の屋内の客席は、次に掲げる基準によらなければならない。

一　いすは、床に固定すること。

二　いす背の間隔（いす背がない場合にあつては、いす背に相当するいすの部分の間隔とする。次条において同じ。）は八十センチメートル以上とし、いす席の間隔（前席の最後部と後席の最前部との間の水平距離をいう。以下この条において同じ。）は三十五センチメートル以上とし、座席の幅は四十二センチメートル以上とすること。

三　立席の位置は、客席の後方とし、その奥行きは、一・五メートル（立見専用とするものにあつては、二・四メートル）以下とすること。

四　客席の最前部（最下階にあるものを除く。）及び立席を設ける部分とその他の部分との間には、高さ七十五センチメートル以上の手すりを設けること。

五　客席の避難通路は、次によること。

イ　いす席を設ける客席の部分には、横に並んだいす席の基準席数（八席にいす席の間隔が三十五センチメートルを超える一センチメートルごとに一席を加えた席数（二十席を超える場合にあつては、二十席とする。）をいう。以下この条において同じ。）以下ごとに、その両側に縦通路を保有すること。ただし、基準席数に二分の一を乗じて得た席数（一席未満の端数がある場合は、その端数を切り捨てる。）以下ごとに縦通路を保有する場合にあつては、片側のみとすることができる。

ロ　イの縦通路の幅は、〇・六センチメートルに当該通路のうち避難の際に通過すると想定される人数が最大となる地点での当該通過人数を乗じて得た幅員（以下この条において「算定幅員」という。）以上とすること。ただし、当該通路の幅は、八十センチメートル（片側のみがいす席に接する縦通路にあつては、六十センチメートル）未満としてはならない。

ハ　いす席を設ける客席の部分には、縦に並んだいす席二十席以下ごとに、及び最下階にある客席の部分の最前部に算定幅員以上の幅員を有する横通路を保有すること。ただし、当該通路の幅は、一メートル未満としてはならない。

ニ　ます席を設ける客席の部分には、ます席二ます以下ごとに幅四十センチメートル以上の縦通路又は横通路のいずれかを保有すること。

ホ　大入場を設ける客席の部分には、客席の幅三メートル以下ごとに幅三十五センチメートル以上の縦通路を保有すること。

ヘ　イからホまでの規定により保有する縦通路及び横通路は、いずれも客席の避難口（出入口を含む。以下同じ。）に直通させること。

**第四十九条**　劇場等の屋外の客席は、次に掲げる基準によらなければならない。

一　いすは、床に固定すること。

二　いす背の間隔は七十五センチメートル以上とし、座席の幅は四十二センチメートル以上とすること。ただし、いす背がなく、かつ、いす座が固定している場合にあつては、いす背の間隔を七十センチメートル以上とし、座席の幅を四十センチメートル以上とすることができる。

三　立席には、奥行き三メートル以下ごとに、及び当該立席部と横通路の境界に、高さ一・一メートル以上の手すりを設けること。

四　客席の避難通路は、次によること。

イ　いす席を設ける客席の部分には、横に並んだいす席十席（いす背がなく、かつ、いす座が固定している場合においては二十席）以下ごとに、その両側に幅八十センチメートル以上の縦通路を保有すること。ただし、五席（いす背がなく、かつ、いす座が固定している場合においては十席）以下ごとに縦通路を保有する場合にあつては、片側のみとすることができる。

ロ　いす席を設ける客席の部分には、幅一メートル以上の通路を、各座席から歩行距離十五メートル以下でその一に達し、かつ、歩行距離四十メートル以下で避難口に達するように保有すること。

ハ　立席を設ける客席の部分には、当該客席の部分の幅六メートル以下ごとに幅一・五メートル以上の縦通路を、奥行き六メートル以下ごとに幅一メートル以上の横通路を保有すること。

ニ　ます席を設ける客席の部分には、幅五十センチメートル以上の通路を、各ますがその一に接するように保有すること。

ホ　ます席を設ける客席の部分には、幅一メートル以上の通路を各ますから歩行距離十メートル以内でその一に達するように保有すること。

ヘ　大入場を設ける客席の部分には、当該客席の部分の幅四メートル以下ごとに幅五十センチメートル以上の縦通路を、奥行き四メートル以下ごとに幅五十センチメートル以上の横通路をそれぞれ保有すること。

（キャバレー等及び飲食店の客席）

**第五十条**　キャバレー、カフェー、ナイトクラブその他これらに類するもの（以下「キャバレー等」という。）及び飲食店が存する階のうち、当該用途に供する店舗ごとの客席の床面積が百五十平方メートル以上の店舗の客席には、有効幅員一・六メートル（三百平方メートル未満の飲食店にあつては、一・二メートル）以上の避難通路を設け、かつ、いす席、テーブル席又はボックス席七個以上を通過しないで、その一に達するようにしなければならない。

（ディスコ等の避難管理）

**第五十条の二**　ディスコ、ライブハウス、カラオケボックスその他これらに類するもの（以下「ディスコ等」という。）の関係者は、非常の際速やかに特殊照明及び音響を停止するとともに、避難上有効な明るさを保たなければならない。

（個室型店舗の避難管理）

**第五十条の二の二**　カラオケボックス、インターネットカフェ（省令第五条第二項第一号に規定する店舗のうち、インターネットを利用させる役務を提供する業務を営むものをいう。）、漫画喫茶（省令第五条第二項第一号に規定する店舗のうち、漫画を閲覧させる役務を提供する業務を営むものをいう。）、テレフォンクラブ（省令第五条第二項第一号に規定する店舗をいう。）、個室ビデオ（省令第五条第二項第三号に規定する店舗をいう。）その他遊興のための設備又は物品を個室（これに類する施設を含む。）において客に利用させる役務を提供する業務を営む店舗（以下「個室型店舗」という。）の関係者は、避難通路の通行を妨げないようにするため、避難通路に面して設ける遊興の用に供する個室の戸（外開きに限る。）を開放した場合において自動的に閉鎖するものとすることにより、避難上有効に管理しなければならない。ただし、当該戸を開放しても避難通路の幅員を十分に確保できるものその他の避難上支障がないと認められるものにあつては、この限りでない。

（地下駅舎の管理）

**第五十条の三**　令別表第一㈩に掲げる車両の停車場及び同表㈩項に掲げる防火対象物のうち同表㈩項に掲げる

車両の停車場の部分で、地階に乗降場を有するもの（以下「地下駅舎」という。）の関係者は、当該地下駅舎に係る防災管理室（消防用設備等の操作、作動状態の監視等を行うための装置及び遠隔監視カメラの受像機等が設けられている駅事務室等をいう。）を省令第三条第一項第一号イの自衛消防の組織の活動の拠点として活用できるように、当該防災管理室について、構造、機能等の維持その他必要な管理を行わなければならない。

2　地下駅舎の管理について権原を有する者は、規則で定めるところにより、当該地下駅舎における前項の自衛消防の組織の活動に必要な装備を備えなければならない。

3　地下駅舎の管理について権原を有する者は、第六十二条の四に規定する自衛消防技術認定証を有する者のうちから第一項の自衛消防の組織の長又はこれに準ずる者を定めなければならない。

4　地下駅舎の防火管理者（省令第三条第十項に該当する者を除く。）は、令第三条の二第二項に規定する消火訓練及び避難訓練を年二回以上実施しなければならない。

5　前項の防火管理者は、同項の消火訓練及び避難訓練を実施する場合には、あらかじめ、その旨を消防機関に通報しなければならない。

6　地下駅舎の関係者は、地階の乗降場及び当該乗降場から直接地上へ通ずる出入口までの間に設けられた避難施設（避難口、廊下、階段、避難通路その他避難のために使用する施設をいう。以下同じ。）のうち乗降客が避難するためのもの（室内に設けられた避難施設を除く。）の床面又は床面高さ一メートル以下の壁面等に、規則で定めるところにより、避難口である旨又は避難の方向を明示しなければならない。ただし、令第二十六条第二項に定める技術上の基準に従い、又は当該技術上の基準の例により当該床面又は壁面等に通路誘導灯を設ける場合にあつては、避難の方向を明示することを要しない。

7　地下駅舎の関係者は、地階の乗降場から直接地上へ通ずる出入口までの間に設けられた避難施設又はエスカレーターに近接した箇所等に防煙壁又は防火シャッターで規則で定めるもの（以下「防煙壁等」という。）が設けられている場合は、乗降客等の避難を確保し、及び火災が発生したときの煙の拡散を防止するため、当該防煙壁等を次に定めるところにより管理しなければならない。

一　防煙壁等は、作動し、又は降下し、及び煙の拡散を防止できるようその機能を有効に保持すること。

二　防煙壁等の近辺には、その作動又は降下に支障となる施設を設けないこと。

**（百貨店等又は地下街の避難通路等）**

**第五十一条**　百貨店等の階又は地下街の物品販売業を営む店舗の一の構えで、その売場又は展示部分の床面積が六百平方メートル以上のものには、一・八メートル（売場又は展示部分の床面積が百五十平方メートル以上三百平方メートル未満のものにあつては一・二メートル、三百平方メートル以上六百平方メートル未満のものにあつては一・六メートル）以上の幅員の主要避難通路を保有しなければならない。

2　前項の主要避難通路は、地階、避難階及び消防総監が避難上必要があると認めて指定した階にあつては、前項の幅員に次の表の上欄に掲げる床面積に応じて下欄に掲げる数値を加算した幅員以上としなければならない。

| 売場又は展示部分の床面積 | 幅員 |
| --- | --- |
| 千五百平方メートル以上三千平方メートル未満 | 〇・二メートル |
| 三千平方メートル以上 | 〇・七メートル |

3　前二項に規定する主要避難通路は、避難口に有効に通じさせるとともに色別等により他の部分と区分しておかなければならない。

4　第一項に規定する売場又は展示部分の床面積が六百平方メートル以上のものには、避難上必要な位置に、幅員一・二メートル以上の補助避難通路を主要避難通路又は避難口に有効に通ずるよう保有しなければならない。

5　百貨店等で、その売場の床面積の合計が三千平方メートル以上のものの屋上には、一時避難のための広場を有効に保有しなければならない。

**（基準の特例）**

**第五十一条の二**　次の各号に掲げる防火対象物の客席又は避難通路について、消防署長がその防火対象物の位置、構造、設備、収容人員、使用形態、避難施設の配置等及びこれらの状況から予測される避難に必要な時間から判断して避難上支障がないと認めるときは、当該各号の規定によらないことができる。

一　劇場等の屋内又は屋外の客席　第四十八条又は第四十九条

二　キャバレー等又は飲食店の客席　第五十条

三　百貨店等の階又は地下街の物品販売業を営む店舗

の一の構えの補助避難通路　前条第四項

（避難経路図の掲出）

**第五十二条**　旅館、ホテル又は宿泊所には、宿泊室の見やすい場所に、当該宿泊室から屋外へ通ずる避難経路を明示した避難経路図を掲出しなければならない。

（劇場等の定員）

**第五十三条**　劇場等の関係者は、次の各号に定めるところにより、収容人員の適正化に努めなければならない。

一　客席の部分ごとに次のイからハまでによつて算定した数の合計数（以下「定員」という。）をこえて客を入場させないこと。

イ　固定式のいす席を設ける部分については、当該部分にあるいす席の数に対応する数。この場合において、長いす式のいす席にあつては、当該いす席の正面幅を四十センチメートルで除して得た数（一未満のは数は、切り捨てるものとする。）とする。

ロ　立席を設ける部分については、当該部分の床面積を〇・二平方メートルで除して得た数

ハ　すわり席を設ける部分については、当該部分の床面積を〇・三平方メートルで除して得た数

二　客席内の避難通路に客を収容しないこと。

三　一のます席には、屋内の客席にあつては七人以上、屋外の客席にあつては十人以上の客を収容しないこと。

四　出入口その他公衆の見やすい場所には、当該劇場等の定員を記載した表示板を設けるとともに、入場した客の数が定員に達したときは、直ちに満員札を掲げること。

（火災の予防又は避難に支障となる物件を置くこと等の行為の禁止）

**第五十三条の二**　何人も、令別表第一に掲げる防火対象物において、みだりに次に掲げる行為をしてはならない。

一　避難施設に、火災の予防又は避難に支障となる施設を設け、又は物件を置くこと。

二　防火設備の閉鎖又は作動に支障となる施設を設け、又は物件を置くこと。

三　消防用設備等又は法第十七条第三項に規定する特殊消防用設備等（以下「特殊消防用設備等」という。）の感知、操作、散水その他の機能に支障となる施設を設け、又は物件を置くこと。

（不特定の者が出入りする店舗等の避難の管理）

**第五十三条の三**　不特定の者が出入りする店舗等（劇場等、性風俗関連特殊営業（風俗営業等の規制及び業務の適正化等に関する法律（昭和二十三年法律第百二十二号）第二条第五項に規定する性風俗関連特殊営業をいう。）その他これらに類する営業を営む店舗（劇場等、物品販売店舗並びに旅館及びホテルその他これらに類するもの（以下この条において「旅館等」という。）を除く。以下同じ。）、キャバレー等、遊技場、料理店、飲食店、ディスコ等、個室型店舗（カラオケボックスを除く。）、百貨店等、旅館等又はサウナ浴場その他これらに類するものをいう。以下同じ。）が存する階の関係者は、訓練その他避難に必要な管理に際し、当該不特定の者が出入りする店舗等が存する階の位置、構造、設備、収容人員、使用形態、避難施設の配置等の状況から予測される避難に必要な時間を算定し、その結果の活用に努めなければならない。

（避難施設の管理）

**第五十四条**　令別表第一に掲げる防火対象物の関係者は、避難施設を次に定めるところにより、有効に管理しなければならない。

一　避難施設には、火災の予防又は避難に支障となる施設を設け、又は物件を置かないこと。

二　避難施設の床面は、避難に際し、つまづき、すべり等を生じないように維持すること。

三　避難口又は地上に通ずる主たる通路に設ける戸は、容易に開放できる外開き戸とし、開放した場合において、廊下、階段等の幅員を有効に保有できるものとすること。ただし、劇場等以外の令別表第一に掲げる防火対象物について避難上支障がないと認められる場合においては、内開き戸以外の戸とすることができる。

四　前号の戸は、公開時間又は従業時間中は、規則で定める方法以外の方法で施錠してはならない。

五　階段には、敷物の類を敷かないこと。ただし、消防総監が定める基準に適合する場合は、この限りでない。

（一時的に不特定の者が出入りする店舗等として使用する場合の準用）

**第五十五条**　防火対象物又はその部分を一時的に不特定の者が出入りする店舗等として使用する場合については、第四十八条から第五十条の二の二まで、第五十一条から前条まで及び次条のうち、当該不特定の者が出入りする店舗等に係る規定を準用する。

（防火設備の管理）

**第五十五条の二**　令別表第一に掲げる防火対象物の関係者は、火災が発生したとき延焼を防止し、又は避難上の安全若しくは有効な消防活動を確保するため、防火設備を次に定めるところにより、管理しなければならない。

一　防火設備は、常時閉鎖できるようその機能を有効に保持し、かつ、閉鎖又は作動に支障となる施設を設け、又は物件を置かないこと。

一の二　防火設備は、火災により生じる圧力、外気の気流等の影響により閉鎖又は作動に支障を生じないようにすること。

二　防火区画の防火設備（遮熱力のあるものを除く。）に近接して、延焼の媒介となる可燃性物件を置かないこと。

三　風道に設ける防火設備は、容易に点検できる構造とし、その機能を有効に保持すること。

2　旅館、ホテル、宿泊所又は病院の階段に設ける防火設備は、夜間時に閉鎖又は作動状態を保持しなければならない。ただし、火災時の煙により自動的に閉鎖又は作動するものにあつては、この限りでない。

**（消防用設備等又は特殊消防用設備等の管理）**

**第五十五条の二の二**　次に掲げる防火対象物の消防用設備等又は特殊消防用設備等の総合操作盤及び制御装置等は、防災センターにおいて集中して管理しなければならない。

一　令別表第一㈠項から㈣項まで、㈤項イ、㈥項、㈨項イ及び(十六)項イに掲げる防火対象物（小規模特定用途複合防火対象物を除く。）のうち、地階を除く階数が十一以上で延べ面積が一万平方メートル以上のもの又は地階を除く階数が五以上で延べ面積が二万平方メートル以上のもの

二　令別表第一(十六の二)項に掲げる防火対象物で、延べ面積が千平方メートル以上のもの

三　令別表第一㈤項ロ、㈦項、㈧項、㈨項ロ、㈩項から(十五)項まで及び(十六)項に掲げる防火対象物（同表(十六)項イに掲げる防火対象物にあつては、小規模特定用途複合防火対象物に限る。）のうち、地階を除く階数が十五以上で延べ面積が三万平方メートル以上のもの

四　前三号に掲げる防火対象物以外の令別表第一に掲げる防火対象物で、延べ面積が五万平方メートル以上のもの

2　前項に規定する防災センターにおいて消防用設備等又は特殊消防用設備等を集中して管理しようとする者は、あらかじめ、規則で定めるところにより、監視、操作等を行うための装置の機能、方法その他当該消防用設備等の集中管理に関する計画を消防総監に届け出なければならない。

**（防災センター要員）**

**第五十五条の二の三**　前条第一項各号に掲げる防火対象物の管理について権原を有する者は、消防総監が定める防災センター技術講習又は次項に規定する防災センター実務講習を修了し、消防総監が定める修了証（以下「防災センター要員講習修了証」という。）の交付を受け、かつ、第六十二条の四第一項に規定する自衛消防技術認定証を有している者のうちから、防災センターにおいて監視、操作等の業務に従事し、及び災害等が発生した場合に自衛消防の活動を行う者（以下「防災センター要員」という。）を規則で定めるところにより、前条第一項に規定する防災センターに置かなければならない。

2　防災センター要員講習修了証の交付を受けている者は、当該修了証の交付を受けた日以後における最初の四月一日から五年以内に消防総監が定める防災センター実務講習を受けなければならない。当該講習を受けた日以降においても、同様とする。

**（防火管理者）**

**第五十五条の三**　次に掲げる防火対象物で令第一条の二第三項に定めるもの以外のもの（管理について権原が分かれているものにあつては、当該部分）の管理について権原を有する者は、法第八条第一項並びに令第二条、第三条（第一項第二号及び第三項を除く。）及び第三条の二の規定の例により、令第三条第一項第一号イからニまでのいずれかに該当する者のうちから防火管理者を定め、必要な業務を行わせなければならない。

一　同一敷地内の屋外タンク貯蔵所又は屋内貯蔵所で、その貯蔵する危険物の数量の合計が指定数量の千倍以上のもの

二　指定可燃物を貯蔵し、又は取り扱う防火対象物で、床面積の合計が千五百平方メートル以上のもの

三　五十台以上の車両を収容する屋内駐車場

四　令別表第一㈩項に掲げる車両の停車場のうち、地階に乗降場を有するもの

2　前項に定める権原を有する者は、同項の規定により防火管理者を定めたとき、又はこれを解任したときは、その旨を遅滞なく消防署長に届け出なければならない。

3　第一項第一号の防火対象物を有する事業所及び法第十四条の四の規定に基づく事業所の管理について権原を有する者は、当該各事業所間において、災害防止に関し相互に協力しなければならない。

**（防火管理技能者の選任等）**

**第五十五条の三の二**　令第一条の二第三項第一号に規定する防火対象物のうち次に掲げるものの管理について権原を有する者は、法第八条第一項の規定に基づき定める防火管理者（当該防火対象物が法第八条の二第一項に規定する防火対象物（以下「統括防火管理に係る

防火対象物」という。）に該当するものにあつては、同項の規定に基づき定める統括防火管理者（以下「統括防火管理者」という。）を含む。次条第一項及び第二項において同じ。）が法、令及びこの条例の規定並びに法第八条第一項の規定に基づき定める防火管理に係る消防計画（統括防火管理に係る防火対象物にあつては法第八条の二第一項の規定に基づき定める当該防火対象物の全体についての防火管理に係る消防計画（以下「全体についての消防計画」という。）を含む。次項及び次条第二項において同じ。）に従つて行う防火管理上必要な業務のうち規則で定める事項の補助（以下「防火管理業務の補助」という。）を行わせるために、規則で定める者で、法人であつて知事の登録を受けたもの（以下この条、次条及び第五十五条の三の五において「登録講習機関」という。）が別に消防総監が定めるところにより行う防火管理技能講習を修了し、登録講習機関が発行する消防総監が定める修了証（以下「防火管理技能講習修了証」という。）の交付を受けている者のうちから、当該防火管理業務の補助を行う者（以下「防火管理技能者」という。）を定め、規則で定めるところにより、当該防火対象物に置かなければならない。

一　令別表第一㈠項から㈣項まで、㈤項イ、㈥項、㈨項イ及び(十六)項イに掲げる防火対象物（小規模特定用途複合防火対象物を除く。）で、次に掲げるもの

イ　地階を除く階数が十一以上で延べ面積が一万平方メートル以上のもの

ロ　地階を除く階数が五以上で延べ面積が二万平方メートル以上のもの（イに掲げるものを除く。）

二　令別表第一(十六の二)項に掲げる防火対象物で、延べ面積が一万平方メートル以上のもの

三　令別表第一㈤項ロ、㈦項、㈧項、㈨項ロ、㈩項から(十五)項まで及び(十六)項に掲げる防火対象物（同表(十六)項イに掲げる防火対象物にあつては、小規模特定用途複合防火対象物に限る。）で、次に掲げるもの

イ　地階を除く階数が十五以上で延べ面積が三万平方メートル以上のもの

ロ　地階を除く階数が十一以上で延べ面積が一万平方メートル以上のもののうち防災センターが設置されているもの（イに掲げるものを除く。）

四　前三号に掲げる防火対象物以外の令別表第一に掲げる防火対象物で、延べ面積が五万平方メートル以上のもの

2　前項に規定する防火対象物の管理について権原を有する者は、同項の防火管理技能者に、防火管理業務計画（防火管理業務の補助を適切かつ効果的に行うために、規則で定める事項について、当該防火管理業務の補助の実施要領その他必要な事項を定めた当該防火対象物全体にわたる計画をいう。以下同じ。）を作成させ、法、令及びこの条例の規定並びに防火管理に係る消防計画及び防火管理業務計画に従つて防火管理業務の補助を行わせなければならない。

3　第一項に規定する防火対象物の管理について権原を有する者は、同項の規定により防火管理技能者を定めたときは、遅滞なく、規則で定めるところにより、その旨を消防署長に届け出なければならない。これを解任したときも、同様とする。

4　第一項各号に該当する防火対象物と同一の敷地内に令第二条の規定の適用を受ける令別表第一に掲げる防火対象物がある場合は、同条の規定の適用を受ける同表の防火対象物と第一項各号に該当する防火対象物とを一の防火対象物とみなして前三項の規定を適用する。

（防火管理技能者の責務等）

**第五十五条の三の三**　防火管理技能者は、前条第一項に規定する防火対象物の防火管理者の指示を受け、当該防火対象物の防火管理業務計画を作成し、規則で定めるところにより、その旨を消防署長に届け出なければならない。当該防火管理業務計画を変更するときも、同様とする。

2　防火管理技能者は、前条第一項に規定する防火対象物の防火管理者の指示を受け、法、令及びこの条例の規定並びに防火管理に係る消防計画及び防火管理業務計画に従つて防火管理業務の補助を行わなければならない。

3　防火管理技能者は、防火管理業務の補助を行うときは、誠実にその職務を遂行しなければならない。

4　防火管理技能者は、防火管理業務の補助を行うために、火元責任者その他の防火管理の業務に従事する者に対して、必要な指示を与えることができる。

5　防火管理技能者は、防火管理業務計画に基づき、防火管理業務の補助の実施記録を作成し、これを保存しなければならない。

6　防火管理技能講習修了証の交付を受けている者は、当該修了証の交付を受けた日以後における最初の四月一日から五年以内に登録講習機関が別に消防総監が定めるところにより行う防火管理技能再講習を受けなければならない。当該講習を受けた日以降においても、同様とする。

（防火管理技能者の選任命令等）

**第五十五条の三の四**　消防総監又は消防署長は、防火管理技能者が定められていないと認める場合には、第五十五条の三の二第一項の管理について権原を有する者

に対し、同項の規定により防火管理技能者を定めるべきことを命ずることができる。

2　消防総監又は消防署長は、前項の規定による命令をした場合においては、法第五条第三項及び第四項の規定の例により公示しなければならない。

（**防火管理技能講習の登録講習機関**）

**第五十五条の三の五**　第五十五条の三の二第一項の知事の登録は、防火管理技能講習を実施しようとする法人の申請により行う。

2　知事は、前項の規定により申請した法人が規則で定める要件を満たしているときは、登録をしなければならない。

3　知事は、登録講習機関が前項の登録要件を満たさなくなつたときその他規則で定める場合は、その登録を取り消し、又は期間を定めて防火管理技能講習の全部若しくは一部の停止を命ずることができる。

（**消防総監による講習の業務の実施**）

**第五十五条の三の六**　消防総監は、次の各号のいずれかに該当するときその他必要があると認めるときは、講習の業務の全部又は一部を自ら行うことができる。

一　登録を受ける者がいないとき。

二　前条第三項の規定により防火管理技能講習の業務の全部又は一部を実施することが困難となつたとき。

2　消防総監は、前項の規定により講習の業務を行うときは、あらかじめ、その旨を公示しなければならない。

（**防火管理の業務に従事する者の知識及び技能の向上**）

**第五十五条の三の七**　令第一条の二第三項第一号及び第五十五条の三第一項に規定する防火対象物の管理について権原を有する者は、防火管理上必要な業務を効果的に行うために、統括防火管理者、防火管理者、防火管理技能者、火元責任者その他の防火管理の業務に従事する者に対して、消防機関等が実施する防火管理に関する講習会、行事等に参加させることなどにより防火管理の業務に関する知識及び技能を高めさせるよう努めなければならない。

（**特定大規模催しに係る指定**）

**第五十五条の三の八**　消防署長（二以上の消防署の管轄区域にわたる催しにあつては、消防総監。以下この章において同じ。）は、祭礼、縁日、花火大会その他の多数の者の集合する屋外での催しのうち、大規模なものとして消防総監が定める要件に該当するもので、液体燃料を使用する器具、固体燃料を使用する器具、気体燃料を使用する器具又は電気を熱源とする器具（以下「火気使用器具等」という。）を使用するもの（以下「特定大規模催し」という。）のうち、火気使用器具等の周囲において火災が発生した場合に人命又は財産に特に重大な被害を与えるおそれがあるため、火災予防上必要な業務に関する計画の作成等の対策が必要であると認めるものを指定しなければならない。

2　消防署長は、前項の規定による指定をしようとするときは、あらかじめ、特定大規模催しを主催する者の意見を聴かなければならない。

3　消防署長は、第一項の規定による指定をしたときは、遅滞なくその旨を特定大規模催しを主催する者に通知するとともに、規則で定めるところにより公表しなければならない。

（**指定催しに係る火災の予防**）

**第五十五条の三の九**　前条第一項の規定による指定を受けた特定大規模催し（以下この条において「指定催し」という。）を主催する者は、速やかに防火担当者を定め、当該防火担当者に、当該指定催しを開催する日の十四日前の日（当該指定催しを開催する日の十四日前の日以後に指定を受けた場合にあつては、消防署長が定める日）までに次に掲げる火災予防上必要な業務に関する計画を作成させるとともに、当該計画に基づく業務を行わせなければならない。

一　火災の予防に関する業務の実施体制の確保に関すること。

二　火気使用器具等の使用及び危険物の取扱いの状況の把握に関すること。

三　火気使用器具等を使用し、又は危険物を取り扱う露店等（露店、屋台その他これらに類するものをいう。第六十条において同じ。）及び客席の火災予防上安全な配置に関すること。

四　火気使用器具等に対する消火準備に関すること。

五　火災が発生した場合における消火活動、通報連絡及び避難誘導に関すること。

六　第六十条各号に掲げる行為に係る消防活動上必要な事項の把握に関すること。

七　前各号に掲げるもののほか、火災予防上必要な業務に関すること。

2　指定催しを主催する者は、当該指定催しを開催する日の十四日前の日（当該指定催しを開催する日の十四日前の日以後に指定を受けた場合にあつては、消防署長が定める日）までに、前項の計画を消防署長に提出しなければならない。

（**適用除外等**）

**第五十五条の三の十**　特定大規模催しのうち、第五十五条の三の八第一項の規定による指定に先立ち、当該特定大規模催しについて防火担当者が定められるとともに、当該防火担当者が作成した前条第一項各号に掲げる火災予防上必要な業務に関する計画が消防署長に提出されたものについては、前二条の規定は適用しない。

2 前項の規定の適用を受けた特定大規模催しを主催する者は、防火担当者に前項の計画に基づく業務を行わせなければならない。

3 消防署長は、第一項の規定の適用を受けた特定大規模催しの名称及び開催場所その他必要な事項を公表するものとする。

## 第六章の二 自衛消防

（自衛消防訓練等）

**第五十五条の四** 令別表第一に掲げる防火対象物の管理について権原を有する者は、火災、地震その他の災害が発生した場合の当該防火対象物における初期消火、通報連絡、避難誘導、消防隊への情報提供その他の自衛消防の活動（以下「自衛消防活動」という。）を効果的に行うため自衛消防の組織を定め、自衛消防活動に係る訓練（以下「自衛消防訓練」という。）を行うよう努めなければならない。

2 令第一条の二第三項第一号及び第五十五条の三第一項に規定する防火対象物の防火管理者は、防火管理に係る消防計画に基づき自衛消防訓練を実施したときは、規則で定めるところにより、その実施結果記録を作成し、これを保存しなければならない。

3 統括防火管理者は、全体についての消防計画に基づき自衛消防訓練を実施したときは、規則で定めるところにより、その実施結果記録を作成し、これを保存しなければならない。

（自衛消防活動中核要員）

**第五十五条の五** 次に掲げる防火対象物（第九号から第十一号までにあつては、令別表第一(五)項ロに掲げる防火対象物の用途に供される部分を除く。）の管理について権原を有する者は、第六十二条の四第一項に規定する自衛消防技術認定証を有する者のうちから、自衛消防活動の中核となる要員（以下「自衛消防活動中核要員」という。）を規則で定めるところにより、当該防火対象物に置かなければならない。

一 令別表第一(十六の二)項に掲げる防火対象物で、床面積の合計が三千平方メートル以上のもの

二 令別表第一(五)項イに掲げる防火対象物（同一敷地内に管理について権原を有する者が同一の者である防火対象物が二以上ある場合は、一の防火対象物とみなす。以下次号、第四号及び第七号において同じ。）で、延べ面積が三千平方メートル以上のもの

三 令別表第一(二)項又は(三)項に掲げる防火対象物で、延べ面積が三千平方メートル以上あり、かつ、収容人員が三百人以上のもの

四 令別表第一(四)項又は(十二)項に掲げる防火対象物で、延べ面積が五千平方メートル以上のもの

五 令別表第一(一)項に掲げる防火対象物で、延べ面積が一万平方メートル以上のもの又は収容人員が二千人以上のもの

六 令別表第一(十三)項イに掲げる防火対象物で、延べ面積が一万平方メートル以上のもの

七 令別表第一(六)項イに掲げる防火対象物で、延べ面積が一万平方メートル以上あり、かつ、収容人員が五百人以上のもの

八 令別表第一(十五)項に掲げる防火対象物で、延べ面積が三万平方メートル以上のもの

九 令別表第一(十六)項イに掲げる防火対象物（小規模特定用途複合防火対象物を除く。）で、前各号の一に該当する用途、規模及び収容人員が存するもの又はその延べ面積が一万平方メートル（同表(五)項ロに掲げる防火対象物の用途に供される部分が存するものは、当該部分を除く部分の床面積の合計が一万平方メートル）以上のもの

十 令別表第一(十六)項に掲げる防火対象物（同表(十六)項イに掲げる防火対象物にあつては、小規模特定用途複合防火対象物に限る。）で、第四号（同表(四)項に掲げるものを除く。）、第六号若しくは第八号の用途及び規模が存するもの又はその延べ面積が三万平方メートル（同表(五)項ロに掲げる防火対象物の用途に供される部分が存するものは、当該部分を除く部分の床面積の合計が三万平方メートル）以上のもの

十一 前各号に掲げるもののほか、法第八条の二で定める高層建築物（令別表第一(五)項ロに掲げるものを除く。）で、延べ面積が二万平方メートル（同表(十六)項の防火対象物で同表(五)項ロに掲げる防火対象物の用途に供される部分が存するものは、当該部分を除く部分の床面積の合計が二万平方メートル）以上のもの

十二 第五十五条の三第一項第一号又は第二号に掲げる防火対象物（前各号に掲げる防火対象物に存するものを除く。）

2 自衛消防活動中核要員の活動に必要な装備は、規則で定める。

3 第一項に規定する防火対象物の管理について権原を有する者は、自衛消防活動中核要員に対して、火災、地震その他の災害の発生に伴う当該防火対象物における傷病者を応急に救護するために必要な知識及び技術に関する講習で消防総監が有効と認めるものを受講させ、自衛消防活動の技能を高めさせるよう努めなけれ

ばならない。

4　第一項各号に掲げる防火対象物のうち第五十五条の二の二第一項第一号若しくは第二号に掲げるもの又は次に掲げるもので防災センターが設置されているものにあつては、当該防火対象物の防災センター要員は自衛消防活動中核要員となるものとする。

一　令別表第一(五)項ロ、(七)項、(八)項、(九)項ロ、(十)項から(十五)項まで及び(十六)項に掲げる防火対象物（同表(十六)項イに掲げる防火対象物にあつては、小規模特定用途複合防火対象物に限る。）で、地階を除く階数が十一以上で延べ面積が一万平方メートル以上のもの

二　令別表第一に掲げる防火対象物（同表(十六の三)項及び(十八)項から(二十)項までに掲げるものを除く。）で、次のいずれかに該当するもの

イ　建築基準法施行令第二十条の二第二号の規定による中央管理室（総合操作盤その他これに類する設備が設けられているものに限る。）が設けられているもの

ロ　延べ面積が五万平方メートル以上のもの

三　令別表第一(一)項から(十六)項までに掲げる防火対象物で、地階の床面積の合計が五千平方メートル以上のもの

## 第七章　住宅における防火安全の確保

（住宅防火対策の推進）

**第五十五条の五の二**　消防総監は、住宅火災を予防し、人命の安全を確保するため、関係機関、団体等と密接な連携を図り、次に掲げる事項の推進に努めるものとする。

一　防火意識の高揚に関すること。

二　高齢者等の人命の安全確保に関すること。

三　住宅の防火性能の向上に関すること。

四　放火火災を予防するための環境整備に関すること。

五　その他住宅火災の予防に必要な措置に関すること。

2　消防総監は、都民（東京都の特別区の存する区域又は地方自治法第二百五十二条の十四の規定により消防事務を東京都に委託した地方公共団体の区域に住所を有する都民をいう。以下同じ。）が行う住宅火災を予防するための自主的活動に対し、積極的に指導及び助言を行うものとする。

（住宅火災の予防）

**第五十五条の五の三**　都民は、前条第一項各号（第三号を除く。）に掲げる事項に配慮し、住宅火災の予防に努めなければならない。

2　都民は、前条第一項第三号に掲げる事項に配慮し、次に掲げる事項の実施に努めなければならない。

一　消火器、住宅用スプリンクラー設備（住宅の火災により生ずる熱、煙又は炎を利用して自動的に火災の発生を感知し、閉鎖型スプリンクラーヘッド又は開放型スプリンクラーヘッドから水又は消火性能を有する薬剤を放出することにより、火災を有効に消火し、又は抑制することができるものをいう。）その他の初期消火に必要な機械器具又は設備の設置及び維持管理

二　防炎性を有する寝具、衣類、カーテン及びじゆうたんその他の物品の使用

三　前二号に掲げるもののほか、住宅の防火性能を向上させるために必要な措置

（住宅用火災警報器の設置等）

**第五十五条の五の四**　住宅（法第九条の二第一項に規定する住宅をいう。以下同じ。）の関係者は、規則で定める基準に従い、住宅において発生した火災を感知し警報を発する機械器具で規則で定めるもの（以下「住宅用火災警報器」という。）を設置し、及び維持しなければならない。

2　前項の規定にかかわらず、次の各号に掲げるときは、当該各号に定める設備の有効範囲内の住宅の部分について住宅用火災警報器を設置しないことができる。

一　住宅用火災警報器を規則で設置し、及び維持しなければならないとされる住宅の部分（以下この項において「設置維持義務部分」という。）にスプリンクラー設備（標示温度が七十五度以下で種別が一種の閉鎖型スプリンクラーヘッドを備えているものに限る。）を第三十九条又は令第十二条に定める技術上の基準に従い、又は当該技術上の基準の例により設置したとき。

二　設置維持義務部分に自動火災報知設備（令第二十一条第三項の規定によりスプリンクラー設備、水噴霧消火設備又は泡消火設備を設置した場合を含む。）を第四十一条又は令第二十一条に定める技術上の基準に従い、又は当該技術上の基準の例により設置したとき。

三　設置維持義務部分に共同住宅用スプリンクラー設備を特定共同住宅等における必要とされる防火安全性能を有する消防の用に供する設備等に関する省令（平成十七年総務省令第四十号。以下「特定共同住宅等省令」という。）第三条第三項第二号に定める技術上の基準に従い、又は当該技術上の基準の例により設置したとき。

四　設置維持義務部分に共同住宅用自動火災報知設備

を特定共同住宅等省令第三条第三項第三号に定める技術上の基準に従い、又は当該技術上の基準の例により設置したとき。

五　設置維持義務部分に住戸用自動火災報知設備を特定共同住宅等省令第三条第三項第四号に定める技術上の基準に従い、又は当該技術上の基準の例により設置したとき。

六　設置維持義務部分に特定小規模施設用自動火災報知設備を特定小規模施設省令第三条第二項及び第三項に定める技術上の基準に従い、又は当該技術上の基準の例により設置したとき。

七　設置維持義務部分に複合型居住施設省令第三条第二項に定める技術上の基準に従い、又は当該技術上の基準の例により設置したとき。

八　前各号に定めるもののほか、住宅用火災警報器に類する機械器具又は設備で住宅用火災警報器（規則で定める基準に従い設置されたものに限る。）と同等の性能を有するものを設置したとき。

3　消防総監は、必要と認めるときは、現に販売され、又は設置されている住宅用火災警報器の性能について調査することができる。

4　前項の規定による調査を行うに当たつては、消防総監は、調査しようとする住宅用火災警報器を販売する者又は調査しようとする住宅用火災警報器が現に設置されている住宅の所有者若しくは占有者の同意を得なければならない。

## 第七章の二　消防設備業

**（消防設備業者の責務）**

**第五十五条の五の五**　消防用設備等（令第七条に規定する簡易消火用具、非常警報器具及び消防用水（防火水槽に代わる貯水池その他の用水に限る。）を除く。）、特殊消防用設備等、住宅用火災警報器その他規則で定めるもの（以下「消防設備機器」という。）の工事、整備、点検又は販売（以下「消防設備業」という。）を営む者（以下「消防設備業者」という。）は、その事業活動を誠実に行い、火災の予防に努めなければならない。

2　消防設備業者は、その事業活動に関して次に掲げる行為（以下「火災予防上不適当な行為」という。）を行つてはならない。

一　防火対象物の関係者が、法、令又はこの条例の規定に基づき消防設備機器を設置し、又は維持管理する場合において、当該防火対象物における消防設備機器の設置又は維持管理の状況を、これらの規定に適合しないものとする行為

二　防火対象物の関係者が、自主的に消防設備機器を設置し、又は維持管理する場合において、当該防火対象物における消防設備機器の設置又は維持管理の状況を、法又はこの条例の趣旨に反し、かつ、火災の予防、警戒、発見、通報、消火若しくは拡大の防止又は避難若しくは消防活動に支障を及ぼすと認められるものとする行為

**（火災予防上不適当な行為を行つている疑いがあると認められる消防設備業者に関する調査）**

**第五十五条の五の六**　消防総監は、消防設備業者が、火災予防上不適当な行為を行つている疑いがあると認めるときは、その実態につき、必要な調査を行うことができる。

**（指導及び勧告）**

**第五十五条の五の七**　消防総監は、第五十五条の五の五第二項の規定に違反している消防設備業者があるときは、その者に対し、当該違反している事項を是正するよう指導し、及び勧告することができる。

**（公表）**

**第五十五条の五の八**　消防総監は、消防設備業者が前条の規定による勧告に従わないときは、その旨を公表することができる。

2　消防総監は、前項の規定による公表をしようとする場合は、前条の規定による勧告を受けた者に対し、意見を述べ、証拠を提示する機会を与えるものとする。

## 第七章の三　優良防火対象物認定表示制度

**（優良防火対象物認定証の表示）**

**第五十五条の五の九**　令別表第一に掲げる防火対象物で規則で定めるものの管理について権原を有する者は、当該防火対象物が防火上優良な防火対象物（以下「優良防火対象物」という。）であるものとして消防署長の認定を受けたときは、当該認定を受けたことを証明する表示（以下「優良防火対象物認定証」という。）を付することができる。

**（優良防火対象物の認定）**

**第五十五条の五の十**　前条の認定を受けようとする者は、規則で定めるところにより消防署長に申請しなければならない。

2　消防署長は、前項の規定による申請があつた場合においては、当該申請に係る防火対象物が規則で定める基準（以下「認定基準」という。）に適合しているかどうかについて審査及び検査を行い、当該防火対象物が認定基準に適合していると認めるときは、当該防火対象物を優良防火対象物として認定しなければならない。

3　消防署長は、前項の規定による認定をしたとき、又は認定をしないことを決定したときは、規則で定めるところにより、その旨を申請者に通知しなければならない。

4　消防総監及び消防署長は、第二項の規定により認定した場合においては、規則で定めるところにより、その旨を公表するものとする。

5　何人も、前条に規定する場合を除くほか、同条の表示を付してはならず、又は同条の表示と紛らわしい表示を付してはならない。

6　消防総監は、優良防火対象物認定証の表示の方法等について定め、認定基準とともに公表するものとする。

（認定の失効）

**第五十五条の五の十一**　前条第二項の規定による認定を受けた防火対象物（以下「認定優良防火対象物」という。）について、次のいずれかに該当することとなつたときは、当該認定は、その効力を失う。

一　当該認定を受けてから三年が経過したとき。

二　申請者に変更があつたとき。

2　前項第二号に該当する場合においては、申請者は、速やかに、規則で定めるところにより消防署長に届け出なければならない。

（表示の除去・消印命令）

**第五十五条の五の十二**　消防署長は、防火対象物で第五十五条の五の九の規定によらないで同条の表示が付されているもの又は同条の表示と紛らわしい表示が付されているものについて、当該防火対象物の関係者で権原を有する者に対し、当該表示を除去し、又はこれに消印を付するべきことを命ずることができる。

2　消防総監及び消防署長は、前項の規定により表示を除去し、又はこれに消印を付するべきことを命じた場合においては、規則で定めるところにより、その旨を公表しなければならない。

（変更の申請）

**第五十五条の五の十三**　申請者は、認定基準に定める事項に係るものを変更しようとする場合は、変更しようとする日の七日前までに規則で定めるところにより消防署長に申請しなければならない。この場合の手続等については、第五十五条の五の十第一項から第四項までの規定を準用する。

（認定の取消し）

**第五十五条の五の十四**　消防署長は、認定優良防火対象物について、次の各号のいずれかに該当するときは、当該認定を取り消さなければならない。

一　偽りその他不正な手段により認定を受けたことが判明したとき。

二　認定基準に適合しないことが判明したとき。

三　法第五条第一項、第五条の二第一項、第五条の三第一項、第八条第三項若しくは第四項、第八条の二第五項若しくは第六項、第八条の二の五第三項、第十一条の五第一項、第十二条第二項、第十二条の二第一項若しくは第二項、第十二条の三第一項、第十三条の二十四第一項、第十四条の二第三項、第十六条の三第三項、第十六条の六第一項又は第十七条の四第一項若しくは第二項の規定による命令（当該防火対象物の位置、構造、設備又は管理の状況が法若しくは法に基づく命令、この条例又はその他の法令に違反している場合に限る。）がされたとき。

2　消防署長は、前項の規定による取消しをしたときは、規則で定めるところにより、その旨を申請者に通知しなければならない。

3　消防総監及び消防署長は、第一項の規定により認定を取り消した場合においては、規則で定めるところにより、その旨を公表しなければならない。

## 第八章　火災予防審議会

（設置）

**第五十五条の六**　火災の予防上必要な事項について調査審議するため、知事の諮問機関として火災予防審議会（以下「審議会」という。）を置く。

（所掌事項）

**第五十五条の七**　審議会は、知事の諮問に応じ、次の事項を調査審議する。

一　火災の予防技術に関すること。

二　火災による人命の安全対策に関すること。

三　危険物の安全対策に関すること。

四　地震による火災の予防対策に関すること。

2　審議会は、前項に規定する事項に関し、知事に意見を述べることができる。

（組織）

**第五十五条の八**　審議会は、次に掲げる者につき知事が委嘱する委員三十人以内で組織する。

一　学識経験者　　二十七人以内

二　関係行政機関の職員　　三人以内

2　前項の委員のほか、特別の事項を調査審議するため必要があるときは、審議会に臨時委員を置くことができる。

3　臨時委員は、学識経験者又は関係行政機関の職員のうちから知事が委嘱する。

（任期）

**第五十五条の九**　前条第一項の委員の任期は、二年とする。ただし、補欠の委員の任期は、前任者の残任期間とする。

2　前条第二項の臨時委員の任期は、その審議事項について、審議会の答申があつたときまでとする。

3　委員は、再任されることができる。

**（会長及び副会長）**

**第五十五条の十**　審議会に会長及び副会長を置き、委員の互選によつてこれを定める。

2　会長は、審議会を代表し、会務を総理する。

3　副会長は、会長を補佐し、会長に事故があるときはその職務を代理する。

**（招集、定足数及び表決数）**

**第五十五条の十一**　審議会は、会長が招集する。

2　審議会は、委員及び議事に関係ある臨時委員の半数以上の出席がなければ、会議を開くことができない。

3　審議会の議事は、出席した委員及び議事に関係ある臨時委員の過半数で決し、可否同数のときは、会長の決するところによる。

**（部会）**

**第五十五条の十二**　専門の事項を調査審議するため必要と認めるときは、審議会に部会を置くことができる。

2　部会は、会長の指名する委員及び臨時委員で組織する。

3　部会に部会長を置き、部会に属する委員のうちから互選する。

4　部会長は、部会の事務を掌理し、部会の経過及び結果を審議会に報告する。

**（庶務）**

**第五十五条の十三**　審議会の庶務は、東京消防庁において処理する。

## 第九章　雑則

**（防火対象物の工事等計画の届出等）**

**第五十六条**　一時的な使用のために行う場合を除き、次の各号に掲げる行為をしようとする者は、当該行為に着手する日の七日前までに、規則で定めるところによりその旨を消防署長に届け出なければならない。ただし、建築基準法第六条第一項及び第六条の二第一項の確認を受けた場合並びに同法第十八条第二項及び第四項の通知をした場合（同法第八十七条第一項において準用する場合を含む。）は、この限りでない。

一　令別表第一各項（(十九)項及び(二十)項を除く。次条において同じ。）に掲げる防火対象物のうち令第十条第一項各号若しくは令第二十一条第一項第一号（令別表第一(十三)項ロに掲げる防火対象物を除く。）、第三号及び第七号に掲げる防火対象物（令第十条第一項第五号に掲げる部分を有する防火対象物を含む。）又はその部分（以下「指定防火対象物等」という。）の建築（建築基準法第二条第十三号に規定する建築をいい、増築しようとする場合においては、防火対象物が増築後において指定防火対象物等となる場合を含む。）

二　指定防火対象物等の修繕、模様替え、間取り又は天井高さの変更その他これらに類する工事

三　前二号に掲げるもののほか、指定防火対象物等の客席又は避難通路（第四十八条、第四十九条、第五十条又は第五十一条の規定の適用がある劇場等、キャバレー等若しくは飲食店の階又は百貨店等の階若しくは地下街の物品販売業を営む店舗の一の構えに限る。）の変更

四　前三号に掲げるもののほか、防火対象物の用途変更その他これに類する変更（当該防火対象物が変更後において指定防火対象物等となる場合に限る。）

2　前項の規定による届出には、指定防火対象物等の所在、用途、使用形態、収容人員、避難施設その他当該指定防火対象物等の使用に関して防火、避難の管理及び消防活動に必要な事項を記載した図書で規則で定めるものを添付しなければならない。

3　消防署長は、第一項の規定による届出があつたときは、その内容が防火基準（法、令又はこの条例に規定する事項に関し規則で定める基準をいう。）に適合しているかどうかを審査するものとする。

4　防火対象物又はその部分の所有者は、第一項各号の行為をしようとする者に対して同項の規定による届出を適正に行うことを求めるよう努めなければならない。

**（防火対象物の使用開始の届出等）**

**第五十六条の二**　令別表第一各項に掲げる防火対象物又はその部分を使用（一時使用を除く。以下この条において同じ。）しようとする者（前条第一項各号（新築を除く。）に掲げる行為をしたのち使用しようとする者を含む。）は、当該防火対象物又はその部分の使用を開始する日の七日前までに、規則で定めるところによりその旨を消防署長に届け出なければならない。

2　前条第二項の規定は、前項の規定による届出について準用する。

3　指定防火対象物等を使用しようとする者は、当該指定防火対象物等の使用開始前に、消防署長の検査を受けなければならない。

4　前条第四項の規定は、第一項の規定による届出について準用する。

**（一時的に不特定の者が出入りする店舗等として使用する場合の届出等）**

**第五十六条の三**　防火対象物又はその部分を一時的に不

特定の者が出入りする店舗等として使用しようとする者は、当該防火対象物又はその部分の一時的な使用を開始する日の七日前までに、規則で定めるところによりその旨を消防署長に届け出なければならない。

2　前項の規定による届出には、防火対象物の所在、一時的な用途及び使用形態、使用期間、収容人員、避難施設その他当該防火対象物又はその部分の使用に関して防火、避難の管理並びに消防活動に必要な事項を記載した図書で規則で定めるものを添付しなければならない。

3　第五十六条第三項及び前条第三項の規定は、第一項の規定による届出について準用する。

4　第五十六条第四項の規定は、第一項の規定による届出について準用する。

**（火気使用設備等の設置の届出等）**

**第五十七条**　火を使用する設備又はその使用に際し、火災の発生のおそれのある設備（以下「火気使用設備等」という。）のうち次に掲げるものを設置しようとする者（内容を変更しようとする者を含む。）は、当該工事に着手する日の七日前までに、規則で定めるところによりその旨を消防署長に届け出なければならない。

一　固体燃料を使用する炉

二　前号に掲げるもののほか、据付け面積一平方メートル以上の炉

三　厨房設備（入力の合計が百二十キロワット未満のもの（排気取入口から下方に排気する方式の厨房設備を除く。）を除く。）

四　温風暖房機（風道を使用しない温風暖房機にあつては、入力が七十キロワット未満のものを除く。）及び壁付き暖炉

五　ヒートポンプ冷暖房機（入力が七十キロワット未満のものを除く。）

六　ボイラー（ボイラー及び圧力容器安全規則（昭和四十七年労働省令第三十三号）第三条に定めるボイラー及び入力が七十キロワット未満のものを除く。）

七　乾燥設備（入力が十七キロワット未満のもの又は乾燥物収容室の据付け面積が一平方メートル未満のもの若しくは乾燥物収容室の内部容積が一立方メートル未満のものを除く。）

八　サウナ設備

九　給湯湯沸設備（入力七十キロワット未満のものを除く。）

十　燃料電池発電設備（第八条の三第二項又は第四項に定めるものを除く。）

十一　火花を生ずる設備

十二　放電加工機

十三　高圧又は特別高圧の変電設備

十四　急速充電設備（全出力五十キロワット以下のものを除く。）

十五　内燃機関を原動力とする発電設備（第十二条第三項に定めるものを除く。）

十六　蓄電池設備（蓄電池容量が二十キロワット時以下のものを除く。）

十七　設備容量二キロボルトアンペア以上のネオン管灯設備

十八　水素ガスを充塡する気球

2　前項の規定による届出には、火気使用設備等の位置、構造、性能その他火災予防上必要な事項を記載した図書で規則で定めるものを添付しなければならない。

3　消防署長は、第一項の規定による届出があつたときは、その内容がこの条例に定める火気使用設備等の位置、構造及び管理の基準に適合しているかどうかを審査するものとする。

4　第一項各号に掲げる火気使用設備等を使用しようとする者は、当該火気使用設備等の使用開始前に消防署長の検査を受けなければならない。

**（少量危険物貯蔵取扱所等の届出等）**

**第五十八条**　少量危険物貯蔵取扱所又は指定可燃物貯蔵取扱所を設置しようとする者は、当該設置をしようとする日（工事を伴う場合は工事に着手する日）の十日前までに、規則で定めるところにより、その旨を消防署長に届け出なければならない。届出の内容の変更（規則で定める軽微な変更を除く。）をしようとする者も、同様とする。

2　前項の規定による届出には、少量危険物貯蔵取扱所又は指定可燃物貯蔵取扱所の位置、構造及び設備並びに第三十四条の三に規定する保安に関する計画（同条に該当する者が届け出る場合に限る。）を記載した図書その他の規則で定める図書を添付しなければならない。

3　消防署長は、第一項の規定による届出があつたときは、その内容がこの条例に定める少量危険物又は指定可燃物の貯蔵及び取扱いの基準並びに少量危険物貯蔵取扱所又は指定可燃物貯蔵取扱所の位置、構造及び設備の基準に適合しているかどうかを審査するものとする。

4　第一項の規定による届出をした者は、少量危険物又は指定可燃物の貯蔵又は取扱いを開始する前に、当該少量危険物貯蔵取扱所又は指定可燃物貯蔵取扱所の位置、構造及び設備について、消防署長の検査を受けなければならない。

5　第一項の少量危険物貯蔵取扱所又は指定可燃物貯蔵取扱所を廃止した者は、遅滞なく、規則で定めるところによりその旨を消防署長に届け出なければならない。

6　指定数量未満の灯油の販売を業とする者は、規則で定めるところにより、貯蔵し、又は取り扱う場合の主たる取扱者を定めて消防署長に届け出なければならない。

**（消防用設備等又は特殊消防用設備等の設置計画の届出等）**

**第五十八条の二**　指定防火対象物等において次の各号に掲げる消防用設備等又は特殊消防用設備等（法第十七条の十四の規定により届け出なければならないものを除く。）を設置しようとする者は、当該設置に係る工事に着手する日の十日前までに、規則で定めるところによりその旨を消防署長に届け出なければならない。

一　消防用設備等のうち漏電火災警報器、非常警報設備、すべり台、避難はしご、すべり棒、避難橋、避難用タラップ、消防用水、誘導灯、排煙設備、連結散水設備、連結送水管、非常コンセント設備又は無線通信補助設備

二　前号に掲げるもののほか、消防総監が定めるもの

2　前項の規定による届出には、消防用設備等又は特殊消防用設備等の種類、工事の場所その他必要な事項が記載された図書で規則で定めるものを添付しなければならない。

3　消防署長は、第一項の規定による届出があつたときは、その内容が法第十七条の三の二に規定する設備等技術基準又は法第十七条第三項に規定する設備等設置維持計画に適合しているかどうかを審査するものとする。

**（消防用設備等又は特殊消防用設備等の設置の届出等）**

**第五十八条の三**　指定防火対象物等の関係者は、消防用設備等又は特殊消防用設備等（法第十七条の三の二の規定により届け出て、検査を受けなければならない消防用設備等又は特殊消防用設備等を除く。）を設置したときは、当該設置に係る工事が完了した日から四日以内に、規則で定めるところによりその旨を消防署長に届け出なければならない。

2　前項の規定による届出には、消防用設備等又は特殊消防用設備等に関する図書で規則で定めるものを添付しなければならない。

3　指定防火対象物等の関係者は、第一項の消防用設備等又は特殊消防用設備等の使用開始前に、消防署長の検査を受けなければならない。

**（核燃料物質等の貯蔵又は取扱いの届出）**

**第五十九条**　核燃料物質、放射性同位元素、圧縮ガス、液化ガス、毒物その他消火活動に重大な支障を生ずるおそれのある物質で消防総監の指定するものを業として貯蔵し、又は取り扱おうとする者は、あらかじめ、その品名、数量その他当該物質の貯蔵又は取扱いに関して消火活動上必要な事項を消防署長に届け出なければならない。

**（指定洞道等及び道路トンネル等の届出）**

**第五十九条の二**　通信ケーブル又は電力ケーブル（以下「通信ケーブル等」という。）の敷設を目的として設置された洞道、共同溝その他これらに類する地下の工作物（通信ケーブル等の維持管理等のため必要に応じ人が出入りするトンネルに限る。）で、消火活動に重大な支障を生ずるおそれのあるものとして消防総監が指定したもの（以下「指定洞道等」という。）に通信ケーブル等を敷設する者は、次に掲げる事項を消防総監に届け出なければならない。

一　指定洞道等の経路及び出入口、換気口等の位置

二　指定洞道等の内部に敷設される主要な物件の概要

三　指定洞道等の内部における火災に対する安全管理対策

2　前項の規定は、同項各号に掲げる事項について重要な変更を行う場合について準用する。

3　前二項の規定は、道路（自動車の通行の用に供するものに限る。）又は鉄道の用に供するトンネルで、消防活動に重大な支障を生じるおそれのあるものとして消防総監が指定したものを設置する場合に準用する。この場合において、第一項中「に通信ケーブル等を敷設する者は」とあるのは「を設置しようとする者は、あらかじめ」と、同項第二号中「敷設される」とあるのは「設置される」と読み替えるものとする。

**（観覧場又は展示場に多数の者を収容して行う催物の開催の届出）**

**第五十九条の三**　観覧場又は展示場の関係者は、当該防火対象物に多数の者を収容して演劇、コンサート、スポーツ興行その他これらに類する催し又は物品販売、展示その他これらに類する催しを行うときは、当該催しを行う日の三日前までに、規則で定めるところにより、当該催しの種類、開催期間、収容人員その他の火災予防上及び消防活動上必要な事項を消防署長に届け出なければならない。ただし、第五十六条の三第一項に規定する届出がなされたときは、この限りでない。

**（消防活動に支障を及ぼすおそれのある行為の届出）**

**第六十条**　次に掲げる行為をしようとする者は、あらかじめ、その日時、場所その他当該行為に関して消防活動上必要な事項を消防署長に届け出なければならな

い。ただし、第五十五条の三の九第一項又は第五十五条の三の十第一項の計画を提出した場合は、この限りでない。

一　火災と紛らわしい煙又は火炎を発するおそれのある行為

二　煙火（がん具用煙火を除く。）の打上げ又は仕掛け

三　水道の断水又は減水

四　消防隊の通行その他消火活動に支障を及ぼすおそれのある道路工事又は露店等の開設（次号に該当するものを除く。）

五　祭礼、縁日、花火大会、展示会その他の多数の者の集合する催しに際しての火気使用器具等を使用する露店等の開設

**（ずい道工事等にかかる火災等の災害予防計画の届出）**

**第六十条の二**　次の各号に掲げる工事をしようとする者は、規則で定めるところにより、火災等の災害予防計画を作成し、あらかじめ、当該計画を消防署長に届け出なければならない。

一　地下街の工事

二　ずい道の工事

三　前二号以外の圧気を用いる工事

2　前項の規定は、前項の計画の内容を変更しようとする場合について準用する。

**（防火管理に係る消防計画の届出）**

**第六十一条**　第五十五条の三の防火対象物の防火管理者は、防火管理に係る消防計画を作成したときは、速やかに当該計画書を所轄消防署長に届け出なければならない。

**（自動火災報知設備等と連動して行う通報等の承認）**

**第六十一条の二**　防火対象物のうち消防総監が定めるものの管理について権原を有する者は、消防総監が指定する場所に次に掲げる通報を行う場合は、あらかじめ、消防総監が定めるところにより、承認を得なければならない。

一　自動火災報知設備等の作動と連動して送信される信号によつて行う通報

二　ボタンを押すこと等の一つの操作で送信される信号によつて行う通報

**（代理通報事業者の責務等）**

**第六十一条の二の二**　防火対象物に設置された自動火災報知設備等の作動と連動して送信される信号又はボタンを押すこと等の一つの操作で防火対象物から送信される信号を受けた者が現場を確認することなく行う通報（以下「代理通報」という。）を業として行う者（以下「代理通報事業者」という。）は、社会的責任を自覚し、代理通報を適正に行うよう努めなければならない。

2　消防総監は、代理通報事業者に対し、代理通報を適正に行うために必要な指導及び助言をすることができる。

**（代理通報事業者の認定等）**

**第六十一条の二の三**　代理通報事業者で消防総監が定める基準（以下「代理通報事業者認定基準」という。）に適合しているものは、消防総監が定める通報の区分ごとに消防総監の認定を受けることができる。

2　前項の認定を受けようとする者は、消防総監が定めるところにより消防総監に申請しなければならない。

3　消防総監は、前項の規定による申請があつた場合においては、当該申請に係る代理通報事業者が、代理通報事業者認定基準に適合しているかどうかについて審査及び検査を行い、当該代理通報事業者が代理通報事業者認定基準に適合していると認めるときは、当該代理通報事業者を東京消防庁認定通報事業者として認定するものとする。

4　消防総監は、前項の規定による認定をしたとき、又は認定をしないことを決定したときは、消防総監が定めるところにより、その旨を申請者に通知しなければならない。

5　消防総監は、第三項の規定により認定をした場合においては、消防総監が定めるところにより、その旨を公表するものとする。

6　消防総監は、代理通報事業者認定基準を公表するものとする。

**（東京消防庁認定通報事業者の遵守事項）**

**第六十一条の二の四**　前条第二項の規定による認定を受けた代理通報事業者（以下「東京消防庁認定通報事業者」という。）は、代理通報の業務の適正な履行のために、消防総監が定める事項を遵守しなければならない。

**（認定の失効）**

**第六十一条の二の五**　東京消防庁認定通報事業者が、当該認定を受けてから三年が経過したときは、当該認定は、その効力を失う。

**（変更の届出）**

**第六十一条の二の六**　東京消防庁認定通報事業者は、第六十一条の二の三第二項の規定による申請に係る事項について変更があつたときは、速やかにその旨を消防総監が定めるところにより消防総監に届け出なければならない。当該認定に係る代理通報の業務を廃止したときも同様とする。

**（認定の取消し）**

**第六十一条の二の七**　消防総監は、東京消防庁認定通報

事業者について、消防総監が定める基準に該当するときは、当該認定を取り消すことができる。

2　消防総監は、前項の規定による取消しをしたときは、消防総監が定めるところにより、その旨を当該取消しを受けた代理通報事業者に通知しなければならない。

3　消防総監は、第一項の規定により認定を取り消した場合においては、消防総監が定めるところにより、その旨を公表しなければならない。

**（報告等及び調査）**

**第六十一条の二の八**　消防総監は、東京消防庁認定通報事業者に対し、その代理通報の業務の適正な履行を確保するために必要な限度において、業務内容に関し報告又は資料の提出を求めることができる。

2　前項の場合において、消防総監が特に必要と認めるときは、消防職員をして、事業所、事務所その他事業に係る場所（次項において「事業所等」という。）に立ち入り、業務内容に関し調査を行わせることができる。

3　消防職員は、前項の規定により事業所等に立ち入るときは、消防総監が定める証票を携帯し、関係のある者の請求があるときは、これを示さなければならない。

4　第一項及び第二項の規定による権限は、犯罪捜査のために認められたものと解釈してはならない。

**（住宅用火災警報器の設置の届出）**

**第六十一条の三**　第五十五条の五の四第一項の規定により住宅用火災警報器を設置した場合において、新築し、又は改築した住宅の関係者は、規則で定めるところにより、その旨を消防署長に届け出なければならない。

**（消防設備業の届出）**

**第六十二条**　消防設備業を営もうとする者は、あらかじめ、住所、氏名（法人にあつては所在地、名称及び代表者の氏名）その他必要な事項を消防総監に届け出なければならない。

**（消防設備業の変更及び廃止の届出）**

**第六十二条の二**　前条の規定による届出をした者は、当該届出に係る事項について変更があつたとき、又は当該届出に係る業を廃止したときは、遅滞なく、その旨を消防総監に届け出なければならない。

**（承継）**

**第六十二条の三**　消防設備業者について相続、合併又は分割（当該消防設備業を承継させるものに限る。）があつたときは、相続人（相続人が二人以上ある場合において、その全員の同意により当該消防設備業を承継すべき相続人を選定したときは、その者）、合併後存続する法人若しくは合併により設立された法人又は分割により当該消防設備業を承継した法人は、当該消防設備業者の地位を承継する。

2　前条の規定は、前項の規定により消防設備業者の地位を承継した者について準用する。

**（自衛消防技術試験）**

**第六十二条の四**　令別表第一に掲げる防火対象物の自衛消防業務に従事する者の申出により、消防総監は、その業務を行う上に必要とする知識及び技術に関する自衛消防技術試験を行い、その技能を証明する認定証を交付することができる。

2　前項の試験に合格した者で認定証の交付を受けようとするものは、規則で定めるところにより消防総監に申請しなければならない。

3　認定証の交付を受けている者は、規則で定める事項に変更を生じたときは、遅滞なく、規則で定めるところにより消防総監にその書換えを申請しなければならない。

4　認定証の交付を受けている者は、認定証を亡失し、滅失し、汚損し、又は破損した場合には、消防総監にその再交付を申請することができる。

**（火を使用する設備等の工事施工又は整備業務従事者）**

**第六十二条の五**　地震動等により作動する安全装置を設けることとされている火を使用する設備若しくは器具の設置工事又は修理を業として行おうとする者は、消防総監が定めるところにより、当該工事又は修理に関する必要な知識及び技術を習得しなければならない。

**（火を使用する設備、器具等の製造、販売及び設置に係る工事又は整備業の届出等）**

**第六十三条**　火を使用する設備若しくは器具又はその使用に際し、火災の発生のおそれのある設備若しくは器具のうち、気体燃料又は液体燃料を使用するものを製造し、販売しようとする者及び前条に規定する設置工事又は修理を業として行おうとする者は、次に掲げる事項を消防総監に届け出なければならない。

一　製造又は販売する者にあつては、その品名、型式その他当該設備若しくは器具の製造又は販売に関して火災予防上必要な事項

二　設置工事又は修理を業として行おうとする者にあつては、当該設備若しくは器具の設置工事又は修理に関して必要な事項

2　地震動等により作動する安全装置を製造し、販売し、又は使用する者の申出により、消防総監は、性能試験の上、その試験結果を証明することができる。

3　危険物若しくは指定可燃物を貯蔵するタンク又はこれに設置する安全装置を製造し、販売し、又は使用す

る者の申出により、消防総監は、当該タンクの水圧検査若しくは水張検査又は当該安全装置の機能検査を行い、その結果を証明することができる。

4　危険物又は危険物であることの疑いのある物品を貯蔵し、又は取り扱う者の申出により、消防総監は、危険物に該当するか否か等を確認するための試験（以下「確認試験」という。）を行い、その結果を証明することができる。

（防火安全技術講習）

**第六十三条の二**　消防設備業、建築設計業、建築工事業、内装工事業、消防コンサルタント業、設備工事業その他これらに類する業に従事する者のうち、次の各号に掲げる業務に従事するものは、法人であつて知事の登録を受けたもの（以下この条において「登録講習機関」という。）が別に消防総監が定めるところにより行う防火安全に係る知識及び技術に関する講習（以下この条において「防火安全技術講習」という。）の受講に努めなければならない。

一　防火対象物の避難の管理に係る計画又は当該計画に基づく工事に関する業務

二　火気使用設備等の設置に係る計画又は当該計画に基づく工事に関する業務

三　消防用設備等の設置に係る計画又は当該計画に基づく工事に関する業務

2　登録講習機関は、防火安全技術講習を修了した者（以下「修了者」という。）に対して、消防総監が定める防火安全に関する知識及び技術の習得を証明する修了証（次条において「防火安全技術講習修了証」という。）を交付するものとする。

3　第一項の知事の登録は、防火安全技術講習を実施しようとする法人の申請により行う。

4　知事は、前項の規定により申請した法人が規則で定める要件を満たしているときは、登録をしなければならない。

5　知事は、登録講習機関が前項の登録要件を満たさなくなつたときその他規則で定める場合は、その登録を取り消し、又は期間を定めて防火安全技術講習の全部若しくは一部の停止を命ずることができる。

（修了者の業務等）

**第六十三条の三**　修了者は、前条第一項各号に掲げる業務に関し、消防関係法令への適合状況の調査、防火安全についての助言、消防関係法令に規定する検査への立会いその他の規則で定める業務を行うものとする。

2　修了者は、前項の業務に従事する場合においては、防火安全技術講習修了証を携帯し、防火対象物の関係者又は消防本部若しくは消防署の職員からの請求があるときは、これを示さなければならない。

（工事現場における届出等の表示）

**第六十三条の四**　防火対象物の関係者又は工事施工者は、規則で定める様式によつて、工事現場の見やすい場所に、第五十六条第一項、第五十七条第一項、第五十八条の二第一項及び法第十七条の十四の規定による届出が受理された旨その他の事項を表示するものとする。

（基準の特例等に関する規定の適用申請等）

**第六十四条**　次の各号に掲げる規定の適用を受けようとする者は、規則で定めるところにより、消防署長に申請しなければならない。ただし、軽微なものはこの限りでない。

一　第三条第一項第一号ハ（第三条の二第三項、第四条第三項、第五条第三項、第六条の二第三項、第六条の三第二項、第七条第三項、第七条の二第三項、第八条第一項、第八条の二第一項、第八条の三第一項及び第三項並びに第九条第三項の規定において準用する場合を含む。）又は第二十二条の二

二　令第二十九条の四、令第三十二条又は第四十七条

三　第五十一条の二

2　消防署長は、前項の規定による申請があつたときは、当該申請に係る審査を行い、規則で定めるところにより、その審査の結果を同項の申請をした者に通知するものとする。

3　消防総監は、前項の申請に係る審査を行うため必要と認める場合は、第一項各号に掲げる規定の適用を判断するための技術基準を定めることができる。

（防災管理）

**第六十四条の二**　第五十条の三第一項から第三項まで、第五十五条の三の七並びに第五十五条の四第二項及び第三項の規定は、法第三十六条第一項の火災以外の災害で令で定めるものによる被害の軽減のため特に必要がある建築物その他の工作物として令で定めるものについて準用する。この場合において、次の表の上欄に掲げる規定中同表の中欄に掲げる字句は、それぞれ同表の下欄に掲げる字句に読み替えるものとする。

| | | |
|---|---|---|
| 第五十条の三第一項 | 省令第三条第一項第一号イ | 省令第五十一条の八第一項第一号イ |
| 第五十五条の三の七 | 令第一条の二第三項第一号及び第五十五条の三第一項に規定する防火対象物 | 令第四十六条に規定する建築物その他の工作物 |

| | | |
|---|---|---|
| | 防火管理上 | 防災管理上 |
| | 統括防火管理者 | 統括防災管理者 |
| | 防火管理者、防火管理技能者、火元責任者その他 | 防災管理者その他 |
| | 防火管理の業務 | 防災管理の業務 |
| | 防火管理に関する | 防災管理に関する |
| 第五十五条の四第二項 | 令第一条の二第三項第一号及び第五十五条の三第一項に規定する防火対象物 | 令第四十六条に規定する建築物その他の工作物 |
| | 防火管理者 | 防災管理者 |
| | 防火管理に係る | 防災管理に係る |
| 第五十五条の四第三項 | 統括防火管理者 | 統括防災管理者 |
| | 全体についての消防計画 | 法第三十六条第一項において準用する法第八条の二第一項の建築物その他の工作物の全体についての防災管理に係る消防計画 |

2　前項の建築物その他の工作物に第五十五条の五第一項の自衛消防活動中核要員が置かれている場合には、当該自衛消防活動中核要員は、火災その他の災害の被害の軽減のために必要な業務を行うものとする。

**（防火対象物の設備、管理等の状況の公表）**

**第六十四条の三**　消防総監は、防火対象物の設備、管理等の状況が法、令及びこの条例の規定に違反する場合は、都民が当該防火対象物を利用する際の判断に資するため、その旨を公表することができる。

2　消防総監は、前項の規定による公表をしようとする場合は、当該防火対象物の関係者にその旨を周知するものとする。

3　第一項の規定による公表の対象となる防火対象物及び違反の内容並びに公表等の手続は、規則で定める。

**（委任）**

**第六十五条**　この条例の施行について必要な事項は、知事が定める。

## 第十章　罰則

**第六十六条**　次の各号の一に該当する者は、三十万円以下の罰金に処する。

一　第三十条の規定に違反して少量危険物を貯蔵し、又は取り扱つた者

二　第三十一条又は第三十一条の二の規定に違反した者

三　第三十三条から第三十四条の二までの規定に違反した者

四　第五十五条の三の四第一項の規定による命令に違反した者

五　第五十五条の三の九第二項の規定に違反した者

**第六十七条**　第三十一条の四の規定に違反して少量危険物を貯蔵し、又は取り扱つた者は、二十万円以下の罰金に処する。

**第六十七条の二**　次の各号の一に該当する者は、十万円以下の罰金に処する。

一　第二十三条第一項又は第四項の規定に違反した者

二　第五十五条の五の十第五項の規定に違反した者

三　第五十五条の五の十二第一項の規定による命令に違反した者

四　第五十六条の二第一項の規定による届出をせず、若しくは虚偽の届出をし、又は同条第三項の規定による検査を拒み、妨げ、若しくは忌避して防火対象物を使用した者

五　第五十七条第一項の規定による届出をせず、若しくは虚偽の届出をし、又は同条第四項の規定による検査を拒み、妨げ、若しくは忌避して火気使用設備等を設置し使用した者

六　第五十八条第一項の規定による届出をせず、若しくは虚偽の届出をし、又は同条第四項の規定による検査を拒み、妨げ、若しくは忌避して少量危険物又は指定可燃物の貯蔵又は取扱いをした者

七　第五十八条の三第一項の規定よる届出をせず、若しくは虚偽の届出をし、又は同条第三項の規定による検査を拒み、妨げ、若しくは忌避して消防用設備等又は特殊消防用設備等を設置した者

八　第六十条の規定による届出をしないで、同条第二号に掲げる行為をした者

九　第六十二条の届出を怠つた者

**第六十八条**　法人（法人でない団体で代表者又は管理人の定めのあるものを含む。以下この項において同じ。）

の代表者若しくは管理人又は法人若しくは人の代理人、使用人、その他の従業者がその法人又は人の業務に関して前三条の違反行為をした場合においては、その行為者を罰するほか、その法人又は人に対して各本条の罰金刑を科する。

2　法人でない団体について前項の規定の適用がある場合には、その代表者又は管理人が、その訴訟行為につき法人でない団体を代表するほか、法人を被告人又は被疑者とする場合の刑事訴訟に関する法律の規定を準用する。

### 付　則

1　この条例は、昭和三十七年七月一日から施行する。

2　この条例の施行前に、この条例による改正前の火災予防条例（昭和二十三年九月東京都条例第百五号。以下「旧火災予防条例」という。）及びこの条例による廃止前の危険物取締条例（昭和二十五年十二月東京都条例第九十七号）に基いてなした認可、検査その他の処分または届出その他の申請は、この条例の規定によつてなされた処分または手続とみなす。

3　この条例施行の際、旧火災予防条例による消防設備検査修理員の免許証を有している者は、当該免許証に相当するこの条例の規定による消防設備士の免状を有する者とみなす。

4　第六十二条第二項の規定のうち、設計及び工事監理に係る部分は、この条例施行後一年間は適用しない。

5　この条例の施行前にした行為に対する罰則の適用については、なお従前の例による。

6　この条例施行の際、すでに受理した申請に係る手数料については、なお従前の例による。

7　危険物取締条例（昭和二十五年十二月東京都条例第九十七号）は、廃止する。

8　東京消防庁関係手数料条例（昭和二十三年九月東京都条例第百七号）は、廃止する。

9　平成二十四年七月一日において、現に危険物又は危険物以外の物品を貯蔵し、又は取り扱つているもので、危険物の規制に関する政令の一部を改正する政令（平成二十三年政令第四百五号。第十二項において「平成二十三年改正政令」という。）による改正後の危険物政令第一条第一項の規定により新たに少量危険物を貯蔵し、又は取り扱うこととなるもの及び現に少量危険物を貯蔵し、又は取り扱つているもので、同項の規定により引き続き少量危険物を貯蔵し、又は取り扱うこととなるもの（次項及び第十一項においてこれらを「新規対象等」という。）のうち、火災予防条例の一部を改正する条例（平成二十四年東京都条例第九十号）による改正後の火災予防条例（以下「平成二十四年改正条例」という。）第三十一条第一項第四号ハ及びニに定める基準に適合しないものに係る貯蔵及び取扱いの技術上の基準については、これらの規定は、平成二十五年十二月三十一日までの間は、適用しない。

10　新規対象等のうち、平成二十四年改正条例第三十一条の二第一項第十号に定める基準に適合しないものに係る位置、構造及び設備の技術上の基準については、同号の規定は、当該新規対象等が次に掲げる基準の全てに適合している場合に限り、適用しない。

一　当該新規対象等の危険物を取り扱う配管は、その設置される条件及び使用される状況に照らして、十分な強度を有し、かつ、漏れない構造であること。

二　当該新規対象等に係る危険物の数量を当該危険物の指定数量でそれぞれ除した商の和が、平成二十四年七月一日において現に貯蔵し、又は取り扱つている危険物の数量を当該危険物の指定数量でそれぞれ除した商の和を超えないこと。

11　新規対象等のうち、平成二十四年改正条例第三十一条の二第一項第一号、第三号（ロを除く。）から第九号まで、第十一号若しくは第十二号又は同条第二項第一号（ロ及びワを除く。）若しくは第二号イに定める基準に適合しないものに係る位置、構造及び設備の技術上の基準については、これらの規定は、当該新規対象等が前項第二号に掲げる基準に適合している場合に限り、平成二十五年六月三十日までの間は、適用しない。

12　平成二十四年七月一日において、現に危険物又は危険物以外の物品を貯蔵し、又は取り扱つている者で、平成二十三年改正政令による改正後の危険物政令第一条第一項の規定により新たに少量危険物を貯蔵し、又は取り扱うこととなるもの及び現に少量危険物を貯蔵し、又は取り扱つている者で、同項の規定により引き続き少量危険物を貯蔵し、又は取り扱うこととなるものに対する平成二十四年改正条例第五十八条第一項の規定の適用については、同項中「当該設置をしようとする日（工事を伴う場合は工事に着手する日）の十日前」とあるのは、「平成二十四年十二月三十一日」とする。

### 附　則（平二七・三・三一条例七八）

**（施行期日）**

1　この条例は、平成二十七年四月一日から施行する。

**（経過措置）**

2　この条例の施行の際、現に存するこの条例による改正前の火災予防条例（以下「旧条例」という。）第四十一条第一項第一号に掲げる防火対象物及び現に新築、増築、改築、移転、修繕又は模様替えの工事中の旧条例第四十一条第一項第一号に掲げる防火対象物における自動火災報知設備に係る技術上の基準については、この条例による改正後の火災予防条例第四十一条の規定にかかわらず、平成三十年三月三十一日までの間は、なお従前の例による。

### 附　則（令元・九・二六条例五八）

**（施行期日）**

1　この条例は、令和二年四月一日（以下「施行日」という。）から施行する。ただし、第四十一条及び第五十五条の五の四の改正規定並びに次項の規定は、公布の日から施行する。

**（準備行為）**

2　この条例による改正後の火災予防条例第六十一条の二の三に規定する代理通報事業者の認定に関し必要な手続その他の行為は、施行日前においても行うことができる。

（承認の失効）

3　この条例の施行の際、現にこの条例による改正前の火災予防条例第六十一条の二第三号に規定する通報の承認を得ている者の当該承認は、施行日の前日限り、その効力を失うものとする。

附　則（令二・一二・二三条例一一二）

（施行期日）

1　この条例は、令和三年四月一日から施行する。ただし、附則第三項の規定は、公布の日から施行する。

（経過措置）

2　この条例による改正後の火災予防条例（以下「新条例」という。）第十一条の二第一項に規定する急速充電設備であって、この条例の施行の際、現に設置され、又は設置の工事がされているものについては、なお従前の例による。

（準備行為）

3　新条例第五十七条第一項第十四号の規定による届出及び当該届出に係る同条第三項に規定する審査は、この条例の施行の日前においても行うことができる。

附　則（令五・六・二八条例七二）

1　この条例は、令和五年十月一日から施行する。

2　この条例による改正後の火災予防条例第十一条第二項に規定する変電設備（第八条の三第三項、第十二条第二項及び第十三条第二項において準用する場合を含む。）又は第十一条の二第一項に規定する急速充電設備であって、この条例の施行の際、現に設置され、又は設置の工事がされているものについては、なお従前の例による。

附　則（令五・一〇・一三条例八七）

（施行期日）

1　この条例は、令和六年一月一日（以下「施行日」という。）から施行する。ただし、附則第四項の規定は、公布の日から施行する。

（経過措置）

2　この条例の施行の際、現に設置され、又は設置の工事がされているこの条例による改正後の火災予防条例（以下「新条例」という。）第十三条第一項に規定する蓄電池設備（次項に掲げるものを除く。）のうち、新条例第十三条第一項、第二項又は第五項（第十一条の二第一項第四号を準用する部分に限る。）の規定に適合しないものについては、なお従前の例による。

3　新条例第十三条第一項に規定する蓄電池設備に新たに該当することとなるもののうち、この条例の施行の際、現に設置されているもの及び施行日から起算して二年を経過する日までの間に設置されたもので、同条の規定に適合しないものについては、当該規定は、適用しない。

（準備行為）

4　新条例第五十七条第一項第十六号の規定による届出及び当該届出に係る同条第三項に規定する審査は、施行日前においても行うことができる。

附　則（令六・一〇・一一条例一六二）

この条例は、地域の自主性及び自立性を高めるための改革の推進を図るための関係法律の整備に関する法律（令和六年法律第五十三号）附則第一条第三号に規定する日〔令和六年六月一九日から起算して六月を超えない範囲内において政令で定める日〕又はこの条例の公布の日のいずれか遅い日から施行する。

別表第一及び別表第二　削除

別表第三（第三条関係）

| 種類 | | | | | 入力 | 離隔距離（センチメートル）上方 | 側方 | 前方 | 後方 | 備考 |
|---|---|---|---|---|---|---|---|---|---|---|
| 一 炉 | 使用温度が摂氏八百度以上のもの | | | | | 二五〇 | 二〇〇 | 三〇〇 | 二〇〇 | 注一 開放炉にあっては一五〇センチメートルとする。 |
| | 使用温度が摂氏三百度以上八百度未満のもの | | | | | 一五〇 | 一〇〇 注一 | 二〇〇 | 一〇〇 注一 | 注二 開放炉にあっては一〇〇センチメートルとする。 |
| | 使用温度が摂氏三百度未満のもの | | | | | 一〇〇 | 五〇 注二 | 一〇〇 | 五〇 注二 | |
| 二 厨房（ちゅうぼう）設備 | 気体燃料 | 特定不燃以外 | 開放式 | 組込型こんろ・グリル付こんろ・グリドル付こんろ、キャビネット型こんろ・グリル付こんろ・グリドル付こんろ | 十四キロワット以下 | 一〇〇 | 注 一五 | 一五 | 注 一五 | 注 機器本体上方の側方又は後方の離隔距離を示す。 |
| | | | | 据置型レンジ | 二十一キロワット以下 | 一〇〇 | 注 一五 | 一五 | 注 一五 | |
| | | 特定不燃 | 開放式 | 組込型こんろ・グリル付こんろ・グリドル付こんろ、キャビネット型こんろ・グリル付こんろ・グリドル付こんろ | 十四キロワット以下 | 八〇 | 〇 | | 〇 | |
| | | | | 据置型レンジ | 二十一キロワット以下 | 八〇 | 〇 | | 〇 | |
| | 固体燃料 | 特定不燃以外 | 木炭を燃料とするもの | 炭火焼き器 | | 一〇〇 | 五〇 | 五〇 | 五〇 | |
| | | 特定不燃 | 木炭を燃料とするもの | 炭火焼き器 | | 八〇 | 三〇 | | 三〇 | |
| | 右記に分類されないもの | | 使用温度が摂氏八百度以上のもの | | | 二五〇 | 二〇〇 | 三〇〇 | 二〇〇 | |
| | | | 使用温度が摂氏三百度以上八百度未満のもの | | | 一五〇 | 一〇〇 | 二〇〇 | 一〇〇 | |
| | | | 使用温度が摂氏三百度未満のもの | | | 一〇〇 | 五〇 | 一〇〇 | 五〇 | |
| | | | 開放式 | フードを付けない場合 | 七キロワット以下 | 四〇 | 四・五 | 四・五 | 四・五 | |
| | | | | フードを付ける場合 | | 一五 | 四・五 | 四・五 | 四・五 | |
| | | | | | 十二キロワット以下 | | 四・五 | 四・五 | 四・五 | |

| | | | | | | | | | |
|---|---|---|---|---|---|---|---|---|---|
| 三 ボイラー | 気体燃料 | 特定不燃以外 | 半密閉式 | | 十二キロワットを超え四十二キロワット以下 | | 一五 | 一五 | 一五 |
| | | | 密閉式 | | 四十二キロワット以下 | 四・五 | 四・五 | 四・五 | 四・五 |
| | | | 屋外用 | フードを付けない場合 | | 六〇 | 一五 | 一五 | 一五 |
| | | | | フードを付ける場合 | | 五 | 一五 | 一五 | 一五 |
| | | 特定不燃 | 開放式 | フードを付けない場合 | 七キロワット以下 | 二〇 | 四・五 | | 四・五 |
| | | | | フードを付ける場合 | | 一〇 | 四・五 | | 四・五 |
| | | | 半密閉式 | | 四十二キロワット以下 | | 四・五 | | 四・五 |
| | | | 密閉式 | | | 四・五 | 四・五 | | 四・五 |
| | | | 屋外用 | フードを付けない場合 | | 三〇 | 四・五 | | 四・五 |
| | | | | フードを付ける場合 | | 一〇 | 四・五 | | 四・五 |
| | 液体燃料 | 特定不燃以外 | | | 十二キロワット以下 | 四〇 | 四・五 | 一五 | 四・五 |
| | | | | | 十二キロワットを超え七十キロワット以下 | 六〇 | 一五 | 一五 | 一五 |
| | | 特定不燃 | | | 十二キロワット以下 | 二〇 | 一・五 | | 一・五 |
| | | | | | 十二キロワットを超え七十キロワット以下 | 五〇 | 五 | | 五 |
| | 右記に分類されないもの | | | | 二十三キロワットを超えるもの | 一二〇 | 四五 | 一五〇 | 四五 |
| | | | | | 二十三キロワット以下 | 一二〇 | 三〇 | 一〇〇 | 三〇 |
| 四 ストーブ | 気体燃料 | 特定不燃以外 | 開放式 | バーナーが露出 | 壁掛け型、つり下げ型 七キロワット以下 | 三〇 | 六〇 | 一〇〇 | 四・五 |
| | | | 半密閉式・密閉式 | バーナーが隠ぺい | 自然対流型 十九キロワット以下 | 六〇 | 四・五 | 四・五 注 | 四・五 |
| | | 特定不燃 | 開放式 | バーナーが露出 | 壁掛け型、つり下げ型 七キロワット以下 | 一五 | 一五 | 八〇 | 四・五 |
| | | | 半密閉式・密閉式 | バーナーが隠ぺい | 自然対流型 十九キロワット以下 | 六〇 | 四・五 | 四・五 注 | 四・五 |
| | | 特定不燃 | 半密閉式 | 自然対流型 | 機器の全周から熱を放散するもの 三十九キロワット以下 | 一五〇 | 一〇〇 | 一〇〇 | 一〇〇 |

注 熱対流方向が一方向に集中する場合にあつては六〇センチメートルとする。

| | | | | | | | | | | |
|---|---|---|---|---|---|---|---|---|---|---|
| | 液体燃料 | 特定不燃以外 | | | 機器の上方又は前方に熱を放散するもの | | 一五〇 | 一五 | 一〇〇 | 一五 |
| | 液体燃料 | 特定不燃 | 半密閉式 | 自然対流型 | 機器の全周から熱を放散するもの | 三十九キロワット以下 | 一二〇 | 一〇〇 | | 一〇〇 |
| | 液体燃料 | 特定不燃 | 半密閉式 | 自然対流型 | 機器の上方又は前方に熱を放散するもの | 三十九キロワット以下 | 一二〇 | 五 | | 五 |
| | 右記に分類されないもの | | | | | | 一五〇 | 一〇〇 | 一五〇 | 一〇〇 |
| 五 温風暖房機 | 気体燃料 | 特定不燃以外・特定不燃 | 半密閉式・密閉式 | バーナーが隠ぺい | 強制対流型 | 十九キロワット以下 | 四・五 | 四・五 | 六〇 | 四・五 |
| | 液体燃料 | 特定不燃以外 | 半密閉式 | 強制対流型 | 温風を前方向に吹き出すもの | 二十六キロワット以下 | 一〇〇 | 一五 | 一五〇 | 一五 |
| | | | | | | 二十六キロワットを超え七十キロワット以下 | 一〇〇 | 一五 | 一〇〇 注一 | 一五 |
| | | | | | 温風を全周方向に吹き出すもの | 二十六キロワット以下 | 一〇〇 | 一五〇 | 一五〇 | 一五〇 |
| | | | | | 強制排気型 | 二十六キロワット以下 | 六〇 | 一〇 | 一〇〇 | 一〇 |
| | | | 密閉式 | 強制給排気型 | | 二十六キロワット以下 | 六〇 | 一〇 | 一〇〇 | 一〇 |
| | | 特定不燃 | 半密閉式 | 強制対流型 | 温風を前方向に吹き出すもの | 七十キロワット以下 | 八〇 | 五 | | 五 |
| | | | | | 温風を全周方向に吹き出すもの | 二十六キロワット以下 | 八〇 | 一五〇 | | 一五〇 |
| | | | | | 強制排気型 | 二十六キロワット以下 | 五〇 | 五 | | 五 |
| | | | 密閉式 | 強制給排気型 | | 二十六キロワット以下 | 五〇 | 五 | | 五 |
| | 右記に分類されないもの | | | | | | 一〇〇 | 六〇 | 六〇 注二 | 六〇 |
| 六 乾燥設備 | 気体燃料 | 特定不燃以外 | | 開放式 | 衣類乾燥機 | 五・八キロワット以下 | 一五 | 四・五 | 四・五 | 四・五 |
| | | 特定不燃 | | 開放式 | 衣類乾燥機 | 五・八キロワット以下 | 一五 | 四・五 | | 四・五 |
| | 右記に分類されないもの | | | 内部容積が一立方メートル以上 | | | 一〇〇 | 五〇 | 一〇〇 | 五〇 |

注一 風道を使用するものにあつては一五センチメートルとする。
注二 ダクト接続型以外のものにあつては一〇〇センチメートルとする。

| 種類 | | | | | 入力 | | | | |
|---|---|---|---|---|---|---|---|---|---|
| | | | | 内部容積が一立方メートル未満 | | 五〇 | 三〇 | 五〇 | 三〇 |
| 七　簡易湯沸設備 | 気体燃料 | 特定不燃以外 | 開放式 | 常圧貯蔵型　フードを付けない場合 | 七キロワット以下 | 四〇 | 四・五 | 四・五 | 四・五 |
| | | | | 常圧貯蔵型　フードを付ける場合 | 七キロワット以下 | 一五 | 四・五 | 四・五 | 四・五 |
| | | | | 瞬間型　フードを付けない場合 | 十二キロワット以下 | 四〇 | 四・五 | 四・五 | 四・五 |
| | | | | 瞬間型　フードを付ける場合 | 十二キロワット以下 | 五 | 四・五 | 四・五 | 四・五 |
| | | | 半密閉式 | | 十二キロワット以下 | | 四・五 | 四・五 | 四・五 |
| | | | 密閉式 | 常圧貯蔵型 | 十二キロワット以下 | 四・五 | 四・五 | 四・五 | 四・五 |
| | | | | 瞬間型　調理台型 | 十二キロワット以下 | | 〇 | | 〇 |
| | | | | 瞬間型　壁掛け型・据置型 | 十二キロワット以下 | 四・五 | 四・五 | 四・五 | 四・五 |
| | | | 屋外用 | フードを付けない場合 | 十二キロワット以下 | 六〇 | 一五 | 一五 | 一五 |
| | | | | フードを付ける場合 | 十二キロワット以下 | 一五 | 一五 | 一五 | 一五 |
| | | 特定不燃 | 開放式 | 常圧貯蔵型　フードを付けない場合 | 七キロワット以下 | 三〇 | 四・五 | | 四・五 |
| | | | | 常圧貯蔵型　フードを付ける場合 | 七キロワット以下 | 一〇 | 四・五 | | 四・五 |
| | | | | 瞬間型　フードを付けない場合 | 十二キロワット以下 | 三〇 | 四・五 | | 四・五 |
| | | | | 瞬間型　フードを付ける場合 | 十二キロワット以下 | 一〇 | 四・五 | | 四・五 |
| | | | 半密閉式 | | 十二キロワット以下 | | 四・五 | | 四・五 |
| | | | 密閉式 | 常圧貯蔵型 | 十二キロワット以下 | 四・五 | 四・五 | | 四・五 |
| | | | | 瞬間型　調理台型 | 十二キロワット以下 | | 〇 | | 〇 |
| | | | | 瞬間型　壁掛け型・据置型 | 十二キロワット以下 | 四・五 | 四・五 | | 四・五 |
| | | | 屋外用 | フードを付けない場合 | 十二キロワット以下 | 三〇 | 四・五 | | 四・五 |
| | | | | フードを付ける場合 | 十二キロワット以下 | 一〇 | 四・五 | | 四・五 |
| | 液体燃料 | 特定不燃以外 | | | 十二キロワット以下 | 四〇 | 四・五 | 一五 | 四・五 |
| | | 特定不燃 | | | 十二キロワット以下 | 二〇 | 一・五 | | 一・五 |
| | | | 半密閉式 | 常圧貯蔵型 | 四十二キロワット以下 | | 一五 | 一五 | 一五 |
| | | | | 瞬間型 | 七十キロワット以下 | | 一五 | 一五 | 一五 |
| | | | | 常圧貯蔵型 | 四十二キロワット以下 | 四・五 | 四・五 | 四・五 | 四・五 |

| 種類 | | | | | 区分 | 入力 | | | | |
|---|---|---|---|---|---|---|---|---|---|---|
| 八 給湯湯沸設備 | 気体燃料 | 特定不燃以外 | 密閉式 | 瞬間型 | 調理台型 | 七十キロワット以下 | | ○ | | ○ |
| 八 給湯湯沸設備 | 気体燃料 | 特定不燃以外 | 密閉式 | 瞬間型 | 壁掛け型・据置型 | 七十キロワット以下 | 四・五 | 四・五 | 四・五 | 四・五 |
| 八 給湯湯沸設備 | 気体燃料 | 特定不燃以外 | 屋外用 | 常圧貯蔵型 | フードを付けない場合 | 四十二キロワット以下 | 六〇 | 一五 | 一五 | 一五 |
| 八 給湯湯沸設備 | 気体燃料 | 特定不燃以外 | 屋外用 | 常圧貯蔵型 | フードを付ける場合 | 四十二キロワット以下 | 一五 | 一五 | 一五 | 一五 |
| 八 給湯湯沸設備 | 気体燃料 | 特定不燃以外 | 屋外用 | 瞬間型 | フードを付けない場合 | 七十キロワット以下 | 六〇 | 一五 | 一五 | 一五 |
| 八 給湯湯沸設備 | 気体燃料 | 特定不燃以外 | 屋外用 | 瞬間型 | フードを付ける場合 | 七十キロワット以下 | 一五 | 一五 | 一五 | 一五 |
| 八 給湯湯沸設備 | 気体燃料 | 特定不燃 | 半密閉式 | 常圧貯蔵型 | | 四十二キロワット以下 | | 四・五 | | 四・五 |
| 八 給湯湯沸設備 | 気体燃料 | 特定不燃 | 半密閉式 | 瞬間型 | | 七十キロワット以下 | | 四・五 | | 四・五 |
| 八 給湯湯沸設備 | 気体燃料 | 特定不燃 | 密閉式 | 常圧貯蔵型 | | 四十二キロワット以下 | 四・五 | 四・五 | | 四・五 |
| 八 給湯湯沸設備 | 気体燃料 | 特定不燃 | 密閉式 | 瞬間型 | 調理台型 | 七十キロワット以下 | | ○ | | ○ |
| 八 給湯湯沸設備 | 気体燃料 | 特定不燃 | 密閉式 | 瞬間型 | 壁掛け型・据置型 | 七十キロワット以下 | 四・五 | 四・五 | | 四・五 |
| 八 給湯湯沸設備 | 気体燃料 | 特定不燃 | 屋外用 | 常圧貯蔵型 | フードを付けない場合 | 四十二キロワット以下 | 三〇 | 四・五 | | 四・五 |
| 八 給湯湯沸設備 | 気体燃料 | 特定不燃 | 屋外用 | 常圧貯蔵型 | フードを付ける場合 | 四十二キロワット以下 | 一〇 | 四・五 | | 四・五 |
| 八 給湯湯沸設備 | 気体燃料 | 特定不燃 | 屋外用 | 瞬間型 | フードを付けない場合 | 七十キロワット以下 | 三〇 | 四・五 | | 四・五 |
| 八 給湯湯沸設備 | 気体燃料 | 特定不燃 | 屋外用 | 瞬間型 | フードを付ける場合 | 七十キロワット以下 | 一〇 | 四・五 | | 四・五 |
| 八 給湯湯沸設備 | 液体燃料 | 特定不燃以外 | | | | 七十キロワット以下 | 六〇 | 一五 | 一五 | 五 |
| 八 給湯湯沸設備 | 液体燃料 | 特定不燃 | | | | 七十キロワット以下 | 五〇 | 五 | | 五 |
| 八 給湯湯沸設備 | 右記に分類されないもの | | | | | | 六〇 | 一五 | 六〇 | 一五 |
| — | — | 特定不燃以外 | 半密閉式 | 浴室内設置 | バーナーの取り出し口のないもの（外がま） | 二十一キロワット以下（ふろ用以外のバーナーをもつものは四十二キロワット以下） | | 一五 注 | 一五 | 一五 |
| — | — | 特定不燃以外 | 半密閉式 | 浴室内設置 | バーナーの取り出し口のあるもの（内がま） | 二十一キロワット以下（ふろ用以外のバーナーをもつものは四十二キロワット以下） | | | 六〇 | |
| — | — | 特定不燃以外 | 半密閉式 | 浴室外設置 | バーナーの取り出し口のないもの（外がま） | 二十一キロワット以下（ふろ用以外のバーナーをもつものは当該バーナーが七十キロワット以下 | | 一五 | 一五 | 一五 |
| — | — | 特定不燃以外 | 半密閉式 | 浴室外設置 | バーナーの取り出し口のあるもの（外がま） | 二十一キロワット以下（ふろ用以外のバーナーをもつものは当該バーナーが七十キロワット以下 | | 一五 | 六〇 | 一五 |
| — | — | 特定不燃以外 | 半密閉式 | 浴室外設置 | バーナーの取り出し口のあるもの（内がまを | 二十一キロワット以下（ふろ用以外のバーナーをもつものは当該バーナーが七十キロワット以下 | | | | |

注　浴槽との離隔距離は零センチメートルとするが、合成樹脂浴槽（ポリプロピレン浴槽等）の場合にあつては二センチメートルとする。

| 種類 | | | | | 入力 | | | | |
|---|---|---|---|---|---|---|---|---|---|
| 九　ふろがま | 気体燃料 | | | 可燃性壁体を貫通して設置する場合） | であって、かつ、ふろ用バーナーが二十一キロワット以下） | | 一五 | 六〇 | |
| | | | 密閉式 | | | | 注二 | 二 | 二 |
| | | | 屋外用 | | | 六〇 | 一五 | 一五 | 一五 |
| | | 特定不燃 | 半密閉式 | 浴室内設置 | バーナーの取り出し口のないもの（外がま） | 二十一キロワット以下（ふろ用以外のバーナーをもつものは四十二キロワット以下） | | 注　四・五 | | 四・五 |
| | | | | | バーナーの取り出し口のあるもの（内がま） | | | | | |
| | | | | 浴室外設置 | バーナーの取り出し口のないもの（外がま） | 二十一キロワット以下（ふろ用以外のバーナーをもつものは当該バーナーが七十キロワット以下であって、かつ、ふろ用バーナーが二十一キロワット以下） | | 四・五 | | 四・五 |
| | | | | | バーナーの取り出し口のあるもの（外がま） | | | 四・五 | | 四・五 |
| | | | | | バーナーの取り出し口のあるもの（内がまを可燃性壁体を貫通して設置する場合） | | | | | |
| | | | 密閉式 | | | | | 注二 | | 二 |
| | | | 屋外用 | | | | 三〇 | 四・五 | | 四・五 |
| | 液体燃料 | 特定不燃以外 | | | | 三十九キロワット以下 | 六〇 | 一五 | 一五 | 一五 |
| | | 特定不燃 | | | | 三十九キロワット以下 | 五〇 | 五 | | 五 |
| | 右記に分類されないもの | | | | | | 六〇 | 一五 | 六〇 | 一五 |

備考
一　「特定不燃以外」の項の離隔距離は、火を使用する設備等から特定不燃材料以外の材料による仕上げ若しくはこれに類似する仕上げをした建築物等の部分又は可燃性の物品までの距離をいう。
二　「特定不燃」の項の離隔距離は、火を使用する設備等から特定不燃材料で有効に仕上げをした建築物等の部分又は防熱板までの距離をいう。
三　表中、「気体燃料」及び「液体燃料」の項は、日本産業規格及び火災予防上これと同等以上の基準に適合した設備に適用する。

別表第四（第三条関係）

| 種類 | | | | 入力 | | 離隔距離（センチメートル） 上方 | 側方 | 前方 | 後方 | 備考 |
|---|---|---|---|---|---|---|---|---|---|---|
| 一 電気温風機 | 特定不燃以外 | | | 二キロワット以下 | | 四・五 注 | 四・五 注 | 四・五 注 | 四・五 注 | 注 温風の吹き出し方向にあっては六〇センチメートルとする。 |
| | 特定不燃 | | | 二キロワット以下 | | 〇 注 | 〇 注 | 注 | 〇 注 | |
| 二 電気調理用機器 | 特定不燃以外 | 電気こんろ、電気レンジ、電磁誘導加熱式調理器（こんろ形態のものに限る。） | こんろ部分の全部又は一部が電磁誘導加熱式調理器でないもの | 四・八キロワット以下 | 一口当たり二キロワットを超え三キロワット以下 | 一〇〇 | 二 | 二 | 二 | 注一 機器本体上方の側方又は後方の離隔距離（こんろ部分が電磁誘導加熱式調理器でない場合における発熱体の外周からの距離）を示す。<br>注二 機器本体上方の側方又は後方の離隔距離（こんろ部分が電磁誘導加熱式調理器の場合における発熱体の外周からの距離）を示す。 |
| | | | | | | ／ | 二〇 注一 | ／ | 二〇 注一 | |
| | | | | | | ／ | 一〇 注二 | ／ | 一〇 注二 | |
| | | | | | 一口当たり一キロワットを超え二キロワット以下 | 一〇〇 | 二 | 二 | 二 | |
| | | | | | | ／ | 一五 注一 | ／ | 一五 注一 | |
| | | | | | | ／ | 一〇 注二 | ／ | 一〇 注二 | |
| | | | | | 一口当たり一キロワット以下 | 一〇〇 | 二 | 二 | 二 | |
| | | | | | | ／ | 一〇 注一 注二 | ／ | 一〇 注一 注二 | |
| | | | こんろ部分の全部が電磁誘導加熱式調理器のもの | 五・八キロワット以下 | 一口当たり三・三キロワット以下 | 一〇〇 | 二 | 二 | 二 | |
| | | | | | | ／ | 一〇 注二 | ／ | 一〇 注二 | |
| | 特定不燃 | 電気こんろ、電気レンジ、電磁誘導加熱式調理器（こんろ形態のものに限る。） | こんろ部分の全部又は一部が電磁誘導加熱式調理器でないもの | 四・八キロワット以下 | 一口当たり三キロワット以下 | 八〇 | 〇 | ／ | 〇 | |
| | | | | | | ／ | 〇 注一 注二 | ／ | 〇 注一 注二 | |
| | | | こんろ部分の全部が電磁誘 | 五・八キロワット以 | 一口当たり三・三キ | 八〇 | 〇 | ／ | 〇 | |
| | | | | | | ／ | | ／ | | |

| 種類 | 区分 | | 入力 | | | | | 備考 |
|---|---|---|---|---|---|---|---|---|
| | | 導加熱式調理器のもの | 下<br>ロワット以下 | | 注二 〇 | | 注二 〇 | |
| 三 電気天火 | 特定不燃以外 | | 二キロワット以下 | 一〇 | 四・五 注 | 四・五 注 | 四・五 注 | 注 排気口面にあつては一〇センチメートルとする。 |
| | 特定不燃 | | 二キロワット以下 | 一〇 | 四・五 注 | | 四・五 注 | |
| 四 電子レンジ | 特定不燃以外 | 電熱装置を有するもの | 二キロワット以下 | 一〇 | 四・五 注 | 四・五 注 | 四・五 注 | 注 排気口面にあつては一〇センチメートルとする。 |
| | 特定不燃 | 電熱装置を有するもの | 二キロワット以下 | 一〇 | 四・五 注 | | 四・五 注 | |
| 五 電気ストーブ | 特定不燃以外 | 前方放射型（壁取付式及び天井取付式のものを除く。） | 二キロワット以下 | 一〇〇 | 三〇 | 一〇〇 | 四・五 | |
| | | 全周放射型（壁取付式及び天井取付式のものを除く。） | | 一〇〇 | 一〇〇 | 一〇〇 | 一〇〇 | |
| | | 自然対流型（壁取付式及び天井取付式のものを除く。） | | 一〇〇 | 四・五 | 四・五 | 四・五 | |
| | 特定不燃 | 前方放射型（壁取付式及び天井取付式のものを除く。） | 二キロワット以下 | 八〇 | 一五 | | 四・五 | |
| | | 全周放射型（壁取付式及び天井取付式のものを除く。） | | 八〇 | 八〇 | | 八〇 | |
| | | 自然対流型（壁取付式及び天井取付式のものを除く。） | | 八〇 | 〇 | | 〇 | |
| 六 電気乾燥器 | 特定不燃以外 | 食器乾燥器 | 一キロワット以下 | 四・五 | 四・五 | 四・五 | 四・五 | |
| | 特定不燃 | 食器乾燥器 | 一キロワット以下 | 〇 | 〇 | | 〇 | |
| 七 電気乾燥機 | 特定不燃以外 | 衣類乾燥機、食器乾燥機、食器洗い乾燥機 | 三キロワット以下 | 四・五 | 四・五 | 四・五 | 四・五 | 注一 前面に排気口を有する場合にあつては零センチメートルとする。 |
| | 特定不燃 | 衣類乾燥機、食器乾燥機、食器洗い乾燥機 | 三キロワット以下 | 四・五 注一 | 注二 〇 | 注二 | 注二 〇 | 注二 排気口面にあつては四・五センチメートルとす |

| | | | | | | | | |
|---|---|---|---|---|---|---|---|---|
| | | | | | | | | る。 |
| 八　電気温水器 | 特定不燃以外 | 温度過昇防止装置を有するもの | 十キロワット以下 | 四・五 | ○ | ○ | ○ | |
| | 特定不燃 | 温度過昇防止装置を有するもの | 十キロワット以下 | ○ | ○ | ／ | ○ | |

備考
一　「特定不燃以外」の項の離隔距離は、火を使用する設備等又は火を使用する器具等から特定不燃材料以外の材料による仕上げ若しくはこれに類似する仕上げをした建築物等の部分又は可燃性の物品までの距離をいう。
二　「特定不燃」の項の離隔距離は、火を使用する設備等又は火を使用する器具等から特定不燃材料で有効に仕上げをした建築物等の部分又は防熱板までの距離をいう。
三　本表に掲げるものは、電気用品安全法（昭和三十六年法律第二百三十四号）に適合したものに適用する。

別表第五（第十八条関係）

| 種類 | | | | | | | | 入力 | 離隔距離（センチメートル） | | | | 備考 |
|---|---|---|---|---|---|---|---|---|---|---|---|---|---|
| | | | | | | | | | 上方 | 側方 | 前方 | 後方 | |
| 一 調理用器具 | 気体燃料 | 特定不燃以外 | 開放式 | バーナーが露出 | | | 卓上型こんろ（一口） | 五・八キロワット以下 | 一〇〇 | 一五 | 一五 | 一五 | 注 機器本体上方の側方又は後方の離隔距離を示す。 |
| | | | | | | | 卓上型こんろ（二口以上）・グリル付こんろ・グリドル付こんろ | 十四キロワット以下 | 一〇〇 | 注 一五 | 一五 | 注 一五 | |
| | | | | バーナーが隠ぺい | 加熱部が開放されているもの | | 卓上型グリル | 七キロワット以下 | 一〇〇 | 一五 | 一五 | 一五 | |
| | | | | | 加熱部が隠ぺいされているもの | フードを付けない場合 | 卓上型オーブン・グリル | | 五〇 | 四・五 | 四・五 | 四・五 | |
| | | | | | | フードを付ける場合 | 卓上型オーブン・グリル | | 一五 | 四・五 | 四・五 | 四・五 | |
| | | | | | 加熱部が隠ぺいされているもの | | 炊飯器（炊飯容量四リットル以下） | 四・七キロワット以下 | 三〇 | 一〇 | 一〇 | 一〇 | |
| | | | | | | | 圧力調理器（内容積十リットル以下） | | 三〇 | 一〇 | 一〇 | 一〇 | |
| | | 特定不燃 | 開放式 | バーナーが露出 | | | 卓上型こんろ（一口） | 五・八キロワット以下 | 八〇 | 〇 | | 〇 | |
| | | | | | | | 卓上型こんろ（二口以上）・グリル付こんろ・グリドル付こんろ | 十四キロワット以下 | 八〇 | 〇 | | 〇 | |
| | | | | バーナーが隠ぺい | 加熱部が開放されているもの | | 卓上型グリル | 七キロワット以下 | 八〇 | 〇 | | 〇 | |
| | | | | | 加熱部が隠ぺいされているもの | フードを付けない場合 | 卓上型オーブン・グリル | | 三〇 | 四・五 | | 四・五 | |
| | | | | | | フードを付ける場合 | 卓上型オーブン・グリル | | 一〇 | 四・五 | | 四・五 | |
| | | | | | | | 炊飯器（炊飯容量四リ | 四・七キロワッ | 一五 | 四・五 | | 四・五 | |

| 種類 | 燃料 | 区分 | 方式 | バーナー | 型 | 細分 | 入力 | | | | |
|---|---|---|---|---|---|---|---|---|---|---|---|
| | | | | | 加熱部が隠ぺいされているもの | 圧力調理器（内容積十リットル以下） | | 一五 | 四・五 | ／ | 四・五 |
| 二 移動式ストーブ | 気体燃料 | 特定不燃以外 | 開放式 | バーナーが露出 | 前方放射型 | | 七キロワット以下 | 一〇〇 | 三〇 | 一〇〇 | 四・五 |
| | | | | | 全周放射型 | | | 一〇〇 | 一〇〇 | 一〇〇 | 一〇〇 |
| | | | | バーナーが隠ぺい | 自然対流型 | | | 一〇〇 | 四・五 | 四・五 注一 | 四・五 |
| | | | | | 強制対流型 | | | 四・五 | 四・五 | 六〇 | 四・五 |
| | | 特定不燃 | 開放式 | バーナーが露出 | 前方放射型 | | 七キロワット以下 | 八〇 | 一五 | 八〇 | 四・五 |
| | | | | | 全周放射型 | | | 八〇 | 八〇 | 八〇 | 八〇 |
| | | | | バーナーが隠ぺい | 自然対流型 | | | 八〇 | 四・五 | 四・五 注一 | 四・五 |
| | | | | | 強制対流型 | | | 四・五 | 四・五 | 六〇 | 四・五 |
| | 液体燃料 | 特定不燃以外 | 開放式 | | 放射型 | | 七キロワット以下 | 一〇〇 | 五〇 | 一〇〇 | 二〇 |
| | | | | | 自然対流型 | | 七キロワット以下 | 一〇〇 | 五〇 | 五〇 | 五〇 |
| | | | | | | | 七キロワットを超え十二キロワット以下 | 一五〇 | 一〇〇 | 一〇〇 | 一〇〇 |
| | | | | | 強制対流型 | 温風を前方向に吹き出すもの | 十二キロワット以下 | 一〇〇 | 一五 | 一〇〇 | 一五 |
| | | | | | | 温風を全周方向に吹き出すもの | 七キロワット以下 | 一〇〇 | 一〇〇 | 一〇〇 | 一〇〇 |
| | | | | | | | 七キロワットを超え十二キロワット以下 | 一〇〇 | 一五〇 | 一五〇 | 一五〇 |
| | | | | | 放射型 | | 七キロワット以下 | 八〇 | 三〇 | ／ | 五 |
| | | | | | 自然対流型 | | 七キロワット以下 | 八〇 | 三〇 | ／ | 三〇 |
| | | | | | | | 七キロワットを | | | ／ | |

注一 熱対流方向が一方向に集中する場合にあつては六〇センチメートルとする。

注二 方向性を有する場合にあつては一〇〇センチメートルとする。

| | | | | | | | | |
|---|---|---|---|---|---|---|---|---|
| | 特定不燃 | 開放式 | 強制対流型 | | 超え十二キロワット以下 | 一二〇 | 一〇〇 | | 一〇〇 |
| | | | | 温風を前方向に吹き出すもの | 十二キロワット以下 | 八〇 | 五 | | 五 |
| | | | | 温風を全周方向に吹き出すもの | 七キロワット以下 | 八〇 | 一〇〇 | | 一〇〇 |
| | | | | | 七キロワットを超え十二キロワット以下 | 八〇 | 一五〇 | | 一五〇 |
| | 固体燃料を使用するもの | | | | | 一〇〇 | 五〇 注二 | 五〇 注二 | 五〇 注二 |
| 三 移動式こんろ | 液体燃料 | 特定不燃以外 | | | 六キロワット以下 | 一〇〇 | 一五 | 一五 | 一五 |
| | | 特定不燃 | | | 六キロワット以下 | 八〇 | 〇 | | 〇 |
| | 固体燃料を使用するもの | | | | | 一〇〇 | 三〇 | 三〇 | 三〇 |

備考
一　「特定不燃以外」の項の離隔距離は、火を使用する器具等から特定不燃材料以外の材料による仕上げ若しくはこれに類似する仕上げをした建築物等の部分又は可燃性の物品までの距離をいう。
二　「特定不燃」の項の離隔距離は、火を使用する器具等から特定不燃材料で有効に仕上げをした建築物等の部分又は防熱板までの距離をいう。
三　表中、「気体燃料」及び「液体燃料」の項は、日本産業規格及び火災予防上これと同等以上の基準に適合した器具に適用する。

**別表第六**　削除

**別表第七**（第三条、第三十三条―第三十四条の三、第三十六条―第四十一条関係）

| 品名 | | 数量 |
|---|---|---|
| 綿花類 | | 二〇〇キログラム |
| 木毛及びかんなくず | | 四〇〇キログラム |
| ぼろ及び紙くず | | 一、〇〇〇キログラム |
| 糸類 | | 一、〇〇〇キログラム |
| わら類 | | 一、〇〇〇キログラム |
| 再生資源燃料 | | 一、〇〇〇キログラム |
| 可燃性固体類 | | 三、〇〇〇キログラム |
| 石炭・木炭類 | | 一〇、〇〇〇キログラム |
| 可燃性液体類 | | 二立方メートル |
| 木材加工品及び木くず | | 一〇立方メートル |
| 合成樹脂類 | 発泡させたもの | 二〇立方メートル |
| | その他のもの | 三、〇〇〇キログラム |
| 紙類 | | 一〇、〇〇〇キログラム |
| 穀物類 | | 二〇、〇〇〇キログラム |
| 布類 | | 一〇、〇〇〇キログラム |

備考

一 綿花類とは、不燃性又は難燃性でない綿状又はトップ状の繊維及び麻糸原料をいう。

二 ぼろ及び紙くずは、不燃性又は難燃性でないもの（動植物油がしみ込んでいる布又は紙及びこれらの製品を含む。）をいう。

三 糸類とは、不燃性又は難燃性でない糸（糸くずを含む。）及び繭をいう。

四 わら類とは、乾燥わら、乾燥藺及びこれらの製品並びに干し草をいう。

四の二 再生資源燃料とは、資源の有効な利用の促進に関する法律（平成三年法律第四十八号）第二条第四項に規定する再生資源を原材料とする燃料をいう。

五 可燃性固体類とは、固体で、次のイ、ハ又はニのいずれかに該当するもの（一気圧において、温度二〇度を超え四〇度以下の間において液状となるもので、次のロ、ハ又はニのいずれかに該当するものを含む。）をいう。

イ 引火点が四〇度以上一〇〇度未満のもの

ロ 引火点が七〇度以上一〇〇度未満のもの

ハ 引火点が一〇〇度以上二〇〇度未満で、かつ、燃焼熱量が三十四キロジュール毎グラム以上であるもの

ニ 引火点が二〇〇度以上で、かつ、燃焼熱量が三十四キロジュール毎グラム以上であるもので、融点が一〇〇度未満のもの

六 石炭・木炭類には、コークス、粉状の石炭が水に懸濁しているもの、豆炭、練炭、石油コークス、活性炭及びこれらに類するものを含む。

七 可燃性液体類とは、法別表第一備考第十四号の総務省令で定める物品で液体であるもの、同表備考第十五号及び第十六号の総務省令で定める物品で一気圧において温度二〇度で液状であるもの、同表備考第十七号の総務省令で定めるところにより貯蔵保管されている動植物油で一気圧において温度二〇度で液状であるもの並びに引火性液体の性状を有する物品（一気圧において、温度二〇度で液状であるものに限る。）で一気圧において引火点が二五〇度以上のものをいう。

八 合成樹脂類とは、不燃性又は難燃性でない固体の合成樹脂製品、合成樹脂半製品、原料合成樹脂及び合成樹脂くず（不燃性又は難燃性でないゴム製品、ゴム半製品、原料ゴム及びゴムくずを含む。）をいい、合成樹脂の繊維、布、紙及び糸並びにこれらのぼろ及びくずを除く。

九 紙類とは、洋紙、和紙、板紙、ルーフィング及び段ボールをいう。

十 穀物類とは、米粉、麦粉、ぬか、でん粉、大豆粉、粉乳及び砂糖をいう。

十一 布類とは、不燃性又は難燃性でない織物生地及び織物製品をいう。

# ○救急業務等に関する条例

昭四八・三・三一
条例五六

最終改正　平二四・六・二七条例一〇五

## 第一章　総則

（目的）

**第一条**　この条例は、東京都の特別区の存する区域及び地方自治法（昭和二十二年法律第六十七号）第二百五十二条の十四の規定により消防事務を東京都に委託した地方公共団体の区域において、救急業務及びこれに関連する業務並びに救助業務を適正かつ円滑に実施することにより、都民の生命及び身体の保護に寄与することを目的とする。

（救急業務及びこれに関連する業務）

**第二条**　消防総監は、次に掲げる業務（以下「救急業務」という。）を行うものとする。

一　災害により生じた傷病者又は屋外若しくは公衆の出入りする場所において生じた傷病者で医療機関その他の場所（以下「医療機関等」という。）へ緊急に搬送する必要があるものを救急隊（航空機又は船舶によるものを含む。以下同じ。）によつて医療機関等に搬送すること。

二　屋内において生じた傷病者（前号に規定するものを除く。）で医療機関等へ緊急に搬送する必要があるもの（現に医療機関にある傷病者で当該医療機関の医師が医療上の理由により、医師の病状管理の下に緊急に他の医療機関に移送する必要があると認めたものを含む。）を医療機関等へ迅速に搬送するための適当な手段がない場合に、救急隊によつて医療機関等に搬送すること。

三　傷病者を搬送することがその生命に著しく危険を及ぼすおそれがあり、又は傷病者の救助に当たり、緊急に医療を必要とする場合に、救急隊によつて医師を当該傷病者のある場所に搬送すること。

四　前三号に掲げる業務を行なうに際し、緊急やむを得ない場合に必要な救急処置を行なうこと。

2　消防総監は、救急業務に関連する業務として、次に掲げる業務を行うものとする。

一　都民の相談に応じて、必要な情報を提供すること。

二　救急業務における緊急性の判断に関し、必要な指導及び助言を行うこと。

三　傷病者を応急に救護するための必要な知識及び技術を普及すること。

四　救急隊の適正な利用について、知識の普及及び意識の啓発を行うこと。

五　救急業務の対象となる都民生活において生ずる事故を予防するため、必要に応じて、事故の状況等についての確認、事故に関係のある者に対する当該事故の状況等の通知並びに事故の状況等の公表等による知識の普及及び意識の啓発を行うこと。

六　患者等搬送用自動車（患者等を搬送するために必要な特別の構造及び設備を備えた自動車をいう。）等を用い、患者等の搬送事業を行う者（以下「患者等搬送事業者」という。）に対し、搬送に係る指導、助言等を行い、及び東京都規則（以下「規則」という。）で定める患者等搬送に関する基準（以下「認定基準」という。）に適合していることの認定を行うこと。

（救助業務）

**第三条**　消防総監は、事故等により生命又は身体に危険を生じ、緊急に救助する必要がある者を救助する業務（以下「救助業務」という。）を行うものとする。

（救急業務及び救助業務の実施方針）

**第四条**　救急業務及び救助業務は、傷病者の生命の維持及び症状の悪化の防止に最も適するように行うものとする。

2　救急業務の実施に当たつては、当該傷病者の意思を努めて尊重するものとする。

（救急隊員）

**第五条**　救急隊員は、救急救命士法（平成三年法律第三十六号）第二条第二項に規定する救急救命士又は消防長が行う救急業務についての講習の課程を修了した者若しくはこれと同等以上の知識及び技術を有すると消防総監が認定した者でなければならない。

（情報処理機構の整備）

**第六条**　知事は、第一条に規定する目的を達成するため、必要な情報を処理する機構の整備に努めるものとする。

（消防総監の責務）

**第七条**　消防総監は、救急業務及び救助業務を適正かつ円滑に実施するため、次のことに努めなければならない。

一　救急業務及び救助業務に関する技能の向上を図ること。

二　救急業務及び救助業務に必要な設備及び資器材を開発し、整備すること。

三　多数の傷病者又は特異な事故等の発生に備え、必要な計画を樹立する等の措置を講じておくこと。

四　救急隊が救急業務を行うに際し、医師の指導又は助言を受けるための必要な措置を講ずること。

（都民の責務）

**第八条**　都民は、傷病者を応急に救護するための必要な知識及び技術の習得に努めなければならない。

2　都民は、救急業務の緊急性及び公共性について理解を深め、救急隊を適正に利用するよう努めなければならない。

（事業者の責務）

**第九条**　事業者は、第二条第二項第三号から第五号までに規定する業務に協力するよう努めなければならない。

（応援出動）

**第十条**　知事は、第一条の区域以外の市町村の長から要請があり、かつ、必要があると認めるときは、消防総監に救急隊又は救助隊（救助業務に従事する消防隊をいう。）の応援出動の措置をとらせることができる。

（相互協力）

**第十一条**　消防総監並びに第二条に規定する救急業務及びこれに関連する業務並びに第三条に規定する救助業務に関係のある機関及び団体の長は、これらの業務が円滑に行われるよう、情報の交換を行う等密接な連携を図るものとする。

（都民等の意見）

**第十二条**　消防総監は、第二条に規定する救急業務及びこれに関連する業務に関して、都民及び専門の知識又は経験を有する者の意見を聴くことに努めるものとする。

## 第二章　患者等搬送事業者認定表示制度

（患者等搬送事業者の認定表示）

**第十三条**　患者等搬送事業者は、認定基準に適合しているとして消防総監の認定を受けたときは、消防総監が定める認定を受けたことを証明する表示（以下「東京消防庁認定表示」という。）を規則で定めるところにより付することができる。

（患者等搬送事業者の認定）

**第十四条**　前条の認定を受けようとする者は、規則で定めるところにより消防総監に申請しなければならない。

2　消防総監は、前項の規定による申請があつた場合においては、当該申請に係る患者等搬送事業者が認定基準に適合しているかどうかについて審査及び検査を行い、当該事業者が認定基準に適合していると認めるときは、当該事業者を東京消防庁認定事業者として認定することができる。

3　消防総監は、前項の規定による認定をしたとき、又は認定をしないことを決定したときは、規則で定めるところにより、その旨を申請者に通知しなければならない。

4　消防総監は、第二項の規定により認定をした場合においては、規則で定めるところにより、その旨を公表するものとする。

5　何人も、前条に規定する場合を除くほか、同条の表示を付してはならず、又は同条の表示と紛らわしい表示を付してはならない。

6　消防総監は、認定基準を公表するものとする。

（東京消防庁認定事業者の責務）

**第十五条**　前条第二項の規定による認定を受けた東京消防庁認定事業者（以下「東京消防庁認定事業者」という。）は、社会的責任を自覚し、患者等の症状の悪化の防止及び安全な搬送のために必要な知識及び技術を当該業務に従事する者に習得させるよう努めなければならない。

（認定の失効）

**第十六条**　東京消防庁認定事業者が、当該認定を受けてから五年が経過したときは、当該認定は、その効力を失う。

（表示の除去・消印命令）

**第十七条**　消防総監は、第十三条の規定によらないで同条の表示を付している者又は同条の表示と紛らわしい表示を付している者に対して、当該表示を除去し、又はこれに消印を付するべきことを命ずることができる。

2　消防総監は、前項の規定により表示を除去し、又はこれに消印を付するべきことを命じた場合においては、規則で定めるところにより、その旨を公表しなければならない。

（変更の申請）

**第十八条**　東京消防庁認定事業者は、認定基準に定める事項に係るものを変更しようとする場合は、変更しようとする日の十四日前までに規則で定めるところにより消防総監に申請しなければならない。この場合の手続等については、第十四条第一項から第四項までの規定を準用する。

（認定の取消し）

**第十九条**　消防総監は、東京消防庁認定事業者について、規則で定める基準に該当するときは、当該認定を取り消すことができる。

2　消防総監は、前項の規定により取消しをしたときは、規則で定めるところにより、その旨を申請者に通知しなければならない。

3　消防総監は、第一項の規定により認定を取り消した場合においては、規則で定めるところにより、その旨を公表しなければならない。

## 第三章　雑則

（報告及び確認）

**第二十条**　消防総監は、東京消防庁認定事業者に対し、その業務の適正な履行を確保するために必要な限度において、業務内容に関し報告を求めることができる。

2　前項の場合において、消防総監が特に必要と認めるときは、消防職員をして事業所、事務所その他事業に係る場所で、業務内容を確認させることができる。

3　消防職員は、前項の規定により事務所等において業務内容の確認をするときは、消防総監の定める証票を携帯し、関係のある者の請求があるときは、これを示さなければならない。

（委任）

**第二十一条**　この条例の施行について必要な事項は、規則で定める。

**附　則**

この条例は、公布の日から施行する。

**附　則**（平二四・六・二七条例一〇五）

この条例は、公布の日から施行する。

# 第三章　防　災

## ○東京都防災会議条例

昭三七・一〇・一六
条　例　一　〇　九

最終改正　令四・三・三一条例一六

（目的）

**第一条**　この条例は、災害対策基本法（昭和三十六年法律第二百二十三号）第十五条第八項の規定に基づき、東京都防災会議（以下「防災会議」という。）の組織及び運営に関し必要な事項を定めることを目的とする。

（委員及び専門委員）

**第二条**　知事の部内の職員のうちから指名される委員、区市町村長及び消防機関の長のうちから任命される委員、指定公共機関又は指定地方公共機関の役員又は職員のうちから任命される委員並びに自主防災組織を構成する者又は学識経験のある者のうちから任命される委員の総数は、七十人以内とする。

2　区市町村長及び消防機関の長のうちから任命される委員、指定公共機関又は指定地方公共機関の役員又は職員のうちから任命される委員並びに自主防災組織を構成する者又は学識経験のある者のうちから任命される委員の任期は、二年とする。ただし、補欠の委員の任期は、その前任者の残任期間とする。

3　前項の委員は、再任されることができる。

4　専門委員は、当該専門の事項に関する調査が終了したときは、解任されるものとする。

（幹事）

**第三条**　防災会議に幹事七十人以内を置く。

2　幹事は、委員の属する機関の職員のうちから、知事が任命する。

3　幹事は、防災会議の所掌事務について、委員及び専門委員を補佐する。

（部会）

**第四条**　防災会議は、その定めるところにより、部会を置くことができる。

2　部会に属すべき委員及び専門委員は、会長が指名する。

3　部会に部会長を置き、会長の指名する委員又は専門委員がこれに当たる。

4　部会長に事故があるときは、部会に属する委員又は専門委員のうちから部会長があらかじめ指名する者がその職務を代理する。

（議事等）

**第五条**　第二条から前条までに定めるもののほか、防災会議の議事その他防災会議の運営に関し必要な事項は、会長が防災会議にはかって定める。

**付　則**

この条例は、公布の日から施行する。

**附　則**（令四・三・三一条例一六）

1　この条例は、令和四年四月一日から施行する。

2　この条例による改正後の東京都防災会議条例第二条第一項の規定により令和四年十月十五日までの間に新たに任命された委員の任期は、同条第二項の規定にかかわらず、同日までとする。

## ○東京都震災対策条例

平一二・一二・二二
条　例　二　〇　二

最終改正　令六・三・二九条例一五

地震を予知することが未だ困難な現在、阪神・淡路大震災をはじめとする都市型地震の経験は、改めて地震発生直後の危険性と不断の危機管理の重要性を、行政はもとより多くの人々に知らしめたところである。

地震による災害から一人でも多くの生命及び貴重な財産を守るためには、まず第一に「自らの生命は自らが守る」という自己責任原則による自助の考え方、第二に他人を助けることのできる都民の地域における助け合いによって「自分たちのまちは自分たちで守る」という共助の考え方、この二つの理念に立つ都民と公助の役割を果たす行政とが、それぞれの責務と役割を明らかにした上で、連携を図っていくことが欠かせない。

東京都は、全国に先駆けて東京都震災予防条例を制定し、予防対策重視の視点から地震に強いまちづくりを進め、行政主導の下で震災を未然に防止し、最小限にとどめることを目指してきた。

今後は、この取組を一層進めるとともに、危機管理に重点を置いた応急対策及び復興対策をも視野に入れた総合的震災対策の体系を構築し、震災対策の充実及び強化に努めていくことが極めて重要である。

東京は、多くの都民の生活の場であるとともに、日本の首都として政治、経済、文化等の中枢機能が集中している世界でも有数の大都市である。地震による被害の影響は国内にとどまらず、全世界に及ぶものであり、地震による災害から東京を守ることは、行政に課せられた重大な責務である。

震災対策の推進に当たっては、区市町村が基礎的自治体として第一義的責任と役割を果たすものである。その上で、広域的役割を担う東京都が区市町村及び国と一体となって、都民と連携し、都民や東京に集う多くの人々の生命及び財産を守り、首都東京の機能を維持するという決意を表明するとともに、総合的震災対策の推進の指針を示すため、この条例を制定する。

## 第一章　総則

### 第一節　目的

**第一条**　この条例は、地震による災害（以下「震災」という。）に関する予防、応急及び復興に係る対策（以下「震災対策」という。）に関し、都民、事業者及び東京都（以下「都」という。）の責務を明らかにし、必要な体制を確立するとともに、予防、応急及び復興に関する施策の基本的な事項を定めることにより、震災対策を総合的かつ計画的に推進し、もって現在及び将来の都民の生命、身体及び財産を震災から保護することを目的とする。

### 第二節　知事の責務

**（基本的責務）**

**第二条**　知事は、震災対策のあらゆる施策を通じて、都民の生命、身体及び財産を震災から保護し、その安全を確保するとともに、震災後の都民生活の再建及び安定並びに都市の復興を図るため、最大の努力を払わなければならない。

2　前項の目的を達成するため、知事は、震災対策に関する事業（以下「震災対策事業」という。）の計画（以下「震災対策事業計画」という。）を策定し、その推進を図らなければならない。

3　震災対策事業計画の策定に当たっては、都民、事業者及びボランティア（以下「都民等」という。）、第三十四条から第三十六条までの防災組織並びに第五十八条第一項の復興市民組織の意見を聴くよう努めなければならない。

**（都民及び事業者に対する指導等）**

**第三条**　知事は、震災対策事業計画の策定及び実施に当たっては、都民及び事業者の協力を求めるとともに、都民及び事業者が自主的に行う震災対策活動に対し、積極的に指導、助言、支援及び協力を行わなければならない。

**（ボランティアに対する支援）**

**第四条**　知事は、ボランティアが自主的に行う震災対策活動に対し、積極的に支援及び協力を行わなければならない。

**（都民等への助成）**

**第五条**　知事は、都民等が行う震災対策活動に対して、必要な助成を行うことができる。

**（区市町村との連絡調整及び助成）**

**第六条**　知事は、震災対策事業の円滑な実施を図るため、関係する特別区及び市町村（以下「区市町村」という。）との連絡調整並びに区市町村が実施する震災対策事業に対する支援及び協力を行わなければならない。

2　知事は、区市町村が実施する震災対策事業に対し、必要な助成を行うことができる。

**（協力要請）**

**第七条**　知事は、震災対策事業計画の策定及び実施に当たり、他の地方公共団体その他の公共的団体等の協力が必要と認められるときは、当該公共的団体等に対して協力を要請し、又は他の地方公共団体等から協力の要請があったときは、これに応じなければならない。

### 第三節　都民の責務

**第八条**　都民は、震災を防止するため、自己の安全の確保に努めるとともに、相互に協力し、都民全体の生命、身体及び財産の安全の確保に努めなければならない。

2　都民は、次に掲げる事項について、自ら震災に備える手段を講ずるよう努めなければならない。

一　建築物その他の工作物の耐震性及び耐火性の確保
二　家具の転倒防止
三　出火の防止
四　初期消火に必要な用具の準備
五　飲料水及び食糧の確保
六　避難の経路、場所及び方法についての確認

3　都民は、震災後の都民生活の再建及び安定並びに都市の復興を図るため、地域社会を支える一員としての責任を自覚し、第五十七条の地域協働復興に対する理解を深めるとともに、震災後においては、相互に協力して自らの生活の再建及び居住する地域の復興に努めなければならない。

4　都民は、知事その他の行政機関が実施する震災対策事業に協力するとともに、自発的に震災対策活動に参加する等震災対策に寄与するよう努めなければならない。

### 第四節　事業者の責務

**（基本的責務）**

**第九条**　事業者は、知事その他の行政機関が実施する震災対策事業及び都民が行う第五十七条の地域協働復興に関する活動に協力するとともに、事業活動に当たっては、その社会的責任を自覚し、震災の防止並びに震

災後の都民生活の再建及び安定並びに都市の復興を図るため、最大の努力を払わなければならない。

2　事業者は、その事業活動に関して震災を防止するため、事業所に来所する顧客、従業者等及び事業所の周辺地域における住民（以下「周辺住民」という。）並びにその管理する施設及び設備について、その安全の確保に努めなければならない。

3　事業者は、その管理する事業所の周辺地域における震災を最小限にとどめるため、周辺住民に対する震災対策活動の実施等、周辺住民等との連携及び協力に努めなければならない。

**（事業所防災計画の作成）**

**第十条**　事業者は、その事業活動に関して震災を防止するため、都及び区市町村が作成する地域防災計画を基準として、事業所単位の防災計画（以下「事業所防災計画」という。）を作成しなければならない。

**（事業所防災計画の届出）**

**第十一条**　都市ガス、電気、通信その他防災対策上重要な施設として知事が指定する施設を管理する事業者は、事業所防災計画を作成したときは、速やかに知事に届け出なければならない。

## 第二章　予防対策

### 第一節　震災に関する研究、公表等

**第十二条**　知事は、震災の発生原因及び発生状況、地域の危険度その他震災に関する事項について、科学的、総合的に調査及び研究を行うとともに、防災科学技術の開発に努めなければならない。

2　都は、耐震性の調査及び研究に資するため、都が設置する建築物その他の工作物のうち、特に必要と認める工作物に、強震計を設置しなければならない。

3　知事は、第一項の調査、研究及び技術の開発の成果を、積極的に震災対策に反映させるとともに、都民に公表しなければならない。

4　知事は、前項に規定するもののほか、震災対策事業計画その他震災対策に関する情報を積極的に公表するよう努めなければならない。

### 第二節　防災都市づくりの推進

**第十三条**　知事は、防災都市づくり（震災を予防し、震災が発生した場合における被害の拡大を防ぐため、建築物及び都市施設（都市計画法（昭和四十三年法律第百号）第十一条第一項各号に掲げる施設をいう。以下同じ。）等について耐震性及び耐火性を確保する措置その他都市構造の改善に関する措置をいう。以下この条において同じ。）を推進するため、防災都市づくりに関する計画を策定しなければならない。

2　前項の計画には、次に掲げる事項を定めるものとする。

一　防災都市づくりに関する施策の指針

二　地域特性に応じた整備の方針及び整備地域の指定

三　重点整備地域（防災都市づくりに資する事業を重層的かつ集中的に実施する地域をいう。）等の指定

3　知事は、区市町村と連携を図りつつ、協力して第一項の計画に基づく事業の推進に努めなければならない。

### 第三節　都市施設及び建築物等の安全の確保

**（都市施設等の耐震性等の確保）**

**第十四条**　知事は、震災を未然に防止し、震災が発生した場合における被害の拡大を防止するため、都市施設等の耐震性及び耐火性の確保に努めなければならない。

**（一般建築物の耐震性等の確保）**

**第十五条**　知事は、一般建築物（次条の特殊建築物等以外の建築物をいう。）の耐震性及び耐火性を確保するため、適切な指導を行うとともに、防災上の相談に応じ、必要と認めるときは、技術面からの支援を行うよう努めなければならない。

**（特殊建築物等の耐震性等の確保）**

**第十六条**　知事は、特殊建築物（建築基準法（昭和二十五年法律第二百一号）に規定する特殊建築物をいう。以下同じ。）その他知事が必要と認める建築物及び地下街（消防法（昭和二十三年法律第百八十六号）に規定する地下街をいう。）の耐震性及び耐火性を確保するため、特に知事が指定するものについて、定期的に検査を行い、若しくは当事者をして行わせ、又は必要があると認めるときは、そのものの改善について助言し、若しくは勧告することができる。

**（重要建築物の耐震性等の強化）**

**第十七条**　知事は、次に掲げる防災対策上特に重要な建築物について、耐震性及び耐火性の強化に努め、又は当事者をして努めさせなければならない。

一　震災時に消火、避難誘導及び情報伝達等の防災業務の中心となる消防署、警察署その他の官公庁建築物

二　震災時に緊急の救護所又は被災者の一時受入施設となる病院、学校その他これらに準ずる建築物

**（公共施設等の安全の確保）**

**第十八条**　知事は、その管理する道路、公園、鉄道、橋りょう、港湾その他の公共施設及びこれらに附属する施設の耐震性及び耐火性を強化するとともに、定期的に検査を行い、それらの安全の確保に努めなければならない。

2　前項の規定は、知事が管理する河川及び海岸に設置

する施設について準用する。

（都市ガス、電気、水道施設等の安全の確保）

**第十九条**　都市ガス、電気、上下水道、通信その他防災対策上重要な施設の管理者は、当該施設の安全の確保に努めなければならない。

２　知事は、前項の施設の安全を確保するため必要があると認めるときは、当該施設を収容する共同溝の設置に努めなければならない。この場合において、知事は、特に耐震性について配慮しなければならない。

（危険物の落下防止）

**第二十条**　知事は、地震により破損し、落下するおそれのある中高層建築物の窓ガラス等落下危険物の落下を防止するため、その安全性について調査し、研究し、並びに防災上安全な基準を定めるとともに、安全の確保及び改修について指導を行うよう努めなければならない。

（宅地造成地の安全の確保）

**第二十一条**　知事は、宅地造成地の地震に対する安全性について、調査し、研究し、及び防災上安全な基準を定めるよう努めなければならない。

（宅地造成地の検査）

**第二十二条**　知事は、地震に対して特に危険な宅地造成地については、宅地造成及び特定盛土等規制法（昭和三十六年法律第百九十一号）の定めるところにより検査し、必要があると認めるときは、その改善について、助言し、勧告し、又は命ずることができる。

（地盤沈下の防止）

**第二十三条**　知事は、地盤沈下に起因する震災を防止するため、都民の健康と安全を確保する環境に関する条例（平成十二年東京都条例第二百十五号）の定めるところにより、地下用水について揚水の抑制に努めなければならない。

### 第四節　火災の防止等

（火災の防止）

**第二十四条**　知事は、地震による火災の発生及びその拡大を防止するため必要な施策を区市町村と連携を図りつつ、協力して積極的に推進するよう努めなければならない。

（初期消火）

**第二十五条**　都民は、火気を使用するときは、出火を防止するため、常時監視するとともに地震時の出火に備え、消火器等を配備し、初期消火に努めなければならない。

（火気使用器具の規制）

**第二十六条**　知事は、地震時に出火の危険性の高い設備及び器具の安全を確保し、出火を防止するため、その技術の開発及び普及啓発に努めるとともに、使用及び取扱いについて、火災予防条例（昭和三十七年東京都条例第六十五号）の定めるところにより、必要な規制を行わなければならない。

（消防水利の確保及び消防力の強化）

**第二十七条**　知事は、地震による火災の拡大を防止するため、区市町村と連携を図りつつ、協力して消防水利の確保及び消防力の強化に努めなければならない。

２　知事は、その管理する公共施設及び特殊建築物を整備するときは、防火水槽又はこれに類する施設の設置に努めなければならない。

（建築物の不燃化）

**第二十八条**　知事は、地震による出火を防止するため、住宅その他の建築物の不燃化の促進に努めなければならない。

２　消防法第九条の三の指定可燃物その他指定可燃物に類する物品を取り扱う事業者は、その取り扱う施設の不燃化に努めなければならない。

（延焼遮断帯の整備）

**第二十九条**　知事は、地震による火災の拡大を防止するため、区市町村と連携を図りつつ、協力して延焼遮断帯（火災の拡大を防止する目的で設けられる道路、河川、鉄道、公園等の都市施設及びこれらと近接する不燃化された建築物等により構成される不燃空間をいう。）の整備に努めなければならない。

（危険物取扱施設の安全の確保）

**第三十条**　知事は、消防法第二条第七項の危険物、高圧ガス保安法（昭和二十六年法律第二百四号）第二条の高圧ガスその他これらに類する危険物を取り扱う施設の安全性について、調査し、研究し、及び防災上安全な基準を定めるよう努めなければならない。

（有害物取扱施設の安全の確保）

**第三十一条**　知事は、毒物、劇物、病原体及び毒素類、放射性物質その他これらに類する有害物を取り扱う施設の安全性について、調査し、研究し、及び防災上安全な基準を定めるよう努めなければならない。

### 第五節　防災広報及び防災教育

（防災広報）

**第三十二条**　知事は、区市町村と連携を図りつつ、協力して、防災に関する広報活動を積極的に実施し、都民の防災知識の向上及び防災意識の高揚に努めなければならない。

（防災教育）

**第三十三条**　都は、区市町村と連携を図りつつ、協力し、学校教育、社会教育等を通じて防災教育の充実に努め、並びに区市町村が次条から第三十六条までの防災組織及び地域の団体等を通じて行う防災教育に対し、支援及び協力を行うよう努めなければならない。

### 第六節　防災組織

**（防災市民組織）**
**第三十四条**　知事は、区市町村が行う地域の自主的な防災市民組織の育成に対し、支援及び協力を行い、その充実が図られるよう努めなければならない。

**（施設の防災組織）**
**第三十五条**　事業者は、その管理する施設の防災組織の育成に努めなければならない。

**（業種別の防災組織）**
**第三十六条**　危険物、毒物、劇物、火薬類その他これらに類する物を取り扱う施設又は設備を管理する者は、業種別の防災組織の組織化に努めなければならない。

**（防災リーダーの育成）**
**第三十七条**　知事は、第三十四条の防災市民組織及び第三十五条の施設の防災組織の活動の促進を図るため、区市町村及び事業者と連携を図りつつ、協力してこれらの組織における防災リーダー（これらの組織の行う出火防止、初期消火、救出及び応急手当等の震災対策活動において、適切な指示を与える等中心的役割を担う者をいう。以下この条において同じ。）の育成に努めるとともに、区市町村が行う防災リーダーの育成に対して、支援及び協力を行うよう努めなければならない。

### 第七節　地域における相互支援ネットワークづくり

**第三十八条**　知事は、震災時に、支援活動を行う団体等が効果的な活動を行う環境を整備するため、区市町村が行う地域相互支援ネットワーク（当該区市町村の区域で活動する団体等が相互に連携し、補完し合うことにより、被災者に対して必要な支援活動を一体的に、かつ、効果的に行う仕組みをいう。）の育成の促進に必要な施策を講ずるよう努めなければならない。

### 第八節　ボランティアへの支援

**第三十九条**　知事は、ボランティアによる被災者に対する支援活動の円滑な実施を確保するため、区市町村と連携を図りつつ、協力して資器材の提供、活動拠点の提供等必要な支援を行うよう努めなければならない。
2　知事は、区市町村と連携を図りつつ、協力してボランティアの育成に努めなければならない。

### 第九節　要援護者に対する施策

**第四十条**　知事は、区市町村が行う寝たきりの状態にある高齢者、障害者、外国人等震災時に援護を要する者に対する施策の促進に必要な措置を講ずるよう努めなければならない。

### 第十節　防災訓練

**（防災訓練の実施）**
**第四十一条**　知事は、区市町村と連携を図りつつ、協力して防災訓練を積極的に行わなければならない。
2　前項に規定する防災訓練に参加した者が、当該防災訓練により死亡し、又は傷害を受けたときの補償については、東京都規則（以下「規則」という。）の定めるところによる。

**（防災組織の訓練）**
**第四十二条**　第三十四条から第三十六条までの防災組織の責任者は、震災の発生に備え、防災訓練を実施しなければならない。
2　前項の防災訓練を実施するときは、初期消火訓練、避難訓練、救出及び救助訓練並びに応急救護訓練について、特に配慮しなければならない。
3　知事は、第一項の防災組織が行う訓練に、職員の派遣を行うこと等により協力をするよう努めなければならない。

### 第十一節　都民等の意見

**第四十三条**　都民等及び防災組織は、地域の安全性について常に監視し、地震に対して危険性のあるものについて知事に意見を述べることができる。
2　都民は、第四十七条の規定による避難場所の指定について、知事に意見を述べることができる。
3　知事は、前二項の規定により都民等及び防災組織の意見を聴いたときは、これを施策に反映するよう努めなければならない。

## 第三章　応急対策

### 第一節　応急体制等の整備

**（災害応急体制の整備）**
**第四十四条**　知事は、震災時における避難並びに救出及び救助を円滑に行うため必要な体制の確立及び資器材の整備に努めなければならない。
2　知事は、前項に規定するもののほか、救助活動を円滑に行うため必要な給水及び備蓄のための施設の整備に努めなければならない。

**（情報連絡体制の整備等）**
**第四十五条**　知事は、震災の発生に備え、あらかじめ、震災に関する情報の収集及び連絡の体制を整備し、並びに震災時に的確な情報を都民に周知する方法を講じなければならない。

**（他団体への協力要請の方法）**
**第四十六条**　知事は、震災の発生に備え、あらかじめ震災に関する情報の収集及び伝達に必要な他の地方公共団体その他の公共的団体等への協力要請の方法を確立しておかなければならない。

### 第二節　避難

**(避難場所の指定)**

**第四十七条**　知事は、震災時に拡大する火災から都民を安全に保護するため、広域的な避難を確保する見地から必要な避難場所をあらかじめ指定しなければならない。ただし、火災の拡大するおそれのない地区については、避難場所を指定しないことができる。

2　知事は、公営住宅を建設するときは、広場の確保に留意し、その防災機能の充実に努めなければならない。

**(避難道路の指定)**

**第四十八条**　知事は、広域的な避難を確保する見地から震災時に都民が避難場所に安全に避難するため必要な避難道路をあらかじめ指定しなければならない。

**(避難場所及び避難道路周辺の不燃化)**

**第四十九条**　知事は、避難場所及び避難道路の周辺に存する建築物その他の工作物の不燃化の促進に努めなければならない。

**(避難誘導方法の確立)**

**第五十条**　知事は、区市町村と連携を図りつつ、協力して震災の発生に備え、あらかじめ避難誘導の方法を確立しておかなければならない。

**(車両による避難の禁止)**

**第五十一条**　都民は、震災時に避難するときは、路上の混乱と危険を防止するため、道路交通法（昭和三十五年法律第百五号）第二条第八号の車両（以下「車両」という。）を使用してはならない。

2　震災時に走行中の車両の運転者は、当該震災時に行われる交通規制を遵守しなければならない。

### 第三節　救出及び救助の活動拠点等の確保

**第五十二条**　知事は、震災時において、被災者の救出及び救助並びに都民生活の再建及び都市の復興を円滑に行うため、その活動拠点等となる土地及び家屋の確保に努めなければならない。

2　知事は、前項の土地及び家屋の利用について、利用計画を作成し、必要があると認めるときは、これを修正するものとする。

3　前項の利用計画の作成及び実施に当たっては、知事は、国及び区市町村との調整に努めなければならない。

4　知事は、震災時に、災害救助法（昭和二十二年法律第百十八号）第九条第一項又は災害対策基本法（昭和三十六年法律第二百二十三号）第七十一条第一項の規定による土地又は家屋の円滑な使用を確保するため、あらかじめ当該土地又は家屋を救出及び救助の活動拠点として指定することができる。この場合において、知事は、当該土地又は家屋を所有し、及び管理する者に対し、災害救助法及び災害対策基本法の規定その他必要な事項を説明し、協力を求めるものとする。

### 第四節　帰宅困難者対策

**(帰宅困難者の事前準備)**

**第五十三条**　事業所、学校等に通勤し、通学し、又は買物その他の理由により来店し、若しくは来所する者等で徒歩により容易に帰宅することが困難なもの（以下「帰宅困難者」という。）は、震災時における帰宅に係る安全を確保するため、あらかじめ徒歩による帰宅経路の確認、家族との連絡手段の確保その他必要な準備を行うよう努めなければならない。

**(帰宅困難者対策の実施)**

**第五十四条**　知事は、震災時における帰宅困難者の帰宅に係る混乱を防止するため、あらかじめ区市町村並びに都の区域に近接する県及び市町村と連携を図りつつ、協力して帰宅困難者の円滑な帰宅を確保する対策を行うよう努めなければならない。

## 第四章　復興対策

### 第一節　震災復興の推進

**(震災復興体制の確立)**

**第五十五条**　知事は、震災により重大な被害を受けた場合で、速やかに計画的な都市の復興等を図るため必要と認めるときは、東京都震災復興本部の設置に関する条例（平成十年東京都条例第七十七号）に基づく体制をとるものとする。

**(震災復興計画の策定及び震災復興事業の推進)**

**第五十六条**　知事は、前条に規定する場合は、広域的な復興を推進する見地から、速やかに震災復興計画を策定しなければならない。

2　知事は、前項の計画に基づいて震災復興事業の推進に努めなければならない。

3　知事は、第一項の震災復興計画の策定及び前項の震災復興事業の実施を円滑に推進するため、あらかじめ震災復興に関する施策及び手続を定めることができる。この場合において、知事は、当該施策及び手続を都民に周知しなければならない。

4　知事は、震災復興計画の策定及び震災復興事業の推進に当たり、区市町村との調整に努めなければならない。

### 第二節　地域協働復興

**(地域協働復興に対する理解の促進等)**

**第五十七条**　知事は、地域協働復興（震災後において、都民が相互に協力し、事業者、ボランティア及び知事その他の行政機関との協働により、自主的に自らの生活の再建及び居住する地域の復興を進めることをいう。以下同じ。）に対する都民等の理解を深めるよう努めるとともに、都民の自発的な意思に配慮して、地域協働復興に関する活動を促進しなければならない。

（復興市民組織）

**第五十八条**　知事は、区市町村が行う復興市民組織（地域協働復興に関する活動を行う市民組織をいう。以下同じ。）の育成に対し、支援及び協力を行い、その充実が図られるよう努めなければならない。

2　知事は、地域協働復興に関する活動の円滑な実施を確保するため、区市町村と連携を図りつつ、協力して、復興市民組織に対し、情報の提供、相談体制の充実、資器材の提供等必要な支援を行うよう努めなければならない。

## 第五章　委任

**第五十九条**　この条例の施行に必要な事項は、規則で定める。

**附　則**

この条例は、平成十三年四月一日から施行する。

**附　則**（令六・三・二九条例一五）

この条例は、公布の日から施行する。

# ○東京都帰宅困難者対策条例

平二四・三・三〇
条　例　一　七

## 第一章　総則

（目的）

**第一条**　この条例は、大規模な地震その他の災害（以下「大規模災害」という。）が発生したことに伴い、公共交通機関が運行を停止し、当分の間復旧の見通しがない場合において、多数の帰宅困難者（事業所、学校等に通勤し、通学し、又は買物その他の理由により来店し、若しくは来所する者等で徒歩により容易に帰宅することが困難なものをいう。）が生じることによる混乱及び事故の発生等を防止するために、東京都（以下「都」という。）、都民及び事業者（事業を行う法人その他の団体又は事業を行う場合における個人をいう。以下同じ。）の責務を明らかにし、帰宅困難者対策の推進に必要な体制を確立するとともに、施策の基本的事項を定めることにより、帰宅困難者対策を総合的かつ計画的に推進し、もって都民の生命、身体及び財産の保護並びに首都機能の迅速な回復を図ることを目的とする。

（知事の責務）

**第二条**　知事は、特別区及び市町村（以下「区市町村」という。）、事業者その他関係機関と連携し、大規模災害の発生時における帰宅困難者による混乱及び事故の発生等を防止するため、帰宅困難者対策について実施計画を策定し、総合的に推進しなければならない。

2　知事は、大規模災害の発生により、多数の帰宅困難者が生じ、又は生じるおそれがあると認める場合並びに帰宅困難者による混乱及び事故の発生等の危険性が回避され、安全に帰宅することができると認める場合は、区市町村、事業者その他関係機関との連携及び協力の下に、必要な措置を講じなければならない。

3　知事は、前二項に規定する帰宅困難者対策を実施するに当たっては、高齢者、障害者、外国人等の災害時に援護を要する者に対して、特に配慮しなければならない。

（都民の責務）

**第三条**　都民は、大規模災害の発生に備えて、あらかじめ、家族その他の緊急連絡を要する者との連絡手段の確保、待機し、又は避難する場所の確認、徒歩による帰宅経路の確認その他必要な準備を行うよう努めなければならない。

2　都民は、大規模災害の発生時に自らの安全を確保するため、むやみに移動しないよう努めるとともに、都、区市町村、事業者その他関係機関が行う帰宅困難者対策に協力し、かつ、自発的な防災活動を行うよう努めなければならない。

（事業者の責務）

**第四条**　事業者は、その社会的責任を認識して、従業者の安全並びに管理する施設及び設備の安全性の確保に努めるとともに、大規模災害の発生時において、都、区市町村、他の事業者その他関係機関と連携し、帰宅困難者対策に取り組むよう努めなければならない。

2　事業者は、あらかじめ、大規模災害の発生時における従業者との連絡手段の確保に努めるとともに、家族その他の緊急連絡を要する者との連絡手段の確保、待機し、又は避難する場所の確認、徒歩による帰宅経路の確認その他必要な準備を行うことを従業者へ周知するよう努めなければならない。

3　事業者は、管理する施設の周辺において多数の帰宅困難者が生じることによる混乱及び事故の発生等を防止するため、都、区市町村、他の事業者その他関係機関及び当該施設の周辺地域における住民との連携及び協力に努めなければならない。

4　事業者は、あらかじめ、大規模災害の発生時における従業者の施設内での待機に係る方針、安全に帰宅させるための方針等について、東京都震災対策条例（平成十二年東京都条例第二百二号）第十条に規定する事業所防災計画その他の事業者が防災のために作成する計画において明らかにし、当該計画を従業者へ周知するとともに、定期的に内容の確認及び改善に努めなければならない。

**（帰宅困難者対策実施状況の報告）**

**第五条**　知事は、帰宅困難者対策の実施状況を確認するため、事業者等（前条及び次章から第五章までの規定に係る帰宅困難者対策を実施する者をいう。以下同じ。）に報告を求めることができる。

**（事業者等に対する支援）**

**第六条**　知事は、必要があると認めるときは、事業者等に対して支援を行うものとする。

## 第二章　一斉帰宅抑制に係る施策の推進

**（従業者の一斉帰宅抑制）**

**第七条**　事業者は、大規模災害の発生時において、管理する事業所その他の施設及び設備の安全性並びに周辺の状況を確認の上、従業者に対する当該施設内での待機の指示その他の必要な措置を講じることにより、従業者が一斉に帰宅することの抑制に努めなければならない。

2　事業者は、前項に規定する従業者の施設内での待機を維持するために、知事が別に定めるところにより、従業者の三日分の飲料水、食糧その他災害時における必要な物資を備蓄するよう努めなければならない。

**（公共交通事業者等による利用者の保護）**

**第八条**　鉄道事業者その他公共交通事業者は、公共交通機関の運行の停止により管理する施設内において多数の帰宅困難者が生じた場合は、管理する施設及び設備の安全性並びに周辺の状況を確認の上、都、区市町村、他の事業者その他関係機関と連携し、当該施設内での待機に係る案内、安全な場所への誘導その他公共交通機関の利用者の保護のために必要な措置を講じるよう努めなければならない。

2　百貨店、展示場、遊技場等の集客施設に係る設置者又は管理者は、設置し、又は管理する施設内で多数の帰宅困難者が生じた場合は、設置し、又は管理する施設及び設備の安全性並びに周辺の状況を確認の上、都、区市町村、他の事業者その他関係機関と連携し、当該施設内での待機に係る案内、安全な場所への誘導その他施設利用者の保護のために必要な措置を講じるよう努めなければならない。

3　前二項に規定する施設以外の施設に係る設置者又は管理者は、前二項の規定に準じて、施設利用者の保護のために必要な措置を講じるよう努めなければならない。

**（学校等における生徒等の安全確保）**

**第九条**　学校（学校教育法（昭和二十二年法律第二十六号。以下この条において「法」という。）第一条に規定する学校をいう。）、専修学校（法第百二十四条に規定する専修学校をいう。）及び各種学校（法第百三十四条に規定する各種学校をいう。）並びに保育所その他の子育て支援を行うことを目的とする施設の設置者又は管理者は、大規模災害の発生時に、設置し、又は管理する施設及び設備の安全性並びに周辺の状況を確認の上、幼児、児童、生徒等に対し、当該施設内での待機の指示その他安全確保のために必要な措置を講じるよう努めなければならない。

## 第三章　安否確認及び情報提供

**（安否確認及び情報提供のための体制整備）**

**第十条**　知事は、大規模災害の発生時において安否情報の確認及び災害関連情報その他の情報（以下「災害関連情報等」という。）の提供を行うため、区市町村、事業者その他関係機関との連携及び協力の下に、情報通信基盤の整備及び災害関連情報等を提供するために必要な体制を確立しなければならない。

**（安否確認手段の周知等）**

**第十一条**　知事は、大規模災害の発生時において都民及び事業者等に対して安否情報の確認手段の周知及び災害関連情報等の提供を行わなければならない。

2　事業者等は、大規模災害の発生時において従業者、利用者等に対して安否情報の確認手段の周知及び災害関連情報等の提供に努めなければならない。

## 第四章　一時滞在施設の確保

**（一時滞在施設の確保等）**

**第十二条**　知事は、都が所有し、又は管理する施設の中から、大規模災害の発生時に帰宅困難者を一時的に受け入れる施設（以下この条において「一時滞在施設」という。）を指定し、都民及び事業者等に周知しなければならない。

2　知事は、一時滞在施設の確保に向け、都が所有し、又は管理する施設以外の公共施設又は民間施設に関し、国、区市町村及び事業者に協力を求め、帰宅困難者を受け入れる体制を整備しなければならない。

3 知事は、区市町村、事業者その他関係機関と連携し、大規模災害の発生時において帰宅困難者の一時滞在施設への円滑な受入れのために必要な措置を講じなければならない。

### 第五章 帰宅支援

（帰宅支援）

**第十三条** 知事は、区市町村、事業者その他関係機関との連携及び協力の下に、大規模災害の発生時における公共交通機関の運行の停止に係る代替の交通手段及び輸送手段並びに災害時帰宅支援ステーション（徒歩により帰宅する者に飲料水、便所、災害関連情報等の提供等を行う店舗等をいう。）を確保するとともに、災害関連情報等の提供その他必要な措置を講じることにより、帰宅する者の安全かつ円滑な帰宅を支援しなければならない。

### 第六章 雑則

（委任）

**第十四条** この条例の施行について必要な事項は、知事が定める。

附 則

この条例は、平成二十五年四月一日から施行する。

## ○東京都国民保護協議会条例

平一七・三・三一
条　例　一　九

最終改正　令四・三・三一条例一七

（目的）

**第一条** この条例は、武力攻撃事態等における国民の保護のための措置に関する法律（平成十六年法律第百十二号）第三十八条第八項の規定に基づき、東京都国民保護協議会（以下「協議会」という。）の組織及び運営に関し、必要な事項を定めることを目的とする。

（委員及び専門委員）

**第二条** 協議会の委員の総数は、九十二人以内とする。

2 専門委員は、当該専門の事項に関する調査が終了したときは、解任されるものとする。

（会長の職務代理）

**第三条** 会長に事故があるときは、あらかじめその指名する委員がその職務を代理する。

（会議）

**第四条** 協議会の会議は、会長が招集し、その議長となる。

2 協議会は、委員の過半数の出席がなければ、会議を開き、議決をすることができない。

3 協議会の議事は、出席した委員の過半数でこれを決し、可否同数のときは、議長の決するところによる。

（幹事）

**第五条** 協議会に、幹事七十人以内を置く。

2 幹事は、委員の属する機関の職員のうちから知事が任命する。

3 幹事は、協議会の所掌事務について、委員及び専門委員を補佐する。

（部会）

**第六条** 協議会は、その定めるところにより、部会を置くことができる。

2 部会に属すべき委員及び専門委員は、会長が指名する。

3 部会に部会長を置き、会長の指名する委員又は専門委員がこれに当たる。

4 部会長に事故があるときは、部会に属する委員又は専門委員のうちから部会長があらかじめ指名する者がその職務を代理する。

（雑則）

**第七条** 第二条から前条までに定めるもののほか、協議会の運営に関し必要な事項は、会長が協議会に諮って定める。

附 則

この条例は、公布の日から施行する。

附 則（令四・三・三一条例一七）

この条例は、令和四年四月一日から施行する。

# ○東京都国民保護対策本部及び緊急対処事態対策本部条例

平一七・三・三一
条例一八

改正　平一九・三・一六条例一七

（目的）

**第一条**　この条例は、武力攻撃事態等における国民の保護のための措置に関する法律（平成十六年法律第百十二号。以下「法」という。）第三十一条及び法第百八十三条において準用する法第三十一条の規定に基づき、東京都国民保護対策本部（以下「保護本部」という。）及び東京都緊急対処事態対策本部に関し必要な事項を定めることを目的とする。

（職員）

**第二条**　保護本部に国民保護対策本部長（以下「本部長」という。）、国民保護対策副本部長（以下「副本部長」という。）及び国民保護対策本部員（以下「本部員」という。）のほか、必要な職員を置く。

（組織）

**第三条**　保護本部に本部長室、局及び地方隊を置く。

２　局に局長を、地方隊に地方隊長を置く。

３　本部長室、局及び地方隊に属すべき本部の職員は、東京都規則で定める。

（職務）

**第四条**　本部長は、保護本部の事務を総括する。

２　副本部長は、本部長を補佐する。

３　局長及び地方隊長は、本部長の命を受け、局又は地方隊の事務を掌理する。

４　本部員は、本部長の命を受け、本部長室の事務に従事する。

５　その他の本部の職員は、局長又は地方隊長の命を受け、局又は地方隊の事務に従事する。

（会議）

**第五条**　本部長は、保護本部における情報交換及び連絡調整を円滑に行うため、必要に応じ、保護本部の会議（以下「会議」という。）を招集する。

２　本部長は、法第二十八条第六項の規定により国の職員その他都の職員以外の者を会議に出席させたときは、当該出席者に対し、意見を求めることができる。

３　本部長は、法第二十八条第七項の規定により防衛大臣がその指定する職員を本部長の求めに応じて会議に出席させたときは、当該出席者に対し、意見を求めることができる。

（国民保護現地対策本部）

**第六条**　国民保護現地対策本部に国民保護現地対策本部長、国民保護現地対策本部員その他の職員を置き、副本部長、本部員その他の職員のうちから本部長が指名する者をもって充てる。

２　国民保護現地対策本部長は、国民保護現地対策本部の事務を掌理する。

（雑則）

**第七条**　第二条から前条までに定めるもののほか、保護本部に関し必要な事項は、東京都規則で定める。

（東京都緊急対処事態対策本部）

**第八条**　第二条から前条までの規定は、東京都緊急対処事態対策本部について準用する。

附　則

この条例は、公布の日から施行する。

附　則（平一九・三・一六条例一七）

この条例は、公布の日から施行する。

# ○東京都新型コロナウイルス感染症対策条例

令二・四・七
条例五三

最終改正　令三・六・一四条例五七

（目的）

**第一条**　この条例は、東京は日本の首都として政治、経済、文化等の中枢機能が集中している世界でも有数の大都市であること、都民の大部分が現在新型コロナウイルス感染症の免疫を獲得していないこと等から、新型コロナウイルス感染症が都内に急速にまん延し、かつ、これにかかった場合の病状の程度が重篤となるおそれがあり、また、都民生活及び都民経済に重大な影響を及ぼすおそれがあることに鑑み、東京都新型コロナウイルス感染症対策本部が設置された場合における新型コロナウイルス感染症対策等を定めることにより、新型コロナウイルス感染症のまん延の防止に関する法律と相まって、新型コロナウイルス感染症に対する措置の強化を図り、もって都民の生命及び健康を保護し、並びに都民生活及び都民経済に及ぼす影響が最小となるようにすることを目的とする。

（定義）

**第二条**　この条例において、次の各号に掲げる用語の意義は、それぞれ当該各号に定めるところによる。

一　新型コロナウイルス感染症　感染症の予防及び感染症の患者に対する医療に関する法律（平成十年法律第百十四号）第六条第七項第三号に規定する新型コロナウイルス感染症をいう。

二　東京都新型コロナウイルス感染症対策本部　知事が新型インフルエンザ等対策特別措置法（平成二十四年法律第三十一号。以下「法」という。）第二十二条第一項に基づき設置する都道府県対策本部をいう。

三　新型コロナウイルス感染症対策　東京都新型コロナウイルス感染症対策本部が法第二十二条第一項の規定に基づき設置された時から、法第二十五条の規定に基づき廃止されるまでの間（以下「本部設置期間」という。）において、東京都（以下「都」という。）が法令等の規定により実施する措置をいう。

（都の責務）

**第三条**　都は、新型コロナウイルス感染症対策を的確かつ迅速に実施し、及び都の区域において関係機関が実施する新型コロナウイルス感染症に係る措置を総合的に推進する責務を有する。

2　都は、新型コロナウイルス感染症対策を実施するに当たっては、国、他の地方公共団体並びに指定公共機関（法第二条第七号に規定するものをいう。）及び指定地方公共機関（同条第八号に規定するものをいう。）と相互に連携協力し、島しょ等の地域の特性にも配慮しながら、その的確かつ迅速な実施に万全を期さなければならない。

（都民及び事業者の責務）

**第四条**　都民及び事業者は、新型コロナウイルス感染症の予防及び感染の拡大の防止に努めるとともに、新型コロナウイルス感染症対策に協力するよう努めなければならない。

2　事業者は、新型コロナウイルス感染症のまん延により生ずる影響を考慮し、その事業の実施に関し、適切な措置を講ずるよう努めなければならない。

（体制の整備等）

**第五条**　都は、新型コロナウイルス感染症の検査（検体の採取を含む。以下単に「検査」という。）を円滑に行うことができるよう、検査の実施体制の整備に努めるものとする。

2　都は、患者等（新型コロナウイルス感染症の患者、疑似症患者（感染症の予防及び感染症の患者に対する医療に関する法律第六条第十項に規定する者をいう。）及び無症状病原体保有者（同条第十一項に規定する者をいう。以下同じ。）をいう。以下同じ。）に必要な医療を安定的に提供できるよう、新型コロナウイルス感染症に係る医療提供体制を確保するとともに、必要な医療用資器材等の備蓄及び整備に努めるものとする。

（宿泊療養施設の確保等）

**第五条の二**　都は、新型コロナウイルス感染症の発生状況等を踏まえ、患者等が療養に専念することができるよう、宿泊療養施設の確保に努めるものとする。

2　都は、宿泊療養施設に入所する患者等に対して、医師、看護師等による健康管理を行うための体制の整備に努めるものとする。

（自宅療養者に対する支援）

**第五条の三**　都は、居宅等において療養する患者等に対し、その居宅等の所在地を管轄する保健所と協力して、居宅等において療養するために必要な生活物資の供給及び健康管理を行うための体制の整備に努めるものとする。

（保健所の機能強化）

**第五条の四**　都は、新型コロナウイルス感染症の感染拡大の状況に応じて、適切な新型コロナウイルス感染症対策を実施できるよう、必要な公衆衛生医師（保健所において公衆衛生に従事する医師をいう。）の確保に努めるものとする。

2　都は、新型コロナウイルス感染症の感染拡大の状況に応じて、特別区又は保健所を設置する市（以下「保健所設置市」という。）に対し、当該特別区又は保健所設置市が適切な対策を実施できるよう職員の派遣等必要な支援に努めるものとする。

（**情報の提供等**）

**第六条**　都は、都民が自ら新型コロナウイルス感染症の予防及びまん延の防止のための対策を適切に講ずることができるよう、新型コロナウイルス感染症の発生状況、動向及び原因に関する情報並びに新型コロナウイルス感染症の予防及びまん延の防止に係る施策に関する情報の提供に努めるものとする。

2　都は、患者等が、多数の者の利用する施設を利用し、又は多数の者の参加する催物等に参加していたことが判明した場合で、新型コロナウイルス感染症を当該患者等から他人に感染させるおそれのある期間に当該患者等と接した者を把握できておらず、新型コロナウイルス感染症のまん延を防止するため特に必要があると認めるときは、都民が検査を受ける等の行動をとることができるよう、当該施設又は催物等の名称、当該利用又は参加の時期その他の新型コロナウイルス感染症のまん延の防止のために必要な情報を公表することができる。ただし、当該情報の公表に当たっては、個人情報の保護に留意しなければならない。

3　都は、前二項の目的を達成するため、新型コロナウイルス感染症の発生状況、検査の実施状況、病床稼働状況等の把握について、特別区又は保健所設置市の長、医療機関等の協力を求めるものとする。

（**都民等の感染拡大防止措置**）

**第七条**　都民は、本部設置期間において、知事又は特別区若しくは保健所設置市の長の求めに応じて、必要な検査を受けるよう努めなければならない。

2　患者等は、新型コロナウイルス感染症のまん延の防止の観点から、本部設置期間において、知事又は特別区若しくは保健所設置市の長の求めに応じて、医療機関に入院し、宿泊療養施設に入所し、又は当該患者等の居宅等において療養し、みだりに外出しないよう努めなければならない。

3　患者等は、本部設置期間において、知事又は特別区若しくは保健所設置市の長の求めがあったときは、新型コロナウイルス感染症のまん延を防止するために必要な調査に協力するよう努めなければならない。

4　事業者は、本部設置期間において、知事又は特別区若しくは保健所設置市の長の求めがあったときは、新型コロナウイルス感染症のまん延を防止するために必要な調査に協力するとともに、当該事業者と関係があり、かつ、感染のおそれのある者に対して検査への協力を促すよう努めなければならない。

（**ガイドラインの遵守等**）

**第八条**　事業者は、本部設置期間において、都、国、特別区、市町村及び事業者が加入している団体等が定めた新型コロナウイルス感染症のまん延の防止のための指針（以下「ガイドライン」という。）を遵守するよう努めなければならない。

2　ガイドラインを作成した者は、当該ガイドラインを公表するとともに、その対象となる事業者に対し当該ガイドライン及び次条第一項に規定する標章を周知し、必要に応じて、当該ガイドラインの見直しを行うよう努めなければならない。

（**標章の掲示等**）

**第九条**　劇場、飲食店その他の集客施設を運営する事業者は、本部設置期間において、施設の入り口等利用者の見やすい場所にガイドラインに定める措置を遵守していることを示す知事が別に定める標章（以下単に「標章」という。）を掲示するよう努めなければならない。

2　催物等を主催する者は、本部設置期間において、当該催物等の実施に当たり、開催場所の入り口等来場者の見やすい場所に標章を掲示するよう努めなければならない。

3　都民は、新型コロナウイルス感染症の予防及びまん延の防止の観点から、施設の利用及び催物等への参加に当たっては、標章が掲示されている施設の利用等に努めなければならない。

（**通知サービス等の活用**）

**第十条**　都民及び事業者は、新型コロナウイルス感染症のまん延の防止の観点から、本部設置期間において、施設、店舗等で新型コロナウイルス感染症の感染者が集団的に発生した場合等にインターネットを通じて通知されるサービス等の活用に努めなければならない。

（**審議会の意見**）

**第十一条**　知事は、東京都新型コロナウイルス感染症対策本部の長が法第二十四条第九項の協力の要請その他の新型コロナウイルス感染症対策を実施するときは、必要に応じ次条第一項に規定する審議会の意見を聴くものとする。

2　知事は、法第三十一条の六第一項若しくは第二項の規定による要請若しくは同条第三項の規定による命令又は法第四十五条第一項若しくは第二項の規定による要請若しくは同条第三項の規定による命令を行おうとするときは、あらかじめ、次条第一項に規定する審議会の意見を聴かなければならない。

（東京都新型コロナウイルス感染症対策審議会）
**第十二条**　本部設置期間において、新型コロナウイルス感染症対策を総合的かつ効果的に推進することを目的に、専門的な見地から調査審議するため、知事の附属機関として、東京都新型コロナウイルス感染症対策審議会（以下「審議会」という。）を置く。
2　審議会は、新型コロナウイルス感染症に関し識見を有する者のうちから、知事が任命する委員五人以内をもって組織する。
3　審議会の委員は、審議会が存続する間、その任にあるものとする。
4　審議会は、特定の事項を調査審議するため必要があると認めるときは、専門委員又は部会を置くとともに、関係者から意見を聴くことができる。
5　委員及び専門委員は、非常勤とする。
6　第二項から前項までに定めるもののほか、審議会の組織及び運営に関し必要な事項は、知事が定める。
（都民及び事業者への支援等）
**第十三条**　知事は、新型コロナウイルス感染症対策を実施するに当たって、都民及び事業者に対し、必要な支援を行うよう努めるものとする。
2　都は、新型コロナウイルス感染症対策に関する施策を推進するため、必要な財政上の措置を講ずるよう努めるものとする。
（基本的人権の尊重）
**第十四条**　都民の自由と権利が尊重されるべきことに鑑み、新型コロナウイルス感染症対策を実施する場合において、都民の自由と権利に制限が加えられるときであっても、その制限は当該新型コロナウイルス感染症対策を実施するため必要最小限のものでなければならない。
（差別の禁止）
**第十四条の二**　都民及び事業者は、患者等、医療従事者、帰国者、外国人その他の新型コロナウイルス感染症に関連する者に対して、り患していること又はり患しているおそれがあることを理由として、不当な差別的取扱いをしてはならない。
2　都は、前項に規定する不当な差別的取扱いについて、その防止のための普及啓発活動を行うとともに、その解消のための相談体制を整備するものとする。
3　都は、第一項に規定する不当な差別的取扱いについて、国の人権擁護に関する制度等と連携して、実効性ある人権侵害の救済が図られるよう努めるものとする。
（委任）
**第十五条**　この条例に定めるもののほか、この条例の施行に関し必要な事項は、東京都規則で定める。

**附　則**

この条例は、公布の日から施行する。

**附　則**（令三・三・三一条例五二）

この条例は、令和三年四月一日から施行する。

**附　則**（令三・六・一四条例五七）

この条例は、公布の日から施行する。

## 〇東京都特定非常災害の被害者の権利利益の保全等を図るための特別措置に関する条例

令二・四・二二
条例五四

最終改正　令三・六・一四条例五八

（趣旨）
**第一条**　この条例は、東京都特定非常災害の被害者の権利利益の保全等を図るため、東京都特定非常災害が発生した場合における行政上の権利利益に係る満了日の延長及び履行されなかった義務に係る免責について定めるものとする。
（東京都特定非常災害及びこれに対し適用すべき措置の指定）
**第二条**　著しく異常かつ激甚な非常災害であって、当該非常災害の被害者の行政上の権利利益の保全等を図るための措置を講ずることが特に必要と認められるものが発生した場合には、当該非常災害を東京都特定非常災害として東京都規則（以下「規則」という。）で指定するものとする。この場合において、当該規則には、当該東京都特定非常災害が発生した日を東京都特定非常災害発生日として定めるものとする。
2　前項の規則においては、次条以下に定める措置のうち当該東京都特定非常災害に対し適用すべき措置を指定しなければならない。当該指定の後、新たにその余の措置を適用する必要が生じたときは、当該措置を規則で追加して指定するものとする。

**（行政上の権利利益に係る満了日の延長に関する措置）**

**第三条**　次に掲げる権利利益（以下「特定権利利益」という。）に係る条例、規則、地方自治法（昭和二十二年法律第六十七号）第百三十八条の四第二項の規程、地方公営企業法（昭和二十七年法律第二百九十二号）第十条の企業管理規程又はこれらに基づく告示（以下「条例等」という。）の施行に関する事務を所管する都の機関（東京都行政手続条例（平成六年東京都条例第百四十二号）第二条第一項第五号に規定するものをいう。以下同じ。）の長は、東京都特定非常災害の被害者の特定権利利益であってその存続期間が満了前であるものを保全し、又は当該特定権利利益であってその存続期間が既に満了したものを回復させるため必要があると認めるときは、東京都特定非常災害発生日から起算して六月を超えない範囲内において規則で定める日（以下「延長期日」という。）を限度として、これらの特定権利利益に係る満了日を延長する措置をとることができる。

一　条例等に基づく行政庁の処分（東京都特定非常災害発生日以前に行ったものに限る。）により付与された権利その他の利益であって、その存続期間が東京都特定非常災害発生日以後に満了するもの

二　条例等に基づき何らかの利益を付与する処分その他の行為を当該行為に係る権限を有する都の機関等（都の機関並びに特別区における東京都の事務処理の特例に関する条例（平成十一年東京都条例第百六号）、市町村における東京都の事務処理の特例に関する条例（平成十一年東京都条例第百七号）及び東京都教育委員会の事務処理の特例に関する条例（平成十一年東京都条例第百十五号）の規定により知事又は東京都教育委員会の権限に属する事務の一部を処理することとされた特別区及び市町村の機関をいう。）に求めることができる権利であって、その存続期間が東京都特定非常災害発生日以後に満了するもの

2　前項の規定による延長の措置は、告示により、当該措置の対象となる特定権利利益の根拠となる条例等の条項ごとに、地域を単位として、当該措置の対象者及び当該措置による延長後の満了日を指定して行うものとする。

3　第一項の規定による延長の措置のほか、同項第一号の行政庁又は同項第二号の都の機関等（以下「行政庁等」という。）は、東京都特定非常災害の被害者であって、その特定権利利益について保全又は回復を必要とする理由を記載した書面により満了日の延長の申出を行ったものについて、延長期日までの期日を指定してその満了日を延長することができる。

4　延長期日が定められた後、第一項又は前項の規定による満了日の延長の措置を延長期日の翌日以後においても特に継続して実施する必要があると認められるときは、第一項の都の機関の長又は行政庁等は、同項又は前項の例に準じ、特定権利利益の根拠となる条例等の条項ごとに新たに規則で定める日を限度として、当該特定権利利益に係る満了日を更に延長する措置をとることができる。

5　前各項の規定にかかわらず、災害その他やむを得ない事由がある場合における特定権利利益に係る期間に関する措置について他の条例等に別段の定めがあるときは、その定めるところによる。

**（期限内に履行されなかった義務に係る免責に関する措置）**

**第四条**　東京都特定非常災害発生日以後に条例等に規定されている履行期限が到来する義務（以下「特定義務」という。）であって、東京都特定非常災害により当該履行期限が到来するまでに履行されなかったものについて、その不履行に係る行政上及び刑事上の責任（過料に係るものを含む。以下単に「責任」という。）が問われることを猶予する必要があるときは、規則で、東京都特定非常災害発生日から起算して四月を超えない範囲内において特定義務の不履行についての免責に係る期限（以下「免責期限」という。）を定めることができる。

2　免責期限が定められた場合において、免責期限が到来する日の前日までに履行期限が到来する特定義務が免責期限が到来する日までに履行されたときは、当該特定義務が東京都特定非常災害により履行されなかったことについて、責任は問われないものとする。

3　免責期限が定められた後、前二項に定める免責の措置を免責期限が到来する日の翌日以後においても特に継続して実施する必要があると認められるときは、規則で、特定義務の根拠となる条例等の条項ごとに、新たに、当該特定義務の不履行についての免責に係る期限を定めることができる。この場合において、当該特定義務が当該期限が到来する日までに履行されたときは、当該特定義務が東京都特定非常災害により履行されなかったことについて、責任は問われないものとする。

4　前三項の規定にかかわらず、特定義務が災害その他やむを得ない事由によりその履行期限が到来するまでに履行されなかった場合について他の条例等に別段の定めがあるときは、その定めるところによる。

**（新型インフルエンザ等のまん延の影響を受けた者の権利利益の保全等）**

**第五条**　前三条の規定は、新型インフルエンザ等対策特別措置法（平成二十四年法律第三十一号）第三十二条第一項に規定する新型インフルエンザ等緊急事態（新型インフルエンザ等が全国的かつ急速にまん延し、国民生活及び国民経済に甚大な影響を及ぼしている場合に限る。）について準用する。この場合において、第二条の見出し中「東京都特定非常災害」とあるのは「東京都特定新型インフルエンザ等緊急事態」と、同条第一項中「非常災害の被害者」とあるのは「新型インフルエンザ等のまん延の影響を受けた者」と、「東京都特定非常災害として」とあるのは「東京都特定新型インフルエンザ等緊急事態として」と、「東京都特定非常災害が」とあるのは「東京都特定新型インフルエンザ等緊急事態が」と、「東京都特定非常災害発生日」とあるのは「東京都特定新型インフルエンザ等緊急事態発生日」と、同条第二項中「東京都特定非常災害」とあるのは「東京都特定新型インフルエンザ等緊急事態」と、第三条第一項中「東京都特定非常災害の被害者」とあるのは「東京都特定新型インフルエンザ等緊急事態における新型インフルエンザ等のまん延の影響を受けた者」と、「東京都特定非常災害発生日」とあるのは「東京都特定新型インフルエンザ等緊急事態発生日」と、同条第三項中「東京都特定非常災害の被害者」とあるのは「東京都特定新型インフルエンザ等緊急事態における新型インフルエンザ等のまん延の影響を受けた者」と、第四条第一項中「東京都特定非常災害発生日」とあるのは「東京都特定新型インフルエンザ等緊急事態発生日」と、同項から同条第三項までの規定中「東京都特定非常災害に」とあるのは「東京都特定新型インフルエンザ等緊急事態に」と読み替えるものとする。

**附　則**

この条例は、公布の日から施行する。

**附　則**（令二・六・一七条例六〇）

1　この条例は、公布の日から施行する。

2　この条例による改正前の東京都における新型コロナウイルス感染症のまん延の影響を受けた者の権利利益の保全等を図るための特別措置に関する条例（以下「改正前の条例」という。）第二条及び第三条の規定並びにこれらの規定によりした処分、手続その他の行為は、改正前の条例の施行の際現に発生している新型コロナウイルス感染症（新型インフルエンザ等対策特別措置法（平成二十四年法律第三十一号）附則第一条の二第一項に規定するものをいう。）のまん延について、なお効力を有する。

**附　則**（令三・六・一四条例五八）

この条例は、公布の日から施行する。

**都政六法〔令和７年版〕**

昭和30年３月15日　初版発行
令和６年12月20日　７年版第１刷発行

不許複製

編　者　学陽書房編集部
発行者　佐久間重嘉

発行所　学陽書房
〒102-0072　東京都千代田区飯田橋1-9-3
（営業）TEL. (03) 3261-1111（代）
FAX. (03) 5211-3300
（編集）TEL. (03) 3261-1112（代）
FAX. (03) 5211-3301
https://www.gakuyo.co.jp/

Printed in Japan.

ISBN978-4-313-01002-4 C2032　　印刷・製本：三省堂印刷